LA BIBLE

SIXIÈME ÉDITION

PC

PROGRAMMATION

SYSTEME

CD-ROM   OFFERT

MICRO APPLICATION

Copyright	© 1997	Data Becker GmbH & Co. KG Merowingerstr. 30 40223 Düsseldorf
	© 1997	Micro Application 20-22, rue des Petits-Hôtels 75010 Paris **Téléphone :** 01 53 34 20 20 **Télécopie :** 01 53 34 20 00 **Internet :** http://www.microapp.com **CompuServe :** 100270,744
Auteurs		Michael Tischer et Bruno Jennrich
Traducteurs		Hassina Abbasbhay, Christophe Stehly, Fawzi Benachera Serge Israël, Alexandre Ungerer

ISBN : 2-7429-0544-8
RÉF DB : 441169/VM/1

Préface

L'informatique a connu ces dix dernières années des bouleversements importants dans l'aspect matériel des ordinateurs et par voie de conséquence, dans la programmation système. Il y a environ dix ans, lorsque parut la première édition de La Bible PC, le terme PC ne représentait qu'un simple système équipé du processeur 8088, un bus grossier, un BIOS en ROM, 256 Ko de RAM et une carte texte monochrome. Aujourd'hui, on ne parle plus que de processeurs 32 bits intelligents, de bus PCI ou EISA, de cartes graphiques SVGA, de VESA, de cartes son, etc. La liste serait trop longue pour décrire ici toutes ces formidables évolutions.

Ces nouveaux ordinateurs graphiques, puissants et multimédia, accessibles à un nombre sans cesse croissant d'utilisateurs, ont profondément modifié la donne dans les installations lourdes. On ne peut aujourd'hui imaginer un système informatique sans PC, que celui-ci soit un serveur, un poste de travail ou simplement un terminal. Et les notions qui nous viennent à l'esprit sont bien entendu "réseau", "communication" et "transfert de fichiers". Ces concepts si vastes, si inquiétants pour certains, font aujourd'hui partie de notre environnement ; il faut savoir les intégrer et les maîtriser.

Parallèlement, un autre phénomène a progressé au pas de charge, si bien que personne, pas même le non-informaticien ne peut l'ignorer actuellement : Windows. Microsoft a publié dans les deux dernières années des interfaces logicielles et des API à un rythme effréné : Windows 95, extensions NT, OLE, MAPI, TAPI, WinG,..., la liste pourrait presque se prolonger à volonté, sans parler des domaines du multimédia et des réseaux. Il semblerait qu'une petite armée de développeurs ne s'occupe que de générer des API.

C'est pour cela que les chapitres consacrés à Windows 95 constituent le point fort de cette nouvelle édition qui aborde ainsi un sujet très actuel, qui va encore nous préoccuper pendant de nombreuses années. Du point de vue de la programmation, Windows 95 marque une rupture décisive avec le monde ancien du DOS. Même si çà et là, Windows 95 marche encore dans les traces de son passé "16 bits", le nouveau système montre clairement la voie du futur avec son API Win32. Cette dernière occupe donc la majeure partie des nouveaux chapitres. Même si la plupart des anciennes applications 16 bits fonctionnent sans problème sous Windows 95, il est indispensable de les porter vers Windows 95. Ce qui veut dire : passage à l'API Win32, mise en oeuvre du multitâche préemptif, accès à la nouvelle mémoire virtuelle et ainsi de suite. Par ailleurs, l'interface utilisateur ne doit pas demeurer en reste. Nous lui consacrons deux chapitres détaillés traitant notamment du shell, des nouveaux contrôles système. Le tout est bien sûr accompagné de nombreux exemples de programmes pour faciliter la conversion et servir de base à vos propres travaux avec l'API Win32.

C'est dans ce contexte général en ébullition que j'ai réalisé cette nouvelle édition de la Bible PC. Pour donner à tous les programmeurs les moyens de comprendre et d'exploiter les évolutions matérielles, système et logicielles des PC. Pour leur permettre d'aller plus haut, plus loin, de ne pas se cantonner à des compatibilités vieillissantes et de ne pas confondre ni réduire une carte SVGA à une simple carte VGA. Pour leur donner une longueur d'avance sur toutes les modifications introduites dans DOS et Windows et évoluer dès maintenant vers les nouvelles technologies. Pour analyser le fonctionnement des DOS Extenders, mettre en oeuvre les mécanismes du mode protégé et surtout entrer de plain-pied dans la programmation de l'interface universelle que représente Windows.

En raison de la profusion des cartes SCSI, des machines multimédia équipées de cartes son et de lecteurs de CD-ROM, j'ai consacré des chapitres spécifiques à la gestion des IRQ, au fonctionnement des lecteurs de CD-ROM et à la programmation des cartes Sound Blaster (synthèse FM, échantillonnage, sortie vocale...).

ISDN, ou RNIS, est un autre sujet qui nous accompagnera pendant les prochaines années. Le PC joue un rôle tout à fait important dans ce domaine. La partie de cet ouvrage spécialement consacrée à ISDN traite du fonctionnement général de ce type de réseau et du développement de logiciels permettant de transformer un PC en terminal multifonctionnel du réseau ISDN, par exemple pour transmettre des données. Tout le monde parle aussi d'Internet et des nouveaux services en ligne. Nous étudierons le support qui, sous Windows 95, ouvre la voie aux autoroutes de l'information.

Ce que j'ai voulu réaliser avant tout, c'est un livre, un vrai livre qui apporte la lumière sur toute la programmation de tous les composants d'un PC. J'ai conçu le maximum d'exemples pour que le lecteur puisse mettre en pratique toutes les techniques de programmation.

 Sur le CD-ROM accompagnant cet ouvrage, vous trouverez bien entendu tous les programmes en code source qui n'ont pu être imprimés faute de place. Ceux-ci sont répartis dans deux répertoires nommés CHAPITRE et LANGAGE. L'icône ci-contre vous signalera dans le livre le nom du ou des programmes illustrant le chapitre en cours, et que vous pourrez trouver sur le CD-ROM.

Ce dernier fournit également un fichier d'aide au format Windows pour accéder à la liste des interruptions et fonctions BIOS et DOS ainsi qu'un autre vous permettant d'accéder directement et suivant différents critères, aux nombreux programmes d'exemple.

Je tiens enfin à remercier ici tous ceux qui ont contribué à cette nouvelle édition, notamment l'homme au doigts véloces, mon collègue Brüno Ferrari, et mon précieux relecteur, Ingo Pahl. Mettre sur pied une nouvelle version de la Bible PC demande toujours énormément de travail mais je crois que cela en valait la peine.

Permettez-moi de vous souhaiter, chers lectrices et lecteurs, beaucoup de plaisir à la consultation de ce livre, en espérant que vous y trouverez des explications enrichissantes et de quoi faciliter un peu votre travail.

Cordialement vôtre,

Michael Tischer

SOMMAIRE

Partie 1

Les bases de la programmation système

1. Le PC et la programmation système

La première partie de cet ouvrage est consacrée aux fondements de la programmation système. Il y sera question de sa nature, de ses buts, de ses méthodes et de ses outils. Les différentes parties du PC et les rôles respectifs du matériel, du BIOS et de DOS seront soigneusement étudiés. Mais pour commencer, il faut d'abord se demander ce qu'est la programmation système.

1.1. Qu'est-ce que la programmation système ?

Lorsque l'on débute sur PC et que l'on pose cette question, on est amené à entendre toutes sortes de réponses parfois fort curieuses. Les uns tiennent la programmation système pour une philosophie, une technique de programmation qui montre comment passer d'un projet à sa réalisation concrète. Ce point de vue est erroné. D'autres soutiennent que la programmation système existe parce que des programmes développés sur un certain système ne marchent pas sur les autres. Ce n'est pas tout à fait faux, mais nous ne nous trouvons pas encore au coeur de la vérité.

A mon avis, il est plus facile de définir la programmation système par rapport à la programmation des applications. Programmer des applications revient à manipuler des informations, à les ranger dans des listes, des arbres et à les traiter de diverses façons. Les algorithmes qui interviennent sont indépendants du système d'exploitation, ils peuvent être repris pour tous les ordinateurs existants (de type machine de Turing). Par contre la façon dont les données parviennent à l'"intérieur" du programme et dont elles ressortent après traitement dépend du système. C'est là l'affaire de la programmation système, dont on peut ainsi définir le domaine : l'accès aux fichiers, le clavier, l'écran et tous les dispositifs qui introduisent ou font sortir des informations de l'ordinateur.

Comme chaque programme communique nécessairement avec le monde extérieur, la programmation système en recouvre nécessairement un aspect, mais l'inverse est également vrai : un programme système comporte forcément des traitements qui le classent en partie dans la catégorie des applications. Il paraît donc évident que la programmation d'un micro-ordinateur ne puisse pas être limitée à la programmation d'application, elle comporte inévitablement une part de programmation système.

Il n'est pas juste de réduire la programmation système à l'interrogation du clavier et l'affichage sur écran. La programmation système se préoccupe de l'accès à toutes les ressources du PC : en plus du clavier, de l'écran et de tous les périphériques il faut aussi prendre en compte la mémoire vive et le processeur. Ce n'est pas seulement la programmation du matériel qui est visée mais aussi la collaboration avec DOS et le BIOS en ROM. Nous aborderons ce dernier sujet dans le prochain chapitre.

1.2. Le modèle à trois couches

L'une des tâches fondamentales de la programmation système consiste à accéder au matériel constituant le PC, comme nous venons de le voir. Cet accès ne se fait pas nécessairement de manière directe : ainsi les programmes système n'écrivent pas forcément dans les circuits d'une carte vidéo ("contrôleur vidéo"). La manière usuelle de procéder consiste à utiliser un intermédiaire qui propose des services spécialisés. Cet intermédiaire peut être le BIOS ou le DOS, qui sont justement des interfaces logicielles créées pour gérer le matériel.

Avantages des interfaces de DOS et du BIOS

Le grand avantage pour le programme est qu'il n'est pas obligé de "se salir les mains" car il n'entre pas en contact avec l'électronique. Il se contente d'appeler une routine du BIOS qui prend en charge le travail demandé, par exemple en testant si une touche du clavier a été enfoncée et le cas échéant en indiquant de laquelle il s'agit. Le programmeur évite beaucoup de peine car programmer un appel de fonction est en général infiniment plus simple que de prévoir un accès direct au matériel. Mais ce n'est pas le seul avantage.

Les interfaces du BIOS et de DOS prennent également soin d'isoler les programmes des caractéristiques physiques du matériel. C'est ainsi que les cartes graphiques monochromes (MDA, Hercules) se commandent d'une toute autre façon que les cartes graphiques couleur (CGA, EGA, VGA, super VGA). Si un programme devait supporter toutes ces cartes, il lui faudrait prévoir des routines pour tous les standards vidéo, ce qui représenterait un surcroît de travail considérable. Mais les fonctions du BIOS qui se chargent de l'affichage sont paramétrées pour exploiter la carte installée, de sorte qu'elles peuvent être appelées par un programme sans que ce dernier ait à se faire du souci à propos du type de carte en service.

Le BIOS

Comme le montre l'illustration suivante, le BIOS peut être considéré comme une couche située juste au-dessus du matériel. Il permet d'accéder aux composants suivants :

- ○ carte vidéo
- ○ mémoire vive (étendue)
- ○ disquettes
- ○ disques durs
- ○ interfaces série
- ○ interfaces parallèles
- ○ clavier
- ○ horloge CMOS

Un programme pourrait court-circuiter le BIOS en accédant directement au matériel, mais dans la plupart des cas il gagne à se servir des fonctions du BIOS dont les services sont standardisés et identiques dans tous les PC. Par ailleurs le BIOS se trouve en ROM et cette ROM qui fait partie des circuits de la carte mère du PC est immédiatement accessible dès le démarrage du PC. Nous étudierons le BIOS et ses fonctions au chapitre 3.

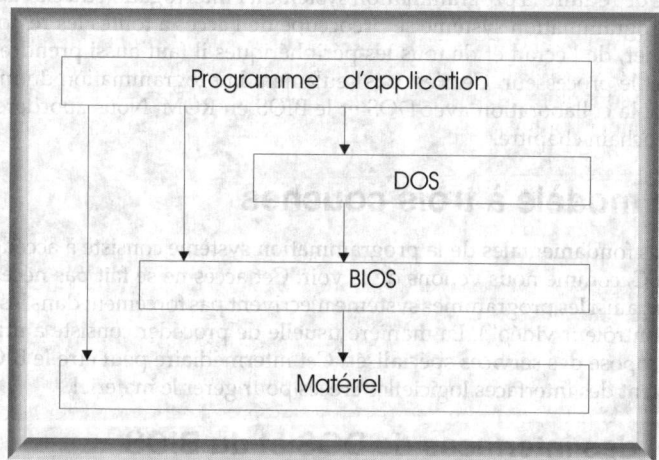

Le modèle à trois couches

L'interface DOS

Tout comme le BIOS, le DOS propose également des fonctions d'accès au matériel. Elles présentent cependant un autre caractère que les fonctions du BIOS car elles considèrent le matériel non pas sous son angle physique mais comme un dispositif logique. Dans le cas des disquettes et des disques durs, le phénomène est particulièrement évident : alors que le BIOS raisonne en pistes et en secteurs, le DOS se place au niveau des fichiers et des sous-répertoires.

On peut ainsi s'adresser au DOS en lui demandant d'ouvrir tel fichier et d'en extraire les 1000 premiers caractères sans se préoccuper de l'emplacement du fichier sur le disque. Il n'est même pas utile de connaître le type de la mémoire de masse (disquette, disque, serveur de réseau), il suffit de désigner le périphérique par une lettre (comme A: ou C:) pour que le DOS sache à quoi il aura affaire.

Il est vrai que l'accès ne sera pas uniquement régi par le DOS : le BIOS sera impliqué dans le mécanisme. Il se pourrait dans certaines situations que le DOS accède directement au matériel mais peu importe pour le programmeur.

Le chapitre 3 vous montrera comment appeler les fonctions du BIOS et du DOS. Mais quelle est la meilleure voie pour accéder au matériel : faut-il user de la programmation directe, faire appel aux fonctions du BIOS ou à celles du DOS ?

Le choix du service

Il faut d'abord bien se rendre compte que l'on n'a pas toujours le choix entre programmation directe du matériel, et fonctions du BIOS ou du DOS. Il existe toute une série de tâches qui ne sont couvertes ni par le BIOS ni par le DOS. Si vous voulez tracer des cercles ou des droites dans le mode graphique de votre carte vidéo, vous pouvez toujours chercher la fonction du BIOS ou du DOS correspondante : elle n'existe pas ! Il faut alors piloter soi-même le matériel ou recourir à des bibliothèques du commerce qui sont spécialisées dans ce domaine.

Lorsque des fonctions du BIOS et du DOS se disputent la faveur du programmeur, la décision se fera en fonction de l'application concernée. Pour travailler avec des fichiers, l'usage du DOS est inévitable mais pour formater une disquette ou pour écrire un caractère sur l'écran c'est le passage par le BIOS qui est obligatoire. Si vous désirez que les sorties de votre programme puissent être détournées de l'écran sur un fichier (comme dans la commande DOS *dir > liste.txt*), vous devrez recourir aux fonctions de DOS qui sont les seules à gérer ce mécanisme. Mais les fonctions du BIOS sont plus sérieuses dans le contrôle de l'affichage, le DOS n'étant même pas capable de positionner librement le curseur. Vous voyez que le choix s'opère au cas par cas.

Dans certains cas la vitesse d'exécution constitue un inconvénient majeur des fonctions du BIOS ou de DOS. Car plus il y a de couches à traverser pour convertir l'intention d'un programme (par exemple l'affichage d'un caractère) en accès au matériel, plus l'exécution se trouvera ralentie. Lors de la lecture d'un fichier, la vitesse de transfert des données issues du disque dur est réduite de 80 % lorsqu'on passe de la commande directe du matériel au programme à travers les fonctions du BIOS et du DOS.

Le ralentissement est dû à la gestion des différentes couches. Avant de transmettre le contrôle à une autre couche, il faut convertir de nombreux paramètres, charger des informations dans des tables internes, constituer des mémoires tampons, etc... Le temps perdu de cette façon est appelé *overhead*, plus il est important, plus il dégrade l'humeur du programmeur.

Lorsque la vitesse d'exécution est un facteur crucial et que la programmation directe du matériel n'est pas trop difficile, on s'y résout finalement en laissant de côté les fonctions du BIOS ou du DOS. L'affichage en mode texte constitue un bon exemple. Pratiquement tous les

programmes commerciaux s'engagent dans cette voie car dans ce domaine les fonctions du BIOS et du DOS manquent de souplesse et de vélocité. Comme nous le verrons au chapitre 9, il est relativement facile de commander une carte vidéo en mode texte. En mode graphique par contre c'est une autre paire de manches.

Nous allons examiner comment on appelle les services de DOS et du BIOS et comment on commande directement le matériel. Mais auparavant il nous faut jeter un coup d'œil attentif sur les composants du PC.

1.3. Compréhension de base du matériel

Lorsqu'on se lance dans la programmation système, on est confronté à l'architecture de base du PC. Une compréhension minimale du matériel est obligatoire pour assimiler de nombreuses questions abordées dans cet ouvrage.

1.3.1. La naissance du micro-ordinateur

Le micro-ordinateur est né à une époque où beaucoup de choses qui paraissent naturelles aujourd'hui n'étaient même pas imaginables. L'idée d'offrir un mini-ordinateur disponible sur un simple bureau n'était pas nouvelle mais elle ne pouvait être réalisée que par des firmes d'une envergure comparable à IBM. IBM, justement, venait d'achever le projet d'un système appelé System 23 / Data Master mais ce Data Master était équipé d'un processeur 8 bits 8085 d'Intel, un composant déjà dépassé à l'heure où apparaissaient les unités centrales à 16 bits. Il s'agissait alors de préparer rapidement une machine nouvelle et révolutionnaire.

Choix du processeur

Les premiers représentants de la nouvelle classe des 16 bits étaient les processeurs 8086 et 8088 d'Intel. L'un et l'autre disposaient de registres de 16 bits et pouvaient adresser, non plus 64 Ko, mais 1 Mo de mémoire. Cette capacité paraissait alors démesurée, un peu comme nous percevons une RAM de 1 Go aujourd'hui.

Elle ne constituait pas la seule raison qui conduisit au choix de ces processeurs. D'autres circonstances jouèrent un rôle important. L'équipe de développement travaillait dans le cadre d'un planning très serré et les processeurs en question disposaient déjà d'une gamme de circuits auxiliaires compatibles. Ces circuits étaient indispensables car l'intégration des fonctions n'était pas aussi développée que maintenant. Par ailleurs, une jeune société particulièrement dynamique, Microsoft, avait mis au point un système d'exploitation et un interpréteur BASIC pour les deux processeurs.

Les responsables optèrent pour le 8088 qui par rapport à son concurrent, le 8086, avait l'avantage de travailler en 16 bits au niveau interne, tout en communiquant avec l'extérieur par un bus de données à 8 bits. Pour ce qui était du bus de données à 8 bits, on disposait déjà de celui du Data Master.

Ce bus relie la carte mère du PC, qui contient le processeur et ses circuits auxiliaires, à la mémoire et aux cartes d'extension engagées dans les connecteurs. C'est ici le moment de le regarder de plus près.

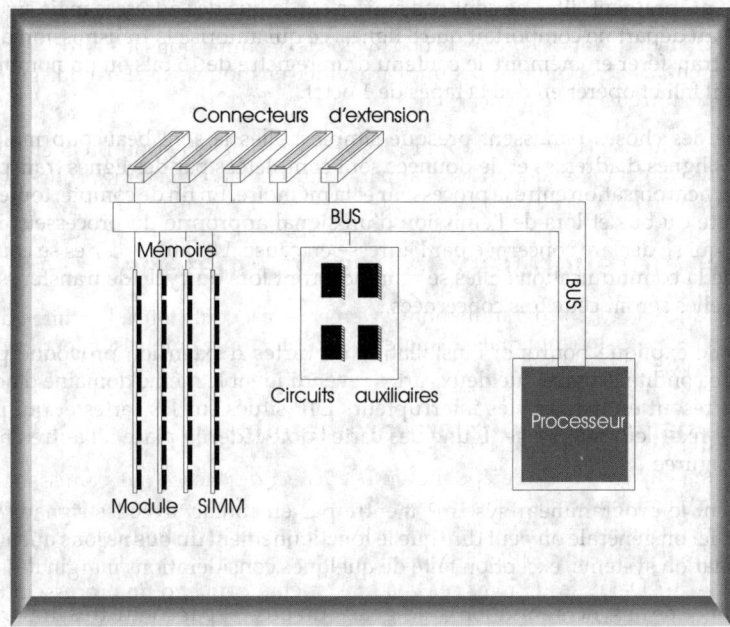

Architecture d'un PC

1.3.2.   Le bus

Bien que le bus joue un rôle tout à fait élémentaire dans le fonctionnement d'un ordinateur, son développement constitue un des chapitres les plus sombres de l'histoire de la micro-informatique. Tandis qu'IBM s'efforçait de réaliser un système ouvert et d'en publier tous les aspects techniques, la documentation des signaux du bus fut négligée, probablement parce qu'on pensait qu'elle n'intéressait personne.

Tel ne fut pas le cas car l'un des facteurs qui assura le succès du PC fut son ouverture et la possibilité d'y intégrer sans problème des cartes d'extension du matériel. De nombreux utilisateurs exploitèrent cette possibilité en achetant non seulement des cartes d'extension fabriquées par IBM mais aussi des cartes en provenance d'autres fournisseurs. Car le PC rend accessible à l'extérieur tous ses bus de données et d'adresses en y raccordant la mémoire vive, les cartes d'extensions et certains circuits auxiliaires.

Fonctionnement du bus PC

Le bus n'est au fond rien d'autre qu'un câble de 62 lignes qui permet de faire passer des données du processeur à la mémoire et vice-versa. Il constitue une sorte d'autoroute qui traverse le PC, réglementée par le processeur.

On y distingue plus précisément deux voies : le bus de données et le bus d'adresses. A chaque accès mémoire, le processeur dépose sur le bus d'adresses l'adresse de la mémoire visée. Chaque ligne a une signification binaire, elle peut être à 0 ou à 1 et l'ensemble des lignes forme un nombre qui désigne une mémoire (=une adresse). Plus le nombre de lignes est important, plus le nombre d'adresses accessibles augmente. A l'origine, le bus d'adresses comportait 20 lignes car avec ce nombre il est possible d'adresser 1 Mo de mémoire, ce qui correspondait à la capacité du processeur.

Les données proprement dites ne sont pas émises sur le bus des adresses mais sur le bus des données qui au départ ne comportait que 8 lignes, ce qui autorise la transmission d'un octet à la fois. Pour transférer en mémoire le contenu d'un registre de 16 bits ou un nombre exprimé avec 16 bits, il fallait opérer en deux étapes de 1 octet.

Si en théorie, les choses paraissent presque simples, elles le sont beaucoup moins dans la pratique. Les lignes d'adresses et de données sont complétées par des lignes transportant des signaux de synchronisation entre le processeur et la mémoire. En fin de compte, toutes les cartes sont à l'écoute du bus et lors de l'émission d'un signal approprié du processeur il doit s'en trouver une qui se déclare concernée par l'adresse en cause. Les autres cartes se coupent alors de la suite de la communication : elles se rebrancheront lors du cycle de transfert suivant, en espérant qu'elles seront cette fois concernées.

Ce mécanisme explique pourquoi l'installation de cartes d'extension provoque parfois des problèmes de conflit : il arrive que deux cartes revendiquent le même domaine d'adresses. Le problème se résout en maniant les interrupteurs DIP situés sur les cartes et qui permettent justement de fixer leur adressage. L'une des cartes doit céder la place à l'autre en acceptant d'être reconfigurée.

Heureusement le programmeur système n'entre pas en contact avec les signaux du bus, et même d'une façon générale on peut dire que le fonctionnement du bus ne joue aucun rôle dans la programmation système, exception faite de quelques considérations marginales.

La connaissance de la synchronisation des signaux du bus est par contre très importante pour les fabricants de cartes d'extension qui doivent respecter les protocoles en vigueur sous peine de voir défaillir les ordinateurs. Pourtant IBM n'a jamais publié ce protocole. Les fabricants furent obligés de tester en profondeur les cartes existantes pour pouvoir les reproduire. Dans ces conditions il n'est pas étonnant que de temps à autre certaines d'entre elles dépassant les tolérances admissibles aient rencontré des problèmes.

Le bus At

Ce n'est qu'en 1991 qu'un standard international en la matière fut publié par l'institut américain IEEE (Institute of Electrical and Electronic Engineers) mais il ne concerne que le bus AT. Car le bus du PC a connu une évolution. Si tout à l'heure nous l'avons comparé à une autoroute, il ne faut pas oublier cependant que ses voies étaient limitées à 8 bits. Lorsque l'AT fut introduit, il fut doté d'un nouveau bus de 16 bits de large, tout en demeurant compatible avec son prédécesseur. Les anciennes cartes de 8 bits pouvaient coexister avec les nouvelles cartes de 16 bits à l'intérieur d'un AT. Bien entendu les cartes de 16 bits sont plus performantes, elles traitent deux fois plus de données par unité de temps que les 8 bits.

Le bus d'adresses fut également amélioré : son nombre de lignes fut porté à 24, de sorte que l'AT était capable d'adresser 16 Mo de mémoire. Par ailleurs la fréquence des signaux de contrôle fut augmentée, ce qui accélérait l'ensemble des échanges sur le bus. Alors que le PC de base fonctionnait à 4,77 MHz, on eut le loisir de bénéficier d'une cadence de 8 MHz qui est restée malheureusement au même point bien que les unités Intel aient atteint aujourd'hui la limite des 100 MHz. En conséquence, le bus finit par représenter un goulot d'étranglement, les données restant toujours à la traîne entre la mémoire et le processeur. Les nouveaux disques durs ont maintenant des vitesses de transfert supérieures à celle du bus.

Les cartes d'extension durent être munies de freins de secours : les "wait state signals" qui permettent aux composants trop lents de fournir à leur rythme des données au processeur.

Le bus AT a ensuite trouvé ses successeurs : le Micro Channel utilisépar IBM et le bus Eisa qui sont plus puissants mais ne se sont pas réellement imposés sur le marché. Jusqu'à leur

apparition, le bus AT n'avait même pas de nom précis, c'est pourquoi face à la concurrence on le baptisa à la hâte bus ISA (Industrie Standard Architecture). Aujourd'hui, on voit apparaître une autre norme de bus nommé bus PCI.

Les problèmes posés par les cartes de bits sur le bus de l'AT

La plupart des AT 386 et 486 étant fournis avec un bus ISA, le monde du PC se débat encore dans quelques problèmes suscités par le bus originel de l'AT. La coexistence de cartes d'extension 8 bits et 16 bits se fait difficile lorsque les adresses attribuées à ces cartes se trouvent dans une même zone de 128 Ko. Le dilemme commence lorsqu'une carte de bits signale sur une ligne de contrôle, au début d'un transfert de données, qu'elle est en mesure de prélever un mot de 16 bits sur le bus, n'étant pas obligée comme une carte de bits de faire un découpage en deux octets.

Le signal en question doit être émis à un moment où la carte ne sait pas encore qu'elle est adressée. Car sur les 24 lignes du bus d'adresses, seules les lignes A17 à A23 sont initialisées à ce moment précis : la carte ne connaît donc que les bits 17 à 23 de l'adresse. Ces bits recouvrent une zone de 128 Ko, indépendamment du contenu des bits 0 à 16 qui vont suivre. La carte sait simplement que l'adresse se trouve entre 0 et 127 Ko, ou 128 et 256 Ko , etc.

Si à ce moment la carte 16 bits envoie le signal pour demander une transmission sur 16 bits, elle se fait l'interprète de toutes les cartes situées dans la même zone de mémoire. Celles-ci en ressentent le contrecoup à l'instant d'après car les bits 0 à 16 vont arriver sur le bus d'adresses, ce qui va déterminer laquelle des cartes était véritablement concernée. S'il s'agit effectivement d'une carte 16 bits, tout est parfait. Mais si c'était une carte 8 bits qui était visée, la carte 16 bits se déconnecte de la communication et laisse à son destin la carte 8 bits. Mais cette dernière, ne fonctionnant qu'avec 8 bits, ne pourra pas se débrouiller correctement avec les informations reçues. Une erreur va donc se produire dans son fonctionnement.

Bus PCI et Vesa Local Bus

Compte tenu des limitations du bus AT et de l'incapacité des bus EISA et MCA à pénétrer le marché, d'autres bus furent développés au cours de ces dernières années. Le coup d'envoi fut donné par Vesa Local Bus (bus VLB) conçu et distribué par le comité VESA. Le comité VESA s'est fixé comme but de définir un standard dans le domaine des cartes graphiques et de se détacher ainsi le plus possible de l'architecture du bus PC. Mais les cartes graphiques d'antan et d'aujourd'hui souffrent de la faible vitesse du bus AT. C'est pourquoi le comité VESA émit le vœu de concevoir un bus plus rapide, en l'occurrence Vesa Local Bus.

Contrairement à EISA, MCA et PCI le bus VLB ne remplace pas mais étend le bus ISA. Un PC équipé d'un bus VLB dispose du bus ISA et des slots adéquats pour les extensions de cartes. De plus, un PC muni d'un bus VLB contient un ou deux slots supplémentaires conçus pour accueillir des cartes VLB - du moins des cartes graphiques. Seuls ces slots sont liés au CPU *via* le bus VLB de sorte que les autres slots restent à la disposition des cartes ISA qui assurent tranquillement leurs services.

Le simple nom du bus VLB fait suggérer qu'il s'agit là d'un bus local. Il est couplé directement au CPU contrairement au bus ISA. Cela lui confère d'une part un taux de fréquence particulièrement élevé (celui du CPU) mais le rend d'autre part tributaire des lignes de contrôle du CPU et de la fréquence. A ces inconvénients s'ajoute la négligence du comité VESA à ne pas avoir éclairci tous les points noirs de la spécification. Le résultat final fut que le bus VLB n'arriva plus à suivre la course. Bien qu'il se rencontre encore dans les 486 de qualité, il n'en reste pas moins que son épopée est largement révolue.

Le bus du futur est en effet représenté par le bus PCI de Intel. PCI, abréviation de Peripheral Component Interconnect, correspond à un bus moderne qui met de côté le bus ISA eu égard à la fréquence mais aussi à une plus grande largeur de bus. La correspondance des extensions de cartes installées avec les adresses de port, les canaux DMA et les interruptions est enfin automatisée tant et si bien que l'utilisateur n'a plus besoin de se soucier à ce propos.

Le bus PCI n'est pas tributaire du CPU car un contrôleur de bus PCI reste en activité entre le CPU et le bus PCI. Cela permet d'instaurer le bus PCI dans des systèmes qui ne reposent pas sur un processeur INTEL mais par exemple sur un processeur Alpha de DEC. De même, les Power Macintosh de Apple munis d'un processeur PowerPC seront désormais équipés d'un bus PCI. Les extensions de cartes PCI peuvent fonctionner dans tous les systèmes équipés d'un bus PCI et ils peuvent être échangés à volonté. La seule contrainte est que les drivers logiciels doivent être adaptés au système hôte c'est-à-dire le CPU concerné.

Par ailleurs, le bus PCI ne dépend pas de la fréquence du CPU car il est séparé du CPU par le biais du contrôleur de bus PCI. Si vous installez un CPU plus rapide, vous n'avez donc plus à craindre que les extensions de cartes ne supportent pas les hautes fréquences. La séparation entre le CPU et le bus PCI fait que ces fréquences élevées ne produisent aucune incohérence. L'une des plus importantes lacunes et difficultés du bus VLB est ainsi contournée d'avance.

Les ordinateurs modernes à base de Pentium sont fournis presque exclusivement avec un bus PCI. De même, le bus PCI est largement répandu sur les cartes mères 486. Bien que les cartes ISA ne soient pas exploitables dans un slot PCI, il n'en reste pas moins que le recours aux cartes ISA s'avère indispensable dans la plupart des systèmes équipés d'un bus PCI. Il n'est d'ailleurs pas rare qu'une carte équipée d'un bus PCI contienne ce qu'on appelle un *PCI-To-ISA-Bridge*. Il s'agit d'une puce qui est activée entre les divers slots ISA et le contrôleur de bus PCI. Son rôle consiste à transmettre au bus ISA les signaux provenant du bus PCI. Les cartes ISA peuvent ainsi être exploitées depuis le bus PCI.

Bien que le bus PCI appartienne au futur, il reste encore loin derrière le bus ISA et les extensions de cartes ISA. Toutes les extensions de cartes n'ont pas nécessairement besoin de fonctionner avec une vitesse de transfert aussi élevée que celle procurée par le bus PCI. Ce sont surtout les cartes graphiques, SCSI et les cartes réseaux qui feront un usage excessif du bus PCI. Pour ces cartes, l'accroissement de la vitesse du bus représente un grand atout permettant au matériel de suivre de près la vitesse sans cesse croissante du processeur.

1.3.3. Les circuits auxiliaires

Le processeur est entouré de petits circuits complémentaires dont la fonctionnalité demeure, même si de nos jours ils sont fabriqués par d'autres fournisseurs et s'ils sont davantage intégrés jusqu'à parfois ne faire qu'un avec lui. Ces circuits sont parfois appelés des contrôleurs car ils "contrôlent" (commandent) une partie du matériel par délégation du processeur qui se décharge ainsi d'une partie de son travail. En contrepartie, le programme en cours s'exécute plus rapidement du point de vue de l'utilisateur.

Les paragraphes suivants décrivent les différents contrôleurs en mentionnant le type de circuit mis en service à l'origine par IBM. Lorsqu'ils sont programmables et que leur programmation est utile sous l'angle de la programmation système, leur étude est reprise plus loin dans ce livre, en liaison avec le matériel associé.

Le contrôleur DMA (8237)

DMA veut dire *Direct Memory Access*, un acronyme qui décrit une technique de transfert des données. Dans cette technique, les données issues d'un périphérique (par exemple d'un disque dur ou d'un lecteur de disquette) sont canalisées directement dans la mémoire. Dans les conditions de fonctionnement classique, le processeur réclame les données au périphérique octet par octet, ou mot par mot, avant de les envoyer dans la RAM. Lié au rythme du bus, l'accès DMA fait gagner du temps lorsque le processeur est lent. Mais les processeurs les plus modernes travaillent aujourd'hui cinq fois plus vite que le bus : l'avantage de l'accès DMA disparaît en conséquence, sans oublier que le circuit en question est plutôt obsolète. Il serait intéressant qu'il puisse déplacer de grandes quantités de données de la mémoire centrale dans la mémoire d'écran, mais là encore il est trop lent. Malgré tout le contrôleur DMA est toujours présent dans les PC. Il est vrai qu'il ne remplit plus du tout sa fonction d'origine qui consistait à accélérer les transferts entre disque(tte) et mémoire centrale. L'AT en possède même deux. Son nouveau rôle est de rafraîchir la mémoire vive (processus dit de *Ram Refresh*).

Les micro-ordinateurs actuels sont en effet équipés de mémoire dynamique (DRAM, dynamic RAM) par opposition à la mémoire statique (SRAM, static RAM). La mémoire dynamique perd ses informations au bout de quelques fractions de seconde, il faut la soumettre à une recharge électrique incessante. Ce rafraîchissement est pris en charge par le contrôleur de DMA qui décharge ainsi le processeur d'une besogne harassante.

Le contrôleur d'interruption (8259)

Le contrôleur d'interruption joue un rôle central dans la commande des périphériques comme le clavier, le disque dur ou l'interface série. En théorie, un clavier devrait être sans cesse interrogé par le processeur pour que toute frappe puisse être immédiatement prise en compte. Mais cette scrutation permanente ("polling") consommerait des ressources précieuses, car la plupart du temps elle ne servirait qu'à constater qu'il ne s'est rien passé, l'utilisateur ne pouvant taper des informations au rythme de travail de l'ordinateur. Si on ralentit la fréquence d'interrogation du clavier, on diminue la vitesse de réaction des programmes, ce qui n'est pas non plus intéressant. Une autre voie a donc été choisie. Ce n'est plus le processeur qui interroge les périphériques mais les périphériques qui se signalent à lui lorsqu'une information doit être traitée. Le mécanisme porte le nom d'interruption matérielle : le processeur interrompt en effet le programme en cours pour déclencher une routine appelée gestionnaire d'interruption, généralement mise à disposition par le BIOS et qui est capable de traiter la demande émise. Quand cette routine est achevée, le processeur poursuit l'exécution du programme interrompu, comme si rien ne s'était passé. On voit donc que le processeur n'est mis à contribution qu'en cas de besoin.

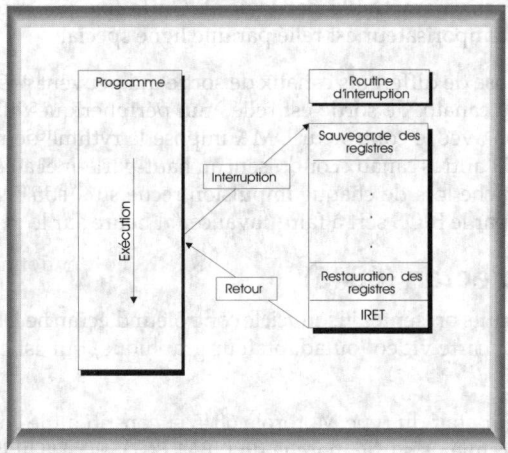

Interruption d'un programme

Entre le déclenchement de l'interruption et sa prise en compte par le processeur et le gestion-naire spécialisé, le cheminement est assez long. Les demandes d'interruption des cartes d'extension et des circuits auxiliaires ne sont pas envoyées directement au processeur mais parviennent d'abord au contrôleur d'interruption. Il ne faut pas oublier que le PC dispose de plusieurs lignes d'interruption reliées chacune à un périphérique : les interruptions peuvent donc survenir simultanément de plusieurs provenances.

Mais le processeur ne peut en traiter qu'une à la fois. Il faut donc définir et gérer des priorités. C'est là précisément la tâche du contrôleur d'interruption.

Dans un PC/XT il est à même de traiter jusqu'à 8 sources d'interruption c'est-à-dire 8 requêtes en même temps. Pour un AT cette capacité n'est pas suffisante : on y a donc installé deux contrôleurs qui peuvent gérer 15 interruptions simultanées. Les interruptions matérielles sont étudiées au chapitre 2 exclusivement consacré à ce sujet.

Interface de périphérie (8255)

Comme son nom l'indique, l'interface de périphérie établit la liaison entre l'unité centrale et les périphériques tels que le clavier ou le haut-parleur. Elle se contente en fait de jouer un rôle d'intermédiaire exploité par le processeur lorsqu'il désire accéder à un périphéri-que pour lui transmettre des signaux. Vous ferez plus amplement connaissance avec ce circuit au chapitre 13 lorsqu'il sera question de produire des sons.

L'horloge (8248)

Si on compare le microprocesseur à un cerveau, l'horloge peut être considérée comme le cœur du système informatique. Ce cœur bat à une vitesse de plusieurs millions de pulsations par seconde (14,3228 Megahertz très précisément) et il anime ainsi le microprocesseur et les autres composants du système. Comme aucun de ces circuits ne supporte une fréquence d'horloge aussi élevée, celle-ci est divisée au contact de chacun d'eux, en fonction de son propre rythme.

Le temporisateur (8253)

Le circuit appelé temporisateur ou Timer peut être exploité comme compteur ou comme chronomètre. Il possède en effet la faculté d'émettre des impulsions à intervalles fixes sur l'un de ses canaux de sortie. La fréquence à laquelle ces impulsions se répètent n'est pas définie une fois pour toutes, elle est paramétrable par logiciel. On la fixe par rapport à la cadence de l'horloge à laquelle le temporisateur est relié par une ligne spéciale.

Le temporisateur dispose de différents canaux de sortie qui peuvent présenter des fréquences variées. Chacun de ces canaux de sortie est relié à un périphérique différent. C'est ainsi par exemple qu'une liaison avec le contrôleur DMA impose le rythme de rafraîchissement de la mémoire dynamique. D'autres canaux conduisent au haut-parleur et au contrôleur d'interrup-tion. Ce dernier déclenche lors de chaque impulsion reçue sur "son" canal une interruption matérielle qui reprise par le BIOS sert à faire "avancer" l'heure sur le PC.

Le contrôleur d'écran (6845)

Contrairement aux circuits présentés jusqu'ici, le contrôleur d'écran ne fait pas partie de la carte mère du PC mais de la carte vidéo (ou adaptateur graphique) qui est enfichée dans l'un des connecteurs.

A l'origine ce contrôleur était du type Motorola 6845 et constituait le cœur des cartes CGA et MDA qui furent les premières sur le marché de l'IBM PC. Ces cartes disparurent peu à peu, relayées par les cartes EGA puis VGA qui possèdent des contrôleurs plus évolués et plus

puissants. Les nouvelles cartes ne sont plus compatibles avec le contrôleur Motorola, mais le processeur n'en fait pas beaucoup de cas car il n'entre pas directement en contact avec le contrôleur vidéo. Ce fardeau est supporté par le BIOS qui est spécialement prévu pour supporter toute une gamme de contrôleurs. Ce point sera étudié au chapitre 9 consacré exclusivement à la programmation des cartes vidéo d'écran.

Le contrôleur de disquette (765)

Ce circuit immatriculé NEC PD765 ne se trouve pas non plus sur la carte mère du PC mais sur une carte d'extension qui commande le(s) lecteur(s) de disquette. Autre similitude avec le contrôleur d'écran : le processeur ne s'adresse pas directement à lui mais délègue cette tâche au BIOS. Les premiers modèles de PC n'étaient pas munis de lecteurs de disquettes mais disposaient d'une prise pour raccorder un magnétophone à cassette, support de données prévu par IBM. Une fois que les lecteurs de disquettes furent disponibles, les utilisateurs abandonnèrent très vite leurs magnétophones pour des raisons évidentes de confort, de sécurité et surtout de rapidité.

Le chapitre 10 est spécialement dédié aux disquettes, aux disques durs et à leurs contrôleurs.

Les coprocesseurs arithmétiques (8087/80287/80387/80487)

Avant l'apparition du 80486, les processeurs INTEL ne pouvaient manipuler que des nombres entiers et pas de nombres à virgule flottante. Selon la largeur de bit, les nombres entiers couvrent le domaine des valeurs compris entre 0 et 255 (8 bits), 0 et 65535 (16 bits) ou 0 et 429624976 (32 bits). Les nombres à virgule flottante couvrent la zone des nombres réels. Ils sont donc utilisables partout où il est nécessaire de calculer avec des nombres réels par exemple dans un programme tableur ou de CAO. Il est vrai que les nombres à virgule flottante peuvent être représentés par des nombres entiers et qu'il est possible de construire par logiciel une arithmétique à virgule flottante sur les nombres entiers, mais le calcul des nombres à virgule flottante se réalise beaucoup plus vite s'il intervient directement au niveau du matériel.

Aux utilisateurs et applications nécessitant l'arithmétique à virgule flottante, INTEL a proposé des coprocesseurs mathématiques intégrés dans un socle prévu à cet effet sur la carte mère à côté du CPU. Ils ont été adaptés de génération en génération aux différents successeurs du 8088 de sorte qu'il existe un coprocesseur destiné à chaque processeur Intel y compris le 486 SX. Le 486 DX et les différentes versions de la puce Pentium contiennent ce coprocesseur dès l'origine, ce qui leur permet d'effectuer des calculs sur des nombres à virgule flottante sans ajouter un coprocesseur spécifique. Mais la condition préalable est que le logiciel utilise réellement les commandes machines nécessaires à la mathématique à virgule flottante.

Pourtant les coprocesseurs n'ont jamais connu de grand succès dans le monde du PC, probablement parce que le prix demandé par Intel les rangeait dans la catégorie des accessoires de luxe.

La programmation des coprocesseurs ne fait pas partie des thèmes abordés dans cet ouvrage car elle n'est pas du ressort de la programmation système. Il s'agit simplement d'une programmation ordinaire en langage machine. Malgré tout le chapitre 16 vous emmènera faire un petit tour dans le monde des coprocesseurs lorsqu'il s'agira de déterminer si un tel circuit est installé dans un PC.

1.3.4.   Organisation de la mémoire

Au moment de sa naissance, le PC était équipé de 16 Ko que l'on pouvait étendre à 64 Ko sur la carte mère. Par ailleurs IBM fournissait des cartes d'extension mémoire de 64 Ko que l'on pouvait placer dans les cinq connecteurs d'extension disponibles. Le nombre maximal de cartes

susceptibles d'être installées était de 3, ce qui donnait une capacité totale de 256 Ko, un nombre que l'on considérait comme gigantesque à l'époque.

Les développeurs du PC savaient pourtant qu'une évolution serait inévitable. Ils ont donc organisé la mémoire de façon à en permettre l'extension jusqu'à une limite de 640 Ko. Malgré ses précautions, l'avenir les a en quelque bien vite rattrapés, comme le sait aujourd'hui tout utilisateur de DOS. L'espace d'adressage complet d'un 8088 allant jusqu'à 1 Mo, la place restante fut attribuée à la mémoire d'écran des cartes vidéo, à la ROM prévue pour le BIOS ainsi qu'à d'autres ROM complémentaires. Notez que le processeur se soucie peu de savoir si un emplacement mémoire est occupé par des RAM ou des ROM pour peu évidemment que l'on n'essaie pas d'écrire des informations dans les ROM. Le processeur ne se préoccupe pas non plus de savoir si la mémoire à laquelle il accède est physiquement présente. Si la capacité est de 1 Mo, cela ne veut pas dire qu'il y ait vraiment un circuit de ROM ou de RAM à chaque adresse.

Comme le montre le tableau suivant, la structure de la mémoire repose sur un découpage en segments de 64 Ko. Le 8088 et ses successeurs gèrent en effet la mémoire par blocs de cette taille. L'espace mémoire complet est constitué par seize de ces blocs.

Bloc	Adresse	Contenu
15	F000:0000 - F000:FFFF	BIOS
14	E000:0000 - E000:FFFF	libre pour insertion de ROM
13	D000:0000 - D000:FFFF	libre pour insertion de ROM
12	C000:0000 - C000:FFFF	ROM BIOS supplémentaire
11	B000:0000 - B000:FFFF	RAM d'écran
10	A000:0000 - A000:FFFF	RAM d'écran supplémentaire (EGA/VGA)
9	9000:0000 - 9000:FFFF	RAM de 576 Ko à 640 Ko
8	8000:0000 - 8000:FFFF	RAM de 512 Ko à 576 Ko
7	7000:0000 - 7000:FFFF	RAM de 448 Ko à 512 Ko
6	6000:0000 - 6000:FFFF	RAM de 384 Ko à 448 Ko
5	5000:0000 - 5000:FFFF	RAM de 320 Ko à 384 Ko
4	4000:0000 - 4000:FFFF	RAM de 256 Ko à 320 Ko
3	3000:0000 - 3000:FFFF	RAM de 192 Ko à 256 Ko
2	2000:0000 - 2000:FFFF	RAM de 128 Ko à 192 Ko
1	1000:0000 - 1000:FFFF	RAM de 64 Ko à 128 Ko
0	0000:0000 - 0000:FFFF	RAM de 0 Ko à 64 Ko

Organisation de la mémoire du PC

Les 10 premiers segments de la mémoire sont réservés à la RAM de la mémoire centrale dont la taille est donc limitée à 640 Ko. Le segment 0 joue un rôle particulier car il contient des données et des routines cruciales du système d'exploitation.

A la suite de la mémoire RAM commune se trouve un segment de mémoire A qui appartient à une carte graphique EGA ou VGA et qui mémorise le contenu de l'écran dans les différents modes graphiques.

Le segment de mémoire B est réservé aux cartes vidéo monochromes et couleur. Elles se partagent ce segment pour y stocker l'affichage sur l'écran. La carte monochrome occupe les 32 Ko inférieurs et la carte couleur les 32 Ko supérieurs du segment. Chaque carte ne dispose cependant que de la mémoire réellement nécessaire pour l'écran concerné. Sur une carte monochrome, cette mémoire se limite à 4 Ko mais sur une carte couleur elle peut aller jusqu'à 16 Ko à cause des possibilités ouvertes par l'affichage graphique.

Les segments de mémoire suivants ne sont plus occupés par de la RAM mais par la ROM, à commencer par le segment C. Sur certaines machines, ce segment accueille des routines du BIOS qui ne faisaient pas partie du noyau d'origine du BIOS. Sur le XT, il s'agira par exemple des routines de commande du disque dur.

Les segments D et E sont réservés à ce qu'on appelle les cartouches de ROM, comme on en trouve dans les ordinateurs domestiques pour charger des jeux. Cette possibilité n'est cependant pratiquement jamais exploitée sur les PC de sorte que la zone correspondante reste presque toujours inutilisée. Le segment F contient finalement les véritables routines du BIOS, le programme de chargement initial du système ainsi que le BASIC en ROM qui ne se trouvent plus que sur les ordinateurs anciens.

Respect de l'organisation

Le matériel du PC n'est pas lié à une organisation spécifique de la mémoire. Bien qu'IBM ne l'ait pas voulu, il a fixé les règles que tous les autres constructeurs ont respectées par la suite. C'est surtout le logiciel qui est concerné par la structure décrite : BIOS et DOS se sont spécialisés dans la gestion des diverses zones de mémoire à emplacements fixes (exemple : la mémoire d'écran). Chaque programme apparu sur le marché a en quelque sort scellé l'organisation déjà en vigueur, car les logiciels d'application eux aussi s'appuient sur une structure donnée, et il n'est pas bon de les tromper à cet égard.

1.3.5. La succession du PC original

L'IBM-PC d'origine n'a pas mis fin aux développements en micro-informatique mais il a figé un certain nombre de principes qui n'ont pas été remis en cause jusqu'à ce jour : par exemple les fonctionnalités du BIOS, l'organisation de la mémoire et la collaboration entre le processeur et les circuits auxiliaires.

Malgré tout, l'introduction de l'XT et de l'AT a provoqué quelques adaptations. L'arrivée de l'XT en 1983 correspond à l'apparition d'un disque dur dont la capacité de 10 Mo paraît aujourd'hui un peu faiblarde. L'ensemble du système n'en fut pas affecté pour autant : il y eut un peu de ROM supplémentaire installée dans le segment C et le BIOS se vit ajouter quelques fonctions nouvelles pour gérer le disque.

L'AT

En 1984, à peine plus d'un an après le XT apparut l'AT dont le nom "Advanced Technology" évoquait une série de nouveautés. La plus marquante concernait le processeur. Le 8088 fut abandonné au profit du 80286, le dernier-né d'Intel. Le bus de données fut étendu à 16 bits de sorte que les accès à des nombres de 16 bits n'avaient plus à être décomposés en deux temps lorsque la mémoire et la carte d'extension acceptaient de jouer le jeu. Par ailleurs le bus d'adresses passa de 20 à 24 bits car le 80286 était à même de gérer des adresses sur 24 bits, autrement dit un espace mémoire de 16 Mo.

Pour ce qui est de la mémoire de masse, l'AT dédoubla la capacité du disque dur en la portant à 20 Mo. Le lecteur de disquette supportait désormais des disquettes haute densité de 5" 1/4 dont la capacité atteint 1.2 Mo et qui sont encore en usage aujourd'hui. On vit aussi apparaître une horloge en temps réel alimentée par batterie, qui conservait enfin l'heure d'une session à l'autre. En outre, détail peu connu, le nombre de contrôleurs DMA et d'interruption fut augmenté : il y en eut deux de chaque type dans chaque machine.

Pour soutenir tout ce nouveau matériel, des fonctions supplémentaires furent ajoutées au BIOS, par exemple pour accéder à l'horloge alimentée par batterie.

En fait, l'AT méritait vraiment son qualificatif d'"advanced technology". Mais il restait en-deçà de ses possibilités et manifestait une nette tendance à freiner les solutions d'avenir pour préserver l'acquis. Ce principe de "compatibilité descendante" est clairement illustré par la limitation du mode protégé, un mode d'exploitation qui détachait le 80286 de ses prédécesseurs mais qui ne fut réellement exploité que depuis l'introduction du 80386 et de Windows 3.

A l'époque, en effet, ni le BIOS, ni DOS, ni les logiciels d'application dans lesquels les sociétés avaient investi des millions et des millions de dollars, n'étaient en mesure de tirer profit du mode protégé. On continua de travailler dans le mode dit réel, qui consiste à faire fonctionner le 80286 comme un super 8088 sans exploiter vraiment ses possibilités. On en est encore là aujourd'hui, ce n'est que le changement de génération induit par Windows NT et OS/2 qui est susceptible de tordre enfin le cou au mode réel.

PS/2

Une fois l'At lancé, IBM chercha une fois de plus à imposer un nouveau standard en développant les systèmes PS/2 qui se caractérisent essentiellement par un bus très amélioré (appelé MCA = Micro Channel). Mais IBM commit l'erreur de garder secrètes les spécifications du nouveau bus, ne les révélant aux fabricants de cartes d'extension que contre des licences coûteuses. En conséquence de cette attitude, l'offre de cartes demeura discrète, et l'intérêt pour les PS/2 resta réduit car il fallait renoncer à ses cartes d'extension préférées lorsqu'on remplaçait un AT par un PS/2. Les cartes ISA ne peuvent pas être installées dans des systèmes à bus MCA car les lignes de ce bus sont complètement différentes.

Après l'AT : plus de standard

Le PS/2 annonce en fait le début de la fin de la suprématie d'IBM sur le marché du PC. De plus en plus de fabricants se pressèrent pour offrir des micro-ordinateurs d'abord moins chers et ensuite plus performants. Ce sont des sociétés comme Compaq qui produisirent le premier AT à base de 80386, développèrent des portables, poursuivant ainsi inlassablement la course au progrès.

Cette évolution présentait cependant un revers de la médaille. Car après IBM il n'y eut plus d'institution capable de donner clairement la direction à suivre. Dans un marché fragmenté en une multitude de fabricants, aucune société n'était en mesure de définir des standards matériels et logiciels et de les imposer. Ce n'est que plus tard que se formèrent divers comités pour tenter de mettre fin aux développements sauvages, comme celui de la carte Super-VGA, qu'aucun logiciel n'aurait pu vraiment exploiter à fond.

Après l'AT aucune nouvelle génération de PC bâtie sur le bus ISA ne fut définie. C'est pourquoi les systèmes équipés des processeurs 80386 ou i486 sont encore qualifiés d'AT, parce que sur l'essentiel ils reposent encore sur la technologie introduite par IBM avec l'AT.

1.4.   Le processeur

Pour faire de la programmation système il ne faut pas forcément être un virtuose de l'assembleur. La programmation système se pratique aussi avec des langages évolués comme Basic, Pascal ou C. Il est cependant indispensable de bien connaître le fonctionnement du processeur, certains mécanismes jouent un rôle important dans la programmation système et doivent être maîtrisés jusqu'au niveau des langages évolués : par exemple la signification des registres, l'adressage de la mémoire, la notion d'interruption, les règles d'accès au matériel.

Depuis l'introduction du 8088 les principes n'ont pas changé, bien que cinq générations de processeurs se soient déjà succédé et que la puissance des derniers venus était impensable il y a dix ans. Les seules modifications concernent l'accroissement de la vitesse, elles n'affectent en rien le fonctionnement de base, du moins en mode réel sous DOS. Il est intéressant malgré tout de se remémorer l'évolution des processeurs d'Intel.

1.4.1. Le cerveau du PC

Le processeur a pour tâche de traiter des séquences d'instructions machine : c'est là le seul langage qu'il comprend vraiment. Ces instructions machine sont très élémentaires. Elles ne peuvent pas être comparées à des instructions en Basic, Pascal, C qui sont équivalentes à une multitude d'entre elles. Ainsi pour afficher un résultat à l'écran, il suffit d'une seule instruction appelée PRINT en BASIC, alors qu'il faut plus d'une centaine d'instructions machine.

A priori, le langage machine varie d'un ordinateur à l'autre, il est lié au type du microprocesseur présent. Les membres de la famille 80xxx d'Intel exploitent cependant le même langage, ce qui assure leur compatibilité.

Le premier-né de la famille, le 8086, a été mis au point en 1978. Ses successeurs ont subi diverses modifications et ont parfois été améliorés de façon radicale sans pour autant perdre le bénéfice de la compatibilité avec les prédécesseurs. Le 8088 est un cas à part qui constitue une régression. Disposant du jeu d'instructions du 8086 et de la même structure interne, il n'était capable de communiquer avec la mémoire qu'à travers un bus de 8 bits, comme nous l'avons vu précédemment.

Les autres membres de la famille sont des 8086 améliorés. Ainsi le 80186 présente des instructions supplémentaires, tandis que le 80286 s'est vu ajouter de nouveaux registres avec un espace d'adressage accru. Mais la grande nouveauté introduite par le 80286 est le mode protégé, décrit au chapitre 33, qui n'a pas su être exploité par DOS.

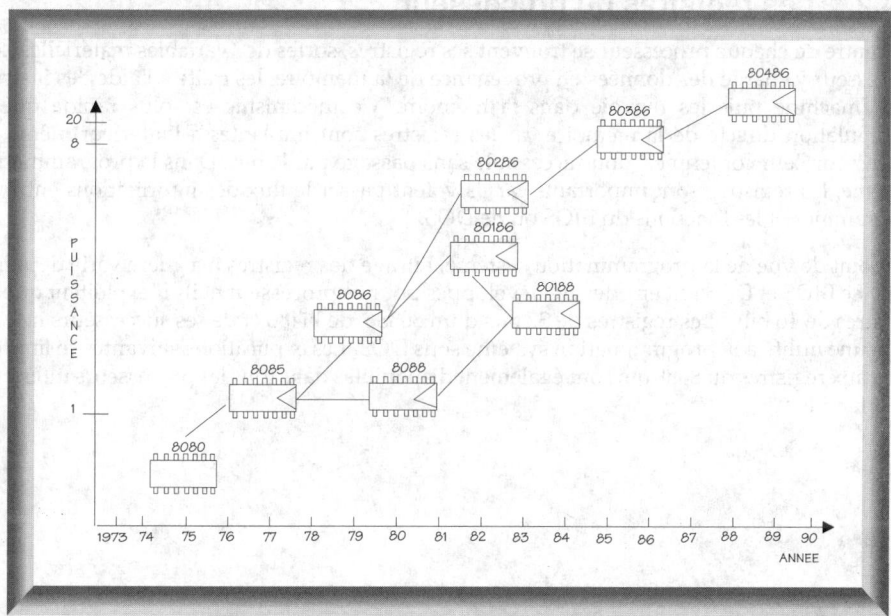

Évolution de la famille des processeurs 80xx d'Intel

Au 80286 succéda le 80386 qui marqua un point honorable en matière de bonnes performances mais qui est déjà devenu obsolète et presque introuvable sur le marché. Son mode protégé a été perfectionné, c'est le premier processeur d'Intel qui dispose de registres de 32 bits mais ces registres ne sont pas vraiment exploitables sous DOS. Le 80386 existe dans deux versions appelées DX et SX qui se différencient par la cadence de fonctionnement et la largeur du bus de données. Le SX fonctionne avec un bus de données de 16 bits, tandis que le DX est capable, grâce à son bus de 32 bits, de transférer en une seule opération des mots de cette dimension.

Le 50486 (i486 d'Intel) est toujours très largement répandu et vendu en pièces détachées, même s'il ne représente déjà plus le *nec plus ultra* en matières de processeur. Par rapport au 80386, il intègre un coprocesseur arithmétique 80387 et une mémoire cache pour les instructions, le traitement des instructions se trouvant accéléré. Il assure une compatibilité descendante avec le 8086.

L'état actuel de l'art est représenté par le processeur *Pentium* dont l'amélioration majeure par rapport au 486 repose sur la vitesse de traitement interne. Dans certaines situations, ce processeur est en mesure de traiter simultanément deux commandes consécutives sachant que la deuxième commande ne dépend pas du résultat de la première.

L'appellation *Pentium* est également une nouveautée. En tant que successeur direct du 80486, on s'attendait forcément au 80586. Mais Intel a préféré rompre avec cette tradition car des noms comme 8088 ou 80586 sont difficiles à protéger. D'autres fabricants de puces ont d'ailleurs utilisé ces noms pour construire des processeurs compatibles Intel. Intel a voulu enterrer ces fabricants en protégeant son œuvre par le nom "Pentium".

On ne sait pas encore si le successeur de Pentium s'appellera Hexium ou plutôt P6, mais réjouissons-nous dès à présent de la génération suivante des processeurs INTEL qui verront le jour en 1996.

1.4.2. Les registres du processeur

Au centre de chaque processeur se trouvent ses registres, sortes de "variables matérielles". Le processeur y charge des données en provenance de la mémoire, les traite à l'aide des instructions machine puis les renvoie dans la mémoire. Ce mécanisme est plus rapide que la manipulation directe de la mémoire car les registres sont implantés à l'intérieur même du processeur, leur contenu est donc accessible sans passage par le bus. Dans la programmation système, les registres sont importants car ils voient passer le flux des informations entre les programmes et les fonctions du BIOS ou de DOS.

Du point de vue de la programmation système, l'usage des registres n'a guère varié depuis le 8086. Le BIOS et DOS ont en effet été développés pour ce processeur et ils n'exploitent que les registres de 16 bits. Les registres de 32 bits d'un 80386, de l'i486 et de ses successeurs ne sont d'aucune utilité à la programmation système sous DOS. Les explications suivantes se limitent donc aux registres du 8088 qui sont également disponibles dans tous les processeurs ultérieurs de la famille.

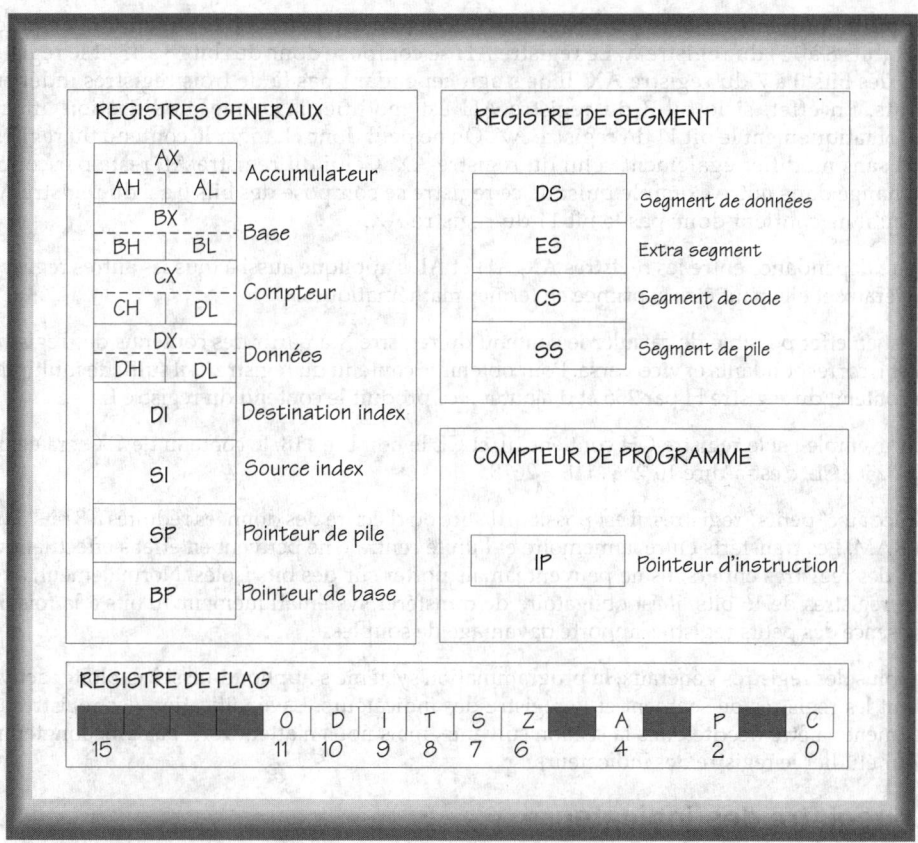

Les registres du 8088

Tous les registres ont une taille de 16 bits (2 octets). Ils peuvent donc mémoriser une valeur entre 0 et 65535 (1111111111111111b ou FFFFh).

La figure précédente montre que les registres se divisent en quatre groupes : les registres généraux, les registres de segment, le compteur ordinal et le registre des indicateurs. Cette subdivision est due à une spécialisation des registres dont chaque groupe joue un rôle spécifique dans l'exécution des programmes et les accès à la mémoire.

Les registres généraux

Pour appeler les fonctions du système d'exploitation et du BIOS, les registres généraux auront pour nous une importance toute particulière : ils servent en effet à transmettre les paramètres d'appel. Ils peuvent par ailleurs être utilisés pour des opérations arithmétiques (addition, soustraction, etc...) qui constituent la base de l'activité du processeur dans les programmes. Les registres AX, BX, CX et DX se singularisent du fait qu'ils peuvent être chacun divisés en deux registres de 8 bits (un octet). Chaque registre général se compose donc en quelque sorte de trois registres : un grand registre de 16 bits et deux petits registres de 8 bits.

Les "petits" registres sont désignés respectivement par H (high = octet de poids fort) et L (low = octet de poids faible). Le registre AX, de 16 bits, se compose donc des registres de 8 bits appelés AH et AL. Le registre L occupe toujours les 8 bits inférieurs

de poids faible (bits 0 à 7) du registre X et le registre H les 8 bits supérieurs de poids fort (bits 8 à 15) du registre X. Le registre AH se compose donc des bits 8 à 15 et le registre AL des bits 0 à 7 du registre AX. Il ne s'agit cependant pas là de trois registres indépendants. En effet, si le bit 3 du registre AH est modifié, la même modification affecte automatiquement le bit 11 du registre AX. On ne peut donc changer le contenu du registre AH sans modifier également celui du registre AX. Celui du registre AL reste par contre inchangé dans notre exemple puisque ce registre se compose des bits 0 à 7 du registre AX et qu'il ne contient donc pas le bit 11 du registre AX.

Cette dépendance entre les registres AX, AH et AL s'applique aussi à tous les autres registres généraux et elle peut être exprimée en termes mathématiques.

Il est en effet possible de calculer le contenu du registre X à partir des contenus des registres H et L correspondants et vice-versa. Pour obtenir le contenu du registre X, il suffit de multiplier le contenu du registre H par 256 et d'ajouter à ce produit le contenu du registre L.

Par exemple : si le registre CH contient 10, et CL le nombre 118, le contenu de CX sera égal à CH*256+CL, c'est-à-dire 10*256+118 = 2678.

Grâce aux "petits" registres, il est possible de lire ou d'écrire des données réduites à 8 bits dans la RAM. Les transferts entre la mémoire et l'unité centrale ne peuvent en effet s'effectuer que sur des registres entiers, ils ne peuvent jamais porter sur des bits isolés. Normalement, avec des registres de 16 bits, il est obligatoire de transférer systématiquement 16 bits à la fois. La présence des petits registres apporte davantage de souplesse.

En plus des registres généraux, la programmation système s'applique aussi à exploiter activement les registres de segment et le registre des indicateurs. La signification des registres de segment va être décrite dans la section suivante, mais nous n'attendrons pas plus longtemps pour étudier le registre des indicateurs.

Le registre des indicateurs

Le registre des indicateurs a d'abord une fonction de communication entre des instructions machine successives : il sert en effet à mémoriser l'état du processeur à la suite de diverses opérations arithmétiques et logiques.

Ainsi, lors d'une addition de deux registres de 16 bits, un programme pourra tester l'indicateur de retenue (Carry Flag) pour voir si le résultat ne dépasse pas 65535, c'est-à-dire la capacité d'un registre de 16 bits. Les indicateurs de signe, de zéro, de débordement ont des rôles analogues. Après une instruction de comparaison de deux registres, leur examen révèle si le contenu du premier registre était plus grand, inférieur ou égal au contenu du second registre.

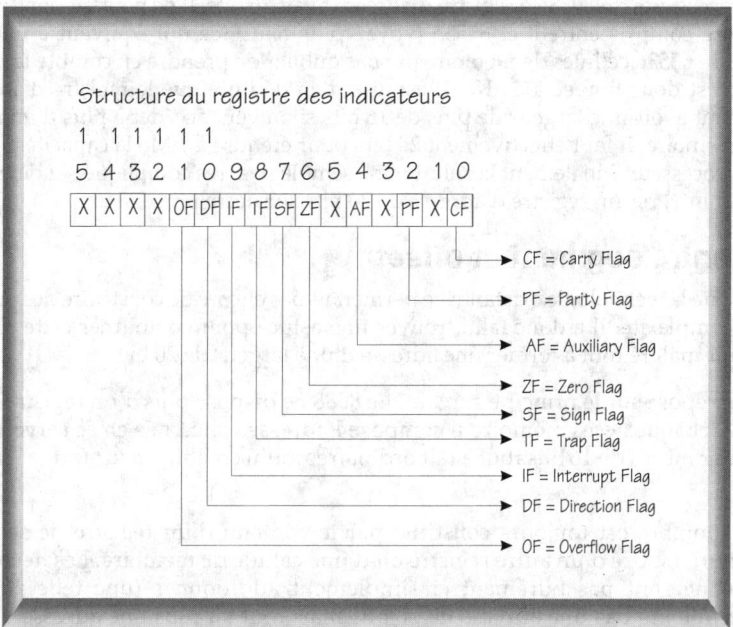

Structure du registre des indicateurs

Dans la programmation système avec les langages évolués, on n'exploite que le registre de retenue et quelquefois le registre de zéro. La plupart des fonctions de DOS et du BIOS utilisent ces indicateurs pour signaler une erreur d'exécution : par exemple en cas de mémoire insuffisante, ou lorsqu'on donne un nom de fichier inconnu. Nous verrons au chapitre 2 comment on procède pour lire la valeur d'un indicateur avec un langage évolué.

1.4.3. Formation des adresses mémoire

Le programmeur système est obligé de savoir comment le processeur traite les adresses parce que de nombreuses fonctions de DOS et du BIOS demandent qu'on leur communique des adresses de *buffers*. Le mécanisme d'adressage des 8088 et de ses successeurs est relativement compliqué. Il ne s'explique que par certaines considérations historiques sur le développement du 8086.

Il s'agissait à l'époque de construire un microprocesseur qui démontre sa suprématie sur ses concurrents de 8 bits (6502, Z80, etc...) en dépassant la capacité d'adressage des 64 Ko, considérée comme une barrière difficilement franchissable. Les développeurs d'Intel se fixèrent un but très ambitieux. Il ne se contentèrent pas de doubler la capacité d'adressage (c'est-à-dire le nombre de cellules de mémoire auxquelles un processeur peut accéder) mais ils l'étendirent carrément à 1 Mo, ce qui revenait à la multiplier par 16.

Mais il faut savoir que le nombre de cellules de mémoire adressables dépend directement de la largeur d'un registre spécial, le registre d'adresse qui lors de chaque accès mémoire accueille l'adresse concernée.

Chaque cellule de mémoire étant associée à un numéro qui lui est propre, et qui constitue son adresse, la capacité du registre d'adresse définit la capacité mémoire adressable.

Sur les prédécesseurs du 8088, le registre d'adresse avait 16 bits. Il ne pouvait donc mémoriser qu'un nombre compris entre 0 et 65535 (voyez plus haut), ce qui équivaut à une capacité d'adressage de 65536 cellules de mémoire (ne pas oublier de prendre en compte la cellule 0 !). La mémoire est donc limitée à 64 Ko. Il est aisé d'en déduire que le registre d'adresse doit nécessairement avoir une largeur de plus de 16 bits si on veut accéder à plus d'un million de cellules de mémoire. Il faut effectivement 20 bits pour étendre à 1 Mo la capacité d'adressage d'un microprocesseur. Finalement la solution ne semble pas très compliquée, il devrait suffire en principe d'intégrer un registre d'adresse de 20 bits sur notre processeur.

Liaison entre segment et offset

Mais à l'époque la technologie existante ne permettait pas encore de construire des processeurs d'une telle complexité. Il a donc fallu trouver une astuce pour contourner cette difficulté et pour parvenir malgré tout à former une adresse d'une largeur de 20 bits.

Cette astuce repose sur le principe suivant. Le 8088 ne dispose plus d'un registre d'adresse spécialisé. A chaque accès mémoire il compose l'adresse concernée en se servant de deux registres ou nombres de 16 bits tout à fait ordinaires, qu'il combine pour former un nombre de 20 bits.

Le premier nombre est toujours constitué par le contenu d'un registre de segment. Le second nombre est tiré d'un autre registre ou d'une cellule de mémoire. Les deux nombres en question ne sont pas purement et simplement additionnés (une telle addition ne donnerait d'ailleurs pas une adresse de 20 bits mais tout au plus une adresse de 17 bits). En fait, le premier nombre qui représente le contenu du registre de segment est tout d'abord décalé de 4 bits (c'est-à-dire d'un chiffre hexadécimal) vers la gauche, ce qui équivaut à une multiplication par 16 ou bien à l'adjonction de 4 bits. Il a maintenant une largeur de 20 bits. Le second nombre lui est alors additionné.

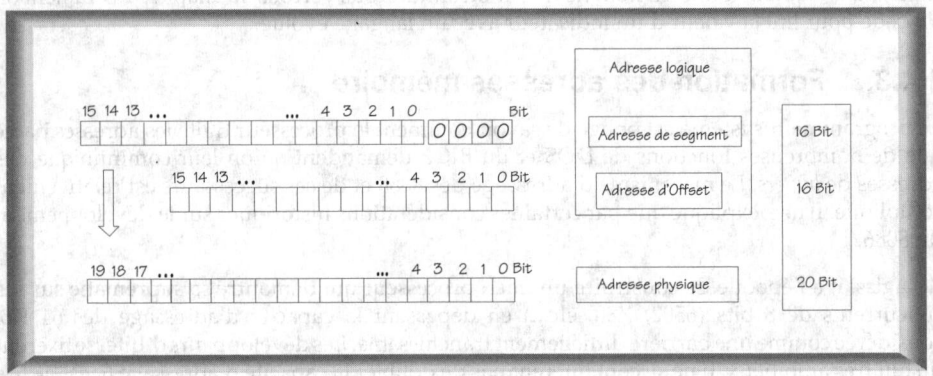

Formation d'une adresse à partir d'un segment et d'un offset

Les deux nombres traités sont des adresses partielles souvent désignées sous les termes d'offset et de segment. L'adresse de segment est l'adresse formée à partir du registre de segment et qui indique le début d'une zone de la mémoire (c'est ce qu'on appelle un segment) alors que l'adresse d'offset est l'adresse qui est additionnée à l'adresse de segment pour former l'adresse complète. L'offset fournit en quelque sorte le numéro exact de la cellule de mémoire à l'intérieur du segment dont le début est défini par le registre de segment. Supposons que l'offset et le segment soient tous deux égaux à 0. La mémoire adressée est la mémoire d'adresse 0. Si on augmente le segment de 1, la nouvelle mémoire en ligne n'est pas la mémoire 1 mais la mémoire

16, car dans la formation de l'adresse le segment est multiplié par 16. Si on continue d'incrémenter ainsi le segment, on parvient successivement aux adresses 32,48,60 etc. Nous supposons évidemment que l'offset est maintenu à 0. Au bout de ce processus, on atteint l'adresse maximale de 1 Mo, lorsque le segment vaut 65535 (FFFFh). Si on maintient le segment constant tout en augmentant l'offset, on observe qu'en fin de compte le segment représente l'adresse de base à partir de laquelle on peut atteindre 65536 cellules de mémoire différentes. Chacun de ces segments s'étend sur 64 Ko. L'offset représente la distance d'une mémoire comptée à partir du début du segment.

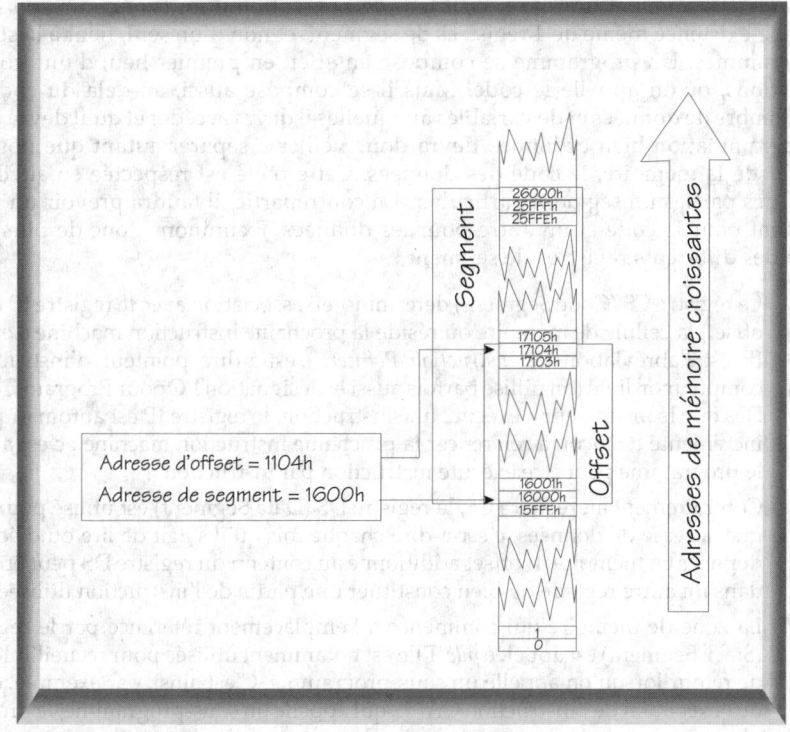

Segment et offset

Comme les différents segments ne sont séparés que par 16 octets tout en occupant 64 Ko, il est clair qu'ils se recouvrent partiellement. Une adresse comme 130, par exemple, peut se définir d'une multitude de façon avec des segments et des offsets différents. On peut prendre le segment 0 et un offset de 130, mais aussi le segment 1 et un offset de 114, ou le segment 2 et un offset de 98, et ainsi de suite.

Mais peu importe ce chevauchement, vous êtes en droit de choisir la définition qui vous plaît. Ce qui compte, c'est que la multiplication par 16 du segment et l'addition de l'offset donne bien l'adresse recherchée.

Le principe de la définition des adresses par segment et offset a engendré une notation particulière pour indiquer l'adresse d'une cellule de mémoire.

On indique tout d'abord le segment, puis séparé par un double point, l'offset de la cellule de mémoire. Les deux composants sont exprimés sous forme de nombres hexadécimaux de 4

chiffres. Comme on se sert toujours de l'hexadécimal dans ces conditions, on peut laisser tomber le *h* utilisé généralement pour désigner les nombres hexadécimaux.

Ainsi l'adresse composée du segment 2000h et de l'offset AF3h, s'écrira 2000:0AF3.

Le rôle des registres de segment pendant l'exécution des programmes

Comme nous l'avons vu, le 8088 dispose de quatre registres de segment qui, en liaison avec d'autres registres, jouent un rôle décisif lors de l'exécution d'un programme en langage machine. L'existence même de 4 registres de segment, et non d'un seul, tient à la structure des programmes. Un programme se compose en effet, en premier lieu, d'une collection d'instructions, qu'on appelle le code. Mais il se compose aussi, au-delà du code, d'un certain nombre de données et de variables auxquelles il devra accéder et qu'il devra manier. Une programmation bien ordonnée devra donc veiller à séparer autant que possible, à l'intérieur de la mémoire, le code des données. Cette règle est respectée en attribuant à chacune des parties un segment particulier. En contrepartie, il faudra prévoir un registre de segment pour le code et un autre pour les données. Examinons donc de plus près la fonction des différents registres de segment :

CS   Le registre CS (Code Segment) détermine, en association avec le registre IP (comme offset) la cellule de mémoire où réside la prochaine instruction machine à exécuter. IP est l'abréviation de *Instruction Pointer*, c'est-à-dire pointeur d'instruction ou compteur ordinal (on utilise parfois aussi la désignation PC pour Program Counter). Dès que le processeur a exécuté une instruction, le registre IP est automatiquement incrémenté de façon à référencer la prochaine instruction machine : c'est ainsi que le programme peut être exécuté instruction par instruction.

DS   Contrairement au registre CS, le registre DS (Data Segment) est utilisé pour former une adresse de données, c'est-à-dire chaque fois qu'il s'agit de lire ou d'écrire des données en mémoire. L'offset additionné au contenu du registre DS peut être située dans un autre registre ou bien constituer une partie de l'instruction utilisée.

SS   La zone de mémoire qui commence à l'emplacement référencé par le registre SS (Stack Segment) est appelée *pile*. Elle est notamment utilisée pour recueillir l'adresse de retour lorsqu'on appelle un sous-programme. C'est ainsi, par exemple, que lors de l'exécution de l'instruction CALL, qui appelle un sous-programme, le processeur place sur la pile l'adresse à laquelle devra reprendre l'exécution du programme principal après exécution du sous-programme. La pile est aussi utilisée par les langages évolués pour transmettre des paramètres aux procédures et aux fonctions et pour mémoriser des variables locales. Lors d'un accès à la pile, l'adresse est formée à partir du registre SS combiné avec le registre SP ou avec le registre BP.

ES   Citons enfin, comme dernier registre de segment, le registre ES (Extra Segment) qui est à la libre disposition du programmeur qui peut s'en servir pour divers accès aux données. Il se révèle particulièrement précieux lorsqu'on copie des variables ou des *buffers* en dehors d'une même zone de 64 Ko. Dans ce cas en effet il faut gérer deux segments distincts entre lesquels il faut transférer octet par octet ou mot par mot les données concernées : l'un des segments est le segment de départ ou segment source et l'autre le segment de destination.

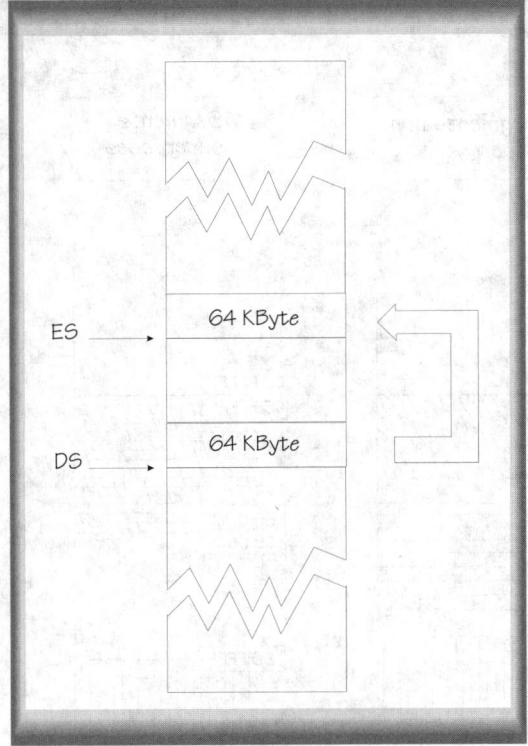

Copie d'une zone de mémoire à l'aide des registres DS et ES

Il est possible de mettre le segment de destination dans le registre ES tout en laissant dans DS le segment de départ. Le 8088 et ses dérivés possèdent même des instructions machine capables de recopier directement une zone de mémoire : ces instructions supposent que le segment de départ a été chargé en DS et le segment de destination en ES. Les offsets respectifs des zones de départ et de destination doivent être chargés en SI et DI. Autrement dit, en reprenant la notation introduite plus haut, la copie se fait de DS:SI en ES:DI.

Chevauchement des segments

Comme le montre la figure suivante, les segments référencés par les registres spécialisés peuvent se chevaucher partiellement, être identiques ou encore se trouver dans des zones tout à fait distinctes de la mémoire. Comme on aura rarement besoin de la totalité des 64 Ko d'un segment pour y stocker des données ou des instructions, la première des trois possibilités citées est particulièrement pratique car elle permet de placer les données (registre DS) immédiatement à la suite des instructions en langage machine (registre CS), ce qui permet bien sûr d'économiser beaucoup de place mémoire.

Segments non superposés

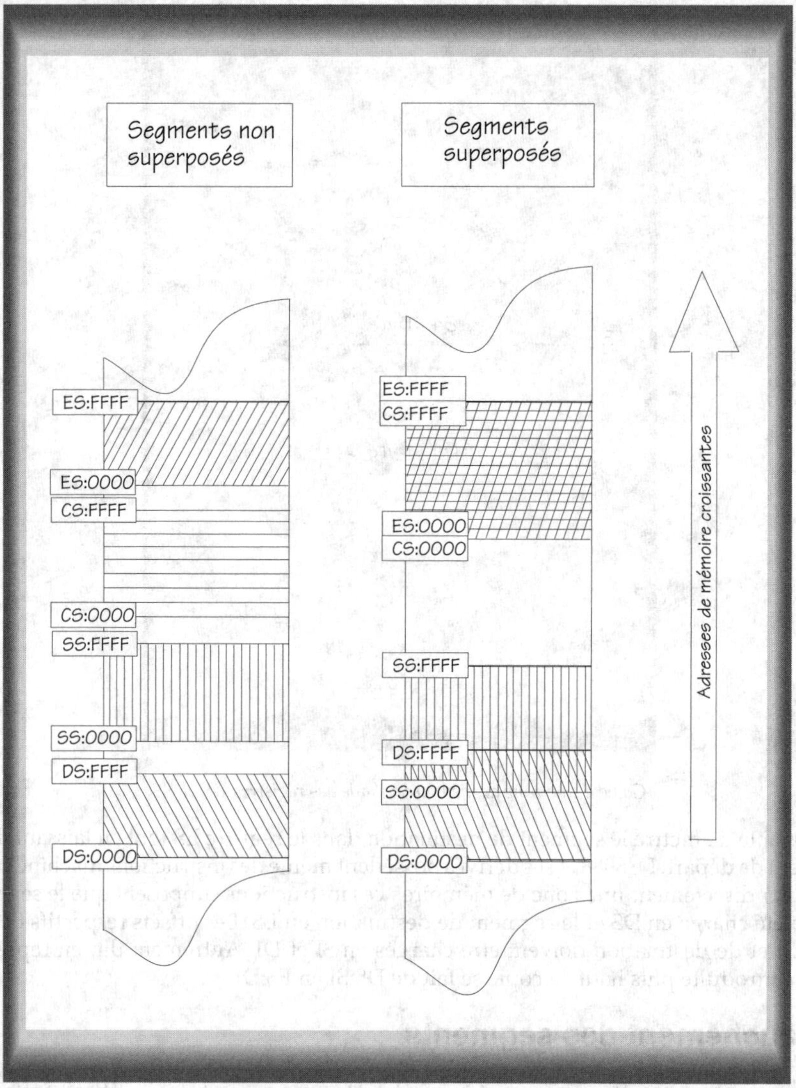

Segments superposés

ES:FFFF

ES:0000
CS:FFFF

CS:0000
SS:FFFF

SS:0000
DS:FFFF

DS:0000

ES:FFFF
CS:FFFF

ES:0000
CS:0000

SS:FFFF

DS:FFFF
SS:0000

DS:0000

Adresses de mémoire croissantes

Segments en situation ou non de chevauchement

Pointeurs NEAR et FAR

Ce qui s'appelle ici les adresses mémoire revient à la surface des langages évolués sous le nom de "pointeur". En Pascal et en C, les pointeurs sont des variables destinées à mémoriser les adresses des objets qu'ils référencent. Ils se divisent en deux catégories : les pointeurs FAR (à accès long) et les pointeurs NEAR (à accès court).

Les pointeurs NEAR indiquent simplement l'offset d'un objet, ils ne comportent que 16 bits. Pour permettre l'accès recherché, le compilateur supplée un segment qui est chargé dans le registre de segment approprié. C'est pourquoi les pointeurs NEAR sont en général réservés aux accès portant sur des variables situées à l'intérieur du segment de données de 64 Ko installé par le compilateur.

Les pointeurs FAR au contraire sont constitués d'un segment et d'un offset et sont donc mémorisés sur deux mots. Le mot inférieur contient l'offset et le mot situé juste à la suite le segment. En Turbo Pascal les pointeurs sont naturellement FAR, tandis qu'en C leur catégorie dépend du modèle mémoire mis en service. Voyez à ce sujet le chapitre 2.

Types de données et mémorisation

Les octets et les mots ne sont pas les seuls types de données que l'on rencontre en programmation système. On a également affaire à des doubles mots DWords qui interviennent lorsque les 16 bits d'un mot simple ne sont pas suffisants. Tel est le cas par exemple du compteur de tops interne au BIOS qui au bout de dix heures franchit la limite de 65536.

Les processeurs de la famille 80xxx d'Intel mémorisent les doubles mots en disposant le mot de poids faible (bits 0 à 15) avant le mot de poids fort (bits 16 à 31). Ce procédé est appelé "Little Endian" et s'oppose au "Big Endian" qui intervertit l'ordre des mots et qui est exploité par les processeurs de la famille 68000 de Motorola (Apple Macintosh, Atari ST et Amiga). La méthode Little Endian est également appliquée, au-delà du stockage des doubles mots, au stockage des mots eux-mêmes. En effet l'octet de poids faible d'un mot est mémorisé avant l'octet de poids fort. Et l'histoire se répète de la même façon pour les quadruples mots (QWords) gérés par le coprocesseur arithmétique : le mot double de poids faible (bits 0 à 31) précède en mémoire le mot double de poids fort (bits 32 à 63). La figure ci-après illustre ces permutations imbriquées :

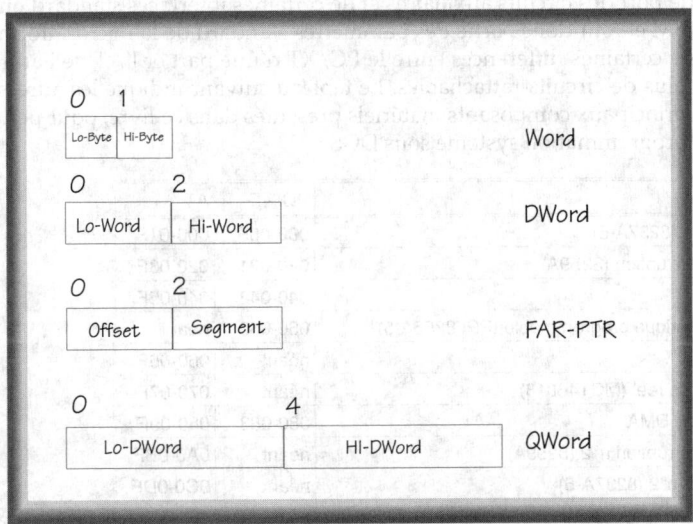

Stockage de différents types de données au format Little Endian

1.5. Communication avec le matériel

Un programme communique avec le matériel, c'est-à-dire les circuits auxiliaires et les cartes d'extensions, par l'intermédiaire des ports d'entrée-sortie.

Un port est un contact avec l'extérieur, sur 8 ou 16 bits, identifié par une adresse comprise entre 0 et 65535. Il donne accès aux registres d'un circuit extérieur. En règle générale, un périphérique occupe toute une série de ports.

Accès aux ports d'entrée-sortie

Pour communiquer avec les ports, le processeur se sert du bus de données et d'adresses, exactement comme dans le cas d'un accès à la mémoire. Il commence par envoyer sur une ligne spéciale du bus un signal destiné à prévenir tous les dispositifs reliés qu'il va s'adresser non pas à une mémoire mais un port. Il transfère ensuite l'adresse du port dans les 16 bits inférieurs du bus d'adresses et attend que l'un des appareils à l'écoute se déclare concerné, après quoi il envoie les données sur le bus de données.

Le même mécanisme se déroule en sens inverse pour une lecture. C'est alors la carte d'extension qui envoie le contenu du port au processeur, mais uniquement sur sa requête.

Pour piloter ainsi les entrées-sorties, les processeurs Intel disposent des instructions IN qui permettent d'envoyer des données du processeur vers le port ou inversement de charger dans le processeur des données en provenance d'un port. Le chapitre 2 explique comment effectuer la programmation correspondante avec un langage évolué. Notez bien que ce n'est pas le système qui distribue les adresses des ports : chaque matériel est responsable de la zone d'adressage de ses ports. Il en résulte inévitablement des conflits entre différentes cartes qui occupent les mêmes adresses. C'est pourquoi la plupart des cartes d'extension sont munies de micro-interrupteurs DIP qui permettent de changer les adresses utilisées.

Standardisation des adresses des ports

Les adresses de port des circuits auxiliaires et de certaines interfaces standard ont été fixées à l'origine par IBM et font donc partie des paramètres standard de la micro-informatique. Il est vrai qu'il existe certaines différences entre le PC/XT d'une part et l'AT de l'autre, ce dernier disposant de plus de circuits rattachables. Le tableau suivant indique les adresses des ports attribués aux principaux composants matériels présentés dans ce livre, pour peu qu'ils soient utiles dans la programmation système sous DOS :

Circuit	PC/XT	AT
Contrôleur DMA (8237A-5)	000-00F	000-01F
Contrôleur d'interruption (8259A)	020-021	020-03F
Temporisateur	040-043	040-05F
Interface périphérique programmable (PPI 8255A-5)	060-063	néant
Clavier (8042)	néant	060-06F
Horloge en temps réel (MC146818)	néant	070-07F
Registre de page DMA	080-083	080-09F
Contrôleur d'interruption n°2 (8259A)	néant	0A0-0BF
Contrôleur DMA n°2 (8237A-5)	néant	0C0-0DF
Coprocesseur arithmétique	néant	0F0-0F1
Coprocesseur arithmétique	néant	0F8-0FF
Contrôleur de disque dur	320-32F	1F0-1F8
Manette de jeux (Joysticks)	200-20F	200-207
Unité d'extension	210-217	néant
2e imprimante parallèle	néant	278-27F
Seconde interface série	2F8-2FF	2F8-2FF
Carte de prototype	300-31F	300-31F
Carte de réseau	néant	360-36F
1re imprimante parallèle	378-37F	378-37F
Carte d'écran monochrome et 1re imprimante parallèle	3B0-3BF	3B0-3BF

Circuit	PC/XT	AT
Carte vidéo couleur/graphique	3D0-3DF	3D0-3DF
Contrôleur de disquette	3F0-3F7	3F0-3F7
Première interface série	3F8-3FF	3F8-3FF
(adresses exprimées en hexadécimal)		

1.6. Les interruptions

Dans la section 1.3.3, les interruptions ont été définies comme des mécanismes permettant à un périphérique d'interrompre brièvement le processeur dans l'exécution courante pour l'obliger à se brancher sur un sous-programme appelé gestionnaire d'interruption. Mais ce n'est là qu'une face des choses. Car les interruptions ne servent pas seulement à piloter le matériel. Elles constituent aussi le moyen de communication central entre un programme et les fonctions de DOS ou du BIOS.

Les interruptions logicielles

Ce sont les interruptions dites logicielles qui sont déclenchées par les programmes lorsqu'ils ont besoin d'exécuter une fonction DOS, BIOS, de gestion de mémoire EMS, etc. La fonction appelée est considérée par le processeur comme un sous-programme qui une fois achevé rend le contrôle à l'appelant.

Pour déclencher une fonction DOS ou BIOS par une interruption logicielle, le programme appelant n'a pas besoin de connaître l'adresse de la routine concernée, il lui suffit de connaître le numéro de l'interruption souhaitée. Ces numéros sont standardisés. C'est ainsi qu'indépendamment de la version de DOS, le service de ses fonctions est assuré par l'interruption 21h.

Le gestionnaire d'interruption est invoqué par l'intermédiaire d'une table de vecteurs d'interruption où se trouve l'adresse de la fonction recherchée. Le numéro de l'interruption constitue l'indice d'entrée dans la table qui est initialisée au démarrage du système de façon que les différents vecteurs d'interruption pointent sur les fonctions du BIOS.

L'avantage de ce mécanisme est patent : les fabricants de PC compatibles n'ont pas le droit de copier le BIOS de la ROM d'IBM. Mais ils peuvent implémenter en ROM les mêmes fonctionnalités qu'IBM avec une programmation différente. Les fonctions du BIOS seront déclenchées par les mêmes interruptions qu'avec un matériel IBM, les paramètres transmis à ces fonctions seront identiques et rangés dans les mêmes registres du processeur mais les routines responsables du traitement auront une autre forme.

La notion d'interruption présente encore d'autres avantages qui seront évoqués au chapitre 2. Nous allons maintenant étudier la table des vecteurs d'interruption qui constitue la clé d'accès aux interruptions.

1.6.1. Structure et emplacement de la table des vecteurs d'interruption

Le fait que l'on parle de "table" montre qu'il existe plus d'une interruption dans un PC, sinon un simple pointeur suffirait. Il existe effectivement 256 interruptions pour un 8088 ou ses dérivés, c'est pourquoi la table des vecteurs d'interruption possède 256 entrées ou éléments. Les interruptions matérielles et logicielles sont mises sur le même plan, seul le type d'appel les distingue. Dans une interruption logicielle, c'est le programme qui fixe le numéro d'interruption tandis que dans une interruption matérielle c'est le périphérique qui s'en charge.

Chaque élément de la table des vecteurs d'interruption occupe deux mots successifs car il s'agit d'un pointeur FAR qui donne le segment et l'offset du gestionnaire associé. La table s'étend donc sur 1024 octets. Elle commence à la mémoire d'offset 0 et s'arrête à la limite du premier Ko. L'adresse où réside le gestionnaire associé à un vecteur se calcule en multipliant le numéro de l'interruption par quatre.

Comme la table des vecteurs est stockée en mémoire vive, elle peut être modifiée par n'importe quel programme. Les logiciels dits résidents et les drivers de périphériques ne manquent pas de faire usage de cette possibilité (voir chapitre 35).

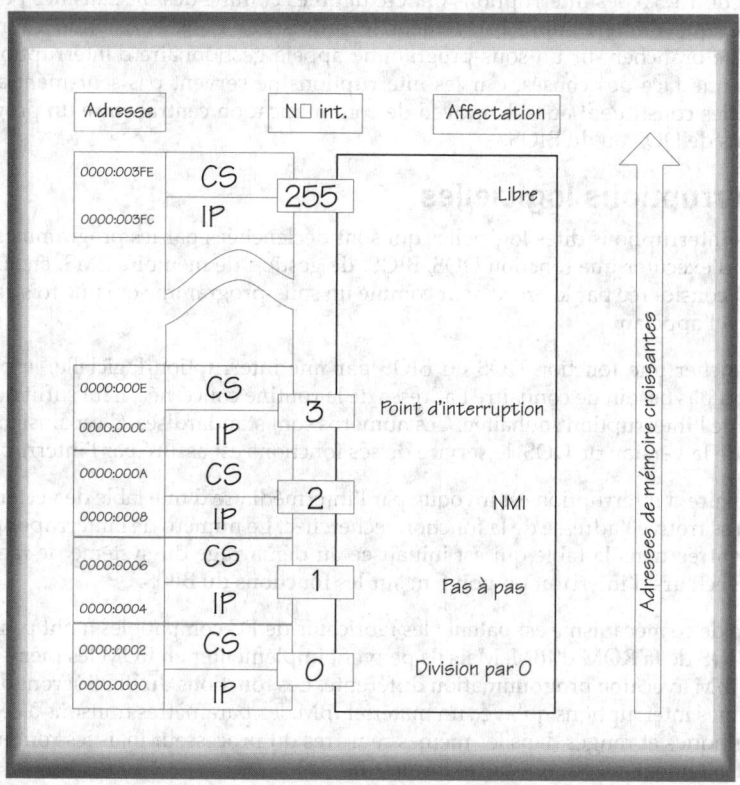

Structure de la table des vecteurs d'interruption

1.6.2. Organisation de la table des vecteurs d'interruption standard

Le tableau suivant ne donne pas seulement les adresses des différents vecteurs d'interruption, il indique aussi les services rendus par chacun d'eux. La table est valable pour tous les PC et constitue un élément essentiel de ce qu'on appelle le "standard" de l'industrie. Un programme qui appelle une de ces interruptions est sûr de déclencher partout le même effet. La plupart des interruptions et des fonctions concernées seront décrites tout au long de cet ouvrage.

Il faut noter cependant que de nombreux vecteurs ne sont exploitables que si le matériel correspondant est installé. Il en est ainsi par exemple de l'interruption 33h qui sert à activer les fonctions du driver de souris ou de l'interruption 5Ch qui sert d'interface avec les fonctions du NetBios lorsqu'un réseau est présent.

La mention "Réservé" signifie que l'interruption en question est exploitée par un des composants système (le plus souvent DOS) mais qu'elle n'a fait l'objet d'aucune documentation. On en connaît donc l'origine mais pas le fonctionnement.

Nº	Adresse	Fonction
00	000 - 003	CPU: Division par zéro
01	004 - 007	CPU: Pas à pas
02	008 - 00B	CPU: NMI (Défaut dans RAM)
03	00C - 00F	CPU: Point d'arrêt atteint
04	010 - 013	CPU: Débordement numérique
05	014 - 017	Copie d'écran
06	018 - 01B	Instruction inconnue (80286 seul.)
07	01D - 01F	Réservé
08	020 - 023	IRQ0: Timer (Appel 18,2 fois/sec.)
09	024 - 027	IRQ1: Clavier
0A	028 - 02B	IRQ2: deuxième 8259 (AT uniquement)
0B	02C - 02F	IRQ3: Interface série 2
0C	030 - 033	IRQ4: Interface série 1
0D	034 - 037	IRQ5: Disque dur
0E	038 - 03B	IRQ6: Disquette
0F	03C - 03F	IRQ7: Imprimante
10	040 - 043	BIOS: Fonctions vidéo
11	044 - 047	BIOS: Détermination configuration
12	048 - 04B	BIOS: Détermination taille RAM
13	04C - 04F	BIOS: Fonctions disquette/disque dur
14	050 - 053	BIOS: Accès à interface série
15	054 - 057	BIOS: Fonctions cassette ou étendues
16	058 - 05B	BIOS: Interrogation du clavier
17	05C - 05F	BIOS: Accès à imprimante parallèle
18	060 - 063	Appel du BASIC en ROM
19	064 - 067	BIOS: Démarrage à chaud (ALT+CTRL+DEL)
1A	068 - 06B	BIOS: Lecture date et heure
1B	06C - 06F	Touche Break actionnée
1C	070 - 073	Appelé après chaque INT 08
1D	074 - 077	Adresse de la table de paramètres vidéo
1E	078 - 07B	Adresse de table paramètres disquette
1F	07C - 07F	Adresse des caractères graphiques
20	080 - 083	DOS: Terminaison du programme
21	084 - 087	DOS: Fonction de DOS
22	088 - 08B	Adresse de routine DOS fin du programme
23	08C - 08F	Adresse de routine CTRL-BREAK du DOS
24	090 - 093	Adresse de routine d'erreur du DOS
25	094 - 097	DOS: Lecture disquette/disque dur
26	098 - 09B	DOS: Ecriture sur disquette/disque dur
27	09C - 09F	DOS: Fin programme, laisser résident
28-	0A0 -	Réservé pour différentes fonctions
3F	- 0FF	non encore documentées du DOS

N°	Adresse	Fonction
40	100 - 103	BIOS: Fonctions disquette
41	104 - 107	Adresse table des paramètres disque dur 1
42- 45	108 - - 117	Réservé
46	118 - 11b	Adresse table des paramètres disque dur 2
47- 49	11c - - 127	Librement définissable par le programme utilisateur
4A	128 - 12B	Heure alarme atteinte (AT seulement)
4B- 67	12C - - 19F	Librement définissable par le programme utilisateur
68- 6F	1A0 - - 1BF	Inutilisé
70	1C0 - 1C3	IRQ08: Horloge temps réel (AT seul.)
71	1C4 - 1C7	IRQ09: (AT seulement)
72	1C8 - 1CB	IRQ10: (AT seulement)
73	1CC - 1CF	IRQ11: (AT seulement)
74	1D0 - 1D3	IRQ12: (AT seulement)
75	1D4 - 1D7	IRQ13: 80287 NMI (AT seulement)
76	1D8 - 1DB	IRQ14: Disque dur (AT seulement)
77	1DC - 1DF	IRQ15: (AT seulement)
78- 7F	1E0 - - 1FF	Inutilisé
80- F0	200 - - 3C3	Utilisé à l'intérieur de l'interpréteur BASIC
F1- FF	3C4 - - 3CF	Inutilisé

Toutes les adresses sont en hexadécimal

1.6.3. Les interruptions matérielles

Les interruptions matérielles sont générées par les différents composants matériels du PC et parviennent au processeur par l'intermédiaire du contrôleur d'interruption. Nous allons examiner le fonctionnement de ce type d'interruption en tenant compte des différences existant entre le PC/XT et l'AT.

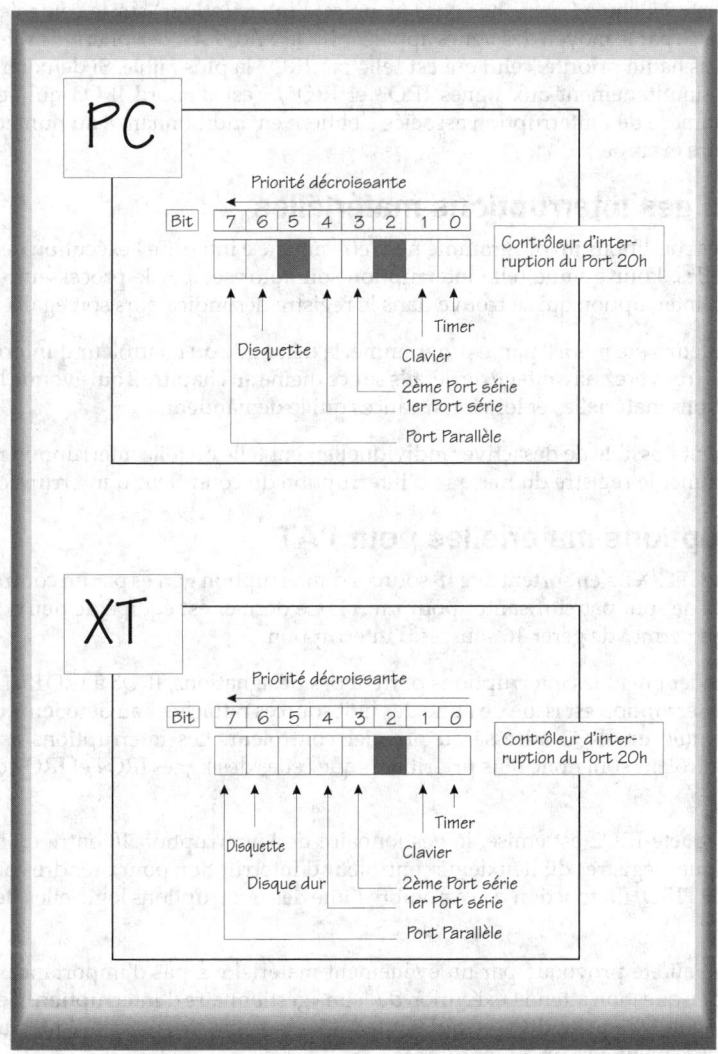

Requête d'interruption et priorités sur PC et XT

8 Interruptions matérielles pour le PC et l'XT

Ce sont les interruptions qui portent les numéros 8 à 15 qui sont considérées comme des interruptions matérielles en provenance du contrôleur d'interruptions. Il est théoriquement possible de déclencher ces interruptions comme des interruptions logicielles mais cette manière de procéder n'a pas beaucoup de sens.

Le gestionnaire d'interruption associé est prévu pour interroger le matériel concerné et ne fonctionnerait pas correctement si l'appel n'en provient pas.

On peut brancher jusqu'à 8 périphériques (sources d'interruptions) sur le contrôleur d'interruption d'un PC, par le moyen des lignes appelées IRQ0 à IRQ7. Le périphérique relié par IRQ0 possède la plus haute priorité, celui qui est relié par IRQ7 la plus faible. Si deux interruptions parviennent simultanément aux lignes IRQ3 et IRQ5, c'est d'abord IRQ3 qui sera pris en compte. Le numéro de l'interruption associée s'obtient en additionnant 8 au numéro de l'IRQ (=11 dans notre exemple).

Inhibition des interruptions matérielles

Dans certaines conditions un programme peut être amené à interdire l'exécution des interruptions matérielles. Pour qu'une telle interruption soit autorisée par le processeur, il faut que l'indicateur d'interruption qui se trouve dans le registre des indicateurs soit égal à 1.

Si ledit indicateur a été mis à 0 par le programme, la demande du contrôleur d'interruption est ignorée. Vous trouverez davantage de détails sur ce thème au chapitre 2 qui évoque l'inhibition des interruptions matérielles et les circonstances qui le demandent.

Il est également possible de désactiver individuellement telle ou telle interruption mais il faut alors programmer le registre du masque d'interruption du contrôleur d'interruption.

16 interruptions matérielles pour l'AT

Alors que le PC et l'XT s'en sortent avec 8 sources d'interruption gérées par un contrôleur 8259, ces ressources ne sont pas suffisantes pour un AT. Ce dernier est équipé de deux contrôleurs 8259 ce qui lui permet de gérer 16 sources d'interruption.

Comme précédemment les interruptions portent des désignations, IRQ8 à IRQ15. Lorsqu'une demande d'interruption est issue de l'une des huit sources rattachées au deuxième contrôleur, ce dernier simule un IRQ2 adressé au premier contrôleur. Les interruptions associées au deuxième contrôleur sont donc plus prioritaires que celles des lignes IRQ4 et IRQ7 du premier contrôleur.

Lorsque la requête IRQ2 est émise, le gestionnaire de l'interruption 10 entre en scène. Il lit d'abord quelques registres du deuxième contrôleur d'interruption pour prendre connaissance du numéro de l'IRQ. En fonction de ce nombre l'une des interruptions logicielles de 70h à 77h est déclenchée.

Que cet appel ait été provoqué par un événement matériel n'a pas d'importance puisque le périphérique en question attend l'exécution de "son" gestionnaire d'interruption. Ce processus consomme en fait la requête IRQ2 ce qui limite à 15 le nombre de sources d'interruptions qui peuvent effectivement être prises en compte.

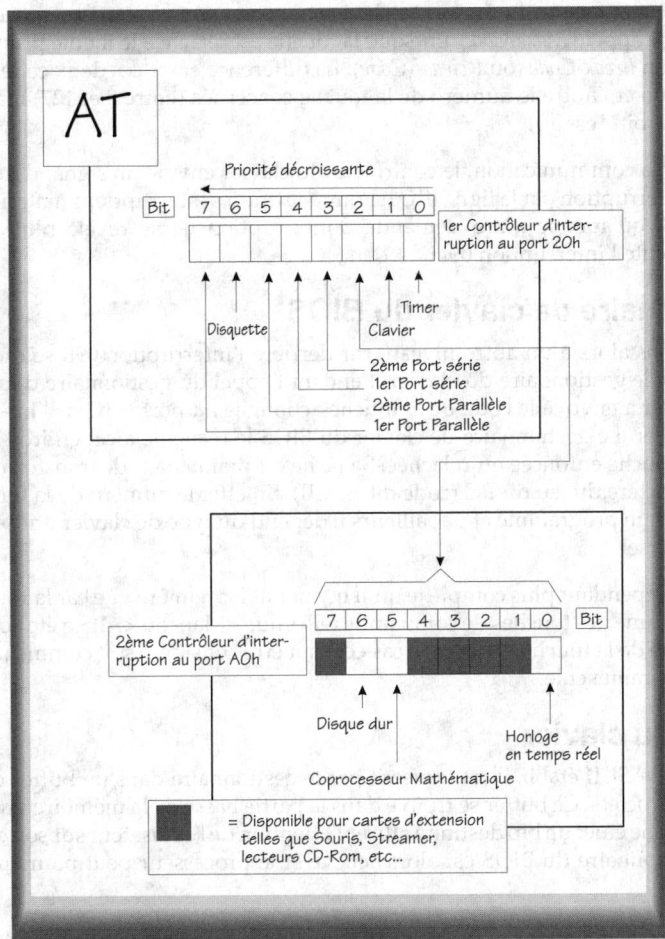

Requêtes d'interruption et priorités dans un AT

1.7.   Le matériel, le BIOS, le DOS

Pour clore ce chapitre, je voudrais montrer la façon dont les différents niveaux du matériel, du DOS et du BIOS sont imbriqués pour permettre aux programmes d'application d'accéder simplement aux périphériques du PC. Le clavier fournira un excellent sujet d'étude car les interruptions matérielles, les fonctions du BIOS et celles de DOS y interviennent de façon équilibrée. Suivons donc le chemin parcouru par un caractère entre sa frappe au clavier et le programme d'application qui en prend connaissance et l'affiche à l'écran.

La partie matérielle du clavier

Le clavier comporte un petit circuit spécialisé relié à l'unité centrale de l'ordinateur par un câble. Son rôle est de surveiller les touches et de signaler toute pression ou tout relâchement d'une touche. Il n'associe aucun caractère aux touches mais les désigne par un numéro. Les touches de commande comme "Majuscule" et "Ctrl" n'ont pas à cet égard de statut particulier et sont traitées comme les autres.

Si une touche est enfoncée, le circuit du clavier transmet son numéro au processeur sous la forme d'un code appelé *Make-Code*. Lorsque la touche est relâchée le même processus conduit à l'émission d'un *Break-Code* (ou *Release-Code*). La différence entre ces deux codes est minime : ils indiquent l'un et l'autre le numéro de la touche concernée (entre 0 et 127) mais dans le cas du *Break-Code* le bit 7 est à 1.

Pour initialiser la communication, le contrôleur du clavier envoie un signal d'interruption au contrôleur d'interruption par la ligne IRQ1. Pour peu que les interruptions matérielles ne soient pas inhibées et qu'aucune autre demande d'interruption ne se révèle plus prioritaire, le processeur exécute l'interruption 09H.

Le gestionnaire de clavier du BIOS

Nous en arrivons alors à un autre niveau, car derrière l'interruption 09h se cache une autre routine appelée le gestionnaire du clavier. Pendant l'appel du gestionnaire d'interruption, le circuit du clavier a envoyé le code de la touche actionnée au port 60h par l'intermédiaire du cordon du clavier. Le gestionnaire de clavier du BIOS le recueille à cet endroit et identifie le numéro de la touche enfoncée ou relâchée. Sa tâche est maintenant de transformer ce code en un code de caractère du jeu du PC (code dit ASCII). En effet le numéro de la touche n'est pas significatif pour un programme et par ailleurs il dépend du type de clavier utilisé. Seul le code ASCII est universel.

Cette tâche est cependant plus complexe qu'il n'y paraît à première vue car la routine du BIOS doit examiner si une des touches de commande telles que <Maj> ou <Alt> a été actionnée. C'est ainsi que le code de la touche A devra le cas échéant être considéré soit comme une majuscule soit comme une minuscule.

Le buffer du clavier

Une fois le code ASCII établi, il est transcrit par le gestionnaire dans un buffer du BIOS dont la taille est de 16 octets. Ce buffer se trouve dans la partie basse de la mémoire vive. Si le buffer est plein, la routine émet un bip destiné à attirer l'attention de l'utilisateur sur son débordement. Le rôle du gestionnaire du BIOS est alors achevé et le processeur peut poursuivre le travail interrompu.

Ainsi les caractères ne sont pas directement livrés au programme en cours d'exécution, ils sont mis en attente dans le buffer du clavier du BIOS. Nous passons alors au niveau suivant qui relève toujours du BIOS.

L'interruption clavier du BIOS

Il s'agit de l'interruption 16h du BIOS qui recouvre 3 routines destinées à lire un caractère dans le buffer du clavier et à consulter l'état du clavier (quelles sont les touches de commande actuellement actives ?). Ces trois routines peuvent être appelées par un programme au moyen de l'instruction Int 16h. Cet événement peut survenir à n'importe quel moment et indépendamment de l'interruption matérielle du clavier avec laquelle on n'entre jamais en contact.

Mais un programme d'application n'est pas obligé de se compromettre directement avec l'interruption 16 h du BIOS pour lire une touche. Il peut très bien se servir de fonctions de DOS.

Le niveau de DOS

Nous voilà maintenant parvenus au niveau de DOS. Le système est d'abord représenté par les différentes routines du driver du clavier. Leur fonction consiste à exploiter l'interruption 16h du BIOS pour lire les caractères tapés et les stocker dans un buffer interne à DOS. Si le driver du clavier est le driver ANSI.SYS, il sera en outre capable de convertir certains codes (par exemple le code d'une touche de fonction) en d'autres codes ou en une séquence de caractères. C'est ainsi qu'il est possible de faire apparaître à l'écran l'instruction "DIR" en actionnant la touche F10.

Les fonctions d'un driver de périphérique peuvent être appelées directement à partir d'un programme d'application mais dans la pratique elles sont gérées par l'intermédiaire d'une fonction de DOS qui les chapeaute.

Nous sommes ainsi arrivés au dernier niveau avant le programme d'application : il s'agit des différentes fonctions d'accès au clavier de l'interruption 21h du DOS. Ces fonctions font appel au driver et restituent au programme d'application les caractères lus.

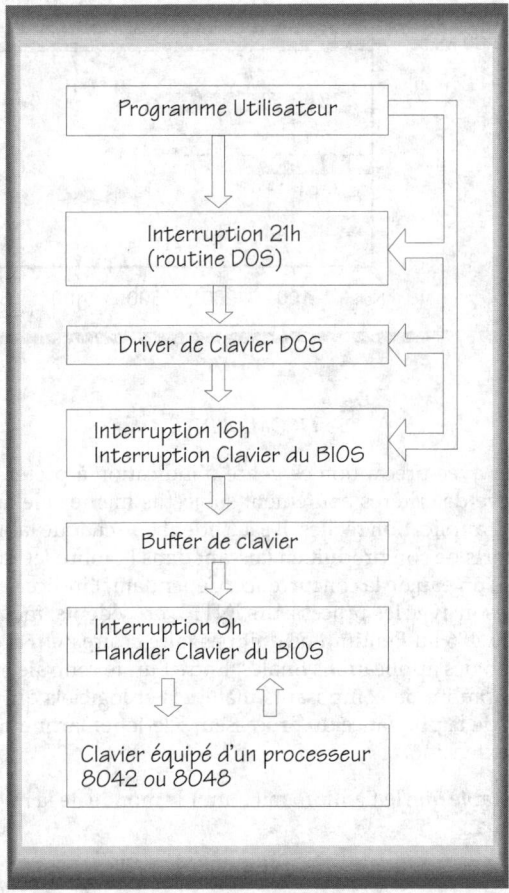

Les différents niveaux d'accès au clavier

1.8. Le processeur Pentium

En présentant le Pentium en 1993, Intel a encore monté la barre en matière de faisabilité technologique dans le domaine du PC. 100 MIPS (millions d'instructions par seconde) avec une cadence de 66 MHz, ce sont des chiffres qui parlent d'eux-mêmes : le Pentium est presque deux

fois plus rapide qu'un 486 DX2/66 dans le domaine du calcul entier. Pour ce qui est des calculs flottants, le tableau est encore plus impressionnant : selon le jeu d'instructions employé, le Pentium est de trois à sept fois plus rapide que son prédécesseur. Et tout ceci en respectant pleinement la compatibilité binaire avec les 486, 386, 286 et même 8086.

Pour évoquer la puissance de son Pentium, la société Intel elle-même n'a qu'un mot : 567. Il s'agit du résultat d'un test ICOMP développé par Intel pour ses processeurs, qui se caractérise par un indice du même nom. Comme le montre le graphique suivant, l'indice mesuré pour un Pentium 66 MHz est pratiquement deux fois supérieur à celui d'un 486 tournant à la même cadence.

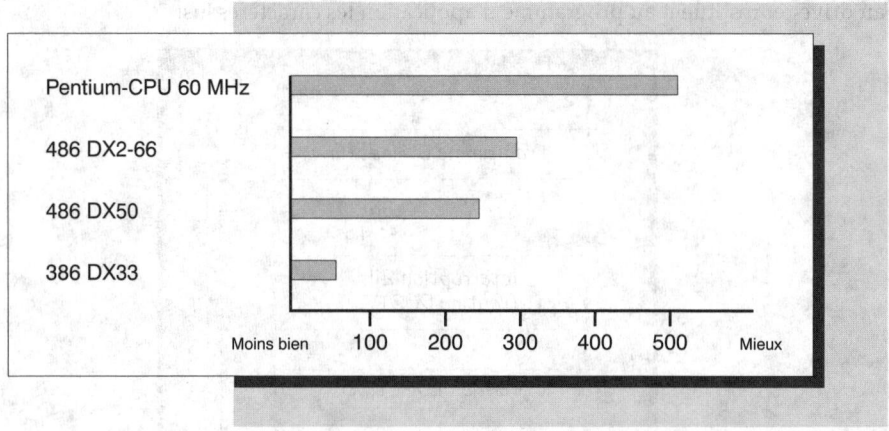

Test ICOMP d'INTEL

Il faut toutefois manier avec précaution ce genre d'indication à prétention absolue. Le choix des tests effectués relève de critères hautement subjectifs même si le fabricant explique qu'il simule des conditions d'application réelles. Il est évident que chaque fabricant cherche à mettre en lumière les points forts de son produit en laissant dans l'ombre les domaines dans lesquels son produit n'est pas au niveau de la concurrence. Cependant, l'indice ne paraît pas biaisé pour effectuer une comparaison avec les processeurs INTEL précédents, même si le doublement de la vitesse en passant du 486 au Pentium ne doit pas faire croire à un accroissement identique de la vitesse d'exécution des applications finales. Entre l'unité centrale et l'utilisateur viennent s'intercaler un grand nombre de composants matériels et logiciels qui ne profitent guère ou pas de l'augmentation de la puissance du processeur. Cette remarque concerne notamment le domaine des cartes d'extension.

Pourtant il est incontestable que le Pentium fait entrer le monde de la micro-informatique dans de nouvelles dimensions.

Quelle est donc l'origine de cette puissance ? Il y a en fait trois raisons : l'unité de calcul entier superscalaire, le cache de premier niveau du processeur et l'unité de calcul flottant également superscalaire. Nous allons examiner à la loupe ces perfectionnements.

Mais voici d'abord quelques caractéristiques importantes du nouveau circuit-miracle d'Intel :

○   le Pentium est réalisé avec la technologie submicro 0,8 micron BICMOS. Les canaux élémentaires ont désormais 0,8 millionièmes de m, pour ne pas dire 8/10000 de mm.
○   la puce comporte 3.1 millions de transistors.

○ le processeur est complètement compatible au niveau binaire avec ses prédécesseurs, aussi bien par son jeu d'instructions et ses registres que par ses types d'adressage et modes d'exploitation.

○ Le processeur fonctionne toujours avec des registres de 32 bits et un adressage de 32 bits mais il peut se connecter à un bus de données de 64 bits pour une meilleure communication avec la mémoire.

○ une architecture superscalaire, fondée sur deux pipelines entiers travaillant en parallèle, permet dans le meilleur des cas d'exécuter deux instructions machine en un seul cycle.

○ deux caches séparés d'une taille de 8 Ko, pour les données et le code, facilitent l'accès à la mémoire en liaison avec l'interface 64 bits.

○ un protocole spécial (MESI) permet de mettre en service le Pentium dans un contexte multiprocesseur.

○ l'unité de calcul flottant a été améliorée et se révèle bien plus rapide que sur le 486, avec la possibilité d'exécuter simultanément deux instructions, sous certaines conditions il est vrai assez restrictives.

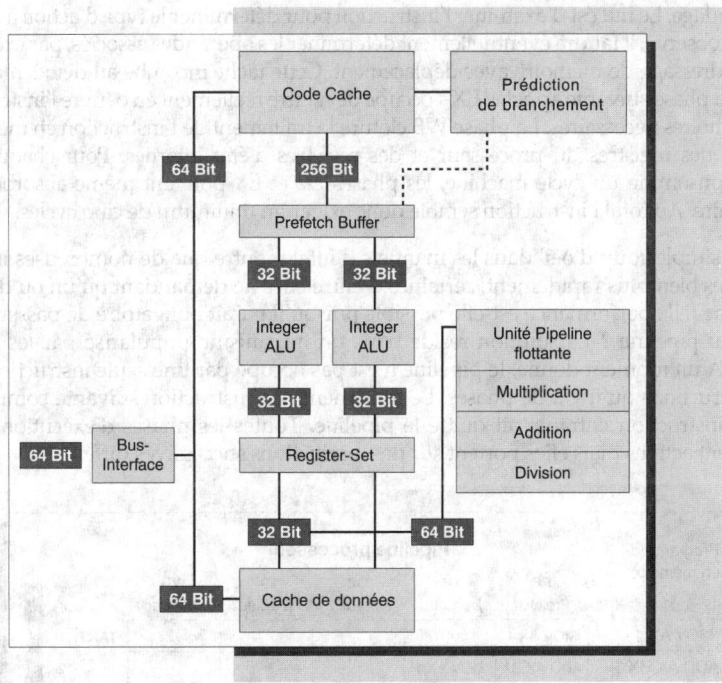

Processeur Pentium

1.8.1. Exécution des instructions et prédiction de branchement

L'exécution des programmes par le Pentium se fonde sur une architecture superscalaire avec deux pipelines entiers fonctionnant en parallèle selon cinq phases. Ils sont reliés au cache du processeur et à un buffer des destinations de branchement (Branch Target Buffer = BTB).

Exécution à l'intérieur du pipeline

Pour comprendre ce mécanisme aussi efficace que complexe, il faut se rappeler la manière dont un processeur exécute des instructions machine. Bien que ce processus apparaisse comme monolithique vu de l'extérieur, il se déroule en plusieurs phases à l'intérieur du processeur. Dans le cas des i486 et du Pentium ce sont cinq phases qui interviennent successivement à chaque instruction. Elles sont désignées par les abréviations PF, D1, D2, EX et WB.

PF	prefetch
D1	decode 1
D2	decode 2
EX	execute
WB	write back

L'exécution commence par la phase PF ou instruction *prefetch*. Il s'agit d'abord de rechercher l'instruction dans la mémoire pour la transférer dans le processeur, l'endroit où elle sera traitée. Une fois parvenue à l'intérieur du processeur, l'instruction est soumise à la phase D1, constituée par le premier décodage. Le but est d'examiner l'instruction pour déterminer le type d'action à déclencher. Selon le type observé, il faudra éventuellement déterminer les opérandes associés, par exemple dans le cas d'un adressage de mémoire avec déplacement. Cette tâche incombe au deuxième décodage appelé D2. La phase suivante appelée EX s'occupe de mettre réellement en oeuvre l'instruction avec les accès mémoires nécessaires. La phase WB clôture le traitement de l'instruction en mettant à jour les contenus des registres du processeur et des registres d'état internes. Pour chaque phase le processeur consomme un cycle machine, les phases D2 et EX pouvant même absorber un cycle supplémentaire. Au total l'instruction semble donc exiger un minimum de cinq cycles.

Pourtant un simple coup d'oeil dans les manuels d'Intel montre que de nombreuses instructions sont exécutées bien plus rapidement, certaines d'entre elles ne demandant qu'un ou deux cycles. Comment une telle performance est-elle possible puisqu'il paraît obligatoire de passer par toutes les phases du pipeline ? La solution réside dans un mécanisme popularisé par les chaînes de production. A un moment donné, le pipeline n'est pas occupé par une seule instruction mais par autant d'instructions qu'il y a de phases. Le traitement de l'instruction suivante commence bien avant que l'instruction entrante ait quitté le pipeline. Toutes les phases d'exécution sont donc simultanément actives mais elles portent sur des instructions successives différentes.

Programme en mémoire	Pipeline processeur						
	PF Prefetch	**D1** Decode 1	**D2** Decode 2	**EX** Execute	**WB** Write Back		
MOV AX,1	MOV AX,1					**TAKT**	1
ADD AX,BX	ADD AX,BX	MOV AX,1					2
CMP AX,15	CMP AX,15	ADD AX,BX	MOV AX,1				3
INT 123	INT 123	CMP AX,15	ADD AX,BX	MOV AX,1			4
SHL AX,1	SHL AX,1	INT 123	CMP AX,15	ADD AX,BX	MOV AX,1	fini	5
:	:	SHL AX,1	INT 123	CMP AX,15	ADD AX,BX	fini	6
:	:	:	SHL AX,1	INT 123	CMP AX,15	fini	7

Temps

Les commandes dans le Pipeline

Certes les instructions ont au moins besoin de cinq cycles avant d'être complètement exécutées. Mais comme à chaque cycle le pipeline "rejette" une instruction (c'est-à-dire clôture son exécution), le temps d'exécution apparent n'est plus que d'un seul cycle.

Alors que l'exploitation du pipeline accroît déjà notablement les performances du 486, le Pentium démultiplie encore sa puissance en utilisant un deuxième pipeline travaillant en parallèle : de là l'expression "architecture de pipeline superscalaire". Pour distinguer les deux pipelines, l'un est appelé U et l'autre V.

Avec ces deux pipelines, le Pentium doit être théoriquement à même d'exécuter deux instructions simultanément et de doubler sa vitesse. Mais ce perfectionnement n'est pas si simple à mener à bien. En pratique il arrive assez souvent que deux instructions doivent être exécutées successivement parce qu'elles dépendent l'une de l'autre. Il en est ainsi par exemple d'une séquence de deux instructions, la première mettant à jour un registre et la seconde exploitant ce registre en lecture. Il existe toute une série de règles qui montrent qu'il est impossible d'exécuter en même temps certains couples d'instructions successives. On est ainsi amené à se restreindre à l'exécution en parallèle d'instructions "simples" du type MOV, addition ou soustraction entières, empilement et dépilement PUSH/POP etc. En effet ces instructions sont les seules qui soient véritablement câblées dans le microprocesseur, les autres étant effectuées par microcode.

C'est dans la deuxième phase du pipeline, soit D1, qu'est prise la décision d'une exécution parallèle. Dans la phase PF l'instruction courante à exécuter et son successeur sont chargées dans deux unités parallèles de décodage. La séquence est alors clairement établie. L'instruction courante passe dans l'unité de décodage du pipeline U et l'instruction suivante dans l'unité de décodage du pipeline V.

Si D1 constate la possibilité d'une exécution simultanée, les deux instructions passent en parallèle par les phases successives de leur pipeline respectif. Si tel n'est pas le cas, l'instruction du pipeline U passe à la phase suivante, tandis que celle du pipeline V est prise comme instruction succédant à l'instruction courante. C'est en définitive la nature du code machine qui détermine s'il y a exécution parallèle ou séquentielle. Les compilateurs pour Pentium dotés d'une fonction d'optimisation en tiennent compte : ils organisent le code machine de telle sorte que deux instructions successives puissent le plus souvent possible être exécutées en même temps.

Le buffer des destinations de branchement

Le principe du pipeline repose sur son alimentation incessante et discontinue en instructions nouvelles. Ce n'est que lorsqu'il est constamment rempli qu'il paraît véritablement exécuter une instruction par cycle d'horloge. En fait les deux pipelines sont branchés sur des *prefetch buffers*, des tampons de préchargement qui s'occupent de préparer l'instruction suivante en allant la chercher dans la mémoire principale ou le cache du processeur. Malheureusement ces préparatifs ne servent pas à grand-chose si le processeur doit exécuter un branchement. Dans ce cas en effet le programme ne se poursuit pas par l'instruction suivante mais par une toute autre instruction, située complètement ailleurs. En conséquence, l'instruction suivante, déjà préchargée dans le pipeline doit être interrompue, et le pipeline doit être alimenté par une nouvelle instruction. Il s'écoule ainsi plusieurs cycles d'horloge avant que l'instruction cible d'un branchement ne parvienne à quitter le pipeline.

Le Pentium résout ce problème en mettant en service un *Branch Target Buffer* (BTB), ou buffer des destinations de branchement. Il intervient en phase D1 dans tous les types de branchements NEAR, qu'il s'agisse de branchements conditionnels ou inconditionnels, ainsi que dans les appels de procédures. Si en phase D1 le processeur rencontre ce type d'instruction, il exploite

son adresse en mémoire pour le rechercher dans le BTB. Car à chaque exécution de ce type de branchement, le processeur stocke dans le BTB à la fois l'adresse de l'instruction et l'adresse de destination du branchement. Si une instruction se trouve dans le BTB parce qu'elle a déjà été exécutée, le processeur suppose que le branchement aura lieu une nouvelle fois. Ce ne sera pas l'instruction qui se trouve à la suite de l'instruction de branchement qui sera chargée dans le pipeline mais celle qui se trouve à l'adresse de destination du branchement. Mais évidemment si l'instruction n'est pas représentée dans le BTB, ce sera comme d'habitude l'instruction suivante qui passera dans le pipeline. Dans la phase EX au plus tard, le processeur sera en mesure de savoir si le branchement doit effectivement être mis en route ou pas. Si le processeur a fait le bon pari en tirant l'adresse du BTB, l'instruction qui doit s'exécuter à la suite du branchement se trouve déjà chargée dans le pipeline, ce qui accroît notablement la vitesse d'exécution du programme en cours. Même l'exécution d'un branchement conditionnel ne prend plus alors qu'un seul cycle d'horloge.

Mais si le processeur s'est trompé dans sa prédiction, le pipeline contient des instructions inappropriées et doit être vidé : l'exécution des instructions présentes dans le pipeline est alors interrompue et le pipeline entièrement rechargé. Dans ce cas ce n'est plus un cycle d'horloge mais trois qui sont nécessaires pour effectuer le branchement.

La mémoire cache

Le Pentium possède deux caches séparés d'une taille de 8 Ko pour les données et le code, chacun d'entre eux disposant de deux voies d'association. Chaque voie d'association comporte 128 entrées avec une taille de ligne de 32 octets. Le cache pour les données peut être exploité aussi bien en mode write through qu'en mode copy back. Il est capable de répondre simultanément à deux accès demandés par les pipelines U et V du processeur. Pour arriver à ce résultat, il est structuré en octuple entrelacement : chaque ligne de cache de 32 octets est donc divisée en huit blocs de 4 octets chacun.

Si ce paragraphe révèle au spécialiste les principales caractéristiques de la structure du cache du processeur Pentium, il est peu évocateur pour le profane. "Lignes de cache", "Association à double voie", "mode Copy Back" sont autant de notions que l'on ne rencontre guère dans la vie de tous les jours en micro-informatique. C'est pourquoi le reste de ce chapitre sera consacré au fonctionnement du cache d'un processeur en général et à la réalisation du cache du Pentium en particulier. Il est vrai que ce type de connaissance ne permet guère d'améliorer les programmes, mais quiconque désire savoir pourquoi le Pentium représente un progrès ne peut pas négliger l'étude de son cache.

En fait le cache intégré au circuit n'est pas une innovation du Pentium : Intel avait déjà exploité cette idée pour le processeur i486. Le présent chapitre concernera donc également le cache du processeur i486.

Fonction d'un cache

Il existe des caches pour les processeurs, pour les disques durs, pour les polices de caractères, pour les lecteurs de CD-ROM. Il s'agit de l'application diversifiée d'une même idée de base : accélérer l'accès à certaines données et informations en les retenant dans une zone de mémoire spéciale. Ainsi un cache de disque dur conservera en RAM les secteurs déjà lus : en cas de nouvelle lecture, il pourra resservir les informations plus rapidement. *Grosso modo* un disque dur est plusieurs centaines de fois plus lent d'accès que la mémoire vive : le gain de rapidité est donc évident. Mais alors que les caches de disque dur, de polices de caractères et de CD-ROM utilisent la mémoire vive comme moyen de stockage rapide, le cache d'un processeur s'y prend autrement. Du point de vue du processeur en effet, c'est la mémoire vive qui est trop lente d'accès lorsqu'elle doit fournir les données et les instructions des programmes. Le cache du processeur est une mémoire spéciale qui retient le contenu des dernières mémoires adressées. En cas de réutilisation de ces contenus, il ne sera plus nécessaire d'effectuer des recherches dans la RAM. Mais il y a cache et cache : il existe en effet un cache primaire et un cache secondaire qui n'ont pas du tout le même rôle. On parle aussi de cache de premier niveau et de cache de second niveau.

Si dans une annonce de revendeur de matériel il est question de cache de 128 Ko ou 256 Ko, il s'agit en fait de cache secondaire. C'est une sorte de mémoire intermédiaire entre la RAM et le processeur, constituée généralement d'un type de RAM particulièrement rapide appelée S-RAM. La mémoire principale est quant à elle constituée de D-RAM, beaucoup moins coûteuse, et trois ou quatre fois plus lente que les S-RAM en temps d'accès. Le résultat est un gain de vitesse notoire. A titre d'exemple, le temps de réponse d'une S-RAM peut être de 20 à 25 ns (nanosecondes = milliardième de seconde) alors que la plupart des mémoires centrales de PC sont équipées de D-RAM à temps d'accès de 70, 80 ou 100 ns.

Tandis que le cache secondaire est installé à l'extérieur du processeur, le cache primaire en fait partie intégrante. Le processeur peut y accéder aussi rapidement qu'à ses registres. Il serait bien sûr intéressant de loger toute la mémoire cache dans le processeur, et même toute la mémoire vive. Mais dans l'état actuel de la technologie, c'est impossible. Dans tous les cas, la mémoire ainsi créée est un objet de luxe qui revient très cher.

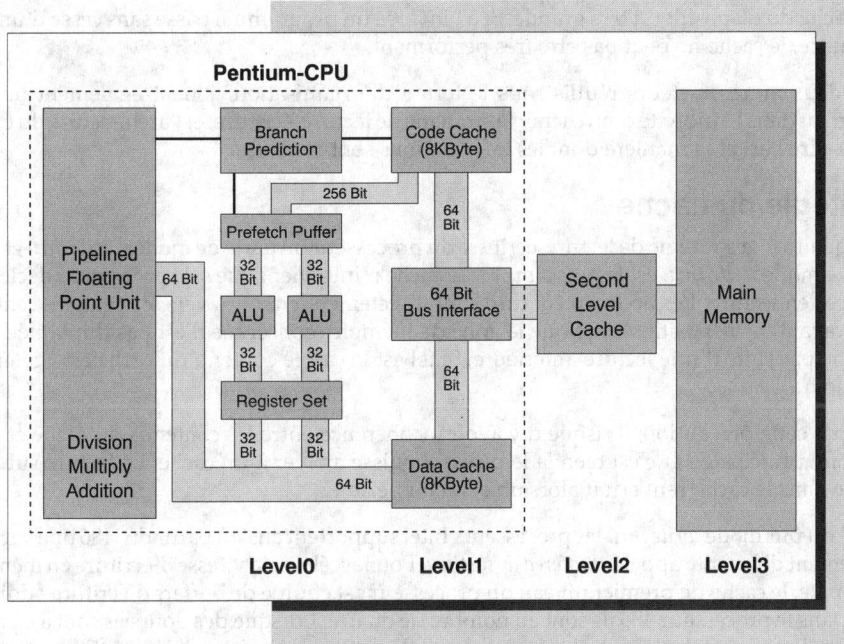

Caches de premier, deuxième et troisième niveau.

En plus des premier et deuxième niveaux, on parle aussi parfois de cache de troisième niveau pour désigner la mémoire vive ordinaire qui sert de cache pour les disques et autres périphériques. Les numéros de niveau augmentent au fur et à mesure qu'on s'éloigne du processeur, vitesse et prix au Ko diminuant en conséquence.

Efficacité d'un cache

La bonne tenue et l'efficacité d'un cache se mesurent par le rapport entre coups gagnants et coups perdants. On parle de coup gagnant lorsque le processeur au lieu d'accéder à une mémoire lente peut se servir dans le cache. Le coup est perdant si les données requises ne se trouvent pas dans le cache de sorte qu'un accès lourd est indispensable pour alimenter le processeur. Plus le nombre de coups gagnants est élevé par rapport aux coups perdants, plus le processeur gagne en rapidité. En fait le rapport entre nombre de coups gagnants et nombre de coups perdants dépend essentiellement de trois facteurs : l'organisation du cache, le type de code programme exécuté et sa taille. Le dernier facteur est facile à interpréter : plus la mémoire cache est importante, plus la probabilité s'accroît d'y trouver déjà l'information recherchée. Pour ce qui est du deuxième facteur, le type de code, il faut surtout prendre en compte son caractère local ou sa "localité". Un cache de processeur ne contient pas seulement les données lues par le programme en cours d'exécution mais aussi le code lui-même. Pour le processeur il est indifférent de lire une donnée ou une instruction : les deux nécessitent un accès mémoire. Et dans chacun de ces cas, le cache commence par regarder si l'adresse en question a déjà été utilisée.

Ce sont surtout les séquences de programme fermées, par exemple les boucles, qui peuvent être considérablement accélérées lorsqu'elles rentrent complètement dans le cache. Si un programme est composé de ce type de blocs, sans que leur taille dépasse celle du cache, l'efficacité du dispositif est très grande. Si à l'inverse un programme passe sans cesse d'un bloc à un autre, le cache ne peut pas être très performant.

Mais deux autres facteurs réunis sous le terme d'"organisation" jouent également un rôle important dans l'efficacité d'un cache : la stratégie de lecture-écriture, et l'architecture du cache, c'est-à-dire l'art et la manière dont les informations sont retenues.

Stratégie du cache

Pour qualifier la stratégie de lecture-écriture du processeur on parle de modes *write thru* et *write back*. Le mode *write thru* est le plus simple. Le cache n'intervient que si le processeur déclenche un accès en lecture. Les accès en écriture sont directement envoyés vers la mémoire centrale. Auparavant, le dispositif vérifie que la zone de mémoire concernée n'est pas dupliquée dans le cache par suite d'une lecture antérieure. Si tel est le cas, le contenu du cache est également mis à jour.

Faute de cette précaution, il risque d'y avoir incohérence entre les contenus du cache et de la mémoire principale : et c'est bien là le pire qui puisse arriver à un cache. La lecture suivante opérée dans le cache renverrait alors un contenu périmé.

A côté du pur mode *write thru* les processeurs Intel supportent aussi à partir du i486 une variante légèrement différente appelée *buffered write thru*. Pour accélérer la vitesse d'écriture en mémoire principale, le cache de premier niveau du processeur est équipé de buffers d'écriture additionnels. Dans le processeur 486 ils sont au nombre de quatre. Lorsque des données sont à envoyer en mémoire principale, le cache les met d'abord dans l'un des buffers d'écriture, ce qui permet au processeur de continuer aussitôt son travail. Les buffers concernés sont aussi rapides d'accès que la mémoire cache. Tandis que le processeur vaque à ses occupations frénétiques, le cache transcrit de lui-même le contenu du buffer dans la mémoire principale, dès que le bus est libre. Tant que ce buffer ne déborde pas parce que le processeur lui envoie plus de données qu'il ne peut en transférer dans la mémoire, l'accès à la mémoire paraît très rapide au processeur.

Le mode *write back* se pose en concurrent du mode *write thru*. Pour ce qui est des accès en lecture, le mode *write back* se comporte exactement comme le mode *write thru*. Mais les accès en écriture se passent différemment. Si l'information à écrire en mémoire principale se trouve déjà dans le cache, elle est d'abord uniquement mise à jour à l'intérieur du cache. La mise à jour en mémoire principale ne s'effectue qu'au moment où le cache doit libérer de la place par suite de nouvelles lectures. Si un même emplacement est sans cesse remis à jour, on évite ainsi tout accès à la mémoire principale jusqu'à ce que la zone concernée doive quitter le cache. Pour que cette circonstance ne se fasse pas trop attendre, on installe à nouveau une sorte de buffer d'écriture (appelé *cast off buffer*) qui reçoit les données pour les transférer en mémoire principale pendant le fonctionnement du processeur.

Architecture de cache

Les mémoires caches sont généralement structurées en "lignes de cache": chaque ligne peut accueillir une information de la mémoire principale dans le cadre d'un accès en lecture ou écriture. La taille d'une ligne dépend de la taille des données dans le processeur et de celle du cache primaire. Avec le 80386 elle est de 32 bits (un DWord = 4 octets), avec le 486 elle est de 128 bits (4 DWords = 16 octets) et avec le Pentium de 256 bits (4 QWords = 32 octets).

En principe tout accès en lecture à la mémoire remplit systématiquement une ligne de cache même si le processeur n'a demandé qu'un seul octet. En effet les processeurs modernes supportent un mode *burst* qui accélère drastiquement tout accès à une série d'octets consécutifs. D'habitude le processeur, avant de lire un contenu de mémoire, est obligé de disposer son adresse sur le bus : mais ici les données sont lues en bloc dès le premier accès en burst. Ce n'est que pour le premier octet que le processeur doit communiquer l'adresse au bus, les autres contenus de mémoire sont fournis par la suite automatiquement.

Normalement pour lire un mot double DWord le 486 a besoin de deux cycles d'horloge, de sorte que pour remplir une ligne de cache 4*2 cycles sont nécessaires. En mode *burst*, il faut toujours deux cycles pour le premier DWord, mais les suivants arrivent en un seul cycle. On parle ainsi de burst 2-1-1-1 pour exprimer que cinq cycles suffisent là où il en fallait huit. Le même processus s'applique par ailleurs aux accès en écriture.

Le cache doit conserver aussi bien les adresses que les contenus des mémoires traitées. A chaque ligne de cache est ainsi associé un repère (tag). C'est là que le cache stocke les adresses des données ainsi que diverses informations d'état dont nous reparlerons dans un moment. Dans le cas des caches secondaires, les repères ne sont pas stockés avec les lignes de cache mais dans des circuits mémoires séparés qui sont encore plus rapides que les circuits du cache proprement dits. Lorsqu'une adresse est recherchée dans le cache, il ne suffit pas de la lire, il faut auparavant la comparer aux adresses disponibles. Cette opération demande encore un délai supplémentaire, qui peut être diminué par l'emploi de mémoire de type S-RAM, plus performante.

En plus des lignes et des repères, un cache comporte aussi un contrôleur qui donne vie à l'ensemble du système. Dans le cas d'un cache secondaire, il s'agit la plupart du temps d'un microcontrôleur implémenté sur la carte mère. Dans le cas d'un cache primaire le contrôleur fait partie du processeur et gère les communications avec lui, en commandant les allées et venues des informations dans les lignes de cache. C'est lui qui convertit la stratégie en actes et qui gère le *pool* des lignes de cache selon un schéma prédéterminé.

Organisation des lignes de cache

Lorsqu'on s'interroge sur la meilleure organisation possible pour les lignes de cache, on commence par s'apercevoir qu'il ne faut pas mémoriser les informations lues dans n'importe quelle ligne de cache. Sinon à chaque accès en lecture le contrôleur du cache devrait parcourir tous les repères disponibles en les comparant successivement à l'adresse recherchée. Cette opération prendrait un temps excessif qui dépasserait de loin celui d'une lecture directe en mémoire principale.

C'est pourquoi les contrôleurs de cache effectuent toujours un lien entre les adresses des mémoires gérées et les lignes de cache. Dans la forme d'organisation la plus simple, appelée "direct mapping", chaque octet de la mémoire principale est associé à une ligne de cache susceptible de le mémoriser. En cas d'accès lecture requis par le processeur, le contrôleur consulte la ligne de cache et si l'adresse n'y est pas représentée, elle ne se trouve pas dans le cache. On suppose évidemment qu'au chargement le contrôleur ne dépose l'emplacement mémoire qu'à cet endroit-là.

Dans la méthode "direct mapping" l'association d'une adresse à la ligne de cache où elle se trouve représentée s'effectue par décomposition de l'adresse mémoire en différents éléments. Le mieux est de prendre l'exemple d'un cache secondaire de 256 Ko pour un système à base de 486.

Les caches secondaires pour 486 fonctionnent avec une taille de ligne de 128 bits (16 octets), donc un cache de 256 Ko offre 16384 lignes. La tâche du contrôleur de cache est de reproduire sans ambiguïté chaque adresse sur l'une des 16384 lignes de cache présentes. Comme 16384 = 2 puissance 14, les 14 bits inférieurs de l'adresse formeront le numéro de la ligne de cache. Mais on ne prendra cependant les bits 0 à 13, mais les bits 4 à 17. Les bits 0 à 3 servent à calculer le déplacement (offset) à l'intérieur de chaque ligne : le nombre de 0 à 15 qu'ils forment sert à adresser l'octet désiré à l'intérieur de la ligne.

En résumé : les bits 0 à 3 servent d'indice dans la ligne et les bits 4 à 17 d'indice dans le pool des lignes de cache. Il reste les bits 18 à 31 qui devraient normalement être mémorisés dans le repère d'une ligne de cache mais au lieu de l'ensemble des 14 bits ce ne sont le plus souvent que les 8 bits de 18 à 25 qui sont stockés. La cache ne peut ainsi gérer que les 64 Mo inférieurs (2 puissance 26) de la mémoire principale : il n'y a pas d'urgence pour aller au-delà car pour le moment les cartes-mères ne comportent pas la possibilité de fixer autant de circuits mémoires.

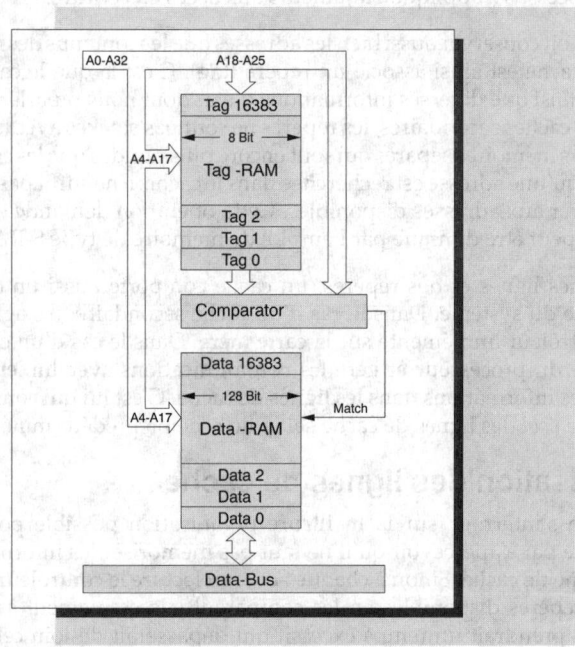

Construction des caches secondaires avec 256 Ko pour un i486

S'il est vrai que ce procédé brille par sa simplicité, il ne manque pas de présenter un inconvénient de taille. Comme les 64 Mo de la mémoire principale ne sont reproduits que sur 16384 lignes de cache, de nombreuses mémoires se partagent la même ligne de cache : 256 pour être précis. Ces mémoires certes, sont séparées par une distance constante de 256 Ko, mais si le cache charge une adresse dans une ligne déjà occupée par une autre des 256 adresses possibles, il provoque le rejet de cette dernière. Comme le dirait Christophe Lambert : il ne peut y en avoir qu'un seul...

Caches associatifs

Pour que les adresses mémoires gérées par cache ne s'excluent pas mutuellement à priori, les caches dits associatifs raffinent le procédé du "direct mapping". A chaque emplacement mémoire n'est plus associée une seule et unique ligne. Il existe désormais deux, quatre ou huit lignes de caches possibles : on parle ainsi de cache à double, quadruple ou octuple association. Comme exemple on peut citer le cache primaire à quadruple association du 486, qui s'étend sur 8 Ko.

Les caches associatifs supportent un rythme de commutation bien plus élevé que les caches en direct mapping. Le contrôleur est obligé de lire à chaque recherche non plus un seul repère mais plusieurs, deux, quatre ou huit selon le nombre de voies de l'association, tout en les comparant à l'adresse de référence (ou tout au moins une partie d'entre eux).

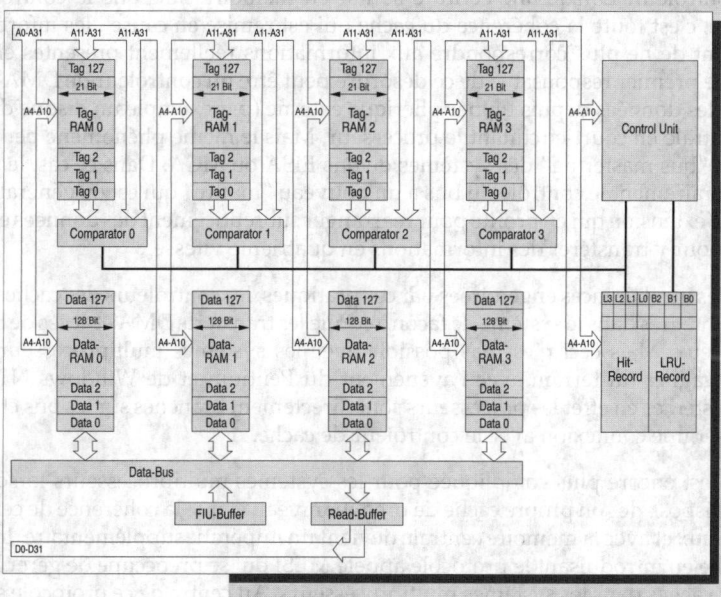

Cache primaire à quadruple association 8 Ko sur un i486

Par ailleurs à chaque accès en lecture, le contrôleur doit choisir dans laquelle des lignes de cache possible il va déposer le ou les emplacements mémoires concernés. En règle générale, il faudra supposer que toutes les lignes de cache sont déjà occupées. Au lieu d'éjecter une des lignes au hasard, la plupart des contrôleurs de cache exploitent un algorithme dit LRU. LRU signifie *Last recently used*, en pratique sont évincées les lignes dont le dernier "coup gagnant" est le plus ancien. On implémente cette caractéristique en mémorisant dans le repère, à côté de l'adresse,

quelques bits qui enregistrent l'ordre de succession des derniers accès. Ces mesures augmentent de façon sensible l'efficacité des caches associatifs par rapport aux caches en direct mapping.

Pagination et entrelacement

Les notions de pagination et d'entrelacement sont également importantes pour comprendre l'architecture d'un cache. Elles décrivent la manière dont les contenus des différentes lignes de cache sont réparties dans des pages de mémoire principale. Une page est un bloc de mémoire continue. Ce ne sont pas les lignes de cache qui sont réparties mais leur contenu.

Le cache de données de premier niveau du Pentium est à entrelacement octuple, ce qui veut dire que les 8 mots doubles (DWords) d'une ligne de 256 Ko sont hébergés dans huit pages séparées. Ainsi les premiers mots doubles de toutes les lignes de cache se retrouvent dans la première page, les mots doubles qui se trouvent en deuxième position sont regroupés en deuxième page, et ainsi de suite. Dans le cas du Pentium le but de cette organisation est de permettre un accès simultané au cache depuis les pipelines U et V. Car lorsque les pipelines U et V cherchent à lire des mots doubles différents dans l'une des lignes de cache, ils seront amenés à consulter des pages différentes ce qui leur permet de fonctionner en simultanéité.

Le protocole MESI

Le plus grand ennemi d'un cache, ce sont les accès externes au processeur et à la mémoire à l'insu du contrôleur. Lorsqu'une écriture se fait en mémoire sans que le contrôleur en ait connaissance, c'est toute la cohérence du cache qui est remise en cause : les informations du cache risquent de ne plus correspondre aux informations réellement présentes en mémoire principale. Le premier responsable de ce désordre peut être un contrôleur de DMA qui envoie directement les données depuis un périphérique externe (par exemple un disque dur) dans la mémoire centrale en court-circuitant le processeur. Mais le même phénomène peut aussi être induit par le "bus mastering" des systèmes de bus EISA ou MCA. Dans ce cas, le processeur remet temporairement le contrôle du bus à un nouveau "maître" qui est en général une partie d'une carte d'extension qui en profite pour réarranger subrepticement des données en mémoire centrale ou pour y transférer des informations en quatrième vitesse.

Pour éviter les incohérences engendrées par ces pratiques, les contrôleurs des caches de second niveau sont intégrés dans le système de façon à ce que les transferts DMA et accès de bus maîtres passent par eux. Mais ceci n'est pas possible avec les systèmes multiprocesseurs qui vont maintenant gagner du terrain avec l'avènement du Pentium et de Windows NT. Dans ces nouveaux systèmes en effet les processeurs sont directement branchés sur les bus et on ne peut pas interposer une connexion avec le contrôleur de cache.

La situation est encore plus compliquée pour les systèmes multiprocesseurs lorsque chaque processeur dispose de son propre cache de premier niveau et que la cohérence de ces différents caches entre eux et avec la mémoire centrale devient un impératif supplémentaire. Intel répond à ce problème en introduisant le protocole appelé MESI qui se préoccupe de gérer la synchronisation des caches dans les systèmes multiprocesseurs. Au centre de ce protocole se trouve le procédé appelé *Bus snooping* qui permet à des processeurs ou à différents composants système de consulter et de manipuler l'état des informations gérées dans les caches respectifs. Réfléchissez par exemple au scénario suivant :

Deux Pentiums fonctionnant en parallèle ont mémorisé en cache le même emplacement mémoire. Ce dernier est modifié par l'un des processeurs, et comme le cache fonctionne en mode *write back* la mise à jour de la mémoire principale ne s'effectue qu'en différé. La mémoire référencée par le deuxième processeur est invalide, elle contient une valeur périmée. Si le processeur ne s'en rend pas compte, un conflit va se produire.

Mais en reliant les différents processeurs le protocole MESI intervient justement pour éviter ce type de problème. Le terme MESI est une juxtaposition des lettres M, E, S et I qui caractérisent l'état d'une ligne de cache. L'indicateur correspondant est mémorisé dans le repère de chaque ligne de cache. La signification est la suivante :

M - Modifié	La ligne de cache se trouve uniquement dans ce cache mais elle a été modifiée et n'a pas encore été réécrite dans la mémoire principale. Le contenu de la mémoire principale n'est plus correct car différent du contenu de la ligne de cache
E - Exclusif	La ligne de cache se trouve exclusivement dans ce cache et elle n'a pas encore été modifiée. Le contenu de la mémoire centrale et celui de la ligne de cache sont identique
S - Partagé (Shared)	La ligne de cache peut se trouver dans d'autres caches et n'a pas encore été modifiée. Tout accès en écriture doit s'effectuer en mode write thru, c'est-à-dire directement en mémoire principale. Les autres caches qui contiennent également la présente ligne sauront reconnaître une modification et en cas de besoin mettront automatiquement à jour le contenu de leur ligne de cache
I - Invalide	Le contenu de la ligne de cache n'estplus valable, la ligne est vide et prête à recevoir de nouvelles données

Le cache de premier niveau du Pentium

Les explications précédentes auront permis de comprendre le principe et l'organisation de caches de premier et de deuxième niveau. De ce fait les expressions employées au début de ce chapitre doivent avoir perdu un peu de leur "mystique". A titre de conclusion, jetons encore un coup d'oeil sur la réalisation concrète de cache de premier niveau du Pentium.

En fait il ne s'agit pas vraiment d'un cache puisque le Pentium dispose en réalité de deux caches séparés de premier niveau : un pour les données et un pour le code. L'un et l'autre ont 8 Ko et fonctionnent en double association. Chaque voie d'association contient 128 lignes de cache d'une taille de 32 octets (2 voies * 128 lignes * 32 bits = 8 Ko).

Les deux caches peuvent être consultés simultanément, le cache de données pouvant à son tour répondre à deux requêtes simultanées des pipelines U et V du processeur. Pour cela les lignes de cache ont été entrelacées huit fois, ce qui permet un accès simultané à tous les doubles mots qui s'y trouvent. Mais ce n'est pas tout. Les repères dans le cache de données sont "triple-por-ted", ce qui veut dire qu'ils peuvent être interrogés en même temps par trois sources. Deux de ces sources sont les pipelines U et V, la troisième est utilisée pour le bus snooping lorsqu'il s'agit de constater si une certaine adresse se trouve dans le cache.

Chaque ligne du cache de données peut être commutée en mode write thru ou write back par logiciel ou par commande électronique. Pour des raisons de performance, il est certes judicieux d'opérer en mode write back mais dans certaines zones de mémoire cela peut poser problème. Pensez par exemple à la mémoire d'écran d'une carte graphique. Si cette zone en gérée par cache en mode write back, les informations mises à jour ne parviennent à la mémoire vidéo qu'avec retard, ce qui affecte l'affichage à l'écran.

En tout cas, l'architecture du cache du Pentium est notablement plus complexe que dans le cas de son prédécesseur le 486. Le pipeline entier double et la faculté d'insertion dans un système multiprocesseurs contribuent pour une part importante à cette complexité. Mais en contre partie le cache du Pentium joue un rôle de premier plan dans les performances obtenues.

1.8.2. L'unité de calcul flottant

Comme le 486, le Pentium dispose d'une unité de calcul flottant intégrée qui améliore considérablement ses performances par rapport aux prédécesseurs. Le tableau suivant présente une comparaison des temps d'exécution de quelques opérations à virgule flottantes sur le 486 et le Pentium. Intel proclame une vitesse d'exécution multipliée jusqu'à 7 fois, ce qui place le Pentium en concurrence avec les processeurs des stations de travail.

Instruction	486	Pentium
FXCH		4
FLD		3
FST		3
FADD		10
FSUB		10
FMUL		16
FDIV		73

Tableau de comparaison des temps d'exécution de quelques instructions en virgule flottante sur le 486 et le Pentium

Parmi les instructions ci-dessus, l'instruction FXCH revêt une importance particulière car elle intervient très fréquemment dans la plupart des calculs. La raison tient à l'organisation des huit registres flottants de tous les processeurs et coprocesseurs arithmétiques d'Intel. Ils sont manipulés comme une pile, la plupart des instructions de calcul flottant utilisant le sommet de la pile pour l'un de leurs arguments et y déposant également leur résultat. En conséquence, tout programme maniant des calculs flottants ne cessera d'empiler et de dépiler des éléments sur la pile flottante. C'est l'instruction FXCH qui est responsable de cette opération, elle est donc fortement mise à contribution. Les concepteurs du Pentium ont particulièrement soigné sa vitesse d'exécution par rapport au 486. Elle ne prend désormais plus qu'un seul cycle d'horloge et dans certains cas elle n'en consomme même plus aucun ! Cette prouesse est possible parce que l'unité de calcul flottant peut effectuer l'instruction FXCH parallèlement à une autre instruction flottante. Mais c'est aussi le seul cas où les deux pipelines de l'unité flottante peuvent exécuter deux opérations en même temps.

L'exécution simultanée d'une instruction flottante et d'une instruction FXCH repose sur l'exploitation d'un pipeline flottant superscalaire à huit phases. Comme le pipeline entier, ce dernier se décompose en deux pipelines fonctionnant en parallèle. En fait le pipeline flottant partage ses cinq premières phases avec le pipeline entier mais il nécessite trois autres phases pour boucler une instruction en virgule flottante.

PF	Prefetch
D1	Decode 1
D2	Decode 2
EX	Execute
X1	Calcul flottant phase 1
X2	Calcul flottant phase 2
Calcul flottant phase 2	
Write File	WF
ER	Error Report

Les huit phases du pipeline flottant

Les trois premières phases représentent le même cheminement que pour une opération entière, mais le processeur apprend alors qu'il doit traiter une instruction flottante. Dans la quatrième phase (EX) qui exécute les instructions entières, l'unité flottante recherche d'abord l'opérande en mémoire ou dans un registre (en fonction de l'instruction traitée) et le convertit dans le format spécial interne à l'unité flottante. L'exécution proprement dite de l'instruction s'effectue ensuite dans le cadre des phases X1 et X2. La phase WF arrondit le résultat et le transfère de la pile flottante dans le registre de destination. Le tout se termine par la phase ER qui signale une erreur éventuelle et met à jour le registre d'état de l'unité de calcul flottant.

1.8.3. Autres caractéristiques

En plus des points forts que sont l'architecture superscalaire, le cache de premier niveau et l'unité de calcul flottant, le Pentium présente encore toute une série de caractéristiques qui le distinguent de ses prédécesseurs :

○ La pagination en mode protégé et virtuel 86 n'est plus limitée à des pages de 4 Ko, la taille de la page pouvant aller de 2 à 4 Mo. La gestion de la pagination dans les systèmes multitâches devrait s'en trouver facilitée.
○ Le Pentium dispose d'un mode de gestion système déjà implémenté sur des versions particulières du 486. Il permet d'intégrer le processeur dans un environnement économiseur d'énergie.
○ Le mode appelé "Function Redundancy Check" permet d'exploiter en parallèle deux pentiums qui se contrôlent mutuellement, d'où la possibilité de monter des systèmes à tolérance de panne.
○ Le support du débogage se trouve amélioré : il est possible de rechercher des erreurs complexes et de brancher des extensions matérielles de débogage.
○ Le monitoring des performances permet au Pentium de suivre la progression de l'exécution d'un programme.

2. Programmation système en pratique

Après ce premier chapitre bourré de principes et de théories, c'est maintenant le moment de passer à la pratique. Le but recherché est de faire de la programmation système en Basic, Pascal et C. Car chaque langage dispose de ses propres instructions et fonctions pour accéder à la mémoire, lire les ports d'entrée-sortie ou déclencher des interruptions.

2.1. Programmation système en QuickBasic

Le Basic n'est pas le langage idéal pour faire de la programmation système, car il se maintient à une certaine distance du matériel informatique, beaucoup plus en tout cas que Pascal et surtout C qui passe parfois pour une sorte d'assembleur de haut niveau. La programmation système reste possible en Basic, même si elle ne peut pas avoir la même ambition qu'avec Pascal ou C. En Basic la notion de pointeur n'existe pas : cette lacune est tout à fait gênante dans de nombreux domaines d'application. C'est d'ailleurs la raison pour laquelle vous ne trouverez pas dans ce livre autant de programmes en Basic qu'en Pascal et C. Mais ce qui est réalisable, nous l'avons fait pour vous.

Ce chapitre présente les instructions et techniques qui s'imposent dans la programmation système. Nous avons pris en compte le compilateur QuickBasic de Microsoft, un standard dans le domaine du PC qui n'a pas à craindre de concurrence. Notez que la plupart des programmes ne pourront pas être exécutés en QBASIC, le nouvel interpréteur Basic fourni par Microsoft depuis la version 5.0 de DOS. Car contrairement à QuickBasic, QBASIC n'a pas d'instruction pour appeler des interruptions.

2.1.1. Les types de données de QuickBasic

Lorsqu'on manipule des fonctions d'interruption, on a toujours affaire aux types de données gérés par le processeur car par définition ces fonctions sont écrites en langage machine et à ce niveau il n'existe aucun autre type de données. Tout développeur qui s'essaye à la programmation système en QuickBasic doit donc traduire en QuickBasic la structure des données du processeur. Le tableau suivant montre les types à utiliser :

Type QuickBasic	Mémorisé sous la forme
string*1	BYTE
integer	WORD
long	DWORD

Comme QuickBasic ne connaît pas les caractères isolés (char en Pascal et C) et ignore aussi les octets, il faut se satisfaire du type string*1, c'est-à-dire une chaîne de 1 octet que le compilateur traitera effectivement comme un seul octet. Mais cet octet-chaîne ne se laisse pas manipuler aussi simplement qu'un octet ordinaire. Une variable déclarée ainsi ne peut recevoir de valeur numérique que par le biais de la fonction CHR(), comme le montre l'exemple suivant :

```
DIM byte As STRING *1
byte= CHR$(35)    ' Ça marche
byte=5            ' Problème d'incompatibilité de types !
```

Inversement la valeur numérique doit être extraite au moyen de la fonction ASC :

```
DIM byte AS STRING*1
byte = CHR$(13)
IF ASC(byte)=13 THEN PRINT 13    'ÇA marche
IF byte=13 THEN PRINT 13          'Problème d'incompatibilité de types
```

Le travail avec les types de données *integer* et *long* donne également du souci lorsqu'on veut simuler les types WORD et DWORD. En QuickBasic, les deux types sont en effet signés : le bit le plus à gauche détermine le signe. Lorsque ce bit est à 1, le nombre est considéré comme étant négatif.

Lorsqu'une fonction d'interruption renvoie un nombre du type WORD avec le bit 15 égal à 1 (Nombre > 32768), QuickBasic considère que ce nombre est négatif et son affichage à l'écran réserve des surprises. Le même problème se pose avec le type *long* mais il survient rarement en programmation système car les nombres doivent être immensément grands pour avoir un bit 31 égal à un.

Pour ce qui est du type *integer*, il est possible de s'en sortir en faisant intervenir une petite fonction de conversion en virgule flottante qui respecte le bit représentatif du signe. Voici par exemple la fonction MakeWord qui est utilisée dans plusieurs programmes d'exemple :

```
FUNCTION MakeWord& (Nombre AS INTEGER)
IF Nombre < 0 THEN
   MakeWord = 65536& + Nombre
ELSE
   MakeWord = Nombre
END IF
END FUNCTION
```

Cette fonction attend comme argument l'entier de type integer dont le bit 15 est susceptible d'avoir la valeur 1. Elle renvoie un entier long garanti positif car c'est le bit 31 et non plus le bit 15 qui en fixe le signe.

Chaînes de caractères

Pour la plupart des fonctions du DOS et du BIOS une chaîne de caractères est une suite d'octets qui contiennent des codes ASCII et qui se terminent par un caractère "nul" de code 0. Dans la littérature système ce type de chaîne est parfois appelé ASCIIZ, le Z évoquant le zéro terminal. En Basic, les chaînes de caractères sont normalement mémorisées sous un autre format. Il faut d'ailleurs faire la distinction entre chaînes de longueur variable et chaînes de longueur fixe. La programmation système ne met en service que des chaînes de longueur fixe car leur adresse mémoire est plus facilement maîtrisable. Cette adresse se révèle indispensable lorsqu'une chaîne doit être transmise à une fonction de DOS ou du BIOS. Si vous déclarez une chaîne de longueur fixe en utilisant par exemple l'instruction :

```
dim s as string * 20
```

QuickBasic réserve 20 octets en mémoire centrale, avec un contenu à priori indéfini.

Lorsqu'on écrit une affectation du genre :

```
S="Micro-ordinateur"
```

la zone réservée est remplie avec les codes ASCII des différents caractères de la chaîne et complétée par des blancs.

Le caractère nul ne peut donc pas être simplement accroché par une instruction du genre :

```
s = s + chr$(0)
```

Il faut d'abord rechercher la fin de la chaîne en installant une boucle FOR NEXT puis y introduire le caractère nul par la fonction MID$:

```
DIM s AS STRING * 20
DIM i AS INTEGER
s = ""
INPUT "Tapez votre chaîne SVP: "; s
i = LEN(s) - 1
WHILE (i > 0) AND (MID$(s, i, 1) = " ")
  i = i - 1
WEND
IF i = 0 THEN i = 1
MID$(s, i) = CHR$(0)
```

Si vous connaissez *a priori* la chaîne c'est-à-dire si elle n'est pas tapée librement par l'utilisateur, les choses se simplifient car l'affectation peut inclure directement le caractère nul :

```
S="Micro-ordinateur"+chr$(0)
```

Structures et tableaux

Tout comme les programmes d'application, le DOS et le BIOS gèrent beaucoup d'informations rangées dans des structures et des tableaux qui doivent être reproduits dans le langage de programmation utilisé. Si vous avez déjà travaillé avec ces formes de données, vous serez en terrain familier.

Le tableau suivant décrit un exemple de structure renvoyé par certaines fonctions DOS. Il s'agit d'informations servant à parcourir les répertoires à la recherche de fichiers :

Adr.	Contenu	Type
+00h	réservé	21 BYTE
+15h	Attribut du fichier	1 BYTE
+16h	Heure de la dernière mise à jour	1 WORD
+18h	Date de la dernière mise à jour	1 WORD
+1Ah	Taille du fichier	1 DWORD
+1Eh	Nom du fichier et extension séparés par un point sans indication de chemin d'accès terminaison = caractère nul	13 BYTE
	Longueur : 43 octets	

Structure d'une entrée de répertoire retournée par les fonctions 4Eh et 4Fh de DOS

L'extrait de programme suivant montre comment cette structure peut être exprimée en QuickBasic :

```
TYPE DirStruct
    Reserve AS STRING * 21
    Attrib AS STRING * 1
    Time AS INTEGER
    Date AS INTEGER
    Size AS LONG
    DatName AS STRING * 13
END TYPE
```

La zone réservée en tête de structure est reproduite sous la forme d'une chaîne de longueur fixe : c'est la manière la plus simple de réserver un nombre déterminé d'octets.

Les autres composants de la structure de DOS sont traduits en QuickBasic selon la règle suivante : les octets (BYTE) deviennent des string*1, les mots (WORD) des entiers simples de type integer, les mots doubles (DWORD) des entiers longs. Les noms des champs n'ont aucune importance et peuvent être choisis librement car ils n'influencent en rien la structure.

Accès aux bits

Les structures comportent parfois des champs de bits où des bits isolés ou des groupes de bits ont une certaine signification. Par exemple l'octet représentant l'attribut d'un fichier dans la structure de répertoire présentée plus haut est en fait un champ de bits. Comme le montre la figure suivante, chaque bit indique individuellement si le fichier est protégé en écriture, si c'est un fichier système, ou s'il s'agit d'un sous-répertoire. Comment prendre connaissance de cette information ?

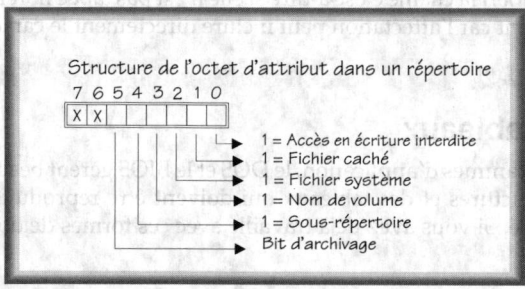

Structure de l'octet d'attribut dans un répertoire

```
7 6 5 4 3 2 1 0
X X
          1 = Accès en écriture interdite
          1 = Fichier caché
          1 = Fichier système
          1 = Nom de volume
          1 = Sous-répertoire
          Bit d'archivage
```

Pour accéder à un bit il faut connaître sa valeur comme puissance de 2.

- ○ Le bit 0 a la valeur 1,
- ○ le bit 1 la valeur $2^1=2$,
- ○ le bit 2 la valeur $2^2=4$
- ○ et ainsi de suite jusqu'au bit 7 dont la valeur est $2^7=128$.

Pour savoir si l'attribut étudié désigne un sous-répertoire, il faut faire intervenir la valeur du bit 4, soit le nombre 16.

Notre préoccupation va être de mettre à 0 tous les autres bits de l'attribut de façon que seul le bit 4 reste présent pour être testé. Il suffit de combiner l'attribut avec un "masque" par l'opérateur binaire AND : tous les bits qui ne seront pas à 1 dans le masque seront mis à 0 dans le résultat. En QuickBasic on écrira :

```
Attribut AND 16
```

Le résultat de cette opération sera 16 si le bit 4 est à 1, et 0 dans tous les autres cas.

Avec une instruction IF, on aura :

```
IF ( ( Attribut AND 16 ) <> 0 ) THEN
  ' ceci est un sous-répertoire
ELSE
  ' ceci n'est pas un sous-répertoire
ENDIF
```

Lorsqu'on désire tester plusieurs bits simultanément, l'exercice est un peu plus compliqué. Il faut alors faire la somme des puissances de 2 représentées par les différents bits. Supposons que vous cherchiez à savoir si un fichier donné est un fichier système caché. Les indicateurs correspondants sont les bits 1 et 2 qui ont pour valeur totale $2^1 + 2^2 = 6$.

L'expression

```
Attribut AND 6
```

retourne le contenu des deux bits qui nous intéressent. Mais attention ! Si vous reprenez un test IF semblable au précédent, il ne donnera pas forcément le résultat escompté car :

```
( Attribut AND 6 ) <> 0
```

est déjà TRUE si un seul des deux bits est à 1 et si de ce fait le résultat de l'opération AND est différent de 0. Pour vérifier si les deux bits sont simultanément à 1, il faut écrire :

```
IF ( ( Attribut AND 6 ) = 6 ) THEN
   ' c'est un fichier système caché
ELSE
   ' ce n'est pas un fichier système caché
ENDIF
```

Le programmeur ne se contente pas toujours de lire des bits, parfois il est obligé de les fixer d'autorité, notamment pour communiquer certains champs de bits à des fonctions de DOS ou du BIOS. Là encore c'est la valeur des bits calculée en puissances de deux qui intervient mais cette fois dans des opérations OR. Pour mettre à 1 le bit 3 de l'octet qui représente un attribut de fichier, on écrira en QuickBasic :

```
Attribut = Attribut OR 8
```

S'il faut fixer plusieurs bits à 1, leurs puissances devront être additionnées, par exemple :

```
Attribut = Attribut OR (8+16)
```

Mais comment faire pour mettre à 0 des bits ? On refait alors appel à un opérateur AND mais exploité d'une manière différente car il s'agit de sélectionner uniquement le bit visé. Les règles de la logique binaire nous apprennent qu'il faut alors inverser la valeur associée au bit en utilisant l'opérateur NOT. Pour mettre 0 le bit 5, on écrira :

```
Attribut = Attribut AND NOT (32)
```

Pour mettre à 0 plusieurs bits en même temps, on pratique l'addition des puissances de deux correspondantes, par exemple :

```
Attribut = Attribut AND NOT (32+8)
```

Un champ binaire n'est pas toujours constitué de bits isolés, il peut être fait de groupes de bits qui expriment une valeur. A titre d'exemple, examinons le champ date d'une entrée de répertoire. Il contient trois groupes de bits qui indiquent la date de création ou de dernière mise à jour de chaque fichier. Pour exploiter cette information il est inutile de tester individuellement les bits, il faut obtenir la valeur représentée par les trois groupes.

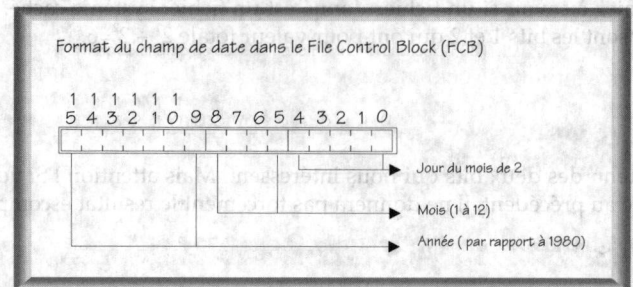

Format du champ de date dans le File Control Block (FCB)

1 1 1 1 1
5 4 3 2 1 0 9 8 7 6 5 4 3 2 1 0

Jour du mois de 2

Mois (1 à 12)

Année (par rapport à 1980)

Le jour est facile à calculer avec les méthodes précédemment étudiées et l'opérateur AND :

```
Jour = Date AND ( 1 + 2 + 4 + 8)
```

Pour calculer le mois, l'opérateur AND ne suffit plus. Le groupe de bits doit en effet être décalé de cinq positions vers la droite pour donner le numéro du mois. En QuickBasic le décalage de n positions vers la droite peut se faire au moyen d'une division par 2^n. Le mois et l'année s'obtiennent donc de la façon suivante :

```
Mois = ( Date AND ( 32 + 64 + 128 + 256 ) ) \ 32   '2 puissance 5 20= 32
Annee = ( Date AND ( 512+1024+2048+4096+8192+16384+32768 ) ) \ 512
```

La deuxième affectation risque de vous réserver quelques surprises en matière de signe. C'est pourquoi nous ferons intervenir la fonction MakeWord :

```
Annee = ( MakeWord(Date) AND 65024& ) \ 512
```

Pour déplacer des bits non pas vers la droite mais vers la gauche, on remplace la division par une multiplication. Si on décide ainsi de reconstituer un champ date à partir du jour, du mois et de l'année, il faudra écrire :

```
Date = Jour + ( Mois * 32 ) + ( Annee * 512 )
```

2.1.2. Appel des interruptions

Pour déclencher des interruptions logicielles, QuickBasic propose deux instructions appelées Interrupt et InterruptX qui donnent accès aux 256 interruptions du processeur Intel. Notez cependant que ces instructions ne font pas vraiment partie du compilateur proprement dit : elles se trouvent dans la bibliothèque Quick QB.QLB. Vous devrez donc lancer QuickBasic avec le paramètre /L si vous voulez les exploiter.

Les instructions dont il est question permettent notamment de déclencher les interruptions &H21, ce qui ouvre la porte aux 200 fonctions de l'API du DOS. API veut dire "Application Program Interface" et désigne l'ensemble des fonctions que le DOS met à la disposition des programmes d'application. Pour faciliter le travail avec ces instructions, il existe un fichier *Include* qui peut être incorporé en début de programme par :

```
REM $INCLUDE: 'QB.BI'
```

La syntaxe des deux instructions est conforme aux modèles :

```
CALL INTERRUPT(NumInterrupt, Inreg, Outreg)
CALL INTERRUPTX(NumInterrupt, Inreg, Outreg)
```

Accès aux registres du processeur

Les arguments *Inreg* et *Outreg* communiqués à l'instruction d'interruption sont du type RegType qui représente une structure définie à l'intérieur de QB.BI. Elle est utilisée pour rendre accessible les registres du processeur à un programme écrit en Basic. Avant de s'exécuter, l'instruction INTERRUPT charge dans les registres du processeur les données mises au préalable dans la structure *Inreg*. Selon un mécanisme symétrique, à l'issue de l'interruption, le contenu des registres du processeur est transféré dans les registres *Outreg*. Il faut donc remplir correctement la structure Inreg avant d'appeler INTERRUPT. On trouvera les résultats de la fonction d'interruption dans les registres *Outreg*.

Le type RegType reflète fidèlement les registres du processeur, selon la syntaxe :

```
TYPE RegType
    ax AS INTEGER
    bx AS INTEGER
    CX AS INTEGER
    dx AS INTEGER
    bp AS INTEGER
    si AS INTEGER
    di AS INTEGER
 flags AS INTEGER
END TYPE
```

Notez bien que ce sont les registres de 16 bits qui sont représentés. Pour accéder à un registre de 8 bits, il faut passer par le registre de 16 bits correspondant. Ainsi dans la séquence suivante, le nombre &h1B est chargé dans le registre Ah grâce à une multiplication par 256 qui décale les bits de 8 positions vers la gauche :

```
DIM Regs AS RegType
Regs.AX = &h1B * 256
CALL INTERRUPT( &hxyz, Regs, Regs )    'Appel de l'interruption
```

En même temps AL est mis à zéro. Si cet effet est indésirable, il faut adopter une voie plus prudente en insérant la valeur souhaitée à l'aide d'une opération OR :

```
DIM Regs AS RegType
Regs.AX = Regs.AX OR ( &h1B * 256 )
CALL INTERRUPT( &hxyz, Regs, Regs )    'Appel de l'interruption
```

Pour fixer le contenu du registre AL, il suffit d'écrire la valeur souhaitée dans AX, pour peu que AH doive être nul. Mais si AH contient déjà une valeur à préserver, il faut encore faire appel à un opérateur OR :

```
DIM Regs AS RegType
Regs.AX = &h1B              'Charge &h1B en AL et 0 en AH
Regs.AX = Regs.AX OR &h1B   'Ici  AH reste inchangé
CALL INTERRUPT( &hxyz, Regs, Regs )    'Appel de l'interruption
```

Ces principes s'appliquent évidemment à tous les registres généraux quels qu'ils soient. Il est également très simple de lire le contenu d'un registre de 8 bits à la suite d'une interruption. Si c'est l'octet de poids fort qui vous intéresse, vous devrez diviser le contenu du registre de 16 bits par 256. Si c'est au contraire l'octet de poids faible, vous pouvez éliminer les bits de gauche en mettant en service une opération AND :

```
DIM Regs AS RegType
CALL INTERRUPT( &hxyz, Regs, Regs )    'Appel de l'interruption
```

```
PRINT "AH = "; MakeWord(Regs.AX) \ 256
PRINT "AL = "; Regs.AX AND &HFF
```

Prise en compte des registres de segment

Si vous êtes attentif, vous avez sans doute remarqué que les registres de segment ne sont pas mentionnés dans le type RegType. Il existe pourtant des fonctions de DOS et du BIOS qui attendent des arguments dans les registres DS et ES ou qui renvoient des résultats dans ces segments. C'est pourquoi Quickbasic propose l'instruction INTERRUPTX qui fonctionne exactement comme INTERRUPT mais avec des structures du type RegTypeX. Comme vous le devinez, RegTypeX est semblable à RegType mais contient deux champs supplémentaires pour héberger les contenus de ES et DS :

```
TYPE RegTypeX
    ax AS INTEGER
    bx AS INTEGER
    CX AS INTEGER
    dx AS INTEGER
    bp AS INTEGER
    si AS INTEGER
    di AS INTEGER
 flags AS INTEGER
    ds AS INTEGER
    es AS INTEGER
END TYPE
```

Lecture des indicateurs du registre des indicateurs

Dans beaucoup de cas ce ne sont pas seulement les registres généraux AX,BX,CX,... mais aussi les indicateurs du registre des indicateurs qui renvoient des informations au programme appelant. Les fonctions de DOS font largement usage de l'indicateur de retenue qui signale une erreur lorsqu'il est à 1 après exécution de la fonction.

Après avoir déclenché une instruction INTERRUPT ou INTERRUPTX vous pouvez accéder aux différents indicateurs du processeurs en exploitant la variable FLAGS de la structure Outreg. Le contenu individuel de chaque indicateur est obtenu par une combinaison AND appropriée, selon le tableau suivant :

Indicateur	Position	Puissance de deux
Retenue (Carry)	0	1
Parité	2	4
Auxiliaire	4	16
Zéro	6	64
Signe	7	128
Débordement (Overflow)	11	2048

Pour tester l'indicateur de retenue, on écrira par exemple :

```
DIM Regs AS RegType
CALL INTERRUPT( &hxyz, Regs, Regs )   'Appel de l'interruption
IF ( Regs.Flags AND 1 ) <> 0 THEN PRINT "Erreur"
```

2.1.3. Du bon usage des buffers

De nombreuses fonctions utilisent comme argument un pointeur sur un buffer qui sert de zone d'échange pour lire ou écrire des données. Ces pointeurs sont toujours FAR : ils sont constitués d'un segment et d'un offset parce que les données ne se trouvent pas forcément dans le segment du programme courant, elles peuvent être dispersées n'importe où dans la mémoire.

Transmission des pointeurs aux fonctions d'interruption

Prenons comme exemple la fonction numéro &H09 de DOS qui affiche une chaîne de caractères à la position courante du curseur. Comme toutes les fonctions DOS elle s'attend à trouver son numéro d'appel (&H09) dans le registre AH. Par ailleurs l'adresse du buffer contenant la chaîne à afficher doit être mémorisée dans les registres DS:DX. DS est destiné à la partie segment et DX à l'offset.

Créer une chaîne n'est pas difficile en QuickBasic mais comment trouver l'adresse du buffer dont nous avons besoin ? En réalité, c'est très simple car QuickBasic dispose de deux fonctions VARSEG et VARPTR qui renvoient justement le segment et l'adresse d'une variable. Le programme suivant montre comment ces fonctions peuvent être mises en service dans le cadre d'un appel à la fonction &H09 de DOS :

```
'$INCLUDE: 'QB.BI' 'Fichier d'inclusion pour les appels d'interruptions

DIM s AS STRING * 20
DIM RegsX AS RegTypeX

CLS
s = "Micro-ordinateur" + "$"
RegsX.AX = &H900              'Numéro de la fonction
RegsX.DS = VARSEG(s)         'Segment de s
RegsX.DX = VARPTR(s)         'Offset de s
CALL interruptx(&H21, RegsX, RegsX)
```

Réception de pointeurs renvoyés par les fonctions d'interruption

Nous allons étudier un programme symétrique du précédent qui s'appelle GetMedia. Il appelle la fonction 0x1B de DOS qui n'attend aucun pointeur mais en retourne un dans les registres DS:BX. Ce pointeur référence un octet qui contient le code d'identification du support (media-ID) du lecteur actif. Ce code, compris entre 0xF0 et 0xFF, décrit de façon interne à DOS le type du lecteur en service. La valeur 0xF8 (248) caractérise les disques durs de toutes sortes.

Comme QuickBasic ne connaît pas les pointeurs FAR, il faut utiliser l'instruction PEEK() pour lire le code du support. Mais PEEK() ne fonctionne qu'avec un offset, le segment concerné étant toujours le segment courant. Heureusement le segment courant peut être facilement fixé par l'instruction DEF SEG, comme le montre le programme suivant :

```
'$INCLUDE: 'QB.BI'    'Fichier d'inclusion pour les appels d'interruption

DIM RegsX AS RegTypeX
DIM MediaID AS INTEGER

CLS
RegsX.AX = &H1B00                      'Numéro de la fonction
CALL interruptx(&H21, RegsX, RegsX)
```

```
DEF SEG = RegsX.DS                    'Fixe le segment
MediaID = PEEK(RegsX.BX)              'Lit le code d'identification
PRINT "Code du support: "; MediaID
```

2.2. Programmation système en Pascal

Dès qu'on prononce le nom de ce langage, on est obligé de rajouter "Turbo", tant il est vrai que Turbo Pascal domine le marché. La tentative de Microsoft pour briser le monopole de Borland en introduisant QuickPascal a tourné court. Bien que les programmes aient été développés en Turbo Pascal 5.5, ils fonctionnent également sous les versions suivantes de Turbo Pascal ou Borland Pascal. L'extension orientée objets n'a pas été exploitée car les réalisations étudiées ici concernent la pure programmation système. Mais cela ne veut pas dire que ce type de programmation ne puisse pas tirer profit d'un environnement d'objets, bien au contraire.

Pensez par exemple à un programme destiné à gérer plusieurs interfaces série. Les routines sont toujours les mêmes, seules les adresses des ports sont différentes. Il est facile d'imaginer un type d'objet qui gère une interface série en mémorisant dans une variable objet l'adresse du port. Pour gérer plusieurs interface, il suffirait de créer plusieurs instances de ce type d'objet en leur affectant l'adresse du port qui convient.

Mais assez de préambules : concentrons-nous sur la programmation système en Turbo Pascal.

2.2.1. Les types de données de Turbo Pascal

Comme c'est le cas de la plupart des compilateurs, les types de données de Turbo Pascal correspondent plus ou moins à ceux du processeur pour permettre un traitement plus simple et plus rapide. Le tableau suivant montre comment Turbo Pascal mémorise ses différents types de données :

CHAR	BYTE
BYTE	BYTE
BOOLEAN	BYTE
INTEGER	WORD
WORD	WORD
LONGINT	DWORD
POINTEUR	DWORD

En Turbo Pascal les pointeurs sont en principe FAR, aussi bien les pointeurs sur les données que les pointeurs dits procéduraux qui pointent sur du code de programme.

Chaînes de caractères

La manière dont les chaînes sont stockées en Pascal ne correspond pas aux attentes de la plupart des fonctions du DOS et du BIOS. Pour ces dernières en effet une chaîne de caractères est une suite d'octets qui contiennent des codes ASCII terminés par un caractère "nul" de code 0. Dans la littérature système ce type de chaîne est parfois appelé ASCIIZ, le Z évoquant le zéro terminal.

Turbo Pascal mémorise aussi la suite des codes ASCII mais elle ne se termine pas par un caractère nul. Par contre elle est introduite par un octet supplémentaire qui mémorise la longueur de la chaîne. Ce procédé de stockage facilite le traitement des chaînes mais il n'est pas compatible avec les mécanismes du DOS et du BIOS.

Mais comme le montre le listing suivant, il est facile de convertir les chaînes TP en chaînes ASCII en y accrochant un caractère nul. Lorsqu'on transmettra ce type de chaîne à une fonction du DOS ou du BIOS, on prendra soin de définir l'adresse du premier caractère avec un décalage de 1 (string[1]), pour ne pas envoyer l'octet de longueur (string[0]). Le paragraphe suivant consacré aux interruptions montrera l'usage de cette technique.

```
program ASCIIZDemo;

var ASCIIZ : string[100];
    i : integer;

begin
  write ( 'Votre chaîne: ' );
  readln( ASCIIZ );
  ASCIIZ := ASCIIZ + chr(0);
  for i := 0 to ord( ASCIIZ[0] ) do
    begin
      write( i:2, ' ', ord( ASCIIZ[i] ):3 );
      if ( ASCIIZ[i] > ' ' ) then
        write( ' ', ASCIIZ[i] );
      writeln;
    end;
end.
```

Nous reproduisons ci-dessous l'affichage déclenché par le programme précédent. Ce programme demande que l'on tape une chaîne de caractères puis il ajoute un caractère nul et affiche la chaîne caractère par caractère. Notez bien l'octet introductif qui mémorise la longueur de la chaîne.

```
Votre chaîne: Chaîne ASCIIZ       <— chaîne saisie
  0    14                          <— octet définissant la longueur
  1    67   C
  2   104   h
  3    97   a
  4   140   î
  5   110   n
  6   101   e
  7    32
  8    65   A
  9    83   S
 10    67   C
 11    73   I
 12    73   I
 13    90   Z
 14     0                          <— caractère nul de terminaison
```

Structures et tableaux

Tout comme les programmes d'application, DOS et le BIOS gèrent de nombreuses informations en s'aidant de structures et de tableaux que l'on est parfois obligé de reproduire dans la programmation système en Pascal. Si vous êtes un habitué des "arrays" (tableaux) et des "records" (enregistrements) vous n'aurez pas de mal à appliquer votre expérience. Ce qui est important c'est que le compilateur range les données dans le bon ordre, qu'elles commencent à une frontière de mot (Les processeurs 80xxx sont plus efficaces lorsque les données à traiter sont situées à des adresses paires, autrement dit lorsqu'elles sont alignées sur des mots-mémoire), et qu'aucun espace libre ne soit laissé entre elles.

Le compilateur Turbo Pascal comporte une options d'alignement ALIGN DATA et la directive associée {$A} mais l'alignement en question ne concerne pas les tableaux et les enregistrements.

La figure suivante décrit un exemple de structure renvoyée par des fonctions DOS. Il s'agit d'informations servant à parcourir les répertoires à la recherche de fichiers :

Adresse	Contenu	Type
+00h	réservé	21 BYTE
+15h	Attribut du fichier	1 BYTE
+16h	Heure de la dernière mise à jour	1 WORD
+18h	Date de la dernière mise à jour	1 WORD
+1Ah	Taille du fichier	1 DWORD
+1Eh	Nom du fichier et extension séparés par un point sans indication de chemin d 'accès terminaison = caractère nul	13 BYTE
		Total 43 octets

Structure d'une entrée de répertoire retournée par les fonctions 4Eh et 4Fh de DOS

L'extrait de programme suivant montre comment cette structure peut être exprimée en Turbo Pascal :

```
type DirBufTyp = record { Structure renvoyée par les Fonctions $4E et
$4F }
                Reserve  : array [1..21] of char;
                Attr     : byte;
                Time     : integer;
                Date     : integer;
                Size     : longint;
                Name     : array [1..13] of char
            end;
```

La zone réservée en tête de structure est rendue par un tableau qui n'est pas forcément un tableau de caractères CHAR mais peut aussi être un tableau d'octets BYTE. Il faut simplement veiller à ce que les champs en Pascal respectent l'adresse relative à l'origine de la structure de DOS.

Les autres composants de la structure de DOS sont traduits en Turbo Pascal selon la règle suivante : les octets restent des BYTEs, les mots (WORD) deviennent des entiers simples de type integer, les mots doubles (DWORD) des entiers longs longint. Les noms des champs n'ont aucune importance et peuvent être choisis librement car ils n'influencent en rien la structure.

Accès aux bits

Les structures comportent parfois des champs de bits, où des bits isolés ou des groupes de bits ont une certaine signification. Par exemple l'octet représentant l'attribut d'un fichier dans la structure de répertoire présentée plus haut est en fait un champ de bits. Comme le montre la figure suivante, chaque bit indique individuellement si le fichier est protégé en écriture, si c'est un fichier système, ou si on est en présence d'un sous-répertoire. Comment prendre connaissance de cette information ?

Structure de l'octet d'attribut dans un répertoire

```
7 6 5 4 3 2 1 0
X X
        1 = Accès en écriture interdite
        1 = Fichier caché
        1 = Fichier système
        1 = Nom de volume
        1 = Sous-répertoire
        Bit d'archivage
```

Pour accéder à un bit il faut connaître sa valeur comme puissance de 2. Le bit 0 a la valeur 1, le bit 1 la valeur 2^1=2, le bit 2 la valeur 2^2=4 et ainsi de suite jusqu'au bit 7 dont la valeur est 2^7=128. Pour savoir si l'attribut étudié désigne un sous-répertoire, il faut faire intervenir la valeur du bit 4, soit le nombre 16.

Notre préoccupation va être de mettre à 0 tous les autres bits de l'attribut de façon que seul le bit 4 reste présent pour être testé. Il suffit de combiner l'attribut avec un "masque" par l'opérateur binaire AND : tous les bits qui ne seront pas à 1 dans le masque seront mis à 0 dans le résultat. En Turbo Pascal on écrira :

```
Attribut and 16
```

Le résultat de cette opération sera 16 si le bit 4 est à 1, et 0 dans tous les autres cas. Avec une instruction If, on aura :

```
If  Attribut and 16  <> 0  then
  { ceci est un sous-répertoire }
Else
  { ceci n'est pas un sous-répertoire }
```

Lorsqu'on désire tester plusieurs bits simultanément, l'exercice est un peu plus compliqué. Il faut alors faire la somme des puissances de 2 représentées par les différents bits. Supposons que vous cherchiez à savoir si un fichier donné est un fichier système caché. Les indicateurs correspondants sont les bits 1 et 2 qui ont pour valeur totale $2^1 + 2^2$=6.

L'expression

```
Attribut and 6
```

retourne le contenu des deux bits qui nous intéressent. Mais attention ! Si vous reprenez un test *If* semblable au précédent, il ne donnera pas forcément le résultat escompté car :

```
Attribut and 6 <> 0
```

est déjà TRUE si un seul des deux bits est à 1 et si de ce fait le résultat de l'opération AND est différent de 0. Pour vérifier si les deux bits sont simultanément à 1, il faut écrire :

```
If Attribut and 6 = 6 then
   { c'est un fichier système caché }
   else
   { ce n'est pas un fichier système caché }
```

Le programmeur ne se contente pas toujours de lire des bits, parfois il est obligé de les fixer d'autorité, notamment pour communiquer certains champs de bits à des fonctions de DOS ou du BIOS. Là encore c'est la valeur des bits calculée en puissances de deux qui intervient mais cette fois dans des opérations OR. Pour mettre à 1 le bit 3 de l'octet qui représente un attribut de fichier, on écrira en Turbo Pascal :

```
Attribut = Attribut or 8
```

S'il faut fixer plusieurs bits à 1, leurs puissances devront être additionnées, par exemple :

```
Attribut := Attribut or (8+16);
```

Mais comment faire pour mettre à 0 des bits ? On refait alors appel à un opérateur AND mais exploité d'une manière différente car il s'agit de sélectionner uniquement le bit visé. Les règles de la logique binaire nous apprennent qu'il faut alors inverser la valeur associée au bit en utilisant l'opérateur NOT. Pour mettre à 0 le bit 5, on écrira :

```
Attribut := Attribut and not (32);
```

Pour mettre à 0 plusieurs bits en même temps, on pratique l'addition des puissances de deux correspondantes, par exemple :

```
Attribut := Attribut and not (32+8);
```

Un champ binaire n'est pas toujours constitué de bits isolés, il peut être fait de groupes de bits qui expriment une valeur. A titre d'exemple, examinons le champ date d'une entrée de répertoire. Il contient trois groupes de bits qui indiquent la date de création ou de dernière mise à jour de chaque fichier. Pour exploiter cette information il est inutile de tester individuellement les bits, il faut obtenir la valeur représentée par les trois groupes.

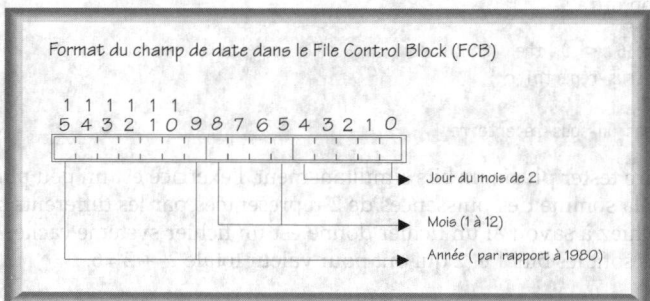

Le jour est facile à calculer avec les méthodes précédemment étudiées et l'opérateur AND :

```
Jour := Date and ( 1 + 2 + 4 + 8);
```

Pour calculer le mois, l'opérateur AND ne suffit plus. Le goupe de bits doit en effet être décalé de cinq positions vers la droite avant de donner le numéro du mois. En Turbo Pascal le décalage de n positions vers la droite se fait au moyen de l'opérateur SHR. Le mois et l'année s'obtiennent donc de la façon suivante :

```
Mois := ( Date and ( 32 + 64 + 128 + 256 ) ) shr 5;
Annee := ( Date and ( 512+1024+2048+4096+8192+16384+32768 ) ) shr 9;
```

Pour déplacer des bits non pas vers la droite mais vers la gauche , on utilise l'opérateur symétrique SHL. Si on décide ainsi de reconstituer un champ date à partir du jour, du mois et de l'année, on écrira :

```
Date := Jour + ( Mois shl 5 ) + ( Annee shl 9 );
```

2.2.2. Appel des interruptions

Pour déclencher des interruptions logicielles, Turbo Pascal propose deux instructions appelées INTR et MSDOS qui sont définies dans l'unité DOS. Cette unité comporte également quelques déclarations de types et de constantes nécessitées par les appels.

La syntaxe de INTR est la suivante :

```
Intr( NumInterrupt: byte, Regs: Registers);
```

Le paramètre NumInteruupt désigne le numéro de l'interruption déclenchée. Ce numéro peut prendre toute valeur comprise entre 0 et 255 : c'est donc l'intégralité des interruptions tant matérielles (Il n'est généralement pas raisonnable de déclencher une interruption matérielle par ce moyen, les risques de déséquilibrage du système, autrement dit les chances de plantage, étant très importants) que logicielles qui est ainsi accessible.

La procédure MSDOS est une variante de la procédure INTR et s'écrit :

```
MsDos(Regs: Registers);
```

Le numéro d'interruption n'est pas précisé car il s'agit implicitement du numéro $21 qui permet d'appeler plus de 200 fonctions de l'API de DOS. API veut dire "Application Program Interface" et désigne l'ensemble des fonctions que DOS met à la disposition des programmes d'application.

Accès aux registres du processeur

Les deux procédures INTR et MSDOS attendent un argument de type REGISTERS défini dans l'unité DOS. Avant d'exécuter l'interruption demandée, ces procédures chargent dans les registres du processeur les données mises au préalable dans l'enregistrement REGISTERS. Selon un mécanisme symétrique, à l'issue de l'interruption, le contenu des registres du processeur est transféré dans le même enregistrement.

Pour faciliter l'accès aux registres, REGISTERS est défini comme un enregistrement variable permettant de prendre en considération des valeurs sur 8 bits et sur 16 bits :

```
type Registers = record
                 case integer of
        0 : (AX, BX, CX, DX, BP, SI, DI, DS, ES, Flags : word);
            1 : (AL, AH, BL, BH, CL , CH, DL, DH : byte);
            end;
```

Les registres de 16 bits allant de AX à ES sont représentés par des variables de même nom ayant le type WORD. Il en est de même des registres de 8 bits (AL, AH, BL, BH...) qui sont représentés par des variables de type BYTE.

L'introduction d'un enregistrement variable se justifie par le rôle important joué par les registres de 8 bits dans la gestion des interruptions. En mémoire centrale, les registres de 8 bits et de 16 bits occupent la même zone, ils se recouvrent donc complètement : chaque paire de "8 bits" se situe à la même place que le "16 bits" associé. C'est ainsi que AL et AH se partagent l'emplacement mémoire de AX, BL et BH se tiennent à l'emplacement de BX, et ainsi de suite pour CL/CH et DL/DH.

Notez bien l'ordre dans lequel sont donnés les registres de 8 bits : il doit refléter le format du registre de 16 bits superposé. Comme l'octet de poids faible précède en mémoire l'octet de poids fort, le registre -L doit être déclaré avant le registre -H associé.

Si REGS est une variable de type REGISTERS, les différents registres du processeur peuvent être adressés de la façon suivante :

- O Regs.ax,
- O Regs.bx
- O Regs.cx
- O Regs.ah
- O Regs.dl, ...

S'il faut donner à DL la valeur \$D3 avant de déclencher une certaine interruption, on écrira simplement :

```
Regs.DL:=$D3;
```

Vous pouvez exploiter des expressions plus complexes car Regs.DL est une variable tout à fait ordinaire, et il en est de même des autres contenus de registres. Préalablement à un ordre d'interruption INTR ou MSDOS ne chargez que les registres qui servent effectivement d'arguments dans l'interruption car les autres seront royalement ignorés.

Lecture des indicateurs du registre des indicateurs

Dans beaucoup de cas ce ne sont pas seulement les registres généraux AX,BX,CX, ... mais aussi les indicateurs du registre des indicateurs qui renvoient des informations au programme appelant. Les fonctions de DOS font un large usage de l'indicateur de retenue qui signale une erreur lorsqu'il est à 1 après exécution de la fonction.

Pour faciliter l'évaluation des différents indicateurs, l'unité DOS définit différentes constantes qui en reflètent la valeur.

Constante	Position	Puissance de deux
FCarry	0	1
FParity	2	4
FAuxiliary	4	16
FZero	6	64
FSign	7	128
FOverflow	11	2048

Pour tester un de ces bits, vous pouvez vous servir de l'opérateur AND comme nous l'avons vu précédemment. Voici par exemple une expression booléenne qui prend la valeur TRUE si l'indicateur de retenue est à 1 :

```
Erreur:=((Regs.Flags and FCarry)<>0);
```

2.2.3. Du bon usage des buffers

De nombreuses fonctions utilisent comme argument un pointeur sur un buffer qui sert de zone d'échange pour lire ou écrire des données. Ces pointeurs sont toujours FAR : ils sont constitués d'un segment et d'un offset parce que les données ne se trouvent pas forcément dans le segment du programme courant, elles peuvent être dispersées n'importe où dans la mémoire.

Transmission des pointeurs aux fonctions d'interruption

Prenons comme exemple la fonction numéro \$09 de DOS qui affiche une chaîne de caractères à la position courante du curseur. Comme toutes les fonctions DOS elle s'attend à trouver son numéro d'appel ($09) dans le registre AH. Par ailleurs l'adresse du buffer contenant la chaîne à afficher doit être mémorisée dans les registres DS:DX. DS est destiné à la partie segment et DX à l'offset.

Créer une chaîne n'est pas difficile en Turbo Pascal mais comment trouver l'adresse du buffer dont nous avons besoin ? En réalité, c'est très simple car Turbo Pascal dispose de deux fonctions SEG() et OFS() qui renvoient justement le segment et l'offset de n'importe quel objet en mémoire. Peu importe s'il s'agit d'une variable locale ou globale, ou d'une constante typée.

Le programme suivant montre comment ces fonctions peuvent être mises en service dans le cadre d'un appel à la fonction $09 de DOS. Notez bien que contrairement à la plupart des autres fonctions de DOS, la fonction $09 demande que la chaîne traitée se termine par un $ (et non par un caractère nul) :

```
program DOSPrint;

uses DOS;

var Regs    : Registers;
    Message : string[20];

begin
  Message := 'DOSPrint' + '$';

  Regs.AH := $09;
  Regs.DS := seg( Message[1] );
  Regs.DX := ofs( Message[1] );
  MsDos( regs );
end.
```

Réception de pointeurs renvoyés par les fonctions d'interruption

Nous allons étudier un programme symétrique du précédent qui s'appelle GetMedia. Il appelle la fonction $1B de DOS qui n'attend aucun pointeur mais en retourne un dans les registres DS:BX. Ce pointeur référence un octet qui contient le code d'identification du support (media-ID) du lecteur courant. Ce code, compris entre 0xF0 et 0xFF, décrit de façon interne à DOS le type du lecteur en service. La valeur 0xF8 (248) caractérise les disques durs de toutes sortes.

Au début du programme le type MediaPtr est défini comme pointeur sur un octet. En Turbo Pascal les pointeurs sont toujours FAR, aussi sommes-nous absolument sûrs d'avoir bien créé un pointeur FAR. La variable MP est définie avec ce type pour recevoir à l'issue de l'interruption le contenu des registres DS:BX. On met en service à cet effet la fonction PTR de Turbo Pascal qui forme un pointeur générique. (Les pointeurs génériques peuvent pointer sur n'importe quel objet mémoire, ils ne sont pas liés à des types de variables précis) en partant d'un segment et d'un offset.

Une fois qu'on dispose du pointeur correctement rempli, on peut l'exploiter dans les conditions habituelles, ici à l'intérieur d'une instruction WRITELN :

```
program GetMedia;

uses DOS;

type MediaPtr = ^byte;
```

```
var Regs : Registers;
    MP   : MediaPtr;

begin
  Regs.AH := $1B;
  MsDos( Regs );
  MP := ptr( Regs.DS, Regs.BX );
  writeln( 'Code du support du lecteur actif: ', MP^ );
end.
```

Accès à la mémoire par MEM et MEMW

Pour être honnête, il faut avouer que cet exemple aurait pu se programmer plus simplement. Pour accéder à des octets, des mots ou des entiers longs (DWord), Turbo Pascal dispose de trois tableaux prédéfinis appelés *mem, memw et meml*. Les éléments de ces tableaux sont référencés d'une manière toute particulière : à l'intérieur des crochets on met le segment et l'offset séparés par deux-points.

Dans le cas qui nous occupait, nous aurions pu récupérer le code du support de la façon suivante :

```
mem [Regs.DX : Regs.BX]
```

Mais cette simplification ne doit pas faire illusion : mem, memw et meml atteignent rapidement leurs limites lorsque les pointeurs à traiter référencent des structures complexes. Il faut alors inévitablement passer par la déclaration d'un enregistrement et du pointeur associé.

2.2.4.   Accès aux ports d'entrée-sortie

Turbo Pascal voit également les ports d'entrée-sortie comme des tableaux prédéfinis. Il existe en fait deux tableaux appelés PORT pour les ports de 8 bits et PORTW pour les ports de 16 bits. La seule différence réside dans la possibilité de traiter des données sur 16 bits avec PORTW tandis que PORT ne gère que des nombres de 8 bits. Le choix de l'un ou l'autre de ces tableaux dépendra des caractéristiques matérielles de la carte que l'on désire commander. Si c'est une carte 16 bits, on choisira PORTW, sinon on en est réduit à prendre PORT.

```
XByte := port[ $3C4 ];
XWord := portw[ $3C4 ];
```

L'émission d'un octet ou d'un mot est tout aussi simple :

```
port[ $3C4 ] := XByte;
portw[ $3C4 ] := XWord;
```

Vous trouverez des exemples d'application de ces instructions au chapitre 9, dans le cadre de la programmation des cartes EGA et VGA.

2.3.   Programmation système en C

Contrairement au cas de Pascal, le marché des compilateurs C se caractérise par une rivalité entre Microsoft et Borland. Les deux maisons envoient plusieurs chevaux dans la course : Microsoft bichonne son QuickC et le gros compilateur MSC, tandis que Borland accorde tous ses soins à Turbo C++ et à Borland C++ qui sont des systèmes complets pour développer des programmes en C et en C++. Turbo C n'existe plus officiellement mais heureusement les deux compilateurs C++ conservent la compatibilité avec le standard établi précédemment.

Les programmes en C de cet ouvrage ont été conçus de manière à fonctionner avec tous les compilateurs qui viennent d'être mentionnés. Il n'est cependant pas exclu que l'un ou l'autre émette de temps en temps un message d'avertissement sans importance. Mais cette situation devrait être rarissime car sous Microsoft les programmes ont été compilés avec le niveau d'avertissement W2 tandis que sous Borland les paramètres par défaut de l'environnement de développement ont été repris tels quels.

Les programmes présentent cependant des différences dues à des bibliothèques dissemblables. C'est pourquoi ils présenteront parfois l'aspect suivant , comme c'est le cas par exemple du programme DIRC2.C du chapitre 22. Les différences sont interceptées par des macros :

```
#ifdef __TURBOC__                              /* Compilateur Turbo C? */
  #define DIRSTRUCT              struct ffblk
  #define FINDFIRST( path, buf, attr )  findfirst( path, buf, attr )
  #define FINDNEXT( buf )        findnext( buf )
  #define NAME                   ff_name
  #define ATTRIBUT               ff_attrib
  #define TIME                   ff_ftime
  #define DATE                   ff_fdate
  #define SIZE                   ff_fsize
#else                                          /* Non, Microsoft C */
  #define DIRSTRUCT              struct find_t
  #define FINDFIRST( path, buf, attr )  _dos_findfirst(path, attr, buf)
  #define FINDNEXT( buf )        _dos_findnext( buf )
  #define NAME                   name
  #define ATTRIBUT               attrib
  #define TIME                   wr_time
  #define DATE                   wr_date
  #define SIZE                   size
#endif
```

Les caractéristiques de l'orientation objets de C++ n'ont pas été exploitées ici pour deux raisons très précises. La première tient au fait que le C n'est encore très largement répandu et utilisé dans tous les domaines. La deuxième raison est due à la volonté de ne pas occulter la substance profonde des programmes par des définitions de classes et de hiérarchies d'objets.

Mais cela ne veut pas dire que ce type de programmation ne puisse pas tirer profit d'un environnement d'objets, bien au contraire.

Pensez par exemple à un programme destiné à gérer plusieurs interfaces série. Les routines sont toujours les mêmes, seules les adresses des ports sont différentes. Il est facile d'imaginer un type d'objet qui gère une interface série en mémorisant dans une variable objet l'adresse du port. Pour gérer plusieurs interfaces, il suffirait de créer plusieurs instances de ce type d'objet en leur affectant l'adresse du port qui convient.

Après tous ces préambules, il est temps de se concentrer sur la programmation système en C.

2.3.1.   Les types de données de C

Comme c'est le cas de la plupart des compilateurs, les types de données de Turbo Pascal correspondent plus ou moins à ceux du processeur pour permettre un traitement plus simple et plus rapide. Le tableau suivant montre comment les compilateurs C mémorisent leurs différents types de données :

Type en C	Stockage interne
unsigned char	BYTE
char	BYTE
int	WORD
unsigned int	WORD
near *void	WORD
long	DWORD
far *void	DWORD

Il n'existe pas de type BYTE et WORD en C. C'est pourquoi vous trouverez souvent au début des programmes en C présentés dans ce livre des instructions typedef du genre :

```
typedef unsigned char BYTE;
typedef unsigned int WORD;
```

Ces deux lignes définissent les deux types essentiels en programmation système. En C on ne peut pas dire a priori si les pointeurs sont NEAR ou FAR : cela dépend du modèle mémoire utilisé. Les programmes de ce livre ont été développés avec le modèle SMALL qui fonctionne exclusivement avec des pointeurs NEAR. Lorsque la programmation système requiert des pointeurs FAR, on applique le modificateur far à la déclaration de la variable concernée :

```
int far *p;   /* p est un pointeur far sur un entier */
```

QuickC n'aime pas travailler avec des pointeurs FAR tant que l'option Options/Compiler Flags/Pointer Check est enclenchée. N'oubliez pas de désactiver cette option pour que les programmes de démonstration présentés dans ce livre s'exécutent sans problème.

Chaînes de caractères

Pour la plupart des fonctions de DOS et du BIOS, une chaîne de caractères est une suite de codes ASCII terminés par un caractère "nul" de code 0. Dans la littérature système ce type de chaîne est parfois appelé ASCIIZ, le Z évoquant le zéro terminal. Le langage C adopte le même format de stockage, c'est pourquoi l'usage de C en programmation système est souvent plus facile que celui de Pascal qui exploite un autre format.

Structures et tableaux

Tout comme les programmes d'application, DOS et le BIOS gèrent de nombreuses informations en s'aidant de structures et de tableaux que l'on est parfois obligé de reproduire dans la programmation système en C. Si vous êtes un habitué des tableaux et des structures vous n'aurez pas de mal à appliquer votre expérience. Ce qui est important c'est que le compilateur range les données dans le bon ordre, qu'elles commencent à une frontière de mot (Les processeurs 80xxx sont plus efficaces lorsque les données à traiter sont situées à des adresses paires, autrement dit lorsqu'elles sont alignées sur des mots-mémoire), et qu'aucune espace libre ne soit laissé entre elles.

Tous les compilateurs C pour PC gèrent un paramètre qui permet de "compacter" les structures. Dans le cas de Microsoft C, le paramètre s'écrit /ZP et a pour effet de ne pas tolérer d'espace libre entre les composants d'une structure. L'environnement de développement intégré de Borland possède une commande Options/Compiler/Code génération qui ouvre une boîte de dialogue dans laquelle il est possible de fixer l'option "WORD-ALignement". Veillez à ce que cette option soit désactivée pour que le compilateur n'étire pas les structures.

Le tableau suivant décrit un exemple de structure renvoyée par des fonctions DOS. Il s'agit d'informations servant à parcourir les répertoires à la recherche de fichiers :

Adresse	Contenu	Type
+00h	réservé	21 BYTE
+15h	Attribut du fichier	1 BYTE
+16h	Heure de la dernière mise à jour	1 WORD
+18h	Date de la dernière mise à jour	1 WORD
+1Ah	Taille du fichier	1 DWORD
+1Eh	Nom du fichier et extension séparés par un point sans indication de chemin d'accès terminaison = caractère nul	13 BYTE
		Total : 43 octets

Structure d'une entrée de répertoire retournée par les fonctions 4Eh et 4Fh de DOS

L'extrait de programme suivant montre comment cette structure peut être exprimée en C :

```
typedef unsigned char BYTE;              /* création du type BYTE */
typedef struct {                         /* Structure DIR des fonctions 4Eh et 4Fh */
             BYTE          Reserve[21];
             BYTE          Attribut;
             unsigned int  Time;
             unsigned int  Date;
             unsigned long Size;
             char          Name[13];
           } DIRSTRUCT;
```

La zone réservée en tête de structure est rendue par un tableau qui n'est pas forcément un tableau de caractères CHAR mais peut aussi être un tableau de BYTES. Il faut simplement veiller à ce que les champs en C respectent l'adresse relative à l'origine de la structure de DOS.

Les autres composants de la structure de DOS sont traduits en C selon la règle suivante : les octets deviennent des BYTES, les mots (WORD) des types *unsigned int*, les mots doubles (DWORD) des types *unsigned long*.

Les noms des champs n'ont aucune importance et peuvent être choisis librement car ils n'influencent en rien la structure.

Accès aux bits

Les structures comportent parfois des champs de bits, où des bits isolés ou des groupes de bits ont une certaine signification. Par exemple l'octet représentant l'attribut d'un fichier dans la structure de répertoire présentée plus haut est en fait un champ de bits. Comme le montre la figure suivante, chaque bit indique individuellement si le fichier est protégé en écriture, si c'est un fichier système, ou si on est en présence d'un sous-répertoire. Comment prendre connaissance de cette information ?

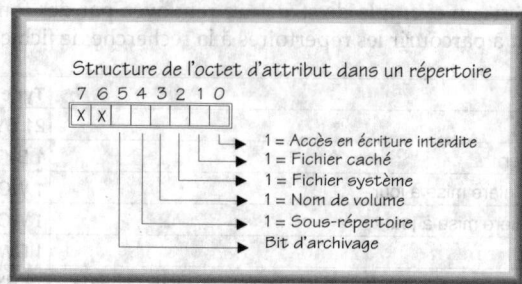

Pour accéder à un bit il faut connaître sa valeur comme puissance de 2. Le bit 0 a la valeur 1, le bit 1 la valeur 2^1=2, le bit 2 la valeur 2^2=4 et ainsi de suite jusqu'au bit 7 dont la valeur est 2^7=128. Pour savoir si l'attribut étudié désigne un sous-répertoire, il faut faire intervenir la valeur du bit 4, soit le nombre 16.

Notre préoccupation va être de mettre à 0 tous les autres bits de l'attribut de façon que seul le bit 4 reste présent pour être testé. Il suffit de combiner l'attribut avec un "masque" par l'opérateur binaire AND : tous les bits qui ne seront pas à 1 dans le masque seront mis à 0 dans le résultat. En C on écrira :

```
Attribut & 16
```

Le résultat de cette opération sera 16 si le bit 4 est à 1, et 0 dans tous les autres cas.

Avec une instruction If, on aura :

```
If  ((Attribut & 16 ) != 0)
  /* ceci est un sous-répertoire */
else
  { ceci n'est pas un sous-répertoire }
```

Lorsqu'on désire tester plusieurs bits simultanément, l'exercice est un peu plus compliqué. Il faut alors faire la somme des puissances de 2 représentées par les différents bits. Supposons que vous cherchiez à savoir si un fichier donné est un fichier système caché. Les indicateurs correspondants sont les bits 1 et 2 qui ont pour valeur totale $2^1 + 2^2$=6.
L'expression

```
Attribut & 6
```

retourne le contenu des deux bits qui nous intéressent. Mais attention ! Si vous reprenez un test *If* semblable au précédent, il ne donnera pas forcément le résultat escompté car :

```
(Attribut & 6) != 0
```

est déjà TRUE si un seul des deux bits est à 1 et si de ce fait le résultat de l'opération AND est différent de 0. Pour vérifier si les deux bits sont simultanément à 1, il faut écrire :

```
If (Attribut & 6)== 6 then
  { c'est un fichier système caché }
  else
  { ce n'est pas un fichier système caché }
```

Le programmeur ne se contente pas toujours de lire des bits, parfois il est obligé de les fixer d'autorité, notamment pour communiquer certains champs de bits à des fonctions de DOS ou du BIOS. Là encore c'est la valeur des bits calculée en puissances de deux qui intervient mais cette fois dans des opérations OR. Pour mettre à 1 le bit 3 de l'octet qui représente un attribut de fichier, on écrira en C :

```
Attribut = Attribut | 8 ;   ou plus brièvement:
Attribut |= 8 ;
```

S'il faut fixer plusieurs bits à 1, leurs puissances devront être additionnées, par exemple :

```
Attribut = Attribut | (8+16) ;
```

Mais comment faire pour mettre à 0 des bits ? On refait alors appel à un opérateur AND mais exploité d'une manière différente car il s'agit de sélectionner uniquement le bit visé. Les règles de la logique binaire nous apprennent qu'il faut alors inverser la valeur associée au bit en utilisant l'opérateur NOT (symbolisé en C par !). Pour mettre à 0 le bit 5, on écrira : .

```
Attribut = Attribut & !32;
```

Pour mettre à 0 plusieurs bits en même temps, on pratique l'addition des puissances de deux correspondantes, par exemple :

```
Attribut = Attribut & !(32+8);
```

Un champ binaire n'est pas toujours constitué de bits isolés, il peut être fait de groupes de bits qui expriment une valeur. A titre d'exemple, examinons le champ date d'une entrée de répertoire. Il contient trois groupes de bits qui indiquent la date de création ou de dernière mise à jour de chaque fichier. Pour exploiter cette information il est inutile de tester individuellement les bits, il faut obtenir la valeur représentée par les trois groupes.

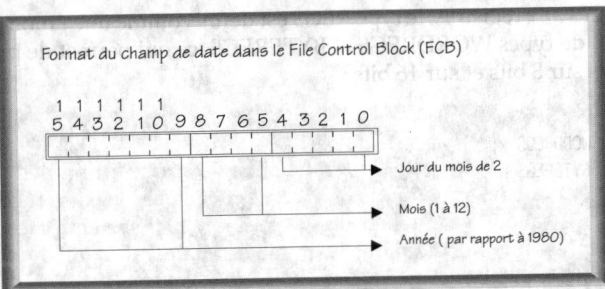

Format du champ de date dans le File Control Block (FCB)

1 1 1 1 1 1
5 4 3 2 1 0 9 8 7 6 5 4 3 2 1 0

Jour du mois de 2
Mois (1 à 12)
Année (par rapport à 1980)

Le jour est facile à calculer avec les méthodes précédemment étudiées et l'opérateur AND :

```
Jour = Date & ( 1 + 2 + 4 + 8) ;
```

Pour calculer le mois, l'opérateur AND ne suffit plus. Le groupe de bits doit en effet être décalé de cinq positions vers la droite avant de donner le numéro du mois. En C le décalage de n positions vers la droite se fait au moyen de l'opérateur >>. Le mois et l'année s'obtiennent donc de la façon suivante :

```
Mois = ( Date & ( 32 + 64 + 128 + 256 ) ) >> 5;
Annee = ( Date & ( 512+1024+2048+4096+8192+16384+32768 ) ) >> 9;
```

Pour déplacer des bits non pas vers la droite mais vers la gauche , on utilise l'opérateur symétrique <<. Si on décide ainsi de reconstituer un champ date à partir du jour, du mois et de l'année, on écrira :

```
Date = Jour + ( Mois << 5 ) + ( Annee << 9 );
```

2.3.2. Appel des interruptions

Pour déclencher les interruptions logicielles les compilateurs de Borland et de Microsoft disposent tous des fonctions *int86(), int86x(), intdos(), intdosx()*. Les fonctions *int86()* et *int86x()* permettent d'appeler les 256 interruptions du processeur Intel, alors que *intdos()* et *intdos()* se concentrent uniquement sur l'interruption 0x21 qui ouvre la porte à plus de 200 fonctions de l'API du DOS. API veut dire "Application Program Interface" et désigne l'ensemble des fonctions que le DOS met à la disposition des programmes d'application.

Les déclarations des fonctions d'interruption se trouvent, chez l'un et l'autre compilateur, dans le fichier d'en-tête DOS.H qui doit être inclus dans le programme en C :

```
int intdos(union REGS *inregs, union REGS *outregs);
int intdosx(union REGS *inregs, union REGS *outregs, struct SREGS *sreg);
int int86(int, union REGS *inregs, union REGS *outregs);
int int86x(int, union REGS *inregs, union REGS *outregs, struct SREGS
*sreg);
```

Accès aux registres du processeur

Comme vous le voyez à travers leurs déclarations, les fonctions attendent comme arguments des pointeurs sur des structures de type REGS (SREGS pour les fonctions avec un X). Ces structures imitent les registres du processeur. Avant d'exécuter l'interruption demandée, les fonctions chargent dans les registres du processeur les données mises au préalable dans le premier argument *inregs*. Selon un mécanisme symétrique, à l'issue de l'interruption, le contenu des registres du processeur est transféré dans le deuxième argument *outreg*.

Pour faciliter l'accès aux registres, le type REGS est défini comme une union de deux structures en recouvrement, de types WORDREGS et BYTEREGS, ce qui permet de prendre en considération des valeurs sur 8 bits et sur 16 bits :

```
union REGS {
            struct WORDREGS x;
            struct BYTEREGS h;
        };

struct WORDREGS {
                unsigned int ax;
                unsigned int bx;
                unsigned int cx;
                unsigned int dx;
                unsigned int si;
                unsigned int di;
                unsigned int cflag;
            };

struct BYTEREGS {
                unsigned char al, ah;
                unsigned char bl, bh;
                unsigned char cl, ch;
                unsigned char dl, dh;
            };
```

Les registres de 16 bits allant de AX à DI sont représentés dans WORDREGS par des variables de même nom ayant le type unsigned int. Il en est de même des registres de 8 bits (AL, AH, BL, BH...) qui sont représentés par des variables de type unsigned char dans BYTEREGS.

L'introduction d'une structure alternative se justifie par le rôle important joué par les registres de 8 bits dans la gestion des interruptions. En mémoire centrale, les registres de 8 bits et de 16 bits occupent la même zone, ils se recouvrent donc complètement : chaque paire de "8 bits" se situe à la même place que le "16 bits" associé. C'est ainsi que AL et AH se partagent l'emplacement mémoire de AX, BL et BH se tiennent à l'emplacement de BX, et ainsi de suite pour CL/CH et DL/DH.

Notez bien l'ordre dans lequel sont donnés les registres de 8 bits : il doit refléter le format du registre de 16 bits superposé. Comme l'octet de poids faible précède en mémoire l'octet de poids fort, le registre -L doit être déclaré avant le registre -H associé.

Si *pregs* est une variable de type REGS, les différents registres du processeur peuvent être adressés de la façon suivante :

O   pregs.x.ax,
O   pregs.x.bx
O   pregs.x.cx
O   pregs.h.ah
O   pregs.h.dl, etc...

S'il faut donner à DL la valeur $D3 avant de déclencher une certaine interruption, on écrira simplement :

```
pregs.h.dl:=0xD3;
```

Vous pouvez exploiter des expressions plus complexes car *pregs.h.dl* est une variable tout à fait ordinaire, et il en est de même des autres contenus de registres. Préalablement à un ordre d'interruption, ne chargez que les registres qui servent d'arguments dans l'interruption désignée car les autres seront royalement ignorés.

Prise en compte des registres de segment

Comme le montrent les définitions de BYTEREGS et WORDREGS, ces structures ne prennent en compte que les registres généraux, laissant de côté les registres de segment qui n'interviennent que rarement dans les appels de fonctions. En cas de besoin, vous pouvez cependant recourir aux fonctions *int86x()* et *intdos()* qui attendent non seulement deux pointeurs sur des variables de type REGS mais aussi un pointeur sur une variable de type SREGS. Avant de déclencher l'interruption demandée, les deux fonctions chargent les registres de segment avec les valeurs mises dans la variable de type SREGS et inversement au retour de l'interruption le contenu des registres du processeur y est transféré.

La définition de SREGS est la suivante :

```
struct SREGS {
          unsigned int es;
          unsigned int cs;
          unsigned int ss;
          unsigned int ds;
        };
```

Lecture des indicateurs du registre des indicateurs

Dans beaucoup de cas ce ne sont pas seulement les registres généraux AX,BX,CX, ... mais aussi les indicateurs du registre des indicateurs qui renvoient des informations au programme

appelant. Les fonctions de DOS font un large usage de l'indicateur de retenue qui signale une erreur lorsqu'il est à 1 après exécution de la fonction.

Pour faciliter l'évaluation de l'indicateur de retenue, la structure WORDREGS contient un champ dénommé CFLAG qui au retour de l'interruption est chargé avec la valeur de l'indicateur. Lorsque l'indicateur est armé, le champ a la valeur 1, sinon il est nul. Sa valeur initiale n'est pas prise en compte, ce n'est qu'au retour de l'interruption que cet indicateur joue un rôle.

Le programme suivant montre qu'il est facile de tester si l'indicateur de retenue est positionné à 1 à l'issue d'une interruption. Vous constaterez également qu'une seule et même variable est indiquée à la fois comme paramètre *inregs* et *outregs*. Cette variable reçoit les valeurs d'entrée et fournit le résultat testé en sortie :

```
#include <dos.h>

void test( void )
{
 union REGS pregs;

 pregs.h.ah = 0x13;        /* Numéro de fonction quelconque*/
 pregs.h.dl = 0;           /* Valeur d'entrée */
 intdos( &pregs, &pregs );
 if ( pregs.x.cflag )
  ;                        /* Indicateur de retenue positionné à 1 */
 else
  ;                        /* Indicateur de retenue positionné à 0 */
}
```

L'indicateur de retenue n'est pas le seul indicateur existant. Le problème se complique pour les autres car certaines fonctions du BIOS (rares, il est vrai) exploitent l'indicateur de zéro pour restituer une information. Les fonctions *int...()* de Microsoft ne permettent pas de progresser sur ce plan. Mais les développeurs de Borland ont été suffisamment malins pour étendre la structure WORDREGS en y ajoutant une variable FLAGS qui au retour de l'interruption reflète l'état des indicateurs.

```
struct WORDREGS {                  /* Borland uniquement ! */
           unsigned int ax, bx, cx, dx, si, di, cflag, flags;
           };
```

Pour tester l'un des indicateurs du registre des indicateurs, vous pouvez donc, si vous utilisez un compilateur Borland, combiner par AND la variable *flags* avec la puissance de deux de l'indicateur souhaité.

Pour mémoire, voici la table des puissances de deux associées aux différents indicateurs :

Indicateur	Position	Puissance de deux
Retenue (Carry)	0	1
Parité	2	4
Auxiliaire	4	16
Zéro	6	64
Signe	7	128
Débordement (Overflow)	11	2048

2.3.3.   Du bon usage des buffers

De nombreuses fonctions utilisent comme argument un pointeur sur un buffer qui sert de zone d'échange pour lire ou écrire des données. Ces pointeurs sont toujours FAR : ils sont constitués d'un segment et d'un offset parce que les données ne se trouvent pas forcément dans le segment du programme courant, elles peuvent être dispersées n'importe où dans la mémoire.

Transmission des pointeurs aux fonctions d'interruption

Prenons comme exemple la fonction numéro 0x09 de DOS qui affiche une chaîne de caractères à la position courante du curseur. Comme toutes les fonctions DOS elle s'attend à trouver son numéro d'appel (0x09) dans le registre AH. Par ailleurs l'adresse du buffer contenant la chaîne à afficher doit être mémorisée dans les registres DS:DX. DS est destiné à la partie segment et DX à l'offset. Créer une chaîne n'est pas difficile en C mais comment trouver l'adresse du buffer dont nous avons besoin ? En réalité, c'est très simple car les compilateurs C de Borland et de Microsoft disposent tous deux des macros FP_SEG() et FP_OFF() qui renvoient justement une adresse de segment et un offset. Malheureusement les implémentations diffèrent chez les deux sociétés, ce qui ne manque pas de poser problème :

Borland :

```
#define FP_SEG(fp) ((unsigned)(void _seg *)(void far *)(fp))
#define FP_OFF(fp) ((unsigned)(fp))
```

Microsoft :

```
#define FP_SEG(fp) (*((unsigned _far *)&(fp)+1))
#define FP_OFF(fp) (*((unsigned _far *)&(fp)))
```

Dans la définition de Borland, les deux macros sont appelées directement avec la variable dont on recherche le segment et l'offset. Dans la version de Microsoft, il faut leur communiquer un pointeur FAR qui référence la variable. Le programme suivant montre comment ces fonctions peuvent être mises en service dans le cadre d'un appel à la fonction 0x09 de DOS. Notez bien que contrairement à la plupart des autres fonctions de DOS, la fonction 0x09 demande que la chaîne traitée se termine par un $ (et non par un caractère nul) :

Voici d'abord la version Borland :

```
#include <dos.h>        /* Version BORLAND */

void main( void )
{
 union REGS pregs;
 struct SREGS sregs;
 char message[20] = "DOSPrint$";

 pregs.h.ah = 0x09;
 sregs.ds = FP_SEG( message );        /* Recherche l'adresse */
 pregs.x.dx = FP_OFF( message );      /* par la variable  */
 intdosx( &pregs, &pregs, &sregs );
}
```

Vous voyez que l'adresse de "message" est obtenue en indiquant directement le nom de la variable aux macros FP_SEG() et FP_OFF(). Avec les compilateurs de Microsoft, il n'est pas

possible de procéder ainsi. Il faut intercaler une variable qui référence la chaîne sous forme de pointeur FAR :

```
#include <dos.h>       /* Version MICROSOFT */

void main( void )
{
 union REGS pregs;
 struct SREGS sregs;
 char message[20] = "DOSPrint$";
 void far *mesptr = message;       /* Pointeur FAR sur la chaîne*/

 pregs.h.ah = 0x09;
 sregs.ds = FP_SEG( mesptr );      /* Recherche l'adresse */
 pregs.x.dx = FP_OFF( mesptr );    /* par le pointeur FAR */
 intdosx( &pregs, &pregs, &sregs );
}
```

Réception de pointeurs renvoyés par les fonctions d'interruption

Nous allons étudier un programme symétrique du précédent qui s'appelle *GetMedia*. Il appelle la fonction 0x1B de DOS qui n'attend aucun pointeur mais en retourne un dans les registres DS:BX. Ce pointeur référence un octet qui contient le code d'identification du support (media-ID) du lecteur courant. Ce code, compris entre 0xF0 et 0xFF, décrit de façon interne à DOS le type du lecteur en service. La valeur 0xF8 (248) caractérise les disques durs de toutes sortes.

L'adresse du code du support est renvoyée sous forme de pointeur FAR dans les registres DS:BX. Mais comment en déduire un pointeur FAR en C ? La solution des compilateurs BORLAND est une macro MK_FP() définie dans le fichier d'inclusion DOS.H. Cette macro attend deux paramètres, le segment et l'offset du pointeur à former. Ce dernier constitue le résultat de la macro et présente le type *void far**. Les compilateurs Microsoft ne connaissent pas cette macro mais il est facile de se la bricoler soi-même, comme le montre le listing ci-dessous, qui définit MK_FP si elle fait défaut. Après l'interruption, le pointeur FAR constitué par MK_FP() est affecté à la variable mp. Dans la fonction printf() située à la fin du programme le code du support est déréférencé au moyen de ce pointeur et affiché à l'écran.

```
#include <dos.h>
#include <stdio.h>

#ifndef MK_FP                /* La macro MK_FP est-elle définie ? */
  #define MK_FP(seg,ofs) ((void far *) ((unsigned long)
(seg)<<16|(ofs)))
#endif
void main( void )
{
 union REGS pregs;
 struct SREGS sregs;
 unsigned char far *mp;
 pregs.h.ah = 0x1B;
 intdosx( &pregs, &pregs, &sregs );
 mp = MK_FP( sregs.ds, pregs.x.bx );
 printf( "Code du support du lecteur actif: %d\n ", *mp );
}
```

Si vous examinez attentivement la définition de la macro MK_FP(), vous observerez que malgré le grand nombre de parenthèses et de mots-clés son mécanisme reste simple. L'adresse de segment est convertie en un entier long, décalée de 16 bits vers la gauche, après quoi les 16 bits de poids faible sont remplis par l'offset. Le résultat est bien un pointeur FAR ayant la structure désirée il suffit encore de le déclarer comme tel.

2.3.4. Accès aux ports d'entrée-sortie

Les compilateurs de Microsoft et de Borland proposent plusieurs fonctions pour accéder aux ports d'entrée-sortie. Ces fonctions portent des noms différents et ne sont pas déclarés dans les mêmes fichiers d'inclusion. Borland les place dans DOS.H, tandis que Microsoft les met dans CONIO.H où à mon avis ils n'ont rien à faire.

Le tableau suivant indique les différentes routines avec leurs déclarations :

Microsoft : Fichier d'inclusion <conio.h>

```
int      inp( unsigned port );
unsigned inpw( unsigned port );
int      outp( unsigned port, int databyte );
unsigned outpw( unsigned port, unsigned dataword );
```

Borland : Fichier d'inclusion <dos.h>

```
int           inport (int __portid);
unsigned char inportb(int __portid);
void          outport (int __portid, int __value);
void          outportb(int __portid, unsigned char __value);

#define inp(portid) inportb(portid)
#define outp(portid,v) outportb(portid,v)
```

Vous voyez qu'il existe à chaque fois deux fonctions de lecture et deux fonctions d'écriture, l'une associées aux ports de 16 bits et l'autre aux ports de 8 bits. Le compilateur de Borland dispose également des macros *inp()* et *outp()* qui reprennent les noms des fonctions de Microsoft. Même si cette émulation n'existe que sur 8 bits, il est facile de l'étendre aux fonctions de 16 bits :

```
#ifdef __TURBOC__                    /* Compilation par Turbo C? */
   #define inpw(portid)    inport(portid)
   #define outpw(portid,v) outport(portid,v)
#endif
```

On peut ainsi utiliser les noms de Microsoft tout en travaillant avec un compilateur de Borland. Par exemple pour lire le contenu du port $3C4 (contrôleur graphique d'une carte EGA ou VGA), on écrira :

```
XByte = inp(0x3C4);
XWord := inpw(0x3C4);
```

Il est tout aussi simple d'émettre un octet ou un mot sur ce port :

```
outp( 0x3C4, XByte );
outpw( 0x3C4 XWord );
```

Vous trouverez des exemples d'application de ces instructions au chapitre 9, dans le cadre de la programmation des cartes EGA et VGA.

Partie 2

Le BIOS
et le matériel

3. Le BIOS

Le terme "système d'exploitation" est généralement lié au "DOS" pour la grande majorité des utilisateurs de PC. Pourtant, bien avant que le DOS ne soit installé sur disque dur, le PC possède un autre système d'exploitation, correspondant plus étroitement au sens de cette expression : le BIOS. Gravé dans un circuit de ROM, le BIOS est le premier système activé au moment de la mise sous tension du PC.

Ce "Basic Input/Output System" possède les fonctions élémentaires qui permettront à un programme écrit pour PC de communiquer avec la machine et ses périphériques. Il s'agit des routines d'accès à l'écran, à l'imprimante ou encore de consultation de la date et de l'heure du système.

Les services du BIOS sont absolument indispensables aux applications ainsi qu'au DOS lui-même. En effet, le BIOS s'intercale entre les logiciels et les spécificités de la machine. On peut dire qu'il décharge dans des proportions non négligeables toutes les opérations sur les périphériques effectuées par les programmes, qu'il s'agisse du DOS ou de votre logiciel préféré.

Mais ne perdons pas de vue que l'utilisation des fonctions du BIOS n'est pas une pure question de facilité, c'est aussi et surtout une condition impérative pour atteindre une "compatibilité" satisfaisante entre les machines.

Ces différences infimes (un autre positionnement d'un bit, un registre matériel à une adresse différente) rendraient la vie très dure aux développeurs. Qui pourrait écrire des programmes capables de gérer les centaines de disques durs que l'on trouve aujourd'hui sur le marché, et surtout que l'on trouvera demain ? Sans parler des cartes vidéo et autres pilotes de claviers.

Le BIOS est une interface normalisée avec les composants de chaque système. Qu'un système soit équipé d'un disque dur de 20 Mo ou de 4 Go, qu'il soit commercialisé par IBM, Dell, Compaq ou autre, il sera piloté par les mêmes fonctions du BIOS. Inversement, la gestion adoptée par le BIOS est invisible et sans intérêt pour le développeur.

Il est intéressant de noter qu'une très grande partie du gigantesque succès du PC est très vraisemblablement due à ce concept indépendant du matériel. Il permet à tous les fabricants d'ordinateurs de développer des PC qui sont à la fois compatibles avec les logiciels standard et différents des machines fabriquées par IBM, l'auteur de cette interface pour son premier PC et qui l'a ensuite élargie sur l'AT pour permettre de tirer parti des avantages de cette machine.

Cette interface a jusqu'ici été respectée par les fabricants de PC car elle est le critère qui fait d'un ordinateur un PC.

Les BIOS sont écrits par une bonne douzaine de sociétés dont les plus connues sont sans doute AMI, Phoenix, Award et Quadtel. Elles sont plus ou moins performantes dans tel ou tel domaine, mais toutes fournissent des produits utilisant les fonctions de la norme IBM.

Nous traiterons dans ce chapitre de l'affichage, de l'interrogation du clavier et de l'accès à l'horloge du système à l'exception des interfaces mises à disposition par le BIOS. La gestion de ces opérations par le BIOS est sans intérêt pour nous.

Nous commençons par des questions plus fondamentales, par la localisation du BIOS, ses fonctions, ses variables et son comportement pendant le démarrage du système.

3.1.   La norme BIOS

La norme du BIOS définie par IBM spécifie le mode d'appel des différentes fonctions (les routines) ainsi que le mode de passage des paramètres. Le concept d'interruption a été choisi pour distinguer l'appelant des autres fonctions BIOS. Chaque fonction ne pouvant avoir son interruption (dont le nombre est limité à 256), diverses interruptions ont été affectées selon la partie adressée du matériel. En outre, le BIOS utilise quelques interruptions comme variables qui stockent par exemple des pointeurs sur des tableaux de vidéo ou de disque dur. Nous reviendrons sur ces points.

Les interruptions du BIOS en ROM	
Interruption	**Prestation**
10h	Accès à la carte vidéo
11h	Renvoie la configuration
12h	Renvoie la taille de la mémoire
13h	Fonctions de disquettes et disque dur
14h	Interface série
15h	Fonctions de cassettes et fonctions AT étendues
16h	Clavier
17h	Interface parallèle
1Ah	Date/heure et horloge sur piles

Pour permettre au BIOS d'identifier les fonctions, un numéro, qu'il faut passer au registre AH du processeur pendant l'appel, est affecté à chacune d'entre elles. Ce registre n'est pas le seul que l'on doit charger avant un appel car tout le passage des paramètres est effectué à l'aide des registres du processeur. L'utilisation des registres du processeur fait également partie de la norme du BIOS, et elle est définie fonction par fonction.

Conception et emplacement du BIOS

Outre ses fonctions, l'adresse du BIOS en mémoire est également normalisée. La ROM contenant le code du BIOS est toujours localisée dans le plus haut segment de mémoire F000h, mais aucune définition précise de l'adresse exacte du BIOS dans ce segment. Par exemple, le BIOS original du PC/XT commence à E000h mais le BIOS Phoenix, bien connu, commence dès C000h dans ce segment.

Le début du BIOS dépend avant tout de sa longueur car il doit impérativement prendre fin à la dernière adresse du segment F : FFFFh. Ceci est la dernière adresse accessible en mode réel par les différents processeurs Intel.

Shadow RAM, paramètres de disque dur, etc..

La concurrence effrénée amène les fabricants à tenter de se distinguer par les propriétés de leurs produits. Il en va ainsi des cartes VGA comme des BIOS. Les chevaux de bataille ont pour nom "Shadow RAM", paramètres de disque dur, mot de passe et Setup. Que signifie tout ceci ?

La "Shadow RAM" est une partie de la mémoire cachée derrière le BIOS, qui partage son adresse. La double affectation des adresses de mémoire étant impossible, cette zone est normalement réservée au profit du BIOS. Elle est "invisible", le système d'exploitation, ni les applications ne peuvent y accéder. Le BIOS étant indispensable pour la gestion des périphériques, aucun remplacement du BIOS en ROM n'est possible par le BIOS en RAM.

Pour tirer le meilleur parti possible de cette situation, de nombreux systèmes copient automatiquement le BIOS dans la fameuse "Shadow RAM", derrière le BIOS en ROM. Le code exécuté est celui copié dans la RAM et non plus celui de la ROM, après effacement des adresses de la ROM. Cela reste sans effet sur le fonctionnement du BIOS mais la vitesse d'exécution est améliorée en raison des meilleures performances des circuits de mémoire vive, et plus spécialement grâce à la largeur du bus de la RAM : 16 bits au lieu de 8 pour le bus de la ROM. On peut dès lors échanger davantage d'informations (donc d'instructions) par cycle de processeur. Tout ceci est possible à condition que les composants du PC permettent la "Shadow RAM" et qu'il y ait effectivement de la mémoire derrière le BIOS en ROM. C'est notamment le cas avec les puces NEAT de Chips&Technology, qui peuvent être configurées spécialement pour ce mode d'utilisation.

Paramètres de disque dur

Avec les paramètres de disque dur, nous touchons au délicat sujet de la collaboration du BIOS avec les innombrables disques durs offerts sur le marché. Le problème se situe au niveau des différentes caractéristiques techniques des disques durs. Pour que le BIOS puisse exploiter un disque dur correctement, il doit connaître le nombre de têtes, de pistes, de secteurs par pistes, etc..

Dans le passé, ce problème a été traité à l'aide de longues tables stockées dans la ROM du BIOS. Leur liste était présentée à l'utilisateur par le Setup pour qu'il sélectionne le modèle monté dans sa machine.

Cette méthode était à peu près utilisable tant que l'on pouvait couvrir le marché des disques durs au prix d'un travail raisonnable, ce qui n'est plus le cas. Les programmes de Setup récents demandent la saisie manuelle des paramètres du disque dur. Le problème du stockage de ces données, naturellement impossible dans la ROM, a été résolu en faisant appel aux adresses utilisées par l'horloge du système.

Le programme Setup

Ici aussi, les concurrents se surpassent par le confort et le nombre des paramètres modifiables de leurs programmes Setup. C'est ainsi que de nombreux systèmes BIOS permettent, outre les paramètres de base tels que la date, l'heure, les types de lecteurs, etc., de configurer une partie de la RAM comme mémoire EMS, ce qui exige toutefois la présence d'un matériel spécifique.

Sur les portables, il est possible de paramétrer le délai d'inactivité avant extinction de l'écran et l'arrêt du disque dur. Mais d'autres mesures d'économies d'énergie sont offertes par de nombreux fabricants, dans la limite des possibilités offertes par leurs circuits.

Certains programmes de Setup vont jusqu'à permettre une modification de la cadence du processeur à l'aide des touches <+> et <-> du clavier numérique, généralement accompagnées de <Alt>.

Mot de passe

Le BIOS en ROM est sans l'ombre d'un doute le meilleur emplacement possible pour stocker une demande de mot de passe sur PC. En effet, le BIOS est lancé longtemps avant le noyau du DOS, au tout début de l'initialisation de la machine. De nombreux fabricants de BIOS permettent de définir dans le Setup un mot de passe stocké ensuite dans les zones mémoire de l'horloge à temps réel ou sur une zone cachée du disque dur.

3.2. Comme une lettre à la POST

L'exécution du programme suivant la mise sous tension commence sur tous les ordinateurs de la famille 8088 et suivants à l'adresse F000H:FFF0H. Cette partie de la mémoire BIOS contient généralement une instruction de saut à une routine du BIOS qui teste le système et procède à l'initialisation des composants. Cette procédure est dénommée POST : "Power-On Self Test", ou "auto test à la mise sous tension" pour les purs francophones.

Les tests

Le POST procède à de nombreux tests des organes vitaux du PC (processeur, mémoire, contrôleur d'interruptions, DMA, etc). De plus, ils sont accompagnés de l'initialisation des extensions et cartes diverses pour permettre par exemple à la carte vidéo de prendre son service. Toute erreur détectée pendant ces tests est généralement accompagnée d'un bip et d'un message d'erreur et/ou code d'erreur.

Voici la liste des tests dans l'ordre de leur exécution. Sachez que cet ordre n'est pas strictement respecté par les fabricants de BIOS.

Tests POST effectués sur le matériel central :

- ❍ Test de fonctionnement de la CPU (arithmétique, mode réel, mode protégé, etc.)
- ❍ Calcul d'une somme de contrôle de la ROM BIOS (checkSum)
- ❍ Calcul d'une somme de contrôle de la RAM CMOS de l'horloge alimentée par pile et comparaison avec la somme de contrôle stockée dans la mémoire.
- ❍ Test et initialisation du contrôleur DMA
- ❍ Test et initialisation du contrôleur de clavier
- ❍ Test des 64 premiers Ko de la mémoire RAM
- ❍ Test et initialisation du contrôleur d'interruptions
- ❍ Test et initialisation du contrôleur d'antémémoire (AT seulement)

Ensuite arrivent les tests des fonctions du processeur, de ses registres et de quelques instructions. Toute erreur détectée à ce stade provoque l'arrêt du système sans message (en raison du processeur défectueux). Si le processeur sort blanchi de ce test, une somme de contrôle de la ROM BIOS est calculée pour traquer toute erreur éventuelle. Vient le tour des circuits de la carte mère (contrôleurs d'interruption 8259 et 8237 de DMA, circuits de mémoire), qui sont soumis à des tests fonctionnels avant d'être initialisés.

Tests POST des extensions

- ❍ Contrôleur vidéo
- ❍ Mémoire centrale au-dessus des 64 Ko
- ❍ Interfaces série et parallèles
- ❍ Contrôleur de lecteurs de disquettes et de disque dur

Le fonctionnement correct de la carte une fois établi, les périphériques (clavier, lecteur(s) de disquettes, etc) sont également auscultés. Mais ces vérifications du matériel ne suffisent pas, il faut également initialiser les variables du BIOS et la table des vecteurs d'interruptions.

Recherche des extensions de la ROM

Ces tests sont suivis par la recherche d'extensions de la ROM pouvant se trouver sur la carte mère ou sur une carte d'extension. Leur rôle consiste à ajouter de nouvelles fonctions au BIOS ou à remplacer les fonctions existantes. C'est le cas des cartes EGA et VGA dont le BIOS en ROM remplace l'interruption 10h, destinée aux cartes CGA et MDA. Autre exemple, les contrôleurs SCSI de disques durs qui redirigent l'interruption BIOS 13h car elle ne permet pas l'utilisation de ce type de contrôleur.

Ces extensions du BIOS se reconnaissent aux deux premiers octets de la zone de mémoire qu'elles occupent : 55h et AAh. L'octet suivant est la taille du module ROM divisée par 512. Le troisième octet est le début de la routine d'initialisation appelée par le BIOS après qu'il ait identifié l'extension BIOS.

Offset	Contenu	Type
	▩ Identification d'un module ROM	
00h	1er octet identificateur (55h)	1 octet
01h	2e octet identificateur (AAh)	1 octet
02h	Longueur du module en blocs de 512 octets	1 octet
03h	Routine d'initialisation	

Le module ROM peut de la sorte rediriger des vecteurs d'interruption vers ses propres routines et s'insérer ainsi dans le système et remplacer les fonctions du système par les siennes.

Le BIOS ne recherche pas les extensions ROM dans toutes les adresses du PC, il se limite aux zones prévues pour ces extensions.

Zone	Extensions possibles
C000h:0000h - C000h:7FFFh	Les extensions BIOS des cartes EGA et VGA sont généralement stockées dans cette zone. Le BIOS lit cette zone par pas de deux Ko parce que plusieurs extensions peuvent la partager.
C000h:8000h -D000h:FFFFh	Aucune extension BIOS particulière n'est affectée à cette zone, mais elle est fréquemment utilisée par les contrôleurs de disques durs. Permettant également le stockage de plusieurs extensions, elle est parcourue par pas de deux Ko. Une partie, le segment D (D000h:0000h -D000h:FFFFh), est souvent utilisée par le "Page Frame" des cartes EMS. Elle est alors indisponible pour les extensions de ROM.
E000h:0000h - E000h:FFFFh	Les BIOS manquant de place dans le segment F réservent cette zone qui doit être entièrement utilisée par l'extension car le BIOS n'autorise qu'une extension dans cette zone.

Après le POST

L'initialisation des modules ROM marque la fin du lancement pour ce qui concerne le BIOS. Aucun système d'exploitation n'a encore été chargé dans la mémoire de l'ordinateur car il est stocké sur disquette ou sur le disque dur. L'interruption 19h, la "bootstrap loader" bien connue car elle est activée par <Ctrl><Alt><Del>, se charge de cette tâche.

Cette routine tente de trouver à un emplacement bien défini de la disquette une sorte de système d'exploitation primitif qui charge et lance le système d'exploitation proprement dit. Si cette tentative échoue, par exemple parce que la disquette ne contient pas de système d'exploitation ou parce que le lecteur est vide, une tentative est faite, selon le BIOS, sur l'autre lecteur actif ou sur le disque dur. En cas de nouvel échec, de nombreux systèmes chargent le BASIC en ROM, un petit interpréteur intégré dans la ROM directement après le BIOS, aux adresses F000h:6000h. Les modèles récents ont supprimé cette relique remontant à l'aube de l'ère du PC, ils affichent un message demandant à l'utilisateur d'insérer une disquette système dans le lecteur.

Notez bien que "disquette système" ne signifie pas disquette DOS ! Le BIOS ne saura jamais quel système d'exploitation vous chargez, ce qui permet de faire tourner UNIX, OS/2 ou Windows-NT.

3.3.   Version de BIOS et type de PC

Outre le code du BIOS et quelques variables statiques (par exemple la table des paramètres des disques durs), le BIOS contient certaines informations sur le fabricant du PC, la version du BIOS et le type du PC. Rien de plus simple que de lire ces informations... si l'on sait où elles se trouvent.

Nous avons mentionné, dans la section précédente, la zone de mémoire F000h:FFF0h au sujet du lancement du système et du POST. Cette zone abrite la plupart du temps une instruction de saut longue de cinq octets, qui appelle la routine POST. Cette instruction est suivie de onze octets jusqu'à la fin du circuit de ROM, généralement utilisés pour stocker la version du BIOS ou la date de son agrément.

Si cela vous intéresse, vous pouvez consulter ces données très simplement. Appelez le programme DEBUG fourni avec le DOS : debug

Tapez la ligne suivante pour demander l'affichage de huit octets à la fin du BIOS en ROM :

```
d f000:fff0 1 8
```

DEBUG affiche sur la ligne suivante le contenu de cette zone, en hexadécimal et en ASCII. L'illustration suivante présente le codage sur deux chiffres du jour, du mois et de l'année. N'oubliez pas qu'aux Etats-Unis le mois est écrit avant le jour.

```
C>debug
-d f000:fff0 1 10
F000H:FFF0H  EA 5B E0 00 F0 30 32 2F-30 36 2F 38 36 00 FC 00
.[...02/06/86...
-q
C>_
```

Connaître le type du PC

Les utilisateurs de certaines fonctions du BIOS apprécieront davantage de connaître l'identification du modèle que la version du BIOS. Elle indique le type du PC et elle est codée sur un octet à l'adresse F000h:FFFEh.

Codes de l'identification d'un modèle	
Code	**Signification**
FCh	AT
FEh FBh	XT
FFh	simple PC

Il faut savoir que cette information n'est pas totalement fiable car les fabricants du BIOS préparent souvent une soupe à leur façon. Il est préférable de demander le type du processeur comme il est décrit dans la section 16.2.

3.4. Les variables du BIOS

Dans son principe, le BIOS est un programme figé dans un circuit ROM. Rien d'étonnant à ce qu'il ait besoin de variables, comme tout programme qui se respecte.

Le point intéressant est que ces variables ne peuvent être copiées dans la ROM, il faut donc leur réserver une zone de la RAM. Cette zone commence à 0040h:0000h et s'étend sur un peu plus de 256 octets. Elle est parfois nommée "segment des variables BIOS" ou "bloc des variables BIOS".

L'utilisation de cette zone est normalisée en détail parce que de nombreux programmes DOS lisent le contenu de ces variables, ce qui en pratique contraint les fabricants de BIOS à suivre les règles du jeu.

Cette zone de la mémoire est accessible comme n'importe quelle autre zone à condition de créer un pointeur FAR sur la variable désirée et de le déréférencer.

Mais... cette normalisation n'est réelle que pour les variables datant des PC et XT. Elles sont en tête du segment BIOS et couvrent les adresses jusqu'à 0071h. La suite a été ajoutée avec les AT, les cartes EGA et VGA et les systèmes PS/2. Cette partie est gérée différemment par les fabricants de BIOS, de PC et de cartes graphiques.

Quand les variables sont définies dans une seule configuration, celle-ci est stockée dans la description suivante des variables BIOS. Les pages suivantes vous apprendront les noms et significations des variables et naturellement leur adresse par rapport au segment 0040h:0000h et le format de données utilisé. Enfin, vous trouverez l'interruption du BIOS qui recourt à chaque variable.

00h	**4 MOTS INT 14h**
Adresses des interfaces série	

Pendant le POST le BIOS donne la configuration du PC et indique entre autres le nombre d'interfaces séries installées. Il note les adresses des ports de ces cartes dans un tableau de quatre mots dont chacun est l'adresse de base d'une des interfaces dont le nombre ne peut excéder quatre. L'adresse des ports introuvables est notée 0.

08h	**4 MOTS INT 17h**
Adresses des interfaces parallèles	

De manière analogue à la variable précédente, le BIOS copie ici les adresses de base des quatre interfaces parallèles. Les interfaces absentes reçoivent l'adresse 0.

10h	**1 MOT INT 11h**
Configuration	

Ce terme représente l'équipement matériel du PC, son mode d'interrogation par l'interruption 11h du BIOS et de passage par le BIOS pendant le POST. Ces variables sont gérées comme un champ de bits dont la signification varie entre les PC et XT d'une part et les AT de l'autre.

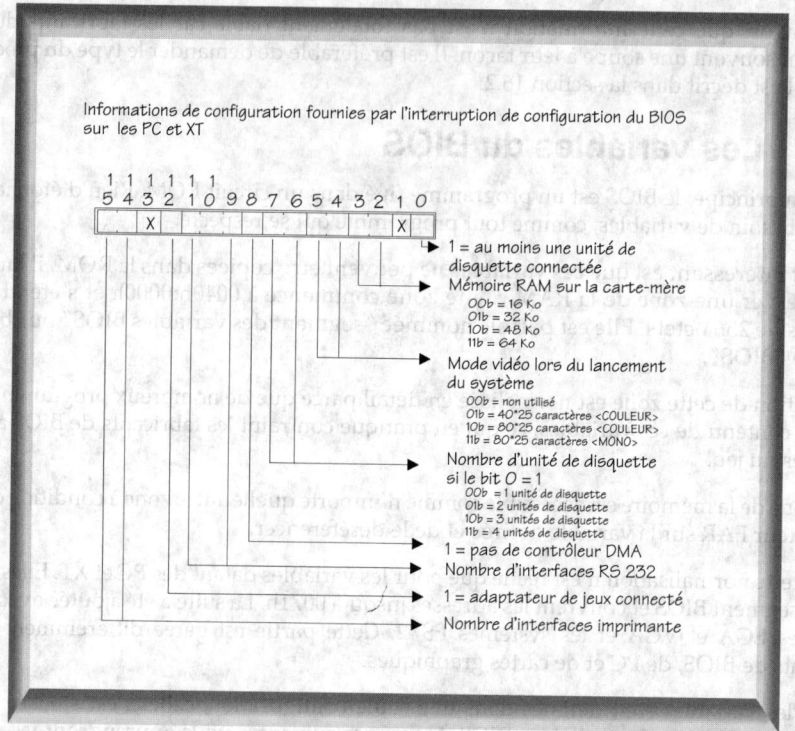

Informations de configuration fournies par l'interruption de configuration du BIOS sur les PC et XT

```
1 1 1 1 1 1
5 4 3 2 1 0 9 8 7 6 5 4 3 2 1 0
```

- 1 = au moins une unité de disquette connectée
- Mémoire RAM sur la carte-mère
  - 00b = 16 Ko
  - 01b = 32 Ko
  - 10b = 48 Ko
  - 11b = 64 Ko
- Mode vidéo lors du lancement du système
  - 00b = non utilisé
  - 01b = 40*25 caractères <COULEUR>
  - 10b = 80*25 caractères <COULEUR>
  - 11b = 80*25 caractères <MONO>
- Nombre d'unité de disquette si le bit O = 1
  - 00b = 1 unité de disquette
  - 01b = 2 unités de disquette
  - 10b = 3 unités de disquette
  - 11b = 4 unités de disquette
- 1 = pas de contrôleur DMA
- Nombre d'interfaces RS 232
- 1 = adaptateur de jeux connecté
- Nombre d'interfaces imprimante

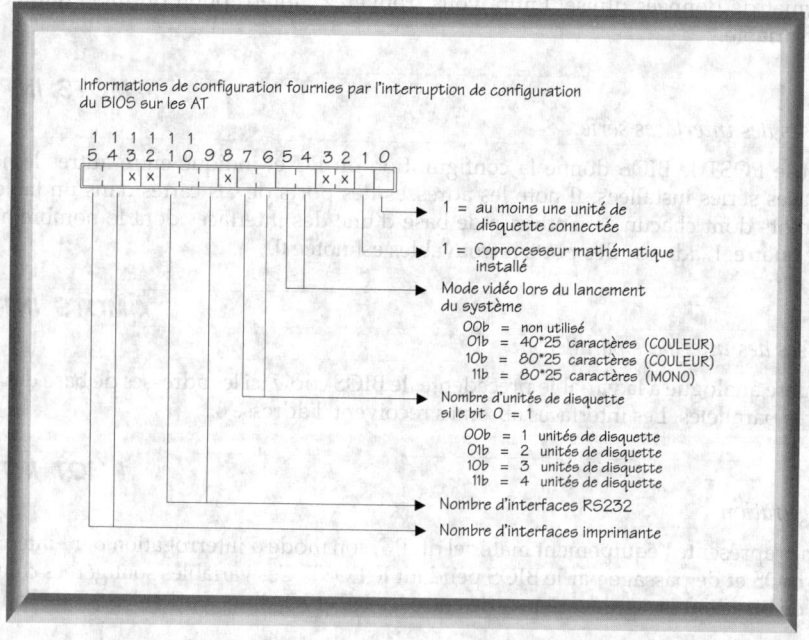

Informations de configuration fournies par l'interruption de configuration du BIOS sur les AT

```
1 1 1 1 1 1
5 4 3 2 1 0 9 8 7 6 5 4 3 2 1 0
```

- 1 = au moins une unité de disquette connectée
- 1 = Coprocesseur mathématique installé
- Mode vidéo lors du lancement du système
  - 00b = non utilisé
  - 01b = 40*25 caractères (COULEUR)
  - 10b = 80*25 caractères (COULEUR)
  - 11b = 80*25 caractères (MONO)
- Nombre d'unités de disquette si le bit O = 1
  - 00b = 1 unités de disquette
  - 01b = 2 unités de disquette
  - 10b = 3 unités de disquette
  - 11b = 4 unités de disquette
- Nombre d'interfaces RS232
- Nombre d'interfaces imprimante

12h   **1 OCTET POST**
État POST numéro 1

Cet octet sert à sauvegarder des informations pendant l'auto-test du système effectué pendant le POST et après un redémarrage à chaud. Il est utilisé ensuite par les routines du BIOS pour l'identification des touches frappées. Il n'offre pas d'intérêt pratique pour le développeur.

13h   **1 MOT INT 12h**
Taille de la mémoire RAM

Le mot de cette adresse donne la taille de la mémoire totale exprimée en Ko. La mémoire EMS n'est pas prise en compte car elle ne fait pas partie de la mémoire centrale normale. Cette variable peut être interrogée par l'interruption BIOS 12h.

15h   **1 MOT POST**
État POST numéro 2

Ce mot est lui aussi utilisé exclusivement pendant l'initialisation de l'ordinateur. Il est utilisé différemment selon le fabricant du BIOS.

17h   **1 OCTET INT 16h**
État clavier numéro 1

Cet octet est désigné sous le nom d'octet d'état du clavier parce qu'il contient l'état du clavier et de plusieurs touches. Vous pouvez l'interroger à l'aide de la fonction 02h de l'interruption de clavier 16h du BIOS. En manipulant cet octet, vous pouvez activer ou inactiver les touches <Ins> et <Shift>. Seuls les quatre bits de poids fort sont intéressants car les quatre autres renseignent sur l'état des mêmes touches sans le modifier.

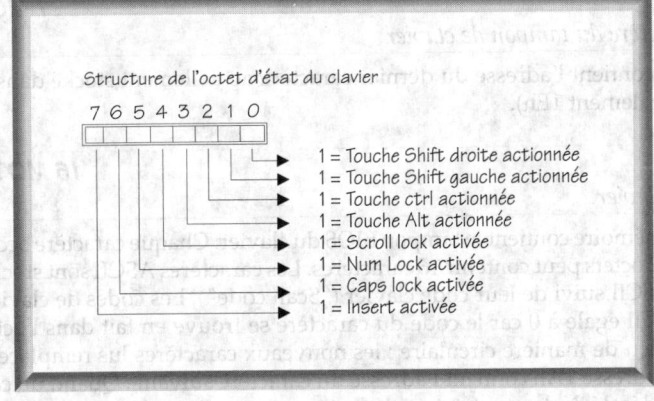

Structure de l'octet d'état du clavier

7 6 5 4 3 2 1 0

1 = Touche Shift droite actionnée
1 = Touche Shift gauche actionnée
1 = Touche ctrl actionnée
1 = Touche Alt actionnée
1 = Scroll lock activée
1 = Num Lock activée
1 = Caps lock activée
1 = Insert activée

18h   **1 OCTET INT 16h**
État de clavier étendu

La signification de cet octet est proche de celle du précédent, mais il est appelé "octet d'état de clavier étendu". En effet, cet octet n'est utilisé que depuis l'apparition des claviers étendus. Contrairement au premier octet d'état du clavier, celui-ci renseigne sur les touches commandant les changements de mode et non sur les changements eux-mêmes. Le bit 3 est l'exception, il indique le mode pause.

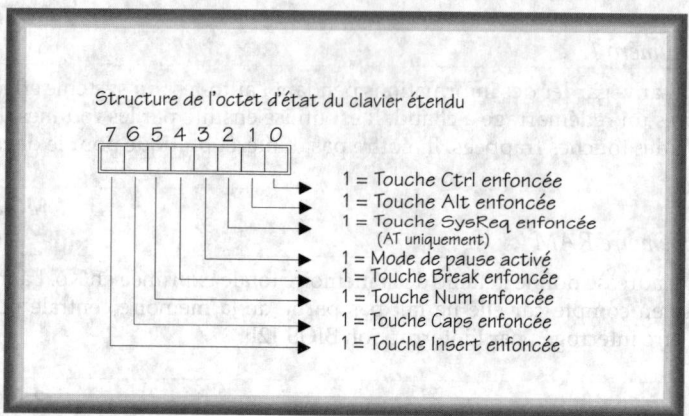

Structure de l'octet d'état du clavier étendu

7 6 5 4 3 2 1 0

1 = Touche Ctrl enfoncée
1 = Touche Alt enfoncée
1 = Touche SysReq enfoncée
 (AT uniquement)
1 = Mode de pause activé
1 = Touche Break enfoncée
1 = Touche Num enfoncée
1 = Touche Caps enfoncée
1 = Touche Insert enfoncée

19h
Saisie de code ASCII   **1 OCTET INT 16h**

Le code ASCII saisi sur le pavé numérique (avec la touche <Alt> enfoncée) est stocké dans cet octet.

1Ah
Caractère suivant dans le tampon du clavier   **1 MOT INT 16h**

Ce mot contient l'adresse du caractère suivant dans le tampon du clavier (voir également 1Eh).

1Ch
Dernier caractère du tampon de clavier   **1 MOT INT 16h**

Cette variable contient l'adresse du dernier caractère actuellement stocké dans le tampon du clavier (voir également 1Eh).

1Eh
Tampon du clavier   **16 MOTS INT 16h**

Cette zone de mémoire contient le tampon BIOS du clavier. Chaque caractère occupant 2 octets, cette zone de 32 octets peut contenir 16 caractères. Les caractères ASCII sont stockés sous forme de leur code ASCII suivi de leur code clavier ("Scan code"). Les codes de clavier étendus ont une valeur ASCII égale à 0 car le code du caractère se trouve en fait dans l'octet suivant. Ce tampon est conçu de manière circulaire : les nouveaux caractères lus remplacent les anciens. La variable à l'adresse 1Ah contient l'adresse du caractère suivant . Quand un caractère est lu, ce pointeur est décalé de deux octets vers la fin du tampon. Quand le pointeur arrive au dernier octet du tampon, il revient au début, fermant le cercle.

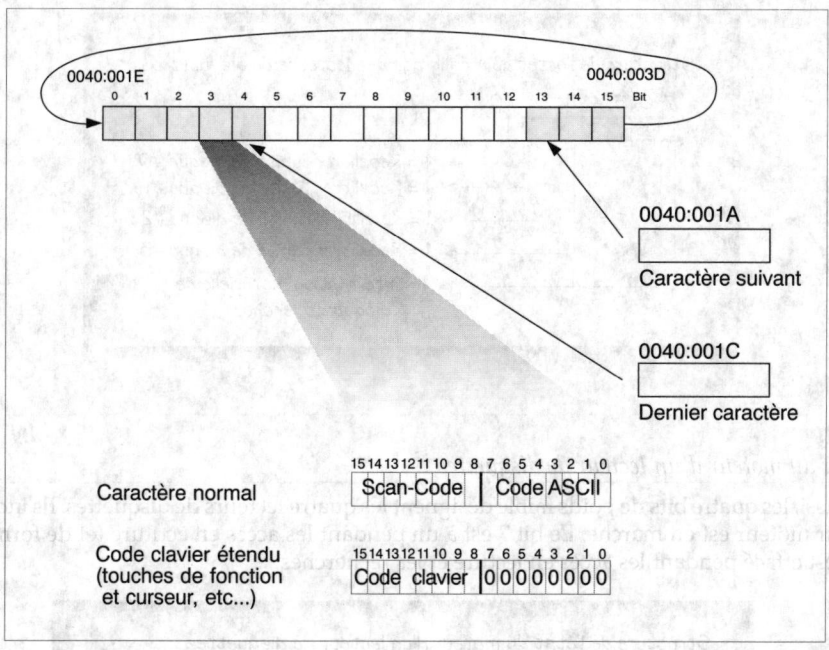

Conception du tampon du clavier avec le pointeur de début et de fin

Il en va de même quand le pointeur est positionné sur l'adresse 1Ch, qui est la fin du tampon du clavier. Si l'utilisateur frappe une touche, son code clavier est stocké à l'adresse désignée par le pointeur. Il est ensuite décalé de deux octets vers la fin du tampon. Si un nouveau caractère a été stocké dans le dernier mot du tampon du clavier, ce pointeur est ramené au début du tampon.

Les positions respectives du pointeur de début et de celui de fin définissent l'état du tampon, et deux états sont remarquables. Dans le premier, les deux pointeurs se trouvent réunis en quittant les variables aux adresses 1Ah et 1Ch. Conclusion : le tampon est vide.

L'autre état remarquable se présente quand, au moment d'ajouter un caractère à celui qui était le dernier du tampon, l'incrémentation du pointeur de fin l'envoie sur le pointeur de début. Cela signifie que le tampon est plein et ne peut plus recevoir de caractère.

3Eh	**1 OCTET INT 13h**
Recalibrage des lecteurs de disquettes	

Les quatre bits de poids faible de cette variable correspondent aux quatre lecteurs de disquettes théoriquement autorisés par le BIOS. Ils indiquent que lecteur doit être recalibré en raison d'une erreur en lecture ou en écriture. De plus, le bit 7 est mis à 1 si un lecteur de disquettes a déclenché l'interruption matérielle de disquettes.

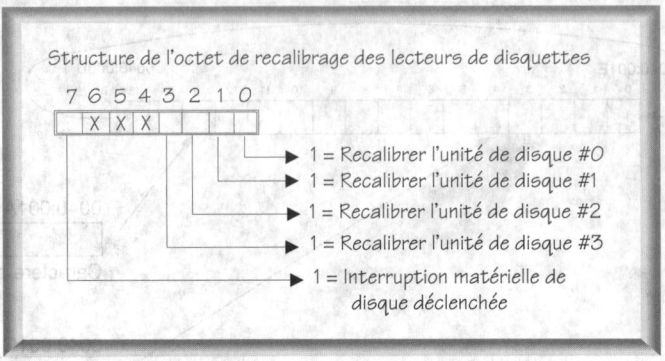

Structure de l'octet de recalibrage des lecteurs de disquettes

7 6 5 4 3 2 1 0

1 = Recalibrer l'unité de disque #0
1 = Recalibrer l'unité de disque #1
1 = Recalibrer l'unité de disque #2
1 = Recalibrer l'unité de disque #3
1 = Interruption matérielle de disque déclenchée

3Fh   **INT 13h**
État du moteur d'un lecteur de disquettes

Ici aussi, les quatre bits de poids faible désignent les quatre lecteurs de disquettes. Ils indiquent si leur moteur est en marche. Le bit 7 est à un pendant les accès en écriture (et de formatage) et il est effacé pendant les accès en lecture et les recherches.

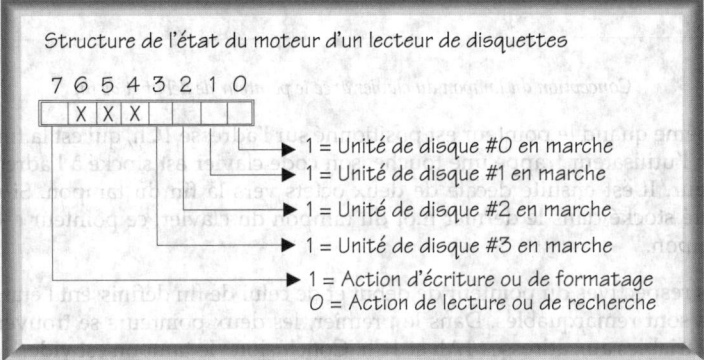

Structure de l'état du moteur d'un lecteur de disquettes

7 6 5 4 3 2 1 0

1 = Unité de disque #0 en marche
1 = Unité de disque #1 en marche
1 = Unité de disque #2 en marche
1 = Unité de disque #3 en marche
1 = Action d'écriture ou de formatage
0 = Action de lecture ou de recherche

40h   **1 OCTET INT 13h**
Chronomètre, lecteurs de disquettes

Cet octet contient un compteur indiquant le nombre d'appels de timer (interruption 08h) autorisés avant l'arrêt du moteur du lecteur. Le BIOS ne pouvant accéder qu'à un seul lecteur à la fois, ce compteur concerne le lecteur qui a fait l'objet du dernier accès.

Le BIOS écrit la valeur 37 immédiatement après la fin d'un accès à un lecteur. Le délai est d'environ 2 secondes.Si un nouvel accès a lieu dans ce délai, le compteur est remis à sa valeur initiale.

41h   **1 OCTET INT 13h**
État des disquettes

Cet octet contient l'état du dernier accès à la disquette. Il vaut 0 si l'accès s'est déroulé normalement, une autre valeur est le code d'erreur envoyé par le contrôleur.

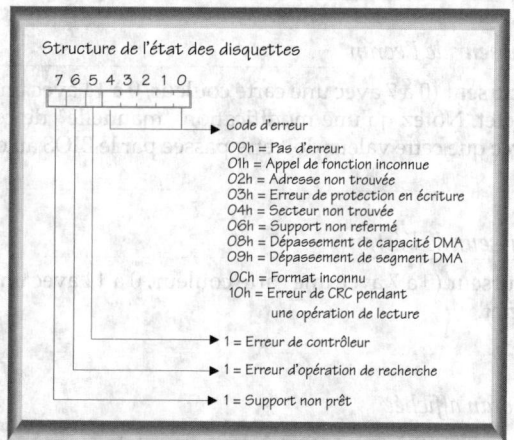

Structure de l'état des disquettes

7 6 5 4 3 2 1 0

Code d'erreur
00h = Pas d'erreur
01h = Appel de fonction inconnue
02h = Adresse non trouvée
03h = Erreur de protection en écriture
04h = Secteur non trouvée
06h = Support non refermé
08h = Dépassement de capacité DMA
09h = Dépassement de segment DMA
0Ch = Format inconnu
10h = Erreur de CRC pendant
une opération de lecture
1 = Erreur de contrôleur
1 = Erreur d'opération de recherche
1 = Support non prêt

42h   **7 OCTETS INT 13h**
État du contrôleur de disquettes

Ces sept octets donnent l'état du contrôleur de disquettes. Sur les systèmes avec disque dur, ils stockent également l'état du contrôleur de disque dur.

49h   **1 OCTET INT 10h**
Mode graphique courant

Le BIOS copie le mode graphique utilisé dans cet octet. Cette valeur est identique à celle qui doit être donnée au moment de l'activation d'un mode d'écran à l'aide de la fonction 00h de l'interruption graphique 10h du BIOS.

4Ah   **1 MOT INT 10h**
Nombre des colonnes de l'écran

Le mot de cette adresse contient le nombre de colonnes par ligne d'écran de ce mode graphique.

4Ch   **1 MOT INT 10h**
Taille de la page écran

Ce mot indique au BIOS le nombre d'octets requis pour afficher une page écran dans le mode graphique utilisé. En mode texte 80 * 25 par exemple, cela donne 4000 octets.

4Eh   **1 MOT INT 10h**
Adresse de la page écran affichée

Ce mot contient l'adresse de la page écran affichée, comptée à partir du début de la mémoire vidéo.

50h   **8 MOT INT 10h**
Position du curseur dans les huit pages d'écran

Le BIOS peut gérer jusqu'à huit pages d'écran. Il stocke la position du curseur sur chacune d'entre elles dans ces huit mots. L'octet de poids faible de chaque page est la colonne et l'octet suivant est la ligne de l'écran.

60h   **1 OCTET INT 10h**

Première ligne du curseur de l'écran

La première ligne du curseur (0 à 7 avec une carte couleur, 0 à 14 avec une carte monochrome) est stockée dans cet octet. Notez qu'une modification "manuelle" de cette valeur n'a aucun effet sur le curseur parce que cette valeur doit être passée par le BIOS au contrôleur graphique.

61h   **1 OCTET INT 10h**

Dernière ligne du curseur de l'écran

La dernière ligne du curseur (0 à 7 avec une carte couleur, 0 à 14 avec une carte monochrome) est stockée dans cet octet.

62h   **1 OCTET INT 10h**

Numéro de la page écran affichée

Le numéro de la page écran affichée est stocké dans cet octet.

63h   **1 MOT INT 10h**

Adresse du port du contrôleur graphique

Cet octet contient l'adresse de base du port de la carte vidéo. Si un PC est équipé de plusieurs cartes graphiques, l'adresse contenue est celle de la carte active. Cette adresse est 3B4h pour les cartes monochromes, ou 3D4h pour les cartes CGA, EGA et VGA. La valeur de ce mot indique donc si la carte active est monochrome ou couleur.

65h   **1 OCTET INT 10h**

Contenu du registre de sélection de mode

Nous trouvons ici le contenu du registre de sélection de mode d'une carte graphique. Il définit le mode graphique en cours d'utilisation.

66h   **1 OCTET INT 10h**

Contenu du registre de palette

Les cartes graphiques en couleurs possèdent des registres de palette leur permettant de sélectionner une palette de couleurs dans les modes compatibles CGA. La dernière valeur écrite dans l'un de ces registres par le BIOS est stockée dans cette variable.

67h   **5 OCTETS POST**

Divers

Les versions des BIOS des premiers PC, ceux qui permettaient encore de brancher un magnétophone à cassette pour stocker les données, utilisaient ces 5 octets pour gérer ce mode de stockage. Les XT et AT, qui ont perdu cette faculté, utilisent cette adresse à d'autres fins.

6Ch   **1 DOUBLE-MOT INT 1Ah**

Chronomètre

Ces quatre octets sont utilisés par le BIOS comme un chronomètre à 32 bits, incrémenté à chaque appel du timer. La valeur de ce chronomètre peut être lue ou écrite à l'aide de l'interruption 1Ah du BIOS. Elle est remise à 0 toutes les vingt-quatre heures et reprend ensuite sa progression.

70h — 1 OCTET INT 1Ah
Flag de 24 heures

Cet octet est incrémenté par l'interruption Timer quand un jour s'est écoulé et le chronomètre est remis à zéro. Cet octet permet de savoir connaître le nombre de jours de fonctionnement continu ou depuis le redémarrage précédent. Il est remis à zéro si l'heure ou la valeur du chronomètre sont modifiées à l'aide de l'interruption 1Ah.

71h — 1 OCTET INT 16h
Flag Control Break

Le bit numéro sept de cet octet est mis à un quand le BIOS rencontre la combinaison de touches <Ctrl><Break>. Cette valeur n'est pas modifiée par la suite.

Nous sommes ainsi parvenus à la fin des variables BIOS du PC normal. Les extensions matérielles de l'XT et de l'AT utilisent quelques variables supplémentaires nouvellement introduites.

72h — 1 MOT POST
Test POST

Pendant le POST, le BIOS détecte à l'aide de ce drapeau s'il s'agit d'un démarrage à froid ou à chaud (<Ctrl><Alt><Del>). La routine spécialisée du BIOS écrit 1234h à cette adresse avant un démarrage à chaud, ce qui provoque l'omission du test de la mémoire.

74h — 1 OCTET INT 13h
État de la dernière opération sur disque dur — AT seulement

Cet octet contient l'état de la dernière opération sur disque dur effectuée par le BIOS.

01h:	Fonction ou lecteur demandé inconnu
02h:	Marquage d'adresse introuvable
04h:	Secteur introuvable
05h:	Erreur de remise à zéro du contrôleur
07h:	Erreur d'initialisation du contrôleur
09h:	Erreur de transmission DMA : débordement de limite d'un segment
0Ah:	Secteur défectueux
0Bh:	Piste défectueuse
0Dh:	Nombre de secteurs invalide dans une piste
0Eh:	Marquage d'adresse introuvable
0Fh:	Débordement DMA
10h:	Erreur en lecture
11h:	Erreur en lecture corrigée par ECC
20h:	Contrôleur défectueux
40h:	Opération de recherche a échoué
80h:	Le lecteur ne répond pas (time out)
AAh:	Le lecteur n'est pas prêt
CCh:	Erreur en écriture

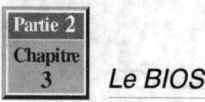
75h | **1 OCTET INT 13h**
Nombre de disques durs | *AT seulement*

Stockage du nombre de disques durs.

76h | **1 OCTET INT 13h**
Octet de contrôle du disque dur | *AT seulement*

Cet octet est utilisé par l'interruption 13h pour la commande du disque dur. Sa signification exacte est inconnue.

77h | **1 OCTET INT 17h**
Port de disque dur | *AT seulement*

L'adresse de base du contrôleur de disque dur est stockée ici.

78h | **4 OCTETS INT 14h**
Compteur de time out, interface parallèle

Cette variable est un tableau de quatre octets dont chacun correspond à une interface parallèle et stocke son nombre de time outs. Ce compteur définit le délai limite donné au correspondant pour répondre. Si aucune réponse n'a été reçue à l'expiration du délai, le BIOS interrompt la communication.

7Ch | **4 OCTETS INT 16h**
Compteur de time out, interface série

Ce tableau est chargé de la même tâche que celui de l'adresse 78h, mais il traite l'interface série.

80h | **1 MOT INT 16h**
Adresse du tampon de clavier | *AT seulement*

Ce mot contient l'adresse du tampon de clavier exprimée à partir du segment des variables BIOS 0040h. Le but visé à l'origine était de permettre une extension du tampon du clavier en le décalant. L'idée n'a pas été concrétisée car de trop nombreux programmes lisent directement le tampon à l'adresse 001Eh sans demande préalable de l'adresse, ce qui interdit le décalage du tampon en mémoire.

82h | **1 MOT INT 10h**
Fin du tampon de clavier | *AT seulement*

Cette variable est l'inverse de la précédente, elle donne la fin du tampon du clavier dans le segment des variables BIOS. Elle est victime du même sort que son homologue et reste inutilisable pour la même raison.

84h | **1 MOT INT 10h**
Nombre de lignes écran | *EGA/VGA seulement*

Le BIOS des cartes EGA et VGA, et lui seul, stocke le nombre de lignes en mode texte dans cette variable.

85h   *1 MOT INT 10h*
Hauteur des caractères en points   *EGA/VGA seulement*

La hauteur des caractères exprimée en lignes de points du mode graphique courant est stockée ici si l'on utilise une carte EGA ou VGA. On peut connaître le nombre de lignes de texte affichées en divisant le nombre de lignes de points de l'écran par cette valeur.

87h   *4 OCTETS INT 10h*
Zone d'état EGA/VGA   *EGA/VGA seulement*

Cette zone est mise à la libre disposition des cartes EGA et VGA. Elles en font des utilisations très variées.

8Bh   *11 OCTETS INT 13h*
Paramètres des disquettes et disques durs PS/2   *PS/2 seulement*

Les systèmes PS/2 stockent dans cette zone diverses informations relatives aux accès disquettes et disque dur.

96h   *1 OCTET INT 16h*
État clavier étendu   *AT seulement*

Cet octet est utilisé sur les systèmes à clavier étendu comme un champ de bits dont les éléments stockent certains évènements relatifs à la gestion interne du clavier par le BIOS. Le bit intéressant pour le développeur est le numéro quatre qui est mis à un si un clavier étendu à 101 touches (version américaine) ou 102 touches est connecté. Un programme utilisant les touches étendues du clavier étendu (par exemple <F11> ou <F12>) peut savoir si elles sont disponibles en lisant la valeur de ce bit.

97h   *1 OCTET INT 16h*
État des LED   *AT seulement*

Avec un clavier étendu, cet octet donne l'état des LED correspondant à trois modes de connexion. On peut allumer ou éteindre les LED en modifiant "manuellement" ces bits. Toutefois, il faut après basculement, appeler l'une des fonctions de l'interruption clavier 16h pour que le BIOS en ROM interroge cet octet et allume ou éteigne la LED. La fonction la plus qualifiée pour cette tâche est la 02h qui renvoie l'état courant du clavier sans interroger un seul caractère du clavier.

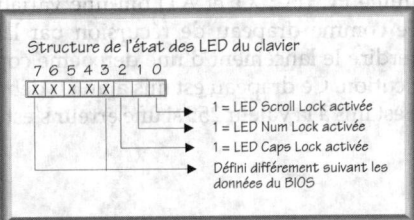

98h   *1 DOUBLE-MOT INT 15h*
Pointeur sur le flag "Wait"   *AT Seulement*

Ce pointeur FAR est lié à la fonction 83h de l'interruption BIOS 15h. La fonction 83h permet de définir une variable BYTE dont le bit numéro 7 sera mis à un après écoulement d'un délai défini. L'adresse de cette variable est stockée ici, dans le segment des variables BIOS.

9Ch   *1 DOUBLE-MOT INT 15h*
Chronomètre   *AT seulement*

Cette variable est également liée à la fonction 83h de l'interruption BIOS 15h. Elle sert également à la fonction 86h. Ces deux fonctions ont besoin d'une variable dans laquelle copier le délai donné par la fonction qui les a appelées.

A0h   *1 OCTET INT 15h*
État d'attente   *AT seulement*

Voici la dernière variable utilisée par la fonction 86h de l'interruption 15h. Elle indique si le délai est écoulé et si la fonction 86h est déjà active.

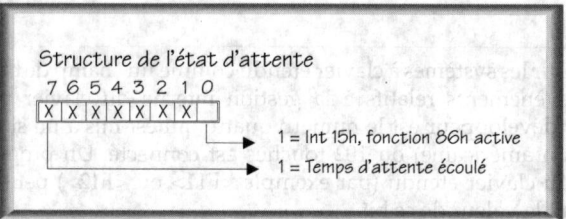

A1h   *95 OCTETS*
Réservé

Cette zone est dite "réservée", ce qui en fait l'enfant chéri d'innombrables extensions du BIOS et de programmes.

100h   *1 OCTET INT 05h*
Flag de récursion de copie d'écran

Tous les membres de la famille PC (PC, XT et AT) ont une variable en commun à l'adresse 0050:0000h. Elle est utilisée comme drapeau de récursion par la routine de copie d'écran (interruption 05h) pour interdire le lancement d'une deuxième copie d'écran pendant que la première est en cours d'exécution. Ce drapeau est mis à un au début de la routine. A la fin de la copie d'écran, le drapeau est mis à la valeur 255 si une erreur s'est produite pendant la sortie.

4.   Le contrôleur d'interruption et les IRQ

Un contrôleur d'interruption est activé entre le CPU et les lignes d'interruption des périphériques afin de séparer davantage le CPU de l'électronique. A l'origine, ce composant portait le nom PIC 8259A (*Programmable Interrupt Controller 8259A*) et c'était une création d'INTEL. Mais cela se passait en 1985. A l'heure actuelle, ce contrôleur est relégué depuis longtemps au rang des composants reliant le processeur à l'électronique et s'occupant simultanément de la fonctionnalité des éléments autrefois séparés.

Mais la fonctionnalité du 8259A reste toutefois préservée c'est-à-dire tout ce qui le relie au monde extérieur, notamment ses fonctions, sa capacité de programmation et ses ports. Il est intéressant de noter que le 8259A fournit toute une gamme de techniques qui n'entrent nullement en œuvre lors de son emploi dans un PC. Tel est par exemple le cas de la rotation des priorités dont nous parlerons plus loin. Les composants modernes n'offrent plus ces atouts tout simplement parce qu'ils ne s'avèrent plus nécessaires. Lorsque nous évoquerons désormais la notion de PIC, sachez qu'il s'agit là du 8259A ou du moins de ce qu'il en reste.

La vie intérieure du contrôleur d'interruption

Le rôle du contrôleur d'interruption consiste à prendre en considération les demandes d'interruption émanant de l'électronique et de les transmettre au CPU pour que ce dernier active le gestionnaire d'interruption adéquat dans la mémoire RAM. Tout cela est plus facile à dire qu'à faire car le contrôleur d'interruption ne s'occupe pas seulement d'une seule interruption matérielle mais de tout un bataillon d'interruptions. Le clavier, le disque dur, l'imprimante et le timer nécessitent d'être utilisés simultanément mais le CPU ne peut exécuter qu'une seule interruption à un moment donné. C'est pourquoi, le gestionnaire d'interruption a pour tâche de sérialiser les appels d'interruption pour les acheminer les uns après les autres vers le CPU.

Mais en même temps, il est indispensable de suivre un ordre bien précis car une certaine interruption peut savoir attendre mieux son tour qu'une autre. Cela explique pourquoi les huit interruptions, gérées au maximum par un PIC, sont numérotées de 0 à 8. Ces numéros indiquent également la priorité des interruptions. IRQ0 possède la plus forte priorité, IRQ1 la priorité de deuxième niveau et ainsi de suite jusqu'à IRQ7 dont la priorité est la plus faible. Le montage de la carte mère est le seul et unique point qui influe sur le lien entre les sources d'interruption et les interruptions du PIC. Dans ce contexte, le PIC ne montre aucune préférence.

D'après le tableau suivant qui montre les huit priorités d'interruption établies dans les tout premiers IBM PC/XT, on s'aperçoit que le timer occupe une priorité beaucoup plus élevée que l'imprimante. Le clavier se classe lui aussi après le timer.

Interruptions électroniques dans les IBM PC/XT	
Interruption	Périphérique
IRQ0	Timer
IRQ1	Clavier
IRQ2	Libre
IRQ3	2e interface série
IRQ4	1re interface série
IRQ5	Disque dur
IRQ6	Lecteur de disquettes
IRQ7	Imprimante

La particularité du PIC est de pouvoir regrouper en une grande entité plusieurs des ses accolytes. Si on est amené à utiliser plus de huit sources d'interruption différentes, on active tout simplement plusieurs PIC ensemble.

C'est ainsi que cela fonctionne depuis l'ère des PC AT où deux PIC offrent leurs services de manière à pouvoir déclencher 16 interruptions électroniques différentes.

Interruptions électroniques dans les AT			
Interruption	Maître	Esclave	Périphérique
0 (la plus forte)	IRQ0		Timer
1	IRQ1		Clavier
2		IRQ0	Horloge temps réel
3		IRQ1	Libre
4		IRQ2	Libre
5		IRQ3	Libre (par exemple carte son ou lecteur CD-ROM)
6		IRQ4	Libre
7		IRQ5	Coprocesseur mathématique
8		IRQ6	Disque dur
9		IRQ7	Libre
10	IRQ2		Horloge temps réel
11	IRQ3		2e interface série
12	IRQ4		1re interface série
13	IRQ5		2e interface parallèle
14	IRQ6		Lecteur de disquettes
15 (la plus faible)	IRQ7		1re interface parallèle

Lors de l'activation simultanée de plusieurs PIC, l'un d'entre eux agit toujours en tant que maître, les autres étant ses esclaves.

Seul le maître est relié directement au CPU pendant que les esclaves transmettent les demandes d'interruption à leur maître. La section suivante portant sur la description des ports du PIC met en évidence ce procédé.

Les ports du PIC

Pour comprendre la fonctionnalité du PIC et son interaction avec le CPU, il faut s'intéresser aux divers ports du composant et sur leur signification.

Un PIC est équipé de 28 lignes de contrôle qui, dans les INTEL 8259A d'origine, étaient disposées comme le montre la figure suivante :

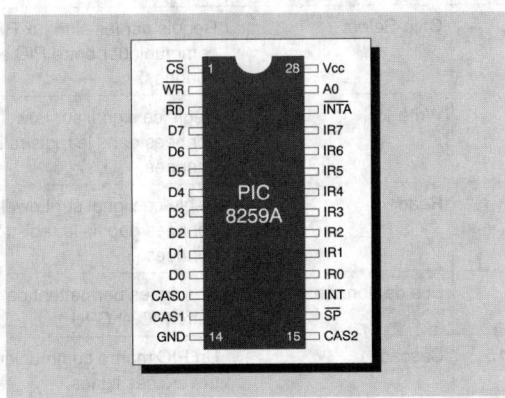

Mode d'occupation des ports dans INTEL 8259A

Le déroulement d'un appel d'interruption se réflète dans les ports du PIC. Chaque source d'interruption est associée à l'une des lignes IR0 à IR7. Dès lors qu'un périphérique déclenche "son" interruption, il met sur *high* son lien avec l'un des ports IR0 à IR7. Le PIC décide d'envoyer l'appel d'interruption au CPU en tenant compte de la priorité et en vérifiant si une réponse n'a pas été déjà donnée à une interruption. Si oui, il met sa ligne INT sur *high*. Cette dernière est en fait liée au port INTR du processeur et lui indique si une interruption électronique doit être déclenchée.

Une fois que le processeur est prêt à recevoir une interruption électronique et à appeler le gestionnaire adéquat, il en informe le port INTA du PIC à l'aide d'une impulsion. Il est temps maintenant d'envoyer le numéro de l'interruption à déclencher au CPU. Dès que le CPU est prêt à recevoir cette information, il transmet une nouvelle impulsion via la ligne INTA.

Le PIC réagit en affichant le numéro d'interruption par le biais des lignes D0 à D7. Ces lignes servent donc comme bus de données pour transmettre des octets distincts entre le PIC et le CPU.

Immédiatement après, le CPU appelle le gestionnaire d'interruption de l'interruption concernée en lisant son adresse dans la table des vecteurs d'interruption. Le numéro d'interruption du PIC est utilisé en tant qu'index dans cette table. A ce stade, la communication entre le CPU et le PIC est achevée du point de vue électronique mais il faut que le gestionnaire d'interruption entre en contact avec le PIC quelques instants après.

Ce contact a lieu au moment où le gestionnaire termine son travail et redonne le contrôle au CPU. Il est chargé d'informer auparavant le PIC que l'appel d'interruption s'est achevé pour que ce dernier en prenne note et autorise d'autres appels de l'interruption concernée. L'opération qui se réalise ici est décrite dans les sections suivantes sur la programmation du PIC. Voici pour commencer la liste des ports du PIC.

Ligne	Broche	Nom	Fonction
$\overline{CS}$	1	Chip-Select	Requis par les signaux $\overline{RD}$ et $\overline{WR}$ pour communiquer entre PIC et CPU via le bus de données.
$\overline{WR}$	2	Write	Règle ce signal sur Low, le CPU peut écrire des données dans le registre interne via le bus de données.
$\overline{RD}$	3	Read	Règle ce signal sur Low, le CPU peut lire des données depuis le registre interne via le bus de données.
D0-D7	4-11	Bus de données	Ces lignes permettent de transférer des octets entre PIC et CPU.
CAS0-CAS2	12,13,15	Cascade	Un PIC maître communique avec ses esclaves à travers ces lignes.
GND	14	Ground	Masse
$\overline{SP}$	16	Slave Program	Indique si le PIC agit en tant que maître ou esclave.
INT	17	Interrupt	Cette ligne est associée au CPU avec l'entrée INTR. Elle indique au CPU le moment où il faut déclencher une interruption électronique.
IR0-IR7	18-25	Interrupt-Request	Chacune de ces lignes est liée à une source d'interruption pouvant adresser une interruption via sa ligne. IR0 est associée à l'interruption IRQ0 et possède la plus forte priorité, IR7 la plus faible.
$\overline{INTA}$	26	Interrupt Acknowledge	A travers cette ligne, le CPU montre qu'il est prêt à déclencher une interruption demandée via la ligne INT. A l'étape suivante, le CPU se sert de cette ligne pour signaler qu'il attend le numéro d'interruption.
A0	27	Adress	Utilisé lors des accès en lecture et écriture pour indiquer le numéro du registre à lire ou à décrire.
Vcc	28	Alim	+3,3V ou +5V selon le système

▬▬▬ Les ports du PIC

Les registres internes et l'ordre des priorités

Pour pouvoir garder la vue d'ensemble à tout moment sur l'interruption en cours d'exécution ou sur l'interruption qui attend son tour, le PIC est doté de trois registres internes nommés registre de requête d'interruption (IRR = *Interrupt Request Register*), le registre *In-Service* (ISR) et le registre *Interrupt Mask* (IMR). Ces trois registres renferment 8 bits correspondant respectivement à l'une des huit interruptions électroniques pouvant être gérées au maximum.

Le registre IRR est celui qui est directement lié aux huit lignes d'interruption IR0 à IR7. Dès qu'une source d'interruption règle sa ligne IR sur *high*, le bit correspondant est mis aussitôt sur 1 dans IRR. C'est ainsi que le PIC note que la source d'interruption a demandé une interruption. La condition préalable est que le bit concerné ne soit pas actif dans le registre *Interrupt Mask* car c'est à travers ce registre que sont désactivées les différentes interruptions.

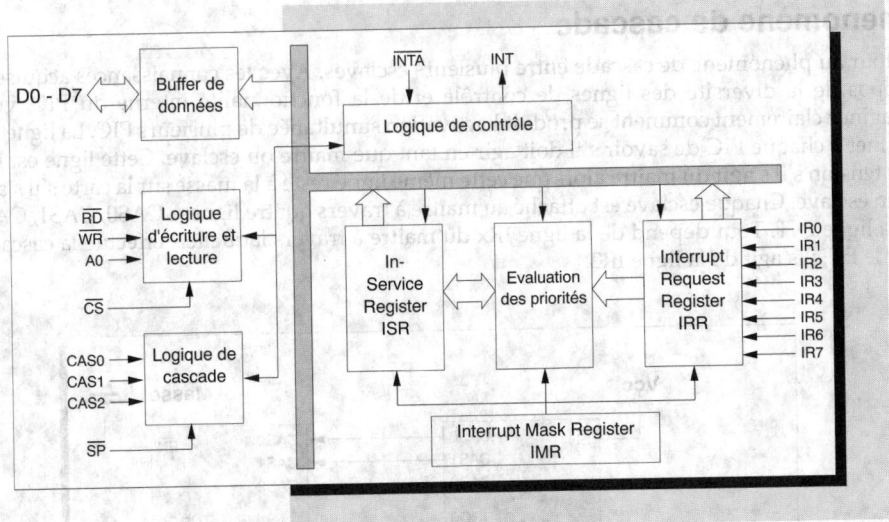

Schéma du PIC avec les registres internes IRR, ISR et IMR

Si tel n'est pas le cas, le PIC doit prendre la décision d'envoyer ou non l'interruption au CPU. Sachant que d'autres interruptions risquent d'ores et déjà d'attendre qu'elles soient appelées, le PIC décide d'extraire tout d'abord le bit de poids faible du registre IRR. Il compare ce dernier avec le registre ISR qui renferme la liste des interruptions en cours. La question est de savoir si une interruption de forte priorité est en train d'être exécutée. Si oui, le PIC renvoie le nouvel appel d'interruption tant que les interruptions ayant une forte priorité ne sont pas traitées. L'interruption est toutefois envoyée vers le CPU s'il arrive entre-temps une interruption de plus faible priorité ou si aucune interruption n'est reçue.

Il se peut donc qu'une interruption de forte priorité provoque la suspension d'une interruption en cours d'exécution (ou de son gestionnaire d'interruption) si cette dernière possède une priorité plus faible. La condition préalable est que le flag d'interruption du processeur soit actif. Ce n'est qu'à cette condition que le processeur réagit à une demande d'interruption du PIC et la signale à travers la ligne INTA.

En règle générale, l'interruption ayant une plus faible priorité ne subit pas de suspension car le CPU efface automatiquement le flag d'interruption lors de l'appel d'interruption. Il faut donc protéger un gestionnaire d'interruption d'une éventuelle annulation provoquée par une interruption de plus forte priorité. Mais si un gestionnaire d'interruption autorise explicitement cette action, il a entière liberté de définir le flag d'interruption du processeur via la commande machine STI et rendre ainsi disponible le processeur pour recevoir d'autres appels d'interruption. Mais le flag d'interruption sera systématiquement réactivé avec la commande machine IRET lors de la fin du gestionnaire d'interruption afin de permettre de nouveaux appels d'interruption. Le gestionnaire d'interruption n'a aucun souci à se faire à ce sujet. Revenons plutôt aux registres...

Une fois que le PIC a découvert la prochaine interruption à exécuter et a reçu le feu vert de la part du CPU en vue de la déclencher, il active le bit correspondant dans le registre ISR et efface simultanément ce dernier dans le registre IRR. D'une part, il sait que l'interruption concernée est en train de s'exécuter et d'autre part, il n'essaye pas de déclencher cette même interruption une deuxième fois.

Phénomène de cascade

Retour au phénomène de cascade entre plusieurs esclaves. Avec les connaissances acquises à propos de la diversité des lignes de contrôle et de la fonctionnalité interne du PIC, vous imaginez clairement comment se produit l'activation simultanée de plusieurs PIC. La ligne EN permet à chaque PIC de savoir s'il doit agir en tant que maître ou esclave. Cette ligne est liée à la tension s'il s'agit du maître alors que cette même ligne reste à la masse sur la carte s'il s'agit d'un esclave. Chaque esclave est attaché au maître à travers quatre lignes : CAS0, CAS1, CAS2 et la ligne INT. Tout dépend de la ligne IRx du maître à travers laquelle s'effectue la cascade. Sur le PC, il s'agit de la ligne IR2.

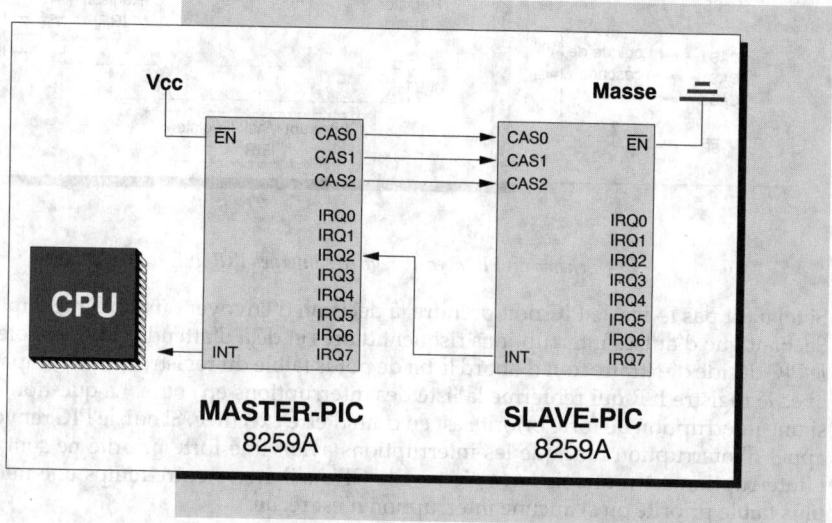

Activation de deux PIC en tant que maître et esclave

En ce qui concerne le déroulement des événements, tout reste comme auparavant tant que le maître ne reçoit pas de demande d'interruption sur les lignes non cascadées. Le phénomène qui se produit est tout à fait normal sans que l'esclave ne soit impliqué de quelque façon que ce soit.

Lorsque l'esclave reçoit, sur l'une des lignes IRx, le signal de déclencher une interruption, il vérifie comme à l'accoutumée son registre interne pour savoir si la demande doit être satisfaite. Si oui, il règle sur *high* sa ligne INT selon le schéma habituel mais cette fois-ci c'est le maître qui reçoit le signal et non le CPU. Lors de son initialisation (cf. section suivante), le maître a découvert que sa ligne IR2 était jointe à un esclave et non à un composant électronique. Au début, il traite l'appel d'interruption exactement comme s'il émanait du matériel. Le bit 2 est donc activé dans IRR et, si le contenu des registres IMR et ISR ne vient en rien interférer, l'appel d'interruption est transmis au CPU via la ligne INT.

En même temps, il définit sur les lignes CAS0, CAS1 et CAS2 le numéro de l'esclave ayant acheminé l'appel d'interruption. Ces dernières sont liées à des lignes portant les mêmes noms chez l'esclave. L'esclave sait ainsi qu'il fait partie du circuit quand, dans un dernier souffle, le CPU donne une impulsion à la ligne INTA pour signaler ce faisant que l'interruption peut être exécutée. La ligne INTA dépend du CPU au niveau de l'esclave et du maître. Ce dernier est celui qui transmet le numéro d'interruption au CPU de sorte que l'appel du gestionnaire d'interruption adéquat puisse commencer.

Le maître et l'esclave effacent le bit concerné dans leurs registres internes IRR et le mettent sur 1 dans leurs registres ISR pour les raisons de "comptabilité" déjà énoncées. Pour que l'interaction entre maître et esclave fonctionne sans encombre, il est nécessaire de définir des paramètres de registre dans les deux PC en plus de la liaison entre les lignes. Cette action est prise en charge par le BIOS lors de l'initialisation du PC.

Initialisation du PIC *via* logiciel

Les commandes d'initialisation et de contrôle fournies par le PIC sont nombreuses. Elles sont réparties entre les OCW et ICW. ICW ou *Initialization Command Words* sont des commandes utilisées pour paramétrer le PIC. Elles doivent être envoyées au PIC selon un ordre précis car elles sont interdépendantes. Les OCW ou *Operational Command Words* représentent tout l'inverse. Il n'existe aucune relation entre ces commandes et c'est pourquoi elles peuvent être traitées dans n'importe quel ordre.

Indépendamment du fait que le PIC attende des OCW ou des ICW, il est adressé en principe à travers deux ports différents. Sur un PC, il s'agit des ports 20h et 21h dans le cas du maître et de A0h et A1h dans le cas de l'esclave. C'est le PIC qui décide du choix entre les deux car le numéro de port sert aussi à faire la différence entre les divers ICW. Le BIOS se charge normalement d'initialiser le PIC et ce n'est que dans des cas exceptionnels qu'on est amené à modifier par logiciel les paramètres définis par le BIOS.

L'initialisation commence toujours par la sortie de ICW1 (premier *Initialization Command Word*) au port 20h ou A0h selon qu'il s'agit d'initialiser le maître ou l'esclave. Le PIC comprend qu'il doit initialiser et ne se contente pas de réceptionner ICW1 mais rétablit également son registre interne.

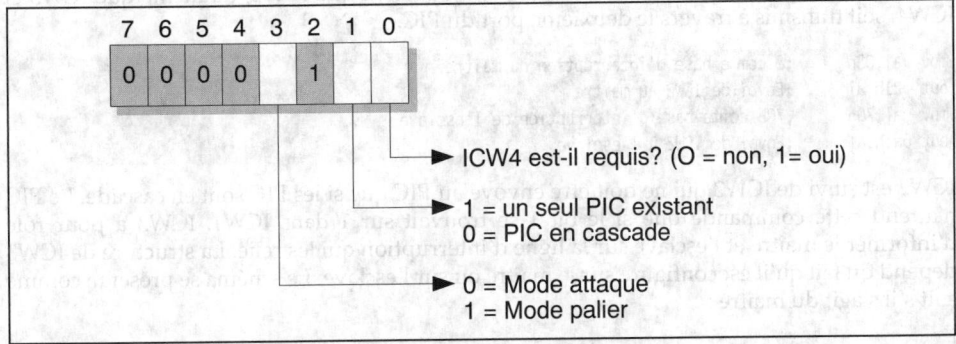

Structure de ICW1 pour initialiser le PIC

Le bit 0 situé dans ICW1 indique si l'envoi concerne ICW4 à côté de ICW1, ICW2 et ICW3. Si ce bit se trouve sur 1 cela signifie que le PIC peut être réglé aussi sur cette valeur. Bit 1 signale si le PIC est exploité dans un environnement à un seul contrôleur d'interruption ou si plusieurs PIC sont mis en cascade. Bit 3 montre au PIC la manière dont les lignes d'interruption IR0 à IR7 sont activées. Les sources d'interruption demandent une interruption via ces lignes. L'opération se déroule en revanche en mode attaque dans un environnement PC (bit 3 = 0). Cela veut dire qu'une source d'interruption met momentanément sa ligne IR sur *high* pour la passer ensuite à *low* pour informer le PIC de sa demande. En mode palier, la source d'interruption laisse la ligne sur *high* ce qui provoque l'exécution ininterrompue de l'interruption concernée jusqu'à ce que la source remette la ligne sur *low*.

Le BIOS utilise la valeur 00010001b pour initialiser ICW1 pour le maître et l'esclave. Autrement dit, l'envoi de ICW4 a lieu, l'existence de PIC en cascade est vérifiée et l'opération se déroule en mode attaque :

```
mov  al,00010001b
out  20h,al          ;Envoi de ICW1 au maître
out  0a0h,al         ;Envoi de ICW1 à l'esclave
```

ICW2 doit toujours faire suite à ICW1. L'adresse de base de la première interruption (IRQ0) est définie sur ICW2. La deuxième interruption (IRQ1) déclenche cette interruption + 1, IRQ2 l'interruption + 2 et ainsi de suite.

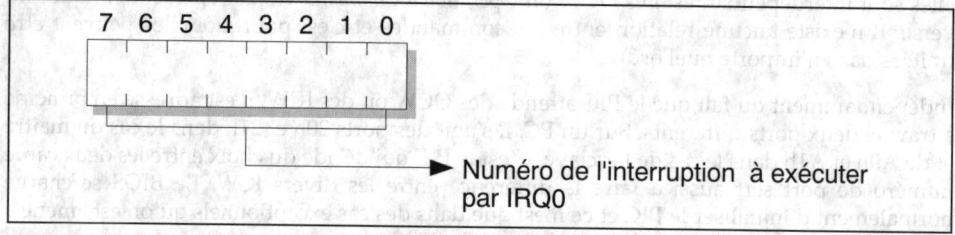

Structure de ICW2 pour initialiser le PIC

Le BIOS définit la valeur 08h dans ICW2 pour le maître et la valeur 70h pour l'esclave. Les interruptions électroniques fonctionnant par l'intermédiaire du maître activent ainsi le gestionnaire des interruptions 08h à 0Fh tandis que les interruptions esclave opèrent à l'aide du gestionnaire des interruptions 70h à 77h. Il est important que ICW2, de même que ICW3 et ICW4, soit transmis à travers le deuxième port du PIC.

```
mov  al,08h          ;8 comme base d'interruption du maître
out  21h,al          ;Envoi de ICW2 au maître
mov  al,70h          ;70h comme base d'interruption de l'esclave
out  0a1h,al         ;Envoi de ICW2 à l'esclave
```

ICW2 est suivi de ICW3 qui ne doit être envoyé au PIC que si les PIC sont en cascade. Le PIC n'attend cette commande que si le bit 1 se trouvait sur 1 dans ICW1. ICW3 a pour rôle d'informer le maître et l'esclave sur la ligne d'interruption qui les relie. La structure de ICW3 dépend du fait qu'il est configuré sur le maître ou sur l'esclave. Le schéma se présente comme suit s'il s'agit du maître :

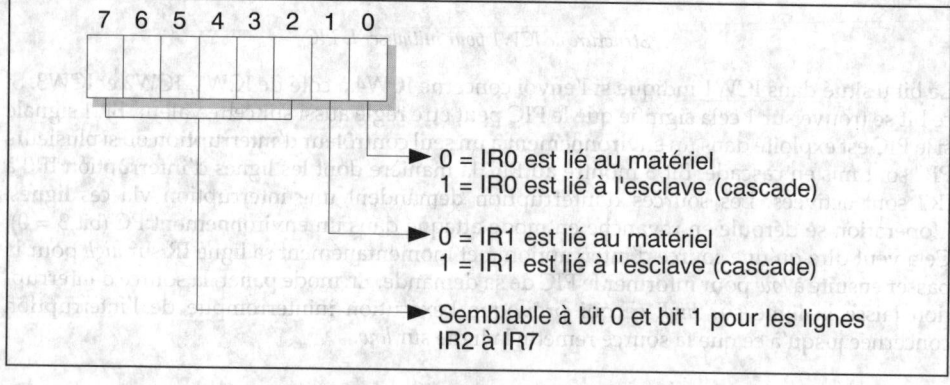

Structure de ICW3 pour initialiser le PIC du maître

Dans le cas du maître, chaque bit de ce registre correspond à l'une des lignes d'interruption IRQ0 à IRQ7 et montre si la ligne est raccordée à l'électronique ou à un esclave. Dans le PC où le second PIC est mis en cascade via la ligne IR2, le BIOS ne définit que le bit 2 dans cette commande.

```
mov  al,00000100b    ;Mise en cascade via IR2
out  21h,al          ;Envoi de ICW3 au maître
```

Dans le cas de l'esclave, ICW3 sert également à définir le numéro de la ligne d'interruption qui le rattache au maître, mais sous une forme légèrement différente.

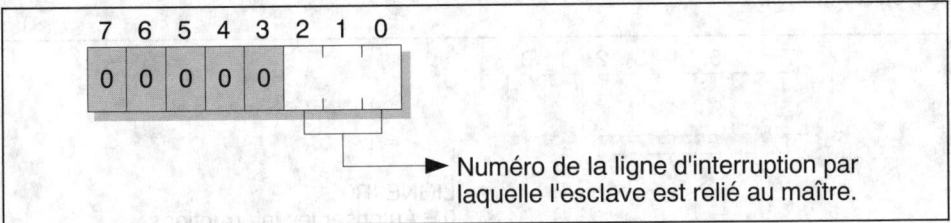

Structure de ICW3 pour initialiser le PIC de l'esclave

Le BIOS charge par conséquent la valeur 2 en tant que ICW3 pour l'esclave.

```
mov  al,2            ;Cascade via IR2
out  0A1h,al         ;Envoi de ICW3 à l'esclave
```

ICW4 informe le PIC s'il fonctionne dans un environnement Intel et s'il doit enregistrer automatiquement la fin d'une interruption ou bien s'il doit demander l'aide d'un logiciel. En général, c'est la méthode manuelle qui est appliquée dans les PC, soit bit 1 = 0. Cela entraîne de fortes implications pour le gestionnaire d'interruption, sujet sur lequel nous reviendrons encore dans le cadre de ce chapitre.

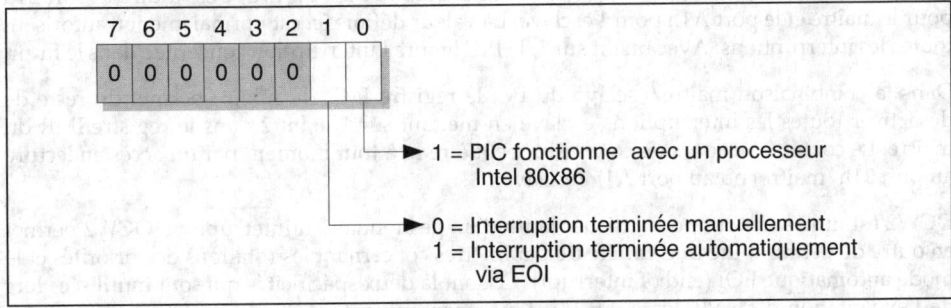

Structure de ICW4 pour initialiser le maître et l'esclave

```
mov  al,00000001b    ;Environnement Intel, EOI (end of interrupt) manuel
out  21h,al          ;Envoi au maître
out  0A1h,al         ;et à l'esclave
```

Contrôle et interrogation du PIC *via* OCW

Contrairement aux ICW qui ne sont généralement envoyés qu'une seule fois au PIC - et ce par le BIOS -, les programmes peuvent utiliser OCW pour définir les paramètres du PIC ou pour obtenir des informations d'état. Le PIC différencie les OCW d'une part par leur structure et d'autre part par le port par lequel ils transitent.

OCW1 permet d'accéder directement au registre Interrupt Mask du PIC et ainsi de désactiver ou libérer isolément les interruptions électroniques. Une fois qu'un bit a été mis ici sur 1, le PIC ne déclenche plus l'interruption concernée tant que la ligne IR correspondante se trouve sur *high*.

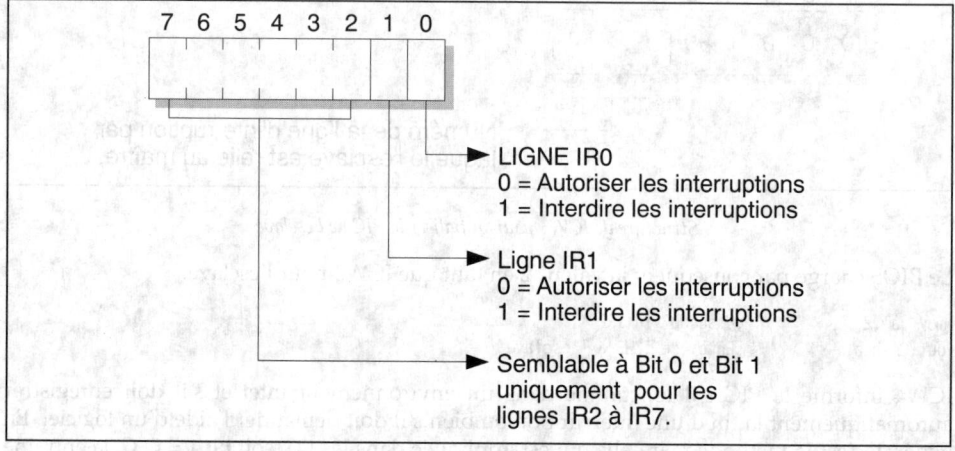

Structure de OCW1 pour la définition du registre IMR

L'envoi de OCW1 doit se faire en principe sur le second port du PIC, c'est-à-dire le port 21h pour le maître et le port A1h pour l'esclave. La valeur définie ici est normalement 0 autorisant toutes les interruptions. Avec un bit sur 1, le PIC ignore l'interruption concernée dans le futur.

Dans la combinaison maître/esclave du PC, le registre IMR du maître permet du reste de désactiver toutes les interruptions esclave en mettant sur 1 le bit 2 dans le registre IMR du maître. Le contenu en cours de ce registre peut être lu à tout moment par un accès en lecture au port 21h (maître) ou au port A1h (esclave).

OCW2 est utilisé surtout pour afficher la fin d'un gestionnaire d'interruption. OCW2 permet en outre de définir toute une variété de paramètres concernant les rotations des priorités et le mode automatique EOI (end of interrupt). Ce sont là deux spécificités qui sont inutilisées lors de l'exploitation d'un PIC dans un PC. La section suivante vous montrera rapidement les techniques du PIC qui sont souvent négligées. Le PIC ne reconnaît OCW2 que s'il est envoyé sur le premier port PIC, soit 20h ou A0h.

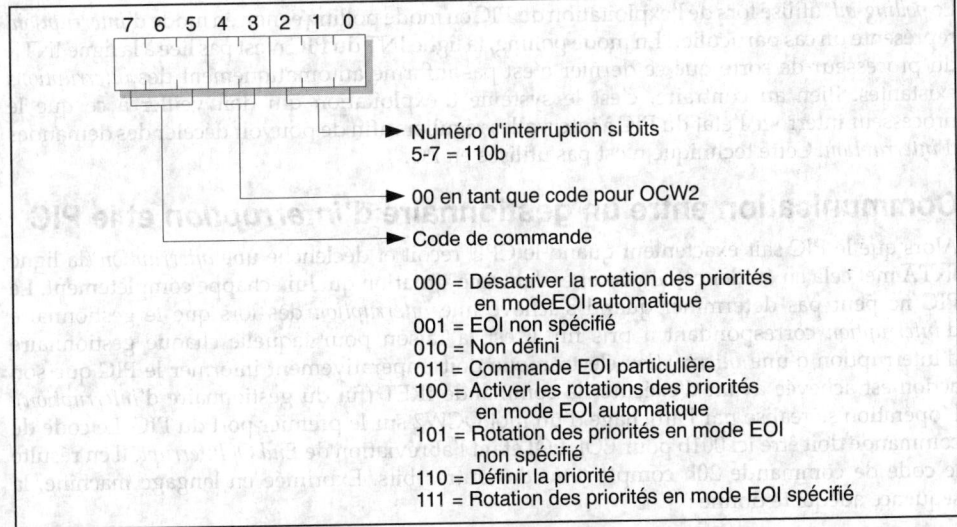

Structure de OCW2

Parmi les commandes exécutables *via* OCW2, on ne peut être gêné lors de la programmation PC qu'avec le code 001b. Il sert à montrer la fin d'une interruption. Vous en apprendrez davantage dans la section suivante portant sur la communication entre un gestionnaire d'interruption et le PIC.

OCW3 permet à un programme de lire les registres internes IRR et ISR du PIC. Tout comme pour OCW3, la commande doit être envoyée vers le premier port PIC sachant que le PIC utilise les bits 3 et 4 pour faire la distinction entre OCW2 et OCW3. Avec OCW3, il faut régler ces bits sur 01b et avec OCW2 sur 00b.

Après l'accès en écriture sur le premier port, le registre souhaité peut être demandé à l'étape suivante *via* un accès en lecture sur le port. Dans ce contexte, un programme peut servir à déterminer le gestionnaire d'interruption en cours d'exécution et celui qui attend son tour.

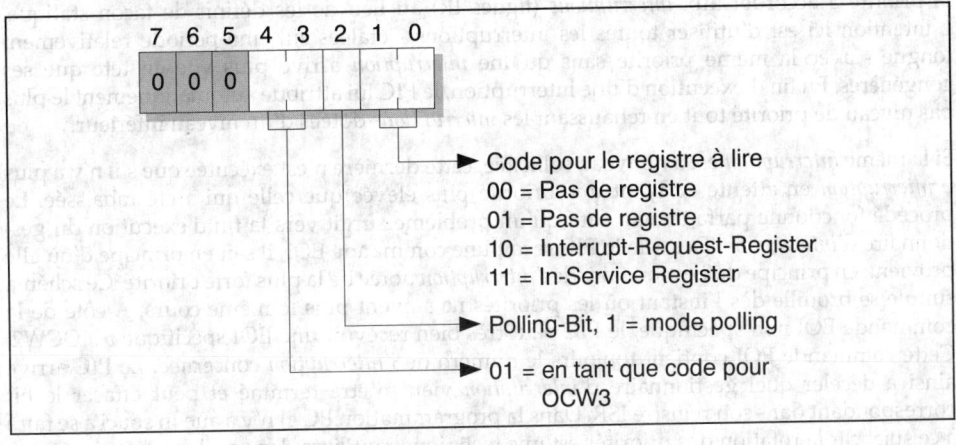

Structure de OCW3

Le *polling-bit*, utilisé lors de l'exploitation du PIC en mode polling et non en mode d'*interruption*, représente un cas particulier. En mode polling, la ligne INT du PIC n'est pas liée à la ligne INTR du processeur de sorte que ce dernier n'est pas informé automatiquement des *interruptions* existantes. Bien au contraire, c'est le système d'exploitation qui doit veiller à ce que le processeur interroge l'état du PIC à intervalles réguliers afin de pouvoir déceler des demandes d'*interruption*. Cette technique n'est pas utilisée en PC.

Communication entre un gestionnaire d'*interruption* et le PIC

Alors que le PIC sait exactement quand le CPU reçoit et déclenche une *interruption* (la ligne INTA met cela en évidence), il y a cependant une situation qui lui échappe complètement. Le PIC ne peut pas déterminer quand s'achève une *interruption* dès lors que le gestionnaire d'*interruption* correspondant a pris fin. C'est la raison pour laquelle chaque gestionnaire d'interruption d'une *interruption* électronique doit impérativement informer le PIC que son action est achevée avant d'exécuter la commande IRET (fin du gestionnaire d'*interruption*). L'opération se réalise par l'affichage d'un mot OCW2 sur le premier port du PIC. Le code de commande doit être ici 001b pour EOI, EOI étant l'abréviation de *End Of Interrupt*. Il en résulte le code de commande 20h compte tenu des autres bits. Exprimée en langage machine, la séquence adéquate donne :

```
mov  al,20h      ;Commande EOI
out  20h,al      ;Envoi au maître
```

L'affaire s'arrête là pour toutes les *interruptions* déclenchées directement par le maître. Mais tel n'est pas le cas de celles générées *via* l'esclave. Ici, l'esclave a besoin de savoir que "son" *interruption* vient d'être terminée. La séquence de commandes appropriée à ce cas se formule comme suit :

```
mov  al,20h      ;Commande EOI
out  0A0h,al     ;Envoi à l'esclave et aussi
out  20h,al      ;au maître
```

Techniques du PIC non utilisées

Quand on parle des techniques du PIC qui ne sont pas toujours utilisées, on évoque surtout le domaine de la rotation des priorités. Cette rotation permet au PIC de choisir dynamiquement la priorité à accorder aux *interruptions* (lignes IR) au lieu de les définir de façon statique. L'intention ici est d'utiliser toutes les interruptions - étalées sur une période relativement longue - avec la même priorité sans qu'une *interruption* arrive plus vite en tête que ses congénères. En fin d'exécution d'une interruption, le PIC lui attribue automatiquement le plus bas niveau de priorité tout en rehaussant les *interruptions* dotées d'un niveau inférieur.

Si la même *interruption* est à nouveau sollicitée, cette dernière n'est exécutée que s'il n'y a plus d'*interruption* en attente et ayant une priorité plus élevée que celle qui a été rabaissée. Le procédé fonctionne parfaitement sauf qu'un problème surgit vers la fin d'exécution du gestionnaire d'*interruption*. Dès que le PIC reçoit une commande EOI, il sait en principe d'où elle provient, en principe du gestionnaire de l'*interruption* dotée de la plus forte priorité. Ce schéma simple se brouille dès l'instant où les priorités ne suivent plus le même cours. A côté de la commande EOI non spécifique, le PIC peut très bien recevoir une EOI spécifique *via* OCW2. Cette commande EOI contient toujours le numéro de l'*interruption* concernée. Le PIC arrive ainsi à déceler quel gestionnaire d'*interruption* vient d'être terminé et peut effacer le bit correspondant dans son registre ISR. Dans la programmation PC, il n'y a aucun souci à se faire à ce sujet car la rotation des priorités est une technique inutilisée dans ce domaine.

Programme d'exemple

Nous avons conçu le programme IRQSTAT pour illustrer la programmation du contrôleur d'*interruption* et la fonctionnalité de ses registres internes. En tant que programme résident, IRQSTAT apparaît dans toutes les *interruptions* électroniques dès son démarrage pour ensuite se terminer. A partir de DOS, vous pouvez réaliser toutes les actions que vous voulez, déclencher les *interruptions*, c'est-à-dire appuyer sur des touches, effectuer des accès aux disquettes et au disque dur, etc. IRQSTAT veille à ce que vous soyez informé de l'*interruption* électronique que vous déclenchez en affichant l'état des registres PIC ISR et IRR dans le coin supérieur droit de l'écran.

Cela vous permet de savoir quelles *interruptions* sont en cours d'exécution et lesquelles attendent leur tour. Mais vu la rapidité avec laquelle se déroule l'exécution, les yeux ont à peine le temps de s'attarder quelques instants sur l'affichage qui disparaît aussitôt. C'est pourquoi, IRQSTAT montre un compteur qui s'incrémente à chaque appel d'interruption. Vous avez de ce fait une idée du moment et de la fréquence des exécutions. En ce sens, IRQSTAT joue le rôle d'un microscope destiné aux *interruptions* électroniques opérant dans le PC.

IRQSTAT se base sur le module IRQSTAT.C qui a besoin de deux autres modules pour fonctionner : IRQUTIL.C et WIN.C. WIN.C est une collection de routines servant à gérer les fenêtres de texte et à afficher le texte, des tâches qui n'ont rien à voir avec la fonction réelle de IRQSTAT. Il en va autrement de IRQUTIL.C. Il contient des routines pour accomplir les principales tâches afférentes à la gestion et à l'interrogation du PIC. Ce module n'attend que d'être adapté à vos besoins personnels.

Fonction	Rôle
irq_Enable	Autoriser interruption électronique
irq_Disable	Désactiver interruption électronique
irq_SendEOI	Signaler "End Of Interrupt"
irq_SetHandler	Installer nouveau gestionnaire d'interruption
irq_ReadMask	Lire Interrupt-Mask-Register
irq_ReadISR	Lire In-Service-Register
irq_ReadIRR	Lire Interrupt-Request-Register

Fonctions du module IRQUTIL.C

Les processus intervenant dans IRQSTAT sont simples et faciles à expliquer. L'appel de la fonction *InstallIRQs* se fait dans le programme principal. Elle parcourt les 16 interruptions et, à l'aide de la fonction *irq_SetHandler* du module IRQUTIL, elle fait dévier chacune d'elles vers la fonction C *IRQ*. Elle représente le nouveau gestionnaire d'*interruption* aux yeux de toutes les *interruptions* électroniques. Si elle est appelée en tant que gestionnaire d'*interruption* du clavier, du timer ou de tout autre périphérique, elle se sert d'abord de la fonction *PrintIRQ*. Elle affiche l'état des registres PIC à l'écran et renvoie le numéro de l'*interruption* qui figure d'ores et déjà dans l'appel.

IRQ étant appelée en tant que gestionnaire de toutes les *interruptions* électroniques, il lui incombe de vérifier pour quelle *interruption* elle est justement en train de travailler. Sinon elle serait incapable d'appeler le gestionnaire initial en risquant ainsi de provoquer rapidement un blocage du système. Le numéro de l'*interruption* est renvoyé par la fonction IRQ *PrintIRQ* car elle doit lire impérativement le contenu du registre ISR d'où provient l'*interruption* en cours. Riche de cette information, *IRQ* peut déterminer l'adresse de l'ancien gestionnaire d'*interruption* à partir d'un tableau chargé auparavant et ensuite effectuer l'appel. Mais comme il faut réaccéder à l'ancien gestionnaire, *IRQ* peut s'épargner la tâche de définir la commande EOI car cela a déjà eu lieu dans le gestionnaire initial.

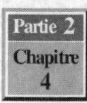

Pour éviter de compliquer inutilement IRQSTAT, nous avons omis l'opération nécessaire pour enlever IRQSTAT de la mémoire et de le désactiver. Sous DOS, contentez-vous de réamorcer l'ordinateur. Une méthode plus simple consiste à démarrer IRQSTAT dans une boîte DOS sous Windows. Il suffit de fermer cette boîte pour désactiver IRQSTAT. Mais vous constaterez que toutes les *interruptions* ne sont pas mises en veille depuis Windows vers la boîte DOS comme par exemple les *interruptions* disque. Au contraire, le timer, le clavier et le lecteur de disquettes ne se sont pas fait prier.

Pour intégrer IRQUTIL.H dans vos programmes, vous aurez besoin des fichiers IRQUTIL.C et IRQUTIL.H afin de pouvoir inclure ce dernier dans le module concerné via une commande #INCLUDE.

IRQUTIL.H   IRQUTIL.C   IRQSTAT.C
WIN.H   WIN.C

5. Le contrôleur DMA

Depuis l'ère des premiers IBM PC, le contrôleur DMA représente un élément présent sur une carte mère d'un PC. Abréviation de *Direct Memory Access*, DMA évoque la capacité de ce composant à acheminer les données vers le CPU en passant par un périphérique et la mémoire. Tandis que ce transfert s'effectue normalement sous le contrôle d'un programme qui lit sans cesse un octet dans un registre CPU par le biais d'un port d'E/S du périphérique concerné pour l'écrire ensuite dans la mémoire, le CPU reste complètement en dehors lors d'une communication DMA.

Tout cela est destiné à accélérer le transfert et le contrôleur DMA apportait d'ailleurs une aide appréciable en ce sens durant les jours de balbutiement du PC. C'est ainsi qu'un lecteur de disquettes renvoyait beaucoup plus vite les secteurs lus qu'ils ne pouvaient être lus par logiciel via un CPU 8088 ou 8086. DMA était considéré comme un moyen souverain pour accroître les performances du système.

Pendant que les CPU ont continué à devenir de plus en plus rapides au cours des années pour atteindre aujourd'hui des performances multipliées des centaines de fois par rapport au 8088 d'origine, le contrôleur DMA est resté au même point. Tout comme le CPU 8088, il fonctionnait à une fréquence de 4,77 Mhz à ses débuts. Aujourd'hui les CPU ont atteint les 100 Mhz, le contrôleur DMA n'a jamais pu aller au-delà des 6 Mhz. Dans la conception d'origine des AT, sa fréquence ne s'élevait qu'à 3 Mhz, encore plus faible que celle des PC/XT. C'est avec l'AT qu'a commencé la décadence du contrôleur DMA dont la crédibilité ne cessa de diminuer d'année en année.

Bien que la fonctionnalité du contrôleur DMA d'origine 8237A ait été préservée encore aujourd'hui, il faut savoir qu'elle ne joue plus de rôle prépondérant pour le design du système. Une grande variété d'extensions PC, telles les cartes son, reconnaissent certes le contrôleur DMA mais laissent le champ libre pour la lecture de leurs données, depuis le CPU en transitant par un port d'E/S. Et cette solution, adoptée depuis l'ère des 80286 16 Mhz, fonctionne beaucoup plus vite que de faire un détour *via* le DMA. A l'heure actuelle, le contrôleur DMA survit comme un paria parmi les composants du CPU.

Hormis la faiblesse de sa fréquence, de nombreux défauts en matière de design parlent également en défaveur du contrôleur DMA. C'est ainsi qu'il limite le transfert aux cellules de mémoire situées dans des pages de 64 Ko, n'assure le transfert 16 bits que fort péniblement et n'est jamais adapté aux techniques modernes des CPU. Quant à la programmation système, le contrôleur DMA continue de jouer un rôle dans la communication avec les extensions matérielles qui renvoient ou reçoivent exclusivement leurs données *via* DMA. Mais ce genre de composants deviennent de plus en plus rares.

Interaction entre matériel et logiciel lors d'un transfert DMA

Le lecteur de disquettes est l'un des rares périphériques recourant aux techniques du contrôleur DMA comme au bon vieux temps. L'interaction entre le matériel et le logiciel lors d'un transfert DMA est parfaitement mise en évidence au niveau du lecteur de disquettes. Le point de départ est représenté par l'appel d'une des fonctions de l'interruption 13h du BIOS émanant d'un programme utilisateur ou du système d'exploitation. Cet appel est destiné à autoriser la lecture (ou l'écriture) d'un ou de plusieurs secteurs de la disquette.

La fonction BIOS suit essentiellement deux phases. Tout d'abord, elle programme le contrôleur de disquettes pour qu'il recherche le secteur demandé et lise son contenu dans un buffer du contrôleur de disquettes. En même temps, la fonction programme le contrôleur DMA et notamment chaque *canal* auquel est rattaché le lecteur de disquettes par l'action du matériel.

Le contrôleur DMA arrive ainsi à connaître le nombre d'octets que le contrôleur de disquettes devra transférer et l'endroit où il les placera dans la mémoire principale.

Dès que l'existence du secteur est vérifiée par le contrôleur de disquettes, celui-ci active une ligne sur laquelle il configure une requête DMA de son canal vers le contrôleur DMA. Ce dernier commence à accueillir le nombre d'octets voulus depuis le contrôleur de disquettes pour les transférer au fur et à mesure vers le buffer dont l'adresse de début a été définie par la fonction BIOS.

Pendant cette opération, le contrôleur DMA prend le contrôle sur le bus PC dont le CPU reste à l'écart durant ce laps de temps. Il contrôle les lignes du bus de telle sorte que les octets soient transmis directement depuis le lecteur de disquettes vers la mémoire sans qu'ils ne soient sauvés temporairement dans un registre interne du contrôleur DMA. Le contrôleur DMA libère le bus une fois tous les octets transférés tandis que le contrôleur de disquettes déclenche simultanément une interruption électronique. Cette dernière signale au BIOS que toutes les données sont désormais disponibles dans le buffer spécifié et revient vers l'élément ayant appelé la fonction BIOS.

Le contrôleur DMA n'est pas en mesure de transférer des données depuis un périphérique vers la mémoire (et inversement) mais il peut copier des cellules de mémoire dans la mémoire principale. Mais seulement quel dommage que les développeurs de l'IBM PC d'origine aient gâché la conception du DMA en limitant le transfert à la zone des 64 Ko ! C'est une des raisons pour laquelle de nombreux PC modernes ne soutiennent plus du tout le transfert mémoire à mémoire *via* DMA.

A l'origine, le contrôleur DMA, plus exactement le canal 0 du contrôleur DMA, servait aussi à rafraîchir la mémoire principale,. A intervalles réguliers, le contrôleur DMA parcourait la mémoire en lisant car un accès en lecture suffisait à recharger les composants de mémoire DRAM. Les inconvénients énoncés à propos du contrôleur DMA ont conduit les développeurs à fournir aujourd'hui des composants adaptés.

Pour contourner ces nombreuses limitations imposées par le contrôleur DMA, IBM intégra un contrôleur DMA étendu dans ses PS/2 mais par malheur, quel grand malheur, le BIOS des PS/2 ne reconnaît pas ces capacités étendues.

Canaux et priorités

Le contrôleur DMA peut utiliser quatre périphériques différents où chacun d'eux est relié à l'un de ces quatre *canaux DMA* Mais un seul canal est activable à un moment donné, c'est-à-dire qu'un transfert DMA n'a lieu que sur l'un des canaux. Cette restriction a conduit à mettre en place un mécanisme de priorité analogue à celui du contrôleur d'interruptions. Ainsi le contrôleur DMA peut décider de porter son choix sur un périphérique parmi ceux qui sollicitent au même moment un transfert DMA.

Au même titre que le contrôleur d'interruption, le contrôleur DMA soutient deux modes de travail en termes de priorité. L'un est doté de priorités statiques et l'autre de priorités dynamiques (tournantes). Les PC fonctionnent en principe avec des priorités fixes où le canal 0 possède la plus forte priorité et le canal 3 la plus faible. Cet ordre est défini par le chip et il ne peut pas être modifié. Le fabricant de la carte mère peut toutefois décider de relier chaque périphérique à un canal quelconque en agissant sur le matériel. Il faut savoir que le contrôleur prévoit un port spécifique pour chaque périphérique comme le montre le tableau suivant sur les ports du chip DMA.

Lorsque plusieurs périphériques DMA sollicitent un transfert DMA au même moment, c'est le périphérique situé au canal 0 qui obtient toujours la priorité sur tous les autres. A l'inverse, le périphérique situé par exemple au canal 2 doit toujours être placé après les périphériques des canaux 0 et 1. Mais il est possible de désactiver chacun des canaux par logiciel à l'aide d'un registre de masque interne. Dans ce cas, le contrôleur DMA ignore la requête DMA venant du périphérique concerné.

Les ports du contrôleur DMA

A l'origine, le contrôleur DMA 8237A était intégré dans une puce à 40 broches. Entre-temps d'innombrables variantes de puces sont apparues mais le chip est décliné sous diverses compositions. La fonctionnalité et par conséquent la signification des ports est restée intacte. Seuls les numéros de port ne correspondent plus forcément avec l'implémentation dans le PC.

Ligne	Broche	Nom	Fonction
IOR	1	IO-Read	La signification de ce signal varie en fonction de l'état du contrôleur DMA. S'il se trouve en état d'attente, le CPU peut lire l'un des registres internes du contrôleur en activant cette ligne. Ce signal est activé pendant un transfert DMA tant que le contrôleur lit des données depuis un périphérique pour les envoyer vers la mémoire.
IOW	2	IO-Write	Ce signal fonctionne de façon similaire à IOR sauf qu'il concerne les accès en écriture. En phase d'attente, le CPU active ce signal lorsqu'il écrit des données dans l'un des registres internes du contrôleur DMA. Pendant un transfert DMA, le contrôleur DMA active ce signal lorsqu'il transmet des données à un périphérique.
MEMR	3	Memory Read	Le contrôleur DMA active ce signal lorsqu'il lit des données depuis la mémoire principale.
MEMW	4	Memory Write	Le contrôleur DMA active ce signal lorsqu'il écrit des données dans la mémoire principale.
Vcc	5		Alimentation (+3,3V ou +5V selon le système)
READY	6		Les périphériques et les composants de mémoire adressés lors d'un transfert DMA se servent de cette ligne pour indiquer qu'ils sont prêts à recevoir les données du contrôleur DMA ou qu'ils les préparent à son intention. Aux périphériques et composants de mémoire lents, ce signal permet d'accélérer les accès en lecture et écriture du contrôleur DMA. Cela permet d'exécuter des quasi *Wait States*.
HLDA	7	Hold Acknowledge	Le contrôleur DMA reçoit ce signal du CPU ou d'un autre bus maître lorsque ce dernier a libéré le bus local permettant au contrôleur DMA d'assurer le contrôle des bus pour le transfert souhaité.
ADSTB	8	Address Strobe	Le contrôleur DMA utilise ce signal pour charger dans le registre latch (registre DMA externe) l'octet de poids fort d'une adresse de transfert. Il active cette ligne dès qu'il a défini cet octet d'adresse sur les ports DB0 à DB7.
AEN	9	Adress Enable	En activant ce port pendant un transfert DMA, le contrôleur DMA autorise le registre latch à afficher son contenu (sous forme d'une partie de l'adresse de mémoire) sur les lignes A8-A15 du bus d'adresse.
HRQ	10	Hold Request	Le contrôleur DMA se sert de cette ligne pour demander le contrôle sur le bus au CPU ou à un bus maître. Le contrôleur DMA reçoit un signal *via* le port HLDA si l'opération a lieu.

Ligne	Broche	Nom	Fonction
$\overline{CS}$	11	Chip Select	En activant cette ligne, le CPU communique son intention au contrôleur DMA de vouloir effectuer un accès en lecture ou en écriture sur son registre interne. L'échange de données se réalise à travers les ports DB0-DB7 agissant comme un bus de données local.
CLK	12	Clock	Le contrôleur DMA reçoit son signal de fréquence sur ce port.
RESET	13		En émettant un signal sur cette ligne, le contrôleur DMA rétablit automatiquement son état initial.
DACK0-DACK3	14,15,24,25	DMA Acknowledge 0-3	Après une requête DMA sur l'une des lignes DREQ, le contrôleur DMA informe le périphérique via cette ligne qu'il est prêt à exécuter un transfert DMA. Sachant qu'il n'est possible d'activer qu'un seul périphérique à la fois, le contrôleur DMA n'active ce signal que lorsqu'il n'y a plus de requête DMA de plus forte priorité. L'activation de ce signal précède toujours la prise de contrôle du bus (*via* les ports HRQ et HLDA) pour que le contrôleur DMA ait un libre accès au bus. Comme il n'est possible d'utiliser qu'un seul canal à la fois (et donc un seul périphérique), il va sans dire qu'une seule des quatre lignes est activée.
DREQ0-DREQ3	16-19	DMA Request 0-3	Chacune de ces lignes est reliée à l'un des quatre périphériques (nombre maximal) utilisés par le contrôleur DMA. Si l'un des périphériques met en oeuvre un transfert DMA, il active sa ligne DREQ et met le contrôleur DMA au courant de son intention.
GND	20	Masse Data	
DB0-DB7	21-23, 26-30	Data Bus 0-7	Ces lignes représentent le bus bidirectionnel à travers lequel le CPU accède aux registres du contrôleur DMA. Le contrôleur lui-même utilise ces lignes pour écrire les bits d'adresse 8 à 15 dans le registre DMA latch.
Vcc	31		Alimentation (+3,3V ou +5V selon le système)
A0-A3	32-35	Address 0-3	Ces ports prennent une signification différente compte tenu du mode d'exploitation en cours du contrôleur DMA. En phase d'attente, le CPU règle le numéro de registre sur ces lignes lors d'un accès en lecture/écriture sur les registres internes du contrôleur DMA de manière à pouvoir adresser 16 registres au maximum. Lors d'un transfert DMA, le contrôleur DMA utilise ces registres pour afficher les quatre bits de poids faible de l'adresse de mémoire (bits 0 à 3) sur le bus.
EOP	36	End of Process	Le contrôleur DMA utilise ce port pour indiquer à un périphérique la fin du transfert DMA en cours dès que le compteur interne atteint la valeur 0ffffh (Terminal Count). Le périphérique connecté peut lui aussi activer ce signal pour terminer prématurément le transfert DMA. Cette action termine le transfert et réinitialise les flags correspondants dans les registres internes du contrôleur DMA.
A4-A7	37-40	Address 4-7	Pendant un transfert DMA, le contrôleur DMA utilise ces ports pour transmettre les bits 4-7 de l'adresse de mémoire sur le bus.

Les ports du contrôleur DMA

Les registres du contrôleur DMA

Le contrôleur DMA est assez abondamment équipé avec ses 27 registres internes. Une grande quantité de ces registres existent à quatre endroits différents car ils décrivent un paramètre d'état spécifique pour l'un des quatre canaux DMA.

Registre	Nombre	Largeur/Bit
Adresse de début	4	16
Compteur	4	16
Adresse en cours	4	16
Compteur en cours	4	16
Adresse temporaire	1	16
Compteur temporaire	1	16
Statut	1	8
Commande	1	8
Mémoire temporaire	1	8
Mode	4	8
Masque	1	8
Requête	1	8

Les registres internes du contrôleur DMA

Le registre Compteur du canal concerné détermine le nombre d'octets envoyés pendant un transfert DMA. En tant que registre 16 bits, il peut accueillir au maximum la valeur 0FFFFh. Cette valeur correspond à un transfert de 64 Ko car le nombre de transferts s'élève toujours à Compteur + 1. La conséquence est que le contrôleur DMA décrémente le contenu du registre Compteur après chaque transfert et ne considère l'opération comme achevée que lorsqu'il passe de la valeur 0000h à 0FFFFh. Il faut donc charger le registre Compteur avec la seule valeur 0000h pour exécuter un transfert unique.

Le passage du registre Compteur de la valeur 0000h à 0FFFFh porte un nom particulier dans la terminologie DMA : *Terminal Count* ou TC. Nous aurons l'occasion de rencontrer plus souvent ce concept dans la suite de notre étude.

De même, les registres qui assurent le transfert DMA sur leur canal respectif sont aussi sur 16 bits. L'intervention du contrôleur DMA resterait restreinte aux 64 premiers Ko de la mémoire si on n'avait pas doté chaque canal d'un registre DMA externe supplémentaire, le registre de page. Il renvoie les bits d'adresse au-delà de A15 et s'occupe ainsi d'assurer un accès à la zone d'adresse tout entière. Sur un PC/XT équipé d'un bus d'adresse de 20 bits, ces registres renferment les bits A16 à A19 alors que sur un AT pourvu d'un bus d'adresse de 24 bits, on peut y stocker les bits A16 à A23.

Pour compliquer un peu plus le processus, le contrôleur DMA peut décider d'afficher uniquement les signaux d'adresse A0 à A7 *via* les ports appropriés. Un fossé se creuse donc entre les bits A0-A7 du contrôleur DMA et les bits A16-A20 (ou A16-A23) du registre de page. Le remplissage de ce trou est pris en charge par ce qu'on appelle le latch d'adresse DMA, un registre DMA externe de 8 bits, auquel est relié le contrôleur DMA par l'intermédiaire de son bus de données DB0-DB7 et de sa ligne de contrôle ADSTB. A l'aide des lignes citées, le contrôleur DMA décrit dans ce registre les bits d'adresse A8-A15 qui sont ensuite réglés par le registre sur le bus d'adresse dès qu'un transfert est initié.

Ce qui se cache derrière cette solution compliquée : Les développeurs des composants DMA d'origine voulaient inclure cela dans les anciennes puces à 40 broches mais il leur manquait

139

7 ports pour intégrer tous les bits d'adresse. C'est la raison pour laquelle ils chargeaient les bits d'adresse A8 à A15 depuis le registre latch, registre externe DMA, et accédaient aux lignes DB0-DB7 (requises impérativement par le contrôleur DMA) pour communiquer avec ce registre.

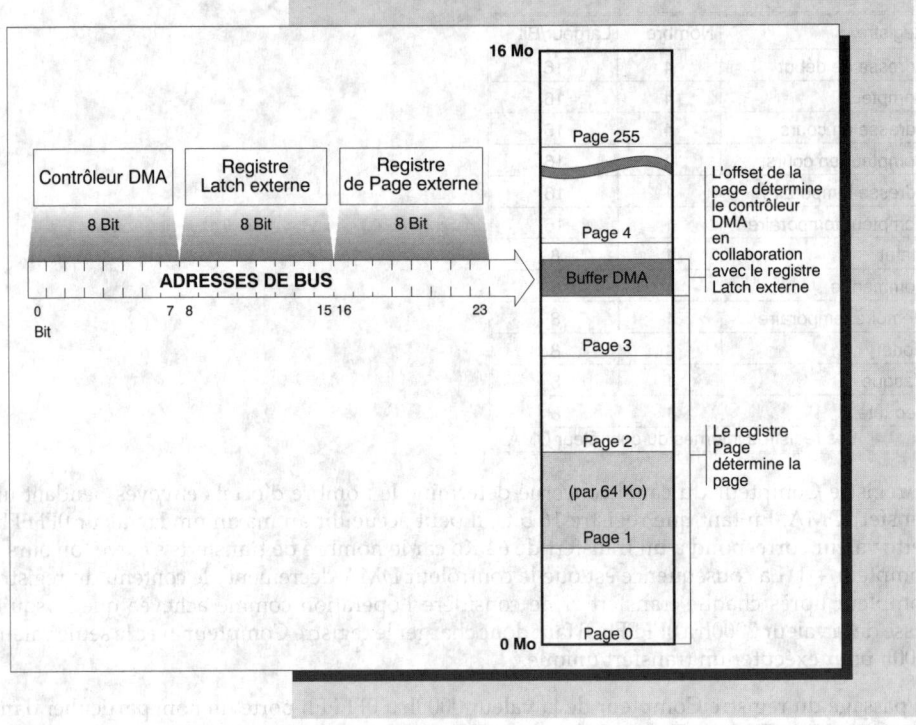

Génération d'adresse via le contrôleur DMA

Débordement de segment DMA

Etant donné que le contrôleur DMA gère séparément les bits d'adresse A0-A15 des bits d'adresses A16-A20 (ou A16-A24 sur l'AT), le danger de provoquer un débordement de segment DMA reste toujours présent lors d'un transfert DMA. Un débordement se produit lorsque les bits d'adresse inférieurs A0-A15 passent de 0FFFFh à 0000h ce qui ne signifie rien de plus qu'un changement du dernier octet de la page 64 Ko en cours vers le premier octet de la page 64 Ko suivante. Le contrôleur DMA doit non seulement incrémenter les bits d'adresse A0-A15 mais aussi le contenu du registre de page. Le transfert suivant portant sur un octet dans le cadre du transfert DMA s'effectue à nouveau dans la même page 64 Ko mais à l'offset 0000h.

Mettons cela en évidence à travers un exemple. Imaginons que vous allouez une zone de mémoire pour recevoir des données à la suite d'un transfert DMA, notamment à l'adresse 0000:E000 c'est-à-dire à l'intérieur de la page des 64 premiers Ko de la mémoire RAM. La taille du buffer qui est de 16 Ko (en hexa 4000h) suffit jusqu'à l'adresse 1000:2000. Les 8 premiers Ko du buffer se trouvent donc dans la première page de 64 Ko de la mémoire tandis que les 8 autres Ko occupent la deuxième page de 64 Ko.

Lors d'un transfert DMA, le contrôleur DMA écrit les 8 premiers Ko dans le buffer en respectant l'ordre et c'est à la suite de cette action que le drame se produit. Pendant que l'offset passe de

0FFFFh à 0000h, le contrôleur DMA "oublie" d'incrémenter le registre de page et commence à transférer les 8 autres Ko. Mais contrairement à ce qui était prévu, le transfert n'a pas lieu dans le deuxième bloc de 8 Ko du buffer mais au début de la première page de 64 Ko. Dans la mesure où le système risque de subir tôt ou tard un blocage, il va sans dire que le contrôleur DMA sera irrémédiablement amené à remplacer des données et même un code de programme.

En tant que programmeur, vous devez tirer les conséquences nécessaires de ce comportement dangereux du contrôleur DMA et être en mesure d'examiner scrupuleusement l'état d'un buffer DMA. Dès qu'il franchit la barrière entre deux pages de 64 Ko, il faut diviser le transfert en deux blocs. Il convient donc de programmer dès à l'avance le contrôleur DMA de telle sorte qu'il se consacre à la première partie du buffer située sous la limite des 64 Ko. A la fin de ce transfert, il faut reprogrammer le contrôleur DMA pour qu'il effectue cette fois le transfert dans ou à partir de la deuxième partie du buffer au-delà de la barrière des 64 Ko. Vous apprendrez plus loin comment programmer le contrôleur DMA.

L'architecture DMA dans le PC/XT ou AT

Le fonctionnement du contrôleur DMA n'est pas si transparent que cela, mais en plus le programmation de ce composant est bien compliquée . On a affaire à une architecture DMA différente sur les PC/XT d'un côté et sur les AT de l'autre. Dans un PC/XT, un seul contrôleur DMA offre ses services et n'assure qu'un transfert 8 bits. Dans un AT, un deuxième contrôleur DMA est venu s'ajouter pour réaliser un transfert 16 bits.

Les deux contrôleurs DMA sont placés en cascade dans l'AT c'est-à-dire qu'ils sont attachés à une unité plus grande comme c'est habituellement le cas d'un contrôleur d'interruption. L'esclave est relié à un canal du maître de sorte que ses ports HRQ et HLDA puissent être imbriqués aux ports DREQ et DACK du maître. Concrètement, il s'agit des ports DREQ0 et DACK0 du côté du maître car un contrôleur DMA esclave dépend toujours du canal 0 du maître dans le cas d'un AT. La conséquence du phénomène de cascade via le canal 0 est la suivante : tous les canaux de l'esclave ont une priorité supérieure à celle du maître. Cette séquence de priorités fait que les canaux de l'esclave sont désignés par canaux DMA 0 à 3 dans un AT alors que les canaux du maître correspondent aux canaux 4 à 7.

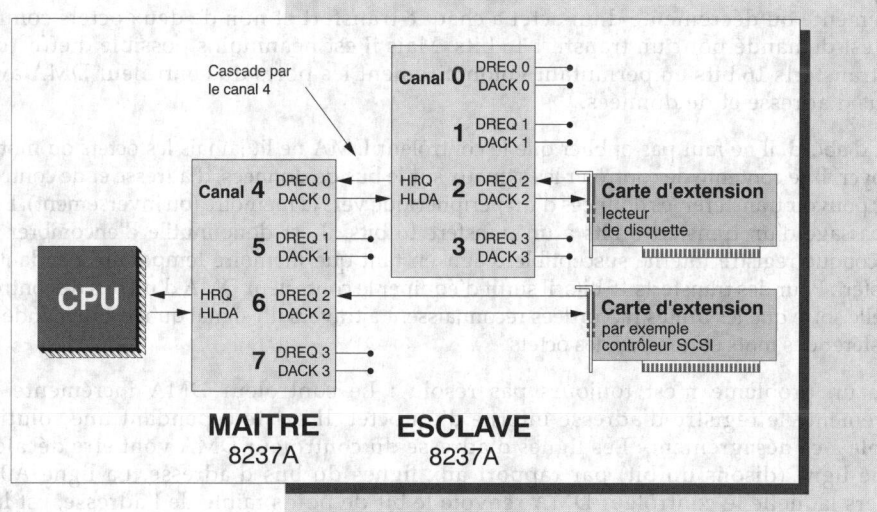

Mise en cascade de deux contrôleurs DMA dans un AT

Les canaux du maître - canaux 4 à 7 - sont réservés sur un AT aux transferts 16 bits tandis que l'esclave ne peut réaliser que des transferts 8 bits exactement comme dans un PC/XT. Le tableau suivant montre l'emploi des divers canaux.

Canal	Largeur	Utilisation
0	8 bits	Rafraîchir la mémoire
1	8 bits	Libre
2	8 bits	Lecteur de disquettes
3	8 bits	Disque dur
	Utilisation des canaux DMA dans un PC/XT	

Canal	Maître/esclave	Largeur	Utilisation
0	Esclave	8 bits	Rafraîchir la mémoire
1	Esclave	8 bits	Libre
2	Esclave	8 bits	Lecteur de disquettes
3	Esclave	8 bits	Libre
4	Maître	16 bits	Cascade des esclaves
5	Maître	16 bits	Libre
6	Maître	16 bits	Libre
7	Maître	16 bits	Libre
	Utilisation des canaux DMA dans un AT		

Réalisation de transferts 16 bits

Dans le cadre des transferts 16 bits réalisés dans un AT par le contrôleur DMA maître, il faut signaler que le contrôleur lui-même ne peut qu'assurer des transferts 8 bits. Cela est par exemple mis en évidence par le fait que le registre d'adresse interne est incrémenté ou décrémenté d'un octet à chaque transfert et non de deux octets comme cela est demandé pour un transfert 16 bits. Mais il est néanmoins possible d'effectuer des transferts 16 bits en permutant volontairement les ports du contrôleur DMA avec le bus d'adresse et de données.

Tout d'abord, il ne faut pas oublier que le contrôleur DMA ne lit jamais les octets ou mots à envoyer. Il se contente de contrôler les signaux sur le bus de données, d'adresse et de contrôle pour pouvoir transférer les données d'un périphérique vers la mémoire (ou inversement). Lors du passage d'un transfert 8 bits à un transfert 16 bits, il est donc inutile d'encombrer un quelconque registre interne susceptible d'agir en tant que mémoire temporaire pendant le transfert. Pour des transferts 16 bits, il suffit d'équiper le contrôleur DMA d'un bus de contrôle de telle sorte que les unités raccordées reconnaissent à travers un signal qu'il est demandé de transférer des mots et non pas des octets.

Mais un problème n'est toujours pas résolu : Le contrôleur DMA incrémente ou décrémente le registre d'adresse interne d'un octet. Il existe cependant une solution simple à ce désagrément : Les lignes d'adresse du contrôleur DMA vont être décalées d'une ligne (disons un bit) par rapport aux lignes du bus d'adresse. La ligne A0, à travers laquelle le contrôleur DMA renvoie le bit de poids faible de l'adresse, est liée à la ligne A1 du bus d'adresse, plus exactement A1 du contrôleur DMA avec A2 du bus d'adresse et ainsi de suite.

Les adresses rencontrées par le contrôleur DMA sont à vrai dire décalées d'un bit vers la gauche ce qui équivaut à une multiplication par deux. Chaque incrémentation d'un octet du registre d'adresse interne signifie un déplacement d'un mot de l'adresse et c'est ainsi que sont acheminés consécutivement les mots dans la zone à transférer.

Au niveau de la programmation du contrôleur DMA, ce fonctionnement des canaux 16 bits génère toutes sortes de conséquences. La première est qu'il faut réduire de moitié l'adresse de mémoire requise pour la définition du registre du contrôleur DMA. Elle est ensuite doublée automatiquement par voie matérielle. Et c'est précisément pour cela que des transferts DMA 16 bits ne peuvent commencer qu'à des adresses de mémoire paires.

La longueur de bloc est calculée en mots et non plus en octets. Pour transférer 160 octets, il faut donc définir 80 (mots). Du moment que la valeur maximale de ce registre 16 bits s'élève à 0FFFFh, on peut désormais envoyer 64 Ko de mots au cours d'un transfert DMA ce qui équivaut à 128 Ko. Et on n'a même pas besoin de commettre un éventuel débordement de segment DMA dès lors qu'on prend soin de commencer le transfert au début d'une page de 64 Ko.

Toutes les remarques concernant l'adresse de début s'appliquent également à la longueur de bloc qui n'accepte que des valeurs paires. Il est donc impossible de transférer 161 octets. En règle générale, cela ne pose pas de problème majeur car le matériel utilisant des canaux DMA 16 bits est configuré d'avance en ce sens.

Modes opérationnels et auto-initialisation

Le contrôleur DMA agit dans trois modes différents déterminant le mode du transfert : le transfert unique, le transfert en bloc et le transfert à la demande. Ce qu'on désigne par transfert DMA correspond à un transfert en bloc. Dès l'instant où le contrôleur DMA se voit confronté à l'une des lignes DREQx *via* un signal, il se met à exécuter le transfert dans le cadre d'un transfert en bloc et ne s'arrête que si le registre Compteur concerné passe de 0000h à 0FFFFh (terminal count) ou si le périphérique initié interrompt le transfert en émettant un signal sur la ligne EOP.

Pendant toute la durée du transfert, le bus se trouve sous le contrôle du contrôleur DMA si bien que le CPU n'a aucune chance d'accéder au bus de son côté. Le contrôleur DMA a prévu cependant un transfert unique car, dans certaines situations, il est peu souhaitable de bloquer le CPU pendant toute la durée d'un transfert. Ce transfert porte toujours sur un seul octet (ou mot s'il s'agit de canaux 16 bits) avant que le contrôleur DMA ne termine automatiquement le transfert.

Bien que le registre Compteur soit immédiatement décrémenté et le registre d'adresse incrémenté, il nécessite pourtant une nouvelle commande venant du logiciel pour déclencher le transfert unique suivant.

Après chaque transfert unique, le CPU a donc le temps de prendre en compte le bus avant que le logiciel démarre le transfert unique suivant.

Le transfert à la demande correspond au transfert en bloc sauf que la ligne DREQx prend ici une autre signification. Tandis qu'un bref signal émis sur la ligne DREQx suffit pour démarrer un transfert en bloc classique, il faut que cette ligne reste active en permanence pendant toute la durée d'un transfert à la demande. Dès que le périphérique concerné reprend la ligne, le contrôleur DMA termine le transfert pour le poursuivre de nouveau au même endroit dès la réactivation de la ligne.

Ce mode intéresse les périphériques qui veulent afficher par eux-mêmes la fin du transfert ce qui est possible via la ligne $\overline{EOP}$ dans le cas d'un transfert en bloc ordinaire. Pour des raisons inexpliquées, le bus ISA n'est pas équipé d'un signal $\overline{EOP}$ destiné à des périphériques occupant l'un des slots. En ajoutant des extensions PC particulières, on accède par conséquent volontiers à un transfert à la demande et on utilise le signal DREQx adéquat au lieu du signal $\overline{EOP}$ pour maintenir momentanément un transfert.

Indépendamment du mode opérationnel choisi, le contrôleur DMA peut réaliser des accès en lecture, écriture et vérification. Lors d'un transfert en écriture, le contrôleur DMA écrit des données depuis un périphérique vers la mémoire principale pendant que le flux de données circule en sens inverse. Le contrôleur DMA ne déplace cependant pas les données lors d'un transfert en vérification qui sert exclusivement à tester le contrôleur.

L'auto-initialisation est une spécificité particulièrement utile du contrôleur DMA. Elle est disponible dans tous les modes. Une fois l'auto-initialisation activée, le contrôleur DMA rétablit l'adresse dernièrement programmée ainsi que les longueurs de transfert pour le canal concerné dès qu'il rencontre un Terminal Count ou dès que la ligne $\overline{EOP}$ est activée. Cela soulage le programmeur de la lourde tâche de paramétrer sans cesse les registres nécessaires chaque fois qu'il s'agit de transférer un bloc de longueur constante à la même adresse.

Accès logiciel au contrôleur DMA

Le tableau suivant énumère les divers registres du (ou des) contrôleur(s) DMA permettant de déterminer le statut du contrôleur ou de définir les paramètres. Au moment d'accéder à l'un de ces registres, demandez-vous si vous interrogez le maître ou l'esclave. Dans le cas (bien que peu probable) où vous seriez équipé d'un PC/XT avec un seul contrôleur DMA, sachez que vous ne pourrez pas accéder au second contrôleur DMA (maître dans l'AT).

Registre	Port*	Port**	Lecture	Ecriture
Statut	08h	0D0h	X	
Commande	08h	0D0h		X
Requête	09h	0D2h		X
Masque1	0Ah	0D4h		X
Mode	0Bh	0D6h		X
FlipFlop	0Ch	0D8h		X
Mémoire temporaire	0Dh	0DAh	X	
Reset	0Dh	0dah		X
Reset de masque	0Eh	0dch		X
Masque2	0Fh	0deh		X
(esclave dans l'AT / un seul DMA dans le PC/XT)				
**(maître dans l'AT / inexistant dans un PC/XT)*				
▓▓▓ Registres DMA dans PC/XT ou AT permettant de gérer le contrôleur DMA				

Le registre d'état du contrôleur DMA permet de savoir si une requête matérielle (un signal sur la ligne DREQx concernée) ou un Terminal Count figure sur l'un des canaux. Terminal Count signifie qu'un transfert DMA est achevé sur le canal. La particularité de ce registre est de rétablir automatiquement les valeurs initiales des quatre flags TC. Ces flags sont effacés dès que le registre est lu.

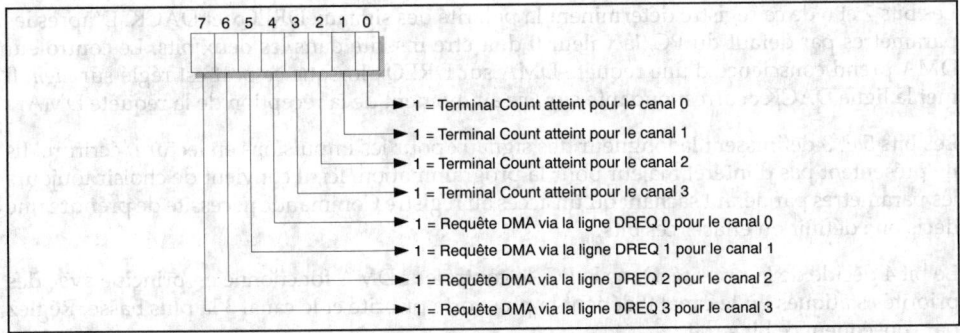

7 6 5 4 3 2 1 0
1 = Terminal Count atteint pour le canal 0
1 = Terminal Count atteint pour le canal 1
1 = Terminal Count atteint pour le canal 2
1 = Terminal Count atteint pour le canal 3
1 = Requête DMA via la ligne DREQ 0 pour le canal 0
1 = Requête DMA via la ligne DREQ 1 pour le canal 1
1 = Requête DMA via la ligne DREQ 2 pour le canal 2
1 = Requête DMA via la ligne DREQ 3 pour le canal 3

Structure du registre d'état du contrôleur DMA au port 08h ou 0D0h

A la même adresse de port que celle du registre d'état se trouve le registre Commande permettant de définir d'innombrables paramètres concernant le contrôleur DMA. Certains de ces paramètres, surtout le bit 5, présentent un intérêt particulier dans certaines situations pour la programmation DMA *via* logiciel. Mais le problème est qu'on ne peut pas lire ce registre et prendre ainsi connaissance de l'état des autres bits. En ce qui concerne les autres bits, il ne reste plus qu'à espérer que le BIOS ait choisi les paramètres par défaut du PC lors de l'amorçage du système et qu'on puisse sans danger reprendre ces valeurs par défaut sans courir de risque grave.

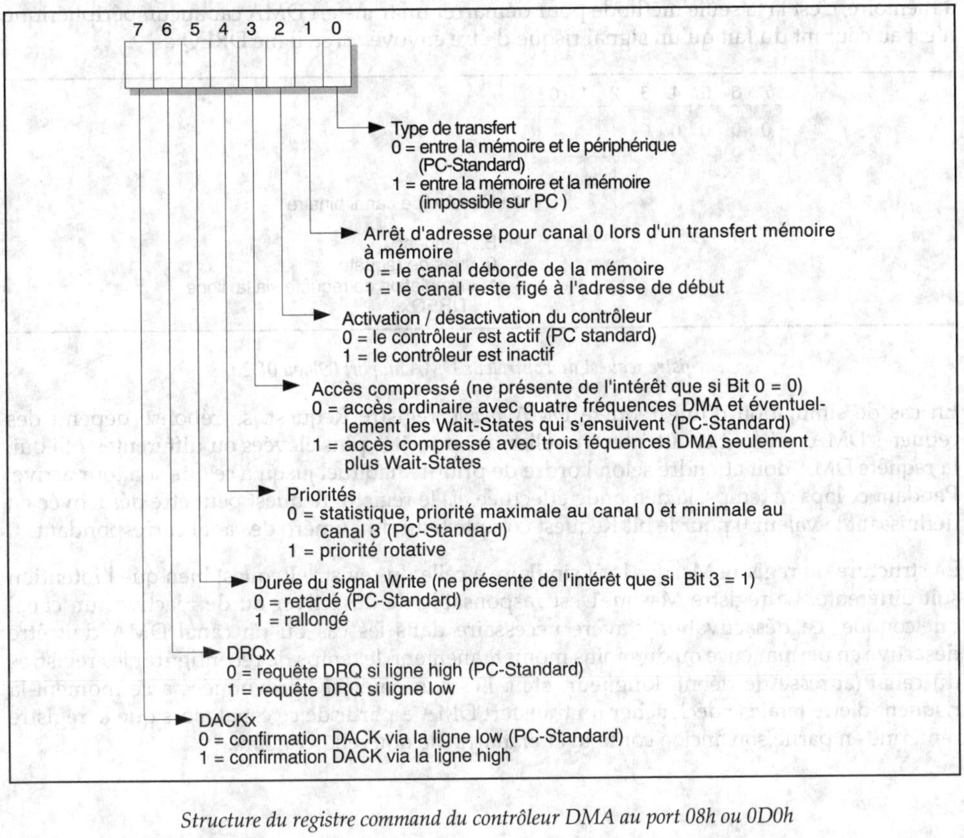

7 6 5 4 3 2 1 0
Type de transfert
0 = entre la mémoire et le périphérique (PC-Standard)
1 = entre la mémoire et la mémoire (impossible sur PC)
Arrêt d'adresse pour canal 0 lors d'un transfert mémoire à mémoire
0 = le canal déborde de la mémoire
1 = le canal reste figé à l'adresse de début
Activation / désactivation du contrôleur
0 = le contrôleur est actif (PC standard)
1 = le contrôleur est inactif
Accès compressé (ne présente de l'intérêt que si Bit 0 = 0)
0 = accès ordinaire avec quatre fréquences DMA et éventuellement les Wait-States qui s'ensuivent (PC-Standard)
1 = accès compressé avec trois féquences DMA seulement plus Wait-States
Priorités
0 = statistique, priorité maximale au canal 0 et minimale au canal 3 (PC-Standard)
1 = priorité rotative
Durée du signal Write (ne présente de l'intérêt que si Bit 3 = 1)
0 = retardé (PC-Standard)
1 = rallongé
DRQx
0 = requête DRQ si ligne high (PC-Standard)
1 = requête DRQ si ligne low
DACKx
0 = confirmation DACK via la ligne low (PC-Standard)
1 = confirmation DACK via la ligne high

Structure du registre command du contrôleur DMA au port 08h ou 0D0h

Les bits 7 et 6 de ce registre déterminent la polarité des signaux DREQx et DACK. D'après les paramètres par défaut du PC, la valeur 0 doit être inscrite dans les deux bits. Le contrôleur DMA prend conscience d'une requête DMA sur DREQx lorsque ce port est réglé sur *high*. Il met la ligne DACKx correspondante sur *low* au moment de la réception de la requête DMA.

Les bits 5 et 3 définissent la longueur des signaux pour les impulsions en lecture/écriture. Ils ne présentent pas d'intérêt majeur pour la programmation. Ici, il convient de choisir toujours les paramètres par défaut sachant qu'un accès au registre Commande nécessite de prendre une décision : définir ou effacer ces bits.

Le bit 4 décide de la priorité. Dans le PC, le contrôleur DMA fonctionne en principe avec des priorités statiques où le canal 0 détient la plus forte priorité et le canal 3 la plus basse. Réglez par conséquent ce bit sur 0.

Le bit 2 désactive totalement le contrôleur DMA c'est-à-dire qu'il le met dans un état où il peut encore recevoir des accès en lecture/écriture de le part du CPU mais aucune requête DMA provenant du matériel. Utilisez ce bit pour définir un grand nombre de paramètres et empêcher qu'un transfert DMA vienne entre-temps perturber l'opération. Il faut que la désactivation dure le moins longtemps possible car le canal 0 ainsi que le rafraîchissement de la mémoire restent bloqués pendant que sommeille le contrôleur DMA. Le mieux est de masquer (par l'intermédiaire du registre Masque1) uniquement le canal devant subir des modifications.

Utilisez le registre Request pour exécuter un transfert DMA *via* logiciel. Ce registre permet de simuler la définition ou la suppression des lignes DREQx. Pour réaliser un transfert mémoire à mémoire, c'est là la seule méthode pour démarrer un transfert DMA car aucun périphérique n'est au courant du fait qu'un signal risque d'être envoyé *via* sa ligne DREQx.

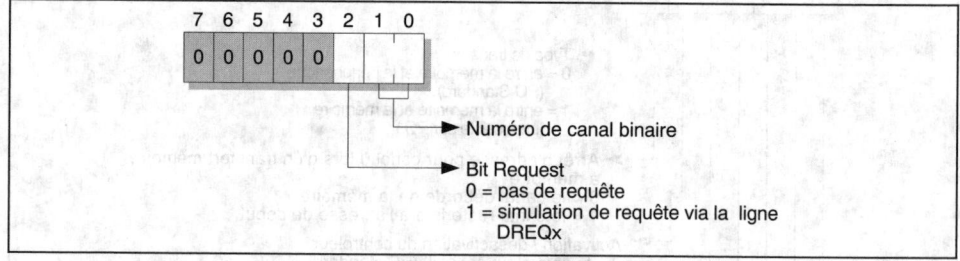

Le registre request du contrôleur DMA au port 09h ou 0D2h

En cas de simulation d'une requête DMA *via* le registre Request, sa réponse dépend des requêtes DMA qui sont en attente. Ont-elles des priorités plus élevées ou différentes ? Si oui, la requête DMA doit attendre selon l'ordre de priorité habituel jusqu'à ce que son tour arrive. Pendant ce laps ce temps, la demande effectuée *via* le registre Request peut être désactivée en définissant la valeur 0 pour le bit Request compte tenu du numéro de canal correspondant.

La structure du registre Masque1 est similaire à celle du registre Request bien que l'intention soit différente. Le registre Masque1 est responsable de désactiver ou de réactiver un canal quelconque. La désactivation s'avère nécessaire dans les cas où un canal DMA doit être désactivé en permanence ou du moins momentanément, le temps de reconfigurer les registres du canal (adresse de début, longueur, etc.). Les conséquences provoquées à ce moment-là risquent d'être fatales : déclencher un transfert DMA à partir de ce canal alors que le registre renferme en partie son ancien contenu et en partie de nouvelles valeurs.

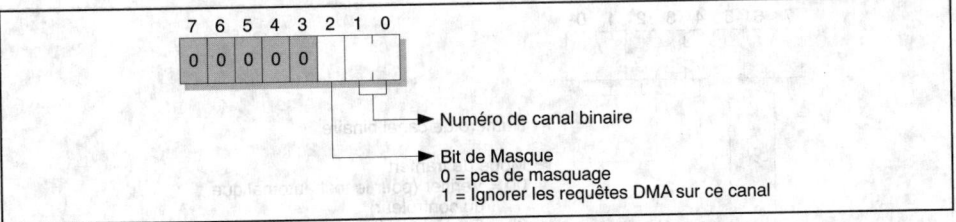

Le registre masque1 du contrôleur DMA au port 0Ah ou 0D4h

Le registre Masque2 fournit une autre méthode pour masquer des canaux ou pour les rendre de nouveau accessibles aux requêtes DMA. A la différence du registre Masque1, ici les quatre canaux sont accédés simultanément. Ce registre ne convient donc que dans les cas où on souhaite définir le statut des quatre canaux.

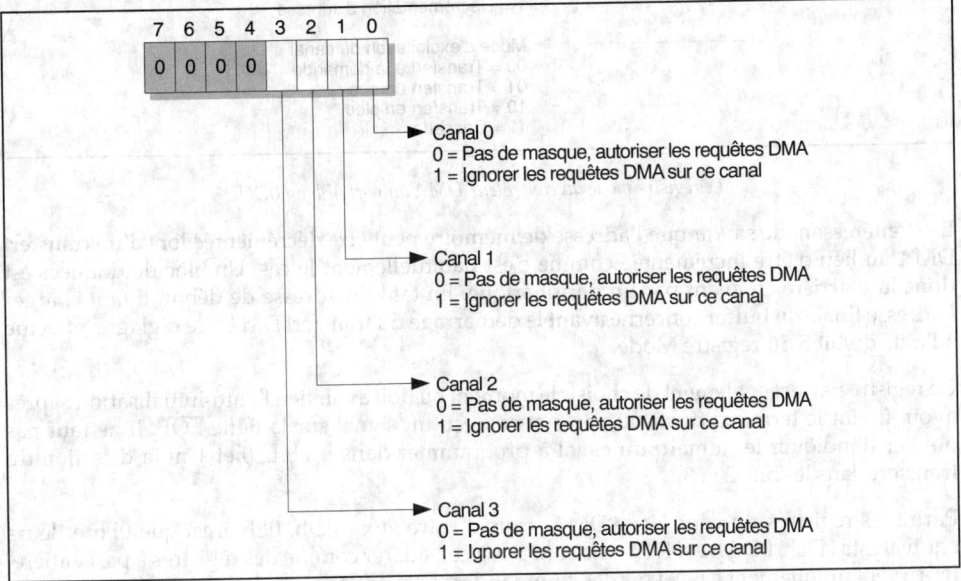

Le registre masque du contrôleur DMA au port 0Fh ou 0DEh

Le système d'exploitation d'un canal peut être réglé par l'intermédiaire du registre Mode. Indiquez ici le mode de transfert du transfert DMA qui va suivre sur ce canal : transfert unique, transfert en bloc ou transfert à la demande. Ou bien précisez si ce canal doit servir à mettre deux contrôleurs DMA en cascade. Mais vous n'avez pas à effectuer le second réglage car il est pris en charge par le BIOS lors de l'amorçage du système.

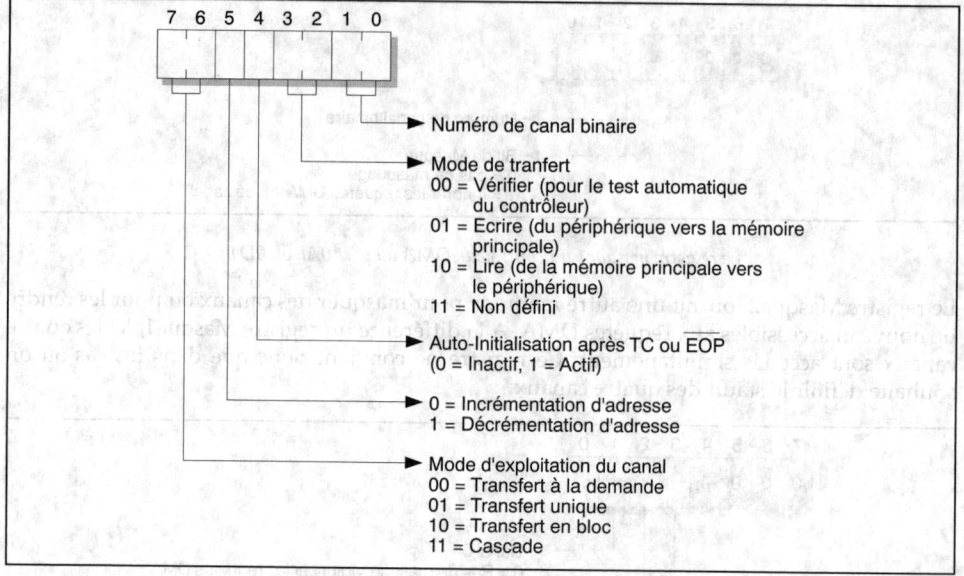

Le registre mode du contrôleur DMA au port 0Bh ou 0D6h

Il est intéressant de savoir que l'adresse de mémoire peut être décrémentée lors d'un transfert DMA au lieu d'être incrémentée comme c'est habituellement le cas. Un bloc de données est donc lu d'arrière en avant par un périphérique. En tant qu'adresse de début, il faut charger l'adresse finale du buffer concerné avant le démarrage du transfert DMA. Ce réglage s'effectue à l'aide du bit 5 du registre Mode.

Ce registre permet également de choisir le moment où doit avoir lieu l'auto-initialisation : après avoir atteint le terminal *count* ou après avoir reçu un signal sur la ligne $\overline{EOP}$. Il ne faut pas oublier d'indiquer le numéro du canal à programmer dans les bits 0 et 1 ni la direction du transfert dans les bits 2 et 3.

Parmi les registres du contrôleur DMA, trois d'entre eux - 0Dh, 0Eh ainsi que 0Fh et leurs équivalents 0D8h, 0DAh et 0DCh - ne sont pas à considérer comme des registres à part entière. Ils servent uniquement à recevoir des commandes spéciales. Dès que le CPU transmet un octet de données à l'un de ces ports, il exécute une fonction spécifique du contrôleur DMA quel que soit le contenu de l'octet transmis.

En effectuant une sortie sur le port 0Eh (ou 0DCh), on peut lever le masque de tous les canaux de sorte que le contrôleur reçoive de nouveau des requêtes DMA sur ces canaux. Le même comportement s'effectue sur le port 0Dh (ou 0DAh) sauf qu'ici se produit un reset complet du contrôleur DMA en rétablissant les valeurs initiales dans les registres Command, Status et Request.

Le troisième "port Command" 0Ch (ou 0D8h) est requis pour régler le registre 16 bits avec l'adresse de début et la longueur du transfert en vue d'un transfert DMA comme le montre le tableau suivant.

Canal	Registre	Port*	Port**	Lecture	Ecriture
0	Adresse de début	00h	0C0h		X
0	Adresse en cours	00h	0C0h	X	
0	Longueur de transfert-1	01h	0C2h		X
0	Longueur restante-1	01h	0C2h	X	
1	Adresse de début	02h	0C4h		X
1	Adresse en cours	02h	0C4h	X	
1	Longueur de transfert-1	03h	0C6h		X
1	Longueur restante-1	03h	0C6h	X	
2	Adresse de début	04h	0C8h		X
2	Adresse en cours	04h	0C8h	X	
2	Longueur de transfert-1	05h	0cah		X
2	Longueur restante-1	05h	0cah	X	
3	Adresse de début	06h	0cch		X
3	Adresse en cours	06h	0cch	X	
3	Longueur de transfert-1	07h	0ceh		X
3	Longueur restante-1	07h	0ceh	X	

* *(esclave dans l'AT / un seul DMA dans le PC/XT)*

** *(maître dans l'AT / inexistant dans le PC/XT)*

Registres DMA dans un PC/XT ou AT pour définir et tester les canaux DMA

Il faut tout d'abord effectuer une sortie sur le port 0Ch (ou 0D8h) avant de définir l'un de ces registres pour déterminer l'adresse de début ou la longueur d'un transfert DMA. Un FlipFlop interne, remis à zéro, montre l'état d'un transfert 16 bits. Après la remise à zéro de ce FlipFlop, il faut envoyer impérativement au contrôleur DMA de l'AT (canal 5 AT) l'octet de poids faible vers le port concerné, par exemple le port 0C4h pour le canal 1.

La sortie provoque la commutation instantanée du FlipFlop interne. Immédiatement après, ce port attend l'octet de poids fort. Il reconnaît cet état grâce à l'activation du FlipFlop. Ce dernier doit être remis à zéro à l'aide d'une sortie renouvelée sur le port 0Ch (ou 0D8h) avant que le registre 16 bits suivant ne puisse être chargé.

Ce procédé quelque peu confus s'avère nécessaire du fait que les accès aux registres 16 bits ne sont prévus que pour 8 bits. Il faut donc répartir la valeur 16 bits sur deux colonnes Hi-Byte et Lo-Byte. Dans la mesure où la sortie de l'octet de poids fort et de l'octet de poids faible s'effectue sur le même port, le contrôleur DMA a besoin du FlipFlop pour faire la différence entre les deux.

La lecture d'un registre 16 bits fonctionne selon le même schéma : remettre d'abord à zéro FlipFlip, lire le port concerné pour obtenir l'octet de poids faible et interroger une deuxième fois le port pour lire l'octet de poids fort.

On n'a pas encore fini avec la définition du registre Mode, de l'adresse de début et de la longueur de transfert. Il faut régler également le registre Page du canal concerné pour ne pas se voir bloqué aux 64 premiers Ko de la mémoire (ou les 128 premiers Ko des canaux 16 bits) lors d'un transfert. Le tableau suivant décrit l'état des registres Page qui renferment les bits 16-23 de la zone de transfert. N'oubliez pas que pour les canaux 4 à 7, les registres Page ne sont disponibles que dans les AT équipés de deux contrôleurs DMA.

Canal	Port
0	87h
1	83h
2	82h
3	81h
4	8Fh
5	8Bh
6	89h
7	8Ah

Registres DMA page pour la réception des bits 16-23 de la zone de transfert

Une caractéristique est à noter également dans le contexte des registres Page dans le cas d'un PC/XT. Les canaux 0 et 1 ne disposent ici que d'un seul registre Page adressable par les deux adresses de port citées ici.

DMA-Util

Le module DMA-UTIL dont le listing est imprimé dans les pages suivantes vous épaulera lors de la programmation du contrôleur DMA. *DMA-Util* est pourvu de toutes les fonctions importantes nécessaires pour définir les paramètres de canaux, pour lire un transfert DMA, etc. Un exemple, mettant en pratique les fonctions de *DMA-Util*, est fourni au chapitre 38 à propos de la programmation de la carte SoundBlaster.

Fonction	Description
dma_Masterclear	Exécuter le reset d'un contrôleur DMA
dma_SetRequest	Déclencher un transfert DMA sur le canal spécifié
dma_ClrRequest	Arrêter le transfert DMA sur le canal spécifié
dma_SetMask	Masquer le canal spécifié (verrouiller)
dma_ClrMask	Libérer le canal spécifié
dma_ReadStatus	Lire l'état d'un contrôleur DMA
dma_ClrFlipFlop	Effacer FlipFlop pour un accès 16 bits
dma_ReadCount	Lire le compteur de transfert d'un canal
dma_SetChannel	Régler le canal DMA pour réaliser le transfert
dma_Until64kPage	Déterminer le nombre d'octets contenus dans un buffer et situés dans une page de 64 Ko
dma_AllocMem	Allouer une mémoire compatible DMA
dma_FreeMem	Libérer la mémoire DMA

Les fonctions de DMAUTIL.C

DMAUTIL.C   **DMAUTIL.H**

6.　Le clavier

Le clavier est un périphérique auquel vous aurez forcément affaire si vous programmez sous DOS. En tant que moyen privilégié d'entrée des données, il se trouve au centre de la plupart des applications, même les programmes résidents ne peuvent éviter de le prendre en compte.

Il est vrai que les programmes résidents ont une manière particulière de s'occuper du clavier. Les programmes d'application ordinaires se contentent d'interroger le clavier pour savoir quelle est la touche actionnée par l'utilisateur. Mais cette tâche n'est pas aussi primaire que l'on croit au premier abord. Il faut par exemple tenir compte de l'état des touches de commandes CAPS, NUM et SCROLL et faire une distinction entre les touches qui donnent des caractères visibles (lettres, chiffres et symboles spéciaux) et celles qui déclenchent certaines actions (touches de direction et touches de fonction).

Comme le montrera la section 6.2, ce point est encore assez simple. Mais les choses se compliquent lorsque les programmes TSR ou les routines ISR interceptent les touches pour pouvoir réagir avant le programme d'application en cours d'exécution. La section 6.3 expliquera ce type de possibilité.

La section 6.4 est consacrée à la programmation du clavier car dans une certaine mesure le mode de fonctionnement de ce périphérique peut être contrôlé par logiciel. C'est ainsi que l'on peut fixer la vitesse de répétition des caractères lorsqu'on maintient une touche enfoncée ou commander les diodes témoins.

Pour éclairer le contexte dans lequel se passent ces événements, la section 6.1 montre le chemin parcouru par un caractère depuis la frappe d'une touche jusqu'à sa prise en compte par le programme d'application en cours d'exécution. Vous y apprendrez aussi quels sont les différents types de claviers usuels.

6.1.　Fondements de la programmation du clavier

Le chapitre 1 a déjà montré comment les différents niveaux du matériel, du BIOS et de DOS collaborent pour gérer le clavier. Nous allons reparler ici de cette collaboration et l'approfondir pour préparer le terrain aux études ultérieures.

6.1.1.　Une longue route : de la touche au programme

Tout commence par l'utilisateur qui actionne une touche. Il en résulte un signal électrique qui exprime la position de la touche frappée. Ce signal est traité par le circuit maître du clavier qui se trouve à l'intérieur de ce dernier. Il s'agit en général d'un processeur Intel dénommé 8048 ou d'un circuit équivalent en provenance d'un autre fabricant. Du côté de l'ordinateur et dans le cas des AT uniquement, le clavier est géré par un contrôleur 8042 d'Intel. Ce dernier autorise une communication bilatérale entre l'ordinateur et le clavier ce qui n'est pas possible avec les PC et les XT.

Conversion en Scan code

Le circuit du clavier transforme le signal électrique de la position de la touche en un numéro appelé *Scan code*. Ce code n'a aucun rapport avec le caractère ou la fonction de la touche enfoncée. Il représente simplement un numéro qui reste à exploiter.

Pour cela le circuit du clavier transmet le Scan code à l'ordinateur. Si c'est un AT, le Scan code est réceptionné par le contrôleur de clavier. La transmission se fait en mode série car le câble qui relie le clavier à l'ordinateur ne comporte qu'une ligne de données. Contrairement à ce qui se passe pour l'interface série du PC, à laquelle on connecte par exemple une imprimante, un modem ou une souris, la communication n'est pas asynchrone mais synchrone. Ceci veut dire qu'à côté de la ligne des données il existe une ligne qui véhicule un signal de synchronisation à fréquence fixe. Le signal varie sans cesse entre les niveaux Hi et Lo (1 et 0), et c'est à ce rythme que sont transmis les différents bits du Scan code. Si plusieurs touches ont été actionnées en même temps, le circuit du clavier commence par stocker les frappes dans un buffer interne qui peut en général contenir 10 caractères. Il ne se remplit jamais car la transmission est bien trop rapide pour que l'utilisateur puisse suivre.

Codes Make et Break

Les Scan codes ne sont pas seulement générés lorsqu'on enfonce une touche mais également lorsqu'on la relâche. Le système sait donc à tout moment si une touche a été libérée ou si elle est restée pressée. Ce point est très important car ce n'est qu'à ce prix que l'action de plusieurs touches simultanées peut être correctement prise en compte. Si cette possibilité n'existait pas on ne pourrait pas afficher de majuscules car ces dernières résultent de la frappe simultanée de la touche Majuscule et d'une touche représentant un caractère. Pensez aussi à la célèbre combinaison <Ctrl><Alt><Suppr> qui redémarre le système.

Pour distinguer les Scan codes qui expriment l'enfoncement et le relâchement des touches, on parle de "make codes" et de "break codes".

Les deux ne diffèrent que par le bit 7 qui est égal à 0 dans le code *Make*, à 1 dans le code *Break*.

Il en résulte deux conséquences importantes. Les codes *Break* sont toujours supérieurs ou égaux à 128, tandis que les codes *Make* sont inférieurs à 128. Par ailleurs un clavier de PC ne peut pas avoir plus de 128 touches, sinon les codes *Make* déborderaient sur les codes *Break*, ce qui donnerait un joli mélange.

En pratique la frappe simultanée de plusieurs touches se passe de la façon suivante. Pour taper un A majuscule l'utilisateur enfonce d'abord la touche <Maj> droite puis la touche du caractère "A". A ce moment le contrôleur du clavier a déjà transmis à l'ordinateur le code *Make* de la touche <Maj>. Quel que soit le système et le clavier, ce code est égal à 36h. A sa suite arrive le code *Make* de la lettre A, égal à 1Eh. A ce moment comme le système n'a pas encore reçu le code *Break* de la touche <Maj> droite, il sait que le caractère doit être considéré comme une majuscule.

Mais qui reçoit les Scan codes du côté du PC et dans quelles conditions ?

Le gestionnaire du clavier du BIOS

Chaque fois que le clavier envoie un code Make ou Break à l'ordinateur, il déclenche en même temps une interruption matérielle IRQ1. Ceci conduit à l'appel de l'interruption 09h derrière laquelle se cache une routine du BIOS, le gestionnaire du clavier, qui reçoit les codes *Make* et *Break* et les transforme en codes ASCII fournis au programme en cours d'exécution. Mais le cheminement est encore assez long.

Le gestionnaire du clavier doit d'abord se préoccuper de prendre connaissance des codes *Make* et *Break*. Il se sert à cet effet d'un port d'entrée-sortie qui possède toujours l'adresse 60h et est spécialisé dans le recueil des codes *Make* et *Break*. En étudiant le code, le gestionnaire du clavier détermine le moment où la saisie d'un caractère est achevée.

En effet chaque frappe ne correspond pas forcément à l'entrée d'un caractère, comme nous l'avons déjà vu dans l'exemple du A majuscule. Dans cet exemple le gestionnaire ne générait une lettre que lorsqu'il percevait le code *Make* de la touche A et non pas au moment où la touche Majuscule était enfoncée. Pensez également à l'introduction d'un code de caractère par la touche <Alt> combinée avec des chiffres du pavé numérique. De nombreuses touches sont enfoncées et relâchées avant que l'introduction du caractère ne soit achevée.

Lorsque le gestionnaire a reconnu le caractère tapé, il doit le convertir en un code compréhensible par le programme d'application. Le rôle des Scan codes s'arrête là car les différents types de claviers existants n'exploitent pas toujours les mêmes codes, encore qu'une certaine unanimité se fasse malgré tout sentir.

Les Scan codes sont donc convertis en codes ASCII, un codage universellement admis dans le monde des PC. En toute rigueur, le code ASCII ne comporte que 128 caractères, mais la variante "étendue" en exploite 256. L'annexe N donne la table des codes ASCII.

Le caractère converti n'est pas immédiatement transmis au programme d'application mais déposé dans un buffer dont l'organisation et le fonctionnement ont été décrits au chapitre 3. A ce moment le gestionnaire du clavier a rempli son devoir. Il est maintenant de la responsabilité du programme d'application de ressortir le code du buffer et de le traiter. L'interruption 16h du BIOS propose plusieurs fonctions à cet effet : elles sont décrites au chapitre 6.2. Comme on le voit, leur appel met fin à un long voyage.

Adaptation des claviers étrangers

Mais restons encore un moment avec le gestionnaire du clavier. Il est exact que le BIOS en ROM définit un tel gestionnaire mais lorsqu'on travaille sous DOS il est remplacé par un autre programme. Il s'agit du fameux KEYB (autrefois KEYBFR) qui est probablement mentionné dans votre AUTOEXEC.BAT. Il intervient parce que le gestionnaire en ROM est prévu pour les claviers américains, qui ignorent par exemple les caractères *é, è, ù, ç* et dont l'emplacement des touches diffère (Q à la place du A, etc.).

Faute de charger le gestionnaire KEYB pour remplacer celui du BIOS, on obtiendrait à l'écran un "Q" lorsqu'on tape un "A". L'ordinateur ne sait pas lire ce qui est gravé sur les touches : ce qui compte c'est la conversion du Scan code en ASCII prise en charge par le gestionnaire du clavier. Il est facile de comprendre que le Scan code d'une touche reste le même, qu'elle s'appelle "Q" ou "A".

Si certains programmes sous DOS (notamment des jeux) comprennent "Q" lorsque vous tapez "A", le responsable n'en est pas le gestionnaire mais le mode d'interrogation du clavier. Ces programmes en effet, au lieu de prendre en compte le code ASCII tout prêt, se saisissent directement du Scan code et font eux-mêmes la conversion ASCII. Comme ils n'ont pas la possibilité de reconnaître la nationalité du clavier, ils ne savent rien de ce qui est gravé sur les touches.

Mais un gestionnaire de clavier n'est pas seulement capable de faire représenter à l'écran les caractères gravés sur les touches. Il sait aussi étendre la fonctionnalité de la touche, comme c'est le cas lorsqu'en langue française on tape le caractère ê à l'aide des touches ^ *et e.*

6.1.2.   Les différents types de claviers

L'affectation des touches d'un clavier peut être très variable : il existe des claviers suédois, français, anglais, allemands. Mais sur le plan des principes il n'existe que trois claviers standard dans le monde du PC. Tous trois ont été introduits par les micro-ordinateurs d'IBM. Le standard concerne le nombre de touches et les Scan codes. Les symboles reproduits sur les touches dépendent de la version nationale en cause mais la disposition fondamentale des lettres, des chiffres, des caractères spéciaux, des touches de direction et de fonction reste inchangée. La figure suivante montre les trois standards.

LES TROIS CLAVIERS STANDARD DANS LE DOMAINE DU PC

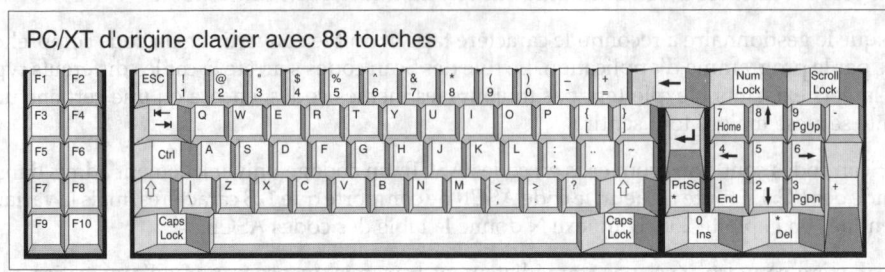

PC/XT d'origine clavier avec 83 touches

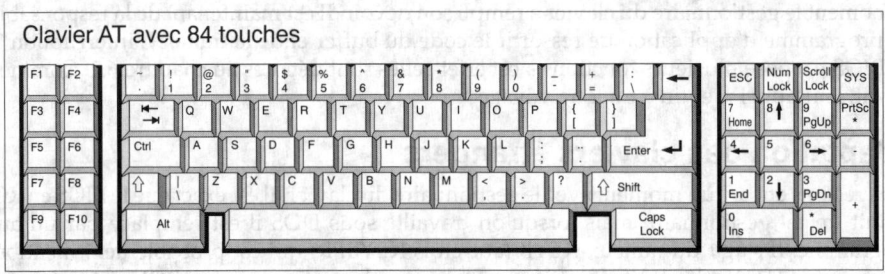

Clavier AT avec 84 touches

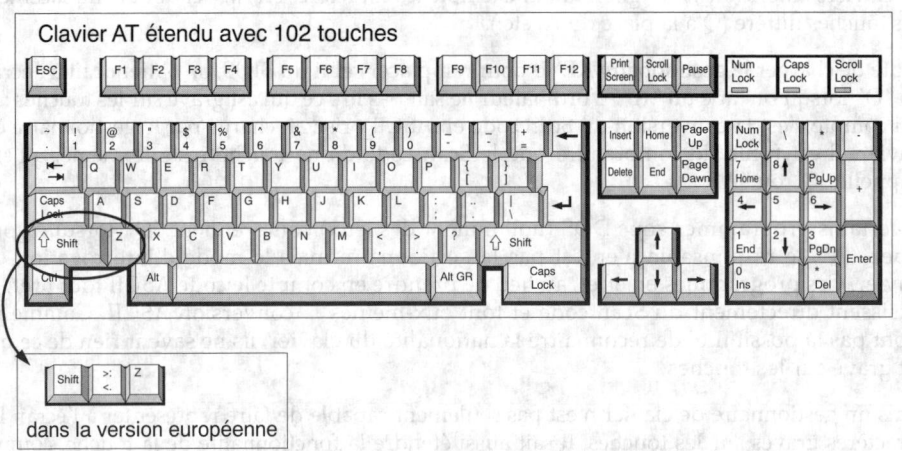

Clavier AT étendu avec 102 touches

dans la version européenne

Le PC est né avec le clavier PC/XT de 83 touches. Du point de vue ergonomique, ce clavier était une vraie catastrophe car la touche <Entrée> et les deux touches <Majuscule> étaient beaucoup trop petites.

Cette erreur de conception fut réparée lors de l'introduction de l'AT qui bénéficia d'un clavier amélioré de 84 touches. La touche <Entrée> était correctement dimensionnée de sorte que l'opérateur ne risquait plus de taper à côté lors d'une frappe soutenue. De même les deux touches <Majuscule> avaient la bonne taille. Mais comme les dimensions de l'ensemble n'avaient pas varié, d'autres touches durent réduire leur encombrement. Ce fut le cas des touches de verrouillage numérique (<Num Lock>) et d'arrêt du défilement (<Scroll Lock>) qui

154

ne sont pas d'un usage intensif et qui n'avaient pas de raison d'être plus grandes que les touches Majuscule. Le même sort frappa la touche <+> à droite du pavé numérique. Une nouvelle touche apparut : la touche <Sys> plus tard rebaptisée "Sys Req". Elle devait constituer une sorte de touche de fonction spécialisée dans les appels au système ou aux programmes résidents, mais elle ne fut jamais exploitée par les concepteurs de logiciels.

Le clavier étendu

IBM décida de rompre avec le design de son clavier classique en introduisant le clavier appelé "étendu", conçu à l'origine pour l'AT.

Le clavier étendu présente des caractéristiques tout à fait remarquables qui lui ont assuré une percée rapide :

O   un bloc de touches de direction a été rajouté pour décharger le pavé numérique

O   les touches de fonction ont été déplacées dans la rangée supérieure, comme c'est le cas pour les claviers des grands systèmes IBM

O   des touches de fonction supplémentaires F11 et F12 ont été rajoutées, également dans un but de compatibilité avec les grands systèmes

O   la touche de commande Alt a été mise dans la rangée de la barre d'espacement pour être plus accessible. Par ailleurs la touche <Alt Gr> a été créée pour simuler la frappe simultanée des touches <Alt> et <Ctrl>

O   trois diodes électroluminescentes affichent l'état du verrouillage numérique, du verrouillage des majuscules et de l'arrêt du défilement.

Le clavier étendu existe en deux versions différentes : la version US possède 101 touches tandis que la version européenne en comporte 102, soit une de plus. Cette touche supplémentaire a été disposée à droite de la touche <Majuscule gauche> qui a subi de ce fait une amputation. Elle n'apporte pas beaucoup d'avantages aux utilisateurs européens car les symboles qu'elle porte sont accessibles par une autre touche alors que la réduction de la touche <Majuscule gauche> restaure l'inconfort du clavier du PC/XT tant décrié à l'époque.

En dépit de ce défaut et du déplacement des touches de fonction, le clavier étendu est aujourd'hui le plus répandu dans le monde du PC : il équipe pratiquement tous les systèmes courants.

Le logiciel, c'est-à-dire essentiellement le gestionnaire du clavier, reconnaît le clavier étendu à une marque de reconnaissance qui est réceptionnée à la suite d'une requête spéciale. Les deux autres claviers ne possèdent pas ce perfectionnement.

Claviers des Laptops et des Notebook

L'apparition des micro-ordinateurs portables de type Laptop ou Notebook a entraîné une nouvelle multiplication des claviers. En tant que programmeur, il n'est cependant pas nécessaire de se bagarrer avec eux car il émulent en principe l'un des trois claviers standard. Dans certains cas les scan codes originaux sont émis à partir de l'intérieur du clavier, dans d'autres cas les scan codes divergents sont convertis en ASCII classique par le gestionnaire du clavier. Cette dernière méthode est plus rare d'emploi car les drivers du genre KEYB doivent être adaptés à des scan codes différents.

Dès qu'un fabricant acquiert la licence de DOS auprès de Microsoft ou Novell, il est libre de remanier KEYB à sa guise. Mais il doit s'attendre à ce que certains programmes résidents ne fonctionnent pas correctement sur son clavier car ces derniers l'interrogent généralement au plus bas niveau, celui des Scan codes.

Clavier et souris

Il existe aussi des claviers qui comportent des extensions pour commander une souris, par exemple une boule (trackball) ou des touches spéciales. Le programmeur n'a pas à s'en soucier car leur traitement s'effectue par l'interface souris classique (étudiée au chapitre 11).

6.2. Accès au clavier par le BIOS

Pour l'interrogation du clavier à partir des programmes d'application, le BIOS offre trois fonctions différentes qui seront examinées dans la première partie de cette section. Ces fonctions ignorent les touches de fonction supplémentaires du clavier étendu et ne font pas de distinction entre les touches de direction situées dans le pavé numérique et celles qui sont disposées à part. La deuxième section est consacrée aux extensions des fonctions du BIOS qui prennent en compte les particularités des claviers étendus.

Les deux dernières sections n'intéresseront que les développeurs de programmes résidents ou d'utilitaires spéciaux liés au clavier. Elles sont consacrées aux différentes variables utilisées par le BIOS pour gérer le clavier et aux Scan codes.

6.2.1. Les fonctions de l'interruption 16h du BIOS

Les codes ASCII générés par le gestionnaire du clavier du BIOS ou de DOS (KEYB) peuvent être obtenus par deux fonctions de l'interruption 16h. Il s'agit des fonctions 0 et 1 auxquelles est associée une autre fonction qui porte le numéro 2. Cette dernière donne en fait l'état des touches de commande.

Interrogation du clavier

La fonction 00h de l'interruption 16h du BIOS permet à un programme de prendre connaissance d'une touche frappée. Comme argument d'entrée, il suffit de mettre le numéro de la fonction dans le registre AH.

Si avant l'appel l'utilisateur a tapé un caractère qui se trouve en attente dans le buffer clavier du BIOS, la fonction renvoie ce caractère sous forme d'un code ASCII mémorisé dans le registre AL.

Si aucun caractère ne se trouve dans le buffer, la fonction attend que l'utilisateur tape une touche. Ce n'est qu'à ce moment qu'elle rend la main : selon la patience de l'utilisateur, l'attente peut durer des secondes, des minutes, des heures ou des années.

Ce mécanisme n'est pas toujours très pratique. Il existe des situations où un processus doit se poursuivre jusqu'à la frappe d'une touche. Par exemple lorsqu'on imprime un document, il est normal de prévoir l'interruption de la tâche au moyen d'une touche.

La fonction 00H ne permet pas la programmation correspondante car elle ne rend le contrôle que lorsqu'on tape une touche. Ce qu'il faudrait, c'est une fonction qui informe le programme de la frappe d'une touche : tel est précisément le rôle de la fonction 01h.

Une fois appelée, cette dernière rend immédiatement le contrôle à l'utilisateur, qu'un caractère se trouve ou non dans le buffer. L'information recherchée est fournie par l'indicateur de zéro du registre des indicateurs. Cet indicateur est à 1 si le buffer est vide et à 0 s'il contient des caractères. Dans ce cas, le registre AL contient le code ASCII du prochain caractère comme pour la fonction 00h.

Pour appeler la fonction 01h, le seul argument d'entrée nécessaire est le numéro de la fonction, à mettre dans AH. Contrairement à la fonction 00h, elle ne retire pas le caractère renseigné du buffer. Si une touche est identifiée et traitée par la fonction 01h, son code doit ensuite être retiré du buffer par la fonction 00h, sinon il y reste et le BIOS le retournera si l'appel est renouvelé.

L'algorithme suivant montre comment on peut organiser l'impression d'un document en autorisant son interruption par la touche <Esc>.

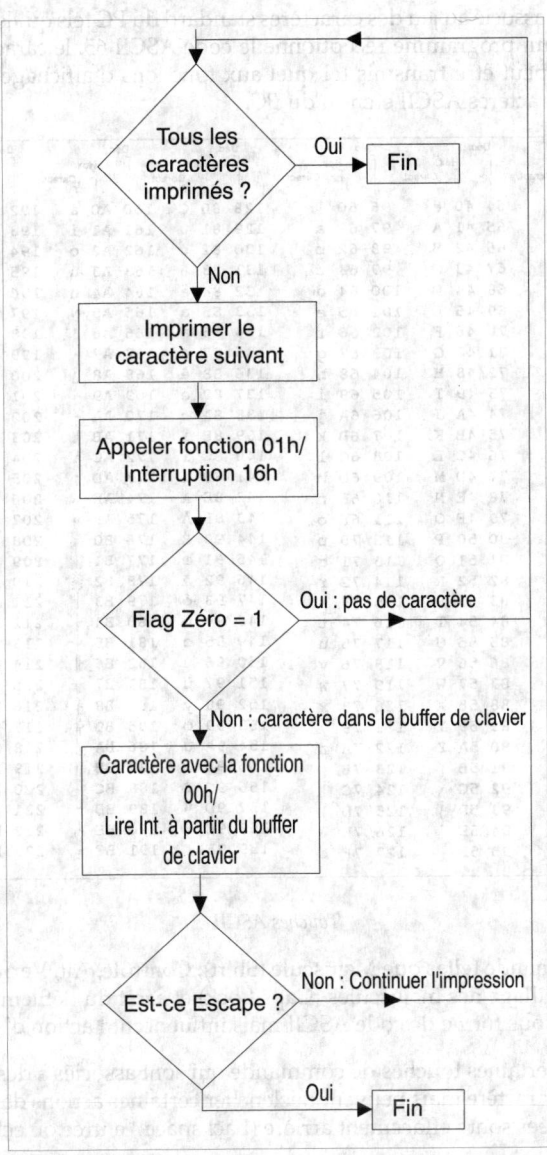

Utilisation des fonctions 00 h et 01h pour l'interruption d'une impression

Codage des touches

Il n'est pas tout à fait juste de prétendre que les fonctions 00h et 01h ne servent qu'à renvoyer en AL le code ASCII de la touche frappée. A l'issue de leur appel, le registre AH contient aussi le scan code que le clavier a envoyé au gestionnaire et qui a permis la conversion en ASCII. La section 6.2.4 vous en dira davantage sur les scan codes. Normalement les programmes d'application n'ont besoin que du code ASCII.

Ici le code ASCII est associé au jeu des caractères standard du PC tels qu'ils peuvent apparaître sur l'écran. Lorsqu'un programme réceptionne le code ASCII 65, le caractère concerné est le "A" majuscule qui peut être transmis tel quel aux fonctions d'affichage. La figure suivante rappelle le jeu de caractères ASCII étendu du PC.

Déc.	Hex.	Caract.	Déc.	Hex.	Caract.	Déc.	Hex.	Caract.	Déc.	Hex.	Caract.	Déc.	Hex.	Caract.	Déc.	Hex.	Caract.	Déc.	Hex.	Caract.	Déc.	Hex.	Caract.
0	00		32	20		64	40	@	96	60	`	128	80	Ç	160	A0	á	192	C0	└	224	E0	α
1	01	☺	33	21	!	65	41	A	97	61	a	129	81	ü	161	A1	í	193	C1	┴	225	E1	ß
2	02	●	34	22	"	66	42	B	98	62	b	130	82	é	162	A2	ó	194	C2	┬	226	E2	Γ
3	03	♥	35	23	#	67	43	C	99	63	c	131	83	â	163	A3	ú	195	C3	├	227	E3	π
4	04	♦	36	24	$	68	44	D	100	64	d	132	84	ä	164	A4	ñ	196	C4	─	228	E4	Σ
5	05	♣	37	25	%	69	45	E	101	65	e	133	85	à	165	A5	Ñ	197	C5	┼	229	E5	σ
6	06	♠	38	26	&	70	46	F	102	66	f	134	86	å	166	A6	ª	198	C6	╞	230	E6	µ
7	07	•	39	27	'	71	47	G	103	67	g	135	87	ç	167	A7	º	199	C7	╟	231	E7	τ
8	08	◘	40	28	(	72	48	H	104	68	h	136	88	ê	168	A8	¿	200	C8	╚	232	E8	Φ
9	09	○	41	29	)	73	49	I	105	69	i	137	89	ë	169	A9	⌐	201	C9	╔	233	E9	Θ
10	0A	◙	42	2A	*	74	4A	J	106	6A	j	138	8A	è	170	AA	¬	202	CA	╩	234	EA	Ω
11	0B	♂	43	2B	+	75	4B	K	107	6B	k	139	8B	ï	171	AB	½	203	CB	╦	235	EB	δ
12	0C	♀	44	2C	,	76	4C	L	108	6C	l	140	8C	î	172	AC	¼	204	CC	╠	236	EC	∞
13	0D	♪	45	2D	-	77	4D	M	109	6D	m	141	8D	ì	173	AD	¡	205	CD	═	237	ED	φ
14	0E	♫	46	2E	.	78	4E	N	110	6E	n	142	8E	Ä	174	AE	«	206	CE	╬	238	EE	ε
15	0F	☼	47	2F	/	79	4F	O	111	6F	o	143	8F	Å	175	AF	»	207	CF	╧	239	EF	∩
16	10	►	48	30	0	80	50	P	112	70	p	144	90	É	176	B0	░	208	D0	╨	240	F0	≡
17	11	◄	49	31	1	81	51	Q	113	71	q	145	91	æ	177	B1	▒	209	D1	╤	241	F1	±
18	12	↕	50	32	2	82	52	R	114	72	r	146	92	Æ	178	B2	▓	210	D2	╥	242	F2	≥
19	13	‼	51	33	3	83	53	S	115	73	s	147	93	ô	179	B3	│	211	D3	╙	243	F3	≤
20	14	¶	52	34	4	84	54	T	116	74	t	148	94	ö	180	B4	┤	212	D4	╘	244	F4	⌠
21	15	§	53	35	5	85	55	U	117	75	u	149	95	ò	181	B5	╡	213	D5	╒	245	F5	⌡
22	16	▬	54	36	6	86	56	V	118	76	v	150	96	û	182	B6	╢	214	D6	╓	246	F6	÷
23	17	↨	55	37	7	87	57	W	119	77	w	151	97	ù	183	B7	╖	215	D7	╫	247	F7	≈
24	18	↑	56	38	8	88	58	X	120	78	x	152	98	ÿ	184	B8	╕	216	D8	╪	248	F8	°
25	19	↓	57	39	9	89	59	Y	121	79	y	153	99	Ö	185	B9	╣	217	D9	┘	249	F9	∙
26	1A	→	58	3A	:	90	5A	Z	122	7A	z	154	9A	Ü	186	BA	║	218	DA	┌	250	FA	·
27	1B	←	59	3B	;	91	5B	[	123	7B	{	155	9B	¢	187	BB	╗	219	DB	█	251	FB	√
28	1C	∟	60	3C	<	92	5C	\	124	7C	|	156	9C	£	188	BC	╝	220	DC	▄	252	FC	ⁿ
29	1D	↔	61	3D	=	93	5D	]	125	7D	}	157	9D	¥	189	BD	╜	221	DD	▌	253	FD	²
30	1E	▲	62	3E	>	94	5E	^	126	7E	~	158	9E	₧	190	BE	╛	222	DE	▐	254	FE	■
31	1F	▼	63	3F	?	95	5F	_	127	7F	⌂	159	9F	ƒ	191	BF	┐	223	DF	▀	255	FF	

Touches ASCII

Les touches de commande telles que Majuscule (Shift), Contrôle, Alt, Verrouillage numérique (Num Lock), Verrouillage des majuscules (Caps Lock) et arrêt du défilement (Scroll Lock) ne sont pas renvoyées sous forme de code ASCII mais influencent l'action d'autres touches.

Il existe cependant certaines touches de commande qui sont associés à des codes ASCII : elles ne génèrent pas de caractère mais peuvent déclencher certaines actions dans les programmes. Les touches concernées sont : effacement arrière (Backspace), entrée ou échappement (Esc) :

Touches de commande associées à un code ASCII			
Code	Signification	Code	Caractère
8	Backspace	BS,	
9	Tabulation	TAB,	
10	Linefeed (Ctrl+Entrée)	LF,	
13	Entrée	CR,	
27	Escape	ESC,	

Tous ces codes peuvent être obtenus par combinaison de la touche <Ctrl> avec une lettre (principe valable pour tous les codes ASCII inférieurs à 33) :

Dec	Symbol	Touches
0	Vide (rien)	Ctrl+2
1	☺	Ctrl+A
2	☻	Ctrl+B
3	♥	Ctrl+C
4	♦	Ctrl+D
5	♣	Ctrl+E
6	♠	Ctrl+F
7	•	Ctrl+G
8	BS	Ctrl+H, Backspace Shift+Backspace
9	TAB	Ctrl+I
10	LF	Ctrl+J Ctrl+↵
11	♂	Ctrl+K
12	♀	Ctrl+L
13	CR	Ctrl+M↵, Shift+↵
14	♫	Ctrl+N
15	✧	Ctrl+O

Dec	Symbol	Touches
16	►	Ctrl+P
17	◄	Ctrl+Q
18	↕	Ctrl+R
19	‼	Ctrl+S
20	¶	Ctrl+T
21	§	Ctrl+U
22	▬	Ctrl+V
23	↨	Ctrl+W
24	↑	Ctrl+X
25	↓	Ctrl+Y
26	→	Ctrl+Z
27	ESC	Ctrl+[, ESC, Shift+ESC, Ctrl+ESC
28	└	Ctrl+\
29	↔	Ctrl+]
30	▲	Ctrl+6
31	▼	Ctrl+ -
32	Espace	Touche Espace, Espace+Shift, Espace+Ctrl, Espace+Alt

Introduction de caractères de contrôle avec la touche Ctrl

La signification particulière des codes ASCII 8, 9, 10, 13 et 27 provoque quelques difficultés. Par exemple si l'utilisateur veut taper une petite flèche vers la gauche, ce caractère ayant le code ASCII 27 est interprété par la plupart des programmes comme une commande d'échappement (Esc).

Si vous voulez éviter ce dilemme dans l'un de vos propres programmes, il convient de définir une touche à actionner avant le caractère ambivalent, par exemple F1.

Votre programme devra toujours garder en mémoire le dernier caractère tapé et lorsqu'il reçoit le code associé à Esc, Entrée ou Tab, il devra vérifier s'il n'a pas été précédé de F1. Si tel est le cas, la touche ne doit pas être interprétée comme une commande mais comme un caractère ordinaire.

Codes de clavier étendus

A propos de F1, signalons que les deux fonctions du BIOS retournent également des codes de clavier étendus.

En effet si les 256 caractères du jeu ASCII comportent quelques caractères de contrôle du genre Tab, Entrée ou Echappement, il n'y a plus de place dans leur jeu pour les touches de fonction et de direction.

Les codes de ces touches sont donc exprimés d'une autre manière. Leur code ASCII proprement dit est 0 mais leur identification dite "code étendu" est contenue dans le registre AH, c'est-à-dire là où se trouve habituellement le Scan code.

Si à l'appel de l'une des deux fonctions 00h et 01h votre programme tombe sur la valeur 0 dans le registre AL, vous devez continuer les recherches en inspectant le registre AH qui contient l'indication de la touche frappée.

Ce processus permet de rajouter 256 codes au jeu ASCII ordinaire, ainsi toutes les possibilités ouvertes ne sont pas exploitées.

Le tableau suivant donne la liste des codes de clavier étendus que vous pouvez réceptionner en interrogeant les fonctions 00h et 01h de l'interruption 16h du BIOS.

Les combinaisons de touches qui ne sont pas mentionnées, par exemple celles qui font intervenir <Ctrl>, <Majuscule> et une lettre ne sont pas reconnues par le BIOS et ne génèrent donc pas de code propre.

Codes de clavier étendus		
Hexadécimal	**Décimal**	**généré par**
0Fh	15	Majuscule + Tab
2ème rangée		
10h	16	Alt + Q
11h	17	Alt + W
12h	18	Alt + E
13h	19	Alt + R
14h	20	Alt + T
15h	21	Alt + Z
16h	22	Alt + U
17h	23	Alt + I
18h	24	Alt + O
19h	25	Alt + P

Codes de clavier étendus		
Hexadécimal	**Décimal**	**généré par**
3ème rangée		
1Eh	30	Alt + A
1Fh	31	Alt + S
20h	32	Alt + D
21h	33	Alt + F
22h	34	Alt + G
23h	35	Alt + H
24h	36	Alt + J
25h	37	Alt + K
26h	38	Alt + L
4ème rangée		
2Ch	44	Alt + Y
2Dh	45	Alt + X
2Eh	46	Alt + C
2Fh	47	Alt + V
30h	48	Alt + B
31h	49	Alt + N
32h	50	Alt + M
3bh	59	F1
3ch	60	F2
3dh	61	F3
3eh	62	F4
3fh	63	F5
40h	64	F6
41h	65	F7
42h	66	F8
43h	67	F9
44h	68	F10
47h	71	Home (Origine)
48h	72	< ↑ >
49h	73	PgUp
4Bh	75	< ↓ >
4Dh	77	< ⊗ >
50h	80	< ⊕ >
51h	81	PgDn
52h	82	Insert
53h	83	Suppr
54h	84	Majuscule + F1
55h	85	Majuscule + F2
56h	86	Majuscule + F3
57h	87	Majuscule + F4
58h	88	Majuscule + F5
59h	89	Majuscule + F6
5Ah	90	Majuscule + F7

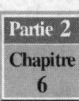

Codes de clavier étendus		
Hexadécimal	**Décimal**	**généré par**
5Bh	91	Majuscule + F8
5Ch	92	Majuscule + F9
5Dh	93	Majuscule + F10
5Eh	94	Ctrl + F1
5Fh	95	Ctrl + F2
60h	96	Ctrl + F3
61h	97	Ctrl + F4
62h	98	Ctrl + F5
63h	99	Ctrl + F6
64h	100	Ctrl + F7
65h	101	Ctrl + F8
66h	102	Ctrl + F9
67h	103	Ctrl + F10
68h	104	Alt + F1
69h	105	Alt + F2
6Ah	106	Alt + F3
6Bh	107	Alt + F4
6Ch	108	Alt + F5
6Dh	109	Alt + F6
6Eh	110	Alt + F7
6Fh	111	Alt + F8
70h	112	Alt + F9
71h	113	Alt + F10
73h	115	Ctrl + < ⌊ >
74h	116	Ctrl + < ⊗ >
75h	117	Ctrl + End (Fin)
76h	118	Ctrl + PgDn
77h	119	Ctrl + Home
78h	120	Alt + 1 (1re rangée)
79h	121	Alt + 2
7Ah	122	Alt + 3
7Bh	123	Alt + 4
7Ch	124	Alt + 5
7Dh	125	Alt + 6
7Eh	126	Alt + 7
7Fh	127	Alt + 8
80h	128	Alt + 9
81h	129	Alt + 0

Les combinaisons absentes du tableau ne peuvent pas être identifiées par les fonctions de clavier du BIOS car elles ne génèrent pas de code étendu. Tel est notamment le cas des combinaisons de plusieurs touches de commande (Alt, Ctrl et Majuscule) avec les touches de fonction. Il existe des programmes DOS capables de traiter ces touches parce qu'ils possèdent un gestionnaire de clavier propre qui leur donne une puissance accrue.

Touches particulières

Certaines touches ne peuvent pas être traitées lorsqu'elles déclenchent une certaine action à l'intérieur-même du gestionnaire de clavier : leur code n'est donc pas écrit dans le buffer du BIOS.

C'est ainsi que la frappe de <Impr Ecran> (Prt Scr) provoque automatiquement l'appel de l'interruption 05h qui est une routine d'impression du contenu de l'écran (hard copy).

La touche de pause (<Ctrl> + <Num> pour les claviers de PC/XT) agit différemment. Elle fige le système jusqu'à ce qu'une nouvelle touche soit frappée. Ce processus demeure transparent pour le programme en cours d'exécution.

L'enfoncement simultané des touches <Ctrl> et <Break> provoque l'appel de l'interruption 1Bh. Normalement le programme en cours d'exécution est interrompu et on se trouve renvoyé au niveau système. Pour empêcher ce mécanisme, vous pouvez détourner cette interruption en lui substituant votre propre routine, qui se réduira en fait à l'instruction IRET. L'exécution du gestionnaire d'interruption s'achève aussitôt et le contrôle est rendu au programme.

La touche <Sys> ou <SysReq> n'existe que sur les claviers AT ou les claviers étendus. Lorsqu'on appuie dessus, on déclenche l'interruption 15h avec une valeur de 8500h dans le registre AX. Le même phénomène se reproduit lorsqu'on relâche la touche, la valeur introduite dans AX étant alors 8501h.

Le nombre 85h en AH signifie que c'est la fonction numéro 85h de l'interruption 15h qui est appelée. Cette fonction se réduit habituellement à une instruction IRET. Autrement dit, la frappe de la touche demeure sans effet. Mais il ne tient qu'à vous de développer un gestionnaire d'interruption pour l'interruption 15h qui effectue les tâches que vous voudrez bien lui confier. Notez cependant que vous ne devez toucher qu'à la fonction 85h et renvoyer les autres appels à l'ancienne interruption 15h.

Lecture de l'état du clavier

La troisième fonction de l'interruption clavier du BIOS sert à lire l'état du clavier. Elle porte le numéro 02h. Elle retourne dans le registre AL la valeur d'une variable que le BIOS tient à jour à chaque frappe dans son segment de variables. Son nom : l'indicateur d'état du clavier.

Il indique la situation (active ou non) des touches <Majuscule>, <Alt>, <Ctrl>, <VerrNum>, <VerrMaj>, <Arrêt Défil> et <Ins>. La figure suivante montre comment les différents bits de l'indicateur expriment l'état des touches. Par exemple si le bit 3 est à 1, l'utilisateur est en train de presser la touche <Alt>. Si le bit 6 est à 1, l'utilisateur a verrouillé les majuscules.

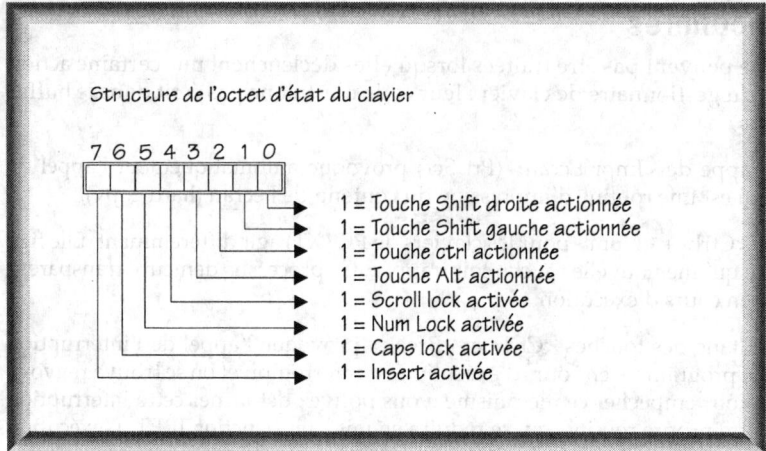

Structure de l'octet d'état du clavier

7 6 5 4 3 2 1 0

1 = Touche Shift droite actionnée
1 = Touche Shift gauche actionnée
1 = Touche ctrl actionnée
1 = Touche Alt actionnée
1 = Scroll lock activée
1 = Num Lock activée
1 = Caps lock activée
1 = Insert activée

Vous voyez que l'indicateur fait une distinction entre <Majuscule droite> et <Majuscule gauche> mais qu'il ne fait aucune différence entre les diverses touches <Alt> et <Ctrl> du clavier étendu. Il est vrai lorsque l'indicateur d'état du clavier et la fonction 02h de l'interruption clavier du BIOS ont été élaborés, le clavier étendu n'existait pas encore.

L'indicateur d'état du clavier intervient fréquemment dans les programmes résidents lorsqu'il s'agit de détecter la touche d'activation qui doit les déclencher. Ce point sera étudié au chapitre 35 qui est entièrement consacré aux programmes résidents et se préoccupe intensément de la lecture du clavier.

Exemples de programmes

Pour clore cette section je voudrais vous présenter trois exemples de programmes écrits en Basic, Pascal et C et qui démontrent l'usage des fonctions du BIOS décrites plus haut. Ils s'appellent TOUCHEB.BAS, TOUCHEC.C et TOUCHEP.PAS.

Leur tâche est d'afficher en permanence pendant la frappe d'une chaîne de caractères l'état actuel des touches <VerrNum>, <VerrMaj> et <Ins>.

Ce programme se justifie surtout pour les possesseurs de claviers de PC/XT ou d'AT car les claviers étendus ont des diodes électroluminescentes qui indiquent l'activation des touches mentionnées (sauf la touche <Ins>).

Le but poursuivi par le programme a été sélectionné avec beaucoup de soin car la simple lecture des caractères tapés au clavier ne justifie que rarement l'appel direct aux fonctions du BIOS. Tous les langages évolués possèdent en effet des instructions appropriées. En Basic, c'est *Input$*, en Pascal la fonction *ReadKey*, en C *getch()*. Toutes ces instructions font plus ou moins appel aux fonctions du BIOS.

Malgré tout, notre exemple montre qu'il existe des circonstances qui réclament l'exploitation des fonctions du clavier de DOS en langage évolué.

Au centre du programme se trouve une fonction appelée *GetKey* qui attend que l'utilisateur tape une touche et renvoie le code de la touche tapée à l'appelant. Mais commençons par le commencement.

Au début du programme est appelée la routine INIKEY qui lit l'état des touches de commande par l'intermédiaire de la fonction 02h de l'interruption 16h du BIOS. Dans l'indicateur renvoyé, seuls les trois bits les plus à gauche nous intéressent car ce sont eux qui concernent les touches Ins, Verrouillage numérique, et Verrouillage des majuscules. L'indicateur permet d'initialiser trois variables qui décrivent l'état d'activation de chaque touche surveillée. Ces variables sont soumises à un opérateur de négation de sorte que le mode Ins est activé lorsque la variable associée a pour valeur False (0). La raison de cette transformation va apparaître dans un instant.

Une fois les variables internes initialisées, GETKEY peut être invoqué pour lire le clavier. C'est à GETKEY que nous allons nous intéresser maintenant.

GETKEY prend d'abord connaissance de l'indicateur d'état par la fonction 02h du BIOS. Il le compare aux trois variables internes pour déceler les modifications éventuelles. S'il y a effectivement modification, le nouvel état est affiché en haut à droite de l'écran, pour que l'utilisateur en soit informé. L'action décrite a lieu individuellement pour chacune des variables modifiées. La négation entreprise au début du programme a pour but de forcer la prise en compte d'une modification dès le premier appel à GETKEY. En effet lors de ce premier appel, le programme va se rendre compte qu'aucune des variables internes ne correspond à l'indicateur d'état d'où une mise à jour de l'affichage sans initialisation préalable.

GETKEY peut à présent faire son travail et tester le clavier en se servant de la fonction 01h de l'interruption clavier du BIOS. Une touche a-t-elle été frappée ? Si tel n'est pas le cas, on recommence le test. La même boucle sera parcourue sans cesse aussi longtemps qu'aucune touche n'a été actionnée mais tout changement dans l'état des touches de commande sera affiché immédiatement à l'écran.

Dès qu'une touche a été transférée dans le buffer du BIOS, la boucle est interrompue et le caractère mémorisé est lu par la fonction 00h de l'interruption clavier du BIOS. La dernière partie de la routine teste le code pour voir s'il ne s'agit pas d'un code clavier étendu. Si oui, on ajoute 256 au code transmis pour signaler au programme appelant la présence d'un code étendu. Ainsi les codes ASCII ordinaires et les codes étendus pourront être facilement distingués : un code inférieur ou égal à 256 est forcément un code ASCII ordinaire tandis qu'un code supérieur à 256 est du type étendu.

GETKEY s'achève par le calcul de ce code qui est retourné par la fonction sous la forme d'un nombre entier.

Dans les trois programmes présentés, GETKEY est utilisé pour lire des caractères tapés, les afficher à l'écran et répéter ce processus jusqu'à la frappe de Entrée ou F1. Si pendant l'introduction d'une chaîne de caractères vous actionnez les touches de verrouillage des nombres (Num Lock), des majuscules (Caps Lock) ou de l'insertion (Ins), le résultat s'affiche aussitôt à l'écran.

Une routine aussi stratégique que GETKEY peut encore réaliser bien d'autres choses. Vous pouvez par exemple faire en sorte que la frappe d'une touche unique génère toute une chaîne, c'est-à-dire implémenter une macro. Vous pouvez aussi afficher un texte d'aide lorsqu'une touche déterminée se trouve détectée pendant la frappe. En examinant les trois listings, vous observerez que la version en langage C n'a pas nécessité la programmation de routines spéciales pour invoquer les trois fonctions du BIOS. Ces fonctions sont en effet prédéfinies dans la bibliothèque standard des compilateurs utilisés. Notez cependant que les dites fonctions portent des appellations différentes chez Borland et chez Microsoft. Des macros situées au début du programme prennent en compte ces différences.

TOUCHEB.BAS   **TOUCHEP.PAS**   **TOUCHEC.C**

6.2.2. Lecture des claviers étendus

Avez-vous remarqué que les touches F11 et F12 ne figuraient pas dans la liste des codes étendus présentée plus haut ? Cette absence se justifiait par l'impossibilité de lire ces touches avec les fonctions 00h et 01h. Les concepteurs du BIOS d'IBM ont en effet mal interprété la notion de compatibilité et un raisonnement fallacieux les a conduits à ne pas prendre en compte les touches citées dans les fonctions 00h et 01h.

Sachez que le gestionnaire du clavier transfère les scan codes de ces touches dans le buffer du clavier mais que les fonctions 00h et 01h les ignorent. Elles se comportent comme si ces touches n'existaient pas, comme si le buffer était vide malgré la frappe de F11 et F12.

Les nouvelles fonctions du BIOS

Les trois nouvelles fonctions du BIOS introduites sur l'AT et qui se trouvent dans la plupart des ROM aujourd'hui n'ont pas ce comportement outrageant et tiennent compte des touches rajoutées. Depuis la version 3.3 de DOS, elles sont aussi implémentées par le driver KEYB pour peu qu'il ne les trouve pas déjà en ROM.

Pour faciliter la conversion des programmes, les nouvelles fonctions portent les numéros 10h, 11h et 12h et leur usage est semblable à celui des fonctions 00h, 01h, 02h. Seule la fonction 12h retourne une valeur différente de celle de la fonction 02h, nous en parlerons dans un instant.

Les nouveaux codes du clavier

La seule différence entre les fonctions 00h et 01h d'une part et les fonctions 10h et 11h d'autre part tient aux codes renvoyés. D'ailleurs seuls quelques codes étendus sont concernés, et la plupart du temps il s'agit de rajouts. La nouvelle version prend en compte des touches qui n'existaient pas sur les claviers de PC/XT ou d'AT ou des combinaisons nouvelles (par exemple Ctrl-TAb, Ctrl-Cursor Up, ou Alt-Echappement).

Les codes qui ont été modifiés sont surtout les codes des touches de direction grises, ceci pour pouvoir les distinguer de leurs homologues du pavé numérique. Ils ne retournent plus comme code ASCII (en AL) la valeur 00h mais E0h. Si vous exploitez les fonctions 10h et 11h du BIOS, vos programmes devront considérer que les codes étendus ne s'expriment plus seulement par un code ASCII 00h mais aussi par E0h.

S'il ne s'agit que de reconnaître les touches de fonction F11/F12 sans opérer la distinction entre touches de directions grises et blanches, vous pouvez vous épargner bien du travail en convertissant dès réception le code ASCII E0h en 00h. Ensuite vous traiterez de la même façon les touches de direction blanches et grises.

Le tableau suivant indique les touches ou combinaisons de touches qui ne renvoient plus le même code avec les nouvelles fonctions 10h/11h

Combinaisons de touches étendues renvoyées par les fonctions 10h/11h du BIOS								
Touches de fonction			**par \<Maj\>**		**par \<Ctrl\>**		**par \<Alt\>**	
	Anc. AH/AL	Nouv. AH/AL	Anc. AH/AL	Nouv. AH/AL	Anc. AH/AL	Nouv. AH/AL	Anc. AH/AL	Nouv. AH/AL
F11	—	85/00	—	87/00	—	89/00	—	8B/00
F12	—	86/00	—	88/00	—	8A/00	—	8C/00
Touches de direction grises dans le bloc séparé			**par \<Maj\>**		**par \<Ctrl\>**		**par \<Alt\>**	
	Anc. AH/AL	Nouv. AH/AL	Anc. AH/AL	Nouv. AH/AL	Anc. AH/AL	Nouv. AH/AL	Anc. AH/AL	Nouv. AH/AL
Home (Origine)	47/00	47/E0	47/00	47/E0	77/00	77/E0	—	97/00
< ⌐ >	48/00	48/E0	48/00	48/E0	—	8D/E0	—	98/00
PgUp	49/00	49/E0	49/00	49/E0	84/00	84/E0	—	99/00
< ⌐ >	4B/00	4B/E0	4B/00	4B/E0	73/00	73/E0	—	9B/00
< ⊗ >	4D/00	4D/E0	4D/00	4D/E0	74/00	74/E0	—	9D/00
End (Fin)	4F/00	4F/E0	4F/00	4F/E0	75/00	75/E0	—	9F/00
< ⊕ >	50/00	50/E0	50/00	50/E0	—	91/E0	—	A0/00
PgDn	51/00	51/E0	51/00	51/E0	76/00	76/E0	—	A1/00
Insert	52/00	52/E0	52/00	52/E0	—	92/E0	—	A2/00
Delete (Suppr)	53/00	53/E0	53/00	53/E0	—	93/E0	—	A3/00
Autres touches grises			**par \<Maj\>**		**par \<Ctrl\>**		**par \<Alt\>**	
	Anc. AH/AL	Nouv. AH/AL	Anc. AH/AL	Nouv. AH/AL	Anc. AH/AL	Nouv. AH/AL	Anc. AH/AL	Nouv. AH/AL
/	35/2F	E0/2F	—	E0/2F	—	95/00	—	A4/00
*	37/2A	37/2A	—	37/2A	—	96/00	—	37/00
-	4A/2D	4A/2D	—	4A/2D	—	8E/00	—	4A/00
+	4E/2B	4E/2B	—	4E/2B	—	90/00	—	4E/00
Entrée	1C/0D	E0/0D	—	E0/0D	—	E0/0A	—	A6/00
Combinaisons supplémentaires des touches blanches (VerrNum désactivé)			**par \<Maj\>**		**par \<Ctrl\>**		**par \<Alt\>**	
	Anc. AH/AL	Nouv. AH/AL	Anc. AH/AL	Nouv. AH/AL	Anc. AH/AL	Nouv. AH/AL	Anc. AH/AL	Nouv. AH/AL
Tab	—	0F/09	—	0F/00	—	94/00	—	A5/00
5 sur pavé numérique	—	4V/00	—	4C/35	—	8F/00 ,	—	00/05
< ⌐ > blanc	—	48/00	—	48/38	—	8D/00 ,	—	00/08
< ⊕ > blanc	—	50/00	—	50/32	—	91/00 ,	—	00/02
Insert blanc	—	52/00	—	52/30	—	92/00 ,	—	—
Suppr blanc	—	53/00	—	53/2E	—	93/00 ,	—	—
Echap	—	01/1B	—	01/1B	—	01/1B	—	01/00
Backspace	—	0E/08	—	0E/08	—	0E/7F	—	0E/00
^	—	—	—	—	—	1A/1B	—	1A/00
$	—	1B/24	—	1B/9C	—	1B/1D	—	1B/00

Combinaisons de touches étendues renvoyées par les fonctions 10h/11h du BIOS							
Entrée	—	1C/0D	—	1C/0D	—	1C/0A	—	1C/00
;							—	27/00
ù	—	28/97	—	28/25	—		—	28/00
2 au dessus de <Tab>	—	29/FD	—	—	—		—	29/00
*	—	2B/2A	—	2B/E6	—		—	2B/00
,			—	32/2C	—	32/3F	—		—		—
;			—	33/3B	—	33/2E	—		—		—	33/00
:			—	34/3A	—	34/2F	—		—		—	34/00
!			—	35/21	—	35/15	—		—		—	35/00
(codes exprimés en système hexadécimal)								

La nouvelle fonction de lecture de l'état du clavier

Alors que les fonctions 10h et 11h sont identiques à leurs prédécesseurs, la fonction 12h est quelque peu différente de l'ancienne fonction 02h. En plus de l'indicateur d'état mémorisé dans AL, la fonction renvoie une information supplémentaire en AH. Il s'agit de l'indicateur d'état étendu, une variable du BIOS qui n'est gérée qu'avec les claviers étendus. Un champ de bits y indique l'état présent des différentes touches de verrouillage, ainsi que l'état des touches <Alt> et <Ctrl> droites et gauches (que ne distingue pas l'indicateur d'état standard ordinaire).

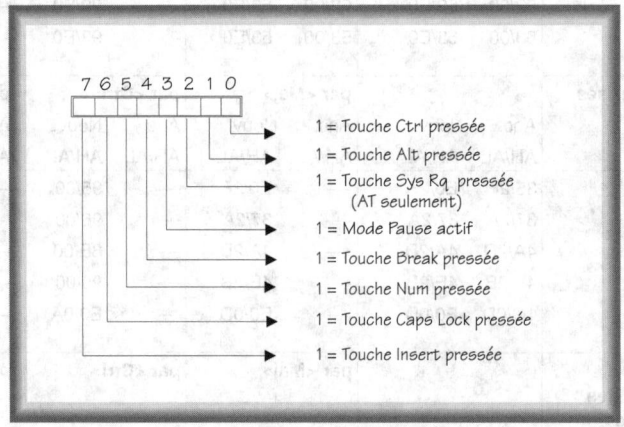

Les fonctions sont-elles disponibles ?

Comme il a été mentionné précédemment, les fonctions étendues de gestion du clavier par le BIOS sont fournies par la plupart des fabricants de BIOS ainsi que par certains drivers comme KEYB. Mais on ne peut pas toujours être sûr qu'elles sont présentes.

Il est prudent de disposer au début des programmes qui désirent les exploiter un test de disponibilité. Mais ce test n'est pas si simple à inventer car le BIOS ne donne pas de fonction appropriée.

Il faut donc employer une petite astuce. Nous appellerons la fonction 12h en disposant le numéro de cette fonction (12h) dans AH et, détail très important, le nombre 0 dans AL. Si à l'issue de l'appel le registre AX contient toujours 1200h, c'est que la fonction 12h n'est pas en service. Il existe en effet une règle intangible du BIOS qui veut que lorsqu'une fonction inconnue est appelée, le contrôle est rendu sans que le registre AX ait subi la moindre modification. Notez cependant que cette règle ne s'applique pas à l'indicateur de retenue, sinon la tâche du programmeur aurait été encore plus facile.

Lorsque la fonction 12h est implémentée, elle ne peut pas renvoyer la valeur 1200h en Ax. Car si on examine les deux indicateurs d'état du clavier, on voit que la valeur 12h de l'indicateur étendu est incompatible avec la valeur 00h de l'indicateur standard. D'après l'indicateur étendu, il faudrait que l'utilisateur ait appuyé sur la touche d'arrêt du défilement et la touche <Majuscule gauche>. Mais alors les 3e et 4e bits de l'indicateur standard devraient être à 1, ce qui dénote une valeur minimale de 24, mais sûrement pas 0.

Le programme suivant montre comment effectuer concrètement ce test.

Exemples de programmes

L'usage des fonctions étendues du BIOS est illustré par trois programmes écrits en Basic, Pascal et C et appelés : CLETENDB.BAS, CLETENDP.PAS et CLETENDC.C.

Ils sont relativement simples et se contentent de lire le clavier par la fonction 10h puis d'afficher le code ASCII et le scan code trouvés. Les affichages se font dans le système hexadécimal pour que vous puissiez les confronter au tableau précédent.

Le but de ce programme est en effet de vous montrer les codes supplémentaires rendus disponibles par le clavier étendu. Le programme se termine en actionnant la touche d'échappement.

Vous pouvez entreprendre une comparaison avec les fonctions ordinaires du BIOS en notant les codes renvoyés par une sélection de touches, puis en imposant au programme à l'usage de l'ancienne fonction 00h et en frappant une nouvelle fois les mêmes touches. Vous devrez simplement modifier dans GetMFKey l'instruction de chargement du registre AX.

La lecture du clavier ne commence qu'à partir du moment où la fonction TestMF a décelé la présence d'un clavier MF. C'est l'occasion de rencontrer à nouveau le test décrit précédemment qui exploite la fonction 12h étendue.

CLETENDB.BAS   CLETENDP.PAS   CLETENDC.C

6.2.3. Les variables de l'interruption clavier du BIOS

Pour gérer le clavier et assurer la communication entre le gestionnaire d'interruption du clavier (Int 09h) et les fonctions clavier du BIOS (Int 16h), le BIOS exploite dans un segment particulier huit variables données par le tableau suivant.

La connaissance de ces variables sera surtout profitable aux programmeurs désireux de développer des programmes résidents et de modifier les deux interruptions concernées.

Mais les programmes ordinaires peuvent aussi tirer profit de la manipulation directe de ces variables comme nous le verrons à l'issue de cette section.

Variables du BIOS pour gérer le clavier		
Offset	Signification	Type
17h	Indicateur d'état du clavier	1 BYTE
18h	Indicateur d'état étendu	1 BYTE
19h	Réception d'un code ASCII	1 BYTE
1Ah	Caractère suivant dans le buffer	1 WORD
1Ch	Dernier caractère dans le buffer	1 WORD
1Eh	Buffer	16 WORD
80h	Adresse de début du buffer	1 WORD
82h	Adresse de fin du buffer	1 WORD

Deux de ces variables, les indicateurs d'état du clavier, vous sont déjà connues : ce sont les deux octets renvoyés par les fonctions 02h et 12h du BIOS. Un peu plus loin, à l'adresse 19h, se trouve un octet qui est exploité lorsqu'on introduit un code ASCII à l'aide de la touche ALT combinée avec le pavé numérique. Chaque fois que l'on tape ainsi un chiffre avec ALT, le code ASCII réceptionné est mis à jour à cet endroit.

Gestion du buffer du clavier

Les trois variables situées aux offsets 1Ah, 1Ch et 1Eh servent à gérer le buffer dans lequel le gestionnaire de l'interruption 09h mémorise les touches frappées pour les mettre à la disposition du programme d'application qui peut les lire par l'intermédiaire de l'interruption 16h du BIOS.

Pour comprendre la signification des deux premières variables, il faut savoir que le buffer est refermé sur lui-même à la façon d'un anneau. Cette technique de file d'attente circulaire est souvent utilisée pour gérer des événements asynchrones, c'est-à-dire survenant à n'importe quel moment, ici il s'agit de l'arrivée des caractères tapés.

A première vue il semblerait normal de disposer les caractères dans l'ordre de leur arrivée, à partir du début du buffer. Le premier caractère se situerait en première position, le deuxième caractère se mettrait derrière en deuxième position et ainsi de suite. Le prélèvement d'un caractère se ferait toujours en première position, après quoi on décalerait tous les caractères d'une position pour que le caractère transmis ne le soit pas une deuxième fois. Ce mécanisme fonctionne correctement mais le décalage des caractères est trop coûteux en temps d'exécution. Il est préférable de travailler avec deux pointeurs. Le premier pointeur indique l'endroit où doit être prélevé le prochain caractère émis, tandis que le deuxième marque la position de réception du prochain caractère reçu.

A chaque lecture ou insertion de caractères, il n'est plus nécessaire de décaler le buffer, il suffit d'ajuster le pointeur concerné. Au début les deux pointeurs référencent le début du buffer mais au fur et à mesure des lectures et des insertions, ils se déplacent vers la fin du buffer. S'ils dépassent cette limite, ils sont repositionnés au début : le buffer est donc bien circulaire.

Très concrètement, le pointeur mémorisé à l'offset 1Ah indique l'adresse de lecture du prochain caractère. Lorsque la lecture est effectuée, ce pointeur se déplace de deux octets vers la fin du buffer : chaque caractère occupe en effet deux octets (code ASCII + scan code). Lorsque le contenu de la dernière mémoire du buffer est ainsi prélevé, le pointeur pointe à nouveau sur le début du buffer. Le pointeur en mémoire 1Ch se comporte de la même façon. Il référence le dernier caractère du buffer. Si l'utilisateur appuie sur une touche, le code tapé est mémorisé à l'endroit référencé. Ensuite il est incrémenté de deux octets en direction de la fin du fichier. Si un nouveau caractère est stocké dans le dernier mot du buffer, le pointeur 1Ch est également redirigé vers le début du fichier.

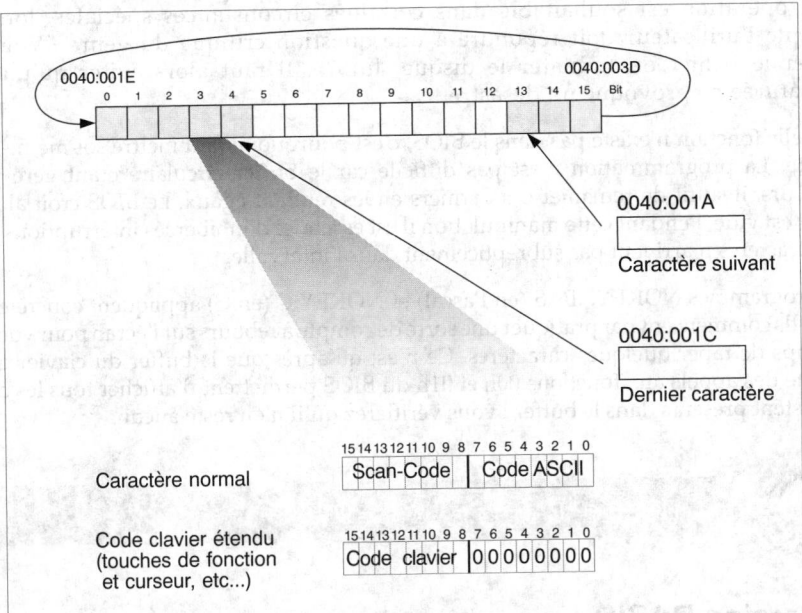

Le rapport entre le pointeur de début et le pointeur de fin montre l'état du buffer. Ainsi lorsque les pointeurs situés aux offsets 1Ah et 1Ch sont identiques, le buffer est vide. Lorsqu'à l'arrivée d'un caractère, le pointeur incrémenté référence le début du fichier, c'est que le buffer est plein et ne peut plus réceptionner quoi que ce soit.

Le buffer comme file d'attente circulaire

La mémoire commençant à l'offset 1Eh est occupée par le buffer proprement dit. Chaque caractère y prend deux octets, donc avec ses 32 octets il peut contenir 16 caractères.

Pour un caractère ASCII ordinaire c'est d'abord le code ASCII qui est mémorisé puis le Scan code. Lorsque le code est étendu, la partie ASCII est 0 car elle ne se trouve réellement que dans l'octet suivant.

Même si les adresses et la signification des deux dernières variables du BIOS laissent penser que le buffer puisse être décalé , il se trouve toujours en 1Eh. Il est vrai que les développeurs avaient effectivement imaginé cette possibilité pour accroître sa taille. Mais elle n'a jamais été exploitée car les deux variables en question ont été introduites avec l'AT et son BIOS modifié, et à cette époque-là il existait déjà un grand nombre de programmes résidents qui ne pensaient pas à chercher le buffer ailleurs qu'à l'offset 1Eh. L'idée finalement n'était pas mauvaise mais elle ne fut jamais convertie en actes.

Exemples de programmes

Pour démontrer quelques manipulations de variables du BIOS, je voudrais vous présenter trois programmes écrits en Basic, Pascal et C qui se chargent de réinitialiser le buffer du clavier, c'est-à-dire d'effacer son contenu.

Cette opération est souhaitable dans certaines circonstances spéciales, lorsque par exemple l'utilisateur doit répondre à une question critique du genre "Voulez-vous effacer le fichier ou formater le disque dur ?". Il faut alors éviter qu'une frappe prématurée ne provoque un désastre.

Une telle fonction n'existe pas dans le BIOS, c'est pourquoi il faut mettre soi-même la main à la pâte. La programmation n'est pas difficile car le buffer circulaire étant géré par deux pointeurs, il suffit de remanier ces derniers en les rendant égaux. Le BIOS croit alors que le buffer est vide. Pendant cette manipulation il est essentiel d'inhiber les interruptions pour que des caractères n'arrivent pas subrepticement dans l'intervalle.

Les programmes NOKEYP.PAS (en Pascal) et NOKEY.C (en C) appliquent concrètement ces idées. Ils commencent par pratiquer une sorte de compte à rebours sur l'écran pour vous donner le temps de taper quelques caractères. Ce n'est qu'après que le buffer du clavier est effacé. Ensuite des appels aux fonctions 00h et 01h du BIOS permettent d'afficher tous les caractères qui restent présents dans le buffer : vous vérifierez qu'il n'en reste aucun.

NOKEYP.PAS   NOKEYC.C

La version BASIC

La version écrite en Basic adopte une autre stratégie car ce langage ne permet pas d'inhiber simplement les interruptions. Le processus consiste à installer une boucle pour répéter les appels à la fonction 00h jusqu'à ce que la fonction 01h ne renvoie plus de caractère. C'est un peu primitif mais ça marche !

NOKEYB.BAS

6.2.4. L'affaire des Scan codes

Alors que le jeu de caractères ASCII et les codes étendus sont standardisés, le domaine des Scan Codes baigne dans une certaine incohérence.

Les trois types de clavier standard fonctionnent avec des jeux de Scan Codes complètement différents. Les tableaux suivants mettent en évidence les différences entre les Scan Codes du clavier de l'XT et les Scan Codes du clavier de l'AT.

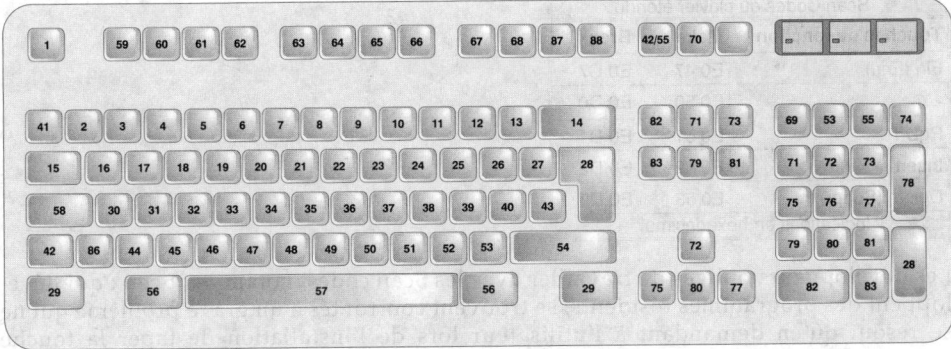

Les Scan-Codes du clavier MFII

Même le principe selon lequel le code break est égal au Scan code + 80h n'est pas toujours respecté. C'est ainsi que lorsqu'on relâche une touche le clavier de l'AT émet deux octets : d'abord F0h comme code break et ensuite le Scan code de la touche.

Ces incompatibilités sont éliminées par le contrôleur qui gère le clavier de l'AT. Les données présentées au driver du clavier par l'intermédiaire du port 60h sont réagencées de manière traditionnelle de sorte que le principe de base se trouve rétabli.

Les Scan codes du clavier étendu

C'est grâce au contrôleur mentionné que les claviers étendus (par le port 60h) renvoient les mêmes Scan Codes que les claviers des AT, même s'ils sont quelque peu étendus. Le clavier étendu supporte trois jeux de Scan Codes différents qui ne correspondent à aucun de ceux connus jusqu'ici.

Le tableau suivant montre les Scan Codes additionnels du clavier étendu. Ils se caractérisent surtout par le préfixe E0h qui signale qu'ils ne doivent pas être traités comme les codes ordinaires. En effet la plupart des Scan Codes sont déjà réservés à d'autres touches et pourraient être mal interprétés. Le principe selon lequel le code break est égal au code make + 80h reste valable, mais le préfixe E0h n'est pas affecté. Lorsqu'une touche de direction grise est actionnée en coordination avec <Maj>, il faut d'abord neutraliser la touche <Maj>. C'est pourquoi le code break de la touche <Maj> est envoyé avant le scan code concerné.

Avec la touche <Maj gauche>, l'émission préliminaire en cas de code make est E0h AAh, en cas de code Break E0h D2h. Avec la touche <Maj droite>, l'émission préliminaire en cas d'enfoncement est E0h B6h, en cas de relâchement E0h D2h.

Scan Codes du clavier étendu		
Touches de fonction	**Make**	**Break**
F11	57	D7
F12	58	D8
Touches de direction	**Make**	**Break**
Home (Origine)	E0 47	E0 C7
< ↑ >	E0 48	E0 C8
PgUp	E0 49	E0 C9
< ↓ >	E0 4B	E0 CB
< ⊗ >	E0 4D	E0 CD

Scan Codes du clavier étendu		
Touches de fonction	**Make**	**Break**
Fin (End)	E0 47	E0 C7
< ⊕ >	E0 50	E0 D0
PgDn	E0 51	E0 D1
Insert	E0 52	E0 D2
Delete (Suppr)	E0 53	E0 D3
Indications en hexadécimal		

Les développeurs obligés de travailler avec les Scan codes, notamment ceux qui développent des programmes résidents, se trouvent confrontés à un grave problème qui ne se résout qu'en demandant à l'utilisateur lors de l'installation de taper la touche d'activation désirée et en enregistrant le Scan code émis. Si vous pouvez vous passer des Scan codes, faites-le sans hésiter : il vaut mieux se servir des codes ASCII ou des codes de clavier étendus.

Quels sont les Scan codes retournés par votre clavier (ou votre contrôleur de clavier) ? C'est ce que va vous révéler un programme étudié dans le cadre de la section suivante consacrée au gestionnaire d'interruption du clavier.

6.3. Le gestionnaire d'interruption du clavier

Le clavier est la cible préférée des programmes résidents. Enregistreurs de macros, utilitaires d'extension du buffer du clavier, drivers spécialisés, programmes TSR variés et divers font assaut d'imagination pour s'immiscer dans le gestionnaire d'interruption du clavier.

Selon le domaine, l'interruption concernée est l'interruption 16h ou l'interruption 09h. La section qui suit donne des exemples pour l'une et l'autre interruption, sans toutefois entrer trop profondément dans la substance des programmes résidents. Car ce sujet est traité à part au chapitre 35, qui s'occupe également des problèmes de lecture du clavier.

6.3.1. Modification de l'interruption 16h du BIOS

Pour étendre ou modifier l'interruption clavier du BIOS, il faut la détourner sur un gestionnaire personnel appelé à la place de l'ancien. Ce mécanisme se justifie par exemple pour ajouter de nouvelles fonctions ou pour reproduire les fonctions 00h et 01h dans les fonctions 10h et 11h. Il est surtout intéressant pour les programmes en langage évolué qui lisent le clavier à travers les fonctions d'une bibliothèque de routines.

Ces routines en effet se servent souvent des fonctions 00h et 01h de l'interruption clavier du BIOS et rendent par exemple impossible la prise en compte des touches F11 et F12 d'un clavier étendu. En détournant l'appel de ces fonctions, on peut malgré tout accéder aux touches en question sans être obligé de développer ses propres routines de lecture du clavier.

Un utilitaire macro

Mais ce que je voudrais vous présenter ici, c'est un programme d'un tout autre genre, un petit utilitaire de type "macro" écrit en assembleur. Lancé à partir de la ligne de commande de DOS, il se loge en mémoire de manière résidente jusqu'à être rappelé. Dans sa forme actuelle, il fait apparaître un nom sur l'écran lorsqu'au niveau de la ligne de commande de DOS, de l'éditeur EDIT de DOS, ou même à l'intérieur de Turbo Pascal on tape la combinaison Alt+N. Bien entendu si vous le désirez vous vous adapterez ce programme de façon qu'il réagisse à une autre combinaison et qu'il affiche un autre texte.

Si vous vous donnez quelque peine, il est possible d'étendre ce programme jusqu'à en faire un macro-générateur complet susceptible d'émettre plusieurs chaînes ou de faire des enregistrements pendant une saisie. Mais ce développement réclame un certain investissement.

Le nouveau gestionnaire d'interruption du clavier du BIOS

Au centre du programme MACROKEY.ASM se trouve le nouveau gestionnaire d'interruption associé à l'interruption 16h du BIOS. C'est sur lui que nous concentrerons notre attention car tout le reste consiste essentiellement à rendre le programme résident et ce point sera étudié en détail plus loin dans cet ouvrage. Examinons donc le nouveau gestionnaire d'interruption. Appelé NOUVI16, il est situé tout à fait au début du programme.

La routine correspondante commence par autoriser les interruptions matérielles. Leur interdiction, décidée automatiquement au déclenchement de l'instruction INT, n'est pas nécessaire ici. Il s'agit de travailler sur une interruption logicielle et non matérielle.

La branchement qui suit ne sert qu'à sauter par-dessus les caractères "MT" qui signalent que l'installation du programme résident est déjà effectuée. Les choses sérieuses ne démarrent donc qu'au label NI1.

La première tâche consiste à exploiter le numéro de fonction trouvé en AH car le programme ne se sent responsable que pour les fonctions 00h, 01h, 10h et 11h. Il ne veut rien savoir des fonctions 02h et 12h, c'est pourquoi il les repasse à l'ancien gestionnaire dont l'adresse a été stockée à l'installation du programme. Vous voyez donc que le nouveau gestionnaire ne remplace pas l'ancien , mais qu'il le modifie en le complétant, de sorte qu'il est obligé de collaborer avec lui.

Si un appel à l'une des fonctions traitées a été détecté, l'exécution est renvoyée à deux endroits, selon la fonction. Le label FCT0 correspond aux fonctions 00h et 10h, tandis que FCT1 correspond aux fonctions 01h et 11h. Les fonctions sont traitées par paires car elles visent la même tâche.

Dans tous les cas, le programme teste si la macro est déjà en cours d'exécution mais nous étudierons ce point un peu plus loin. Nous supposerons que ce n'est pas le cas. La nouvelle fonction doit alors détecter la frappe de la touche d'activation. Il faut pour cela appeler la fonction correspondante de l'ancien gestionnaire qui mémorise une touche en AX dès qu'elle a été frappée (01h/11h uniquement).

La touche en question est comparée avec la touche d'activation de la macro stockée dans la variable MKEY. A priori, il s'agit de Alt + N, soit 3100h.

Si cette touche n'est pas repérée, le nouveau gestionnaire renvoie à l'appelant le résultat de la fonction de l'ancien gestionnaire, le détournement a donc été sans effet. Notez que lorsqu'il appelle les fonctions 01h ou 11h le gestionnaire ne se termine pas comme d'habitude par l'instruction machine IRET. Si tel était le cas, le registre des indicateurs qui a été empilé au moment de l'exécution de l'instruction INT serait repris sur la pile. Le contenu de l'indicateur de zéro en serait affecté, or cet indicateur est utilisé par les deux fonctions pour signaler la disponibilité d'une touche. On a donc préféré écrire l'instruction VAR RET 2 qui tout comme IRET provoque un retour FAR à l'appelant et enlève le registre des indicateurs de la pile (2 octets), sans toutefois charger.

Lorsque la touche d'activation est détectée, la macro commence son exécution. A chacun des appels de l'une des fonctions 00h/10h ou 01h/11h, ce n'est plus l'ancien gestionnaire qui est invoqué pour lire un caractère du buffer : c'est le buffer de la macro qui livre le caractère.

Ce dernier se trouve dans la variable MSTART et peut contenir autant de caractères qu'on le désire. Il doit se terminer par le label MEND qui marque l'adresse d'offset de fin. Ce n'est qu'à l'issue de son vidage que les fonctions d'origine de l'ancien gestionnaire sont rétablies pour traiter d'autres entrées enregistrées dans le buffer du clavier.

Comme vous pouvez le voir sur le listing, le buffer de la macro contient uniquement les codes ASCII des caractères à afficher, et non pas leurs scan codes. Le scan code renvoyé est toujours 0 car la plupart des programmes n'en tiennent pas compte.

Cette simplification nous épargne bien du travail mais elle rend impossible le traitement de codes étendus par la macro. Vous pouvez cependant, si vous le désirez, entreprendre les améliorations nécessaires pour que le buffer ne restitue pas seulement des codes ASCII mais aussi des Scan codes.

MACROKEY.ASM

6.3.2. Interception d'interruptions matérielles

Si on désire intervenir au plus bas niveau dans la gestion du clavier, on ne peut pas éviter de manipuler l'interruption 09h. Mais là aussi il faudra continuer de travailler en coopération avec l'ancien gestionnaire car le développement d'un gestionnaire complet est un travail de Sysiphe : vous pouvez vous en persuader en mettant en oeuvre DEBUG pour jeter un coup d'oeil sur le driver du clavier de DOS, KEYB.COM.

Interception des Scan codes

Le petit programme appelé GETSCAN respecte bien ce principe. Laissez-moi vous le présenter. Il ne s'agit pas d'un programme résident mais d'un programme tout à fait ordinaire qui sert à afficher des scan codes. Grâce à lui vous pouvez visualiser les Scan Codes du clavier avant même qu'ils ne soient pris en charge et éventuellement modifiés par le gestionnaire du clavier. Avec un clavier étendu, on voit ainsi clairement les deux séquences de codes Make de deux octets de long qui sont générés par les touches F11/F12 et les touches de direction grises (séquences autrement invisibles).

Normalement seuls les codes Make sont affichés mais si vous démarrez le programme avec en ligne de commande le paramètre /r vous verrez aussi les codes Break. Au centre du programme se trouve le nouveau gestionnaire de l'interruption 09h qui est appelé à chaque pression ou relâchement de touche. Il lit les codes Make et Break sur le port 60h et les transfère dans un buffer interne du programme. Ce dernier est incarné par la variable SCANBUF et géré par deux pointeurs selon un chaînage circulaire, tout comme le buffer du clavier du BIOS. Les pointeurs en question s'appellent SCANNEXT et SCANLAST.

Une fois le Scan code mémorisé, le programme se branche sur l'ancien gestionnaire d'interruption, dont l'adresse a été retenue au début du programme. Les touches sont donc traitées de la manière habituelle et après conversion elles sont transférées dans le buffer du clavier.

Dans le programme principal, le contenu de ce dernier est lu à l'aide des fonctions 01h et 00h du BIOS, jusqu'à détection de la touche <Entrée> qui clôture l'exécution.

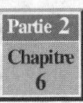
Mais tant que la touche <Entrée> n'a pas été lue, le programme principal interroge sans cesse, entre deux appels au BIOS, le buffer interne des scan codes. Tout ce qu'y dépose le nouveau gestionnaire d'interruptions est aussitôt extrait par le programme principal. Mais les scan codes et les codes Break ne disparaissent pas avant d'avoir été affichés. Ce programme vous permet donc de prendre connaissance des scan codes de votre clavier et de détecter des particularités éventuelles. Ce sont surtout les claviers bon marché en provenance d'extrême-orient qui ne sont pas conformes au standard, mais les anomalies ne portent généralement que sur des combinaisons de touches rarement utilisées.

GETSCAN.ASM

6.4. Le contrôleur du clavier et sa programmation

Depuis l'apparition de l'AT, le clavier est assisté du côté du système par un processeur Intel de type 8042 qui pilote la communication entre le clavier et système. Avec le PC et l'XT il était juste possible de réceptionner des caractères en provenance du clavier. Ce circuit autorise la transmission d'informations en sens inverse. Car entre le BIOS et le clavier étendu existe une coopération active qui permet au système d'influencer le comportement du clavier.

Communication avec le clavier

Du côté du clavier, les pièces maîtresses de la communication sont constituées par un registre d'état et des buffers d'entrée-sortie.

Le buffer de sortie sert à transmettre :

O les codes du clavier liés à l'enfoncement ou au relâchement des touches
O des données réclamées par le système par une commande

Il peut être lu par l'intermédiaire du port 60h.

Le buffer d'entrée peut être atteint par l'un des ports 60h ou 64h. Le port à utiliser dépend du type d'information concerné. Lorsque le système désire envoyer un code de commande au clavier, il doit le mettre dans le port 60h. L'octet de données associé à la commande doit être communiqué au port 64h.

Les deux octets parviennent ainsi dans le buffer d'entrée du clavier, cependant qu'un indicateur dans le registre d'état signale selon le port adressé s'il s'agit d'un octet de commande (port 64h) ou d'un octet de données (port 60h).

Le registre d'état du clavier

En plus de cet indicateur, le registre d'état contient deux bits particulièrement importants pour la gestion de la communication : les bits 0 et 1.

Le bit 0 indique l'état du buffer de sortie ? S'il est à 1, le buffer de sortie contient des informations que le système n'a pas encore lues sur le port 60h. Lorsque le port subit une lecture, ce bit est automatiquement annulé.

Le bit 1 fonctionne de la même façon. Il est à 1 lorsque le système a placé dans le buffer d'entrée un caractère que n'a pas encore traité le clavier. Le buffer d'entrée ne peut donc recevoir des informations que lorsque ce bit est à 0.

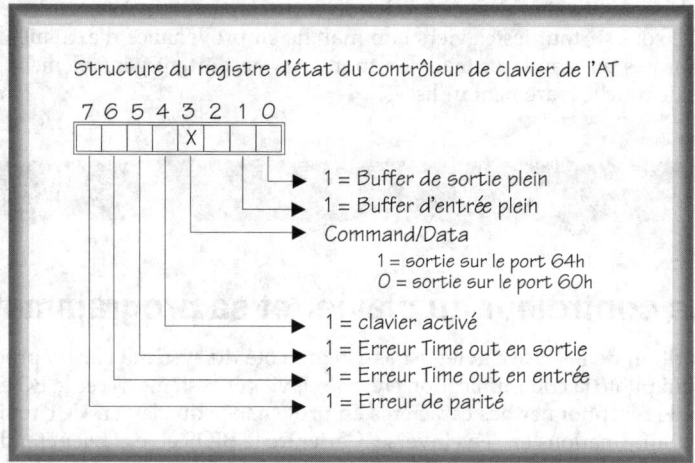

Structure du registre d'état du contrôleur de clavier de l'AT

7 6 5 4 3 2 1 0

1 = Buffer de sortie plein
1 = Buffer d'entrée plein
Command/Data
　1 = sortie sur le port 64h
　0 = sortie sur le port 60h
1 = clavier activé
1 = Erreur Time out en sortie
1 = Erreur Time out en entrée
1 = Erreur de parité

Paramétrage de la vitesse de répétition

Parmi les différentes commandes que le système est susceptible d'envoyer au clavier, il en est deux qui se révèlent intéressantes dans les programmes d'application, car elles jouent un rôle en dehors du gestionnaire d'interruption.

La première de ces commandes concerne la vitesse et le délai de répétition du clavier. La vitesse de répétition ou vitesse Typematic (Typematic Rate) est le nombre de codes Make envoyés au système à chaque seconde lorsqu'une touche est maintenue enfoncée.

Cette vitesse varie entre 2 et 30 caractères par seconde au maximum. Pour que la répétition d'un caractère ne se déclenche pas de façon intempestive, elle ne se met en route qu'après un certain délai codé en binaire de la façon suivante :

Codage des délais de répétition du clavier de l'AT	
Code	Délai de répétition
00b	1/4 Seconde
01b	1/2 Seconde
10b	3/4 Seconde
11b	1 Seconde

Ce délai ne peut pas toujours être respecté avec une précision absolue. Les valeurs du tableau sont à interpréter avec une tolérance de 20%.

178

La vitesse de répétition est également codée en binaire, comme le montre le tableau suivant :

Codage des vitesses de répétition du clavier de l'AT							
Code	C/s*	Code	C/s*	Code	C/s*	Code	C/s*
11111b	2,0	10111b	4,0	01111b	8,0	00111b	16,0
11110b	2,1	10110b	4,3	01110b	8,6	00110b	17,1
11101b	2,3	10101b	4,6	01101b	9,2	00101b	18,5
11100b	2,5	10100b	5,0	01100b	10,0	00100b	20,0
11011b	2,7	10011b	5,5	01011b	10,9	00011b	21,8
11010b	3,0	10010b	6,0	01010b	12,0	00010b	24,0
11001b	3,3	10001b	6,7	01001b	13,3	00001b	26,7
11000b	3,7	10000b	7,5	01000b	15,0	00000b	30,0
*		Caractères par seconde					

Ce tableau peut sembler arbitraire au premier abord. En fait il repose sur une formule mathématique. Si A représente la valeur binaire des bits 0, 1 et 2 , et B celle des bits 3 et 4, la formule qui donne la vitesse de répétition s'écrit :

$$(8 + A) * 2^B * 0.00417 * 1 / seconde.$$

Le délai et la vitesse sont ensuite regroupés dans un même octet, le délai étant placé avant les 5 bits de la vitesse. L'octet "Typematic" ainsi obtenu ne peut toutefois pas encore être communiqué directement au clavier car il doit être précédé du code de la commande associée (F3h). Les deux octets doivent être envoyés de pair au clavier à travers le port 60h mais cela ne se fait pas en émettant tout simplement chacun d'eux à l'aide d'une instruction OUT. La transmission de chaque octet doit en effet obéir à un protocole de transmission qui inclut un test de l'état du clavier. Il est possible en effet que la transmission ne se déroule pas sans erreur dès le premier essai. Comme le même travail doit être effectué pour chacun des deux octets, il est conseillé d'utiliser un sous-programme pour transmettre chaque octet. C'est ce que montre l'organigramme page suivante...

Transmission d'octets au clavier

Comme vous le voyez, on commence par mettre en place un compteur d'erreurs qui permettra à la routine de répéter trois fois une transmission infructueuse. Le port d'état du clavier est ensuite testé dans le cadre d'une sorte de boucle, jusqu'à ce que le bit 0 soit nul, ce qui indique que le buffer d'entrée est vide. Ce n'est qu'à ce moment que le caractère à transmettre pourra être envoyé au clavier à travers le port 60h. Pour s'assurer que le caractère est arrivé à bon port (une erreur de parité pourrait très bien se produire), le clavier renvoie une code de réponse, qui n'est cependant pas disponible tant que le bit 1 du port d'état du clavier ne vaut pas 1.

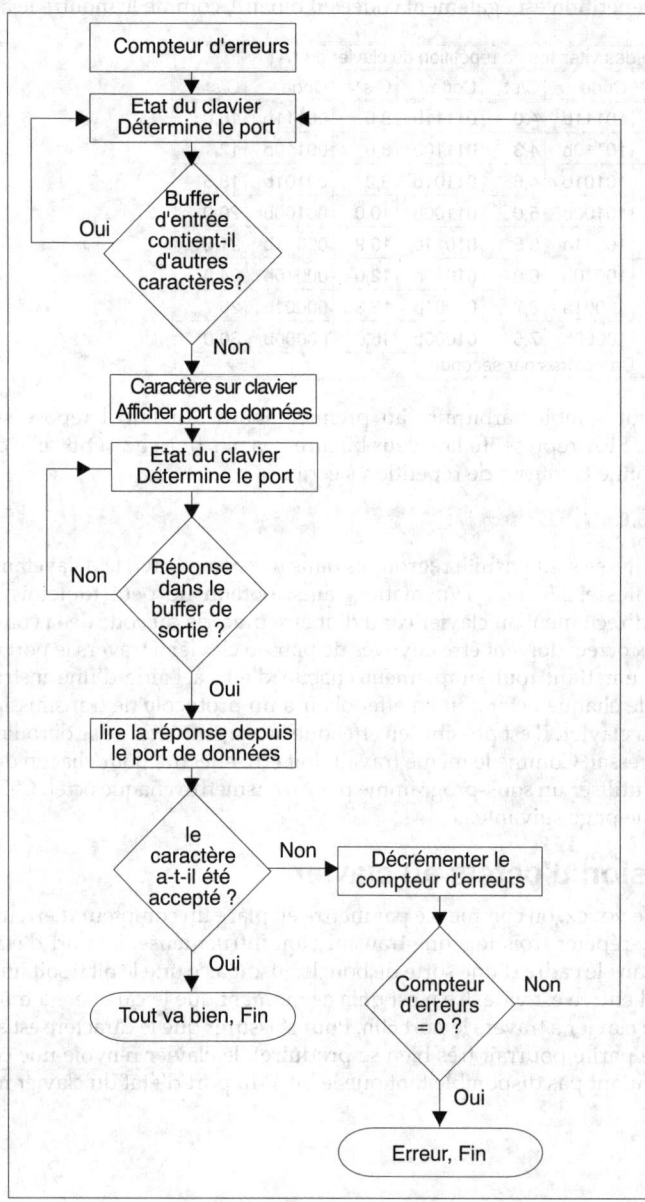

Ce registre est donc lu et relu à travers le port 64h, à l'intérieur d'une boucle, jusqu'à ce que cette condition soit remplie. La réponse du clavier à notre transmission peut alors être lue sur le port de données du clavier. Cette réponse est le code 0FAh si la transmission a fonctionné correctement, ce code faisant donc office "d'accusé de réception" ou "Acknowledge". Tout autre code signale une erreur, ce qui conduit le sous-programme à décrémenter le compteur d'erreurs et à répéter toute l'opération, à moins qu'il n'ait atteint la valeur 0. Dans ce dernier cas, le sous-programme se termine en signalant au programme appelant qu'une erreur est apparue.

Programmes d'exemple

Pour illustrer ces explications, vous trouverez sur le CD-ROM deux programmes écrits en Pascal (TYPMP.PAS) et en C (TYPMC.C) qui vous permettront de régler les paramètres Typematic à votre guise. Le coeur de ces programmes est constitué par une routine en assembleur qui reçoit la vitesse Typematic souhaitée et la transmet au clavier. Cette routine contient le sous-programme que nous venons d'étudier et qui est d'abord appelé pour communiquer au clavier le code de la commande Set Typematic. Le même sous-programme est ensuite appelé une seconde fois pour envoyer la vitesse Typematic désirée au clavier.

La vitesse Typematic est communiquée aux deux programmes par le moyen de paramètres de la ligne de commande. Si ces paramètres font défaut, les programmes affichent un message qui décrit le mode d'appel correct. Les deux programmes font intervenir des modules en assembleur qui permettent la fixation proprement dite de la vitesse Typematic. Ces modules s'appellent TYPMPA.ASM et TYPMCA.ASM. Les programmeurs qui travaillent en Pascal peuvent éviter l'inclusion du module en assembleur, les instructions correspondantes étant codées sous forme INLINE. Les programmeurs qui travaillent en C devront assembler le module approprié puis le relier au module de haut niveau TYPM.C.

Pour tester l'effet d'un changement de la vitesse Typematic, nous vous conseillons de prendre tout d'abord une valeur minimale (0) puis maximale (30). Maintenez une touche appuyée : la différence constatée sera sensible.

TYPMP.PAS	TYPMPA.ASM
TYPMC.C	TYPMCA.ASM

Commande des diodes électroluminescentes du clavier

Tout comme la vitesse Typematic est paramétrable, les diodes électroluminescentes ou LEDs du clavier de l'AT peuvent également être allumées ou éteintes par programme. Le code de la commande associée "Set/Reset Mode Indicator" porte le numéro 0EDh. Lorsque ce code de commande a pu être correctement transmis au clavier, ce dernier attend un octet reflétant l'état des trois diodes. Dans cet octet, chaque diode est associée à un bit, et la valeur 1 exprime l'activation, comme le montre la figure suivante :

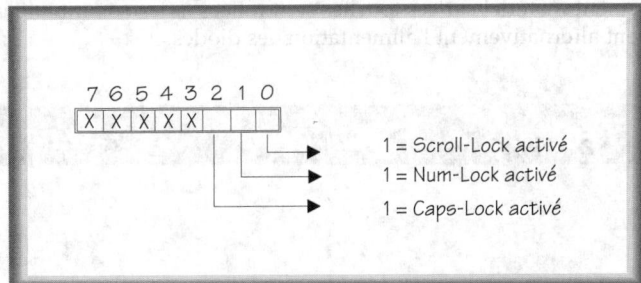

L'allumage ou l'extinction de ces diodes n'a de sens qu'en coordination avec l'indicateur d'état du clavier. Cet indicateur cependant n'est pas géré à l'intérieur du clavier mais par le BIOS.

Ce n'est donc pas dans le clavier qu'une lettre actionnée est transformée en majuscule lorsque le verrouillage des majuscules (Caps Lock) est activé. Le clavier en serait en effet totalement incapable puisqu'il n'associe absolument aucun caractère à chaque touche, mais seulement un

numéro de touche virtuelle. Ce n'est qu'au niveau du BIOS que ce numéro de touche est ensuite converti en un code ASCII ou en un code clavier étendu. La touche de verrouillage des majuscules Caps Lock est donc à cet égard une touche semblable aux autres. Le fait de l'actionner entraîne simplement la transmission au système du code Make correspondant. C'est le BIOS qui affecte à cette touche la fonction de verrouillage des majuscules (Caps Lock), en fixant un indicateur interne qui marque l'activation du mode et en envoyant au clavier l'instruction "Set/Reset Mode Indicators" pour que la LED correspondante soit allumée.

Ces modes de fonctionnement du clavier sont normalement activés et désactivés par l'utilisateur lorsque celui-ci actionne la touche correspondante. Il peut cependant, dans certains cas, être souhaitable d'activer un mode à l'aide d'un programme, par exemple sur les claviers disposant d'un pavé de touches de direction séparé et d'un pavé numérique. Comme ce pavé numérique, sur la plupart des claviers, ne génère des chiffres que dans le cadre du mode de verrouillage numérique (Num Lock), il peut être intéressant d'activer le mode Num Lock automatiquement dès le lancement du système.

D'après les explications précédentes, il suffit pour cela de fixer un indicateur du BIOS et d'allumer la diode correspondante sur le clavier. (Du point de vue fonctionnel cette dernière action n'est d'ailleurs pas indispensable puisqu'elle sert uniquement à avertir l'utilisateur que ce mode est activé).

Dans la pratique toutefois, un programme peut se contenter de la première opération puisque le BIOS se charge automatiquement d'allumer les diodes du clavier. En effet, chaque fois que l'une des fonctions de l'interruption clavier du BIOS est appelée, elle examine si l'état des diodes correspond à l'état réel du clavier, tel qu'il est inscrit dans une variable interne. Si une divergence apparaît, le BIOS fixe automatiquement les diodes en conformité avec l'état du clavier.

Les trois programmes suivants écrits en BASIC, Pascal et en C se chargent de cette tâche, en vous offrant des routines qui permettent de fixer les différents modes de verrouillage et d'allumer ou d'éteindre les diodes correspondantes. Précisons à ce propos que sur des claviers de PC ou d'XT pourvus de diodes, ces programmes changent simplement les modes de verrouillage mais n'ont aucun effet sur les diodes. Cela est dû au fait que ces claviers, bien que semblables extérieurement aux claviers d'AT, ne comportent qu'un simple circuit 8048 incapable de commander des diodes. L'allumage et l'extinction des diodes lorsqu'on appuie sur les touches correspondantes n'a aucun rapport avec la programmation du BIOS. Il s'agit d'un mécanisme purement matériel car ces touches sont reliées à des commutateurs Flip Flop qui ouvrent et ferment alternativement l'alimentation des diodes.

LEDB.BAS   LEDP.PAS   LEDC.C

7.   L'interface série

Vous savez certainement que les ordinateurs peuvent communiquer entre eux et échanger des données à travers le monde entier. Ils utilisent généralement à cet effet le réseau téléphonique ordinaire, qui ne permet pas une transmission des données très rapide mais qui présente l'avantage considérable de permettre d'atteindre pratiquement n'importe quel coin du globe. Les données sont transférées de façon série, c'est-à-dire bit par bit. Un protocole de transmission bien précis doit être respecté pour que l'émetteur et le récepteur se comprennent.

Carte série

Comme le PC n'est pas prévu pour ce type de transmission des données dans sa configuration de base, cette transmission n'est possible qu'en implantant une carte RS232.

Cette carte est désignée, dans la terminologie officielle d'IBM, sous le nom d'adaptateur pour la transmission asynchrone de données.

Avec cette carte, il est possible de réaliser une transmission de données directe entre deux ordinateurs reliés par un câble ou bien une transmission indirecte à travers le câble du téléphone. Dans ce dernier cas cependant, on aura besoin aussi bien du côté émetteur que du côté récepteur de ce qu'on appelle un modem ou coupleur acoustique, c'est-à-dire d'un appareil permettant de convertir les signaux électroniques de l'ordinateur en signaux acoustiques qui puissent être transmis par téléphone.

La communication des données exige non seulement un certain matériel mais aussi un logiciel approprié, qui décharge l'utilisateur du travail complexe de gestion de la carte RS232. Ce logiciel est fourni par le BIOS sous forme de quatre fonctions appelées à travers l'interruption 14h. Avant toutefois de décrire en détail ces fonctions, il convient que nous examinions de plus près le protocole précis employé pour la transmission des données.

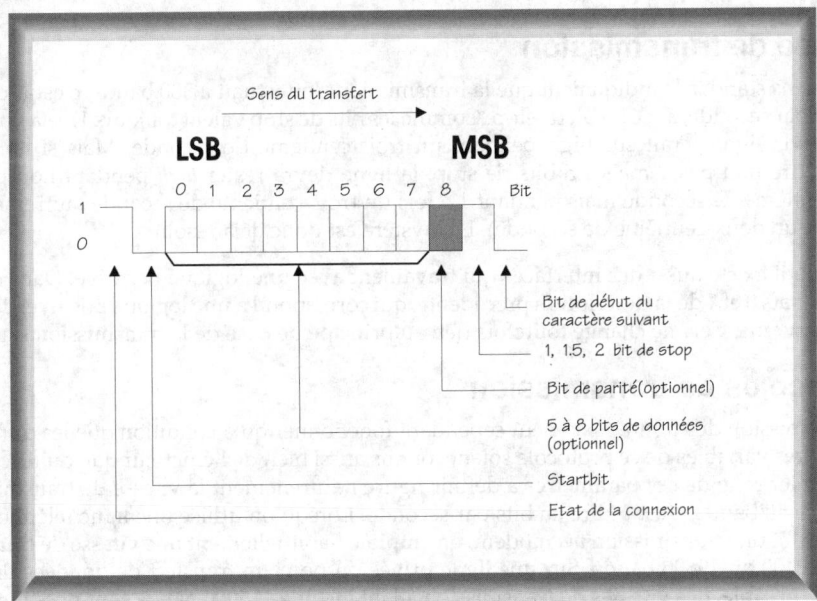

Le protocole de transmission asynchrone

Longueur de mot

Comme vous le montre la figure précédente, ce protocole ne prévoit que deux états significatifs, 0 et 1 ou encore *low* et *high*. Lorsqu'aucun caractère n'est transmis, le canal est *high*. Si ce canal passe ensuite à *low*, le récepteur sait alors que des données vont maintenant être transmises. Suivant la convention appliquée, 5 à 8 bits sont alors envoyés à travers le canal. Les fonctions du BIOS soutiennent malheureusement uniquement une largeur de données de 7 ou 8 bits. Si le canal passe à *low* lors de la transmission, cela signifie que le bit transmis vaut 0, alors que l'état *high* signale un bit mis. C'est toujours le bit de plus faible poids de chaque caractère qui est transmis en premier et le bit de plus fort poids en dernier.

Parité

Le caractère peut être suivi de ce qu'on appelle un bit de parité et qui sert à détecter des erreurs éventuelles lors de la transmission des données. On distingue à cet égard entre parité paire et parité impaire. La parité paire signifie que le mot de données transmis est complété par le bit de parité de telle façon que le nombre de bits soit toujours pair. Si le mot transmis comporte donc, par exemple, trois bits valant 1, le bit de parité vaudra également 1 pour que le nombre de bits 1 passe à 4 et soit bien un nombre pair. Si le mot transmis contenait par contre un nombre pair de bits 1, le bit de parité vaudrait 0. Inversement, si c'est la parité impaire qui est convenue, le bit de parité sera fixé de telle façon que le nombre de bits 1 soit toujours impair.

Bits de stop

Viennent en dernier lieu ce qu'on appelle les bits de stop, qui signalent la fin de la transmission des données correspondant à un caractère. Le protocole de transmission des données peut prévoir 1, 1,5 ou 2 bits de stop. Les utilisateurs sont généralement surpris qu'il soit possible de travailler avec 1,5 bits de stop. Comment un bit peut-il donc être divisé ? Il s'agit en fait d'un paradoxe en apparence seulement et qui s'explique très bien si on étudie le protocole de transmission des données.

Vitesse de transmission

Les anciens standards indiquaient que la transmission s'effectuait à 300 bauds, c'est-à-dire de 300 bits par seconde, avec un bit de stop. Comme les bits de stop valent toujours 1, cela voudrait dire que la ligne serait sur high pendant un trois-centième de seconde. Mais si l'on veut transmettre non pas 1 mais 1,5 bits de stop, la ligne devra rester *high* pendant non pas un trois-centième de seconde mais pendant 1,5 fois un trois-centième de seconde (autrement dit pendant un deux-centième de seconde). Le mystère est donc déjà résolu.

Notez qu'il existe aussi des interfaces qui travaillent avec une logique négative. Dans ce cas, tous les états 0 et 1 de la description précédente, qui correspond à une logique positive, doivent être intervertis. Cela ne change toutefois rien au principe de base de la transmission série.

Protocoles de transmission

La transmission des données ne peut cependant fonctionner qu'à condition que les différents paramètres variables de ce protocole soient connus aussi bien de l'émetteur que du récepteur. Au premier rang de ces paramètres à définir figure naturellement la vitesse de transmission, exprimée en bauds, c'est-à-dire en bits par seconde. Lorsqu'on utilise une ligne téléphonique ordinaire et une transmission *via* modem, on emploie habituellement une vitesse de transmission de 2400 ou 19600 bauds. Sur une ligne privée ou pour un transfert de données direct à l'aide d'un câble, des vitesses de transmission allant jusqu'à 115000 bauds sont possibles.

Le nombre de bits de données transmis chaque fois dépend des données à transmettre. Pour transmettre des données en véritable standard ASCII, 7 bits de données suffisent puisque le jeu de caractères ASCII ne comporte que 128 caractères. Mais si l'on veut exploiter pleinement le jeu plus complet des 256 caractères du PC, il faut transmettre 8 bits à la fois.

Il convient également de définir si un contrôle de parité doit être effectué et, si oui, s'il doit s'agir de la parité paire ou de la parité impaire. Il est généralement préférable de travailler avec un contrôle de parité car les lignes téléphoniques ne permettent pas toujours une transmission correcte des données. Peu importe, par contre, quel type de contrôle de parité est appliqué, les deux types garantissant la même sécurité de transmission.

Il faut enfin définir le nombre de bits de stop. Si on utilise un seul bit de stop, le caractère suivant peut être transmis plus rapidement qu'avec 2 bits de stop mais la transmission est moins sûre.

Exemple de protocole

La figure suivante vous montre comment se présenterait, par exemple, la transmission du caractère "A" avec un protocole prévoyant 8 bits de données, un contrôle de parité impaire et un bit de stop. Cet exemple repose sur une logique positive de l'interface et sur une vitesse de transmission de 300 bauds. Comme le code ASCII de la lettre A est 65 (01000001b) et qu'il contient par conséquent 2 bits 1, le contenu du bit de parité sera 1 dans ce cas, de façon à ce que le nombre de bits 1 soit impair.

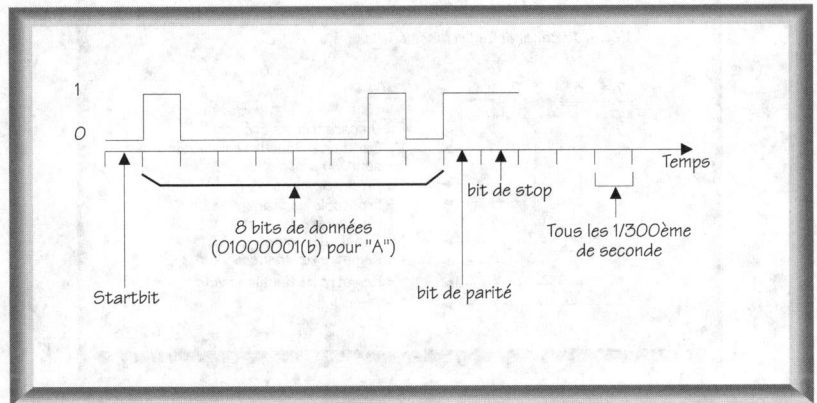

Transmission du caractère "A" avec 8 bits de données, contrôle de parité impaire et 300 bauds

UART

Le cerveau d'une carte RS232 est constitué par un processeur appelé UART (Universal Asynchronous Receiver Transmitter = émetteur-récepteur asynchrone universel). Pour pouvoir réagir comme il convient aux messages d'erreur transmis par les différentes fonctions du BIOS, il est utile de bien comprendre la structure et le mode de fonctionnement de ce processeur.

Registres de transfert

Lorsqu'un caractère doit être transmis à travers le canal de données, il est tout d'abord transféré dans un registre appelé "transmission holding register" (Registre d'attente de l'émetteur). Il y reste ensuite jusqu'à ce que le caractère transmis précédemment ait été complètement traité. Il est ensuite transféré dans le registre appelé "transmission shift register" (Registre de décalage de l'émetteur), à partir duquel il est transféré bit par bit par l'UART à travers le canal de

données. Suivant la convention appliquée, il insère le cas échéant les bits de parité ou les bits de stop voulus dans le flux de données. Lorsque les fonctions du BIOS renvoient l'état du canal de données dans le registre AH, les bits 5 et 6 indiquent si ces deux registres sont vides.

Registres de réception

Lorsqu'il s'agit de recevoir des données, celles-ci sont tout d'abord chargées dans le "receiver shift register" (Registre de décalage du récepteur), d'où elles sont ensuite transférées dans le "receiver data register" (Registre de données du récepteur). Les bits de parité et les bits de stop sont éliminés par l'UART à cette occasion. Si un caractère reçu précédemment figurait encore dans le registre de données, et s'il vient donc d'être effacé par l'opération, le bit 1 de l'état du canal est fixé sur 1. Le bit 0 indique qu'un caractère a été reçu. Si l'UART détecte une erreur de transmission (parce qu'il constate une erreur de parité) lors du traitement du caractère reçu, il fixe le bit 2 de l'état du canal. Si le protocole convenu (Nombre de bits de parité et de bits de stop) n'a pas été respecté, c'est le bit 3 qui est fixé. Le bit 4 est fixé par l'UART chaque fois qu'un canal de données est utilisé plus longtemps que nécessaire pour la transmission d'un caractère. Le bit 7 signale une erreur "time out", c'est-à-dire un dépassement du temps imparti. Cette erreur apparaît parfois lorsqu'on veut transférer des données à travers une ligne téléphonique et que la communication entre la carte RS232 et le modem ne peut être établie correctement.

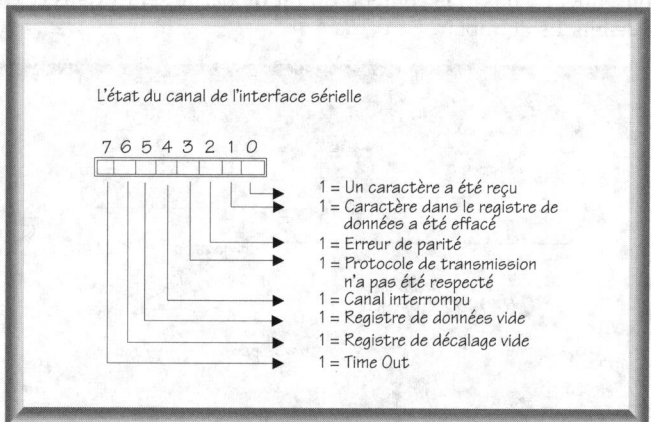

Fonction 0 : Réglage du protocole

Avant que des données puissent être reçues ou envoyées, encore faut-il toutefois communiquer à l'UART le nombre de bits de stop, ... On appelle à cet effet la fonction 00h de l'interruption 14h avec la valeur 0 dans le registre AH et le protocole dans le registre AL. Les différents bits du registre AL spécifient les différents paramètres :

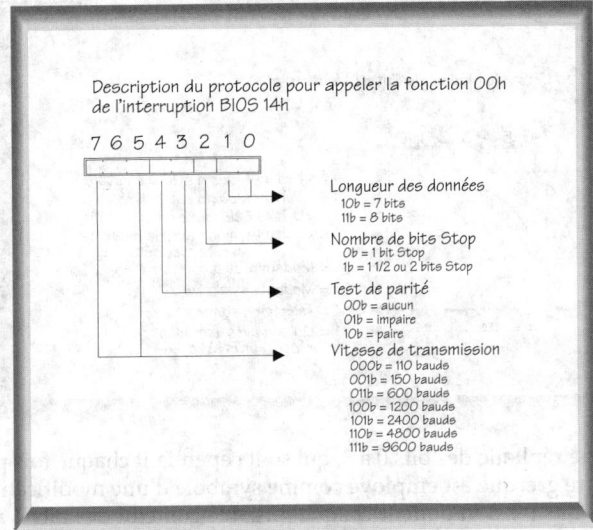

Description du protocole pour appeler la fonction 00h
de l'interruption BIOS 14h

7 6 5 4 3 2 1 0

Longueur des données
10b = 7 bits
11b = 8 bits

Nombre de bits Stop
0b = 1 bit Stop
1b = 1 1/2 ou 2 bits Stop

Test de parité
00b = aucun
01b = impaire
10b = paire

Vitesse de transmission
000b = 110 bauds
001b = 150 bauds
011b = 600 bauds
100b = 1200 bauds
101b = 2400 bauds
110b = 4800 bauds
111b = 9600 bauds

Après l'initialisation, cette fonction renvoie l'état du canal dans le registre AH.

Fonction 1 : Envoi de caractère

La fonction 01h est utilisée pour l'envoi de caractères. Lorsqu'elle est appelée, le registre AH doit contenir 01h et le registre AL le caractère à transmettre. Une fois le caractère transmis, le bit 7 du registre AH est fixé sur 0. Un 1 dans ce bit signalerait que le caractère n'a pu être transmis. Les autres bits correspondent à l'état du canal.

Fonction 2 : Réception de caractère

C'est la fonction 02h qui sert à la réception de caractères. Si un caractère a été reçu, le registre AL contiendra le caractère reçu après appel de cette fonction. Si AH contient la valeur 0, c'est qu'aucune erreur n'est à signaler, sinon il contient la valeur de l'état du canal.

Fonction 3 : État de la ligne/modem

La fonction 03h permet de connaître non seulement l'état du canal mais aussi l'état du modem. Elle fournit l'état du canal dans le registre AH et l'état du modem dans le registre AL :

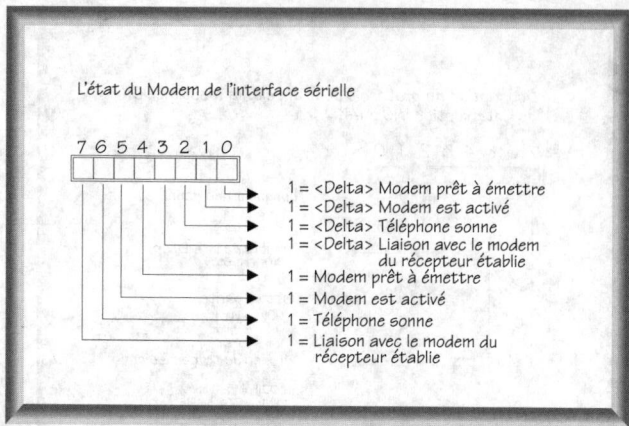

L'état du Modem de l'interface sérielle

7 6 5 4 3 2 1 0

1 = \<Delta\> Modem prêt à émettre
1 = \<Delta\> Modem est activé
1 = \<Delta\> Téléphone sonne
1 = \<Delta\> Liaison avec le modem du récepteur établie
1 = Modem prêt à émettre
1 = Modem est activé
1 = Téléphone sonne
1 = Liaison avec le modem du récepteur établie

Les bits 4 à 7 sont une réplique des bits 0 à 3, qui sont cependant chaque fois précédés du mot *delta*. Ce nom de lettre grecque est employé comme symbole d'une modification. Il signifie en l'occurrence que les bits 0 à 3 indiquent chaque fois si le contenu des bits 4 à 7 s'est modifié depuis la dernière lecture de l'état du modem. S'il en est ainsi, le bit *delta* correspondant contiendra 1. Si le bit 2 contient donc, par exemple, la valeur 1, cela signifie que le contenu du bit 6 s'est modifié depuis la dernière lecture. Concrètement, cela signifie que le téléphone vient juste de se mettre à sonner ou bien qu'il vient au contraire juste de s'arrêter de sonner, suivant l'état du bit 6.

8. Interface parallèle

Qu'est-ce qu'un PC sans imprimante ? Un poisson sans nageoire, un livre sans caractères ou une voiture sans roues ? Je n'en sais rien. Mais en tant que programmeur, on finit toujours par être obligé d'imprimer des informations sur papier. Pour arriver à cette fin, il existe trois moyens : la programmation directe du matériel, le passage par le BIOS ou l'exploitation des différentes fonctions de DOS.

Ce chapitre est consacré à la programmation directe et aux fonctions du BIOS qui permettent d'accéder à l'interface parallèle. Comme on le verra, les fonctions du BIOS couvrent toutes les tâches que nécessite la communication avec une imprimante. Il n'y a donc aucune raison de programmer directement le matériel, la vitesse ne jouant aucun rôle dans ce cas. Les fonctions du BIOS permettent d'émettre plus de 10 000 caractères par seconde : à ce rythme-là l'imprimante ne peut de toute façon pas suivre.

Par ailleurs les fonctions du BIOS présentent un grand avantage par rapport à leurs homologues de DOS : elles contrôlent mieux l'état de l'imprimante. Lorsqu'une impression échoue, DOS essaye d'arrêter toute l'exécution en cours en émettant une interruption d'erreur critique. Nous verrons dans la première section qu'avec les fonctions du BIOS les choses ne se passent pas aussi brutalement.

La deuxième section montre qu'il existe encore des circonstances où il est avantageux de programmer directement l'interface parallèle. Nous étudierons la liaison entre deux ordinateurs par le moyen de câbles dits null-modems qui permettent des transmissions de données ultra-rapides. Des logiciels comme LapLink ont montré les avantages de cette technique qui sera appliquée ici à un programme complet de transmission de fichiers. Vous apprendrez à cette occasion toute une série d'informations à propos de l'interface parallèle souvent dénommée Centronics.

8.1. Accès à l'imprimante par le BIOS

Parmi les différentes interruptions que le BIOS se réserve pour ses services, l'interruption 17h est exclusivement consacrée à la communication avec l'interface parallèle. En principe il est possible de brancher sur cette interface des périphériques autres qu'une imprimante. Mais l'interruption 17h est couramment appelée "interruption imprimante du BIOS" parce qu'en pratique on ne trouve jamais que des imprimantes ainsi connectées. Les termes d'"imprimante" et d'"interface parallèle" sont donc interchangeables.

Les fonctions de l'interruption imprimante du BIOS

Comme le confirmera la section consacrée à la programmation directe du matériel, le nombre d'interfaces parallèles gérables sur un PC est au maximum de trois. Elles sont commandées par trois fonctions de l'interruption 17h du BIOS. Ces trois fonctions ne correspondent absolument pas aux trois interfaces éventuellement connectées. Elles ont en charge des rôles différents et chacune d'elle peut agir sur l'une des trois interfaces possibles.

Rôle des trois fonctions de l'interruption imprimante du BIOS	
Fonction	**Rôle**
00h	Envoie un caractère
01h	Initialise l'imprimante
02h	Lit l'état de l'imprimante

Notez que les fonctions équivalentes de DOS ne s'appliquent qu'à la première interface parallèle, appelée "PRN" ou "LPT1". Les trois fonctions du BIOS sont plus souples : on leur communique par le registre DX le numéro de l'interface adressée. On peut donc y charger les nombres 0, 1 ou 2 selon que l'on s'adresse à l'une ou l'autre des interfaces. En DOS, le numéro 0 correspondrait à LPT1, le numéro 1 à LPT2, le numéro 2 à LPT3.

L'état de l'imprimante

Toutes les trois fonctions renvoient dans le registre AH l'indicateur d'état de l'imprimante. Les différents bits de cet indicateur (qui occupe un octet) fournissent diverses informations sur l'activité de l'imprimante, la présence de papier, la détection des erreurs de transmission, etc.. L'indicateur d'état de l'imprimante joue un rôle important dans la communication avec l'interface parallèle.

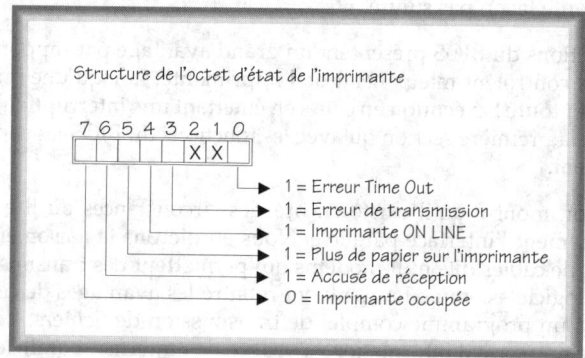

L'erreur de *Time Out* ou dépassement du temps imparti se produit lorsque que le BIOS essaye de transmettre des données à l'imprimante, alors que celle-ci les refuse ou bien annonce qu'elle est encore en action (-BUSY = le bit 7 vaut 0). Il est très fréquent que l'imprimante ne puisse plus accepter de caractères : n'oubliez pas qu'en théorie une interface parallèle peut émettre jusqu'à 100 000 caractères/s. Aucune imprimante, si perfectionnée soit-elle, ne peut tenir cette cadence, même avec un buffer interne.

Le nombre de tentatives d'émissions que le BIOS effectuera avant de signaler une erreur de Time Out dépend du contenu d'une variable du BIOS. L'adresse stratégique est 0040:0078 : à cet endroit, sur trois octets, sont stockés les nombres de tentatives associés à chacune des trois imprimantes soutenues par le BIOS.

Compteurs de Time Out gérés par le BIOS pour les trois interfaces parallèles	
Adresse	**Signification**
0040:0078	Compteur de Time-Out pour la première interface parallèle
0040:0079	Compteur de Time-Out pour la seconde interface parallèle
0040:007A	Compteur de Time-Out pour la troisième interface parallèle

Les nombres mémorisés ne sont pas des durées mais représentent le nombre d'échecs qui déterminent une erreur de *Time Out*. Il s'agit en fait de compteurs d'itérations dans une boucle. Le programme du BIOS effectue un test dans le cadre d'une boucle. La boucle en question ne comporte que quelques instructions machine. Elle est parcourue en l'espace de quelques microsecondes, c'est pourquoi le nombre mémorisé n'est pas à proprement parler le nombre d'itérations mais une base multipliée par le facteur 262140 (4 * 65535). Ainsi la valeur 20 mémorisée à l'initialisation du système exprime que l'erreur de *Time Out* ne se déclenchera qu'au bout de plus de 5 millions de tentatives d'émissions infructueuses.

L'utilisation d'un compteur d'itérations en lieu et place d'un compteur de temps entraîne une conséquence notable : le délai d'apparition de l'erreur de *Time Out* dépend de la vitesse de fonctionnement de l'ordinateur, c'est-à-dire du type de processeur et de sa cadence. Dans le cas d'un ordinateur très rapide, le compteur doit être augmenté en conséquence. Lorsqu'on achète un 486, on risque , faute de cet ajustement, de se trouver devant des erreurs de *Time Out* au moment d'une demande d'impression, alors que le bon vieil AT marchait correctement.

Les fabricants de BIOS effectuent généralement ledit ajustement en modifiant le facteur de multiplication rencontré précédemment, par exemple en remplaçant 4*65536 par 8*65536 lorsque le système est deux fois plus rapide qu'un AT classique.

Cette intervention est tout à fait justifiée sous cette forme, car les programmes d'application accèdent souvent aux trois variables du BIOS pour changer le Time Out de l'une des interfaces. Un programmeur peut librement augmenter un *Time Out* lorsque l'imprimante branchée le requiert. Cette augmentation serait rapidement absorbée par un système rapide si le facteur de multiplication n'était pas remanié en conséquence.

Les autres composants de l'indicateur d'état

Le bit de *Time Out* n'est pas le seul qui soit intéressant dans l'indicateur d'état. Le bit 3 signale une erreur de transmission, c'est-à-dire des données incohérentes sur la ligne. Le bit 4 indique si l'imprimante est en ligne (ON LINE) ou au contraire hors ligne (OFF LINE) : il correspond au commutateur de même nom situé sur le panneau avant de l'imprimante avec une diode témoin.

Le bit 5 détecte si l'imprimante est alimentée en papier. Le bit 6 est un accusé de réception (Acknowledge flag) par lequel l'imprimante signale la réception du dernier caractère. Pour savoir si une imprimante est connectée à une interface donnée, il faut lire ce bit : s'il est égal à 1, aucune imprimante n'est branchée.

Le bit 7 rend compte du signal d'activité dit BUSY, par lequel l'imprimante exprime qu'elle est occupée et qu'elle ne peut plus accepter de caractère pour le moment. Ce bit joue un rôle en liaison avec l'erreur de *Time Out* : c'est lorsqu'il est actif que la boucle d'émission d'un caractère est recommencée.

Notez que la logique du bit BUSY est inversée. Il est égal à 0 lorsque l'imprimante est en action, et à 1 lorsque l'imprimante est prête à recevoir des caractères. Les différentes situations dans lesquels se trouve une imprimante peuvent affecter toute une série de bits de l'indicateur d'état. Par exemple lorsque l'imprimante est prête et en ligne, les bits 4 et 7 sont à 1. Si on met l'imprimante hors ligne, par exemple pour faire avancer le papier, les bits 4 et 7 passent à 0 cependant que le bit 3 signale une erreur de transmission.

Exploitation de l'indicateur d'état

A quoi sert concrètement l'indicateur d'état dans un programme ? D'abord à connaître les circonstances de transmission d'un caractère. Vous pouvez tester s'il reste du papier, si l'imprimante est en ligne et s'il y a bien une imprimante rattachée à la connexion.

Vous pouvez aussi vérifier globalement que les conditions de réception d'un caractère sont remplies. Tel n'est pas le cas si l'un des bits 1 (erreur de Time Out), 3 (Erreur de transmission) ou 5 (Défaut de papier) est mis ou si l'un des bits 4 (imprimante en ligne) ou 7 (imprimante en action) est nul.

On peut formuler cette condition dans une sorte de pseudo-code :

```
pstatus = EtatImprimante;
if ( ( (pstatus and 29h) <> 0 ) or
     ( (pstatus and 80h) = 0  ) or
     ( (pstatus and 10h) = 0  ) ) then
  ImprimanteOK = FALSE
else
  ImprimanteOK = TRUE;
```

Les trois fonctions du BIOS

Mais revenons aux trois fonctions du BIOS qui permettent d'exploiter l'interruption 17h. La première d'entre elles, qui porte le numéro 0, sert à transmettre un caractère à l'imprimante. Il faut lui communiquer son numéro en AH et le caractère à transmettre (ASCII) en AL. Au retour, le registre AH contient l'indicateur d'état, comme ce sera d'ailleurs le cas pour toutes les autres fonctions.

La deuxième fonction sert à initialiser l'interface parallèle et l'imprimante. Elle est à invoquer chaque fois que l'on envoie pour la première fois des données à l'imprimante. Elle signifie en quelque sorte : L'Attention, il faut remettre les compteurs à zéro, une nouvelle impression va démarrer". Cette fonction ne nécessite aucun argument, à part évidemment le numéro 01h à mettre en AH.

La dernière fonction qui porte le numéro 02h est spécialisée dans la lecture de l'indicateur d'état qu'elle renvoie en AH. Elle ne procède à aucune émission de caractère et n'entreprend aucune initialisation, comme c'est le cas des fonctions 00h et 01h. Comme argument, elle ne nécessite que la donnée de son numéro.

8.1.1.   Appel des fonctions du BIOS

Les fonctions qui viennent d'être présentées sont trop simples pour justifier des programmes de démonstration. Chacune d'elles peut être appelée à partir des langages évolués par le biais des instructions ou fonctions d'interruption classiques.

Par ailleurs les bibliothèques des compilateurs C offrent souvent des instructions ou fonctions spécialisées. Le tableau suivant montre quelles sont les routines concernées dans le cas des compilateurs Microsoft® et Borland® :

Routines d'appel des fonctions d'impression chez Borland et Microsoft	
Compilateur	Fonction
Borland C et C++, Turbo C	biosprint
Quick C, Microsoft C	_bios_printer

QuickBasic et Turbo Pascal ont aussi des instructions d'impression de bas niveau mais ces dernières n'exploitent pas les fonctions du BIOS ci-dessus. Elles se servent des fonctions de sorties de DOS, et sont donc grevées de tous leurs défauts : en cas d'erreur de transmission elles déclenchent ainsi l'interruption d'erreur critique 24h au lieu d'envoyer un code d'erreur au programme. Il est vrai qu'il est possible d'intercepter cette interruption comme le fait automatiquement Turbo Pascal. L'ordre d'impression dans QuickBasic est LPRINT. Turbo Pascal utilise WRITE et WRITELN, mais il faut auparavant créer une variable fichier, l'associer à l'imprimante et la mentionner à chaque appel de WRITE ou WRITELN, à moins que l'unité PRINTER.TPU ne vous décharge de cette tâche. Pour plus de précisions, reportez-vous aux manuels de Borland® Pascal™.

8.1.2. Détournement de l'interruption imprimante du BIOS

L'interruption associée à l'imprimante n'est pas seulement un instrument aux mains des logiciels d'application, elle est également très appréciée des programmes résidents qui ont l'habitude de la détourner pour modifier son fonctionnement.

C'est ainsi que sont implémentés les fameux *Print-Spoolers* qui commencent par stocker dans un buffer les caractères destinés à l'imprimante avant de les transférer à l'impression.

Je voudrais vous présenter un programme écrit en Assembleur qui sera utile à tous ceux qui ont une imprimante munie d'un jeu de caractères différent de celui du PC.

Il existe notamment certaines imprimantes Epson dont les caractères accentués (é, ê, è) ne se trouvent pas au même endroit que dans le jeu ASCII habituel du PC. Le programme va détourner l'interruption de l'imprimante pour y insérer la transformation des caractères litigieux. On évite ainsi de définir une table de conversion comme le font généralement les traitements de texte.

Conversion automatique de caractères

Le nouveau gestionnaire d'interruption qui se trouve au centre du programme résident PRACCENT.ASM commence par vérifier si la fonction 00h d'impression d'un caractère a été appelée. Seul le fonctionnement de cette dernière est à modifier.

Si c'est une autre fonction qui a été invoquée, l'appel est transmis à l'ancien gestionnaire d'interruption.

Si un caractère doit être imprimé, le programme le recherche dans la table CODETAB. Cette table est située au début du listing de PRACCENT.ASM et comporte des éléments à deux octets : le premier octet (de poids faible) est le code du caractère converti, l'octet suivant étant le code du caractère à convertir. La table se termine par un octet nul.

La nouvelle fonction 00h de l'interruption imprimante du BIOS commence par chercher si le caractère à imprimer se trouve dans une ligne de la table, en deuxième position. Si cette recherche échoue, le caractère est renvoyé sur l'ancienne interruption. Si le caractère est repéré dans la table, il est remplacé par le premier octet de la ligne avant d'être envoyé à l'impression.

Le reste du programme ne réclame pas beaucoup de commentaires : sa structure est typique des nombreux programmes résidents décrits dans ce livre. PRACCENT est réalisé sous forme de programme COM : son appel se fait sans paramètre. Lorsqu'on le lance, il commence par vérifier s'il est déjà installé. Si tel n'est pas le cas, il s'installe, sinon il se retire de la mémoire.

Ce programme ne sert pas seulement à gérer les impressions commandées par l'interruption 17h du BIOS. N'oubliez pas en effet que même les fonctions d'impression du DOS recourent à l'interruption du BIOS. Donc les impressions effectuées par DOS sont également converties par PRACCENT.

PRACCENT.ASM

8.2. Programmation directe de l'interface parallèle

Tant que le récepteur est capable de suivre l'émetteur, les fonctions du BIOS qui permettent l'émission des caractères sur l'interface parallèle sont parfaites. Mais si un ordinateur communique, non pas avec une imprimante, mais avec son semblable, les choses deviennent plus délicates. Car les vitesses de transfert exigées sont au-delà des capacités des fonctions du BIOS. Par ailleurs, une liaison entre deux ordinateurs nécessite un câble spécial (dit câble null-modem). Il faut alors changer un peu les règles du jeu.

8.2.1. Les ports d'entrée-sortie des interfaces parallèles

Il est possible de brancher jusqu'à 3 interfaces parallèles sur un PC. Des espaces d'adressage correspondants sont soigneusement réservés à cet usage :

Port	Interface
3BCh-3BFh	interface parallèle sur la carte MDA
378h-37Fh	1re interface parallèle
278h-27Fh	2e interface parallèle

Dans le tableau précédent les adresses des ports ne se présentent pas dans l'ordre croissant. Tel est en effet l'ordre dans lequel le BIOS recherche les interfaces au démarrage du système. Sa première tâche est en effet de tester la présence-même des interfaces. L'ordre de découverte fixe alors l'attribution des dénominations LPT1, LPT2, LPT3. Le BIOS commence par s'intéresser à la zone mémoire 3BCh-3BFh. Elle fait partie d'un espace allant de 3B0h à 3BFh et réservé à la carte monochrome MDA ou la carte graphique Hercules. Jusqu'au milieu des années 80, la plupart des PC étaient livrés avec des cartes de ce type qui possédaient, en plus des circuits d'affichage, une interface parallèle.

Si une carte de ce type est décelée, le BIOS la baptise LPT1. La prochaine sera alors enregistrée comme LPT2. S'il n'y a pas de carte d'écran avec interface parallèle, la prochaine interface parallèle découverte sera considérée comme LPT1.

Les deux autres zones de mémoire sont réservées à des interfaces parallèles indépendantes. Compte tenu des progrès incessants de la miniaturisation, il n'est pas sûr que ces deux interfaces soient situées sur des cartes distinctes. On les trouve non seulement sur la carte mère mais aussi à l'intérieur du circuit du processeur. Cette tendance s'affirme encore avec les ordinateurs portables Notebooks et Palmtops.

BIOS interroge donc les ports d'interface pour connaître leur emplacement indépendamment de leur implémentation effective. Il peut en résulter des conséquences inattendues. Si une seule interface parallèle est installée et si elle occupe l'espace mémoire destiné à la deuxième, elle sera malgré tout adressée comme LPT1.

Sélection de LPT1 à LPT3

L'attribution des dénominations LPT1, LPT2 et LPT3 dépend de l'enregistrement de leurs adresses de base dans le segment des variables du BIOS. A l'offset 0008h se trouve une table de quatre mots qui mémorisent les adresses des ports des interfaces parallèles.

0040:0008h	adresse de base LPT1
0040:000Ah	adresse de base LPT2
0040:000Ch	adresse de base LPT3
0040:000Eh	adresse de base LPT4

Bien qu'au moment de l'initialisation du système le BIOS ne recherche que trois interfaces au maximum, il y a apparemment de la place pour quatre. L'expérience montre effectivement que les fonctions du BIOS peuvent gérer une quatrième interface parallèle si on reporte son adresse de base à l'offset 000Eh et si dans les appels on lui attribue le numéro 3.

La terminologie LPT1 ne provient pas du BIOS qui se contente de numéroter les interfaces de 0à 3. Elle a été introduite par DOS qui désigne les périphériques parallèles par LP1, LPT2 et LPT3. Notez que LPT4 n'existe pas du point de vue de DOS.

Pour échanger deux interfaces, par exemple LPT1 et LPT2, il suffit de permuter les adresses des ports mémorisées par les variables du BIOS. En pseudo code, l'affaire se traite de la façon suivante :

```
DummyWord = MEM[ 0040h: 0008h ]
MEM[ 0040h: 0008h ] = MEM[ 0040h: 000Ah ]
MEM[ 0040h: 000Ah ] = DummyWord
```

8.2.2. Les registres de l'interface

Indépendamment de leur adressage, toutes les interfaces parallèles présentent trois registres situés au début de leur zone de mémoire : par exemple en 378h, 379h et 37Ah pour la première interface parallèle. Les figures suivantes décrivent la signification des différents bits des registres d'interface. Si vous confrontez la dénomination de ces bits à la description de la structure d'un câble Centronics (section 8.2.4), vous trouverez de nombreuses concordances. Ceci n'est pas dû au hasard car les bits des registres d'interface sont directement reliés aux lignes de transmission du câble Centronics. Si on charge la valeur 1 dans l'un des bits, la ligne associée est aussitôt mise sous tension. Inversement, si le bit est mis à 0, la ligne est placée en mode "low". En principe chaque ligne garde son état jusqu'à ce que le bit associé soit changé par programme.

Notez cependant que certaines de ces lignes ont une logique inversée : leur nom est alors surligné ou précédé d'un signe -. La condition exprimée par une telle ligne est réalisée si elle est à 0. Par exemple la ligne ERROR signale une erreur d'impression lorsque le bit correspondant est nul. Tant que la ligne est sous tension à l'état "high", aucune erreur ne s'est produite.

Lignes de données

Les huit bits du premier registre ne sont pas inversés. Ils représentent les données qui doivent être transférées sur les lignes D0 à D7. Il faut bien se rendre compte que ce registre est conçu comme un pur registre de sortie qui n'est pas destiné à réceptionner des données. Il est vrai qu'une imprimante n'est pas là pour envoyer des données à l'ordinateur, et que l'interface Centronics n'a pas été pensée pour faire communiquer deux ordinateurs. En conséquence, un certain nombre de problèmes vont apparaître lorsqu'on cherchera à développer un logiciel de communication pour relier deux ordinateurs, car ce logiciel devra gérer des émissions et des réceptions. Mais nous verrons cela plus tard.

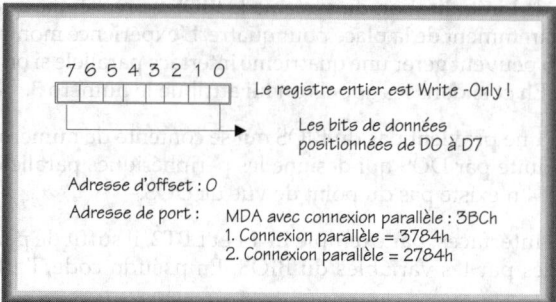

État de l'imprimante

L'état courant de l'imprimante est décrit par le second registre qui n'est accessible qu'en lecture et ne peut pas recevoir de données. Il reflète l'état des différentes lignes d'état de l'imprimante. La figure suivante mentionne la correspondance des bits avec les broches (pins) du côté de l'ordinateur hôte.

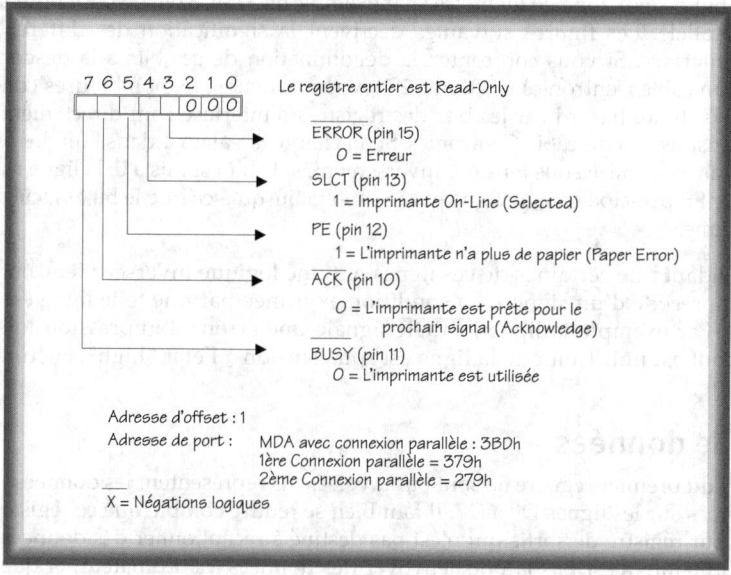

Commande de l'imprimante

Le troisième registre sert à commander l'imprimante et le matériel. Par ailleurs il joue un rôle important dans la transmission des caractères. Les bits de 0 à 3 sont en correspondance directe avec des lignes de l'interface Centronics.

Un autre bit sert à déclencher une interruption matérielle dès que le signal $\overline{ACK}$ passe à Low et que l'imprimante signale ainsi que la réception du dernier caractère. Le choix de l'interruption en question peut en général être fixé par des micro-interrupteurs DIP situés sur la carte d'interface. On peut prendre IRQ7 ou IRQ5 qui sont liés aux interruptions 0Fh et 0Dh. Contrairement à ce qui se passe pour les interfaces série, cette possibilité est rarement exploitée car les interfaces parallèles fonctionnent généralement en mode de consultation (polling) et non pas par interruption. Dans ce cas le BIOS ne touche pas aux vecteurs d'interruptions.

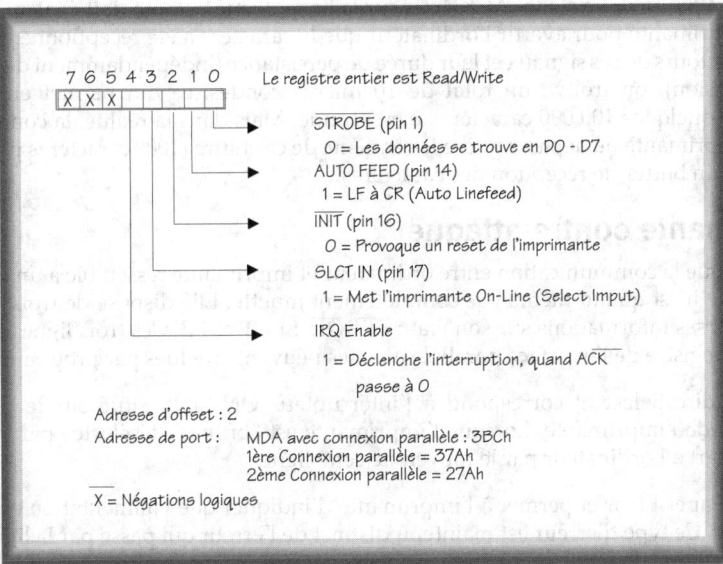

8.2.3. Structure de la communication

La signification des différentes lignes et des bits associés se conclut normalement par un coup d'œil dans les coulisses de la communication entre ordinateur et imprimante. L'octet à imprimer est d'abord chargé dans le premier registre de l'interface parallèle, et par conséquent, dans les lignes D0 à D7. S'il est vrai que ces signaux arrivent instantanément à l'imprimante, cette dernière a pourtant besoin d'un signal supplémentaire pour les traiter. Il ne faut pas oublier en effet que les lignes D0 à D7 portent en permanence des informations, l'imprimante doit savoir si c'est un caractère à imprimer ou un reste de caractère déjà traité.

La ligne -STROBE

C'est alors qu'intervient la ligne $\overline{\text{STROBE}}$. En la mettant à 0, l'ordinateur signale la présence de données à imprimer sur les lignes de données. Il faut ensuite que ce signal soit très rapidement retiré, sinon l'imprimante risque d'effectuer deux fois la lecture du caractère. Mais il faut aussi un délai minimal d'une microseconde pour laisser à l'électronique de l'imprimante le temps de lire les caractères.

-BUSY et -ACKnowledge

Une microseconde, ce n'est pas très long, et l'imprimante ne peut pas suivre ce rythme infernal, même en disposant rapidement les caractères dans un buffer interne. Elle signale alors par la ligne $\overline{\text{BUSY}}$ qu'elle n'est pas encore prête pour la suite. Normalement ce signal est envoyé immédiatement après réception du signal $\overline{\text{STROBE}}$ pour que l'imprimante ait le temps de lire tranquillement le caractère et de le traiter convenablement. Comme le signal $\overline{\text{BUSY}}$ suit une logique inversée, il prend la valeur 0 lorsque l'imprimante est affairée. Le programme - ici le BIOS - doit alors attendre son retour à 1 avant d'émettre un autre caractère. La ligne $\overline{\text{BUSY}}$ est la seule de l'interface parallèle à être inversée au moment de la réception. Pour que l'ordinateur réceptionne 0, l'imprimante doit mettre la ligne à 1.

Mais ce n'est pas tout. Le signal $\overline{ACK}$ émis sur la ligne de même nom doit également être mis à 0 par l'imprimante pour avertir l'ordinateur que le caractère a été réceptionné. Si on étudie les allers et retours de ces signaux et leur durée de persistance (indépendamment de leur vitesse de transmission), on trouve un total de 10 microsecondes, ce qui permet en théorie de transmettre quelques 100 000 caractères par seconde. Mais dans la réalité, la communication avec une imprimante ne dépasse guère le centième de ce chiffre (1000 caractères par seconde), même avec un buffer de réception des caractères.

L'imprimante contre-attaque

S'il est vrai que la communication entre ordinateur et imprimante ressemble à un monologue, l'imprimante n'est quand même pas complètement muette. Elle dispose de trois lignes pour donner diverses informations sur son état : $\overline{ERROR}$, SLCT et PE. Ces trois lignes aboutissent au premier registre de l'interface parallèle où elles peuvent être lues par programme.

SLCT veut dire Select et correspond à l'interrupteur ON-LINE situé sur le panneau de commandes de l'imprimante. Lorsque l'imprimante est "offline" désélectée par l'utilisateur, elle en fait part à l'ordinateur par le moyen de cette ligne.

PE signifie Paper Error et permet à l'imprimante d'indiquer que l'alimentation en papier est interrompue. Ce type d'erreur est maintenu distinct de l'erreur qui passe par la ligne ERROR. En effet le manque de papier peut être facilement corrigé par une intervention de l'utilisateur, tandis qu'une erreur de transmission n'est pas réparable de la sorte. Dans ce dernier cas les responsables sont généralement un câble défectueux ou des signaux parasites que l'utilisateur ne peut identifier immédiatement.

Commande par l'ordinateur

Dernier perfectionnement qui n'est pas le moindre, l'ordinateur dispose de diverses lignes qui lui permettent de commander l'imprimante. Elles s'appellent : AUTO FEED, INIT et SCLT IN. Elles sont associées à divers bits du troisième registre et peuvent être librement mises à 0 ou à 1 par programme.

Lorsque le signal AUTO FEED est à 1, il indique à l'imprimante qu'elle doit ajouter à chaque caractère Entrée (retour chariot CR de code ASCII 13) un caractère de passage à une nouvelle ligne (LF ou LineFeed). Ce mécanisme a été introduit parce que toutes les imprimantes ne se comportent pas de la même façon en recevant un caractère CR. Certaines reviennent en début de ligne sans passer à la ligne suivante. Il faut alors simuler l'émission d'un caractère d'avancement de la ligne (LF) sinon l'impression d'une ligne recouvre la précédente. La ligne AUTO FEED permet d'éviter cet accident.

Avec la ligne SLCT IN l'ordinateur est en mesure de mettre l'imprimante hors ligne (OFF LINE) : il lui suffit d'envoyer le signal 0. Mais normalement c'est plutôt la valeur 1 qui doit être maintenue.

La ligne INIT permet à l'ordinateur de réinitialiser l'imprimante. Sa logique est inversée : pour provoquer le Reset, le bit correspondant doit être annulé. Mais il doit aussitôt être remis à 1, sinon l'imprimante entre dans une séquence interminable d'initialisations.

8.2.4. Les câbles

La communication entre ordinateur et imprimante ne fonctionne correctement que si les broches des deux interfaces sont convenablement reliées par le câble.

Il existe un standard qui définit la répartition des signaux sur les différentes broches et comment les broches doivent être reliées. Ce standard s'appelle *Centronics*, il porte à la fois sur les connecteurs d'interface et les câbles de liaison.

Le tableau suivant en donne l'illustration.

Liaison par câble Centronics entre ordinateur et imprimante			
Broche Ordinateur	**Broche Imprimante**	**Nom Ligne**	**Rôle**
1 ———> 1		STROBE	Déclenche la transmission
2 ———> 2		D0	Ligne de données Bit 0
3 ———> 2		D1	Ligne de données Bit 1
4 ———> 2		D2	Ligne de données Bit 2
5 ———> 2		D3	Ligne de données Bit 3
6 ———> 2		D4	Ligne de données Bit 4
7 ———> 2		D5	Ligne de données Bit 5
8 ———> 2		D6	Ligne de données Bit 6
9 ———> 2		D7	Ligne de données Bit 7
10 <——— 10		ACK	Réception du dernier caractère
11 <——— 11		BUSY	Imprimante occupée
12 <——— 12		PE	Plus de papier sur l'imprimante
13 <——— 13		SLCT	Imprimante ON-LINE
14 ———> 14		AUTO FEED	LF succède automatiquement à LF
15 <——— 32		-ERROR	Erreur de transmission
16 ———> 31		INIT	Réinitialisation de l'imprimante
17 ———> 36		SLCT IN	Mise ON-LINE de l'imprimante
18-25 <——> 19-30		GND	Masse

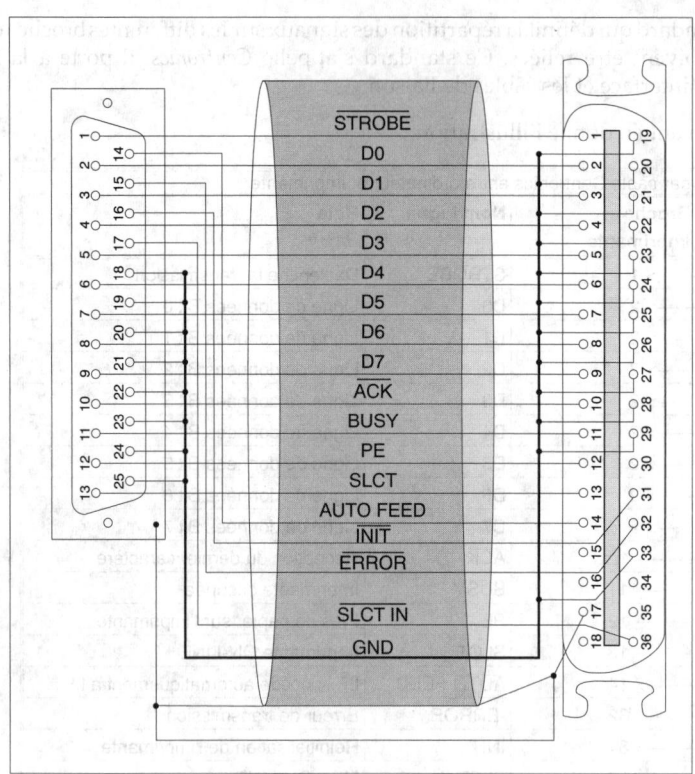

Structure d'un câble Centronics

Mise au point d'un câble null-modem

Si l'on veut tirer profit des interfaces parallèles pour transmettre des données entre ordinateurs, le câble Centronics ordinaire ne fait pas l'affaire. Des deux côtés les ordinateurs présentent des prises femelles semblables. Le câble Centronics ne peut pas s'y connecter, il faudrait commencer par taper dessus pour en réduire la taille. Mais ce n'est pas là le seul problème. D'après le schéma usuel, la transmission ne peut se faire que dans un seul sens : l'émetteur ne peut pas recevoir de données sur les lignes D0 à D7 , et inversement le récepteur ne peut pas utiliser ces lignes pour envoyer des données. Il faut établir une liaison bidirectionnelle pour que le récepteur puisse retourner des informations à l'émetteur, par exemple un total de vérification. Ce n'est qu'ainsi que l'émetteur pourra s'assurer que les données émises ont été transmises correctement.

On utilise à cette fin les différentes lignes d'état qui véhiculent habituellement des informations d'état en provenance de l'imprimante. Il s'agit des lignes ERROR, SLCT, PE, ACK et BUSY qui sont associées au deuxième registre et peuvent y être lues sans problème. Elles sont reliées aux lignes D0 à D4 pour que les émissions de l'émetteur puissent être lues par le récepteur sur les lignes d'état. Inversement du côté du récepteur les lignes D0 à D4 sont reliées aux lignes d'état pour qu'une communication soit également possible dans l'autre sens.

Concrètement on croise les lignes D0 à D4 avec les lignes d'état $\overline{ERROR}$, SLCT, PE, $\overline{ACK}$ et $\overline{BUSY}$. La règle suivante est valable à la fois pour l'émetteur et le récepteur : celui qui écrit des données dans les cinq bits inférieurs du premier registre de l'interface parallèle les envoie sur les bits 3 à 7 du deuxième registre de son interlocuteur. Grâce à cette symétrie, il est indifférent d'échanger les extrémités des câbles. La figure suivante montre comment sont reliées les broches des deux connecteurs d'un câble null-modem Centronics.

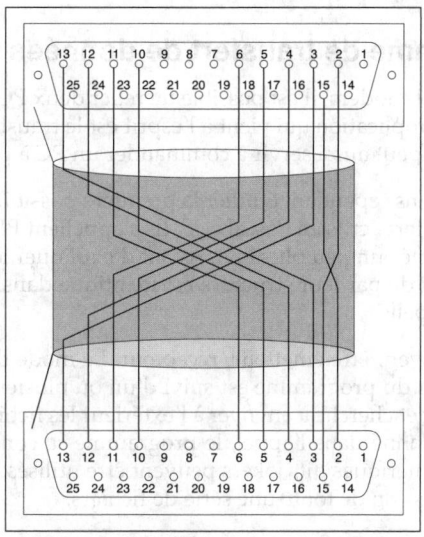

Câblage d'une liaison parallèle par null-modem

Malheureusement ce genre de câble se trouve difficilement dans le commerce. Voici donc quelques indications de bricolage. Il faut deux prises mâles SUB-D à 25 broches et un câble blindé qui ne doit pas dépasser 3 m de long (au-delà de cette longueur on risque de se trouver confronté à des problèmes de transmission).

Comme le montre le tableau suivant, il faut d'abord relier les broches 2 à 6 de l'une des prises avec les broches 15 à 10 de l'autre (à l'exception de 14). Choisissez cinq fils quelconques du câble et soudez-les aux broches 2 à 6 de la première prise. A l'autre extrémité, fixez les mêmes fils aux broches 15 à 10 en veillant évidemment à respecter la correspondance indiquée : par exemple ne reliez pas D0 à SLCT ou $\overline{BUSY}$ mais à $\overline{ERROR}$.

Mise en relation des broches d'un câble parallèle null-modem			
Broche	Broche	Broche	Broche
2	15	15	2
3	13	13	3
4	12	12	4
5	10	11	6
6	11	10	5

Renouvelez ensuite la même opération dans l'autre sens de façon à obtenir le croisement recherché. N'oubliez pas de souder le blindage à la masse de la prise. Le câble ainsi constitué peut être utilisé pour exploiter des logiciels de communication du commerce, par exemple LapLink. Ces programmes en effet ne travaillent avec rien d'autre qu'un câble parallèle null-modem. S'il ne fonctionne pas, c'est soit en raison d'un mauvais bricolage, soit parce qu'une autre répartition des lignes entre données et signaux d'état. Car les lignes de données D0 à D4 peuvent évidemment être reliées de façon différente aux lignes d'état, bien que la programmation s'en trouve compliquée.

8.2.5. Un programme de transfert de données

Avec un câble parallèle null-modem, il est possible de relier deux PC pour leur faire échanger des données. La première application qui vient à l'esprit est le transfert des données de l'un à l'autre mais le même câble peut aussi servir à commander un PC à partir d'un autre.

Dans cette section nous allons cependant étudier la première possibilité : j'ai réalisé pour vous deux programmes de transfert écrits en Pascal et C. Ils s'appellent PLINKP.PAS et PLINKC.C et leurs listings sont imprimés un peu plus loin. Avant d'expliquer le fonctionnement interne des deux programmes, qui de par leur structure est identique dans les deux cas, je voudrais décrire comment on les appelle.

Les deux programmes peuvent être émetteur/récepteur. Le mode d'utilisation dépend de la forme de l'appel : si le nom du programme est suivi d'un ou plusieurs noms de fichiers, il se considère comme émetteur et cherche à envoyer à l'extérieur les fichiers mentionnés. Si aucun nom de fichier n'est mentionné dans l'appel, le programme se considère comme récepteur. Notez que les caractères génériques dits jokers peuvent être utilisés dans les noms de fichiers pour déclencher la transmission de toute une série de fichiers.

Les noms des fichiers peuvent être eux-mêmes suivis des paramètres optionnels /P et /T. /P sert à indiquer que la transmission ne doit pas se faire par la première interface parallèle, il faut alors préciser le numéro de l'interface souhaitée (entre 1 et 4).

Le paramètre /T sert à fixer le délai de Time-Out. A priori, ce délai est fixé à 10 s mais vous pouvez imposer une autre valeur. Mettez à la suite du T le nombre de secondes souhaité. Ainsi avec la version en Pascal on pourra déclencher une émission de fichiers par une commande du genre :

```
PLINKP /p2 /t30 *.txt image.bmp
```

Transmission d'informations par le câble null-modem

Le câble null-modem présenté permet d'envoyer simultanément cinq bits par les lignes de données D0-D4. La transmission est même possible dans les deux sens en même temps puisque le câble est croisé. Mais il est indispensable de disposer d'un protocole approprié, autrement dit d'une sorte de ligne $\overline{\text{STROBE}}$ qui imprime le rythme de la communication. L'un des cinq bits doit donc être sacrifié à cette fin. Le bit $\overline{\text{BUSY}}$ semble tout indiqué. Seuls les bits situés aux extrémités entrent en ligne de compte, sinon les données sont coupées en deux : on peut donc choisir entre $\overline{\text{ERROR}}$ et $\overline{\text{BUSY}}$. La ligne $\overline{\text{BUSY}}$ est préférable car n'oublions pas qu'elle est inversée automatiquement par l'électronique de l'interface. Il faudrait donc lui restituer sa valeur d'origine si elle sert à transmettre des données, et ce serait là une perte de temps inutile.

Que le bit $\overline{\text{STROBE}}$ soit inversé n'est pas gênant, il suffit d'en tenir compte dans l'écriture du protocole de transmission. Un 0 à l'une des extrémités signifiera un 1 à l'autre bout. Nous reviendrons là dessus dans un moment.

Le protocole de transmission dont il est question ici est celui des deux programmes de démonstration présentés. On peut imaginer une infinité de ces protocoles, et le nôtre est tout à fait particulier. Il travaille sur deux niveaux séparés : le niveau des octets et le niveau des blocs de données. Au niveau des octets le fonctionnement est orienté matériel tandis qu'au niveau des blocs il s'agit d'un protocole logiciel.

Transmission des octets

Examinons d'abord le niveau des octets du côté de l'émetteur. Un octet donné ne peut pas être transmis en une seule fois : il n'existe que quatre lignes pour cela. L'octet est donc divisé en deux quartets ("nibbles") émis l'un après l'autre selon le même schéma. Le quartet de poids faible est chargé dans les bits 0 à 3 du premier registre de l'interface et émis sur les lignes D0 à D3. Le bit de la ligne D4 est mis à 0 pour que le récepteur recueille la valeur 1 sur sa ligne $\overline{BUSY}$, ce qui lui indique que le quartet émis est prêt. Le récepteur attend patiemment cet événement en interrogeant en permanence la ligne $\overline{BUSY}$ jusqu'à ce qu'elle monte à 1.

Le quartet est alors chargé depuis le deuxième registre de l'interface dans une variable. Le contenu ainsi lu est renvoyé à l'expéditeur par les lignes de données. Le bit de la ligne D4 est mis à 0 pour que le récepteur trouve sa ligne $\overline{BUSY}$ à 1. Ce dernier lit le quartet renvoyé et le mémorise.

Le quartet émis et le quartet renvoyé peuvent être comparés : il existe donc une vérification de la communication au plus bas niveau. Il faut dire cependant qu'en général on effectue plutôt ce genre de contrôle au niveau des blocs, sinon le temps perdu est trop important. Dans notre cas il n'y a pas de perte de temps car la ligne $\overline{BUSY}$ doit de toute façon renvoyer un signal $\overline{STROBE}$ à l'émetteur. Le fait de joindre à ce signal le quartet réceptionné n'est pas pénalisant.

Le même petit jeu se répète avec la transmission du second quartet qui correspond aux 4 bits de poids fort de l'octet. Mais cette fois ci l'émetteur se préoccupe d'abord de faire parvenir un 0 à la ligne $\overline{BUSY}$ du récepteur. Dès que ce dernier s'en aperçoit, il lit le quartet, le renvoie et remet à 0 la ligne $\overline{BUSY}$ de l'émetteur. Il reste à recomposer l'octet transmis avec les deux quartets.

L'émetteur relit le deuxième quartet renvoyé pour contrôle, le concatène au second et teste s'il y a conformité avec l'original. En cas d'erreur, la routine d'émission transmet l'information au programme appelant, pour que les conséquences puissent en être tirées au plus haut niveau, par exemple par une demande de réémission du bloc. La quasi totalité des erreurs de transmission peut être ainsi détectée, mis à part quelques cas rarissimes de dysfonctionnements dans les deux sens.

Comme pour la transmission ordinaire des données vers l'imprimante, tout repose ici sur la commutation répétitive du signal $\overline{STROBE}$ sur la ligne $\overline{BUSY}$. Il faut bien veiller au moment du croisement du câble que l'on dispose de deux lignes $\overline{BUSY}$ distinctes. Pour l'émetteur comme pour le récepteur, le bit $\overline{BUSY}$ se trouve sur la ligne D4 au moment de son émission, sa destination étant la ligne d'état de même nom.

Le graphique suivant ne tient pas compte de ce fait. Destiné à visualiser le flux de données, il suppose qu'émetteur et récepteur utilisent les lignes D0 à D4 pour leurs émissions et qu'une ligne $\overline{STROBE}$ séparée est à leur disposition.

1.

L'émetteur commence par transmettre le quartet de poids faible. Il place le quartet sur les lignes DO à D3 et règle la ligne D4 sur 0 pour que le bit BUSY corresponde à 1 chez le récepteur.

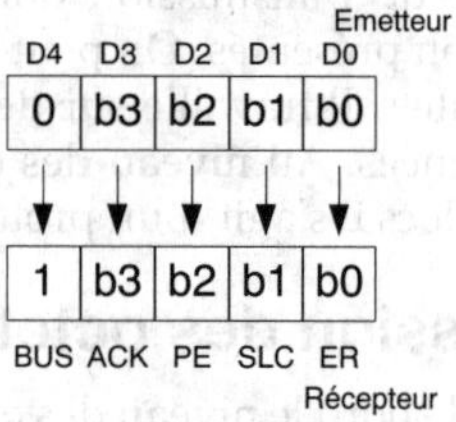

	Emetteur			
D4	D3	D2	D1	D0
0	b3	b2	b1	b0

				Récepteur
1	b3	b2	b1	b0
BUS	ACK	PE	SLC	ER

2.

Le récepteur s'attendait à ce que le bit BUSY commute sur 1. Il place le quartet reçu sur ses lignes D0 à D3 pour les retourner. En guise de caractère de réception, il met le bit D4 sur 0 pour que le bit BUSY corresponde à 1 chez l'émetteur.

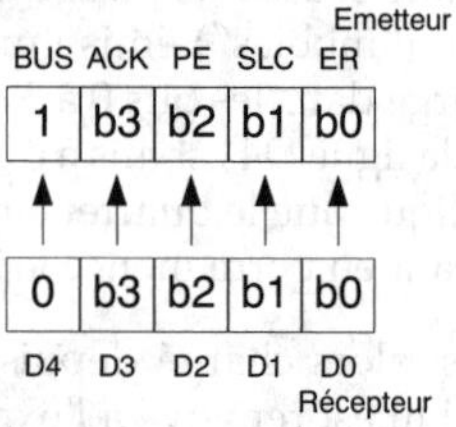

	Emetteur			
BUS	ACK	PE	SLC	ER
1	b3	b2	b1	b0

				Récepteur
0	b3	b2	b1	b0
D4	D3	D2	D1	D0

3.

L'émetteur espère aussi que son bit BUSY corresponde à 1 et accepte le quartet transmis. A cet effet, il place le quartet de poids fort sur les lignes de données et règle D4 sur 1. Le bit BUSY se transforme en 0 chez le récepteur.

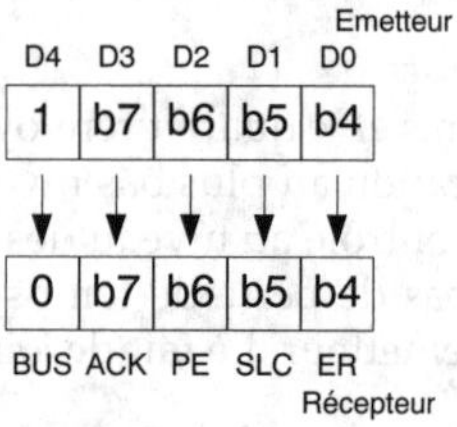

	Emetteur			
D4	D3	D2	D1	D0
1	b7	b6	b5	b4

				Récepteur
0	b7	b6	b5	b4
BUS	ACK	PE	SLC	ER

4.

Cette fois-ci, c'est le récepteur qui s'attendait à ce que le bit BUSY devienne 0. Il retourne le quartet reçu et règle son bit de données D4 sur 1 pour que l'émetteur reçoive la valeur 0 dans le bit BUSY.

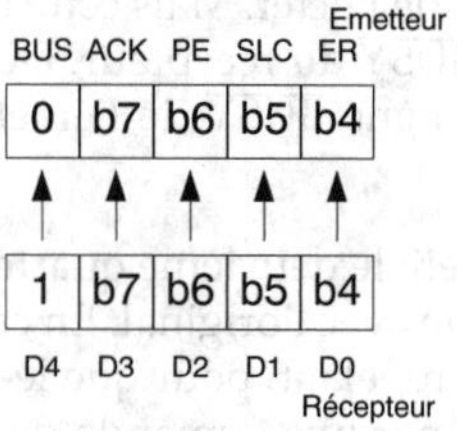

	Emetteur			
BUS	ACK	PE	SLC	ER
0	b7	b6	b5	b4

				Récepteur
1	b7	b6	b5	b4
D4	D3	D2	D1	D0

5.

La communication est terminée. Le récepteur confectionne un octet à partir des 2 quartets. A l'aide du message retourné, l'émetteur vérifie si les données peuvent être transmises correctement.

Protocole de transmission orienté matériel au niveau de l'octet

Problèmes de Time Out

Les protocoles de transmission fonctionnent bien tant que le flux de données est continu. Mais en cas d'interruption, ils s'effondrent immédiatement : l'un des deux interlocuteurs attend en vain que l'autre lui réponde, alors qu'il se trouve déconnecté ou dans l'impossibilité de réagir. Pour maîtriser cette difficulté, on fixe un seuil de Time Out. Il s'agit d'un délai au-delà duquel, en l'absence de réponse, un émetteur considère que son vis-à-vis n'est plus en état de prolonger la communication. Celle-ci est alors interrompue.

Le BIOS utilise un compteur de Time Out lorsqu'il accède à l'interface parallèle. Le nombre d'itérations de la boucle d'interrogation est limité par ce paramètre. Pour des programmes qui doivent tourner sur toutes sortes de systèmes différents, cette méthode n'est pas très sûre. Car la durée d'exécution de la boucle en question varie avec la vitesse du processeur. Les boucles d'attente introduites dans mes programmes pour gérer les erreurs de Time Out se fondent aussi sur un comptage d'itérations. Mais le compteur n'est pas décrémenté par la boucle proprement dite mais par un gestionnaire d'interruption lié au timer de l'ordinateur. La fréquence de ce circuit est indépendante de la cadence du processeur, de ce fait la limite de Time Out est constante d'un système à l'autre.

Lorsque l'émetteur, après avoir envoyé le quartet inférieur, attend que son bit $\overline{BUSY}$ soit mis à 1 par le récepteur, il donne d'abord à la variable de Time Out une valeur maximale. Puis il entre dans la boucle d'interrogation qui tourne jusqu'à ce que le bit $\overline{BUSY}$ revienne effectivement à 1 ou que la variable de Time Out s'annule. Le gestionnaire d'interruption du timer commence à décrémenter le compteur à partir du moment où il découvre qu'il est différent de 0. En pseudo-code on peut écrire :

```
TimeOutCount = MAX
WHILE ( Bit-BUSY = 0 ) AND ( TimeOutCount > 0 ) DO
  BEGIN
  END

IF TimeOutCount = 0 THEN
  Erreur
ELSE
  o.k.
END
```

Dans nos deux programmes d'exemple ce sont les routines appelées *EmetOctet* et *RecOctet* qui activent le protocole de transmission avec la gestion du Time Out.

Synchronisation

Bien que ce protocole fonctionne impeccablement une fois lancé, il peut quand même donner lieu à quelques difficultés. Il suppose en effet qu'à l'origine l'émetteur et le récepteur trouvent un bit $\overline{BUSY}$ égal à 0. Si tel n'est pas le cas, le récepteur pense aussitôt qu'un quartet est déjà arrivé, alors que l'émetteur n'a encore rien envoyé.

Il faut donc commencer par synchroniser émetteur et récepteur. Si on ignore lequel des deux a été lancé en premier, on entre dans un problème compliqué qui plonge dans les tréfonds de la théorie des communications. C'est pourquoi dans le cadre des programmes présentés ici on a prévu une initialisation simple en supposant que le récepteur a été déclenché en premier.

Celui-ci attend que l'émetteur mette à 0 son bit $\overline{BUSY}$ pour faire ensuite de même. L'émetteur attend en retour le même événement : ainsi la synchronisation finit par annuler les bits $\overline{BUSY}$ des deux interlocuteurs.

Dans les programmes ci-après elle est mise en œuvre par la routine PortInit. Bien entendu les boucles d'attente comportent une limite de Time Out selon le mécanisme décrit plus haut. Par ailleurs le programme doit être interruptible par la touche d'échappement. Sinon, en fonction de la valeur de Time Out, il peut s'écouler plusieurs minutes avant que le récepteur ne décèle l'impossibilité de joindre l'émetteur, alors que vous-même en tant qu'utilisateur vous avez déjà changé vos intentions et décidé de ne plus lancer le programme d'émission.

Interruption par <Esc>

En plus du gestionnaire d'interruption associé au timer les deux programmes introduisent aussi un gestionnaire d'interruption du clavier qui surveille la frappe de la touche <Esc>. Ce gestionnaire communique avec le programme comme le gestionnaire d'interruption du timer par l'intermédiaire d'une variable mais de type Booléen. Elle est mise à TRUE dès que le gestionnaire d'interruption du clavier détecte la frappe de <Esc>.

Pour que cette variable n'ait pas besoin d'être testée spécialement dans la boucle d'attente, il est possible de la coupler à la variable de Time Out. Lorsque cette association est active, le gestionnaire d'interruption du clavier ne répond pas seulement à la pression de <Esc> par la mise à TRUE de la variable Escape, mais il met aussi la variable de Time Out à 0.

Pour le programme, tout se passe comme si la boucle d'attente était interrompue par un dépassement de Time Out, mais la lecture subséquente de la variable Escape révèle la véritable cause de l'interruption.

Le protocole de niveau supérieur

Au-delà du niveau des octets se situe le niveau supérieur des blocs. Géré par un protocole purement logiciel, il se rend indépendant du matériel en faisant appel aux routines d'émission et de réception de niveau inférieur. Dans nos programmes ces routines sont appelées *EmetBloc* et *RecBloc*.

Un bloc est constitué de trois informations : un *token* qui précède le bloc et décrit son contenu, la taille du bloc, et évidemment le bloc proprement dit. Le token et le nombre d'octets sont groupés dans une sorte de préfixe ou en-tête séparé des données. Le bloc de données ne doit pas être expédié avant que le récepteur n'ait reçu correctement le token et le nombre d'octets. Supposez par exemple que l'émetteur désire envoyer un bloc de 12 octets alors que le récepteur interprète la longueur comme ayant la valeur 200. Les 80 octets du bloc suivant vont être décomptés avec le premier bloc et le transfert tourne court.

Comme au niveau inférieur le récepteur renvoie aussitôt chaque octet reçu, la transmission de l'en-tête peut être contrôlée sans problème. Malheureusement le récepteur n'a pas connaissance de cette information. Pour ne pas lui faire supposer à tort que l'en-tête a été bien transmis, l'émetteur lui signale la bonne marche des choses par un caractère convenu.

Il émet ainsi un accusé de réception ACK (Acknowledge) lorsque la transmission s'est bien passée, ou un caractère NAK (Non-Acknowledge) en cas d'erreur. Le caractère ACK n'a rien à voir avec la ligne de même nom, il remplit simplement la même fonction. Dans les deux programmes présentés, ACK et NAK sont respectivement représentés par les codes 00h et FFh. D'autres codes pourraient être utilisés. Leur transmission est elle-même contrôlée au niveau inférieur des octets.

Lorsque l'en-tête et le caractère ACK sont parvenus sans erreur au récepteur, l'émetteur se met à envoyer le bloc de données proprement dit. En cas d'erreur, la transmission de l'en-tête est reprise. Le récepteur est au courant car il a été averti par le caractère NAK. Il ne se règle sur la réception du bloc de données qu'à partir du moment où il a réceptionné un caractère ACK. il est peu probable qu'une erreur transforme un caractère ACK en NAK si on prend la précaution de les exprimer par des codes différents.

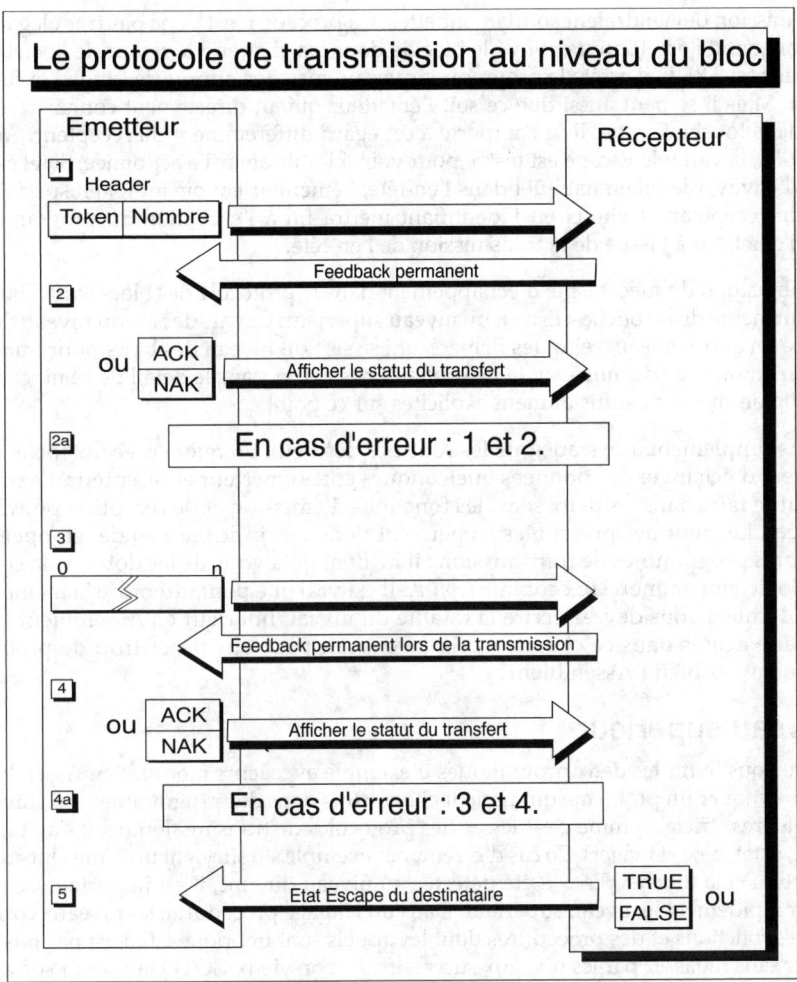

Protocole de transmission au niveau des blocs

L'émetteur ne recommence pas indéfiniment la transmission de l'en-tête, car après un certain nombre d'erreurs limité par la constante MAXTRY, il interrompt ses tentatives.

Lorsque le bloc est transmis, le même jeu des accusés ACK et NAK recommence : l'ensemble du bloc est émis jusqu'à ce que le récepteur reçoive confirmation du bon déroulement.

Grâce à ce mécanisme de transmission avec contrôles et répercussion des erreurs, les défauts sont détectés systématiquement. On évite ainsi d'avoir recours à des totaux de vérification, comme le font beaucoup de protocoles.

Prise en compte de la touche <Esc>

Lorsque le bloc a été transmis, un octet supplémentaire est envoyé en sens inverse car le récepteur doit pouvoir signaler à l'émetteur que la touche <Esc> a été frappée. Il est vrai que le récepteur pourrait mettre fin à l'exécution du programme dès qu'il a connaissance de cet événement. Mais du côté de l'émetteur il se produirait une erreur de Time Out car les lignes

de transmission deviendraient soudain muettes. Ce procédé n'est donc pas très élégant. C'est pourquoi quand l'émetteur a envoyé le bloc de données, il attend le retour de l'octet Escape. Si la valeur est TRUE, il arrête le programme avec un message approprié, sinon l'exécution se poursuit. Mais il se peut aussi que ce soit l'émetteur qui ait directement connaissance de la frappe de la touche Escape. Il se comporte à cet égard différemment du récepteur. Au début de *EmetBloc*, la variable Escape est testée pour voir si l'utilisateur l'a actionnée. Si tel est le cas, au lieu d'envoyer le token habituel dans l'en-tête, l'émetteur envoie un token spécial qui est connu du récepteur. Celui-ci en l'identifiant mettra fin à l'exécution du programme tout comme l'émetteur à l'issue de la transmission de l'en-tête.

Cette imbrication du mécanisme d'échappement dans le protocole des blocs évite l'interrogation permanente de la touche <Esc> à un niveau supérieur. Car au-dessus du niveau des blocs se trouve un autre niveau, celui des fichiers, qui se sert du niveau des blocs pour transmettre les fichiers morceau par morceau. Je ne souhaite pas entrer dans le détail de ce niveau car les deux programmes sont suffisamment explicites sur ce point.

Retenons simplement à ce stade que les routines des deux premiers niveaux (octet et bloc) permettent d'échanger des données quelconques entre émetteur et récepteur. La transmission peut se faire dans les deux sens, les fonctions d'émission et de réception pouvant être permutées. Les routines présentées ici peuvent donc servir de base au développement de vos propres programmes de transmission : il ne tient qu'à vous de les doter de la convivialité des logiciels commerciaux comme *laplink*. Il est vrai que pour atteindre la même vitesse que ces derniers vous devrez écrire la totalité du niveau inférieur en Assembleur. Avec le savoir-faire acquis dans ce chapitre, cela ne devrait pas vous poser trop de problème si vous connaissez bien l'Assembleur.

Le niveau supérieur

Avant de vous livrer les deux programmes d'exemple avec leurs modules en Assembleur, je voudrais évoquer un problème qui revient chaque fois dans des programmes qui suivent une hiérarchie très stricte, comme c'est le cas des protocoles de transmission (ici il s'agit des trois niveaux : octet, bloc et fichier). En cas d'erreur, par exemple s'il survient un Time Out au niveau de l'octet ou si la touche <Esc> a été détectée au niveau du bloc, il est important de pouvoir regagner rapidement le niveau supérieur. Dans un langage procédural, les niveaux correspondent à des fonctions et des procédures dont les appels sont imbriqués. Il n'est pas possible de remonter sans repasser par les niveaux successifs. Le bon vieux GOTO fait sentir son absence, mais les compilateurs C les plus modernes comportent les fonctions *setjmp()* et *longjmp()* qui permettent des branchements interprocéduraux. La fonction *setjmp()* sert à marquer une destination de branchement. Le saut se réalise lorsqu'en cas d'erreur on fait appel à la fonction associée *longjmp()*. Les manuels de votre compilateur décrivent en détail le mode d'emploi de ces fonctions.

| PLINKP.PAS | PLINKPA.ASM |
| PLINKC.C | PLINKCA.ASM |

9.   Les cartes vidéo

En tant que périphérique de sortie de premier ordre, l'écran assure la liaison entre l'utilisateur et les divers programmes utilisant ce qu'on appelle les cartes vidéo pour effectuer leurs sorties. La création de routines destinées à rendre les informations visibles sur l'écran constitue une activité essentielle dans le cadre du développement. Il s'agit généralement d'avoir recours à la carte vidéo, vu que le BIOS en ROM contient toute une série de routines prédéfinies pour l'accès à l'écran. La plupart des programmeurs considèrent que ces routines sont trop lentes et préfèrent piloter l'électronique vidéo par leurs propres soins. Pourtant, ce n'est pas une tâche simple quand on pense qu'il existe actuellement plus de six standards vidéo différents dans le monde PC et on ne sait jamais quel type de carte vidéo est implantée dans un ordinateur.

Ce chapitre apporte de la lumière dans la confusion résultant des différents standards vidéo, décrit leurs caractéristiques, les routines de sortie écran BIOS et la programmation directe des cartes vidéo. La programmation des cartes Super VGA occupe une place primordiale car ce sont les plus répandues parmi la diversité des cartes graphiques disponibles pour le PC. En même temps que les cartes, nous serons amenés à évoquer tous les secrets de la programmation graphique ainsi que le thème de la programmation Sprite. Ce dernier intéresse particulièrement le monde des animations graphiques.

Les standards graphiques d'antan ne sont pas pour autant oubliés. Ainsi, nous rencontrerons les modes MDA, CGA et Hercules (HGC) ainsi que les cartes modernes Super VGA. Pour commencer, il convient de raconter brièvement l'histoire et présenter les caractéristiques performantes des différents standards vidéo du monde PC.

9.1.   Histoire et Performances

A côté de la vitesse de calcul toujours plus croissante des ordinateurs, les progrès dans la technologie électronique n'ont jamais été aussi marqués que dans le cadre des cartes vidéo. Ici, l'évolution s'effectue non seulement de plus en plus vite mais tend surtout à promouvoir des cartes vidéo extrêmement performantes. La résolution écran et le nombre de couleurs qu'elles reconnaissent sont tellement élevés qu'elles dépassent de loin leurs antécédents.

Jusqu'à présent, les fabricants utilisaient les technologies existantes pour y apporter des améliorations quantitatives fondamentales. La tendance actuelle se dirige au contraire dans une autre direction : les cartes graphiques se voient équipées de processeurs intelligents se chargeant de dessiner des lignes, cercles et surfaces à la place du processeur. Ainsi, il a davantage le temps de s'occuper de ses propres tâches, notamment la préparation des informations et l'interaction avec l'utilisateur. Cette technologie prend justement une signification particulière au seuil de l'ère des interfaces graphiques parce que ces systèmes réclament au processeur de satisfaire des exigences considérables. Si les applications ne souhaitent pas donner une impression de lenteur à l'utilisateur, il faut que le processeur soit soulagé de certaines corvées. La plupart des cartes graphiques modernes visent d'ailleurs ce but avec la puce S3, si populaire ou un autre processeur graphique.

Grâce aux modifications intervenues au cours de l'histoire des cartes vidéo, les sections suivantes mettent l'accent sur l'évolution de ce secteur électronique et résument les caractéristiques performantes des différentes classes de cartes vidéo. Vous aurez également un aperçu sur les perspectives d'avenir puisque le développement dans le domaine des cartes vidéo n'est pas encore arrivé à son stade final.

MDA

L'appellation "IBM Monochrome Display Adapter", MDA en abrégé, représente avec la carte CGA le plus ancien des adaptateurs graphiques disponible sur le PC. Il a été officiellement présenté en 1981 avec le premier ordinateur personnel IBM et tenait le titre de standard dans le domaine des cartes vidéo monochromes au cours de plusieurs années.

La carte MDA ne reconnaît qu'un seul mode d'exploitation où les caractères apparaissent sur 25 lignes et 80 colonnes sur l'écran. Contrairement aux nombreuses cartes graphiques, elle ne dispose que d'une quantité peu importante de RAM vidéo si bien que la mémoire ne peut stocker qu'une seule page écran.

Il va sans dire que cette carte ne permet pas de créer des graphiques. Malgré tout, bon nombre d'utilisateurs préféraient la carte MDA à la carte CGA qui représentait la seule et unique alternative à cette époque. En comparaison à une carte CGA, une carte MDA garantit une résolution écran nettement plus précise. Ces cartes fatiguent beaucoup moins les yeux de l'utilisateur par rapport aux cartes CGA.

Aujourd'hui, les cartes MDA ne sont presque plus utilisées d'autant plus qu'elles ne sont plus fabriquées depuis déjà longtemps. Dans le domaine des cartes monochromes, leur place a été prise par les cartes Hercules. Ces dernières reconnaissent non seulement tous les attributs d'une carte MDA, mais peuvent de surcroît afficher des graphiques monochromes. Elles se présentent ainsi comme une véritable alternative aux divers types de cartes graphiques couleur.

CGA

Le standard CGA ou Color Graphics Adapter est également apparu en 1981. Se substituant aux cartes MDA, cette carte permettait déjà à l'utilisateur de créer des graphiques durant les premiers jours du PC.

Si vous avez vidé votre tirelire pour acquérir une carte CGA, soyez rassuré que vous n'avez pas besoin d'envisager l'achat d'un moniteur puisque les cartes CGA disposent d'un port de sortie spécial adaptable sur un téléviseur normal. Elles sont équipées en outre d'une sortie RVB, en fait une ligne, sur laquelle la couleur d'un point écran vient se placer à côté des divers signaux de synchronisation selon ses proportions de rouge, vert et bleu. En comparaison avec les cartes MDA, la qualité de l'image obtenue est nettement inférieure en raison de la résolution moindre et de l'écart trop important entre les points dans le moniteur CGA.

Tout comme la carte MDA, la carte CGA affiche 25 lignes et 80 colonnes sur l'écran en mode texte. Mais ici, les différents caractères se basent sur une matrice de points plus petite que celle des cartes MDA. Ainsi, on peut afficher des graphiques avec une résolution de 320*200 points où le choix des couleurs est plutôt maigre avec seulement quatre couleurs. En résolution maximale, la configuration de l'écran s'effectue avec 640*200 points mais avec deux couleurs seulement.

Bien que les points performants d'une carte CGA et d'une carte MDA soient nettement différents, les deux cartes reposent néanmoins sur un contrôleur vidéo identique qui est le MC6845 de Motorola. Eu égard au sectionnement du processeur dans le PC, ce fabricant de Chip a peut-être supporté les frais à cause d'INTEL, mais il n'en reste pas moins qu'il est resté le maître absolu pendant plusieurs années.

Hercules Graphics Card

Un an après l'introduction du PC sur le marché, la société Hercules, encore complètement inconnue, fait son apparition avec une nouvelle carte graphique pour le PC et remporte un énorme succès. Utilisant également le contrôleur Motorola déjà évoqué, cette carte est entièrement compatible à la carte MDA d'IBM. Hercules a mis toutes ses facultés à l'épreuve pour cette carte puisqu'en dehors du mode texte, la carte HGC peut gérer deux pages graphiques avec une résolution de 720*348 points. En fait, elle associe la haute lisibilité d'une carte MDA aux capacités graphiques d'une carte CGA et satisfait en plus en raison de sa haute résolution.

Aujourd'hui encore, cette carte est considérée comme le standard dans le domaine des cartes graphiques monochromes alors que les cartes graphiques monochromes continuent de perdre leur valeur par rapport aux cartes graphiques couleurs. A l'heure où les cartes CGA et MDA ne sont pratiquement plus fabriquées, la carte graphique Hercules se rencontre encore dans les carnets de commande de nombreux fabricants. Les ordinateurs provenant de l'Extrême-Orient sont généralement équipés avec une telle carte qui est de moins en moins fabriquée par la société Hercules. Elle est par contre le fruit d'un fournisseur tiers.

Le modèle original ainsi que tous les modèles dérivés sont touchés par la non reconnaissance du BIOS, en effet IBM a toujours refusé de soutenir les cartes vidéo étrangères *via* son BIOS. Mais la carte graphique Hercules n'en souffre pas trop car elle est compatible avec la carte MDA d'IBM et n'est réclamée que rarement à travers le BIOS en ce qui concerne le mode texte.

Quant au mode graphique de cette carte, le BIOS n'apporte aucune aide au programmeur dans ce contexte. Cela concerne à la fois l'initialisation du mode graphique et l'accès aux différents points écran. Il n'y a pas à s'en inquiéter puisque les routines BIOS sont généralement contournées en raison de leur vitesse laissant à désirer. Ainsi, l'accès aux informations sur les points dans une HGC ne peut être que géré très simplement.

Étant donné que la carte graphique Hercules connaît pour ainsi dire un succès permanent sur le marché du PC, la miniaturisation progressive des divers composants du PC s'est effectuée convenablement sur cette dernière. Alors que les premières cartes Hercules occupaient toute la longueur de construction et contenaient plus de 40 IC, les cartes Hercules modernes reposent sur une petite carte cachée et comptent généralement moins de dix IC contenant une interface imprimante parallèle en plus d'une carte graphique.

La société Hercules a développé d'autres cartes vidéo en dehors de la carte graphique Hercules. Ces dernières ont toutefois obtenu un succès moindre et ne jouent désormais aucun rôle sur le marché du PC. A titre d'information, il s'agit de Hercules Graphics Card Plus et Hercules InColor Card.

EGA

Après qu'une autre société, avec sa carte graphique Hercules, ait pénétré pour la première fois le marché détenu entièrement par IBM, on s'est alors efforcé chez IBM de développer un successeur de la carte CGA capable d'éliminer la carte graphique Hercules du marché. Le résultat de ces efforts a donné naissance à la carte Enhanced Graphics Adapter ou EGA en 1985.

Grâce aux énormes progrès réalisés dans le domaine électronique entre 1981 et 1985, la carte EGA allait largement au-delà des capacités des cartes CGA et MDA et générait une petite révolution dans ce secteur. En raison de son prix élevé, cette carte a mis quelque temps avant d'être accessible à la majorité des utilisateurs et devenir ainsi le modèle standard.

Outre ses modes vidéo individuels, la carte EGA est entièrement compatible avec les cartes CGA et MDA. De ce fait, elle peut également être utilisée dans des programmes qui ne reconnaissent que ce type de cartes vidéo. De surcroît, la carte EGA est capable, comme une carte graphique Hercules, de produire des graphiques monochromes sur un moniteur monochrome. Par conséquent, elle représente la première carte graphique sur le PC utilisable avec des écrans monochromes et couleurs.

Une carte EGA n'étale toutefois toute sa puissance qu'en collaboration avec un moniteur EGA spécifique dont les performances n'ont rien à envier à un moniteur CGA. En mode graphique élevé, si la résolution n'atteint que 640*350 points (non pour autant supérieure à celle d'une carte EGA), 16 couleurs différentes affichées simultanément provenant d'une palette de 64 couleurs comblent cette lacune. L'affichage d'un nombre de couleurs plus important s'accompagne de l'agrandissement de la RAM vidéo pouvant atteindre 256 Ko dans les cartes EGA.

Pour obtenir ce résultat, il fallait renoncer au contrôleur vidéo MC6845 qui ne s'adaptait plus à de telles exigences. La carte EGA utilise donc des Chips VLSI intégrés qui se chargent de remplir toutes les tâches liées à la création graphique. VLSI est l'abréviation de "Very Large Scale Integration" qui invoque la haute capacité de stockage procurée par ces Chips. Ce standard comporte une différence fondamentale par rapport à la méthode connue jusque-là en ce qui concerne surtout la manière dont les informations graphiques sont stockées sur le plan interne dans la RAM vidéo. Du point de vue de la programmation des cartes vidéo, il franchit un pas important.

Grâce à la sélection d'un écart infime entre les points dans un moniteur EGA, la carte EGA excelle par rapport à la carte CGA en produisant une image nettement plus précise. Elle laisse loin derrière elle les modèles précédents à d'autres points de vue également. Par exemple, elle est la première carte vidéo à utiliser les polices variables parce que des jeux de caractères quelconques peuvent être chargés par le logiciel.

La carte EGA comporte également pour la première fois des techniques nécessaires dans les animations. Les jeux d'action ont pu être introduits dans le monde PC grâce à l'apparition de la carte EGA.

Comme les techniques performantes évoluées des cartes EGA ne sont pas reconnues à travers le BIOS en ROM contrairement aux cartes CGA et MDA, les cartes EGA sont entrées dans la course avec un BIOS personnel contenu directement dans la carte. Dans le domaine de la sortie vidéo, il remplace le BIOS d'origine et ouvre ainsi la voie à toutes les techniques performantes des cartes EGA.

Le développement croissant des cartes EGA a provoqué une folie chez les fabricants de cartes compatibles. Ils se sont mis à créer des cartes vidéo de plus en plus performantes avec des modes vidéo toujours plus surprenants qui finalement n'étaient pratiquement jamais reconnus par les programmes. Alors qu'au début, IBM intentait une action contre chaque fournisseur de carte compatible EGA, il a fallu bientôt se défendre contre l'afflux de cartes compatibles EGA en provenance d'Extrême-Orient. A la longue, on s'est trouvé devant la situation absurde où les fabricants de cartes EGA proposaient des cartes dont les caractéristiques techniques dépassaient largement le standard VGA conçu en fait comme une extension et comme le successeur du standard EGA.

Comme autrefois, les cartes EGA sont encore aujourd'hui très demandées mais ne remplissent plus le rôle de modèle standard car elles sont de plus en plus anéanties par les cartes VGA. Elles sont très compatibles à ces dernières parce que le standard VGA représente un modèle évolué du standard EGA à divers points de vue.

VGA

La carte VGA, présentée en 1987 avec les premiers systèmes PS/2 d'IBM, se conforme strictement à la carte EGA. Autrement dit : compatibilité avec tous les modèles précédents, plus de couleurs, résolution plus élevée et meilleur affichage du texte.

Ces caractéristiques, se rajoutant au prix fort avantageux des cartes VGA et des moniteurs, ont permis rapidement à la carte VGA de se hisser au rang du modèle standard dans le monde PC.

Si vous ne souhaitez plus travailler uniquement en mode monochrome, il ne vous reste plus qu'à sélectionner la méthode VGA lors de l'achat d'un ordinateur.

Au départ, le standard VGA était exclusivement destiné aux systèmes IBM PS/2 et par voie de conséquence au nouveau mode Micro Channel. Mais la plupart des fournisseurs se sont mis rapidement à fournir des cartes VGA pour le bus ISA, si bien que des systèmes fort ordinaires peuvent être équipés de cartes VGA.

La différence entre les cartes EGA et VGA repose essentiellement sur la densité d'intégration qui est plus élevée dans les cartes VGA. En outre, les signaux de couleur émis par ces dernières au moniteur ne sont plus digitaux mais analogiques. Ainsi, les cartes VGA peuvent produire plus de 260 000 variations de couleurs accessibles respectivement en mode 2, 4, 16 ou 256.

Dans les cartes VGA, la résolution maximale atteint 640*480 points avec 2, 4 ou 16 couleurs. Dans un mode étendu 320*200 points, cela prend des proportions considérables puisqu'il est possible d'afficher simultanément 256 couleurs. Il est clair qu'en raison de la résolution particulièrement élevée et de la multitude des couleurs, la quantité de RAM vidéo nécessaire pour recevoir les données de l'image ne peut être qu'importante. Généralement, les cartes VGA sont fournies avec une RAM vidéo de 256 Ko minimum pouvant facilement être augmentés de 512 Ko.

Tout comme les cartes EGA, les cartes VGA disposent d'un BIOS individuel remplaçant le BIOS standard dans le cadre de la sortie vidéo. De même, il est compatible avec le BIOS EGA. Ainsi, tous les programmes conçus pour le BIOS EGA peuvent fonctionner sans aucun problème sous le BIOS d'une carte VGA.

A cause de la concurrence féroce régnant sur le marché PC, il s'est créé une situation autour des cartes VGA d'ailleurs plus marquée par rapport aux cartes EGA, où les divers fabricants cherchent à développer des modes vidéo de plus en plus performants et à élargir autant que possible l'éventail des couleurs. Jusqu'à présent, chaque fabricant a développé sa propre formule obligeant le programmeur a adapté ses applications aux différentes cartes vidéo dont les modes étendus sont susceptibles d'être soutenus. Cela explique pourquoi la plupart des programmes reconnaissent, encore aujourd'hui, exclusivement les modes standard VGA malgré la grande diversité des cartes VGA étendues.

Super VGA

Du point de vue de l'électronique fondamentale, les cartes Super VGA ressemblent aux cartes VGA ordinaires mais travaillent plus vite. Dans le même laps de temps, elles affichent en effet un nombre de points plus important sur l'écran tout en atteignant une haute résolution. Elles reconnaissent de surcroît tous les modes VGA habituels et sont en mesure de reproduire simultanément beaucoup plus de couleurs que les cartes VGA ordinaires.

Contrairement aux cartes VGA ordinaires qui ne peuvent afficher 256 couleurs qu'en mode 320*200 points, les cartes Super VGA assurent cette diversité de couleurs dans les autres modes également (640*200, 640*350 ou 640*480 points). Elles octroient en outre l'utilisateur d'un mode graphique avec une résolution de 800*600 ou 1024*768 points. Ces résolutions nécessitent évidemment des moniteurs VGA ou Multiscan tout aussi performants sans oublier que leur consommation en RAM vidéo atteint des mesures gigantesques.

Comme précédemment, les fabricants n'ont adopté aucune homogénéité quant à l'initialisation et l'accès des modes étendus au niveau de l'électronique à travers les registres d'une carte de ce type. Les principaux fabricants de Chips compatibles VGA (Tseng, Paradise et Video Seven) ont formé un consortium appelé "Video Electronic Standard Association" (VESA). Ils ont défini également un standard pour l'accès aux modes Super VGA étendus à travers le BIOS. Ce dernier

est destiné à être inclus dans le BIOS des cartes vidéo conçues à partir des Chips de ces fabricants. Les anciennes cartes Super VGA se verront dotées de programmes TSR ajoutant de nouvelles fonctions dans le BIOS actuel.

Malheureusement, cette corporation ne s'est créée qu'au début de l'année 1990 si bien qu'il faudra attendre quelque temps avant qu'elle ne soit largement répandue. Jusque là, tout programme souhaitant utiliser les modes VGA étendus doit accéder directement à l'électronique individuelle des diverses cartes Super VGA.

MCGA

Pendant qu'IBM dotait ses modèles PS/2 d'une carte VGA, les petits modèles ont été équipés d'une carte MCGA. Il s'agit là d'un produit de remplacement de pratiquement tous les standards antérieurs. Le nom MCGA signifie "Memory Controller Gate Array", une notion qui se rapproche des cartes vidéo.

En ce qui concerne le mode texte, cette carte se comporte exactement comme une carte CGA affichant 80*20 caractères où les couleurs de premier plan et de fond proviennent d'une palette de 16 couleurs. Contrairement à une carte CGA, ces couleurs ne sont pas prédéfinies. Elles peuvent donc être sélectionnées parmi une palette de plus de 262 000 couleurs tout comme avec une carte VGA. Dans ce mode, la résolution verticale s'élève à 400 lignes de points ce qui permet d'obtenir une qualité d'affichage particulièrement appréciable.

Par rapport aux divers modes graphiques, la carte MCGA agit également comme un hybride. Outre les deux modes VGA compatibles, elle reconnaît notamment les deux modes CGA avec 320*200 et 640*200 points. Mais comme la carte doit toujours fonctionner sur la base d'une résolution verticale de 400 points, les points de lignes sont dédoublés dans ce mode. Le résultat est qu'on obtient seulement la moitié de la résolution escomptée.

Cela ressemble plutôt aux modes VGA atteignant la résolution VGA connue habituellement, mais fait preuve d'une limitation dans le domaine des couleurs. Cette situation s'explique par le fait qu'une carte MCGA est équipée seulement de 64 Ko de RAM vidéo offrant naturellement peu de couleurs en haute résolution. Une telle circonstance rappelle l'image du propriétaire d'une limousine qui ne voulait pas dépenser trop d'argent pour acheter de l'essence.

En raison des limitations citées plus haut, les cartes MCGA n'ont pas pu franchir l'étape entre le Micro Channel et le vaste monde du PC et sont restées quelque peu en désuétude. Nous n'insisterons donc pas outre mesure sur la programmation des cartes MCGA dans le cadre de ce livre.

8514/A

Pour garder l'emprise sur les cartes vidéo, IBM annonça, en 1987, l'héritier du standard VGA. 8514/A correspond en quelque sorte à un nom codé cachant derrière lui une révolution dans le domaine des cartes vidéo. Le contrôleur vidéo qui faisait jusque-là piètre figure à côté du processeur, la carte vidéo vient s'équiper personnellement d'un processeur adressable par les commandes externes. L'avantage apparaît nettement : désormais, le processeur n'est plus obligé de calculer les différents points d'une ligne ou courbe puisqu'il peut les déléguer au processeur graphique. Parallèlement à une autre exécution de programme, ce dernier traite la ligne souhaitée ou un autre objet graphique et soulage ainsi le processeur d'une lourde tâche. Il en va ainsi en théorie.

En pratique, la nouvelle trouvaille d'IBM est à peine capable d'assurer la relève puisque l'utilisateur a déjà investi dans le standard VGA. L'échec de ce système graphique incombe également à IBM qui a fait preuve d'un mauvais aiguillage.

D'une part, il était dit expressément que ce standard graphique s'adressait uniquement au MCA qui n'a d'ailleurs pas pu s'outrepasser et se tailler une place dans le futur. D'autre part, IBM a tenu strictement en secret les caractéristiques techniques de cette carte pour qu'un tiers ne puisse pas la copier. Une telle stratégie est justement à bannir dans le marché du PC où l'idée maîtresse est de divulguer toutes les informations et les rendre accessibles à quiconque, ce qui n'est pas le cas dans le domaine Apple Macintosh par exemple.

Mais une troisième raison parle à l'encontre de cet adaptateur vidéo. L'interface logicielle conçue par IBM pour accéder à cette carte ne pouvait être comprise que par les spécialistes. Bien que cette interface soit dotée d'une orientation extraordinaire, il n'en reste pas moins que l'électronique en terme de vitesse laissait à désirer. Si on prend en considération le prix élevé de cette carte, il ne faut pas s'étonner que le standard 8514/A n'ait trouvé que quelques rares clients.

9.2.   Le BIOS vidéo

Le BIOS en ROM du PC offre des services de toutes sortes concernant la sortie sur l'écran. Ces services interviennent dans le cadre de l'interruption 10h désignée également par interruption vidéo. Pour se limiter aux services rendus par les autres fonctions du BIOS, on parle ici de BIOS vidéo qui fait appel à toutes les fonctions de l'interruption 10h.

Cette section traite les sujets suivants :

O   Description des fonctions du BIOS vidéo et leur mode d'utilisation
O   Pourquoi vaut-il parfois mieux recourir à ces fonctions plutôt qu'accéder directement à l'électronique vidéo ?

Le BIOS vidéo et ses extensions

Dans sa forme originale, l'interruption 10h ne propose que des fonctions accessibles avec les cartes MDA et CGA. Il n'est pas utile de spécifier que les cartes Hercules sont également reconnues, du moins en mode texte où elles sont entièrement compatibles avec le standard MDA.

Les cartes EGA et VGA ainsi que leurs techniques étendues en modes texte et graphique ne sont nullement soutenues par le BIOS original. Cela explique pourquoi les cartes EGA et VGA contiennent une extension BIOS qui vient s'intégrer automatiquement dans l'interruption 10h lors du lancement du système pour l'adapter à d'autres fonctions nécessaires aux cartes EGA/VGA. Ainsi, le BIOS VGA contient les mêmes extensions que le BIOS EGA sinon davantage. Bien que le nombre de constructeurs de cartes EGA et VGA soit indéfinissable, ils se conforment pourtant tous aux extensions BIOS imposées par IBM avec ses cartes EGA et VGA. Il ne faut donc pas s'étonner si elles bénéficient de l'appellation "compatibles EGA/VGA".

Mais il s'est avéré que les gros systèmes PC se verront de plus en plus équipés de cartes VGA dont l'électronique est implantée directement sur la carte-mère afin de garantir une rapidité de communication entre la carte vidéo et l'unité centrale. Ces systèmes étant conçus également pour travailler en collaboration avec une carte VGA, les fonctions étendues du BIOS EGA et VGA seront transférées dans le BIOS en ROM de la carte-mère si bien qu'elles ne jouent plus le rôle d'extensions. Leur fonctionnement est identique à celui de ces fonctions.

Rapidité des fonctions BIOS

Les fonctions du BIOS vidéo ne représentent pas la seule et unique solution permettant d'afficher des caractères sur l'écran ou de positionner le curseur. L'interface des fonctions du

DOS contient également des fonctions de sortie écran capables d'assurer naturellement tous les services rendus par le BIOS par la programmation directe de l'électronique vidéo. A bien des égards, les services du BIOS se rapprochent des fonctions du DOS et de la programmation directe de l'électronique. Il faut citer en particulier les aspects tels que la vitesse d'exécution, la souplesse et l'indépendance par rapport au périphérique qui ne sont pas toujours faciles à mettre en harmonie.

Par exemple, DOS garantit la meilleure indépendance par rapport au périphérique parce que les sorties peuvent être dirigées sans encombre vers une imprimante ou un fichier. Mais les fonctions nécessaires à cet effet sont très lentes et peu souples. En revanche, la programmation directe de l'électronique offre une plus grande vitesse d'exécution et plus de souplesse en déléguant le contrôle absolu des opérations au programmeur. Il faut toutefois noter qu'elle est extrêmement tributaire de l'électronique et les routines conçues par exemple pour la sortie de caractères sur les cartes CGA ne fonctionne pratiquement pas avec les cartes MDA.

Les fonctions BIOS ne sont certainement pas aussi rapides que les routines d'accès direct à l'électronique, mais fonctionnent sans contexte avec n'importe quel type de carte vidéo. Ici, le programmeur n'a pas besoin de prêter attention aux différences entre les cartes CGA et MDA puisque le BIOS se charge de ces opérations.

Deux raisons principales sont à l'origine de la lenteur des fonctions BIOS par rapport à l'accès direct à l'électronique. Tout d'abord, il s'agit du mécanisme utilisé pour appeler les fonctions BIOS. Ensuite, l'appel d'une interruption nécessite un temps plus long que l'appel d'une routine à l'intérieur d'un programme. Là est le problème majeur des routines BIOS qui tendent à ralentir la vitesse d'exécution. La plupart des cartes vidéo sont surtout des cartes 8 bits si bien que les accès au BIOS s'effectuent beaucoup plus lentement que les accès à la RAM. Dans les PC modernes, cette dernière peut par exemple être réclamée avec des unités 16 ou 32 bits. Si on considère que l'unité centrale doit faire passer chaque instruction de langage machine dans les routines BIOS à travers 8 bits, on comprend alors pourquoi les routines sont si lentes.

Ce n'est pas sans raison qu'une technique est apparue dans les PC pour charger le BIOS en ROM dans une zone RAM - appelée Shadow ROM - située entre la RAM vidéo et la limite des 1 Mo. Les différentes routines BIOS s'exécutent ainsi relativement vite grâce aux accès 16 ou 32 bits, mais les principaux inconvénients par rapport à la programmation directe de l'électronique ne peuvent pas pour autant être écartés.

Les fonctions BIOS offrant de nombreux services utiles, la plupart des applications PC fonctionnent également avec les fonctions BIOS. Mais elles comportent également des routines accédant directement à l'électronique de la carte vidéo, en particulier pour accélérer la sortie écran en modes texte et graphique. Les routines graphiques du BIOS sont encore moins utilisées que les fonctions de sortie écran. Mais on fait appel au BIOS lorsqu'il s'agit notamment des tâches de contrôle telles que l'initialisation d'un mode vidéo, la sélection d'une page écran ou le positionnement du curseur de texte. C'est ce qu'on appelle le partage obligé.

Les services rendus par le BIOS vidéo

Ce chapitre ne décrit pas tous les services rendus par le BIOS vidéo. Il se limite aux principales fonctions de contrôle et les tâches liées à la sortie écran en mode texte. Les autres fonctions sont présentées dans les sections suivantes comme par exemple 9.8.2 consacrée à la programmation des jeux de caractères avec les cartes EGA et VGA. Vous trouverez la liste de toutes les fonctions du BIOS vidéo sur le CD-ROM.

Établissons d'abord la liste des diverses tâches assurées par les différentes fonctions de l'interruption vidéo du BIOS sans oublier les sous-fonctions.

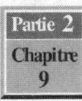
	Les fonctions du BIOS vidéo et leur reconnaissance avec les cartes EGA, VGA et le BIOS standard	
Nº	**Tâche**	**BIOS***
00h	Régler le mode vidéo	SEV
01h	Définir la taille du curseur	SEV
02h	Régler la position du curseur	SEV
03h	Lire la position du curseur	SEV
04h	Lire la position du crayon optique	SEV
05h	Sélectionner la page écran actuelle	SEV
06h	Faire défiler l'écran vers le haut	SEV
07h	Faire défiler l'écran vers le bas	SEV
08h	Lire le caractère et l'attribut	SEV
09h	Écrire le caractère et l'attribut	SEV
0Ah	Écrire le caractère à la position du curseur	SEV
0Bh	Définir la palette de couleurs pour le mode graphique	SEV
0Ch	Écrire un point écran en mode graphique	SEV
0Dh	Écrire un point écran en mode graphique	SEV
0Eh	Écrire le texte	SEV
0Fh	Déterminer le mode vidéo en cours	SEV
10h	Définitions de couleurs pour EGA/VGA	EV
11h	Accès au générateur de caractères	EV
12h	Régler/Lire la configuration vidéo	EV
13h	Écrire une chaîne de caractères (sur l'AT uniquement)	SEV
14h	Réservé	—
15h	Réservé	—
16h	Réservé	—
17h	Réservé	—
18h	Réservé	—
19h	Réservé	—
1Ah	Informations vidéo	
1Bh	Lire les infos sur les BIOS vidéo	V
1Ch	Sauvegarder/Restaurer l'état de la carte vidéo	V

*   S = BIOS standard
E = BIOS EGA
V = BIOS VGA

Une règle générale s'applique à l'appel de toutes les fonctions : le registre AH doit être chargé avec le numéro de fonction avant l'appel de l'interruption vidéo du BIOS. S'il faut appeler une sous-fonction, le numéro de la sous-fonction doit être généralement placé dans le registre AL. Il existe évidemment des exceptions qui ne seront pas citées dans ce livre. L'exception à la règle est représentée par les fonctions retournant des valeurs de toutes sortes dans les registres du processeur. Normalement, le contenu des divers registres reste inchangé par les différentes fonctions.

Sélection de la couleur des caractères et du fond

Certaines fonctions chargées de sortir des caractères sur l'écran attendent une valeur spécifiant la couleur du premier plan et du fond. Dans les diverses cartes vidéo du PC, les caractères peuvent en effet être dotés d'une couleur de premier plan différente de celle du fond. Les cartes vidéo monochromes et couleurs codifient ces couleurs selon des méthodes complètement différentes, la diversité de leurs techniques ne se reflétant fort heureusement que sur le mode d'attribution des couleurs. Dans les deux cas, un octet de couleur ou d'attribut réparti entre deux quartets est réservé pour chaque caractère. Le quartet de poids faible c'est-à-dire les bits 0 à 3 définissent la couleur du premier plan, les bits 4 à 7 - représentant le quartet de poids fort - la couleur du fond.

Dans les cartes monochromes, un autre bit vient s'ajouter dans les deux quartets pour l'intensité de la couleur de premier plan et le clignotement du caractère, comme le montre la figure suivante.

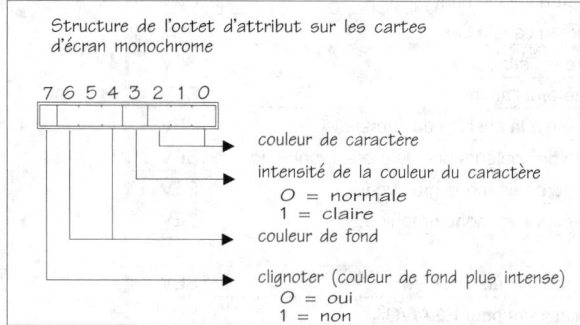

Si on fait abstraction du bit d'intensité pour la couleur de premier plan et de fond, on peut affecter des combinaisons de bits précises aux couleurs de premier plan et de fond, comme le montre la figure suivante.

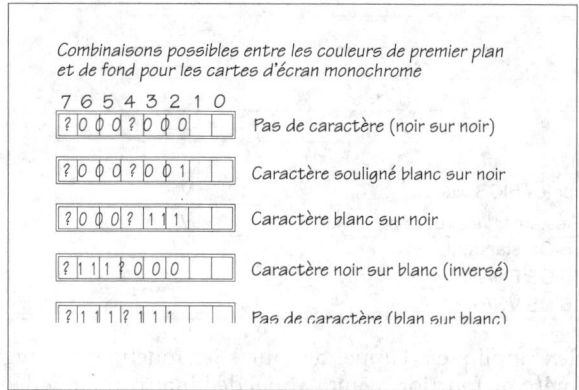

Les couleurs fréquemment sélectionnées sur les cartes écran monochromes sont les couleurs 07h et 70h. Les premières installent une police claire sur un fond foncé et les secondes placent une police foncée sur un fond clair, ce qui donne une police en inversion vidéo. Ces codes intéressent également les cartes couleur dans la mesure où ils complètent les facultés des cartes puisqu'ils servent notamment à créer une police gris clair sur un fond noir ou une police noire sur un fond gris clair.

La sélection des valeurs 0 à 7 comme couleur de police ou de fond empêche de spécifier en toute conscience le bit 7 dans l'octet d'attribut. Le résultat est d'interdire le clignotement des caractères au cas où la carte vidéo est configurée de telle manière qu'elle provoque le clignotement des caractères au lieu de leur affecter une couleur de fond intensive.

Les octets de couleur sur les cartes couleur sont organisés pratiquement de la même manière. Mais ici, vous pouvez sélectionner une véritable couleur pour le premier plan et le fond à partir d'une palette prédéfinie composée de 16 couleurs. Les deux tables suivantes montrent la structure de l'octet de couleur sur des cartes couleur et la palette disponible.

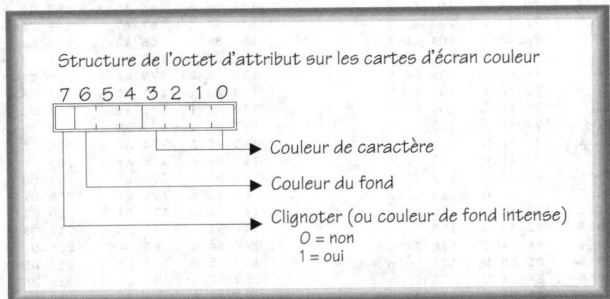

Structure de l'octet d'attribut sur les cartes d'écran couleur

7 6 5 4 3 2 1 0

Couleur de caractère

Couleur du fond

Clignoter (ou couleur de fond intense)
0 = non
1 = oui

La palette de couleurs de la carte couleur			
Décimal	**Hexa**	**Binaire**	**Couleur**
0	00h	0000b	Noir
1	01h	0001b	Bleu
2	02h	0010b	Vert
3	03h	0011b	Turquoise
4	04h	0100b	Rouge
5	05h	0101b	Violet
6	06h	0110b	Marron
7	07h	0111b	Gris clair
8	08h	1000b	Gris foncé
9	09h	1001b	Bleu clair
10	0Ah	1010b	Vert clair
11	0Bh	1011b	Turquoise clair
12	0Ch	1100b	Rouge clair
13	0Dh	1101b	Violet clair
14	0Eh	1110b	Jaune
15	0Fh	1111b	Blanc

Le jeu de caractères ASCII du PC

Le PC utilise un jeu composé de 256 caractères. Mis à part les nombres, lettres et caractères génériques, il contient également un grand nombre d'autres caractères. Il s'agit entre autres des caractères de cadre et des symboles mathématiques sans oublier les caractères en langue étrangère. La représentation des caractères du jeu en leur code ASCII correspondant s'effectue à l'aide des diverses fonctions du BIOS vidéo comme le montre la table suivante.

Table ASCII du jeu de caractères PC

Déc.	Hex.	Caract.	Déc.	Hex.	Caract.	Déc.	Hex.	Caract.	Déc.	Hex.	Caract.	Déc.	Hex.	Caract.	Déc.	Hex.	Caract.	Déc.	Hex.	Caract.	Déc.	Hex.	Caract.
0	00		32	20		64	40	@	96	60	`	128	80	Ç	160	A0	á	192	C0	└	224	E0	α
1	01	☺	33	21	!	65	41	A	97	61	a	129	81	ü	161	A1	í	193	C1	┴	225	E1	ß
2	02	☻	34	22	"	66	42	B	98	62	b	130	82	é	162	A2	ó	194	C2	┬	226	E2	Γ
3	03	♥	35	23	#	67	43	C	99	63	c	131	83	â	163	A3	ú	195	C3	├	227	E3	π
4	04	♦	36	24	$	68	44	D	100	64	d	132	84	ä	164	A4	ñ	196	C4	─	228	E4	Σ
5	05	♣	37	25	%	69	45	E	101	65	e	133	85	à	165	A5	Ñ	197	C5	┼	229	E5	σ
6	06	♠	38	26	&	70	46	F	102	66	f	134	86	å	166	A6	ª	198	C6	╞	230	E6	µ
7	07	•	39	27	'	71	47	G	103	67	g	135	87	ç	167	A7	º	199	C7	╟	231	E7	τ
8	08	◘	40	28	(	72	48	H	104	68	h	136	88	ê	168	A8	¿	200	C8	╚	232	E8	Φ
9	09	○	41	29	)	73	49	I	105	69	i	137	89	ë	169	A9	⌐	201	C9	╔	233	E9	Θ
10	0A	◙	42	2A	*	74	4A	J	106	6A	j	138	8A	è	170	AA	¬	202	CA	╩	234	EA	Ω
11	0B	♂	43	2B	+	75	4B	K	107	6B	k	139	8B	ï	171	AB	½	203	CB	╦	235	EB	δ
12	0C	♀	44	2C	,	76	4C	L	108	6C	l	140	8C	î	172	AC	¼	204	CC	╠	236	EC	∞
13	0D	♪	45	2D	-	77	4D	M	109	6D	m	141	8D	ì	173	AD	¡	205	CD	═	237	ED	φ
14	0E	♫	46	2E	.	78	4E	N	110	6E	n	142	8E	Ä	174	AE	«	206	CE	╬	238	EE	ε
15	0F	☼	47	2F	/	79	4F	O	111	6F	o	143	8F	Å	175	AF	»	207	CF	╧	239	EF	∩
16	10	►	48	30	0	80	50	P	112	70	p	144	90	É	176	B0	░	208	D0	╨	240	F0	≡
17	11	◄	49	31	1	81	51	Q	113	71	q	145	91	æ	177	B1	▒	209	D1	╤	241	F1	±
18	12	↕	50	32	2	82	52	R	114	72	r	146	92	Æ	178	B2	▓	210	D2	╥	242	F2	≥
19	13	‼	51	33	3	83	53	S	115	73	s	147	93	ô	179	B3	│	211	D3	╙	243	F3	≤
20	14	¶	52	34	4	84	54	T	116	74	t	148	94	ö	180	B4	┤	212	D4	╘	244	F4	⌠
21	15	§	53	35	5	85	55	U	117	75	u	149	95	ò	181	B5	╡	213	D5	╒	245	F5	⌡
22	16	▬	54	36	6	86	56	V	118	76	v	150	96	û	182	B6	╢	214	D6	╓	246	F6	÷
23	17	↨	55	37	7	87	57	W	119	77	w	151	97	ù	183	B7	╖	215	D7	╫	247	F7	≈
24	18	↑	56	38	8	88	58	X	120	78	x	152	98	ÿ	184	B8	╕	216	D8	╪	248	F8	°
25	19	↓	57	39	9	89	59	Y	121	79	y	153	99	Ö	185	B9	╣	217	D9	┘	249	F9	∙
26	1A	→	58	3A	:	90	5A	Z	122	7A	z	154	9A	Ü	186	BA	║	218	DA	┌	250	FA	·
27	1B	←	59	3B	;	91	5B	[	123	7B	{	155	9B	¢	187	BB	╗	219	DB	█	251	FB	√
28	1C	∟	60	3C	<	92	5C	\	124	7C	|	156	9C	£	188	BC	╝	220	DC	▄	252	FC	η
29	1D	↔	61	3D	=	93	5D	]	125	7D	}	157	9D	¥	189	BD	╜	221	DD	▌	253	FD	²
30	1E	▲	62	3E	>	94	5E	^	126	7E	~	158	9E	₧	190	BE	╛	222	DE	▐	254	FE	■
31	1F	▼	63	3F	?	95	5F	_	127	7F	⌂	159	9F	ƒ	191	BF	┐	223	DF	▀	255	FF	

Le système des coordonnées de l'écran

En guise de paramètres d'entrée, la plupart des fonctions BIOS attendent des coordonnées écran permettant d'adresser une position précise sur l'écran. Il est donc indispensable de connaître le système de coordonnées défini pour l'appel de nombreuses fonctions. Le point d'origine du repère se situe dans le coin supérieur gauche de l'écran quel que soit le mode activé (mode texte ou mode graphique). Il porte les coordonnées (0/0). La numérotation des ordonnées X ou Y commence à partir de ce point en allant respectivement vers la droite ou la gauche. En mode 80*25 caractères, les coordonnées de la portion inférieure droite de l'écran correspondent à (79/24). En mode graphique 640*200 points de la carte CGA, elle se situe aux coordonnées (639*199).

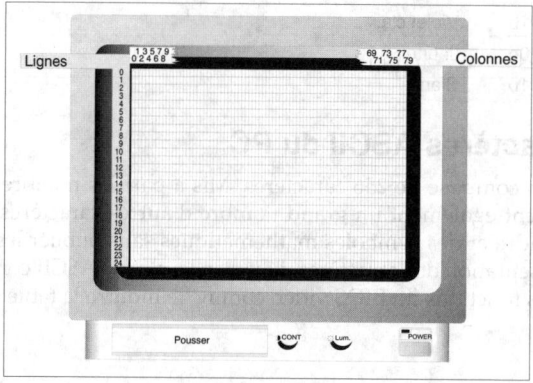

Numérotation des lignes et colonnes de l'écran

Initialisation d'un mode vidéo

La fonction 00h joue un rôle important. Elle est d'ailleurs rarement remplacée par la programmation directe de l'électronique. Grâce à un code de mode indiqué dans le registre AL, elle permet d'activer tous les modes vidéo standard des cartes MDA jusqu'aux cartes VGA. Cela vaut à la fois pour le mode texte et le mode graphique. La seule exception rencontrée ici est le mode graphique de la carte Hercules.

La condition préalable pour l'initialisation d'un mode vidéo est naturellement l'existence d'une carte vidéo. Cette fonction ne permet toutefois pas de le vérifier car l'échec de l'opération n'est pas signalé à l'utilisateur.

Codage des modes vidéo par la fonction 00h du BIOS vidéo		
Code	**Mode**	**Carte**
00h	40*25 caractères de texte, 16 couleurs, pas d'affichage couleur	CEV
01h	40*25 caractères de texte, 16 couleurs	CEV
02h	80*25 caractères de texte, 16 couleurs, pas d'affichage couleur	CEV
03h	80*25 caractères de texte, 16 couleurs	CEV
04h	320*200 points graphiques, 4 couleurs	CEV
05h	320*200 points graphiques, 4 couleurs	CEV
06h	640*200 points graphiques, 2 couleurs	CEV
07h	80*25 caractères, monochrome	MH E*
08h	réservé	—
09h	réservé	—
0Ah	réservé	—
0Bh	réservé	—
0Ch	réservé	—
0Dh	320*200 points graphiques, 16 couleurs	EV
0Eh	640*200 points graphiques, 16 couleurs	EV
0Fh	640*350 points graphiques, monochrome	E*
10h	640*350 points graphiques, 16 couleurs	EV
11h	640*480 points graphiques, 2 couleurs	V
12h	640*480 points graphiques, 16 couleurs	V
13h	320*200 points graphiques, 256 couleurs	V
	* Carte EGA sur moniteur MDA	
	M = MDA	
	H = Hercules	
	C = CGA	
	E = EGA	
	V = VGA	

L'appel de la fonction 00h ne provoque pas seulement l'initialisation du mode vidéo souhaité, mais aussi la suppression du contenu de la RAM vidéo. Cette action peut être interdite lors de l'initialisation des modes des cartes EGA et VGA. Dans ce cas, la valeur 128 est rajoutée au numéro de mode ce qui revient à fixer le bit 7 dans le numéro de mode. Le contenu actuel de la RAM vidéo reste alors conservé et réapparaît une fois le mode souhaité initialisé.

Lors du lancement d'un programme, on peut toujours supposer qu'un mode texte 80*25 caractères est activé. Il correspond au mode 7 avec une carte monochrome et au mode 3 avec

une carte couleur. Il n'est donc pas indispensable d'appeler la fonction 00h dans la mesure où votre programme doit fonctionner en mode texte 80*25 caractères.

La fonction 0Fh représente l'inverse de la fonction 00h. Elle sert à déterminer le mode vidéo en cours. Cette fonction doit être appelée avec la valeur 0Fh dans le registre AH. En guise de résultat, elle retourne la valeur du mode vidéo dans le registre AL conformément au tableau précédent. En dehors du mode vidéo, cette fonction retourne également le nombre de colonnes par ligne écran dans le mode en cours à condition qu'il s'agisse d'un mode texte. Après appel, cette information se trouve dans le registre AH. Elle renvoie également le numéro de la page écran actuelle dans le registre BH.

Programmation du curseur texte

En mode texte, toutes les cartes graphiques depuis MDA jusqu'à VGA montrent un curseur texte clignotant. Il indique la position d'entrée ou de sortie actuelle. Tant l'apparence de ce curseur que son emplacement sur l'écran peuvent être spécifiés avec le BIOS vidéo.

La définition de la position du curseur incombe à la fonction 02h. Pour son appel, elle attend le numéro de fonction 02h dans le registre AH, la ligne dans le registre DH et la colonne en DL où doit apparaître le curseur. Par ailleurs, le registre BH doit contenir le numéro de la page écran devant comporter le curseur. Notez dans ce contexte que chaque page écran dispose d'un curseur individuel. Le déplacement du curseur clignotant à l'aide de cette fonction ne devient visible que lorsque la valeur du registre BH correspond à la page écran actuelle.

L'appel de cette fonction ne permet pas seulement de déplacer le curseur clignotant sur l'écran mais de fixer simultanément la position où doit commencer la sortie des caractères au moyen des fonctions appropriées. Tout cela est mieux expliqué dans le cadre de la description de ces fonctions.

La fonction 03h représente l'inverse de la fonction 02h. Elle lit la position du curseur dans une page écran déterminée et retourne la valeur au programme. Lors de l'appel de cette fonction, le registre AL doit contenir le numéro de fonction 03h et le registre BH le numéro de la page écran dont il faut lire la position du curseur. Cette fonction retourne également deux autres valeurs dans les registres CH et CL : elles indiquent la ligne de départ et de fin du curseur définissant l'aspect du curseur et non son emplacement.

Pour comprendre la signification de ces paramètres, il faut savoir que chaque caractère (de texte) est représenté par 8 lignes de points avec une carte couleur et par 14 lignes de points avec une carte monochrome (ne pas confondre lignes de points et lignes d'écran). Ainsi, le programmeur peut décider de la ligne où le curseur clignotant doit commencer et de la ligne où il doit se terminer. Il peut définir de ce fait des petits ou grands curseurs qui sont généralement utilisés pour l'affichage de divers modes d'exploitation lors de l'entrée des informations.

La hauteur de la matrice de caractères joue un rôle primordial dans la détermination de ces valeurs. Les différents caractères sont en effet définis dans la matrice. Avec une carte CGA, cela correspond à 8 lignes de points permettant ainsi de définir des valeurs comprises entre 0 et 7 pour les lignes de départ et de fin. Avec une carte Hercules ou MDA, la hauteur de la matrice est de 14 lignes, les lignes de départ et de fin du curseur clignotant devant se trouver alors dans l'intervalle 0 et 13. Cette matrice de caractères est plus importante avec les cartes EGA et VGA. Ici, le BIOS utilise l'unité de mesure CGA allant de 0 à 7 où les indications sont converties automatiquement par rapport à la hauteur réelle de la matrice de caractères.

L'indication de valeurs élevées pour les lignes de départ et de fin provoque la disparition du curseur de l'écran, ce qui est parfois utile.

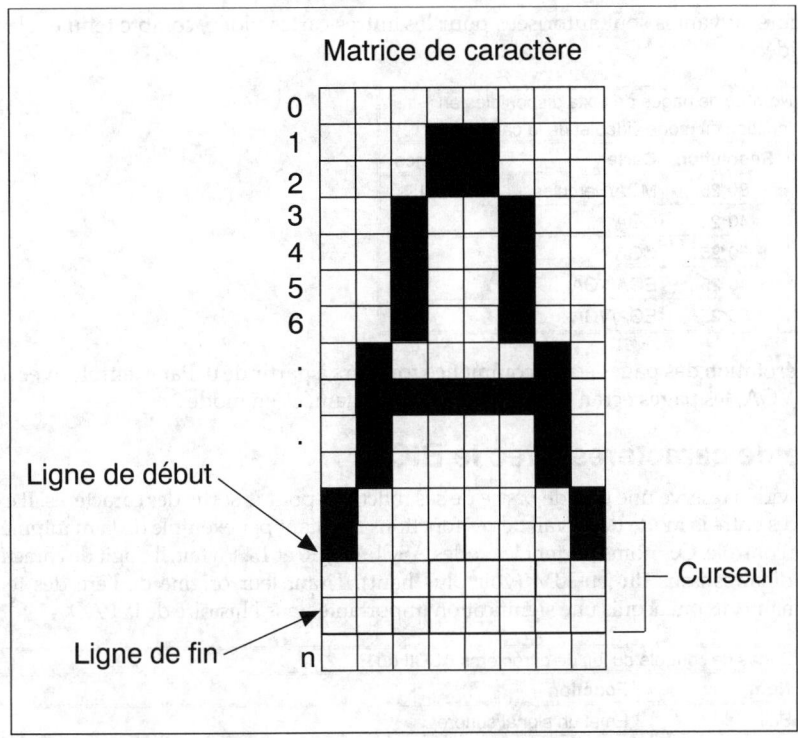

Lignes de départ et de fin du curseur texte

Contrairement à la fonction 03h qui permet de lire les lignes de départ et de fin du curseur, la fonction 01h sert exclusivement à les définir. Dans ce cas, le registre AH doit être chargé avec 1, le registre CH avec la ligne de départ et le registre CL avec la ligne de fin du curseur clignotant avant l'appel de l'interruption 10h. Notez que la ligne de départ doit être inférieure ou égale à la ligne de fin sinon le curseur risque de devenir invisible.

Sélection de la page écran

Jusqu'à présent, nous avons maintes fois parlé de la page écran actuelle sans pour autant expliquer comment l'activer. La fonction 05h du BIOS vidéo répond à cette interrogation. Elle doit être appelée avec la valeur 05h dans le registre AH et le numéro de la page écran à activer dans le registre AL.

Le numéro de la page écran à activer dépend naturellement du nombre de pages écran disponibles dans le mode vidéo en cours par la carte vidéo concernée.

Par exemple, l'appel de cette fonction ne présente aucun intérêt avec une carte MDA puisqu'elle ne peut offrir qu'une page écran.

Les valeurs suivantes sont autorisées pour les autres cartes vidéo, compte tenu également du mode vidéo :

Nombre de pages de texte disponibles en fonction du mode vidéo et de la carte vidéo			
Mode	**Résolution**	**Carte**	**Pages**
7	80*25	MDA/Hercules	1
0/1	40*25	CGA	8
2/3	80*25	CGA	4
0/1	40*25	EGA/VGA	16
2/3	80*25	EGA/VGA	8

La numérotation des pages écran commence toujours à partir de 0. Par exemple avec les cartes EGA et VGA, les pages écran 0 à 7 peuvent être réclamées en mode 2.

Sortie de caractères avec le BIOS

Le BIOS vidéo réserve une grande partie de ses fonctions pour la sortie des caractères. Il existe des différences entre le mode de travail de ces fonctions résultant par exemple de la manipulation des codes de contrôle. Ces noms portent les codes ASCII 7, 8, 10 et 13. En fait, il s'agit de caractères tout à fait ordinaires issus du jeu IBM (voir plus haut). Tirant leur origine de l'ère des terminaux d'imprimante, ils ont acquis une signification importante dans l'histoire de la PAO.

Codes de contrôle du jeu de caractères ASCII du PC		
ASCII	**Nom**	**Fonction**
7	Bell	Émet un signal sonore
8	Backspace	Éfface le caractère immédiatement à gauche du curseur et avance le curseur d'une position vers la droite
10	Linefeed	Place le curseur à la ligne suivante
13	Carriage Return	Place le curseur au début la ligne en cours

Certaines fonctions considèrent ces codes comme des caractères ASCII normaux et les affichent par conséquent sur l'écran. D'autres au contraire les évaluent comme des codes de contrôle et émettent par exemple un signal sonore lorsqu'il s'agit du code 7. Vous devez utiliser la fonction qui convient selon que vous souhaitez que les codes de contrôle soient traités ou non.

Il convient de noter ici que toutes les fonctions de sortie de texte peuvent être utilisées en mode texte et en mode graphique. En mode graphique, la sortie de caractères ne coule pas de source puisqu'aucun jeu de caractères n'est disponible ici. Mais le BIOS remédie automatiquement à ce handicap en remplaçant les motifs de caractères des codes ASCII par des points graphiques. Les motifs de caractères des codes ASCII 0 à 127 sont déjà stockés dans la ROM. Quant aux motifs de caractères des codes 128 à 255, ils seront lus à partir d'une table dans la RAM devant être installée préalablement au moyen de la commande DOS GRAFTABL.

Le BIOS tire l'adresse de cette table du pointeur FAR situé à la cellule de mémoire 0000:007C. Ces adresses de mémoire se trouvent certes à l'intérieur de la table des vecteurs d'interruption, mais elles peuvent être utilisées à cet effet. En effet, l'interruption 1Fh dont l'adresse y est normalement ignorée est inutilisée.

Le fait que cette table soit stockée dans la RAM permet de définir une table personnelle. Le résultat est que les caractères spéciaux non répertoriés dans le jeu standard peuvent être affichés sur l'écran. Chaque caractère étant défini par 8 octets, les huit premiers octets de la table concernent le code ASCII 128, les huit suivants le code 129, etc. Chaque octet met le motif du bit à la disposition d'une des 8 lignes à partir de laquelle se crée un caractère. Dans chaque octet, le bit 0 représente le point de droite de la matrice de caractères, le bit 7 le point de gauche. Si un bit est réglé sur 1, cela signifie que le point correspondant est allumé sur l'écran.

Les fonctions 09h et 0Ah servent à sortir des caractères avec une légère différence. La fonction 0Ah représente le caractère dans la couleur déjà définie pour la position correspondante sur l'écran alors que la fonction 09h permet de spécifier également la couleur (l'attribut) du caractère à sortir. Après la sortie du caractère, les deux fonctions ne placent pas le curseur à la position d'écran suivante pour que la sortie des caractères s'effectue au même endroit lors d'un appel renouvelé de ces fonctions.

Pour sortir un texte homogène, il convient donc de placer le curseur à la position d'écran suivante au moyen de la fonction 02h après l'appel.

Les deux fonctions interprètent les codes de contrôle décrits plus haut comme des caractères normaux et n'hésitent pas à les sortir. Elles doivent être appelées avec le numéro de fonction chargé dans le registre AH et le code ASCII du caractère à sortir dans le registre AL. La page écran devant contenir le caractère se trouve comme d'habitude dans le registre BH. Le registre CX contient un nombre indiquant la fréquence de la sortie. Autrement dit, un appel de fonction permet de sortir plusieurs fois le même caractère, méthode qui économise du temps.

Si le caractère ne doit sortir qu'une seule fois dans le registre AL, il suffit alors de charger la valeur 1 dans le registre CX avant l'appel.

En cas d'erreur dans le BIOS, le facteur de répétition sélectionné en mode graphique lors de l'appel de cette fonction doit être suffisamment élevé pour que tous les caractères à afficher puissent être contenus dans une ligne.

En voilà assez à propos des registres de la fonction 0Ah. La fonction 09h permettant de spécifier également la couleur du caractère à sortir, le registre BL intervient ici aussi. Il est destiné à transmettre la couleur des caractères.

L'inconvénient majeur de ces deux fonctions est que l'écriture de la position du curseur ne se poursuit pas après appel des fonctions. La fonction 0Eh arrange la situation. Elle simule un terminal ou un périphérique à distance ce qui lui vaut d'ailleurs l'appellation anglaise TTY (TTY = Teletype). Son appel provoque le déplacement du curseur vers la page écran suivante après la sortie d'un caractère. S'il se trouve déjà à la fin d'une ligne écran, un saut se produit vers le début de la ligne qui suit.

Si aucune ligne ne fait suite parce que le curseur se trouve déjà dans le coin inférieur droit de l'écran (ligne 24, colonne 79), le contenu de l'écran décale alors d'une ligne vers le haut. Cette action fait disparaître la première ligne écran du champ de vision. Ensuite, la ligne 24 est effacée et le curseur vient se placer au début de cette ligne en vue d'une autre sortie de caractères.

Contrairement aux fonctions 09h et 0Ah, la fonction TTY n'interprète pas les codes de contrôle comme des codes ASCII ordinaires mais les traite conformément à leur fonction. Tout comme la fonction 0Ah, la fonction TTY reprend la couleur de la page écran concernée lors de la sortie d'un caractère. Cela ne s'applique cependant qu'aux modes texte. En mode graphique, la couleur de premier plan du caractère doit être transmise à la fonction TTY dans le registre BL.

Lors de son appel, cette fonction attend également le numéro de fonction 0Eh dans le registre AH, le code du caractère à sortir dans le registre AL et la page écran où doit apparaître le caractère dans le registre BH.

Sortie de chaîne de caractères

Avec l'introduction de l'AT, une fonction est venue s'ajouter dans le BIOS vidéo disponible également dans les versions étendues du BIOS des cartes EGA et VGA. Elle permet enfin de sortir une chaîne de caractères sur l'écran avec un seul appel de la fonction sans qu'il soit nécessaire d'appeler une fonction de sortie différente pour chaque caractère. Cette fonction porte le numéro 13h.

En dehors du numéro de fonction dans le registre AH, il faut transmettre toute une série d'autres arguments pour son appel. Le registre BH contient le numéro de la page écran dans laquelle la chaîne doit sortir. Dans ce cas, il doit s'agir obligatoirement de la page écran actuelle. La position de départ de la chaîne sur l'écran se trouve dans le registre DH (ligne) et dans le registre DL (colonne). La sortie n'est donc pas tributaire de la position actuelle du curseur. Le registre CX contient le nombre de caractères à sortir dans la chaîne.

Le contenu du registre AL définit l'un des quatre modes autorisés pour sortir la chaîne. Le format de la chaîne de caractères à sortir dans les modes 0 et 1 est différent de celui des modes 2 et 3. Dans les modes 2 et 3, chaque code ASCII d'un caractère doit être suivi de l'octet d'attribut correspondant. Dans les modes 0 et 1, les différents caractères de la chaîne sont consécutifs. Dans ces modes, l'octet d'attribut est spécifié par le contenu du registre BL pour tous les caractères. Mais dans tous les cas, un pointeur FAR doit être transmis sur le buffer dans la paire de registres ES:BP indépendamment de la structure du buffer.

Bien que dans les modes 2 et 3, deux octets soient réservés à chaque caractère de la chaîne et de ce fait une chaîne de 4 caractères de long nécessite par exemple 8 octets, il faut tout de même indiquer uniquement le nombre de caractères à sortir dans le registre CX. Dans l'exemple cité, cela revient à 4. Il existe une autre différence entre les modes 0 et 2 et les modes 1 et 3. Après la sortie de la chaîne en modes 1 et 3, le curseur vient se placer à la position écran qui fait suite au dernier caractère de la chaîne. La sortie de caractères suivante à travers une fonction BIOS s'effectue alors à cette position d'écran. Cette réactualisation de la position du curseur reste inhibée dans les modes 0 et 2.

Lecture des caractères de l'écran

Contrairement aux fonctions 09h, 0Ah et 0Eh qui servent à sortir des caractères sur l'écran, la fonction 08h permet de les lire, c'est-à-dire déterminer la position et l'attribut de chaque caractère sur l'écran. Pour l'appel de cette fonction, le registre AH doit contenir la valeur 8 et le registre BH le numéro de la page écran nécessaire. La position écran à partir de laquelle le caractère sera lu représente la position actuelle du curseur dans la page spécifiée.

En mode texte, le code du caractère peut être lu directement dans la RAM. Pour l'obtenir en mode graphique, le motif du caractère situé à la position actuelle du curseur est comparé avec les motifs de tous les caractères. Cela ne fonctionne pas dans tous les cas, c'est pourquoi il ne faut pas attendre beaucoup de cette fonction en mode graphique.

En guise de résultat, vous obtenez l'attribut (la couleur) dans le registre AH et le code ASCII du caractère à lire dans le registre AL après appel de la fonction.

Défilement de l'écran

Dans le contexte de la fonction 0Eh (sortie TTY), il convient de parler de la technique permettant, si cela est nécessaire, de décaler (ou scrolling en anglais) l'écran d'une ligne vers le haut ou le bas.

Cette faculté est octroyée à la fonction 0Eh à travers un appel interne de la fonction 06h disponible également par le programmeur. Elle permet de décaler une portion précise de l'écran d'une ou plusieurs lignes vers le haut ou de compléter par des espaces. Cette opération ne peut se réaliser que sur la page écran actuelle. Pour appeler cette fonction, le registre AH doit être chargé avec le numéro de fonction 06h et le registre AL avec le nombre de lignes à prendre en compte pour décaler la portion spécifiée de l'écran vers le haut. La valeur 0 signale au BIOS que la portion de l'écran ne peut pas être décalée. Il faut au contraire la remplir d'espaces. Exceptionnellement, le registre BH n'attend pas la page écran mais la couleur à affecter aux lignes blanches (ou à la ligne blanche). La portion d'écran à traiter par la fonction est définie à l'aide des registres CH, CL, DH et DL.

CH	Ligne du coin supérieur gauche de la fenêtre
CL	Colonne du coin supérieur gauche de la fenêtre
DH	Ligne du coin inférieur droit de la fenêtre
DL	Colonne du coin inférieur droit de la fenêtre

Outre la fonction 06h, le BIOS reconnaît la fonction 07h qui exécute la même tâche. Cette fois, la portion d'écran spécifiée subit un défilement vers le bas. L'affectation des registres reste identique à celle de la fonction 06h si on fait abstraction des divers numéros de fonction.

Exemples de programmes

Ce chapitre se termine par deux programmes rendant accessibles des fonctions de l'interruption vidéo du BIOS à partir de langages évolués. Il s'agit notamment des fonctions de contrôle et des fonctions d'accès à l'écran en mode texte.

L'avantage de ces programmes, du moins en Pascal et C, est que la sortie écran s'effectue plus vite avec les fonctions BIOS qu'avec les fonctions et procédures prédéfinies sous DOS. L'utilisation des fonctions BIOS en BASIC n'est pas importante car la sortie écran à l'aide de ces dernières s'effectue encore plus lentement que l'instruction PRINT elle-même déjà lente.

L'accès aux fonctions BIOS dans ce langage offre toutefois un avantage. Elles peuvent être appelées là où elles ne peuvent pas être adressées à l'aide d'instructions prédéfinies. C'est par exemple le cas des deux fonctions BIOS servant à faire défiler une fenêtre quelconque vers le haut ou le bas et ce, dans les trois langages.

Il ne faut pas non plus oublier de souligner un inconvénient important lié à la sortie écran au moyen des fonctions BIOS : les instructions de sortie écran en langages évolués acceptent également des variables numériques que vous devez d'abord convertir - en tenant compte d'un nombre d'emplacements précis ou d'une précision exacte - en codes ASCII avant de pouvoir les afficher. Cela n'est pas possible avec les fonctions BIOS. Si vous souhaitez malgré tout sortir des variables numériques avec les fonctions BIOS, vous devez d'abord les convertir en une chaîne à l'aide de la fonction adéquate et transmettre ensuite cette chaîne à la fonction BIOS. Une procédure qui est naturellement gourmande en temps...

Le programme d'exemple est la réunion de ces trois parties. Il remplit d'abord l'écran avec des caractères issus du jeu PC et ouvre ensuite deux fenêtres où deux flèches sont à déplacer de haut en bas. Nous vous montrerons comment réaliser cela en pratique après avoir examiné de plus près les exemples. Il existe une homogénéité entre les trois programmes en vue de garantir la compatibilité entre les cartes monochromes et couleurs. Ils n'utilisent qu'une seule page écran et ne contiennent ni des sous-programmes ou fonctions ni des procédures pour appeler les fonctions graphiques du BIOS.

Si vous avez compris ce chapitre, il ne vous sera pas difficile de compléter le programme concerné par les fonctions qui y font défaut et d'écrire un petit programme de démonstration. Vous allez certainement animer ces programmes en sachant d'une part que l'appel de l'interruption vidéo du BIOS garantit l'ordinateur contre un plantage ou quelque chose de grave et d'autre part qu'il ne vous reste qu'à donner libre cours à votre imagination pour organiser l'écran. Mais avant de vous lancer à l'aventure, examinons chaque programme en détail.

VIDEOP.PAS   VIDEOC.C

9.3.   Déterminer quelle carte vidéo est installée

Chaque fois que vous voulez accéder directement à l'électronique d'une carte vidéo bien précise ou à des fonctions BIOS particulières, qui ne figurent que dans des versions spéciales du BIOS, comme le BIOS EGA par exemple, vous devez vous assurer auparavant que la carte appelée soit effectivement installée. À défaut de ce test, il peut arriver que vous écriviez des caractères et des caractères dans la RAM vidéo mais que l'écran reste noir parce que le PC dispose d'une carte CGA, par exemple, et non d'une carte MDA comme vous le supposiez.

C'est bien sûr surtout si votre programme est censé travailler indifféremment avec les différentes sortes de carte vidéo et accéder malgré cela directement à l'électronique de ces cartes, que la connaissance du type de carte vidéo installée sera d'une importance cruciale. Sans ces informations en effet, les routines de sortie ne pourraient s'adapter aux particularités et aux paramètres spécifiques de chaque carte. Dans ce chapitre, vous apprendrez à déterminer :

- ○   le type de la carte vidéo installée pendant l'exécution d'un programme,
- ○   les différentes cartes vidéo utilisables simultanément dans un PC.

Utilisation simultanée de cartes vidéo multiples

Il convient, à cet égard, de tenir également compte du fait que le PC peut disposer en même temps d'une carte monochrome (MDA, HGC, mais aussi EGA sur un moniteur monochrome) et d'une carte couleur (EGA, VGA ou CGA). Dans ce cas, une seule des deux cartes peut être activée à un moment donné.

Combinaisons possibles des cartes vidéo PC	VGA	EGA	HGC	CGA	MDA
VGA			■		■
EGA			■	■	■
HGC	■	■		■	
CGA		■			■
MDA	■	■		■	■

Il s'agit donc de déterminer le type de la carte vidéo installée. On ne peut malheureusement avoir recours pour cela ni à un appel de fonction BIOS ou DOS, ni au test d'une variable. Il faut donc développer à cet effet une routine assembleur qui examinera chaque fois, à l'aide de tests appropriés, quel type de carte vidéo est disponible. Cette routine pourra s'appuyer sur les indications des fabricants de matériel électronique car presque chaque fabricant de carte vidéo indique, dans la documentation technique fournie avec sa carte, un procédé permettant de détecter la présence de cette carte sur un système. Il est naturellement très important que le test soit parfaitement fiable, c'est-à-dire qu'il ne fournisse un résultat positif que pour un type bien précis de carte vidéo. Les cartes EGA et VGA posent cependant des problèmes de ce point de vue car suivant le moniteur connecté elles peuvent émuler une carte CGA ou MDA et il est difficile de les distinguer.

Tests pour déterminer la carte vidéo active

Tous les tests décrits dans les pages suivantes sont repris à la fin de cette section dans deux petits programmes assembleur qui ont été conçus pour être intégrés dans des programmes en C et en Pascal. Ils inscrivent le type de carte vidéo connectée et le type du moniteur connecté dans un tableau (Array) dont l'adresse leur a été transmise par la fonction d'appel. Si deux cartes vidéo sont installées, l'ordre dans lequel elles sont citées dans le vecteur indique laquelle des deux est activée pour le moment.

La routine assembleur identifie les cartes suivantes :

O cartes MDA,
O cartes CGA,
O cartes HGC,
O cartes EGA et
O cartes VGA (y compris Super VGA)

Comme la routine assembleur teste successivement l'existence de chaque carte vidéo, le listing assembleur comporte un sous-programme particulier pour chaque type de carte vidéo. Ce sous-programme porte chaque fois le nom de la carte vidéo qu'il est chargé de détecter. Ces routines s'appellent donc TEST_EGA, TEST_VGA etc. Les différents tests sont appelés successivement mais certains tests peuvent être exclus lorsqu'il est certain qu'ils fourniraient un résultat erroné. C'est le cas par exemple pour le test CGA si une carte EGA ou VGA reliée à un moniteur hauteur résolution ou couleur a été détectée auparavant. Une carte CGA ne peut en effet être installée à côté d'une carte de ce type mais le test CGA annoncerait la présence d'une carte CGA alors qu'il ne pourrait en fait s'agir que de la carte EGA ou VGA déjà détectée.

Pour éviter les inexactitudes, il existe pour chaque test un flag décidant si le test doit être ou non exécuté. Avant le premier test, tous les flags sont fixés sur 1 pour que chaque test soit exécuté lorsque ce sera son tour. Au cours des tests, certains flags pourront être fixés sur 0, pour les raisons que nous venons d'indiquer, afin que la routine de test correspondante ne soit pas appelée.

C'est le test VGA qui ouvre la marche. Il est très simple à réaliser puisqu'une fonction spéciale du BIOS VGA, la sous-fonction 00h de la fonction 1Ah, permet d'obtenir exactement les informations devant être renvoyées par la routine assembleur.

Ces informations ne sont toutefois disponibles, après appel de la fonction, que si une carte VGA et donc aussi le BIOS VGA sont installés. C'est le cas si la valeur 1Ah figure dans le registre AL après appel de la fonction. Si la routine de test trouve une autre valeur, le test est interrompu avec un résultat négatif et les autres tests se poursuivent. Dans ce cas, c'est qu'il n'y a pas de carte VGA installée.

Après un appel positif de cette fonction, un code de périphérique spécial désigne dans le registre BL la carte vidéo activée et dans le registre BH celle qui n'est pas activée.

Les codes suivants peuvent se présenter :

Codes renvoyés après appel de la sous-fonction 00h de la fonction 1Ah du BIOS VGA	
Code	**Signification**
00h	Pas de carte vidéo
01h	Carte MDA sur un moniteur monochrome
02h	Carte CGA sur un moniteur couleur
03h	Réservé
04h	Carte EGA sur un moniteur haute résol.
05h	Carte EGA sur un moniteur monochrome
06h	Réservé
07h	Carte VGA sur un moniteur monochrome analogique
08h	Carte VGA sur un moniteur couleur analogique

Ces codes sont séparés par la routine de test VGA en valeurs pour la carte vidéo et en valeurs pour le moniteur connecté. Elles sont alors chargées dans le vecteur dont l'adresse a été transmise à la routine assembleur par celui qui l'a appelée. Comme cette routine renvoie déjà des informations sur les deux cartes vidéo, il n'est plus nécessaire d'effectuer les tests suivants. Seul le test mono doit encore être effectué si la fonction a détecté la présence d'une carte monochrome car elle ne sait pas distinguer une carte MDA d'une carte HGC.

Dans la routine principale du programme assembleur, le test VGA est suivi du test EGA, qui n'est effectué que si le résultat du test VGA a été négatif et si le flag EGA n'a pas été fixé de ce fait sur 0. Ce test a également recours à une fonction qui ne figure que dans le BIOS EGA : la sous-fonction 10h de la fonction 12h. S'il n'y a pas de carte EGA installée et si, par conséquent, cette fonction n'est pas disponible, la valeur 10h figurera toujours après appel de la fonction dans le registre BL, où elle avait été placée avant appel de la fonction. Dans ce cas, le test EGA est terminé.

En cas de succès, le registre CL contient après appel de la fonction la position des commutateurs DIP de la carte EGA. Ces commutateurs indiquent le type de moniteur connecté. Ils sont convertis en codes moniteur de la routine assembleur, puis inscrits dans le vecteur avec le code de la carte EGA. Suivant le type de moniteur connecté, le flag CGA ou mono est fixé sur 0, le test correspondant n'ayant plus à être effectué après l'identification d'une carte EGA. La routine EGA est alors terminée.

Si le flag CGA n'a pas été fixé sur 0 à la suite de l'un des tests précédents, le test CGA fait suite au test EGA. De même que le test mono, il ne peut avoir recours à aucune fonction du BIOS et doit tester directement si l'électronique correspondante est présente. Dans les deux routines, cela s'effectue en appelant la routine TEST_6845, qui examine si le contrôleur vidéo 6845 de la carte vidéo considérée se trouve à l'adresse de port spécifiée. Pour la carte CGA, c'est l'adresse 3D4h qui est communiquée à la routine TEST_6845.

Le seul moyen de détecter la présence du CRTC à une adresse de port déterminée consiste à écrire une valeur quelconque (différente de 0) dans l'un des registres du CRTC et de la relire immédiatement. Si la valeur relue correspond à la valeur écrite, c'est que le CRTC, et donc aussi la carte vidéo, figurent bien à l'adresse de port spécifiée. Avant d'écrire toutefois n'importe quelle valeur dans l'un des registres du CRTC, il convient de ne pas oublier que ces registres jouent un rôle fondamental dans la mise en place des signaux vidéo. Un accès inconsidéré pourrait donc non seulement perturber gravement l'activité du CRTC, mais même, dans le pire des cas, endommager le moniteur. Les registres 0 à 9 sont donc exclus pour ce type de tests. Restent les registres 10 à 15 dont la modification peut malgré tout également affecter le contenu de l'écran. Les modifications les plus bénignes sont cependant celles occasionnées par les registres 10 et 11, qui fixent les lignes de début et de fin du curseur clignotant de l'écran.

La routine assembleur lit donc tout d'abord le contenu du registre 10 avant d'écrire dans ce registre une valeur choisie arbitrairement. Après une courte pause, pendant laquelle le CRTC peut réagir à la sortie, le contenu de ce registre est à nouveau lu. Avant qu'il ne soit cependant comparé à la valeur écrite, l'ancienne valeur est réécrite dans le registre pour que ce test ne se traduise pas par des changements durables sur l'écran. S'il résulte de la comparaison qui s'ensuit que la valeur écrite est identique à la valeur qui a été relue plus tard, c'est qu'il y a un CRTC et donc aussi une carte vidéo (dans ce cas, une CGA). La routine CGA réagit alors en chargeant le code correspondant dans le vecteur et en signalant comme moniteur le moniteur couleur, le seul moniteur pouvant être exploité avec une carte CGA.

Le dernier test appelé est le test mono, qui recherche également dans un premier temps s'il y a un CRTC 6845, cette fois à l'adresse 3B4h. S'il trouve effectivement un CRTC à cet endroit, c'est nécessairement qu'une carte monochrome est installée. Il reste cependant encore à déterminer s'il s'agit d'une MDA ou d'une HGC. C'est à l'aide du registre d'état des deux cartes vidéo, auquel on accède à travers le port 3BAh, qu'on peut répondre à cette question. Le bit 7 de ce registre ne joue en effet aucun rôle sur la carte MDA, et sa valeur est donc indéterminée, alors que sur la carte HGC il vaut 1 chaque fois que le rayon électronique du tube cathodique se trouve en phase de retour vertical à travers l'écran. Comme il ne s'agit bien sûr pas d'un état permanent mais d'une situation qui se reproduit environ toutes les 2 millisecondes, le contenu de ce bit passe sans cesse de 0 à 1 et inversement.

La routine de test tire parti de ce changement, qui n'a pas lieu sur la carte MDA. Elle lit tout d'abord le contenu de ce registre et masque les bits 0 à 6. Elle enregistre le résultat obtenu comme valeur de comparaison pour les 32768 parcours de boucle, au maximum, au cours desquels la valeur du registre d'état est sans cesse relue. Si une modification est constatée par rapport à la valeur de référence, c'est-à-dire si l'état du bit 7 a changé, c'est qu'il s'agit d'une carte HGC. Si par contre l'état de ce bit ne change pas pendant les 32 768 parcours de la boucle, c'est qu'on a affaire à une carte MDA.

Ici aussi, le code correspondant à la carte vidéo identifiée est chargé dans le vecteur. C'est systématiquement le code du moniteur monochrome qui est indiqué comme code de moniteur car c'est le seul type de moniteur pouvant être connecté sur les cartes MDA et HGC.

Les tests sont alors terminés pour l'essentiel, il ne reste plus qu'à déterminer quelle est la carte vidéo activée (primaire) et la carte non activée (secondaire). Si l'appel du test VGA a été positif, ce test n'a toutefois pas lieu d'être puisque la routine de test correspondante se charge automatiquement de distinguer entre la carte vidéo activée et la carte non activée.

Dans tous les autres cas, la carte vidéo activée doit être déterminée à l'aide du mode vidéo actuel, qui peut être obtenu à l'aide de la fonction 0Fh de l'interruption vidéo du BIOS. Si on obtient la valeur 7 comme résultat, c'est le mode de texte 80*25 caractères de la carte mono-chrome qui est activé. Tout autre mode implique que c'est une carte CGA, EGA ou VGA qui est activée. La dernière tâche de la routine assembleur consiste donc, sur la base de ces informations, à changer l'ordre des deux entrées, si ce n'est pas l'entrée de la carte activée qui figure déjà en premier.

La routine assembleur a alors terminé son travail et elle rend la main à la fonction qui l'avait appelée.

Après ces explications détaillées, vous ne devriez pas avoir trop de difficulté à imaginer le fonctionnement des deux programmes assembleur proposés. Chacun est accompagné d'un programme en langage évolué qui appelle la fonction GetVIOS à partir du module assembleur, pour en montrer le mode d'utilisation.

VIOSC.C   VIOSCA.ASM
VIOSP.PAS   VIOSPA.ASM

9.4. Structure fondamentale d'une carte vidéo

L'une a pour rôle de générer l'affichage du texte, l'autre ne se contente pas d'un mode graphique faiblard et la troisième crée des images ressemblant à des photos : les différences entre les divers standards vidéo sont frappantes dans le monde PC. Chaque type de carte vidéo, qu'il s'agisse d'une carte MDA ordinaire ou d'une carte moderne Super VGA, chacune fonctionne selon un principe déterminé. Avant d'examiner les différents standards vidéo dans les sections suivantes, notez d'abord ici quelques informations relatives à la structure fondamentale et le mode de fonctionnement des cartes vidéo.

Vous apprendrez ainsi :

○ comment un moniteur crée une image vidéo,
○ comment le contrôleur CRT gère la structure de l'écran,
○ quelles sont les tâches des registres du contrôleur CRT et
○ quels sont les éléments d'une carte vidéo.

La seconde partie du chapitre traite de la RAM vidéo qui est un élément essentiel pour la création d'une image vidéo et la programmation des cartes vidéo.

Construction de l'écran à travers le moniteur

Le moniteur se trouve au bout de la chaîne qui conduit une image de la RAM vidéo à la réalisation sur l'écran. Contrairement à la carte vidéo, il s'agit d'une machine "inintelligente", qui ne peut donc pas être programmée. Tous les moniteurs utilisés dans le domaine du PC sont ce qu'on appelle des "raster scan devices", c'est-à-dire des machines sur lesquelles l'écran se compose d'une multitude de petits points disposés dans une grille rectangulaire. Lors de la construction de l'image, le rayon électronique du tube cathodique balaye chaque point et le fait briller s'il doit être visible sur l'écran. Concrètement, cela est réalisé en activant le rayon électronique frappant ce point et en faisant ainsi briller une particule de phosphore sur le tube cathodique.

Un seul rayon électronique suffit pour construire l'image sur un moniteur monochrome, alors que sur un moniteur couleur trois rayons électroniques doivent balayer simultanément l'écran. Un point d'image ne se compose pas dans ce cas d'une mais de trois particules de phosphore dans les trois couleurs fondamentales rouge, vert et bleu. Un rayon électronique est donc chargé de chacune de ces couleurs. En combinant ces trois couleurs avec une intensité diversifiée lors de ce mélange, on peut obtenir toutes les couleurs. Comme une particule de phosphore ionisée ne brille que très peu de temps, l'écran doit être entièrement balayé de cette façon de nombreuses fois par seconde pour produire à nos yeux l'impression d'une image fixe. Sur les moniteurs de PC, ce balayage est effectué entre 50 et 70 fois par seconde, la qualité de l'image étant liée à la fréquence de répétition.

La construction de l'image commence toujours par le coin supérieur gauche de l'écran. De là, le rayon électronique se déplace horizontalement vers la droite sur la première ligne de grille. A la fin de cette ligne, il revient au début de la ligne mais descend en même temps d'une ligne. Commence alors la construction de la deuxième ligne de la grille, à la fin de laquelle se déplace à nouveau, toujours de la même façon, vers le début de la ligne suivante. Une fois que la fin de l'écran a été ainsi atteinte, le rayon saute à nouveau au coin supérieur gauche de l'écran et la construction de l'écran peut reprendre. Cette procédure s'appelle retour horizontal ou "horizontal retrace" et retour vertical ou "vertical retrace".

Il faut toutefois noter que le déplacement du rayon électronique n'est pas commandé par l'écran lui-même mais par le contrôleur de la carte vidéo, à travers certains canaux de signal spéciaux, comme nous allons l'expliquer bientôt.

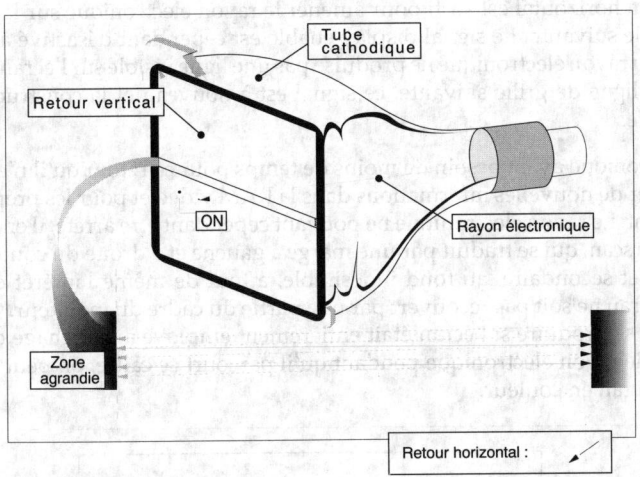

Parcours du rayon électronique sur l'écran

La résolution du moniteur est naturellement directement fonction du nombre de lignes et de colonnes de la grille que balaye le rayon électronique lors de la construction de l'image. Il va donc de soi qu'un moniteur ne disposant que d'une grille de 200 lignes sur 640 colonnes ne pourra offrir une résolution aussi élevée qu'une carte EGA ou VGA dotée de 640x480 points. Voici les résolutions dont disposent en principe les quatre types de moniteur utilisés sur le PC :

Résolutions des différents types de moniteur		
Moniteur	**Lignes**	**Colonnes**
MDA/Hercules	350	720
CGA	200	640
EGA	350	640
VGA*	350	640
Super VGA*	600	800
Multisync	variable, jusqu'à 800	variable, jusqu'à 1200
* Ces moniteurs existent en modes monochrome et couleur		

Le contrôleur CRT

Le cœur d'une carte vidéo est constitué par le contrôleur CRT, qui tire son nom de la désignation anglaise de l'écran, Cathode Ray Tube. On l'appelle cependant également contrôleur d'écran, contrôleur vidéo ou simplement CRTC. Il contrôle le déroulement des opérations à l'intérieur de la carte vidéo et génère les signaux dans le temps dont le moniteur a besoin pour

construire l'image. Il est également chargé de contrôler le crayon optique, de produire le curseur clignotant de l'écran et de contrôler la RAM vidéo.

Pour lancer la construction d'une ligne de grille par le moniteur, le CRTC sort au début de chaque ligne un signal dit "display enable", qui active le rayon électronique. Au cours du déplacement vers la droite de ce rayon, à travers les différentes colonnes de la ligne, le CRTC gère les différents signaux pour le ou les rayons électroniques, de sorte que les points d'image apparaissent à l'endroit voulu sur l'écran. Lorsque la fin de la ligne est atteinte, un signal de synchronisation horizontal est sorti pour amener le rayon électronique sur le bord gauche de la ligne de grille suivante. Le signal display enable est cependant désactivé auparavant pour que le retour du rayon électronique ne produise pas une ligne visible sur l'écran. Une fois atteint le début de la ligne de grille suivante, ce signal est à nouveau et la construction de la ligne suivante débute.

Le rayon électronique ayant besoin de moins de temps pour ce retour qu'il n'en faut au CRTC pour rechercher de nouvelles informations dans la RAM vidéo et pour les préparer, une petite pause intervient. Le rayon électronique ne pouvant cependant être arrêté, il en résulte ce qu'on appelle un overscan, qui se traduit par une marge à gauche et à droite du contenu véritable de l'écran. Cet effet secondaire, au fond indésirable, a tout de même l'intérêt d'assurer que le contenu de l'écran ne soit pas recouvert par une partie du cadre du moniteur. Cela pourrait en effet tout à fait se produire si l'écran était entièrement employé à l'affichage des données. En laissant activé le rayon électronique pendant qu'il parcourt ce cadre, on peut faire apparaître un cadre de l'écran en couleur.

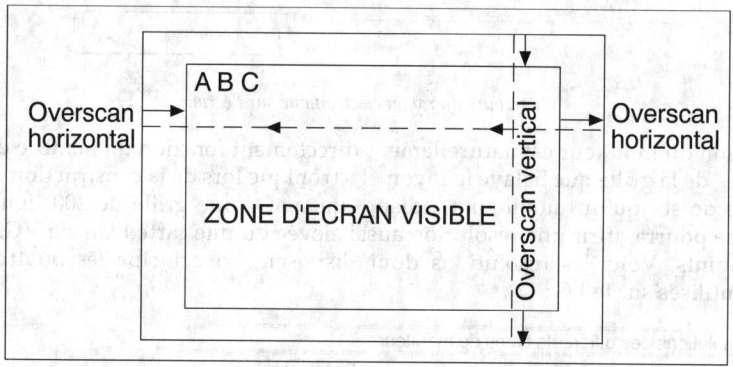

Formation d'un cadre lors de la construction de l'écran

Une fois que le rayon électronique a atteint la fin de la dernière ligne de grille, il doit être ramené dans le coin supérieur gauche de l'écran. Ici encore, le signal "display enable" est désactivé et un signal de synchronisation vertical est alors sorti. Une fois le rayon parvenu sur le coin supérieur gauche de l'écran, le signal display enable est à nouveau activé et une nouvelle construction de l'écran démarre.

Comme pour le retour horizontal, un fossé dans le temps apparaît et un "overscan" est également généré, qui se traduit par un cadre vertical de l'écran.

Les registres du contrôleur CRT

La succession dans le temps des différents signaux n'est cependant pas imposée de façon définitive et elle varie aussi d'un mode vidéo à l'autre. C'est pourquoi le CRTC dispose de toute une série de registres décrivant les sorties de signaux et leur agencement dans le temps. Les pages suivantes seront consacrées à la description de la structure et de la programmation de ces registres. Nous concentrerons notre attention sur les registres du contrôleur vidéo 6845 de Motorola, qui équipe les cartes graphiques MDA, CGA et Hercules. La carte EGA dispose comme CRTC d'un circuit spécial LSI (Large Scale Integration), dont les registres présentent une structure un peu plus complexe, en raison même des possibilités plus variées de cette carte. Les techniques ici décrites peuvent toutefois généralement être aussi appliquées à cette carte.

Les registres du contrôleur vidéo 6845 de Motorola		Accès
Registre	**Signification**	
00h	Total de caractères horizontalement	Ecriture
01h	Caractères affichés horizontalement	Ecriture
02h	Signal de synchronisation horizontal après ... caractères	Ecriture
03h	Durée du signal horizontal de synchronisation en caractères	Ecriture
04h	Total de caractères verticalement	Ecriture
05h	Nombre ajusté de caractères verticalement	Ecriture
06h	Caractères affichés verticalement	Ecriture
07h	Signal de synchronisation vertical après ... caractères	Ecriture
08h	Mode d'entrelacement	Ecriture
09h	Nombre de lignes de grille (de balayage) par ligne de l'écran	Ecriture
0Ah	Ligne de début du curseur clignotant de l'écran	Ecriture
0Bh	Ligne de fin du curseur clignotant de l'écran	Ecriture
0Ch	Adresse de départ de la page écran affichée (octet de poids fort)	Ecriture
0Dh	Adresse de départ de la page écran affichée (octet de poids faible)	Ecriture
0Eh	Adresse de caractère du curseur clignotant de l'écran (octet de poids fort)	Lecture & écriture
0Fh	Adresse de caractère du curseur clignotant de l'écran (octet de poids faible)	Lecture & écriture
10h	Position du crayon optique (octet de poids fort)	Lecture
11h	Position du crayon optique (octet de poids faible)	Lecture

L'accès à ces registres ainsi qu'à tous les autres registres de la carte vidéo se fait à travers ce qu'on appelle les ports, à l'aide des instructions du langage machine IN et OUT. Les différents registres du CRTC ne peuvent cependant être appelés directement, mais seulement par l'intermédiaire d'un registre spécial d'adresse. Le numéro du registre CRTC appelé doit, à cet effet, être sorti sur le port du registre d'adresse. Le contenu du registre peut ensuite être tiré d'un registre spécial de données à l'aide de l'instruction du langage machine IN. Pour écrire une valeur dans le registre adressé, cette valeur doit être transférée dans le registre de données avec l'instruction OUT et le CRTC la transférera automatiquement de là dans le registre adressé. Ces deux registres figurent toujours à des adresses de port consécutives mais ces adresses peuvent varier d'une carte vidéo à l'autre.

Dans la description des différentes cartes vidéo, nous vous proposerons chaque fois des tables décrivant le contenu des différents registres du CRTC sous les divers modes vidéo. Nous allons donc vous montrer maintenant, dans un exemple, comment le contenu de ces registres est calculé et comment les différents registres peuvent être combinés entre eux. Si vous reproduisez ces calculs sur votre calculatrice de poche ou sur un PC, vous constaterez que certains ne produisent pas un résultat entier. Les registres du CRTC ne pouvant recevoir que des valeurs entières, il faut donc chaque fois arrondir à la valeur immédiatement inférieure ou supérieure.

Les différents calculs à effectuer reposent sur la largeur de bande et la fréquence de balayage horizontal ou vertical d'un moniteur.

Système vidéo	Résolution	Largeur de bande	Fréquence de balayage vertical	Fréquence de balayage horizontal
MDA	720 * 350	16,257 MHz	50 Hz	18,43 KHz
CGA	640 * 200	14,318 MHz	60 Hz	15,75 KHz
HGC	720 * 350	16,257 MHz	50 Hz	18,43 KHz
EGA	640 * 350	16,257 MHz	60 Hz	21,85 KHz
	640 * 200	14,318 MHz	60 Hz	15,75 KHz
	720 * 350	16,257 MHz	50 Hz	18,43 KHz
VGA	640 * 400	25,175 MHz	70 Hz	31,50 KHz
	720 * 400	28,322 MHz	70 Hz	31,50 KHz
	640 * 480	25,175 MHz	60 Hz	31,50 KHz
	640 * 350	25,175 MHz	70 Hz	31,50 KHz
Super VGA	800 * 600	28,322 MHz	56 Hz	35,20 KHz
	800 * 600	30,425 MHz	60 Hz	37,88 KHz
	1024 * 768	50,350 MHz	60 Hz	48,00 KHz

Largeurs de bande et fréquences de balayage des différents systèmes vidéo

(Unités : Hz=hertz, KHz=kilohertz, MHz=mégahertz)

Dans la présentation ci-dessus, la largeur de bande indique le nombre de points que le rayon électronique du tube cathodique balaye en une seconde. On parle également de fréquence de points ou Dot Rate. La fréquence de balayage vertical indique le nombre de répétitions de l'image par seconde, alors que la fréquence de balayage horizontal indique le nombre de lignes de grille que le rayon électronique parcourt en une seconde.

Comme troisième élément du tableau ci-dessus, la fréquence de balayage horizontale se rapporte au nombre de lignes de grille parcourues par le rayon électronique en une seconde. Il dépend de la largeur de bande et du nombre de points d'image par ligne.

D'après le tableau précédent, les cartes MDA, CGA et Hercules n'utilisent qu'une seule largeur de bande contrairement aux cartes EGA et VGA qui ont besoin de deux largeurs de bande différentes. Dans les cartes Super VGA, on rencontre trois largeurs de bande différentes en plus des largeurs VGA normales.

Le nombre de largeurs de bande soutenues par une carte vidéo est spécifié généralement sur la carte-mère. Une horloge individuelle est utilisée en fait pour chaque largeur de bande et donne la mesure au contrôleur CRT dans le vrai sens du terme. Les puces à quartz se reconnaissent facilement sur la carte car elles sont argentées contrairement aux autres puces qui sont noires. Le taux de fréquence est en outre indiqué au-dessus de ces dernières.

Exemple de calcul

Considérons le mode graphique de la carte Hercules qui ne peut être activé que par la programmation directe des divers registres CRTC. Normalement, le BIOS se charge d'initialiser les registres lorsque vous activez un mode vidéo par la fonction 00h du BIOS vidéo. Malgré tout, il est intéressant de calculer les diverses valeurs pour les différents registres CRTC en prenant l'exemple du mode de texte 80x25 caractères sur une carte CGA.

Vous devez vous servir du tableau précédent pour trouver une entrée pour la résolution de 80*25 caractères. Le contrôleur CRT et le moniteur ne reconnaissent pas en effet les caractères, mais n'acceptent que les points d'image. Les caractères se composent en fait de points d'image contenus dans une matrice carrée. Pour afficher un caractère sur l'écran, le contrôleur CRT le décompose en points à travers sa matrice carrée.

Dans une carte CGA, la matrice carrée s'élève à 8*8 points, si bien qu'une résolution écran de 80*25 caractères de texte correspond à une résolution graphique de 640*200 points. Pour ce mode, la largeur de bande atteint 14,318 MHz avec une fréquence de répétition d'image de 60 Hz et une fréquence de balayage horizontale de 15,740 KHz.

En divisant tout d'abord la largeur de bande par la fréquence de balayage horizontal, on obtient le nombre de points d'image par ligne de balayage.

```
  Largeur de bande                    14,318 MHz
/ Fréquence de balayage horizontal    15,750 KHz
  ─────────────────────────────
  = Points d'image par ligne             909
```

Comme la plupart des registres CRTC ne contiennent pas des valeurs exprimées en points d'image mais en caractères, cette valeur doit être convertie en nombre de caractères par ligne. Elle doit pour cela être divisée par la largeur de la matrice de caractère, qui est de 8 points d'image sur la carte CGA.

```
  Points d'image par ligne  909
/ Points par caractère        8
  ─────────────────────────
  = Caractères par ligne     114
```

Cette valeur, diminuée de 1, doit être inscrite dans le premier registre du CRTC. Elle désigne donc le nombre total de caractères par ligne. Dans le deuxième registre doit être chargé le nombre de caractères devant effectivement apparaître sur chaque ligne de l'écran. En mode de texte 80x25 caractères, il s'agit bien sûr de 80.

En soustrayant du nombre total le nombre de caractères effectivement affichés, on obtient le nombre de caractères qui pourraient être sortis durant le retour horizontal et l'overscan. Il s'agit en l'occurrence de 34 caractères.

Dans le quatrième registre du CRTC doit être inscrite la durée du retour horizontal du rayon électronique. Ce registre ne reçoit toutefois pas directement la durée en temps mais le nombre de caractères qui auraient pu être sortis dans cet intervalle de temps. Cette valeur ne peut être fixée librement par la carte vidéo car elle dépend des caractéristiques du moniteur. Elle représente généralement entre 5% et 15% du nombre total de caractères par ligne. Pour un moniteur couleur, il s'agit exactement de 10 caractères.

Il reste donc encore 24 caractères pour l'overscan ou, plus précisément, pour le cadre horizontal de l'écran. C'est le troisième registre du CRTC, qui définit après combien de caractères commence le retour horizontal du rayon électronique, qui décide de la répartition de ces caractères entre les marges gauche et droite de l'écran. Le BIOS prévoit ici la valeur 90, de sorte que 10 caractères sont encore sortis pour le cadre de l'écran à la suite des caractères affichés. Les 14 caractères restants se retrouvent de ce fait avant le début de la ligne suivante et forment ainsi le bord gauche de l'écran.

Les calculs pour les paramètres verticaux, c'est-à-dire le nombre de lignes verticalement, la position du signal de synchronisation, etc., se déroulent suivant le même principe que les calculs des paramètres horizontaux.

Les calculs commencent par le nombre de lignes de grille par écran, qui est obtenu en divisant le nombre de lignes mises en place par seconde par le nombre de régénérations de l'image par seconde.

```
Fréquence de balayage horizontal  15,750 KHz
/ Régénérations de l'image              60  Hz
─────────────────────────────────────────────
= Lignes de grille                     262
```

Les caractères ayant en mode de texte de la carte CGA non seulement 8 points de largeur mais aussi 8 points de hauteur, c'est à nouveau une division par 8 qui nous fournira le nombre de lignes de texte par écran.

```
  Lignes de grille        262
/ Points par caractère       8
──────────────────────────────
= Lignes par écran          32
```

Ce résultat doit être décrémenté d'une unité et être chargé dans le cinquième registre du CRTC. On inscrit dans le septième registre le nombre de lignes affichées (25) par écran. Comme cela représente 7 lignes de moins qu'il n'y en a effectivement, ces lignes supplémentaires seront à nouveau employées pour le retour vertical et l'overscan, le retour vertical du rayon électronique débutant après la 28e ligne.

La hauteur de chaque caractère, qui joue un rôle capital dans ces calculs, doit être inscrite dans le registre 9 du CRTC, après avoir été décrémentée d'une unité (nous obtiendrons donc 7 en l'occurrence). Elle désigne en même temps la limite supérieure du domaine dans lequel doivent être comprises les valeurs des registres 10 et 11, qui indiquent respectivement la première et la dernière ligne de grille entre lesquelles le curseur clignotant de l'écran doit recouvrir le caractère placé sur sa position. Le contenu des registres 14 et 15, qui indique la position du curseur clignotant de l'écran, définit de quel caractère il s'agit. Ces deux valeurs ne désignent toutefois pas les ligne et colonne de l'emplacement du curseur, mais plutôt sa distance par rapport au coin supérieur gauche de l'écran. Cette valeur est obtenue en multipliant le numéro de la ligne devant recevoir le curseur par le nombre de colonnes par ligne et en ajoutant à ce produit le numéro de la colonne où devra apparaître le curseur. L'octet de poids fort de ce résultat doit alors être chargé dans le registre 14, l'octet de poids faible dans le registre 15.

Structure d'une carte vidéo

Dans le cadre de la construction d'écran, le contrôleur CRT prend en charge toute une série de tâches, mais il ne peut pas les réaliser tout seul. Une carte vidéo se compose ainsi d'autres unités de fonction travaillant en collaboration avec le contrôleur CRT et liées entre elles. La figure suivante montre une représentation simplifiée d'une carte vidéo.

Le point de départ de la réalisation d'une image est toujours constitué par la RAM vidéo, une mémoire RAM figurant sur la carte vidéo et contenant des informations sur les caractères à afficher et sur leur mode d'affichage (leur couleur). A la RAM vidéo accède d'abord le générateur de caractères, qui lit l'un après l'autre les caractères à sortir dans la RAM vidéo et construit à l'aide d'une table de modèles de caractères les motifs de bits qui devront représenter ensuite le caractère voulu sur l'écran. C'est également de la RAM vidéo que le contrôleur d'attribut tire les informations sur le mode d'affichage du caractère et prépare ainsi les couleurs ou attributs appropriés (inversé, souligné, etc). Les deux circuits retransmettent les informations préparées au contrôleur de signal, qui les traduit en signaux (de canal) appropriés, qui, une fois transmis au moniteur, produiront une image. Le contrôleur de signal est lui-même commandé par le contrôleur CRT, qui constitue le cerveau d'une carte vidéo et représente, avec le moniteur et la RAM vidéo, un des principaux éléments du système vidéo.

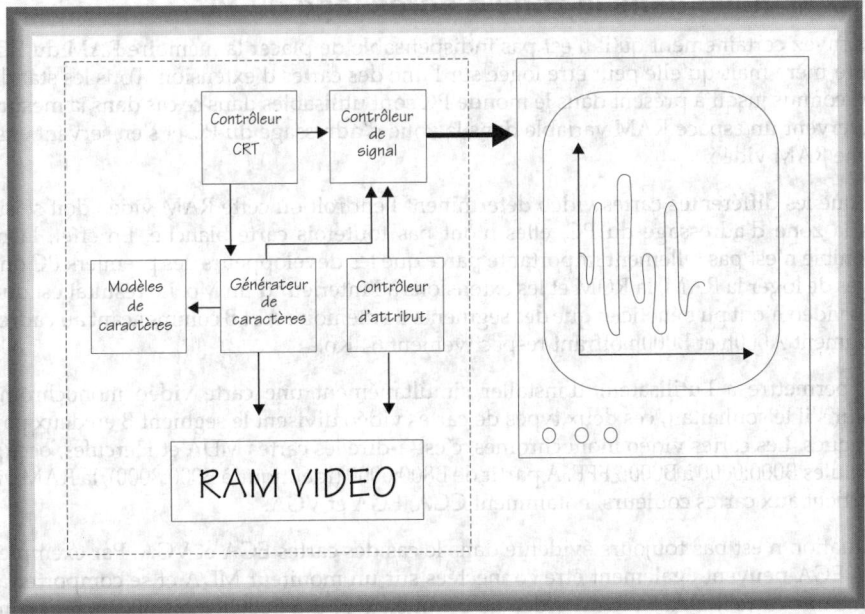

Schéma d'une carte vidéo

Le fractionnement de la carte vidéo en diverses unités était représenté parfaitement sur les premières cartes vidéo parce que les différents supports de fonctions étaient intégrés dans divers IC. La miniaturisation croissante des composants a fait que pratiquement tous les composants se retrouvent réunis dans un seul IC. Cela vaut également pour les cartes EGA et VGA dont la structure est plus complexe que le schéma représenté plus haut. Vous en saurez davantage sur la structure concrète des différentes cartes vidéo et de leurs disparités dans les sections suivantes. Il convient pour l'instant d'examiner la RAM vidéo qui occupe une place prépondérante dans la programmation des cartes vidéo et constitue le seul lien entre les divers standards vidéo en mode de texte.

9.4.1.   La RAM vidéo

La RAM vidéo est l'endroit où toutes les cartes vidéo, depuis la MDA jusqu'à la Super VGA, viennent stocker les informations d'image aussi bien en mode de texte qu'en mode graphique. Pour la programmation directe d'une carte graphique, c'est-à-dire le passage par le BIOS en ROM, il important de connaître la structure et l'état de la RAM vidéo. Dans les divers modes graphiques des différentes cartes vidéo, la RAM vidéo est organisée de manière variée. Mais en mode texte, sa structure est identique dans toutes les cartes vidéo.

Cette section décrit le mode d'accès à la RAM vidéo à partir de programmes en langage évolué et répond à des questions telles que :

❍ Où se trouve la RAM vidéo dans la zone d'adressage du PC ?
❍ Quand et comment accéder à la RAM vidéo ?
❍ Structure de la RAM vidéo en mode de texte

Pour de plus amples informations sur l'organisation de la RAM vidéo dans les divers modes graphiques, veuillez vous reporter aux sections suivantes.

La RAM vidéo dans la zone d'adressage du PC

Vous savez certainement qu'il n'est pas indispensable de placer la mémoire RAM du PC sur la carte-mère mais qu'elle peut être logée sur l'une des cartes d'extension. Tous les standards vidéo connus jusqu'à présent dans le monde PC sont utilisables dans ce cas dans la mesure où ils réservent un espace RAM variable dans la zone d'adressage du PC et s'en servent ensuite comme RAM vidéo.

Bien que les différentes cartes vidéo déterminent l'endroit où cette RAM vidéo doit se situer dans la zone d'adressage du PC, elles n'ont pas toutefois carte blanche. En effet, la place disponible n'est pas tellement importante parce que les développeurs des premiers PC ont été obligés de loger la RAM, la ROM et les extensions à l'intérieur d'un Mo. Le résultat est que les cartes vidéo n'ont pu bénéficier que des segments de mémoire A et B commençant aux adresses de segment A000h et B000h offrant respectivement 64 Ko.

Pour permettre à l'utilisateur d'installer simultanément une carte vidéo monochrome et couleur s'il le souhaitait, ces deux types de cartes vidéo divisent le segment B en deux parties identiques. Les cartes vidéo monochromes, c'est-à-dire les cartes MDA et Hercules, occupent les cellules B000:0000 à B000:7FFF. A partir de B800:0000 (identique à B000:8000), la RAM vidéo appartient aux cartes couleurs, notamment CGA, EGA et VGA.

La situation n'est pas toujours évidente dans le cas des cartes EGA et VGA. Par exemple, les cartes EGA peuvent également être connectées sur un moniteur MDA et se comporter alors comme une carte MDA. Sa RAM vidéo ne commence plus à B800h, mais B000h, tout comme une carte vidéo monochrome. Il en est de même des cartes VGA non connectées sur un moniteur MDA mais capables pourtant de simuler des cartes MDA sur un moniteur VGA tout à fait normal. Dans ce cas, la RAM vidéo commence déjà à B000h.

Les 32 Ko dont dispose une carte vidéo ne sont pas toujours utilisées en totalité pour sa RAM vidéo. Les cartes MDA occupent seulement les 4 premiers Ko de la RAM vidéo. Quant aux cartes CGA, elles occupent les 16 premiers Ko, soit près de la moitié de la zone disponible. Les cartes Hercules consomment la totalité des 32 Ko et sont en outre capables d'utiliser la seconde moitié du segment B, soit la zone mémoire commençant à B800:0000, pour une seconde page graphique. Généralement, cette faculté peut être activée à l'aide d'un commutateur DIP sur la carte pour qu'elle libère la zone commençant à B800:0000 en faveur d'une carte couleur.

Les cartes EGA et VGA s'approprient également la totalité de la RAM vidéo. Elles disposent habituellement de 256 Ko de RAM vidéo et davantage dont seulement les 32 premiers Ko sont accessibles par le segment B. La section 9.8.2 montre comment accéder la partie restante de la RAM vidéo avec ces cartes.

Adressage de la RAM vidéo

Sachant que la RAM vidéo se situe dans la zone d'adressage normale du PC, elle peut être réclamée comme une mémoire RAM tout à fait ordinaire. Pour construire une image vidéo sur sa base, les divers composants de la carte vidéo achèvent de lire la totalité de la RAM vidéo avec une fréquence de répétition d'image pouvant atteindre 70 fois par seconde.

Pendant la durée de cet accès, aucun accès simultané à travers un programme ou le BIOS en ROM n'est autorisé. La plupart des cartes vidéo ont d'ailleurs repris leur place dans l'électronique pour éviter des collisions lors de l'accès à la RAM vidéo. Les premiers partisans de la carte originale CGA d'IBM constituent ici la seule exception. Dans ce cas, le programme concerné ou le BIOS en ROM doit prendre les mesures nécessaires pour éviter les collisions.

Structure de la RAM vidéo en mode texte

L'organisation de la RAM vidéo en mode texte constitue le seul consensus, relativement infime, entre les divers types de cartes vidéo. Comme la grande majorité des programmes fonctionnent en mode texte, les programmeurs ont la possibilité d'écrire directement les caractères dans la RAM vidéo à l'aide d'une routine de sortie unique sans être obligés de tenir compte du type de la carte vidéo installée. Tous les programmes renommés depuis Lotus 1-2-3 jusqu'à dBASE se servent de cette technique car la vitesse d'affichage obtenue est supérieure à celle des fonctions BIOS.

A la fin de ce chapitre, vous trouverez trois programmes écrits en BASIC, Pascal et C. Ils présentent une routine pour l'accès direct à la RAM vidéo en mode texte. Vous pouvez évidemment augmenter la vitesse de cette routine en la convertissant tout simplement en Assembleur, mais dans ce cas la routine devient extrêmement rapide. Pour mieux comprendre le fonctionnement des routines, il convient de se représenter concrètement la structure de la RAM vidéo comme le montre la figure suivante :

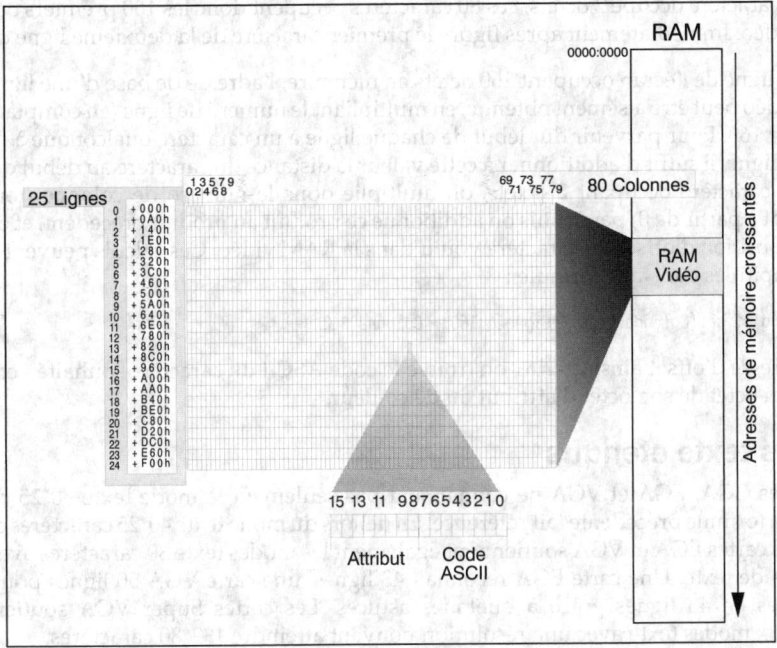

Structure standard de la RAM vidéo en mode de texte

Comme le montre la figure précédente, chaque position de l'écran occupe deux octets dans la RAM vidéo. Le premier des deux octets, avec une adresse d'offset paire, contient le code ASCII du caractère à afficher. Du fait de l'emploi de 8 bits pour définir ce code de caractère, 256 caractères différents peuvent être affichés. L'annexe G présente les 256 caractères du jeu de caractères du PC. Le code ASCII est suivi de l'octet d'attribut, toujours donc à une adresse d'offset impaire, qui définit l'apparence du caractère sur l'écran. Ce code est scindé par le contrôleur d'attribut en deux quartets, le quartet de plus fort poids (bits 4 à 7) définissant le fond du caractère, alors que le caractère de plus faible poids (bits 0 à) définit le premier plan du caractère.

Ainsi sont obtenues deux valeurs entre 0 et 15, qui seront interprétées en fonction du type de moniteur connecté. Sur un moniteur couleur (avec une carte CGA ou EGA), ces deux valeurs servent à sélectionner une couleur parmi les 16 possibles. Chaque caractère de l'écran peut ainsi disposer d'une couleur de fond et d'une couleur de premier plan individuelles. Sur un moniteur monochrome (avec une carte graphique MDA, EGA ou Hercules), il n'est naturellement pas possible de sortir de couleurs. L'affichage normal des caractères peut donc, dans ce cas, uniquement être agrémenté par un affichage particulièrement clair, par un affichage en inversion vidéo ou souligné.

Pour accéder aux caractères de la RAM vidéo, il faut naturellement en connaître la disposition à l'intérieur de cette zone de mémoire. Cette disposition n'a pas été choisie au hasard mais découle, au contraire, de façon très logique de la disposition des caractères sur l'écran.

C'est donc par le premier caractère de l'écran, le caractère situé dans le coin supérieur gauche de l'écran, que commence la RAM vidéo. Ce caractère figure donc à la position d'offset 0000h. Il est suivi dans la RAM vidéo, à la position d'offset 0002h, du caractère placé immédiatement à droite sur l'écran. Ainsi se suivent les 80 caractères de la première ligne de l'écran. Comme chaque caractère occupe 2 octets, ces 80 caractères occupent donc les 160 premiers octets de la RAM vidéo. Immédiatement après figure le premier caractère de la deuxième ligne de l'écran.

Chaque ligne de l'écran occupant 160 octets en mémoire, l'adresse de base d'une ligne dans la RAM vidéo peut être aisément obtenue, en multipliant le numéro de ligne (en comptant à partir de 0) par 160. Pour parvenir du début de chaque ligne à un caractère quelconque à l'intérieur de cette ligne, il suffit d'additionner à cette valeur la distance du caractère au début de la ligne. Chaque caractère occupant 2 octets, on multiplie donc le numéro de colonne (toujours en comptant à partir de 0) par 2, puis on additionne ce produit au produit précédent, et on obtient ainsi la position d'offset du caractère voulu dans la RAM vidéo. Ces calculs peuvent aisément être récapitulés dans une formule :

```
Position d'offset(Colonne,Ligne)=Ligne * 160 + Colonne * 2
```

Sur l'adresse d'offset ainsi décrite, on trouve le code ASCII du caractère souhaité - correspondant à un octet de son octet d'attribut ou de couleur.

Modes texte étendus

Les cartes CGA, EGA et VGA ne connaissent pas seulement le mode texte 80*25 caractères auquel la formule précédente fait référence. En dehors du mode texte 40*25 caractères des cartes CGA, les cartes EGA et VGA soutiennent également les modes texte 80 caractères avec plus de 25 lignes de texte. Une carte EGA reconnaît 43 lignes, une carte VGA 50 lignes pouvant être converties en 43 lignes grâce à quelques astuces. Les cartes Super VGA soutiennent de nombreux modes texte avec une résolution pouvant atteindre 132*80 caractères.

Dans ces modes également, la structure de la RAM vidéo reste identique à celle présentée plus haut. Mais la formule concernant le calcul de l'adresse d'offset doit s'adapter à un caractère parce que dans la RAM vidéo les différentes lignes occupent plus de mémoire. Il suffit tout simplement d'adapter le facteur 160 en le remplaçant par le double de la largeur de lignes en caractères. En mode de texte 40*25 caractères de la carte CGA, il doit par exemple être de 80.

Lorsque vous développez des programmes, vous n'êtes pas obligé de faire attention à ces modes si vous ne les activez pas explicitement en programmant la carte vidéo. En règle générale, un programme démarre en mode de texte 80*25 caractères à partir de l'interface DOS et ne doit reconnaître que ce mode.

Accès à diverses pages d'écran

Jusqu'à présent, la formule ignorait le fait que les cartes Hercules, CGA, EGA et VGA soutenaient plusieurs pages d'écran parce que la RAM vidéo contient plus de place qu'une page vidéo unique. Pour adresser plusieurs pages d'écran, il convient donc d'augmenter la formule en ajoutant l'offset de départ dans l'adresse d'offset de la page concernée.

Il ne faut pas oublier ici que les diverses pages d'écran sont organisées en mode de texte 80*25 caractères à l'intérieur de la RAM vidéo selon un intervalle de 4 Ko (4096 octets). Entre les différentes pages d'écran réclamant 4000 octets (80*25*2), il reste toutefois 96 octets inutilisés que vous pouvez utiliser à d'autres fins.

En mode texte 80*25 caractères, la formule offset s'énonce comme suit, compte tenu de la page d'écran :

```
Position d'offset (Colonne,Ligne) = Ligne * 160 + Colonne * 2 + Page *
4096
```

où la première page d'écran porte le numéro 0.

En mode de texte 40*25 caractères, il faut remplacer le facteur 4096 par 2048 parce que dans ce cas les différentes pages d'écran se succèdent avec un intervalle de 2 Ko. La procédure est la même dans les modes de texte EGA et VGA où 43 à 50 lignes sont affichées sur l'écran. Mais ici le facteur est de 8.

Programmes d'exemple pour l'accès direct à la RAM vidéo en mode texte

Les trois programmes d'exemple suivants ont tous pour but de réaliser une routine sortant une chaîne sur l'écran à l'aide d'un accès direct à la RAM vidéo. Bien que chaque programme soit très différent du fait des différences existant entre les langages BASIC, Pascal et C, les trois programmes se composent malgré tout des mêmes éléments fondamentaux.

Chaque programme comprend donc, en dehors de la routine de sortie elle-même, une sorte de routine d'initialisation, qui détermine l'adresse de segment de la RAM vidéo. Cette routine a pour cela recours à une astuce qui consiste à tester le contenu d'une variable dans la zone des variables du BIOS. Cette variable n'a, à première vue, aucun rapport avec l'adresse de segment de la RAM vidéo puisqu'elle contient l'adresse du registre d'adresse du CRTC. En y regardant de plus près, on s'aperçoit cependant qu'il existe un rapport direct entre ces deux informations car ce registre figure toujours à l'adresse de port 3B4h sur les cartes monochromes, de même que la RAM vidéo figure toujours à l'adresse de segment B000h sur ces cartes. Cette relation s'applique également aux cartes vidéo, sur lesquelles le registre d'adresse du CRTC figure toujours à l'adresse de port 3D4h et la RAM vidéo à l'adresse de segment B800h. En déterminant l'adresse de port du registre d'adresse du CRTC on peut donc du même coup déduire l'adresse de segment de la RAM vidéo. Une fois cette adresse connue, elle est placée dans une variable globale et la routine d'initialisation est terminée.

Les trois programmes contiennent après cette routine la routine de sortie elle-même, qui se sert de l'adresse de segment déterminée précédemment pour accéder à la RAM vidéo. En outre, lors de chaque appel, cette routine recherche l'adresse de départ de la page écran actuellement affichée. Elle s'assure ainsi que les sorties apparaissent effectivement sur l'écran et n'aboutissent pas dans une page écran cachée. La routine utilise à cet effet une autre variable de la zone de variables du BIOS. Il s'agit de la variable CRT_START, qui figure à l'adresse 0040:004E et désigne l'adresse d'offset de la page écran affichée par rapport à l'adresse d'offset 0000h.

Une fois cette adresse connue, on peut accéder à la RAM vidéo. La façon dont cela est réalisé concrètement dépend cependant largement du langage utilisé. Examinons donc chaque programme en détail.

La réalisation en C

D'un point de vue purement informatique, il s'agit de la solution la plus élégante des trois car la RAM vidéo est ici traitée comme une variable tout à fait normale. A cet effet est tout d'abord définie la structure VELB, qui décrit la paire d'attributs ASCII exactement comme elle figure dans la RAM vidéo. On crée comme pointeur sur cette structure un nouveau type de données appelé VP. Il est essentiel à cet égard que ces pointeurs soient du type FAR car ces structures se trouvent à l'intérieur de la RAM vidéo et donc en dehors du segment de données du C. Avec les modèles de mémoire plus petits, avec un adressage NEAR, elles ne pourraient donc être appelées sans que le mot d'instruction FAR soit explicitement spécifié.

La variable globale VPTR est mise en place à l'intérieur de la routine d'initialisation INIT_DPRINT comme un pointeur sur la première paire d'attributs ASCII dans la page 0 de la RAM vidéo. Au sein de la routine de sortie au sens strict, la fonction DPRINT, elle servira de base à l'adressage des caractères à l'intérieur de la RAM vidéo.

Dans la fonction de sortie DPRINT, l'adresse de la position de sortie sur l'écran transmise est chargée dans le pointeur LPTR. A cet effet, le contenu de la variable globale VPTR est tout d'abord chargé dans ce pointeur, après quoi l'adresse d'offset de la page écran affichée (tirée de la variable dans la zone BIOS) est additionnée à ce contenu. Il ne faut pas oublier à ce propos que le contenu des variables BIOS doit être casté dans un pointeur BYTE car le contenu de la variable BIOS ne correspond pas à la structure VELB mais à des octets. A défaut d'un opérateur CAST approprié, le compilateur C produirait un code qui, avant l'addition, multiplierait le contenu de la variable BIOS par la longueur de la structure VELB (2 octets) et fournirait donc un résultat erroné.

Au pointeur ainsi calculé doit encore être ajoutée la position de sortie qui a été communiquée à la fonction DPRINT sous forme de coordonnées de ligne et de colonne. La RAM vidéo est à cet effet considérée comme une sorte de vecteur dont les 2000 éléments sont constitués par la structure VELB. Comme l'adresse de base de ce vecteur a déjà été déterminée dans LPTR, il ne reste plus qu'à calculer l'index de ce vecteur. Ce calcul s'effectue en multipliant l'ordonnée de ligne par 80 (colonnes par ligne) et en additionnant au résultat l'ordonnée de colonne. Le résultat final est un pointeur sur la position de sortie dans la RAM vidéo, qui peut être traité comme n'importe quel autre pointeur C.

Ce pointeur est alors utilisé pour parcourir la chaîne à sortir : lors de chaque parcours de la boucle, le pointeur est fixé sur la prochaine structure VELB et donc sur la prochaine paire d'attributs ASCII dans la RAM vidéo. Il sert à y écrire la couleur transmise à la fonction DPRINT et le code ASCII du caractère de la chaîne transmise actuellement traité. L'opération se répète jusqu'à ce que le dernier caractère de la chaîne, le caractère de fin soit atteint.

DVIC.C

La réalisation en Pascal

A l'aide du mot d'instruction ABSOLUTE ou en intégrant une petite routine assembleur, il serait possible, sous Turbo Pascal également, de traiter la RAM vidéo comme une variable normale. Turbo Pascal offre cependant une autre possibilité encore plus simple.

Pour accéder à des zones de mémoire situées en dehors du segment de données du programme Turbo Pascal mais dont les adresses de segment et d'offset sont connues, Turbo Pascal met à votre disposition les tableaux MEMW et MEM. Le tableau MEM se compose d'octets, le tableau MEMW de mots. Ces deux tableaux n'existent pas vraiment, ils sont simplement plaqués virtuellement sur la totalité de la mémoire, mais cela n'entame en rien leur utilité pratique.

Vous pouvez aussi bien écrire des valeurs dans l'un des deux tableaux que lire les valeurs du tableau, grâce aux instructions suivantes :

```
MEMW[ Adresse de segment : Adresse d'offset ] := Expression
```

ou

```
Variable := MEMW[ Adresse de segment : Adresse d'offset ]
```

Il semblerait plus logique, en l'occurrence, de travailler avec le tableau MEM puisque la procédure de sortie travaille chaque fois avec un caractère ASCII différent alors que l'attribut reste constant. La procédure de sortie DPrint a pourtant recours au tableau MEMW car sur des ordinateurs 16 bits les accès à la mémoire sur 16 bits sont exécutés plus rapidement que deux accès 8 bits consécutifs.

Pour l'accès au tableau MEMW, l'adresse de segment de la RAM vidéo est tirée par DPrint de la variable VSeg, qui est initialisée au début du programme par la procédure InitDPrint. Comme nous l'avons indiqué plus haut, cette procédure utilise pour cela le contenu de la variable BIOS contenant l'adresse de port du registre d'adresse du CRTC. La déclaration de cette variable, comme celle des autres variables BIOS utilisées à l'intérieur de DPrint, s'effectue de façon très commode en Turbo Pascal, grâce à l'existence du mot d'instruction ABSOLUTE car les deux variables peuvent ainsi être manipulées à l'intérieur du programme comme n'importe quelle autre variable globale.

Pour l'accès à la RAM vidéo dans le cadre de la procédure de sortie DPrint, l'adresse d'offset à l'intérieur du tableau MEMW est calculée à partir de l'adresse de départ de la page écran et des coordonnées transmises, après multiplication de l'ordonnée de ligne par 160 et de l'ordonnée de colonne par 2. Cette adresse d'offset est ensuite augmentée de 2 au fur et à mesure du parcours de la chaîne à sortir. Elle avance ainsi chaque fois d'une paire ASCII-attribut vers la droite.

Notez toutefois que Turbo Pascal utilise WRITE ou des procédures similaires lors des sorties pour accéder directement à l'écran, dès l'instant où on intègre l'unité CRT dans un programme sans fixer explicitement la variable DIRECTVIDEO sur FALSE.

DVIP.PAS

La réalisation en BASIC

La version BASIC n'est pas satisfaisante car elle est encore plus lente que l'instruction PRINT, qui est déjà suffisamment lente. Nous ne vous la proposons que par souci d'exhaustivité, dans la mesure où elle constitue tout de même un bel exemple de la façon d'accéder à la totalité de la mémoire adressable par le processeur 8088.

Ce sont les instructions DEF SEG, PEEK et POKE qui constituent le coeur de l'accès à la mémoire.

DEF SEG sert à définir l'adresse de segment du segment 64 Ko "actuel", alors que PEEK et POKE permettent de lire ou d'écrire des octets dans ce segment. La routine d'initialisation à partir de la ligne numéro 50000 a recours à cette technique pour définir tout d'abord le segment de variables du BIOS comme le segment actuel. Elle lit ensuite à cet endroit l'adresse de port du registre d'adresse CRTC à l'aide de deux instructions PEEK et calcule sur la base de cette information l'adresse de segment de la RAM vidéo qu'elle affecte à la variable VR.

A l'intérieur de la routine de sortie elle-même, cette technique est également utilisée à partir de la ligne numéro 51000 pour définir avec DEF SEG la RAM vidéo comme le segment actuel. Auparavant est toutefois calculée l'adresse d'offset sur la RAM vidéo, en lisant l'adresse de départ de la page écran actuelle dans la zone de variables du BIOS et en y additionnant l'adresse d'offset de la position de sortie à l'intérieur de la RAM vidéo. Comme dans l'exemple en Pascal, l'adresse d'offset de la position de sortie est obtenue en additionnant à l'ordonnée de ligne (variable LIGNE%) multipliée par 160 l'ordonnée de colonne (COLONNE%) multipliée par 2.

> DVIB.BAS

9.5. La carte monochrome IBM (MDA)

La carte MDA lancée avec le PC en 1981 est aujourd'hui rarement utilisée. Mais les standards qu'elle avait imposés ne sont pas encore morts. Ils survivent en effet sous la forme de Hercules Graphics Card qui est largement compatible avec la MDA. La carte MDA était très appréciée pendant les premiers jours du PC. Elle arrivait même à surpasser la carte CGA en raison de son prix peu élevé, mais aussi parce que l'image qu'elle reproduisait sur l'écran était d'une meilleure qualité. L'utilisateur qui pouvait se passer des couleurs et des techniques graphiques n'hésitait pas à choisir la carte MDA.

Cette section décrit en détail les performances de la carte MDA et explique le mode de programmation de ses différents registres et les tâches qu'ils accomplissent. Nous allons étudier les thèmes suivants :

O   Affichage de texte avec une carte MDA
O   État et taille de la RAM vidéo
O   Construction de l'octet d'attribut en mode de texte
O   Fonction des registres d'état et de contrôle
O   Accès au contrôleur CRT

Affichage de texte avec une carte MDA

L'obtention d'une qualité d'affichage meilleure par rapport à la carte CGA résulte de l'utilisation d'une matrice 9x14. Elle permet d'afficher les caractères avec une résolution élevée. Le format de cette matrice est d'autant plus extraordinaire qu'un générateur de caractères contenant les modèles de bits de chaque caractère ne permet pas de produire des caractères d'une largeur de plus de 8 points. Or avec le jeu de caractères IBM, cela devrait avoir pour effet une légère disjonction entre les caractères de cadre horizontaux. C'est pourquoi un circuit a été implanté sur cette carte qui permet d'éviter cet inconvénient en copiant tout simplement le huitième point dans le neuvième point pour tous les caractères dont le code ASCII est compris entre B0h et DFh (Ce sont essentiellement des caractères de cadre). Pour les caractères de cadre qui doivent être reliés horizontalement au caractère suivant, on peut ainsi parvenir, en fixant le huitième point d'une ligne, à ce que le neuvième point soit également allumé.

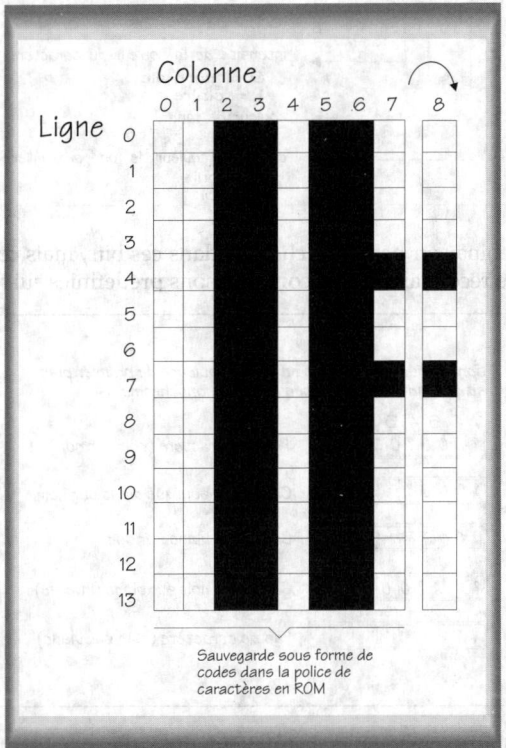

Affichage de caractère sur une carte monochrome dans une matrice 9x14

Le générateur de caractères n'a donc pas besoin de plus d'un octet par ligne de caractère puisque chacun des huit points est codé à l'aide d'un bit. Il aura donc besoin de 14 octets pour un caractère. La capacité mémoire requise pour le jeu de caractères complet sera donc d'un peu moins de 4 Ko, qui sont implantés dans un circuit ROM de la carte. Pour une raison assez mystérieuse, cette carte ne comporte toutefois non pas 4 Ko mais bien 8 Ko, de sorte que 4 Ko sont inutilisés.

La RAM vidéo de la carte commence à l'adresse B000:0000 et elle occupe 4 Ko (4096 octets). Comme l'écran ne dispose que de 2 000 emplacements de caractères, 4 000 octets seulement sont utilisés pour le stockage de ces caractères et les 96 octets en queue de la RAM vidéo sont inutilisés et à votre entière disposition.

Structure de l'octet d'attribut en mode de texte

Comme le montre la figure suivante, sur la carte d'écran monochrome, les bits 0 à 2 et 4 à 6 de l'octet d'attribut d'un caractère définissent respectivement les couleurs de premier plan et de fond du caractère.

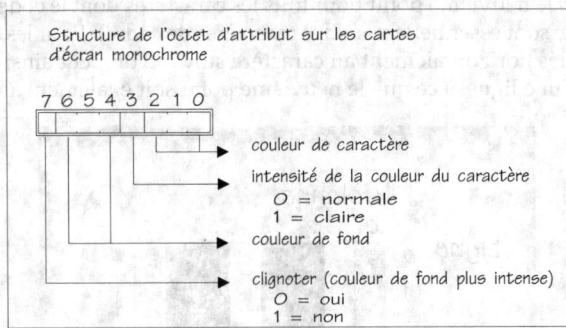

N'importe quelle combinaison peut être chargée dans ces bits, mais contrairement à la carte CGA, la carte MDA ne reconnaît que les combinaisons prédéfinies suivantes :

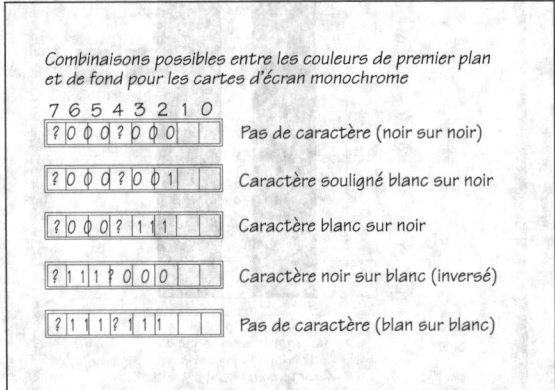

En dehors de ces combinaisons de bits, le bit 3 et le bit 7 de l'octet d'attribut peuvent encore être fixés individuellement. Le bit 3 fixe l'intensité de l'affichage du premier plan. S'il est mis, le caractère sera affiché avec une intensité particulière de la couleur de premier plan. La signification du bit 7 dépend du contenu du registre dit de contrôle, que nous allons bientôt découvrir. Suivant le réglage opéré dans ce registre, ce bit aura pour effet de faire clignoter le caractère ou de le faire afficher avec une intensité particulière de la couleur de fond.

Fonction des registres d'état et de contrôle

Outre les registres déjà présentés du CRTC, la carte d'écran monochrome dispose encore de deux autres registres, le registre de contrôle et le registre d'état.

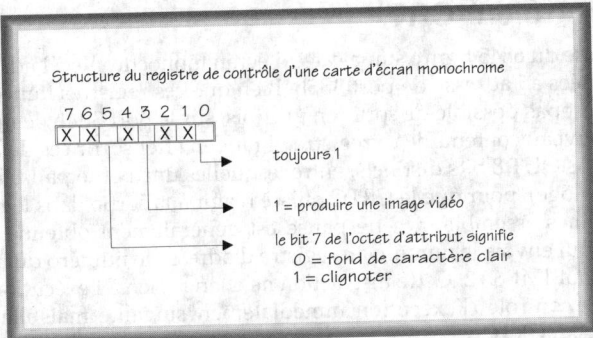

Structure du registre de contrôle d'une carte d'écran monochrome

7 6 5 4 3 2 1 0

X X X X X

toujours 1

1 = produire une image vidéo

le bit 7 de l'octet d'attribut signifie
O = fond de caractère clair
1 = clignoter

Le registre de contrôle, qui figure sur le port 3B8h, sert à contrôler différentes fonctions de la carte d'écran monochrome. Comme le montre la figure ci-dessus, seuls les bits 0, 3 et 5 jouent un rôle. Le bit 0 commande la résolution de l'écran. Bien que la carte ne soutienne qu'une seule résolution (25 lignes sur 80 colonnes), ce bit doit être fixé sur 1 lors de l'initialisation du système général, faute de quoi l'ordinateur sombrerait dans une boucle d'attente perpétuelle. Le bit 3 commande la mise en place d'une image visible sur l'écran. S'il est fixé sur 0, l'écran apparaît tout en noir et le curseur clignotant disparaît. S'il est à nouveau fixé sur 1, l'image revient sur l'écran. Le bit 5 a une fonction comparable puisqu'il sert à autoriser ou à interdire le clignotement de tous les caractères dont le bit 7 de l'octet d'attribut est mis. S'il contient la valeur 0, ces caractères ne clignoteront pas mais seront affichés sur une couleur de fond particulièrement claire, c'est-à-dire que le bit 7 de l'octet d'attribut fonctionnera alors comme bit d'intensité pour le fond. Il est malheureusement seulement possible d'écrire dans ce registre mais impossible de le lire. Un programme ne pourra donc jamais déceler si l'écran est, par exemple, actuellement activé ou non. La valeur standard de ce registre est 29h, c'est-à-dire que les 3 bits significatifs sont fixés sur 1.

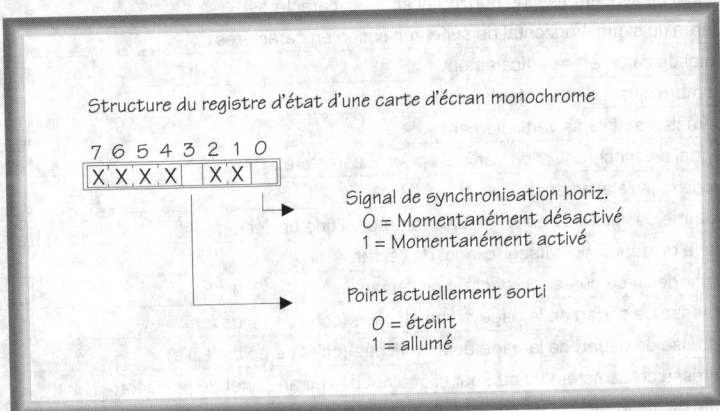

Structure du registre d'état d'une carte d'écran monochrome

7 6 5 4 3 2 1 0

X X X X X

Signal de synchronisation horiz.
O = Momentanément désactivé
1 = Momentanément activé

Point actuellement sorti

O = éteint
1 = allumé

Seuls les bits 0 à 3 de ce registre sont utilisés mais tous les autres bits doivent toujours contenir la valeur 1. A l'inverse du registre de contrôle, ce registre peut être lu mais il n'est pas possible d'y écrire.

Le bit 3 contient la valeur du point écran (pixel) sur lequel est actuellement placé le rayon électronique. Un 1 signale ici que le point doit être visible sur l'écran, 0 que l'écran doit rester noir dans cet emplacement.

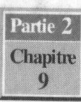
Accès au contrôleur CRT

Le registre d'adresse du 6845 figure sur la carte d'écran monochrome à l'adresse de port 3B4h, le registre de données à l'adresse de port 3B5h. Bien que ces registres figurent à des adresses consécutives, il n'est pas possible de sortir en une fois, sur le port 3B4h, le numéro du registre à adresser et le nouveau contenu de ce registre. Il faut en effet sortir ces deux valeurs à l'aide de deux instructions OUT 8 bits distincts, entre lesquelles une petite pause doit être observée (5 ou 6 cycles d'horloge), pour que le CRTC puisse réagir à la sortie dans le registre d'adresse. Dans les programmes assembleur, cette pause est généralement obtenue en faisant suivre l'instruction OUT qui envoie le numéro au registre d'adresse le numéro du registre à adresser d'instructions de saut JMP $+2. Cette instruction ne change rien à l'exécution du programme, puisqu'elle donne le contrôle à l'exécution immédiatement suivante, mais elle permet de perdre le temps nécessaire au CRTC.

La programmation des registres du CRTC ne présente cependant d'intérêt sur cette carte que par rapport aux lignes de départ et de fin du curseur clignotant de l'écran et à sa position sur l'écran. Ces paramètres peuvent cependant être fixés plus aisément à l'aide des fonctions de l'interruption 10h du BIOS, qui présentent en outre l'avantage de n'être pas liées à un matériel particulier et de fonctionner également sans problème avec les autres cartes vidéo. Pour tous les amateurs et bricoleurs souhaitant faire des expériences avec les différents paramètres de cette table, pour contempler au moins une fois dans leur vie un écran avec 81 colonnes ou avec 26 lignes, voici la définition de cette table pour le mode de texte 80x25 caractères.

Registre	Signification	Contenu
	Contenu des registres CRTC en mode de texte 80x25 caractères de la carte d'écran monochrome (MDA)	
00h	Total de caractères horizontalement	97
01h	Caractères affichés horizontalement	80
02h	Signal de synchronisation horizontal après ... caractères	82
03h	Durée du signal horizontal de synchronisation en caractères	15
04h	Total de caractères verticalement	25
05h	Nombre ajusté de caractères verticalement	6
06h	Caractères affichés verticalement	25
07h	Signal de synchronisation vertical après ... caractères	25
08h	Mode d'entrelacement	2
09h	Nombre de lignes de grille (de balayage) par ligne de l'écran	13
0Ah	Ligne de départ du curseur clignot.de l'écran	11
0Bh	Ligne de fin du curseur clignotant de l'écran	12
0Ch	Adresse de départ de la page écran affichée (octet de poids fort)	0
0Dh	Adresse de départ de la page écran affichée (octet de poids faible)	0
0Eh	Adresse de caractère du curseur clignotant de l'écran (octet de poids fort)	0
0Fh	Adresse de caractère du curseur clignotant de l'écran (octet de poids faible)	0
10h	Position du crayon optique (octet de poids fort)	*
11h	Position du crayon optique (octet de poids faible)	*
	* Impossible sur la carte d'écran monochrome	

Programme d'exemple

Vous trouverez dans le programme suivant quelques routines pour l'accès rapide à la RAM vidéo et pour la programmation des registres du CRTC ainsi que des autres registres de la carte d'écran monochrome. Vous trouverez aussi, en dehors de ces routines, une routine de démonstration illustrant l'appel des principales routines du module.

VMONO.ASM

9.6. La carte graphique Hercules (HGC)

Dès 1982, un an seulement après l'apparition du PC sur le marché, une jeune entreprise d'informatique ambitieuse, la société américaine Hercules Computer Technology, eut l'idée de combler fort habilement une faille qu'IBM avait laissé se former sur le marché par une politique de marché inadaptée. Il n'existait en effet à l'époque que deux systèmes vidéo pour le PC. IBM diffusait d'une part un système monochrome qui ne permettait d'afficher sur l'écran que du texte, à l'exclusion de tout graphisme. Il y avait d'autre part un système couleur, qui permettait d'afficher aussi bien du texte que du graphisme, mais qui offrait une lisibilité nettement inférieure à celle de la carte monochrome. L'utilisateur qui souhaitait avoir la possibilité d'afficher des dessins sans renoncer pour autant à des applications orientées texte, comme le traitement de texte par exemple, se trouvait donc devant un dilemme car, du fait de la mauvaise qualité de l'image sur le système couleur, il était préférable de faire tourner ces applications sur un système monochrome. Pour nombre d'utilisateurs, la seule solution consistait à se doter des deux cartes vidéo, et donc également de deux moniteurs. Il s'agissait toutefois là d'une solution non seulement onéreuse mais anti-ergonomique car elle ne laissait plus guère subsister de place sur le bureau.

C'est pourquoi on imagina chez Hercules de combiner un affichage de texte excellent avec la possibilité d'affichage graphique. C'est ainsi que fut développée la Hercules Graphics Card. Sur un moniteur monochrome ordinaire, cette carte offre un mode de texte 80x25 caractères et un mode graphique d'une résolution de 720x348 points. Cette carte se tailla très vite un franc succès, au point qu'elle représente aujourd'hui, de fait, un standard industriel. Elle ouvrit la voie à une évolution qui a vu les fabricants de cartes vidéo indépendants occuper une part de marché toujours plus importante dans ce secteur, de sorte qu'IBM elle-même est maintenant largement distancée.

Les cartes graphiques Hercules, équipées généralement d'un port d'imprimante parallèle, continuent de jouer un rôle important dans la zone inférieure du PC.

Au cours de cette section consacrée à la programmation des cartes Hercules, vous étudierez les thèmes suivants :

- Absence du soutien BIOS
- La RAM vidéo de la carte Hercules
- Les registres de la carte Hercules
- Le contrôleur CRT de la carte Hercules
- Définition et programmation du mode graphique

Absence du soutien BIOS

La non reconnaissance du BIOS pèse lourd sur les épaules de la carte Hercules parce que le BIOS IBM ne travaille qu'en collaboration avec les cartes IBM MDA et CGA. En ce qui concerne l'affichage, la carte Hercules surmonte cet inconvénient puisqu'elle est totalement compatible avec la carte MDA.

Dans le secteur graphique, cette absence se fait nettement sentir car il n'existe aucune fonction BIOS permettant d'utiliser la carte en mode graphique. En outre, le BIOS n'est pas en mesure de définir ou réclamer des points graphiques dans ce mode. Mais les routines en Assembleur présentées au cours de cette section aident parfaitement à réaliser ces deux tâches.

La RAM vidéo de la carte Hercules

Pour pouvoir afficher également les dessins point par point, qui requièrent beaucoup de mémoire, la carte graphique Hercules dispose de 64 Ko de RAM, répartis en deux pages écran. Chacune des deux pages écran dispose de 32 Ko pour recevoir une page graphique entière ou bien une page de texte (qui a toutefois uniquement besoin de 4 Ko). La première page écran s'étend de l'adresse B000:0000 à l'adresse B000:7FFF. Elle est immédiatement suivie de la seconde page écran qui occupe les cellules de mémoire B000:8000 à B000:FFFF. Cette zone étant normalement utilisée par les cartes couleurs (CGA, EGA et VGA), il existe une méthode permettant de masquer cette zone au moyen d'un commutateur DIP. Ainsi, seule la première page écran reste disponible.

Par rapport à une carte monochrome ordinaire, un registre supplémentaire, le registre de configuration, a été rajouté, qui peut être appelé à travers le port 3BFh. Il est possible d'y écrire mais non de le lire. Seuls les bits 0 et 1 de ce registre sont significatifs. Le premier indique si l'activation du mode graphique est autorisée (1) ou interdite (0) et le second si la seconde page écran peut être autorisée (1) ou non.

Pour éviter tout conflit avec d'autres cartes vidéo (surtout avec la carte couleur), les deux bits sont fixés sur 0 lors du lancement du système, de sorte qu'a priori le graphisme ne peut être utilisé, ni la seconde page d'écran. Pour accéder à ces possibilités de la carte Hercules, un programme devra donc, dans un premier temps, configurer la carte à l'aide du registre de configuration. Le registre de contrôle existait déjà sur la carte monochrome mais son utilisation est quelque peu modifiée.

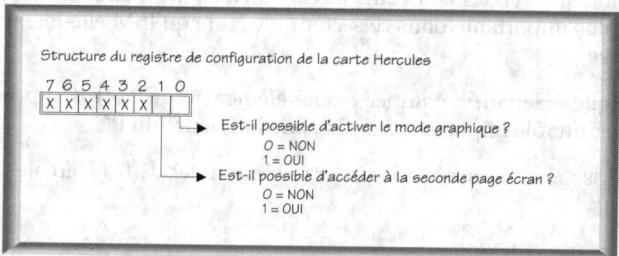

Les registres de la carte Hercules

Du point de vue de la structure des divers registres et leur mode d'adressage, la carte Hercules ressemble considérablement à la carte MDA. Grâce à la possibilité d'effectuer un affichage graphique, il ne reste plus que quelques bits inutilisés par la carte IBM, qui offrent un intérêt quelconque dans les registres d'état et de contrôle.

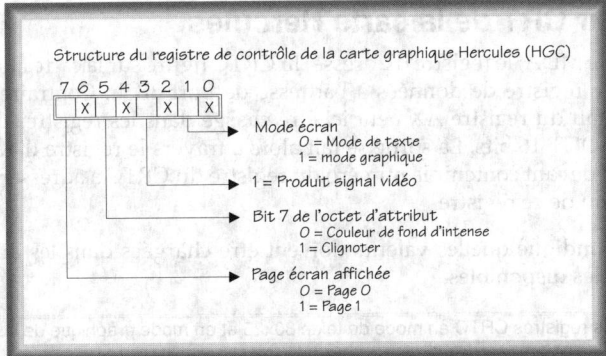

Structure du registre de contrôle de la carte graphique Hercules (HGC)

7 6 5 4 3 2 1 0
X X X X

Mode écran
0 = Mode de texte
1 = mode graphique

1 = Produit signal vidéo

Bit 7 de l'octet d'attribut
0 = Couleur de fond d'intense
1 = Clignoter

Page écran affichée
0 = Page O
1 = Page 1

Contrairement à la carte IBM, le bit 0 n'est pas utilisé ici et il n'est donc pas nécessaire de le fixer sur 1 lors du lancement initial du système. Le bit 1 sélectionne l'affichage de texte ou bien l'affichage graphique. Comme nous le verrons par la suite, il ne suffit toutefois pas de modifier cette valeur pour passer du mode de texte au mode graphique ou inversement. Il faut en effet également redéfinir les registres internes du 6845. La construction de l'image doit être suspendue pendant cette opération pour éviter que le 6845 ne produise des signaux "désordonnés" au cours de sa re-programmation.

Par rapport à la carte IBM, le bit 7 est venu s'ajouter aux bits significatifs. Il spécifie en effet laquelle des deux pages écran est affichée sur l'écran. S'il vaut 0, ce sera la première page, s'il vaut 1 ce sera la seconde page. Quelle que soit la page écran actuellement affichée, vous pouvez toutefois, à tout moment, écrire ou lire des valeurs dans n'importe laquelle des deux pages écran. Notez bien qu'il est seulement possible d'écrire dans ce registre, mais non de le lire. (Toute tentative de lecture fournira systématiquement la valeur non significative FFh). Il ne serait donc pas possible de désactiver l'écran sans modifier le mode ou la page écran activée, en lisant simplement le contenu du registre d'état puis en annulant le bit 3. Si vous voulez annuler le bit 3, vous êtes donc contraint de fixer à nouveau le mode d'affichage et la page écran, sans pouvoir savoir si les valeurs ainsi fixées ne risquent pas de modifier l'état antérieur.

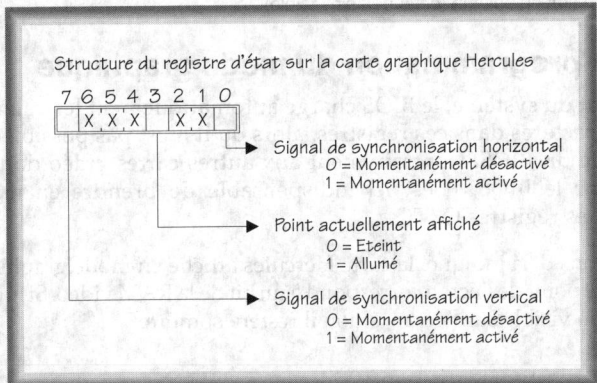

Structure du registre d'état sur la carte graphique Hercules

7 6 5 4 3 2 1 0
X X X X X

Signal de synchronisation horizontal
0 = Momentanément désactivé
1 = Momentanément activé

Point actuellement affiché
0 = Eteint
1 = Allumé

Signal de synchronisation vertical
0 = Momentanément désactivé
1 = Momentanément activé

Par rapport à la carte IBM, seule la signification du bit 7 a été modifiée. Il est fixé sur 0 chaque fois que le 6845 envoie un signal de synchronisation verticale à l'écran, pour lancer une nouvelle construction de l'écran.

Le contrôleur CRT de la carte Hercules

Comme sur la carte MDA, le registre d'adresse du CRTC figure sur la carte Hercules à l'adresse de port 3B4h et le registre de données à l'adresse de port 3B5h. Contrairement à la MDA, toutefois, le contenu du registre AX peut ici être chargé dans les registres du CRTC à l'aide d'une instruction OUT 16 bits. La sortie se fait alors à travers le registre d'adresse, le registre AL du processeur devant contenir le numéro du registre du CRTC à adresser et le registre AH le nouveau contenu de ce registre.

La table suivante indique quelles valeurs doivent être chargées dans les différents registres sous les deux modes disponibles.

	Contenu des registres CRTC en mode de texte 80x25 et en mode graphique de la carte graphique Hercules		
Registre	**Signification**	**Texte**	**Graphique**
00h	Total de caractères horizontalement	97	53
01h	Caractères affichés horizontalement	80	45
02h	Signal de synchronisation horizontal après ... caractères	82	46
03h	Durée du signal horizontal de synchronisation en caractères	15	7
04h	Total de caractères verticalement	25	91
05h	Nombre ajusté de caractères verticalement	6	2
06h	Caractères affichés verticalement	25	87
07h	Signal de synchronisation vertical après ... caractères	25	87
08h	Mode d'entrelacement	2	2
09h	Nombre de lignes de grille (de balayage) par ligne de l'écran	13	3
0Ah	Ligne de départ du curseur clignot.de l'écran	11	0
0Bh	Ligne de fin du curseur clignotant de l'écran	12	0
0Ch	Adresse de départ de la page écran affichée (octet de poids fort)	0	0
0Dh	Adresse de départ de la page écran affichée (octet de poids faible)	0	0
0Eh	Adresse de caractère du curseur clignotant de l'écran (octet de poids fort)	0	0
0Fh	Adresse de caractère du curseur clignotant de l'écran (octet de poids faible)	0	0
10h	Position du crayon optique (octet de poids fort)	?	?
11h	Position du crayon optique (octet de poids faible)	?	?

Définition et programmation du mode graphique

Lors du lancement du système, le BIOS charge automatiquement les valeurs pour le mode de texte 80x25 caractères dans ces registres, alors qu'il n'est pas possible de fixer le mode graphique à l'aide du BIOS. Contrairement aux autres cartes vidéo dont les modes sont tous soutenus par le BIOS, il est ici indispensable de prendre en main soi-même la programmation des registres CRTC.

Comme nous l'avons déjà indiqué, la carte Hercules affiche en mode graphique 348 lignes de 720 points. Chaque point de l'écran correspond à un bit de la RAM vidéo. Si le bit correspondant vaut 1, le point sera visible sur l'écran, sinon il restera sombre.

La figure suivante vous permet de mesurer la relative complexité de la structure de la RAM vidéo en mode graphique :

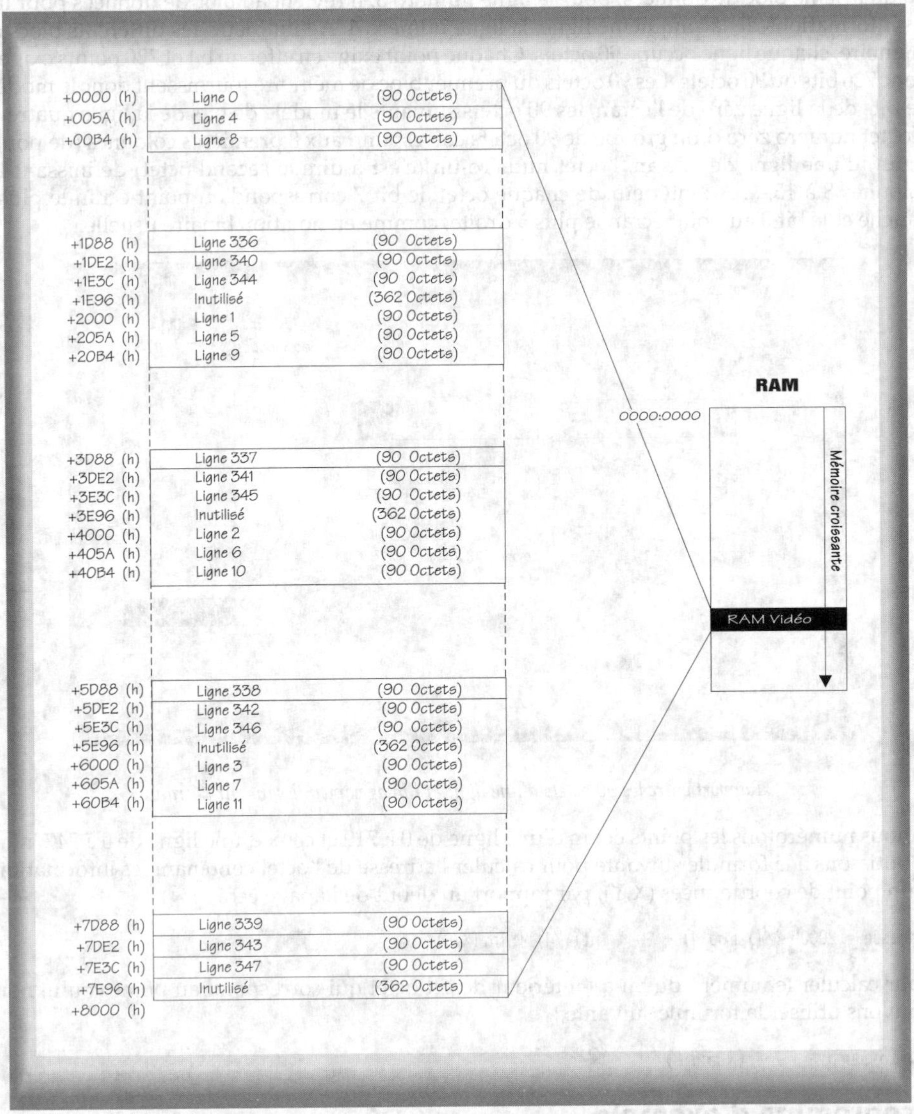

+0000 (h)	Ligne 0	(90 Octets)
+005A (h)	Ligne 4	(90 Octets)
+00B4 (h)	Ligne 8	(90 Octets)

+1D88 (h)	Ligne 336	(90 Octets)
+1DE2 (h)	Ligne 340	(90 Octets)
+1E3C (h)	Ligne 344	(90 Octets)
+1E96 (h)	Inutilisé	(362 Octets)
+2000 (h)	Ligne 1	(90 Octets)
+205A (h)	Ligne 5	(90 Octets)
+20B4 (h)	Ligne 9	(90 Octets)

+3D88 (h)	Ligne 337	(90 Octets)
+3DE2 (h)	Ligne 341	(90 Octets)
+3E3C (h)	Ligne 345	(90 Octets)
+3E96 (h)	Inutilisé	(362 Octets)
+4000 (h)	Ligne 2	(90 Octets)
+405A (h)	Ligne 6	(90 Octets)
+40B4 (h)	Ligne 10	(90 Octets)

+5D88 (h)	Ligne 338	(90 Octets)
+5DE2 (h)	Ligne 342	(90 Octets)
+5E3C (h)	Ligne 346	(90 Octets)
+5E96 (h)	Inutilisé	(362 Octets)
+6000 (h)	Ligne 3	(90 Octets)
+605A (h)	Ligne 7	(90 Octets)
+60B4 (h)	Ligne 11	(90 Octets)

+7D88 (h)	Ligne 339	(90 Octets)
+7DE2 (h)	Ligne 343	(90 Octets)
+7E3C (h)	Ligne 347	(90 Octets)
+7E96 (h)	Inutilisé	(362 Octets)
+8000 (h)		

RAM

0000:0000

Mémoire croissante

RAM Vidéo

Rapport entre la RAM vidéo et l'image apparaissant sur l'écran (ex : 1ᵉ page écran)

Il semblerait logique que les modèles de bits des différentes lignes soient placés à la suite dans la RAM vidéo. Il n'en est pourtant rien. La RAM vidéo de 32 Ko est en effet divisée en 4 zones de 8 Ko. La première zone de mémoire comporte les modèles des bits pour toutes les lignes dont les numéros sont des multiples entiers de 4 (0, 4, 8, 12 etc). Les trois zones de mémoire restantes reçoivent respectivement les trois lignes placées entre celles de cette première zone. Ce seront donc les lignes 1, 5, 9, 13, etc... pour la seconde zone de la mémoire, les lignes 2, 6, 10, 14, ... pour la troisième et enfin les lignes 3, 7, 11, 15, ... pour la dernière zone. Lorsque le 6845

génère une image, il va donc chercher dans le premier bloc de données les informations pour la ligne zéro, dans le second bloc celles pour la ligne 1, ... Une fois qu'il a obtenu les informations du quatrième bloc de données, pour la ligne numéro 3, il revient au bloc de données pour lire les informations de la cinquième ligne, la ligne numéro 4. A l'intérieur des différents blocs de mémoire, chaque ligne occupe 90 octets. Chaque point exige en effet un bit et 720 points exigent donc 720 bits ou 90 octets. Les 90 octets du premier bloc de mémoire fournissent donc le modèle de bits de la ligne zéro de l'écran, les 90 octets suivants le modèle de bits de la ligne quatre, ... L'octet numéro zéro d'un groupe de 90 octets correspond aux 8 premières colonnes (de points écran) d'une ligne de l'écran, l'octet numéro un (c'est-à-dire le second octet) définissant les colonnes 8 à 15, ... A l'intérieur de chaque octet, le bit 7 correspond au point écran le plus à gauche et le bit 0 au point écran le plus à droite, comme en notation binaire usuelle.

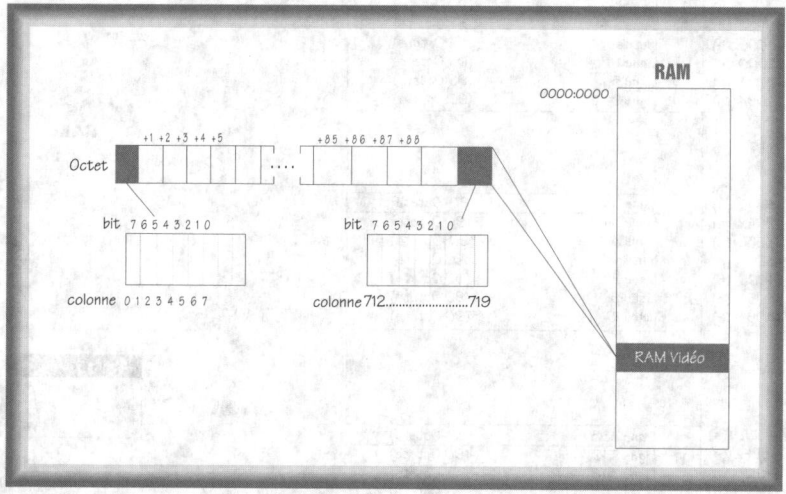

Rapport entre les 90 octets d'une ligne et l'image apparaissant sur l'écran

Si nous numérotons les points écran d'une ligne de 0 à 719 et ceux d'une ligne de 0 à 347, nous aboutissons à la formule suivante pour calculer l'adresse de l'octet contenant les informations d'un point de coordonnées (X,Y), par rapport au début de la page écran :

```
Adresse = 2000h * (Y mod 4) + 90 * int(Y/4) + int(X/8)
```

Pour calculer le numéro du bit à l'intérieur de cet octet qui correspond au point voulu, nous pouvons utiliser la formule suivante :

```
Numéro du bit = 7 - (X mod 8)
```

Programme d'exemple

Voici à nouveau, pour terminer, un programme dont les routines vous permettront d'exploiter pleinement toutes les possibilités de la carte graphique Hercules. Les différentes routines qui composent ce programme se distinguent de celles proposées pour la carte monochrome par le fait qu'elles permettent d'accéder aux deux pages écran et qu'elles soutiennent le mode graphique.

9.7. La carte couleur IBM (CGA)

Tout comme la carte MDA, la carte CGA est apparue avec le PC. Pendant longtemps, elle représentait le standard dans le domaine graphique. Mais l'apparition de la carte CGA a mis fin à son règne. Au départ, les cartes CGA ne furent pas beaucoup utilisées car elles présentaient des caractéristiques peu appréciables. Contrairement aux autres cartes, elles ne permettaient pas d'adresser directement la RAM vidéo. En revanche, elles créaient la célèbre impression de neige lorsqu'on accédait à la RAM sans l'aide du contrôleur CRT.

Ce chapitre montre comment éviter ces phénomènes. Ils sont toutefois inexistants dans les cartes CGA fabriquées ultérieurement et surtout avec l'émulation CGA à travers la carte EGA et VGA. Les thèmes suivants seront en outre traités dans les sections suivantes :

O   Les modes texte de la carte
O   L'octet d'attribut en mode texte
O   Définition et programmation des modes graphiques
O   Sélection de couleurs dans les modes graphiques
O   Les registres de la carte CGA
O   Le contrôleur CRT de la carte CGA

Les modes texte de la carte CGA

La carte CGA reconnaît deux modes texte dans lesquels 40*25 ou 80*25 caractères apparaissent sur l'écran. Compte tenu de la fonction d'initialisation du BIOS vidéo, ces modes portent les codes 1 (40*25) ou 3 (80*25). Il existe deux variantes dans chaque mode. Il s'agit des modes dans lesquels les couleurs de premier plan et de fond des caractères sont sélectionnées dans une palette de 16 couleurs. Dans les modes BIOS 0 (40*25) et 2 (80*25), un signal de couleur n'est pas transmis au moniteur si bien que les codes de couleur sont convertis automatiquement en niveaux de gris.

Le nombre de pages écran disponibles dépend de la résolution choisie. Dans les deux modes texte 80*25, on peut mettre en place quatre pages écran réparties dans les 16 Ko de la RAM vidéo. La première page écran commence donc pour le BIOS en B800:0000, la seconde en B800:1000, la troisième en B800:2000 et la dernière enfin en B800:3000. En mode 40*25, comme chaque page écran n'occupe que 2000 octets, ce sont même 8 pages écran qui peuvent être sauvegardées. Elles commencent respectivement aux adresses B800:0000, B800:0800, B800:1000, B800:1800, B800:2000, etc.

L'affichage des différents caractères, toujours inclus dans une matrice 8*8, s'effectue indépendamment du mode de texte spécifié. La qualité de l'affichage procuré par une carte CGA offre une lisibilité nettement inférieure à celle des cartes vidéo monochromes MDA et HGC qui utilisent une matrice de caractères 9*14.

L'octet d'attribut en mode texte

Dans une carte CGA, l'octet d'attribut permet à un caractère de sélectionner les couleurs de premier plan et de fond parmi les 16 couleurs d'une palette prédéfinie.

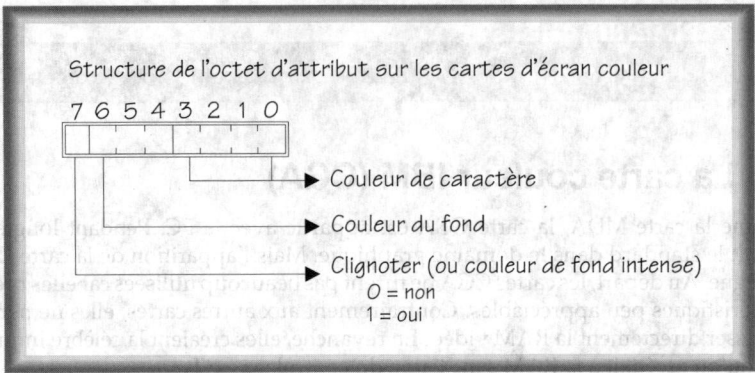

Les 4 bits inférieurs de l'attribut spécifient l'une des 16 couleurs possibles pour le premier plan. La signification des 4 bits supérieurs varie suivant que le clignotement est ou non activé. Si c'est le cas, les bits 4 à 6 spécifient une des 8 premières couleurs de la palette de couleurs pour le fond, alors que l'état du bit 7 fixe si le caractère doit clignoter ou non. Si le clignotement est désactivé, les bits 4 à 7 fixent une des 16 couleurs possibles pour le fond.

Palette de couleurs de la carte couleur			
Décimal	**Hexadécimal**	**Binaire**	**Couleur**
0	00h	0000b	Noir
1	01h	0001b	Bleu
2	02h	0010b	Vert
3	03h	0011b	Bleu turquoise
4	04h	0100b	Rouge
5	05h	0101b	Violet
6	06h	0110b	Marron
7	07h	0111b	Gris clair
8	08h	1000b	Gris sombre
9	09h	1001b	Bleu clair
10	0Ah	1010b	Vert clair
11	0Bh	1011b	Cobalt clair
12	0Ch	1100b	Rouge clair
13	0Dh	1101b	Violet clair
14	0Eh	1110b	Jaune
15	0Fh	1111b	Blanc

Les modes graphiques de la carte CGA

Comme nous l'avons indiqué plus haut, la carte couleur IBM soutient trois modes graphiques différents, dont deux seulement sont utilisés dans la pratique. Le mode "oublié" est l'affichage de 160*100 points avec 16 couleurs possibles par point. Si le 6845 est bien, en effet, capable de traiter une résolution de ce type, le reste de l'électronique de la carte ne soutient pas ce mode. On utilise souvent au contraire les deux modes graphiques avec une résolution de 320*200 points et de 640*200 points. Le premier permet un affichage graphique avec 4 couleurs, le second avec 2 couleurs seulement.

Le mode 320*200 points

Pour afficher du graphisme avec une résolution de 320*200 points avec 4 couleurs, la totalité des 16 Ko de mémoire RAM de la carte vidéo est requise. Il est, de ce fait, impossible de traiter en mémoire plus d'une page graphique à la fois. Sur les 4 couleurs possibles, une seule (la couleur du fond) peut toutefois être librement choisie parmi les 16 couleurs existantes. Elle s'applique automatiquement à l'ensemble de la page graphique. Les 3 autres couleurs sont tirées d'une des deux palettes de couleurs que le programme peut sélectionner et donc chacune comporte 3 couleurs.

```
Palette 1 :  Couleur 1 : Turquoise
             Couleur 2 : Violet
             Couleur 3 : Blanc
Palette 2 :  Couleur 1 : Vert
             Couleur 2 : Rouge
             Couleur 3 : Jaune
```

Après sélection d'une des deux palettes, on parvient donc bien à 4 couleurs disponibles et deux bits sont nécessaires pour coder la couleur de chaque point de l'écran. Il faut en effet 2 bits pour représenter quatre nombres, les valeurs 0 à 3. Voici l'équivalence entre les valeurs possibles et les couleurs sélectionnées :

```
0      00b = couleur de fond à choisir librement
1      01b = couleur 1 de la palette sélectionnée
2      10b = couleur 2 de la palette sélectionnée
3      11b = couleur 3 de la palette sélectionnée
```

La palette souhaitée peut être définie de deux manières : par la programmation directe du registre de sélection des couleurs décrit ci-après ou par l'appel d'une fonction BIOS particulière. Il s'agit de la sous-fonction 01h de la fonction 0Bh de l'interruption vidéo du BIOS. Avant l'appel de l'interruption vidéo, chargez le numéro de fonction 0Bh dans le registre AH, le numéro de sous-fonction 01h dans BH et le numéro de la palette souhaitée (0 ou 1) dans le registre BL.

Dans ce mode, la structure de la RAM vidéo fait rappeler quelque peu l'organisation de la RAM vidéo en mode graphique avec la carte Hercules. Dans la carte CGA également, les différentes lignes graphiques ne suivent pas un ordre chronologique dans la mémoire. Les nombres pairs (0, 2, 4...) et les nombres impairs sont au contraire séparés en deux blocs mémoire. Le premier bloc commence à l'adresse B800:0000, le second à B800:2000.

Sous ce mode, la structure de la RAM vidéo n'est pas sans rappeler celle de la carte Hercules pour l'affichage graphique. Ici aussi, les différentes lignes graphiques ne sont pas placées dans leur ordre logique. Les lignes paires (0, 2, 4, ...) et impaires sont en effet écrites dans deux blocs de mémoire différents. Le premier bloc commence à l'adresse B800:0000 et le second en B800:2000.

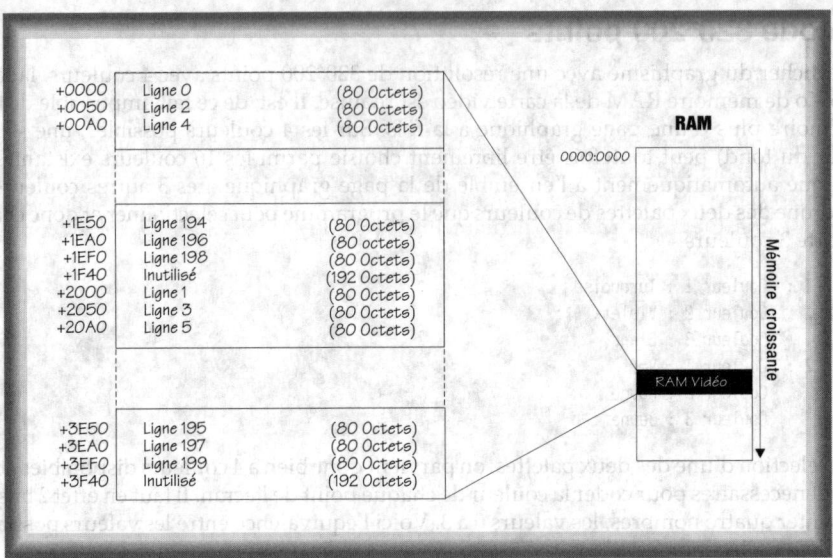

Structure de la RAM vidéo en mode graphique (Système de blocs)

A l'intérieur des deux blocs, chaque ligne graphique occupe 80 octets puisque 4 points des 320 d'une ligne sont codés dans chaque octet. Le premier octet d'une ligne graphique (d'une ligne de 80 octets) correspond aux 4 premiers points d'une ligne graphique. Les bits 7 et 8 contiennent les informations de couleurs pour le point le plus à gauche et les bits 0 et 1 celles pour le point le plus à droite des quatre points représentés par l'octet.

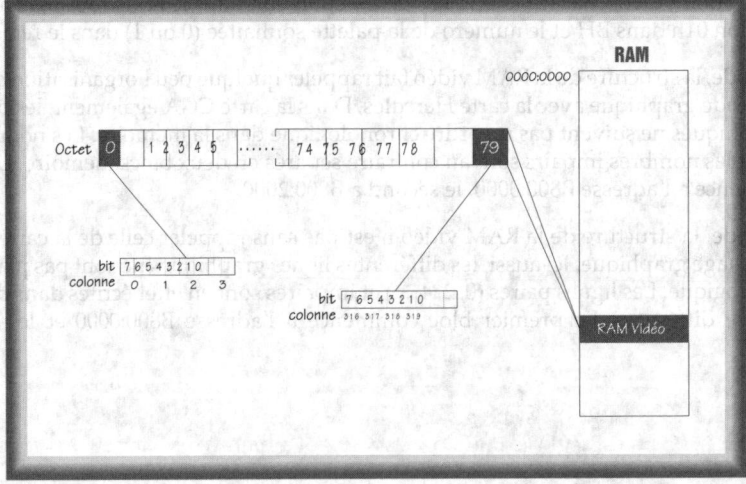

Codage d'une ligne graphique en mode 320 points sur 200

Comme pour la carte Hercules, une formule permet de calculer l'adresse de l'octet contenant les informations pour un point donné de l'écran, par rapport à l'adresse de départ de la page écran. Si X désigne la colonne de l'écran (0 à 319) et Y la ligne de l'écran (0 à 199) :

```
Adresse = 2000h * (Y mod 2) + 80 * int(Y/2) + int(X/4)
```

Pour calculer la position des deux bits de cet octet représentant le point voulu, nous utiliserons la formule suivante :

```
Numéro de bit = 6 - 2 * (X mod 4)
```

Si cette formule fournit 4 comme résultat, cela signifiera que les informations de couleur pour le point voulu sont codées dans les bits 4 et 5 de l'octet. Le mode graphique 320 points sur 200 existe aussi dans une version où le signal de couleur est interdit ce qui fait apparaître des niveaux de gris. En raison de son fonctionnement et de la structure de sa RAM vidéo, ce mode ressemble au mode 4 mais porte le code 5 dans la nomenclature BIOS.

Le mode 640*200 points

Le mode haute résolution, avec une résolution de 640 points sur 200, ne permet d'afficher que 2 couleurs. La structure de la RAM vidéo sous ce mode est la même qu'en mode 320*200 points. Un seul bit suffit en effet à coder un point, ce qui compense le fait que chaque ligne comporte le double de points. Ce sont donc toujours 80 octets qui seront utilisés sous ce mode pour représenter une ligne de l'écran. Les formules pour accéder à un point de l'écran ressembleront donc beaucoup aux précédentes :

```
Adresse = 2000h * (Y mod 2) + 80 * int(Y/2) + int(X/8)
```

```
Numéro de bit = 7 - (X mod 8)
```

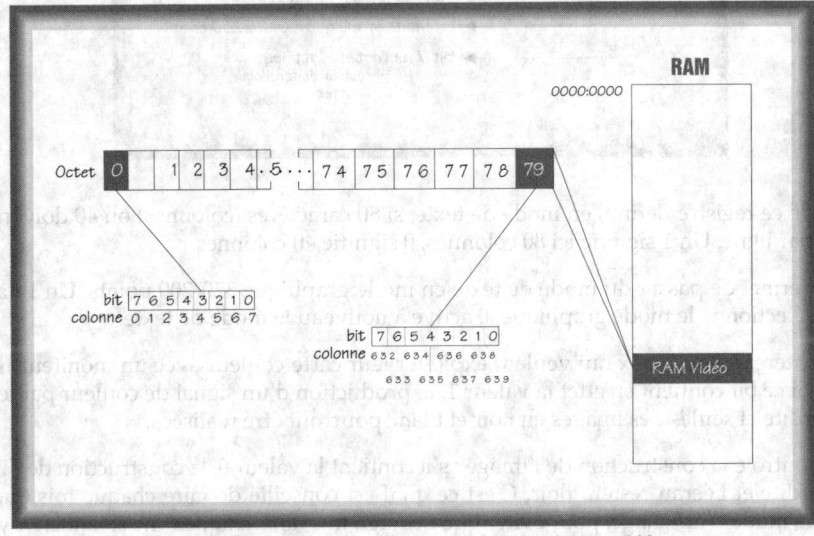

odage d'une ligne graphique en mode 640 points sur 200

Dans ce mode, les points représentés par un bit de valeur 0 apparaissent en noir sur l'écran. Au contraire, si un bit est réglé, le point correspondant apparaît dans la couleur codée dans les quatre bits inférieurs du registre de sélection de couleur. Ce registre est décrit ci-après.

La couleur souhaitée peut cependant être définie sans programmer directement ce registre. Il suffit d'utiliser à cet effet d'une fonction du BIOS vidéo. Il s'agit en l'occurrence de la sous-fonction 00h de la fonction 0Bh. Pour son appel, elle attend le numéro de fonction 0Bh dans le registre AH, le numéro de sous-fonction 00h en BH et la couleur sélectionnée entre 0 et 15 dans le registre BL.

Les registres de la carte CGA

En dehors des divers registres du contrôleur CRT, la carte CGA dispose de trois registres supplémentaires désignés par registre de sélection de mode, registre de sélection d'état et registre de sélection de couleur. Le registre de sélection de mode est particulièrement intéressant car il détermine le mode dans lequel la carte CGA doit être utilisée. Il se situe à l'adresse 3D8h. On ne peut seulement écrire dans ce registre et non le lire. Généralement, on n'a pas besoin d'accéder directement à ce registre parce que le BIOS se charge de prendre les mesures nécessaires lors de l'initialisation d'un mode vidéo à travers la fonction 00h du BIOS vidéo.

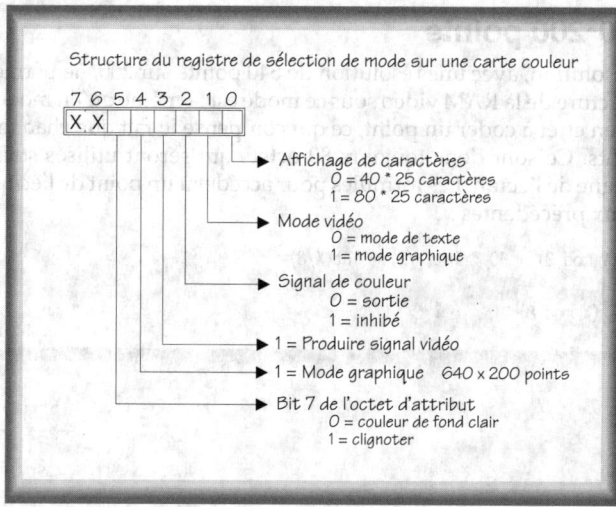

Le bit 0 de ce registre définit, en mode de texte, si 80 caractères (colonnes) ou 40 doivent être affichés par ligne. Un 1 signifie ici 80 colonnes, 0 signifie 40 colonnes.

Le bit 1 permet de passer du mode de texte en mode graphique 320*200 points. Un 1 dans ce registre sélectionne le mode graphique, 0 active à nouveau le mode de texte.

Le bit 2 intéresse tous ceux qui veulent exploiter leur carte couleur avec un moniteur monochrome. Si ce bit contient en effet la valeur 1, la production d'un signal de couleur par le 6845 sera interdite et seules des images en noir et blanc pourront être réalisées.

Le bit 3 contrôle la construction de l'image : s'il contient la valeur 0, la construction de l'image sera interdite et l'écran restera noir. C'est ce qu'il est conseillé de faire chaque fois que l'on change de mode d'affichage, pour éviter que des signaux "anarchiques" ne soient envoyés au moniteur, ce qui risquerait de l'endommager.

Pour activer le mode graphique 640 points sur 200, le bit 4 doit être fixé sur 1.

Le bit 5 joue le même rôle que sur les cartes monochromes. S'il contient un 0, le clignotement est désactivé et le bit 7 de l'octet d'attribut est pris en compte comme bit supplémentaire pour la sélection de la couleur du fond. Dans ce cas, il est donc possible d'employer la totalité des 16 couleurs disponibles comme couleur du fond. Ce bit est cependant normalement fixé sur 1, de sorte que le clignotement des caractères est possible. Comme vous le voyez, ce registre permet de sélectionner les différents modes de texte ou modes graphiques ainsi que l'affichage couleur ou noir et blanc de ces modes.

Ce sont les bits 0, 1, 2 et 4 qui servent à cela. La table suivante montre comment ces bits doivent être fixés pour obtenir un mode déterminé :

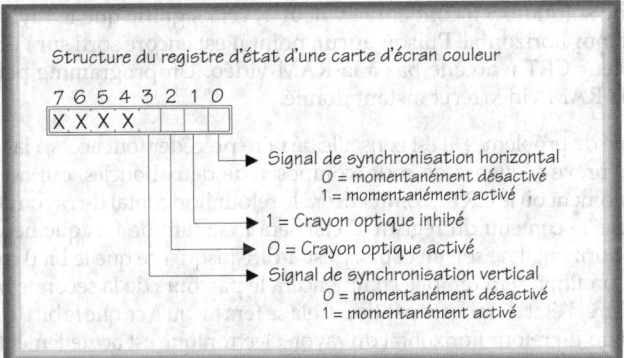

Sélection du mode vidéo sur la carte couleur, à travers le registre de sélection de mode

7 6 5 4 3 2 1 0

| ? ? ? 0 ? 1 0 0 | 40 x 25 caractères de texte, pas de couleurs |

| ? ? ? 0 ? 0 0 0 | 40 x 25 caractères de texte avec 16 couleurs |

| ? ? ? 0 ? 1 0 0 | 80 x 25 caractères de texte, pas de couleurs |

| ? ? ? 1 ? 0 0 1 | 80 x 25 caractères de texte avec 16 couleurs |

| ? ? ? 0 ? 0 0 1 | 320 x 200 points graphiques, pas de couleurs |

| ? ? ? 0 ? 1 1 0 | 320 x 200 points graphiques avec 4 couleurs |

| ? ? ? 1 ? 1 1 0 | 640 x 200 points graphiques avec 2 couleurs |

A ce registre vient s'ajouter aussi un registre d'état qui se rapproche beaucoup du registre d'état de la carte monochrome. La figure suivante montre la structure de ce registre, qui figure à l'adresse 3DAh. Il peut être lu mais on ne peut y écrire.

Structure du registre d'état d'une carte d'écran couleur

7 6 5 4 3 2 1 0

X X X

▶ Signal de synchronisation horizontal
0 = momentanément désactivé
1 = momentanément activé

▶ 1 = Crayon optique inhibé

▶ 0 = Crayon optique activé

▶ Signal de synchronisation vertical
0 = momentanément désactivé
1 = momentanément activé

La carte CGA dispose également d'un registre, le registre de sélection de couleur qui ne figure pas, fort logiquement, sur les cartes vidéo monochromes. Il figure à l'adresse 3D9h et il est seulement possible d'y écrire mais pas de le lire.

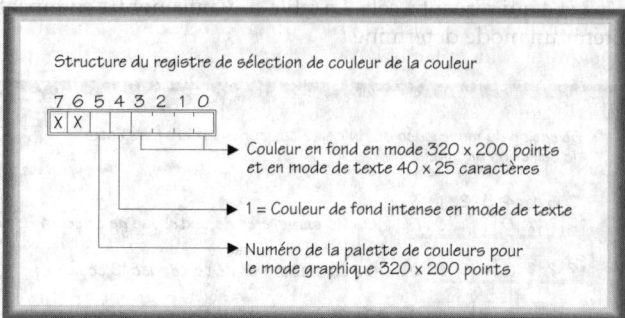

La signification des différents bits de ce registre dépend du mode d'affichage. Dans les modes de texte, les 4 bits inférieurs sélectionnent la couleur du cadre de l'écran, en définissant le numéro de l'une des 16 couleurs disponibles. En mode graphique de 320 points sur 200, ils indiquent en outre la couleur de tous les points écran représentés par la combinaison de bits 00b (On parle alors également de couleur du fond).

La palette pour le mode graphique 320*200 points est sélectionnée à travers le bit 5. Si ce bit vaut 1, la première palette de couleur (turquoise, violet, blanc) sera sélectionnée, sinon ce sera la seconde (vert, jaune, rouge).

Synchronisation de l'accès à l'écran

Pour qu'un programme ne vienne pas perturber le contrôleur CRT lors de l'accès à la RAM vidéo, il est indispensable de synchroniser l'opération. Le bit 0 du registre d'état de la carte CGA apporte une solution. S'il contient la valeur 1, cela signifie que le rayon électronique se trouve déjà en retour horizontal. Puisqu'aucun point n'est encore sorti sur l'écran à ce moment précis, le contrôleur CRT n'accède pas à la RAM vidéo. Un programme peut donc adresser tranquillement la RAM vidéo à cet instant donné.

Pour éviter ce type de problèmes, il est conseillé de faire précéder tout accès à la RAM vidéo d'une carte CGA d'une brève séquence de code, composée de deux boucles, qui ne se terminera que précisément au moment où le CRTC commencera le retour horizontal du rayon électronique. Dans la première boucle, le contenu du registre d'état sera lu autant de fois que nécessaire jusqu'à ce qu'aucun retour horizontal ne soit en cours, c'est-à-dire jusqu'à ce que le bit 0 contienne la valeur 0. Lorsque cette condition sera remplie commencera le parcours de la seconde boucle, qui testera également le registre d'état de façon répétitive. Cela se fera jusqu'à ce que le bit 0 contienne la valeur 1 et indique ainsi qu'un retour horizontal du rayon électronique est actuellement en cours.

Cette procédure peut sembler un peu compliquée à première vue. La raison pour laquelle une première boucle attend la fin d'un retour horizontal n'a rien d'évident puisqu'il s'agit justement d'accéder à la RAM vidéo lors d'un retour horizontal. Cette première boucle est destinée à s'assurer que la seconde boucle se termine bien au tout début d'un retour horizontal. Sans la première boucle, il pourrait fort bien arriver que la seconde boucle se termine au beau milieu du retour horizontal, voire peu avant qu'il ne s'achève. Or dans ce cas, la collision avec le CRTC qu'il s'agit d'éviter pourrait malgré tout se produire et l'on n'aurait donc abouti à rien. Il faut donc boire le calice jusqu'à la lie et faire précéder toutes les routines d'accès à la RAM vidéo de cette petite boucle de test, qui figure d'ailleurs le programme d'exemple présenté à la fin de cette section.

Il ne suffit cependant pas d'intégrer cette routine pour pouvoir accéder à la RAM vidéo aussi longtemps qu'on le souhaite car lorsque le retour horizontal se termine, au bout de

4microsecondes environ, l'accès à la RAM vidéo doit être terminé. Le nombre d'octets pouvant être transférés dans l'intervalle entre la RAM vidéo et le processeur dépend de la rapidité du processeur et d'autres facteurs, comme par exemple la largeur du bus de données. Il est cependant conseillé de se placer dans la pire des hypothèses, c'est-à-dire en supposant qu'on a affaire à un PC exploité avec une fréquence de 4,77 MHz. Dans ce cas, ce sont exactement deux octets, autrement dit un caractère ASCII et son attribut, qui peuvent être transmis pendant le retour horizontal.

Une autre possibilité consiste naturellement à utiliser pour l'accès à la RAM vidéo, au lieu du retour horizontal, la phase de repos qui intervient lors du retour vertical. Cette phase dure 7 millisecondes, elle permet de transférer jusqu'à 800 octets. Le retour vertical est cependant, bien évidemment, beaucoup plus rare que le retour horizontal, au point que cette méthode est finalement moins rapide que l'attente du retour horizontal.

Ces deux procédés ralentissent naturellement considérablement la sortie sur écran. Cela est d'autant plus regrettable que cette méthode serait tout à fait inutile sur beaucoup de cartes CGA qui, comme les autres cartes vidéo présentées ici, disposent d'une RAM vidéo à laquelle le CRTC et le processeur peuvent accéder en même temps. Il vous faut donc organiser votre code programme de telle façon qu'un flag permette de contourner la séquence de code que nous venons de décrire.

Le programme n'a bien sûr aucune possibilité de tester si la carte utilisée a tendance à trembloter, mais on peut confier ce soin à l'utilisateur en lui permettant de spécifier lors de l'appel du programme un Switch qui réponde à cette question. C'est ainsi que procède le programme d'exemple présenté à la fin de cette section.

Une méthode encore plus radicale pour éliminer tout tremblotement de l'écran consiste à interdire toute sortie d'image pour la durée de l'accès à la RAM vidéo. Cela n'est cependant conseillé que lorsque de nombreux accès à la RAM vidéo sont effectués immédiatement à la suite les uns des autres, comme cela se produit par exemple lors d'un scrolling de l'écran.

C'est à cette méthode qu'a par exemple recours le BIOS du PC lors de l'appel des fonctions 06h et 07h de l'interruption vidéo du BIOS (défilement de l'écran vers le haut ou vers le bas) lorsque la carte vidéo utilisée est une carte CGA. Cela est réalisé en désactivant le bit 3 du registre de sélection de mode avant l'accès à la RAM vidéo et en le réactivant après cet accès. Ce procédé produit un "effet de film muet", qu'on peut observer par exemple lorsqu'on fait défiler l'écran vers le haut à partir de l'environnement DOS.

Le contrôleur CRT de la carte CGA

Sur cette carte, l'accès aux 18 registres internes du 6845 se déroule exactement comme sur la carte MDA, à l'aide de deux instructions OUT 8 bits consécutives. La seule différence par rapport à la carte MDA est que les registres d'index et de données ne figurent pas ici aux adresses 3B4h et 3B5h mais en 3D4h et 3D5h respectivement.

La table suivante récapitule les différentes valeurs que doivent présenter ces registres pour les différents modes d'affichage :

Registre	Signification	T1	T2	G
	Contenu des registres CRTC en modes de texte 40x25 (T1), 80x25 (T2) et en modes graphiques (G) de la carte CGA			
00h	Total de caractères horizontalement	56	113	56
01h	Caractères affichés horizontalement	40	80	40
02h	Signal de synchronisation horizontal après ... caractères	45	90	45
03h	Durée du signal horizontal de synchronisation en caractères	10	10	10
04h	Total de caractères verticalement	31	31	127
05h	Nombre ajusté de caractères verticalement	6	6	6
06h	Caractères affichés verticalement	25	25	100
07h	Signal de synchronisation vertical après ... caractères	28	28	112
08h	Mode d'entrelacement	2	2	2
09h	Nombre de lignes de grille (de balayage) par ligne de l'écran	7	7	1
0Ah	Ligne de départ du curseur clignot.de l'écran	6	6	6
0Bh	Ligne de fin du curseur clignotant de l'écran	7	7	7
0Ch	Adresse de départ de la page écran affichée (octet de poids fort)	0	0	0
0Dh	Adresse de départ de la page écran affichée (octet de poids faible)	0	0	0
0Eh	Adresse de caractère du curseur clignotant de l'écran (octet de poids fort)	0	0	0
0Fh	Adresse de caractère du curseur clignotant de l'écran (octet de poids faible)	0	0	0
10h	Position du crayon optique (octet de poids fort)	?	?	?
11h	Position du crayon optique (octet de poids faible)	?	?	?
	? = dépend de la position du crayon optique			

Contrairement à la carte MDA, qui ne dispose que de la place mémoire pour une page écran, l'adresse de base de la page écran affichée sur l'écran peut être ici fixée à l'aide des registres 12 et 13. Ils spécifient en effet cette adresse sous forme d'un offset par rapport au début des 16 Ko de RAM installés sur la carte (adresse de segment B800). Le registre 12 reçoit les 8 bits de poids fort et le registre 13 les 8 bits de poids faible de cet offset de 16 bits de largeur. Ces deux registres contiennent la valeur 0 après le lancement du système, de sorte que c'est la première page écran, celle qui commence à l'adresse B800:0000, qui est affichée sur l'écran.

Programme d'exemple

Le dernier des trois programmes de ce chapitre sert à accéder à la carte couleur. La seule différence importante par rapport aux deux programmes précédents réside dans le fait que l'accès à la RAM vidéo peut être synchronisé avec la construction de l'image par le contrôleur vidéo, comme nous l'avons décrit plus haut.

VCOL.ASM

9.8   Programmation des cartes EGA / VGA

Par leurs possibilités de l'affichage graphique mais aussi de l'affichage de texte, les cartes EGA/VGA surclassent largement ses prédécesseurs. Il existe bien sûr depuis longtemps des systèmes graphiques aux possibilités comparables dans d'autres secteurs informatiques (Stations de travail, application DAO etc), mais c'est la première fois que ces systèmes entrent dans une catégorie de prix telle qu'ils feront bientôt partie de l'équipement standard indispensable d'un PC.

L'intérêt de cette nouvelle génération de cartes vidéo provient non seulement du fait qu'elles offrent des modes graphiques avec une résolution inconnue jusqu'ici, qu'elles permettent presque d'afficher sur l'écran autant de lignes de texte qu'on le souhaite, mais surtout de leur souplesse et de leur aptitude à émuler d'autres cartes vidéo.

Il n'est pas étonnant que ces possibilités étendues ne puissent être obtenues que grâce à une plus grande complexité des structures d'organisation. Concrètement, cela signifie que les caractéristiques d'une carte EGA ne peuvent plus être obtenues avec le contrôleur vidéo traditionnel dans le secteur des PC, le Motorola 6845. Sur les cartes EGA/VGA, ce dernier est remplacé par quatre contrôleurs qui se partagent les tâches nécessaires liées à la création d'une image vidéo. Il s'agit du contrôleur vidéo, du Séquenceur, du contrôleur graphique et du contrôleur d'attributs. Dans une carte VGA, il s'y ajoute en outre le DAC qui est capable de convertir un code de couleur digital en un signal analogique.

La grande complexité des cartes EGA/VGA complique d'autant la programmation directe des divers contrôleurs et registres. Elle s'accentue davantage quand on s'aperçoit que tous les constructeurs de cartes compatibles EGA ou VGA ne s'alignent pas en fait sur le standard IBM. Comme vous le saurez en lisant les paragraphes suivants, on ne parvient pas toujours à échapper à la programmation directe des registres lorsqu'on souhaite profiter pleinement des facultés offertes par ces cartes. Il est vrai que les fonctions du BIOS EGA et VGA, qui a été très augmenté par rapport au BIOS vidéo normal, nous soutiennent dans bien des circonstances, mais il existe toujours des situations où leurs services restent insuffisants.

Les paragraphes de cette section présentent les diverses performances des cartes EGA et VGA qui les distinguent de leurs prédécesseurs. Dans le domaine du texte, il faut signaler en particulier la faculté de ces cartes à utiliser des jeux de caractères quelconques comme décrit au paragraphe 9.8.2. Dans le domaine graphique, il faut noter les nouveaux modes graphiques à 16 couleurs et même un mode 256 couleurs avec la carte VGA. Dans ce contexte, nous vous fournirons des astuces permettant par exemple d'obtenir une résolution double à partir d'une carte VGA normale en mode 256 couleurs. A propos de la carte VGA originale : Bien qu'IBM ait imposé des standards avec ses cartes EGA et VGA, il n'en reste pas moins que leurs spécificités originales soient oubliées depuis déjà fort longtemps. Avec les modes étendus, les constructeurs ont au contraire tenté d'adopter une norme standard avec des résolutions allant jusqu'à 1024*768 points, si bien que chaque constructeur propose son propre modèle. La section 9.9 essaye de contourner le problème en évoquant leurs ressemblances et comment en tirer profit.

Dans cette section, le thème Sprites est également à l'ordre du jour puisqu'il apparaît pour la première fois dans le monde PC avec les cartes EGA et VGA. Le paragraphe 9.8.9 montre comment l'utiliser pour programmer des animations.

Dans la plupart des paragraphes, nous parlerons de la programmation des registres et le rôle qu'ils jouent dans l'accomplissement de certaines tâches. Le dernier paragraphe énumère tous les registres des cartes EGA et VGA et décrit en détail leurs fonctions.

Ce chapitre contient également la partie descriptive des fonctions du BIOS EGA et VGA étendu incluse également en annexe. La plupart des fonctions citées dans les divers paragraphes sont certes décrites dans cette section, mais il est impossible de les évoquer en détail. Par conséquent, n'hésitez jamais à les consulter si vous n'êtes pas sûr des services rendus par le BIOS EGA / VGA étendu avant de vous lancer dans la programmation directe du registre électronique concerné.

9.8.1. A propos du moniteur

Lorsqu'on parle de moniteur avec les cartes EGA et VGA, tout un chacun s'attend à obtenir une multitude de couleurs avec une résolution de 800*600 points ou davantage selon les propos tenus par un vendeur de PC. Il est important de savoir que la carte vidéo n'assure pas à elle seule la création de l'image mais c'est surtout le moniteur qui en est le maître d'oeuvre. D'ailleurs, il faut réfléchir profondément si l'on souhaite bénéficier de 800*600 points autant que possible avec 256 couleurs différentes.

Le moniteur installé joue un rôle important dans le cadre des modes graphiques ainsi que pour le fonctionnement général d'une carte EGA/VGA. Cette section apporte des réponses aux questions suivantes :

O   Comment la connexion d'un moniteur précis peut-elle influer sur une carte EGA ou VGA ?
O   Comment déterminer le type d'une carte et le type du moniteur installé pendant l'exécution d'un programme ?

Eu égard à l'interrogation Multiscan ou non Multiscan, il est primordial de savoir si le moniteur relié à la carte est monochrome ou couleur. Les possibilités en ce domaine sont variées avec les cartes EGA et VGA.

Les moniteurs des cartes EGA

Les cartes EGA peuvent être connectées à un moniteur CGA, EGA ou Multisync ainsi qu'à un moniteur monochrome MDA simultanément. Selon le moniteur en présence, elles se comportent alors comme une carte MDA étendue ou une carte EGA ordinaire. La commutation ne se reproduit pas seulement dans l'image vidéo, mais aussi et surtout dans les registres internes de la carte EGA et la RAM vidéo. En mode monochrome, la RAM vidéo ne se trouve plus comme à l'accoutumée à l'adresse B800h, mais à B000h. Les octets d'attribut des caractères de la RAM vidéo sont en outre interprétés comme avec une carte MDA alors que l'état des registres d'index et de données du contrôleur CRT subit des changements pour qu'il corresponde au standard MDA. Connectée à un moniteur monochrome, la carte EGA se comporte parfaitement comme une carte MDA.

Nous n'insisterons donc pas sur cette configuration dans les paragraphes qui suivent. Dans ce livre, lorsqu'on parle de la carte EGA, il s'agit toujours d'une carte EGA reliée à un moniteur haute résolution. Cela est d'autant plus valable que la plupart des cartes EGA compatibles ne peuvent plus être connectées à un moniteur monochrome contrairement au modèle original d'IBM, mais fonctionnement plutôt avec des moniteurs EGA ou Multisync.

Le plus étonnant est que les cartes EGA d'IBM, livrées au début avec une RAM vidéo de 64 Ko pouvant être dotées par la suite d'un module RAM coûteux de 128, 192 et 256 Ko, ont complètement disparu du marché. Les cartes EGA modernes sont fournies avec 256 Ko de RAM tout comme les cartes VGA. Elles représentent d'ailleurs le modèle standard faisant l'objet des sections suivantes.

Les moniteurs des cartes VGA

Il en va autrement des cartes VGA. Elles peuvent être connectées à un moniteur monochrome quoiqu'il ne s'agisse pas d'un moniteur MDA quelconque. La carte VGA exige en effet un moniteur VGA analogique. Bien qu'il soit moins onéreux qu'un moniteur couleur VGA, il est néanmoins capable de traiter les hautes résolutions des cartes VGA.

Un tel moniteur n'est toutefois pas en mesure de couvrir l'éventail des 256 couleurs affichables simultanément, parce qu'il existe seulement 64 niveaux différents de gris. Cette lacune ne devient apparente que lors de l'utilisation d'un grand nombre de couleurs variées dont les codes couleur présentent peu de différences dans la zone du vert. Parmi les trois codes couleur RVB, les moniteurs analogiques monochromes ignorent tout simplement les deux codes couleur R(ouge) et B(leu). Ils ne permettent donc de décider que du code V(ert) à travers la couleur d'un point.

L'avantage du moniteur monochrome VGA par rapport à son homologue couleur est qu'une carte VGA peut être activée en mode monochrome avec ce moniteur. Dans ce cas, elle se comporte comme une carte MDA particulièrement performante. Tout comme une carte EGA, la RAM vidéo ne se trouve plus à l'adresse B800h, mais à B000h sans oublier que les adresses d'autres registres peuvent être adaptées au standard MDA. La commutation de la carte s'effectue à l'aide des commandes DOS MODE MONO ou MODE CO80 ou tout simplement avec la fonction 00h de l'interruption vidéo du BIOS spécifiant un mode vidéo précis. A l'exclusion du mode vidéo 07h utilisable également sur les cartes MDA, il symbolise notamment le mode d'exploitation monochrome alors que les autres modes tendent à transformer la carte VGA en une véritable carte couleur. Le tableau suivant mentionne les différents moniteurs utilisés par les cartes EGA et VGA pour afficher les modes vidéo.

■■■ Les modes vidéo des cartes VGA				
Code	**Mode**	**MONO**	**CGA**	**EGA/VGA**
00h	40*25 caractères de texte, 16 couleurs		■	■
01h	40*25 caractères de texte, 16 couleurs		■	■
02h	80*25 caractères de texte, 16 couleurs		■	■
03h	80*25 caractères de texte, 16 couleurs		■	■
04h	320*200 points graphiques, 16 couleurs		■	■
05h	320*200 points graphiques, 16 couleurs		■	■
06h	640*200 points graphiques, 2 couleurs		■	■
07h	80*25 caractères, monochrome	■		
0Dh	320*200 points graphiques, 16 couleurs			■
0Eh	320*200 points graphiques, 16 couleurs			■
0Fh	640*350 points graphiques, monochrome	■		
10h	640*350 points graphiques, 16 couleurs +			■
11h	640*680 points graphiques, 2 couleurs			■*
12h	640*680 points graphiques, 16 couleurs			■*
13h	320*200 points graphiques, 256 couleurs			■
■■■ *	Carte VGA			
+	Les cartes EGA de 64 Ko de RAM ne permettent de représenter que 4 couleurs			

Les capacités d'une carte VGA en mode monochrome étant devenues fortement limitées en raison des progrès techniques considérables, nous considérerons dans cette section que votre carte VGA est déjà en place pour assurer l'exécution des programmes d'exemple en mode

couleur. Une considération similaire concerne la carte EGA où nous supposons la présence d'une RAM de 256 Ko et la connexion à un moniteur EGA ou Multisync.

Dans vos programmes, si vous tenez absolument à vérifier que la carte installée est une carte EGA ou VGA, reportez-vous alors à la section suivante où vous apprendrez à intégrer une routine appropriée dans vos programmes.

Identifier les cartes EGA et VGA

Dans vos programmes, si vous utilisez toutes sortes de techniques propres aux cartes EGA et VGA et déterminant éventuellement la présence d'un type de moniteur précis, vous devez inclure une routine appropriée au début de votre programme. Pendant l'exécution d'un programme, vous pourrez vous en servir pour faire la différence entre les cartes EGA/VGA et leurs prédécesseurs. Nous allons vous présenter une telle routine dans cette section.

Elle porte le nom IsEga Vga. Elle est écrite en Pascal et en C. Sa base forme l'appel de deux fonctions BIOS contenues uniquement dans le BIOS étendu des cartes EGA/VGA. Cette méthode permet d'ores et déjà de comparer les anciens modèles depuis MDA à CGA car ces appels de fonctions doivent obligatoirement échouer à cet endroit.

L'une des deux fonctions citées n'est disponible qu'avec une carte VGA et aide par conséquent à faire la différence entre les cartes EGA et VGA. Il s'agit de la fonction 1Ah munie de deux sous-fonctions. La sous-fonction qui nous intéresse est 00h puisqu'elle retourne des informations sur la carte vidéo active et passive.

Dans ce contexte, nous parlons de carte vidéo active et passive parce que dans de nombreux PC, on peut utiliser une carte supplémentaire en plus d'une carte VGA.

Celle-ci doit alors être une carte MDA ou une carte Hercules. Cette faculté reste toutefois inconnue dans la plupart des modèles PS/2 où ni une carte MDA ni une carte Hercules n'est disponible pour le bus MCA.

Si vous appelez maintenant la fonction 1Ah avec les numéros de fonction et sous-fonction dans les registres AH et AL, le contenu du registre AL vous indique immédiatement après l'appel si la fonction est reconnue par le BIOS. Vous pouvez en conclure qu'une carte VGA et un BIOS VGA approprié sont implantés. Le BIOS VGA confirme la situation car le BIOS normal est retourné immédiatement comme résultat de l'appel d'une fonction inconnue sans pour autant changer le contenu des registres.

Dans le registre AL, le BIOS normal retourne la valeur inchangée 00h alors que le BIOS VGA charge exprès le numéro de fonction 1Ah dans ce registre pour rendre compte de la bonne exécution de l'appel. Le code du registre BL indiquant la carte vidéo active et le code du registre BH la carte vidéo passive peut être interprété de la manière suivante :

Code	Signification
00h	Pas de carte vidéo
01h	Carte MDA sur un moniteur MDA
02h	Carte CGA sur un moniteur CGA
03h	Réservé
04h	Carte EGA sur un moniteur couleur EGA
05h	Carte EGA sur un moniteur MDA
06h	Réservé
07h	Carte VGA sur un moniteur monochrome analogique
08h	Carte VGA sur un moniteur couleur analogique

Code	Signification
09h	Réservé
0Ah	MCGA sur une carte CGA
0Bh	MCGA sur un moniteur monochrome analogique
0Ch	MCGA sur un moniteur couleur analogique

Si l'appel de la fonction 1Ah échoue, tous les rêves fondés sur les possibilités merveilleuses d'une carte VGA sont à l'eau. Il faut en conclure en fait sur la présence d'une carte EGA qui sera prouvée dans l'étape suivante. Dans ce cas, la sous-fonction 10h de la fonction 12h soutenue uniquement par les cartes EGA s'avère nécessaire. Contrairement à beaucoup de fonctions BIOS, le numéro de sous-fonction n'est pas à transmettre dans le registre AL mais BL. Après l'appel, si le numéro de sous-fonction 10h se trouve encore présent, cela prouve l'absence d'une carte EGA.

Dans un autre cas de figure, le contenu du registre BH indique si la carte EGA est reliée à un moniteur couleur MDA ou EGA. La valeur 0 confirme le dernier cas et la valeur 1 symbolise l'existence d'un moniteur MDA. Le registre BL informe par ailleurs sur l'organisation de la RAM de la carte selon le tableau suivant :

Code	RAM de la carte EGA
00h	64 Ko
01h	128 Ko
02h	192 Ko
03h	256 Ko

Voici deux programmes d'exemple ISEVP.PAS et ISEVC.C qui contiennent une version de la fonction IsEgaVga et démontrent en même temps leur fonctionnement dans le cadre d'un programme. Vous retrouvez cette fonction dans d'autres programmes fournis dans ce livre mais sous une forme modifiée.

 **ISEVP.PAS**   **ISEVC.C**

9.8.2. Sélection et programmation de jeux de caractères

Comme nous l'avons indiqué au début du chapitre, les cartes EGA et VGA ne sont pas tributaires des divers jeux de caractères stockés dans une structure ROM de la carte, contrairement à leurs prédécesseurs. Elles disposent en revanche d'un générateur de caractères particulièrement performant. Il tire les informations concernant l'aspect des caractères à partir d'une zone précise de la RAM vidéo dans laquelle il dépose le modèle de bits des caractères selon un schéma immuable. Cette section donne un aperçu sur la construction et le fonctionnement des tables de caractères et toutes les techniques dont on peut tirer profit. Bref, voici les thèmes présentés :

O Chargement et définition de jeux de caractères avec le BIOS
O Commutation entre l'affichage en 9 points et 8 points
O Création de logos par regroupement de caractères
O Structure et état des tables de caractères
O Commutation entre plusieurs jeux de caractères ou Affichage simultané de 512 caractères variés

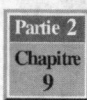
O   Une fenêtre graphique en mode texte
O   Jeux de caractères pour le mode graphique

Charger et définir des jeux de caractères avec le BIOS

Le BIOS étendu des cartes EGA et VGA contient des fonctions permettant d'agir sur les diverses tables de caractères. Il existe en tout une douzaine de sous-fonctions à appeler à travers la fonction 11h de l'interruption vidéo du BIOS. Comme à l'accoutumée, le numéro de fonction est à transmettre dans le registre AH et le numéro de sous-fonction dans le registre AL.

Ces fonctions servent à charger des tables de caractères prédéfinies ou personnelles, à les afficher ou commuter entre elles. Les tables prédéfinies sont des jeux de caractères stockés dans la ROM de la carte EGA ou VGA. De là, ils peuvent être copiés dans la zone de la RAM vidéo d'où le générateur de caractères obtient les informations nécessaires sur l'apparence des divers caractères.

Les cartes EGA et VGA comportent des différences de ce point de vue. Deux jeux de caractères seulement sont disponibles dans la ROM avec une carte EGA alors que la carte VGA dispose d'un troisième jeu pouvant être activé par le BIOS. La différence entre les jeux de caractères ne porte pas pour autant sur le type de la police comme c'est le cas avec une imprimante. Ici, la différence concerne également la taille des caractères, ou mieux la matrice, qui est à la base même des caractères.

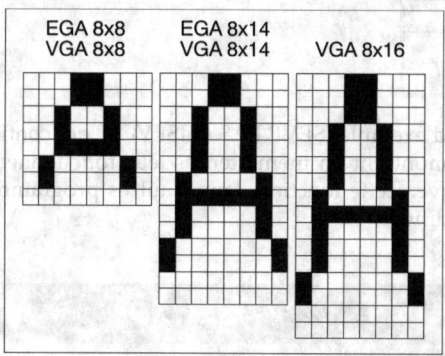

Construction des caractères sous forme d'une matrice

Normalement, la carte EGA utilise par exemple la matrice 8*14 points décrite ci-dessus. Elle contient un second jeu dans la ROM dont les caractères doivent se serrer à l'intérieur d'un champ étroit de 8*8 points. La taille d'un point écran restant inchangée quel que soit le jeu implanté, il va sans dire que les caractères de ce jeu occupent nettement moins de place, mais sont à peine visibles en raison de la faible résolution. Quel intérêt y-a-il donc à utiliser ce jeu de caractères ?

La réponse à cette question se trouve sur le revers de la médaille. La taille infime des caractères aide en effet à afficher un grand nombre de caractères parce que la résolution globale de l'écran reste naturellement inchangée. Ainsi, le minuscule jeu de 8*8 permet d'afficher 43 lignes de texte au lieu des 25 lignes habituelles si bien que l'utilisateur obtient simultanément une quantité d'informations intéressante.

La résolution de 25 lignes sur 43 n'a pas été sélectionnée par hasard. Elle résulte en fait de la résolution verticale d'une carte EGA qui s'élève toujours à 350 points en mode texte.

Comme le montre la figure suivante, la mise en place d'un jeu 8*8 devrait en fait provoquer l'affichage de 43,75 lignes sur l'écran. Mais cela importe peu puisqu'on se limite ici à 43 lignes.

```
Résolution EGA verticale :        350 points 350 points
Hauteur de la matrice :           14 points 8 points


Nombre des lignes de texte :  25 lignes 43,75 lignes
```

Ici, la carte EGA dispose fondamentalement de 640 points. Divisés par 8 correspondant à la largeur de caractères utilisée dans les deux jeux, on obtient les fameuses 80 colonnes par ligne de texte.

Il en va autrement avec la carte VGA tant du point de vue horizontal que vertical. En mode texte, la résolution verticale ne s'élève pas ici à 350 mais 480 points. En mode texte normal de 80*25 caractères, le jeu EGA avec ses 8*14 points devient inutile puisqu'un jeu spécial VGA avec 816 points entre en action. Mais les deux jeux EGA restent disponibles comme auparavant. Avec une carte VGA, ils résultent avec une résolution écran de 28 lignes sur 50.

La résolution de la carte VGA est supérieure du point de vue horizontal puisque 720 points viennent s'afficher par ligne d'écran au lieu de 640. Mais malgré tout, une ligne ne contient que 80 caractères parce que les caractères occupent 9 points horizontalement et non 8. Nous reviendrons sur le neuvième point ultérieurement.

Revenons aux fonctions permettant de charger les jeux de caractères et spécifier ainsi automatiquement le nombre de lignes écran. Elles portent les numéros 11h, 12h et 14h. Mis à part les deux numéros de fonctions dans le registre AX, elles attendent un autre argument dans le registre BL. Il reproduit le numéro de la table de caractères dans laquelle le jeu spécifié est à charger puis activer. Si vous ne souhaitez pas travailler simultanément avec plusieurs tables, vous devez indiquer ici la valeur 0 pour la première table. Sinon, vous pouvez choisir entre les valeurs 0 et 3 avec les cartes EGA et les valeurs 0 et 7 avec les cartes VGA. Pour de plus amples informations sur les tables de caractères, lisez les sections suivantes.

Sous-fonction	Matrice	Lignes EGA	Lignes VGA
11h	8*14	25	28
12h	8*8	43	50
14h	8*16	X	25

Ces fonctions permettent de charger un jeu de caractères précis et programmer simultanément les divers registres de la carte vidéo de manière à afficher ce jeu et un nombre correspondant de lignes écran. Mais les jeux désignés peuvent être aussi tout simplement chargés dans une table de caractères. S'il ne s'agit pas en l'occurrence de la table en cours, l'affichage écran ne subit aucune influence puisque ni le jeu ni le nombre de lignes nécessaires ne sera défini. Leur appel est identique à celui des trois fonctions déjà décrites en ce qui concerne l'affectation des registres.

Sous-fonction	Matrice	EGA	VGA
1h	8*14	■	■
2h	8*8	■	■
4h	8*16		■

Le BIOS permet de charger dans la RAM vidéo des tables de caractères déjà stockées dans la ROM, mais il dispose également de fonctions destinées spécialement aux jeux définis personnellement. Ainsi, vous pouvez redéfinir les différents caractères ou sélectionner carrément une autre police comme c'est le cas avec une imprimante.

Le clou de l'opération est que la hauteur des caractères peut être choisie librement entre 1 et 32 points où le nombre de lignes affichées sur l'écran s'ajuste automatiquement en conséquence. Votre imagination est toutefois limitée ici pour des raisons optiques. En effet, les caractères nécessitant moins de six lignes de points restent à peine lisibles. Par ailleurs, avec plus de 16 lignes de points, les différences entre les caractères deviennent plus faciles à corriger puisque le nombre de lignes affichées sur l'écran diminue d'autant. En règle générale, il convient de sélectionner les caractères dans l'intervalle prédéfini par BIOS, c'est-à-dire entre 8 et 16 lignes de points, ce qui n'oblige pas l'utilisateur à s'habituer à une résolution tout à fait étrangère.

Dans ce contexte, le BIOS vous donne cependant carte blanche. Lors de l'appel de la fonction 10h destinée à charger un jeu personnalisé, il faut transmettre la hauteur des points de caractères dans le registre BH. Vous n'êtes pas obligé de spécifier la largeur puisqu'elle reste toujours constante avec 8 points sur une carte EGA et 9 points sur une carte VGA.

Aucune contrainte ne vous est imposée quant au choix de la table dans laquelle vous devez charger le jeu de caractères. Avant d'appeler la fonction, chargez tout simplement le numéro de la table dans le registre BL. Dans le registre CX, la fonction attend le nombre de caractères à charger, car il suffit parfois de charger seulement quelques caractères dans une table existante et non la totalité d'une table. Pour que cela soit reconnu, vous devez indiquer le numéro (code ASCII) du premier caractère attendu dans le registre DX. Il se situe entre 0 et 255.

Le BIOS lit les informations concernant les motifs de points des caractères dans un buffer défini et initialisé préalablement par l'utilisateur. La fonction attend son adresse sous la forme d'un pointeur FAR dans la paire de registres ES:BP.

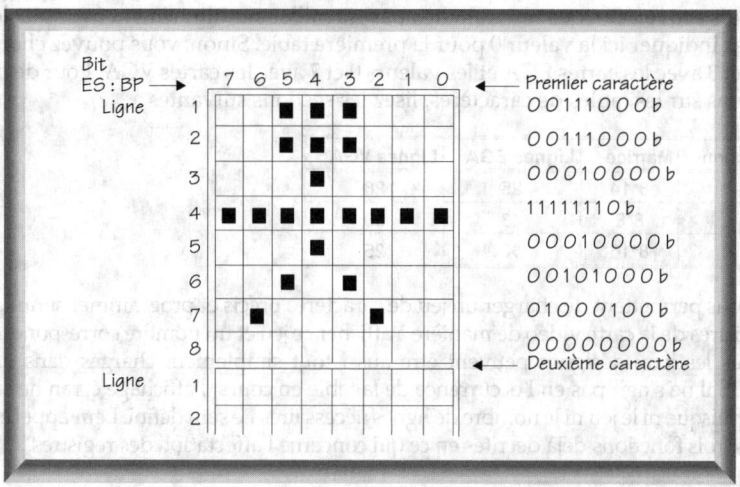

Structure du buffer pour l'appel de la sous-fonction 00h de la fonction 11h

D'après la figure précédente, le buffer ainsi obtenu doit contenir une entrée pour chaque caractère défini dont l'ampleur en octets doit correspondre à la hauteur des caractères. Si les caractères sont par exemple défini dans une matrice 8*12, chaque entrée se compose alors de 12 octets. La longueur totale du buffer résulte de la multiplication par 12 et du nombre de caractères à définir car les entrées sont consécutives dans le buffer. La première entrée à l'adresse d'offset 0000h lit l'information pour le premier caractère à définir, viennent ensuite les entrées relatives aux autres caractères en suivant un ordre croissant.

A l'intérieur des différentes entrées, chaque octet représente le motif de points pour une ligne de points du caractère en suivant évidemment un ordre croissant depuis la première jusqu'à la dernière ligne de points. A l'intérieur d'un tel octet, les divers bits reproduisent l'état des points d'une ligne de ce genre depuis la gauche vers la droite. Si un bit est réglé, le point écran correspondant est affiché dans la couleur de premier plan définie pour le caractère. Si le bit est effacé, le point apparaît dans la couleur d'arrière-plan appropriée.

La sous-fonction 00h fonctionne comme la sous-fonction 10h. Elle ne charge les définitions de caractères que dans la table de caractères sans l'activer ni ajuster le nombre de lignes de texte. Nous rencontrons à nouveau le dualisme évoqué dans les rapports entre les sous-fonctions 11h, 12h et 14h d'une part et les sous-fonctions 01h, 02h et 04 d'autre part.

Pour la définition des caractères et jeux de caractères, n'oubliez jamais que vos définitions ne sont valables que sur l'écran. Elles n'ont aucun effet sur l'imprimante car elle n'a aucune aptitude à prendre connaissance de la modification d'aspect subie par les caractères. Ne vous étonnez donc pas si la hardcopy d'un écran ne ressemble nullement à l'image renvoyée par l'écran.

Commutation entre l'affichage 9 points et 8 points

Pour illustrer la programmation des jeux de caractères, nous allons prendre un exemple permettant d'afficher des logos sur l'écran composés à partir de plusieurs caractères. Un problème survient avec les cartes VGA ayant un rapport avec l'étirement horizontal des divers caractères. Sur une carte EGA, la largeur d'un caractère qui est de 8 points devient 9 points sur une carte VGA. Cette différence résulte de la diversité des résolutions horizontales qui s'élève à 720 points sur une carte VGA au lieu de 640 points.

D'où peut-on extraire le neuvième point sachant que les jeux définis dans la ROM ainsi que les jeux chargés individuellement à l'aide du BIOS ne contiennent que 8 points ? La réponse n'est pas difficile à trouver puisque le neuvième point reste généralement vide à une exception près : les caractères dotés des codes ASCII entre C0h et DFh. Cette zone contient les caractères de cadre parmi lesquels certains servent à tracer une ligne horizontale continue. En ce qui concerne ces caractères, le huitième point est tout simplement copié dans le neuvième pour créer un passage vers les caractères suivants.

L'utilisation d'un neuvième point avec une carte VGA procure aux caractères une résolution élevée en apparence même si seulement 8 points sont copiés dans la ROM avec des cartes EGA ou VGA. Etant donné qu'une petite place doit exister entre les divers caractères, on peut uniquement utiliser les sept premiers points avec des cartes EGA pour que le huitième point resté vide libère de la place pour le caractère suivant. En revanche, le huitième point peut entièrement être utilisé avec les cartes VGA parce que le neuvième point inséré avec adresse crée de la place pour le voisin.

Cette méthode d'action de la carte VGA ne comporte normalement aucun risque tant qu'on se contente de définir des caractères distincts n'ayant aucun lien avec les caractères avoisinants. Mais si on se met par exemple à construire une mosaïque à partir de différents caractères - pour créer des logos - on n'obtiendra pas un tracé fluide entre les éléments de la mosaïque puisqu'on a aucun contrôle sur le neuvième point. Dans un tel cas, le neuvième point doit donc être interdit et il faut activer l'affichage en 8 points tel qu'il a été défini avec la carte EGA.

Cette commutation fait entrer en action plusieurs registres de la carte VGA. Ces derniers ne devant malheureusement pas être réclamés à travers le BIOS, il devient par conséquent impossible de les programmer. Le premier registre concerné s'appelle "Miscellaneous Output Register" pouvant être lu via l'adresse de port 3CCh et inscrit via l'adresse de port 3C2h. Il

contient deux bits (les bits 2 et 3) permettant de régler l'horloge de la carte VGA et par voie de conséquence la résolution horizontale.

Normalement, la carte VGA est exploitée en mode texte avec 28,322 MHz et affiche 720 points par ligne sur l'écran. Avec une fréquence de 25,175 MHz, le nombre de points se réduit à 640. Cela correspond à la résolution souhaitée car avec une largeur de caractère de 8 points, on obtient exactement 80 caractères par ligne d'écran. Pour qu'on puisse d'abord lire le registre nommé, modifier en conséquence les bits 2 et 3 et réinscrire la nouvelle valeur, il suffit de commuter la carte VGA sur la résolution horizontale souhaitée. Ce n'est là que la moitié du rendement puisque la carte VGA travaille ensuite avec 9 points par caractère et élimine très vite l'apparition de neige sur l'écran si on ne la commute pas sur 8 points.

Cela se produit également à l'étape suivante par simple modification du contenu du registre "Clocking Mode". Ce registre fait partie du contrôleur Sequencer et ne peut pas être adressé aussi directement que le registre "Miscellaneous Output". Avant et après l'accès aux registre du contrôleur Sequencer, il faut notamment effectuer un reset de ce contrôleur au moyen de son registre Reset. Ce n'est qu'à cette condition que le registre Sequencer ainsi que le registre Clocking Mode dont le bit 0 vaut pour la largeur de caractère peuvent être modifiés.

En guise de dernière étape, il faut modifier le registre "Horizontal Pel Panning" qui a déjà été présenté dans le cadre du Smooth Scrolling. En d'autres termes, après avoir commuté vers l'affichage 8 points, ce registre doit être chargé avec la valeur 0 pour que l'image vidéo créée se décale d'un point vers la gauche par rapport à l'affichage normal. Si cela ne se produit pas, l'utilisateur apercevra en permanence un vacillement peu appréciable dans la première colonne de points. Ici, il n'est pas indispensable d'accéder directement au registre nommé parce qu'il existe une fonction BIOS destinée à cet effet.

La procédure qui provoque la commutation de la largeur de caractères depuis 9 points vers 8 points en trois étapes est naturellement réciproque. Ainsi, on peut retourner dans l'affichage 9 points selon la même méthode. A cet effet, il suffit d'activer une résolution horizontale de 720 points dans le registre "Miscellaneous Output" et l'affichage 9 points dans le registre Clocking Mode. Mais il ne faut oublier de régler le registre "Horizontal Pel Panning" sur 8 pour que la première colonne de points soit rendue à nouveau visible.

Si vous vous intéressez à la structure précise des registres cités, reportez-vous à la fin du chapitre où vous trouverez une description détaillée de tous les registres EGA et VGA. Les programmes d'exemple contiennent en outre une routine accomplissant la commutation selon les règles qui viennent d'être décrites.

Création de logos par regroupement de caractères

Revenons aux logos pour lesquels la largeur de caractères doit être ramenée à 8 points avec une carte VGA. Un tel logo rend en général un meilleur effet sur l'écran au lieu d'un message de copyright quelconque que l'on rencontre dans pratiquement tous les programmes. Mais les caractères prédéfinis dans le jeu ASCII ne permettent que très rarement de construire un tel logo. Cela vaut naturellement pour les cartes EGA et VGA bien qu'elles offrent la possibilité de définir séparément l'aspect des divers caractères.

Un seul caractère suffit dans de très rares cas à construire un logo parce qu'une carte VGA offre 128 points (8*16) alors qu'une carte EGA ne propose que 112 points au dessinateur du logo. Soulignons en outre qu'un seul caractère affiché sur l'écran offre un spectacle plutôt déroutant. Pourquoi ne pas alors construire un logo avec des caractères multiples telle une mosaïque à l'intérieur d'un rectangle ?

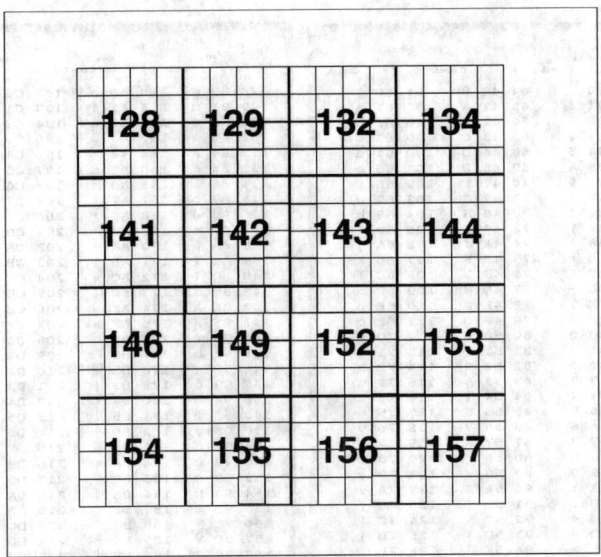

Création du logo avec des caractères multiples

Cela augmente non seulement la résolution du logo, mais il est plus agréable à regarder puisqu'il occupe plus de place sur l'écran. Mais il ne faut pas non plus exagérer la taille du logo au risque de dépasser l'offre de caractères disponible dans le jeu ASCII. Il faut tout au moins que toutes les lettres et tous les nombres soient visibles sur l'écran malgré la présence du logo afin qu'un dialogue puisse s'établir avec l'utilisateur. Il ne s'agit pas ici de définir un jeu entièrement nouveau. Il suffit de redéfinir quelques caractères issus d'un jeu déjà défini pour obtenir l'effet souhaité.

Pour définir le logo, il serait judicieux d'utiliser tous les caractères du jeu ASCII n'intervenant pas dans le programme. Généralement, il s'agit des caractères dont les codes ASCII sont inférieurs à 32, les caractères en langue étrangère et ceux dont les codes ASCII sont supérieurs à 224. Selon les caractères effectivement utilisés dans votre programme, il reste toutefois une centaine de caractères disponibles pour le logo. Avec un tel bagage, vous pouvez créer aisément un logo avec un étirement de 10*10 caractères et une résolution supérieure à 12 000 points.

Pour vous aider dans votre création de logos personnalisés, nous vous soumettons le programme LOGO écrit en Pascal et C. Les programmes portent les noms LOGOP.PAS et LOGOC.C.

La pièce maîtresse de ces programmes est une procédure ou fonction appelée BuildLogo prenant en main la construction et la sortie du logo. En guise d'informations, elle n'exige que la position du logo sur l'écran, sa hauteur en lignes de points, sa couleur et un tableau chaîne permettant de déterminer l'apparence du logo.

Déc	Hex	Caract	Déc	Hex	Caract	Déc	Hex	Caract	Déc	Hex	Caract
0	00		32	20		64	40	@	96	60	`
1	01	☺	33	21	!	65	41	A	97	61	a
2	02	☻	34	22	"	66	42	B	98	62	b
3	03	♥	35	23	#	67	43	C	99	63	c
4	04	♦	36	24	$	68	44	D	100	64	d
5	05	♣	37	25	%	69	45	E	101	65	e
6	06	♠	38	26	&	70	46	F	102	66	f
7	07	•	39	27	'	71	47	G	103	67	g
8	08	◘	40	28	(	72	48	H	104	68	h
9	09	○	41	29	)	73	49	I	105	69	i
10	0A	◙	42	2A	*	74	4A	J	106	6A	j
11	0B	♂	43	2B	+	75	4B	K	107	6B	k
12	0C	♀	44	2C	,	76	4C	L	108	6C	l
13	0D	♪	45	2D	-	77	4D	M	109	6D	m
14	0E	♫	46	2E	.	78	4E	N	110	6E	n
15	0F	☼	47	2F	/	79	4F	O	111	6F	o
16	10	►	48	30	0	80	50	P	112	70	p
17	11	◄	49	31	1	81	51	Q	113	71	q
18	12	↕	50	32	2	82	52	R	114	72	r
19	13	‼	51	33	3	83	53	S	115	73	s
20	14	¶	52	34	4	84	54	T	116	74	t
21	15	§	53	35	5	85	55	U	117	75	u
22	16	▬	54	36	6	86	56	V	118	76	v
23	17	↨	55	37	7	87	57	W	119	77	w
24	18	↑	56	38	8	88	58	X	120	78	x
25	19	↓	57	39	9	89	59	Y	121	79	y
26	1A	→	58	3A	:	90	5A	Z	122	7A	z
27	1B	←	59	3B	;	91	5B	[	123	7B	{
28	1C	∟	60	3C	<	92	5C	\	124	7C		
29	1D	↔	61	3D	=	93	5D	]	125	7D	}
30	1E	▲	62	3E	>	94	5E	^	126	7E	~
31	1F	▼	63	3F	?	95	5F	_	127	7F	⌂

Déc	Hex	Caract	Déc	Hex	Caract	Déc	Hex	Caract	Déc	Hex	Caract
128	80	Ç	160	A0	á	192	C0	└	224	E0	α
129	81	ü	161	A1	í	193	C1	┴	225	E1	ß
130	82	é	162	A2	ó	194	C2	┬	226	E2	Γ
131	83	â	163	A3	ú	195	C3	├	227	E3	π
132	84	ä	164	A4	ñ	196	C4	─	228	E4	Σ
133	85	à	165	A5	Ñ	197	C5	┼	229	E5	σ
134	86	å	166	A6	ª	198	C6	╞	230	E6	µ
135	87	ç	167	A7	º	199	C7	╟	231	E7	τ
136	88	ê	168	A8	¿	200	C8	╚	232	E8	Φ
137	89	ë	169	A9	⌐	201	C9	╔	233	E9	Θ
138	8A	è	170	AA	¬	202	CA	╩	234	EA	Ω
139	8B	ï	171	AB	½	203	CB	╦	235	EB	δ
140	8C	î	172	AC	¼	204	CC	╠	236	EC	∞
141	8D	ì	173	AD	¡	205	CD	═	237	ED	φ
142	8E	Ä	174	AE	«	206	CE	╬	238	EE	ε
143	8F	Å	175	AF	»	207	CF	╧	239	EF	∩
144	90	É	176	B0	░	208	D0	╨	240	F0	≡
145	91	æ	177	B1	▒	209	D1	╤	241	F1	±
146	92	Æ	178	B2	▓	210	D2	╥	242	F2	≥
147	93	ô	179	B3	│	211	D3	╙	243	F3	≤
148	94	ö	180	B4	┤	212	D4	╘	244	F4	⌠
149	95	ò	181	B5	╡	213	D5	╒	245	F5	⌡
150	96	û	182	B6	╢	214	D6	╓	246	F6	÷
151	97	ù	183	B7	╖	215	D7	╫	247	F7	≈
152	98	ÿ	184	B8	╕	216	D8	╪	248	F8	°
153	99	Ö	185	B9	╣	217	D9	┘	249	F9	∙
154	9A	Ü	186	BA	║	218	DA	┌	250	FA	·
155	9B	¢	187	BB	╗	219	DB	█	251	FB	√
156	9C	£	188	BC	╝	220	DC	▄	252	FC	ⁿ
157	9D	¥	189	BD	╜	221	DD	▌	253	FD	²
158	9E	₧	190	BE	╛	222	DE	▐	254	FE	■
159	9F	ƒ	191	BF	┐	223	DF	▀	255	FF	

Dans ce tableau, chaque chaîne représente une ligne de points du logo où chaque caractère de la chaîne correspond à un point de la colonne de points appropriée. Si le caractère est un espace, le point correspondant dans le logo reste vide, sinon il est occupé. Cette méthode de codage nécessite une place mémoire importante, mais le logo peut être aisément édité dans le programme source sans qu'il soit nécessaire de développer un éditeur spécial à cet effet. En outre, la largeur du logo peut être obtenue directement à partir du tableau chaîne et la procédure BuildLogo ne doit pas être transmise comme paramètre.

Selon la taille du logo spécifié et la carte vidéo installée (EGA ou VGA), BuildLogo calcule automatiquement le nombre de caractères nécessaires et définit le motif de points des différents caractères du logo à l'aide de la sous-fonction 00h déjà décrite de la fonction 10h de l'interruption vidéo du BIOS. Si le logo ne remplit pas complètement le rectangle par des caractères, alors il sera placé au centre.

Pour la définition du logo, on utilise les caractères accentués situés entre les codes 128 et 166 dans le jeu ASCII. Il reste en tout 38 caractères à votre disposition. Comme BuildLogo reste ouverte à toute manipulation, il est possible d'extraire davantage de caractères du jeu ASCII pour la réalisation du logo.

BuildLogo est aussi une procédure qui sélectionne la largeur de 8 points lorsqu'elle détecte une carte VGA. La commutation s'effectue avec la procédure ou fonction "SetCharWidth" qui accomplit les différentes étapes de commutation de la largeur comme nous l'avons décrit dans les sections précédentes.

En ce qui concerne la hauteur d'un caractère unique, BuildLogo considère qu'un caractère se compose de 14 lignes de points sur une carte EGA et 16 lignes de points sur une carte VGA. Il provient alors d'un jeu normal aboutissant dans une résolution écran de 25 lignes de texte sur 80 colonnes. Si vous souhaitez utiliser BuildLogo dans un programme activant un jeu plus petit et donc élevant le nombre de lignes écran, vous devez adapter la variable CharHauteur dans les deux programmes LOGO. Avec un logo inchangé, il faudra naturellement redéfinir un nombre de caractères plus important parce que le nombre de lignes de points disponibles par caractère est inférieur.

Si vous n'avez plus besoin du logo, effacez-le tout simplement avec la procédure ResetLogo. Le programme réinstalle l'ancien jeu de caractères et réactive l'affichage 9 points en présence d'une carte VGA.

Pour illustrer le fonctionnement de BuildLogo, nous avons défini un petit logo dans les deux programmes. Il est affiché dans la marge inférieure de l'écran. Immédiatement au-dessus, vous apercevez la liste des caractères du jeu ASCII. Ils apparaissent en couleur pour les mettre en évidence mais peuvent être redéfinis avec BuildLogo. Les caractères redéfinis se distinguent ainsi nettement et constituent une petite partie de la mosaïque qui représente en fait le logo.

Le programme Pascal LOGOP.PAS ne comporte pratiquement aucune routine en Assembleur contrairement au programme C LOGOC.C qui soutient le module Assembleur LOGOCA.ASM. Il s'avère nécessaire parce que les fonctions BIOS appelées pour définir les caractères attendent des informations dans le registre BP sans que ce registre puisse être appelé à l'aide de la fonction d'interruption normale int86(). La routine "defchar" du module Assembleur se charge donc de définir les caractères.

| LOGOP.PAS | LOGOC.C | LOGOCA.ASM |

Structure et état des diverses tables de caractères

Tant que vous vous contentez d'adresser les tables de caractères à l'aide du BIOS, vous n'avez aucun souci à faire quant à la structure et l'état de ces tables. Mais si vous décidez d'avoir directement recours aux diverses tables de caractères, alors la situation change du tout au tout. Il convient dans ce cas de connaître l'état et la structure des tables pour effectuer un accès direct à toutes les définitions de caractères ou quelques-unes seulement. Beaucoup d'opérations impossibles à réaliser avec le BIOS ou du moins avec grand-peine deviennent alors accessibles. Où se situent donc ces tables et comment sont-elles construites ?

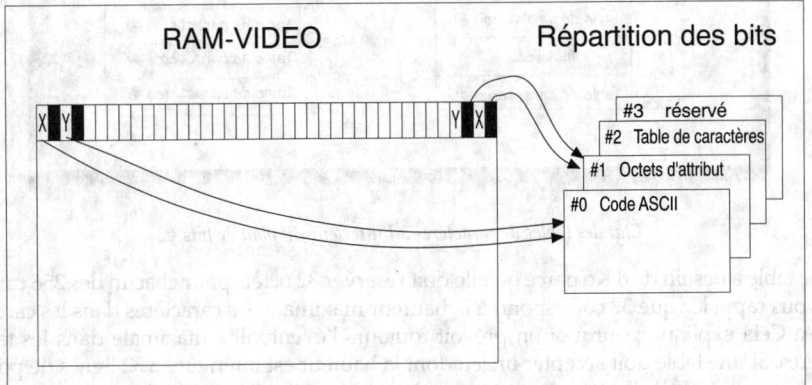

Utilisation des plans de bits en mode texte

Pour répondre à ces questions, nous devons d'abord ouvrir une parenthèse dans l'organisation de la RAM vidéo avec des cartes EGA et VGA. Dans le paragraphe 4.8.5., vous apprendrez que les cartes EGA et VGA subdivisent leur RAM vidéo en quatre zones identiques désignées par plans de bits. Leurs tâches varient selon qu'il s'agit du mode graphique ou du mode texte. Toujours est-il que les quatre plans de bits occupent 64 Ko dans une carte vidéo entièrement comblée c'est-à-dire équipée de 256 Ko.

En mode texte, les deux premiers plans de bits (plan de bits #0 et plan de bits #1) sont utilisés pour recevoir les codes de caractères et octets d'attributs complètement à l'insu du programmeur. Les codes ASCII des caractères sont stockés dans le plan de bits #0 parce que tous les accès à la RAM vidéo à partir de B800h, faisant référence à une adresse d'offset paire, sont déviés automatiquement vers ce plan de bits. En revanche, tous les accès à des adresses impaires où sont stockés les octets d'attributs aboutissent dans le plan de bits #1.

Mais les autres plans de bits ne restent pas pour autant inutilisés en mode texte. En fait, les tables de caractères dans les cartes EGA et VGA sont stockées dans le troisième plan de bits qui sert exclusivement à cet usage.

Comme ce plan de bits occupe 64 Ko d'une carte vidéo équipée de 256 Ko, chaque table de caractères n'utilise que 8 Ko si bien que le plan de bits #2 peut recevoir simultanément 8 tables différentes. Comme le montre la figure suivante, seules les cartes VGA en font usage. Les cartes EGA se contentent seulement de quatre tables de caractères si bien qu'il reste en tout 32 Ko inutilisés dans ce plan de bits.

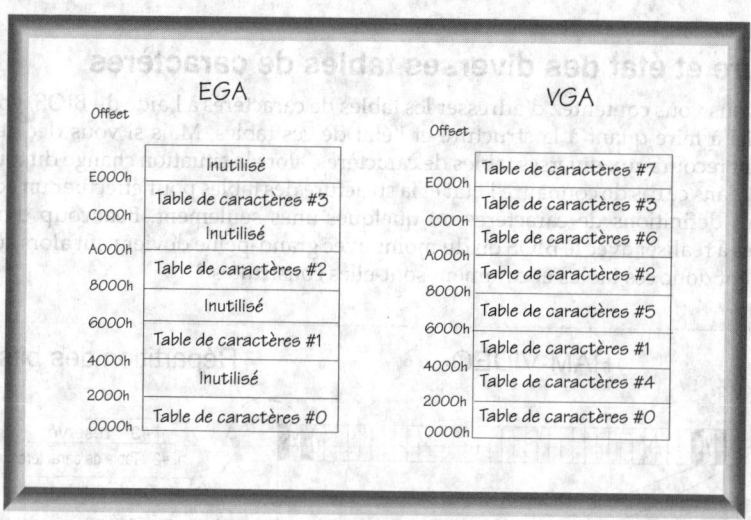

État des tables de caractères à l'intérieur du plan de bits #2

Chaque table a besoin de 8 Ko parce qu'elle doit réserver 32 octets pour chacun des 256 caractères. Vous vous rappelez que 32 correspond à la hauteur maximale des caractères dans les cartes EGA et VGA. Cela explique pourquoi on prévoit toujours l'éventualité maximale dans les tables de caractères. Si une table doit accepter un jeu dont la hauteur est inférieure à 32 lignes de points, un nombre correspondant d'octets reste tout simplement inutilisé à la fin de chaque entrée.

Les octets restants sont codés selon la même méthode que celle décrite dans le contexte des fonctions BIOS chargées de la définition des caractères. Chaque octet reçoit le motif de points d'une ligne de points du caractère où les différents bits reflètent l'état des divers points de cette ligne. Ce mode d'organisation permet aisément de calculer l'adresse de départ d'un caractère ou d'une ligne de points lorsque vous connaissez l'adresse de départ de la table concernée. Multipliez les codes ASCII du caractère par 32, ajoutez-y le numéro de la ligne souhaitée puis l'adresse de départ de la table. Vous obtenez ainsi l'adresse d'offset de la ligne de points souhaitée.

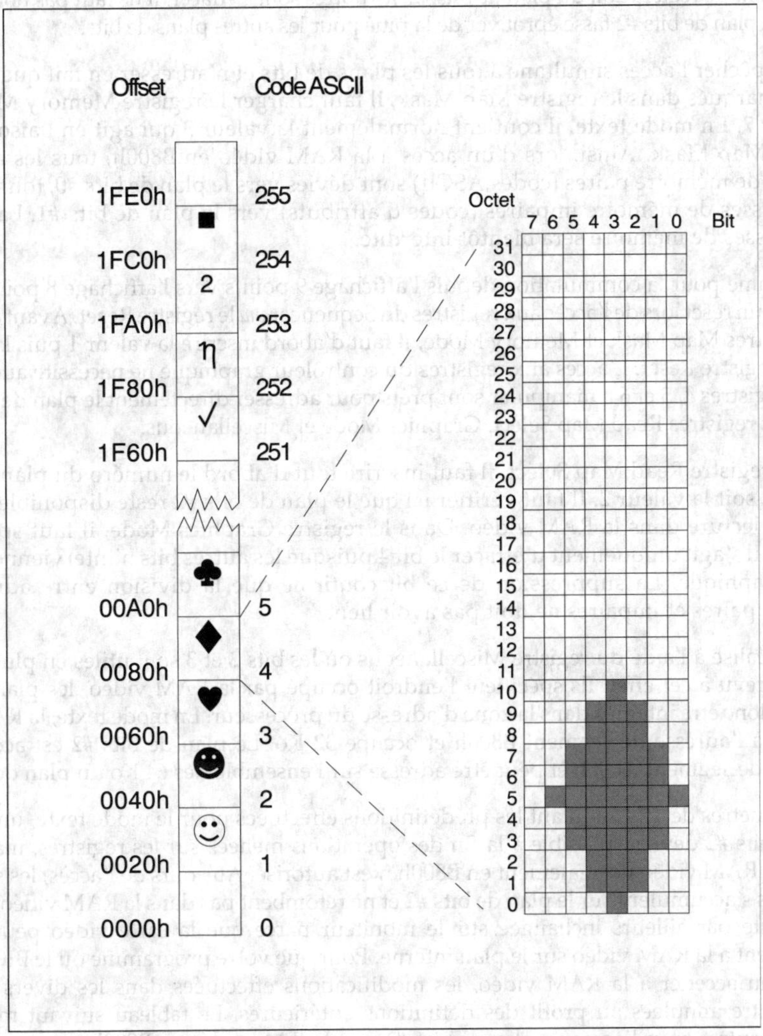

Structure d'une table de caractères

Si l'accès à une table de caractères paraît si facile à effectuer c'est parce que le plan de bits #2 n'a pas encore été adressé. Pour accéder à un plan de bits avec des cartes EGA et VGA, il faut d'abord l'intégrer dans la mémoire pour pouvoir ensuite le réclamer au moyen de l'adresse de segment A000h. Le BIOS n'offre malheureusement aucune fonction assurant cette tâche et il ne reste alors plus qu'à se tourner vers la programmation directe des registres EGA et VGA.

Concrètement parlant, il s'agit des registres du contrôleur Sequencer et du contrôleur graphique dont la programmation libère l'accès au plan de bits #2. Les registres 2 et 4 ont la responsabilité d'organiser l'accès aux divers plans de bits pour le contrôleur Sequencer. Ces registres s'appellent registre Map Mask et registre Memory Mode. Le premier détermine le plan de bits accessible actuellement. Un bit correspond à chaque fois à un plan de bits. Dans notre cas, il convient uniquement de régler le bit du plan de bits #2, les autres sont à effacer. Il ne faut pas non plus que l'accès au plan de bits #2 fasse éprouver de la pitié pour les autres plans de bits.

Pour empêcher l'accès simultané à tous les plans de bits et n'adresser en fait que les plans de bits marqués dans le registre Map Mask, il faut charger le registre Memory Mode avec la valeur 7. En mode texte, il contient normalement la valeur 3 qui agit en liaison avec le registre Map Mask. Ainsi, lors d'un accès à la RAM vidéo en B800h, tous les accès aux adresses de mémoire paires (codes ASCII) sont déviés vers le plan de bits #0, tous les accès aux adresses de mémoire impaires (codes d'attributs) vers le plan de bits #1. La division des adresses de mémoire sera bientôt interdite.

Tout comme pour la commutation depuis l'affichage 9 points vers l'affichage 8 points, il faut effectuer un reset lors de l'accès aux registres du Sequencer *via* le registre Reset. Avant d'accéder aux registres Map Mask et Memory Mode, il faut d'abord inscrire la valeur 1 puis la valeur 3 dans le registre Reset. L'accès aux registres du contrôleur graphique ne nécessite aucun reset. Ici, les registres 4, 5 et 6 à manipuler sont prêts pour adresser directement le plan de bits #2. Il s'agit des registres Read Map Select, Graphics Mode et Miscellaneous.

Dans le registre Read Map Select, il faut inscrire tout d'abord le numéro du plan de bits à adresser, soit la valeur 2. Il faut vérifier ici que le plan de bits #2 reste disponible pour les accès en lecture dans la RAM vidéo. Dans le registre Graphics Mode, il faut spécifier la valeur 0. Il s'agit uniquement d'effacer le bit 4 puisque les autres bits n'interviennent qu'en mode graphique. La suppression de ce bit confirme que la division entre adresses de mémoire paires et impaires ne doit pas avoir lieu.

Cela se réalise à l'aide du registre Miscellaneous où les bits 2 et 3 sont utiles en plus du bit 1 qui est prévu à cet effet. Ils spécifient l'endroit occupé par la RAM vidéo, les plans de bits doivent donc être intégrés dans la zone d'adresse du processeur. En mode texte, la RAM vidéo apparaît à l'adresse de segment B800h et occupe 32 Ko. Le plan de bits #2 est accessible à l'adresse de segment A000h et peut être adressé sur l'ensemble des 64 Ko du plan de bits.

Les paramètres décrits annulant les prédéfinitions effectuées pour le mode texte, un accès au plan de bits #2 devient possible à la fin des opérations menées sur les registres, mais aucun accès à la RAM vidéo normalement en B800h n'est autorisé. Au cours de l'accès, les sorties de caractères s'accumulent sur le plan de bits #2 et ne retombent pas dans la RAM vidéo. L'image vidéo reste par ailleurs inchangée sur le moniteur parce que la carte vidéo peut accéder directement à la RAM vidéo sur le plan interne. Pour que votre programme ou le BIOS puisse à nouveau accéder à la RAM vidéo, les modifications effectuées dans les divers registres doivent être annulées au profit des définitions antérieures. Le tableau suivant montre les valeurs à entrer pour l'accès au plan de bits #2 ou à la RAM vidéo en B800h.

Registres	Plan de bits	RAM vidéo
Registre Map Mask (Contrôleur Sequencer)	04h	03h
Registre Memory Mode (Contrôleur Sequencer)	07h	03h
Registre Read Map Select (Contrôleur graphique)	02h	00h
Registre Graphics Mode (Contrôleur graphique)	00h	10h
Registre Miscellaneous (Contrôleur graphique)	04h	0Eh

Les programmes d'exemple MIKADO décrits ci-après contiennent deux routines permettant de commuter entre l'accès à la RAM vidéo et le plan de bits #2. Vous aurez également de plus amples informations sur les registres intervenant dans cette commutation à la fin de ce chapitre lors de la description des registres EGA et VGA.

Commutation entre des jeux multiples ou affichage simultané de 512 caractères variés

Nous avons souligné plus haut que le plan de bits #2 peut recevoir quatre jeux de caractères avec des cartes EGA et huit jeux avec des cartes VGA. Par ailleurs, lors de la manipulation des jeux de caractères, le BIOS ne reste pas uniquement fixé sur le premier jeu. Il reste maintenant à savoir comment s'effectue la commutation entre les divers jeux et l'apparition d'un jeu sur l'écran. La réponse est fournie par le registre Character Map Select qui fait partie intégrante du contrôleur Sequencer et peut être adressé au moyen du numéro de registre 4. Il est exclusivement responsable de la sélection de la table de caractères en cours comme le montre la figure suivante.

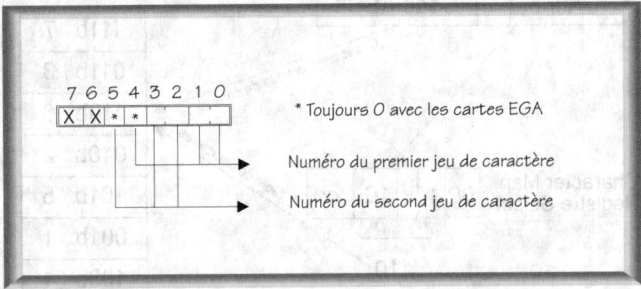

D'après l'affectation du registre Character Map Select, on constate immédiatement qu'on a affaire à deux jeux de caractères. Essayons d'éclairer la situation.

L'organisation des différents bits indiquant les numéros des deux jeux semble également déroutante. Au lieu d'utiliser notamment trois bits consécutifs pour coder un numéro, les deux numéros se composent respectivement d'un groupe de 2 bits et un bit supplémentaire séparé des deux et représentant le bit de poids fort du troisième groupe. Cette organisation inhabituelle résulte de l'histoire même des cartes EGA et VGA. En fait, les cartes EGA nécessitent seulement deux bits pour coder un numéro de jeu de caractères. Sachant que quatre jeux de caractères sont disponibles dans ce cas, il ne faut donc retenir que les numéros entre 0 et 3.

Il en va tout autrement avec les cartes VGA qui permettent l'accès à huit jeux différents. Pour coder les numéros des jeux 0 à 7, on utilise ici trois bits. Afin de garantir la plus grande compatibilité de registres entre les cartes EGA et VGA, on a tout simplement conservé l'affectation prédéfinie EGA et ajouté deux bits distincts aux trois qui existaient déjà. Cela ne pose aucun problème puisque la position de bits correspondante n'a pas encore servi sur une carte EGA.

Pourquoi ce registre contient donc deux numéros de registre ? La figure précédente mentionne l'existence d'un "premier" et d'un "second" jeu de caractères. Cela n'évoque nullement une hiérarchie entre les deux jeux. Contrairement à toutes les cartes qui leur ont précédé, les cartes EGA et VGA sont en mesure d'afficher simultanément 512 caractères (et non 256) sur l'écran. Bien que cette faculté soit peu connue, elle est très intéressante puisqu'elle pose immédiatement le problème de la sélection entre les deux jeux. Le code ASCII d'un caractère dans la RAM vidéo ne reproduit en fait qu'un nombre entre 0 et 256 si bien qu'il est inutile de rechercher ici le critère de décision.

À première vue, il semble qu'aucune place n'est accordée à ce type d'information dans l'octet d'attribut d'un caractère. En fait, les deux "Nibbles" de cet octet sont utilisés pour sélectionner une couleur de premier plan et de fond pour le caractère concerné parmi les 16 disponibles. Et voici la clé de l'énigme consistant à utiliser 512 caractères différents. C'est le bit de poids fort de la couleur de premier plan - soit le bit 3 dans l'octet d'attribut - qui permet de sélectionner le premier ou le second jeu de caractères.

Si ce bit contient la valeur 0 (la couleur de premier plan sélectionnée est alors inférieure à 8), la carte vidéo extrait l'image représentant le caractère à partir du premier jeu. Si le bit #3 est réglé, le second jeu est mis à contribution. Dans ce cas, la couleur de premier plan utilisée est supérieure ou égale à huit.

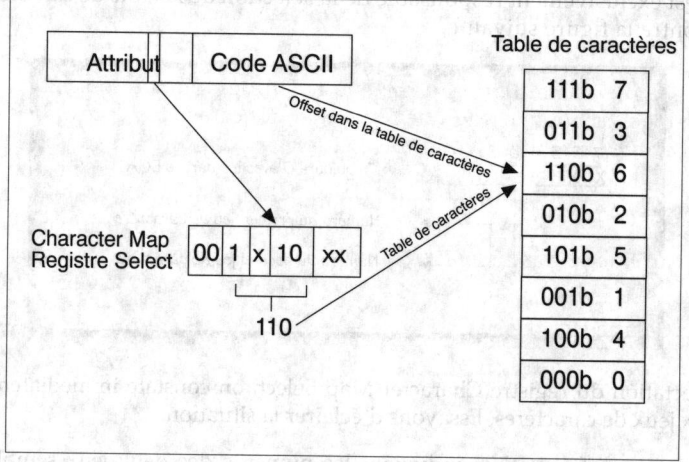

Sélection des jeux de caractères à travers le registre
Character Map Select compte tenu de l'octet d'attribut d'un caractère

La séparation entre le premier et le second jeu de caractères s'effectue habituellement de base même si elle reste généralement invisible aux yeux de l'utilisateur. Cela s'explique tout simplement par le fait que le numéro indiqué pour le premier et le second jeu de caractères dans le registre Character Map Select est identique. Mais au cas où les deux numéros ne sont pas les mêmes, la différence apparaît nettement sur l'écran.

Il convient donc d'accéder à ce registre lorsqu'il faut afficher deux jeux différents sur l'écran ou sélectionner un autre jeu. On peut ainsi commuter rapidement d'un jeu à l'autre et obtenir des effets optiques intéressants. Mais il faut éviter de programmer directement le registre Character Map Select puisque le BIOS fournit spécialement à cet effet une sous-fonction de la fonction 11h dans le BIOS vidéo.

Il s'agit de la sous-fonction 03h. En dehors des deux numéros de fonctions dans les registres AH et AL, elle attend un autre paramètre dans le registre BL. Il représente la valeur à charger dans le registre Character Map Select et spécifie ainsi les jeux affichés. La section suivante illustre l'utilisation de cette fonction dans le cadre d'un exemple où une fenêtre graphique est configurée dans l'écran texte à l'aide du "second jeu de caractères".

L'utilisation de deux jeux de caractères crée toutefois une situation ennuyeuse où les caractères du second jeu restent surlignés en permanence par rapport à ceux du premier jeu. Le fait est que le bit 3 est mis comme couleur de premier plan. Pour remédier à ce problème, il suffit d'harmoniser le contenu des registres de palette portant le numéro 8 avec celui portant un numéro entre 0 et 7. Une telle opération ne pose aucun problème puisque le BIOS n'est pas dépourvu de fonctions appropriées à cette situation. Le nombre des couleurs disponibles pour le premier plan se limite pourtant à 8 car il est rare qu'un programme utilise réellement huit couleurs différentes et de toute manière vous pouvez sélectionner à votre convenance les couleurs disponibles en programmant les registres de palette.

Une fenêtre graphique en mode texte

Si vous n'avez pas besoin d'afficher 512 caractères sur l'écran parce que vous utilisez des symboles mathématiques ou autres, alors le registre Character Map Select vous laisse une alternative intéressante : une fenêtre graphique en mode texte. Elle permet d'afficher de petits graphiques ou dessins en mode texte sans être obligé d'activer le mode graphique dont la programmation est plus complexe.

La technique qui se cache derrière une telle fenêtre graphique ressemble à celle de la création d'un logo. Ici aussi, il s'agit de regrouper des caractères - provenant cette fois du second jeu et non du premier - en un bloc et former une sorte de mosaïque. Dans cette procédure, chaque caractère du second jeu est représenté exactement une fois dans la fenêtre graphique. Cette opération étant importante, il faut que la fenêtre graphique soit assez grande pour recevoir 256 caractères ou moins. Un tel bloc peut par exemple représenté par un carré de 16 fois 16, mais n'importe quelle figure est évidemment autorisée.

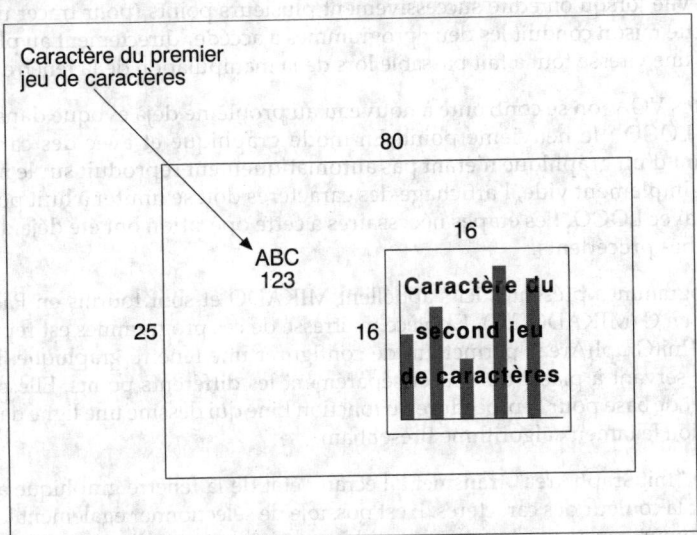

Structure d'une fenêtre graphique en mode texte

Pour la sortie graphique dans la fenêtre, le second jeu est considéré comme un grand tableau constitué de différents points représentés dans la fenêtre graphique sur les différentes coordonnées de points. Si un point doit être mis ou effacé dans la fenêtre graphique, le caractère dans la zone duquel se trouve le point est d'abord calculé. On obtient ainsi la position du point par rapport au coin supérieur gauche du caractère et le bit correspondant à l'intérieur du motif de points du caractère dans la table de caractères qu'il soit mis ou effacé. Voici un exemple concret :

Dans les cartes VGA, les caractères se composent de 16 lignes de points offrant de la place à huit points différents. Si on définit le coin inférieur gauche comme point d'origine de la fenêtre graphique, alors tous les points de coordonnée X sont inférieurs à 8 et les points de coordonnée Y inférieurs à 16 dans la zone d'influence du caractère texte situé dans le coin inférieur gauche de la fenêtre graphique. D'après la figure précédente, il s'agit toujours du caractère avec le code ASCII 0.

Le numéro du caractère à manipuler est ainsi spécifié à l'intérieur du jeu. L'étape suivante consiste à calculer les lignes de points à modifier dans le caractère. Il convient ici de faire attention à la structure des caractères dans la table. Les différentes lignes de points des caractères sont stockées de haut en bas. Un point avec la coordonnée Y 15 se trouve donc dans la ligne de points supérieure avec le code ASCII 0 alors que des points de coordonnée Y 0 occupent la ligne de points inférieure. Cette règle permet de calculer rapidement les lignes de points à adresser.

Il ne reste plus qu'à déterminer la position des bits du point graphique à réclamer dans la ligne de points concernée. En partant du bord gauche du caractère, les points occupent les positions 7, 6, 5 et ainsi de suite jusqu'à 0. Le point demandé peut être mis ou effacé grâce aux trois informations concernant le numéro de caractère, la ligne de points et le numéro de bit. Il suffit tout simplement de placer ces informations sur la structure de la table de caractères dans la RAM vidéo.

Il paraît quelque peu contradictoire que la définition ou la suppression d'un point nécessite de redéfinir complètement le caractère, ce qui n'est pas bienvenu lors de l'utilisation des fonctions BIOS pour la définition de caractères. Ces fonctions ne sont pas en outre rapides et on s'en aperçoit très vite lorsqu'on édite successivement plusieurs points (pour tracer une ligne par exemple). Cette raison conduit les deux programmes à accéder directement au plan de bits #2 pour obtenir une vitesse tout à fait passable lors de la manipulation de la fenêtre graphique.

Avec les cartes VGA, on se confronte à nouveau au problème déjà évoqué dans le cadre du programme LOGO : le neuvième point. En mode graphique et avec des cartes VGA, le huitième point d'un graphique n'étant pas automatiquement reproduit sur le neuvième ou restant tout simplement vide, l'affichage des caractères doit se limiter à huit points comme c'était le cas avec LOGO. Les étapes nécessaires à cette opération ont été déjà décrites dans les paragraphes précédents.

Les deux programmes présentés ici s'appellent MIKADO et sont fournis en Pascal (MIKA-DOP.PAS) et en C (MIKADOC.C). La pièce maîtresse de ces programmes est représentée par une routine "InitGraphArea" permettant de configurer une fenêtre graphique. Il existe une autre routine servant à placer ou effacer séparément les différents points. Elle porte le nom SetPixel et sert de base pour la procédure ou fonction Line qui dessine une ligne dans la fenêtre graphique selon le fameux algorithme Bresenham.

La procédure "InitGraphArea" transmet à l'écran l'état de la fenêtre graphique ainsi que ses dimensions et la couleur des caractères. Il est possible de sélectionner également le numéro du jeu à utiliser pour construire la fenêtre graphique. Grâce aux indications obtenues sur les dimensions de la fenêtre et la résolution des caractères, on peut calculer les coordonnées maximales X et Y et entrer xmax et ymax dans les variables globales.

L'accès au plan de bits #2 s'effectue selon le principe déjà décrit à l'aide d'une routine appelée GetFontAccess. En guise de complément, la procédure ou fonction ReleaseFontAccess ouvre à nouveau la voie à la RAM vidéo B800h. Dans le programme MIKADO, nous n'appelons pas souvent les deux routines parce que leur exécution s'accompagne toujours momentanément de l'apparition de neige sur l'écran.

286

La procédure SelectMaps est également importante dans le programme MIKADO. Elle a pour tâche d'intégrer les jeux souhaités dans le registre Character Map Select. Elle se sert à cet effet de la fonction BIOS décrite antérieurement. Cela évite d'accéder directement à l'électronique de la carte vidéo ce qui répond parfaitement au caractère contractuel du programme eu égard à l'affectation variée des registres des cartes VGA des divers constructeurs.

Dans les deux programmes MIKADO, deux procédures servent à programmer les registres de palette. A l'aide du BIOS, ces procédures redéfinissent à chaque fois un élément de la palette de couleurs en 16 parties ou retournent le contenu. Elles portent les noms SetPalCol, SetPalAry, GetPalCol et GetPalAry. Elles ont été définies à dessein pour que les diverses couleurs deviennent disponibles pour le texte et la fenêtre graphique.

Revenons à la couleur. Elle permet de représenter telle ou telle chose dans telle ou telle fenêtre graphique parce chaque caractère et non chaque point est doté d'une couleur individuelle. Dans une carte EGA, 14*8 points interviennent dans cette opération et dans une carte VGA, 16*8 points. Il faut donc essayer d'harmoniser les couleurs de premier plan et de fond affectées aux points de la fenêtre graphique.

Nous avons intentionnellement omis de respecter ce conseil dans les programmes MIKADO où les différents caractères sont dotés d'un code de couleur continu. Les programmes portent d'ailleurs bien leurs noms puisque des lignes sont tracées dans la fenêtre graphique, elles croisent généralement toutes sortes de caractères et créent ainsi des reflets de couleurs changeants. Ces lignes ressemblent à des mikados ou baguettes en bois utilisées dans le jeu japonais de même nom.

Les deux programmes MIKADO mettent en évidence l'ordre à suivre pour l'appel des diverses routines : vous devez d'abord vous assurer de l'existence d'une carte EGA ou VGA avec la fonction IsEgaVga. La fenêtre graphique ne peut être ouverte en appelant InitGraphArea qu'à la suite de ce test. Avant d'avoir accès à cette fenêtre, il faut en outre appeler GetFontAccess. Ce n'est qu'à cette condition que vous pouvez tracer les points ou lignes à l'aide de SetPixel ou Line.

Si vous devez entre-temps sortir un texte sur l'écran, vous devez appeler d'abord ReleaseFontAccess puis GetFontAccess si vous souhaitez continuer la sortie graphique. L'appel de la procédure ClearGraphArea permet d'effacer la fenêtre graphique. Cette procédure libère automatiquement l'accès à la RAM vidéo et réinstalle un jeu de caractères standard (portant le numéro 0).

Le fait que les caractères du jeu ASCII restent malgré tout disponibles dans la fenêtre graphique à travers le premier jeu, le programme MIKADO vous le démontre en remplissant l'écran autour de la fenêtre graphique par les caractères correspondants.

Tout ce dont vous avez besoin pour utiliser une fenêtre graphique en mode texte vous est fourni par les deux programmes MIKADO. Après avoir consulté les listings, il ne vous sera certainement pas difficile d'utiliser les routines pour vos besoins personnels. Il est certes fascinant d'apercevoir brusquement une fenêtre dotée d'un graphique au beau milieu d'un écran texte. Il ne vous reste plus qu'à donner libre cours à votre imagination.

MIKADOP.PAS   MIKADOC.C

Jeux de caractères du mode graphique

Le mode graphique des cartes EGA et VGA a également besoin de tables de caractères lorsqu'il s'agit de sortir des caractères sur l'écran à l'aide des fonctions BIOS appropriées. Le plan de bits #2 n'est plus disponible pour recevoir les tables parce qu'en mode graphique il doit collaborer avec d'autres plans de bits pour calculer les informations de points pour l'écran graphique.

Dans ce mode, le BIOS doit extraire directement les motifs de points de chaque caractère de la structure ROM concernée ou d'un buffer RAM. Les deux possibilités sont admises mais il faut déterminer le jeu à utiliser tout comme dans le mode texte.

En mode graphique, le BIOS sélectionne automatiquement le jeu activé en mode texte 80*25 caractères sans que vous ayez besoin de l'en informer. Avec une carte EGA, il s'agit du jeu 8*14, avec une carte VGA du jeu 8*16. Comme dans les autres cas, le nombre de lignes de texte à afficher sur l'écran graphique correspond au quotient résultant de la résolution verticale et de la hauteur de caractères. Il en est de même pour le nombre de caractères de texte contenus dans une ligne écran en mode graphique où le diviseur vaut toujours huit.

Pour la sortie de texte en mode graphique, vous ne devez pas avoir recours au jeu prédéfini. Sélectionnez au contraire un jeu quelconque prédéfini dans la ROM à l'aide du BIOS. Utilisez à cet effet les sous-fonctions 22h, 23h et 24h de la fonction 11h du BIOS vidéo. Dans les ouvrages spécialisés, on peut lire qu'en dehors des numéros de fonction transmis dans les registres AL et AH, ces fonctions attendent deux autres informations dans les registres BL et DL. A notre connaissance, cela n'a pas d'importance puisque ces paramètres n'influent pas sur la sortie de texte en mode graphique et peuvent donc être ignorés. Le numéro de fonction suffit amplement pour l'appel de ces fonctions.

Sous-fonction	Matrice	EGA	VGA
22h	8*14	■	■
23h	8*8	■	■
24h	8*16		■

Une autre méthode consiste à utiliser la sous-fonction 21h pour charger une table de caractères personnelle en mode graphique. Dans ce cas, elle doit comporter les 256 caractères. En dehors des numéros de fonction dans les registres AH et AL, il faut transmettre la hauteur des différents caractères dans le registre CX. Tout comme pour les autres fonctions BIOS pour la définition de caractères, cette fonction attend un pointeur sur la table dans le registre ES:BP pour son appel. Sa structure doit correspondre à celle de la table de caractères attendue également par les sous-fonctions 00h et 10h.

9.8.3. Smooth Scrolling

Avec les anciennes cartes EGA et VGA, il était fort peu commode pour l'utilisateur de créer l'impression d'une image en mouvement. En mode texte, on ne pouvait décaler un caractère que vers une direction précise et en mode graphique, il fallait recopier la totalité de la RAM vidéo pour peu qu'on souhaite déplacer l'écran d'un point. Dans le domaine de l'animation, il ne faut pas s'étonner alors si le PC est largement distancé par les concurrents.

La situation a changé avec les cartes EGA et VGA. Elles offrent, de base, la possibilité de déplacer l'écran en fonction d'un point et réaliser ainsi un défilement plus atténué désigné aussi par Smooth Scrolling.

Il devient alors possible de programmer des jeux d'actions basés essentiellement sur un arrière-plan en mouvement. Mais on arrive aussi à créer des effets intéressants en mode texte comme vous allez le constater au cours de cette section. Voici les thèmes étudiés :

○ Smooth Scrolling à l'aide du registre Pel Panning
○ Déplacement du point d'origine de l'écran et modification de la longueur de ligne dans la RAM vidéo
○ Synchronisation du déplacement avec le contrôleur CRT
○ Texte continu en mode texte

Smooth Scrolling à l'aide du registre Pel Panning

Dans les cartes EGA et VGA, la technique permettant de déplacer point par point la portion visible de l'écran est offerte par deux registres dont les fonctionnalités sont complètement différentes. En principe, les deux registres remplissent la même fonction consistant notamment à spécifier le point de départ de l'écran tant sur le plan horizontal que vertical.

Il faut savoir toutefois que le registre Pel Panning vertical fait partie du contrôleur CRT alors que le registre Pel Panning horizontal se situe dans le contrôleur d'attributs. A vrai dire, seuls les développeurs de la première carte EGA peuvent expliquer cette situation.

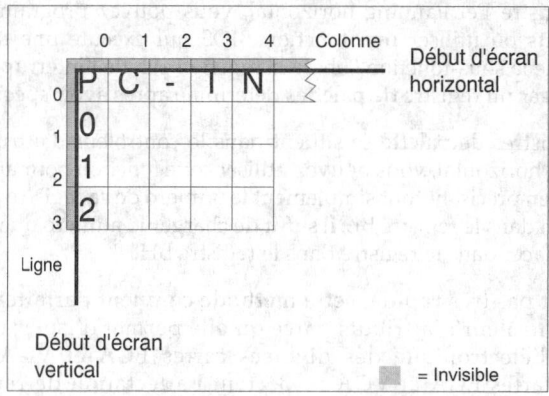

Déplacement du point de départ de l'écran à l'aide du registre Pel Panning

Commençons notre étude par le registre Pel Panning horizontal. Normalement, il contient la valeur 0 ou 8 en mode texte compte tenu de la chasse des caractères. Ces deux valeurs veillent à ce que les caractères affichés sur l'écran tiennent compte des habitudes optiques sur le plan horizontal.

La valeur 8 représente la position normale pour tous les modes vidéo dans lesquels la chasse est définie à 9 points. Cela concerne principalement la carte VGA ainsi que la carte EGA lorsqu'elles sont reliées à un moniteur monochrome et émule de ce fait une carte MDA. Pour une carte EGA connectée à un moniteur couleur, la valeur standard vaut par contre 0. En partant de cette valeur de base, vous pouvez à présent faire défiler l'écran point par point vers la gauche en augmentant progressivement la valeur dans le registre Pel Panning horizontal. Avec une carte EGA sur un moniteur couleur, les valeurs se suivent dans l'ordre 1, 2, 3 etc Plus la valeur est élevée et plus le décalage de l'écran vers la gauche est grand. La valeur 7 correspond à la fin du déplacement car une valeur élevée aurait tendance à décaler l'écran de plus d'un caractère, ce qui n'est pas le cas avec le registre Pel Panning horizontal.

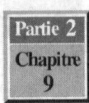
La procédure est quelque peu différente avec des cartes EGA et VGA sur un moniteur monochrome. Après la valeur initiale 8, on rencontre ici la valeur 0 au lieu de 9 ce qui fait décaler l'écran d'un point vers la gauche. Comme avec la carte EGA, viennent alors les valeurs 1, 2, 3 etc. jusqu'à 7 qui correspond au déplacement maximal.

Étant donné qu'avec le registre Pel Panning horizontal, le déplacement ne s'effectue que vers la gauche, il reste à savoir comment obtenir un déplacement vers la droite. Il suffit ici de commencer par la valeur maximale 7 et revenir progressivement en arrière jusqu'à 0. Avec les cartes VGA et EGA sur un moniteur MDA, vous pouvez tout simplement sauter de 0 à 8 pour que l'écran reprenne son statut initial.

Le registre Pel Panning horizontal est utilisable à la fois en mode texte et en mode graphique. Une différence s'effectue alors entre les modes 256 couleurs d'une carte VGA et tous les autres modes. En mode 256 couleurs, la valeur de base vaut également 0 mais l'écran ne se déplace que de trois points vers la gauche. A cet effet, il ne faut pas charger les valeurs 1, 2 et 3 dans le registre Pel Panning horizontal mais les valeurs 2, 4 et 6.

Dans les autres modes graphiques, la valeur de base vaut 0. Vous pouvez en outre charger les valeurs 1 à 7 dans le registre Pel Panning horizontal pour décaler la portion visible de l'écran de 7 points au maximum vers la gauche.

Pour charger le registre Pel Panning horizontal, vous pouvez programmer directement le contrôleur d'attributs ou utiliser une fonction BIOS qui exécute une tâche complètement différente. Il s'agit de la sous-fonction 00h de la fonction 10h de l'interruption vidéo du BIOS. Elle permet de charger un registre de palettes déterminé après avoir spécifié son numéro.

Sachant que les registres de palette se situent dans le contrôleur d'attributs tout comme le registre Pel Panning horizontal, vous pouvez utiliser cette fonction pour appeler le registre Pel Panning horizontal en précisant tout simplement le numéro de ce registre. En dehors des deux numéros de fonction dans le registre BL, il suffit de charger le numéro du registre, notamment 13h, et la valeur à placer dans le registre dans le registre BH.

Bien qu'elle ne soit pas très rapide, cette méthode convient parfaitement pour accéder directement au contrôleur d'attributs parce qu'elle permet d'isoler un programme des différences entre l'électronique des diverses cartes EGA et VGA. Par ailleurs, les constructeurs de cartes EGA et VGA respectent l'affectation de registres définie par IBM, si bien qu'on n'est pas induit en erreur lors de la programmation directe du registre Pel Panning horizontal.

Si vous choisissez cette méthode directe, vous devez d'abord inscrire le numéro du registre (13h) dans le registre combiné de données et d'indices du contrôleur d'attributs situé à l'adresse de port 3C0h. N'oubliez pas non plus de fixer le bit 5 dans ce registre bien qu'il n'ait rien à avoir avec le numéro de registre. Il représente en fait le commutateur d'activation et de désactivation du contrôleur d'attributs. S'il est effacé, le contrôleur d'attributs achève son travail et l'écran devient noir.

Une fois la valeur 33h (numéro de registre 13h plus bit 5) envoyée au port 3C0h, on peut y placer également la nouvelle valeur du registre appelé. Dans ce cas, il s'agit du nouveau compteur de pixels destiné au registre Pel Panning horizontal.

Voici donc pour le défilement horizontal de la portion visible de l'écran. La procédure est plus simple en ce qui concerne le défilement vertical à travers le registre Pel Panning vertical. Ici, la valeur de base est toujours 0 quelle que soit la carte vidéo ou quel que soit le mode d'affichage. Toute valeur supérieure fait décaler la portion visible de l'écran d'un nombre de points correspondants vers le haut.

Dans les modes texte, la limite supérieure dépend de la hauteur des caractères. En mode texte normal de 80*25 caractères, cette valeur vaut 13 avec une carte EGA et 15 avec une carte VGA.

En mode graphique, on peut choisir des valeurs entre 0 et 31 pour le registre Pel Panning vertical où la valeur 31 représente la valeur de base et non 0. Toute valeur inférieure fait décaler la portion visible de l'écran d'un nombre de points correspondants vers le bas. Ici, il convient donc de régler le registre Pel Panning vertical sur sa position de base minimale afin de pouvoir décaler ensuite la portion visible de l'écran vers le haut en incrémentant ce registre.

Pour faire défiler la portion visible de l'écran vers le bas en mode texte, on procède comme pour le déplacement horizontal : commencer par la valeur supérieure et la décrémenter de un jusqu'à atteindre la valeur de base.

Contrairement au registre Pel Panning horizontal, on doit appeler le registre Pel Panning vertical à travers le contrôleur CRT - sans avoir recours à une fonction BIOS. Dans le registre d'index du contrôleur CRT, il faut préciser d'abord le numéro de registre, ici 08h. L'adresse de port où se situe le registre d'index dépend du mode d'exploitation de la carte vidéo : en mode couleur, il se trouve à l'adresse de port 3D4h, en mode monochrome à l'adresse 3B4h. Vient ensuite le registre de données devant contenir la nouvelle valeur du registre Pel Panning vertical. Au lieu de sélectionner ici une opération 8 bits, on peut opter pour une opération 16 bits et sortir simultanément la valeur pour le registre de données et le registre d'index.

Il ne faut pas croire que la programmation des deux registres Pel Panning consiste tout simplement à décaler la portion visible de l'écran par rapport à la hauteur ou la largeur d'un caractère. L'écran doit en plus se déplacer continuellement dans une direction donnée d'un caractère à l'autre.

À première vue, on est tenté de déplacer la portion de l'écran d'un caractère dans la direction souhaitée à l'aide des registres Pel Panning, de régler ensuite le registre Pel Panning modifié sur sa valeur initiale et déplacer simultanément le contenu de la RAM vidéo pour que tous les caractères soient décalés d'une position dans la direction souhaitée. On peut naturellement répéter cette opération autant de fois que nécessaire pour donner à l'utilisateur l'impression que l'écran défile en permanence.

En pratique, cette procédure n'apporte pas entière satisfaction parce que le déplacement des caractères dans la RAM prend trop de temps. L'utilisateur s'en aperçoit très vite surtout lorsqu'on ne travaille pas sur deux pages écran différentes dont on traite toujours une en arrière-plan avant de la rendre visible.

On préfère par conséquent une autre technique qui permet de sélectionner librement l'adresse de départ de l'écran et modifier la longueur de ligne dans la RAM vidéo.

Déplacement de l'adresse de départ de l'écran dans la RAM vidéo et modification de la longueur de ligne

Pour décaler le contenu de l'écran d'une ligne vers le haut en mode texte, on peut tout simplement décaler tout le contenu de la RAM vidéo ou la page de texte affichée de 160 octets vers le haut, ce qui correspond à la longueur d'une ligne en mode texte 80*25 caractères. On peut également incrémenter l'adresse de départ de la page écran actuelle de 160 octets ce qui oblige le contrôleur CRT à commencer directement à la seconde ligne écran en cours lors de la prochaine configuration de l'écran. Du point de vue de l'utilisateur, le résultat est identique dans les deux cas, mais du point de vue du programme concerné, il se passe deux choses complètement différentes.

Au lieu de recopier en effet la RAM vidéo, on reprogramme un des registres du contrôleur CRT destiné à recevoir l'adresse de départ de la page écran actuelle et responsable également de la commutation entre les diverses pages écran. Cette procédure n'est pas seulement rapide mais permet de conserver la ligne écran résultant du déplacement dans la RAM vidéo pour qu'elle puisse être réinsérée par la suite.

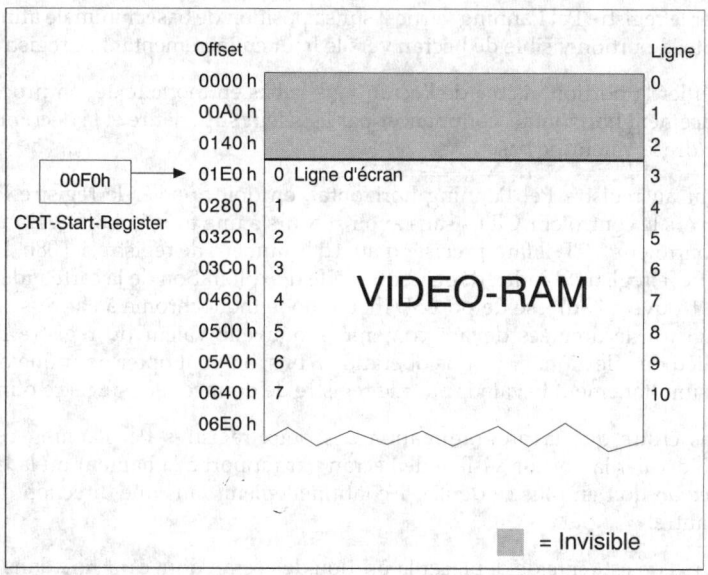

Déplacement du point de départ de l'écran à travers l'adresse de départ

Le déplacement de l'adresse de départ de la RAM vidéo est similaire au déplacement du curseur dans un programme de traitement de texte où un extrait de texte peut être lu dans la fenêtre de texte visible. Ici, les touches du curseur sont remplacées par le registre de départ CRT et le texte par le contenu de la RAM vidéo qui est rendu visible au niveau de l'écran. Concrètement, il s'agit des registres CRT 0Ch et 0Dh qui contiennent l'adresse de départ de la portion visible de la RAM vidéo. Ces registres ne sont pas adressables directement à travers le BIOS. Il faut donc avoir recours au contrôleur CRT en faisant attention à deux circonstances. Premièrement, l'adresse de départ est stockée sous la forme d'une adresse d'offset 16 bits dont l'octet de poids fort se trouve dans le registre 0Ch et l'octet de poids faible dans le registre 0Dh. Eu égard à l'organisation des mots dans la mémoire, l'ordre entre l'octet de poids faible et l'octet de poids fort est inversé puisque dans ce cas l'octet de poids fort précède l'octet de poids faible. Deuxièmement, l'offset étant calculé en mots et non en octets, il faut le diviser par deux avant de l'inscrire dans les registres.

Sur le plan vertical, la portion visible de l'écran peut aisément être décalée d'une douzaine, voire d'une centaine de lignes à travers la combinaison entre Pel Panning et le déplacement du point de départ de l'écran. Sur le plan horizontal, ce mécanisme révèle des défauts inattendus. A la suite du déplacement de l'écran d'un caractère vers la gauche à l'aide du registre Pel Panning horizontal, on doit faire face à une situation fâcheuse lorsqu'on souhaite décaler également le point de départ de l'écran d'un caractère vers la gauche en incrémentant l'adresse de départ pour commencer à l'adresse d'offset 0002h et non 0000h. Dans le coin supérieur gauche de l'écran, on aperçoit en effet le caractère qui était affiché dans la seconde colonne de la première ligne. La conséquence est que tous les caractères de la première colonne se retrouvent dans la dernière colonne de la ligne précédente. Ce phénomène est désigné par Wrap Around.

En raison de l'organisation de la structure de la RAM vidéo, ce problème ne peut pas être résolu à l'aide du registre de départ CRT. Il faut donc recopier le contenu de la RAM vidéo. Mais on peut se décharger de cette tâche grâce à un registre du contrôleur CRT qui est en l'occurrence le registre d'offset. Il reçoit la longueur d'une ligne dans la RAM vidéo et conserve normalement la valeur 80 en mode texte parce que 80 mots et par conséquent 160 octets par ligne sont nécessaires.

Si on augmente cette valeur de 1, on n'aperçoit pas pour autant davantage de caractères par ligne sur l'écran mais le compteur d'adresse interne du contrôleur CRT se voit incrémenté d'une plus grande valeur par ligne. Par exemple, si on entre la valeur 82 au lieu de 80 dans ce registre, chaque ligne de la RAM vidéo se compose alors de 82 caractères dont seulement 80 sont affichés sur l'écran. On peut néanmoins lire les caractères restants sur la portion visible de l'écran en augmentant la valeur du registre de départ CRT de 1 ou 2. Mais cela fait disparaître les caractères de la marge gauche de l'écran.

La largeur du registre offset portant le numéro 13h à l'intérieur du contrôleur CRT étant de 8 bits, on peut étirer au maximum une ligne jusqu'à 255 caractères dans la RAM vidéo. Dans la RAM vidéo, elle occupe alors 510 octets. Il faut faire attention à cela au moment d'inscrire des caractères dans la RAM vidéo destinés à être affichés par la suite sur l'écran.

Jusqu'à présent, on devait toujours multiplier par 160 la ligne spécifiée pour calculer l'adresse d'offset d'un caractère dans la RAM vidéo. Désormais, ce facteur est porté à 510, 320 ou toujours davantage. Dans tous les cas, il correspond au double du nombre de caractères à stocker dans une ligne dans la RAM vidéo.

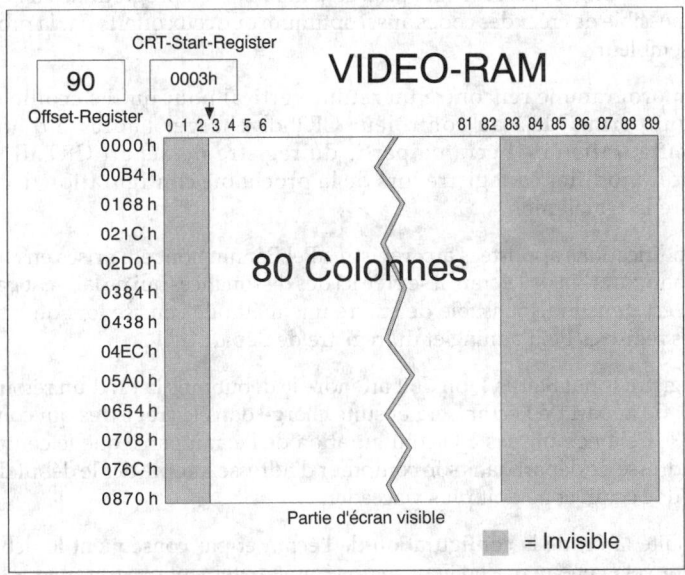

Déplacement de la portion visible de l'écran en élargissant les lignes à l'aide du registre offset

Si vous définissez une chasse interne plus élevée à l'aide du registre offset, le déplacement horizontal de la portion visible de l'écran subit des modifications résultant de la combinaison entre le registre Pel Panning et le point de départ de l'écran. Dans ce cas - et cela vaut également pour le déplacement vertical - il faut penser à la synchronisation des événements sinon la théorie ne correspond plus à la pratique.

Synchronisation du déplacement avec le contrôleur CRT

Si on cherche à mettre de l'ordre entre le déplacement de la portion visible de l'écran à travers le registre Pel Panning et le point de départ de l'écran, il ne faut pas oublier de tenir compte du contrôleur CRT qui joue un rôle important.

Tout d'abord, il faut toujours adresser le registre Pel Panning pendant le retour vertical du rayon électronique, autrement dit quand aucune information d'image n'est en cours de réalisation. Il faut s'assurer que la modification de ce registre ne change pas la portion déjà configurée de l'écran pour lequel les registres modifiés ont été déjà pris en compte.

Si le registre Pel Panning et le registre de départ CRT doivent être programmés simultanément pour rétablir par exemple les paramètres par défaut dans le registre Pel Panning tout en déplaçant le point de départ de l'écran, cela est interdit. Alors que les contenus modifiés des registres Pel Panning entrent en service pour la prochaine configuration de l'écran, il est généralement trop tard pour le registre de départ CRT.

Cela s'explique par le fait que le début du retour vertical est communiqué avec un peu de retard au programme même s'il s'agit là de quelques secondes ou de millièmes de secondes. Cela dépend de la consultation du retour vertical qui s'effectue normalement à travers le bit 3 dans le registre Input Status. Il indique l'état du retour vertical et contient toujours la valeur 1 pendant ce retour, sinon 0. Le retard non souhaité est dû au fait que ce registre doit être constamment consulté dans une boucle d'autant plus que plusieurs instructions de langage machine sont impliquées dans cette consultation. Leur exécution nécessite naturellement un temps relativement long. Cela est encore plus gênant lorsqu'on programme en langage évolué où il n'est pas possible de créer des codes aussi optimum que ceux offerts par la programmation directe en Assembleur.

Il suffit qu'un programme rencontre un retour vertical pour qu'il s'écoule un millième de seconde qui permet déjà au contrôleur CRT de charger l'adresse d'offset pour la prochaine configuration de l'écran à partir du registre de départ CRT. Il ne faut plus espérer pouvoir modifier ce registre lors de la prochaine configuration de l'écran mais il faut attendre la troisième.

Comme les modifications apportées aux registres Pel Panning ont été prises en compte lors de la prochaine configuration de l'écran, il se crée ici des dissonances qui ne laissent pas indifférent l'utilisateur. Il est donc indispensable de suivre une méthode concise lors de la modification simultanée des registres Pel Panning et du registre de départ CRT.

A travers le registre Input Status 1, on doit attendre le début puis la fin d'un retour vertical. Le nouveau point de départ de l'écran sera ensuite chargé dans les registres qui conviennent du contrôleur CRT. Cela ne nuit pas à la configuration de l'écran parce que le contrôleur CRT a déjà chargé l'adresse de départ dans son compteur d'adresse interne dès le début de la nouvelle configuration de l'écran et ne doit plus y accéder.

On attend ensuite la fin de la configuration de l'écran et par conséquent le début du retour vertical. Dès que cet événement a eu lieu, on doit immédiatement programmer les registres Pel Panning dont la modification montre les effets de la configuration de l'écran qui vient de commencer. Cela vaut également pour la nouvelle adresse de départ dans le registre de départ CRT qui est sûre d'être chargée dans le compteur d'adresse interne avant la nouvelle configuration de l'écran.

Le fait d'attendre le retour vertical du rayon électronique a pour conséquence de synchroniser l'exécution du programme indépendamment de la vitesse de l'ordinateur avec la fréquence d'image de la carte vidéo. Cela est un atout majeur dans le domaine des jeux. Si vous appelez toujours successivement la routine de définition des registres Pel Panning et celle du registre de départ CRT, vous pouvez alors décaler la portion visible de l'écran d'un ou plusieurs points à chaque configuration. Selon la carte et le mode vidéo que vous utilisez, vous pouvez obtenir entre 50 et 70 déplacements par seconde. L'oeil humain n'étant pas apte de capter cela, les déplacements à travers des points multiples garantissent en même temps un effet de mouvement continu.

Texte continu en mode texte

Pour illustrer la programmation combinée des registres Pel Panning et du registre de départ CRT, nous vous proposons un programme permettant de faire défiler un texte écrit en grandes lettres depuis la droite vers la gauche de l'écran. Compte tenu de la fonction qu'ils doivent remplir, les deux programmes d'exemple s'appellent CONTC.C et CONTP.PAS. Deux routines appelées ShowContText et SetOrigin jouent le rôle principal dans les deux programmes. ShowContText a pour tâche de recevoir le texte à afficher et l'installer dans la RAM vidéo à l'insu de l'utilisateur. Pour pouvoir utiliser la totalité de la RAM vidéo de 32 Ko, les deux programmes la divisent en trois bandes sur le plan interne ayant chacune une largeur de 216 caractères et une hauteur de 25 lignes. Chaque bande occupe 10 800 octets dans la RAM vidéo ce qui donne en tout 32 400 octets dont seulement 368 octets sont utilisés.

Après avoir logé le texte dans la RAM vidéo, ShowContText commence à l'afficher à l'aide de la procédure SetOrigin. Elle sert à spécifier le point de départ actuel de l'écran avec comme obligation d'indiquer la bande à afficher, la colonne et la ligne de départ ainsi que le déplacement du point. Les autres paramètres entrés dans les registres Pel Panning restent inchangés. Quant au numéro de la bande, il est lié aux colonnes et lignes de départ d'une adresse de départ de la portion visible de l'écran et inscrit dans le registre de départ CRT. Pour donner à l'utilisateur l'impression que le texte est en train de défiler, SetOrigin est appelée avec une valeur de ligne et colonne constante à l'intérieur de ShowContText en incrémentant progressivement le compteur de pixels pour le déplacement horizontal. Lorsque le déplacement maximal d'un caractère est atteint, le compteur de pixels horizontal est ramené à 0 ou 8 et seule la colonne de départ est incrémentée.

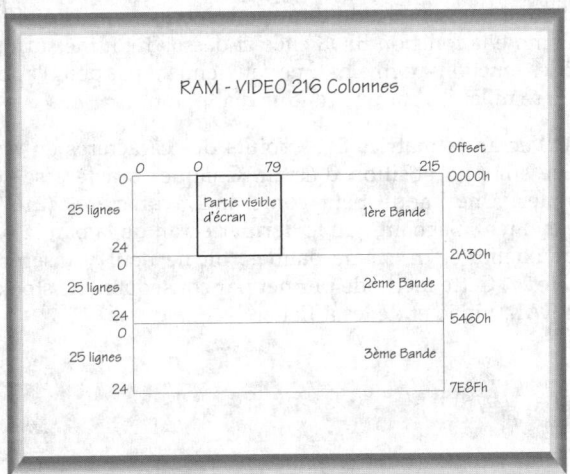

Sectionnement de la RAM vidéo à l'intérieur de CONTP.PAS et CONTC.C

Le déplacement peut s'effectuer à des vitesses variables et la différence de chasse entre les cartes EGA et VGA est prise en compte. A cet effet, ShowContText attend deux paramètres en dehors

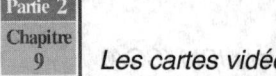
du texte à afficher. Ils indiquent la vitesse souhaitée et le type de la carte vidéo installée. Pour la vitesse, vous pouvez utiliser les constantes FAST, MEDIUM et SLOW et pour le type de la carte vidéo les deux constantes EGA et VGA.

Lors du déplacement du point de départ de l'écran à l'intérieur de ShowContText, les deux constantes sont formulées sous forme d'indice dans le tableau SetTable déclaré dans cette routine. Ici, les valeurs sont stockées séparément pour les cartes EGA et VGA et en tenant compte de la vitesse spécifiée. SetOrigin s'en sert successivement pour définir le compteur de pixels horizontal. La fin d'une telle série est indiquée dans le tableau par la valeur 255 qui signale qu'il faut maintenant poursuivre avec la colonne suivante de l'écran. Pour varier la vitesse d'affichage du texte continu, on utilise des largeurs de pas différentes dans le compteur de pixels horizontal. En mode SLOW, il fait défiler chaque point avec un intervalle de 0 à 7 ou 8 à 7. En mode MEDIUM, l'action se déroule tous les deux points ce qui permet de faire défiler une distance double dans le même laps de temps. La vitesse augmente davantage en mode FAST où deux points supplémentaires sont parcourus à l'intérieur de chaque point.

L'incrémentation de la colonne de départ atteint sa limite lorsque la dernière colonne d'une bande, la colonne 216, apparaît sur l'écran. Il faut passer alors à la bande suivante et reprendre à partir de sa première colonne. Le contenu du dernier écran ne défilant plus vers la gauche dans la bande précédente, il faut recommencer avec le même caractère au début de la bande suivante qui se trouvait dans le dernier écran de la bande précédente. Ce n'est qu'ainsi qu'on peut créer un parcours entre les diverses bandes sans que l'utilisateur s'en aperçoive.

Le nombre de caractères pouvant être affichés et captés par l'utilisateur dépend essentiellement de la chasse. Une routine appelée PrintChar est responsable de la construction des caractères dans la RAM vidéo. Outre le caractère, elle attend comme arguments la colonne et la bande où doit apparaître le caractère. La ligne est spécifiée à l'aide d'une constante (STARTZ) et ne doit donc pas être transmise. Cette routine lit le modèle de points des caractères dans le jeu 8*14 qui est stocké dans une structure ROM des cartes EGA et VGA. Ce jeu peut être lu une fois que son adresse est communiquée à l'aide de la sous-fonction 30h de la fonction 11h de l'interruption vidéo du BIOS. Cette routine existe aussi par le fait que la version C du programme ContText ne fonctionne pas sans l'aide d'un petit module en Assembleur portant le nom CONTCA.ASM. Comme la fonction BIOS citée ci-dessus retourne surtout des informations dans le registre BP, les fonctions normales C ne conviennent pas pour l'appel des interruptions et doivent donc être remplacées par une routine d'appoint.

PrintChar sort sur l'écran la matrice 8*14 points des caractères en reproduisant chaque point de la matrice sur une position d'écran. Chaque caractère se compose ainsi de 8 colonnes et 14 lignes. Une bande peut contenir 27 caractères (216/8) dont 10 (80/8) s'affichent simultanément. Sachant que le dernier écran de la bande précédente doit être répété dans les deuxième et troisième bandes, on ne peut y insérer que 17 caractères nouveaux au lieu de 27. Cette méthode permet par conséquent de stocker 61 (27 + 17 + 17) caractères dans la RAM vidéo et de les afficher.

CONTP.PAS   CONTC.C   CONTCA.ASM

9.8.4. Désactiver l'écran

Nombreuses sont les situations où l'affichage écran d'une carte vidéo doit être inhibé comme par exemple lors de la mise en veille de l'écran. Les cartes EGA et VGA connaissent également des méthodes variées pour interdire la création d'une image vidéo et nous allons décrire l'une de ces techniques dans le cadre de cette section. Nous éluciderons en outre les points suivants :

O   Le rôle du contrôleur d'attributs dans la création de l'image vidéo
O   Utilisation du contrôleur d'attributs pour désactiver l'affichage écran

Le rôle du contrôleur d'attributs dans la création de l'image vidéo

Parmi le quartet composé du contrôleur CRT, du contrôleur graphique, du contrôleur d'attributs et du séquenceur pilotant les cartes EGA et VGA, c'est le contrôleur d'attributs qui assure la connexion entre les informations d'image et de couleur. Il suffit que l'on interdise son fonctionnement pour qu'aucune information de couleur ne soit disponible. Le résultat est que l'écran reste sombre. Cela revient à désactiver l'affichage écran et remplit par conséquent le but visé.

En principe, il n'est pas si facile d'interdire le fonctionnement des contrôleurs d'une carte EGA et VGA mais ce n'est pas le cas du contrôleur d'attributs. Ici, il existe un bit dans le registre d'index qui permet pratiquement de désactiver le contrôleur. Il s'agit du bit 5 qu'il suffit de régler sur 0 pour empêcher la transmission des informations de couleur à travers le contrôleur.

La situation de ce bit est quelque peu déplorable puisqu'avec les autres contrôleurs, le registre d'index sert uniquement à recevoir le numéro d'un registre à adresser. Mais comme il en va autrement avec le registre d'index du contrôleur d'attributs, interviennent ici les registres d'attributs, notamment les registres de palette. Éltant donné qu'avant l'accès à un registre de palette dans lequel il faut appeler le registre d'index, il convient de spécifier l'action du contrôleur d'attributs, il suffit tout simplement d'interdire le bit concerné dans le registre d'index. Cela est d'autant plus utile lorsqu'on sait que le contrôleur d'attributs ne dispose que de 21 registres. Seuls les bits 0 à 4 sont nécessaires pour recevoir le numéro de registre dans le registre d'index.

Mais avant de supprimer le cinquième bit du contrôleur d'attributs, il faut lire auparavant le registre d'état du contrôleur CRT. Le reset du contrôleur d'attributs ne devient effectif qu'à cette condition. Cette action est généralement utile lorsqu'il faut remettre ce bit sur 1 pour que le contrôleur d'attributs puisse poursuivre son travail.

Désactivation de l'écran dans la pratique

Les deux programmes VONOFFP.PAS et VONOFFC.C démontrent l'action d'activer et de désactiver l'écran à travers le contrôleur d'attributs. Cette opération ne peut s'effectuer qu'après avoir prouvé l'existence d'une carte EGA ou VGA. Dans le cas contraire, le programme s'interrompt en émettant un bref message.

Dès qu'une carte EGA ou VGA est découverte, le programme renvoie un bref message et laisse cinq secondes à l'utilisateur pour le lire. L'écran est ensuite désactivé à l'aide de la procédure ou fonction ScrOff.

Comme nous l'avons déjà décrit, le registre d'état du contrôleur CRT est d'abord lu dans ScrOff. Pour que des cartes reliées à un moniteur couleur ou leurs homologues monochromes puissent profiter de la routine, un double reset est exécuté : une fois à travers l'adresse monochrome du registre d'état (3BAh) et une autre fois à travers l'adresse couleur (3DAh). Il n'y a rien à craindre ici parce que l'un des deux ports reste inoccupé ce qui ne nuit pas à la lecture.

Il faut inscrire ensuite la valeur 0 dans le registre d'index du contrôleur d'attributs à l'adresse de port 3C0h, régler le bit 5 sur 0 et interdire l'activité du contrôleur. L'écran devient immédiatement noir.

Rien de spécial ne se produit dans la procédure ScrOn. Elle est appelée dans les deux programmes une fois que l'utilisateur a appuyé sur une touche. Il suffit d'inscrire ici la valeur 20h dans le registre d'index du contrôleur d'attributs pour qu'une image vidéo apparaisse aussitôt sur l'écran.

VONOFFP.PAS   VONOFFC.C

9.8.5. Le principe des plans de bits

L'histoire des cartes vidéo PC est manifestement imprégnée du souci d'accroître constamment la résolution avec un nombre de couleurs toujours plus important. Mais l'augmentation de la résolution s'accompagne d'un besoin en RAM vidéo plus accru d'autant plus que les innombrables couleurs utilisées pour coder les points ne nécessitent plus un seul bit mais 4 et même 8 bits. C'est d'ailleurs le cas des modes 256 couleurs des cartes VGA modernes. La conséquence est qu'aujourd'hui, les cartes EGA et VGA sont fournies avec une RAM de base de 256 Ko qui peut être entièrement utilisée en fonction du mode vidéo et du nombre de pages écran gérées.

Un problème survient avec le dépassement de la limite des 64 Ko. La zone d'adresse du PC s'élevant à 1 Mo ne contient plus de place disponible susceptible de contenir une RAM vidéo supplémentaire. Cette section tente d'expliquer comment intégrer la RAM vidéo de 256 Ko des cartes EGA et VGA dans la zone d'adresse du PC et quelles sont les conséquences en matière de programmation de ces cartes. Voici les thèmes que nous allons aborder :

O   La segmentation de la RAM vidéo en plans de bits
O   La fonction et la signification des registres Latch
O   Le rôle du contrôleur graphique des registres Latch
O   La programmation et le fonctionnement des divers modes Read et Write.

Segmentation de la RAM vidéo en plans de bits

Dans la zone d'adresse du PC, les cartes vidéo ne disposent que des segments de mémoire A (à partir de A000:0000) et B (à partir de B000:0000) où le segment B est déjà réservé pour la RAM vidéo des cartes MDA, CGA et Hercules. Il ne reste plus que le segment A pour les cartes EGA et VGA. Les constructeurs des premières cartes EGA le destinaient à une tâche inimaginable consistant à rendre adressable une RAM vidéo de 256 Ko à travers une zone de 64 Ko seulement.

La solution trouvée se présente sous la forme de quatre plans de bits répartis dans la RAM vidéo d'une carte EGA ou VGA. Avec une capacité de 256 Ko, la carte vidéo libère ainsi 64 Ko sur chaque plan de bits adressable entièrement à travers le segment de mémoire A à partir de l'adresse A000:0000. Si la quantité de Ko est moindre, comme les premières cartes EGA originales d'IBM qui n'étaient fournies qu'avec 64 Ko, chaque plan de bits reçoit naturellement une portion de RAM vidéo moins importante.

Ce principe d'organisation apparu en 1984 concerne, aujourd'hui comme autrefois, tous les types de cartes depuis EGA à VGA même s'il a été amélioré avec les cartes Super VGA tel que nous le montre la section 9.9.

Fonction et signification des registres Latch

En mode texte, l'intérêt des plans de bits ne peut être apprécié que pour la programmation lorsqu'on souhaite accéder manuellement aux jeux de caractères. Mais en mode graphique, ils agissent comme une épée de Damoclès. Peu importe comment les informations de points sont distribuées sur les divers plans de bits puisque cela dépend exclusivement du mode graphique en cours. Sans tenir compte de cette circonstance, l'électronique de la carte EGA/VGA active les quatre registres 8 bits entre l'unité centrale et la RAM vidéo appelés aussi registres Latch. Chaque registre de ce type correspond à l'un des quatre plans de bits mais n'est pas directement adressable par un programme.

Si un programme exécute un accès en lecture sur un octet de la RAM vidéo, les quatre registres Latch sont chargés avec l'octet à partir de leur plan de bits. Son adresse d'offset est indiquée en tenant compte de l'instruction de langage machine ayant déclenché l'accès en lecture. Si l'adresse d'offset vaut par exemple 9, c'est le dixième octet (0 étant le premier) issu du premier plan de bits qui est chargé dans le premier registre Latch, le dixième octet du second plan de bits dans le second registre Latch et ainsi de suite pour les troisième et quatrième registres Latch.

La même procédure s'applique lors d'un accès en écriture à la RAM vidéo. Ici, le contenu des quatre registres Latch est inscrit dans leur plan de bits correspondant, notamment à l'adresse d'offset spécifiée lors de l'accès en écriture.

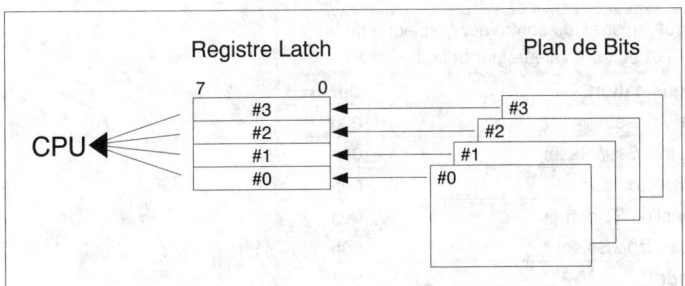

Chargement des quatre registres Latch lors d'un accès en lecture à la RAM vidéo

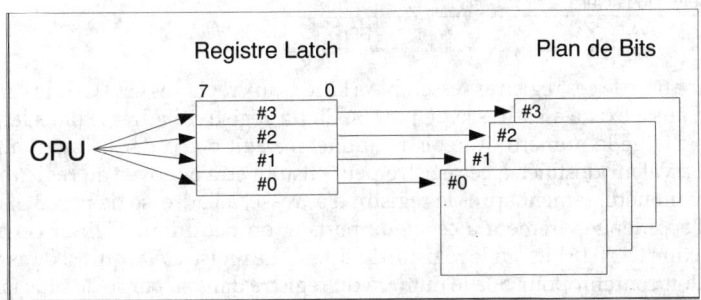

Manipulation des quatre registres Latch lors d'un accès en écriture à la RAM vidéo

Ce n'est pas tout en ce qui concerne le chargement et l'écriture des registres Latch. Lors d'un accès en lecture à la RAM vidéo, il faut retourner un octet à l'unité centrale. De même, un octet doit être transféré depuis l'unité centrale vers la RAM vidéo lors d'un accès en écriture.

Sachant que lors d'un accès en lecture, il n'est possible de transférer qu'un seul octet et non quatre à l'unité centrale, il reste à savoir lequel des quatre octets des registres Latch sera transmis à l'unité centrale. Un problème similaire se pose lors de l'écriture dans la RAM vidéo. Dans ce cas, on ne voudra sûrement pas inscrire tous les quatre registres et par conséquent inscrire un octet avec la même valeur dans les quatre plans de bits. Ainsi, les quatre plans de bits auraient grosso modo le même contenu et on ne pourrait travailler qu'avec 64 Ko et s'épargner le va-et-vient entre les quatre plans de bits et les registres Latch.

Rôle du contrôleur dans la programmation graphique

Les neuf registres du contrôleur graphique répondent à toutes ces questions. Ils représentent un élément important d'une carte EGA/VGA. Ils déterminent la provenance, la destination et la manière de tous les accès en lecture et écriture à la RAM vidéo. Cela ne concerne pas seulement les divers modes graphiques, mais aussi les modes texte. Dans le cadre de la programmation graphique, on doit fréquemment avoir recours à ces registres et leur affecter toutes sortes de valeurs en fonction des opérations envisagées. Tel n'est pas le cas en mode texte.

Ici, les registres sont définis directement lors de l'initialisation d'un mode de ce type à travers le BIOS de sorte qu'il n'est plus nécessaire de les adresser. Mais en mode texte, l'entrée et la sortie dans et depuis la RAM vidéo s'effectue à travers les quatre registres Latch même si ce processus reste accessible à un programme.

Registre	Signification	Défaut
	Les neuf registres du contrôleur graphique de la carte EGA et leurs valeurs par défaut	
00h	Set / Reset	00h
01h	Enable Set / Reset	00h
02h	Color Compare	00h
03h	Function Select	00h
04h	Read Map Select	00h
05h	Mode	00h
06h	Miscellaneous	divers
07h	Color Don't Care	0Fh
08h	Bit Mask	FFh

La programmation de ces registres ressemble à l'accès aux registres CRTC de la carte graphique Hercules. Ici aussi existe à l'adresse de port 3CEh un registre d'adresse dans lequel doit tout d'abord être chargé le numéro du registre auquel il s'agit d'accéder à l'intérieur du Graphic Controller. La valeur destinée à ce registre peut ensuite être envoyée au registre de données, qui se trouve immédiatement après le registre d'adresse, à l'adresse de port 3CFh. Il n'est pas nécessaire d'accéder séparément à ces deux ports et on peut donc réaliser cet accès à l'aide d'une instruction OUT 16 bits sur le registre d'adresse. Le registre AX, qui est dans ce cas envoyé sur ce port, doit contenir pour cela le numéro du registre dans sa partie de plus faible poids (le registre AL) et la valeur à y charger dans sa partie de plus fort poids (le registre AH). On peut ainsi charger des valeurs dans les différents registres du Graphics-Controllers, mais tout accès en lecture est impossible avec la carte EGA.

Le déroulement des opérations lors de l'accès à la RAM vidéo est réglé par le contenu du registre numéro 5, le registre de mode. Son contenu définit les modes Read et Write actuels, c'est-à-dire la façon dont les données des registres Latch doivent être combinées avec les autres registres du contrôleur graphique et avec les données de l'unité centrale.

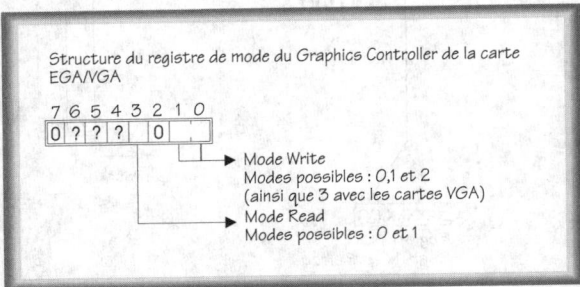

Structure du registre de mode du Graphics Controller de la carte EGA/VGA

Les paragraphes suivants décrivent en détail le fonctionnement des modes Read et Write, leur fonction et la signification des autres registres du contrôleur graphique pour ces modes. Vous constaterez très vite que dans la vie pratique vous n'aurez pas besoin de tous les modes parce que les autres modes s'avèrent tout simplement superflus.

Mode Read 0

Le mode Read 0 permet à un programme de lire des octets provenant d'un plan de bits déterminé. Cela est par exemple intéressant lorsqu'il s'agit de sauvegarder une partie de la RAM vidéo.

A cet effet, les quatre plans de bits s'exécutent successivement dans une boucle et la zone souhaitée est chargée à partir de chaque plan de bits et stockée dans la mémoire principale. Le mode Read 0 est le plus simple des deux modes Read.

Sous ce mode, lors d'un accès en écriture à la RAM vidéo, l'octet appelé pour chacun des quatre plans de bits est tout d'abord chargé dans les quatre registres Latch correspondants. Le contenu du registre Latch dont le numéro est spécifié dans les deux bits inférieurs du registre Read Map Select (Registre 4) est ensuite transmis à l'unité centrale.

Dans ce registre, seuls les deux bits inférieurs sont occupés et sont déterminants pour le numéro du registre Latch dont le contenu doit arriver jusqu'à l'unité centrale. Lors de la programmation de ce registre, faites attention au fait que le premier plan de bits porte le numéro 0. N'inscrivez donc pas la valeur 1 dans ce registre si vous souhaitez accéder au premier plan de bits.

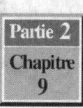
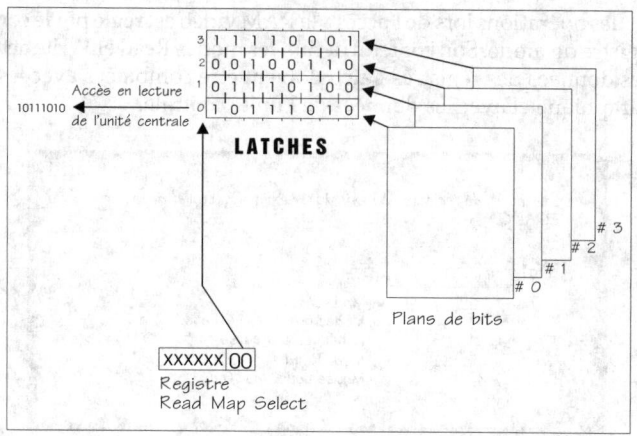

Accès en lecture à la RAM vidéo en mode Read 0

La séquence d'instructions en Assembleur suivante démontre le mode d'emploi du mode Read 0. Les premiers 8 Ko sont extraits du second plan de bits et chargés dans la mémoire principale. Il faut d'abord définir le mode Read 0 et charger ensuite le registre Read Map Select avec la valeur 1 pour pouvoir lire le second plan de bits. L'instruction Assembleur REP MOVSB est utilisée ensuite pour lire octet par octet les premiers 8 Ko depuis la RAM vidéo et les copier dans un buffer.

```
mov ax,ds          ;ES:DI placer sur le buffer cible
mov es,ax
mov di,offset buffer
mov ax,0A000h      ;DS:SI sur l'adresse de départ du plan de bits dans
                   ;la RAM vidéo
mov ds,ax
xor si,si
mov cx,8*1024      ;copier 8Ko

mov dx,3CEh             ;adresser le contrôleur graphique
mov ax,0005h       ;écrire mode Read 0 dans le registre Mode
out dx,ax
mov ax,0104h       ;écrire la valeur 1 (numéro de plan) dans
out dx,ax          ;le registre Read Map Select

rep     movsb              ;copier les 8 Ko
```

Si vous examinez de près la séquence Assembleur ci-dessus, vous vous dîtes certainement qu'on pourrait accélérer la procédure de recopie en copiant 4 096 mots au lieu des 8 192 octets. On remplace alors l'instruction REP MOVSB par REP MOVSW et on charge le registre CX avec 4 096 au lieu de 8 192. Cette méthode convient parfaitement pour la recopie des cellules de mémoire dans la mémoire principale, mais elle risque de provoquer des conséquences désastreuses dans ce contexte.

Comme les accès 16 bits sont interdits dans la RAM vidéo, l'unité centrale exécute dans ce cas deux accès en lecture au niveau octet avant d'autoriser l'accès en écriture.

Le second accès en lecture écrase par ailleurs le premier accès en lecture à l'intérieur du registre Latch avant même qu'il ne parvienne jusqu'à l'unité centrale. La conséquence est que dans le buffer cible on ne trouve que des mots entiers dans l'octet de poids fort et faible possède la même valeur. Seul l'octet de poids fort correspond au contenu réel de la RAM vidéo. En conclusion, les accès en lecture 16 bits à la RAM vidéo sont à éviter sur les cartes EGA et VGA de quelque nature que ce soit !

Mode Read 1

Si le sens et le fonctionnement du mode Read 0 sont relativement faciles à comprendre, l'affaire se complique avec le mode Read 1. Ici, il ne s'agit pas d'envoyer tel quel le contenu d'un registre Latch à l'unité centrale, mais de définir toutes sortes de combinaisons logiques concernant le contenu des quatre registres Latch.

La tâche de ce mode consiste à vérifier si les bits des quatre registres Latch occupent une valeur déterminée. Cela peut être utilisé par la suite dans les modes graphiques des cartes EGA et VGA 16 couleurs pour la recherche des points dotés d'un code couleur spécifique. En pratique, ce mode est rarement utilisé.

Une fois les quatre registres Latch chargés, huit groupes composés chacun de quatre bits sont constitués. Chaque groupe contient les quatre bits qui occupent une position de bit identique à l'intérieur des quatre registres Latch. Par exemple, tous les bits situés à la position 0 sont réunis dans un groupe, de même que tous les bits situés à la position 1 et ceux des autres positions.

Chaque groupe de quatre est comparé ensuite avec la valeur fournie par le registre "Color Compare" préalablement chargé dans ce registre avant l'accès en lecture. L'octet issu de la comparaison est transmis à l'unité centrale en guise de résultat de l'opération de lecture.

Dans cet octet, tous les bits mis sur 1 sont ceux dont le groupe correspondant a obtenu la valeur fournie par le registre "Color Compare". Tous les bits restants contiennent la valeur 0. Après l'accès en lecture, on arrive ainsi à identifier avec précision le groupe de quatre qui correspond à la valeur transmise par le registre "Color Compare".

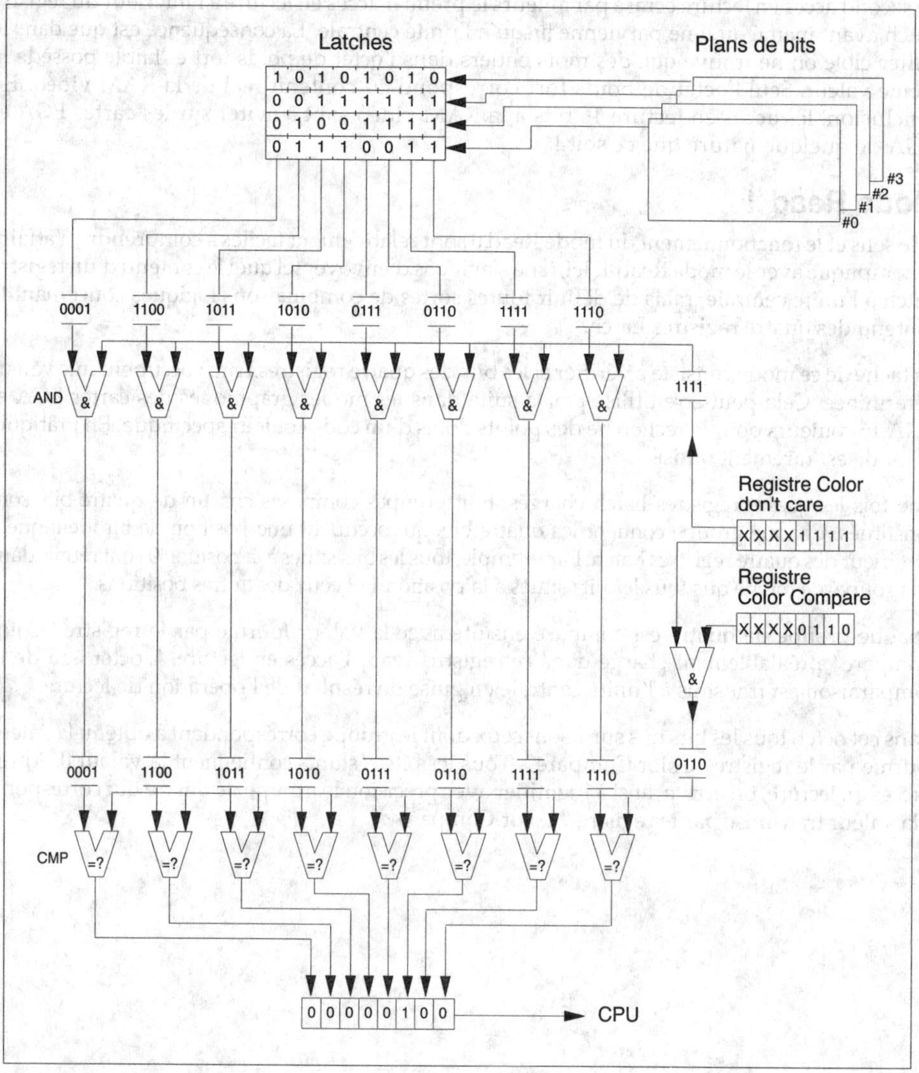

Latches

Plans de bits

1	0	1	0	1	0	1	0
0	0	1	1	1	1	1	1
0	1	0	0	1	1	1	1
0	1	1	1	0	0	1	1

#3
#2
#1
#0

0001 1100 1011 1010 0111 0110 1111 1110

AND & & & & & & & &   1111

Registre Color
don't care

| X | X | X | X | 1 | 1 | 1 | 1 |

Registre
Color Compare

| X | X | X | X | 0 | 1 | 1 | 0 |

&

0001 1100 1011 1010 0111 0110 1111 1110   0110

CMP =? =? =? =? =? =? =? =?

| 0 | 0 | 0 | 0 | 0 | 1 | 0 | 0 | → CPU

Accès en lecture à la RAM vidéo en mode Read 1

À première vue, cela paraît insensé, mais c'est la pure vérité. Durant toute l'opération, il faut signaler la présence du registre Color Don't Care. Tant qu'il contient la valeur 00001111b, les divers groupes sont confrontés avec la valeur de comparaison issue du registre Color Compare. Chaque bit des quatre bits inférieurs du registre Color Don't Care correspond notamment à l'un des quatre plans de bits, le bit 0 au premier plan de bits, le bit 1 au second et ainsi de suite. Lorsque l'un de ces bits contient la valeur 1, le plan correspondant est inclus dans le test de comparaison.

Si la valeur est 0, il se passe comme si la valeur de ce plan de bits correspond dans tous les cas au bit concerné du registre Color Compare. Cette procédure se poursuit parce que lors de l'indication de la valeur 0 dans le registre Color Don't Care, la valeur 11111111b est toujours retournée à l'unité centrale indépendamment du contenu des quatre registres Latch et du contenu du registre Color Compare. En fait, aucune comparaison entre les huit groupes et la valeur de comparaison n'a lieu mais tous les groupes sont considérés comme admis.

La séquence d'instructions Assembleur suivante montre l'utilité du mode Read 1 sous un aspect très théorique. Il s'agit de prouver quel groupe issu du premier octet contient la valeur 5 dans les quatre plans de bits de la RAM vidéo. Le registre Color Don't Care n'est pas explicitement programmé puisqu'on considère qu'il contient sa valeur par défaut 00001111b ce qui fait inclure tous les plans de bits dans la comparaison.

```
mov ax,0A000h    ;fixer ES sur la RAM vidéo
mov es,ax

mov dx,3CEh           ;adresser le contrôleur graphique
mov ax,0805h     ;écrire mode Read 1 dans
out dx,ax        ;le registre Mode
mov ax,0502h     ;écrire le code couleur 5 dans
                      ;le registre Color Compare
mov al,es:[0]    ;lire et comparer les points,
                      ;retourner le résultat en AL
or al,al         ;pas de bit sur 1?
Toutdifferent    ;non, groupe de quatre non trouvé
```

Mode Write 0

De nombreuses combinaisons liées au contenu des registres se créent lors de l'accès à la RAM vidéo à travers le mode Write 0. En fait, le contenu du registre Bit Mask décide si le contenu d'un bit des quatre registres Latch doit être transmis tel quel dans les quatre plans de bits ou il nécessite quelque traitement. Les différents bits du registre Bit Mask correspondent aux différents bits des quatre registres Latch. Si un bit contient la valeur 0 dans le registre Bit Mask, le bit correspondant dans les quatre registres Latch est transmis tel quel dans les quatre plans de bits. Si le bit contient au contraire la valeur 1, une combinaison se crée dans ce cas. Sa structure est définie par le contenu du registre Function Select. Comme le montre la figure suivante, les bits peuvent tout simplement être remplacés ou manipulés à l'aide des combinaisons logiques ET, OU ainsi que OU EXCLUSIF.

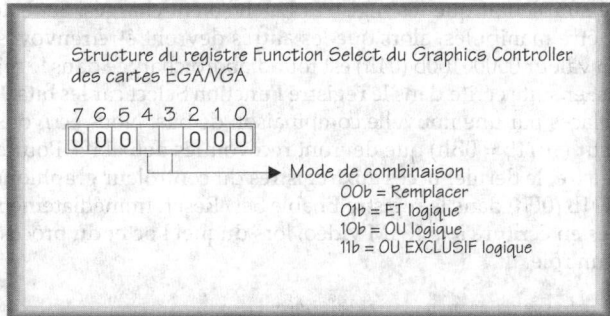

Structure du registre Function Select du Graphics Controller des cartes EGA/VGA

7 6 5 4 3 2 1 0

Mode de combinaison
00b = Remplacer
01b = ET logique
10b = OU logique
11b = OU EXCLUSIF logique

Le contenu du registre Enable Set/Reset décide quel devra être le partenaire de ces bits dans l'opération logique. Si les quatre bits inférieurs contiennent la valeur 1, l'opération logique se fera avec le contenu des 4 bits inférieurs du registre Set/Reset. Chacun de ces bits sera combiné avec un Latch par une opération définie par le contenu du registre Function Select. Tous les bits du registre Latch 0 seront alors combinés avec le bit 0 du registre Set/Reset par l'opération

logique sélectionnée. Tous les bits à manipuler des registres Latch 1, 2 et 3 seront combinés de la même façon avec les bits 1, 2 et 3 respectivement du registre Set/Reset. L'octet de l'unité centrale qui est inévitablement transféré vers le contrôleur graphique lors d'un accès en écriture, ne joue donc aucun rôle dans ce cas, l'accès en écriture servant uniquement à déclencher l'opération et ne pouvant donc nullement influer sur le contenu des registres Latch ni, par conséquent, sur celui des plans de bits.

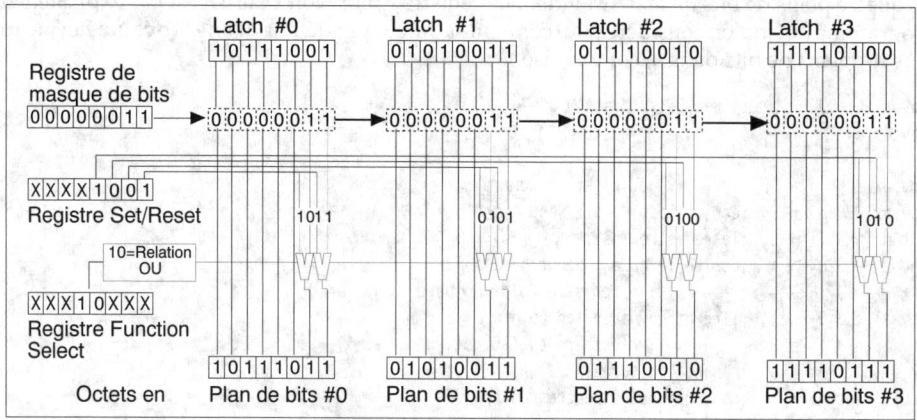

Accès en lecture à la RAM vidéo en mode Write 0 lorsque le registre Enable Set/Reset contient la valeur 00001111b

La séquence assembleur suivante a pour but de doter de la couleur 1011b les groupes du bit 2 du premier octet de la RAM vidéo sans agir sur le contenu des autres groupes. Comme vous le remarquerez dans le cadre d'une des sections suivantes, il s'agit là d'une technique qui est toujours utilisée pour définir les points dans les modes graphiques 16 couleurs des cartes EGA et VGA.

Comme la couleur des autres groupes ne doit pas être modifiée, leur contenu sera tout d'abord chargé dans les registres Latch par un accès en lecture à la RAM vidéo. Peu importe ici quel mode Read est activé puisque ce n'est pas l'octet transmis à l'unité centrale qui nous intéresse mais seulement le simple fait que les registres Latch soient chargés. Seuls les groupes de la position 2 devant être manipulés, alors que les autres devront être renvoyés inchangés dans les plans de bits, la valeur 00000100b (04h) est tout d'abord chargée dans le registre de masque bits. La valeur 0 est ensuite écrite dans le registre Function Select car les bits 0 et 2 à manipuler doivent être remplacés par une nouvelle combinaison de bits. Nous écrivons dans le registre Set/Reset la couleur (1011b = 0Bh) que devront recevoir les deux bits. Pour que cette couleur soit tirée de ce registre, le dernier accès aux registres du contrôleur graphique doit consister à écrire la valeur 1111b (0Fh) dans le registre Enable Set/Reset. Immédiatement après cela peut être effectué l'accès en écriture à la RAM vidéo, lors duquel l'octet du processeur transmis ne joue toutefois aucun rôle.

```
mov ax,0A000h     ;adresse de segment de la RAM vidéo
mov ds,ax         ;dans DS
mov al,ds:[0]     ;charger octet 0 dans le registre Latch
mov dx,3CEh             ;adresser le contrôleur graphique
mov ax,0005h      ;mode Read 0, mode Write 0
out dx,ax         ;écrire dans le registre Mode
mov al,03h             ;écrire 0 dans le registre
```

```
out dx,ax          ;Function Select
mov ax,0408h       ;écrire le masque de bits dans
out dx,ax          ;le registre Bit Mask
mov ax,0B00h       ;écrire nouveau code couleur dans
out dx,ax          ;le registre Set/Reset
mov ax,0F01h       ;écrire 1111b dans le registre
out dx,ax          ;Enable Set/Reset
mov ds:[0],al      ;manipuler et réécrire le registre Latch
```

Il en va autrement si le registre Enable Set/Reset contient la valeur 0. Dans ce cas en effet, tous les bits à manipuler des quatre registres Latch sont combinés Latch par Latch avec l'octet de l'unité centrale. Ici aussi, la nature de la combinaison logique dépend du contenu du registre Function Select. Si C'est par exemple l'opération logique OU qui a été choisie et si ce sont les bits 1, 2, 4 et 6 qui doivent être manipulés, ces bits dans les quatre registres Latch seront combinés individuellement, par un OU logique avec les bits 1, 2, 4 et 6 de l'octet de l'unité centrale.

Du fait que ce mode consiste à combiner les différentes positions de bits des quatre registres Latch avec les valeurs correspondantes de l'octet de l'unité centrale, il est plus rarement utilisé que la combinaison à travers le registre Set/Reset, telle qu'elle a été décrite plus haut.

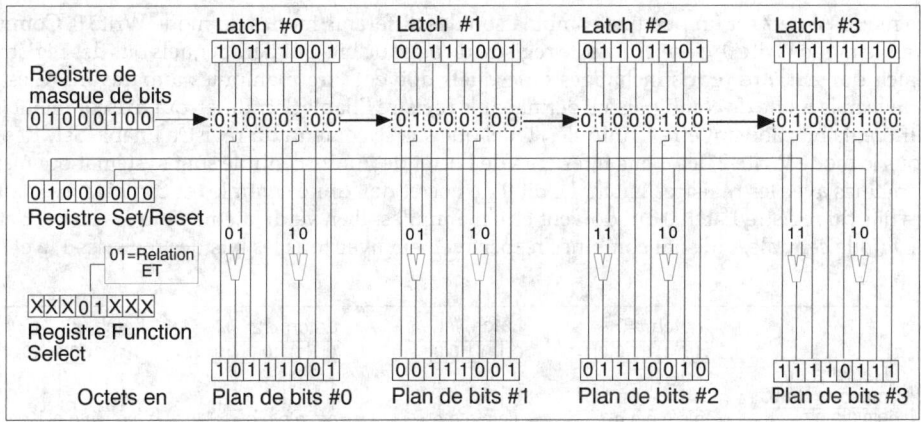

Accès en écriture à la RAM vidéo en mode Write 0,
lorsque le registre Enable-Set/Reset contient la valeur 00000000b

Mode Write 1

Par comparaison avec les combinaisons complexes du mode Write 0, le mode Write 1 paraît discret et peu impressionnant. Le contenu des registres et celui de l'octet transmis par l'unité centrale ne jouent aucun rôle ici car le contenu des quatre registres Latch est écrit tel quel à l'adresse d'offset indiquée dans les quatre plans de bits. Cela peut être intéressant, par exemple, lorsqu'il s'agit de copier les codes de couleur de 8 points graphiques contigus dans huit autres points graphiques. Dans ce cas, l'octet contenant les 8 points peut tout d'abord être lu avec un mode Read quelconque et être ainsi chargé dans les différents registres Latch. L'étape suivante consistera alors à effectuer un accès en écriture à l'octet de la RAM vidéo dans lequel les codes couleur pour les 8 points graphiques sont censés être copiés. Le contrôleur graphique transfère alors automatiquement les quatre registres Latch inchangés dans la position spécifiée des quatre plans de bits.

307

Si ces codes couleurs doivent être encore copiés dans d'autres points graphiques, il suffira ensuite d'effectuer des accès en écriture à la cellule de mémoire voulue à l'intérieur de la RAM vidéo. Un accès en lecture n'est plus nécessaire puisque les registres Latch ont déjà été chargés et que leur contenu n'a pas été modifié par l'accès en écriture.

```
mov ax,0A000h    ;adresse de segment de la RAM vidéo
mov ds,ax        ;dans DS et ES
mov es,ax
mov si,0000h     ;zone source commence à 0000h
mov di,0200h     ;zone cible commence à 0200h
mov cx,100h          ;copier 256 Ko
cld                  ;compter par ordre croissant les instructions chaîne

mov dx,3CEh          ;adresser le contrôleur graphique
mov ax,0105h     ;mode Read 0, mode Write 1
out dx,ax        ;écrire dans le registre Mode

rep movab        ;copier en une seule passe les quatre plans de bits
                     ;dans la zone
```

Mode Write 2

Le mode Write 2 est un peu une combinaison des différents modes du mode Write 0. Comme sous le mode Write 0, c'est ici aussi le registre de masque bits qui définit quels bits des registres Latch doivent être repris inchangés et lesquels doivent être manipulés auparavant. C'est à nouveau le mode de combinaison, défini par le registre Enable Set/Reset, qui fixe comment les différents bits doivent être manipulés. Quel que soit le contenu du registre Enable Set/Reset, sous le mode Write 2, les 4 bits inférieurs de l'octet de l'unité centrale sont systématiquement combinés avec les registres Latch. Le bit 0 de l'octet de l'unité centrale est combiné avec tous les bits du registre Latch 0 qui doivent être manipulés. Il en va de même pour les bits 1, 2 et 3 de l'unité centrale, qui sont combinés respectivement avec tous les bits des registres 1, 2 et 3.

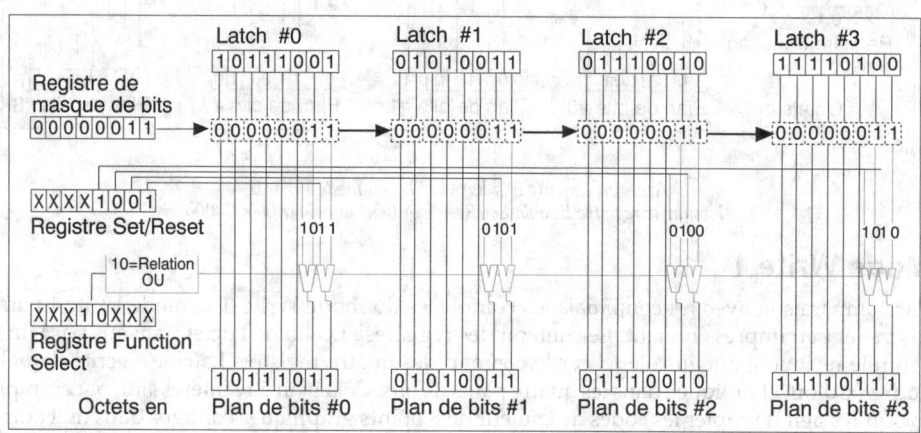

Accès en écriture à la RAM vidéo en mode Write 2

Ce mode convient donc particulièrement bien à fixer la couleur de points isolés, comme nous l'avons montré dans l'exemple pour le mode Write 0. Par rapport au mode Write 0, toutefois, la séquence assembleur correspondante est plus courte puisqu'il n'est pas besoin ici de programmer ni le registre Enable Set/Reset, ni le registre Set/Reset. Voici donc le même exemple pour le mode Write 2 :

```
mov ax,0A000h      ;adresse de segment de la RAM vidéo
mov ds,ax          ;dans DS
mov al,ds:[0]      ;charger octet 0 dans le registre Latch
mov dx,3CEh                ;adresser le contrôleur graphique
mov ax,0205h       ;mode Read 0, mode Write 2
out dx,ax          ;écrire dans le registre Mode
mov ax,0003h       ;écrire mode REPLACE (0) dans
out dx,ax          ;le registre Function Select
mov ax,0408h       ;écrire masque de bits dans
out dx,ax          ;le registre Bit Mask
mov byte ptr ds:[0],0Bh       ;nouveau code couleur dans la RAM vidéo
```

Mode Write 3

Si les trois modes Write de la carte EGA ont posé tant d'énigmes aux développeurs de logiciels, un autre mode mystérieux leur est tombé sur la tête avec l'apparition des cartes VGA et qui n'est disponible que sur ces cartes. Il se définit comme les modes précédents, ce qui consiste à écrire son numéro dans le champ de bits approprié du registre Mode du contrôleur graphique. Lors d'un accès en écriture à la RAM vidéo dans ce mode, les quatre bits inférieurs du registre Set/Reset sont d'abord combinés avec les divers bits des quatre registres Latch. Contrairement au mode Write 0, ici le contenu du registre Enable Set/Reset ne joue aucun rôle. Mais le type de la combinaison est défini comme à l'accoutumée à l'aide de la fonction Select Register.

Dans ce mode, l'octet CPU est combiné avec le contenu du registre Bit Mask par un ET logique. Le résultat détermine les bits des registres Latch qui doivent être inscrits tels quels dans les plans de bits et ceux issus de la combinaison du registre Set/Reset avec les divers bits Latch. L'octet CPU assume le même rôle que celui du registre Bit Mask en mode Write 0 et 2.

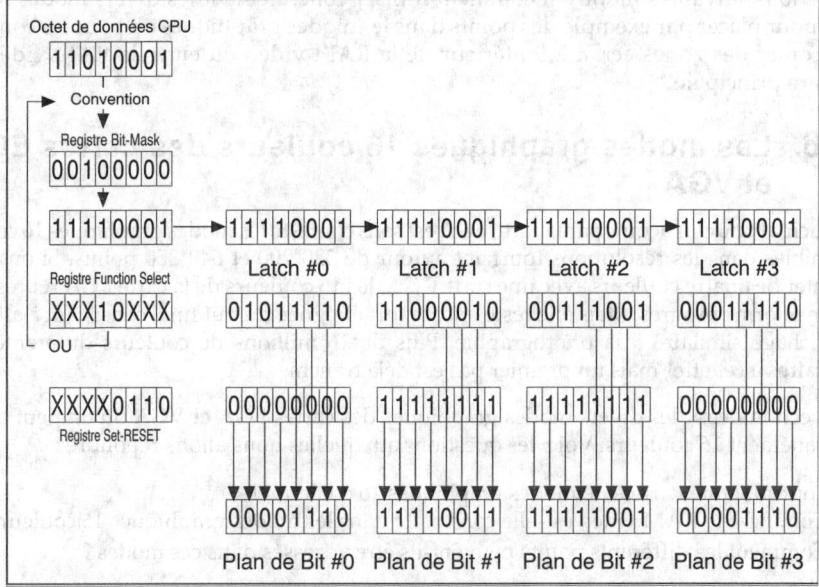

Accès en écriture à la RAM vidéo en mode Write 3

Nous n'avons pas encore pu déceler une utilisation intéressante de ce mode, c'est pourquoi nous ne vous présentons pas un exemple Assembleur dans ce contexte.

Le registre Map Mask

Il reste à évoquer un dernier registre qui agit comme une épée de Damoclès sur tous les modes Write : le registre Map Mask provenant du séquenceur. Il permet de verrouiller les différents plans de bits pour qu'ils soient protégés contre des accès en écriture et en lecture. Cela est utile lorsqu'il s'agit uniquement de manipuler le contenu d'un plan de bit déterminé.

Dans ce registre, le statut des plans de bits est représenté par les quatre bits inférieurs. Chacun d'entre eux correspond à un plan de bits et doit être mis sur 1 pour autoriser l'accès au plan de bits concerné.

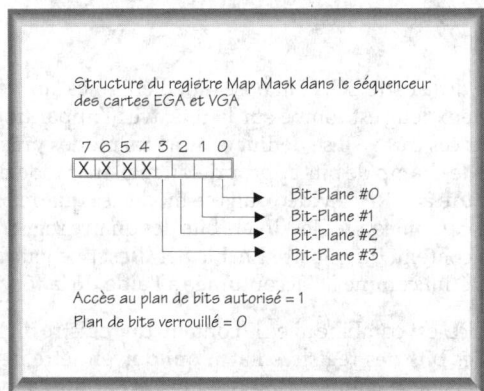

Les sections suivantes montrent comment utiliser concrètement les divers modes Read et Write pour placer par exemple des points dans les modes graphiques ou pour les consulter, pour copier des zones écran à l'intérieur de la RAM vidéo ou entre la RAM vidéo et la mémoire principale.

9.8.6. Les modes graphiques 16 couleurs des cartes EGA et VGA

Le principal pouvoir acquis par la carte EGA est sans conteste les modes graphiques 16 couleurs disponibles dans les résolutions tournant autour de 320*200 et 640*350 points. Si on doit se contenter de quatre couleurs avec une carte CGA, les 16 couleurs de la carte EGA représentent déjà un énorme progrès. Mais elle reste encore fort éloignée du but final consistant à atteindre un affichage similaire à la photographie. Plus de 16 millions de couleurs différentes sont nécessaires à cet effet mais un premier pas est déjà franchi.

Cette section décrit les divers modes graphiques des cartes EGA et VGA où on peut afficher simultanément 16 couleurs. Voici les questions auxquelles nous allons répondre :

O   Pourquoi une variété de modes graphiques 16 couleurs ?
O   Comment la RAM vidéo est-elle construite dans les modes graphiques 16 couleurs ?
O   Comment les différents points peuvent-ils être adressés dans ces modes ?

Pourquoi une variété de modes graphiques 16 couleurs ?

Si l'on considère l'histoire des cartes vidéo PC du point de vue des exigences toujours croissantes en matière de résolution et de couleurs, la question de savoir pourquoi la carte EGA offre deux modes graphiques 16 couleurs en résolution moindre à côté du mode hautement élevé 640*350 points vient naturellement à l'esprit. Les tableaux suivants apportent la réponse souhaitée. Dans ces modes, si la résolution est peu importante, la place mémoire nécessitée par une page écran est inférieure également. Cela permet de stocker simultanément plusieurs pages écran dans la RAM vidéo ce qui est particulièrement appréciable dans des certaines applications. L'exemple le plus significatif est la programmation des sprites, une composante essentielle de l'animation, décrite au paragraphe 9.8.9. On y explique également comment le reste de la RAM vidéo est utilisée pour des tâches précises.

Le tableau suivant montre que les modes graphiques 16 couleurs ne sont nullement la propriété de la carte EGA puisqu'ils sont pleinement reconnus par la carte VGA également. Mais elle augmente toutefois la portée de ces modes grâce à une résolution 640*480 points. Celle-ci est largement distancée par les nombreux modes de la carte Super VGA mais elle représente toujours le mode graphique à la plus forte résolution dans le domaine des cartes standard VGA. La plupart des applications y ont d'ailleurs recours.

Les modes graphiques 16 couleurs des cartes EGA et VGA

Mode	Résolution	Mémoire	Pages	Octets restants
0Dh	320*200	32000	8	6144
0Eh	640*200	64000	4	6144
10h	640*350	112000	2	38144
12h*	640*480	153600	1	108544
▬▬▬▬	* VGA seulement			

Structure de la RAM vidéo dans les modes graphiques 16 couleurs

Si on observe le tableau précédent avec les yeux d'un programmeur, on se demande immédiatement pourquoi on a mélangé toutes sortes de modes avec des résolutions tout aussi variées. La réponse est fournie par la forme d'organisation de la RAM vidéo. Dans tous les modes cités, les informations de couleur des différents points écran sont codées selon un schéma homogène, compte tenu des plus petites différences en raison de la diversité des résolutions.

Dans chaque octet de la RAM vidéo, l'information de couleur correspondant à huit points situés côte à côte est codée dans une ligne de points. Autrement dit, chacun des huit points représente un bit distinct. Cela ne suffit nullement pour les besoins d'un affichage en 16 couleurs qui nécessite quatre bits différents par point écran. Pour obtenir ce résultat, on rassemble à chaque fois quatre octets consécutifs issus des quatres plan de bits comme le montre la figure suivante.

Les huit premiers points graphiques du coin supérieur gauche de l'écran sont représentés par exemple par les quatre octets situés à l'adresse d'offset 0000h dans les quatre plans de bits. Pour obtenir l'information de couleur nécessaire aux différents points, on regroupe les quatre bits issus des quatre octets à une position de bit déterminée. Cette méthode crée huit groupes de quatre recevant la couleur d'un point écran.

Le bit du plan de bits #0 crée le bit 0 du code couleur, le bit du plan de bits #1 le bit 1. Le même schéma est utilisé pour créer les bits 2 et 3 du code couleur. Ces codes couleur sont convertis ensuite en noir (0), bleu (1) et vert (2) comme la méthode adoptée avec les cartes CGA.

Le mot "groupe de quatre" vous rappelle sans doute le sectionnement de la RAM vidéo en plans de bits et le fonctionnement des modes Read et Write. Ici aussi, la notion de groupe de quatre joue un rôle important car toutes sortes de modes Read et Write opèrent avec ces groupes de quatre pour que les différents points deviennent accessibles dans les modes graphiques 16 couleurs à travers les registres Latch.

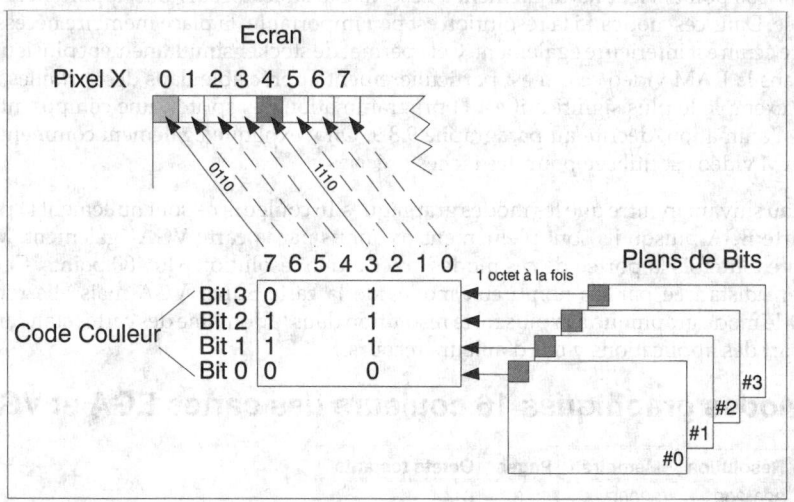

Structure de la RAM vidéo dans les modes graphiques 16 couleurs des cartes EGA et VGA

Mis à part la structure des différents octets, leur disposition dans la RAM vidéo joue également un rôle important pour la programmation en mode graphique. Dans les modes graphiques 16 couleurs, les cartes EGA et VGA appliquent un schéma fort simple : en commençant par le début de la RAM vidéo à l'adresse d'offset 0000h, chaque ligne de points occupe notamment un nombre d'octets consécutifs précis. Dans tous les modes graphiques avec une résolution horizontale de 640 points, on obtient par exemple 80 octets qui diminuent à 40 en mode 0D avec 320*200 points.

Les différentes lignes de points se succèdent automatiquement dans la mémoire si bien que l'adresse d'offset d'un point peut se calculer à l'aide de la formule suivante :

```
offset = Y * (résolution horizontale/8) + int(X/8)
```

L'octet de l'adresse d'offset ainsi calculée contient cependant les informations de points pour huit points consécutifs. Il faut donc isoler un bit dans les quatre octets de plans de bits pour atteindre le code couleur du point souhaité. Le numéro de ce bit résulte de la formule suivante :

```
Bit = 7 - (X mod 8)
```

Les différences entre les modes graphiques 16 couleurs ne résultent pas du codage des points mais tout simplement de la longueur des différentes lignes graphiques dans la RAM vidéo, leur nombre et donc la longueur des pages écran. Il convient naturellement d'en tenir compte pour la programmation de ces modes graphiques.

Accès aux points dans les modes graphiques 16 couleurs

Nous allons prendre deux exemples pour démontrer la conversion de ces formules et l'accès aux points à l'aide des modes Read et Write. Les programmes d'exemple sont écrits en Pascal et C, portent les noms V16COLP.PAS et V16COLC.C et se trouvent sur lE CD. Ils ne démontrent

pas uniquement la programmation d'un mode graphique 16 couleurs bien précis. Ils conviennent à tous les modes graphiques 16 couleurs et peuvent faire la preuve de leurs capacités dans l'un de ces modes.

Comme nous le verrons à la section 9.9, cela n'exclut pas le plus petit mode graphique des cartes Super VGA utilisant également les 16 couleurs avec une résolution de 800*600 points. Lisez la section citée pour de plus amples informations.

En raison de la forte vitesse d'exécution, les deux programmes en langage évolué sont soutenus respectivement par un module en Assembleur. Il contient les principales routines pour l'accès aux différents points et pour l'utilisation des diverses pages écran. Ces modules s'appellent V16COLCA.ASM pour le programme C et V16COLPA.ASM pour la version en Pascal.

En ce qui concerne les noms des variables globales, les noms des routines et les tâches qu'elles accomplissent, les deux modules en langage évolué ainsi que les deux modules en Assembleur sont pratiquement identiques. Nous pouvons donc nous contenter d'une présentation générale des programmes sans entrer dans les détails.

Commençons par les modules en Assembleur puisque c'est là que se réalise le travail proprement dit. Dans les déclarations public du début des deux modules Assembleur, vous apercevez déjà les routines qui sont nécessaires pour soutenir les programmes en langage évolué. Il s'agit en particulier de quatre routines désignées par INIT640480, INIT640350, INIT640200 et INIT320200. Elles permettent de définir l'un des quatre modes graphiques 16 couleurs des cartes EGA et VGA. GETPIX et SETPIX viennent s'ajouter à ces routines. Elles permettent de fixer ou lire un point dans le mode graphique spécifié. Les modules Assembleur se terminent par les routines SETPAGE et SHOWPAGE. D'une part, elles servent à spécifier la page écran adressable par GETPIX et SETPIX. D'autre part, elles permettent de rendre visible une page écran déterminée.

Le module Assembleur du programme C contient une autre routine appelée GETFONTPTR. Elle n'a rien à voir avec la programmation graphique puisqu'elle retourne un pointeur sur le jeu 8*8 stocké dans la ROM des cartes EGA et VGA. Ce pointeur est utile dans les deux programmes en langage évolué pour afficher en mode graphique des chiffres et des lettres sur l'écran à l'aide du jeu prédéfini. Cela concerne à la fois le programme C et le programme Pascal puisque le pointeur nécessaire sur le jeu peut être obtenu à partir du programme en langage évolué. Une routine GETFONTPTR s'avère inutile dans ce contexte ce qui explique son absence dans le module Assembleur V16COLPA.ASM.

Les routines INIT d'initialisation du mode graphique remplissent essentiellement deux fonctions : activer le mode vidéo souhaité à l'aide de la fonction 00h de l'interruption vidéo BIOS et régler trois variables globales. Celles-ci seront nécessaires pour adresser les différents points et accéder aux pages écran. L'appel de la fonction BIOS 00h efface simultanément l'écran.

Les variables citées portent les noms VIO_SEG, LARGEURL et PAGEOFS. La première variable VIO_SEG reçoit l'adresse de segment de la RAM vidéo mais représente simultanément la page écran actuelle puisque son adresse d'offset est calculée dans l'adresse de segment. Lors du calcul de l'adresse d'un point, les routines SETPIX et GETPIX ne doivent pas intégrer l'adresse de départ de la page écran actuelle dans le calcul. En revanche, elles peuvent s'en tenir à l'adresse de segment issue de VIO_SEG qui contient déjà l'adresse de départ de la page écran. Prenons un exemple :

En mode graphique 640*200 points, chaque page écran nécessite 64 000 octets répartis sur les quatres plans de bits. Chaque page se succède avec un intervalle de 8 000 octets à l'intérieur d'un plan de bits. En numérotation hexadécimale, cet intervalle donne 1F40h octets.

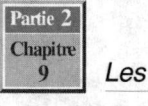

La première page écran commence à l'adresse A000:0000, la seconde à A000:1F40, la troisième à A000:3E80, la quatrième à A000:5DC0 et ainsi de suite. Si on calcule ces adresses d'offset dans l'adresse de segment, les différentes pages écran commencent alors à l'adresse d'offset 0000h. En clair, la première page écran commence à A000:0000, la seconde à A1F4:0000, la troisième à A3E8:0000 et la quatrième à A5DC:0000.

Pour que le début des pages écran puisse être calculé en fonction du mode vidéo en cours, il faut naturellement spécifier la longueur d'une page. Les routines INIT stockent cette information dans les variables globales PAGEOFS où l'offset est d'abord divisé par 16 avant d'aboutir à l'adresse de segment.

La variable globale LARGEURL s'avère nécessaire pour calculer le début d'une page écran ainsi que les diverses adresses de points. La largeur des lignes de points c'est-à-dire le facteur décrit avec l'expression "(résolution horizontale/8)" dans la formule précédente est stocké en octets dans cette variable.

À partir des informations fournies par les variables globales VIO_SEG et ZBREITE, les routines telles que SETPIX et SHOWPAGE peuvent se mettre au travail après l'appel d'une routine INIT. SETPIX et GETPIX convertissent les coordonnées écran transmises dans une adresse d'offset pour l'accès à la RAM vidéo. A cet effet, l'ordonnée Y est tout simplement multipliée par la valeur issue des variables globales LARGEURL, l'ordonnée X est ensuite divisée par huit et le résultat des deux opérations est additionné.

Dans les deux cas, la position bit du point réclamé est calculée à partir de l'ordonnée X. Les deux routines utilisent l'instruction Assembleur AND au lieu des opérandes MOD de la formule précédente pour installer tous les bits sur les trois inférieurs issus de l'ordonnée X. Cela équivaut à une opération MOD par 8 mais cette méthode est nettement plus rapide et c'est une vieille astuce connue dans la programmation graphique.

Les autres actions réalisées dans GETPIX et SETPIX étant totalement différentes, il convient de les présenter séparément. SETPIX convertit d'abord la position bit d'un point en un masque de bits utilisé par la suite pour accéder au point en mode Write 2. A cet effet, la valeur 1 est décalée vers la gauche en fonction du numéro de la position bit. Avec la position bit quatre, on obtient par exemple la valeur 0010000b.

Cette valeur est ensuite chargée dans le registre Bit Mask du contrôleur graphique puis définie dans le registre Mode du mode Write 2 ainsi que du mode Read 0. L'adresse de segment de la RAM vidéo y compris l'adresse d'offset de la page écran actuelle sont chargées dans le registre ES pour pouvoir faire référence à la RAM vidéo à travers ces valeurs.

Bien qu'un point puisse être spécifié et non lu, il faut d'abord charger l'octet contenant le point à adresser. La valeur transmise à l'unité centrale importe peu car l'intérêt de l'opération consiste seulement à charger les quatre registres Latch avec les quatre octets des plans de bits. La couleur du point à adresser se trouve codée dans ces derniers. La couleur est fixée lorsque le code couleur est tout simplement inscrit dans la RAM vidéo en tant que valeur quatre bits.

Compte tenu de la conception du mode Write 2, la carte EGA ou VGA inscrit d'abord cette valeur bit dans tous les groupes de quatre constitués de bits à l'intérieur des registres Latch dont la position bit correspondante contient un 1 dans le registre Bit Mask. Du moment qu'il ne s'agit ici que de la position bit du point à adresser, tous les groupes de quatre restants ne sont pas touchés par l'accès en écriture. Dans l'opération d'écriture qui suit immédiatement, seuls les quatre bits représentant le point écran à adresser sont modifiés dans les quatre octets de plans de bits.

Ainsi se termine la tâche de SETPIX. Mais avant de redonner le contrôle à l'utilisateur, les registres modifiés dans le contrôleur graphique sont remis sur leur valeur par défaut. Cette opération doit toujours avoir lieu à la suite d'une manipulation de ces registres pour qu'une routine puisse se mettre en route avec les valeurs par défaut des registres et modifier seulement les registres dont le contenu ne coïncide pas exactement.

Cela concerne également GETPIX. Ici, un seul registre du contrôleur graphique a été programmé. Il s'agit du registre Read Map qui se règle automatiquement sur sa valeur par défaut à la fin de la routine. Mais la lecture d'un point avec GETPIX ne s'effectue pas aussi facilement qu'avec SETPIX. Les constructeurs de cartes EGA et VGA ayant oublié de fournir un mode Read approprié, GETPIX doit faire appel au mode Read 0.

A chaque accès en lecture à la RAM vidéo, il ne retourne qu'un seul octet issu du plan de bits dont le numéro est stocké dans le registre Read Map du contrôleur graphique. Cela explique pourquoi GETPIX exécute quatre fois la même boucle pour lire l'octet dans l'un des quatres plans de bits contenant le point à adresser. Mais avant de lire l'octet GETPIX programme le registre Read Map à l'intérieur de cette boucle.

L'accès porte d'abord sur le plan de bits 3, puis le plan de bits 2, le plan de bits 1 et en dernier lieu le plan de bits 0. En fin d'exécution de la boucle, le registre Read Map contient à nouveau sa valeur par défaut, soit 0.

Il reste à reproduire la couleur du point souhaité dans la boucle à partir des quatre octets lus. Tous les bits ne faisant pas partie du point souhaité sont d'abord masqués dans l'octet lu au moyen d'un masque de bits préalablement construit. En guise de résultat, on obtient un octet dans lequel un bit est mis ou rien du tout. Le dernier cas signifie que le bit concerné issu du code couleur du point n'était pas réglé dans le plan de bits en cours.

Le statut de ce bit est fourni par l'instruction NEG qui s'exécute une fois que les bits inutiles ont été masqués. L'essence de cette instruction est que derrière le bit 7 du registre concerné correspond exactement le statut du bit unique qui n'a pas été masqué lors de l'opération précédente. Si le seul bit de couleur a été mis, la même chose vaut pour le bit 7 de ce registre après l'opération NEG. Le bit 7 est ensuite effacé lorsque le bit de couleur contenait la valeur 0.

Le bit 7 ainsi obtenu est ensuite commuté depuis le registre BH vers le registre BL à l'aide de l'instruction ROL. Comme cette opération s'exécute successivement quatre fois, on regroupe la couleur du point souhaité dans les quatre bits inférieurs du registre BL. À chaque exécution de la boucle, le résultat obtenu décale en effet d'une position vers la gauche et s'ajoute à la position inférieure.

Il est donc important d'exécuter les quatre plans de bits depuis le plan de bits 3 jusqu'au plan de bits 0 et non dans le sens inverse. Dans ce cas, les quatre bits du code couleur risquent d'être intervertis ce qui vous fait obtenir une sorte de code couleur en vidéo inverse. Toujours est-il que GETPIX peut retourner le véritable code couleur du point souhaité même si l'opération est un peu longue et dure plus longtemps que la définition d'un point.

Les routines SETPAGE et SHOWPAGE sont nettement moins complexes que SETPIX et GETPIX. Cela concerne en particulier SETPAGE qui sert à configurer la page écran dans laquelle opèrent SETPIX et GETPIX. L'opération consiste tout simplement à multiplier le numéro de la page écran transmis avec la longueur des différentes pages spécifiées dans les variables PAGEOFS. Il faut ajouter ensuite l'adresse de segment A000h et stocker le résultat dans les variables globales VIO_SEG.

315

Des appels ultérieurs des routines SETPIX et GETPIX s'effectuent automatiquement sur cette page écran. Mais un appel de SETPAGE ne provoque pas automatiquement l'affichage d'une page écran sur l'écran.

Cela est conçu de telle manière que SETPIX et GETPIX puissent permettre de traiter une page en arrière-plan pendant qu'une autre est affichée. SHOWPAGE sert alors à visualiser une page ainsi traitée.

À cet effet, SHOWPAGE calcule d'abord le numéro de page transmis dans un offset à l'intérieur de la RAM vidéo. Elle se sert des variables PAGEOFS. Elle doit multiplier par 16 le résultat de la multiplication de ces variables avec le numéro de page parce que la valeur de PAGEOFS se rapporte à une adresse de segment et non d'offset comme cela est exigé dans ce contexte.

L'adresse d'offset du début d'écran doit être chargée dans deux registres du contrôleur CRT pour rendre une page écran visible sur l'écran. N'importe quelle valeur peut en principe être chargée dans ces registres comme le montre la section 9.8.3. Mais pour obtenir une image convenable sur l'écran, il faut que le début d'écran coïncide avec l'adresse ou les adresses de début que les routines SETPIX ou GETPIX considèrent comme point de départ pour le traitement d'une page écran. Cela explique l'utilité de multiplier le numéro de page par PAGEOFS.

À partir des routines Assembleur des modules V16COLPA.ASM et V16COLCA.ASM, nous arrivons aux deux programmes en langage évolué dans lesquels ces routines sont appelées. Les deux programmes peuvent fonctionner dans les modes graphiques 16 couleurs des cartes EGA et VGA. Il convient toutefois de spécifier le mode à activer avant la compilation.

Dans la partie Constante des deux programmes, vous trouvez par conséquent une constante appelée MODUS. Elle doit être affectée à l'une des constantes A320200, A640200, A640350 ou A640480. Elles représentent les divers modes graphiques.

Compte tenu de la constante spécifiée, on vérifie d'abord si le mode concerné peut effectivement être initialisé dans le programme principal. Pour le mode 640*480 points, cela signifie qu'une carte VGA doit être installée. Dans tous les autres modes, le programme se contente d'une carte EGA les cartes VGA étant naturellement acceptées.

Si la carte vidéo installé a compris ce test, les variables globales MAXX, MAXY et PAGES sont alors chargées en respectant le mode vidéo en cours. Elles reçoivent les ordonnées maximales X et Y de l'écran ainsi que le nombre de pages écran affichables.

Ces informations sont très importantes pour la routine DEMO. Elle est appelée par la suite pour démontrer le fonctionnement des diverses routines des modules Assembleur. DEMO exécute d'abord les pages écran dans une boucle, les définit à travers SETPAGE comme périphérique de sortie pour SETPIX et GETPIX et les affiche sur l'écran avec SHOWPAGE. Elle appelle ensuite les routines COLORBOX, DRAWAXIS et GRAPRINT ou GRAFPRINTF (dans la version C) à l'intérieur de cette boucle pour remplir l'écran.

COLORBOX dessine une boîte avec des traits pleins tracés avec LINE sur l'écran. LINE est réalisée dans le programme en langage évolué concerné et se base sur le fameux algorithme de Bresenham qui permet de dessiner des lignes sans utiliser l'arithmétique complexe à virgule flottante. Les différents points de la ligne sont fixés avec SETPIX.

Cette méthode de travail ne tend pas à accélérer la routine mais nous avons écrit exprès cette routine en Assembleur. Il est certes quelque peu compliqué de vouloir accélérer cette routine et il nous aurait fallu beaucoup de peine pour convertir l'algorithme de Bresenham pour optimiser le code. À notre avis, il est inutile de se donner tant de mal lorsqu'une routine LINE suffit amplement. Si on a besoin d'une telle routine dans un programme graphique de quelque nature qu'il soit, alors il existe toujours une routine pour remplir des surfaces, pour dessiner des cercles et polygones et toutes sortes de figures géométriques.

Plusieurs semaines peuvent en effet s'écouler si vous vous mettez à étudier le développement et surtout l'optimisation de ces routines à l'aide d'ouvrages spécialisés. Nous avons donc prévu des routines pour les cartes EGA et VGA qui ne conviennent pas tout à fait à d'autres cartes graphiques. Au lieu de développer ces routines par vos propres soins, nous vous proposons d'utiliser des routines prédéfinies. À l'heure actuelle, elles se présentent non seulement sous forme de bibliothèques spéciales mais sont aussi intégrées dans les compilateurs de Borland ou Microsoft. Elles ouvrent la voie à un ensemble diversifié de routines graphiques disponibles au moyen de drivers pouvant être chargés pour de nombreux types de cartes vidéo.

Pour illustrer le caractère démo des programmes V16COLP.PAS et V16COLC.C, une routine LINE en Pascal ou C suffit amplement. LINE n'est pas la seule à fixer des points sur SETPIX mais il existe aussi GRAFPRINT ou GRAFPRINTC. Elles affichent des lettres et des chiffres sur l'écran en lisant le modèle de bits des caractères dans le jeu 8*8 stocké dans la ROM puis les écrivant point par point dans la RAM vidéo à travers SETPIX.

Bien que ces opérations ne se déroulent pas très vite, ces routines illustrent parfaitement la fonctionnalité des routines Assembleur. Vous pouvez vous en servir pour vos besoins personnels liés aux modes graphiques 16 couleurs des cartes EGA et VGA.

| V16COLPA.ASM | V16COLP.PAS |
| V16COLCA.ASM | V16COLC.C |

9.8.7. Les modes graphiques en 256 couleurs

En tant que l'une des principales innovations apparue au cours de l'ère EGA, les protagonistes des cartes VGA peuvent introduire leurs modes graphiques étendus où 256 couleurs variées peuvent être affichées simultanément à partir d'une palette de plus de 262 000 couleurs.

Mais le seul et unique mode standard 256 couleurs ne reconnaît qu'une résolution de 320*200 points seulement, ce qui représente un net recul par rapport aux résolutions des modes 16 couleurs pouvant atteindre 640*480 points. La résolution n'est toutefois pas le seul critère dont tient compte l'utilisateur pour apprécier la qualité d'une image vidéo. La variété des couleurs est tout aussi importante surtout dans des cas précis sinon le mode graphique 256 couleurs de la carte VGA n'aurait jamais remporté un tel succès.

Dans cette section, nous allons étudier comment activer ce mode, adresser les différents points et doubler la résolution avec quelques astuces. Voici un aperçu des thèmes évoqués :

○ Activation du mode 256 couleurs et adressage des points
○ Quatre pages graphiques au lieu d'une
○ 320*400 points et toujours deux pages graphiques

Activation du mode 256 couleurs et adressage des points

Parmi les divers modes graphiques de la carte VGA, le mode 256 couleurs avec une résolution de 320*200 points est sans conteste le moins complexe aux yeux du programmeur. Cela s'explique surtout par le mode d'adressage des points écran qui ressemble davantage au mode texte que les autres modes graphiques.

Avant d'en arriver à ce stade, il faut naturellement activer au préalable ce mode à l'aide de la fonction 00h de l'interruption vidéo du BIOS 10h. Pour spécifier ce mode, il faut transmettre la valeur 13h dans le registre AL ainsi que le numéro de fonction 00h dans le registre AH. C'est là tout ce qui est nécessaire pour initialiser ce mode. En procédant ainsi, vous initialisez non seulement ce mode graphique, mais aussi les modes Read et Write du contrôleur graphique ainsi que les registres appropriés pour que vous puissiez accéder aux 320*200 points sans être dérangé.

Vous pouvez oublier pour l'instant les quatre plans de bits qui viennent gêner en permanence lors du travail dans les modes graphiques 16 couleurs. En mode 256 couleurs, la RAM vidéo s'étend en effet au-delà de ces derniers selon une organisation très simple. Tout comme pour le mode texte, chaque point écran de la RAM vidéo est représenté exactement par un octet ce qui correspond à une couleur entre 0 et 255 pour ce point. La carte VGA considère ce code couleur comme un index direct de la table de couleurs DAC d'où est extraite la couleur finale du point concerné.

Sachant qu'un point représente un octet, une ligne écran se compose exactement de 320 octets dans la RAM vidéo. Ces derniers sont obligatoirement consécutifs et disposent les points d'une ligne depuis la gauche vers la droite. Les différentes lignes s'enchaînant automatiquement comme dans le mode texte, la formule suivante permet de calculer facilement l'adresse d'offset d'un point :

```
Offset = y * 320 + x
```

Du point de vue du programme, tous les points se trouvent à l'intérieur du segment 64 Ko. Dans ce mode, la RAM vidéo est configurée sur ce dernier à partir de l'adresse de segment A000h. Ainsi, les points peuvent être adressés facilement.

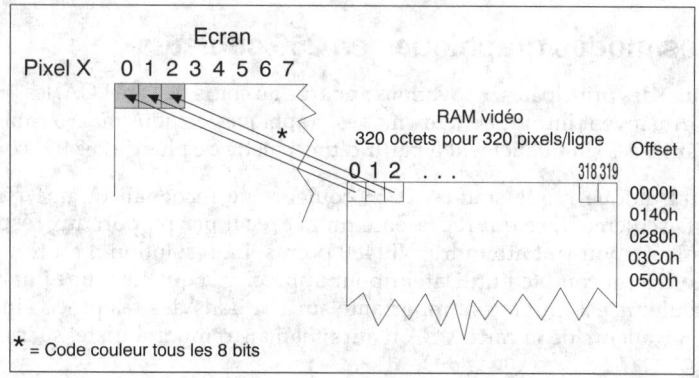

*Structure de la RAM vidéo en mode 256 couleurs avec une résolution de 320*200 points*

Nous ne vous proposons pas un programme d'exemple pour travailler dans ce mode car l'adressage des points est une tâche vraiment simplifiée grâce à la formule précédente. Il est donc inutile de démontrer cela en détail dans un listing. Mais ce n'est pas la seule et unique raison qui nous amène à ne pas examiner de plus près ce mode.

Grâce à la structure d'organisation peu complexe de la RAM vidéo, les trois quarts de la RAM vidéo restent en effet inutilisés. Pour une page écran en 320*200 points, il nous faut 320*200 points soit 64 000 octets en tout.

Théoriquement, on pourrait utiliser les 3*64 Ko restants pour afficher trois pages graphiques supplémentaires, mais la structure de la RAM vidéo telle qu'elle est définie interdit cette possibilité. Pourquoi IBM autorise cela, on ne peut que y spéculer. Si l'on considère la carte VGA du point de vue IBM, on est tenté immédiatement de la comparer avec la carte MCGA qui représente la petite soeur de la carte VGA pour IBM.

Elle dispose du même mode 256 couleurs mais n'est équipée que de 64 Ko de RAM vidéo. Dans ce cas, on ne peut gérer qu'une seule page graphique. IBM souhaitait peut-être assurer la compatibilité entre ces deux cartes ce qui explique pourquoi la carte VGA ne reconnaît pas plusieurs pages graphiques.

Quelques astuces permettent cependant d'adresser les trois pages graphiques supplémentaires avec la carte VGA et les afficher sur l'écran comme le montre la section suivante.

Quatre pages graphiques au lieu d'une

Il est nécessaire de comprendre l'organisation des informations de points dans les divers plans de bits pour trouver la clé permettant de gérer quatre pages graphiques en mode 256 couleurs. Tout comme dans le mode texte, la continuité de la RAM vidéo à partir de A000h censée aider le programmeur à adresser les points écran n'est qu'une illusion dans le mode 256 couleurs également.

En fait, les points graphiques sont gérés comme auparavant dans les quatre plans de bits où ils atterrissent à l'aide du mode Chain4. Il représente une extension du mode Odd/Even utilisé par la carte VGA en mode texte pour dévier les informations depuis la RAM vidéo vers les plans de bits 0 et 1.

Dans ce mode, les deux bits inférieurs de l'adresse d'offset déterminent, à chaque accès, le numéro du plan de bits atteint par l'octet spécifié. Sur le plan interne, ces deux bits sont ensuite mis sur zéro. Ils servent alors comme adresse d'offset pour l'accès au plan de bits sélectionné auparavant. Dans les divers plans de bits, trois octets restent ainsi inutilisés entre chaque octet occupé.

Par rapport aux modes graphiques 16 couleurs, l'information de couleur pour un point écran trouve suffisamment de place dans un octet à l'intérieur d'un plan de bits. Il est donc inutile de répartir sur quatre plans de bits comme à l'accoutumée. Quatre points occupent ainsi une adresse d'offset identique mais dans des plans de bits différents.

Considérons par exemple la première ligne écran. Les informations des quatre premiers points de cette ligne se trouvent réunies à l'adresse d'offset 0000h à l'intérieur de leurs plans de bits. Le plan de bits 0 est réservé au point de coordonnée X 0, le plan de bits 1 au point de coordonnée X 1, etc. D'après ce schéma, les points de coordonnées 4 à 7 se trouvent à nouveau à une adresse d'offset unique, notamment dans le quatrième octet du plan de bits concerné. Encore une fois, les points sont répartis sur les quatre plans de bits selon la méthode déjà décrite.

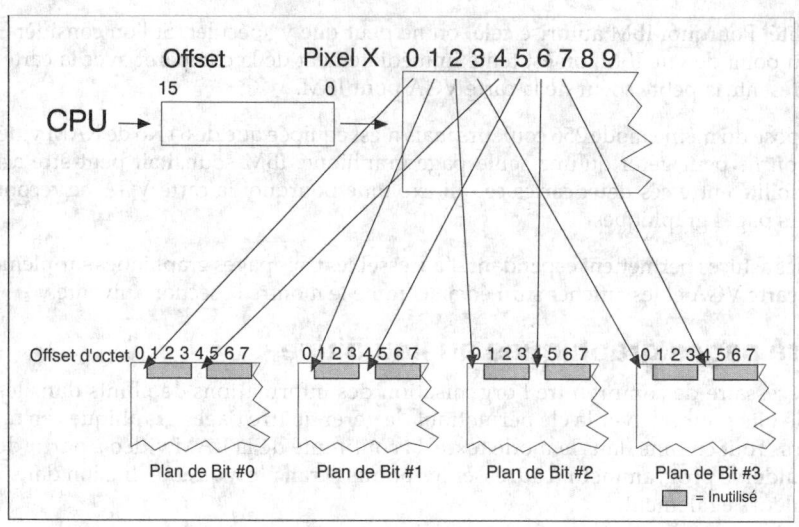

Organisation interne des informations vidéo en mode 256 couleurs avec 320*200 points

Les 64 000 octets utilisés pour recevoir les 320*200 octets étant répartis sur quatre plans de bits différents, seuls les premiers 16 Ko d'un plan de bits sont effectivement occupés. Il ne reste pourtant plus de place pour d'autres pages écran parce que les octets sont répartis sur la totalité d'un plan de bits et même entre les interstices permanents constitués de trois octets.

Pour loger par conséquent plusieurs pages écran dans les divers plans de bits, il convient de rapprocher les octets des plans de bits pour que chaque octet ne soit pas suivi de trois autres. Pour obtenir ce résultat, il faut reprogrammer quelques registres VGA.

Mais cela oblige à renoncer au mode Chain4, c'est-à-dire que les informations de couleur ne peuvent plus être écrites manuellement dans les divers plans de bits. Le programme V3220 que nous proposons soutient les deux possibilités. La désignation codée du programme signifie "VGA 320*200 points". Le programme est écrit en Pascal et C, les deux versions disposent d'un module Assembleur spécifique. Les modules C s'appellent V3220C.C et V3220CA.ASM et les modules Pascal V3220P.PAS et V3220PA.ASM. Les modules Assembleur contiennent toutes sortes de routines pour initialiser le mode vidéo ainsi que pour accéder à des points individuels. Ils ont été spécialement développés dans un langage évolué eu égard à leur appel.

La routine init320200 du module Assembleur est utilisée dans les deux programmes pour installer le mode 320*200 points avec 256 couleurs de sorte que quatre pages graphiques différentes puissent être utilisées simultanément dans la RAM vidéo.

Pour commencer, le mode vidéo 13h est défini tout à fait normalement à travers le BIOS parce qu'il aurait été laborieux de programmer individuellement les divers registres. Des modifications sont ensuite effectuées dans les registres pour que la structure de la RAM vidéo corresponde à nos souhaits.

On désactive à cet effet le mode Chain4 puis le mode Odd/Even. Cela provoque l'activation d'une sorte de mode linéaire pour que les adresses d'offset ne soient pas réparties et relogées dans les divers plans de bits lors d'un accès à la RAM vidéo. La seule conséquence de cette action se répercute sur les accès en lecture et écriture de la part de l'unité centrale dans la RAM vidéo. Du point de vue du contrôleur CRT qui est responsable de la structure de l'image vidéo cela ne change rien à la structure de la RAM vidéo.

À l'étape suivante, il faut informer le contrôleur CRT que les octets de couleur ne se suivent plus avec un intervalle de quatre octets à l'intérieur des plans de bits, mais se succèdent immédiatement les uns aux autres. Il convient donc de commuter du mode Doubleword au mode Byte et désactiver le mode Word. Pour obtenir la liste des registres impliqués par ces commutations, reportez-vous aux listings ou à la fin de cette section où les registres EGA et VGA sont décrits en détail.

Une fois l'opération achevée, la RAM vidéo ressemble à la figure suivante du point de vue du contrôleur CRT.

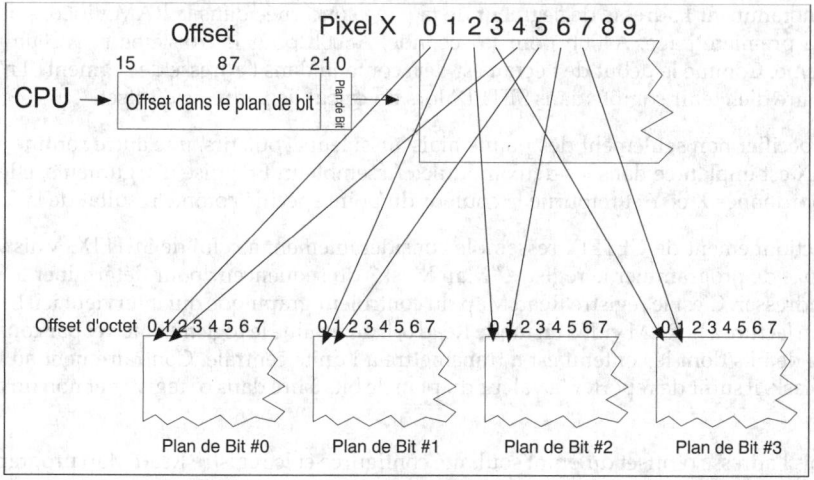

Le mode 320*200 points modifié sous l'angle du contrôleur CRT

Les 16 premiers Ko étant encore occupés dans chaque plan de bits, on peut placer trois pages écran supplémentaires dans la RAM vidéo dont un quart seulement sera stocké dans chacun des quatre plans de bits. Dans chaque plan de bits, la première page écran commence à l'adresse d'offset 0000h, la seconde à 4000h, la troisième à 8000h et la quatrième à C000h.

Mais l'adressage des points devient quelque peu complexe parce que tous les points ne peuvent plus être réclamés à travers les 64 Ko de la RAM vidéo en A000h. Il faut au contraire adresser individuellement chaque plan de bits. Une routine du module Assembleur se charge de réaliser cette tâche à votre place. Elle porte le nom SETPIX et attend les coordonnées X et Y du point réclamé ainsi que sa couleur en guise d'arguments.

SETPIX conçoit d'abord l'offset nécessaire pour adresser le point souhaité. En raison de la nouvelle organisation de la RAM vidéo, chaque ligne représentant seulement 80 points et non plus 320 à l'intérieur d'un plan de bits, elle multiplie la coordonnée Y par 80. Elle divise ensuite la coordonnée X par 4 parce que quatre points consécutifs occupent toujours la même et la seule adresse d'offset dans les divers plans de bits. La somme des deux calculs représente l'offset final pour l'accès au plan de bits concerné.

Le numéro du plan de bits à adresser est également fourni par la coordonnée X et notamment les deux bits inférieurs. Ils déterminent le nombre de bits par rapport auquel la valeur 1 doit être décalée vers la gauche permettant ainsi de créer les masques de bits pour le registre "Map Mask". Une fois qu'ils ont été transmis dans le registre cité, il devient certain que seul le plan de bits souhaité sera effectivement adressé lors d'un prochain accès en écriture.

L'adresse d'offset préalablement calculée permet d'accéder à la RAM vidéo et d'affecter le point souhaité avec la couleur spécifiée. Vous vous demandez sans doute où se trouve la page écran dans tout cela.

Elle n'est pas configurée par un appel de SETPIX mais elle est déjà définie par un appel de SETPAGE. Par définition, SETPAGE configure la page écran adressée à chaque appel de SETPIX jusqu'à ce que SETPAGE définisse une autre page pour la sortie.

SETPIX adresse la page écran configurée en utilisant le contenu de la variable VIO_SEG comme adresse de segment lors de l'accès à la RAM vidéo. Compte tenu des appels de SETPAGE, elle reçoit notamment l'adresse de segment de la page concernée dans la RAM vidéo, soit A000h pour la première page, A400h pour la seconde, A800h pour la troisième et AC00h pour la quatrième. Comme le début de l'écran est déjà contenu dans l'adresse de segment, il n'est pas nécessaire d'en tenir compte dans SETPIX lors du calcul de l'adresse d'offset.

Pour spécifier non seulement des points mais aussi leurs couleurs, une autre routine appelée GETPIX est implantée dans les deux modules Assembleur. En guise d'arguments, elle attend une coordonnée X et Y et retourne la couleur du point spécifié comme résultat de la fonction.

Le fonctionnement de GETPIX ressemble considérablement à celui de SETPIX. Mais ici, il ne s'agit pas de programmer le registre "Map Mask" du séquenceur pour déterminer le plan de bits à adresser. C'est le registre Read Map du contrôleur graphique qui intervient ici. Lors d'un accès en lecture à la RAM vidéo en mode Read 0, il détermine le registre Latch et par conséquent le plan de bits dont le contenu est à transmettre à l'unité centrale. Contrairement au registre Map Mask, il suffit de reporter la valeur du plan de bits à lire dans ce registre et non un masque de bits.

Une fois l'adresse d'offset du point souhaité configurée et le registre Read Map programmé en conséquence, la couleur du point peut être lue dans la RAM vidéo. A nouveau, le contenu des variables VIO_SEG sert d'adresse de segment pour tenir compte de la page écran définie lors du dernier appel de SETPAGE.

Pour pouvoir adresser et afficher les diverses pages, la routine Assembleur SHOWPAGE complète l'éventail des routines fonctionnant dans le mode 320*200 points. Elle attend le numéro de la page écran à afficher en tant qu'argument. Elle affiche la page sur l'écran en chargeant l'adresse d'offset 0000h, 4000h, 8000h ou C000h dans le registre Start du contrôleur CRT en fonction de la page écran.

Le premier objectif des deux programmes est de vous montrer le travail lié aux routines Assembleur. A cet effet, les quatre pages écran sont conçues à partir d'un modèle de points identique, notamment avec un repère de coordonnées, un message de copyright et un objet qui rappelle de loin le dos d'une enveloppe. Cet objet est construit à l'aide de plusieurs lignes affectées d'une couleur s'échelonnant entre 0 et n. Un tel objet est dessiné avec la procédure ou fonction COLORBOX.

Dans la page 0, n représentant la limite supérieure de la couleur est réglé sur 16. Elle est réglée sur 64 dans la page 1, sur 128 dans la page 2 et sur 256 dans la page 3. Pour dessiner les lignes, COLORBOX se sert d'une routine appelée LINE. Elle dessine une ligne sur la base de la routine SETPIX des modules Assembleur en respectant l'algorithme de Bresenham.

Comme les différentes pages écran sont identiques à un petit détail près, on obtient un effet optique intéressant si la commutation entre les pages s'effectue rapidement. Les deux programmes en langage évolué utilisent cette possibilité.

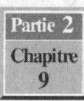

| V3220C.C | V3220CA.ASM |
| V3220P.PAS | V3220PA.ASM |

320*400 points graphiques et toujours deux pages graphiques

Bien que les 256 couleurs soient si bien imprégnées dans le mode 320*200 points, ce mode fait une piètre figure par rapport aux autres modes vidéo de la carte VGA. Dans le mode VGA standard à haute résolution, le mode 12h, le nombre de points affichés sur l'écran est cinq fois plus important. On peut toutefois considérer le mode 320*200 points comme parfait. Grâce à la multiplicité des couleurs, il procure une impression de haute résolution comparable à celle du téléviseur, mais on souhaite malgré tout atteindre une résolution encore plus élevée.

Cela est d'autant plus valable au vu du dernier paragraphe qui montre qu'une page écran nécessite 16 Ko dans ce mode et qu'il reste encore suffisamment de place pour recevoir des pages plus volumineuses. Ajoutons à cela que la carte VGA affiche sans problème 400 lignes de points sur l'écran et non 200 parce qu'un mode 200 points est absolument inexistant sur cette carte.

A vrai dire, la carte VGA configure 400 lignes sur l'écran en mode 320*200 points où 200 lignes seulement sont créées puis dédoublées. Que se passerait-il si on désactivait la duplication des lignes de points ? La carte VGA affiche tout de même 400 lignes de points différentes sur l'écran.

Les registres CRT responsables du Timing horizontal et vertical doivent être reprogrammés pour créer un mode 320*400 points à partir d'un mode 320*200 points. On obtient ainsi un comportement de pages inhabituel entre les axes horizontaux et verticaux mais le doublement de la résolution est tellement appréciable que les arguments en sa faveur relèvent le plateau de la balance.

Selon la méthode traditionnelle, les 128 000 points ne peuvent plus être adressés dans ce mode parce qu'il faut une RAM vidéo avec une longueur de 128 Ko et le mode Chain4 ne convient plus. Comme on est de toute manière obligé de renoncer à la seconde page écran, il est peut-être plus raisonnable de définir le mode d'adressage qui nous a déjà permis de créer quatre pages écran dans la dernière section. En mode 320*400 points chaque page écran nécessitant 128 Ko et non 64, deux autres pages écran restent encore disponibles dans ce mode. Cela suffit amplement à satisfaire les besoins de la plupart des applications.

Nous allons illustrer la programmation graphique dans ce mode à l'aide de deux exemples portant les noms V3240C.C et V3240P.PAS. Ils résultent directement des deux programmes présentés dans la section précédente. Deux modules Assembleur sont à nouveau inclus ici. Ils s'appellent V3240CA.ASM et V3240PA.ASM et ont été légèrement modifiés par rapport à leurs homologues de la section précédente. Ces modifications montrent les différences entre les modes 320*200 et 320*400.

Une première différence saute aux yeux dans les deux listings Assembleur : la routine init320200 porte maintenant le nom init320400. A part cela, cette routine a subi très peu de modifications. Comme précédemment, le mode vidéo 13h est d'abord initialisé à travers le BIOS, puis l'adressage linéaire de la RAM vidéo est activé et le mode Doubleword ignoré au profit du mode Byte.

L'accès au registre Maximum Scan Line du contrôleur CRT est toutefois une nouveauté. Deux informations y sont modifiées, d'une part le bit responsable du dédoublement des lignes de points et d'autre part, la hauteur des différents "caractères". Elle doit passer de 1 à 0 puisqu'il s'agit d'afficher seulement une ligne de points par parcours de lignes et non deux. Il faut en outre désactiver le bit 200 lignes pour que les lignes de points ne soient plus dédoublées.

Ces deux manipulations suffisent pour commuter du mode 320*200 vers le mode 320*400 points. Rien de plus simple pour doubler la résolution de l'écran !

La modification de la résolution écran se répercute sur les routines Assembleur SETPAGE et SHOWPAGE. Elles doivent en effet être ajustées par rapport à la taille modifiée d'une page écran. En fait, la seconde page écran - et la dernière - ne commence plus en 4000h mais en 8000h.

Il n'est pas nécessaire de modifier les routines SETPIX et GETPIX puisque la largeur des lignes et leur disposition dans la RAM vidéo n'ont pas changé. Seul leur nombre a doublé mais cela est déjà pris en compte par la transmission de coordonnées Y appropriées.

Les deux programmes en langage évolué démontrent que la commutation fonctionne réellement dans ces modes. Dans les deux pages écran, ils dessinent un repère ainsi qu'une boîte remplie avec des lignes de couleur et écrivent en outre un message de copyright dans la RAM vidéo.

La croix formée par le repère indique que vous êtes en présence de 400 lignes de points et il n'est pas étonnant que l'axe vertical s'étire jusqu'au point 399. Et comme vous disposez en outre de plusieurs pages écran, une commutation rapide entre les deux pages crée un effet de couleur intéressant.

A la fin de cette section, n'oublions pas de signaler qu'il existe un autre mode 256 couleurs au-dessus du mode 320*400 points. Mais il n'est pas reconnu par toutes les cartes VGA. Il dispose d'une résolution de 360*480 points affichant un nombre de points nettement plus important sur l'écran que le mode 320*400 points. L'inconvénient est que la taille magique de 128 Ko par page écran est franchie ce qui ne permet plus de gérer simultanément deux pages écran dans la RAM vidéo.

A notre avis, ces arguments parlent en faveur du mode 320*400 points. Comparé au mode ordinaire 256 couleurs, il affiche de toute manière pas moins de 100 % de points sur l'écran. Mais si vous souhaitez augmenter le nombre de points en mode 256 couleurs, il ne vous reste plus qu'à faire appel aux cartes Super VGA et s'en tenir à leur programmation puisqu'elles sont capables de fournir des résolutions encore plus élevées.

| V3240C.C | V3240CA.ASM |
| V3240P.PAS | V3240PA.ASM |

9.8.8. Libre sélection de couleurs

La principale différence marquant la génération des cartes EGA et VGA par rapport à leurs prédécesseurs est leur faculté à afficher plus de couleurs que les 16 habituelles. Si le programmeur dispose de 64 couleurs différentes avec une carte EGA, l'éventail de couleurs des cartes VGA couvre plus de 262 000 couleurs. Mais toutes les couleurs disponibles ne peuvent pas être affichées simultanément sur l'écran : selon qu'il s'agit d'un mode texte ou graphique, vous pouvez reproduire 16 ou 256 variétés de couleurs sur l'écran.

Ce chapitre montre comment sélectionner les couleurs et les définir à l'aide du BIOS. Les thèmes suivants sont abordés :

O   Fonction et programmation des registres de palette
O   Fonction et programmation de la table de couleurs DAC

○ Affichage de couleurs en mode texte
○ Affichage de couleurs dans les modes graphiques 16 et 256 couleurs
○ Définition de la couleur du cadre de l'écran
○ Transformation des niveaux de gris avec une carte VGA

Fonction des registres de palette

Les 16 registres de palette, faisant partie du contrôleur d'attributs, sont déterminants pour l'affichage des couleurs dans tous les modes texte et graphiques avec 16 couleurs ou moins des cartes EGA et VGA. Si le contrôleur CRT rencontre la couleur de premier plan ou de fond d'un caractère de texte ou la couleur d'un point graphique lors de la configuration de l'écran, il utilise alors cette valeur entre 0 et 15 comme index dans la table des registres de palette. A partir du registre de palette ainsi indexé, il extrait la couleur souhaitée qu'il transmet directement au moniteur à travers les diverses lignes du câble dans le cas d'une carte EGA.

Cette manière de procéder dans les cartes EGA et VGA tend à briser le lien étroit existant entre les codes couleur et les couleurs affichées sur l'écran qui était la caractéristique de toutes les anciennes cartes vidéo. D'une part, cela permet au programmeur de sélectionner les couleurs qui lui conviennent. D'autre part, il peut effectuer des modifications d'ordre général sans être obligé de changer le contenu de la RAM vidéo. Par exemple, si tous les points du mode graphique 640*350 points qui étaient jusqu'à présent noirs doivent apparaître subitement avec une autre couleur, il suffit de changer le contenu du registre de palette 0.

Tant qu'on laisse intacts les registres de palette, on ne risque d'apercevoir aucune différence entre les cartes EGA/VGA et les cartes CGA en ce qui concerne l'affectation des couleurs. Cela s'explique tout simplement par le fait que les registres de palette sont chargés avec des valeurs correspondant aux couleurs de la carte CGA lors de l'initialisation d'un mode vidéo à travers la fonction 00h de l'interruption vidéo du BIOS. On peut interdire cette action à l'aide d'une sous-fonction de la fonction 12h pour que les registres de palette (ainsi que le registre DAC d'une carte VGA) restent inchangés lors de l'initialisation d'un mode vidéo à travers la fonction 00h.

Pour l'appel de cette fonction, il faut charger le numéro de fonction 12h dans le registre AH et le numéro de sous-fonction 31h dans le registre BL. Le registre AL recevant normalement le numéro de sous-fonction décide du verrouillage de l'initialisation. S'il est chargé avec la valeur 1 avant l'appel de la fonction, l'initialisation des registres de palette reste interdite lors de tous les appels ultérieurs de la fonction 00h. En revanche, on peut remettre en route ce mécanisme en chargeant la valeur 0 dans le registre AL.

Si l'initialisation automatique des registres de palette est activée, les techniques de couleur étendues des cartes EGA et VGA peuvent être pleinement exploitées une fois les registres de palette programmés. Mais à cet effet, il faut respecter attentivement la structure des divers registres de palette. En considérant que la carte EGA est liée à un moniteur EGA ou Multisync, les différents bits d'un registre de palette correspondent directement avec la signification des lignes du moniteur servant à coder les couleurs. Pour les trois couleurs primaires rouge, vert et bleu (RVB), il existe respectivement deux lignes. L'une symbolise un affichage avec une couleur intense, l'autre avec une couleur pastel. Six bits sont en tout impliqués dans le codage des couleurs créant un maximum de 64 ($2^6 = 64$) couleurs dont seulement 16 sont visibles simultanément à travers les 16 registres de palette.

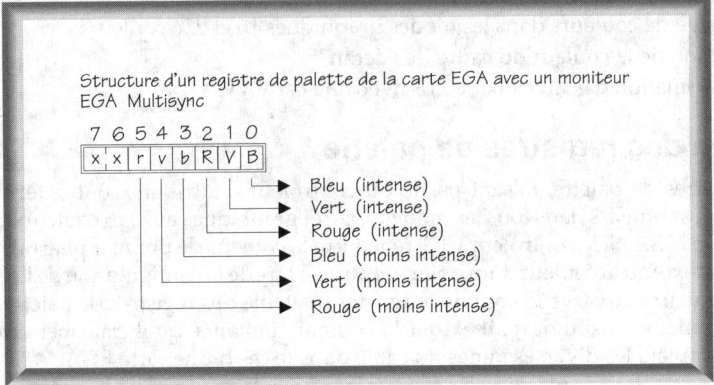

Structure d'un registre de palette de la carte EGA avec un moniteur EGA Multisync

Le registre Color Plane Enable du contrôleur d'attributs joue également un rôle prépondérant dans l'affectation des couleurs. Avant chaque accès à l'un des 16 registres de palette, le contrôleur vidéo des cartes EGA et VGA relie l'index de couleur et les quatre bits inférieurs de ce registre par un ET logique. Ce mécanisme reste généralement transparent parce que le registre Color Plane Enable contient la valeur 1111b dans les quatre bits inférieurs en tant que valeur par défaut. Par conséquent, la combinaison ET avec l'index de couleur ne change pas la valeur si bien que l'écran affiche la couleur souhaitée comme à l'accoutumée.

Le résultat est différent lorsqu'on change la valeur du registre Color Plane Enable et on règle sur 0 certains bits qui y sont contenus. La valeur de l'index de couleur étant modifiée, on n'obtient plus la même structure entre l'index de couleur et les divers registres de palette. Si la valeur du registre Color Plane Enable vaut par exemple 0111b au lieu de 1111b, le bit de poids fort masque alors l'index de couleur et affecte les couleurs tirées des registres de palette 0 à 7 à tous les points écran (ou caractères) dotés d'un code couleur compris entre 8 et 15. Cette technique est rarement utilisée en pratique et la valeur par défaut dans le registre Color Plane Enable reste inchangée pendant toute la durée de l'exécution du programme.

Fonction de la table de couleurs DAC

La carte VGA ne permet pas de transmettre au moniteur le contenu des registres de palette à travers les six lignes de couleur du câble du moniteur comme c'est le cas avec une carte EGA. En fait le standard VGA se distingue du standard EGA par l'utilisation des signaux analogiques qui ne peuvent pas être créés de cette manière.

Cela explique pourquoi il faut activer la table de couleurs DAC composée de 256 registres entre les 16 registres de palette, existant également sur la carte VGA, et le moniteur. La désignation DAC (Digital to Analog Converter en anglais) indique la fonction réalisée par cette table, c'est-à-dire convertir les codes couleurs digitaux en signaux analogiques.

Chaque registre de cette table de couleurs DAC représente une couleur parmi les 256 à sélectionner dans une palette de plus de 262 000 couleurs. Ce nombre astronomique résulte du codage de couleurs sous forme de 18 bits (2^{18} = 262 144), chaque registre de la table DAC étant composé de trois entrées de 6 bits chacune correspondant à la proportion de rouge, vert et bleu de la couleur concernée.

Un registre de la table DAC est sélectionné lorsque le contrôleur vidéo interprète le contenu des divers registres de palette d'une carte VGA comme un index et non comme un code couleur.

Comme le montre la figure suivante, toutes sortes de registres interviennent dans ce contexte pour répartir les registres DAC en groupes distincts.

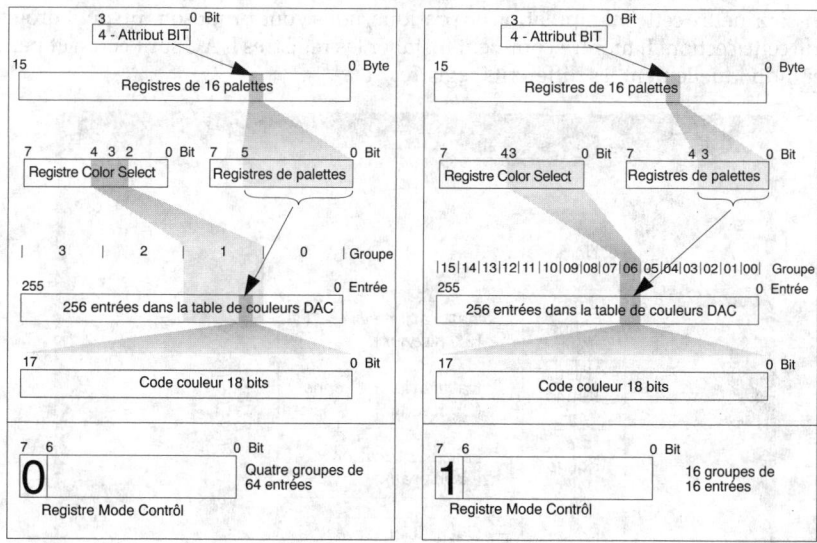

Construction des codes couleur sur une carte VGA

Le registre Mode Control du contrôleur vidéo assure une tâche importante. S'il contient la valeur 0, l'index de la table DAC est construit avec les bits 0 à 5 du registre de palette correspondant et les bits 2 et 3 du registre Color Select. La conséquence pratique de cette manipulation est de provoquer le sectionnement de la table DAC en 4 groupes de 64 registres consécutifs chacun. La valeur du registre de palette représente l'index de ce groupe où le groupe actif est sélectionné en fonction du contenu des bits 2 et 3 du registre Color Select.

Le résultat est différent lorsque le bit 7 du registre Mode Control contient la valeur 1. Dans ce cas, la table DAC est subdivisée en 16 groupes de 16 registres consécutifs. L'index de cette table est construit avec les bits 0 à 3 du registre de palette correspondant et les bits 0 à 3 du registre Color Select. Ce registre sélectionne par conséquent le groupe de couleurs actif à l'intérieur de la table DAC et le contenu du registre de palette représente l'index de ce groupe.

On peut par exemple utiliser ce type de codage pour créer des couleurs défilant rapidement et en permanence lorsqu'il s'agit de mettre en valeur sur l'écran un groupe de caractères et non un caractère unique grâce à une sorte de clignotement. Pour obtenir un tel effet, il suffit de stocker des séries de couleurs identiques avec une intensité croissante ou décroissante à l'intérieur des groupes de la table DAC et commuter ensuite rapidement vers le groupe de couleurs actif à travers le registre Color Select.

Eu égard au principe de la carte EGA lors de l'émulation de couleurs de la carte CGA, les 16 registres de palette de la carte VGA sont initialisés de telle manière qu'ils renvoient vers les 16 premiers registres de la table DAC. À leur tour, ces derniers sont définis de telle manière qu'ils reproduisent les couleurs CGA normales depuis le noir (0) jusqu'au blanc (15). Les autres registres de la table DAC ne sont pas définis à travers la fonction 00h du BIOS vidéo lors de l'initialisation d'un mode texte. En revanche, lors de l'initialisation d'un mode graphique, les

256 registres de la table DAC sont initialisés dans la mesure où cette initialisation n'a pas été désactivée par la sous-fonction 31h de la fonction 12h.

La figure suivante montre le schéma selon lequel les registres DAC sont initialisés. Pour que vous puissiez mettre cette manipulation en pratique, nous vous proposons un petit programme à la fin de cette section. Il montre comment installer les registres DAC sur l'écran et permet de modifier individuellement les différents registres.

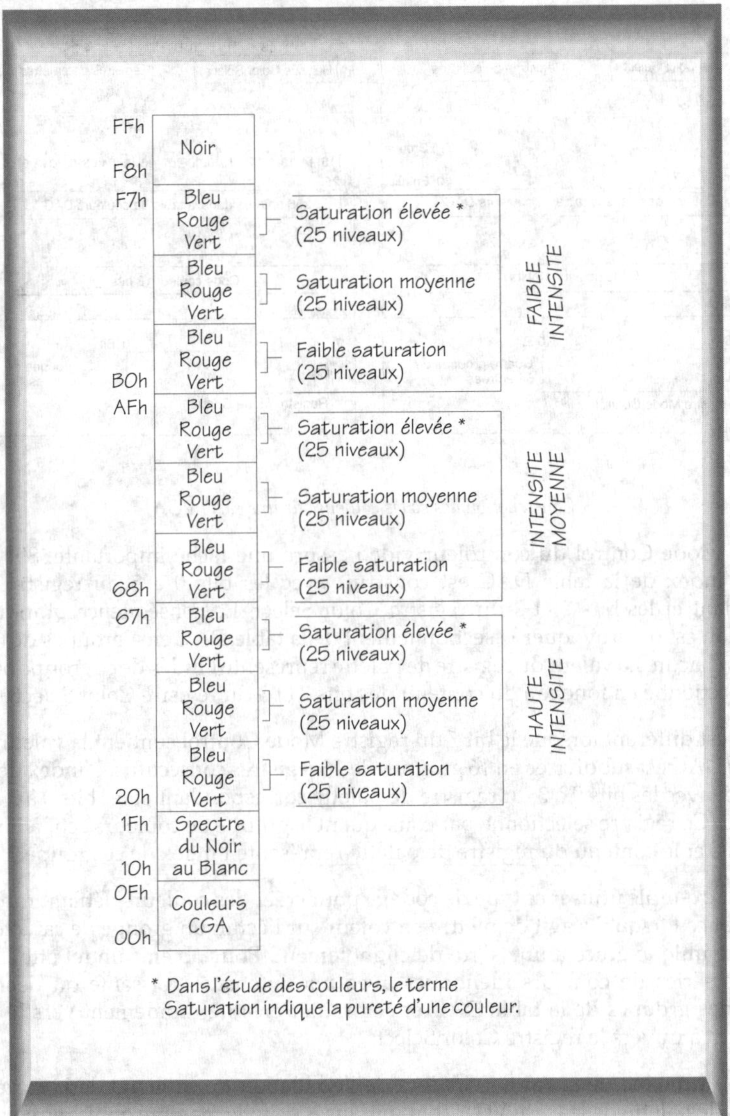

FFh	Noir		
F8h			
F7h	Bleu Rouge Vert	Saturation élevée * (25 niveaux)	FAIBLE INTENSITE
	Bleu Rouge Vert	Saturation moyenne (25 niveaux)	
	Bleu Rouge Vert	Faible saturation (25 niveaux)	
B0h			
AFh	Bleu Rouge Vert	Saturation élevée * (25 niveaux)	INTENSITE MOYENNE
	Bleu Rouge Vert	Saturation moyenne (25 niveaux)	
	Bleu Rouge Vert	Faible saturation (25 niveaux)	
68h			
67h	Bleu Rouge Vert	Saturation élevée * (25 niveaux)	HAUTE INTENSITE
	Bleu Rouge Vert	Saturation moyenne (25 niveaux)	
	Bleu Rouge Vert	Faible saturation (25 niveaux)	
20h			
1Fh	Spectre du Noir au Blanc		
10h			
0Fh	Couleurs CGA		
00h			

* Dans l'étude des couleurs, le terme
Saturation indique la pureté d'une couleur.

Configuration des 256 registres de la table de couleurs DAC dans les modes graphiques de la carte VGA

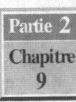
Couleurs des modes graphiques 256 couleurs de la carte VGA

Dans les divers modes texte et modes graphiques 16 couleurs, les registres de palette constituent le point de départ pour l'affectation des couleurs. Mais ils ne jouent aucun rôle dans les
modes graphiques 256 couleurs parce qu'on aurait besoin de 256 registres de palette différents
qui ne sont pourtant pas disponibles. On évite donc de passer par les registres de palette et on
interprète directement le code couleur des divers points graphiques comme un index dans la
table DAC.

En mode graphique 256 couleurs, les 256 entrées de cette table reflètent inévitablement les
256 couleurs affichables simultanément sur l'écran dans ce mode. Dans ce mode, la
programmation des registres de palette ne provoque aucune réaction.

Définition de couleurs à travers le BIOS

Le BIOS EGA/VGA étendu contient de nombreuses fonctions permettant de définir le contenu
des registres de palette et registres DAC ainsi que celui des autres registres du contrôleur
d'attributs. Ces services sont implantés sous forme de sous-fonctions de la fonction 10h de
l'interruption vidéo du BIOS. Pour les appeler, il faut que le numéro de fonction 10h soit
toujours disponible dans le registre AH et le numéro de sous-fonction dans le registre AL.

La première sous-fonction 00h permet de charger l'un des 16 registres de palette avec une
valeur de votre choix. En dehors du numéro de fonction dans le registre AH et du numéro
de sous-fonction dans le registre AL, cette fonction attend le numéro du registre de palette
à adresser (0 à 15) dans le registre BH et le nouveau code couleur de ce registre dans le
registre BL.

Cette sous-fonction ne contrôlant pas le numéro de registre transmis, elle permet de lire un
registre de palette ainsi que le registre Overscan qui s'enchaîne directement au dernier registre
de palette. Comme ce registre reproduit la couleur du cadre de l'écran et la couleur du fond
dans les modes graphiques compatibles CGA, il existe une sous-fonction destinée à cet usage.
Elle porte le numéro 01h.

Mais il n'y a aucun intérêt à définir une autre couleur de fond que le noir dans les modes texte
de la carte EGA. Ici, l'affichage du texte s'effectue sur la totalité de l'écran et il ne reste plus que
deux ou trois lignes de grille pour la sortie d'une couleur de cadre. En cas de connexion à un
moniteur monochrome, le contenu du registre Overscan ne joue par ailleurs aucun rôle.

Pour appeler la fonction permettant l'accès à un registre Overscan, il faut d'abord charger le
numéro de fonction 10h dans le registre AH et le numéro de sous-fonction 01h dans le registre
AL. Le registre BH reçoit la couleur de cadre chargée dans le registre Overscan lors de l'appel
de la fonction.

Si les divers registres de palette y compris le registre Overscan doivent être chargés en une
seule passe, la sous-fonction 02h offre des services intéressants. En dehors des numéros de
fonction et sous-fonction, il faut lui transmettre l'adresse d'une table dans la paire de registres
ES:DX. Cette table contient les valeurs pour les 17 registres (16 registres de palette plus le
registre Overscan qui suit) sous la forme de 17 octets. Dès que cette fonction est exécutée, le
contenu de cette table est entièrement copié dans les 17 registres, ce qui fait immédiatement
transposer toutes les couleurs.

Alors qu'il existe deux fonctions pour agir sur le contenu des registres de palette, le BIOS EGA
étendu ne possède aucune fonction pour lire ces registres. Cela n'est d'ailleurs pas possible
avec la carte EGA parce que pratiquement tous les registres de la carte EGA et non seulement
ceux du contrôleur d'attributs sacrifient leur contenu après la description. Cela est particuliè-

rement gênant pour les programmes TSR qui remettent les registres de palette sur leur valeur par défaut lors de l'appel. Mais lorsque le programme interrompu auparavant est réactivé, ils ne sont plus en mesure de placer le contenu des registres de palette sur leur état initial.

De tels programmes font alors dévier les sous-fonctions 00h et 02h de la fonction 10h sur une routine qui lit d'abord les codes couleurs spécifiés avant de les écrire dans les registres de palette. Ce processus ne fonctionne pas lorsqu'un programme accède directement aux registres de palette en évitant ainsi les fonctions BIOS destinées à cet usage. Nous vous conseillons donc d'avoir toujours recours à ces fonctions même si vous pouvez manipuler directement ces registres comme nous l'avons expliqué à la section 9.8.10.

La dernière sous-fonction de la fonction 10h du BIOS EGA étendu définit la signification du bit 7 dans l'octet d'attribut du caractère à l'intérieur des modes texte. Lorsqu'il est réglé, ce bit affiche les caractères avec une couleur de fond intense ou les fait clignoter en présence d'une carte EGA/VGA ou CGA/MDA. Avec des cartes CGA/MDA, la signification de ce bit ne peut être influencée que par la programmation directe de l'électronique vidéo. En revanche, le BIOS EGA/VGA propose spécialement la sous-fonction 03h de la fonction 10h pour réaliser cette manipulation.

En dehors des numéros de fonction et sous-fonction dans les registres AH et AL, le contenu du registre BL est particulièrement utile pour l'appel de cette sous-fonction. La valeur 0 instaure la couleur de fond intense et la valeur 1 fait clignoter tous les caractères sur l'écran dont le bit 7 est réglé dans l'octet d'attribut.

Autres sous-fonctions du BIOS VGA étendu

La fonction 10h de l'interruption vidéo du BIOS a été augmentée dans le BIOS VGA par rapport au BIOS EGA. Il contient de nouvelles fonctions liées au contexte de la table de couleurs DAC et la lecture des registres de palette. Avec la carte VGA, il devient plus commode de lire d'autres registres VGA qui étaient dotés de l'attribut "read only" dans le standard EGA.

Le contenu des différents registres DAC peut être modifié à l'aide de la sous-fonction 10h. En dehors des numéros de fonction et sous-fonction, la fonction attend le numéro du registre DAC réclamé (0 à 255) dans le registre BX et le code couleur à charger dans les registres CH, CL et DH. Ils reçoivent respectivement six bits parmi les 18 qui constituent le code couleur. Comme les autres sous-fonctions décrites ci-après, la sous-fonction 10h attend la proportion de rouge dans le registre DH, la proportion de vert en CH et la proportion de bleu en DL où seuls les bits 0 à 5 sont à prendre en compte.

Les registres DH, DL et CL servent à la sous-fonction 15h pour retourner le contenu d'un registre DAC. Avant l'appel de la fonction, il suffit de charger le registre BX avec le numéro du registre DAC et les registres AH et AL avec les numéros de fonction et sous-fonction.

La sous-fonction 12h permet de charger simultanément plusieurs registres DAC. Précisez tout simplement le numéro du premier registre DAC à charger en BX et le nombre de registres à charger en CX. Le nouveau contenu des registres DAC est transmis dans un buffer (adresse en ES:DX) et non dans les registres du processeur. A l'intérieur de ce buffer, chaque registre DAC occupe trois octets consécutifs où le premier contient la proportion de vert, le second celle de rouge et le troisième celle de bleu du code couleur.

La sous-fonction 17h est l'inverse de la sous-fonction 12h. Elle lit le contenu d'une série de registres DAC. Ici aussi, entrez le numéro du premier registre DAC à adresser en BX et le nombre de registres en CX. Le BIOS VGA copie le contenu de ces registres dans un buffer dont les adresses de segment et d'offset sont attendues dans la paire de registres ES:DX. La structure du buffer est identique à celle rencontrée dans la sous-fonction 12h. Notez toutefois que chaque registre de la table DAC a besoin de trois octets et non d'un seul et pensez à prévoir un buffer suffisamment grand.

Vous pouvez utiliser la sous-fonction 13h pour sélectionner le sectionnement et le groupe de couleurs actif. Celle-ci dispose de deux sous-fonctions (à vrai dire sous-sous-fonctions). Si vous lui transmettez la valeur 0 dans le registre BL, elle copie le bit 0 du registre BH dans le bit 7 du registre Mode Control du contrôleur VGA et subdivise la table DAC en 4 ou 16 groupes. Si le registre BL contient la valeur 1 lors de l'appel de cette sous-fonction, elle copie alors le contenu du registre BH dans le registre Color Select et sélectionne ainsi le groupe de couleurs actif.

Vous pouvez consulter le contenu des deux registres en appelant la sous-fonction 1Ah. Après appel de cette sous-fonction, le registre BL reçoit le contenu du bit 7 dans le registre Mode Control et le registre BH obtient le contenu du registre Color Select.

La sous-fonction 1Bh sert à convertir les codes couleur de la table DAC en niveaux de gris lorsqu'il faut afficher une image grisée sur un moniteur couleur VGA. Une telle manipulation reste toutefois sans effet sur un moniteur monochrome VGA puisque la conversion des couleurs en niveaux de gris s'effectue automatiquement dans le moniteur.

La sous-fonction 1Bh attend le numéro du premier registre à convertir en BX et le nombre de registres à traiter en CX. La conversion, désignée par "gray scale summing", résulte de la prise en compte des différents éléments entrant dans la composition des couleurs pour obtenir un code couleur compris entre 0 (noir) et 1 (blanc). Selon l'intensité de l'affichage sur l'écran, la proportion de rouge correspond à 30 % du niveau de gris, celle du vert à 59 % et celle du bleu à 11 %.

Outre la conversion sélective des différents registres DAC en niveaux de gris, vous pouvez également définir une conversion générale qui s'exécute automatiquement à chaque accès à la table DAC à travers le BIOS. Utilisez à cet effet la sous-fonction 33h de la fonction 12h. Exceptionnellement, le numéro de sous-fonction doit être chargé dans le registre BL et non AL avant l'appel de l'interruption vidéo du BIOS. Le numéro de fonction est à placer comme d'habitude dans le registre AH. Ici, le registre AL reçoit le véritable argument de fonction au lieu du numéro de sous-fonction. Cet argument décide si la conversion du registre DAC doit s'effectuer automatiquement ou non. La valeur 0 commande au BIOS VGA de produire un éclairage vert alors que la valeur 1 interdit ce mécanisme.

Sous la fonction 10h, le BIOS VGA regroupe d'autres sous-fonctions en plus des fonctions d'accès à la table DAC. Ces fonctions permettent un accès en lecture aux registres de palette. Ainsi, la sous-fonction 07h sert à lire le contenu d'un registre de palette quelconque. En dehors du numéro de fonction, il faut lui transmettre le numéro du registre de palette à adresser en BL pour qu'elle retourne son contenu en BH. Cette méthode permet également d'obtenir le contenu du registre Overscan (couleur du cadre dans le registre de palette 16), mais il existe une sous-fonction spécialement conçue à cet effet et c'est la sous-fonction 08h. Comme la sous-fonction 07h, elle retourne son résultat dans le registre BH.

La sous-fonction 09h permet d'obtenir la copie intégrale de la table de palette, c'est-à-dire les 16 registres de palette y compris le registre Overscan. Elle écrit le contenu de cette table dans un buffer de 17 octets dont l'adresse de segment doit lui être transmis dans le registre ES et l'adresse d'offset dans le registre DS.

Programmes d'exemple

La sélection des couleurs est une tâche plus ardue à gérer que la définition qui se réalise assez facilement grâce aux fonctions BIOS prédéfinies. Il est vrai qu'avec les 64 couleurs de la carte EGA on arrive mieux à se retrouver qu'avec la gamme étendue des couleurs de la carte VGA. Nous vous proposons donc un programme d'exemple à la fin de ce chapitre. Il porte le nom

VDAC et existe dans une version Pascal sous le nom VDACP.PAS et une version C sous le nom VDACC.C.

Les deux programmes fonctionnent dans le mode graphique 256 couleurs de la carte VGA avec une résolution de 320*400 points. Ils collaborent avec les modules Assembleur V3240PA.ASM et V3240CA.ASM décrits en 9.8.7. Vous rencontrez en outre de nombreuses routines telles que ISVGA, LINE et GRAFPRINT qui vous ont déjà été présentées dans les sections précédentes.

Les routines SETDAC, GETDAC et DEMO sont les principales pièces des deux programmes. SETDAC et GETDAC servent d'interfaces aux sous-fonctions 12h et 17h de la fonction 10h. Elles permettent de lire et écrire un nombre quelconque de registres DAC. DEMO s'avère particulièrement utile car elle charge non seulement le contenu de tous les registres DAC dans la mémoire mais vous permet de consulter et modifier le contenu des différents registres.

Au centre de l'écran, vous apercevez 256 blocs de couleurs disposés dans un carré. Chaque bloc se compose de points dotés d'une couleur bien précise, le premier se trouvant au coin supérieur gauche avec le code couleur 0. Le bloc situé immédiatement à côté porte le code couleur 1, son voisin le code couleur 2 et ainsi de suite jusqu'au dernier bloc occupant le coin inférieur droit dont les points correspondent au code couleur 255.

Ce mode d'organisation provoque l'affichage des 256 couleurs sur l'écran définies automatiquement par le BIOS dans les divers registres DAC lors de l'initialisation d'un mode graphique. Pour ne pas vous donner uniquement un aperçu optique de la couleur, vous pouvez lire la correspondance numérique de la couleur concernée dans la ligne d'état au bas de l'écran sous forme de proportions de rouge, vert et bleu. Ces indications concernent d'abord les couleurs affichées en haut à gauche mais vous pouvez utiliser les touches du curseur pour afficher d'autres couleurs.

Vous constatez que le champ de couleur en cours est mis en évidence à l'aide d'un cadre blanc qui agit comme une sorte de curseur. Vous apercevez également le message de copyright en haut de l'écran dans la couleur du champ de couleur en cours. Vous ne pouvez pas voir ce message au début parce que vous vous trouvez dans un champ noir.

Pour que le message de copyright soit toujours adapté à la couleur en cours, il est doté du code couleur 255 qui correspond au noir. A chaque déplacement du curseur, la couleur du champ en cours est copiée pour la couleur 255 dans le registre DAC, ce qui fait apparaître le message de copyright dans cette couleur ainsi que le champ dans le coin inférieur droit du bloc de couleurs.

Le programme permet de traiter séparément les couleurs et modifier également la composition du champ en cours c'est-à-dire changer les proportions de rouge, vert et bleu. Les touches R, V et B assurent cette fonction. Utilisées en minuscules, sans appuyer sur la touche <Maj>, elles augmentent la proportion de la couleur concernée ce qui se remarque immédiatement dans le champ de couleur, le message de copyright et le contenu de la ligne d'état. L'appui simultané de l'une des touches R, V et B avec <Maj> provoque la diminution des différentes composantes. L'appui sur la barre d'espace remet un champ de couleur sur son état initial.

L'appui sur <Entrée> met fin au programme, réinstalle la table de couleurs initiale et réactive le mode texte.

| VDACC.C | V3240CA.ASM *(déjà présenté en 9.8.7)* |
| VDACP.PAS | V3240PA.ASM *(déjà présenté en 9.8.7)* |

9.8.9. Les Sprites

L'utilisateur d'un ordinateur crée quelque chose de plus fascinant que de simples images en mouvement.

Quand un "Pac-Man" bondit sur l'écran, un vaisseau spatial pivote autour de son axe personnel ou un dinosaure surgit subitement des ténèbres imaginaires d'une jungle digitalisée, voilà de quoi émerveiller la majorité des spectateurs.

À vrai dire, ce qui se cache réellement derrière une telle animation est pratiquement toujours un énorme travail de programmation à calculer en l'espace d'une douzaine d'heures.

L'électronique vidéo du PC n'aide pas l'utilisateur de manière suffisante dans la réalisation de ces animations. Voici la mise en œuvre de ce travail.

La question principale posée dans ce chapitre est de savoir comment réaliser une animation sur le PC malgré les limitations imposées.

Concrètement, il s'agit de programmer ce qu'on appelle des Sprites, ou mieux des objets graphiques, utilisables dans la majorité des jeux. Voici les différents thèmes étudiés :

O   Que sont les Sprites et quel rôle jouent-ils dans la programmation des animations ?
O   Le principe des 2 pages
O   Programmation de Sprites dans les divers modes graphiques.

Que sont les Sprites ?

Un Sprite est un bloc de points rectangulaire affecté à une image déterminée telle un "Pac-Man". Un tel objet peut être déplacé sur l'écran à l'aide de routines appropriées.

À cet effet, il est utile d'assurer une transparence avec le fond pour que le bloc rectangulaire, à savoir le Sprite, ne recouvre pas le fond. Sinon, l'observateur ne peut pas distinguer à tout moment la forme rectangulaire du Sprite.

Pour éviter ce risque, on peut colorier entièrement le fond avec une seule couleur et lui affecter la même couleur que celle utilisée pour tous les points du rectangle Sprite ne faisant pas partie de l'objet à afficher.

Mais cela réduit considérablement la qualité de l'animation.

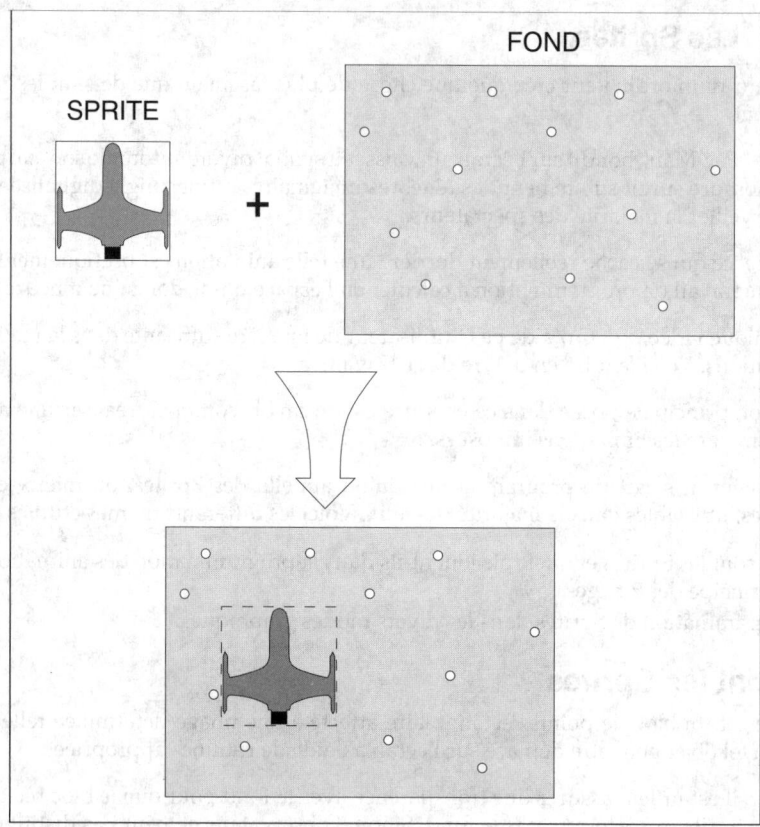

Affichage Sprite transparent

Il faut pouvoir en outre affecter un Sprite à une autre image pendant l'exécution du programme. Le but est de créer des changements de situation pour mettre par exemple en évidence l'alimentation d'un vaisseau spatial en énergie ou la perte d'un avion. Et là encore c'est une tâche qui fait défaut dans le cadre de la programmation système.

La pure programmation consiste en revanche à spécifier les coordonnées du déplacement des Sprites pendant l'exécution du programme et déterminer les collisions. Cette section ne vous décharge pas de cette tâche mais fournit toutes les routines Sprite nécessaires pour la bonne mise en œuvre des Sprites et pour la programmation système. A côté des routines de définition de l'image d'un Sprite, vous trouverez des routines de déplacement sur l'écran pour faire disparaître les Sprites et pour changer subitement l'image affichée.

La programmation de ces Sprites est démontrée à l'aide des cartes EGA et VGA. L'exemple porte d'abord sur les deux modes 256 couleurs de la carte VGA (décrits en 9.8.7) puis sur le mode graphique 16 couleurs des cartes EGA et VGA avec une résolution de 640*350 points parce que mode est plus difficile à programmer que les modes 256 couleurs.

Dans les programmes d'exemple présentés en une version Pascal et C, l'écran est tout d'abord rempli avec les caractères du jeu PC représentant en quelque sorte le fond de l'affichage Sprite. Sur la base de ce fond apparaissent six Sprites en forme de petits vaisseaux se déplaçant verticalement à travers l'écran. Ils se heurtent tôt ou tard contre le bord supérieur ou inférieur

de l'écran, ce qui modifie non seulement leur direction mais aussi leur aspect. Les modules en langage évolué sont soutenus également par des *routines Assembleur* appropriées allant à l'encontre de la haute vitesse d'exécution lors du déplacement des Sprites.

Le principe des 2 pages

Un principe fondamental lié au travail des animations concerne également les Sprites et il s'agit en l'occurrence d'utiliser simultanément deux pages écran. C'est la seule méthode permettant d'éviter le vacillement de l'écran qui risque d'apparaître incontestablement avec une seule page écran. Le responsable n'est autre que le mécanisme permettant d'afficher et déplacer les Sprites sur l'écran.

Cette procédure se réalise en plusieurs étapes au cours desquelles la région couverte par le Sprite doit être traitée plusieurs fois. Il faut d'abord sauvegarder le fond du Sprite pour qu'il puisse être restauré par la suite lorsqu'il faut le déplacer en un autre endroit de l'écran. Cette manipulation s'effectue évidemment à l'insu de l'observateur par la simple raison qu'une partie déterminée de la RAM vidéo est lue au départ.

À l'étape suivante, le Sprite est copié à l'endroit qui lui est réservé dans la RAM vidéo et rendu ainsi visible sur l'écran. Cela ne fait pas vaciller l'écran mais le problème surgit lorsqu'il faut déplacer le Sprite pour donner une impression de mouvement. Dans ce cas, il faut d'abord restaurer l'ancien fond en recopiant le modèle de points trouvé à cet endroit dans la RAM vidéo.

Ce processus est visible par l'utilisateur et provoque la disparition du Sprite de l'écran. Toujours est-il que pour occuper la nouvelle position, la totalité du cycle de sauvegarde, d'écriture, de restauration, etc. recommence depuis le début après la restauration de la portion de l'écran recouverte par le Sprite.

Cet effet étant impossible à réaliser avec une seule page écran, on utilise deux pages écran dont l'affichage s'interchange en permanence pour programmer les Sprites. La page écran traitée est justement celle qui n'est pas affichée pour que les modifications ne soient pas visibles par l'utilisateur jusqu'à ce que cette page écran soit éditée et que le traitement de la suivante ait commencé.

Le recours à deux pages écran explique généralement pourquoi vous recherchez en vain un module Sprite pour le mode graphique VGA à forte résolution avec ses 640*480 points. Ce mode n'offre pas deux pages écran parce que la première page nécessite déjà 150 Ko et la seconde n'en dispose que de 106 Ko. La création de Sprites dans les modes graphiques 16 couleurs des cartes EGA et VGA reste limitée au mode EGA 640*350 points. Disponible également sur la carte VGA, il est amplement suffisant pour la plupart des jeux qui représentent le débouché principal des Sprites.

Quel que soit le mode vidéo et la manière dont un Sprite est écrit dans la RAM vidéo et son fond sauvegardé, de nombreux problèmes surviennent lors de la mise en œuvre des Sprites. Ces problèmes sont évoqués dans les programmes présentés dans cette section à travers des routines de même nom. Les structures de données portent aussi des noms identiques surtout celles qui sont utilisées ici même si les différentes caractéristiques de Pascal et C se reproduisent naturellement dans ce contexte.

En raison de ces similitudes, il convient de souligner d'abord les ressemblances entre les programmes et leur structure fondamentale avant d'évoquer les problèmes en détail et de ce fait les différences. Ils se distinguent surtout par la diversité du mode d'organisation de la RAM vidéo dans les modes graphiques. Ils constituent le point de départ pour vos programmes personnels si vous souhaitez adapter les modules présentés à une autre carte vidéo ou à l'un des modes graphiques étendus des cartes Super VGA.

Structure des programmes Sprite

Le point de départ des programmes Sprite est une routine appelée DEMO. Elle est appelée à partir du programme principal ou de la fonction main() dès que la présence d'une carte EGA ou VGA a été confirmée. Le mode graphique nécessaire est d'abord mis en place pour que DEMO puisse fonctionner en mode graphique.

À l'intérieur de DEMO, les pages 0 et 1, utilisées ci-après, sont préalablement remplies par un modèle de caractères du jeu PC. Les routines telles que GRAFPRINTF (module C) ou PRINT-CHAR (module Pascal) présentées en 9.8.6 et 9.8.7 entrent alors en action. Ces routines se basent sur les modules V3220CA.ASM, V3240PA.ASM décrites en 9.8.7 et contiennent des routines de base pour le travail en modes graphiques. Il s'agit de routines pour définir et consulter des points, pour afficher et commuter entre les pages graphiques et pour initialiser un mode graphique précis.

Après la sortie des différents caractères constituant le fond des Sprites à afficher, un message de Copyright apparaît au milieu de l'écran. Il reste ensuite à définir les Sprites à l'aide d'une routine portant le nom COMPILESPRITE dans tous les modules Sprite.

Sa tâche consiste à transformer une image représentée sous la forme d'un tableau chaîne en un format binaire utilisé ensuite pour afficher les Sprites sur l'écran. Cette routine ne permet pas pour l'instant de créer un Sprite puisque cette tâche est assurée par une autre routine appelée CREATESPRITE appelée à l'étape suivante.

L'appel de COMPILESPRITE se traduit exclusivement par la création d'un modèle de bits affectés par la suite à un nombre quelconque de Sprites en guise d'image affichée. Un nombre varié de paramètres est à transmettre à COMPILESPRITE en fonction du module Sprite concerné.

Dans tous les modules, les deux premiers paramètres ont la même signification. Le premier représente le tableau chaîne stockant l'image du Sprite et le second reproduit le nombre de chaînes contenues dans ce tableau.

Ce paramètre définit simultanément la hauteur du Sprite variant entre une centaine de lignes de points et même davantage. Chaque ligne de points est représentée par une chaîne du tableau où la première chaîne correspond à la ligne de points supérieure du Sprite, la chaîne suivante à la seconde ligne de points, etc.

A l'intérieur des différentes chaînes, chaque caractère est réservé à un point graphique de la ligne de points concernée. Un Sprite étant toujours représenté dans un cadre rectangulaire, toutes les chaînes du tableau doivent avoir une largeur identique. Mais comme la hauteur du Sprite est à transmettre comme un paramètre à COMPILESPRITE, il n'est pas indispensable de la spécifier car elle peut être obtenue à partir de la largeur de la première chaîne dans le tableau.

```
static char *SPRITE HAUT [20] =
                    { "            AA              ",
                      "           AAAA             ",
                      "           AAAA             ",
                      "            AA              ",
                      "          GGBBGG            ",
                      "         GBBCCBBG           ",
                      "        GBBBCCBBBG          ",
                      "        GBBBBBBBBBG         ",
                      "        GBBBBBBBBBG         ",
                      " G      GBBBBBBBBBBG      G ",
                      "GCG   GGDBBBBBBBBBBDGG   GCG",
                      "GCG  GGBBBDBBBB BBBBDBBBGG  GCG",
                      "GCBGGGBBBBBBBDBB   BBDBBBBBGGGBCG",
                      "GCBBBBBBBBBBBDB   BDBBBBBBBBBBCG",
                      "BBBBBBBBBBBBBDB BB BDBBBBBBBBBBBB",
                      "GGCBBBBBBBBDBBBBBBBBBBBBDBBBBBBCG ",
                      " GGCCBBBDDDDDDDDDDDDDDBBBCCG ",
                      " GGBBDDDDDGGGGGDDDDDBBG ",
                      "     GDDDDGGG    GGGDDDDG    ",
                      "       DDDD        DDDD      " };
```

Codage d'une image d'un Sprite dans un tableau C (voir ligne de listing en haut)

Les modules Sprite n'étant pas conçus pour être utilisés en modes graphiques monochromes, il ne suffit pas de faire la différence entre l'état "Point oui" ou "Point non" à l'intérieur des lignes de points. Dans la chaîne, il faut en outre coder une couleur à affecter au point graphique concerné du Sprite. Ainsi, le crochet correspond au noir (code couleur 0), le A majuscule au bleu (code couleur 1), le B au vert (code couleur 2) et toutes les lettres suivantes aux autres couleurs de l'échelle des couleurs.

Les points n'appartenant pas au Sprite, c'est-à-dire ceux qui doivent être transparents pour rendre le fond visible, sont indiqués par un espace.

Quel que soit le mode utilisé par COMPILESPRITE pour convertir le modèle Sprite en un affichage binaire dans les divers Sprites, un pointeur est retourné obligatoirement sur la structure de type SPLOOK définie dans COMPILESPRITE à travers la Heap. Elle contient toutes les informations importantes concernant l'image du Sprite et doit servir pour créer des Sprites. En fait, complètement à l'inverse de la définition initiale du Sprite d'après le tableau chaîne qui n'a plus aucun intérêt après l'appel de COMPILESPRITE.

Dans tous les programmes Sprite, deux Sprites sont définis à l'aide de COMPILESPRITE. Ils sont représentés par deux tableaux chaîne SPRITEHAUT et SPRITEBAS et affichent simultanément deux navettes spatiales de même nature se déplaçant verticalement dans le sens opposé. Le pointeur retourné est utilisé pour créer les Sprites à afficher ensuite sur l'écran dans une boucle.

La constante SPRANZ définit le nombre de boucles à exécuter. Dans tous les Sprites, elle est réglée sur la valeur six. Elle spécifie en fait le nombre de Sprites créés car l'appel de CREATESPRITE provoque la création d'un Sprite chaque fois que la boucle est traitée. D'après les expériences que vous avez pu acquérir avec les Sprites, vous savez que cette constante peut aisément être augmentée afin d'afficher plus de Sprites sur l'écran. Les Sprites tendent alors à se rapprocher davantage jusqu'à se superposer. Cela finit par produire des effets disgracieux sur l'écran parce que les diverses routines Sprite ne sont pas en mesure de manipuler la collision entre les Sprites comme nous l'avons déjà signalé plus haut.

Mais avant d'en arriver là, un nombre Sprite précis vous indique que les Sprites se mettent soudain à se déplacer à soubresaut sur l'écran alors que le mouvement redevient fluide dès qu'on supprime un Sprite. La valeur entraînant une telle réaction dépend considérablement de la vitesse de l'ordinateur et sa carte graphique. La cause de ce phénomène est expliquée plus loin lors de la description du déplacement des Sprites.

La fonction CREATESPRITE permet de créer les Sprites à l'intérieur de la boucle citée plus haut. En guise de premier paramètre, elle attend un pointeur sur l'image d'un Sprite comme celui retourné par COMPILESPRITE. La taille et l'aspect du Sprite à créer sont également à définir mais vous pouvez les modifier ultérieurement. Les autres paramètres à transmettre à CREATE SPRITE dépendent du programme Sprite concerné et ne sont pas décrits dans le cadre de ces programmes.

Quelle que soit son utilité dans les modules Sprite, CREATESPRITE retourne toujours un pointeur sur une structure de type SPID contenant toutes les données relatives au Sprite créé. Outre le pointeur sur l'image, la position actuelle du Sprite dans les deux pages écran et d'autres informations liées à la version sont fournies. Comme pour COMPILESPRITE, cette structure est définie à travers la Heap.

Des Sprites sont créés à l'intérieur de la boucle pour la création des Sprites, mais leur état initial sur l'écran ainsi que leur vitesse de déplacement y sont également définis. Dans les deux cas, ces informations sont sélectionnées à travers une fonction aléatoire où la vitesse de déplacement en direction X représentée par la variable locale DX est réglée sur 0. Le but est d'obliger les Sprites à se déplacer uniquement sur le plan vertical pour qu'ils ne viennent pas s'entrechoquer. Essayez tout de même de sélectionner une valeur différente de 0 pour tester la réaction des Sprites lors de vos expériences.

Le pointeur est fixé sur le Sprite concerné (ou mieux sur sa structure SPID) et représente la vitesse de déplacement dans une variable locale nommée SPRITES, un tableau composé d'une structure simple.

Les Sprites ainsi créés sont affichés sur l'écran à l'aide de la procédure SETSPRITE. Comme premier paramètre, elle attend un pointeur sur le descripteur Sprite retourné par CREATESPRITE. Les autres paramètres demandés sont les coordonnées X et Y de la position Sprite dans la première page écran (page 0). Les mêmes informations sont exigées pour la seconde page écran (page 1).

Les deux coordonnées sont traitées séparément parce qu'elles ne doivent absolument pas être identiques à cause du mécanisme de l'affichage sur deux pages. Sinon, le Sprite risque de réapparaître à la même position après la commutation de la première page vers la seconde, ce qui ne permet plus de simuler un mouvement fluide. La vitesse de ce mouvement commande d'ailleurs le déplacement de la position Sprite dans la seconde page par rapport à la première.

Mouvement séparé

Imaginez qu'un Sprite doit se déplacer verticalement sur l'écran et notamment depuis le bord supérieur avec la coordonnée Y 0 vers le bord inférieur. A chaque nouvelle configuration de l'écran, invisible par l'utilisateur, le Sprite doit se décaler d'un point par rapport à son origine.

Au début du mouvement, il doit être construit dans la première page écran à partir de la coordonnée Y 0. Dans la seconde, il doit apparaître à la coordonnée Y 1 pour que l'utilisateur ait l'impression que le Sprite s'est décalé d'un point lors du passage de la première page écran vers la seconde.

Lors de l'affichage de la seconde page écran, le Sprite doit être décalé de deux points dans la première page et non d'un point. Avec un décalage d'un point, le Sprite risque de se trouver à la même position qu'il occupait dans la seconde page lors de la commutation. Avec un décalage de deux points, il se place un point en arrière par rapport à la position de la seconde page et lors de la commutation vers la première page, l'utilisateur remarque un déplacement. La vitesse de déplacement effective doit être doublée eu égard au déplacement à l'intérieur des différentes pages écran.

Tout ce qui concerne ici l'axe Y vaut naturellement pour l'axe X. Le déplacement de la position de départ représentée dans cette figure et le doublement de la vitesse de déplacement doivent être respectés dans ce contexte.

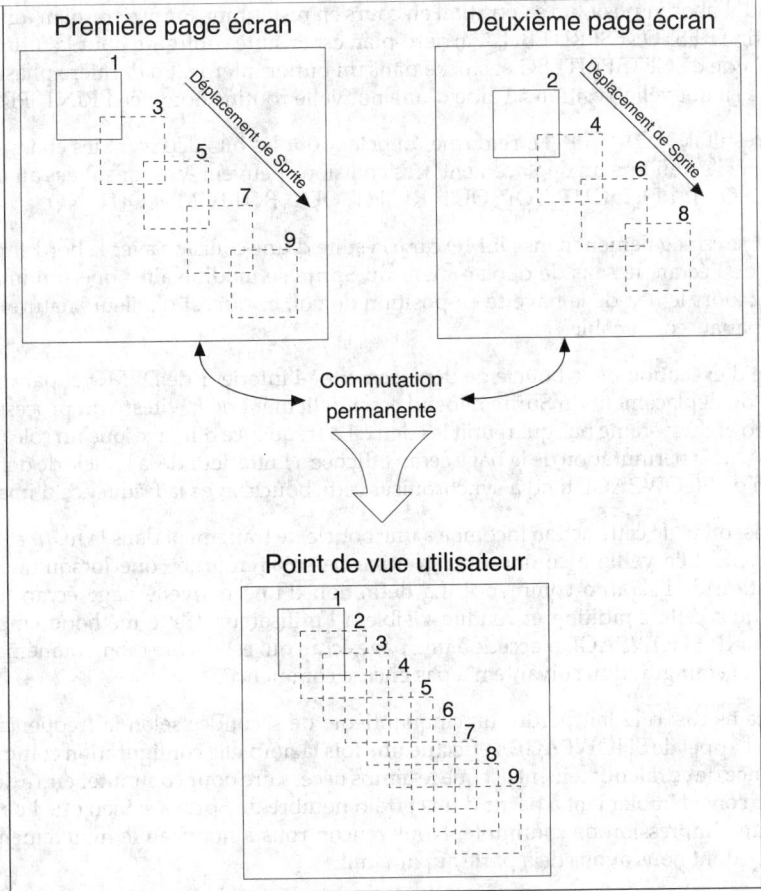

Affichage et déplacement des Sprites dans les pages écran

Une fois les Sprites créés et affichés, ils sont ensuite déplacés dans une boucle dont l'exécution ne s'arrête que lorsque l'utilisateur appuie sur une touche. Une commutation entre la première page et la seconde s'effectue dans cette boucle et les Sprites sont dirigés vers la page qui n'est justement pas affichée.

Pour chaque Sprite, une fonction MOVESPRITE est appelée à cet effet dans une boucle. Elle représente une des rares routines Sprite qui conviennent telles quelles dans tous les programmes Sprite parce qu'elles se basent exclusivement sur des routines Sprite d'ordre inférieur où

se manifestent les différences entre les Sprites. MOVESPRITE ne se laisse pas influencer par les diverses utilisations de ces routines.

En guise d'arguments, cette routine reçoit un pointeur sur le descripteur Sprite, le numéro de la page où le déplacement doit avoir lieu ainsi que le nombre de points dans les sens X et Y à prendre en compte pour déplacer le Sprite. La position Sprite en cours et la vitesse de déplacement en points permettent de calculer la nouvelle position Sprite en faisant attention au heurt avec le bord de l'écran. Le déplacement du Sprite est en fonction de la nouvelle position Sprite et non l'ancienne.

On le rend d'abord invisible à sa position en cours en restaurant son arrière-plan initial à l'aide de la routine RESTORESPRITEBG. L'arrière-plan est ensuite configuré pour la future position Sprite à l'aide de GETSPRITEBG et stocké dans un buffer interne. En dernière phase, le Sprite est placé à sa nouvelle position à l'aide d'une nouvelle routine nommée PRINTSPRITE.

Comme résultat, MOVESPRITE retourne un octet dont les bits décrivent les chocs subis avec les bords de l'écran lors du déplacement. Ces collisions peuvent être consultées au moyen des constantes OUT_LEFT, OUT_TOP, OUT_RIGHT, OUT_BOTTOM et OUT_NO.

Elles vont servir également dans DEMO car à la suite d'une collision avec le bord supérieur ou inférieur de l'écran, le sens de déplacement du Sprite se modifie ainsi que son image. Vous apercevez alors le nez de la navette en position de vol, ce qui est d'ailleurs naturel pour une navette spatiale convenable.

La vitesse d'exécution de la boucle de déplacement à l'intérieur de DEMO et par conséquent la vitesse de déplacement du Sprite dépend essentiellement de la vitesse du processeur, de la carte vidéo et du système bus qui réunit les deux. La fréquence d'image joue un rôle non moins important car la permutation de la page écran affichée à l'intérieur de la boucle de déplacement au moyen de SHOWPAGE tend à synchroniser cette boucle avec la fréquence d'image.

La responsabilité de cette action incombe à une boucle de traitement dans la *routine Assembleur* SHOWPAGE. Elle veille à ce que cette routine ne soit retournée que lorsqu'une nouvelle configuration de l'écran a commencé. La définition d'une nouvelle page écran ne devient effective qu'à cette condition et rendue visible à l'utilisateur. Cette méthode empêche que l'utilisateur de SHOWPAGE n'accède à une page écran qui est encore momentanément visible parce que la configuration suivante n'a pas encore commencé.

Dans certains cas, cela fait perdre un cinquantième de secondes selon la fréquence d'image parce que l'appel de SHOWPAGE s'effectue une fois la nouvelle configuration commencée. La conséquence de ce ralentissement est que le temps nécessaire pour commuter entre deux pages augmente considérablement à partir d'un certain nombre de Sprites si bien que l'observateur n'a plus une impression de continuité. Nous rencontrons à nouveau le mouvement saccadé des Sprites dont nous avons déjà parlé auparavant.

D'une part, la vitesse de déplacement des Sprites est déterminée par la vitesse d'exécution de la boucle et par conséquent par le nombre de traitements de la boucle par seconde. D'autre part, on peut agir sur la vitesse des Sprites et aussi sur le nombre de points à tenir en compte pour replacer le Sprite par rapport à son ancienne position. Là aussi, il existe une limite à partir de laquelle le déplacement du Sprite ne s'effectue plus en souplesse.

Pour que votre programme n'ait pas à faire face à des problèmes de vitesse d'exécution dès l'affichage de quelques Sprites, nous avons écrit en Assembleur les principales routines assurant le lien entre le programme et la carte vidéo. Ces *routines Assembleur* sont appelées indirectement par des routines en langage évolué telles que PRINTSPRITE, GETSPRITEBG et

RESTORESPRITEBG. Elles se servent à cet effet des routines GETVIDEO et PUTVIDEO jouant le rôle d'interface directe pour les diverses *routines Assembleur*.

La tâche de PUTVIDEO et GETVIDEO consiste à lire une portion de l'écran dans un buffer ou remplir une portion de l'écran avec des points dont le modèle est transmis dans un buffer. Les routines PRINTSPRITE, GETSPRITEBG et RESTORESPRITEBG peuvent ainsi afficher un Sprite sur l'écran, sauver son arrière-plan et le restaurer par la suite.

Les *routines Assembleur* appelées par GETVIDEO et PUTVIDEO comportent une différence portant sur les modes graphiques et programmes Sprite même si cela a des implications sur des routines telles que COMPILESPRITE ou GETVIDEO et PUTVIDEO. Ces routines constituent le point de mire des paragraphes suivants consacrés aux Sprites et leurs modes graphiques.

Les modes 256 couleurs de la carte VGA occupent la place principale. Bien qu'ils ne soient pas accessibles à un utilisateur de carte EGA, ils facilitent néanmoins bien des opérations par rapport aux modes 16 couleurs. Vous comprenez donc pourquoi la description des routines de programmation des Sprites en mode 640*350 points des cartes EGA et VGA se trouve à la fin de cette section.

Sprites en 320*200 points et 256 couleurs

Malgré la faible résolution fournie par les 320*200 points du mode graphique 256 couleurs, l'utilisation des Sprites dans un tel contexte offre un avantage incontestable en mettant à votre disposition deux pages écran et non une. Il va sans dire que deux pages écran sont nécessaires pour déplacer et afficher les Sprites, mais il ne faut pas oublier que les 128 Ko de RAM restants peuvent être utilisés pour sauver les modèles des Sprites ainsi que leurs arrière-plans.

Il ne s'agit nullement d'économiser de la place dans la mémoire principale. Au contraire, l'intérêt est d'obtenir une nette augmentation de la vitesse d'exécution. Pour décrire ou sauvegarder une portion de l'écran, vous vous souvenez sans doute qu'il faut charger un octet à partir de l'un des quatre plans de bits ou inscrire dans l'un des quatre plans de bits sans oublier que le bus système doit apporter sa contribution. Notez que ces limitations n'ont aucune valeur pour la recopie des zones de mémoire à l'intérieur de la RAM vidéo.

Dans ce cas, aucune communication entre l'unité centrale et la carte vidéo à travers le bus système ne s'avère indispensable. Ici, les quatre registres Latch de la carte VGA suffisent pour copier simultanément quatre octets au moyen d'une seule instruction MOVSB. L'instruction Assembleur REP MOVSB permet de surcroît de copier en une seule passe la totalité d'une ligne graphique. Tout cela suffit pour mettre à profit la partie inutilisée de la RAM vidéo pour ce type de tâches même si cela *comporte un hic* comme nous allons le voir immédiatement.

Mais revenons tout d'abord aux programmes. Dans la version C, les modules S3220C.C, S3220CA.ASM et V3220CA.ASM ont la charge de créer des Sprites en mode graphique 320*200 points avec 256 couleurs. Le module V3220CA.ASM a déjà fait ses preuves dans ce domaine selon la description fournie en 9.8.7. En revanche, les modules S3220C.C et S3220CA.ASM sont nouveaux et où le module C contient les routines en langage évolué depuis COMPILESPRITE jusqu'à GETVIDEO.

Le module Assembleur S3220CA.ASM contient uniquement la routine BLOCKMOVE servant à copier de part et d'autre une zone rectangulaire de points à l'intérieur de diverses parties de la RAM vidéo. Les versions Pascal de ces programmes se comportent de manière similaire et portent les noms S3220P.PAS, S3220PA.ASM et V3220PA.ASM. Encore une fois, V3220PA.ASM a déjà été décrit en 9.8.7.

En raison du souhait exprimé pour placer directement les modèles Sprite dans la RAM vidéo et pouvoir les recopier à l'endroit voulu aussi vite que possible, la structure de la RAM vidéo en mode 320*200 points a entraîné des répercussions mode de fonctionnement du programme. Ainsi, la largeur de chaque Sprite doit être arrondie à un multiple de quatre parce qu'il faut toujours copier simultanément quatre points et donc quatre octets à travers les quatre registres Latch de la carte vidéo.

Si la valeur n'est pas arrondie, il convient obligatoirement de vérifier que seuls les octets nécessaires ont été effectivement copiés lors de la recopie du dernier bloc de quatre d'une ligne. Cela exclut en fait certains registres Latch du processus de recopie. Une telle performance ne peut être réalisée qu'avec une programmation fort poussée qui n'a aucun rapport avec le simple fait d'arrondir la largeur à un multiple de quatre.

Ce n'est pas le seul obstacle à franchir. Pour peu que l'on commence à concevoir le Sprite modèle à une coordonnée X divisible par quatre dans la RAM vidéo, on ne peut la recopier par la suite qu'à travers une coordonnée X divisible par quatre également. Un Sprite dont la construction commence à la coordonnée X 0 peut être copié à n'importe quel moment aux coordonnées X 4, 8, 96 ou 224 et non aux coordonnées X telles que 1, 2, 5, 13 ou 182.

Cela s'explique tout simplement par le fait qu'un accès en lecture à la RAM vidéo en mode graphique 320*200 points ne peut commencer qu'à un point dont la coordonnée X est un multiple de quatre à condition que les quatre registres Latch soient chargés simultanément. La même règle s'applique lorsqu'il s'agit de reporter ensuite le contenu de ces registres dans la RAM vidéo.

Pour décaler les quatre points des quatre registres Latch d'un point vers la droite, ce qui revient à décaler par exemple le Sprite vers la coordonnée X 1, 5 ou 25, on devrait :

O   décaler chaque fois le contenu des registres Latch d'un registre après le chargement, c'est-à-dire du registre Latch 0 vers le registre Latch 1, du 1 vers le 2, du 2 vers le 3, etc mais cela n'est pas du tout possible ;

O   marquer le contenu du quatrième registre Latch pour l'opération d'écriture suivante en copiant auparavant dans le registre Latch 0, ce qui est également une action impossible ;

O   masquer le registre Latch 0 avant l'écriture pour que son contenu ne soit pas écrasé dans la RAM vidéo à cause de la coordonnée X divisible par quatre. Cela est par contre admis.

Sachant que deux de ces trois opérations sont impossibles à réaliser, cela suppose naturellement une programmation plus importante. Mais on se contente tout simplement de placer quatre copies d'un Sprite dans la RAM vidéo en commençant la structure du premier à partir d'une coordonnée X divisible par quatre. On installe le second immédiatement à droite ou plutôt un point à droite et non à une coordonnée X divisible par quatre. Ainsi, une colonne de points reste disponible dans la marge gauche du Sprite. Celle-ci est copiée ultérieurement mais elle est considérée comme transparente pour mettre en évidence l'arrière-plan tout en restant invisible.

Le même principe est appliqué aux troisième et quatrième Sprites. On leur affecte deux ou trois colonnes de points et non une seule à être considérées comme transparentes.

Pour que le Sprite apparaisse par la suite sur l'écran, il faut d'abord recalculer la coordonnée X sur une coordonnée X divisible par quatre. La différence entre la coordonnée X spécifiée et le résultat du calcul indique le nombre de colonnes vides au début du Sprite et reproduit ainsi le numéro du Sprite qui sert pour la recopie.

Voici la formule à utiliser :

```
CibleX = int(X/4) ou tout simplement X and not (4)
Sprite = X - int(X/4) * 4 ou tout simplement X and 3
```

Il reste un dernier problème à évoquer celui du fond transparent. Tant qu'on se contente de charger les quatre registres Latch et écrire leur contenu à la position cible, on copie en fait la totalité du rectangle Sprite sans toucher l'arrière-plan. Avant l'écriture des quatre registres Latch, il faut masquer les registres Latch à travers le registre "Map Mask" du contrôleur Sequencer qui risquent sinon d'écraser un point d'arrière-plan.

Vous n'êtes pas obligé de masquer toujours les mêmes registres Latch parce que les mêmes points n'interviennent pas à chaque fois dans les différents groupes de quatre des points Sprite. C'est pourquoi, il convient de programmer individuellement le registre "Map Mask" avant d'écrire dans les registres Latch. Il faut choisir une valeur calculée lors de la compilation de l'image Sprite dans COMPILESPRITE et transmise comme la partie d'un tableau à la routine BLOCKMOVE.

Tout cela complique quelque peu la tâche mais il faut obligatoirement passer par là si l'on souhaite copier directement les Sprites dans la RAM vidéo. Encore heureux que cette action n'est indispensable que lors de l'affichage des Sprites. Il faut savoir que le contenu des quatre registres Latch peut être écrasé définitivement de la RAM vidéo en cas de sauvegarde du fond du Sprite ou de sa restauration. Ici, il n'est donc pas indispensable de programmer le registre "Map Mask".

Cette méthode qui consiste à conserver les modèles Sprite directement dans la RAM vidéo et les copier avec des valeurs pour le registre "Map Mask" grâce à un tableau se rencontre naturellement dans les diverses routines des modules S3220C.C et S3220P.PAS ainsi que dans la procédure BLOCKMOVE des modules Assembleur S3220CA.ASM et S3220PA.ASM.

Le processus commence avec la routine COMPILESPRITE. Outre le tableau chaîne avec l'image du Sprite, elle attend la hauteur du Sprite et quatre paramètres supplémentaires. Il s'agit tout d'abord de la page écran dans laquelle les modèles Sprites sont à concevoir. On peut citer ici la page 2 ou 3 vu que les pages écran 0 et 1 sont à utiliser par la suite pour l'affichage du Sprite.

L'argument suivant est la ligne de points à partir de laquelle les modèles sont à concevoir dans la page spécifiée. Ici, vous pouvez choisir une valeur quelconque comprise entre 0 et 200 (hauteur de Sprite). Mais lorsque vous utilisez des Sprites de toutes sortes, veillez à ce que les modèles Sprite ne se superposent pas dans la RAM vidéo.

Dans la ligne spécifiée, les quatre copies du Sprite se placent obligatoirement les unes à côté des autres. Vous pouvez d'ailleurs le constater sur l'écran en affichant la page concernée à l'intérieur de la routine DEMO après l'appel de COMPILESPRITE par simple appel de SHOWPAGE.

Après la ligne de points, COMPILESPRITE attend un caractère représentant le caractère doté du plus petit code couleur dans le tableau chaîne. Il sert à définir l'image du Sprite. Normalement, vous serez tenté d'indiquer ici "A". Mais dans le tableau chaîne, vous pouvez utiliser également des lettres minuscules ou des nombres pour coder la couleur qui vous intéresse. Pour ce paramètre, indiquez tout simplement un A minuscule ou le chiffre 0.

Le dernier paramètre intervient également dans le cadre de la couleur des divers points du Sprite. Il indique le numéro de la couleur à affecter aux points Sprites munis du plus petit code (soit par exemple "A", "a" ou "0"). Il représente également la base pour les autres codes couleur. Ainsi, "B", "b" ou "1" correspondent par exemple au code couleur suivant.

Cette méthode permet de lire les couleurs au-delà de 128 sans être obligé de passer par les caractères grecs, les trémas ou les caractères de cadre dans le tableau Sprite. Hormis les deux caractères cités en dernier, les espaces correspondent grosso modo aux points transparents qui laissent apparaître le fond du Sprite.

COMPILESPRITE se sert des informations reçues pour construire d'abord quatre fois le Sprite dans la page citée comme nous l'avons déjà décrit plus haut. Dans ce cas, les points de fond reçoivent le code 255 pour qu'ils puissent se distinguer des points non-transparents.

Les quatre Sprites sont ensuite exécutés pour compléter le tableau. Ce dernier est utilisé ultérieurement pour programmer le registre "Map Mask" lors de l'appel de BLOCKMOVE. Pour les besoins de ce tableau, la mémoire est d'abord allouée à travers la Heap. Puis pour chaque point des quatre Sprites ainsi créés, un quartet doté de la valeur adéquate y est stocké pour le registre "Map Mask".

Tout comme pour les autres informations, le pointeur est également fixé sur ce tableau dans le descripteur de l'image Sprite (SPLOOK) transmis comme d'habitude au moyen d'un pointeur.

De plus amples informations doivent être transmises non seulement à COMPILESPRITE mais aussi à CREATESPRITE contrairement aux autres programmes Sprite. En dehors de l'indispensable pointeur sur le descripteur de l'image Sprite, cette routine attend concrètement l'état des deux zones de la RAM vidéo devant servir à recevoir le fond du Sprite des pages écran 0 et 1. A cet effet, il faut indiquer les coordonnées X et Y à partir desquelles le fond est à définir ainsi que la page écran souhaitée (2 ou 3). Notez qu'il faut une zone dont la largeur représente le double du Sprite concerné et une hauteur simple parce que les deux buffers des pages 0 et 1 vont être placés côte à côte.

Une fois le Sprite créé selon cette méthode, il peut être affiché sur l'écran à l'aide de la routine SETSPRITE et mis en mouvement avec MOVESPRITE. Vous devez appeler comme à l'accoutumée les routines PRINTSPRITE, GETSPRITEBG et RESTORESPRITEBG servant ici à la *routine Assembleur* BLOCKMOVE. Une routine PUTVIDEO et GETVIDEO fait défaut dans l'implémantation des modules Sprite pour le mode 320*200 points.

BLOCKMOVE attend de nombreux paramètres parmi lesquels les zones cible et source. Ces deux zones sont représentées par le numéro de leur page écran ainsi que les coordonnées X et Y. Cette routine attend en outre la largeur de la zone rectangulaire en points et sa hauteur en lignes de points. Enfin, BLOCKMOVE retourne un pointeur sur le tableau qui contient les valeurs pour la programmation du registre "Map Mask".

Si tous les points du rectangle spécifié doivent être copiés en dépit des points du fond, il n'est pas évidemment pas utile d'indiquer un tel tableau. Dans ce cas, la routine attend tout simplement un pointeur nul représenté par la constante prédéfinie NIL dans la version Pascal et par NOBITMASK dans la version C.

Si BLOCKMOVE rencontre un tel pointeur nul lors de son exécution, elle se branche sur une routine de recopie plus rapide que la routine ordinaire qui programme le registre "Map Mask" avant chaque four byte transfer. Dans cette routine, une ligne complète de points issue de la zone écran spécifiée est copiée simultanément sans tenir compte des points transparents.

Dans tous les cas, le mode Write 1 est défini avant de pénétrer dans la boucle de recopie. Ce mode autorise seulement le transfert simultané du contenu des quatre registres Latch dans les quatre plans de bits. Le mode Write initial est remis en place avant la fin de la routine.

En voilà assez concernant les programmes Sprite en mode graphique 320*200 points avec 256 couleurs. Ils fonctionnent plus vite que les autres programmes Sprite parce la RAM vidéo reste à leur disposition en tant que mémoire intermédiaire pour les modèles et le fond des Sprites. Cet avantage est néanmoins réduit à cause de la faible résolution qui ne correspond même pas au standard auquel l'utilisateur est habitué. Malgré la vitesse quelque peu réduite, nous pensons que le mode graphique 320*200 points prévaut par rapport au mode 320*400 dans la mesure où il faut 256 couleurs et qu'il est impossible de travailler en mode 640*350 points.

Les sections suivantes vous montrent comment exploiter les Sprites dans ces deux modes. Mais voici les listings des modules pour la programmation des Sprites en mode graphique 320*200 points.

| S3220C.C | S3220CA.ASM | V3220CA.ASM |
| S3220P.PAS | S3220PA.ASM² | V3220PA.ASM |

Sprites en mode graphique 320*400 points avec 256 couleurs

En mode graphique 320*400 points, la haute résolution s'offre aux deux pages écran utilisables pour recevoir les modèles et le fond des Sprites en mode 320*200 points. Ici, il n'existe aucune autre alternative que celle consistant à stocker les modèles et le fond des Sprites dans la mémoire RAM du PC et établir une routine de recopie entre la mémoire principale et la mémoire RAM de la carte vidéo. Du point de vue de la vitesse d'exécution, ces routines n'ont naturellement rien à envier à la copie directe à l'intérieur de la RAM vidéo. Mais comme les Sprites le montreront dans cette section, une telle insuffisance reste pratiquement indiscernable par l'utilisateur.

Par ailleurs, les routines de création et d'affichage des Sprites sont devenues beaucoup plus faciles. Dorénavant, il n'est plus possible de copier simultanément quatre octets entre la mémoire principale et la RAM vidéo comme c'est le cas au moyen des quatre registres Latch dans la RAM vidéo. C'est aussi la raison pour laquelle il n'est pas indispensable d'étendre les Sprites sur une largeur divisible par quatre de même qu'il est inutile de les disposer par quatre. En bref, un Sprite de largeur quelconque peut être copié à une coordonnée X quelconque. Désormais, il n'est plus utile d'avoir recours à un tableau avec des valeurs pour le registre "Map Mask". Toute médaille a tout de même deux côtés !

La modification de la sauvegarde et de la transmission des modèles Sprite dans la RAM vidéo se reflète naturellement dans les divers modules conçus pour la programmation des Sprites en mode graphique 320*400 points. Du côté C, il s'agit des modules S3240C.C, S3240CA.ASM et V3240CA.ASM. Les modules S3240P.PAS, S3240PA.ASM et V3240PA.ASM démontrent la programmation des Sprites dans ce mode vidéo au programmeur en Pascal.

Les routines PUTVIDEO et GETVIDEO représentent l'interface entre la mémoire principale et la RAM vidéo dans les modules cités plus haut. GETVIDEO permet de charger le contenu d'une zone rectangulaire de l'écran depuis la RAM vidéo vers la mémoire principale pour sauvegarder par exemple le fond d'un Sprite dans un buffer. À l'inverse, PUTVIDEO transfère le contenu d'une zone écran préalablement sauvée par GETVIDEO en un endroit quelconque de la RAM vidéo.

Les deux routines se servent de deux routines du module Assembleur S3240CA.ASM ou S3240PA.ASM portant les noms COPYBUF2PLANE et COPYPLANE2BUF. Leur tâche consiste à transférer une zone rectangulaire de points écran depuis un plan de bits vers la mémoire principale ou inversement.

Les quatre plans de bits dans lesquels sont répartis les points de tous les modes 256 couleurs sont traités séparément ici. Les deux routines sont par conséquent appelées quatre fois dans

GETVIDEO et PUTVIDEO pour lire successivement les quatre plans de bits et y écrire. Cette opération est plus rapide que celle consistant à traiter en une seule passe quatre points des quatre plans de bits parce qu'il faut alors programmer le registre Read Map du contrôleur graphique ou le registre "Map Mask" du contrôleur Sequencer. La programmation de ces registres doit s'effectuer cependant une seule fois à chaque appel de COPYBUF2PLANE ou COPYPLANE2BUF parce qu'un seul plan de bits bien déterminé est adressé au cours de l'exécution de ces routines.

Vu que GETVIDEO et PUTVIDEO n'utilisent pas uniquement des zones écran rectangulaires dont la largeur est un multiple de quatre, la largeur des zones à traiter à l'intérieur des plans de bits n'est pas toujours identique. Imaginez par exemple un appel de GETVIDEO où il s'agit de charger une zone de la RAM vidéo s'étendant depuis la coordonnée X 0 jusqu'à la coordonnée X 6. Dans cette zone, deux points par ligne de points sont issus systématiquement du premier plan de bits (coordonnées X 0 et 4), également 2 du second plan de bits (coordonnées X 1 et 5) et encore 2 du troisième plan de bits (coordonnées X 2 et 6). Mais le quatrième plan de bits n'offre qu'un seul point (coordonnée X 3) convenant à cette zone.

Lors de son appel, GETVIDEO doit vérifier le nombre de points considérés dans chaque plan de bits. Elle doit conserver ces informations quelque part parce qu'elles peuvent servir pour un appel ultérieur de GETVIDEO. Ces informations - ainsi que d'autres - sont conservées dans un bloc de données. GETVIDEO le définit à travers la pile lors de son appel et transmet à l'utilisateur au moyen d'un pointeur. Ce bloc de données introduit par un tableau de quatre pointeurs porte la désignation PIXBUF. Ces derniers renvoient aux quatre buffers stockant le contenu de la zone écran extraite des quatre plans de bits. Vient ensuite un autre tableau à quatre entrées contenant le nombre de points stockés par plan de bits. Puis vient la hauteur de la zone c'est-à-dire le nombre de lignes de points.

La structure de données PIXBUF se termine avec la hauteur de la zone écran sauvegardée. Mais GETVIDEO associe directement le buffer à cette structure lequel reçoit les informations de points depuis les différents plans de bits. Cette action est possible parce qu'un buffer pixel de type PIXBUF est alloué à travers la Heap lors de l'appel de GETVIDEO. La taille du buffer nécessaire aux quatre plans de bits est ajoutée automatiquement à ce buffer. En guise de résultat, GETVIDEO reçoit une zone mémoire commençant par un PIXBUF et suivie des informations de points extraites des plans de bits au moyen de COPYPLANE2VIDEO.

GETVIDEO retourne un pointeur sur le buffer pixel ainsi créé. L'utilisateur peut utiliser ce pointeur aussi souvent que nécessaire lors d'un prochain appel de PUTVIDEO. La zone mémoire sauvegardée peut ainsi être copiée à tout moment en un endroit quelconque de la RAM vidéo.

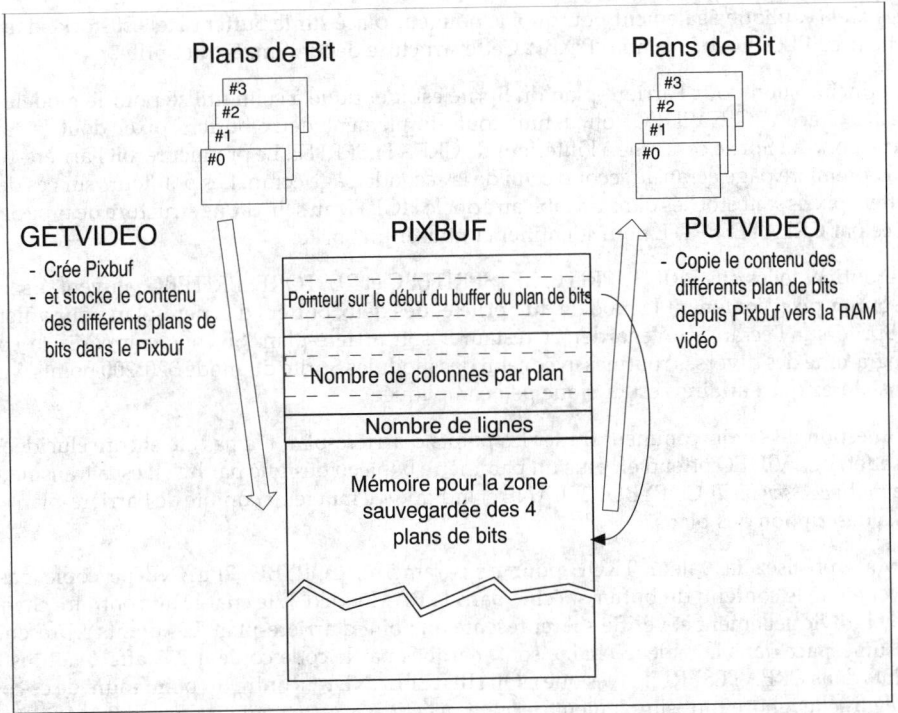

*Sauvegarde de zones écran avec GETVIDEO et PUTVIDEO dans les
programmes Sprite du mode graphique 320*400 points avec 256 couleurs*

GETVIDEO ne se contente pas de retourner un pointeur sur un buffer pixel. Elle peut également recevoir un pointeur sur un tel buffer en tant que dernier paramètre lors de son appel. Si un tel pointeur est précisé au lieu d'un NIL (en Pascal) ou de la constante ALLOKBUF (en C), les différentes informations sont reportées dans un buffer pixel déjà existant. Il s'agit d'un buffer défini par GETVIDEO lors d'un appel antérieur et référencé maintenant à l'aide du pointeur spécifié. L'avantage est qu'il n'est pas besoin d'allouer à chaque fois un nouveau buffer ce qui nécessite un temps assez important. Mais la condition préalable est de ne pas stocker une zone mémoire volumineuse dans le nouveau buffer pour que la place mémoire allouée ne soit pas insuffisante.

Dans les programmes Sprite concernant le mode 320*400 points, cette technique est par exemple utilisée pour créer l'arrière-plan des Sprites. Étant donné que la taille du Sprite est toujours la même, il en va naturellement de même pour l'arrière-plan. Il suffit donc d'allouer une seule fois un buffer approprié.

GETVIDEO et PUTVIDEO ne servent pas uniquement à sauvegarder l'arrière-plan d'un Sprite et le restaurer par la suite. Mais elles interviennent également dans la conversion de l'image d'un Sprite dans COMPILESPRITE. L'image du Sprite conservée dans un tableau chaîne est notamment utilisée pour construire un tel Sprite à partir des coordonnées (0/0) dans la page écran spécifiée par l'utilisateur comme un paramètre.

La zone recouverte par le Sprite est ensuite transférée dans un buffer pixel à travers un appel de GETVIDEO. Si le Sprite doit être affiché par la suite sur l'écran, il suffit de transmettre ce buffer pixel à PUTVIDEO sans oublier de mentionner la page écran concernée et les coordon-

nées. Cela explique également pourquoi le pointeur placé sur le buffer pixel est stocké dans la structure SPLOOK sous le nom PIXBP. Cette structure décrit l'image du Sprite.

Le principe suivi pour l'arrière-plan du Sprite est identique à celui utilisé pour le modèle du Sprite. Grâce à GETVIDEO, on définit tout simplement deux buffers pixel dont la taille correspond au Sprite concerné à l'intérieur de CREATESPRITE. Le premier reçoit l'arrière-plan de la première page écran, le second celui de la seconde page écran. Les pointeurs sur ces deux buffers pixels sont stockés dans un tableau appelé HGPTR au sein d'une structure de type SPID créée par CREATESPRITE pour identifier et utiliser un Sprite.

Les routines telles que PRINTSPRITE, GETSPRITEBG et RESTORESPRITEBG peuvent se servir du buffer pixel contenant le modèle du Sprite et des deux buffers d'arrière-plan pour afficher le Sprite sur l'écran, sauvegarder et restaurer son arrière-plan. Si vous comparez le code programme des diverses routines avec celui des modules Sprite du mode 320*200 points, vous constaterez que l'affaire s'est quelque peu compliquée.

La question de savoir comment traiter les points d'arrière-plan n'a pas été encore élucidée. A cet effet, PUTVIDEO attend en plus un paramètre booléen désigné par BG. Il est à transmettre à la *routine Assembleur* COPYBUF2PLANE et indique s'il faut tenir compte de l'arrière-plan lors de la description des plans.

Si vous précisez la valeur TRUE pour ce paramètre, COPYBUF2PLANE ne copie pas à l'aveuglette le contenu du buffer spécifié dans la RAM vidéo. Elle charge au contraire chaque octet individuellement et vérifie s'il représente un point d'arrière-plan. Les points représentés par un espace dans le tableau chaîne sont marqués par le code couleur 255 affecté à tous les points dans CREATESPRITE. Dès que COPYBUF2PLANE rencontre un point muni de ce code couleur, elle ignore tout simplement ce point, n'écrit pas cette couleur dans la RAM vidéo et poursuit avec le prochain point du buffer.

C'est ainsi qu'on peut résoudre facilement le problème toutes les fois que la recopie entre la mémoire principale et la RAM vidéo s'opère avec une certaine lenteur. Mais en pratique, c'est à peine si ce ralentissement est discerné.

Ainsi se termine la description des caractéristiques des Sprites en mode graphique 320*400 points. Si vous vous posez encore des questions à propos du fonctionnement des programmes, n'hésitez pas à consulter les listings richement documentés.

> *S3240C.C*   *S3240CA.ASM*
> *V3240CA.ASM (déjà mentionné en 9.8.7)*
> *S3240P.PAS*   *S3240PA.ASM*
> *V3240PA.ASM (déjà mentionné en 9.8.7)*

Sprites en mode graphique EGA et VGA avec une résolution de 640*350 points et 16 couleurs

Celui qui attache plus d'importance à une haute résolution plutôt qu'au nombre de couleurs affichables sur l'écran se trouve fort bien servi avec le mode graphique 640*350 points. Ce mode est à la fois reconnu par les cartes VGA et EGA ce qui n'est pas le cas du mode haute résolution en 640*480 points. Mais il est de toute façon à écarter de la programmation Sprite puisqu'il n'est plus possible d'afficher deux pages écran dans ce mode.

En revanche en mode 640*350 points, la capacité de la RAM vidéo reste inépuisable malgré l'utilisation de deux pages écran. Dans ce mode, les deux pages écran réunies n'occupent que 219 Ko de la RAM vidéo qui offre en tout 256 Ko. Il reste exactement 38 144 octets inutilisés ce qui correspond à près de 76 000 points ou une résolution supplémentaire de 640*120 points. Selon le même procédé que celui du mode 320*200 points, on peut naturellement utiliser la partie inoccupée de la RAM vidéo pour stocker les modèles de Sprites et les buffers d'arrière-plan.

Selon le nombre de modèles Sprite et les Sprites affichés effectivement sur l'écran, il se peut que l'espace devienne toutefois restreint dans la RAM vidéo. Cela s'explique par le fait qu'on a besoin maintenant de huit copies différentes par modèle Sprite au lieu des quatre en mode 320*200 points.

Il ne faut pas s'étonner si les Sprites du mode 640*350 points suivent les traces de leurs prédécesseurs du mode 320*400 points et gèrent les modèles et fonds de Sprites dans la mémoire principale. Mais les routines servant à disposer les Sprites et échanger les zones écran entre la mémoire principale et la RAM vidéo sont nettement différentes de celles de leurs prédécesseurs.

En modes 16 couleurs, l'organisation de la RAM vidéo est complètement différente de celle des modes 256 couleurs comme vous avez pu le constater dans les sections précédentes. Au lieu de représenter un point par un octet, ici chaque octet de la RAM vidéo contient huit points. Sachant que chacun des huit points d'un tel octet ne dispose que d'un bit, il est évident que cela ne suffit pas à recevoir un code couleur compris entre 0 et 15. C'est ainsi que se crée la fameuse commutation "3D" des quatre plans de bits où quatre octets consécutifs issus des quatre plans de bits reçoivent les informations de couleur pour huit points.

Cette organisation de la RAM vidéo qui rend quelque peu contradictoire et ralentit par exemple l'accès individuel à des points déterminés comporte naturellement de nombreuses implications dans le fonctionnement des routines des modules S6435C.C (version C) et S6435P.PAS (version Pascal) qui affichent les Sprites sur l'écran en mode 640*350 points.

Sur le plan interne, la largeur des Sprites est toujours arrondie à un multiple de huit pour que les bits des marges gauche et droite d'un Sprite ne soient pas exclus de l'opération lors des divers accès à la RAM vidéo. Il faut donc d'abord charger chaque octet vidéo dans la marge d'un Sprite puis isoler les bits souhaités et ensuite le réécrire lors d'un accès en écriture. Tout cela risque de durer un long moment. Il en est de même de la programmation permanente du registre Bit Mask, la seule et unique alternative à cette procédure.

Cette action d'arrondir reste transparente à l'utilisateur des routines telles que COMPILESPRITE, CREATESPRITE et MOVESPRITE parce qu'elle s'exécute sur le plan interne sans apparaître à l'extérieur. De même, il ne remarque pas que huit copies d'un modèle Sprite ont été créées sur le plan interne en raison d'un problème qui intervient ici comme dans le mode 320*200 points.

Si on commence notamment à coder le modèle Sprite en système binaire à partir du bit 7 du premier octet par exemple, ce modèle ne peut alors être copié tel quel que dans la zone écran commençant à la coordonnée X et qui est un multiple de huit. Pour toute zone écran commençant à une coordonnée X dont le modulo par huit donne une valeur différente de 0, les différents bits doivent être alignés à droite par rapport à cette valeur. Une telle action n'est pas souple parce qu'elle tend à ralentir l'exécution d'un programme en nécessitant surtout une programmation poussée.

Dans la routine COMPILESPRITE de S6435C.C et S6435P.PAS, un modèle Sprite a donc été créé huit fois en le décalant à chaque fois d'un point vers la droite. Si un Sprite doit être affiché en un endroit précis de l'écran, on fait toujours appel au même modèle qui convient à la coordonnée X spécifiée.

Ces huit modèles Sprite sont stockés sous la forme de buffers pixel c'est-à-dire que le modèle Sprite est d'abord conçu dans la RAM vidéo tout comme les modules pour la programmation Sprite en mode 320*400 points. Il est ensuite chargé dans un buffer pixel au moyen d'un appel de GETVIDEO. Contrairement aux programmes Sprite du mode 320*400 points, cette action s'opère ici huit fois pour chaque Sprite ce qui explique le besoin important en mémoire principale.

Pour un Sprite d'une ampleur de 20*30 points, ce qui est insignifiant dans un mode à si haute résolution, on obtient une largeur interne de points après avoir revalorisé la largeur à sept points puis arrondi à un multiple de huit. Sachant que chaque point nécessite quatre bits, on obtient 16 octets par ligne de points. En multipliant cela par 20, il en résulte d'ores et déjà 640 octets rien que pour le buffer pixel sans prendre en compte l'information d'état en PIXBUF. Si on considère maintenant qu'un tel buffer est réclamé huit fois par modèle Sprite, on atteint facilement 5 Ko. Il ne faut oublier que les deux buffers d'arrière-plan qui consomment plus d'1 Ko par Sprite ne sont pas pris en compte.

```
int((20 + 7 + 7)/8)*8 = 32
```

Ce n'est pas tout. Il s'y ajoute les buffers AND qui sont à définir pour chacun des huit modèles Sprite. Ils sont également utiles en mode 640*350 points parce qu'un Sprite ne doit être que partiellement transparent pour qu'il ne soit pas reconnu comme une zone écran rectangulaire. En raison de l'organisation de la RAM vidéo dans ce mode graphique, il s'agit là d'une occasion particulièrement délicate qui ne peut être mise à profit qu'à l'aide d'un processus en trois étapes. Ce dernier doit être répété pour chaque octet de la RAM vidéo situé dans la zone du Sprite. Ce processus comprend d'abord le chargement de l'octet à traiter, puis la programmation du registre Bit Mask pour ne lire que les points souhaités et ensuite l'écriture de la valeur souhaitée.

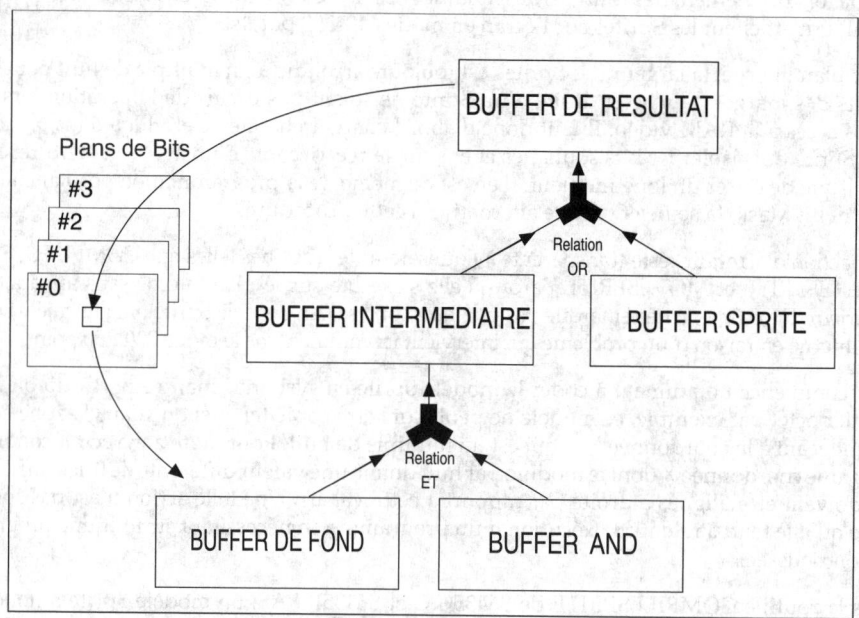

*Fusion d'un arrière-plan Sprite avec un modèle Sprite en mode 640*350 points à travers un buffer AND*

Cette procédure risque de durer longtemps en raison du nombre important d'octets par Sprite et de Sprites par page écran. Nous avons donc choisi une autre méthode dans les programmes qui suivent.

On suppose que non seulement le modèle mais aussi l'arrière-plan du Sprite existent déjà avant l'écriture d'un Sprite parce que l'arrière-plan a dû naturellement être sauvegardé au préalable. On peut alors fusionner ces deux buffers octet par octet avant même l'accès à la RAM vidéo pour obtenir une mixture composée de points d'arrière-plan et de points de Sprite pour chaque octet. Ainsi se crée l'octet qui peut finalement être inscrit dans la RAM vidéo sans être obligé de masquer des bits déterminés.

Dans les octets du buffer d'arrière-plan, il ne faut cependant modifier que les bits ne correspondant pas à un point d'arrière-plan. Ainsi, seule la couleur des points d'arrière-plan reste inchangée, tous les autres points étant recouverts par le Sprite. À cet effet, il faut établir une relation avec le masque AND.

Prenez par exemple un octet quelconque du modèle Sprite avec ses huit points. Dans cet octet, il faut que le point situé complètement à gauche (représenté par le bit 7) soit transparent. Dans le masque AND de cet octet, ce bit est réglé sur 1 alors que tous les autres affichent 0. Les deux étapes suivantes expliquent cette situation. Lors de la combinaison des trois buffers (modèle Sprite, buffer d'arrière-plan et buffer AND), l'octet d'arrière-plan est en effet relié en premier avec l'octet correspondant du buffer AND à travers une opération logique AND.

Le résultat est que seul le bit d'arrière-plan (7) reste inchangé alors que tous les autres sont mis sur 0. A l'étape suivante, ce résultat est combiné avec l'octet de premier plan à travers une opération logique OR. Dans un tel octet de premier plan, toutes les positions de bits correspondant à un point transparent contiennent en principe la valeur 0. Les autres bits contiennent un des quatre bits composant la couleur du point Sprite.

La couleur du point Sprite concerné est ainsi incluse dans les points écran recouverts à présent par le Sprite. Quant aux bits correspondant aux points d'arrière-plan, ils restent inchangés. Il faut en outre que l'opération soit menée intégralement sur les quatre plans de bits. Le masque AND est d'ailleurs identique pour les divers plans de bits parce que ce sont toujours les mêmes points qui doivent faire partie du Sprite ou rester transparents. La taille d'un buffer AND qui n'est valable que pour l'un des huit modèles Sprite, s'élève à :

```
Largeur * Hauteur /8 octets.
```

Les buffers AND nécessaires aux modèles Sprite se créent comme les modèles Sprite eux-mêmes en COMPILESPRITE. Dans ce cas, les buffers sont traités comme un énorme champ de bits qui est d'abord vide. Lorsque le point concerné doit rester transparent, un 1 est inséré à la fin de ce champ lors du parcours du tableau Sprite. En revanche, un 0 représente un point Sprite devant réécrire l'arrière-plan.

La combinaison de l'arrière-plan Sprite, du modèle Sprite et du buffer AND est réalisée grâce à une *routine Assembleur* des modules S6435CA.ASM ou S6435PA.ASM. Elle porte un nom assez long mais significatif MERGEANDCOPYBUF2VIDEO parce qu'elle fusionne les buffers et les copie ensuite dans la RAM vidéo. Cette opération s'effectue néanmoins en parallèle avec l'accès à la RAM vidéo. Autrement dit, un octet issu de ces trois buffers est d'abord combiné pour être ensuite inscrit directement dans la RAM vidéo.L'opération se réalise en principe automatiquement quatre fois dans MERGEANDCOPYBUF2VIDEO pour pouvoir traiter successivement les quatre plans de bits. Il en est de même des *routines Assembleur* COPYBUF2VIDEO et COPYVIDEO2BUF qui sont utiles en mode 320*400 points au lieu des routines COPY-BUF2PLANE et COPYVIDEO2PLANE des modules Assembleur.

Il vous est possible de traiter automatiquement les quatre plans de bits puisque le nombre d'octets traités reste toujours identique en raison de l'utilisation permanente des zones d'écran dont la largeur est toujours un multiple de huit. Par conséquent, COPYVIDEO2BUF copie automatiquement la zone écran spécifiée depuis les quatre plans de bits vers le buffer défini. De même, COPYBUF2VIDEO charge la zone écran dans les quatre plans de bits avec le contenu du buffer spécifié.

En dehors des différences de concept, il n'y a rien de plus à ajouter à propos des divers programmes Sprite en mode 640*350 points. Ils ressemblent beaucoup à leurs prédécesseurs qui ont été largement décrits au cours de ce chapitre.

Pour conclure ce chapitre, voici les listings des programmes Sprite en mode graphique 640*350 points avec 16 couleurs. Si vous ne parvenez pas à élucider certaines questions, n'hésitez pas à consulter les listings qui vous apporteront certainement les réponses nécessaires. Vous y trouverez également de nombreuses routines utiles pour programmer vos propres Sprite.

S6435C.C	S6435CA.ASM
V16COLCA.ASM *(déjà décrit en 9.8.6)*	
S6435P.PAS	S6435PA.ASM
V16COLPA.ASM *(déjà décrit en 9.8.6)*	

9.8.10. Les registres des cartes EGA/VGA

Les cartes EGA/VGA reposent essentiellement sur quatre contrôleurs se répartissant les tâches liées à la génération du signal vidéo. Concrètement, il s'agit :

○ du contrôleur CRT,
○ du contrôleur d'attributs,
○ du contrôleur graphique,
○ du séquenceur et
○ du convertisseur digital en analogique (DAC) existant uniquement sur une carte VGA.

Les cartes EGA et VGA disposent en outre de quelques registres généraux décrits également dans ce chapitre. A l'origine, les divers supports de fonction pouvaient se distinguer par rapport à la carte mère d'une telle carte car ils étaient intégrés dans les différentes structures. Par la suite, ils ont été touchés par la miniaturisation croissante et ont donné naissance à un ou deux contrôleurs étendus qui effectuent toutes les tâches nécessaires.

Ils ne se contentent pas d'implémenter d'innombrables fonctions et modes graphiques allant largement au-delà du véritable standard EGA/VGA, mais s'efforcent généralement de conserver telle quelle l'affectation initiale des registres IBM EGA/VGA pour des raisons de compatibilité. Les registres présentés ici ne divergent que très peu des cartes EGA/VGA reconnues comme le modèle standard sur le marché. Nous insisterons davantage sur les registres dont le mode d'affectation varie en fonction des cartes EGA et VGA.

Les registres qui s'écartent du standard EGA/VGA et dont les caractéristiques nécessitent une explication plus approfondie ne sont pas cités dans ce chapitre. Mais en dehors de ces registres, il n'existe aucun standard pour les cartes Super EGA et Super VGA ni d'autres extensions. D'ailleurs, les cartes Super VGA des trois principaux constructeurs présentent des différences entre elles. Malgré l'absence de ces registres, les lecteurs découvriront tout de même des points intéressants. En dehors d'un regard porté sur le mode de fonctionnement interne d'une carte EGA/VGA, les diverses descriptions de registres ouvrent la voie à de nombreuses techniques qui n'étaient même pas accessibles à travers le BIOS EGA/VGA étendu.

Il existe en outre toutes sortes de registres dont la manipulation est quelque peu délicate. Il s'agit en particulier des registres du contrôleur CRT pilotant la création des signaux vidéo et de synchronisation pour le retour horizontal et vertical du rayon électronique. Les combinaisons entre les divers registres sont complexes à établir et en raison de leur nature, ils risquent d'endommager le moniteur en cas de fausse programmation. Il existe cependant des bits et registres que vous pouvez manipuler sans problème. Mais n'oubliez pas de faire attention à la différence d'affectation de certains registres et bits des cartes EGA et VGA. Des différences infimes sont en effet à prendre en considération mais nous attirerons toujours votre attention au moment voulu.

Registres généraux

Outre les registres du contrôleur qui sont très particuliers, une carte EGA ou VGA dispose d'autres registres informant sur le mode de fonctionnement de la carte et c'est pourquoi ils sont désignés par "registres généraux".

Miscellaneous Output	Registres généraux, Ecriture : Port 3CCh

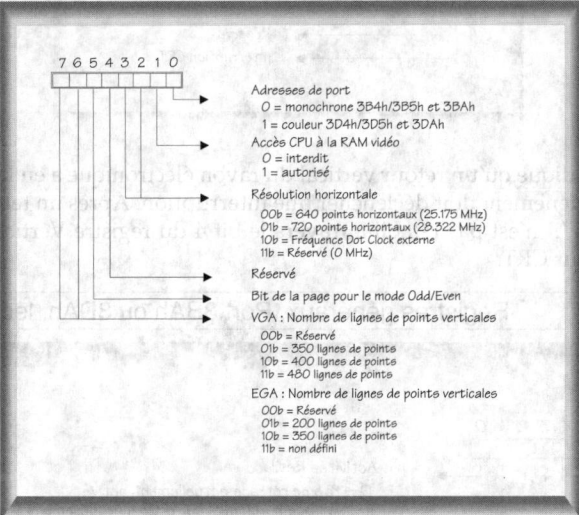

0	Pour l'émulation des cartes MDA, ce bit peut servir à définir l'adresse de port des données CRT et du registre d'index ainsi que le registre Input Status 1. Alors que ces registres occupent normalement les ports 3D4h/3D5h et 3DAh, ils peuvent ainsi être commutés sur les adresses de port 3B4h/3B5h et 3BAh.
3+2	Ce champ de bit sélectionne le générateur de tâches actif. Il dessine ainsi une ligne de points pour la résolution horizontale puisqu'un lien direct se crée entre le Dot Clock Rate et le nombre de points affichables. Le Dot Clock Rate de 0 MHz est réservé parce qu'il peut uniquement être utilisé pendant un reset de la carte VGA. La modification de ce registre doit toujours s'accompagner d'un reset synchrone à travers le registre reset du séquenceur.
5	Dans les modes Odd/Even (mode vidéo 0, 1, 2, 3 et 7), ce bit agit comme un bit de poids faible de l'accès à la mémoire. Il décide par conséquent si seules les adresses paires ou impaires doivent être adressées dans les différents plans de

bits. S'il contient la valeur 1 (défaut), tous les octets sont adressés sur les adresses d'offset paires. Inversement, la valeur 0 autorise l'accès aux adresses impaires. Le bit perd sa valeur lorsque le mode Chain est défini à travers le bit 1 dans le registre 6 du contrôleur graphique ou le mode Chain4 à travers le bit 3 dans le registre 4 du séquenceur.

6+7   En fait, ces deux bits ne sélectionnent pas directement la résolution verticale mais la polarité des signaux Retrace horizontaux et verticaux. En pratique, on obtient ainsi la résolution verticale spécifiée.

Attention ! Le mode d'émulation 200 points de la carte VGA ne peut pas être défini à travers ce champ de bits. Il s'agit en fait d'un mode 400 points où 200 lignes seulement sont affichées en double.

| **Input Statut 0** | Registres généraux, Port 3C2h, Lecture seulement |

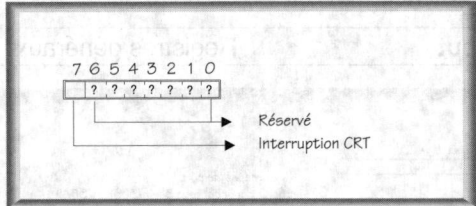

7   Ce bit indique qu'un retour vertical du rayon électronique a eu lieu dans la mesure où cet événement doit déclencher une interruption. Après un tel retour, il reste sur 1 tant qu'il n'est pas rétabli à travers le bit 4 du registre Vertical Retrace End du contrôleur CRT.

| **Input Status 1** | Registres généraux, Port 3BAh ou 3DAh, lecture seulement |

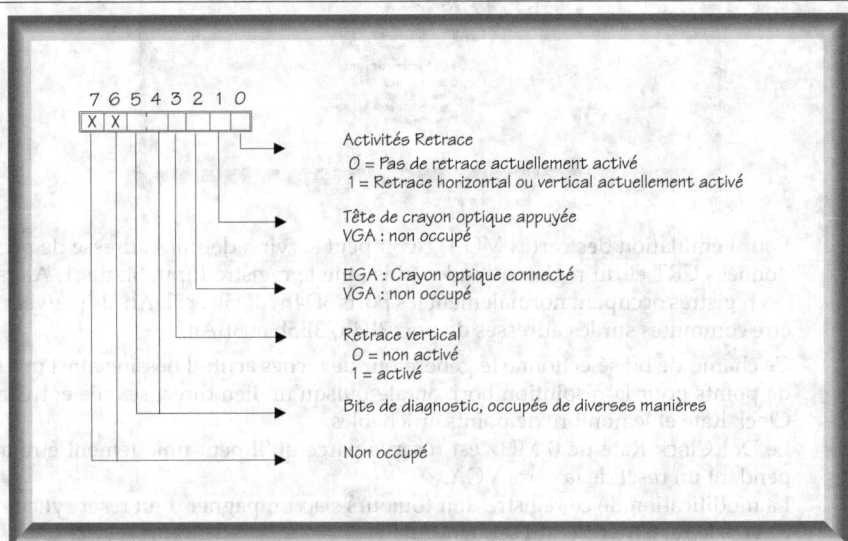

1+2   Sur une carte EGA, ces bits représentent l'interface avec le crayon optique qui n'est plus soutenu par les cartes VGA. Outre le test de contrôle portant sur l'existence du crayon optique à travers le bit 2, le bit 1 peut servir à déterminer si la tête du crayon optique est actuellement enfoncée. La position du crayon optique peut alors être obtenue à travers les registres 10h et 11h du contrôleur CRT.

3   Pour de nombreux programmes, ce bit est surtout intéressant parce qu'il permet de lire l'état du retour vertical. Par conséquent, il donne le signal de départ permettant de modifier les registres. Sinon, l'écran se couvrirait de neige.

Contrôleur CRT

La tâche essentielle du contrôleur CRT consiste à configurer l'écran en créant des signaux pour le moniteur qui permettent au rayon électronique de piloter le tube cathodique. Ainsi, on rencontre ici de nombreux registres jouant surtout un rôle dans le timing du retour horizontal et vertical du rayon électronique. Ces registres présentent en général peu d'intérêt pour le programmeur car ils sont complexes à gérer. Pour les programmer, il suffit de s'en remettre au BIOS qui les programme en conséquence en changeant tout simplement le mode vidéo. Mais le BIOS n'est pas capable de programmer des registres tels que les registres offset ou Line Compare utilisés pour des effets vidéo spéciaux. Voici la liste des 25 registres du contrôleur CRT.

N°	Nom de registre
00h	Horizontal Total
01h	Horizontal Display End
02h	Start Horizontal Blanking
03h	End Horizontal Blanking
04h	Start Horizontal Retrace
05h	End Horizontal Retrace
06h	Vertical Total
07h	Overflow
08h	Vertical Pel Panning
09h	Maximum Scan Line
0Ah	Cursor Start
0Bh	Cursor End
0Ch	Start Address High
0Dh	Start Address Low
0Eh	Cursor Location High
0Fh	Cursor Location Low
10h	Start Vertical Retrace
11h	End Vertical Retrace
10h	Light-Pen Low
11h	Light-Pen High (EGA seulement)
12h	Vertical Display End
13h	Offset
14h	Underline Location
15h	Start Vertical Blank
16h	End Vertical Blank
17h	Mode Control
18h	Line Compare

L'adressage de tous les registres du contrôleur CRT s'effectue à travers un registre d'index et de données situées à l'adresse de port 3D4h ou 3D5h si la carte EGA ou VGA est utilisée en mode couleur. En mode monochrome, ces registres se trouvent en 3B4h et 3B5h.

Selon le modèle classique, il convient d'écrire le numéro du registre dans le registre d'index avant d'accéder à un registre. Un accès en lecture permet alors de lire le contenu du registre adressé *via* le registre de données. Cela n'est exclusivement possible qu'avec les cartes VGA. Avec des cartes EGA, seuls les registres Light Pen sont lisibles puisque tous les autres sont destinés à l'écriture.

Pour un accès en écriture, vous ne pouvez écrire simultanément que dans les registres d'index et de données lors d'une opération 16 bits (il existe des exceptions représentées par certaines machines de marque Olivetti et AT&T. Dans ce cas, les registres d'index et de données doivent être écrits par deux accès 8 bits distincts et consécutifs.). La valeur du registre d'index doit être transmise dans l'octet de poids faible, celle du registre de données dans l'octet de poids fort de la valeur 16 bits.

Si l'adresse du registre souhaité a été écrite dans le registre d'index, elle n'est pas validée sur le registre de données par un accès en lecture ou écriture. Elle libère au contraire l'accès au registre souhaité. La conséquence est qu'il suffit de charger la première fois le numéro du registre dans le registre d'index en cas d'accès multiples et consécutifs à un registre CRT. Tous les accès ultérieurs peuvent alors s'effectuer directement à travers le registre de données.

N'oubliez pas qu'avec une carte VGA les huit premiers registres du contrôleur CRT peuvent uniquement être écrits lorsque le bit 7 du registre 11h est mis sur 0. Mais par le BIOS, il suffit de charger la valeur 1, ce qui interdit tout accès aux huit premiers registres CRT.

Horizontal Total	Contrôleur CRT, Registre 00h

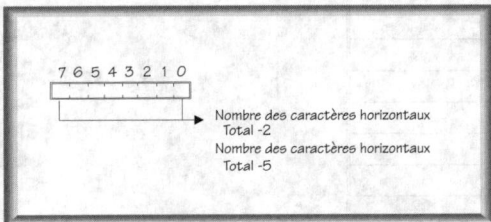

0-7	Le nombre total de caractères traités par ligne d'écran est stocké ici. En mode texte, le terme caractères désigne effectivement un caractère ASCII. En mode graphique, il correspond à un groupe de 8 points graphiques. Le nombre total de caractères est calculé à partir du quotient résultant entre la largeur de bande et la fréquence de balayage horizontale divisé par le nombre de points par caractère.
Avec une carte EGA, la valeur stockée dans ce registre doit être réduite de 2 par rapport au nombre total réel. Avec une carte VGA, elle doit être réduite de 5.

Horizontal Display Contrôleur CRT, Registre 01h

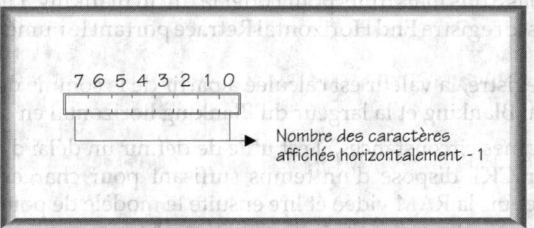

Nombre des caractères
affichés horizontalement - 1

0-7 Ce registre contient le nombre effectif de caractères affichés. Que ce soit avec une carte EGA ou VGA, la valeur stockée ici doit être réduite de 1 par rapport à la valeur réelle.

Start Horizontal Blanking Contrôleur CRT, Registre 02h

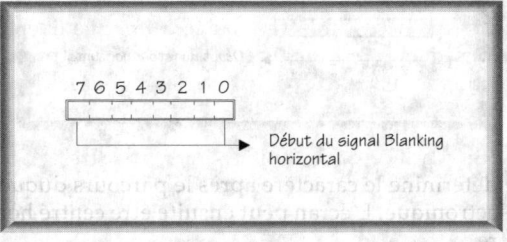

Début du signal Blanking
horizontal

0-7 Le début du signal Blanking horizontal met fin à la sortie des caractères car le rayon électronique du tube cathodique est désactivé. L'unité choisie est à nouveau le caractère. Le premier caractère affiché dans la marge gauche de l'écran est doté du numéro 0.

End Horizontal Blanking Contrôleur CRT, Registre 03h

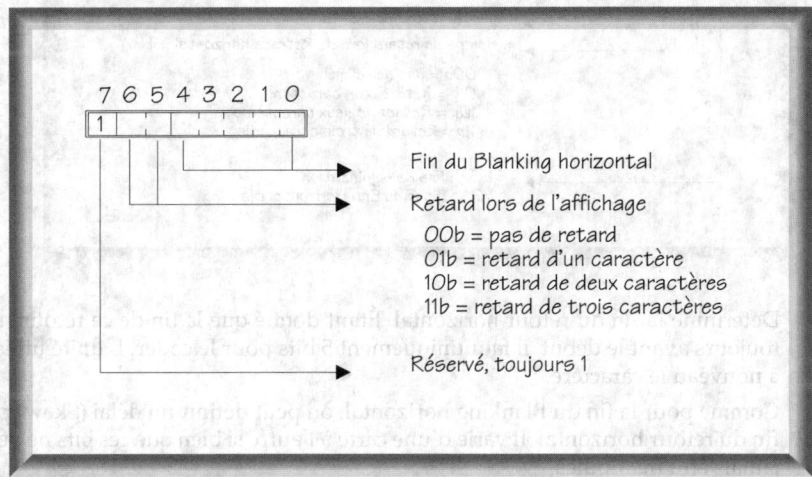

Fin du Blanking horizontal

Retard lors de l'affichage

00b = pas de retard
01b = retard d'un caractère
10b = retard de deux caractères
11b = retard de trois caractères

Réservé, toujours 1

0-7 Pour la fin du Blanking horizontal, l'unité choisie est le caractère comme pour le début. Le premier caractère affiché dans la marge gauche de l'écran porte le

numéro 0. Comme la fin du Blanking horizontal se situe toujours avant le début, on n'utilise pas 8 bits mais 6 bits pour coder la fin du Blanking. Le sixième bit se trouve alors dans le registre End Horizontal Retrace portant le numéro 05h dans le contrôleur CRT.

Dans ce registre, la valeur est calculée à partir de la somme des valeurs du registre Horizontal Blanking et la largeur du Blanking horizontal en caractères.

5+6   Dans certaines circonstances, il est utile de définir un délai d'affichage pour que le contrôleur CRT dispose d'un temps suffisant pour charger un caractère et son attribut depuis la RAM vidéo et lire ensuite le modèle de point *via* le générateur de caractères. Avec les cartes EGA, un caractère a besoin en outre d'un Skew alors qu'il n'est plus utile avec les cartes VGA.

Start Horizontal Retrace   Contrôleur CRT, Registre 04

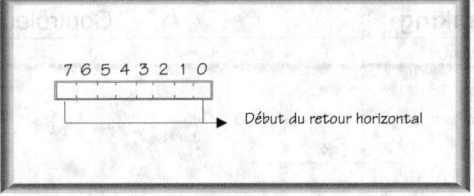

0-7   Ce registre détermine le caractère après le parcours duquel commence le retour du rayon électronique. L'écran peut ensuite être centré horizontalement à l'aide de ce registre.

End Horizontal Retrace   Contrôleur CRT, Registre 05h

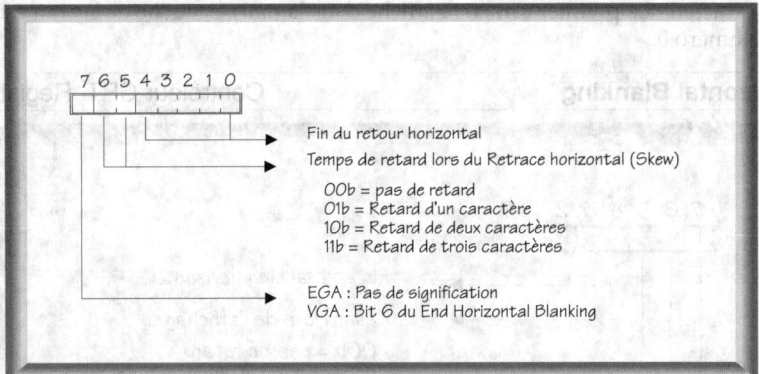

0-4   Détermine la fin du retour horizontal. Étant donné que la fin de ce retour se situe toujours avant le début, il faut uniquement 5 bits pour le coder. L'unité utilisée est à nouveau le caractère.

5+6   Comme pour la fin du Blanking horizontal, on peut définir un délai (Skew) pour la fin du retour horizontal. Il varie d'une carte à l'autre si bien que ces bits ne peuvent jamais être manipulés.

7   Ce bit sert d'extension aux bits 0 à 4 dans le registre End Horizontal Blanking et représente leur bit de poids fort.

Vertical Total Register   Contrôleur CRT, Registre 06h

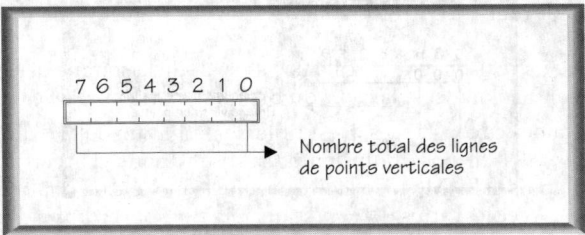

Nombre total des lignes
de points verticales

0-7   Ce registre contient le nombre total de lignes de points parcourues lors d'une configuration d'écran. Outre les lignes de points affichées, il faut y ajouter les lignes qui ont pu être parcourues au cours du retour vertical.

Que ce soit avec une carte EGA ou VGA, le nombre total de lignes de points franchissant largement la limite des 256, ce registre ne stocke seulement que les 8 bits de poids faible. Le huitième bit se trouve dans le registre Overflow portant le numéro 07h. Ce registre contient un dixième bit logé dans le bit 5 pour la carte VGA exclusivement.

Par rapport à la valeur réelle, le contenu de ce registre doit toujours être ramené à la valeur 2 que ce soit avec une carte EGA ou VGA.

Registre Overflow   Contrôleur CRT, Registre 07h

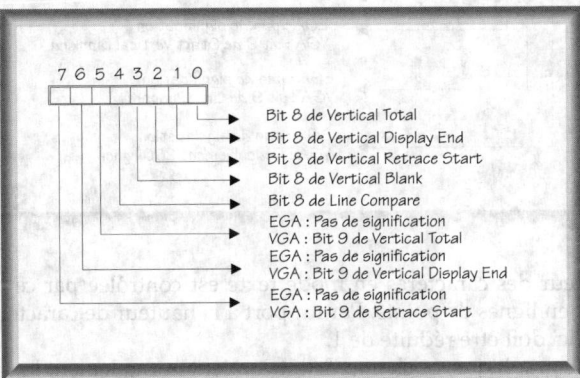

Bit 8 de Vertical Total
Bit 8 de Vertical Display End
Bit 8 de Vertical Retrace Start
Bit 8 de Vertical Blank
Bit 8 de Line Compare
EGA : Pas de signification
VGA : Bit 9 de Vertical Total
EGA : Pas de signification
VGA : Bit 9 de Vertical Display End
EGA : Pas de signification
VGA : Bit 9 de Retrace Start

Un registre Overflow est utile avec les cartes EGA et VGA parce que le nombre des lignes de points verticales dépasse 256. Par conséquent, il manque au moins un bit dans pratiquement tout registre lié au déplacement vertical du rayon électronique. Les bits de poids fort qui dont défaut sont donc regroupés dans ce registre. Les autres bits Overflow sont intégrés dans le registre Maximum Scan Line avec une carte VGA. Il porte le numéro d'index 09h.

Vertical Pel Panning   Contrôleur CRT, Registre 08h

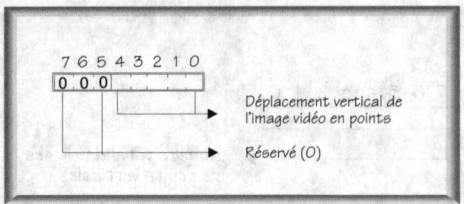

0-4   Ces bits permettent de réaliser un smooth scrolling sur le plan vertical. Dans ce cas, l'écran décale vers le haut ou le bas en fonction d'un nombre de points graphiques déterminés. La valeur 0 représente la position normale, toute valeur supérieure un décalage correspondant vers le haut, parce que lors de la configuration de l'écran, le contrôleur CRT ne commence pas à la ligne de points zéro mais à partir de celle indiquée dans ce registre.

Maximum Scan Line   Contrôleur CRT, Registre 09h

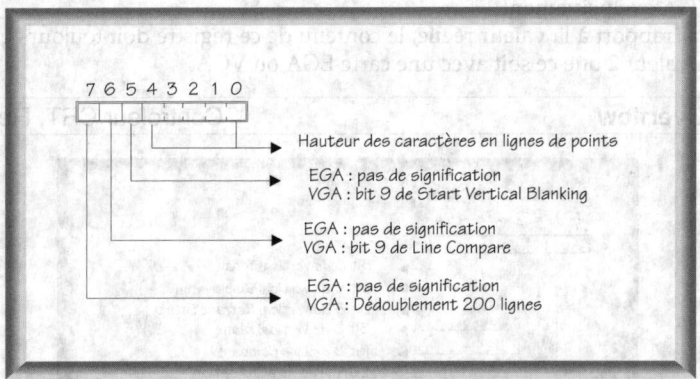

0-4   La hauteur des caractères en mode texte est contrôlée par ce bit en mesurant la hauteur en lignes de points. Par rapport à la hauteur de caractères réelle, la valeur stockée ici doit être réduite de 1.

En mode graphique, ce champ de bit contient normalement la valeur 0 si un mode graphique VGA avec 200 lignes de points n'est pas actif et pour l'affichage duquel les lignes doivent être doublées. Ce registre contient alors la valeur 1.

5   Alors que ce bit n'est pas occupé dans une carte EGA, il reçoit le bit 9 du registre Vertical Blank Start avec une carte VGA.

6   Également inoccupé sur une carte EGA, le neuvième bit du registre Line Compare existe sur une carte VGA.

7   Ce bit, inoccupé sur une carte EGA, permet de doubler les lignes de points sur une carte VGA dans les modes graphiques qui ne reposent uniquement que sur les 200 lignes de points. Les différentes lignes sont doublées de manière à pouvoir utiliser la résolution VGA normale de 400 lignes de points.

Faites attention à ce que la commutation de ce bit n'entraîne pas une déprogrammation des divers registres impliqués dans le timing vertical de la configuration écran.

Cursor Start   Contrôleur CRT, Registre 0Ah

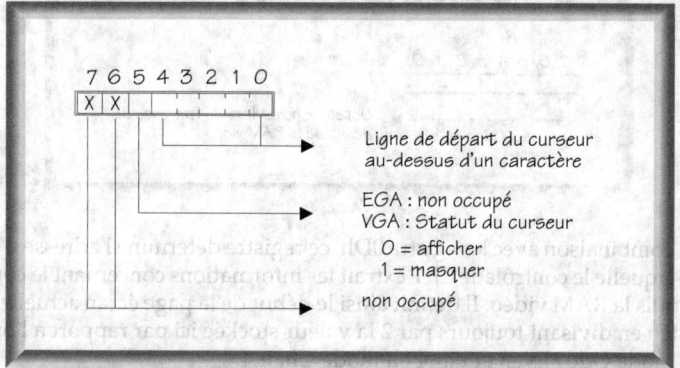

Ligne de départ du curseur
au-dessus d'un caractère

EGA : non occupé
VGA : Statut du curseur
0 = afficher
1 = masquer

non occupé

0-4   La ligne de départ du curseur sur le caractère est calculée à partir de ligne 0 et peut être déplacée dans un intervalle de 0 et 31. Si elle franchit la hauteur de caractères réelle en lignes de points, le curseur n'apparaît pas sur l'écran.

          Si la ligne de départ du curseur est supérieure à la ligne de fin (registre CRT 0Bh), un curseur en deux parties apparaît avec une carte EGA et pas de curseur avec une carte VGA.

5   La création du curseur ne peut être désactivée par le bit 5 que sur une carte VGA. Ce bit est inoccupé sur une carte EGA.

Cursor End   Contrôleur CRT, Registre 0Bh

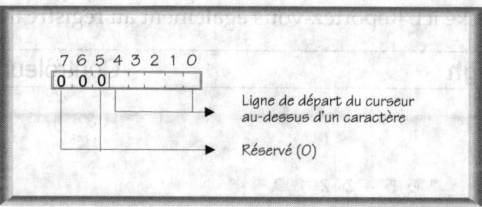

Ligne de départ du curseur
au-dessous d'un caractère

Réservé (0)

0-4   Dans ce champ de bit, la ligne de fin du curseur clignotant est définie par le caractère situé au-dessous. Cette valeur peut être comprise entre 0 et 31 mais ne doit pas dépasser la hauteur d'un caractère en lignes de points.

          Si la ligne de fin est inférieure à la ligne de départ (registre CRT 0Ah), un curseur en deux parties apparaît avec une carte EGA et pas de curseur avec une carte VGA.

Start Address High

Contrôleur CRT, Registre 0Ch

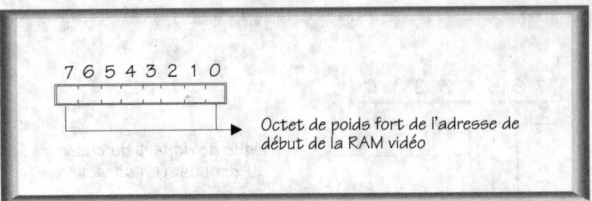

0-7   En combinaison avec le registre 0Dh, ce registre détermine l'adresse d'offset à partir de laquelle le contrôleur CRT extrait les informations concernant le contenu d'écran depuis la RAM vidéo. Il définit ainsi le début de la page écran actuelle dans la RAM vidéo en divisant toujours par 2 la valeur stockée ici par rapport à l'offset véritable en mode Odd/Even et par 4 en mode Chain4.

Start Address Low

Contrôleur CRT, Registre 0Dh

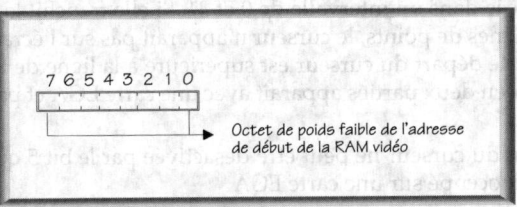

0-7   L'octet de poids faible de l'adresse de départ de la page d'écran actuelle de la RAM vidéo est stocké ici. Reportez-vous également au registre 0Ch.

Cursor Location High

Contrôleur CRT, Registre 0Dh

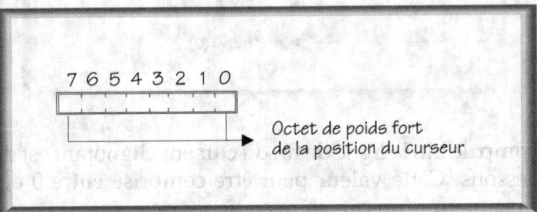

0-7   Ce registre définit la position actuelle du curseur en guise d'offset dans la page écran actuelle. L'adresse indiquée doit être divisée par 2 par rapport à l'adresse de caractères effective. Alors que l'octet de poids fort de cet offset se trouve dans ce registre, l'octet de poids faible est stocké dans le registre qui suit.

Cursor Location Low — Contrôleur CRT, Registre 0Eh

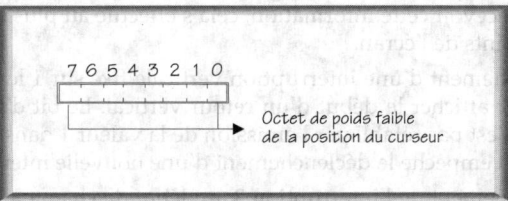

Octet de poids faible
de la position du curseur

0-7 L'octet de poids faible de la position du curseur dans la page écran actuelle est stocké ici. Reportez-vous également au registre 0Dh.

Start Vertical Retrace — Contrôleur CRT, Registre 10h

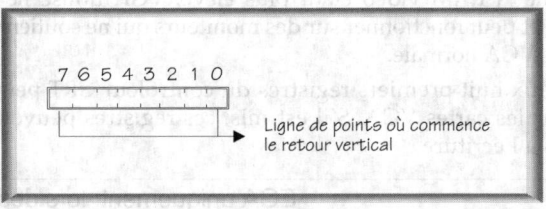

Ligne de points où commence
le retour vertical

0-7 Le contenu de ce registre permet de spécifier la ligne de points où commence le retour vertical du rayon électronique. Comme les cartes EGA et VGA fonctionnent avec plus de 256 lignes de points, les 8 bits prévus ici ne suffisent pas à recevoir cette information. Un neuvième bit est donc intégré dans le registre Overflow qui porte le numéro 07h. Les cartes VGA étant nécessaires pour coder cette ligne de point, le registre Overflow contient alors en plus un dixième bit.

Vertical Retrace End — Contrôleur CRT, Registre 11h

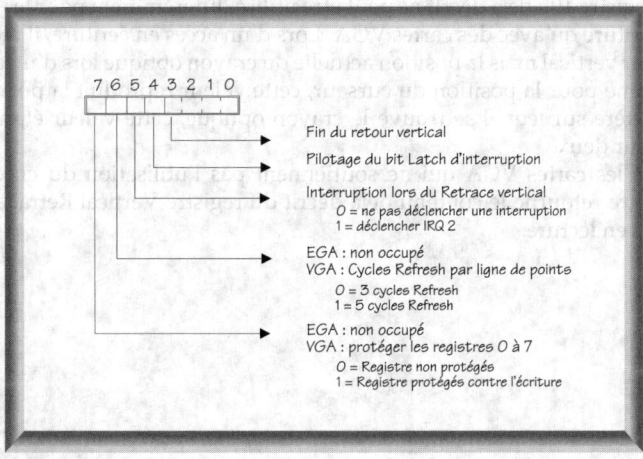

Fin du retour vertical

Pilotage du bit Latch d'interruption

Interruption lors du Retrace vertical
0 = ne pas déclencher une interruption
1 = déclencher IRQ 2

EGA : non occupé
VGA : Cycles Refresh par ligne de points
0 = 3 cycles Refresh
1 = 5 cycles Refresh

EGA : non occupé
VGA : protéger les registres 0 à 7
0 = Registre non protégés
1 = Registre protégés contre l'écriture

0-3	Stocke la ligne de points qui, une fois atteinte, désactive le signal de synchronisation et commence une nouvelle configuration de l'écran. Comme il n'existe que quatre bits pour recevoir cette information, cela s'effectue au plus tard dans la quinzième ligne de points de l'écran.
4	Le déclenchement d'une interruption verticale fixe sur 1 le bit 7 du registre Input Status pour afficher le début d'un retour vertical. Le bit d'interruption reste actif tant qu'il n'est pas rétabli par l'émission de la valeur 1 dans ce bit. Pendant ce laps de temps, il empêche le déclenchement d'une nouvelle interruption verticale.
5	Le déclenchement de l'interruption 2 au début de chaque retour vertical peut être activé à travers ce bit. Mais dans ce contexte, il ne faut pas oublier que de nombreuses cartes VGA ne peuvent pas provoquer une interruption verticale (comme les cartes IBM des modèles PS).
6	La possibilité de faire passer de 3 à 5 le nombre de cycles de rafraîchissement par ligne de points n'existe que dans les cartes VGA. Le temps nécessaire au rafraîchissement de la RAM vidéo étant plus élevé, VGA utilise ne fréquence de lignes moindre et peut fonctionner sur des moniteurs qui ne soutiennent pas la fréquence de lignes VGA normale.
7	L'accès aux huit premiers registres du contrôleur CRT peut être verrouillé par ce bit sur les cartes VGA. S'il est mis, ces registres peuvent être lus mais sont interdits à l'écriture.

Light Pen Low	EGA uniquement, lors des accès en lecture

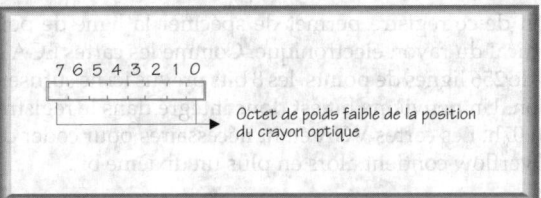

Octet de poids faible de la position
du crayon optique

0-7	Le registre 10h déjà décrit ne peut être utilisé différemment pour les accès en lecture et écriture qu'avec des cartes VGA. Lors d'un accès en écriture, il reçoit le début du retour vertical mais la position actuelle du crayon optique lors d'un accès en lecture. Comme pour la position du curseur, cette valeur reproduit la position d'offset du caractère sur lequel se trouve le crayon optique, cette valeur étant divisée par le facteur deux.
	Avec les cartes VGA qui ne soutiennent pas l'utilisation du crayon optique, ce registre retourne le contenu déjà décrit du registre Vertical Retrace Start lors d'un accès en lecture.

Light Pen High | EGA uniquement, lors des accès en lecture

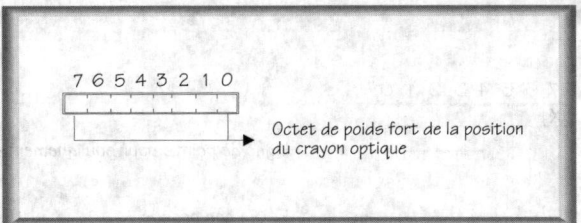

76543210

Octet de poids fort de la position
du crayon optique

0-7 Avec des cartes EGA, ce registre retourne l'octet de poids fort de la position du crayon optique lors d'un accès en lecture. Reportez-vous également à la description du registre 10h.

End Vertical Display | Contrôleur CRT, Registre 12h

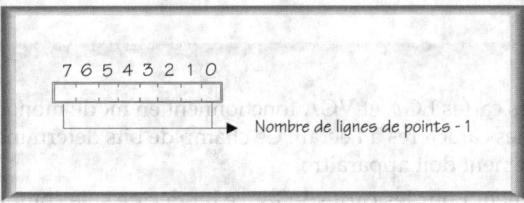

76543210

Nombre de lignes de points - 1

0-7 Ce registre conserve le numéro des lignes de points indiquant la fin de la configuration de l'écran. Leur codage nécessitant 9 bits sur une carte EGA et 10 bits sur une carte VGA, il n'est possible de stocker ici que 8 bits. Les bits supplémentaires se trouvent dans le registre Overflow portant le numéro 07h.

Registre d'offset | Contrôleur CRT, Registre 13h

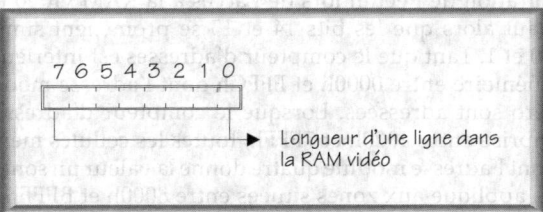

76543210

Longueur d'une ligne dans
la RAM vidéo

0-7 L'offset que le contrôleur CRT ajoute à l'adresse d'offset de la ligne précédente à chaque début de ligne est conservé dans ce registre. Par rapport à l'offset réel, la valeur doit toutefois être divisée par un facteur déterminé compte tenu du mode d'adressage. En mode Odd/Even, il correspond à 2, en mode Chain4 à 4 et en mode octet normal à 1.

Normalement, la valeur de ce registre correspond à la longueur d'une ligne dans la RAM vidéo. En mode texte, considéré sur le plan interne comme le mode Odd/Even, il contient la valeur 80 parce qu'une ligne de texte reçoit 160 octets, soit 80 mots. La valeur peut être supérieure ou inférieure mais il faut en tenir compte au moment de compléter la RAM vidéo par des informations de points.

Underline Location   Contrôleur CRT, Registre 14h

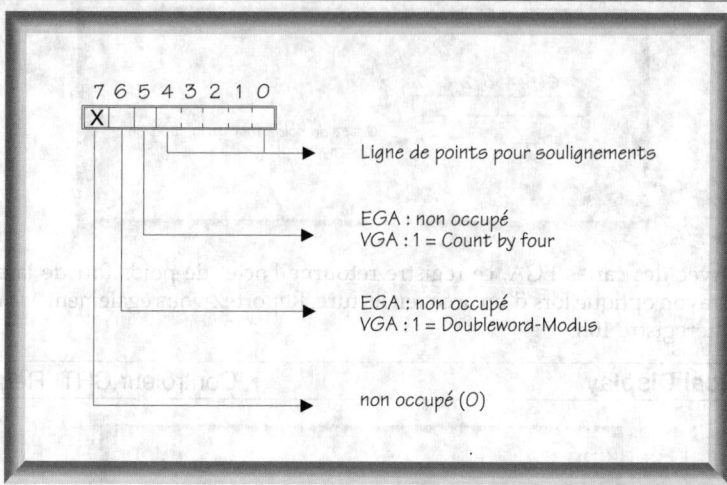

7 6 5 4 3 2 1 0

Ligne de points pour soulignements

EGA : non occupé
VGA : 1 = Count by four

EGA : non occupé
VGA : 1 = Doubleword-Modus

non occupé (0)

0-4   Lorsque les cartes EGA et VGA fonctionnent en mode monochrome, elles peuvent souligner les caractères à l'écran. Ce champ de bits détermine la ligne de points où le soulignement doit apparaître.

5   Exclusivement pour les cartes VGA, ce bit décide si le compteur d'adresse interne ne doit être incrémenté que tous les quatre coups du Character Clock. A cet effet, ces bits doivent afficher la valeur 1 et le bit 3 du registre Mode CRT (Count by two) la valeur 0. Si ce bit contient au contraire la valeur 1, le mode Doubleword est ignoré dans tous les cas.

6   Avec des cartes VGA, ce bit permet d'activer le mode Doubleword. Le contenu des bits Access Mode du registre Mode CRT est alors ignoré.
En mode Doubleword, l'adresse issue du compteur d'adresses interne pendant la configuration de l'écran lors de l'accès à la RAM vidéo est décalée de 2 bits vers le haut alors que les bits 14 et 15 se promènent simultanément entre la position 0 et 1. Tant que le compteur d'adresses est inférieur à 4000h, toutes les cellules mémoire entre 0000h et FFFCh dont l'adresse modulo quatre donne la valeur zéro sont adressées. Lorsque le compteur d'adresses interne atteint la zone comprise entre 4000h et 7FFFh, toutes les cellules mémoire entre 0001h et FFFDh dont l'adresse module quatre donne la valeur un sont adressées. Le même procédé s'applique aux zones situées entre 8000h et BFFFh ou C000h et FFFFh. Mais les cellules mémoire adressées ici sont des cellules dont l'adresse modulo quatre donne la valeur deux ou trois.

Start Vertical Blanking   Contrôleur CRT, Registre 15h

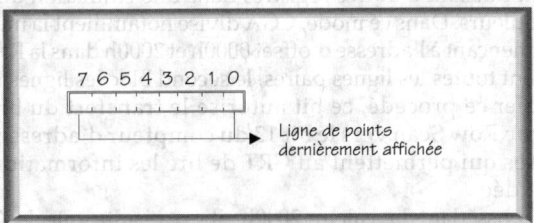

7 6 5 4 3 2 1 0

Ligne de points
dernièrement affichée

0-7   Ce registre conserve le numéro de la dernière ligne de points visible plus 1. Le neuvième bit nécessaire aux cartes EGA et VGA est géré dans le registre Overflow (registre 07).
Un dixième bit s'avère en plus indispensable aux cartes VGA. Il se trouve dans le registre Maximum Scan Line portant le numéro 09h.

End Vertical Blanking   Contrôleur CRT, Registre 16h

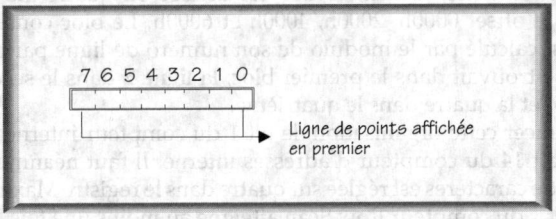

7 6 5 4 3 2 1 0

Ligne de points affichée
en premier

0-7   Ce registre conserve la première ligne de points qui, une fois atteinte, désactive le signal Blanking vertical pour permettre une reconfiguration de l'écran.

Mode Control   Contrôleur CRT, Registre 17h

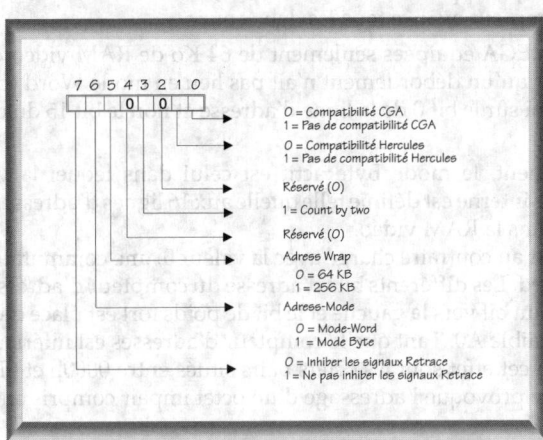

7 6 5 4 3 2 1 0

     0   0

O = Compatibilité CGA
1 = Pas de compatibilité CGA

O = Compatibilité Hercules
1 = Pas de compatibilité Hercules

Réservé (O)

1 = Count by two

Réservé (O)

Adress Wrap
O = 64 KB
1 = 256 KB

Adress-Mode
O = Mode-Word
1 = Mode Byte

O = Inhiber les signaux Retrace
1 = Ne pas inhiber les signaux Retrace

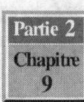
0   Si un programme a mis ce bit sur 0, on peut simuler la structure de la RAM vidéo en CGA en utilisant d'autres registres dans une émulation du mode CGA 320*200 points 4 couleurs. Dans ce mode, CGA divise notamment la mémoire vidéo en deux blocs commençant à l'adresse d'offset 0000h et 2000h dans la RAM vidéo. Le premier bloc contient toutes les lignes paires, le second bloc les lignes impaires.

Pour émuler ce procédé, ce bit autorise le transfert du bit 0 depuis le compteur interne Row Scan vers le bit 13 du compteur d'adresses interne contenant les adresses qui permettent au CRT de lire les informations de points depuis la RAM vidéo.

Le bit 13 possédant la valeur 2000h, il en résulte que le CRT se promène en permanence entre les deux blocs aux adresses 0000h et 2000h parce que le bit 0 du compteur interne Row Scan alterne également en permanence entre 0 et 1. La condition préalable à cela est que la hauteur de caractères soit définie à deux à travers le registre Maximum Scan Line. À cet effet, il faut charger la valeur 1 dans ce registre.

1   Ce bit représente une extension du bit 0. Il doit être activé, c'est-à-dire mis sur 0, lorsqu'il s'agit de reconfigurer un mode vidéo étranger que la RAM vidéo divise en quatre blocs. C'est par exemple le cas de la carte graphique Hercules et d'autres adaptateurs similaires CGA offrant une résolution de 320*400 points en 16 couleurs. Dans un tel mode, la RAM vidéo est divisée en quatre blocs commençant aux adresses d'offset 0000h, 2000h, 4000h et 6000h. Le bloc contenant les différentes lignes est calculé par le modulo de son numéro de ligne par quatre. Comme si la ligne 0 se trouvait dans le premier bloc, la ligne 2 dans le second, la trois dans le troisième et la quatre dans le quatrième.

Pour retracer cette organisation, le bit 1 du compteur interne Row Scan est copié dans le bit 14 du compteur d'adresses interne. Il faut néanmoins s'assurer que la hauteur de caractères est réglée sur quatre dans le registre Maximum Scan Line pour que le bit 1 du compteur Row Scan atteigne au moins une fois la valeur 1 et ainsi le bit 14 soit réglé sur 1 dans le compteur d'adresses. La valeur dans le compteur d'adresses est dans tous les cas supérieure à 4000h pour que les blocs deux et trois puissent être adressés.

3   Si ce bit contient la valeur 0, le compteur d'adresses interne avance d'un octet à chaque coup frappé sur le Character Clock. Mais avec la valeur 1, ce bit veille à ce que ce compteur avance tous les deux coups.

5   Les cartes EGA équipées seulement de 64 Ko de RAM vidéo doivent régler ce bit sur 0 pour qu'un débordement n'ait pas lieu en mode Word (cf. bit 6). Le bit 13 est alors défini sur le bit 0 de la ligne d'adresse et non le bit 15 du compteur d'adresses interne.

6   Normalement, le mode Byte actif est celui dans lequel la valeur du compteur d'adresses interne est définie telle quelle aux 16 lignes d'adresses déterminant l'octet adressé dans la RAM vidéo.

Si ce bit est au contraire chargé avec la valeur 0, une commutation s'effectue vers le mode Word. Les différents bits d'adresse du compteur d'adresses interne sont alors décalés d'un bit vers la gauche et le bit de poids fort est placé dans la ligne d'adresse de poids faible A0. Tant que le compteur d'adresses est inférieur à 8000h, les octets adressés à cet effet sont les octets pairs situés entre 0000h et 0FFFEh. Toute valeur supérieure provoque l'adressage d'un octet impair compris entre 0001h et FFFFh.

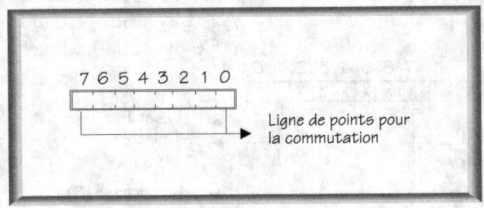

| **Line Compare** | Contrôleur CRT, Registre 18h |

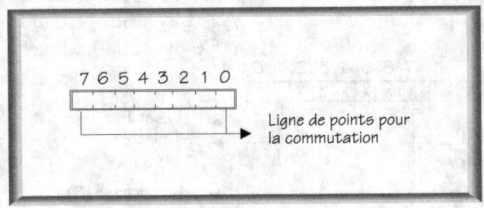

Ligne de points pour
la commutation

0-7   Deux blocs différents de la RAM vidéo peuvent se partager l'écran à travers ce registre. A cet effet, ce registre doit recevoir le numéro de la ligne de points où doit s'effectuer le transfert entre le premier et le second bloc. Une fois cette ligne atteinte, le contrôleur CRT rétablit sur 0 l'adresse d'offset interne nécessaire pour demander les informations de points depuis la RAM vidéo. Ainsi, le contenu d'écran est extrait du début de la RAM vidéo.

     Le démarrage d'un nouveau parcours de l'écran provoque l'affichage du bloc d'écran dont l'adresse figure dans les registres CRT correspondants (registres 0Ch et 0Dh).

     Les cartes EGA et VGA affichant plus de 256 lignes de points à l'écran, les 8 bits prévus ici pour recevoir l'information nécessaire ne suffisent pas dans tous les cas. C'est pourquoi un neuvième bit se trouve dans le registre Overflow (registre 07), un dixième dans le registre Maximum Scan Line (registre 09) dans le cas de cartes VGA.

Le séquenceur

L'accès aux registres du séquenceur s'effectue selon le schéma habituel c'est-à-dire à travers un registre de données et un registre d'index. Le registre d'index se trouve à l'adresse de port 3C4h et précède indiscutablement le registre de données situé à l'adresse de port 3C5h.

Contrairement aux autres contrôleurs d'une carte EGA ou VGA, le séquenceur ne connaît pas beaucoup de limitations parce qu'il réalise des tâches à la fois diversifiées et totalement différentes. Par exemple, il convertit les accès à la RAM vidéo et les redirige vers les différents plans de bits ou sélectionne la table de caractères active. Il a en outre la charge de rafraîchir la RAM vidéo qui est une tâche liée au début du retour horizontal dans chaque ligne de points.

Avec les cartes EGA et VGA, le séquenceur dispose en tout de cinq registres différents comme le montre le tableau suivant. Attention ! Avec une carte VGA, les registres peuvent uniquement être lus ce qui n'est pas le cas avec les cartes EGA.

N°	Nom de registre
00h	Reset
01h	Clocking Mode
02h	Map Mask
03h	Character Map Select
04h	Memory Mode

Reset   (Séquenceur, Registre 00h)

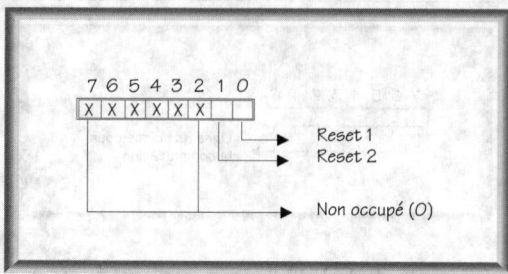

0   Ce bit contient normalement la valeur 1 et peut être mis sur 0 pour effectuer un reset du séquenceur autorisant la fin de son travail. Cela met fin à la création des signaux de synchronisation horizontaux et verticaux (l'écran devient noir) et le registre Character Map Select est chargé avec 0 tout en regénérant la RAM vidéo. Pour que son contenu reste conservé, il faut que ce bit soit remis sur 1 au plus tard au bout de 20 à 30 microsecondes. Le séquenceur est ainsi ravivé.

Un reset du séquenceur s'avère indispensable avant la déprogrammation des bits 0 et 3 du registre Clocking Mode du séquenceur ainsi que des bits 2 et 3 du registre Miscellaneous Output.

1   Ce bit fonctionne de manière similaire au bit 0 mais ne rétablit pas le registre Character Map Select en cas de reset. Alternativement, on peut faire appel au bit 0 pour un reset mais les deux bits doivent posséder la valeur 1 pour que le séquenceur puisse reprendre son travail.

Clocking Mode   Séquenceur, Registre 01h

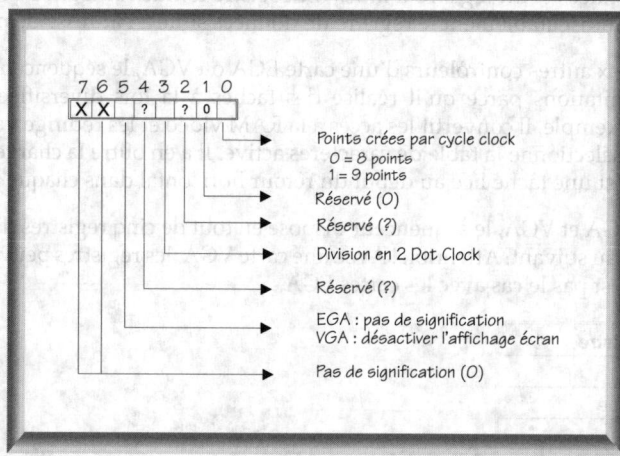

0   Ce bit permet de déterminer le nombre de points horizontaux créés par le contrôleur CRT par cycle Clock. Dans les modes graphiques et les modes texte en couleur de la carte EGA, ce nombre est toujours de huit. Mais dans les modes texte de la carte VGA et en cas de connexion d'un moniteur MDA à une carte EGA, ce bit est toujours réglé sur 1 pour créer neuf points par caractère.

3   Dans ce bit, la division par deux du Dot Clock Rate peut être obtenue par la valeur 1. Cette opération s'effectue automatiquement lors la commutation du mode vidéo à l'aide

du BIOS en mode 320*200 points servant à émuler la carte graphique CGA. Ce bit contient la valeur 0 dans tous les autres modes (y compris le mode 320*200 points en 256 couleurs).

5   Avec une carte VGA, la création d'un signal vidéo peut être désactivée à travers ce bit s'il est chargé avec la valeur 1. La conséquence est que l'écran ne devient pas noir et la CPU autorise l'accès à la RAM vidéo.

Map Mask	Séquenceur, Registre 02h

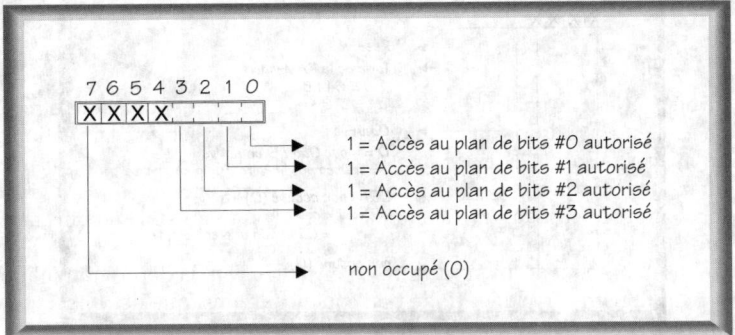

0-3   Chaque bit cité libère ou verrouille l'accès à un plan de bits. Cela est utile pour l'accès à la RAM vidéo en liaison avec les différents modes de lecture/écriture. Lors d'un accès en écriture, le bit concerné décide si un octet du plan de bits doit être complété ou non par le contenu du registre Latch correspondant. De même, lors d'un accès en lecture, chaque bit détermine si le contenu de l'octet adressé dans le plan de bits parvient dans le registre Latch adéquat ou si le contenu du registre Latch reste inchangé.

Character Map Select	Séquenceur, Registre 03h

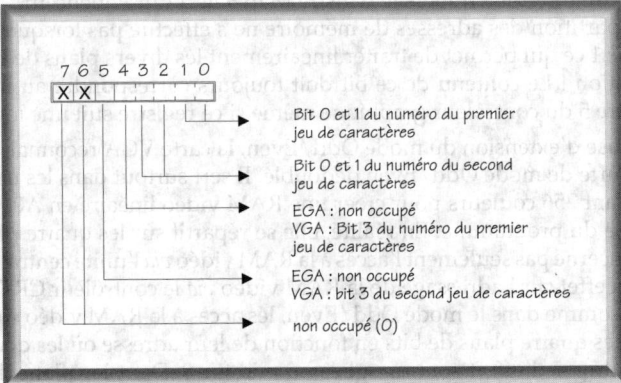

0+1+4   Ces bits déterminent le numéro de la table de caractères utilisée pour tous les caractères dont le bit 3 n'est pas fixé dans l'octet d'attribut. Avec une carte EGA, le bit 4 ne joue aucun rôle si bien qu'il n'est possible de sélectionner que les jeux 0 à 3. En revanche avec une carte VGA, le choix s'effectue parmi les jeux 0 à 7.

2+3+5   Ici est stocké le numéro de la table de caractères déterminant l'image de sortie de tous les caractères dont le bit 3 est réglé dans l'octet d'attribut. Dans ce cas également, le bit 5 de la carte EGA ne joue aucun rôle alors qu'il sert comme bit de poids fort du numéro du jeu avec une carte VGA.

Memory Mode	Séquenceur, Registre 04h

```
      7 6 5 4 3 2 1 0
     ┌─┬─┬─┬─┬─┬─┬─┬─┐
     │X│X│X│ │ │ │ │ │
     └─┴─┴─┴─┴─┴─┴─┴─┘
                    └──────► Réservé
                  └────────► Taille de la RAM vidéo
                                O = 64 KB
                                1 = 256 KB
              └──────────────► Odd/Even
                                O = Mode Odd / Even activé
                                1 = Traitement linéaire d'un plan de bits
          └──────────────────► EGA : non occupé (0)
                               VGA : O = chain 4
                                     1 = Odd/Even pris en compte
     └───────────────────────► non occupé (0)
```

1   Ce bit n'est intéressant que pour les cartes EGA parce que les cartes VGA sont généralement équipées de 256 Ko de RAM vidéo. Mais en ce qui concerne les cartes EGA, on peut considérer qu'il n'existe plus de cartes avec seulement 64 Ko.

2   Ce bit permet de définir la répartition des adresses de mémoire paires et impaires en divers plans de bits, le fameux mode Odd/Even. Dans ce mode, les accès aux adresses de mémoire paires sont redirigées automatiquement vers les plans de bits 0 et 2 et les accès aux adresses impaires vers les plans de bits 1 et 3. Dans les deux cas, le bit de poids faible de l'adresse d'offset est étendu au bit de page (bit 5 du registre Miscellaneous Output). Comme auparavant, l'accès aux divers plans de bits peut être interdit à travers le registre Map Select du séquenceur.

La répartition des adresses de mémoire ne s'effectue pas lorsque ce bit contient la valeur 1 ce qui permet de traiter linéairement les divers plans de bits.

Attention ! Le contenu de ce bit doit toujours correspondre au bit Odd/Even du registre 5 du contrôleur graphique même si ce registre suit une logique inverse.

3   En guise d'extension du mode Odd/Even, la carte VGA reconnaît le mode Chain4, une sorte de mode Odd/Even dédoublé. Il sert surtout dans les modes graphiques affichant 256 couleurs pour créer une RAM vidéo linéaire en A000h selon le point de vue du programme. En réalité, elle se répartit sur les quatre plans de bits. Cela ne concerne pas seulement l'accès à la RAM vidéo *via* l'unité centrale ce la ne produit aucun effet sur l'adressage de la RAM vidéo *via* le contrôleur CRT.

Tout comme dans le mode Odd/Even, les accès à la RAM vidéo sont redirigés vers l'un des quatre plans de bits en fonction de leur adresse où les deux bits inférieurs de l'adresse d'offset sont masqués ou mis sur 0. Dans les plans de bits, seules les cellules mémoire dont l'adresse d'offset est divisible par quatre sont adressées. Les deux bits masqués de l'adresse d'offset, soit le modulo de l'adresse d'offset modulo quatre, permettent de savoir quels sont les plans de bits adressés.

L'accès aux plans de bits ne s'effectue que si le plan de bits correspondant a été librement activé par le registre "Map Mask" du séquenceur. Les bits assurant le contrôle du mode Odd/Even sont ignorés lorsque le mode Chain4 est actif. Ils ne redeviennent valides que lorsque le mode Chain4 est désactivé.

Le contrôleur d'attributs

Parmi les divers contrôleurs d'une carte EGA ou VGA, le contrôleur d'attributs a pour tâche de préparer les signaux de couleur pour l'écran. Il contrôle les registres de palette ainsi que des registres intervenant dans la génération du signal de couleur.

Les registres de ce contrôleur sont adressés à travers un registre d'adresses et de données combiné. Pour les accès en écriture aux divers registres, ce registre se trouve à l'adresse de port 3C0h, pour les accès en lecture autorisés uniquement avec une carte VGA à l'adresse de port 3C1h.

Pour accéder à l'un des registres du contrôleur, il faut obligatoirement inscrire le numéro du registre dans le port 3C0h ou 3C1h. Lors d'un accès en lecture, le contenu du registre peut être extrait immédiatement à partir du port 3C1h. Mais lors d'un accès en écriture, le nouveau contenu du registre doit être envoyé au port 3C0h pour parvenir dans le registre souhaité.

Dans le registre d'index et de données combiné situé à l'adresse de port 3C1h, il suffit d'entrer le numéro du registre concerné lors d'un accès en lecture. Mais son homologue contient une information supplémentaire décidant du statut du contrôleur d'attributs. Il suffit que ce bit soit mis sur 0 pour que le lien entre le contrôleur d'attributs et le contrôleur CRT soit annulé. L'écran devient alors noir ou affiche la couleur spécifiée dans le registre Overscan du contrôleur d'attributs. Un signal de couleur individuel pour les caractères ou points n'est plus créé sur l'écran.

Avec une carte EGA, le contrôleur d'attributs dispose en tout de 20 registres auquel s'y ajoute un registre dans le cas d'une carte VGA. L'affectation de certains registres présente des différences selon qu'il s'agit d'une carte EGA ou VGA. Pour créer un signal de couleur, une carte VGA doit tenir compte de la table de couleurs DAC alors que cette dernière n'existe pas dans une carte EGA.

Comme nous l'avons déjà signalé pour le séquenceur, les registres peuvent uniquement être lus avec des cartes VGA contrairement aux cartes EGA avec lesquelles ils sont "write only".

Nº	Nom de registre
00h-0Fh	Registres de palettes
10h	Mode Control
11h	Overscan Color
12h	Color Plan Enable
13h	Horizontal Pel Panning
14h	Color Select (uniquement VGA)

Address   (Contrôleur d'attributs, Registre d'adresses)

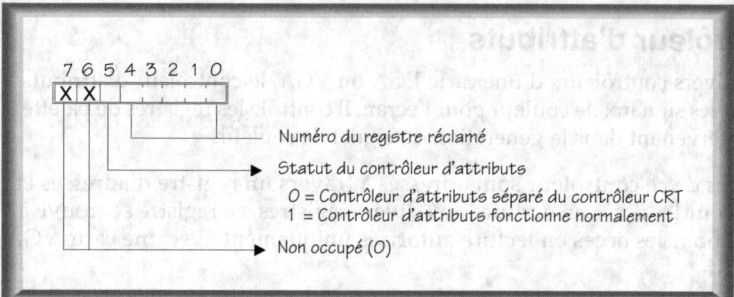

0-4   Ces bits servent à adresser les registres du contrôleur d'attributs comme il est d'usage avec les autres contrôleurs d'une carte EGA/VGA.

5   Le contrôleur d'attributs fonctionne normalement lorsque ce bit est actif. S'il est annulé, le contrôleur d'attributs est séparé du contrôleur CRT ce qui fait noircir momentanément l'écran à moins qu'il n'affiche la couleur conservée dans le registre Overscan.
           C'est le seul et unique moment où les registres de palettes peuvent être adressés à partir de l'unité centrale pour les charger ou écrire dans ces derniers.

Palette   Contrôleur d'attributs, Registres 00h à 0Fh, EGA

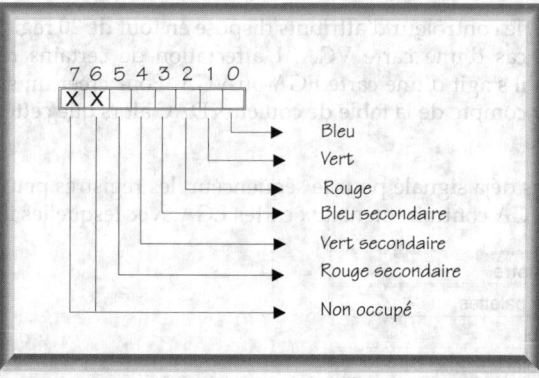

0-5   Avec une carte EGA, les 16 registres de palettes reçoivent un code de couleur tout à fait concret construit à partir de 6 bits et autorisant ainsi 64 types de combinaisons.

Palette   Contrôleur d'attributs, Registres 00h à 0Fh, VGA

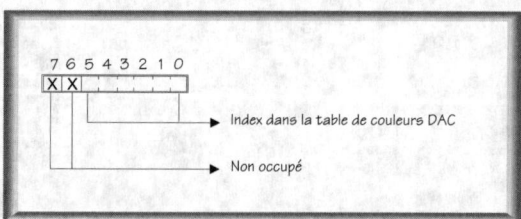

0-5   Contrairement aux cartes EGA, les registres de palettes ne reçoivent pas un code de couleurs avec des cartes VGA mais tout simplement un indice dans la table de couleurs DAC. Cet indice permet au contrôleur d'attributs de charger la couleur d'un caractère depuis la table de couleurs DAC et envoyer les signaux de couleur adéquats au moniteur.

Mode Control	Contrôleur d'attributs, Registre 10h

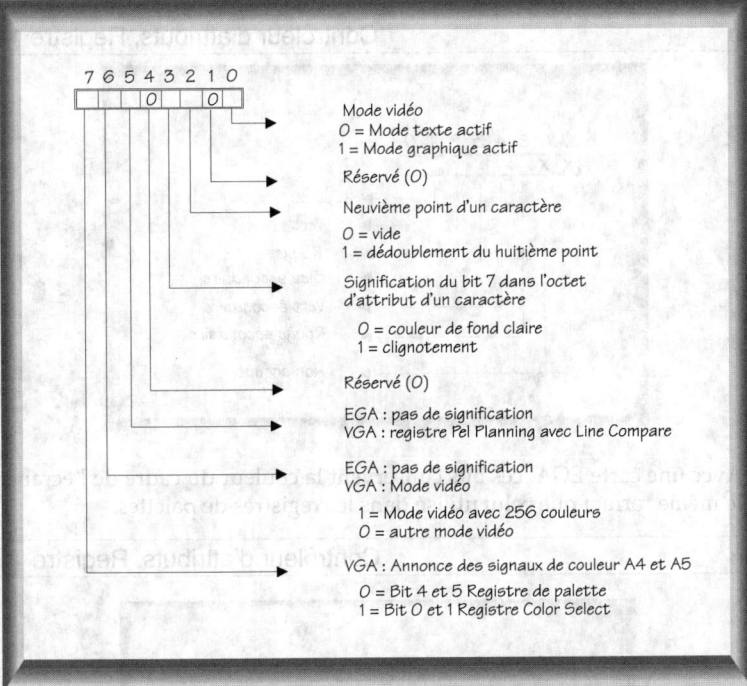

0   Ce bit informe le contrôleur d'attributs quel est le mode actuellement actif (mode texte ou graphique).

2   Ce bit n'est intéressant que pour les modes texte où les caractères sont représentés avec une largeur de neuf points. Il permet d'établir l'origine du neuvième point parce que les tables de caractères en ROM ne contiennent que huit points par ligne. Le neuvième point reste vide si ce bit contient la valeur 0. Ainsi se crée un espace d'un pixel entre deux caractères consécutifs. Si ce bit est actif, la procédure dépend du caractère concerné. S'il s'agit d'un caractère de cadre (codes ASCII entre C0h et DFh), le neuvième point est copié à partir du huitième. Le neuvième point reste toutefois vide pour les autres caractères.

3   Le réglage de ce bit active la création d'un curseur en mode texte. Le curseur apparaît à l'écran pendant 16 répétitions d'images consécutives puis reste invisible pendant les 16 répétitions suivantes. Selon la fréquence de configuration de l'écran, cette durée se situe entre 1/3 et 1/4 de seconde.

5   Si l'écran est divisé en deux portions à l'aide du registre Line Compare, ce bit décide si un Panning horizontal et vertical doit s'effectuer sur la première portion de l'écran ou sur les deux parties dans le cas d'une carte VGA. Pour que l'action s'applique aux deux parties de l'écran, il faut entrer la valeur 0 dans ce bit.

6   La mise en service de ce bit règle le contrôleur d'attributs sur un mode graphique 256 couleurs où les informations de couleur ne sont pas lues à travers les registres de palettes mais directement depuis les registres DAC.

7   Dans un mode avec 16 couleurs ou moins, ce bit décide si les signaux de couleurs A4 et A5 pour l'adressage des registres DAC doivent être extraits du registre de palettes correspondant en même temps que les signaux A0 à A3 ou à partir des bits 0 et 1 du registre Color Select.

Overscan	Contrôleur d'attributs, Registre 11h, EGA

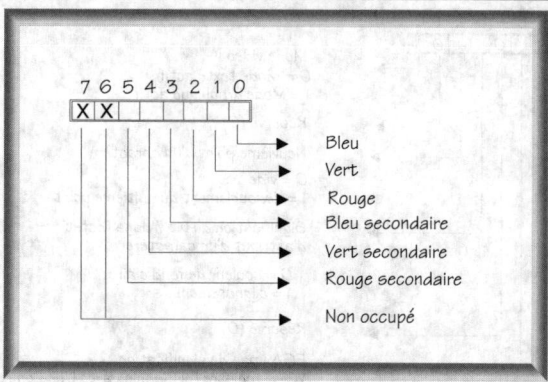

0-5   Avec une carte EGA, ces bits conservent la couleur du cadre de l'écran en gardant le même format que celui utilisé dans les registres de palettes.

Overscan	Contrôleur d'attributs, Registre 11h, VGA

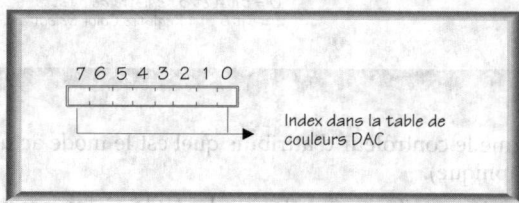

0-7   Avec une carte VGA, la couleur du cadre est sélectionnée parmi les couleurs de la table DAC. Les 256 entrées peuvent être adressées à travers ce registre.

Color Plane Enable
Contrôleur d'attributs, Registre 12h

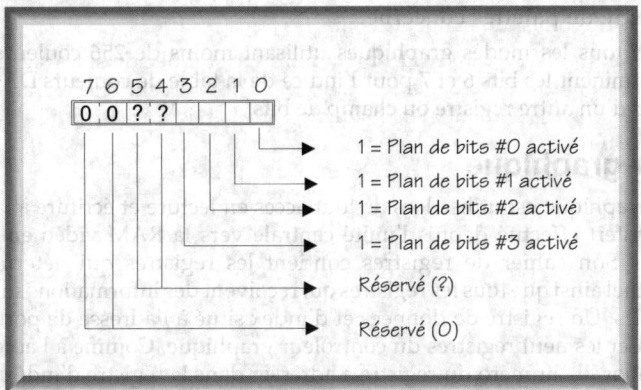

7 6 5 4 3 2 1 0
0 0 ? ?

1 = Plan de bits #0 activé
1 = Plan de bits #1 activé
1 = Plan de bits #2 activé
1 = Plan de bits #3 activé
Réservé (?)
Réservé (0)

0-3   Les quatre bits de ce champ permettent d'activer ou de désactiver individuellement les différents plans de bits lors de la transmission des informations de couleurs depuis la RAM vidéo vers le contrôleur d'attributs. Grâce à une programmation des registres de palettes ou DAC, il est ainsi possible d'exclure des points précis de l'affichage.

Horizontal Pel Panning
Contrôleur d'attributs, Registre 13h

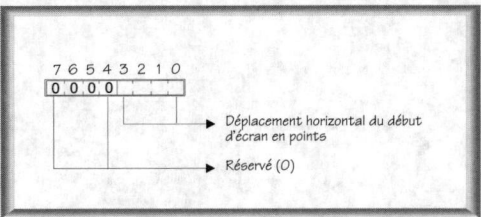

7 6 5 4 3 2 1 0
0 0 0 0

Déplacement horizontal du début d'écran en points
Réservé (0)

0-3   Le compteur nécessaire au Pel Panning horizontal est stocké ici. Il détermine le nombre de bits à prendre en compte pour décaler la portion visible de l'écran vers la gauche. Reportez-vous également en 9.8.3.

Color Select
Contrôleur d'attributs, Registre 14h, VGA uniquement

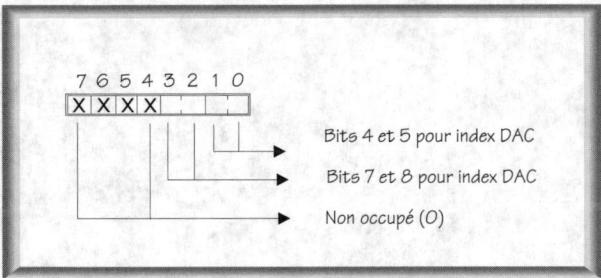

7 6 5 4 3 2 1 0
X X X

Bits 4 et 5 pour index DAC
Bits 7 et 8 pour index DAC
Non occupé (0)

0+1   Ces deux bits interviennent lorsque le bit 7 est actif dans le registre Mode Control du contrôleur d'attributs. Ils remplacent alors les bits 4 et 5 du registre de palettes concerné.

2+3   Dans tous les modes graphiques utilisant moins de 256 couleurs, ces deux bits déterminent les bits 6 et 7 pour l'indice de la table de couleurs DAC indépendamment d'un autre registre ou champ de bits.

Contrôleur graphique

Le contrôleur graphique est utilisé lors de tout accès en lecture et écriture à la RAM vidéo. Il contrôle le transfert effectué depuis l'unité centrale vers la RAM vidéo en passant par les registres Latch. Son cahier de registres contient les registres qui déterminent le mode Read/Write actuel ainsi que tous les registres qui reçoivent des informations sur les paramètres des divers modes. Un registre de données et d'index situé à l'adresse de port 3CFh ou 3CEh permet d'adresser les neuf registres du contrôleur graphique. Comme à l'accoutumée, il faut transmettre d'abord le numéro du registre à adresser dans le registre d'index (3CEh). L'accès au registre souhaité est ainsi ouvert qui doit ensuite déboucher sur un accès en lecture ou écriture au registre de données (3CFh).

Lors de l'accès aux registres de ce contrôleur, n'oubliez pas que vous avez seulement le droit de les lire avec des cartes VGA et que les cartes EGA refusent également la lecture de ces registres.

Voici la liste des registres du contrôleur graphique :

Nº	Nom de registre
00h	Set/Reset
01h	Enable Set/Reset
02h	Color Compare
03h	Function Select
04h	Read Map Select
05h	Graphics Mode
06h	Miscellaneous
07h	Color Don't Care
08h	Bit Mask

Set/Reset (Contrôleur d'attributs, Registre 00h)

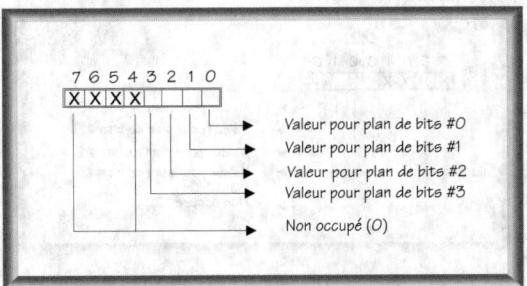

0-3 Ces bits interviennent pour l'accès à la RAM vidéo en mode Write 0. Ils déterminent individuellement la valeur pour les différents plans de bits. Cette valeur doit être inscrite dans les 8 bits du plan concerné lorsque l'origine des données transmises est définie à travers le registre Enable Set/Reset (registre 02h).

Enable Set/Reset Contrôleur graphique, Registre 01h

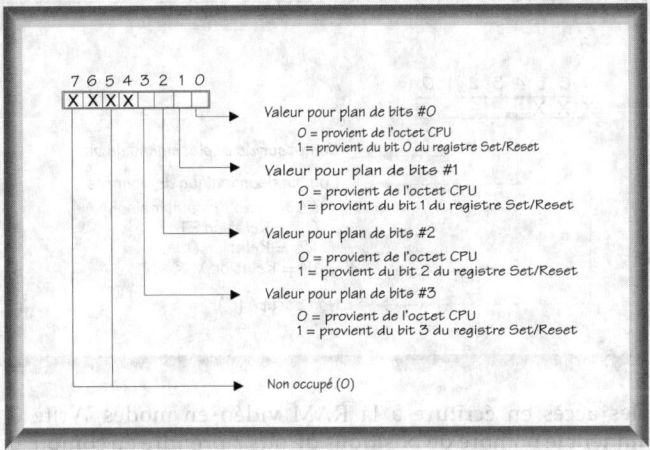

0-3 Pour l'utilisation du mode Write 0, ces bits déterminent si la valeur inscrite dans les 8 bits de l'octet d'un plan de bits adressé doit être extraite de l'octet CPU ou du registre Set/Reset (registre 00h).

Color Compare   Contrôleur graphique, Registre 02h

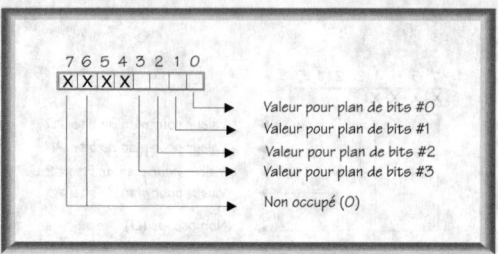

0-3   Le contenu de ces bits est utile pour les accès en lecture à la RAM vidéo en mode
       Read 1 des cartes EGA et VGA. Dans ce mode, les quatre octets lus dans les quatre
       plans de bits de la RAM vidéo sont regroupés en huit groupes de quatre bits
       représentant la couleur d'un point. Les huit codes de couleur ainsi obtenus sont
       comparés individuellement avec le contenu de ce registre. Le résultat de la compa-
       raison est transmis à l'unité centrale.

Function Select   Contrôleur graphique, Registre 03h

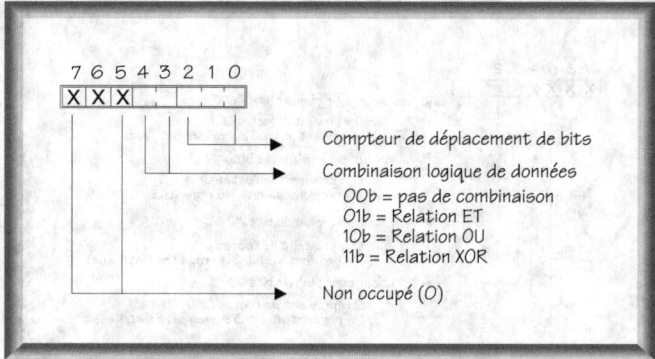

0-2   Pour les accès en écriture à la RAM vidéo en modes Write 0 et 3, ces bits
       déterminent le nombre de positions de bits à prendre en compte pour faire subir
       une rotation vers la gauche à l'octet CPU avant qu'il ne soit combiné avec le
       contenu du registre Latch.

3+4   En modes Write 0 et 2, ce champ de bits définit une combinaison logique à établir
       entre un octet CPU et les données des quatre registres Latch avant qu'elles ne soient
       inscrites dans les quatre plans de bits.
       Les quatre bits du registre Bit Mask correspondant chacun à un registre Latch
       décident si une telle combinaison doit s'effectuer ou non. Une combinaison ne se
       crée en fait que si le bit correspondant reçoit la valeur 1. Ces bits décident alors de
       la nature de cette combinaison.

Read Map Select — Contrôleur graphique, Registre 04h

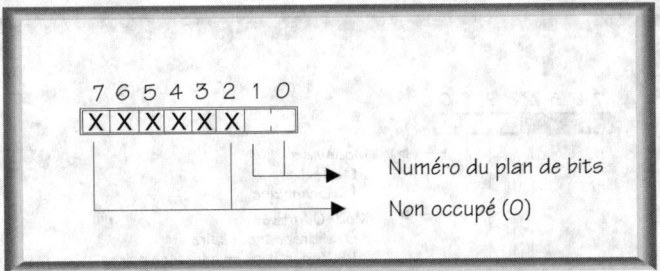

Numéro du plan de bits

Non occupé (0)

0+1   Pour l'accès en lecture en mode Read 0, le numéro du plan de bits et donc le numéro du registre Latch est conservé dans ces deux bits. Son contenu doit être transmis à l'unité centrale. Les accès en lecture en mode Read 1 subissent une influence par voie de conséquence tout comme les accès en lecture en mode Chain4 qui peut être défini à travers le bit 3 du registre Memory Mode du séquenceur.

Graphics Mode — Contrôleur graphique, Registre 05h

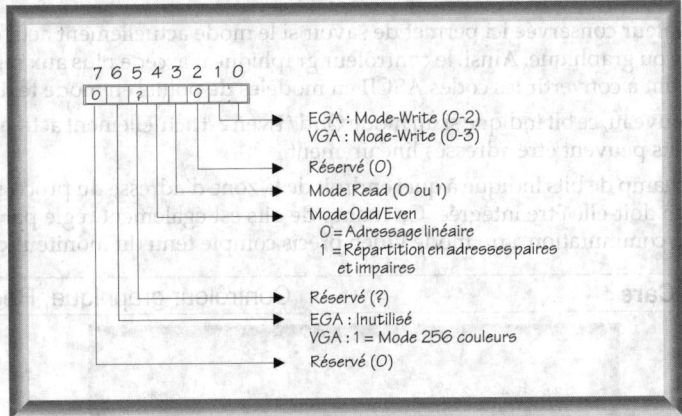

EGA : Mode-Write (0-2)
VGA : Mode-Write (0-3)
Réservé (0)
Mode Read (0 ou 1)
Mode Odd/Even
0 = Adressage linéaire
1 = Répartition en adresses paires et impaires
Réservé (?)
EGA : Inutilisé
VGA : 1 = Mode 256 couleurs
Réservé (0)

0+1   Conservent le numéro du mode Write utilisé lors des accès en écriture à la RAM vidéo quel que soit le mode vidéo actuel.

2   Conserve le numéro du mode vidéo actif.

3   Il faut communiquer au contrôleur graphique si un mode Odd/Even est actif ou si les plans de bits doivent être adressés linéairement. À cet effet, ce bit doit être chargé tel qu'il a été stocké dans le bit 2 du registre Memory Mode du séquenceur. Il faut en outre faire attention à la polarité inverse des deux bits.

5   Spécialement pour une carte VGA, ce bit conserve le paramètre indiquant si un mode 256 couleurs est actif ou non parce que le contrôleur graphique doit adapter en conséquence le mode de transfert des informations de couleur au contrôleur d'attributs.

Miscellaneous   Contrôleur graphique, Registre 06h

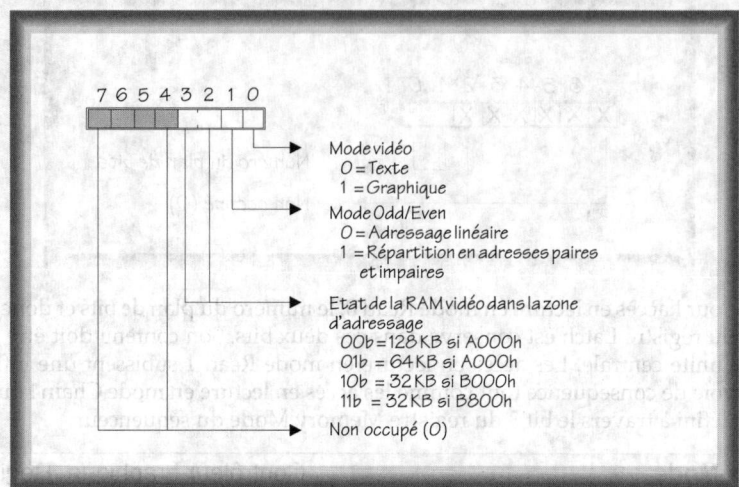

0	La valeur conservée ici permet de savoir si le mode actuellement actif est un mode texte ou graphique. Ainsi, le contrôleur graphique n'accède plus aux registres Latch servant à convertir les codes ASCII en modèles de points en mode texte.
1	À nouveau, ce bit indique si un mode Odd/Even est actuellement actif ou si les plans de bits peuvent être adressés linéairement.
2+3	Ce champ de bits indique à quel endroit de la zone d'adresse du processeur la RAM vidéo doit-elle être intégrée. Ce champ de bits est également réglé par le BIOS lors de la commutation à un mode vidéo précis compte tenu du moniteur connecté.

Color Don't Care   Contrôleur graphique, Registre 07h

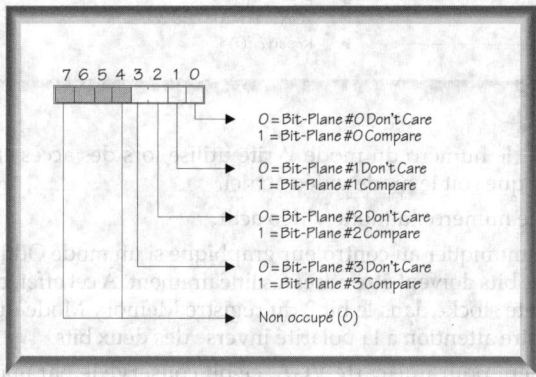

0-3	Ces bits influent sur le fonctionnement de la carte vidéo lors des accès en lecture à la RAM vidéo en mode Read 1. Ces bits décident notamment sur les plans de bits à inclure et à exclure de la comparaison des couleurs.

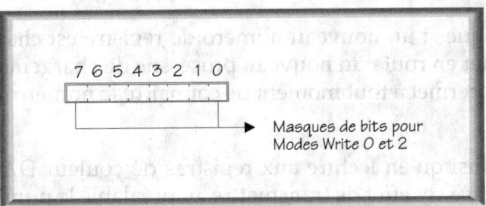

Bit Mask | Contrôleur graphique, Registre 08h

Masques de bits pour
Modes Write 0 et 2

0-7 Lors d'un accès en écriture à la RAM vidéo en modes Write 0 et 2, les divers bits décident des bits à copier tels quels dans le plan de bits concerné parmi ceux des quatre registres Latch et ceux à combiner avec d'autres données (de l'unité centrale ou du registre Set/Reset) par une relation logique à travers le registre Function Select. Dans les quatre registres Latch, cela concerne tous les bits dont le bit correspondant est réglé dans ce registre.

Convertisseur Digital en Analogique (DAC)

Un DAC n'est disponible que sur une carte VGA. Il convertit les codes de couleur numériques en signaux analogiques. Il représente la dernière phase de la conversion de couleur. Sur une carte VGA, il fait suite aux registres de palettes qui désignent l'un des 256 registres DAC ainsi que d'autres informations.

Un tel registre de couleur se compose de 18 bits différents dont chaque groupe de six bits reçoit le code de couleur pour l'une des trois couleurs fondamentales rouge, vert et bleu (RVB). Il résulte ainsi un total de 262 144 couleurs (256 Ko).

L'accès aux registres de couleur DAC s'effectue à travers les registres cités dans le tableau suivant. Contrairement aux autres contrôleurs d'une carte EGA ou VGA, ils ne sont pas adressés *via* un registre de données et d'index mais une adresse de port individuelle.

Port	Nom de registre
3C8h	Pel Write Address
3C7h	Pel Read Address
3C7h	DAC State
3C9h	Pel Data
3C6h	Pel Mask

Pour décrire un registre de couleur DAC, il faut avant tout inscrire son numéro dans l'intervalle 0-255 du registre Pel Write Address. Il faut ensuite transmettre la nouvelle couleur du registre adressé au registre Pel Data. La largeur de ce registre n'étant seulement que de 8 bits et comme il n'est pas en mesure de recevoir simultanément le code couleur 18 bits, il faut le communiquer par petites doses au registre Pel Data. Il convient donc d'envoyer d'abord les 6 bits composant le rouge au registre Pel Data puis les 6 bits composant le vert et ensuite les 6 bits composant le vert.

Sachant qu'en règle générale on ne charge pas un seul registre DAC mais la palette intégrale des 256 registres ou du moins une grande partie, la valeur du registre Pel Write Address est augmentée automatiquement après la sortie des trois composants de couleur dans le registre Pel Data. Le résultat est que les trois composants de couleur sont directement chargés dans le registre Pel Data pour le registre DAC suivant sans renouveler l'accès au registre Pel Write Address.

Ce cycle ne se termine que si un nouveau numéro de registre est chargé dans le registre Pel Address Write ce qui met en route un nouveau processus de chargement. Un accès en lecture au registre Pel Address permet à tout moment de connaître le numéro du registre DAC qui est en train d'être traité.

Les accès en écriture ainsi qu'en lecture aux registres de couleur DAC s'effectuent selon le schéma décrit. Il convient à cet effet de transmettre au préalable le numéro du premier registre à lire au registre Pel Read Address. Les proportions de rouge, vert et bleu dans le registre souhaité peuvent ensuite être lues successivement à travers le registre Pel Data. Mais il faut instaurer une pause entre les trois accès en lecture au registre Pel Data. Dans un programme assembleur, cette pause s'obtient à l'aide d'un saut vers la commande qui suit obligatoirement.

Ici aussi, le contenu du registre Pel Address augmente une fois la lecture achevée pour que le registre DAC suivant puisse être lu immédiatement.

L'accès à ces registres étant interdit au contrôleur d'attributs lors des accès en lecture/écriture aux registres DAC, il faut désactiver l'écran pendant ce laps de temps pour empêcher l'apparition de neige.

Voici maintenant la description des différents registres DAC.

Pel Write Address	DAC, Port 3C8h, VGA uniquement

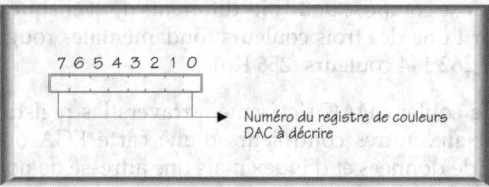

Numéro du registre de couleurs
DAC à décrire

0-7   Ce registre conserve le numéro du registre DAC dans lequel il s'agit d'écrire à la suite d'un accès au registre Pel Data. Après chaque opération d'écriture, cette valeur augmente automatiquement pour qu'il soit possible d'écrire dans le registre DAC suivant.

Pel Read Address	DAC, Port 3C7h, VGA uniquement

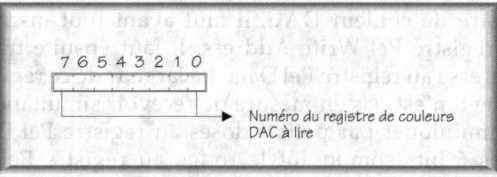

Numéro du registre de couleurs
DAC à lire

0-7   Le numéro du registre DAC dont le contenu doit être lu lors d'un accès en lecture ultérieur au registre Pel Data est stocké ici. Après chaque opération de lecture, cette valeur augmente automatiquement pour qu'il soit possible de lire le registre DAC suivant.

| DAC State | DAC, Port 3C7h, VGA uniquement |

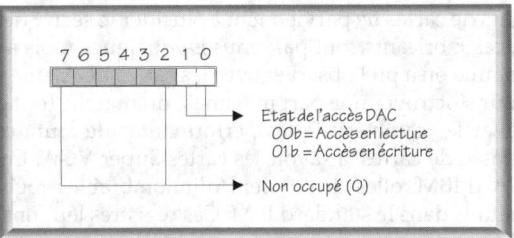

1+2   Indique si le registre DAC se trouve déjà en mode lecture ou écriture.

| Pel Data | DAC, Port 3C9h, VGA uniquement |

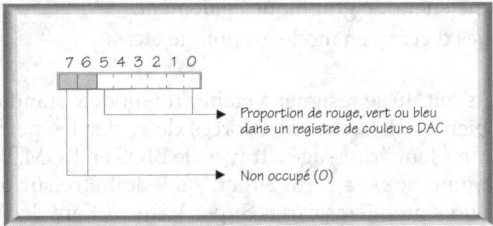

Lors d'une opération d'écriture dans l'un des registres DAC, il faut d'abord reporter la proportion de rouge, puis de vert et ensuite de bleu de la couleur dans ce registre. Seuls les six bits inférieurs parviennent effectivement dans le registre DAC.

Lors d'un accès en lecture aux registres DAC, ce registre fournit d'abord les proportions de rouge, puis de vert et ensuite de bleu de la couleur.

| Pel Mask | DAC, Port 3C6h, VGA uniquement |

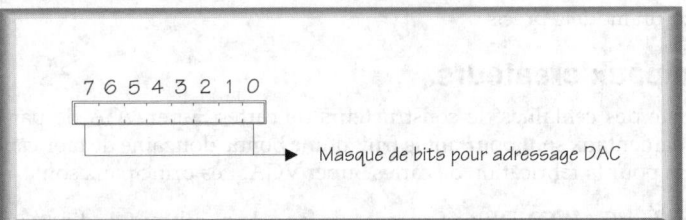

0-7   Si le contrôleur d'attributs lit le contenu d'un registre DAC en générant une couleur pendant la configuration de l'écran, le contenu de ce registre est alors combiné avec le numéro du registre adressé par un ET logique. Pour les animations par exemple, cela permet de définir des groupes de couleurs sur le niveau inférieur de registres DAC déterminés.
Normalement, ce registre contient la valeur FFh pour que tous les accès aux registres DAC s'effectuent sans aucune modification.

9.9.   Les cartes Super VGA

Avant que les fabricants de cartes ne parviennent à élucider le secret des nouveaux chips VLSI d'IBM et à les imiter, ces fabricants sont parvenus en quelques mois à tenir tête aux modèles compatibles VGA. Comme on a pu l'observer avec les cartes EGA, une rude bataille s'engagea entre les fabricants pour s'octroyer une part maximale du marché tout en jouant sur les prix et en continuant d'innover les caractéristiques performantes de leurs cartes. De cette bataille surgit une nouvelle classe de cartes, à savoir les cartes Super VGA. Entièrement compatibles avec le standard VGA d'IBM, elles disposaient d'innombrables registres électroniques qui n'étaient même pas définis dans le standard IBM. Ces registres leur ont permis de surpasser le modèle original d'IBM grâce aux caractéristiques suivantes :

O   Davantage de couleurs dans les modes graphiques VGA classiques,
O   Modes graphiques jusque-là inconnus avec hautes résolutions,
O   Modes texte avec plus de colonnes et lignes,
O   Curseur électronique en mode graphique également,
      Zoom Hard de zones d'écran en mode graphique,etc.

Mais les divers fabricants ont dû se résigner à établir un modèle standard pour cette nouvelle classe de cartes vidéo bien qu'ils se soient efforcés de régler les performances, les adapter électroniquement et assurer leur adressage à travers le BIOS en ROM. L'utilisateur qui conçoit actuellement un programme pour sa carte Super VGA doit être sûr de ne plus travailler en collaboration avec les toutes premières cartes Super VGA. À l'ère de Windows, cela ne porte toutefois pas préjudice puisque les fabricants de cartes doivent fournir un driver Windows à l'utilisateur pour la carte installée. Toujours est-il que les applications DOS supportent mal les cartes Super VGA parce qu'il faut développer des routines appropriées à chaque carte existante qui sont spécialement liées à l'électronique de cette carte. Ce chapitre tente d'apporter une lumière dans l'obscurité du marché Super VGA sans décrire les différents aspects ni la programmation de chaque carte. À la fin de ce chapitre, nous allons en revanche présenter le standard VESA dans lequel les principaux fabricants de cartes Super VGA ont vu la lueur de leur politique de standardisation vouée à l'échec. Le standard VESA permet à vos programmes de fonctionner avec des cartes Super VGA de modèles différents sans être obligé de se concentrer sur un modèle précis.

Les principaux créateurs

Bien qu'il existe des centaines de constructeurs de cartes Super VGA de par le monde, les éléments fondamentaux sont pourtant le fruit d'une bonne douzaine de fabricants capables de créer des chips pour la fabrication de cartes Super VGA. Les principaux sont :

O   ATI dont le VGAWONDER se rencontre dans de nombreux ordinateurs. Sa particularité est d'émuler dans le plus petit détail tous les modèles graphiques antérieurs (y compris Hercules).
O   Chips & Technologies qui est une société reconnue surtout pour la fabrication des chips NEAT.
O   Genoa dont la carte n'appartient pas tout simplement à la classe des cartes Super VGA mais porte carrément le nom SuperVGA.
O   Headland mieux connue sous le nom VideoSeven.
O   Tseng, incontestablement le numéro un du marché avec les chips VGA ET3000 et ET4000 qui se rencontrent dans la majorité des cartes VGA.
O   Paradise régnant depuis longtemps sur l'empire de Western Digital, le constructeur de disques durs et mémoires.

Bien que les principaux fabricants de chips des cartes VGA et Super VGA soient au nombre de six, il ne faut pas en conclure que les différences entre les cartes Super VGA se réduisent à ces six modèles de chips. Bien au contraire, pratiquement chacun des chips cités offre une grande liberté de choix au constructeur de cartes Super VGA quant aux modes soutenus et leur adressage par le BIOS.

Modes texte Super VGA

Si on fait le tri parmi les performances offertes par les diverses cartes Super VGA, il en ressort un mode texte avec 25 lignes sur 132 colonnes qui est soutenu par la plupart de ces cartes. Il existe aussi de nombreux modes texte qui affichent certes 132 colonnes mais un nombre de lignes particulièrement élevé.

Les modes classiques sont toutefois les modes 80 colonnes où le nombre de lignes écran est augmenté ainsi que les modes 100 colonnes avec un nombre de lignes tout aussi important. Le top niveau de ce groupe est sans doute le mode texte en 50 lignes sur 160 colonnes. Mais pour ce qui est de savoir si les différents caractères sont nettement identifiables à l'écran est une autre affaire.

Voici une description des modes textes fournis par les fabricants de cartes mais cette liste ne prétend nullement être complète.

Modes textes étendus sur des cartes Super VGA

Colonnes	Lignes
80	30
80	34
80	43
80	60
100	37
100	43
100	60
100	75
132	25
132	28
132	30
132	43
132	44
132	50
160	50

En règle générale, tous ces modes peuvent être initialisés par la fonction 00h de l'interruption vidéo du BIOS. Mais les fabricants n'ont pas pu se mettre d'accord pour uniformiser les numéros de code si bien qu'ils proposent leur propre mixture. On ne peut même pas profiter du fait que dans ces modes la RAM vidéo soit configurée exactement comme dans les modes texte classiques. Cela est fort dommage car aurait pu utiliser ces modes sans gros effort en définissant tout simplement les routines existantes avec une largeur de lignes plus élevée dans la RAM vidéo.

Eu égard à la résolution de l'écran, si vous souhaitez malgré tout assurer la souplesse de vos programmes DOS en mode texte, nous vous conseillons d'avoir recours aux fonctions du BIOS

VESA ou de collaborer avec l'utilisateur. Il existe notamment des programmes de configuration permettant de définir la résolution écran au niveau du DOS. Dans ce cas, il suffit de transmettre au programme la résolution écran spécifiée lors du démarrage du programme en guise de paramètre dans la ligne de commande ou de le préciser par exemple dans un fichier de configuration que le programme lit après le démarrage.

Modes graphiques Super VGA

L'éventail des nouveaux modes graphiques reconnus par les cartes Super VGA n'est pas de moindre taille. Il s'agit d'une part des modes graphiques classiques du simple standard VGA capables désormais d'afficher par exemple 256 couleurs au lieu des 16 actuelles. D'autre part, des modes graphiques inconnus viennent s'y ajouter offrant des résolutions nettement plus élevées atteignant 1024*768 points.

Malgré la jouissance procurée par ces modes et le nombre de couleurs accru, il ne faut pas oublier que l'augmentation de la résolution écran va de pair avec la vitesse. Il existe en effet une grande différence entre l'affichage de 300 000 points en mode 640*480 ou 500 000 points en mode 800*600. Dans les cartes graphiques dépourvues de processeur graphique, c'est toujours l'unité centrale qui est la pièce maîtresse devant définir chaque point séparément et ne pouvant se consacrer actuellement à aucune autre tâche.

Bon nombre de modes exotiques avec des résolutions de 720*396 ou 960*720 points tentent de se frayer un chemin parmi les trois maîtres absolus dans ce domaine reconnus par la plupart des cartes Super VGA, à savoir :

◯   le mode 640*400 points avec 256 couleurs,
◯   le mode 800*600 points avec 16 ou 256 couleurs et
◯   le mode 1024*768 points avec 16 couleurs.

Le tableau suivant montre que les modes cités représentent une petite portion parmi la multitude des modes graphiques offerts sous des variantes plus ou moins élaborées par les cartes Super VGA.

Modes graphiques étendus des cartes Super VGA			
Résolution	**Couleur**	**Points**	**Mémoire**
512*480	256	245 760	256 Ko
640*400	256	256 000	256 Ko
640*480	256	307 200	512 Ko
720*396	16	285 120	256 Ko
720*512	16	368 640	256 Ko
720*512	256	368 640	512 Ko
720*540	16	388 800	256 Ko
720*540	256	388 800	512 Ko
752*410	16	308 320	256 Ko
800*600	16	480 000	256 Ko
800*600	256	480 000	512 Ko
960*720	16	691 200	512 Ko
1024*768	16	786 432	512 Ko
1024*768	256	786 432	1 Mo

Quel que soit le mode graphique soutenant une carte Super VGA, ces modes ne peuvent être utilisés que si un moniteur adéquat et une RAM vidéo suffisante sont disponibles. Pour les modes avec une résolution de 640*480 points, un moniteur VGA à fréquence fixe est par exemple largement suffisant alors que les modes haute résolution nécessitent un moniteur Multisync. Avec une résolution de 1024*768 points, on entre dans une zone technique réservée aux moniteurs XL. Il s'agit en fait de moniteurs Multisync particuliers que l'on rencontre généralement dans le domaine CAO/PAO où des résolutions de 1024*768 points représentent tout simplement le bas de gamme.

Organisation de la RAM vidéo dans les modes Super VGA

En observant les modes graphiques Super VGA, on aperçoit une différence entre les modes selon qu'ils affichent 16 ou 256 couleurs comme on a pu le constater avec les modes VGA classiques. Dans les deux cas, l'organisation de la RAM vidéo suit le même schéma que celui des modes VGA standard. Pour les modes 16 couleurs, cela signifie que 4 bits issus des quatre plans de bits consécutifs reçoivent la couleur d'un point. Dans les modes 256 couleurs, c'est un octet entier qui reçoit la couleur d'un point. Pour calculer son adresse, il suffit de multiplier le numéro de ligne par la longueur de ligne et d'additionner ensuite les numéros de colonnes. Seule la longueur des lignes dans la RAM vidéo et la longueur des pages changent par rapport aux modes VGA classiques en raison de l'accroissement de la résolution.

"Tout est pour le mieux" serait-on tenté de dire s'il n'y avait un petit hic. Les mécanismes classiques d'accès à la RAM vidéo ne fonctionnent plus avec les modes nécessitant plus de 256 Ko par page écran. En modes 16 couleurs, on peut adresser au maximum 256 Ko de la RAM vidéo à travers le segment de mémoire 64 Ko à partir de l'adresse A000:0000 avec l'aide des quatre plans de bits. La situation est pire en modes 256 couleurs où on ne dispose que de 64 Ko pour adresser les 256 Ko (cf. 9.8.7).

En tous cas, la limitation à 64 Ko à partir de A000:0000 représente une barrière insurmontable pour tous les modes graphiques dans lesquels il faut adresser plus de 256 Ko. Toutes les cartes Super VGA sont dotées d'un mécanisme permettant d'adresser la totalité de la RAM vidéo d'une carte Super VGA *via* le segment de mémoire à partir de A000. La contrainte est que l'adressage ne s'effectue pas simultanément mais toujours par un bloc de 64 Ko en modes 256 couleurs ou 256 Ko en modes 16 couleurs. Toutes les cartes disposent à cet effet de divers registres électroniques inexistants sur des cartes VGA classiques. Ils servent à intégrer une portion déterminée de la RAM vidéo dans le segment de mémoire A000. Cette méthode est d'ailleurs similaire à celle utilisée pour gérer la mémoire paginée.

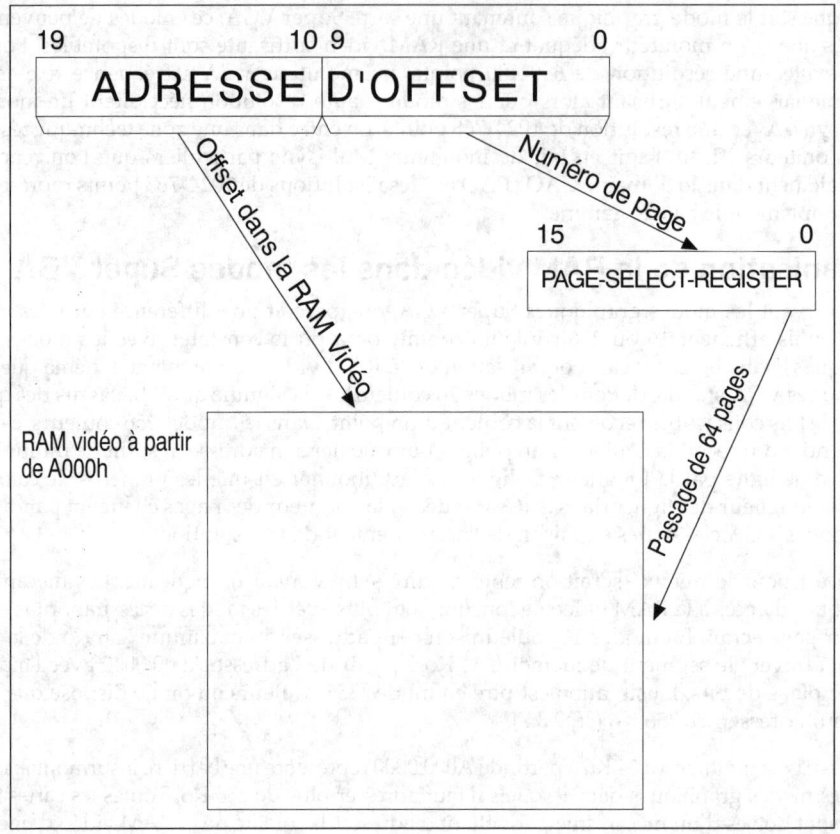

Intégration de parties déterminées de la RAM vidéo dans le segment de mémoire depuis A000:0000 en divisant l'adresse d'offset en une portion Page et une portion Offset

Cette technique ne facilite certainement pas les routines de définition ou lecture d'un point. Il faut non seulement calculer l'offset dans la RAM vidéo mais définir la fenêtre de mémoire de manière à atteindre l'octet souhaité dans la RAM vidéo. Il faut en outre faire attention au fait que la fenêtre de mémoire ne peut être décalée qu'avec une granularité précise représentant en général une puissance de deux de 1 Ko (1 Ko, 2 Ko, 4 Ko, 8 Ko, etc.). Dans ce contexte, on parle également de pages dans lesquelles la RAM vidéo est répartie. La taille d'une page correspond à la granularité. Avec une granularité de 1 Ko, le segment de mémoire A000 peut contenir par exemple 64 pages consécutives. Le numéro de la première page est déterminé par un registre électronique baptisé Page Select.

Avec cette méthode, la cellule de mémoire visible dans le segment A000 ne peut pas commencer à n'importe quelle adresse d'offset mais uniquement à un multiple de la granularité. Par exemple, si on veut accéder à la cellule 65 539 (c'est-à-dire 64 Ko + 3) avec une granularité de 1 Ko, on doit d'abord charger 64 dans le registre Page Select pour pouvoir accéder à l'octet souhaité dans la RAM vidéo à travers la cellule de mémoire A000:0003. Mais dans ce cas, il existe 63 combinaisons supplémentaires pour la valeur du registre Page Select et l'adresse d'offset pour l'accès au segment de mémoire A000. Ainsi, on peut également charger la valeur 63 dans le registre Page Select pour accéder à l'octet souhaité à travers l'adresse d'offset 1024+3 par rapport au segment de mémoire A000.

En raison de cette forme d'organisation, les routines graphiques sont obligées de calculer l'adresse d'offset dans la RAM vidéo dans un numéro de page et un offset pour avoir accès au segment de mémoire A000. Cette tâche n'est pas difficile si on se réfère à la représentation binaire des éléments nécessaires.

Le point de départ est l'adresse d'offset pour l'accès à la RAM vidéo. Sa largeur doit être de 20 bits si on souhaite adresser une RAM vidéo de 1 Mo. 19 bits suffisent s'il n'y a que 512 Ko mais nous allons partir de 20 bits. Avec une granularité de 1 Ko, on doit diviser cette adresse d'offset par 1 024 pour obtenir la valeur du registre Page Select. Sur le plan binaire, "diviser" signifie décaler le dividende vers autant de positions vers la droite que nécessaires pour afficher le diviseur en binaire. Sachant qu'1 Ko correspond à la valeur 2^{10}, on doit décaler l'adresse d'offset 20 bits de 10 bits vers la droite pour obtenir le nombre souhaité. Les positions que l'on décale à partir de la virgule constituent l'offset dans le segment de mémoire A000. Cette répartition est illustrée dans la figure précédente.

Outre le calcul du numéro de page et l'adresse d'offset, les routines graphiques sont obligées d'assumer d'autres tâches liées au mécanisme du Paging. L'affaire se complique lorsqu'il s'agit de copier des zones distinctes de plus de 64 Ko dans la RAM vidéo. Dans ce cas, il n'est plus possible de visualiser simultanément les zones source et cible dans le segment de mémoire A000. Il faut alors subdiviser la procédure de copie en trois étapes interminables. Cela consiste à rendre visible la zone source dans le segment de mémoire A000 pour copier ensuite le programme dans un buffer représentant une partie de la mémoire principale de la RAM. C'est ensuite au tour de la zone cible d'apparaître dans le segment de mémoire A000 ce qui permet de copier le contenu du buffer dans la zone cible. Cette procédure ressemble à un échange de deux variables par une troisième.

De telles opérations étant généralement liées au contexte des animations, certaines cartes Super VGA divisent le segment de mémoire A000 en deux grandes parties de 32 Ko chacunes disposant de leur propre registre Page Select. Cela permet d'atteindre simultanément deux zones différentes de la RAM vidéo à travers le segment de mémoire A000 et de copier directement deux zones à travers la RAM vidéo sans avoir à activer un buffer intermédiaire.

Mais à nouveau, il convient de prendre en compte les différences imposées par les fabricants de cartes Super VGA puisqu'il n'existe aucune uniformité quant à la procédure de sélection de la page. Toutes sortes de registres impliqués dans ce phénomène continuent de faire leur apparition en intégrant les pages dans le segment de mémoire A000 avec des granularités tout à fait variables. On ne peut pas toujours partir du principe qu'il existe deux zones paging différentes.

Si vous souhaitez adapter vos programmes graphiques aux modes Super VGA nécessitant plus de 256 Ko, vous aurez certainement fort à faire pour régler les routines. Cela explique pourquoi les fabricants de cartes fournissent des drivers logiciels avec des programmes comme Auto-CAD ou Windows.

Le standard VESA apporte toutefois une lueur d'espoir puisqu'il met une interface logicielle non tributaire de l'électronique à la disposition des programmes en modes Super VGA. Reportez-vous à la section 9.9.1 à ce sujet.

Expériences personnelles

Si vous vous entêtez à programmer en modes Super VGA malgré tous les désagréments, nous vous conseillons le mode 800*600 points en 16 couleurs pour plusieurs raisons. Ce mode n'est pas seulement disponible sur la plupart des cartes Super VGA, mais nécessite seulement 256 Ko de RAM. Par conséquent, la programmation des registres Paging ne s'avère nullement indispensable et vous avez la certitude que toute carte Super VGA fera

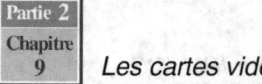
desmiraclessurl'écran quelle que soit la capacité mémoire. En travaillant dans ce mode, vous pouvez accéder effectivement aux routines liées aux modes graphiques standard VGA pouvant afficher 16 couleurs.

Les deux programmes suivants en Pascal (V8060P.PAS) et en C (V8060C.C) illustrent clairement ce phénomène. Ils reposent essentiellement sur les routines des programmes de la section 9.8.6. L'initialisation du mode graphique 800*600 points ainsi que la définition des points graphiques s'effectuent à l'aide des *routines Assembleur* intégrées dans les modules V8060CA.ASM et V8060PA.ASM.

La tâche la plus ardue est confiée à la routine d'initialisation INIT800600 car elle doit découvrir le numéro de code du mode graphique 800*600 points compte tenu de la carte vidéo installée. A cet effet, elle utilise une procédure toute simple : elle teste tout simplement plusieurs numéros de code jusqu'à ce que le BIOS accepte un des numéros de code. Six numéros de code sont stockés dans une sorte de tableau à l'intérieur du programme Assembleur. Généralement, ils servent à désigner le mode graphique 800*600 points. Ce tableau porte le nom MODENR. Il est parcouru de haut en bas par la routine INIT800600.

Les numéros de code les plus largement diffusés et donc procurant le plus de vraisemblance occupent le début du tableau. Il s'agit des codes 6Ah, 58h et 29h. Les numéros de code 54h, 16h et 79h sont moins probables mais sont suffisamment représentés pour être cités dans ce tableau. Lors de nos tests, ces six numéros de code sont sortis avec divers types de cartes Super VGA et concordent certainement avec plus de 80 % des cartes Super VGA vendues sur le marché. Si votre carte Super VGA utilise un autre code pour le mode graphique 800*600 points et si vous connaissez ce code, vous pouvez naturellement l'inclure dans le tableau MODENR.

Après avoir initialisé un mode du tableau à l'aide de la fonction 00h du BIOS vidéo, la routine INIT800600 reconnaît le numéro de code qui correspond au mode graphique 800*600 points. Puis elle appelle la fonction 0Fh du BIOS vidéo qui retourne le numéro de code du mode vidéo actuel. Si le numéro de code spécifié était inconnu lors de l'appel de la fonction 00h, ce mode ne peut évidemment pas être installé par le BIOS. La routine retourne alors un autre numéro de code reproduisant le mode actuel comme auparavant.

Tant que le numéro de code préalablement spécifié n'est pas retourné par la fonction 0Fh, la routine INIT800600 continue à parcourir le tableau code par code jusqu'à ce que le BIOS accepte un numéro de code ou la fin du tableau est atteinte. Dans ce cas, cette routine retourne la valeur 0 dans la version C et FALSE dans la version Pascal. Mais si le mode peut être défini, la valeur retournée en C est 1 et TRUE en Pascal.

Grâce à cette méthode, nous avons pu lire le mode adéquat en testant diverses cartes Super VGA. Mais signalons quand même un petit défaut. L'opération ne fonctionne pas lorsqu'on la manœuvre avec une carte Super VGA qui utilise un des codes du tableau MODENR avec un mode graphique différent du mode 800*600 points en 16 couleurs. Dans ce cas, INIT800600 retourne TRUE mais le reste du programme ne fonctionne pas correctement parce qu'on se trouve dans un mode graphique complètement différent de celui qui était attendu. Quant à nous, nous n'avons pas rencontré ce problème lors de nos tests.

V8060C.C	V8060CA.ASM
V8060P.PAS	V8060PA.ASM

Le standard VESA

Au cours de l'histoire du PC, les constructeurs du matériel électronique ont souvent eu l'occasion de constater que l'absence de standard porte préjudice au marché. En contrepartie, l'absence de standard leur donne toujours la liberté de surpasser les produits de leurs concurrents en augmentant sans cesse les performances de leurs propres produits. Tout cela rend néanmoins la vie dure au programmeur. Cette tendance touche particulièrement le domaine des cartes Super VGA où de nouveaux fabricants continuent d'inonder en permanence le marché avec des modes texte et graphiques toujours nouveaux. Et là où des modes similaires sont proposés, les fabricants imposent quand même leurs différences en variant la numérotation de ces modes, l'organisation de la RAM vidéo et leur adressage. Conséquence : rares sont les programmes qui soutiennent les modes vidéo étendus des cartes Super VGA. Il s'agit en fait des constructeurs qui fournissent des drivers logiciels pour leurs cartes pour que les programmes puissent au moins utiliser une partie de ces modes.

Pour mettre fin à ce dilemme, les principaux fabricants de cartes VGA se sont réunis autour d'une table en 1989 pour donner naissance au comité VESA ou mieux Video Electronic Standards Association. Les partenaires éminents de cette association sont les sociétés ATI, Chips & Technologies, Everex, Genoa, Intel, Phoenix Technologies, Orchid, Paradise, Video Seven et bien d'autres encore. Le but de cette association est de développer une extension BIOS permettant au programmeur d'accéder à des cartes Super VGA de modèles variés indépendamment de l'électronique. Cette extension BIOS, baptisée standard VESA, fut présentée publiquement en 1990. La version actuelle porte le numéro 1.0. Les constructeurs ont intégré directement les extensions BIOS qui y étaient décrites dans le BIOS VGA étendu que leurs cartes conservent sur une structure en ROM. Pour les anciennes cartes, ils ont décidé de fournir des drivers logiciels chargés en mémoire comme des programmes TSR et rajoutant ainsi les nouvelles fonctions VESA dans le BIOS VGA étendu. Pour la première fois, le programmeur peut adapter ses programmes de manière à les utiliser avec des cartes Super VGA variées sans être obligé de se soucier de l'électronique. Ce chapitre décrit le standard VESA en présentant :

O   Les modes graphiques soutenus par ce standard,
O   Les différentes fonctions et la manière d'appeler ce standard,
O   Les tâches exécutées par les fonctions de ce standard.

Les modes graphiques du standard VESA

Le premier souci des membres du comité VESA était de se mettre d'accord sur les modes graphiques soutenus par le futur standard VESA. Chaque constructeur voulait naturellement imposer son mode graphique. Après maintes discussions, ils sont parvenus à établir une liste de 9 modes qui sont cités dans le tableau suivant.

Pour identifier les différents modes à l'aide du BIOS VESA, on lui communique les numéros de code tout comme les modes graphiques classiques reconnus par les BIOS VGA. Mais ici, le choix s'est porté sur les codes situés au-delà de 100h (256) parce que de nombreux constructeurs ont déjà affecté les codes au-dessous de 100h à leurs propres modes. Contrairement aux modes vidéo classiques représentés par un numéro de code 8 bits, les numéros de code des modes VESA ont une largeur 16 bits. La seule exception à cette règle est le mode graphique 800*600 points en 16 couleurs auquel les constructeurs ont déjà attribué le numéro de code 6Ah pour des raisons de compatibilité. Ce numéro de code est conservé dans le standard VESA. Toujours est-il que ce mode est soutenu comme un mode VESA étendu.

Les modes graphiques du BIOS VESA			
Code	**Résolution**	**Couleurs**	**Mémoire***
100h	640*400	256	256 Ko
101h	640*480	256	512 Ko
102h	800*600	16	256 Ko
103h	800*600	256	512 Ko
104h	1024*768	16	512 Ko
105h	1024*768	256	1 Mo
106h	1280*1024	16	1 Mo
107h	1280*1024	256	1,25 Mo
6Ah	800*600	16	256 Ko
* Les indications concernent les capacités possibles de 256, 512 ou 1 024 Ko et non le besoin en mémoire réel d'une page écran.			

Appel des fonctions du BIOS VESA

Tout comme les fonctions du BIOS VGA, celles du BIOS VESA sont accessibles par l'interruption vidéo 10h du BIOS. 6 sous-fonctions implémentées au sein de la fonction 4Fh peuvent être appelées *via* cette fonction. Avant l'appel de la fonction, il faut charger le numéro de fonction 4Fh dans le registre AH et le numéro de sous-fonction compris entre 0 et 5 dans le registre AL.

Tâche des fonctions du BIOS VESA	
N°	**Tâche**
00h	Déterminer les performances de la carte Super VGA
01h	Déterminer les donnés-clé d'un mode déterminé
02h	Définir le mode VESA
03h	Lire le mode vidéo actuel
04h	Sauvegarder/Restaurer le statut de la carte Super VGA
05h	Définir/Demander la fenêtre d'accès à la RAM vidéo

Les registres AH et AL sont également ceux dans lesquels on obtient le résultat de l'appel de fonction. Si les fonctions du BIOS VESA sont soutenues par la carte vidéo installée, on rencontre alors la valeur 4Fh dans le registre AL. Elle a été transmise auparavant à la fonction dans le registre AH. La valeur 0 signale que la fonction appelée s'est exécutée correctement. Quant à la valeur 1, elle indique que l'opération a échoué. Les autres valeurs de retour (02h à 0FFh) sont considérées comme réservées. Un message d'erreur est retourné à leur rencontre. Le contenu des autres registres du processeur, hormis AH et AL, reste inchangé par l'appel de ces fonctions tant qu'il ne sert pas à retourner des informations.

Lors de l'utilisation des fonctions VESA, il n'est pas toujours indispensable de demander le contenu des registres Ah et AL après chaque appel de fonction au risque de faire face à un échec de l'opération. Dans tous les cas, le premier appel d'une fonction VESA doit servir à confirmer si les fonctions VESA sont soutenues par la carte vidéo installée. Il faut utiliser à cet effet le résultat retourné dans les registres AH et AL.

Déterminer les performances d'une carte Super VGA

Bien que le standard VESA offre une interface aux principaux modes vidéo des cartes modernes Super VGA, il ne garantit toutefois pas que tous les modes VESA soient reconnus par une carte précise. Le premier travail effectué avec les fonctions doit donc consister à appeler la sous-fonction 00h pour obtenir les informations nécessaires concernant les caractéristiques de la carte Super VGA installée. Outre les numéros de fonction et sous-fonction en AH et AL, la sous-fonction attend un pointeur FAR sur un buffer de 256 octets dans la paire ES:DI. La sous-fonction 00h place de nombreuses informations sur la carte Super VGA et ses caractéristiques dans ce buffer.

Offset	Contenu	Type
	Structure du bloc de données de la sous-fonction 00h	
00h	Signature VESA ("VESA")	4 BYTE
04h	Version VESA, numéro de version principal	1 BYTE
05h	Version VESA, numéro de version secondaire	1 BYTE
06h	Pointeur FAR sur chaîne ASCIIZ avec le nom du fabricant de cartes	1 DWORD
0Ah	Flag décrivant la caractéristique de la carte. Inutilisé actuellement, par conséquent 0000h.	1 DWORD
0Eh	Pointeur FAR sur la liste des numéros de code des modes vidéo soutenus	1DWORD

A travers le dernier pointeur de la table, la carte installée fournit la liste des numéros de code des modes vidéo soutenus. Cette information est sans doute la plus importante pour le programmeur. Cette liste peut être située dans le BIOS en ROM de la carte ou dans la mémoire principale. Elle se constitue de différents mots. Chaque mot reçoit le numéro d'un mode soutenu où les modes VESA décrits en entrée tout comme les modes spécifiques au fabricant sont fournis par cette liste. Les derniers se distinguent facilement des modes VESA parce que leurs numéros de code sont inférieurs à 100h. L'octet de poids fort contient alors 00h dans l'entrée de liste correspondante.

Comme la longueur de la liste peut varier en fonction des caractéristiques individuelles de la carte installée et de sa capacité RAM, sa fin est marquée par un mot doté de la valeur FFFFh. Ce dernier ne représente pas un mode vidéo précis.

Lire un mode vidéo déterminé

Il ne suffit pas de connaître la disponibilité d'un mode précis pour travailler sous ce mode. C'est pourquoi, la sous-fonction 01h permet d'obtenir toutes les informations nécessaires pour programmer dans un mode précis. Outre les numéros de fonction et sous-fonction dans les registres AH et AL, il faut transmettre également le numéro du mode souhaité à la fonction. Il s'agit d'un des modes de la liste retournée par la sous-fonction 00h. Dans la paire de registres ES:DI, la fonction attend un pointeur sur un bloc de mémoire devant recevoir les informations. Ce buffer doit offrir de la place à 29 octets.

La liste des modes de la sous-fonction 00h contenant à la fois les modes VESA et les modes individuels de la carte installée, il est possible de lire des informations sur les modes VESA à l'aide de la sous-fonction 01h. Cette sous-fonction retourne alors des informations sur les modes texte étendus des différentes cartes et non seulement sur les modes graphiques.

La figure suivante montre la structure des informations telles qu'elles sont entrées dans le buffer spécifié par la sous-fonction 01h.

Offset	Contenu	Type
	Structure du bloc de données de la sous-fonction 01h	
00h	Flag de mode, voir plus loin	1 WORD
02h	Flags pour la première fenêtre d'accès, voir plus bas	1 BYTE
03h	Flags pour la seconde fenêtre d'accès, voir plus bas	1 BYTE
04h	Granularité en Ko utilisée pour décaler les deux fenêtres d'accès	1 WORD
06h	Taille des deux fenêtres d'accès en Ko	1 WORD
08h	Adresse de segment de la première fenêtre d'accès	1 WORD
0Ah	Adresse de segment de la seconde fenêtre d'accès	1 WORD

Structure du bloc de données de la sous-fonction 01h		
Offset	**Contenu**	**Type**
0Ch	Pointeur FAR sur routine de définition de la zone visible dans les deux fenêtres d'accès	1 DWORD
10h	Nombre d'octets occupés par chaque ligne de points dans la RAM vidéo (Informations optionnelles, voir Flag de mode)	1 WORD
12h	Résolution X en points/caractères	1 WORD
14h	Résolution Y en points/caractères	1 WORD
16h	Largeur de la matrice de caractères en points	1 BYTE
17h	Hauteur de la matrice de caractères en points	1 BYTE
18h	Nombre de plans de bits	1 BYTE
19h	Nombre de bits par point écran	1 BYTE
1Ah	Nombre de blocs mémoire	1 BYTE
1Bh	Modèle de mémoire	1 BYTE
1Ch	Taille des blocs de mémoire en Ko	1 BYTE

Le Flag de mode, introduisant le bloc d'informations et représentant un champ de bits, donne des informations importantes sur le mode demandé. Comme le montre la figure suivante, ce flag renseigne s'il s'agit d'un mode texte ou graphique, si la couleur est soutenue ou si le texte peut être affiché à l'aide des fonctions texte du BIOS. Il indique également si ce mode peut effectivement être activé sur la carte vidéo compte tenu du moniteur installé et de la mémoire disponible.

Mais il est aussi important de savoir si les champs optionnels sont complétés dans le bloc de données car ils contiennent de nombreuses informations utiles dans ce mode. En règle générale, on peut supposer que ces informations sont déjà disponibles.

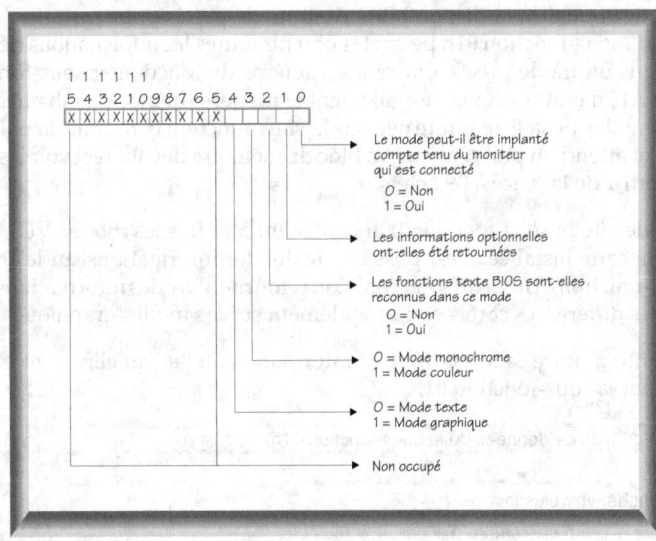

Les deux flags représentent également des champs de bits décrivant les fenêtres d'accès à la RAM vidéo. Toutes les cartes Super VGA ne disposant pas de deux fenêtres d'accès, elles doivent permettre de contrôler s'il existe réellement une seconde fenêtre d'accès. On apprend également ici dans quelle fenêtre il faut lire les informations et dans laquelle il faut les copier dans la mesure où il n'est pas possible de lire la RAM vidéo ou d'y écrire à travers une fenêtre.

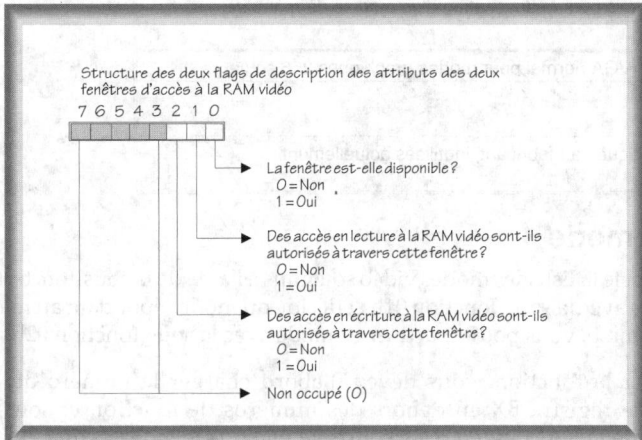

Structure des deux flags de description des attributs des deux fenêtres d'accès à la RAM vidéo

7 6 5 4 3 2 1 0

La fenêtre est-elle disponible ?
0 = Non
1 = Oui

Des accès en lecture à la RAM vidéo sont-ils autorisés à travers cette fenêtre ?
0 = Non
1 = Oui

Des accès en écriture à la RAM vidéo sont-ils autorisés à travers cette fenêtre ?
0 = Non
1 = Oui

Non occupé (0)

En dehors des flags décrivant les attributs des deux fenêtres d'accès à la RAM vidéo, le bloc de données de la sous-fonction 01h reproduit d'autres informations qui sont importantes pour exploiter ces fenêtres d'accès. Il s'agit d'abord des adresses de segment des deux fenêtres d'accès. Dans ce cas, l'entrée pour la seconde fenêtre d'accès n'est valide que si une telle fenêtre existe. La taille des fenêtres d'accès ainsi que la granularité utilisée pour les décaler "à travers" la RAM vidéo sont également des informations importantes.

Pour permettre ce déplacement, le BIOS VESA fournit une routine qui assure le programmeur contre tout risque d'incompatibilité régnant entre les diverses cartes Super VGA, dans ce contexte en particulier. Pour plus d'informations sur cette routine, reportez-vous à la sous-fonction 05h à la fin de cette section.

En ce qui concerne les informations optionnelles, on cite d'abord la résolution X et Y du mode vidéo. S'il s'agit d'un mode texte, ces informations se rapportent aux lignes et colonnes sinon elles font référence à la résolution de l'écran en points. La taille de la matrice de caractères est entrée en points dans les deux champs qui suivent et en mode texte seulement.

A la suite de ces champs, vous obtenez le nombre de plans de bits intervenant dans le mode concerné et le nombre de bits utilisés pour coder un point écran. Ces deux informations ne sont fournies qu'en mode graphique. Cela vaut également pour le champ suivant qui reproduit le nombre des blocs de mémoire. Cette information n'est intéressante que dans les modes graphiques de la carte CGA et Hercules car ces deux cartes reportent les lignes graphiques de l'écran dans des blocs différents de la RAM vidéo. La taille de ces blocs de mémoire est stockée dans le dernier champ de la structure de données. Il est cependant précédé d'un champ qui est important pour l'accès à la RAM vidéo. Il désigne le modèle de mémoire selon lequel la RAM vidéo est configurée dans le mode vidéo concerné. Les diverses formes de code sont représentées par des codes énumérés dans le tableau suivant.

Codes admis pour la description d'un modèle de mémoire	
Nº	Fonction
00h	Mode texte
01h	Format CGA, soit 2 ou 4 blocs mémoire
02h	Format Hercules avec 4 blocs mémoire
03h	Format EGA/VGA normal pour modes graphiques 16 couleurs
04h	Format compacté avec deux points à 4 bits par octet

Nº	Fonction
	Codes admis pour la description d'un modèle de mémoire
05h	Format EGA/VGA normal pour modes graphiques 256 couleurs
06h-0Fh	Réservé
10h-FFh	Codes spécifiques au fabricant, inutilisés actuellement

Activer un mode

Si vous avez appelé la liste des modes vidéo soutenus à l'aide de la sous-fonction 00h, demandé les divers modes avec la sous-fonction 01h et décidé du mode répondant au mieux aux besoins de votre programme, vous pouvez activer ce mode avec la sous-fonction 02h.

Avant d'appeler la fonction, vous devez d'abord charger le numéro de code du mode souhaité dans le registre BX en dehors des numéros de fonction et sous-fonction. Si le contenu actuel de la RAM vidéo reste conservé une fois le mode activé, il faut régler le bit 15 sur 1 dans le registre BX.

Après appel de la fonction, il faut obligatoirement s'assurer que le mode souhaité peut être activé en consultant le contenu des registres AH et AL. Si vous rencontrez la valeur 00h dans le registre AH et la valeur 4Fh dans le registre AL, la mise en service du mode est verrouillée.

La sous-fonction 03h fait également partie du contexte des modes graphiques. Elle ne sert pas à activer un mode mais à lire le mode actuel. Pour son appel, elle attend seulement les numéros de fonction et sous-fonction. Dans le registre BX, elle retourne alors le numéro du mode vidéo actuel. Comme à l'accoutumée, les valeurs au-delà de 100h représentent les modes VESA alors que les numéros de code inférieurs correspondent à un mode VGA standard ou un mode spécifique au fabricant.

Sauvegarder et restaurer le mode d'exploitation

Lors de leur activation, des programmes TSR tels que SideKick rencontrent un problème qui les oblige à sauvegarder le mode d'exploitation actuel d'une carte avant de commuter vers un mode texte par exemple. Lorsqu'ils sont désactivés, l'écran doit être rétabli au même mode que précédemment. Et cela ne fonctionne que si on spécifie le mode actuel avant l'activation. Cette manipulation devient quelque peu complexe avec des cartes Super VGA et c'est pourquoi le BIOS VESA fournit trois sous-fonctions avec la sous-fonction 04h qui déchargent un programme de cette lourde tâche.

Avant de sauvegarder le mode actuel, il faut appeler la sous-fonction 00h. Elle communique au programmeur la quantité de mémoire nécessaire pour sauvegarder le mode d'exploitation. Outre les numéros de fonction et sous-fonction, la fonction attend la valeur 00h dans le registre DL et un champ de bits dans le registre CX. Ce dernier décrit les éléments du mode d'exploitation à sauvegarder. La figure suivante montre la structure de ce champ de bits.

Seul le contenu de la RAM vidéo que le programme doit sauvegarder puis restaurer reste exclu de la mémorisation. Mais les parties qui doivent effectivement être écrasées sont à sauvegarder. Dans un programme TSR qui commute par exemple du mode graphique vers le mode texte, il s'agit des premiers 4 Ko de la RAM vidéo utilisés pour l'affichage du texte et non la totalité de l'écran graphique qui peut avoir besoin de 1 Mo en fonction du mode graphique.

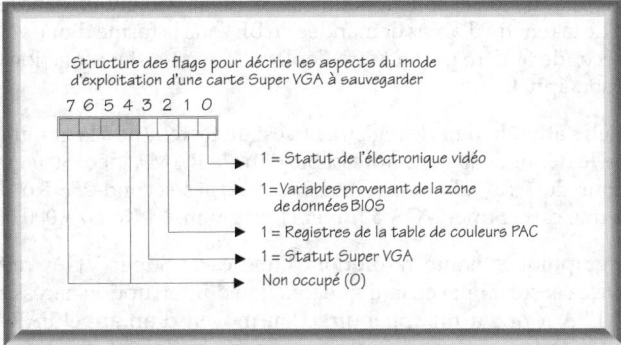

En guise de réponse, la sous-fonction 00h retourne le nombre de blocs de 64 Ko dans le registre BX à réserver pour recevoir les informations d'état spécifiées. Pour sauvegarder le mode d'exploitation, le programme d'appel doit réserver un buffer dont la taille correspond à :

```
64 * BX
```

Si ce buffer est réservé dans le programme, le mode d'exploitation peut être sauvegardé à l'aide de la sous-sous-fonction 01h. En dehors des numéros de fonction et sous-fonction, il faut indiquer trois paramètres supplémentaires dans les registres du processeur. Le registre DL attend le numéro de la sous-fonction 01h et le registre CX un champ de bits décrivant les éléments du mode à sauvegarder comme pour la sous-fonction 00h. Naturellement, il est important que ce champ de bits ne contienne plus d'éléments par rapport au précédent appel de la sous-fonction 00h. Sinon, le buffer risque de déborder parce que la place serait insuffisante pour contenir toutes les informations.

L'adresse du buffer doit être transmise à la sous-sous-fonction 01h sous forme de pointeur FAR à travers la paire de registres ES:BX.

Les mêmes registres entrent en action lorsqu'il s'agit de restaurer le mode sauvegardé. C'est la sous-sous-fonction 02h qui est compétente dans ce domaine. Outre les numéros de fonction et sous-fonction en DL, elle attend cette valeur. A nouveau, le registre CX indiquant les éléments du mode d'exploitation à restaurer et la paire de registres ES:BX en tant que pointeur sur le buffer de sauvegarde sont réclamés.

Déplacer la fenêtre d'accès

Il est tout à fait aisé de travailler sous les modes Super VGA où chaque page écran nécessite moins de 256 Ko de mémoire. Ainsi, on peut accéder à la totalité de la RAM vidéo à travers le segment de mémoire 64 Ko à partir de A000:0000. Mais l'affaire se corse lorsqu'il faut adresser plus de 256 Ko et c'est le cas de la plupart de ces modes. On ne s'en sort alors plus avec les fenêtres d'accès qui autorisent l'accès à une fenêtre mémoire de 64 Ko à travers le segment 64 Ko en A000:0000. Grâce aux quatre plans de bits, il devient possible d'adresser simultanément 256 Ko de la RAM vidéo. Dans la section 9.9, nous avons déjà souligné les principales différences existant entre les cartes Super VGA notamment dans le mode de définition de cette fenêtre et la programmation des registres qui y sont impliqués.

Grâce à la sous-fonction 05h du BIOS VESA, ce problème appartient déjà au passé. Cette fonction se charge en effet de définir la fenêtre d'accès en tenant compte de l'électronique installée.

Outre les numéros de fonction et sous-fonction ainsi que la valeur 00h dans le registre BH, elle attend le numéro de la fenêtre d'accès demandée en BL sous la forme d'une valeur 0 ou 1. Notez toutefois que la seconde fenêtre ne peut être déplacée que si la sous-fonction 01h a signalé son existence lors de son appel.

Le dernier paramètre attendu dans le registre DX est un facteur lié à la granularité de la fenêtre d'accès. Il indique le début de la zone adressable dans la RAM vidéo. Si la granularité se situe par exemple autour de 1 Ko, alors la valeur 256 rend les second 256 Ko de la RAM vidéo disponibles pour une carte Super VGA à travers le segment 64 Ko en A000:0000.

Dans les modes graphiques haute résolution d'une carte Super VGA, cette fonction étant fréquemment utilisée et son appel en tant que fonction d'interruption nécessitant beaucoup de temps, la BIOS VESA a prévu un appel direct au moyen d'un appel FAR. Dans le bloc de données spécifié, la sous-fonction 01h retourne l'adresse de cette routine sous forme d'un pointeur FAR. Notez que la méthode FAR Call n'est pas soutenue obligatoirement par tous les BIOS VESA. Dans ce cas, l'indication est donnée comme une adresse de la routine 0000:0000.

Mais si la fonction 05h est disponible comme une routine FAR Call, vous ne devez pas hésiter à vous en servir si vous attachez quelque importance à la vitesse de votre programme. Contrairement à la fonction d'interruption, elle ne retourne pas un code d'état dans le registre AX mais elle génère le changement du registre AX et DX pendant l'appel de la fonction.

La sous-fonction 05h n'est pas seulement responsable de la définition de la fenêtre d'accès. Elle retourne également son état par rapport à la RAM vidéo. Outre les numéros de fonction et sous-fonction, il faut lui transmettre la valeur 1 dans le registre BH. Comme résultat, elle retourne aussitôt l'état de la fenêtre compte tenu de sa granularité dans le registre DX.

10. Disquettes et disques durs

Ce chapitre est consacré aux disquettes et aux disques durs qui sont, dans le cadre de la programmation sur PC, au moins aussi importants que la carte vidéo ou le clavier. Mais il existe de grandes différences entre ces périphériques : alors que l'on n'a que très rarement recours aux fonctions du DOS lors de l'accès au clavier ou à l'écran et que l'on utilise plutôt les fonctions du BIOS, c'est exactement le contraire qui se produit dans le cas des disquettes et des disques durs.

En effet, le BIOS intervient principalement lors du formatage physique des disquettes et des disques durs ainsi que dans le cas d'accès individuels à certains secteurs. Ceci n'est toutefois pas recommandé dans le cas d'une programmation normale sous DOS. En effet, il s'agit le plus souvent de manipuler des fichiers, ce qui est impossible sans l'intervention du DOS en tant qu'entité de gestion.

Les seules exceptions sont les utilitaires pour disques, tels les programmes PC Tools ou les utilitaires Norton. Nous partons toutefois du principe que vous n'avez nullement l'intention de vous lancer dans le développement d'utilitaires de ce type ; le cas échéant, vous serez très certainement amené à évaluer l'ampleur du travail en homme-mois plutôt qu'en homme-journées.

Nous aborderons néanmoins dans ce chapitre, entre autres choses, l'accès à une disquette à l'aide des fonctions BIOS. Nous ne décrirons toutefois pas les procédures de programmation directes du contrôleur de disquette et de disques durs, et ce pour une raison très simple. L'accès direct à ces contrôleurs entraîne en général bon nombre de problèmes avec des contrôleurs incompatibles. De plus, la programmation directe ne présente aucun avantage du point de vue de la rapidité vu que la plus grande partie du temps est consacrée aux accès disques. Nous vous recommandons donc de ne pas tenter de programmer directement les contrôleurs de disquettes ou de disques durs.

Mises à part les fonctions BIOS, ce chapitre traitera d'autres sujets relatifs au disque dur. Nous étudierons notamment la manière dont les données sont enregistrées sur le disque dur ainsi que la fonction des différents contrôleurs de disques durs que l'on trouve sur les PC.

Vous trouverez pour finir un chapitre consacré au partitionnement du disque dur en plusieurs unités logiques. Mais jetons préalablement un regard sur les particularités communes aux disquettes et aux disques durs.

10.1. Structure des disquettes et des disques durs

Disquettes et disques durs ont en commun leur structure. Celle-ci est prise en compte par différentes fonctions du BIOS affectées aux accès aux lecteurs de disquettes et de disques durs. Etudions dans un premier temps la structure de base des disquettes et des disques durs et commençons par celle des disquettes qui, du point de vue de leur structure, peuvent être assimilées à des disques durs réduits (à deux dimensions).

Structure d'une disquette

Les disquettes sont divisées en pistes, sorte de cercles concentriques répartis à intervalles réguliers sur leur surface magnétique. Ces pistes sont numérotées de 0 à N, N représentant le nombre total de secteurs moins 1 et pouvant varier selon le format de la disquette. La piste la plus extérieure porte systématiquement le numéro 0, la suivante le numéro 1 et ainsi de suite jusqu'à la piste située le plus à l'intérieur.

Chaque piste est divisée en un nombre constant de secteurs de taille égale. Le nombre de ces secteurs dépend du format de la disquette et du lecteur. À la différence des pistes, les secteurs ne sont pas numérotés à partir de 0, mais à partir de 1 jusqu'à N, N représentant le nombre de secteurs par piste.

Chaque secteur contient 512 octets et représente la plus petite unité d'allocation à laquelle les programmes ont accès. Il n'est donc pas possible de lire/écrire un seul octet d'une disquette ; seul un secteur entier peut être lu ou écrit.

Les informations sont inscrites dans un secteur selon la procédure FM ou MFM, également mises en œuvre dans le cas du disque dur et décrites dans la section 10.6. Il n'est toutefois pas nécessaire d'en tenir compte en tant que programmeur, sachant que l'on n'aura affaire qu'aux données binaires qui doivent être lues ou écrites dans un secteur.

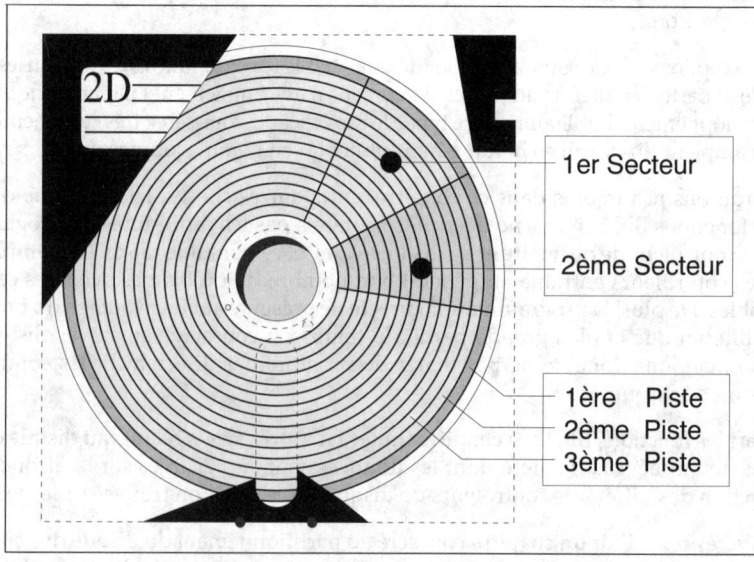

Structure d'une disquette, exemple disquette 5"1/4

En fonction du nombre de pistes et de secteurs qu'elle contient, la capacité d'une disquette s'évalue d'après la formule suivante :

```
Nombre de pistes * nombre de secteurs par piste * 512 octets par secteur.
```

La valeur ainsi obtenue ne traduit toutefois que la capacité d'une seule face de la disquette et doit donc être multipliée par deux dans le cas d'un lecteur de disquettes équipé de deux têtes de lecture/écriture. Dans ce cas, la face supérieure et la face inférieure de la disquette seront toutes deux utilisées pour le stockage des données. Elles portent respectivement le numéro 0 et le numéro 1, ce qui permet de les différencier au cours de la programmation.

Le nombre de secteurs par piste détermine également le débit de transfert de données qui sert à mesurer la vitesse d'exécution du lecteur ainsi que celle du contrôleur qui y est associé. A raison d'une vitesse de rotation constante de 300 rotations par minute, plus le volume de bits qui transite par la tête de lecture/écriture est élevé, plus le nombre de secteurs inscrits sur une piste sera important.

Structure d'un disque dur

Le débit de transfert de données est approximativement dix fois plus élevé dans le cas d'un disque dur, la vitesse de rotation étant elle-même dix fois plus élevée. Mais ce débit de transfert peut être une nouvelle fois multiplié par dix car les disques durs récents sont aujourd'hui capables d'inscrire presque une centaine de secteurs par piste, et ce même dans le cas de disquettes 3"1/2.

Mais cela ne modifie en rien la structure fondamentale d'un disque dur qui se présente sous la forme de plateaux superposés. En effet, un lecteur de disque dur se compose tout simplement de plusieurs plateaux magnétiques superposés lesquels sont, tout comme les disquettes, divisés en pistes et en secteurs. Chaque plateau dispose de deux têtes de lecture/écriture capables de traiter les deux faces du plateau.

Elles sont rendues solidaires des autres têtes par l'intermédiaire du bras de lecture/écriture de telle manière qu'un changement de piste s'effectuera simultanément sur l'ensemble des plateaux. C'est d'ailleurs pour cette raison que, au cours de l'enregistrement de données sur le disque dur, il est préférable de ne pas passer de piste en piste mais de passer d'une tête à une autre, jusqu'à ce que la piste concernée soit complètement enregistrée pour chaque plateau. En effet, le passage d'une tête à une autre s'effectue beaucoup plus rapidement car il ne met pas en jeu de déplacements mécaniques, ce qui n'est pas le cas lors d'un changement de piste.

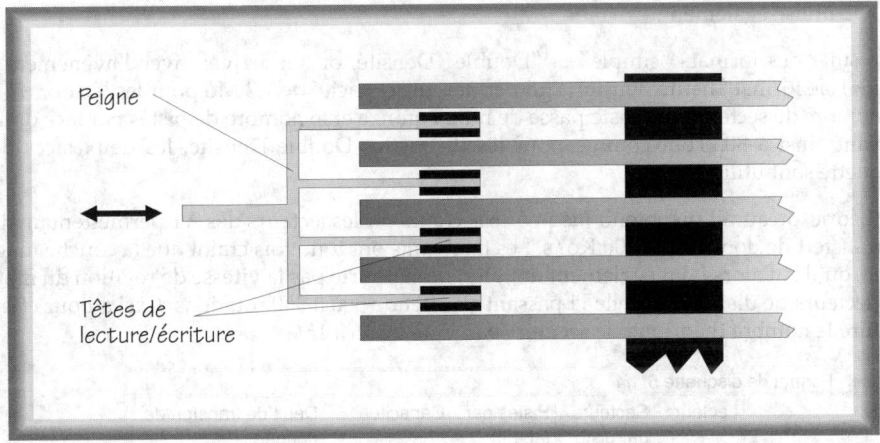

Peigne

Têtes de
lecture/écriture

Structure d'un disque dur

Pour décrire ce mouvement de tête à tête d'une piste, on utilise le concept de "cylindre". Un cylindre englobe l'ensemble des pistes qui portent le même numéro mais qui se trouvent sur différents plateaux. Et il s'agit en fait de la seule différence d'importance par rapport à la structure d'une disquette.

10.2. Lecteurs et formats de disquettes

Lorsqu'on souhaite accéder à des disquettes à l'aide du BIOS, il est nécessaire (ce qui n'est pas le cas dans le cadre de la programmation DOS) de se familiariser tout d'abord avec les différents formats de disquettes qui existent sur PC. On différencie tout d'abord les lecteurs 5"1/4, lesquels des lecteurs 3"1/2 ainsi que les disquettes Simple Densité, Double Densité et haute densité.

Les lecteurs et les disquettes 5"1/4

Le règne des lecteurs de 8" prit fin avec l'avènement des PC. En raison de l'obsolescence de ce type de lecteurs, les PC furent donc d'emblée équipés de lecteurs 5"1/4 sont fournis de moins en moins avec les PC d'aujourd'hui Ces lecteurs supportent les disquettes "Double Densité". Cette désignation fut choisie afin d'établir une différence avec les disquettes "Simple Densité" utilisées auparavant sur de nombreux micro-ordinateurs.

Les disquettes "Simple Densité" ne comportaient que quatre secteurs par pistes et 40 secteurs par face, ce qui correspond à une capacité de 80 Ko par face ou de 160 Ko dans le cas de lecteurs de disquettes équipés de deux têtes de lecture/écriture. Il en résultait un débit de transfert de données (125 Ko/s) peu élevé, notamment si on le compare aux débits d'aujourd'hui.

Les disquettes "Double Densité" comptent huit secteurs par piste, soit le double des disquettes "Simple Densité", le nombre de pistes par face restant quant à lui inchangé. La capacité de ces disquettes est donc du double, passant à 160 Ko dans le cas d'un lecteur simple face et à 320 Ko pour les lecteurs double face. Ceci vaut également pour le débit de transfert de données qui, dans le cas de disquettes "Double Densité", passe à 250 Ko/s.

Mais ce format ne perdura guère ; en effet, à raison de 8 secteurs par piste, une piste d'une disquette Double Densité n'est pas complètement remplie. Il reste encore suffisamment de place pour un neuvième secteur. On obtient alors le fameux format de disquette de 360 Ko que le DOS utilise également.

À la suite des formats "simple" et "Double" Densité, on vit arriver, avec l'avènement des PC/AT, le format "haute densité" qui permet une capacité de 1,2 Mo pour les lecteurs 5"1/4. Le nombre de secteurs par piste passe de huit à quinze et le nombre de pistes par face double, passant ainsi à 80. Tout comme pour les disquettes Double Densité, les deux faces de la disquette sont utilisées.

En théorie, on aurait pu obtenir jusqu'à 16 secteurs car les lecteurs des AT permettent un débit de transfert de données de 500 Ko/s. Les fabricants ont toutefois craint que la couche magnétique, qu'il eût alors fallu également doubler, ne supporte pas la vitesse de rotation du moteur des lecteurs de disquettes, celle-ci passant en effet de 300 à 360 rotations. Ceci a pour effet de réduire le nombre théorique de secteurs par piste de 16 à 15.

Format de disquette 5"1/4					
Type	Lecteur	Secteurs par piste	Pistes par face	Capacité	Débit de transfert de données
Double Densité	PC/XT	8	40	160/320 Ko	250 Ko/s
Double Densité	PC/XT	9	40	180/360 Ko	250 Ko/s
Haute densité	AT	15	80	1,2 Mo	500 Ko/s

Du fait que les pistes des disquettes Haute Densité sont plus nombreuses (80 au lieu de 40) et donc plus denses, ce format ne peut pas être lu par les lecteurs des anciens PC et des XT mais uniquement par les nouveaux lecteurs MF des AT. MF signifie "Multifonction" ; en effet, ce type de lecteur est capable de traiter les disquettes au format Double Densité de 360 Ko. La vitesse de rotation peut donc, à l'instar du débit de transfert de données, s'adapter à ce format à raison de 300 rotations par minute.

L'augmentation du nombre de secteurs par piste empêche lui aussi le traitement de disquettes haute densité par les anciens lecteurs des PC/XT. Ceux-ci ne peuvent en effet atteindre le débit de transfert de données de 500 Ko/s requis, une incapacité structurelle qui ne peut être modifiée.

Toutefois, l'augmentation de la capacité d'enregistrement, passant de la double à la haute densité, ne dépend pas uniquement des caractéristiques électroniques des lecteurs. Il s'agit avant tout d'une différence dans la "granulation" du matériau magnétique utilisé. Plus la taille des différentes particules magnétiques est réduite, plus elles pourront absorber d'informations. C'est d'ailleurs pour cette raison que les disquettes Double Densité ne peuvent être correctement formatées par les lecteurs des micro-ordinateurs de type AT ; leur granulation n'est pas assez fine.

Certes, le formatage de la plupart des disquettes est possible permettant d'obtenir une capacité de 600 Ko, voire davantage. Mais celles-ci ne pourront toutefois être lues que sur les PC sur lesquels elles ont été formatées. Les autres PC affichent en revanche un message d'erreur en lecture, rendant ainsi l'utilisation de la disquette quasi impossible. Il s'agit ici d'un phénomène dont on doit tenir compte, même dans le cas de formatages tout à fait orthodoxes, à savoir les différents positionnements des têtes de lecture/écriture sur les différents types de lecteurs de disquettes.

Il ne s'agit pourtant que de différences infimes, inférieure à un millimètre, mais qu'il importe néanmoins de neutraliser en augmentant la largeur des différentes pistes de façon à ce qu'elles soient plus larges que la tête de lecture/écriture, laquelle devra être positionnée au centre présumé de la piste concernée. Les informations pourront ainsi être lues correctement.

Cela ne fonctionne toutefois pas dans le cas de disquettes Double Densité "surformatées", car la position de la tête de lecture/écriture du lecteur affecté au formatage décide si une piste sera lue de manière aléatoire-et si elle est intacte ou non. Tel ne sera pas le cas si la position de la tête de lecture/écriture d'un autre lecteur varie un tant soit peu de celle du lecteur initial ; le cas échéant, elle ratera la piste concernée d'un cheveu.

Un phénomène analogue se produit lorsqu'on entreprend de formater des disquettes haute densité à partir de lecteurs Double Densité. La procédure échouera dans la plupart des cas ou provoquera au minimum des erreurs de lecture.

Conclusion : ceux qui pensent améliorer les performances des lecteurs de disquettes de leur PC/XT en achetant des disquettes HD (Haute Densité), lesquelles présentent de plus l'inconvénient d'être chères, se trompent.

Les disquettes et les lecteurs 3"1/2

Bien que les lecteurs de disquettes 5"1/4 soient encore très répandus, les lecteurs de disquettes plus petits 3"1/2 ont de plus en plus tendance à les supplanter ; leur introduction massive, au départ limitée au micro ordinateur portable, touche aujourd'hui toutes les catégories de micro-ordinateurs. Ces disquettes présentent tout d'abord l'avantage d'être de taille réduite. D'autre part, elles offrent une plus grande stabilité en raison de leur enveloppe rigide. De plus, la fenêtre d'accès recouverte d'un clapet amovible métallique ne nécessite aucune protection particulière.

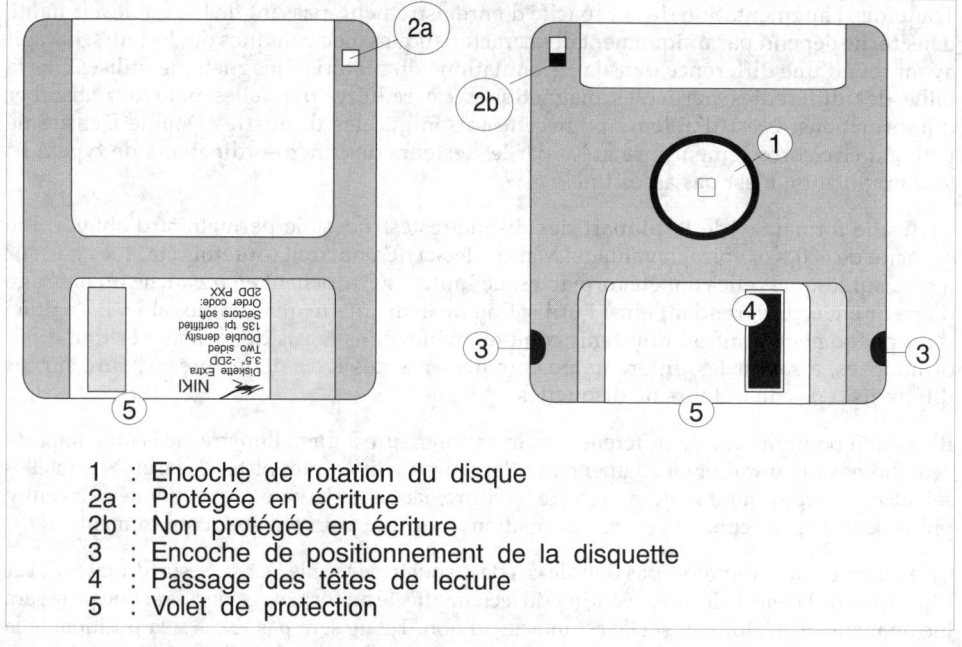

1 : Encoche de rotation du disque
2a : Protégée en écriture
2b : Non protégée en écriture
3 : Encoche de positionnement de la disquette
4 : Passage des têtes de lecture
5 : Volet de protection

Structure d'une disquette 3"1/2

La différence entre Double Densité et Haute Densité existe également pour les lecteurs et les disquettes 3"1/2. La Double Densité correspond à une capacité de 720 Ko ; dans ce cas, chaque piste compte neuf secteurs et chaque face de disquette (les deux faces sont utilisées) comprend 80 pistes. La densité des pistes est donc ici beaucoup plus importante que dans le cas de disquette 5"1/4.

Les premiers lecteurs 3"1/2 utilisés dans le monde PC ne supportaient que ce format. Ils restaient de ce fait limités à une capacité de 720 Ko. Les disquettes Haute Densité permettent quant à elles une capacité double, soit 1,44 Mo, et les lecteurs correspondant au format 3"1/2 font aujourd'hui partie de l'équipement standard des micro-ordinateurs. Ces lecteurs n'utilisent également que 80 pistes par face de disquettes ; chaque piste comporte toutefois 18 secteurs. Le débit de transfert de données se trouve ainsi multiplié par deux. De ce fait, ces disquettes ne peuvent pas être utilisées dans les lecteurs 3"1/2 Double Densité des anciens PC/XT.

De la même manière que pour les lecteurs 5"1/4, les lecteurs 3"1/2 capables de traiter les disquettes au format haute densité peuvent s'adapter aux disquettes Double Densité, c'est-à-dire les lire, les formater et y inscrire des informations.

Format de disquette 3"1/2					
Type	Lecteur	Secteurs par piste	Pistes par face	Capacité	Taux de transfert de données
Double Densité	PC/XT	9	80	720 Ko	250 KBit/s
Haute Densité	AT	18	80	1,44 Mo	500 KBit/s
Extra Haute Densité	AT	36	80	2,88 Mo	1 MBit/s

La tendance actuelle concernant une utilisation de plus en plus répandue du format 3"1/2 est confirmée par l'arrivée des disquettes 3"1/2 de haute capacité pouvant contenir 2,88 Mo d'informations et qui portent le nom de disquettes "Extra Haute Densité" (ED). Le nombre de secteurs, égal à 36, est une fois encore multiplié par deux. Ces disquettes ne peuvent donc être lues qu'à partir de lecteurs ED. A l'instar des lecteurs HD, ceux-ci ont une compatibilité ascendante de telle manière qu'ils sont capables de traiter tous les formats de disquettes précédents.

Les lecteurs qui acceptent différents formats de disquettes doivent tout d'abord communiquer le format de la disquette traité au BIOS. Dans le cas de disquettes 5"1/4, cette procédure n'est pas sans poser de problèmes car cette information ne peut être transmise que suite à un accès en lecture, lequel accès implique bien évidemment que la disquette soit préalablement formatée. Ce n'est pas le cas pour les disquettes 3"1/2 dont le format est d'emblée identifiable par un petit trou qui se trouve à la hauteur du clapet de protection.

Tout comme pour le trou de protection en écriture, l'existence de ce trou peut être aisément repérée à l'intérieur du lecteur à l'aide de la diode lumineuse et de la cellule photo-électrique dont il est équipé. De manière conventionnelle, ce trou n'existe pas sur les disquettes Double Densité alors qu'il est toujours présent sur les disquettes haute densité. On le trouve également sur les disquettes Extra Haute Densité ; il est toutefois placé un peu plus bas afin de pouvoir différencier ces disquettes des disquettes haute densité.

Les lecteurs de disquettes et leur contrôleur

Un lecteur de disquette se compose d'une partie mécanique qui permet la rotation de la disquette à raison de 300 rotations par minute (360 pour les disquettes 5"1/4 HD) ainsi que le déplacement de la tête de lecture/écriture. De plus, le lecteur de disquettes héberge une partie électronique sous la forme d'un séparateur de données qui transforme les variations du signal électrique en un flux de données binaires.

La gestion proprement dite du lecteur s'effectue toutefois à l'aide d'un contrôleur de disquettes à part qui se présente, en règle générale, sous la forme d'une carte d'extension placée dans l'un des slots de l'ordinateur. Alors que les contrôleurs de disquettes sur les PC/XT gèrent uniquement l'accès aux différents lecteurs de disquettes, au nombre maximum de 4, les contrôleurs des disquettes des PC/AT sont associés aux contrôleurs des disques durs sur une même carte. On parle alors de contrôleurs mixtes capables de gérer deux disques durs et seulement deux lecteurs de disquettes. Au cœur d'un tel contrôleur de disquettes, on trouve un micro-processeur de type NEC PD765 ou un micro-processeur équivalent d'un autre fabricant et compatible avec celui précédemment nommé. En effet, la compatibilité d'un registre avec le micro-processeur NEC, utilisé par IBM pour la fabrication de ces lecteurs de disquettes, est indispensable pour une parfaite collaboration avec le BIOS en ROM. C'est en effet ce dernier qui gère l'accès au lecteur de disquettes à partir de ce micro-processeur.

Il est certes tout à fait envisageable d'affecter le BIOS en ROM à un autre contrôleur de disquettes. Le micro-processeur de NEC de type NEC PD765 s'est toutefois établi depuis longtemps comme standard.

Et c'est justement de là que viennent les problèmes avec les nouveaux lecteurs de disquettes ED dont la taille des pistes (36 au lieu de 18 secteurs, soit le double) ainsi que le débit de transfert de données, également multiplié par deux, ne sont pas connus du BIOS. Il est ici nécessaire d'associer à la carte contrôleur une extension ROM qui s'intégrera lors de chaque lancement du système au BIOS en ROM et gérera elle même l'accès à ces lecteurs. Ceux-ci ne fonctionnent toutefois que temps que l'ordinateur fonctionne en mode protégé. Le BIOS n'est dans ce cas pas opérationnel vu qu'il est conçu exclusivement pour le mode réel.

Un système d'exploitation du type UNIX ou OS/2 devra à ce moment reprendre la programmation du contrôleur de disquettes. La procédure de gestion des derniers nés des lecteurs de disquettes échouera alors, à moins que des drivers adaptés soient disponibles. Il ne nous reste donc plus qu'à souhaiter qu'un standard BIOS voit le jour le plus rapidement possible concernant l'accès au lecteur de disquettes ED afin de ne plus être contraint d'associer à chaque contrôleur des extensions ROM. Ceci vaut d'autant plus que WINDOWS se chargera à l'avenir d'exécuter de plus en plus de tâches incombant habituellement au BIOS. Le problème des lecteurs ED, destinés à être de plus en plus répandus, se posera donc pour de nombreux utilisateurs PC.

10.3. Accès aux disquettes avec le BIOS

Le BIOS dispose de toute une série de fonctions concernant l'accès aux disquettes qui peuvent être appelées par l'interruption 13h. Cette interruption joue en plus le rôle d'interface pour les fonctions disque dur du BIOS. En règle générale, les fonctions disquettes et disques durs de même nature portent un numéro de fonction identique. La différenciation s'effectue dans ce cas par l'indication du lecteur qui doit être chargé avant le lancement de la fonction dans le registre DL.

Concernant le lecteur de disquette, on choisira entre la valeur 0 (lecteur A) ou 1 (lecteur B). Certains contrôleurs de disquettes capables de gérer 4 lecteurs de disquettes proposent une extension du BIOS qui accepte les valeurs 2 et 3 pour les deux autres lecteurs de disquettes. En revanche, les disques durs sont représentés par les valeurs 80h et 81h.

Il est important de différencier les fonctions du BIOS PC/XT de celles des PC/AT. En effet, avec l'arrivée des lecteurs de disquettes MF, certaines fonctions BIOS supplémentaires ont du être introduites, permettant de gérer les nouvelles fonctionnalités de ce type de lecteurs.

Le tableau suivant récapitule de manière claire les fonctions disquettes de l'interruption 13h du BIOS.

Fonctions disquette de l'interruption 13h du BIOS			
Nº	Fonction	PC/XT	AT
00h	Réinitialisation	Oui	Oui
01h	Lecture de l'état	Oui	Oui
02h	Lecture	Oui	Oui
03h	Écriture	Oui	Oui
04h	Vérification	Oui	Oui
05h	Formatage	Oui	Oui
08h	Lecture des paramètres disque	Oui	Oui
15h	Lecture du type de disque	Non	Oui
16h	Détection ouverture lecteur	Non	Oui
17h	Détection format disquette	Non	Oui
18h	Détection format disquette	Non	Oui

D'ailleurs, rien ne s'oppose à implémenter les fonctions AT sur les XT à condition que ceux-ci soient équipés de lecteurs MF. Il est toutefois difficile de prévoir si l'un des nombreux fabricants de PC mettra un jour cette théorie en pratique.

Si vous regardez bien le tableau précédent, vous constaterez que les fonctions 17h et 18h sont affectées à la même tâche. Il ne s'agit en aucun cas d'une faute de frappe. Cet état de fait rend compte des difficultés rencontrées par l'introduction des disquettes haute densité 3"1/2 dans l'univers du BIOS en ROM. La fonction 17h n'était en effet pas du tout conçue pour faire face à ces nouvelles disquettes et à donc dû être remplacée par une nouvelle fonction. Nous étudierons ce point plus en détail lorsque nous aborderons le formatage des disquettes.

L'état du lecteur

Parallèlement à l'indication du numéro du lecteur dans le registre DL, la communication d'un code d'état ou d'erreur dans le registre AH constitue un autre point commun entre les différentes fonctions. Une erreur est alors différenciée par une valeur différente de zéro et est accompagnée d'un rapport d'erreur (Carry-Flag).

Codes d'état et d'erreur des fonctions disquette du BIOS	
Code	Signification
00h	Pas d'erreur
01h	Appel de fonction invalide
02h	Marque d'adresse non trouvée
03h	Tentative d'écriture sur disquette protégée
04h	Secteur non trouvé
06h	La disquette a été changée
08h	Débordement DMA
09h	Dépassement de la limite de segment lors de transfert de données
10h	Erreur de lecture
20h	Erreur du contrôleur de disquette
40h	Piste non trouvée
80h	Erreur de Time-Out, le lecteur ne réagit pas

On peut à tout instant connaître l'état de la disquette à l'aide de la fonction 01h qui n'a d'ailleurs d'autre objet que de transmettre cette information. Avant le lancement de la fonction, placez le numéro de la fonction 01h dans le registre AH et le numéro d'identification du lecteur dans le registre DL. Après avoir lancé la fonction, vous obtenez comme à l'accoutumé l'état dans le registre AH.

Réinitialisation du lecteur de disquettes

Si, après le lancement d'une fonction disquette, vous constatez, à l'aide du code d'état ou d'erreur, qu'une erreur s'est produite, il est alors préférable de réinitialiser le lecteur de disquettes à l'aide de la fonction 00h. Celle-ci n'attend rien d'autre que le numéro de la fonction (AH) et l'indicateur du lecteur (DL). Mais elle communiquera de son côté l'état actuel du lecteur dans le registre AH.

Que vous indiquiez 0 ou 1 pour identifier le lecteur, ceci n'a aucune importance, car une réinitialisation s'effectue systématiquement sur l'ensemble des lecteurs de disquettes. La valeur indiquée n'est toutefois pas sans incidence sur le registre DL ; en effet, si vous saisissez une valeur supérieure à 80h, la réinitialisation affectera les disques durs connectés au lieu des lecteurs de disquettes.

Détection du type de disque

Un programme ne sait pas toujours d'emblée à quel type de disque il a affaire, pas plus d'ailleurs que le format de disquettes supporté par celui-ci. Les fonctions 08h et 15h permettent toutefois de communiquer ces informations. La première de ces deux fonctions existe déjà dans le BIOS des PC/XT et sert à différencier les différents formats de lecteurs et de disquettes. Lors de son lancement, elle attend uniquement le numéro de la fonction dans le registre AH et le numéro

du lecteur dans le registre DL. Mais elle retransmet toute une série d'informations telle que nous le montre l'illustration suivante.

Comme d'habitude, le sémaphore est positionné suite au lancement de la fonction et un code d'erreur est alors inscrit dans le registre AH pour le cas ou le lancement de la fonction aurait échoué. Il est ainsi possible de constater si un lecteur particulier est installé, ainsi que la présence d'un deuxième, troisième, voire d'un quatrième lecteur.

Informations transmises par la fonction 08h	
Registre	Informations
BL	Type de lecteur 01h = 5"25, 360 Ko 02h = 5"25, 1,2 Mo 03h = 3"5, 720 Ko 04h = 3"5, 1,44 Mo
DH	Plus grand numéro de face (toujours = 1)
CH	Plus grand numéro de piste
CL	Plus grand numéro de secteur
ES:DI	Pointe sur DDPT (Table des Paramètres Disque)

La valeur la plus intéressante est certainement contenue dans le registre DL qui indique non seulement le format du lecteur (3"1/2 ou 5"1/4) mais également le format des disquettes (DD ou HD). Toutefois, la description ne s'applique pas nécessairement au format de la disquette insérée mais indique le plus grand format possible.

Cette information provient de la mémoire CMOS dans laquelle ces informations ont été enregistrées lors de la configuration à partir du Setup de l'ordinateur. L'attribution des numéros de code est standardisée mais ne comprend toutefois pas encore les lecteurs ED 3"1/2. Il est toutefois fort probable que ces lecteurs porteront à l'avenir le numéro de code 05h, ce qui paraît le plus logique.

Le code des lecteurs permet de déduire automatiquement le nombre de secteurs, de pistes et de têtes ; ces informations sont toutefois indiquées explicitement une nouvelle fois dans les registres CH/CL, DH/DL.

La Table des Paramètres Disque (DDPT), référencée par le pointeur dans les deux registres ES:DI, contient les paramètres nécessaires au BIOS pour la programmation du contrôleur de disquettes. Vous trouverez une description de cette table au cours de ce chapitre.

La fonction 15h n'est supportée que par les PC/AT et leur lecteur FM. En effet, à l'inverse des PC/XT, ceux-ci sont capables d'identifier un changement de disquette. Ceci est particulièrement important pour de nombreux programmes car il est impératif d'empêcher que l'utilisateur change de disquette par inadvertance.

Ceci vaut plus particulièrement pour le DOS qui effectue une lecture de la table d'allocation des fichiers (FAT) lors du premier accès à une disquette, afin de voir quels sont les secteurs des disquettes occupés par des fichiers et ceux encore disponibles. Si la disquette a été subrepticement changée, le DOS continue de travailler avec l'ancienne table d'allocation des fichiers (FAT) et risque alors d'accéder à des secteurs déjà occupés de la nouvelle disquette. D'autre part, il peut naturellement se produire que la même disquette soit insérée une nouvelle fois sans rendre toutefois nécessaire une nouvelle lecture de la FAT. Comme vous pouvez le voir, la question est plus complexe qu'elle n'apparaît au premier abord. Ce problème ne concerne toutefois que plus particulièrement le niveau du DOS et revêt une importance secondaire pour ce qui nous concerne ici.

En fait, le BIOS met à disposition du DOS des moyens permettant à ce dernier de détecter un changement de disquette dans le lecteur. Il suffit donc de communiquer à la fonction 15h, de la même manière que pour la fonction 8h, le numéro de fonction du registre AH et l'identification du lecteur du registre DL.

Cette fonction renvoie un code correspondant à la table suivante. Ce code indique, à côté de l'état, si le lecteur indiqué existe et s'il s'agit d'un disque dur.

Fonction 15h, lecture du type de disque	
Code	Signification
AH = 00h	Pas de disque
AH = 01h	Disque souple ne pouvant détecter le changement de disque
AH = 02h	Disque souple pouvant détecter le changement de disque
AH = 03h	Disque dur

Lecture des secteurs de disquette

L'une des fonctions de base que le BIOS est chargé de mettre à disposition consiste à effectuer une lecture des différents secteurs des disquettes. La fonction 02h permet d'effectuer ce travail. Il est nécessaire de lui indiquer les secteurs qui doivent être lus ; en effet, plusieurs secteurs peuvent être lus simultanément à condition qu'ils fassent partie d'une même piste et qu'ils soient contigus.

Les registres suivants doivent être chargés avant le lancement de la fonction avec l'adresse du premier secteur qui doit être lu.

Registres lors du lancement de la fonction 02h	
Code	Signification
DL	Numéro de disque
DH	Numéro de tête (0 = haut
CL	Numéro de secteur (1 à N)
CH	Numéro de piste (0 à N-1)
AL	Nombre de secteurs à lire (doit être >0)

Sachant que les données ne peuvent être transférées automatiquement dans une zone de mémoire fixe, l'adresse d'un tampon doit être indiquée dans le couple de registres ES:DX. Comme d'habitude, ES retient l'adresse segment du tampon et DX l'adresse offset. Ces paramètres une fois chargés correctement, on a encore besoin pour le lancement de la fonction de l'identificateur de lecteur dans le registre DL et du numéro de fonction dans le registre AH.

Après l'accès en lecture, la fonction indique l'état d'erreur dans le registre AH et le nombre de secteurs lus dans le registre AL. Le positionnement d'un sémaphore de report signale en outre l'apparition d'une erreur.

Il est par ailleurs possible de "dévoyer" la lecture de certains secteurs afin de connaître le format d'une disquette dans le cas d'un lecteur MF sachant que celui-ci contiendra soit des disquettes DD, soit des disquettes HD. Un accès en lecture sur un secteur ayant un numéro supérieur à 9 permet de faire toute la lumière ; en effet, dans le cas de disquettes DD, un tel secteur n'existe pas et la fonction indiquera alors une erreur.

Même si, dans ce cas, une erreur est souhaitable, il est recommandé de ne pas interrompre aussitôt une opération dans une telle situation. En effet, il est recommandé de répéter au moins trois fois chaque tentative de lecture, d'écriture et de formatage avant de se considérer vaincu

et de supposer une erreur. Il arrive en effet très fréquemment qu'une opération échoue lors de la première tentative, mais réussisse lors d'une seconde voire, d'une troisième fois. Cela provient du fait que la tête de lecture/écriture n'était pas correctement positionnée lors de la première tentative et que le lecteur n'était pas correctement synchronisé avec les variations de signal électrique.

Il n'y a aucun danger qu'une erreur soit inscrite dans les données car le lecteur enregistre pour chaque secteur un "checksum" (vérification de la somme) permettant de contrôler la cohérence des informations lues.

Écrire des secteurs de disquettes

La fonction 03h est mise oeuvre pour la description des différents secteurs ; les entrées de registres de cette fonction ressemblent à celle de la fonction 02h.

	Registres lors du lancement de la fonction 03h
Code	Signification
AL	Nombre de secteurs à écrire
DL	Numéro de disque
DH	Numéro de tête (0 = haut, 1 = bas)
CL	Numéro de secteur (1 à N)
CH	Numéro de piste (0 à N-1)
AL	Nombre de secteurs à lire
ES:BX	Adresse de la zone mémoire qui contient les secteurs à écrire

La seule différence avec la fonction 02h est que la zone mémoire doit être remplie avant le lancement de la fonction, et ce par le programme à lancer et par les données à écrire.

Vérifier les secteurs de la disquette

Si vous souhaitez vérifier que les données ont été correctement transférées sur la disquette, vous pouvez utiliser la fonction 04h. Celle-ci ne procédera pas, contrairement à l'idée communément reçue et répandue, à une comparaison des données en mémoire avec celle de la disquette. Seule sera vérifiée la correction du transfert de données à l'aide d'une valeur CRC. CRC signifie "Cyclical Redundancy Check" et représente une procédure de test très fiable au cours de laquelle les valeurs de chaque octet à l'intérieur d'un secteur vont être associées à une somme par le biais d'une formule mathématique compliquée.

Vu que la plupart des lecteurs de disquettes sont très fiables et travaillent avec précision, cette routine est considérée par la plupart des programmeurs comme superflue. Le DOS lui-même ne fait appel à cette fonction lors de l'écriture de données que lorsque la commande DOS VERIFY ON a été préalablement saisie.

Les entrées de registres sont semblables à celles des fonctions 02h et 03h avec toutefois une différence : aucune adresse de zone mémoire ne sera communiquée.

Le formatage des pistes de disquettes

Il est bien sûr possible de formater des disquettes à l'aide du BIOS, mais un problème se pose, lié à l'introduction des lecteurs MF et de l'utilisation du format HD dans l'univers PC qui en découle. Il s'agit du paramétrage du format de disquettes. En effet, le BIOS doit connaître, pour le formatage d'une disquette, le nombre de secteurs par piste et le nombre de pistes qui doivent être tracées. Il s'agit donc du format de la disquette que l'on peut obtenir très simplement en faisant un accès en lecture sur le dixième, onzième ou douzième secteur d'une piste tel que nous l'avons vu précédemment. Cette astuce ne fonctionne évidemment pas dans le cas du formatage vu que les secteurs qui doivent être lus n'existent pas encore à ce moment.

C'est d'ailleurs pourquoi l'utilisateur doit taper le paramètre /4 lors du lancement de la commande FORMAT lorsqu'il souhaite formater une disquette DD à partir d'un lecteur 5"1/4 sous DOS. Le DOS a en effet besoin d'une information pour paramétrer le format souhaité. Le programme FORMAT a alors recours à une fonction BIOS qui doit être lancée systématiquement avant le premier formatage d'une piste : il s'agit de la fonction 18h.

Cette fonction a été introduite avec la PC/AT et remplace l'ancienne fonction 17h. Parallèlement au numéro de fonction dans le registre AH, la fonction 18h attend comme paramètres le nombre souhaité de pistes dans le registre CH, le nombre de secteurs par piste dans le registre CL avec, bien sûr, le numéro du lecteur dans le registre DL.

Si le format indiqué est supporté par le lecteur concerné, la fonction est renvoyée avec un sémaphore de report effacé et inscrit dans le couple de registres ES:DI un pointeur sur la Table des Paramètres du Lecteur de Disquettes nécessaire pour le formatage sous le format indiqué.

Nous décrirons dans le passage suivant le rôle de la table des paramètres disques (DDPT). Notons simplement à cet endroit que le pointeur doit être inscrit dans le vecteur d'interruption 1Eh dans lequel BIOS fixe respectivement un pointeur sur la table des paramètres disques courante.

Lorsque le format souhaité est paramétré et que la table des paramètres disques est installée, la procédure de formatage proprement dite peut alors commencer.

À cet effet, on fait appel à la fonction 05h qui permet le formatage d'une piste complète. Chaque secteur peut être formaté à raison de 128, 256, 512 ou même 1024 octets par secteur ; il est toutefois impératif de sélectionner le format 512 octets si la disquette doit ensuite être utilisée sous DOS. Le DOS tolère en effet exclusivement cette taille de secteur.

Lors du lancement de la fonction 05h, le registre AL doit contenir le nombre des secteurs de la piste à formater. Le registre CH attend quant à lui le numéro de la piste à formater qui se situera entre 0 et 39 ou entre 0 et 79. Le numéro du lecteur de disquettes sera inscrit dans le registre DL et la phase de la disquette dans le registre DH.

Registres lors du lancement de la fonction 05h	
Code	Signification
AL	Nombre de secteurs sur piste (doit être >0)
DL	Numéro de disque
CH	Numéro de piste
DH	Numéro de tête
ES:BX	Adresse de la zone mémoire qui contient les paramètres de formatage

Parallèlement à ces informations, également attendues pour les fonctions de lecture, d'enregistrement et de vérification d'un secteur, la fonction de formatage doit disposer également d'un champ contenant les caractéristiques de formatage. L'adresse de ce champ est attendue dans le couple de registres ES:BX en tant que pointeur FAR.

La table présentée ci-après peut contenir une entrée pour chaque secteur à formater ; chaque entrée se compose de 4 octets :

Valeur	Signification
0	Piste à formater
1	Face de disquette (toujours 0 pour les disquettes simple face) : 0 = dessus 1 = dessous
3	Nombre d'octets dans ce secteur 0 = 128 octets 1 = 256 octets 2 = 512 octets 3 = 1 024 octets

Bien que le numéro de la piste à formater ainsi que la phase de la disquette ai été déjà indiqués lors du lancement de la fonction 05h, ils doivent être ici répétés. Les secteurs vont être rangés physiquement dans cette table suivant l'ordre des entrées, ce qui permet d'attribuer au premier secteur le numéro 1 et au deuxième le numéro 7. En effet, le numéro de secteur logique va être inscrit sur la disquette au début de chaque secteur afin que le lecteur soit capable d'identifier un secteur recherché.

Sachant que le BIOS ne fixe pas lui-même le numéro de secteur logique, ceux-ci peuvent donc être décalés par rapport aux secteurs physiques provoquant ainsi ce que l'on appelle "l'entre-lacement". En règle générale, seuls les disques durs y ont recours, tel que nous le montre la section 10.7.1. Lors du formatage de disquette, cette procédure n'est d'aucune aide ; nous vous recommandons donc d'utiliser une numérotation ascendante des différents secteurs lors de la création de la table de formats.

Le nombre d'octets affecté à un secteur n'a pas lieu d'être identique pour chacun d'eux vu que ce nombre est défini individuellement pour chaque secteur par le biais de la table. Ceci permet, en liaison avec les autres paramètres de cette table, d'élaborer une protection en copie, tel que nous le verrons un peu plus loin. Un exemple de programme, que vous trouverez à la fin de ce chapitre, vous montre comment formater des disquettes à l'aide des fonctions 18h et 05h.

Table des paramètres du lecteur de disquettes

Mises à part les indications concernant le format physique de la disquette, le BIOS à besoin, pour la programmation du contrôleur de disquettes, de toute une série d'informations supplé-mentaires. Celles-ci se trouvent dans la table des paramètres disques (abréviation : DDPT), que nous avons déjà mentionnée plusieurs fois au cours de ce chapitre.

Une table de ce type existe dans le BIOS en ROM pour chaque lecteur et chaque format de disquettes supporté. Il est toutefois possible d'installer une DDPT particulière car le BIOS repère la table des paramètres disques courante au moyen d'un pointeur FAR fixé dans une zone mémoire affectée autrement à l'interruption 1Eh. L'utilisation de cet espace mémoire devient possible vu que l'interruption 1Eh n'est utilisée ni par l'électronique du PC, ni par le DOS et qu'elle ne sert pas d'interface pour certaines fonctions BIOS.

La possibilité qui consiste à installer une DDPT particulière est utilisée par le DOS qui modifie certaines valeurs de cette table en fonction du BIOS. L'idée consiste à pouvoir accélérer l'accès aux disquettes, ce qui est effectivement possible vu que certaines valeurs de cette table ont été définies avec largesse. La question qui se pose maintenant est de savoir quel est le contenu exact de cette table.

La table en elle-même se compose de 11 octets comme nous le montre le tableau suivant. Il n'est pas possible de modifier tous les paramètres ; on dispose toutefois d'une certaine marge de manœuvre pour ceux qui apparaissent en italique.

Valeur	Signification	Type
Structure de la Table des Paramètres du Lecteur de Disquettes		
00h	Vitesse de progression et Head-Unload-Time	1 OCTET
01h	Head-Load-Time	1 OCTET
02h	Laps de temps du fonctionnement du moteur du lecteur après opération disquette	1 OCTET
03h	Taille du secteur	1 OCTET
04h	Secteurs par piste	1 OCTET
05h	Taille du GAP3 en lecture/écriture	1 OCTET
06h	Longueur transfert de données	1 OCTET
07h	Taille du GAP3 lors du formatage	1 OCTET
08h	Code ASCII pour formatage	1 OCTET
09h	Temps de repos	1 OCTET
0Ah	Vitesse du moteur du lecteur	1 OCTET

Le premier octet est en deux parties et contient dans chacun des deux mots respectivement la vitesse de progression (BIT 4 à 7) ainsi que le temps de remontée de la tête (BIT 0 à 3). La vitesse de progression fixe le laps de temps maximal pouvant s'écouler lors du déplacement de la tête de lecture/écriture d'une piste à l'autre. Elle est exprimée en millisecondes, la valeur 0Fh représentant 1 ms, 0Eh 2 ms, 0Dh 3 ms, etc.. Le temps de remontée de la tête fixe le laps de temps pouvant s'écouler lors de la remontée de la tête de lecture/écriture, par exemple lors du changement de piste. Elle est exprimée en multiple de 16 ms. La valeur par défaut 0Fh (240 ms) laisse une bonne marge de manœuvre. Il est donc possible en règle générale de réduire cette valeur.

Dans le second octet, on trouve le temps de descente de la tête de lecture/écriture sur une piste. Cet octet occupe les BITS 1 à 7 et est exprimé en multiple de 2 ms. Sachant que, lors d'un accès aux disquettes, il faut attendre que le moteur du lecteur de disquettes ait atteint sa vitesse de croisière, on indique en règle générale un temps de descente peu élevé (1 ou 2).

Dans cet octet, le BIT 0 est occupé par le flag DMA qui décide de l'utilisation du canal DMA par le lecteur de disquettes. Ce BIT doit avoir la valeur 0.

Le troisième octet définit le laps de temps pendant lequel le moteur du lecteur de disquettes doit continuer à tourner après une opération disquette. Il s'agit en fait du laps de temps qui s'écoule jusqu'à ce que le moteur du lecteur soit arrêté. Cette durée est en principe de deux secondes car on considère qu'une opération disquette est généralement suivie d'un autre accès à la disquette. Or, il est bien sûr préférable, lors d'accès successifs, que le moteur de la disquette est déjà atteint sa vitesse d'exploitation et qu'il ne soit donc pas nécessaire de le relancer. La valeur figurant dans cette cellule de mémoire est basée sur une fréquence système de 18 unités par seconde (1 unité correspond à 55 ms) une valeur de 18 représentera donc une durée de rotation d'une seconde environ. La valeur par défaut est de 25h, ce qui correspond à deux secondes.

La valeur de l'octet suivant fixe le nombre d'octets par secteur avec lequel on doit travailler pour les opérations de lecture ou d'écriture. Cette valeur doit bien sûr coïncider avec celle utilisée pour le formatage d'un secteur. Elle sera en règle générale de 3 pour 512 octets par secteur. Si l'on veut lire ou écrire des secteurs affectés d'autres tailles de secteurs, il convient auparavant d'inscrire la valeur appropriée dans cette cellule de mémoire.

L'octet 4 indique le nombre maximal de secteurs par piste, lequel dépend du format de disquette choisi.

Les trois octets suivants se rapportent au codage et au décodage des informations secteurs qui sont stockées sur la disquette en plus des données proprement dites. Il est fortement déconseillé de modifier ces valeurs !

L'octet 8 est en revanche fort intéressant. Il reçoit le code ASCII du caractère qui doit être utilisé pour remplir un secteur lors de son formatage. En effet, au cours du formatage, les secteurs ne sont pas seulement créés mais également remplis par un contenu constant. Par défaut, il s'agira du caractère de division (Code ASCII 246).

Après être passé d'une piste à une autre, la tête de lecture/écriture a besoin d'un bref temps de repos pour que les vibrations liées à ce déplacement puissent s'estomper. Ce n'est qu'après cette pause que la tête sera en mesure d'effectuer correctement les prochains accès à la disquette. Le temps qu'on lui accorde est fixé par l'octet 9 de la table. Il est exprimé en unités d'une millisecondes. La valeur par défaut est de 25 millisecondes.

La dernière entrée dans la table, l'octet 10, fixe le laps de temps nécessaire pour que le moteur du lecteur de disquettes atteigne sa vitesse de croisière. La valeur de cette cellule de mémoire est exprimée en multiple de 1/8 de seconde. Ici encore, le DOS remet en cause les avantages consentis au moteur disquettes par le BIOS. Il ne prévoit en effet qu'un délai de 1/4 de seconde au lieu de 1/2 secondes prévue par le DOS.

Exemple de programmes

Il ne faut pas attendre de miracles de la modification des différentes valeurs de la table des paramètres du lecteur de disquettes. Mais je suis certain que certains lecteurs de cet ouvrage doivent avoir toutefois envie de faire quelques essais. C'est pourquoi j'ai développé quelques petits programmes en PASCAL et en C qui permettent de modifier les différents paramètres de la Table des Paramètres du Lecteur de Disquettes. Tous ne seront toutefois pas modifiés car, comme nous l'avons déjà évoqué, la modification de certains d'entre-eux pourrait avoir de fâcheuses conséquences.

Ces deux programmes s'appellent DDPTP.PAS et DDPTC.C et fonctionnent de la même manière. On les lance à partir de la ligne de commande du DOS, en n'indiquant tout d'abord aucun paramètre.

Dans ce cas, les programmes affichent uniquement les contenus de la table des paramètres du lecteur de disquettes. Il s'agit de la dernière table appelée. Vous pouvez, avant le programme table des paramètres du lecteur de disquettes, lancer par exemple la commande DIR si vous souhaitez appliquer ce programme à un lecteur de disquettes particulier.

```
DDPTP (c) 1991, 1992 by Michael Tischer
Optimiser les accès à la disquette


Contenu DDPT:
Steprate                      (SR): $0D

Head-Unload-Time              (HU): $0F
Head-Load-Time                (HL): $01
Head-Settle-Time              (HS): $0F

Temps de rotation du moteur après (MN): $25
Temps de rotation du moteur avant (MA): $08

C:\EDITION\PROG\FR\EXE>
```

Les différents paramètres DDPT peuvent être modifiés ; il suffit d'indiquer lors du lancement du programme l'abréviation souhaitée qui apparaît lors de l'affichage des paramètres à l'écran. Les deux caractères doivent être immédiatement précédés de deux points auxquels viendront s'ajouter les deux chiffres hexadécimaux qui fixent la nouvelle valeur du paramètre concerné.

La commande :

```
DDPTP MA:04 SR:08
```

vous permet par exemple de réduire le temps de démarrage du lecteur de disquettes à 1/2 seconde ainsi que la vitesse de progression à 8 millisecondes.

La modification des différents paramètres n'est toutefois possible que si la table des paramètres du lecteur de disquettes ne se trouve pas dans le BIOS en ROM et ne pourra donc être écrasée. Le programme vous en informe dans tous les cas.

DDPTP.PAS   DDPTC.C

Formatage direct

En tant que programmeur, vous serez rarement amené à écrire des données sur une disquette ou à lire des données à partir d'une disquette directement à partir du BIOS ; en règle générale, vos programmes utiliseront des fichiers et il est alors préférable d'utiliser des fonctions du DOS.

Il existe toutefois une tâche qui requiert les différentes fonctions du BIOS de manière incontournable : le formatage de disquettes.

Nous allons donc vous proposer deux programmes écrits en PASCAL et en C capables d'effectuer ces deux tâches et qui représentent donc un succédanée d'années à la commande FORMAT du DOS. A l'instar de cette commande de DOS, ces deux programmes ne se contentent pas d'effectuer un formatage physique de la disquette mais inscrivent également sur celle-ci les différentes structures de données requises par le DOS. Cela concerne notamment le secteur d'amorçage, le répertoire principal de la disquette, vide dans un premier temps, ainsi que la FAT. Vous trouverez au chapitre 2 de plus amples informations sur les structures des données et sur la structure générale des mémoires de masse sous DOS.

Ces deux programmes s'appellent DFP.PAS et DFC.C et sont capables de traiter tous les formats connus par le DOS (360/1200 sur disquettes 5"25 ET 720/1440 sur disquette 3"5). On les lance suivant le schéma suivant :

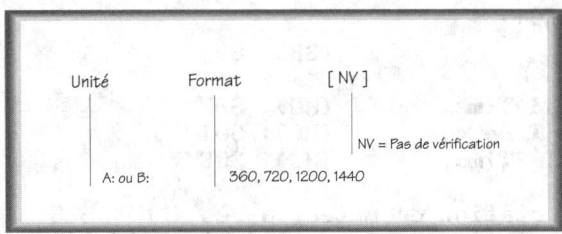

Vu que ces deux programmes sont construits selon un schéma unique, et qu'ils utilisent des types et des constantes homonymiques, la description qui suit vaudra pour tous les deux.

Le programme principal interprète tout d'abord le premier argument de la ligne de commande du DOS en supposant qu'il s'agit de l'indication du lecteur. Cet argument est alors transformé en numéro de lecteur (0 ou 1) et le format du lecteur connecté est ensuite identifié à l'aide de la procédure *GetDriveType* ; celle-ci est basée sur la fonction 08h de l'interruption disque du BIOS qui renvoie un code type compris entre 0 et 4.

Il est représenté à l'intérieur du programme par les constantes NO_DRIVE, DD_525, HD_525, DD_35 et HD_35. La fonction 08h n'existe pas sur les PC/XT, ce qu'indique le sémaphore de report qui apparaît après le lancement de la fonction. Dans ce cas, on supposera la présence d'un lecteur 5"1/4 DD supportant uniquement le format 360 Ko.

Si la procédure *GetDriveType* a permis de constater que le lecteur indiqué existe, l'étape suivante consistera à transmettre les paramètres logiques et physiques nécessaires au formatage. Pour ce faire, la fonction *GetFormatParameter* est lancée. Le format indiqué à partir de la ligne de commande lui est alors transmis sous forme de chaîne avec, en plus, le code type précédemment communiqué ainsi que deux variables du type *PhysDataType* et *LogDataType*. Vous pouvez voir ci-après les deux structures de données dans la version PASCAL.

```
type DdptType = array[ 0..10 ] of byte;           { Structure
DDPT }
     DdptPtr = ^DdptType;                          { Pointeur sur
DDPT }
     PhysDataType = record              { Paramètre Format Physique }
        Faces,                 { nombre souhaité de faces de disquette }
        Pistes,                      { Nombre de pistes par face }
        Secteurs : octet             { Nombre de secteurs par piste }
        DDPT    : DdptPtr;       { Pointeur sur Table des Paramètres du
                                          Lecteur de Disquettes }
     end;
     LogDataType = record                     { Paramètre Format DOS }
        Media,                                      { Media-Octet }
        Cluster,               { Nombre de secteurs par Cluster }
        FAT,                    { Nombre de secteurs pour la FAT }
        RootSize : octet;        { Entrées dans le répertoire principal }
     end;
     SpurBufType = array[ 1..18, 1..512 ] of byte;     { Zone mémoire par
piste }
```

PhysDataType représente les paramètres physiques nécessaires au formatage. Il s'agit du nombre de faces, de pistes par face, ainsi que du nombre de secteurs par piste. De plus, un pointeur sur la DDPT est fixé car les deux programmes travaillent avec leur propre table afin d'accélérer le formatage.

Alors que les informations de *PhysDataType* sont requises pour le formatage physique, les informations contenues dans *LogDataType* sont destinées au "formatage logique", c'est à dire au transfert des différentes structures de données DOS. C'est pourquoi sont fixées ici le média DOS ID, le nombre de secteurs par clusters, la taille de la FAT en secteurs ainsi que le nombre des entrées du répertoire principal.

Les deux variables transmises du type *PhysDataType* et *LogDataType* sont initialisées à l'intérieur de GetFormatParameter à l'aide de toute une série de constantes typées (ou variables STATIC en C) qui contiennent toutes les informations nécessaires relatives au format supporté. Elles portent des noms du type DDPT_360, LOG_1200 ou PHYS_720 et sont donc facilement reconnaissables.

Avant que la procédure ne copie les différents paramètres dans les variables transmises, elle commence par vérifier si le format souhaité peut être accepté en liaison avec le lecteur concerné. Ce doit être le cas afin que l'exécution du programme puisse se poursuivre dans le programme principal avec le lancement de *DiskPrepare*, une procédure qui repose sur la fonction disque 18h du BIOS. Lors du paramétrage du format 360 Ko sur un lecteur 5"1/4, le lancement de cette fonction se soldera par un échec car la fonction 18h n'y est pas implémentée. Ceci est toutefois sans importance car ce format est fixé en raison du manque d'alternative.

Vous vous en souvenez peut-être la fonction 18h renvoie un pointeur sur la Table des Paramètres du Lecteur de Disquettes, qui appartient au format choisi. Cette information n'est toutefois pas utilisée à l'intérieur des deux programmes car une table personnelle est livrée par *FormatGetParameter*.

Cette table est activée après le lancement réussi de DiskPrepare ; son adresse est alors chargée dans le vecteur d'interruption qui représente l'interruption AEh. Le contenu de ce vecteur est cependant préalablement sauvegardé afin que l'ancienne table puisse être réactivée le formatage une fois réalisé.

Le formatage proprement dit s'exécute ensuite à l'aide de la fonction *PhysicalFormat*. Le troisième paramètre de la ligne de commande du DOS détermine si une vérification (verify) des pistes doit avoir lieu au cours du formatage.

PhysicalFormat a recours, au cours du formatage, à la procédure *FormatTrack* qui correspond à la fonction disque 05h du BIOS afin de formater respectivement une piste. Elle est exécutée pour les pistes de 0 à N, chaque piste est tout d'abord formatée sur la face 0 puis ensuite sur la face 1. Il serait bien sûr possible de formater tout d'abord complètement la première face pour ensuite passer à la deuxième. Mais la procédure durerait alors plus longtemps car la tête de lecture/écriture devrait alors balayer deux fois la surface totale de la disquette. Certes, cette méthode requiert de basculer incessamment de la tête 0 à la tête 1, mais elle reste toutefois plus rapide que de déplacer la totalité du bras de lecture/écriture de piste en piste.

Après le formatage d'une piste à l'aide de *FormatTrack*, *PhysicalFormat* appelle la procédure *VerifyTrack* afin de contrôler la concordance entre le contenu d'un secteur et la "checksum" CRC enregistrée.

VerifyTrack, tout comme *FormatTrack* ou *WriteTrack* que nous n'avons pas encore décrits, n'est rien d'autre qu'une simple transposition de la fonction BIOS correspondante. Le lancement de la fonction est systématiquement répété plusieurs fois pour le cas où le BIOS annoncerait un

échec de l'opération. Le nombre maximum de tentatives est fixé par la constante EssaisMax définie au début du listing. Si, à titre de test, vous placez cette constante sur A, les deux programmes de formatage risquent d'annoncer fréquemment un échec du formatage ; de fait, des erreurs de ce type apparaissent beaucoup plus souvent qu'on ne le penserait.

Mais retournons au programme principal. Lorsque la disquette a pu être formatée avec *PhysicalFormat* la dernière phase de traitement commence, à savoir le formatage logique du disque à l'aide de *LogicalFormat*. Comme nous l'avons déjà évoqué, les différentes structures de données vont alors être copiées sur la disquette, structures qui permettent au DOS de gérer les fichiers.

Le secteur d'amorçage est toutefois intéressant. Il est inscrit sur la disquette pour le cas ou celle-ci se trouverait dans le lecteur au moment de l'amorçage. Son contenu est défini au début du programme dans la variable Masque Boot. La signification des données ainsi que du petit programme langage machine ne seront pas abordés ici. Ce que vous devez savoir cependant c'est la signification de la variable BootMes qui s'associe immédiatement au secteur d'amorçage. Elle contient la chaîne qui apparaît à l'écran lors de l'amorçage du système et est inscrite, de même que le secteur d'amorçage, sur la disquette.

Vous pouvez modifier cette chaîne à votre gré si vous souhaitez, par exemple, que votre propre nom ou celui de votre entreprise apparaisse à l'écran lors de l'amorçage de l'ordinateur à partir de la disquette. Notez cependant que le secteur se termine systématiquement par un octet ayant la valeur 00h qui marque la fin.

Lorsque *LogicalFormat* est terminé, l'exécution du programme est en soit terminé car, en dehors de l'affichage d'un message d'état, il ne se passe plus grand chose dans le programme principal.

DFP.PAS	DFC.C

10.4. Accès au disque dur à l'aide du BIOS

Cette section décrit les différentes fonctions proposées par le BIOS pour l'accès au disque dur. Avant d'examiner les fonctions que le BIOS offre pour l'accès au disque dur, nous devons absolument vous avertir des dangers à jouer avec ces fonctions de façon trop enthousiaste. Sur un lecteur de disquettes vous pouvez toujours, en effet, introduire dans le lecteur une disquette vierge et lui faire subir tous les tests que vous souhaitez. Sur un disque dur, c'est naturellement impossible et un emploi irréfléchi des fonctions d'écriture ou de formatage peut entraîner des pertes de données considérables et irréversibles. En raison de la structure créée par le DOS sur un disque dur, il suffit d'un secteur détruit pour faire disparaître soudainement l'ensemble des fichiers et des répertoires, le DOS n'étant plus capable de les retrouver. Si vous tenez donc absolument à vous livrer à des tests avec les fonctions BIOS, il est plus prudent d'effectuer auparavant une sauvegarde complète du disque dur. Vous pouvez également effectuer ces tests à partir d'un ordinateur que vous n'utilisez plus. C'est là le seul moyen de réparer par la suite une éventuelle perte de données due à des tests intempestifs.

Les interruptions disque dur du BIOS

Comme nous l'avons déjà évoqué lors de l'étude des interruptions disquettes du BIOS, disques durs et disquettes se partagent l'interruption 13h. Les différentes fonctions qui vous sont offertes pour le disque dur et pour le lecteur de disquettes effectuent les mêmes tâches mais le disque dur est géré par le BIOS de manière différente des lecteurs de disquettes. C'est pourquoi le BIOS contient un module distinct pour la gestion du disque dur et un autre pour la gestion des lecteurs de disquettes.

Lorsque l'interruption 13h est appelée, la routine de disque dur est tout d'abord appelée. Celle-ci teste alors, d'après le numéro périphérique dans le registre DL, si c'est le disque dur ou le lecteur de disquettes qui va être appelé. La valeur 80h représente le premier disque dur, la valeur 81h le deuxième. Il n'est pas possible de gérer par le BIOS plus de deux lecteurs de disque dur.

Les fonctions disques durs du BIOS existent depuis l'introduction des PC/XT. Elles n'existaient pas sur les PC précédents. De fait, elles n'auraient pas servi à grand chose car, en 1981, il était encore impensable d'équiper des micro-ordinateurs de disques durs. Avec le temps, et plus précisément depuis l'introduction des PC/XT et du modèle PC/2 de IBM, de nouvelles fonctions sont venues s'ajouter, tel que nous le montre le tableau suivant.

Fonction	Tâche	Depuis...
00h	Réinitialisation	XT
01h	Lecture de l'état	XT
02h	Lecture	XT
03h	Écriture	XT
04h	Vérification	XT
05h	Formatage	XT
08h	Détection du format	XT
09h	Adaptation de lecteurs étrangers	XT
0Ah	Lecture étendue	XT
0Bh	Écriture étendue	XT
0Ch	Positionnement des têtes lecture/écriture	XT
0Dh	Réinitialisation	XT
0Eh	Test contrôleur lecture	seulement PS/2
0Fh	Test contrôleur écriture	seulement PS/2
10h	Teste si l'unité est prête	XT
11h	Recalibre une unité	XT
12h	Test contrôleur RAM	seulement PS/2
13h	Test du lecteur	seulement PS/2
14h	Diagnostique interne du contrôleur	XT
15h	Lecture du type de disque	AT

Sachant que l'accès au disque dur avec le BIOS ne joue aucun rôle dans le travail de programmation quotidien, nous nous limiterons dans ce chapitre à la description des fonctions essentielles. Vous trouverez de plus amples informations dans l'annexe sur le CD-ROM dans laquelle l'ensemble des fonctions est décrit ainsi que leurs paramètres d'entrée et de sortie.

Le code d'état

Toutes les fonctions disque dur ont ceci en commun qu'elles communiquent, après le lancement de la fonction par le biais du *Flag-Carry*, si leur tâche a été correctement exécutée ou si une erreur est apparue au cours de l'exécution. Si tel est le cas, le *Flag-Carry* est positionné et un code d'erreur s'inscrit dans le registre AH.

Les différents codes ont la signification suivante :

Code	Significations
	Codes d'erreur avec l'interruption disque du BIOS 13h pour l'accès à l'unité du disque dur
Code	**Signification**
00h	Pas d'erreur
01h	Numéro de fonction ou unité non autorisé
02h	Marque d'adresse non trouvée
04h	Secteur appelé non trouvé
05h	Erreur lors de la réinitialisation du lecteur
07h	Erreur lors de la réinitialisation du contrôleur
09h	Transmission de données au-delà de la limite de segment
0Ah	Secteur défectueux
10h	Erreur de lecture
11h	Erreur de lecture corrigée par ECC
20h	Erreur du contrôleur de disquette
40h	Piste non trouvée
80h	Erreur de Time-Out, unité de disque ne réagit pas
AAh	Unité de disque n'est pas prête
CCh	Erreur d'écriture

De manière générale, chaque fois qu'une de ces erreurs (à l'exception de l'erreur 1) se produit, nous vous conseillons de faire exécuter tout d'abord une réinitialisation et de tenter un nouvel appel de la fonction concernée. Dans la plupart des cas, aucune erreur ne sera annoncée à la suite de cette seconde tentative.

Si l'erreur 11h apparaît lors de l'appel d'une fonction de lecture, cela ne signifie pas nécessairement que les données chargées soient erronées. Cette erreur signale en effet qu'une erreur de lecture a bien été détectée mais qu'elle a pu être corrigée à l'aide de l'algorithme ECC ("Error Correction Code"). Cette méthode ressemble à la méthode CRC utilisée sur les lecteurs de disquettes. Les différents octets d'un secteur sont combinés à travers une formule mathématique complexe. Le résultat de ces opérations est stocké sur le disque dur sous forme de 4 octets qui viennent s'ajouter à chaque secteur. Lorsqu'une erreur en lecture est constatée, elle peut ainsi être corrigée dans certains cas à l'aide du résultat ECC qui a été sauvegardé.

Lancement des fonctions disque

Un autre point commun entre les différentes fonctions constitue l'emploi des registres du processeur pour la transmission des données. Si le numéro de lecteur de disque dur à appeler est requis, il doit toujours être transmis dans le registre DL. La valeur 80h représentera toujours le premier lecteur de disque dur, 81h le second. Le numéro de la tête de lecture/écriture (qui fournit indirectement le numéro du disque appelé puisque chaque disque dispose de deux têtes de lecture/écriture) est transmis dans le registre DH.

Le numéro de cylindre doit être inscrit dans le registre CHC. Par définition, ce registre 8 bits ne permet d'appeler que 256 cylindres alors que le disque dur du PC/XT dispose déjà de 306 cylindres. Ce registre ne peut donc suffire, à lui seul, à indiquer le numéro de cylindre.

C'est pourquoi les bits 6 et 7 du registre CL sont également employés pour indiquer le numéro de cylindre. Il constitue les bits 8 et 9 du numéro de cylindre, de sorte que 1024 cylindres (numérotés de 0 à 1023) peuvent être appelés au total. Les bits 0 à 5 ne restent cependant pas inemployés pour autant car ils fournissent le numéro du secteur appelé (ils sont numérotés de

1 à 17 par secteur). Lorsqu'il s'agit d'accéder simultanément à plusieurs secteurs, le registre AL reçoit le nombre de ces secteurs. Pour les opérations de lecture et d'écriture, il faut naturellement également indiquer l'adresse d'un tampon dont les données devront être tirées ou bien dans lequel elles devront être transférées. Dans ce cas, le registre ES reçoit l'adresse de segment et le registre BX l'adresse d'offset de ce tampon.

Réinitialisation du contrôleur de disque dur

La fonction 00h qui, tout comme la fonction 0Dh, déclenche une réinitialisation du contrôleur, n'a toutefois aucunement besoin de toutes ces indications. Le recours à cette fonction est indispensable chaque fois qu'une erreur est apparue de façon à ce qu'une réinitialisation soit effectuée avant le prochain accès aux données. Comme toujours, c'est dans le registre DL que vous indiquez le lecteur de disque dur sur lequel la réinitialisation doit s'appliquer.

Communication de l'état du disque dur

La fonction 01h permet de tester l'état du lecteur de disque dur qui peut vous être communiqué après chaque opération. Ici également, le numéro du lecteur dont il s'agit de connaître l'état doit être inscrit dans le registre DL.

Lecture des secteurs de disques durs

La fonction 02h permet de lire 1 ou plusieurs secteurs. Un maximum de 128 secteurs peuvent être lus au cours d'un seul appel de cette fonction. Cette limitation est due au fait que les données sont transférées directement dans la mémoire RAM par le contrôleur de disque dur à l'aide d'un composant DMA, et donc sans passer par le processeur. Or, le composant DMA ne peut recevoir que 64 Ko à la fois. D'autre part, il ne peut transférer ces 64 Ko qu'à l'intérieur d'un seul segment de mémoire. Il faut donc que le tampon dont l'adresse est transmise dans ES:BX puisse tenir en totalité dans les 64 Ko qui commencent à partir de l'adresse de segment indiquée en ES. Si tel n'est pas le cas, le composant DMA annoncera une erreur.

Si vous souhaitez lire plusieurs secteurs avec cette fonction, il est également intéressant de savoir quels secteurs seront lus par la fonction. Il s'agira bien sûr en premier lieu des secteurs de numéros croissants à l'intérieur du cylindre spécifié, sur la tête spécifiée. Mais une fois que le dernier secteur d'un cylindre a été lu, si d'autres secteurs doivent être lus, la lecture ne se poursuivra pas sur le premier secteur du prochain cylindre sur la tête spécifiée mais sur le premier secteur du même cylindre sur la tête suivante. Ce n'est que si la dernière tête est atteinte de cette façon et s'il reste encore d'autres secteurs à lire que l'opération de lecture passera au premier secteur du cylindre suivant sur la première tête.

Vérification des secteurs de disques durs

La fonction 04h permet de vérifier les différents secteurs d'un cylindre. Les données figurant sur le disque dur ne sont toutefois pas comparées avec les données en mémoire (il n'est donc pas nécessaire de transmettre une adresse de tampon dans ES:BX). Le système utilise simplement le nombre ECC qui a été stocké avec les données pour vérifier si les octets stockés, une fois soumis à l'algorithme ECC, donnent bien à nouveau le résultat qui a été sauvegardé. Le nombre de secteurs à vérifier doit ici également être indiqué dans le registre AL.

Formatage des cylindres des disques durs

Avant d'accéder à un disque dur, il faut naturellement le formater. C'est la fonction 05h qui se charge de cette opération. Comme pour la fonction de formatage d'une disquette, cette fonction attend les numéros de têtes et de cylindres ainsi que l'adresse d'un tampon dans la paire de registres ES:BX. Ce tampon doit avoir la taille de 512 octets même si seuls les 34 premiers octets

sont utilisés. Il contient deux octets pour chacun des 17 secteurs à formater. Le premier octet indique si le secteur est en bon état. Comme il n'y a pas de raison de supposer qu'un secteur ne soit pas en bon état avant appel de la fonction, on inscrira chaque fois un zéro dans cet octet. Le second octet reçoit le numéro (logique) qui devra être attribué au secteur correspondant. Le BIOS tirera des deux premiers octets les informations correspondant au premier secteur physique du cylindre, des octets trois et quatre les informations correspondant au second secteur physique, et ainsi de suite. Remarquez bien que l'ordre physique des secteurs est fixé d'avance alors que l'ordre logique des mêmes secteurs peut être librement défini à l'aide des deux octets d'information de cette table qui correspondent à chaque secteur.

À première vue, il semble que le plus simple serait de faire coïncider les numéros de secteurs logiques et physiques. Cela présente toutefois certains inconvénients pratiques. Si l'on veut obtenir un accès optimal et aussi rapide que possible, il est en réalité préférable (surtout lorsqu'il s'agit de lire plusieurs secteurs consécutifs) de décaler la répartition des secteurs logiques par rapport aux secteurs physiques. Cette méthode est appelée "Sector-Interleaving" en anglais. Nous étudierons ce phénomène d'entrelacement dans la section 10.7.1.

Au cours de l'appel de fonction, le BIOS inscrit dans le premier octet de la marque du secteur dans la table une valeur qui indiquera au programme d'appel si le secteur est en bon état ou bien s'il est préférable de ne pas y écrire du fait d'une magnétisation incorrecte. La valeur 0 signifie ici "en bon état" et 128 "défectueux". Outre les registres dont le rôle a été signalé plus haut, le registre AL reçoit, pour cette fonction, le nombre de secteurs à traiter. Sachant que, à la différence des disquettes, il n'existe pas de format unique pour les disques durs, il peut être très important dans certaines situations qu'un programme puisse être à même de déterminer les caractéristiques du lecteur du disque dur connecté. Il peut utiliser à cet effet la fonction 08h qui attend, lorsqu'elle est appelée, le numéro de fonction ainsi que le numéro du lecteur de disque dur dans le registre DL.

Après appel de la fonction, le registre DL contient tout d'abord le nombre de disques durs connectés. Les valeurs 0, 1 et 2 sont possibles ici. Le registre DH contient en outre le nombre de têtes de lecture/écriture. Comme les têtes sont toujours numérotées en partant de 0, la valeur 7, par exemple, signifie donc ici qu'il y a 8 têtes. Le nombre de cylindre, comme pour les autres fonctions, est indiqué dans le registre CL (bits 0 à 7 du nombre de cylindres) en liaison avec le registre CH (bits 8 et 9 du nombre de cylindres). On compte ici également en partant de 0. La dernière information est fournie par les 6 bits de plus faibles poids du registre CH. Il s'agit du nombre de secteurs par cylindre. Exceptionnellement, ce nombre s'entend en comptant à partir de 1.

Connexion de disques durs étrangers

Chaque BIOS contient les caractéristiques d'un nombre plus ou moins élevé de disques durs qui peuvent être paramétrés à partir du Setup.

Pour connecter un disque dur étranger à l'aide du BIOS, il faut naturellement lui indiquer les caractéristiques de ce disque dur par un autre moyen. À cet effet, il utilise l'interruption 41h pour le lecteur de disque dur 0 et l'interruption 46h pour le lecteur de disque dur 1. Cette interruption fait office de pointeur sur une table dont le format est fixé par le BIOS et qui décrit le disque dur connecté. Habituellement, ces deux vecteurs d'interruption font appel à un pointeur sur une table stockée dans le BIOS. Il est toutefois possible d'utiliser d'autres tables inconnues du BIOS en les paramétrant à l'aide d'un logiciel.

L'installation d'une telle table et l'initialisation du vecteur d'interruption correspondant ne suffisent toutefois pas. Vous devez naturellement donner au BIOS l'ordre de se régler sur cette table. À cet effet, vous utilisez la fonction 09h qui attend simplement le numéro de fonction ainsi que le numéro du lecteur à adapter (80h ou 81h) dans le registre DL. Dans la plupart des cas, vous pourrez toutefois vous dispenser de ce travail complexe car les fabricants de ces disques durs exotiques fournissent généralement un petit programme de lancement qui vous décharge de ce travail, ou bien ils vous indiquent dans la documentation du programme les paramètres appropriés pour la table de descripteurs de disques durs.

Lecture étendue des secteurs du disque dur

Les fonctions 0AH et OBH constituent deux autres fonctions de lecture et écriture. Elles ne se distinguent des fonctions 02h et 03h que par le fait qu'elles lisent ou sauvegardent non seulement les 512 octets des données d'un secteur mais aussi les 4 octets ECC qui figurent à la fin de chaque secteur. La taille effective de chaque secteur passe donc de 512 octets à 516 et ces fonctions ne permettent donc de lire ou écrire à la fois que 127 secteurs au lieu de 128 pour les fonctions 02h et 03h.

La fonction 10h vous permet de tester si le lecteur de disque dur, dont le numéro figure dans le registre DL, est actuellement prêt ou non à recevoir des instructions. Cette fonction fournit la réponse à cette question à travers le *Flag-Carry*. Si celui-ci est positionné, cela signifie que le lecteur n'est pas prêt et l'un des codes d'erreurs habituel figure dans le registre AH.

Recalibrer un disque dur

Pour recalibrer un des deux lecteurs de disque dur, vous pouvez utiliser la fonction 0DH. Elle renvoit également l'état d'erreurs suivant les règles habituelles après avoir été appelée avec le numéro de lecteur dans le registre DL.

Auto-test du contrôleur de disque dur

Pour faire exécuter un auto-test par le contrôleur, vous pouvez appeler la fonction 14h. Si le contrôleur est en bon état de marche, cette fonction renvoie un *Flag-Carry* annulé.

La dernière fonction de disque dur que vous puissiez appeler à travers l'interruption 13h est la fonction 15h qui n'est cependant disponible que sur les AT mais pas sur les XT. Elle sert à déterminer le type d'un lecteur déterminé. Elle attend également le numéro du lecteur (80h ou 81h) dans le registre DL. Si le lecteur souhaité n'est pas présent, elle renvoit, après appel, la valeur 0 dans le registre AH. Si ce registre contient par contre la valeur 1 ou 2, c'est que le périphérique spécifié est un lecteur de disquette. La valeur 3 indique enfin que c'est un disque dur qui est connecté. Dans ce cas, les registres CX et DX contiennent le nombre de secteurs sur ce disque dur. Les deux registres forment à cet effet un nombre sur 32 bits, le registre CX représentant les 16 bits de poids fort et le registre DX les 16 bits de poids faible.

10.5. Les disques durs et leurs contrôleurs

Les progrès accomplis dans la technologie des disques durs se résument en quatre noms qui décrivent les différentes catégories de contrôleurs utilisés dans l'univers PC : ST506, ESDI, SCSI et IDE. Du type de contrôleur ne dépend pas uniquement le format dans lequel les données seront stockées sur le disque dur, mais également le débit de transfert de données entre l'ordinateur et le disque dur. En clair, le contrôleur est responsable de la capacité du disque dur et de la vitesse d'exécution. Un disque dur rapide ne sert pas à grand chose si le contrôleur actif ne suit pas.

La table ci-après nous montre les débits de transfert de données maximum que les différents contrôleurs permettent d'atteindre. Précisons toutefois qu'il s'agit de valeurs maximales théoriques rarement atteintes car, dans la pratique, de nombreux facteurs viennent interférer. En effet, le transit des informations du disque dur à l'écran (par exemple, pour charger un

document texte) sera perturbé par l'intervention du contrôleur, du BIOS, du DOS, du programme d'application concerné et, éventuellement, par certains programmes résidents.

Le BUS est le premier à limiter la vitesse des contrôleurs de disque dur car le bus ISA fonctionne encore à une cadence de 8 MHz alors que le CPU a déjà atteint les 100 MHz. Les valeurs indiquées se réduisent donc au cours du chargement concret des fichiers d'au moins un cinquième.

Débits de transfert de données maximum des différents contrôleurs de disque dur	
Contrôleur	Débit de transfert de données maximum
ST506	1 Mo par seconde
ESDI	2,5 Mo par seconde
IDE	4 Mo par seconde
SCSI	5 Mo par seconde

Nous allons maintenant vous présenter les différents contrôleurs de disque dur, examiner leur structure et mettre en évidence les avantages et les inconvénients qu'ils présentent. Nous évoquerons également le rôle joué par le BIOS dans la programmation de ces contrôleurs.

10.5.1. Le contrôleur ST506

Les premiers disques durs qui eurent du succès dans l'univers PC furent développés en vue d'une collaboration avec un contrôleur ST506 ou compatible. Comme son nom le laisse supposer, ce contrôleur standard a été mis au point par la société Seagate qui joue, aujourd'hui encore, un rôle important dans le monde PC.

À l'heure actuelle, les contrôleurs ST506 sont encore très répandus bien que les disques durs récents soient majoritairement équipés de contrôleurs IDE. En règle générale, on reconnaît un disque dur conçu pour un contrôleur ST506 aux références MFM/RLL. Celles-ci représentent les deux procédures utilisées par le contrôleur pour le stockage des données sur le disque dur. On peut paramétrer le format choisi par le contrôleur à l'aide des switches DIP ; on choisira alors de préférence la procédure RLL qui autorise une capacité plus élevée du disque dur (voir section 10.6).

En raison de sa forte présence sur le marché, le contrôleur ST506 a déterminé différents standards concernant la gestion-machine ; la compatibilité exclusive du BIOS sur ce type de contrôleur y a par ailleurs fortement contribué. Cet état de fait a eu des conséquences ressenties aujourd'hui encore, avec notamment la quasi-obligation pour les contrôleurs IDE et ESDI d'être, sur de nombreux points, compatibles avec le contrôleur ST506. Nous aborderons ce point un peu plus tard.

Le matériel

Le disque dur et le contrôleur constituent deux éléments distincts pour le standard ST506. Le contrôleur est en effet placé sur une carte séparée et enfiché sous la forme d'une carte d'extension dans l'un des slots d'extension.

Un contrôleur de ce type est en général capable de gérer deux disques durs sachant que, la plupart du temps, des "multi-contrôleurs" sont alors utilisés et permettent de plus de gérer deux lecteurs de disquettes. Le contrôleur est relié au disque dur par deux câbles : un câble de données à 20 broches et un câble de commande à 34 broches.

A l'inverse du câble de données, qui existe séparément pour chacun des disques durs, les deux disques se partagent le câble de commande lequel possède, à cet effet, deux extrémités. C'est par le biais du câble de commande que sont pilotées les têtes de lecture / écriture et qu'est lancée la lecture / écriture des secteurs. Les données qui doivent être lues ou écrites sont échangées entre le contrôleur et le disque dur par le câble de données tout comme les informations de pilotage stockées avec chaque secteur sur le disque. Le transfert ne s'effectue cependant pas en mode binaire mais en mode sériel et analogique, et c'est au contrôleur d'effectuer ensuite la conversion des flux de données en chaînes de bits.

Le débit de transfert de données est toujours de l'ordre de 5 MBit/s si le disque a été formaté selon la procédure d'encodage MFM et de 7,5 MBit/s avec la procédure RLL. Sachant que les informations de pilotage doivent encore être filtrées de ce flux de données, le débit de transfert pur est sensiblement inférieur. Mais la masse de données traitées en l'espace d'une seconde au cours de la procédure MFM reste de l'ordre d'un demi Mo, la procédure RLL atteint quant à elle 0,75 Mo. A l'instar de la plupart des informations ayant trait au disque dur, ces valeurs restent somme toute très théoriques ; de fait, elles ne tiennent pas compte du temps de déplacement entre les cylindres et les pistes et partent de plus du principe que la lecture s'effectue secteur après secteur. Ce qui n'est pas toujours le cas, ce que nous verrons dans le chapitre consacré au facteur d'entrelacement.

Le débit de transfert de données, plus élevé avec la procédure d'encodage RLL, provient de la plus grande efficacité du mécanisme d'inscription qui se mesure au nombre de secteurs inscrit sur chaque piste. Ils ne sont qu'au nombre de 17 pour la procédure MFM et dix de plus pour la procédure RLL, soit 26. La vitesse de rotation du disque est de 3600 Rotation/mn pour les deux formats.

À l'époque où IBM a sorti le PC/XT, seuls les contrôleurs ST506 étaient disponibles. Les nouvelles fonctions disque dur du BIOS en ROM furent donc axées sur ce type de contrôleur sans tenir compte de la limitation de ses performances. C'est ainsi que le nombre de lecteurs fut limité à deux, le nombre maximum de cylindres à 1 204, le nombre de secteurs par piste à 63 et celui des têtes à 16. De plus, la taille des secteurs fut fixée à 512 octets, ce qui donne, en liaison avec les autres facteurs, une capacité maximale de 504 Mo. Pas plus.

Le fait qu'il existe depuis longtemps des disques durs d'une plus grande capacité s'explique tout simplement par le fait que ceux-ci simulent au système la présence de deux disques correspondant en fait à un seul. On arrive ainsi à une capacité de disque dur pouvant atteindre 1 Go bien que ces disques ne soient alors plus utilisables connectés à un contrôleur ST506. En effet, de tels disques requièrent une plus grande rapidité d'accès impossible à atteindre avec un contrôleur ST506.

Ce type de contrôleur est donc amené à disparaître de plus en plus du marché.

10.5.2. Le contrôleur ESDI

Après le contrôleur ST506 est arrivé tout d'abord le contrôleur ESDI ("Enhanced Small Devices Interface") dont IBM a notamment équipé ses PS/2. Il s'agit de manière globale d'une évolution du contrôleur ST506 ; par exemple, l'interface de programmation n'a pas été modifiée. De ce fait, les disques ESDI peuvent être utilisés sans problème sur des ordinateurs dont le BIOS aura été programmé pour ne supporter que le contrôleur ST506.

À la différence du ST506, les flux de données ne sont pas transmis directement au contrôleur par le biais du câble de données dans le cas du contrôleur ESDI. Au-lieu de cela, une partie de la logique de décodage, appelée séparateur de données, est d'emblée stockée sur le disque dur.

Ce séparateur prépare les informations lues et ne transmet que les données pures sous forme digitale au contrôleur proprement dit.

Vu que le contrôleur et le séparateur de données travaillent en parallèle, le débit de transfert peut être augmenté à 10 MBit/s. Il ne s'agit que du double par rapport à un disque MFM-ST506, mais un avantage décisif s'y ajoute. Les contrôleurs ESDI sont, à la différence des contrôleurs ST506, équipés d'une mémoire tampon pour les secteurs qui permet un facteur d'entrelacement de 1:1. Alors qu'un disque ST506 requiert un facteur d'entrelacement de 1:3, voire de 1:6, soit au moins trois, voire 6 rotations pour effectuer la lecture d'une piste entière, le disque ESDI effectue cette lecture en une seule rotation. La vitesse d'accès s'en trouve donc augmentée en plus d'un facteur de 3 à 6.

En outre, le standard ESDI prévoit, en plus du débit de transfert de 10 MBit/s communément utilisé, des débits de transfert de 15, 20 voire 24 MBit/s. Les contrôleurs correspondants à ces taux sont toutefois rares et, en général, onéreux, si bien que la plupart des contrôleurs utilisent un débit de transfert de 10 MBit/s.

Par ailleurs, le séparateur de données n'est pas le seul élément d'"intelligence" dont est équipé un disque ESDI performant à la différence d'un disque ST506. En effet, un disque ESDI enregistre des informations concernant son format physique ainsi que l'adresse des secteurs défectueux et transmet sur demande ces informations au contrôleur. Celui-ci est ensuite à même de se paramétrer en fonction du disque dur connecté, une procédure qui, dans le cas de disques ST506, exige de la part de l'utilisateur qu'il aille sélectionner un format de données correspondant dans le programme de configuration du BIOS.

Venons-en au BIOS

Cette information, stockée dans la mémoire CMOS de l'horloge alimentée par pile d'un AT, nécessite toutefois un ordinateur équipé d'un contrôleur ESDI. Le BIOS doit en effet impérativement connaître les caractéristiques du disque dur et les transmettre ensuite au pilote de périphérique du DOS.

Vu que le contrôleur ESDI peut demander les caractéristiques du disque dur, les informations du BIOS ne doivent pas nécessairement coïncider avec le format effectif du disque. Il arrive même souvent que ce décalage ne puisse être évité car chaque BIOS ne connaît qu'un nombre déterminé de disques durs avec leurs caractéristiques.

Le problème qui se pose avec les contrôleurs ST506 est épineux lorsque le disque dont est équipés la machine ne se trouve pas dans la liste. Il est alors nécessaire de choisir un disque dont le format se rapproche le plus possible du disque concerné, ce qui signifie souvent : renoncer à certaines pistes, voire certaines têtes, vu qu'on ne peut choisir qu'un format plus petit, jamais un format plus grand. En effet, le BIOS irait alors chercher des secteurs qui n'existent pas, provoquant ainsi immanquablement des erreurs.

La situation devient particulièrement périlleuse lorsque le BIOS ne propose aucun type de disque dur comportant le même nombre de secteurs par piste. Il faudra alors choisir une taille de secteur plus petite avec, à la clef, la perte de nombreux secteurs.

Ceci n'est pas à craindre avec les disques ST506 car ils fonctionnent systématiquement avec 17 ou 26 secteurs. Il en va cependant différemment avec les disques ESDI. Les formats courants ont en effet ici généralement 34 ou 36 secteurs par piste. Si le BIOS ne connaît que des disques avec 26 secteurs, on est alors contraint de sacrifier sur l'autel du gaspillage un tiers de la capacité du disque dur.

Mais ceci n'a pas lieu d'être car le contrôleur peut interroger les caractéristiques du disque et les mettre en relation avec les valeurs enregistrées dans le BIOS. Celles-ci lui sont automatiquement communiquées lors de son initialisation par le BIOS. Le contrôleur est alors à même d'adapter le format transmis par le BIOS au format réel ; remarquez toutefois que les adresses des secteurs devront être recalculées lors de chaque accès. Cela prend un peu de temps mais permet par ailleurs d'utiliser le disque dur avec pratiquement n'importe quel format BIOS tant que celui-ci n'envisage pas de capacité globale supérieure.

Les capacités à effectuer cette adaptation dépendent entièrement du contrôleur ESDI concerné. Certains ne supportent que certains formats particuliers alors que d'autres se montrent tout à fait flexibles et sont de ce fait capables de reprendre n'importe quel format. Ceci est particulièrement intéressant lorsque des disques ESDI atteignent les limites du BIOS, par exemple les disques comportant plus de 1 024 cylindres. Au-lieu d'abandonner les cylindres supplémentaires, ces disques simulent un nombre de secteurs par piste supérieur à la réalité car la limite imposée par le BIOS, à savoir un nombre maximum de 63 secteurs par piste, permet une certaine marge de manœuvre.

10.5.3. SCSI

Le standard SCSI ne représente pas exactement une interface disque dur mais plutôt une possibilité de connecter jusqu'à 8 périphériques différents, avec notamment, hormis les disques durs, les streamers, les lecteurs de CD-ROM ou les scanners conçus pour cette interface.

À la différence des standards de contrôleurs que nous avons vus jusqu'à présent, le "Small Computer System Interface" ne se rencontre pas uniquement sur les PC mais également sur de nombreux systèmes 68 000 (Mac, Atari St) et stations de travail. Son attrait consiste dans le découplage des périphériques connectés et du système informatique proprement dit car les périphériques communiquent avec le contrôleur par un système de bus qui leur est propre et qui est distinct du bus PC.

Vu que non seulement les fiches de connexion, mais également les commandes de ce bus SCSI envoyées aux périphériques sont normalisées, les équipements SCSI peuvent être échangés à volonté entre les différents systèmes et seul le contrôleur SCSI doit être paramétré en fonction du système serveur. La réalité est toutefois moins souriante en matière de compatibilité, notamment avec les contrôleurs SCSI bon marché disponibles aujourd'hui pour quelques centaines de francs. Les contrôleurs SCSI d'Adaptec constituent le standard de référence, mais Western Digital et Future Domain jouent également dans la cour des grands sur ce segment de marché.

Le bus système qui relie entre eux les différents périphériques et qui se connecte au contrôleur SCSI par une fiche 80 broches, est organisé en parallèle et permet de transférer simultanément 8 bits. La nouvelle version du standard SCSI, SCSI P2, autorise des bus à 16 bits.

Les distributeurs de contrôleurs SCSI attirent volontiers leurs clients en agitant l'argument des débits de transfert de données de 4 ou 5 Mo/s qui sonnent comme une promesse aux oreilles des utilisateurs DOS. Mais cette promesse ne tarde pas à apparaître sans fondement au contact de la réalité. Si le contrôleur SCSI est éventuellement capable d'atteindre ce débit, il en va tout autrement du disque dur connecté. Il faut objectivement compter sur débit allant de 1,5 à 2 Mo/s, à moins d'investir dans un contrôleur EISA onéreux qui, grâce aux avantages de son BUS, parvient à atteindre un débit de l'ordre de 2,5 Mo/s.

Les disques SCSI s'inscrivent dans la tendance observée avec les disques ESDI et intègrent une grande partie de l'électronique de pilotage directement sur le disque dur. Il ne doit pas en être

autrement avec ce système car le contrôleur doit être indépendant des périphériques et ne peut pas se permettre d'être perturbé par les particularités d'un disque dur.

La grande proximité du disque dur et de son électronique de pilotage offre certains avantages en plus du fait que les distances à parcourir sont plus courtes. Il devient en effet également plus aisé de simuler au contrôleur proprement dit un format de disque particulier qui n'existe pas. Ce n'est effectivement pas en vain que le contrôleur SCSI demande, lors du lancement du système, et de la même manière qu'un contrôleur ESDI, le format des périphériques connectés et transmet ensuite ces informations au système.

Ils sont en cela aidés par le BIOS intégré car les systèmes SCSI dépendent de leur propre BIOS parce qu'ils ne supportent pas, du côté des logiciels, le standard ST506 que le BIOS en ROM suppose à priori. Les fonctions de l'interruption disque initiale du BIOS sont alors remplacées par le BIOS SCSI. Un tel BIOS est toutefois inefficace en mode protégé où certains "systèmes d'exploitation", tels Novel ou OS/2, doivent pouvoir accéder directement au disque et ne supportent, en général, que le standard ST506. Il faut alors faire appel aux pilotes de périphériques correspondants, mais ceux-ci sont justement difficiles à trouver. Il s'agit très certainement de la plus grande faiblesse des interfaces SCSI.

En revanche, si l'on dispose du pilote adéquat, l'augmentation de la capacité du disque ne pose plus aucun problème. Il suffit alors d'installer un disque supplémentaire et de le relier au BUS SCSI. Le contrôleur SCSI se charge alors du reste en liaison avec le pilote correspondant.

10.5.4. IDE

Le "must" des contrôleurs de disque dur est sans aucun doute l'interface IDE (Intelligent Drive Electronics) dont est équipée la quasi totalité des PC. La mise au point de ce standard remonte à 1984, lorsque le fabricant de micro-ordinateurs Compaq chargea Western Digital, le spécialiste du disque dur, de mettre au point un contrôleur compatible ST506 qui, pour des raisons de place, devait se trouver avec l'électronique de pilotage directement sur le disque dur.

Il en va aujourd'hui encore de même, et l'étroite association du contrôleur au lecteur reste la caractéristique principale des disques IDE. Lorsqu'on achète un disque IDE, on acquiert en même temps le contrôleur. C'est d'ailleurs pour cette raison qu'il n'existe pas pour les contrôleurs IDE de câbles de commande et de données distinctes mais uniquement un câble à 40 broches directement relié au BUS système.

C'est pour cette raison que les disques IDE doivent leur surnom ; on les appelle en effet souvent les "Disques AT BUS". Cela ne signifie toutefois nullement que ces systèmes se limitent exclusivement aux AT avec leurs BUS de données étendus à 16 bits. Car il existe de la même manière des disques BUS XT conçus pour les BUS XT 8 bits. Mais cela est peu connu en raison de la disparition progressive du marché des XT.

De nombreux PC récents hébergent directement dans leur unité centrale la connexion pour les câbles BUS IDE. Les disques IDE sont toutefois livrés le plus souvent avec une petite carte d'extension que l'on enfiche dans l'un des slots d'extension et qui est essentiellement destinée à établir la liaison entre le BUS système et le câble IDE.

En raison de l'étroite liaison qui existe entre le disque et le contrôleur, IDE jouit de certaines qualités également rencontrées sur les contrôleurs SCSI. On y trouve notamment la capacité à émuler n'importe quel format, le "Multiple-Zone-Recording" qui permet de gagner de la place sur le disque dur ou encore le cache-pistes qui permet la lecture de pistes individuelles et de les stocker ensuite dans une mémoire cache interne. Les disques IDE fonctionnent ainsi systématiquement avec un facteur d'entrelacement de 1:1, ce qui permet des accès rapides et contribue à la bonne réputation des disques IDE par rapport aux disques ESDI en matière de performance. Le standard IDE réunit les qualités des trois autres standards de contrôleur : il est flexible comme le SCSI, rapide comme le ESDI et est connectable sans problème à la plupart des systèmes PC grâce à sa compatibilité avec le standard ST506.

Les disques IDE se distinguent en outre des autres contrôleurs de disques durs par une très faible consommation de courant, ce qui les prédestinent à équiper les Laptops, Notebooks et autres portables autonomes.

Concernant l'utilisation de telles machines, de nombreux disques IDE reconnaissent certaines commandes spéciales qui les met dans un état de demi sommeil, réduisant encore davantage la consommation de courant. En règle générale, ces commandes ne peuvent être utilisées qu'avec des pilotes spéciaux ou avec un BIOS paramétré pour la mise en œuvre de disques IDE. Car, du point de vue du BIOS, les disques IDE se comportent de la même manière que des contrôleurs ST506 normaux, ce qui rend aisée l'intégration des ces disques dans des systèmes existants.

Le développement d'un standard pour les disques IDE est actuellement en cours, laissant entrevoir à l'avenir un soutien direct des disques IDE par de nombreux systèmes BIOS. Ceci aura pour effet de permettre une meilleure exploitation des possibilités étendues de ces disques qui sont encore actuellement inutilisées.

10.5.5. Du contrôleur à la mémoire

Indépendamment de la vitesse du disque dur et du contrôleur, le mode de transfert des données du contrôleur vers le disque dur détermine la vitesse réelle du tandem contrôleur-disque dur. Il existe quatre procédés :

- O Programmed I/O (PIO)
- O Memory Mapped I/O
- O DMA
- O Busmaster DMA.

Programmed I/O

Dans le cas du Programmed I/O, le transfert de données entre le contrôleur et la mémoire centrale s'effectue par les différents ports I/O du contrôleur qui servent également au transfert de commandes. Du côté logiciel, le programme concerné a recours aux commandes en langage machine IN et OUT. Cela signifie que chaque octet ou mot devra être envoyé par le CPU.

Le débit de transfert de données n'est pas seulement limité à cause des limites imposées par le BUS PC mais également par les performances du CPU. Le BUS ISA permet certes un débit de transfert maximum de 5,33 Mo/s lors d'un accès, ce débit ne peut cependant jamais être atteint complètement, même avec un CPU rapide. Les micro-ordinateurs de type 386 et 486 sont toutefois capables d'utiliser efficacement le contrôleur car ils appellent les données plus rapidement que le contrôleur ne les fournit. On peut même atteindre 3 ou 4 Mo/s avec des disques durs extrêmement rapides... chers.

Memory-Mapped I/O

Le CPU peut réceptionner les données du contrôleur d'autant plus rapidement si elles sont stockées dans une zone fixe de la mémoire ; il s'agira, en général, d'un segment situé au dessus de la mémoire vidéo. Le transfert des données dans une zone de la mémoire utilisée par le programme qui est à l'origine de la demande, est alors possible à l'aide des commandes MOV qui sont plus rapides que les accès au port par IN et OUT.

Cette technique permet également, avec des CPU récentes, d'appeler les données plus rapidement que le contrôleur ne les fournit. En effet, le contrôleur n'atteint jamais la vitesse maximale théorique de 8 Mo/s, et même les valeurs, pourtant réalistes, de 5 à 6 Mo/s ne sont pas atteintes.

DMA

Le transfert en mode DMA est encore plus connu que les deux procédés précédemment cités. Il est supporté par un processeur DMA qui lui est propre. Il est conçu pour permettre un transfert de données direct d'un périphérique (disque dur, disquette, CD-ROM, etc) vers la mémoire, éliminant ainsi le détour par le CPU (DMA : Direct Memory Access). L'idée est certes bonne, car il suffit au programme de communiquer au contrôleur DMA le nombre d'octets qui doivent être transférés ainsi que l'endroit où ils sont stockés et leur destination. Mais la concrétisation de cette idée sur PC se révèle imparfaite.

En effet, le contrôleur DMA utilisé sur PC est relativement peu flexible (ce qu'on pourrait d'ailleurs lui pardonner), mais il est surtout lent. Tellement lent que les accès sur les 386 et 486 selon la procédure I/O est plus rapide. Il s'agit là d'un anachronisme de l'histoire du PC : le contrôleur DMA est cadencé à 4 MHz sur les PC/AT et ses successeurs car le PC/XT était cadencé à 4,77 MHz. Le transfert DMA y était donc plus rapide que Programmed I/O, mais uniquement dans ce cas. Il est impossible de dépasser pour cette raison les 2 Mo/s.

La plupart des disques durs modernes n'utilisent donc plus le mode DMA, même si la plupart d'entre eux le supportent parallèlement au mode Programmed I/O.

Busmaster DMA

Le Busmaster DMA représente une variante de "Direct Memory Access" mais n'a rien à voir avec le processeur DMA intégré dans l'unité centrale de l'ordinateur. Au cours de cette procédure, le contrôleur du disque dur transmet les données à l'aide de son propre contrôleur Busmaster DMA de manière autonome, vers la mémoire. On atteint alors un débit de transfert pouvant aller jusqu'à 8 Mo/s.

Le Busmaster DMA n'est utilisé en règle générale qu'avec des contrôleurs SCSI puissants.

Adieu au mode protégé

Les deux modes de transfert DMA ne peuvent être utilisés que dans l'univers du mode réel. Le microprocesseur "plantera" lors d'une utilisation en mode protégé ou en mode 86 virtuel. Le problème se pose avec la gestion virtuelle de la mémoire gérée dans le CPU par le MMU (Memory-Management-Unit). Elle simule les adresses virtuelles, utilisées par un programme tournant sous ce mode, par rapport aux adresses physiques réelles.

Le programme ne s'aperçoit de rien, vu qu'il n'a jamais affaire aux adresses physiques ; le contrôleur DMA lui même n'est pas affecté car il n'a pas accès au MMU du CPU. Conséquence : les données sont déplacées dans des zones non souhaitées ce qui, à terme, entraîne immanquablement un "plantage" du système.

Ce destin ne frappera pas les programmes uniquement lors de l'utilisation de Windows en mode protégé ou d'un système d'exploitation du type OS/2. En effet, le microprocesseur est mis en mode virtuel 86 par le DOS dès l'installation du pilote de périphérique EMM386.SYS destiné à l'émulation de la mémoire paginée et qui dépend de la gestion virtuelle de la mémoire.

Il est donc nécessaire d'effectuer une surveillance du contrôleur DMA comme, les contrôles de l'ensemble des ports d'entrée/sortie en mode protégé. Windows, par exemple, installe en arrière-plan un moniteur de contrôle virtuel qui surveille la programmation du contrôleur

DMA par le BIOS ou un programme et convertit les adresses virtuelles indiquées en adresses physiques réelles avant qu'elles soient inscrites dans le registre du contrôleur DMA.

10.6. Enregistrement des informations sur un disque dur

Pour comprendre la manière dont les informations sont enregistrées à la surface du disque dur, il est tout d'abord nécessaire d'aborder le principe du codage binaire. Il n'est pas possible d'enregistrer les 0 et les 1 à l'aide des particules magnétiques, car on devrait alors appliquer aux valeurs 0 et 1 les deux états de "magnétisation" et "non magnétisation", ce qui justement n'est pas possible.

En effet, si l'on tentait de mettre cette technique en pratique, les suites de 0 et de 1 apparaîtraient sous la forme de suites de particules magnétisées et non magnétisées. La tête de lecture du disque dur ne serait alors pas capable de différencier chacune des particules magnétiques des autres. Il lui serait alors impossible de savoir, par exemple, si l'on a affaire à trois ou cinq 0.

Pour résoudre cette difficulté, il faudrait que la tête de lecture puisse connaître la "taille" d'une particule magnétique et soit à même de mettre en relation le temps écoulé pour une même magnétisation avec le nombre de particules magnétiques, et donc de bits. Il s'agirait en fait d'une sorte de cadence indiquant à chaque cycle l'arrivée d'un nouveau bit.

Mais il n'est pas possible de déterminer précisément la durée constante nécessaire à la production d'une cadence, et ce pour plusieurs raisons.

L'une d'entre elles est la vitesse de rotation du disque dur qui n'est pas complètement stable. D'autre part, il n'est pas possible de ne magnétiser qu'une seule particule à la fois. La magnétisation s'applique toujours un groupe de particules dont le nombre est lui-aussi variable.

Les variations de signal électrique peuvent cependant être enregistrées sans problème ; il s'agit des brèves transitions qui se trouvent entre les particules magnétisées et celles non magnétisées. Elles provoquent dans la tête de lecture une impulsion de courant transmise aux composants électroniques où elles servira ensuite au décodage des données enregistrées sous la forme de 0 et de 1.

Ce sont justement ces questions de codage et de décodage des informations qui occupent l'esprit des développeurs de matériel. Car le nombre de variations de signal électrique pouvant être enregistrées par millimètre carré sur un disque dur est limité. Certes, le nombre de ces variations dépend des propriétés du matériau magnétique, de l'altitude de flottement de la tête de lecture/écriture et de sa vibrotaxie, mais il est néanmoins limité. Celui qui parviendra un jour à enregistrer sur le disque davantage de zéros et de uns à partir du même nombre de variations de signal électrique aura une bonne longueur d'avance dans la course au disque dur de très grande capacité.

10.6.1. La procédure FM

L'encodage le plus simple des 0 et des 1 à l'aide des variations de signal électrique consiste à enregistrer une variation pour chaque 1 et à ignorer une variation pour chaque 0. Les problèmes évoqués précédemment ne manqueront toutefois pas de se répéter. Car il faut indiquer ici également une cadence afin que le fait d'ignorer des variations de signal électrique pendant un certain laps de temps puisse être identifié comme une suite de zéros.

Lors du procédé d'enregistrement le plus simple et le plus ancien, appelé Modulation de Fréquence (FM : Frequency Modulation), le signal de cadence est enregistré directement sur le disque dur sous la forme d'une variation de signal électrique. À intervalles de temps constants, des variations sont ainsi enregistrées sur le disque dur sur lesquelles l'électronique du disque dur se synchronise pour lire les bits de données proprement dits. Ceux-ci se trouvent effectivement entre ces variations de signal électrique cadencées ; une variation pour 11, pas de variation pour 10.

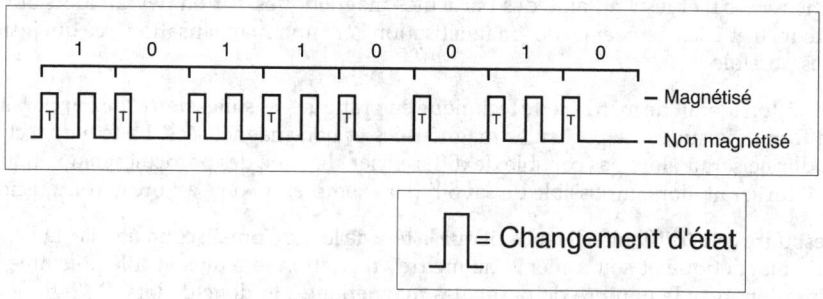

Enregistrement selon la procédure FM

Cette procédure est réalisée à l'aide de composants électroniques de pilotages simples. Elle présente toutefois un inconvénient de taille : chaque bit d'information engloutit deux variations de signal électrique, réduisant du même coup la capacité potentielle du disque de moitié.

10.6.2. La procédure MFM

La procédure MFM met un terme à ce "gaspillage" de variations de signal électrique ; la plupart des disques durs en sont aujourd'hui équipés. Elle constitue une modification de la procédure MF, d'où son nom : "Mmodified Frequency Modulation".

Au cours de cette procédure, les variations de signal électrique cadencées sont détournées sous formes de signaux de données. Dans un premier temps, rien ne change : un 0 se compose toujours et encore d'une variation de signal électrique cadencée suivie d'aucune autre variation jusqu'à la prochaine cadence. Un 1 n'est alors pas enregistré sous la forme d'une variation de signal électrique comme dans le cas de la procédure FM.

Il est ainsi possible d'enregistrer une suite de 0 et les 1 à partir d'une seule variation de signal électrique. Les suites de 0 et de 1 représentent donc une suite ininterrompue de variations de signal électrique.

Cette procédure d'encodage exige cependant une technique d'enregistrement ainsi qu'un système de pilotage électronique amélioré afin que le disque dur puisse se synchroniser sur le déroulement normal des variations électriques cadencées dans le cas de longues chaînes de 0. Si la lecture d'un 0 est suivie d'un laps de temps plus long que la normale jusqu'à apparition de la prochaine variation, un 1 sera alors identifié.

Un problème peut se poser lorsqu'un 1 suivi d'un 0 qui exige à nouveau une variation de signal électrique en position de cadence normale.

Car la durée entre la variation de signal électrique du un et celle du 0 n'est plus que de la moitié de l'intervalle normal existant entre ces deux variations. Mais le plus petit intervalle entre deux variations ne peut être davantage réduit, la tête de lecture et le système électronique déclarant alors forfait. C'est pourquoi aucune variation de signal électrique n'est enregistrée pour un 0 qui suit un 1.

La prochaine variation de signal électrique se produit alors après un laps de temps égal à une fois et demie celui nécessaire à l'exécution d'une variation de signal électrique (combinaison de bits 100b), voire même après le double de cette durée (combinaison de bits 101b). L'illustration suivante nous le montre clairement.

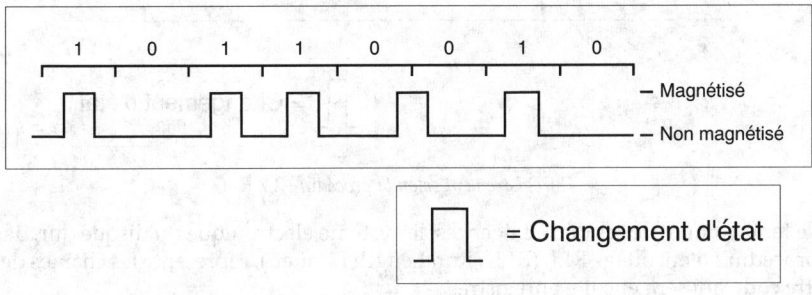

Enregistrement selon la procédure MFM

10.6.3. La procédure RLL

Ceux qui pensaient que l'enregistrement de données avait atteint les sommets de la perfection avec la procédure MFM seront déçus. En effet, la procédure d'encodage RLL permet d'enregistrer 50 pour cent de plus d'informations sur le disque que la procédure MFM.

Dans le cadre de cette procédure, les 1 sont représentés par des variations de *signal électrique* et les 0 par l'absence de variations, sans tenir compte en plus d'une variation de *signal électrique* cadencée. Le système électronique du disque dur doit lui même compter les cadences. Même dans le cas d'une rotation constante du disque dur et d'un perfectionnement de la tête de lecture et de son système électronique, ceci n'est envisageable que si le nombre de 0 situés en deux 1 n'est pas trop élevé. En effet, chaque 0 d'une chaîne agrandit l'intervalle jusqu'à la prochaine variation de signal électrique ; avec lui grandit également la probabilité que le système électronique du disque dur perde la cadence.

D'autre part, les différents 1 d'une chaîne ne doivent pas se suivre de trop près ; le système électronique risque en effet de pas pouvoir tenir la cadence.

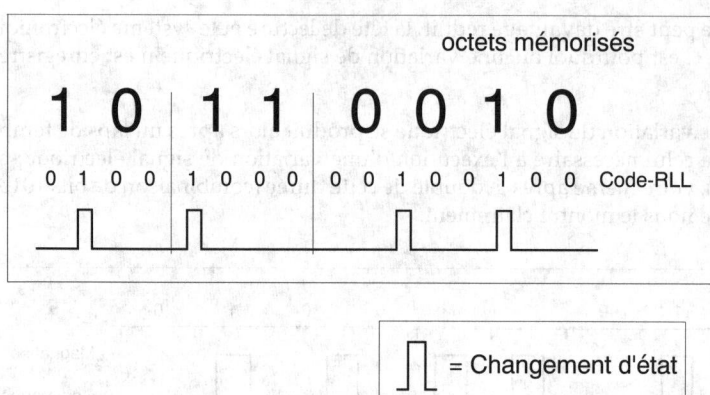

Enregistrement selon la procédure 2,7 RLL

Afin de tenir compte de ces deux exigences, le système électronique du disque dur, dans le cas de la procédure d'encodage RLL (RLL : Run Length Limited), représente les chaînes de bits par un autre code qui sera ensuite enregistré.

Ce nouveau code est deux fois plus long que le code original mais il veille néanmoins à ce que les chaînes de 0 ne soient pas trop longues et à ce que les intervalles entre les 1 ne soient pas trop réduits. Ceci implique, dans tous les cas, que les informations enregistrées puissent être ensuite décodées sous la forme des chaînes de bits initiales sans que naissent des ambiguïtés.

Les types de codes possibles sont innombrables : tout dépend du nombre maximum et du nombre minimum de 0 consécutifs que l'on souhaite. Deux procédés sont toutefois couramment utilisés et portent, en raison de ces deux tailles, les noms de RLL 2,7 et RLL 3,9.

RLL 2,7 représente le procédé standard dont sont équipés la plupart des disques durs récents. Entre deux 1 apparaissent au moins deux 0, au maximum sept 0. La capacité augmente d'au moins 50 pour cent par rapport à la procédure MFM.

Les informations peuvent être enregistrées avec une plus grande densité avec la procédure RLL 3,9, appelée également "advanced RLL". Dans le cadre de cette procédure, on trouve entre deux 1 au moins trois 0 et au maximum neuf 0.

La table suivante montre la procédure d'encodage de la procédure RLL 2,7. Vous remarquerez que certains octets, tel, par exemple, l'octet 00000001b, ne peuvent être transposés. Il ne faut cependant pas oublier que, à ce niveau, ce sont les secteurs et non pas les octets qui sont traités. Même l'octet 00000001b se laisse transposer ; il suffit pour cela d'inclure le bit de l'octet suivant dans l'encodage.

Suite de bits	Code
000	000100
10	0100
010	100100
0010	00100100
11	1000
011	001000
001	00001000

Table des codes / Procédure RLL 2,7

Le problème qui se pose au cours de l'encodage concerne le dernier octet d'un secteur qui n'est en effet suivi d'aucun octet. Dans la pratique, ce problème est résolu de la manière suivante : le contrôleur du disque dur complète simplement par un octet qui convient. Les bits superflus sont ensuite enlevés au cours de la lecture et le dernier octet du secteur peut alors être correctement renvoyé.

10.7. Plus petit, plus rapide, moins cher

"Smaller, Faster, Cheaper" : c'est sous ce qu'il est convenu d'appeler un "slogan" qu'est placé, depuis quelques années, le progrès en matière de technologie de disques durs. Quelques faits vont nous éclairer :

○   les temps d'accès sont passés de trente millisecondes à quelques dix millisecondes sur les modèles de pointe,

○   les capacités courantes atteignent aujourd'hui plusieurs centaines de Méga-octets. Les disques durs ayant une capacité de plus de 1 Go ne sont plus une rareté.

Le stockage sur disque dur revient maintenant dix fois moins cher que celui en mémoire vive.

Le disque dur a évolué dans toutes ses dimensions essentiellement parce que chaque phase de traitement, chaque détail relevant de la technique d'enregistrement ou de transmission ont été optimisés. Cela commence déjà avec la disposition des différents secteurs sur le disque dur et avec le fameux facteur d'entrelacement (Interleave Factor).

10.7.1. Le facteur d'entrelacement

Aujourd'hui, les contrôleurs de disque dur sont tellement rapides qu'ils peuvent se permettre, lors de la lecture d'un seul secteur, de lire la totalité de la piste, même lorsque le programme ne leur a pas demandé de les lire. Cela se produit dans la plupart des cas, à condition toutefois que le disque ne soit pas trop fragmenté. Si ce n'est pas le cas, le contrôleur du disque dur ne sera pas obligé, lors de l'accès suivant, d'effectuer une nouvelle lecture depuis le disque dur ; il lui suffira de ressortir les données de son tampon interne. Ceci a pour effet d'accélérer de manière sensible les accès.

Ceci n'est toutefois vrai que pour les contrôleurs récents (SCSI, ESDI et IDE). Les contrôleurs ST506 ne possèdent en général qu'un seul tampon de secteur interne qui ne peut pas contenir la totalité d'une piste. Mais il y a plus grave : sachant que le secteur lu doit, dans un premier temps, être transmis au CPU, dès que le dernier octet a été lu, le tampon de secteur ne sera donc pas encore libéré lorsque le secteur suivant sera déjà sous la tête de lecture. Il ne pourra donc être lu d'avance.

Et si l'accès en lecture suivant concerne effectivement ce secteur, celui-ci ne pourra pas être lu immédiatement ; le disque dur devra effectuer une rotation complète avant que le secteur ne se retrouve à nouveau sous la tête de lecture. Cette procédure se répétant pour chaque secteur, réduisant ainsi considérablement la vitesse d'accès au disque dur, les concepteurs de matériel ont dès le départ recherché une solution à ce problème. Et ils l'ont trouvée sous la forme de l'"entrelacement" qui consiste à décaler les secteurs logiques des secteurs physiques.

Ceci permet, suite à un secteur logique, de laisser défiler sous la tête de lecture quelques secteurs avant que n'apparaisse le secteur logique suivant. Le nombre de ces secteurs "sautés" permet que le secteur logique suivant ne se présente sous la tête de lecture qu'au moment précis où le contrôleur de disque dur aura terminé le transfert du précédent et que le BIOS aura donné l'ordre de transférer le suivant.

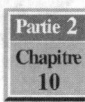
L'entrelacement se mesure grâce au facteur d'entrelacement qui est beaucoup plus connu que la procédure en elle-même. Ce facteur représente le nombre de secteurs de décalage entre les secteurs logiques et les secteurs physiques. Sur les disques durs dont IBM équipait ses PC/XT, ce facteur était de 1:6. Pour les disques durs des PC/AT, ce facteur est alors passé à 1:3. Le facteur d'entrelacement sur les AT pouvait néanmoins être rabaissé à 1:2, ce qui avait pour effet d'augmenter la vitesse d'accès.

Aujourd'hui, le facteur d'entrelacement habituel est de 1:1, ce qui signifie qu'il n'y a plus d'entrelacement.

En revanche, dans le cas d'un facteur d'entrelacement de 1:6, il est nécessaire de "sauter" 5 secteurs physiques avant de parvenir au prochain secteur logique, et dans le cas d'un facteur 1:3, il y en a deux. La table suivante montre les conséquences du facteur d'entrelacement sur le rapport entre secteurs logiques et physiques en prenant comme exemple une piste contenant 17 secteurs.

	AT		XT	
	Secteurs logiques	Secteurs physiques		Secteurs logiques
1	1	1		1
2	7	2		4
3	13	3		7
4	2	4		10
5	8	5		13
6	14	6		16
7	3	7		2
8	9	8		5
9	15	9		8
10	4	10		11
11	10	11		14
12	16	12		17
13	5	13		3
14	11	14		6
15	17	15		9
16	6	16		12
17	12	17		15

Entrelacement / Disques durs IBM, PC/XT et PC/AT

En dépit des avantages incontestables de ce procédé, il ne faut pas oublier qu'il est préférable qu'il n'y ait aucun entrelacement. Ce n'est que dans ce cas de figure qu'une piste complète peut être lue au cours d'une seule et même rotation du disque dur, alors que, selon le facteur d'entrelacement actif, cette lecture nécessitera deux, trois, voire davantage de rotations.

Installation de l'entrelacement

L'entrelacement est installé au cours du formatage de bas niveau du disque dur au cours duquel les marques d'adresse et les numéros de secteurs sont inscrits sur le disque dur encore vierge. Indépendamment du système d'exploitation qui sera ensuite copié sur le disque dur au cours d'une procédure de formatage distincte ; c'est au cours de ce formatage de bas niveau que sont installées les structures fondamentales d'identification des secteurs.

Il est tout à fait possible de modifier la position des secteurs vu que le numéro logique de chaque secteur est choisi par le programme de formatage de bas niveau. C'est d'ailleurs pour cela que la plupart de ces programmes demandent à un moment donné le facteur d'entrelacement choisi. Si on choisit une valeur erronée, on est sûr d'avoir par la suite de mauvaises surprises. L'ordinateur risque alors de mettre beaucoup plus de temps pour charger programmes et fichiers.

Cela signifie donc que le facteur d'entrelacement choisi ne convient pas. Il est toutefois possible de le modifier à *posteriori*. Il suffit d'avoir recours aux programmes adaptés, par exemple aux Norton Utilities. Ces programmes communiquent à l'utilisateur le facteur d'entrelacement optimal et sont capables d'effectuer le formatage de bas niveau à *posteriori*. Ça marche, ça ne dure que quelques minutes et ça en vaut la peine.

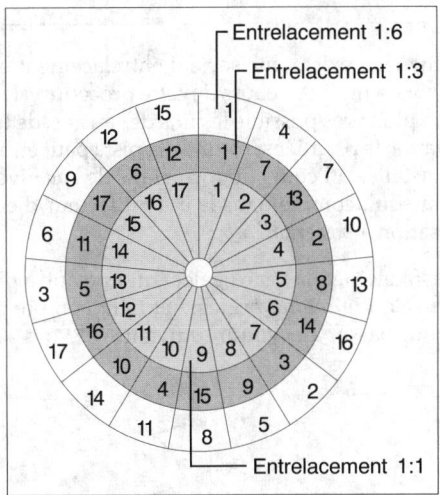

Différents facteurs d'entrelacement et leur infuence respective sur le formatage d'une piste

10.7.2. **Track Skewing et Cylinder Skewing**

Un encodage intelligent des numéros de secteurs logique ne se ressent pas uniquement en ce qui concerne la lecture séquentielle d'une piste. En effet, un accès au cylindre suivant fait souvent suite à la lecture d'une piste. C'est ce dont se charge le système d'exploitation qui, au cours de la numérotation des secteurs, commence par examiner les différents cylindres d'une piste avant de passer au cylindre suivant. Le passage d'une tête de lecture/écriture à l'autre d'un même cylindre prend effectivement beaucoup moins de temps que le déplacement de l'ensemble du bras de lecture/écriture.

Et pourtant : le passage d'une tête de lecture/écriture à l'autre prend également un peu de temps, et le disque dur continue sa rotation. Lorsque que le dernier secteur d'une piste de cylindre est lu, le secteur suivant se trouvant sur un autre plateau, est déjà passé sous la tête de lecture/écriture, et il faut donc attendre le temps d'une rotation supplémentaire pour pouvoir de nouveau y accéder.

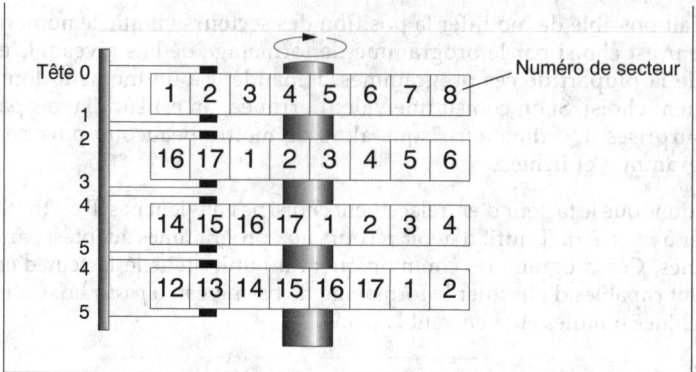

Pour empêcher ce phénomène, il existe une sorte d'entrelacement concernant les pistes d'un cylindre appelé "Cylinder-Skewing". Au cours de cette procédure, les secteurs de chaque piste d'un cylindre sont placés le plus près possible les uns des autres, de telle manière que, en dépit du passage sur la tête suivante, le premier secteur de la piste peut être lu immédiatement. Cette procédure est également installée au cours du formatage de bas niveau. Nous ne connaissons toutefois aucun programme qui, comme dans le cas du facteur d'entrelacement, permettrait d'en effectuer une optimisation à *posteriori*.

Parallèlement au Cylinder-Skewing, il existe également une autre procédure appelée "Track-Skewing". Elle fonctionne selon le même principe et tient compte de la durée nécessaire au bras de lecture/écriture pour passer au cylindre suivant.

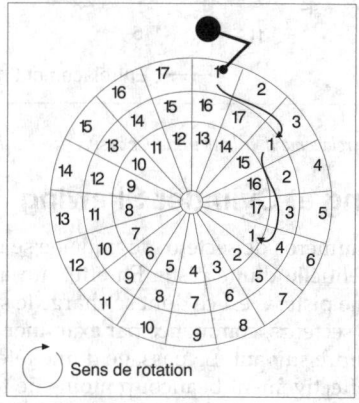

Track-Skewing avec un facteur d'entrelacement 1:1

10.7.3. Multiple Zone Recording

Si on souhaite inscrire davantage de secteurs sur le disque dur, on peut utiliser un "truc" très simple. En effet, les pistes extérieures disposent de plus de place que les pistes intérieures. Auparavant, il n'était pas possible de tirer profit de cet avantage car le nombre de secteurs par piste était constant, déterminé par la capacité de la piste le plus à l'intérieur, et donc la plus courte.

Avec l'arrivée des disques SCSI et IDE, qui ne font que simuler au BIOS les informations relatives au nombre de têtes, de pistes et de secteurs, il est maintenant possible d'effectuer un formatage variable des différentes pistes. En effet, ces tandems contrôleur-disques convertissent les numéros de tête, de cylindre et de secteur en une autre adresse de secteur et tiennent ainsi compte de la piste la plus à l'extérieur.

Ceci a cependant pour effet d'exiger davantage du contrôleur et de la tête de lecture / écriture, alors contraints de lire / écrire davantage de secteurs sur les pistes extérieures que sur les pistes intérieures au cours d'une même rotation. Alors que l'amplitude des variations de signal électrique baisse, le nombre de données lues ou écrites au cours d'une rotation augmente, et avec lui le débit de données.

Il est ainsi possible d'augmenter de 20 à 50 pour-cent la capacité d'un disque dur.

10.7.4. Correction d'erreurs

Un des critères principaux ayant freiné au départ la diffusion des disques durs fut leur propension à l'erreur. De fait, des impuretés pénètrent inévitablement sur la surface magnétique, rendant ainsi certains secteurs du disque dur inutilisables.

Auparavant, les numéros des secteurs défectueux détectés au cours du contrôle de qualité étaient notés sur le capot du disque dur. Lors du lancement du programme de formatage de bas niveau, l'utilisateur devait indiquer les numéros des secteurs défectueux afin qu'ils soient repérés et identifiables par la suite par le système d'exploitation. Ces zones étaient alors repérées comme défectueuses dans la FAT (Table d'Allocation des Fichiers) et donc exclues.

Sur les disques durs modernes, notamment sur les disques IDE, ces listes d'erreurs ne sont plus présentes sur le capot du disque dur. Leurs adresses sont soit consignées directement par le fabricant sur des pistes de données distinctes, soient identifiées au cours du formatage de bas niveau. Ces secteurs sont ensuite tout simplement ignorés ou remplacés par d'autres secteurs déplacés vers des zones plus sûres. C'est là que se trouvent également les tables de gestion des secteurs défectueux ou remplacés ; il suffit alors au contrôleur de disque de les charger au moment de son initialisation. Lors d'un accès à un secteur défectueux, il peut alors se positionner sur celui qui le remplace. Cela ralentit certes l'accès au disque mais est à peine perceptible en raison de la proportion peu élevée de secteurs défectueux.

Qui plus est, de nombreux disques sont capables d'identifier en cours d'utilisation les secteurs défectueux. C'est d'ailleurs pourquoi chaque secteur est enregistré avec un code de correction d'erreur qui permet d'identifier les erreurs d'enregistrement de secteurs et, parfois, de les corriger. Ces secteurs sont alors repérés comme étant défectueux, puis remplacés par un secteur de réserve dans lequel sont stockées les informations reconstruites.

Cette procédure n'est cependant possible que dans le cas d'une collaboration étroite entre le disque dur et le contrôleur, donc exclusivement avec les disques IDE.

10.7.5. Autres informations du disque dur

Le disque dur doit contenir de nombreuses informations complémentaires. Un simple secteur doit être accompagné de toute une série d'informations complémentaires afin de pouvoir être identifié et lu correctement. Le format des informations diffère entre selon le type de contrôleur mais, en principe, ce sont toujours les mêmes informations qui sont enregistrées : les numéros de cylindre et de secteur ainsi que le code d'erreur et de correction qui permet l'identification des erreurs. L'illustration suivante montre la structure d'un secteur avec un contrôleur de type ST506.

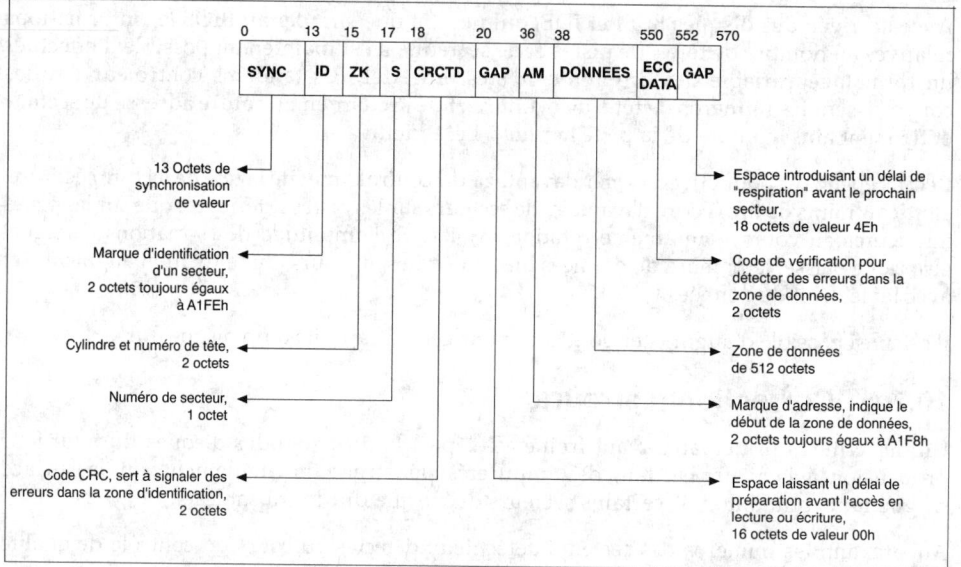

Format d'un secteur lors de l'utilisation d'un contrôleur de type ST506

Comme vous pouvez le voir, chaque secteur débute par une chaîne de 13 octets de synchronisation ayant la valeur 00h. Il en résulte une suite stable de variations du signal électrique qui permet au contrôleur de se synchroniser sur le secteur.

Vient ensuite la zone ID grâce à laquelle le secteur s'identifie. Il s'agit notamment des numéros de cylindre, de tête et de secteur du secteur concerné. Ces informations commencent par un octet ID spécial et se terminent par un second octet incluant le code d'erreur qui permet de vérifier la validité de ces informations.

Vient ensuite un trou qui offre une pause au contrôleur. Cette pause est nécessaire pour qu'il puisse traiter les informations de la séquence ID et constater que le secteur recherché est bien celui auquel il a affaire. Cette pause lui permet également de se resynchroniser en cas de nécessité.

Ce n'est que maintenant que viennent les données proprement dites rangées dans la zone de données du secteur. Elle est précédée d'un octet d'identification (champ : AM). Et, afin que le contrôleur puisse vérifier l'ordre d'arrivée des données, deux octets de correction viennent s'ajouter (champ : ECC-DATA).

Et pour laisser au contrôleur le temps de vérifier les octets de correction, les secteurs sont suivis une fois encore par une zone sans signification qui ne contient, cette fois, que des octets ayant la valeur 4Eh. Un secteur occupe de ce fait 570 octets sur le disque dur.

Extra-pistes

En dehors des informations sur les secteurs, le disque dur contient d'autres informations. Par exemple les "Servo-Pistes" dans lesquelles sont enregistrées des variations de signal électrique selon un schéma connu. C'est en lisant ces pistes que l'électronique va se synchroniser sur la cadence des données nécessaire à la bonne compréhension des informations stockées, notamment lors de la procédure RLL.

Certains disques contiennent en outre des "pistes de réserve" dont l'existence n'est pas déclarée au BIOS et qui ne peuvent donc être sollicitées pour l'enregistrement de données. Elles constituent une sorte de réservoir et sont destinées à remplacer les secteurs défectueux.

Mentionnons pour finir la zone de parcage où se retirent les têtes de lecture/écriture lorsque l'ordinateur est éteint. Ce parquage automatique est aujourd'hui présent sur toutes les nouvelles machines et permettent d'éviter les "Head-Crashs", jadis fréquents lors du déplacement des ordinateurs, et qu'il était nécessaire d'avoir recours à des programmes spéciaux pour parquer les têtes de lecture/écriture.

10.7.6. Temps d'accès et mesure

La qualité d'un disque dur ne se mesure pas essentiellement à sa taille ou à sa capacité, mais en premier lieu à la vitesse des temps d'accès. Les fabricants et distributeurs de PC évoquent souvent des chiffres fluctuant entre 10 et 30 millisecondes et qui sont présentés comme étant le temps d'accès du disque dur.

Cette valeur relève malheureusement plus de l'"épate" (le mien est plus rapide) et ne reflète pas de manière réaliste la vitesse du disque dur, et encore moins celle du contrôleur. Il ne s'agit en effet que du temps d'accès moyen (Average-Seek-Time) qui s'écoule entre deux accès à des données. Cette valeur ne représente donc qu'une moyenne communiquée par le fabricant et qui n'engage que lui.

La plupart des fabricants de disques durs communiquent en général deux autres valeurs, exprimées elles aussi en millisecondes : le Track-to-Track-Seek-Time et le Maximum-Seek-Time.

Le concept de "Track-to-Track-Seek-Time" est un peu flou ; pour les uns, il représente le temps de passage d'une tête à une autre dans un même cylindre, pour les autres, il s'agit du temps nécessaire au bras de lecture/écriture pour se positionner sur la piste suivante. En toute honnêteté, nous sommes incapables de trancher.

Le concept de "Maximum-Seek-Time" est moins contesté. Il représente le cas le plus extrême, lorsque le bras de lecture/écriture doit se déplacer sur tout le diamètre du disque, de la première à la dernière piste.

Les facteurs énoncés précédemment influent certes fortement sur la vitesse du disque dur lors d'accès aux fichiers à partir du DOS, mais il existe d'autres sources qui ont leur importance. En effet, à quoi pourrait bien servir un disque dur rapide si le contrôleur ne suit pas ou si le disque dur est fortement fragmenté, entraînant par là-même de nombreux déplacements des têtes de lecture/écriture ? De plus, il faut tenir compte des cheminements à travers les différentes couches de programmes, les accès au DOS, aux périphériques, au BIOS, à certains pilotes spéciaux de disque dur.

Souvent, lorsqu'on ne fait pas confiance aux informations fournies par le fabricant ou que l'on souhaite tester dans des conditions réelles les performances du disque dur, on a recours à des programmes d'évaluation. On notera par exemple le programme SystemInfo (SI) des Norton Utilities, ou encore le célèbre programme CORETEST du fabricant américain de disques durs, Core International.

Ces programmes mesurent en général les débits de transfert de données en procédant à la lecture d'un échantillon de données sur le disque dur. Toutefois, la taille du bloc de données concerné est limitée à la taille d'un cylindre afin que le bras de lecture/écriture n'ait pas à effectuer de déplacement pendant l'accès. C'est d'ailleurs ce qui rend discutable le résultat de ces programmes d'évaluation, notamment avec les disques ESDI, SCSI et IDE.

Dès que le contrôleur cache au BIOS les véritables "caractéristiques" du disque dur et lui simule un format connu, un changement de piste au cours de ces accès n'est alors plus exclu. Ce changement provoque un délai inattendu et réduit le résultat de l'évaluation, en faveur bien sûr du disque dur.

Si l'on souhaite ensuite mesurer le temps de déplacement d'une piste à une autre, le même problème va se poser. Vu que le changement de piste n'est possible que par une lecture de deux secteurs sur deux pistes contiguës, le mécanisme de conversion interne des adresses de secteur du disque dur veille entre autre à ce qu'aucun changement de piste n'ait lieu. La valeur 0, représentant le temps de changement de piste, s'affiche alors à l'écran, vu que les secteurs ont pu être lus consécutivement.

Cache contrôleur et programmes cache

Les résultats de ces programmes de test deviennent plus que suspects lorsque le système est équipé de programmes cache. Concernant les logiciels, on citera le programme SMARTDRV de Microsoft. Ils s'implémentent dans l'interruption disque dur du BIOS et interceptent les appels en lecture ou en écriture des programmes d'application et des pilotes de périphériques du DOS.

Ils transmettent tout à fait normalement les appels en lecture au contrôleur du disque dur mais enregistrent les informations lues dans un tampon cache qui leur est propre avant de les renvoyer.

Selon la taille de la mémoire cache réservée, celle-ci contient un volume plus ou moins important de données lues. Lorsque le programme cache détecte en mémoire cache le secteur appelé, il peut l'en extraire directement, sans avoir à effectuer une nouvelle lecture sur le disque dur. Ceci a pour effet d'accélérer sensiblement les accès, et l'absence d'accès due à la mémoire cache n'est naturellement pas prise en compte par le programme de test.

Mais quelques astuces permettent de contourner l'écueil. Il suffit en effet que le programme test, lors de son lancement, examine l'interruption disquette 13h du BIOS et qu'il vérifie si celle-ci pointe encore vers le BIOS. Si tel n'est pas le cas, il est fort probable qu'un programme cache est installé et le programme test peut exiger de l'utilisateur qu'il le désactive avant le début des tests.

Les mécanismes de cache restent toutefois absolument indétectables lorsqu'ils ont été implémentés au niveau de la machine. il existe par exemple depuis longtemps des contrôleurs de disques durs qui se chargent de cette fonction et qui disposent eux-mêmes d'une mémoire cache qui peut être de l'ordre de 16 Mo. L'ordre de lecture sera alors intercepté non pas au niveau du BIOS, mais déjà au niveau de la machine - le programme de test n'y voit alors que du feu.

10.8.   Les partitions d'un disque dur

Si vous avez déjà eu l'occasion d'installer vous-même un disque dur ou bien d'étendre votre PC à l'aide d'un système d'exploitation tel que XENIX ou OS/2, vous avez déjà eu à faire à FDISK, le programme de partition du disque dur de MS DOS qui ouvre la porte à l'exploitation d'un disque dur haute capacité mais également à l'installation en parallèle de plusieurs systèmes d'exploitations sur un ordinateur.

Procédure de formatage

FDISK ne représente en réalité qu'une des trois étapes de l'opération de formatage qui consiste à organiser la partition d'un disque dur en le préparant à recevoir un ou plusieurs systèmes d'exploitations. Le formatage de bas niveau constitue la première étape ; il subdivise le disque dur physiquement en pistes (cylindres) et en secteurs, en écrivant les marques d'adresses appropriées sur le disque. Ce (pré)formatage est rendu nécessaire par le fait que beaucoup de disques durs sont "soft-sectored", comme on dirait dans le cas d'une disquette. Les marques d'adresses, nécessaires à l'identification des différents secteurs, ne sont donc pas pré-installées sur le disque dur.

Les possesseurs de PC compatibles XT se souviennent certainement que le formatage de bas niveau devait être lancé sur ces machines à l'aide du programme DEBUG du DOS. Une routine du BIOS devait en effet être appelée à partir de DEBUG. Le formatage de bas niveau n'est heureusement plus aussi incommode car la plupart des fabricants de disques durs joignent à leur lecteur des programmes appropriés se chargeant automatiquement de ce travail.

Partitionnement du disque dur

L'étape suivante consiste à organiser la partition du disque dur, c'est-à-dire à le subdiviser en zones bien délimitées. La fonction première de la partition était à l'origine de préparer des zones distinctes sur le disque dur qui puissent être prises en charge et gérées par des systèmes d'exploitations différents sans que la différence dans la structure mise en place par les divers systèmes soit source de conflits.

La chute des prix à laquelle on a assisté dans le domaine des matériels PC a fait naître une raison supplémentaire pour la partition du disque dur en rendant abordable des disques durs disposant d'une capacité non plus de 10 ou 20 méga-octets mais de 40,80 méga-octets voir beaucoup plus. Or, le DOS ne pouvait, du moins jusqu'à la version 3.3, exploiter pleinement de telles capacités car, d'une part, il ne pouvait gérer que des mémoires de masses d'une capacité n'excédant pas 32 méga-octets, et, d'autre part, il n'était pas à même de diviser un disque dur en plusieurs unités utilisables sous DOS.

Ce problème a été résolu par la version 3.3 du DOS qui, tout en maintenant la limite de 32 méga-octets, permet de mettre en place, à côté d'une "partition primaire" (primary Partition), qui doit se trouver à l'intérieur des 32 premiers méga-octets du disque dur, jusqu'à 23 "partitions étendues" (extended Partition), portant les désignations des lecteurs D à Z. Chaque partition étendue pouvant elle aussi comporter jusqu'à 32 méga-octets, la capacité de disque dur soutenue s'est ainsi trouvée rehausser sous DOS 3.3 à 768 méga-octets.

La version 4.0 du DOS va encore plus loin puisque, grâce à quelques réorganisations dans le domaine des pilotes de périphériques, elle soutient désormais des mémoires de masse d'une capacité pouvant atteindre 2 Go. Nombreux sont cependant les utilisateurs qui continuent à préférer la partition du disque dur en petites unités (c'est-à-dire, en secteurs logiques), car cela permet plus facilement d'obtenir une organisation plus limpide qu'une seule grosse unité de disque sur laquelle on peut loger des centaines et des centaines de fichiers.

Alors que la partition primaire doit se trouver à l'intérieur des 32 premiers méga-octets, la partition étendue peut être installée à n'importe quel endroit. FDISK identifie ce type de partition en leur attribuant les noms "PRI DOS" et "EXT DOS".

Le secteur de partition

Sous toutes les versions du DOS, la partition du disque dur repose sur le secteur de partition que FDISK met en place dans le premier secteur du disque dur (tête 0, cylindre 0, secteur 1). Ce n'est donc pas le secteur d'amorçage du DOS mais ce secteur que le BIOS, après une réinitialisation ou un lancement du système, charge tout d'abord à l'adresse 0000:7C00 de la mémoire si aucune disquette ne figure dans le lecteur A:. S'il rencontre la séquence de code 55h, AAh dans les deux derniers des 512 octets de ce secteur, il considère qu'il s'agit d'un secteur exécutable et il commence l'exécution du programme par le premier octet du secteur.

Dans le cas contraire, le BIOS sort un message d'erreur et, suivant la version et le fabricant, il s'installe dans une boucle sans fin ou lance le BASIC.

Adresse	Contenu	Type
Structure du secteur de partition d'un disque dur		
+000h	Code de partition	Code
+1BEh	1ᵉ entrée dans la table de partition	16 OCTETS
+1CEh	2ᵉ entrée dans la table de partition	16 OCTETS
+1DEh	3ᵉ entrée dans la table de partition	16 OCTETS
+1EEh	4ᵉ entrée dans la table de partition	16 OCTETS
+1FEh	Code d'identification (AA55h) permettant d'identifier le secteur de partition comme tel	2 OCTETS
Longueur : 200h (512 octets)		

Il incombe au code programme du secteur d'amorçage, lorsqu'il est lancé, d'identifier quelle est la partition activée et ainsi de détecter le système d'exploitation à lancer, de charger son secteur d'amorçage puis de lancer l'exécution du code programme qu'il contient. Comme ce code programme doit, par définition, figurer également à l'adresse 0000:7C00 de la mémoire, le code de partition se décale tout d'abord vers l'adresse 0000:0600 et fait ainsi la place pour le secteur d'amorçage.

La table des partitions

La routine identifie le positionnement du secteur d'amorçage sur le disque dur ainsi que la partition à laquelle il appartient à partir du contenu de la table des partitions qui se trouve à l'intérieur du secteur de partitions à l'adresse 1BEH.

Adr.	Contenu	Type
Structure d'une entrée de la table de partition		
+00h	Etat de partition 00h = non activée 80h = partition boot	1 OCTET
+01h	Tête de lecture/écriture où commence la partition	1 OCTET
+02h	Secteur et cylindre où commence la partition	1 MOT
+04h	Type de partition 00h entrée non utilisée 01h DOS avec FAT 12 bits (primary part.) 02h XENIX 03h XENIX 04h DOS avec FAT 16 bits (primary part.) 05h extended DOS partition (à partir de DOS 3.3) 06h partition DOS 4.0 avec plus de 32 Mo DBh concurrent DOS D'autres codes sont possibles avec d'autres systèmes d'exploitation ou avec des drivers particuliers.	1 OCTET
+05h	Tête de lecture/écriture où se termine la partition	1 OCTET
+06h	Secteur et cylindre où se termine la partition	1 MOT
+08h	Distance en secteurs du premier secteur de la partition (secteur boot) au secteur de partition	4 OCTETS
+0ch	Nombre de secteurs de cette partition	4 OCTETS
Longueur : 10h (16 octets)		

Chaque partition est décrite dans cette table par une structure de 16 octets. Cette table se trouvant presque déjà à la fin du secteur de partition, elle n'offre de place que pour 4 entrées, ce qui limite, par conséquent, le nombre de partitions à 4. C'est pourquoi certains fabricants fournissent des programmes de configuration spéciaux qui permettent de loger un plus grand nombre de partitions sur un disque dur en avançant la table à l'intérieur des secteurs de partition et en installant un nouveau code de partitions accédant à la table décalée sans que la structure de base de cette table soit modifiée pour autant.

De plus, l'utilisateur dispose d'une option "Multiple-Boot" qui lui permet de décider, au cours de l'exécution du code de programme, quelle partition doit être lancée. Ceci permet d'utiliser parallèlement plusieurs systèmes d'exploitation et de sélectionner lors de chaque lancement du système le système d'exploitation souhaité. Ces différents programmes ne modifient toutefois nullement la structure fondamentale. Notez cependant que les diverses entrées de partitions ne commencent pas toujours avec la première entrée de la table. Il est par exemple parfaitement possible que la partition unique d'un disque dur ne soit pas décrite par la première entrée de la table mais par la deuxième, la troisième, voire même la quatrième.

Lancement de la partition d'amorçage

Le premier champ de la structure de partition permet de savoir s'il s'agit de la partition boot. La valeur 00h signifie ici "non activé" alors que la valeur 80h désigne la partition à utiliser pour le démarrage du système. Si, en examinant la table, le code de partition ne trouve pas de partition boot ou s'il en trouve plusieurs, ou encore s'il rencontre un code inconnu, il interrompt l'opération d'amorçage avec un message d'erreur et se lance dans une boucle sans fin que seule une réinitialisation peut interrompre.

Lorsque le code de partition a identifié la partition boot, c'est-à-dire celle qui doit servir au lancement du système, les deux champs suivants lui indiquent la situation de cette partition sur le disque dur. Les numéros de secteurs et de cylindres sont codés ici sous la même forme que pour l'interruption BIOS 13h (disquette/disque dur), les bits 6 et 7 du numéro de secteur représentant les bits 8 et 9 du numéro de cylindre. Cette conformité n'est d'ailleurs pas un hasard car l'interruption 13h et ses fonctions représentent, au moment de cette opération, la seule possibilité d'accès au disque dur. Les fonctions DOS ne sont en effet pas encore disponibles puisque le DOS doit justement encore être lancé.

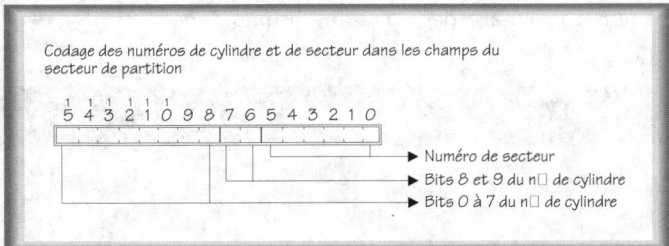

Des informations supplémentaires dans la structure d'amorçage

Bien que ces informations suffisent amplement pour charger le secteur boot de la partition à lancer, la table de partitions contient quelques informations supplémentaires qui sont précieuses en vue de modifications et extensions ultérieures. La situation du secteur boot est ainsi suivie d'un champ décrivant le type de système d'exploitation utilisé dans la partition. La figure précédente vous montre les différents codes qui peuvent apparaître dans ce champ.

Le secteur de partition indique, outre le secteur de départ, le dernier secteur d'une partition. La situation de ce secteur est elle aussi définie par l'indication des numéros de têtes, de cylindres et de secteurs. Les deux premiers champs d'une entrée de la table indiquent encore le nombre de secteurs que comptent la partition ainsi que la distance, exprimée en secteurs, du secteur boot de la partition au secteur de partition.

En examinant la table de partition, on constatera généralement que la première partition ne se situe pas immédiatement à la suite du secteur de partition mais commence seulement au premier secteur de la piste 0 de la deuxième tête de lecture/écriture. La piste 0 de la première tête de lecture/écriture est donc entièrement inutilisée, à l'exception bien sûr du secteur de partition dans le premier secteur de cette piste. D'autres incohérences sont d'ailleurs à déplorer notamment en ce qui concerne les partitions étendues du DOS.

Structure des partitions étendues sous DOS

DOS 3.3 n'autorise ainsi qu'une seule partition étendue en plus de la partition primaire. Et FDISK dote cette partition étendue elle aussi d'un secteur de partition qui ne contient bien sûr pas de code programme mais comporte, comme il se doit, une table de partitions. Cette table de partitions se compose toujours de deux entrées, la première décrivant la partition étendue dans laquelle figure justement ce secteur de partition, avec comme type de partition le code 1 ou 4 (partition DOS avec une FAT de 12 ou 16 bits respectivement). La seconde entrée décrit la prochaine partition DOS étendue sur le disque dur, s'il y en a une.

Pour soutenir d'autres partitions étendues, la partition étendue suivante débute à son tour par un secteur de partition tel que nous venons de le décrire. Ainsi se forme une sorte de liste chaînée qui ne s'achève que lorsque le champ "type de partition" de la seconde entrée de la table d'une partition de cette chaîne contient la valeur 0.

10.8.1. Examen d'une structure de partition

Pour que vous puissiez vous faire une idée de la structure de votre propre disque dur, voici maintenant trois programmes en BASIC, PASCAL et en C qui commentent le contenu du secteur de partition et recherchent sur le disque dur les secteurs de partition des partitions étendues (s'il y en a). Les programmes sont prévus pour accéder normalement au premier disque dur avec le numéro 0, mais vous pouvez spécifier un autre numéro (1, 2, 3 etc) lors de l'appel des programmes pour accéder à d'autres disques durs.

FIXPARTC.C   FIXPARTP.PAS   FIXPARTB.BAS

11. Programmation de la souris

Si elles faisaient encore, il y a quelques années, figures d'animaux exotiques dans l'univers du PC, les souris ont maintenant trouvé leur place à côté de presque tous les claviers PC. Elles doivent ce succès à la diffusion toujours croissante des standards vidéo puissants tels que EGA et VGA, qui, à leur tour, permettent la réalisation d'environnements utilisateur graphique, qui doivent une grande partie de leur attrait à l'utilisation de la souris.

L'emploi de la souris ne se limite d'ailleurs pas aux applications fonctionnant en mode graphique. Depuis qu'est apparu le standard SAA et l'environnement utilisateur DOS, les utilisateurs attendent aussi des applications orientées texte qu'elles acceptent la souris, parallèlement au clavier, comme un périphérique de saisie à part entière. Pratiquement tous les programmes DOS admettent aujourd'hui que la souris rend plus souple et plus confortable la manipulation d'un programme. À l'heure actuelle, une application professionnelle peut difficilement renoncer à l'usage de la souris.

Ce chapitre, qui décrit la programmation de la souris sous DOS, démontre qu'il n'est nullement nécessaire de s'adresser à une équipe de spécialistes pour intégrer la souris dans l'exploitation d'une application. Vous saurez également comment la souris est reconnue par l'ordinateur, autrement dit comment s'établit la communication entre la souris et le gestionnaire de souris.

11.1. L'interface logicielle

L'interface qui a été définie par Microsoft pour ses diverses souris a été acceptée comme standard par les autres fabricants. Cette interface est généralement installée à l'aide d'un driver de périphérique, qui est chargé lors du chargement du système, ou à travers un programme résident, comme le programme MOUSE.COM des souris Microsoft.

Appel des fonctions souris

La technique servant à appeler les différentes fonctions est la même que pour l'interface de programmation du DOS et du BIOS : les différentes fonctions sont appelées à travers une interruption spéciale, l'interruption 33h, le numéro de code de la fonction appelée devant être spécifié dans le registre AX. Les autres registres du processeur sont également utilisés, avec des combinaisons différentes, pour transmettre des informations aux diverses fonctions.

Même si 53 fonctions différentes peuvent être ainsi appelées, seules quelques-unes seront réellement utilisées dans une application. Avant d'en venir à la description de chaque fonction, un exposé rapide des principes sur lesquels repose l'interface souris nous aidera à mieux comprendre les différentes fonctions. Nous nous intéresserons ici essentiellement aux problèmes qui se posent dans une application orientée texte. Si vous souhaitez en effet développer une application orientée texte, vous auriez de toute façon plutôt intérêt à recourir à un environnement graphique, comme les API Windows, qui offrent pour le travail avec la souris des fonctions beaucoup plus pratiques que celles que l'interface de programmation que nous allons décrire ici peut offrir.

La table suivante fournit la liste des fonctions supportées par les gestionnaires de souris jusqu'à la version 8 incluse. Ces fonctions sont plus que suffisantes pour gérer la souris dans une application orientée texte.

Fonction	Utilisation	Version
00H*	Réinitialise le driver	01
01H*	Affiche le curseur souris	01
02H*	Masque le curseur souris	01
03H*	Lit la position du curseur/l'état du bouton	01
04H*	Déplace le curseur souris	01
05H*	Détermine le nombre de fois le bouton est appuyé	01
06H*	Détermine le nombre de fois le bouton est relâché	01
07H*	Règle la zone horizontale de déplacement	01
08H*	Règle la zone verticale de déplacement	01
09H	Définit le curseur souris (mode graphique)	01
0AH*	Définit le curseur souris (mode texte)	01
0BH*	Détermine les distances de déplacement	01
0CH*	Définit le Handler d'événement	01
0DH	Active l'émulation du crayon optique	01
0EH	Désactive l'émulation du crayon optique	01
0FH	Définit la vitesse du curseur	01
10H*	Zone d'exclusion	01
11H	Non documenté	01
12H	Non documenté	01
13H*	Définit la vitesse maximale du double-clic	01
14H	Échange les Handlers d'événement	01
15H	Détermine la taille du buffer de l'état de la souris	01
16H*	Sauve l'état de la souris	01
17H*	Restaure l'état de la souris	01
18H*	Installe un Handler d'événement alterné	01
19H	Détermine l'adresse du Handler d'événement alterné	01
1AH	Règle la sensibilité de la souris	01
1BH	Détermine la sensibilité de la souris	01
1CH	Définit le taux d'interruption hardware de la souris	01
1DH*	Définit la page d'affichage	01
1EH*	Détermine la page d'affichage	01
1FH	Désactive le driver souris	01
20H	Active le driver souris	01
21H	Réinitialise le driver souris	01
22H	Définit la langue pour les messages	01
23H	Lit le numéro de la langue	01
24H	Détermine le type de souris	01
25H	Lit les informations du driver	06
26H	Lit les coordonnées virtuelles maxi	06
27H*	Lit les masques et les compteurs Mickey	7A
28H	Définit le mode vidéo	07
29H	Compte les modes vidéo	07
2AH	Lit le hotspot du curseur	7B
2BH	Définit les courbes d'accélération	07
2CH	Lit les courbes d'accélération	07

Fonction	Utilisation	Version
2DH	Définit/lit les courbes d'accélération	07
2EH	Non documenté	01
2FH	Réinitialise le hardware souris	7B
30H	Définit/lit les informations de la ballpoint	7C
31H	Lit les coordonnées virtuelles mini/maxi	7D
32H	Lit les fonctions actives avancées	7D
33H	Lit les réglages des switch	7D
34H	Lit la localisation de MOUSE.INI	08

Légende :

* = fonction couramment utilisée (décrite dans ce chapitre)
01 = Version >= 1.0
06 = Version >= 6.26
07 = Version >= 7.0
7A = Version >= 7.01
7B = Version >= 7.02
7C = Version >= 7.04
7D = Version >= 7.05
08 = Version >= 8.0

Les boutons de la souris

Contrairement à un clavier avec ses nombreuses touches et le nombre de codes différents qui en résulte, une souris PC ne dispose généralement que de deux boutons, parfois trois, pour permettre à l'utilisateur de transmettre des instructions à un programme.

Une autre information, à savoir la position de la souris ou plutôt de curseur de la souris sur l'écran, joue cependant également un rôle décisif. C'est cette information qui fait de la souris une sorte de baguette permettant de désigner n'importe quel endroit de l'écran. Une information telle que le fait que le bouton gauche de la souris a été appuyé doit donc toujours être interprétée en fonction de la position actuelle de la souris. La position de la souris permet de désigner l'objet (de l'écran) sur lequel figure le curseur de la souris, et qui a ainsi été sélectionné par l'utilisateur.

L'écran souris virtuel

À l'intérieur du driver de la souris, les positions de la souris sont toujours interprétées par référence à un écran graphique virtuel, dont la résolution dépend du mode vidéo sélectionné et de la carte vidéo utilisée. Cet écran graphique virtuel est utilisé y compris dans les différents modes de texte pour déterminer la position de la souris, et il sert de base à la communication avec l'interface souris, de sorte que ces coordonnées graphiques doivent toujours être converties en coordonnées de colonne et de ligne du curseur de la souris. Chaque colonne ou chaque ligne correspondant à 8 points, les coordonnées graphiques doivent donc être divisées par 8, ou bien être décalées de trois chiffres binaires sur la droite, ce qui revient exactement au même arithmétiquement, mais peut être réalisé par le processeur beaucoup plus rapidement qu'une division.

Le curseur de la souris

La souris est représentée sur l'écran par un curseur, qui suit les déplacements de la souris sur le bureau. En mode texte, ce curseur peut être représenté sous forme d'un curseur électronique clignotant, ou bien sous forme d'un curseur logiciel dont la forme peut être définie par une application. Dans le premier cas, l'application peut seulement fixer les lignes de départ et de fin de ce curseur sur le caractère recouvert, en tenant compte de la taille de la matrice de caractère actuelle dans le mode vidéo activé. Le curseur logiciel offre des possibilités de configuration beaucoup plus larges, puisque son apparence peut être définie par deux valeurs 16 bits appelées masque écran (Screen Mask) et masque curseur (Cursor Mask).

L'apparence du curseur logiciel est redéfinie par le driver de la souris sur chaque position de l'écran, en combinant le masques curseur et écran avec les 2 octets définissant, à l'intérieur de la RAM vidéo, le code caractère et la couleur d'un caractère. Cette combinaison s'effectue en deux étapes, le code caractère et l'octet d'attribut étant tout d'abord combinés avec le masque écran par un ET binaire. Le résultat de cette combinaison est alors, à son tour, combiné avec le masque curseur par un OU exclusif, et le résultat est ensuite envoyé sur l'écran.

Bien que cette méthode n'ait rien d'évident au premier abord, elle offre une série de possibilités pour définir l'apparence du curseur dont les quatre suivantes :

○ Le curseur est toujours affiché sous forme d'un caractère fixe, avec une couleur constante
○ Le curseur de la souris est toujours affiché sous forme d'un caractère déterminé, mais sa couleur dépend de la couleur du caractère recouvert (qui sera par exemple inversée)
○ Le caractère sous le curseur de la souris ne change pas mais reçoit une couleur déterminée
○ Le caractère sous le curseur de la souris ne change pas mais reçoit une couleur obtenue par combinaison avec la couleur du caractère actuel

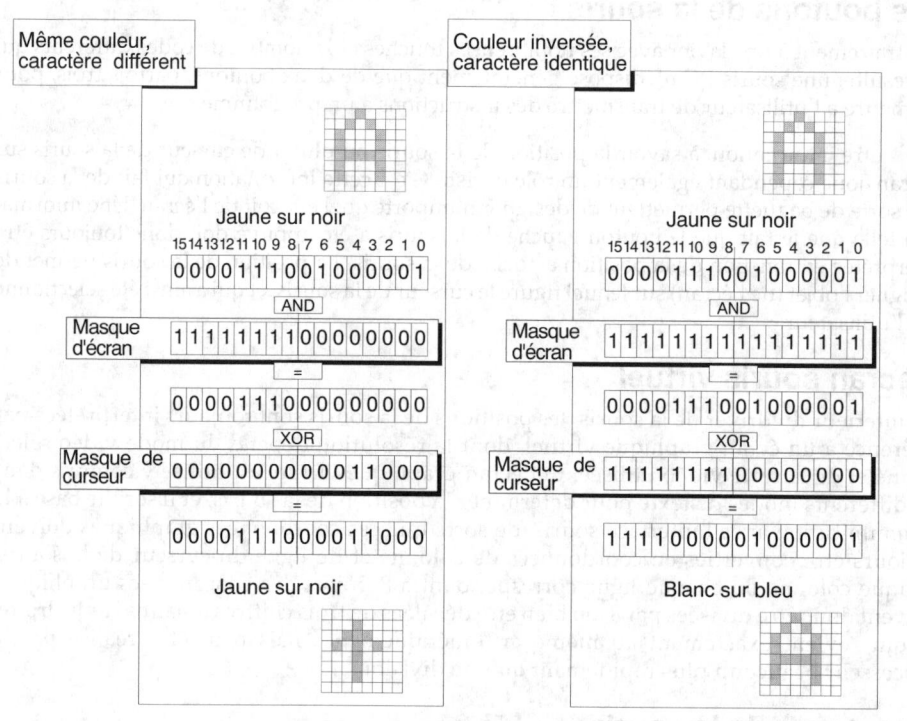

Le curseur de la souris résultant de la combinaison du caractère actuel avec les masques curseur et écran

L'interface souris rend hommage à la souris certainement la plus célèbre : Mickey. Le Mickey est en effet le nom qui a été donné à l'unité mesurant un parcours de 1/200 de pouce (1,27 mm).

L'électronique de la souris a été conçue de façon à ce que toutes les distances correspondent à un multiple entier de cette longueur. C'est pourquoi nous aurons de nombreuses occasions d'évoquer cette unité de mesure lors de la description des différentes fonctions.

Fonction 00H :	Réinitialise le driver souris

Avant de travailler avec les fonctions de l'interface souris, un programme doit de préférence appeler tout d'abord la fonction 00h, pour réinitialiser le driver de la souris. Au vu du contenu du registre AX après appel de cette fonction, le programme pourra, en outre, déterminer si une souris et un driver de souris approprié sont bien effectivement installés. Si le registre AX contient encore la valeur 0000h après appel de cette fonction, cela signifie qu'aucun driver de souris n'est en tout cas installé (même si une souris peut être présente). Le programme pourra donc se dispenser de tenir compte de la souris au cours de son travail.

Si par contre un driver de souris, et donc aussi une souris, est installé, la fonction 00h renvoie la valeur FFFFh dans le registre AX. Comme nous l'avons déjà indiqué plus haut, les souris PC disposent généralement de deux boutons, bien que certains fabricants dotent leurs souris de trois boutons. Sous peine de devoir fournir un travail de programmation beaucoup plus important, il est donc préférable de renoncer à une définition individuelle et de n'utiliser que deux boutons de la souris.

La réinitialisation du driver de la souris consiste, pour la fonction 00h, à réinitialiser de nombreux paramètres de la souris que l'interface souris permet de fixer, en rétablissant les valeurs par défaut de ces paramètres.

Fonction 01H :	Affiche le curseur de la souris

La fonction 01H affiche le curseur à l'écran. Elle n'attend pas d'autre paramètre que le numéro de fonction dans le registre AX. Comme le driver de la souris suit les déplacements de la souris même lorsque le curseur de la souris est désactivé, il se peut que le curseur de la souris n'apparaisse d'ailleurs déjà plus au centre de l'écran où à l'endroit où il se trouvait la dernière fois qu'il a été caché.

Fonction 02H :	Cache le curseur de la souris

Le curseur peut à nouveau être caché à l'aide de la fonction 02h, qui n'attend pas non plus d'autre paramètre que le numéro de fonction. Il existe une relation très particulière entre les fonctions 01h et 02h, car les appels des deux fonctions doivent être équilibrés pour produire un effet. Si vous appelez par exemple la fonction 02h par deux fois consécutives, la fonction 01h devra également être appelée deux fois pour que le curseur de la souris réapparaisse sur l'écran. Il en va naturellement de même dans le sens contraire.

Vous n'aurez d'ailleurs, en principe, pas à employer ces deux fonctions très souvent, car il suffit de rendre le curseur de la souris visible après avoir appelé la fonction 00h, puis de le cacher à nouveau à la fin du programme. Vous ne serez contraint d'avoir fréquemment recours à ces fonctions que si votre programme écrit directement dans la RAM vidéo, pour contourner les routines de sortie assez lentes du DOS et du BIOS. Dans ce cas, en effet, vous devrez veiller à ce que le curseur de la souris ne soit pas recouvert par vos sorties, ce qui aurait deux conséquences fâcheuses :

le curseur de la souris disparaîtrait de l'écran parce qu'il aurait été effacé par un autre caractère.

le driver de la souris enverrait sur l'écran un caractère erroné lorsque le curseur de la souris serait déplacé. Cela est dû au mode de travail du driver de la souris lorsque le curseur de la souris est déplacé sur l'écran. Avant de placer le curseur de la souris

dans un emplacement donné de l'écran, le driver de la souris enregistre en effet tout d'abord le caractère qui figurait jusqu'ici dans cette position, pour pouvoir le replacer sur l'écran dès que le curseur de la souris sera déplacé vers une autre position de l'écran. Or, en cas d'écriture directe dans la RAM vidéo, le driver de la souris ne peut détecter qu'un nouveau caractère a été sorti dans l'emplacement du curseur de la souris. Lorsque le curseur de la souris sera déplacé, il ramènera donc naturellement l'ancien caractère, c'est-à-dire un caractère qui ne convient plus, sur l'écran.

Cette source d'erreur peut cependant être évitée en cachant le curseur de la souris avant la sortie de caractères, ce qui oblige le driver de la souris à ramener l'ancien caractère sur l'écran, puis en incrustant le curseur de la souris à nouveau, après la sortie de caractères, pour faire enregistrer le nouveau caractère. Il est cependant déconseillé d'effectuer ces opérations lors de la sortie de chaque caractère, car elles prennent beaucoup de temps et contrebalanceraient le temps gagné par une écriture directe dans la RAM vidéo. Il est donc recommandé de cacher le curseur de la souris avant une opération de sortie d'envergure, par exemple lorsqu'il s'agit de mettre en place une fenêtre de l'écran, et de ne l'incruster sur l'écran à nouveau qu'une fois cette opération achevée.

Les fonctions DOS et BIOS de sortie de caractères envoyant également, au bout du compte, leurs sorties directement dans la RAM vidéo, le même problème devrait se poser. En réalité, le programmeur n'a pas à se préoccuper du curseur de la souris lorsqu'il travaille avec ces fonctions, car, lors de son installation, le driver de la souris détourne vers une routine personnelle le vecteur d'interruption 10h, à travers lequel s'effectuent les sorties sur écran du BIOS et du DOS. A travers ces fonctions, le driver de la souris peut ainsi cacher le curseur de la souris avant toute sortie de caractères, puis l'incruster à nouveau après la sortie, chaque fois que cela est nécessaire.

Fonction 04H : Déplace le curseur de la souris

La fonction 04h permet d'amener le curseur de la souris sur un emplacement donné de l'écran, sans que la souris ait été déplacée. Elle attend le numéro de fonction dans le registre AX, la nouvelle ordonnée horizontale (la colonne) dans le registre CX et l'ordonnée verticale (la ligne) dans le registre DX. Les coordonnées de texte doivent donc être multipliées par huit (ou bien être décalées de trois chiffres binaires sur la gauche) avant d'être transmises à la fonction 04h. Les coordonnées fournies doivent se situer à l'intérieur de la zone de l'écran définie comme zone de déplacement de la souris.

Après appel de la fonction 00h (réinitialisation du driver de la souris), cette zone comprend tout d'abord la totalité de l'écran, mais elle peut être limitée avec les fonctions 07h et 08h.

Fonctions 07H & 08H : Définissent la zone de déplacement

La fonction 07h définit la zone de déplacement horizontale, l'ordonnée X minimale devant lui être spécifiée dans le registre CX, l'ordonnée X maximale dans le registre DX. Il en va de même pour la fonction 08h, qui définit la zone de déplacement verticale, et qui attend dans les registres CX et DX les ordonnées Y minimale et maximale respectivement. N'oubliez pas de convertir les coordonnées de texte en coordonnées de l'écran virtuel de la souris, en multipliant les coordonnées par huit.

Après appel de ces fonctions, le driver de la souris ramène automatiquement le curseur de la souris dans la zone spécifiée, si toutefois il figurait en dehors de ces limites. L'utilisateur n'a alors plus aucune possibilité de déplacer le curseur de la souris au-delà de ces limites, puisque tout déplacement est stoppé aux limites de cette zone.

Fonction 10H : — Zone d'exclusion

À la zone de déplacement de la souris s'oppose la zone dite d'exclusion, qui fonctionne comme une sorte de trou noir et engloutit le curseur de la souris (c'est-à-dire le rend invisible) dès qu'il pénètre dans cette zone. Le curseur de la souris redevient toutefois visible dès qu'il quitte cette zone. À la suite d'une réinitialisation du driver de la souris, aucune zone d'exclusion n'est encore définie, mais la fonction 10h permet d'en définir une à tout moment. Le driver de la souris ne peut cependant gérer qu'une seule zone d'exclusion à la fois. Les coordonnées de la zone d'exclusion doivent être transmises à la fonction 10h dans les registres CX et DX (coin supérieur gauche) ainsi que SI et DI (coin inférieur droit). CX et SI reçoivent l'ordonnée X, DX et SI l'ordonnée Y.

Comme la fonction 02h, la zone d'exclusion joue un rôle important en cas d'accès direct à la RAM vidéo. Alors que la fonction 02h élimine le curseur de la souris de l'écran dans tous les cas, la fonction 10h ne le fait que s'il figure déjà dans la zone d'exclusion ou bien s'il y est amené. La fonction 10h est donc particulièrement utile lorsqu'il s'agit de reconstruire une zone de l'écran assez vaste (comme une fenêtre par exemple), car elle permet de laisser le curseur de la souris sur l'écran tant qu'il ne figure pas à l'intérieur de cette zone.

La zone d'exclusion peut être annulée en appelant la fonction 01h ou la fonction 00h. La fonction 01h fait automatiquement réapparaître le curseur s'il se trouvait à l'intérieur de la zone d'exclusion.

Fonction 1DH : — Définit la page d'affichage

La fonction 1Dh permet de fixer dans quelle page écran le curseur de la souris doit être sorti (le numéro de page écran doit être placé dans le registre BX). Cela n'est cependant nécessaire que lorsque le programme amène au premier plan, par programmation directe de l'électronique d'une carte vidéo, une autre page écran que celle qui était jusqu'ici affichée. Lorsqu'une page écran est activée à l'aide de la fonction appropriée de l'interruption BIOS 10h, il est superflu d'appeler cette fonction car le driver de la souris en tient automatiquement compte.

Fonction 0FH : — Définit la vitesse du curseur

Deux paramètres déterminent la "vitesse" à laquelle le curseur de la souris se déplace sur l'écran. Ils décrivent le rapport entre la longueur d'un déplacement physique de la souris et le nombre de points parcourus parallèlement dans l'écran virtuel de la souris. La fonction 0Fh permet de fixer ces paramètres séparément pour les déplacements horizontal et vertical. Les deux paramètres transmis dans les registres CX (déplacement horizontal) et DX (déplacement vertical) indiquent le nombre de Mickeys équivalant à 8 points de l'écran virtuel de la souris, c'est-à-dire à une ligne ou à une colonne de l'écran de texte.

Les valeurs par défaut fixées par la fonction 00h sont de 8 Mickeys horizontalement et de 16 Mickeys verticalement. Dans l'écran de texte, le curseur de la souris se déplacera donc d'une colonne lorsque la souris sera déplacée de 8 Mickeys (environ 10 mm) horizontalement. Pour sauter à la ligne suivante, il faudra cependant que la souris parcoure 16 Mickeys verticalement, c'est-à-dire 20 mm.

Il n'est pas conseillé de modifier ces réglages, car ils tiennent compte des différences de résolution de l'écran entre la largeur et la longueur et donnent de bons résultats. Si toutefois vous souhaitez une souris "plus rapide" ou "plus lente", cette fonction vous permet de modifier la vitesse entièrement à votre gré.

| **Fonction 0AH :** | Définit la forme de la souris |

La fonction 0AH détermine l'apparence du curseur en mode texte. Le masque du curseur et le masque écran peuvent également être définis à l'aide d'une fonction de l'interface souris, la fonction 0Ah. Le programme appelant la fonction 0Ah indique au driver de la souris, dans le registre BX, si le driver de la souris doit utiliser le curseur électronique ou bien un curseur logiciel.

Curseur défini par logiciel

Si le registre BX contient la valeur 0, le driver de la souris sélectionnera le curseur logiciel. Dans ce cas, il attend dans le registre CX le masque écran et dans le registre DX le masque curseur qui définiront désormais l'apparence du curseur de la souris.

Curseur défini par hardware

Le driver de la souris sélectionne le curseur électronique si la valeur 1 lui a été transmise dans le registre BX, lors de l'appel de la fonction 0Ah. Il interprète alors le contenu du registre CX comme ligne de départ du curseur électronique, le contenu du registre DX comme sa ligne finale.

Mode vidéo et taille du curseur

Notez bien à ce propos que les valeurs admises pour les lignes de départ et de fin dépendent chaque fois du mode vidéo sélectionné. En mode d'écran monochrome, les valeurs entre 0 et 13 sont autorisées, en mode couleur seules les valeurs de 0 à 7. La matrice de caractère des cartes EGA et VGA comprend en effet jusqu'à 14 ou 16 lignes de balayage, mais il ne faut pas en tenir compte car les valeurs entre 0 et 7 spécifiées sont automatiquement converties par le BIOS EGA ou VGA en fonction de la taille de la matrice de caractère actuelle.

Les fonctions présentées jusqu'ici servaient à fixer les différents paramètres affectant le fonctionnement du driver de la souris. Le driver de la souris soutient naturellement toute une série de fonctions servant à tester la position de la souris et l'état des boutons de la souris. Ces diverses fonctions peuvent être classées en deux catégories correspondant à des approches différentes du test de périphériques externes tels que la souris, le clavier, l'imprimante ou le lecteur de disquette. On oppose en effet les méthodes dites Polling ou Interrupt.

Méthode Polling

La méthode polling signifie qu'un périphérique est testé en permanence dans le cadre d'une boucle, qui ne se termine qu'une fois que l'événement attendu s'est produit. L'exécution de cette boucle absorbant totalement l'unité centrale, celle-ci n'a généralement plus de temps pour accomplir d'autres tâches.

Méthode Interruption

La méthode d'interruption (Interrupt) permet de remédier à cet inconvénient car l'unité centrale peut vaquer à d'autres tâches jusqu'à ce que l'événement ("event" en anglais) se soit produit. Ce n'est qu'alors que le driver de la souris appellera une routine, qui aura été déclarée comme routine d'interruption pour réagir à l'événement attendu, puis exécutera les autres opérations nécessaires pour réagir à l'événement.

Fonction 03H : Lire la position du curseur/l'état du bouton

Quelle que soit la méthode que vous préférez, les deux sont soutenues par le driver de la souris. L'interface souris offre quatre fonctions relevant de la méthode du Polling, mais il s'agit en réalité de variantes et une seule de ces fonctions, la fonction 03h, suffit généralement tout à fait à la tâche.

Cette fonction est l'une des rares de l'interface souris à renvoyer des informations au programme d'appel. Ces informations indiquent non seulement la position actuelle du curseur de la souris, mais aussi l'état des boutons de la souris. La position horizontale de la souris est fournie dans le registre CX, la position verticale dans le registre DX. Notez bien que ces coordonnées se réfèrent également à l'écran virtuel de la souris et qu'elles doivent donc être divisées par 8 pour être converties en coordonnées de l'écran de texte. Comme le montre la figure suivante, l'état des boutons de la souris est renvoyé dans le registre BX, seuls les trois bits inférieurs étant cependant significatifs. Ils représentent chacun l'état de l'un des deux ou trois boutons de la souris, et contiennent 1 si le bouton correspondant est appuyé au moment de l'appel de la fonction.

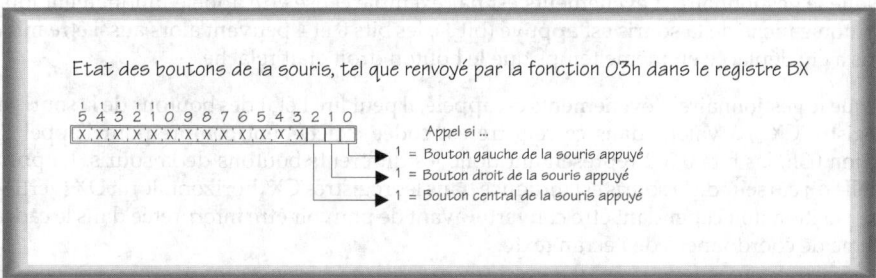

Etat des boutons de la souris, tel que renvoyé par la fonction 03h dans le registre BX

Fonction 0CH : Définit le Handler d'événement

La fonction 0Ch permet d'installer une routine d'interruption, qu'on appelle aussi gestionnaire d'événement (Event Handler). Elle attend, outre le numéro de fonction, les adresses de segment et d'offset du gestionnaire d'événement dans la paire de registres ES:DX ainsi que ce qu'on appelle un masque d'événements dans le registre CX. Les différents bits de ce flag décident dans quelles situations le gestionnaire d'événement doit être appelé. Examinez à ce propos la figure suivante :

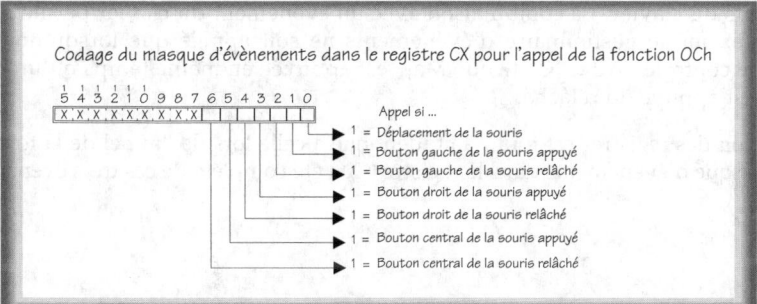

Codage du masque d'évènements dans le registre CX pour l'appel de la fonction 0Ch

Après exécution de cette fonction, le gestionnaire d'événements sera appelé par le driver de la souris dès qu'un au moins des événements spécifiés sera intervenu. Contrairement à ce qui se passe avec une routine d'interruption, l'appel ne s'effectue toutefois pas à travers l'instruction INT du langage machine mais avec une instruction FAR CALL.

Cette distinction est très importante pour la configuration du gestionnaire d'événements, car elle implique qu'il doit se terminer par une instruction langage machine FAR RET, et non par IRET. Comme une routine d'interruption, il ne doit renvoyer avec une valeur différente aucun des divers registres du processeur. Immédiatement après avoir été appelé, le gestionnaire d'événements doit donc sauvegarder sur la pile les registres risquant d'être modifiés, de façon à pouvoir, en fin d'exécution, retirer les valeurs sauvegardées de la pile, pour les charger à nouveau dans les registres appropriés.

Le driver de la souris transmet au gestionnaire d'événements différentes informations dans les divers registres du processeur, par exemple le type d'événement ayant provoqué l'appel du gestionnaire. Cette information figure par exemple dans le registre AX, les différents bits revêtant la même signification que dans le masque d'événements pour l'appel de la fonction 0Ch (voyez la figure présentée plus haut). Certains bits peuvent cependant également être fixés bien qu'ils ne représentent pas l'intervention d'un quelconque événement.

Lorsque le gestionnaire d'événements est par exemple censé être appelé uniquement lorsque le bouton gauche de la souris est appuyé (bit 1), les bits 0 et 4 peuvent alors aussi être mis si la souris a été déplacée en même temps que le bouton droit était relâché.

Lorsque le gestionnaire d'événements est appelé, il peut lire l'état des boutons de la souris dans le registre CX. La valeur dans ce registre est codée exactement comme pour l'appel de la fonction 03h, les bits 0 à 2 représentant donc les différents boutons de la souris. La position actuelle du curseur de la souris est indiquée dans les registres CX (horizontale) et DX (verticale). Cette position doit cependant être convertie avant de pouvoir être interprétée dans le cadre du système de coordonnées de l'écran texte.

Lorsqu'on développe un gestionnaire d'événements, il convient également de tenir compte du fait que le registre DS, lors de l'appel du gestionnaire, ne désigne pas le segment de données du programme interrompu mais celui du driver de la souris. Pour accéder à son segment de données propre, le gestionnaire d'événements doit donc d'abord en charger l'adresse dans le registre DS.

Fonction 18H :	Installe un Handler d'événement alterné

La fonction 18h permet d'installer un gestionnaire d'événements capable de réagir non seulement aux événements concernant la souris mais aussi (dans une mesure limitée) aux événements du clavier. La combinaison avec un événement du clavier permet, lorsqu'on le souhaite, que le gestionnaire d'événements ne soit appelé que lorsqu'une des trois touches de contrôle »Alt«, »Ctrl« ou »Maj« est appuyée en même temps qu'un bouton de la souris est appuyé ou relâché.

La définition des registres est tout à fait identique à celle lors de l'appel de la fonction 0Ch, mais le masque d'événements dans le registre CX a été complété de ces trois événements.

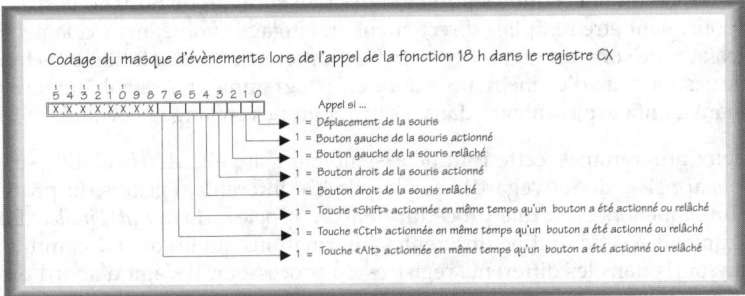

Lorsqu'on appelle un gestionnaire d'événements "alternatif", peu de choses changent également par rapport aux gestionnaires d'événements installés avec la fonction 0Ch. Seul le contenu du registre AX doit être interprété un peu différemment car sa structure correspond à celle du masque d'événements ci-dessus.

Une autre différence par rapport aux gestionnaires d'événements "normaux" est que la fonction 18h permet d'installer jusqu'à trois gestionnaires d'événements "alternatifs". Alors que tout appel de la fonction 0Ch a pour effet de remplacer le gestionnaire d'événements déjà installé par celui spécifié, trois gestionnaires d'événements différents peuvent être installés en appelant à trois reprises la fonction 18h, à condition toutefois que chaque gestionnaire d'événements soit doté d'un masque d'événements différent. Lorsqu'est spécifié à la fonction 18h un masque d'événements déjà associé à un gestionnaire installé, ce gestionnaire est remplacé par le nouveau gestionnaire d'événements.

11.2. Programmes de démonstration

Nous vous proposons avec ce chapitre, à titre d'exemples du travail avec les fonctions de l'interface souris, un programme C et un programme Turbo Pascal se chargeant de la partie certainement la plus complexe du test de la souris, la réalisation et l'installation d'un gestionnaire d'événements. Les deux programmes comportent en outre quelques fonctions ou procédures servant à appeler les différentes fonctions de la souris. Ces routines ne posent d'ailleurs pas de problèmes trop compliqués pour les programmeurs puisqu'il s'agit essentiellement de charger les valeurs voulues dans les registres du processeur puis d'appeler l'interruption 33h. Ce type de séquences d'instructions ayant été décrites de façon suffisamment détaillée dans les chapitres précédents, nous nous dispenserons de décrire ici le fonctionnement de ces routines. Concentrons-nous donc sur la partie la plus complexe des programmes : le gestionnaire d'événements.

L'installation d'un gestionnaire d'événements dans un programme en langage évolué n'est pas très simple car elle suppose la réalisation d'un certain nombre de conditions qui échappent normalement au contrôle du programmeur dans un langage évolué :

○ Le gestionnaire d'événements doit être une procédure FAR, c'est-à-dire se terminer par une instruction FAR RET,

○ Il doit sauvegarder les différents registres du processeur lorsqu'il est appelé, et les restaurer avant de se terminer et

○ Il doit charger l'adresse de segment du segment de données en langage évolué dans le registre DS pour pouvoir accéder aux variables globales du programme.

Grâce à l'extension qu'ont connue les versions les plus récentes de Borland Pascal, et MSC, ces exigences pourraient être remplies directement en langage évolué, mais cela nécessiterait un peu de bricolage, de sorte que nous avons préféré opter pour une solution plus traditionnelle. Le véritable gestionnaire d'événements a donc été programmé en Assembleur, le module objet correspondant étant ensuite intégré dans les programmes en langage évolué.

Dans les deux programmes, cette routine assembleur s'appelle *AssHand*. Elle se contente en fait, une fois appelée, de sauvegarder sur la pile les différents registres du processeur, puis d'appeler une fonction C ou une procédure Pascal appelée *MouEventHandler*. Elle transmet comme arguments à cette routine différentes informations qui lui ont été communiquées par le driver de souris dans les différents registres du processeur. Il s'agit d'abord du *Event Flag*, qui décrit l'événement ayant provoqué l'appel du gestionnaire d'événements, ensuite de l'état des boutons de la souris, et enfin de la position actuelle du curseur de la souris. Elle ne retransmet cependant pas ces informations telles quelles à *MouEventHandler*. Pour gagner du temps, elle convertit tout d'abord les coordonnées qui lui ont été transmises du système de coordonnées de l'écran graphique virtuel vers le système de coordonnées de l'écran texte, avec ses 25 lignes et 80 colonnes (normalement).

Comme il est habituel dans les langages évolués, les paramètres sont transmis à travers la pile. Il convient de noter à ce propos, en ce qui concerne la version C de *AssHand*, que les arguments doivent être placés sur la pile dans l'ordre inverse de leurs déclarations (dans la fonction C), comme le veut l'usage en C. Après appel de la routine en langage évolué (avant quoi le registre DS doit avoir été défini), ces arguments doivent à nouveau être retirés de la pile en augmentant le pointeur de pile à raison de la place mémoire occupée par les arguments (8 octets). Cela ne vaut cependant que pour la version C de la routine. En Turbo Pascal, c'est la procédure Pascal appelée qui se charge de cette tâche.

Après appel de cette routine, la routine assembleur a déjà terminé son travail et il ne lui reste plus qu'à préparer le retour vers le driver de la souris. Elle retire pour cela de la pile les registres du processeur sauvegardés auparavant et rend alors le contrôle au programme d'appel, à l'aide d'une instruction FAR RET.

Alors que les différentes instructions de *AssHand* sont vite exécutées, l'exécution du gestionnaire en langage évolué peut prendre beaucoup de temps dans certains cas. Cela pose le problème de la récursion, car un événement lié à la souris peut à nouveau intervenir pendant l'exécution de ce gestionnaire. Le driver de la souris *AssHand* risque alors d'être à nouveau appelé avant que l'appel précédent ne se soit conclu. Pour éviter que cette situation ne se produise, avec les complications qui en résulteraient, *AssHand* gère dans son segment de code une variable appelée «actif», à laquelle il attribue la valeur 1 lors de son exécution. Il teste cependant auparavant si cette variable ne vaut pas déjà 1, ce qui signifierait tout simplement que le dernier appel n'est pas encore terminé. Dans ce cas, l'exécution du gestionnaire s'interromprait aussitôt pour éviter une récursion.

Si cette méthode permet d'éviter les problèmes inhérents à la récursion, elle ne va pas sans certains inconvénients. L'appel du gestionnaire en langage évolué étant en effet interdit, celui-ci ignorera l'événement à cause duquel il avait été appelé par le driver de la souris. Malgré le "piège de la récursion", il est donc conseillé de programmer le gestionnaire d'événements en langage évolué de façon aussi efficace que possible, pour que son exécution prenne le moins de temps possible et qu'il ne soit pas nécessaire d'interdire des appels.

Il ne suffit cependant pas que *AssHand* soit présent pour qu'il soit appelé par le driver de la souris. Ce gestionnaire d'événements doit en effet être d'abord installé à l'aide de la fonction 0Ch de l'interface souris, ce dont se charge la procédure/fonction *MouISetEventHandler*. Cette procédure/fonction est de son côté appelée par la procédure/fonction *MouInit*, qui initialise le module de la souris et devrait donc être la première procédure/fonction de ce module appelée par tout programme d'application. Elle attend comme arguments le nombre de lignes et de colonnes de l'écran, dont elle a besoin pour déterminer la taille d'un buffer interne qui joue un rôle central pour le fonctionnement des différentes procédures/fonctions du module.

À l'aide de ce buffer, l'écran peut être divisé en différentes zones de la souris, dont chacune sera dotée d'un code et de masques curseur et écran propres. Ces zones de souris jouent un rôle très important pour le travail avec la souris, car elles permettent de décrire différents objets de l'écran, comme un slider, un champ OK ou un point de menu, qui conduisent le programme à déclencher une action déterminée dès que le curseur de la souris est amené sur ces objets et qu'un bouton de la souris est appuyé.

Ces zones peuvent être enregistrées à l'aide de la procédure/fonction *MouDefZone*, à laquelle doivent être transmis un pointeur sur un vecteur ou sur un tableau ainsi que le nombre d'éléments de ce tableau. Ces éléments du type ZONE décrivent chacun une zone de l'écran ainsi que les masques curseur et écran qui doivent être employés pour le curseur de la souris dès qu'il pénètre dans la zone correspondante. Une zone peut se limiter à un seul caractère, mais peut aussi englober l'écran tout entier, car cela est entièrement de la responsabilité du programme d'appel qui met en place le tableau avec les différents descripteurs de zone. Le code de chaque zone est fonction de la position du descripteur correspondant à l'intérieur du tableau. Il est automatiquement attribué par la procédure/fonction *MouDefZone*. La première zone reçoit le code 0, la deuxième le code 1, etc. Le code AUCUNE_ZONE est attribué aux zones de l'écran qui ne sont couvertes par aucun des descripteurs de zone.

Pour mettre en place un tableau de description de zone, et notamment pour définir les masques curseur et écran dans le tableau *PtrMask*, vous pouvez vous aider dans le programme C de diverses macros et constantes, qui vous sont également offertes par le programme Pascal, mais sous forme de fonctions et constantes. La macro ou fonction *MouPtrMask* se charge de produire une variable du type PTRVIEW, telle que le tableau *PtrMask* l'attend à l'intérieur d'un descripteur de zone. Elle attend comme premier paramètre le masque curseur et le masque écran pour le caractère sous la forme duquel le curseur de la souris devra apparaître sur l'écran.

Si vous spécifiez ici *PtrSameChar*, le curseur de la souris apparaîtra toujours sous la forme du caractère qu'il recouvre. Si vous souhaitez un autre curseur, vous pouvez disposer, avec *PtrDifChar*, que le curseur de la souris apparaîtra toujours sous forme d'un caractère déterminé. Lors de l'appel de *PtrDifChar*, vous spécifiez pour cela le code ASCII du caractère voulu.

MouPtrMask attend comme second paramètre les masques curseur et écran pour la couleur du curseur de la souris. Ici aussi, différentes options sont possibles :

O   Avec *PtrSameCol*, le curseur de la souris prendra la couleur du caractère recouvert.

O   *PtrSameColB* produira également un curseur de la souris prenant la couleur du caractère recouvert, mais le bit 7 de l'octet d'attribut sera en outre fixé sur 1, de façon à ce que le caractère clignote ou soit affiché avec une couleur de fond plus intense.

O   *PtrInvCol* fait apparaître le curseur de la souris dans la couleur inverse du caractère recouvert.

O   *PtrDifCol* fera prendre au curseur la couleur dont le code est spécifié à la suite de *PtrDifCol*.

En dehors des différentes zones de la souris enregistrées à travers la procédure/fonction *MouDefZone*, un curseur de la souris déterminé peut aussi être attribué au reste de l'écran, autrement dit à la zone portant le code AUCUNE_ZONE. Un programme peut recourir à cet effet à la procédure/fonction *MouSetDefaultPtr*, à laquelle les masques curseur et écran du curseur de la souris doivent être transmis sous forme d'un paramètre du type PTRVIEW. Pour composer ce paramètre, vous pouvez également vous servir des constantes et macros ou fonctions décrites plus haut.

C'est le gestionnaire d'événements en langage évolué, *MouEventHandler*, qui se charge de commuter sur les masques curseur et écran de la zone correspondante. Comme il est appelé chaque fois que survient un événement souris, y compris donc lorsque la souris est déplacée, il peut déterminer chaque fois dans quelle zone souris le curseur de la souris se trouve au moment précis. Pour que cette opération se déroule le plus vite possible, il n'examine pas le tableau de zones tout entier pour vérifier chaque fois si la position du curseur de la souris se situe à l'intérieur de la zone de la souris considérée. Il utilise en effet un buffer de zone interne, que *MouInit* met en place lorsqu'elle est appelée. Ce buffer reflète exactement la structure de la RAM vidéo et contient pour chaque position de l'écran un octet contenant le code de la zone dont dépend cette position. Le gestionnaire d'événements peut ainsi utiliser la position actuelle du curseur de la souris comme index sur ce buffer de zones et déterminer ainsi, avec un seul accès à la mémoire, dans quelle zone de la souris le curseur de la souris se trouve actuellement. Il stocke alors le code de zone ainsi obtenu dans la variable globale *MouZone*, et l'utilise ensuite comme index pour le tableau des descripteurs de la souris, dont il tire ainsi les masques curseur et écran définis pour cette zone.

Une autre tâche, peut-être encore plus importante, incombe au gestionnaire d'événements en langage évolué : la gestion de la variable *MouEvent*, dans laquelle il retrace les événements souris actuels. Il ne peut se contenter pour cela de copier purement et simplement le Mouse Event qui lui est transmis par le driver de la souris, à travers le gestionnaire d'événements en assembleur *AssHand*, sous forme de la variable *EvFlags*. Cette variable reflète en effet uniquement l'événement actuel, mais pas les événements qui étaient déjà intervenus auparavant. Lorsque, par exemple, on appuie d'abord sur le bouton gauche de la souris, qu'on le tient enfoncé et qu'on n'appuie qu'ensuite sur le bouton droit de la souris, on provoque deux appels du gestionnaire d'événements, qui signalent chacun qu'un bouton de la souris a été appuyé. Rien n'indique cependant lors du second appel que le bouton gauche est maintenu enfoncé, car seul l'événement «bouton droit de la souris appuyé» est annoncé.

C'est pourquoi le gestionnaire d'événements doit absolument isoler les différents événements retracés par *EvFlags*, et ne reprendre dans la variable *MouEvent* que les événements nouvellement intervenus. Cette variable reflétera ainsi à tout moment l'état des boutons de la souris et les déplacements ou l'immobilité du curseur de la souris. *MouEvent* convient ainsi parfaitement à l'une des fonctions principales du test de la souris, à savoir l'attente de l'intervention d'un événement déterminé. Ce n'est d'ailleurs pas tellement le déplacement de la souris, mais plutôt le fait d'appuyer ou de relâcher les boutons de la souris qui devra être interprété, dans le contexte du moment, comme un message adressé au programme par l'utilisateur.

Sur ce plan aussi, le module de la souris vous soutient avec une fonction appropriée. *MouEventWait* est le nom d'une fonction qui attend que surviennent les événements spécifiés par le masque de bits transmis. Ce masque de bits peut être défini à l'aide d'une combinaison OU des constantes suivantes :

EV_MOU_MOVE	Déplacement de la souris
EV_LEFT_PRESS	Bouton gauche de la souris appuyé
EV_LEFT_REL	Bouton gauche de la souris relâché
EV_RIGHT_PRESS	Bouton droit de la souris appuyé
EV_RIGHT_REL	Bouton droit de la souris relâché

Vous pouvez indiquer à la procédure / fonction, à l'aide d'un autre paramètre si vous voulez attendre que tous les événements soient survenus ou si vous vous contentez qu'intervienne au moins un des événements spécifiés. Vous pouvez spécifier ici les constantes ET ou OU, qui correspondent aux combinaisons logiques ainsi dénommées. Le résultat de la fonction vous indique lesquels des événements attendus sont intervenus, sous forme d'un masque de bits dans lequel chaque bit représente un événement. Ce résultat peut être testé à l'aide des constantes indiquées plus haut.

Pour que le travail avec ces procédures/fonctions ne se limite pas à la théorie, le programme principal Pascal ainsi que celui du module C comportent une petite démonstration des différentes procédures/fonctions. Pour plus de détails, nous vous invitons à vous reporter aux différents programmes joints.

| SOURISP.PAS | SOURISPA.ASM |
| SOURISC.C | SOURISCA.ASM |

11.3. Souris - Communication PC

Étudions brièvement comment les mouvements physiques et les appuis sur les boutons de la souris sont traduits en informations compréhensibles par l'ordinateur.

La méthode de transmission de données et la manière dont la souris est interfacée avec l'ordinateur dépendent du constructeur de la souris. Une souris série fonctionne différemment d'une souris bus. Étant donné que les souris série sont largement plus répandues que les souris bus, nous parlerons ici uniquement des premières.

Le driver de la souris détermine durant son initialisation comment la souris est connectée. Le driver de la souris Microsoft règle le signal DTR (Data Transfer Ready) du port série à 1. La souris reconnaît le signal et envoie le code ASCII de la lettre M sur la ligne de données. Le driver n'attend pas très longtemps le message de retour. C'est pourquoi une souris compatible Microsoft peut ne pas fonctionner avec le driver souris Microsoft. Même si la souris est réglée pour envoyer des données selon le protocole Microsoft, le driver peut ne pas reconnaître la souris si le "M" n'est pas envoyé rapidement.

Une fois que la connexion a été établie correctement, la souris utilise la méthode "interrupt" pour envoyer ses informations au driver. La souris exécute une interruption hardware sur le port série dès qu'elle doit informer le driver d'un mouvement ou du changement de l'état des boutons. Les interruptions utilisées sont 0CH (COM1) ou 0DH (COM2).

Le driver de la souris déroute les interruptions vers ses propres routines pour pouvoir lire directement les données sur le port série. La transmission de données pour une souris Microsoft s'effectue selon les normes suivantes : 1200 baud, 7 bits de données, pas de bit de parité. Chaque message de la souris se constitue de trois octets qui indiquent l'état des boutons de la souris et les mouvements éventuels effectués depuis la dernière transmission. Ces déplacements sont mesurés en Mickeys. En fonction des résolutions de la carte vidéo et de la souris, un Mickey correspond à 1/200 pouce ou 1/400 pouce.

Comme le montre la figure suivante, seuls 7 bits sont disponibles pour décrire le déplacement effectué sur les axes X et Y. Cela permet de couvrir des distances entre -128 et +127 Mickeys. A la limite, la nouvelle position de la souris doit être envoyée quand la souris se déplace hors de ces valeurs. En général, un nouveau message sera envoyé plus souvent que cela.

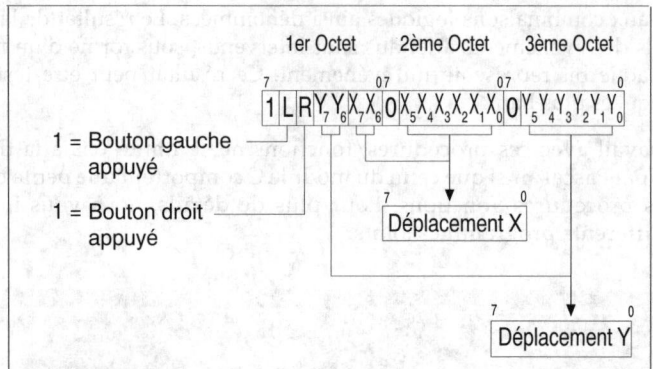

Comme le montre la figure précédente, le format Microsoft se limite à deux boutons de souris. Le bit le plus fort est réservé pour la synchronisation avec le driver souris. Cela évite que le driver souris ne lise d'abord le second ou troisième octet du message lorsque l'interruption hardware échoue et que le premier octet ou les deux octets sont perdus. Le bit le plus fort du premier octet est toujours à 1 et les bits forts des deux autres octets sont toujours à 0.

D'autres constructeurs de souris qui utilisent trois boutons de souris exploitent un format de communication différent (huit bits de données au lieu de sept). Ce bit supplémentaire permet la transmission de l'état du troisième bouton. Les autres principes de la transmission restent identiques, la souris est toujours branchée sur un port série et l'interruption du port série communique avec le driver.

12. Joystick

Avec l'introduction de cartes graphiques de plus en plus performantes dans le monde du PC, les jeux ont également pris une importance considérable. Qui aime bien piloter son vaisseau spatial avec le clavier à travers les astéroïdes ou diriger sa voiture de course avec la souris ? Certainement personne ! C'est pourquoi, les joysticks ont fait leur apparition dans le monde du PC ces dernières années. Dans ce chapitre, vous :

- O saurez comment les joysticks sont reliés au PC,
- O apprendrez à intégrer les joysticks dans vos programmes, et
- O ferez connaissance avec les services rendus par le BIOS.

Les trois programmes d'exemple en BASIC, Pascal et C fournis à la fin du chapitre vous aideront à intégrer très facilement les joysticks dans vos programmes.

Connexion de joystick

Encore une fois, l'électronique du PC n'est pas en mesure de recevoir les joysticks et doit, par conséquent, attendre une carte capable d'assurer le pilotage du joystick. Généralement, il s'agit d'une petite carte d'extension implantée dans la place réservée à l'extension et appelée officiellement "Game Control Adapter". En pratique, on parle tout simplement de "carte joystick".

À l'arrière d'une telle carte, on trouve en principe deux prises pour connecter les deux joysticks. Il ne s'agit là que d'une option qui n'est pas toujours utilisée. En fait, un seul joystick suffit amplement.

Celui qui espérait réutiliser ses vieux joysticks adaptés au domaine des ordinateurs personnels (C 64, etc) après l'achat de la carte joystick relativement peu coûteuse doit changer d'avis. En effet, le PC fonctionne essentiellement avec des joysticks analogiques alors que les ordinateurs personnels utilisent presque exclusivement des joysticks digitaux.

La différence résulte principalement dans le fait qu'un joystick analogique est capable de traiter une importante masse d'informations. Contrairement à son collègue digital, il peut non seulement afficher si le joystick est en train de se déplacer vers la gauche ou la droite, mais peut faire la différence entre des degrés d'intensité variés.

Les joysticks PC sont équipés de deux touches accessibles séparément et utilisables à loisir par le logiciel. Ainsi, il est rare de rencontrer des touches spéciales destinées à des fonctions telles que "Tir continu".

Contrôle à l'aide du BIOS

Généralement, un driver logiciel n'est pas nécessaire pour contrôler la présence des joysticks car l'interface matérielle, tout comme l'interface logicielle, sont déjà définies dans un PC Ur avec une configuration matériel. Du côté matériel, il s'agit des ports 200h à 20Fh qui sont réservés pour une carte joystick. Le BIOS accède à ces ports standardisés pour contrôler la présence des joysticks.

Du côté logiciel, deux fonctions appelées à l'aide de l'interruption 15h assurent cette tâche. Il s'agit en l'occurrence des sous-fonctions 00h et 01h de la fonction 84h de cette interruption. Elles exécutent un contrôle joystick selon le principe du polling, demandant la position actuelle du joystick et l'état des boutons joystick lors de l'appel, c'est-à-dire directement à partir des ports cités.

Il n'est pas possible d'effectuer un contrôle des joysticks avec une méthode différente de celle du polling. Les cartes joystick n'étant pas affectées à une interruption matérielle spéciale, celle-ci ne peut par exemple pas être appelée lors d'un déplacement des joysticks ou l'appui sur l'un des deux boutons. Par conséquent, un programme est obligé d'appeler les paramètres des deux fonctions BIOS s'il veut exécuter correctement les actions de l'utilisateur.

Déterminer la position des joysticks

La position des joysticks peut être obtenue à l'aide de la sous-fonction 01h. Lors de son appel, le numéro de fonction 84h et le numéro de la sous-fonction 01h doivent se trouver respectivement dans les registres AH et DX. Après l'appel de l'interruption 15h, si le Flag Carry contient la valeur 0, cela signifie que la fonction est reconnue par le BIOS concerné. Les informations souhaitées peuvent donc être obtenues à partir des registres AX à DX.

Chacun des deux joysticks connectables sont représentés par deux registres reproduisant la position des joysticks par rapport aux axes X et Y. Pour le premier joystick, il s'agit des registres AX (axe X) et BX (axe Y), pour le second, des registres CX (axe X) et DX (axe Y).

Le contenu de ces registres permet également de savoir si un joystick est effectivement relié ou non, car dans ce cas, une valeur différente de 0 est retournée dans les deux registres correspondants. Si on rencontre par exemple la valeur 0 dans les registres CX et DX après appel de la fonction, on a alors la certitude que le second joystick n'est pas connecté. La même considération s'applique naturellement au premier joystick dont les registres sont AX et BX.

Des valeurs différentes de 0 représentent la position du joystick par rapport aux axes correspondants. Ces valeurs ne sont d'ailleurs pas normées de quelque manière que ce soit. De plus, les valeurs retournées dépendent des potentiomètres situés à l'intérieur du joystick pour convertir sa position en une dimension électrique. Tant les potentiomètres intégrés dans les joysticks des divers constructeurs que les innombrables joysticks d'un seul constructeur retournent des valeurs complètement différentes les unes des autres.

La plupart des programmes devant effectuer un contrôle joystick permettent à l'utilisateur de déplacer le joystick dans la zone de commutation située en haut à droite et en bas à gauche. Cela permet de connaître l'intervalle dans lequel se déplacent les valeurs du potentiomètre qui ont été retournées. Avec mes joysticks par exemple, l'intervalle des valeurs se situe entre 10 à 120 par rapport à l'axe X et 9 à 102 par rapport à l'axe Y. Les valeurs retournées par d'autres joysticks seront naturellement tout à fait différentes. Il faut faire attention au fait que les valeurs augmentent de gauche à droite par rapport à l'axe X alors que sur l'axe Y, les valeurs croissent du haut vers le bas et non dans le sens inverse comme on pourrait le supposer.

Vous constatez qu'il n'est pas évident de déterminer l'emplacement du joystick sur un système de coordonnées linéaire. Etant donné que les potentiomètres ne fonctionnent pas toujours en mode linéaire dans tous les joysticks mais plutôt en mode exponentiel, il en résulte que la position fondamentale du joystick ne correspond nullement à une valeur moyenne par rapport à l'intervalle des valeurs. Les programmes fournis à la fin du chapitre illustrent d'ailleurs cette thématique. Vous pouvez les utiliser pour tester vos joysticks selon ce point de vue.

Pour éviter tout problème résultant de l'unité de mesure exponentielle des potentiomètres, de nombreux programmes renoncent à représenter les coordonnées joystick retournées dans un système de coordonnées linéaire. Généralement, cela s'avère tout à fait superflu comme par exemple dans le cas d'un fonctionnement du type PacMan où il s'agit surtout de déplacer l'objet écran (auto, PacMan, vaisseau spatial, etc) vers le haut, le bas, la gauche ou la droite. À cet effet, il suffit de mesurer la position en cours du joystick au début du programme en considérant qu'il s'agit là de la position fondamentale.

À l'intérieur du programme, les valeurs joystick obtenues doivent tout simplement être comparées avec la position fondamentale pour constater si le joystick a été déplacé vers la gauche, la droite ou ailleurs.

Déterminer les boutons joystick

Outre l'emplacement du joystick, les deux boutons joystick jouent également un rôle important dans le fonctionnement du programme. Elles peuvent être déterminées à l'aide de la sous-fonction 00h qui retourne la valeur 84h dans le registre AH et la valeur 00h dans le registre DX. On retrouve ici le Flag Carry qui donne des informations sur le bon déroulement de la fonction. S'il est effacé après l'appel de l'interruption 15h, les divers bits du registre AL représentent simultanément l'état des quatre boutons figurant sur les deux joysticks. Si l'utilisateur vient d'appuyer sur un bouton, le bit correspondant contient alors la valeur 1, sinon on rencontre la valeur 0.

Dans la mesure où les boutons sont rangés les unes sur les autres, le bouton du haut est considéré comme le premier bouton et celui du bas comme le second. Lorsque les boutons sont placés côte à côte, le bouton de gauche représente le premier bouton, celui de droite le second.

Voici la configuration du registre AL :

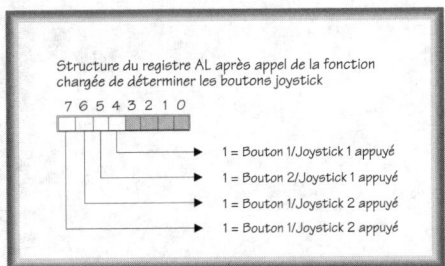

Structure du registre AL après appel de la fonction chargée de déterminer les boutons joystick

Lorsque vous utilisez cette fonction, rappelez-vous qu'elle ne possède pas de fonction buffer et retourne uniquement l'état actuel des boutons joystick. Si l'utilisateur appuie rapidement sur un bouton alors qu'un contrôle joystick n'a pas encore eu lieu, cette action reste caduque et l'utilisateur se demandera sûrement pourquoi son programme ne réagit pas. Il est donc important de contrôler en permanence l'état des boutons joystick à l'intérieur de vos programmes à l'aide de la sous-fonction 00h.

Programmes d'exemple

Les trois programmes en BASIC, Pascal et C illustrant ce chapitre contrôlent l'emplacement du joystick et l'état des boutons joystick à l'aide des fonctions décrites plus haut. Ces contrôles s'effectuent à l'aide de deux sous-programmes portant les noms *GetJoyPos* et *GetJoyButton*. Ces fonctions sont utilisées à l'intérieur du programme principal pour obtenir d'abord l'emplacement maximal du joystick après avoir demandé à l'utilisateur de placer le joystick dans la zone supérieure droite et d'appuyer ensuite sur l'une des deux touches.

Ici, le programme décide également de l'ordre dans lequel il va solliciter les deux joysticks. Grâce au bouton joystick appuyé par l'utilisateur, il est également possible de connaître le joystick installé ainsi que celui sélectionné par l'utilisateur.

L'utilisateur est ensuite invité à déplacer le joystick dans la partie inférieure gauche, ce qui permet de connaître également l'extrémité inférieure de l'intervalle des valeurs. Le programme configure par la suite cet intervalle sur les 80 colonnes et 25 lignes de l'écran texte et calcule la position actuelle du joystick par rapport à une position correspondante sur l'écran où apparaît un grand X. En outre, les valeurs potentiomètre retournées apparaissent dans le coin supérieur gauche de l'écran pour que l'utilisateur puisse traiter une image selon le fonctionnement de son joystick.

Le programme se termine dès que l'utilisateur appuie simultanément sur les deux boutons de son joystick.

JOYSTB.BAS   JOYSTP.PAS   JOYSTC.C

13. Date, Heure et horloge temps réel

La date et l'heure sont des informations utilisées par DOS pour classer les fichiers. Mais les applications DOS doivent aussi accéder à ces informations pour faire par exemple apparaître la date en cours sur une lettre commerciale ou conserver l'heure de réception d'un appel téléphonique. Le BIOS dispose ainsi de nombreuses fonctions destinées à cet usage. De même, les AT, les 386 et 486 contiennent une horloge temps réel sur piles qui continue de fonctionner même si le PC est éteint.

Ce chapitre décrit :

O   Le mode de définition de la date et l'heure à l'aide de la ROM BIOS
O   Les fonctions BIOS étendues pour accéder à l'horloge temps réel
O   La programmation directe de l'horloge temps réel et le remplissage de son registre.

13.1. Détermination de la date et l'heure avec le BIOS

L'interruption 1Ah du BIOS permet de solliciter les diverses fonctions de la ROM BIOS concernant l'heure. Par rapport aux PC et XT qui ne disposaient que de deux fonctions, il en existe 8 à partir de l'AT. Les fonctions étendues concernent surtout l'horloge temps réel sur piles (RTC, Real Time Clock) introduite avec l'AT. Elle est capable de calculer l'heure même si l'ordinateur est éteint. Cette méthode a changé considérablement le mode de calcul de l'heure connu jusqu'à présent dans les PC et XT puisqu'ils calculaient l'heure avec une interruption logicielle. Avant de décrire les diverses fonctions BIOS conçues pour obtenir la date et l'heure, voici d'abord un petit exposé sur le calcul de l'heure avant l'apparition de l'horloge temps réel.

Calcul de l'heure à l'aide de l'interruption Timer 08h

Le Chip Timer du PC (un Chip Intel 8254 ou compatible) reçoit 1.193.180 signaux par seconde en provenance du coeur du système par chaque oscillation du quartz. Avec une fréquence de 65536 signaux, soit près de 18,2 fois (exactement 18,20648193) par seconde, il crée un appel de l'interruption 08h qui est transmis à l'unité centrale à travers le contrôleur d'interruption. La fréquence d'oscillation du quartz est indépendante de la fréquence d'horloge, cela vaut naturellement pour l'appel de l'interruption 08h également. Elle convient parfaitement au calcul de l'heure puisqu'on sait qu'une seconde s'est écoulée après environ 18,2 appels.

Le BIOS dirige l'interruption 08h vers un gestionnaire d'interruptions approprié dans la ROM BIOS qui incrémente un compteur horaire interne à chaque appel. On peut obtenir l'heure en cours à n'importe quel moment grâce à ce compteur. Il doit être un multiple de 18,2 pour que l'heure en secondes puisse être facilement convertie en heures, minutes et secondes.

Le gestionnaire d'interruptions attribue en outre à l'interruption 08h la tâche de désactiver le moteur des lecteurs de disquettes au bout d'un certain temps d'inactivité. Cela s'effectue en collaboration avec les fonctions de l'interruption BIOS 13h qui permet d'accéder à un lecteur de disquettes. Etant donné que l'activité d'un moteur de disquettes dure relativement long-temps, il reste en service après l'appel d'une des fonctions de disquettes BIOS pour qu'il ne soit pas nécessaire d'effectuer une réinitialisation lors d'une opération ultérieure.

Naturellement, il est inutile de surveiller le moteur minute par minute pendant que le prochain accès disquettes est en attente. C'est pourquoi, l'interruption Timer émet un temps d'arrêt au bout d'une fréquence déterminée à l'intérieur du gestionnaire d'interruptions.

Une fois que le gestionnaire d'interruptions a accompli son travail en faveur de l'interruption Timer, il appelle l'interruption 1Ch. Normalement, une instruction IRET se cache derrière cette

interruption. Celle-ci retourne immédiatement l'exécution du programme au gestionnaire de l'interruption Timer. Ainsi, un programme peut définir un gestionnaire destiné spécialement à cette interruption pour participer au cycle du signal horaire. Ce gestionnaire est également appelé 18,2 fois par seconde. Cela est particulièrement intéressant lorsqu'il s'agit par exemple d'afficher en permanence l'heure actuelle sur l'écran, comme le montre le programme TSR décrit au chapitre 35.

L'interruption Timer 08h dont l'unique tâche consiste à calculer l'heure dans les PC et XT, les ordinateurs AT, 386 et 486 disposent d'une horloge temps réel sur piles qui détermine l'heure sans l'aide d'une interruption Timer. Mais la ROM BIOS de l'AT et des modèles ultérieurs continue néanmoins à gérer l'interruption Timer car son rôle essentiel est d'assurer la compatibilité logicielle avec le PC et le XT.

Demander l'heure

Les deux fonctions d'heure élémentaires concernent la lecture et le réglage de l'heure. La première porte le numéro de fonction 00h et est appelée dans le registre AH à l'aide de ce numéro. Elle retourne l'heure dans les registres CX et DX. Ces deux registres forment ensemble un compteur 32 bits (CX contient les 16 bits de poids fort, DX les bits de poids faible) qui ne reproduit pas l'heure sous forme d'heures ou de minutes. En fait, il s'agit d'une valeur qui augmente à chaque appel de l'interruption Timer *via* le BIOS. Ce compteur peut être converti en heures, minutes et secondes en multipliant le contenu du registre CX par 65536 et en y ajoutant le contenu du registre DX. En divisant ensuite cette valeur par 18,2, on obtient l'heure en secondes. Pour convertir à nouveau cette valeur en minutes et secondes, il suffit de la diviser par 60.

Dans les PC/XT, le résultat de ce calcul doit être interprété différemment par rapport aux AT et les modèles ultérieurs. Dans un PC/XT, le BIOS fixe le compteur à 0 lors du lancement du système si bien que le résultat du calcul ne concerne pas l'heure actuelle mais la période qui s'est écoulée depuis l'allumage de l'ordinateur. Pour obtenir la véritable durée, on doit d'abord convertir l'heure actuelle par la valeur correspondante dans le compteur et la transmettre ensuite au BIOS comme l'heure en cours.

Dans le cas de l'AT et des modèles ultérieurs, il n'est pas indispensable d'ajuster le compteur puisque le BIOS lit l'heure actuelle dans l'horloge lors du lancement du système puis la convertit en une valeur correspondante dans le compteur. Grâce à la lecture du compteur avec la fonction 00h, on obtient toujours l'heure actuelle dans un AT.

Après appel de la fonction horaire 00h, on obtient une autre valeur dans le registre AL. Au cas où il s'agit de la valeur 0, la valeur transmise indique que 24 heures ne se sont pas encore écoulées depuis la dernière lecture de l'heure. Si le registre reçoit une valeur différente de 0, cela signifie que 24 heures se sont écoulées sans que l'on puisse connaître le nombre de cycles de 24 heures courus par le compteur.

Si la conversion de la valeur horaire en heures, minutes et secondes semble trop compliquée pour vous, n'hésitez pas à utiliser la fonction 2Ch de l'interruption DOS 21h. Celle-ci se contente de lire l'heure actuelle au moyen de la fonction 00h de l'interruption 1Ah et la convertit en un format quelque peu maniable. Pour plus d'informations à ce sujet, reportez-vous au chapitre 23.

Régler l'heure

La fonction 01h représente la seconde fonction horaire élémentaire. Elle sert à régler le compteur horaire interne du BIOS sur une valeur précise. Cette fonction est appelée avec le numéro de fonction contenu dans le registre AH, les 16 bits de poids fort du registre CX et les 16 bits de poids faible du registre DX. Si la conversion de l'heure actuelle en une valeur du compteur ne vous inspire pas, vous pouvez utiliser une fonction DOS dans ce cas également. Il s'agit en l'occurrence de la fonction 2Dh de l'interruption DOS 21h. Reportez-vous au chapitre 23 pour de plus amples informations.

Fonctions pour l'accès à l'horloge temps réel

Les 6 fonctions suivantes sont disponibles uniquement sur l'AT et les modèles ultérieurs. Il existe certes des horloges en temps réel sur les PC et XT, mais elles ne sont généralement pas soutenues par la ROM BIOS de l'ordinateur. Il suffit que le fabricant ne fournisse pas un petit programme résident en vue d'installer les fonctions BIOS nécessaires de l'AT pour que l'appel de ces fonctions soit ignoré sur les PC et XT. LeFflag Carry est d'ailleurs réglé plusieurs fois pour signaler l'échec de l'appel de ces fonctions. Il faut donc que votre programme n'utilise ces fonctions que s'il est parfaitement sûr de disposer d'un AT et d'un ordinateur 386 ou 486. À cet effet, vous ne devez pas hésiter à contrôler l'identification du modèle, comme il est décrit au chapitre 3.

Les 6 fonctions utilisent le format BCD pour indiquer l'heure et la date. Dans ce format, deux chiffres d'un nombre sont codés par octet dont le nombre de poids fort est codé dans le Nibble de poids fort et le nombre de poids faible dans le Nibble de poids faible. Les 6 fonctions utilisent également le Flag Carry pour retourner les valeurs. S'il est réglé, l'horloge ne fonctionne pas convenablement (lorsque la pile est par exemple à plat). Dans ce cas, la fonction appelée ne peut pas s'exécuter correctement.

Lire et sauvegarder l'heure provenant de l'horloge

La fonction 02h permet de lire l'heure stockée dans l'horloge temps réel. Après l'appel avec la valeur 2 du registre AH, vous obtenez l'heure en cours dans le registre CH, la minute dans le registre CL et les secondes en DH.

La fonction 03h est appelée selon la même méthode à partir du contenu du registre. Elle sert à régler l'heure de l'horloge. Ici aussi, le numéro de fonction est placé dans le registre AH, l'heure en CH, la minute en CL et les secondes en DH. Dans le registre DL, vous pouvez spécifier également si vous souhaitez l'heure d'été "daylight savings time option". Un 1 sélectionne l'heure d'été, 0 détermine l'heure normale. Dans le premier cas, l'horloge convertit automatiquement l'heure en heure d'été lorsqu'arrive la date prévue.

Gérer la date dans l'horloge temps réel

Alors que les fonctions 02h et 03h servent à régler et lire l'heure de l'horloge, les fonctions 04h et 05h concernent la date sauvegardée dans l'horloge. En guise d'arguments, les deux fonctions utilisent le siècle, l'année, le mois et le jour. Le jour de la semaine géré par l'horloge n'entre pas en ligne de compte. Si vous souhaitez en prendre connaissance, vous devez accéder directement à l'horloge. Lisez les sections suivantes pour en savoir davantage.

La fonction 04h est appelée avec le numéro de fonction contenu dans le registre AH. Elle sert à lire la date en cours. Après l'appel, le registre CH reçoit les deux premiers chiffres de l'année, soit le siècle. Ici, seules les valeurs 19 et 20 sont autorisées. Le registre CL obtient les deux derniers chiffres de l'année, par exemple 92. Le mois est retourné dans le registre DH, le jour du mois en DL.

Lors de son appel, la fonction 05h attend ces mêmes valeurs de registre pour changer la date sauvegardée dans l'horloge. Faites attention à la diversité des valeurs du registre AH qui ne doit pas contenir 04h, mais la valeur 05h.

Installer l'heure de l'alarme

La fonction 06h permet de programmer l'heure de l'alarme. Comme il s'agit d'indiquer ici l'heure, la minute et la seconde uniquement, cette heure d'alarme concerne toujours le jour en cours. Si l'heure de l'alarme est atteinte, l'horloge appelle une routine BIOS qui déclenche à son tour l'interruption 4Ah. Cette interruption permet d'installer une routine spécifique créant par exemple des bips sonores pour simuler un réveil.

Lors de l'initialisation du système, l'interruption 4Ah se place par exemple sur une routine qui reçoit uniquement l'instruction IRET. Cette dernière autorise l'unité centrale à terminer immédiatement l'interruption si bien que l'heure du déclenchement de l'alarme est atteinte à l'insu de l'utilisateur.

Lors de l'appel de la fonction 06h, la valeur 06h doit se trouver dans le registre AH. L'heure d'alarme doit figurer dans le registre CH, la minute en CL et la seconde en DH. Notez que vous ne pouvez installer qu'une seule heure d'alarme. Lorsque vous appelez cette fonction pendant qu'une autre heure d'alarme se trouve encore en place ou n'est pas encore atteinte, vous devez régler le Flag Carry après l'appel de la fonction. Ainsi, l'ancienne alarme n'est pas remplacée par la nouvelle. Si vous tenez absolument à fixer une nouvelle heure d'alarme ou supprimer l'ancienne, vous devez d'abord appeler la fonction 07h.

Lors de l'appel, aucun autre argument, excepté le numéro de fonction, ne doit se trouver dans le registre AH. Cet appel supprime la dernière heure d'alarme, ce qui permet de programmer une nouvelle heure si vous le souhaitez.

13.2. Déterminer et programmer l'horloge temps réel

L'AT et les modèles ultérieurs comportent de façon standard sur leur carte mère une horloge temps réel alimentée sur piles. Le terme utilisé en anglais est RTC (Real Time Clock). Cette horloge fait partie d'un processeur MC 146818 de la société Motorola, qui comporte en plus de cette horloge une RAM de 64 octets alimentée sur piles. Cette mémoire RAM, qu'il est donc possible de lire ou d'écrire, reçoit les données utiles pour l'horloge mais aussi un certain nombre de données de configuration du système général. Elle peut être appelée à travers les adresses de port 70h à 7Fh mais nous verrons par la suite que ce sont essentiellement les ports 70h et 71h qui peuvent nous intéresser.

Les cellules de mémoire de l'horloge temps réel

Intéressons-nous tout d'abord à l'horloge et aux cellules de mémoire qu'elle occupe. Comme l'indique la table suivante, il s'agit des cellules de mémoire 00h à 0Dh ainsi que de la cellule 32h.

Cellules de mémoire de l'horloge dans la RAM alimentée sur piles	
Adresse	**Contenu**
0	Seconde actuelle
1	Seconde de l'alarme
2	Minute actuelle
3	Minute de l'alarme
4	Heure actuelle
5	Heure de l'alarme
6	Jour de la semaine
7	Jour du mois

Cellules de mémoire de l'horloge dans la RAM alimentée sur piles	
Adresse	**Contenu**
8	Mois
9	Année
0Ah	Registre d'état A de l'horloge
0Bh	Registre d'état B de l'horloge
0Ch	Registre d'état C de l'horloge
0Dh	Registre d'état D de l'horloge
32h	Siècle (19 ou 20)

Comme vous le voyez, chacun des trois champs horaires (Secondes, minutes, heures) est suivi d'un champ d'alarme correspondant. Les champs d'alarme permettent de fixer une heure d'alarme (mais seulement pour le jour même). Lorsque cette heure sera atteinte, une interruption déterminée sera déclenchée. Mais nous y reviendrons bientôt plus en détail...

Le champ "jour de la semaine" indique le numéro du jour actuel de la semaine, la valeur 1 représentant le Dimanche. La valeur 2 correspond donc à Lundi, 3 à Mardi, ...

L'année est indiquée par rapport au siècle. Si ce champ contient la valeur 88, nous aurons par exemple l'année 1988.

Accès aux différents registres de l'horloge temps réel

Ce registre est un élément tout à fait normal de la RAM de 64 octets dont est doté ce circuit électronique. Il est donc possible d'y accéder exactement de la même façon que pour toutes les autres cellules de mémoire de ce circuit :

On charge tout d'abord le numéro de la cellule de mémoire à adresser dans le registre AL (dans le cas du registre d'état A ce sera donc 10). On envoie ensuite cette valeur sur le port 70h à l'aide de l'instruction OUT. Le circuit est ainsi prévenu que l'on veut accéder à l'une de ces cellules de mémoire. L'étape suivante consiste alors soit à exécuter une instruction OUT sur le port 71h, pour écrire dans cette cellule de mémoire, soit à appeler une instruction IN pour lire sur le port 71h le contenu de la cellule de mémoire.

Lecture d'une cellule de mémoire de l'horloge temps réel

```
mov al,Cellule
out 70h,al
in  al,71h
```

Écriture dans une cellule de mémoire de l'horloge temps réel

```
mov  al,Cellule
out  70h,al
mov  al,Nouveau_contenu
out  71h,al
```

Le registre d'état A

Les 4 registres d'état de l'horloge présentent un intérêt tout particulier pour nous car ils permettent de programmer l'horloge.

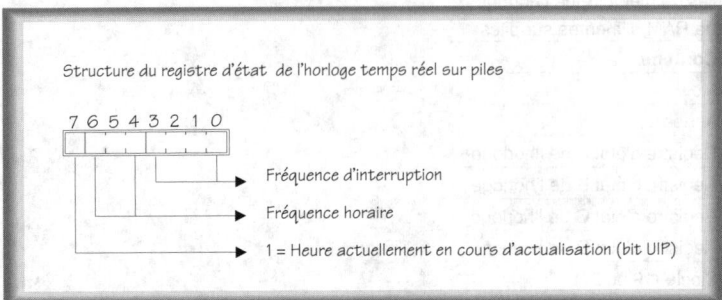

Structure du registre d'état de l'horloge temps réel sur piles

7 6 5 4 3 2 1 0

Fréquence d'interruption

Fréquence horaire

1 = Heure actuellement en cours d'actualisation (bit UIP)

Les deux champs inférieurs de ce registre sont fixés par le BIOS en ROM au cours de l'initialisation du système et ne sont plus modifiés par la suite. Le champ de fréquence d'interruption reçoit la valeur 0110b. Cette valeur entraîne une fréquence d'interruption de 1 024 interruptions à la seconde (une interruption toutes les 976,562 microsecondes).

Le contenu du champ de fréquence d'horloge est de 010b, ce qui entraîne une fréquence d'horloge de 32 768 Kilohertz.

Pour le programmeur, c'est le bit 7 du registre d'état qui est intéressant par rapport à ces deux champs. Il indique en effet si une seconde vient de s'achever et si les champs horaires (secondes et éventuellement minutes, heures, ...) sont en train d'être incrémentés (d'où son nom : UIP = Update In Progress). Si c'est le cas, ce bit contient un 1. Ce bit est intéressant car il est déconseillé de lire les différents champs horaires lorsqu'ils sont en cours d'actualisation. Il peut sinon arriver qu'une minute vienne juste de s'écouler et que le compteur des secondes ait déjà été fixé sur 0 mais que le compteur des minutes soit lu avant d'avoir pu être incrémenté. La conséquence serait (pour une horloge affichée sur l'écran, par exemple) que l'heure sauterait de 13:59:59 à 13:59:00 avant d'afficher, à juste titre, 14:00:01 à la seconde suivante. Mais comment accéder au registre d'état A ?

Le registre d'état B

Le registre d'état B permet de programmer certains paramètres de l'horloge :

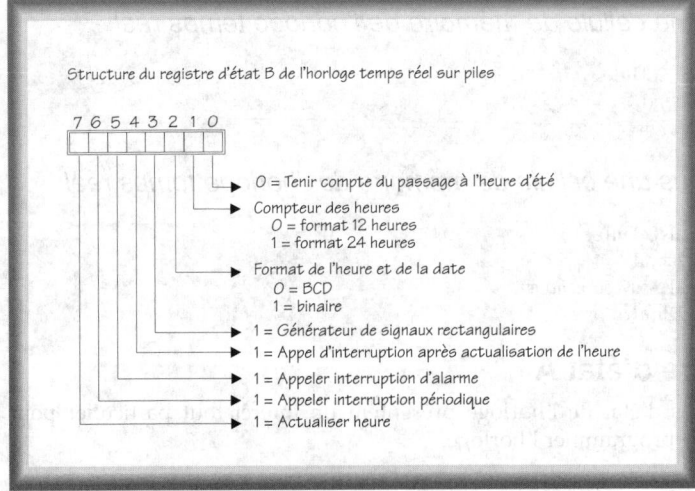

Structure du registre d'état B de l'horloge temps réel sur piles

7 6 5 4 3 2 1 0

0 = Tenir compte du passage à l'heure d'été

Compteur des heures
0 = format 12 heures
1 = format 24 heures

Format de l'heure et de la date
0 = BCD
1 = binaire

1 = Générateur de signaux rectangulaires

1 = Appel d'interruption après actualisation de l'heure

1 = Appeler interruption d'alarme

1 = Appeler interruption périodique

1 = Actualiser heure

Comme la France applique l'heure d'été chaque année, le bit 0 du registre d'état B nous intéresse. Si nous fixons en effet ce bit sur 1, nous indiquons que c'est l'heure d'été qui s'applique actuellement. La valeur par défaut de ce bit est 0, elle indique au contraire que l'heure d'été ne s'applique pas.

Le bit 1 fixe si l'horloge doit être exploitée en mode de 12 heures ou en mode de 24 heures. En mode de 12 heures, l'horloge revient à une heure à la fin de chaque cycle de 12 heures (après midi et minuit) alors qu'elle ne revient à 1 heure qu'au bout de 24 heures en mode de 24 heures. C'est le mode de 24 heures, qui est le mode le plus couramment utilisé en Europe, qui est fixé lors du lancement du système.

Le format de stockage des champs d'heure et de date est défini par le bit 2. Si ce bit contient un 1, les différentes données seront stockées, comme d'habitude, en binaire. L'année (19)87 sera donc codée sous la forme 01010111b. La valeur 0 dans le bit 2 sélectionne par contre le format BCD. Sous ce format, deux chiffres décimaux seront stockés dans chaque octet, le chiffre le plus élevé dans les 4 bits de plus fort poids et le chiffre le moins élevé dans les 4 bits de plus faible poids.

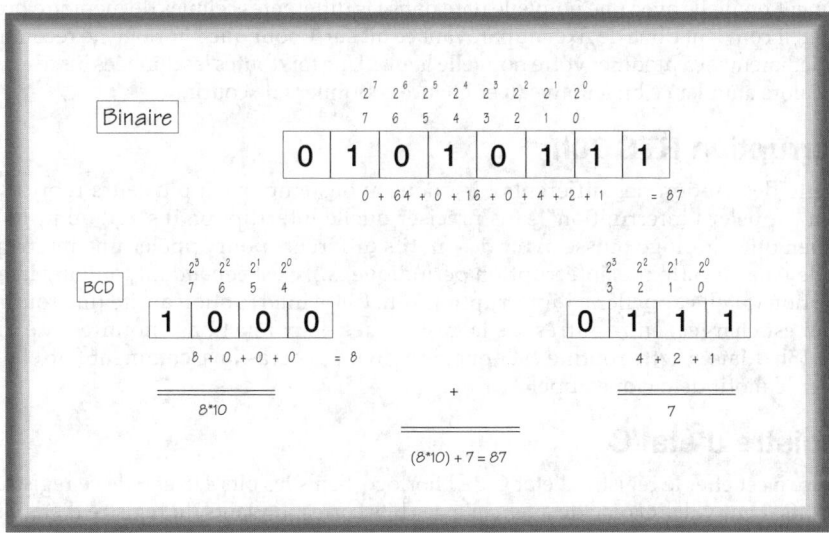

Le nombre 87 en format binaire et BCD

Ce bit contient normalement un 0, de sorte que les nombres sont stockés en format BCD.

Il importe, à ce propos, de ne jamais oublier que le BIOS exige, par exemple pour les fonctions de date appelées à travers l'interruption 1Ah, un format BCD de stockage de ces nombres. Les programmes d'application qui appellent ces fonctions du BIOS risquent donc d'être induits en erreur s'ils reçoivent ces informations en format binaire au lieu du format BCD standard. Il en va de même pour les modes 12 ou 24 heures, même si les conséquences d'un passage au mode de 12 heures sont beaucoup moins graves que celles d'une modification du format de stockage des informations de date et heure.

Le bit 4 définit si une interruption doit être appelée après actualisation de l'heure et éventuellement de la date. Si oui, ce bit devra contenir un 1. Le système interdit au départ cette interruption en fixant ce bit sur 0 lors de l'initialisation.

Si une alarme doit être déclenchée à une heure déterminée, le bit 5 doit être fixé sur 1. L'horloge tire l'heure d'alarme des cellules de mémoire 1, 3, et 5 (secondes, minutes et heures) de la mémoire RAM de l'horloge. Lorsque l'heure de l'alarme est atteinte, une interruption est déclenchée. Cette interruption est également interdite au départ par le système qui fixe le bit 5 sur 0 lors de l'initialisation.

L'interruption est appelée périodiquement si le bit 6 contient un 1. La fréquence de cette interruption est codée par les bits 0 à 3 du registre d'état A. C'est une fréquence de 1024 kilohertz qui y est fixée lors du lancement du système, de sorte que l'interruption sera appelée toutes les 967 562 microsecondes. Le bit 6 est toutefois également fixé sur 0 lors du lancement du système, de sorte qu'un programme d'application devra d'abord le fixer sur 1 pour que l'interruption soit appelée périodiquement.

Le bit 7 contrôle enfin l'actualisation périodique (toutes les secondes) de l'heure et de la date. Ici cependant, 0 ne signifie pas actualisation désactivée et 1 actualisation activée mais exactement le contraire. C'est pourquoi ce bit est également fixé sur 0 lors du lancement du système, de façon à ce que l'heure coure en permanence. Lorsque vous voulez inscrire une heure entièrement nouvelle avec une nouvelle date dans les différentes cellules de mémoire prévues à cet effet, il convient donc de fixer auparavant ce bit sur 1 pour que l'horloge ne recommence pas immédiatement à modifier votre nouvelle heure. Une fois toutes les données inscrites, vous pourrez alors annuler ce bit à nouveau et l'heure continuera de courir.

L'interruption RTC 70h

Dans cette description des différents bits, nous avons employé à plusieurs reprises l'expression "appeler l'interruption" sans préciser quelle interruption il s'agit au juste d'appeler. Bien que l'horloge puisse avoir des motifs différents pour appeler une interruption (heure de l'alarme atteinte, interruption périodique, ...), c'est cependant toujours la même interruption qu'elle appellera, l'interruption 70h. Cette interruption abrite une routine du BIOS qui est chargée, entre autres, de la gestion des deux fonctions "horaires" de l'interruption 15h. Mais si cette routine est appelée à diverses occasions, comment fait-elle pour identifier le motif de chaque appel ?

Le registre d'état C

Elle utilise à cet effet le registre d'état C de l'horloge. Seuls les bits 4, 5 et 6 de ce registre sont significatifs. Leur valeur coïncide avec celle des bits correspondants du registre d'état B. Cela signifie donc que si l'interruption d'alarme est déclenchée, par exemple, ce qui suppose que le bit 5 soit fixé dans le registre d'état B, le bit 5 sera également fixé dans le registre d'état C pour indiquer que l'heure d'alarme est atteinte.

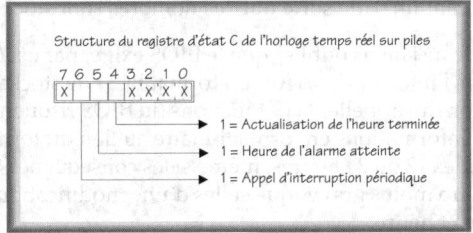

La première tâche de la routine qui intercepte l'interruption 70h consiste donc à lire le registre d'état C, de façon à identifier le motif de l'appel d'interruption et à réagir en conséquence.

Le registre d'état D

Le dernier registre d'état, le registre D, est le plus "pauvre" puisque seul le bit 7 de ce registre est significatif. Il indique l'état des piles qui alimentent la sauvegarde des données même lorsque le PC est éteint. Si ce bit vaut 0, vous avez tout intérêt à vous procurer des piles car les piles actuelles sont à plat.

Le registre d'état D est le dernier registre de la zone de données consacrée à l'horloge temps réel. Ensuite viennent les informations sur la configuration de la machine.

13.3. Informations sur la configuration

Outre les diverses informations concernant la date et l'heure, les 64 cellules de mémoire de l'horloge temps réel sur piles contiennent d'autres informations qui sont énumérées dans le tableau suivant.

Les différents constructeurs BIOS n'adoptent une formule standard que pour les cellules de mémoire définies comme des cellules réservées. Les autres peuvent être utilisées par les fabricants de BIOS ou d'électronique comme ils le souhaitent. Par conséquent, elles ne doivent pas être écrasées par un programme.

Informations de configuration dans les cellules de mémoire de l'horloge temps réel sur piles	
Adresse	**Contenu**
0Eh	Octet de diagnostic
0Fh	État lors de l'arrêt du système
10h	Description des disquettes
11h	Type du premier disque dur
12h	Type du second disque dur
13h	Réservé
14h	Octet de configuration
15h	Octet faible de la taille en Ko de la mémoire sur la carte mère
16h	Octet fort de la taille en Ko de la mémoire sur la carte mère
17h	Octet faible de la taille en Ko de la mémoire sur une carte supplémentaire
18h	Octet fort de la taille en Ko de la mémoire sur une carte supplémentaire
19h-2Dh	Réservé
2Eh	Octet fort de la somme de contrôle des cellules de mémoire 10h-2Dh
2Fh	Octet faible de la somme de contrôle des cellules de mémoire 10h-2Dh
30h	Octet faible de la taille en Ko de la mémoire d'extension
31h	Octet fort de la taille en Ko de la mémoire d'extension
32h	Les deux premiers chiffres du siècle en format BCD
33h-3Fh	Réservé

Octet de diagnostic (0Eh)

Toutes sortes de sources d'erreurs, produites lors de l'initialisation du système (POST), sont placées dans l'octet de diagnostic.

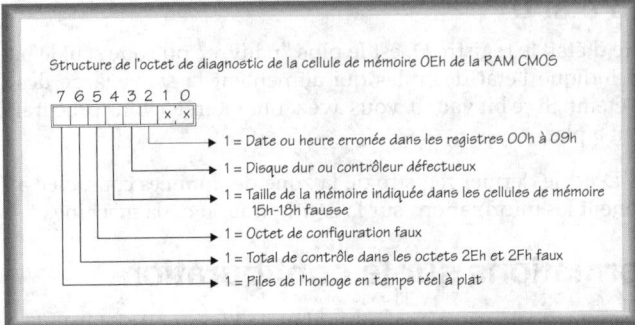

Structure de l'octet de diagnostic de la cellule de mémoire 0Eh de la RAM CMOS

7 6 5 4 3 2 1 0

1 = Date ou heure erronée dans les registres 00h à 09h

1 = Disque dur ou contrôleur défectueux

1 = Taille de la mémoire indiquée dans les cellules de mémoire 15h-18h fausse

1 = Octet de configuration faux

1 = Total de contrôle dans les octets 2Eh et 2Fh faux

1 = Piles de l'horloge en temps réel à plat

Description des lecteurs de disquettes (10h)

La cellule de mémoire 10h de la RAM sur piles contient des informations sur les premier et second lecteurs de disquettes dont dépendent leur format (5,25" ou 3,5") et leur capacité.

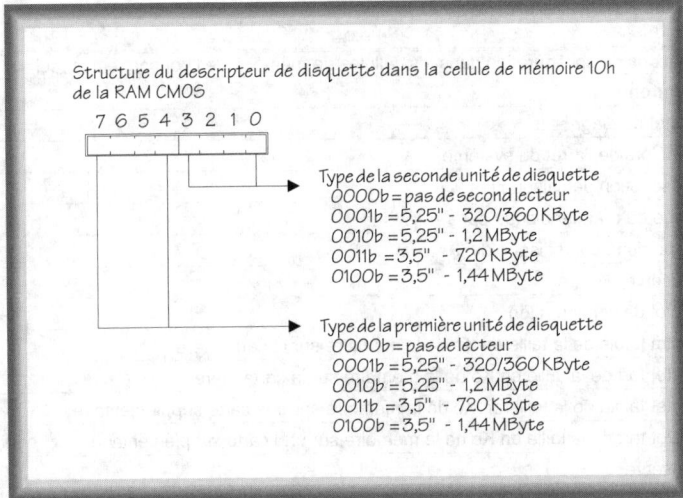

Structure du descripteur de disquette dans la cellule de mémoire 10h de la RAM CMOS

7 6 5 4 3 2 1 0

Type de la seconde unité de disquette
0000b = pas de second lecteur
0001b = 5,25" - 320/360 KByte
0010b = 5,25" - 1,2 MByte
0011b = 3,5" - 720 KByte
0100b = 3,5" - 1,44 MByte

Type de la première unité de disquette
0000b = pas de lecteur
0001b = 5,25" - 320/360 KByte
0010b = 5,25" - 1,2 MByte
0011b = 3,5" - 720 KByte
0100b = 3,5" - 1,44 MByte

Octet de configuration (14h)

La cellule de mémoire 14h de la RAM sur piles contient des informations sur la configuration décrivant le nombre de lecteurs de disquettes, le mode vidéo lors du lancement du système et l'existence d'un co-processeur mathématique.

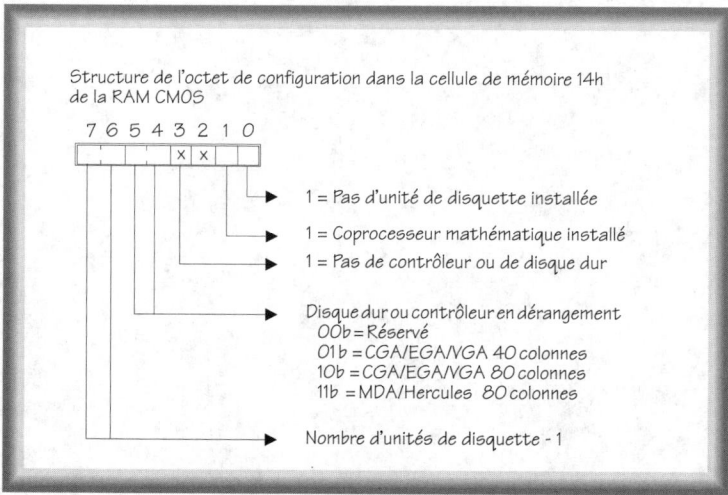

Structure de l'octet de configuration dans la cellule de mémoire 14h de la RAM CMOS

7 6 5 4 3 2 1 0

1 = Pas d'unité de disquette installée

1 = Coprocesseur mathématique installé

1 = Pas de contrôleur ou de disque dur

Disque dur ou contrôleur en dérangement
00b = Réservé
01b = CGA/EGA/VGA 40 colonnes
10b = CGA/EGA/VGA 80 colonnes
11b = MDA/Hercules 80 colonnes

Nombre d'unités de disquette - 1

13.4. Programmes d'exemple

Pour illustrer l'accès à l'horloge sur piles à partir des trois langages évolués, nous vous fournissons trois programmes d'exemple dans les langages BASIC, Pascal et C. Le coeur de ces programmes est chaque fois constitué par trois routines. La première lit une valeur dans l'une des cellules de mémoire de l'horloge, la seconde y inscrit une valeur et la troisième lit également une valeur mais seulement après avoir testé si l'horloge est exploitée en mode binaire ou BCD ; elle convertit le cas échéant cette valeur de BCD en binaire. Cette routine est importante pour l'accès à toutes les cellules de mémoire contenant les informations de date ou d'heure car ces cellules peuvent être codées aussi bien en format BCD qu'en format binaire.

Le programme principal appelle les deux routines qui lisent le contenu de cellules de mémoire pour, entre autres, lire la date et l'heure actuelles sur l'horloge temps réel et sortir ces informations sur l'écran. On teste toutefois auparavant si les piles de l'horloge ne sont pas à plat, auquel cas ces données seraient sans valeur.

La routine pour écrire dans des cellules de mémoire n'est pas appelée par le programme principal. Il ne devrait cependant pas vous être difficile de modifier chaque programme de façon à ce que la date ou l'heure soient écrites sur l'horloge, à l'aide de la routine d'écriture, au lieu d'être lues. C'est une suggestion que vous pourriez retenir si vous souhaitez vous livrer à diverses expériences avec ces routines.

RTCB.BAS   **RTCP.PAS**   **RTCC.C**

14. Les extensions de mémoire

Lorsque l'ancêtre de tous les PC vit le jour, en l'an de grâce 1980 dans les laboratoires de développement d'IBM, ses possibilités étaient encore très en avance sur son temps. Cela valait notamment pour la taille de sa mémoire centrale, tellement élevée, avec ses 640 Ko au maximum, que personne ne savait très bien à quoi elle pourrait servir. Les premiers PC furent livrés avec une mémoire centrale RAM de 64 Ko, plus tard de 128 Ko et enfin de 256 Ko. Si nous avons beaucoup de mal à réprimer une moue condescendante à l'évocation de ces chiffres, c'est entre autres parce qu'une RAM de 640 Ko est entre-temps devenue l'équipement standard des XT, et surtout des AT.

Comme nous entrons maintenant dans l'ère des processeurs Pentium, des interfaces utilisateur graphiques et des OS multitâche, les 640 Ko sont devenus insuffisants pour exploiter pleinement les potentialités des PC. Mais nous ne pouvons plus régler ce genre de problème en ajoutant juste des cartes mémoire additionnelles. D'autant qu'accéder à plus d'1 Mo avec des processeurs 8086 semble difficile !

L'autre facteur important est la préservation de la compatibilité. Pour que tous les programmes puissent fonctionner du simple XT jusqu'au Pentium, il faut que les processeurs soient compatibles, mais il faut aussi remplir d'autres conditions primordiales liées notamment à la structure de la mémoire. Rien ne serait compliqué si on se contentait de répondre aux exigences des applications modernes, mais le hic est qu'il s'agit de se conformer au standard défini depuis 1980.

Bloc	Adresse	Contenu
15	F000:0000 - F000:FFFF	ROM BIOS
14	E000:0000 - E000:FFFF	Libre pour cartouches ROM
13	D000:0000 - D000:FFFF	Libre pour cartouches ROM
12	C000:0000 - C000:FFFF	BIOS ROM supplémentaire
11	B000:0000 - B000:FFFF	RAM Vidéo
10	A000:0000 - A000:FFFF	RAM Vidéo supplémentaire (EGA/VGA)
9	9000:0000 - 9000:FFFF	RAM de 576 Ko à 640 Ko
8	8000:0000 - 8000:FFFF	RAM de 512 Ko à 576 Ko
7	7000:0000 - 7000:FFFF	RAM de 448 Ko à 512 Ko
6	6000:0000 - 6000:FFFF	RAM de 384 Ko à 448 Ko
5	5000:0000 - 5000:FFFF	RAM de 320 Ko à 384 Ko
4	4000:0000 - 4000:FFFF	RAM de 256 Ko à 320 Ko
3	3000:0000 - 3000:FFFF	RAM de 192 Ko à 256 Ko
2	2000:0000 - 2000:FFFF	RAM de 128 Ko à 192 Ko
1	1000:0000 - 1000:FFFF	RAM de 64 Ko à 128 Ko
0	0000:0000 - 0000:FFFF	RAM de 0 Ko à 64 Ko

La structure de la mémoire du PC

D'après la figure précédente, l'espace semble plutôt réduit puisque seuls les premiers 640 Ko peuvent être utilisés par la RAM. Tout ce qui suit est réservé pour la RAM vidéo, les extensions électroniques et le BIOS.

Bien qu'à l'heure actuelle, la mémoire puisse facilement être augmentée au-delà de la limite des 1 Mo (les 386 sont souvent livrés avec au moins 2 Mo de mémoire), cette mémoire ne peut toutefois pas être réclamée sous DOS. DOS fonctionne en effet dans le mode réel du processeur

qui n'autorise pas l'accès à la mémoire située au-delà des 1 Mo. Le nouveau système d'exploitation OS/2 se libère de cette contrainte.

Aujourd'hui déjà, des solutions sont proposées pour sortir de cette crise, comme nous allons le voir dans le cadre de ce chapitre. À l'heure actuelle, les extensions de mémoire existent sous forme de mémoire étendue (extended memory) et de mémoire paginée (expanded memory). Elles prêtent souvent à confusion en raison de leur similitude phonétique en langue anglaise, mais leurs technologies sont fondamentalement différentes.

Grâce à la multiplicité des Mo la mémoire s'agrandit mais encore faut-il que les logiciels soient en mesure d'en tirer pleinement profit. Les applications professionnelles telles que Lotus 1-2-3 ou Windows 3.x connaissent ce processus depuis longtemps. Ce chapitre explique également comment utiliser cette mémoire dans des programmes personnels.

Mémoire paginée

La mémoire paginée est une mémoire additionnelle que vous trouverez surtout dans les ordinateurs PC/XT. A cause du processeur 8088, ces machines sont limitées à une RAM utilisateur de 640 Ko. Avec une mémoire paginée, la RAM au-dessus de la barrière des 640 Ko peut être utilisée. Rappelez-vous que la mémoire paginée étend la RAM au-dessus des 640 Ko.

Mémoire étendue

La mémoire étendue est une mémoire additionnelle que vous trouverez dans les machines à base de 80286 ou plus. Elle permet une extension au-dessus du premier méga octets.

14.1. Mémoire paginée (standard EMS)

Une machine PC ou PC/XT est limitée à 640 Ko de mémoire conventionnelle, les ordinateurs 80286 sont limités à 16 Mo de RAM. Toutefois, ces 16 Mo ne sont disponibles que si le PC tourne en mode protégé, ce qui rend la mémoire inaccessible aux programmes DOS.

Pour remédier à cette situation, plusieurs sociétés en pointe dans le domaine du PC, qui avaient un intérêt commun à ce que même les possesseurs de PC, XT et AT puissent accéder à des capacités RAM plus élevées, et donc aussi à des applications plus complexes et plus puissantes, ont réuni leurs efforts. Il s'agissait des sociétés Lotus (les développeurs de Lotus 1-2-3), Microsoft (développeur de MS-DOS et Windows) et Intel (fabricant des processeurs du PC). Elles ont ainsi développé un standard qui a été baptisé standard LIM, d'après les initiales des noms de ces trois sociétés.

Ce standard prévoit que la mémoire centrale du PC peut être étendue à l'aide d'une carte d'extension jusqu'à 32 Mo. Sur ces 32 Mo, seuls 64 Ko au maximum sont visibles à un moment donné, à travers une sorte de fenêtre appelée Page Frame, en dessous de la limite des 1 Mo. Une mémoire installée à l'aide d'une carte d'extension de ce type est appelée "expanded memory" (mémoire paginée) mais ne doit pas être confondue avec "extended memory" (qui veut dire mémoire étendue) au-delà des 1 Mo sur l'AT. Le système ainsi obtenu est appelé "expanded memory system" ou EMS en abrégé.

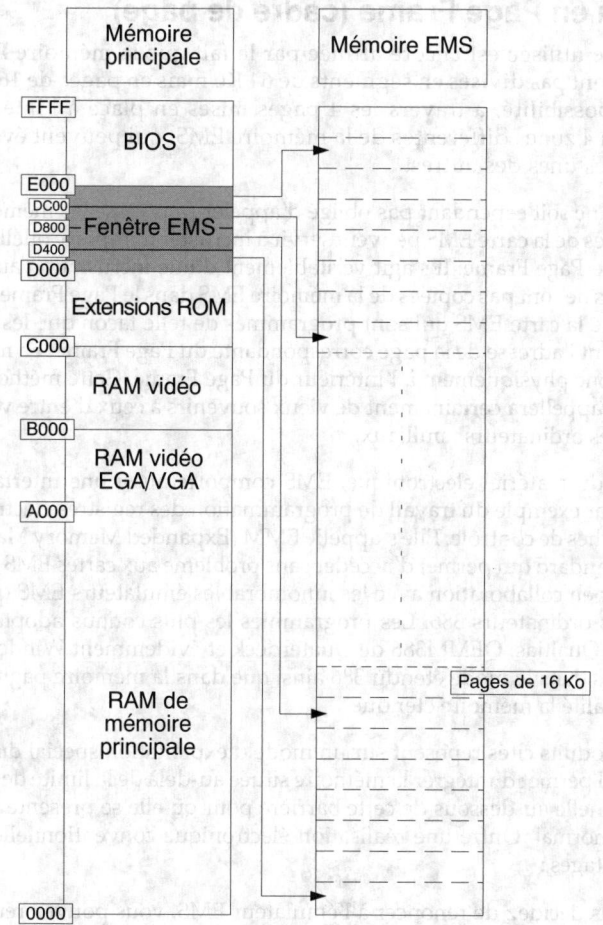

Accès à la mémoire EMS suivant le standard LIM, à l'aide d'une "fenêtre"

Ouverture d'une fenêtre mémoire

Lors de la réalisation de ce principe, le travail des développeurs a été facilité par le fait que toute la mémoire entre la fin de la mémoire RAM et la limite de 1 Mo n'est pas attribuée au BIOS, à la RAM vidéo et aux autres extensions du système. On peut donc toujours trouver 64 Ko qui n'aient pas encore été attribués et qui peuvent donc être employés comme une fenêtre ouverte sur la mémoire EMS. Cette fenêtre se situe généralement à l'adresse de segment D000h, mais le matériel EMS est très souple à ce point de vue.

Cette fenêtre étant donc toujours située en dessous de la limite des 1 Mo de mémoire, il est possible, au niveau le plus bas, d'accéder à cette mémoire à l'aide d'instructions assembleur normales, comme par exemple pour la RAM vidéo, qui est également située au-delà de la fin de la mémoire RAM. Sont possibles aussi bien des accès en lecture que des accès en écriture. Nous y reviendrons plus tard en prenant un exemple concret.

Division en Page Frame (cadre de page)

La méthode utilisée est encore affinée par le fait que la mémoire EMS ainsi que le Page Frame ne sont pas divisés en segments de 64 Ko mais en pages de 16 Ko. Le programmeur a ainsi la possibilité, à travers les 4 pages mises en place à l'intérieur du Page Frame, d'accéder à 4 zones différentes de la mémoire EMS, qui peuvent éventuellement être fort éloignées les unes des autres.

Pour qu'on ne soit cependant pas obligé d'appeler sans cesse les mêmes 4 pages, les registres électroniques de la carte EMS peuvent servir à incruster n'importe quelles pages de la mémoire EMS dans le Page Frame. Il s'agit véritablement d'une incrustation au sens propre du terme car les pages ne sont pas copiées de la mémoire EMS dans le Page Frame mais ce sont les canaux d'adresse de la carte EMS qui sont programmés de telle façon que les pages voulues portent effectivement l'adresse de la page correspondante du Page Frame. La mémoire sélectionnée se retrouve donc physiquement à l'intérieur du Page Frame. Cette méthode qu'on appelle Bank Switching rappellera certainement de vieux souvenirs à ceux d'entre vous qui ont bien connu l'époque des ordinateurs familiaux.

En dehors du matériel électronique, EMS comporte aussi une interface logicielle, qui vous décharge par exemple du travail de programmation des registres électroniques EMS ainsi que d'autres tâches de contrôle. Elle s'appelle EMM (Expanded Memory Manager) et constitue une interface standard qui permet d'accéder sans problème aux cartes EMS de différents fabricants et travailler en collaboration avec les innombrables émulateurs EMS qui pullulent déjà sur le marché des ordinateurs 386. Les programmes les plus connus adoptant cette méthode sont 386Max de Qualtias, QEMM386 de Quaterdeck et évidemment Windows 3.x qui propose ses applications dans le mode étendu 386 ainsi que dans la mémoire paginée derrière laquelle se cache en réalité la mémoire étendue.

Tous les produits cités reposent sur un mode d'exploitation spécial du i386, à savoir le mode virtuel 86. Il permet d'intégrer la mémoire située au-delà de la limite des 1 Mo dans la mémoire conventionnelle au-dessous de cette barrière pour qu'elle se présente comme un Page Frame tout à fait normal. Outre une réalisation électronique conventionnelle, il comporte de nombreux avantages :

O Si vous décidez de renoncer à l'émulateur EMS, vous pouvez réutiliser normalement la mémoire étendue,
O L'accès à la mémoire EMS et la commutation entre les différentes pages s'effectue rapidement parce qu'un matériel devant avoir recours aux ports I/O n'est pas impliqué,
O Les coûts ne sont pas élevés parce qu'en général une carte EMS est plus chère qu'un émulateur logiciel, et une insuffisance, tout aussi équivalente en mémoire étendue,
O Vous économisez de la place.

Comme nous l'avons déjà mentionné, l'émulation EMS ne concerne que les i386, i486 et les modèles suivants, les ordinateurs AT n'ont pas droit à cette ressource. Dans ce cas également, il existe de nombreuses techniques d'émulation de la mémoire EMS qui dépendent généralement de la vitesse d'accès à la mémoire.

Les fabricants d'ordinateurs AT offrent cependant une technique permettant d'utiliser la mémoire étendue comme mémoire EMS. Ils adoptent en général une électronique découverte par la société Chips & Technologies appelée Neat Chips (NEAT = New Enhanced AT). Sur le plan électronique, ils prévoient de configurer la mémoire étendue sur la mémoire paginée sans qu'il soit nécessaire d'installer une carte d'extension spéciale à cet effet. Celle-ci se trouve d'ores

et déjà sur la carte mère et peut être configurée selon les besoins au moyen d'un programme Setup étendu.

L'interface logicielle entre l'EMM et un programme est identique aux autres interfaces logicielles que l'on rencontre dans le monde PC pour la simple raison que les diverses fonctions EMM doivent être appelées à travers une interruption logicielle. Pour de nombreuses interfaces logicielles, la fabrication de l'interface EMS est également typique puisqu'elle a été étendue et modifiée à plusieurs reprises.

14.1.1. L'histoire du standard LIM

Pendant que la plupart des programmes logiciels voient le jour avec le numéro de version 1.0, une version 1.0 du standard EMS n'a jamais existé. Une telle version n'a du moins pas quitté le laboratoire de développement car pendant que Lotus et Intel envisageaient de donner leur accord pour un standard EMS au début de 1985, on voyait déjà apparaître la version 3.0. Jusqu'à ce moment donné, Microsoft était exclu de la partie mais entrait rapidement dans le circuit parce qu'on peut parfaitement se servir de cette technique pour étendre la mémoire dans ses propres produits.

EMS Version 3.2

La version 3.0 a rapidement donné naissance à la version 3.2 et le standard EMS au standard LIM EMS. Cela s'est passé en automne 1985 et quelques semaines plus tard, un consortium regroupant les sociétés AST, Quadram et Ashton Tate présentait leur standard EMS personnel, à savoir EEMS (Enhanced Expanded Memory Specification). Cette mémoire était évidemment basée sur la version EMS 3.2 sans pour autant présenter des avantages intéressants. Par conséquent, elle n'a pas trouvé sa place sur le marché. Aujourd'hui, elle est tombée dans l'oubli, mais autrefois, elle pouvait utiliser des zones supérieures à 64 Ko en tant que Page Frame - une condition préalable importante pour les programmes multitâches de DOS comme DESQview. Les mêmes capacités sont toutefois reconnues par EMS 4.0 si bien qu'aujourd'hui personne ne parle plus d'EEMS.

EMS 3.2 a connu très vite un grand succès et est soutenu par la plupart des fabricants renommés. Lotus a pris les devants en promouvant les cartes EMS. Grâce à l'EMS, il devient désormais possible de calculer des feuilles de calcul volumineuses avec le best-seller d'antan Lotus 1-2-3. Mais les programmes résidents, les disques RAM et de nombreux utilitaires commencèrent très vite à utiliser la mémoire EMS à des fins personnelles. En tout cas, Microsoft n'a pas tardé à soutenir la mémoire EMS depuis la version 4.0 à travers MS-DOS et ce, lamentablement et de manière plutôt erronée dans les débuts.

EMS Version 4.0

Alors que la version EMS 3.2 pouvait répondre à tous les besoins du programmeur avec ses 14 fonctions variées, la version 4.0 est apparue en automne 1987 avec 58 fonctions. Elles sont nécessaires pour soutenir l'électronique étendue parce que la version 4.0 reconnaît jusqu'à 32 Mo au lieu de 8 Mo. En outre, la fenêtre EMS peut être définie à n'importe quel endroit de la mémoire. Etant donné que sa taille est variable, l'environnement de gestion de la mémoire EMS a considérablement augmenté.

Ainsi, la version 4.0 n'exige pas de l'électronique EMS de remplir des conditions spectaculaires qui ne pouvaient pas d'ailleurs pas être remplies par les anciennes cartes EMS. En quelque sorte, c'est la raison pour laquelle la version 4.0 n'a pas pu prendre le pas sur la version 3.2 qui représente depuis toujours le standard pour la programmation EMS.

Cependant, il est regrettable qu'une performance fasse défaut. En effet, il n'est pas possible de protéger les pages EMS contre la suppression lors d'un démarrage à chaud. En fait, les disques RAM ont perdu l'habitude de conserver leur contenu à la suite d'un plantage ou d'une réinitialisation. Pourtant, cela faciliterait nettement le travail.

14.1.2. EMS version 3.2

Ce chapitre traite de l'accès concret à la mémoire EMS à l'aide des diverses fonctions définies à travers le gestionnaire de mémoire paginée (EMM). Comme vous l'avez appris dans les sections précédentes, leur nombre s'est accru considérablement entre la version 3.2 et la version 4.0. Toujours est-il que les fonctions convenant parfaitement dans l'exploitation de la mémoire EMS ne sont pas légion.

Toutes les fonctions existent déjà dans la version EMS 3.2 et c'est d'ailleurs la raison pour laquelle cette version occupe la principale place dans ce chapitre. Les fonctions de la version 4.0 sont toutefois décrites en détail en annexe, mais elles ne jouent aucun rôle dans ce contexte. Rares sont les fabricants de cartes mémoire qui reconnaissent la version 4.0. Ses fonctions ne sont même pas sollicitées dans les programmes normaux.

EMM

Suivant le même principe que pour l'interruption DOS 21h, qui fait office d'interface avec les fonctions du système d'exploitation, les fonctions de l'EMM peuvent être appelées à travers l'interruption 67h. Avant qu'un programme suppose, de façon inconsidérée, qu'une mémoire EMS et une EMM sont installées, il serait toutefois préférable qu'il vérifie qu'il en est bien ainsi. S'il ne le fait pas et si aucune mémoire EMS n'est installée, les conséquences d'un appel de l'interruption 67h sont imprévisibles. Il se peut que rien ne se passe, mais il se peut aussi que le système soit planté.

Pour éviter cela, tout programme souhaitant avoir recours à la mémoire EMS devrait donc vérifier qu'elle est bien disponible.

On peut tirer parti pour cela du fait que l'EMM est intégrée dans le système comme un driver de périphérique tout à fait normal lors du lancement du système (c'est-à-dire avec une instruction appropriée dans le fichier de configuration CONFIG.SYS). Elle possède donc un en-tête de driver précédant le driver dans la mémoire, et dont la structure est imposée par le DOS. Comme il s'agit d'un driver de caractère, le nom du driver figure à partir de l'adresse 10 de l'en-tête de driver. Le standard LIM prévoit que ce nom doit être EMMXXXX0. Les programmes d'exemple à la fin de ce chapitre recherchent ce nom après avoir calculé l'adresse de segment de l'interruption 67h. S'il s'agit de l'EMM, l'adresse de segment doit correspondre au segment dans lequel le driver de périphérique EMMXXXX0 (c'est-à-dire l'EMM) a été chargé. Comme l'en-tête de périphérique figure à l'adresse d'offset 0 par rapport au début de ce segment, il ne reste plus qu'à comparer le contenu des cellules de mémoire 10 avec le nom EMMXXXX0 pour savoir si une mémoire EMS, avec l'EMM correspondante, est installée.

Une fois que le test a permis de s'assurer qu'une mémoire EMS était bien disponible, l'accès à cette mémoire se déroule essentiellement en trois étapes.

De même que la mémoire centrale normale doit être allouée à travers une fonction DOS, un programme doit aussi se faire allouer par l'EMM un certain nombre de pages EMS. Le nombre de pages allouées ne dépend bien sûr pas seulement des besoins en mémoire du programme mais aussi de la quantité de mémoire EMS installée et n'ayant pas encore été attribuée à d'autres programmes.

Si le programme a pu se faire allouer le nombre de pages qu'il souhaitait, les pages appelées doivent tout d'abord être amenées dans l'une des quatre pages du Page Frame avant que le programme puisse y transférer des données ou lire leur contenu. Il en résulte une superposition de l'une des pages logiques allouées sur l'une des quatre pages physiques du Page Frame, qu'on désigne par le terme de Mapping.

Lorsque le programme ou le travail avec la mémoire EMS est terminé, il convient de libérer à nouveau les pages allouées. Si ce n'est pas fait, les pages allouées resteront propriété du programme (même après qu'il se soit terminé) et ne pourront être attribuées à d'autres programmes.

Ces trois étapes caractérisent l'appel de nombreuses fonctions de l'EMM que nous allons vous présenter dans les pages suivantes. Comme pour l'appel de l'interruption DOS 21h, le numéro de fonction doit chaque fois être chargé dans le registre AH. Contrairement aux fonctions DOS, le numéro de fonction ne correspond pas ici à la valeur du registre AH mais doit encore être additionné à la valeur 3Fh. Pour appeler la fonction 2h, il faudra donc charger la valeur 3Fh + 2h ou 41h dans le registre AH. Après appel de la fonction, ce registre contient le statut d'erreur de la fonction appelée, la valeur 0 indiquant que la fonction s'est conclue par un succès alors que les valeurs supérieures ou égales à 80h signalent une erreur.

À propos des erreurs

Les différents codes d'erreur sont indiqués dans la description des fonctions que vous trouverez en annexe de cet ouvrage. Signalons simplement ici une erreur particulière : si la valeur 84h figure dans le registre AH après appel de l'interruption EMM 67h, cela indique qu'un numéro de fonction incorrect avait été transmis dans le registre AH lors de l'appel de l'interruption, c'est-à-dire que la fonction appelée n'existe pas.

Deux autres erreurs résultant d'un défaut de fonctionnement de l'EMM ou de l'électronique EMS peuvent apparaître à la suite de pratiquement n'importe quel appel de fonction : il s'agit des codes d'erreur 80h et 81h.

Fonctions EMS

Voici les fonctions dont a besoin un programme transitoire pour accéder à la mémoire EMS :

Fonction	Utilisation
40H (01h)	Lire l'état EMM
41H (02h)	Lire l'adresse de segment du Page Frame
42H (03h)	Lire le nombre de pages
43H (04h)	Allouer des pages EMS
44H (05h)	Fixer Mapping
45H (06h)	Libérer des pages EMS

Pour garantir un fonctionnement impeccable de l'électronique EMS et de l'EMM, il est conseillé de procéder à un test de l'état EMM, à l'aide de la fonction 40h, qui n'attend pas d'autre paramètre que le numéro de fonction dans le registre AH. Si elle renvoie la valeur 0 dans le registre AH, c'est que tout va bien et le travail avec la mémoire EMS peut commencer.

Limites de l'allocation EMS

Le nombre de pages EMS pouvant être allouées est naturellement limité vers le haut par le nombre de pages encore libres. C'est pourquoi il convient, avant de procéder à l'allocation, de vérifier que les besoins en mémoire du programme n'excèdent pas la capacité encore disponible. On peut avoir

recours à cet effet à la fonction 42h qui renvoie le nombre de pages non encore allouées. Cette fonction n'attend pas non plus d'autre paramètre que le numéro de fonction. Elle renvoie dans le registre BX le nombre de pages non encore allouées. Elle fournit également dans le registre DX le nombre total de pages EMS installées, une information qui peut être intéressante pour un rapport d'état et que nous avons d'ailleurs utilisée dans nos programmes d'exemple.

Si la mémoire EMS disponible permet de couvrir les besoins du programme ou si ces besoins ont été adaptés à la quantité de mémoire libre, la mémoire peut enfin être allouée. La fonction 43h doit recevoir pour cela le numéro de fonction ainsi que le nombre de pages à allouer dans le registre BX. Si le nombre de pages réclamé a pu être alloué sans problème (0 dans le registre AH après appel de la fonction), le programme d'appel trouve dans le registre BX un Handle qui lui servira, lors des appels ultérieurs, de clé d'accès aux pages allouées et qui permettra à l'EMM d'identifier celui qui appelle. Ce Handle doit être stocké dans une variable par le programme d'appel car sa "perte" lui interdirait non seulement d'accéder aux pages allouées mais même de libérer ces pages au profit d'autres programmes. Cette fonction peut d'ailleurs être appelée à plusieurs reprises par un programme, lorsqu'il s'agit d'allouer plusieurs blocs logiques.

Avec le Handle ainsi obtenu, l'accès aux pages peut commencer. Pour toutes les fonctions, le Handle doit toujours être transmis dans le registre DX. Cela vaut aussi pour la fonction 44h, qui sert à placer une page logique dans l'une des quatre pages physiques du Page Frame. Le numéro de la page logique doit pour cela être transmis dans le registre BX, celui de la page physique dans AL. Notez bien que ces deux valeurs sont comptées à partir de 0. Si vous avez par exemple alloué 15 pages, le numéro de page logique devra donc être compris entre 0 et 14 inclus.

Une fois la page appelée placée dans le Page Frame, elle peut être appelée exactement comme la mémoire normale. Si l'adresse d'offset du début de la page peut être calculée d'après le numéro de la page physique, l'adresse de segment correspondante doit tout d'abord être obtenue à l'aide d'une fonction EMM. Cette adresse ne peut cependant être modifiée au cours du travail avec la mémoire EMS, de sorte qu'il suffit de la rechercher une seule fois au cours de l'initialisation du programme, puis de la stocker dans une variable. C'est la fonction 41H qui renvoie dans le registre BX l'adresse de segment du Page Frame.

Tout travail avec la mémoire EMS doit se terminer par la restitution des pages allouées à l'EMM. La fonction 45H doit simplement recevoir pour cela le Handle qui avait été obtenu auparavant.

Outre ces six fonctions auxquelles un programme normal peut ou doit avoir recours pour accéder à la mémoire EMS, il existe six autres fonctions qui peuvent être utiles aux programmes dans certaines situations déterminées. Il s'agit des fonctions suivantes :

Fonction	Utilisation
46H (07h)	Lire le numéro de version EMM.
47H (08h)	Sauver Mapping actuel.
48H (09h)	Rétablir Mapping sauvegardé.
49H (0Ah)	Lire le nombre de handles EMM.
4AH (0Bh)	Lire le nombre de pages allouées à un Handle.
4BH (0Ch)	Lire tous les handles et le nombre de pages allouées.

Numéros de version

Le test du numéro de version EMM n'est pas dépourvu d'intérêt dans la mesure où le standard LIM a naturellement continué d'évoluer depuis son apparition. Cela signifie que certaines fonctions ont disparu, et ne sont donc plus soutenues dans les versions suivantes, alors que d'autres fonctions ont été ajoutées. Les fonctions présentées ici se réfèrent à la version 3.2, qui a entre-temps été suivie d'une version 4.0. La version 3.2 n'est cependant pas dépassée pour autant. Elle représente en fait un bon compromis car elle est très répandue et de plus totalement compatible avec la version 4.0. Si vous voulez malgré tout renoncer à soutenir certaines versions EMS antérieures ou ultérieures dans votre programme, il faudrait que vous recherchiez le numéro de version de l'EMM avant le début du programme. Après appel de la fonction 46H, ce numéro de version est renvoyé dans le registre AL. Il y est codé sous forme d'un nombre BCD, les 4 bits de poids fort contenant le numéro de version principale et les 4 bits de poids faible le numéro de sous-version.

Les fonctions 47H et 48H (3Fh+08h et 3Fh+09h) sont importantes pour les programmes résidents souhaitant utiliser la mémoire EMS. Lorsqu'un programme résident interrompt l'exécution d'un programme transitoire pour passer au premier plan pendant un certain temps, il doit tenir compte du fait que le programme interrompu accède peut-être lui-même à la mémoire EMS et qu'un Mapping déterminé a donc pu être mis en place. Il ne faut naturellement pas que ce Mapping ait été modifié lorsque reprendra l'exécution du programme interrompu. Ce Mapping doit donc être sauvegardé lors de l'activation du programme résident pour pouvoir être rétabli lorsque ce programme se terminera. C'est à cela que servent les fonctions 47H et 48H. La fonction 47H sauvegarde le Mapping actuel à l'intérieur de l'EMM, alors que la fonction 48H rétablit l'état sauvegardé. Les deux fonctions doivent recevoir le handle du programme d'appel. Il ne s'agit donc pas, en l'occurrence, du Handle du programme interrompu, sous lequel le Mapping avait été fixé, mais bien du handle du programme résident.

Les trois dernières fonctions de cette liste n'ont d'intérêt que pour les contrôleurs de mémoire chargés, au niveau le plus bas, de répartir la mémoire au module de rang hiérarchique plus élevé. Il n'y a donc pas lieu de décrire ces fonctions en détail. Vous trouverez de plus amples informations sur ces fonctions dans l'annexe consacrée à la description des fonctions de l'EMM.

Programmes de démonstration

Pour vous aider à appliquer dans la pratique les informations fournies dans ce chapitre, vous trouverez deux programmes en C et en Pascal pour le travail avec la mémoire EMS. Il n'est pas besoin ici de programme Assembleur car les appels des fonctions EMM consistent au fond simplement à charger des variables et constantes dans des registres et à appeler l'interruption EMM 67h. A l'aide de la description des fonctions figurant en annexe, un programmeur en Assembleur ne devrait avoir aucun mal à réaliser lui-même les appels de fonction nécessaires. Nous ne vous proposons pas non plus de programme BASIC car la mémoire EMS ne peut être utilement employée qu'avec des applications complexes et nécessitant beaucoup de mémoire. Or ce genre d'applications ne peuvent de toute façon être réalisées en BASIC (ou plus précisément en GW-BASIC).

Les deux programmes d'accompagnement sont identiques pour l'essentiel, de sorte que nous pouvons nous limiter ici à une description de la structure fondamentale de ces programmes. Ils offrent une série de fonctions et de procédures permettant d'appeler les différentes fonctions EMM. Ces deux programmes comportent en outre une fonction EMS_INST (ou *EmsInst*) qui détermine tout d'abord, d'après la méthode décrite plus haut, si une EMM est installée. Il est particulièrement important qu'il s'agisse d'un pointeur FAR car le Page Frame se situe en dehors du segment de données du programme et ne peut donc être adressé à travers le contenu du registre DS. Cela ne pose pas de problème en Pascal puisque le code généré pour les

références aux données travaille systématiquement avec des pointeurs FAR. En C, par contre, il faut veiller à ce que le programme soit compilé dans l'un des modèles de mémoire travaillant avec des pointeurs FAR pour les références des données. C'est le cas des modèles de mémoire Compact, Large et Huge.

Le programme principal teste tout d'abord si une EMM est installée et recherche alors, à l'aide de différentes fonctions, les informations d'état sur la mémoire EMS, pour les afficher sur l'écran. Une page est ensuite allouée et plaquée sur la première page (la page 0) du Page Frame. Le contenu actuel de la RAM vidéo y est alors copié avant d'être annulé. On se rend compte ici qu'il est très pratique de travailler avec des pointeurs FAR car cela permet d'employer les fonctions de bibliothèque (en C) ou les instructions tout à fait normales pour accéder à la mémoire EMS. Il s'agit en l'occurrence des instructions MOVE (Pascal) et MEMCPY (C).

Après l'opération de copie, un message est affiché pour l'utilisateur et on attend qu'une touche soit actionnée. La seconde opération de copie est alors déclenchée, qui consiste à recopier de la page 0 du Page Frame vers la RAM vidéo le contenu de la RAM vidéo qui avait été sauvegardé auparavant. Le programme est alors terminé.

L'intérêt principal de ce programme est de bien montrer que le contenu d'une page du Page Frame peut être traité exactement comme des données normales que vous auriez placées dans des variables globales, dans une variable sur le Heap ou dans une zone de mémoire allouée à travers le DOS.

Une fois qu'un pointeur désignant la page voulue dans le Page Frame a été mis en place, vous pouvez effectuer des opérations de variables tout à fait normales, et donc aussi travailler avec des objets complexes tels que des structures et vecteurs ou tableaux. Il importe seulement de veiller à ce que vos objets tiennent dans une page ou alors de ne pas oublier de changer de page ou d'amener la page requise dans le Page Frame si, pour des objets de taille importante, l'adresse d'offset par rapport au début de la page dépasse 16 Ko.

EMMC.C   **EMMP.PAS**

14.2.   La mémoire étendue

Alors qu'un programme ne doit réclamer la mémoire paginée que par à-coups, l'ensemble de la mémoire étendue peut être accédé simultanément, à condition de se trouver au préalable en mode protégé. En mode réel, la mémoire étendue ne donne aucun résultat parce qu'elle est inaccessible par le processeur au-delà de la limite des 1 Mo. Par conséquent, les ordinateurs équipés d'un processeur 8088 ou 8086, c'est-à-dire les XT de forme simple, ne peuvent pas utiliser la mémoire étendue. Leurs processeurs ne connaissent que le mode réel et, contrairement à leurs aînés, ils ne sont pas en mesure de commuter vers le mode protégé.

En fait, il n'est pas du tout compliqué d'accéder au mode protégé. Il suffit tout simplement de régler un bit précis dans le registre de flags du processeur. Une fois cette action réalisée, le programme dispose d'une mémoire étendue allant jusqu'à 16 Mo dont on ne peut profiter puisque l'ordinateur se plante dans le moment qui suit. Le responsable de ce désagrément est le mécanisme utilisé par le 80286 et les modèles suivants pour adresser la mémoire en mode protégé. Cette technique diffère complètement de celle adoptée en mode réel.

Le processeur ne travaille plus avec les adresses de segment directes, mais ce qu'on appelle les descripteurs de segment regroupés dans une liste globale et d'innombrables listes locales. Il ne faut espérer ici aucun soutien de la part de DOS dont le travail se limite exclusivement au mode réel sans pouvoir commuter de quelque manière que ce soit vers le mode protégé.

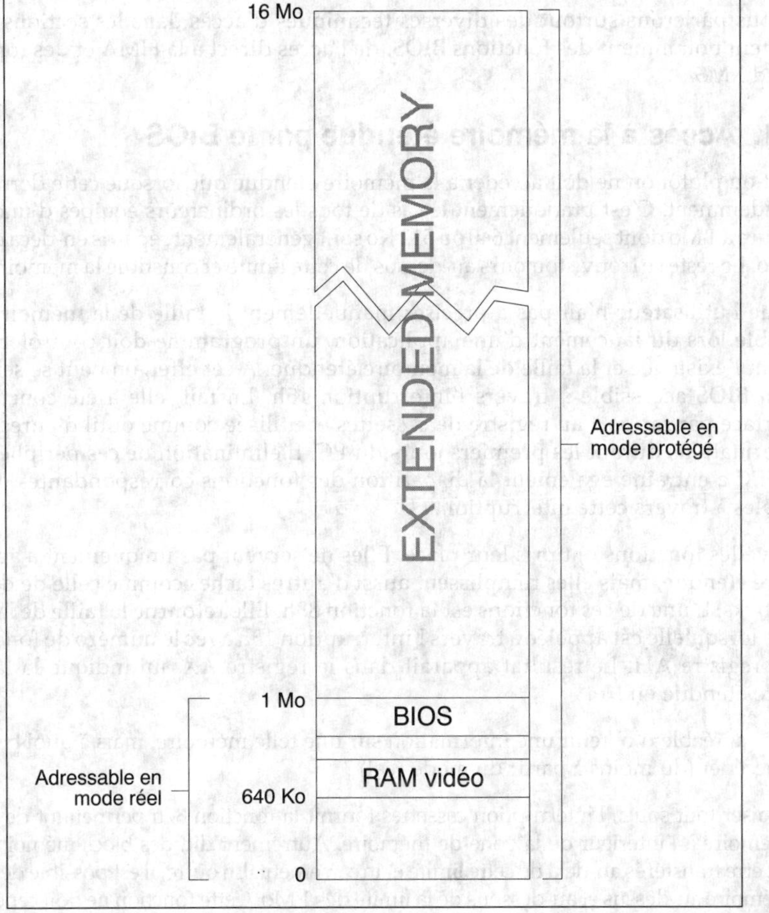

La mémoire étendue d'un PC

Si on ne définit et n'initialise pas personnellement les listes du descripteur avant de commuter vers le mode protégé, on obtient vite de mauvaises surprises. Cette tâche nécessite en effet quelque expérience dans la programmation en Assembleur et des connaissances approfondies sur le fonctionnement du processeur en mode protégé.

Les diverses fonctions BIOS et les drivers XMS, destinés spécialement à assumer cette tâche, apportent fort heureusement une aide intéressante lors de l'accès à la mémoire étendue. Par rapport aux fonctions BIOS, ces drivers offrent un meilleur mécanisme d'accès à la mémoire étendue. Ils partent du principe que la mémoire étendue ne doit pas être adressée uniquement par un seul programme, mais doit être partagée par plusieurs programmes. La bousculade

pour les droits d'accès à la mémoire étendue reste néanmoins le problème majeur dont nous parlerons dans les sections suivantes.

Ces problèmes deviennent particulièrement épineux lorsque vous accédez directement à la mémoire étendue, alors que cela est également possible à partir du mode réel pour les 64 Ko inférieurs. Ce chapitre explique également cette méthode.

Mais nous parlerons surtout des diverses techniques d'accès dans les sections suivantes qui traitent notamment des fonctions BIOS, de l'accès direct à la HMA et des fonctions du standard XMS.

14.2.1. Accès à la mémoire étendue par le BIOS

On peut ou plutôt on ne doit accéder à la mémoire étendue que lorsque cette dernière existe bien évidemment. C'est pratiquement le cas de tous les ordinateurs équipés d'une mémoire supérieure à 1 Mo dont seulement 640 ou 512 Ko sont généralement répartis en-deçà de la limite des 1 Mo. Le reste se trouve toujours au-dessus de cette limite et constitue la mémoire étendue.

Pour que l'utilisateur n'ait pas à préciser manuellement la taille de la mémoire étendue disponible lors du lancement d'une application, un programme doit contrôler automatiquement l'existence et la taille de la mémoire étendue. A cet effet, on peut se servir d'une fonction BIOS accessible à travers l'interruption 15h. En fait, elle a été conçue en tant qu'interface par rapport au registre de cassettes et utilisée comme outil d'enregistrement des informations durant les premiers jours du PC. L'élimination de ces périphériques du monde PC a entraîné également la disparition des fonctions correspondantes qui étaient accessibles à travers cette interruption.

De nouvelles fonctions ont pris leur place. Elles ne servent pas uniquement à accéder à la mémoire étendue, mais elles remplissent aussi d'autres tâches comme celle de déterminer les joysticks. L'une de ces fonctions est la fonction 88h. Elle retourne la taille de la mémoire étendue lorsqu'elle est appelée à travers l'interruption 15h avec le numéro de fonction situé dans le registre AH. Le résultat apparaît dans le registre AX qui indique la taille de la mémoire étendue en Ko.

C'est très agréable d'obtenir une information sur une telle mémoire, mais à quoi bon si on ne peut y accéder (du moins à partir du mode réel) ?

Pour apaiser tout souci, l'interruption cassettes fournit la fonction 87h permettant de copier des blocs mémoire à l'intérieur de la zone de mémoire. Autrement dit, des blocs mémoire de 1 Mo peuvent être transférés au-delà de cette limite et inversement. En outre, il est possible de copier des blocs mémoire au-dessus et au-dessous de la limite des 1 Mo. Cette fonction ne doit cependant pas être utilisée pour remplir la dernière tâche car il est très difficile de l'appeler et elle comporte des inconvénients.

En fait, pour franchir réellement la frontière des 1 Mo, le processeur doit être activé en mode protégé. Dans ce mode, les performances du 80286 et des modèles ultérieurs deviennent certes apparentes, il n'en reste pas moins que, dans ce mode, la programmation des processeurs présente des complexités à divers points de vue. En mode réel au contraire, ils peuvent être exploités sous DOS. Ainsi, les informations à fournir à la fonction 87h par un programme sont réellement abondantes.

Nous n'allons pas vous accabler par la liste de ces informations. Mais pour simplifier la tâche, nous avons écrit un programme dans les divers langages. Il se trouve à la fin du chapitre. Vous pouvez vous en servir pour programmer le processeur avec la fonction 87h sans avoir des connaissances approfondies. Que faut-il donc transmettre à la fonction 87h lors de son appel ?

Tout d'abord, il convient naturellement de préciser le numéro de fonction 87h dans le registre AH. Puis, le nombre de mots à déplacer il peut s'agir également d'octets dans le registre AX. La valeur maximale autorisée ici est 8000h correspondant à un maximum de 64 Ko.

La Table de Descripteur Globale (GDT)

Dans la paire de registres ES:SI, il faut transmettre l'adresse de la GDT que le programmeur doit définir dans son programme. La GDT (Global Descriptor Table) est une table décrivant les différents segments de mémoire du 80286 en mode protégé. Dans ce contexte, notez que les segments ne sont pas soumis aux mêmes limitations en mode protégé qu'en mode réel. En mode réel, ils doivent commencer obligatoirement par une cellule de mémoire divisible par 16. En mode protégé, ils peuvent commencer à une cellule quelconque. Il n'est pas indispensable que leur taille soit égale à 64 Ko, mais elle peut varier entre 1 octet et 64 Ko.

Une autre nouveauté du mode protégé est le code d'accès qui doit être défini pour chaque segment. Il indique si le segment décrit est un segment de données ou de codes (seuls ce type de segments peuvent être exécutés). Il spécifie également la priorité à respecter pour accéder au segment et si le segment peut réellement être décrit. Si on regroupe ces informations et si on obtient la valeur 0 à la fin du descripteur pour le mot réservé, cela signifie chaque descripteur de segment se compose de 8 octets. Lors de l'appel, la fonction 87h attend que 6 descripteurs de segment soient déjà définis dans la GDT ou la place nécessaire leur soit réservée. La figure suivante montre de quels descripteurs il s'agit et décrit la structure d'un descripteur de segment.

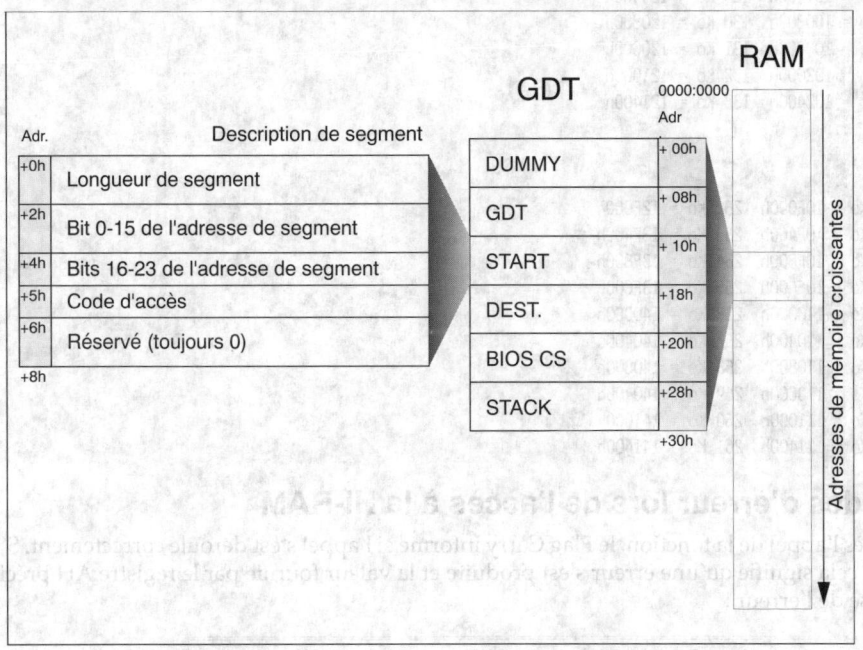

La structure du descripteur de segment vue par la fonction 87H

Pour nous, seuls les deux descripteurs de segment désignés par descripteur source et descripteur cible présentent un réel intérêt car la fonction BIOS se charge de compléter les autres descripteurs. Le premier décrit le segment à partir duquel les données sont à extraire. Le descripteur cible décrit le segment dans lequel les données sont à copier.

Comme longueur de segment, vous pouvez indiquer 0FFFFh, soit 64 Ko dans les deux cas, même si vous souhaitez copier moins d'octets (ou mots). Si vous précisez toutefois une petite valeur, sachez qu'elle doit toujours être supérieure au nombre d'octets à copier (nombre de mots fois 2). Sinon, le processeur effectue un accès au-delà de la limite imposée lors de la copie et provoque une erreur. Vous devez convertir l'adresse des deux zones de mémoire en une adresse (physique) 24 bits. Les 16 bits inférieurs de cette adresse sont à préciser dans le second champ du descripteur de segment et les 8 bits supérieurs dans le troisième champ. Comme code d'accès, vous pouvez utiliser toujours 92h. Ce code signale au processeur que le segment décrit est un segment de données doté de la plus haute parité, qu'il se trouve dans la mémoire et peut être décrit. Le dernier champ du descripteur n'existe que pour des raisons de compatibilité avec le processeur 80386. Par conséquent, il doit toujours contenir la valeur 0.

À l'intérieur de votre programme, l'adresse du buffer dans lequel ou à partir duquel vous souhaitez copier des données est prédéfinie. Quant à l'adresse située au-delà des 1 Mo dans laquelle vous allez copier les données (dans le cadre de la mémoire RAM disponible), vous pouvez la sélectionner librement. Le tableau suivant indique les adresses des divers blocs de 1 Ko au-delà de la limite des 1 Mo sous forme d'adresses 24 bits.

```
0 Ko = 100000h    124 Ko = 11F000h
1 Ko = 100400h    125 Ko = 11F400h
2 Ko = 100800h    126 Ko = 11F800h
3 Ko = 100C00h    127 Ko = 11FC00h
4 Ko = 101000h    128 Ko = 120000h
5 Ko = 101400h    129 Ko = 120400h
6 Ko = 100800h    130 Ko = 120800h
7 Ko = 100C00h    131 Ko = 120C00h
8 Ko = 102000h    132 Ko = 121000h
9 Ko = 102400h    133 Ko = 121400h
  ......
  ......
  ......
60 Ko = 10F000h   252 Ko = 12F000h
61 Ko = 10F400h   253 Ko = 13F400h
62 Ko = 10F800h   254 Ko = 13F800h
63 Ko = 10FC00h   255 Ko = 13FC00h
64 Ko = 110000h   256 Ko = 140000h
65 Ko = 110400h   257 Ko = 140400h
66 Ko = 110800h   258 Ko = 140800h
67 Ko = 110C00h   259 Ko = 140400h
68 Ko = 111000h   260 Ko = 141000h
69 Ko = 111400h   261 Ko = 141400h
```

Codes d'erreur lors de l'accès à la Hi-RAM

Après l'appel de la fonction, le Flag Carry informe si l'appel s'est déroulé correctement. S'il est mis, cela signifie qu'une erreur s'est produite et la valeur fournie par le registre AH précise la cause de l'erreur :

Numéro d'erreur	Cause de l'erreur
AH = 0	Pas d'erreur (flag Carry initialisé)
AH = 1	Erreur de parité RAM
AH = 2	GDT défectueuse lors de l'appel
AH = 3	Impossible d'initialiser correctement le mode protégé

Il convient d'évoquer l'inconvénient de cette fonction. Toutes les interruptions doivent être interdites pendant que le processeur se trouve notamment en mode protégé. Expliquons la raison de cette circonstance : en mode protégé, vous pouvez appeler des interruptions BIOS (du Timer ou du clavier), mais ces routines ne sont conçues que pour le mode réel. Par conséquent, elles ne fonctionnent pas correctement en mode protégé.

Le désagrément causé par ce processus apparaît nettement dans le Timer. Étant donné que ces interruptions sont interdites, l'heure ne peut pas être calculée en mode protégé. Elle reste inchangée pendant un laps de temps. Si on appelle trop souvent la fonction 87h, il arrive que l'heure retarde de 20 à 30 secondes au bout d'un jour. Cependant, elle peut toujours être réglée correctement par le logiciel si bien que ce léger inconvénient passe inaperçu par rapport aux avantages de cette fonction.

La vitesse de travail de cette fonction, qui laisse à désirer, est beaucoup plus gênante que l'interdiction des interruptions. Cela concerne surtout les AT équipés d'un processeur 80286. On peut certes les activer en mode protégé, mais pour accéder au mode réel à partir de ce mode, il est indispensable d'effectuer quelques opérations. Les responsables ne sont autres que les développeurs de ce processeur qui n'ont pas implanté une commande permettant de commuter vers le mode réel.

Il faut tout simplement admettre l'oubli de cette commande ou penser que personne ne souhaitera passer du confortable mode protégé vers le mode réel de structure relativement simple. Toujours est-il qu'une telle commande fait défaut dans le répertoire du 80286. Pour revenir par conséquent au mode réel, il existe une seule méthode draconienne consistant à réinitialiser le processeur.

Dans un AT, cette action ne peut être réalisée qu'à travers le contrôleur du clavier. Mais en attendant que la commande ne soit reçue et traitée, il s'écoule au moins 6 millisecondes, ce qui représente une petite éternité pour un ordinateur 10, 12 ou 16 MHz. Mais ce n'est pas tout ! Après le reset, le processeur démarre en mode réel et commence à exécuter le programme avec le code Boot du BIOS. Pour que le BIOS opère néanmoins un démarrage à chaud tout à fait normal et efface d'abord toute la mémoire, il faut spécifier un code dans une cellule précise de la RAM BIOS avant le déclenchement du reset. Le code indique au BIOS la raison du reset. Ainsi, le BIOS peut retourner directement au niveau de l'appel de la fonction 87h sans oublier que ce va-et-vient a duré naturellement un long moment.

Les machines PS/2 ont simplifié considérablement cette opération même si elles sont équipées d'un 80286. Leur développement a donné naissance à un mécanisme spécial destiné à commuter vers le mode réel. Mais ces systèmes ne peuvent toutefois pas tenir tête aux ordinateurs i386 et i486 capables de commuter vers le mode réel en toute aisance parce les développeurs d'INTEL ont su corriger les fautes d'autrefois.

Programmes d'exemple

Pour mieux expliquer l'accès à la mémoire étendue à l'aide des fonctions BIOS présentées ci-dessus, j'ai porté en fin de ce chapitre les listings des deux programmes EXTP.PAS et EXTC.C. Ils contiennent une routine nommée *ExtCopy* qui se charge d'appeler la fonction BIOS 87h pour copier des blocs de mémoire. Elle a besoin de deux pointeurs sur l'adresse du bloc source et du bloc cible ainsi que du nombre d'octets à copier. Ces deux pointeurs doivent être des pointeurs linéaires de vingt-quatre bits.

Pour vous éviter la conversion manuelle, les deux programmes possèdent chacun une fonction nommée *ExtAdrConv* qui transforme un banal pointeur FAR en adresse linéaire de vingt-quatre bits. Cette fonction est utilisée dans les deux routines *ExtRead* et *ExtWrite* qui lisent et écrivent dans la mémoire étendue.

En outre, les deux programmes contiennent chacun une routine nommée *ExtGetInfo* qui, à l'aide de la fonction BIOS 88h, permet de savoir s'il reste de la mémoire disponible et combien. Ce n'est pas tout. Elle recherche dans la mémoire étendue la présence de disques virtuels de type VDISK car ils peuvent poser des problèmes pendant l'utilisation de la mémoire étendue, voir la section 14.2.2 sous le titre "Conflits dans la mémoire étendue".

Les deux programmes ne se contentent pas de mettre ces routines à votre disposition, ils font une démonstration de leur appel. La mémoire étendue est parcourue par pas de un Ko dans lesquels ils écrivent et lisent une série d'octets aléatoire afin de détecter un mauvais fonctionnement de la mémoire ou une erreur du programme à l'appel des diverses fonctions, ce qui ne devrait pas se produire.

| EXTP.PAS | EXTC.C |

14.2.2. Conflits dans la mémoire étendue

"La mémoire étendue se tient à la disposition de tout le monde", ainsi pourrait s'énoncer le slogan de ce chapitre. En effet, on a rarement vu un programme s'accaparer exclusivement de la mémoire étendue constituée de plusieurs Mo. Les problèmes surviennent surtout lorsqu'on lance un programme Cache ou d'autres utilitaires en plus d'un disque RAM. Les raisons sont généralement à rechercher dans un manque de contrôle lors de l'accès à la mémoire étendue, conduisant les programmes à écraser mutuellement leurs données et provoquant ainsi un plantage.

Mais il ne faut pas croire que des utilitaires inoffensifs se transforment brusquement en programmes destructeurs dès qu'ils se rencontrent dans la mémoire étendue. Le coupable est évidemment le BIOS qui ne prévoit aucune technique visant à allouer les différents blocs de mémoire. Bien au contraire, avec la fonction 88h, il incite chaque programme à disposer de la totalité de la mémoire étendue.

De ce point de vue, le standard XMS, faisant l'objet de la section suivante, permet de résoudre la situation. Il est apparu en 1988 à une époque où il existait déjà de nombreux utilitaires utilisant la mémoire étendue à des fins personnelles. Deux procédures différentes se sont développées autour du standard XMS. Elles permettent d'éviter la collision dans la mémoire étendue, mais cela reste encore insuffisant. La première méthode, la plus performante, consiste à intervenir dans le fonctionnement de l'interruption 15h. A cet effet, un programme redirige le vecteur d'interruption de cette interruption dans la table des vecteurs d'interruption de telle manière qu'il ne pointe plus vers le *Handler* d'interruption d'origine dans la ROM du BIOS, mais vers un *Handler* personnel. Cette méthode doit d'ailleurs son nom à cette manière de procéder puisqu'elle est désignée par la méthode "INT 15".

Le nouveau *Handler* de l'interruption 15h ne doit pas se servir de toutes les fonctions de l'interruption, mais seulement de la fonction 88h. Elle permet de déterminer la taille de la mémoire étendue. C'est pourquoi, il redirige l'appel de l'interruption vers le *Handler* d'origine dès qu'il apprend grâce au numéro de fonction qu'une autre fonction doit être appelée.

Si l'appel concerne précisément la fonction 88h, elle retourne la taille de la mémoire étendue encore libre et non la taille réelle. La taille de la mémoire occupée découle tout simplement de la taille réelle. Ainsi, le programme d'appel ne peut plus s'approprier la totalité de la mémoire étendue puisqu'il ne dispose que de la zone disponible.

Étant donné que la mémoire étendue commence, comme précédemment, à la limite des 1 Mo, le programme installé préalablement doit se protéger contre le programme d'appel. A cet effet, il utilise non seulement la mémoire à partir des 1 Mo, mais à partir de la mémoire étendue. Du point de vue du programme d'appel, cette zone se situe notamment après la fin de la mémoire étendue si bien qu'il ne vient pas la déranger.

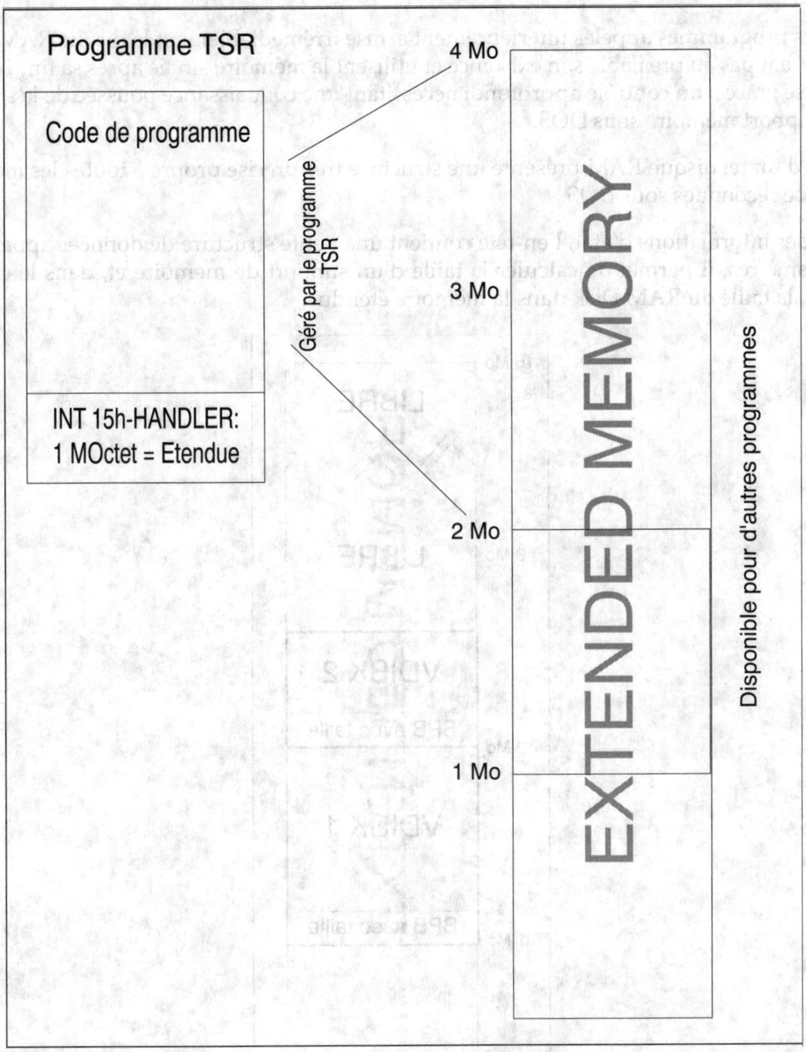

Programme TSR

Code de programme

Géré par le programme TSR

INT 15h-HANDLER:
1 MOctet = Etendue

EXTENDED MEMORY

Disponible pour d'autres programmes

4 Mo

3 Mo

2 Mo

1 Mo

Utilisation de la mémoire étendue en redirigeant l'interruption 15h

Si tous les programmes adoptaient cette procédure, il ne faudrait plus craindre des problèmes quant à l'utilisation totale de la mémoire étendue. Malheureusement, il existe une autre méthode qui complique à vrai dire l'ordre des choses.

Dans la littérature spécialisée, cette méthode est désignée par la méthode VDISK parce qu'elle a été d'abord introduite dans le driver de périphérique VDISK. Il s'agit d'un disque RAM utilisable par la mémoire étendue pour stocker les fichiers. À partir de la version 3.0 de PC

DOS, il était fourni avec toutes les versions DOS. VDISK ne se donne pas la peine de se soucier du détournement de l'interruption 15h opéré par les autres programmes, mais place directement les données dans la mémoire étendue à partir de la limite de 1 Mo.

VDISK ne réécrit pas la mémoire protégée par les programmes lancés précédemment à l'aide de la méthode INT 15.

Mais les programmes appelés ultérieurement écrase irrémédiablement le disque RAM s'ils ne découvrent pas au préalable son existence et utilisent la mémoire située après sa fin. Tout cela se réalise grâce à un contrôle approfondi nécessitant une connaissance poussée de la structure d'un support mémoire sous DOS.

La tête d'un tel disque RAM présente une structure très précise propre à toutes les mémoires de masse reconnues sous DOS.

Outre des informations d'état, l'en-tête contient une petite structure de données appelée bloc de paramètres. Il permet de calculer la taille d'un support de mémoire et, dans le cas d'un VDISK, la taille du RAM Disk dans la mémoire étendue.

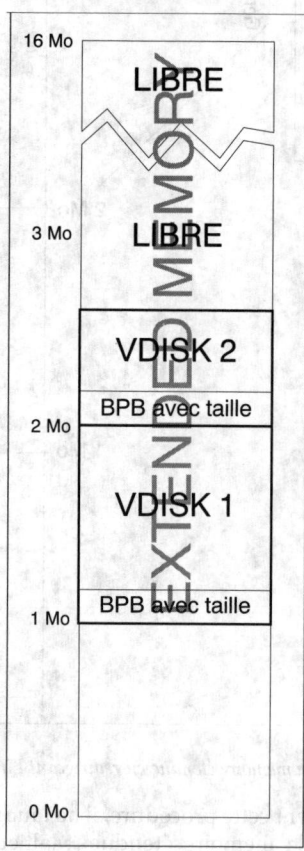

Structure de la mémoire étendue avec un RAM disk de type VDISK

L'affaire n'est pas si simple que cela. Dans certains cas, plusieurs disques RAM se suivent dans la mémoire et il faut par conséquent consulter plusieurs disques RAM avant d'arriver au début de la mémoire étendue libre.

Comme cette procédure semble particulièrement complexe et ne fonctionne d'ailleurs pas sur tous les types de disques RAM convenant à la mémoire étendue, nous vous conseillons d'utiliser un driver XMS pour accéder à la mémoire étendue. Ce driver résout tous ces problèmes comme vous l'apprendrez dans les sections suivantes.

14.2.3. Accès direct à la HMA à partir du mode réel

La HMA (High Memory Area) représente les 64 premiers Ko de la mémoire étendue. Ils ont eu droit à un nom spécifique car ils correspondent à la seule et unique partie de la mémoire étendue pouvant être réclamée à partir du mode réel avec une petite astuce sans commuter vers le mode protégé.

La découverte de cette astuce est le fruit de la société Microsoft. Elle a introduit pour la première fois la HMA dans la version Windows 2.1 afin de mieux répondre à la gourmandise de mémoire de cette interface utilisateur.

L'allocation de 64 Ko au mode réel constitue effectivement une découverte qu'il convient d'examiner à la loupe. Comment s'effectue l'accès aux cellules de mémoire situées à l'extérieur de la zone d'adressage du processeur ?

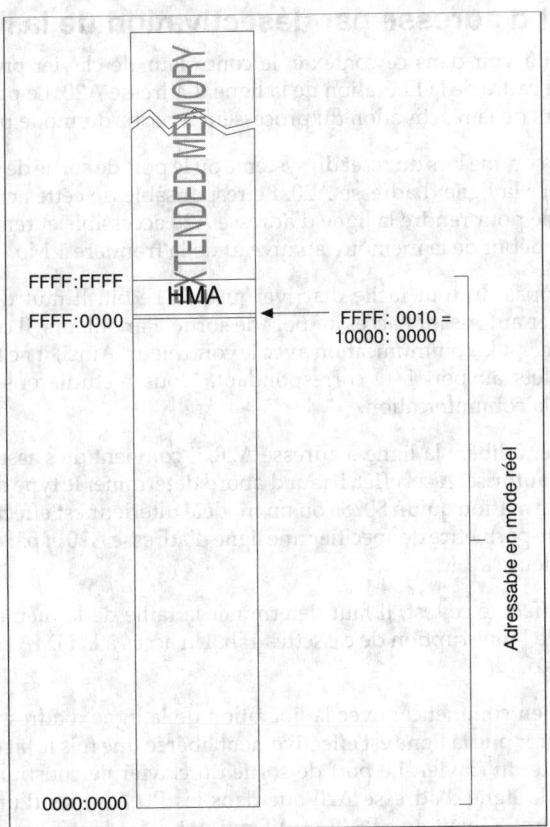

Limite des 1 Mo franchie en mode réel à travers le segment FFFFh

La réponse est relativement simple et dépend de la manière dont le 80286 et les modèles suivants construisent des adresses physiques en mode réel à partir d'une adresse de segment et d'offset. Comme vous le savez sans doute, les adresses de segment et d'offset sont tout simplement additionnées en multipliant préalablement l'adresse de segment par 16. En guise d'adresse de segment, si on précise maintenant le dernier segment de la zone d'adressage du PC, le segment FFFFh, on aboutit alors à l'adresse d'offset 000Fh parmi les adresses physiques situées au-delà de la limite de 1 Mo. On se trouve d'ores et déjà dans la mémoire étendue bien que le processeur fonctionne en mode réel. De plus, la totalité de la mémoire peut être adressée sans problème au-dessous de la limite de 1 Mo.

Etant donné que la HMA ne commence pas à l'adresse d'offset 0000h mais 00010h, sa taille ne s'élève pas précisément à 64 Ko, mais comporte 16 octets de moins. Elle comporte exactement 65520 octets qui sont amplement suffisants pour y stocker des données ainsi que de petits utilitaires tels que les programmes résidents.

Étapes pour accéder à la HMA

Avant d'accéder à la HMA, le BIOS a pris soin d'activer la commutation vers la ligne d'adresse A20. Normalement, cette ligne est verrouillée parce que certaines applications PC ont tendance à franchir la limite de 1 Mo. En principe, depuis l'adresse FFFF:0010, on peut ainsi atteindre à nouveau le début de la mémoire principale, c'est-à-dire l'adresse 0000:0000.

Débordement d'adresse par désactivation de la ligne A20

Bien qu'il n'ait rien à voir dans ce contexte, le contrôleur de clavier prend une importance significative dans le cadre de la libération de la ligne d'adresse A20. Le phénomène ressemble à celui rencontré lors de la réactivation du processeur à partir du mode protégé.

En fait, cela se passe comme lors du reset du système où le port de sortie de ce contrôleur permet de bloquer ou libérer la ligne d'adresse A20. Le responsable de cette action est le bit 1 de ce port. Il doit être réglé pour rendre la ligne d'adresse A20 accessible et remis à 0 si un saut doit être effectué vers le début de la mémoire au niveau de la frontière 1 Mo.

Cependant, il n'est pas du tout facile d'arriver jusqu'à ce bit. Il faut d'abord envoyer une commande au clavier autorisant l'accès au port de sortie. Par ailleurs, il convient de respecter des règles strictes liées à la communication avec le contrôleur. Ainsi, il ne faut pas se contenter d'envoyer deux octets au port I/O correspondant. Nous n'étudierons pas ici en détail le fonctionnement de la communication.

Avant de s'aventurer à libére la ligne d'adresse A20, il convient de s'assurer qu'un accès à la HMA est bel et bien autorisé. A cet effet, il faut d'abord déterminer le type du processeur. Après avoir obtenu la confirmation qu'un 80286 ou un modèle ultérieur est effectivement installé sur le système, on peut se permettre de spécifier une ligne d'adresse A20 et par voie de conséquence une mémoire supérieure à 1 Mo.

Si le processeur a effectué ce test, il faut déterminer la taille de la mémoire étendue avec la fonction BIOS 88h de l'interruption de cassettes 15h. Un accès à la HMA n'est autorisé que s'il existe au moins 64 Ko.

Cela pourrait très bien commencer avec la libération de la ligne d'adresse A20, mais on doit tout de même s'assurer que la ligne est effectivement libérée une fois le bit correspondant réglé dans le port de sortie du clavier. Le port de sortie du clavier ne constitue le domicile du bit contrôlant l'état de la ligne d'adresse A20 que dans les PC équipés d'un bus ISA (Industry Standard Architecture). Quant aux PS/2 et AT qui ont été adaptés au i386 au moyen d'un InBoard INTEL, il faut suivre une autre démarche pour libérer cette ligne.

Par conséquent, un test aiderait à confirmer l'état de la ligne d'adresse A20. Même si cette ligne n'est pas libre, tout accès à la HMA reste pourtant interdit. Une petite astuce aide néanmoins à éclaircir la situation : lorsque la ligne est verrouillée, les zones mémoire comprises par exemple entre FFFF:0010 et 0000:0000 sont identiques en raison du débordement au-delà des 1 Mo. Etant donné que la comparaison a porté tout simplement sur les 256 premiers octets de ces zones, il est possible d'établir une concordance entre ces derniers et prouver ainsi le verrouillage de l'A20.

Trois routines sont à utiliser avec la HMA :

O une routine pour démontrer l'existence d'une mémoire étendue de 64 Ko minimum,
O une routine pour actionner la ligne d'adresse A20,
O une routine pour contrôler la ligne d'adresse A20 en effectuant une comparaison de mémoire.

Programmes de démonstration

Les deux programmes d'exemple sont écrits en Pascal et C et offrent un cadre intéressant pour expérimenter vos connaissances en HMA. Sachant qu'à l'avenir l'accès à la HMA ne doit s'effectuer qu'à travers le driver XMS (décrit dans la section suivante), le programme présente une petite insuffisance : il ne contrôle pas l'existence d'un disque RAM de type VDISK. Un programme de ce genre ne doit d'ailleurs jamais présenter un tel défaut car l'accès à la HMA peut tout simplement provoquer la destruction du disque RAM. Avant de lancer ces programmes, n'oubliez donc pas de vérifier qu'un disque RAM ou un programme Cache n'est pas installé dans la mémoire étendue.

Les deux programmes utilisent essentiellement les routines citées plus haut. Elles portent les noms *HMAAvail*, *Gate20* et *IsA20On*. Elles ne peuvent pas être conçues dans un langage évolué mais uniquement en Assembleur. Pour le programme C, elles sont contenues dans un module Assembleur individuel (HMACA.ASM). Une fois assemblé, il doit être fusionné avec le programme compilé C (HMAC.C).

Dans la version Pascal du programme (HMAP.PAS), il n'est pas nécessaire d'avoir recours au module Assembleur car dans ce cas, les routines Assembleur sont intégrées directement dans le programme Pascal *via* les instructions INLINE. Cela permet d'accélérer considérablement les modifications futures, et la manipulation devient plus souple puisque l'Assembleur s'avère inutile et toutes les routines en Pascal et en Assembleur sont regroupées dans un seul fichier.

Les deux programmes essayent d'abord d'accéder à la HMA et renvoient un message d'erreur quand cela est impossible. Un pointeur se place ensuite sur le début de la HMA. Il doit naturellement être de type FAR, ce qui est du moins le cas des programmes Pascal sous Turbo Pascal. Dans le programme C, le pointeur est déclaré en tant que tel au moyen du mot-clé FAR.

Si l'adresse FFFF:0010 est affectée au pointeur, cela signifie qu'un accès à la HMA peut avoir lieu à n'importe quel moment. Les deux programmes utilisent cette méthode pour effectuer un test de mémoire simple où les diverses cellules de mémoire de la HMA sont écrites avec une valeur, puis sont lues et les erreurs prises en compte. À vrai dire, il est rare de rencontrer des erreurs car le BIOS n'aurait pas tardé à signaler l'échec d'une fonction des Chips RAM correspondants dès le lancement du système.

La ligne d'adresse A20 est à nouveau verrouillée avant la fin des programmes interdisant ainsi l'accès à la HMA. Cette opération doit avoir lieu dans tous les cas parce que certains programmes sont amenés à franchir la limite des 1 Mo et on ne doit pas les en empêcher.

Pour vos connaissances personnelles en matière de HMA, il convient de souligner deux lignes directives à respecter obligatoirement. D'une part, vous devez éviter d'utiliser des routines DOS et des routines issues de la bibliothèque du compilateur pour transmettre des pointeurs conduisant à la HMA. Dans les deux cas, les routines concernées tendent à normaliser les pointeurs transmis.

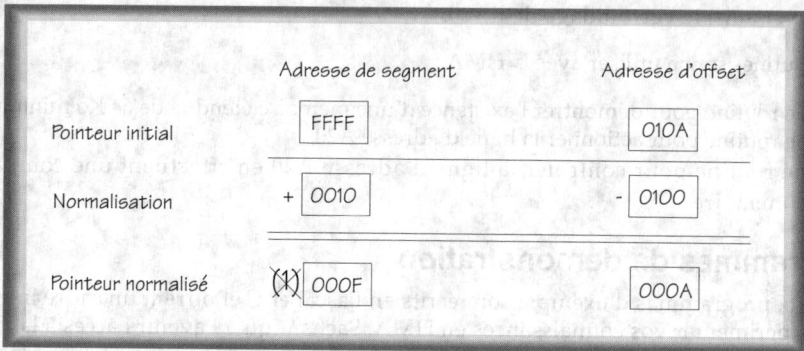

	Adresse de segment	Adresse d'offset
Pointeur initial	FFFF	010A
Normalisation	+ 0010	- 0100
Pointeur normalisé	(1) 000F	000A

Normalisation des pointeurs HMA

Il s'agit là d'un processus où la partie segment d'un pointeur est tellement modifiée que la partie offset est inférieure à 16. Mais comme auparavant, c'est la cellule mémoire spécifiée à l'origine qui est adressée. En ce qui concerne les cellules de mémoire de la HMA, cela provoque un débordement de l'adresse de segment qui se fixe sur 0000h. Il est donc absolument nécessaire d'empêcher la normalisation des pointeurs HMA.

D'autre part, il ne faut effectuer aucune opération de disquette ou disque dur adressant directement la HMA. Ici, le logiciel joue parfois un mauvais tour au contrôleur DMA qui ne sait pas s'en sortir correctement avec les adresses situées au-delà des 1 Mo.

Si vous respectez ces deux directives, vous ne rencontrerez aucune difficulté à accéder directement à la HMA. Mais n'oubliez pas que les deux programmes d'exemple ne cherchent à démontrer que le principe. Dans les programmes professionnels, vous devrez utiliser le driver XMS pour accéder à la HMA. La section suivante décrit les fonctions de ce driver.

LA BIBLE PC — **HMAP.PAS**   **HMAC.C**   **HMACA.ASM**

14.2.4. **Le standard XMS**

Depuis toujours, une interface logicielle spécifique est associée au standard EMS. Quant à la mémoire étendue, elle a longtemps supporté l'absence d'une telle interface si bien que les différents fabricants de logiciels ont fini par concocter leur propre mixture. Ainsi depuis 1988, il existe un homologue du standard EMS qui le XMS (Extended Memory Specification). Les sociétés impliquées dans cette invention étaient encore une fois Microsoft, INTEL ainsi que AST Research qui, en collaboration avec Quadram pour le standard EEMS, ont tenté de former une partie adverse contre le consortium LIM.

Le standard XMS définit une interface logicielle permettant simultanément à plusieurs programmes d'accéder à la mémoire étendue et à d'autres zones mémoire. Concrètement, voici les différents types de mémoire reconnus :

O La HMA qui intercepte les 64 premiers Ko de la mémoire étendue et s'étend de l'adresse 1024 Ko à 1088 Ko,

O Les blocs de mémoire étendue (EMB) logés dans la mémoire étendue depuis l'adresse 1088 Ko et n'entrant pas ainsi en collision avec la HMA,

O Les blocs de mémoire supérieurs (UMB) situés dans la zone RAM conventionnelle entre 640 Ko et 1024 Ko. Ils ont pris une signification importante depuis DOS 5.0 et sont désormais disponibles pour les programmes DOS.

Le driver XMS le plus connu est sans aucun doute le driver HIMEM.SYS de Microsoft. Il est fourni avec les diverses versions DOS ainsi que Windows. Il est intégré au système à travers le fichier de configuration CONFIG.SYS. Ainsi, il reste obligatoirement disponible après la procédure de lancement.

Les drivers XMS se rencontrent également dans de nombreux programmes chargés de gérer la mémoire sur un i386 ou i486. Outre l'interface XMS, ils reconnaissent généralement le standard LIM. En guise d'exemple, on peut citer 386Max de Qualitas, QEMM386 de Quaterdeck et naturellement EMM386.EXE de MS-DOS. En principe, ils sont également capables d'intégrer les cellules issues de la mémoire étendue dans la zone située entre 640 Ko et 1024 Ko sous la forme de blocs de mémoire supérieure (UMB = Upper Memory block). Dans ce cas, cette zone n'est pas occupée par la RAM vidéo, les extensions électroniques ou le BIOS en ROM. Le programmeur dispose ainsi d'une RAM supplémentaire. Elle peut être adressée comme une RAM conventionnelle à l'aide des techniques d'adressage normales.

Les UMB ne seraient disponibles que sur de rares périphériques si ces drivers et les 386 n'existaient pas. De même, ils ne seraient pas soutenus par tous les drivers XMS. Mais les ordinateurs équipés des fameux NEAT Chips de Chips & Technologies constituent la seule exception. Grâce à un confortable programme SETUP, la mémoire peut être configurée ici de telle manière qu'une quantité précise peut être rendue disponible sous la forme d'UMB.

Tout comme pour la mémoire paginée, il faut d'abord prouver l'existence d'un driver XMS avant d'utiliser les fonctions XMS. Cette action s'effectue à l'aide de l'interruption 2Fh. Elle offre un abri à tous les programmes résidents et elle est utilisée par tous les programmes DOS résidents tels que SHARE, APPEND ou PRINT. Lors de son installation, le driver XMS vient se nicher dans cette interruption et peut ainsi être réclamé. Appelez d'abord l'interruption 2Fh avec le code de fonction 4300h dans le registre AX. Si un driver XMS est implanté dans le système, cette fonction retourne la valeur 80h dans le registre AL. Une autre valeur signifie qu'il n'existe aucun driver XMS et les fonctions XMS ne peuvent donc pas être utilisées.

Cela n'est absolument pas possible sans l'appel de l'interruption 2Fh. En effet, au lieu par exemple de l'interface logicielle du standard LIM, les fonctions du XMS ne seront pas appelées par une interruption mais une instruction FAR Call. Pour cela, il nous faut l'adresse du *Handler* XMS à appeler qui est désigné également comme un gestionnaire de mémoire étendue (XMM). L'intérêt de l'interruption 2Fh ne se reconnaît que lorsqu'un driver XMS est effectivement installé. Le premier appel de cette interruption a donc retourné la valeur 80h dans le registre AL. Dans ce cas, appelez l'interruption 2Fh une seconde fois avec la valeur 4310h dans le registre AX. En guise de résultat, vous obtenez l'adresse de segment dans le registre ES et l'adresse d'offset dans le registre BX du XMM. Ces adresses permettent d'appeler toutes les routines du standard XMS.

Fonction	Utilisation
00h	Déterminer le numéro de version XMS
01h	Allouer la HMA (High Memory Area)
02h	Libérer la HMA
03h	Activation globale de la ligne d'adresse A20
04h	Désactivation globale de la ligne d'adresse A20
05h	Activation locale de la ligne d'adresse A20
06h	Désactivation locale de la ligne d'adresse A20
07h	Déterminer l'état de la ligne d'adresse A20
08h	Déterminer la taille de la mémoire étendue libre
09h	Allouer un bloc de mémoire étendu (EMB)
0Ah	Libérer un bloc de mémoire étendu alloué (EMB)
0Bh	Déplacer un bloc de mémoire étendu alloué (EMB)
0Ch	Verrouiller un bloc de mémoire étendu (EMB)
0Dh	Déverrouiller un bloc de mémoire étendu (EMB)
0Eh	Lire les informations sur un handle EMB
0Fh	Agrandir ou réduire le bloc de mémoire étendu alloué (EMB)
10h	Allouer un bloc de mémoire supérieure (UMB)
11h	Libérer un bloc de mémoire supérieure (UMB) alloué

Comme le montre le tableau précédent, il existe en tout 18 fonctions XMS dont les trois dernières ne sont pas reconnues par tous les drivers XMS.

Lors de l'appel des différentes fonctions XMS, le numéro de fonction est en principe transmis dans le registre AH. D'autres informations peuvent également être retournées dans les registres du processeur, mais cela varie évidemment d'une fonction à l'autre.

Pratiquement toutes les fonctions retournent un code d'état dans le registre AX. Il donne des informations sur le déroulement de l'opération concernée. La valeur 0001h indique par exemple "OK", la valeur 0000h signale une erreur. Dans ce cas, le registre BL contient un code d'erreur qui donne des indications précises sur la cause de l'erreur. Vous trouverez en annexe la liste de tous les codes d'erreur ainsi qu'une description détaillée des fonctions XMS.

Mais avant d'adresser les différentes fonctions, vous devez d'abord déterminer le numéro de version du driver à l'aide de la fonction 00h. Dans le registre AX, elle retourne le numéro de version XMS et dans le registre BX, le numéro de révision interne variant d'un driver à l'autre. Son importance est toutefois moindre.

Les deux informations sont retournées en tant que nombres BCD où l'octet de poids fort contient le numéro de version principal (avant le point) et l'octet de poids faible le numéro de version secondaire (derrière le point). Par exemple, la valeur 0200h correspond au numéro de version 2.0. Evitez d'utiliser un numéro de version inférieur avec les fonctions XMS car les drivers de la version 1.0 ne disposent généralement que des fonctions d'accès à la HMA. Si vous rencontrez un tel driver, n'hésitez pas à inviter l'utilisateur à se procurer un driver XMS en cours.

Si vous souhaitez utiliser la mémoire étendue dans votre programme sous la forme d'EMB, vous devez d'abord déterminer la taille disponible dans la mémoire étendue avec la fonction 08h. Après son appel, elle retourne la taille totale de la mémoire étendue libre dans le registre DX et la quantité d'EMB libres dans le registre AX. Les valeurs sont indiquées en Ko. Elles doivent être maniées avec précaution parce que les 64 Ko sont compris dans le calcul des deux valeurs, l'allocation des EMB commençant toujours après la HMA.

Si votre système dispose par exemple de 4 Mo de mémoire dont 3 Mo sont réservés pour la mémoire étendue, la fonction 08h retourne le nombre 3072 pour 3 Mo dans les registres AX et DX. Si vous appelez ensuite la fonction 09h, le XMM serait ainsi prêt à allouer 3 Mo de mémoire étendue à partir de la fin de la HMA uniquement. Les 64 derniers Ko de cette zone vont au-delà de la fin de la mémoire étendue et ne sont donc pas du tout disponibles physiquement. Par conséquent, vous devez à chaque fois ôter 64 Ko des valeurs retournées par la fonction 08h, ce qui permet d'inclure la taille de la HMA dans le calcul.

Après avoir obtenu la taille du plus grand EMB disponible selon cette méthode, vous pouvez réclamer une quantité correspondante de mémoire étendue avec la fonction 09h. Outre le numéro de fonction, spécifiez l'ampleur du bloc souhaité en Ko dans le registre DX. Après l'appel de la fonction, ce registre contient également le handle nécessaire à un autre accès à l'EMB à condition que tout soit déroulé correctement lors de l'allocation.

Mais dans tous les cas, vous devez contrôler la situation à l'aide du code d'état situé dans le registre AX. Même si une mémoire étendue suffisante n'est pas encore transmise à d'autres programmes, il arrive que l'allocation d'un bloc de mémoire échoue. La responsabilité peut par exemple incomber aux handles définis par le XMM pour gérer les EMB et qui sont retournés dans le registre DX. Vu que le nombre de handles octroyés au XMM est notamment limité, il arrive parfois que la mémoire étendue soit encore libre. Mais à cet effet, tous les handles sont déjà occupés parce que plusieurs petits EMB ont été alloués. Pour éviter cela, vous devez toujours réclamer des EMB aussi grands que possible et les sectionner ensuite en plusieurs zones mémoire utilisées différemment.

Une question reste encore sans réponse. Pourquoi le XMM utilise-t-il les handles et ne retourne pas l'adresse de la zone allouée ? La réponse se trouve dans la gestion de la mémoire du XMM car elle est entièrement conçue pour empêcher la fragmentation de la mémoire étendue. Par conséquent, le XMM tend à déplacer les divers EMB çà et là dans la mémoire étendue. Le but est de construire une zone plus grande à partir de plusieurs petits EMB libérés, cette zone pouvant être retournée comme résultat de l'appel de la fonction 09h. Cette procédure déplace également les adresses des EMB déjà allouées. Il est donc judicieux de fournir un handle logique au lieu de l'adresse physique concrète d'un EMB à tous ceux qui ont émis un appel.

Pensez à conserver correctement ce handle car il sera nécessaire pour tout autre accès à un EMB. Si l'EMB doit être libéré, agrandi ou du moins copié partiellement dans la mémoire conventionnelle, le handle cité entre en action car il permet d'identifier un EMB par rapport au XMM.

Libérer des EMB

Le plus simple est de libérer un EMB pour le rendre accessible à d'autres programmes. Cette action ne se réalise pas automatiquement avec la fin d'un programme parce que les programmes résidents ont également le droit d'utiliser les EMB. N'oubliez donc jamais de libérer les EMB alloués avec la fonction 0Ah avant de terminer un programme, sinon ils restent en possession de votre programme jusqu'à un reset de l'ordinateur. En dehors du numéro de fonction, il suffit de transmettre le handle EMB dans le registre DX.

Copier des EMB

Sachant que dans la mémoire étendue, les données peuvent uniquement être stockées et non manipulées, il convient de copier régulièrement les EMB en totalité ou en partie dans la RAM conventionnelle ou de là dans la mémoire étendue. Avec la fonction 0Bh, le standard XMS fournit une fonction conçue spécialement à cet effet.

Dans la paire de registres DS:SI, il faut lui transmettre le pointeur sur une structure appelée "Extended Memory Move" contenant toutes les informations sur les zones source et cible ainsi que le nombre d'octets à copier.

Adresse	Contenu	Type
	Configuration de la structure Extended Memory Move	
+00h	Longueur du bloc en octets	1 DWORD
+04h	Handle du bloc source	1 WORD
+06h	Offset dans le bloc source à partir duquel la copie doit commencer	1 DWORD
+0Ah	Handle du bloc source	1 WORD
+0Ch	Offset dans le bloc source à partir duquel la copie doit commencer	1 DWORD
	Longueur : 18 octets	

Les informations concernant le handle et l'adresse d'offset des deux zones doivent être traitées différemment selon que la zone provient de la mémoire étendue ou de la RAM conventionnelle. Le handle doit être spécifié si un EMB est réclamé. Le handle est retourné par la fonction 09h lors de l'allocation de l'EMB. L'adresse d'offset représente l'offset par rapport au début du bloc. Au contraire, si une zone de la RAM conventionnelle est adressée, il faut alors spécifier la valeur 0 en guise de handle et les adresses de segment et d'offset du début du bloc au format habituel (d'abord l'adresse d'offset puis l'adresse de segment) en tant qu'offset.

En ce qui concerne la vitesse de cette procédure de copie, les mêmes restrictions que celles évoquées dans le cadre des fonctions BIOS 87h s'appliquent ici, du moins aux ordinateurs 80286.

Outre les quatre fonctions déjà mentionnées, le standard XMS dispose de quatre autres fonctions portant sur les EMB. Elles portent les numéros 0Ch à 0Fh mais sont utilisées dans des cas exceptionnels. Reportez-vous à l'annexe pour obtenir de plus amples informations sur ces fonctions.

Accès à la HMA

XMM permet non seulement d'accéder à la mémoire étendue mais aussi à la HMA. Cela évite des conflits avec d'autres programmes et crée une indépendance électronique grâce aux fonctions permettant de contrôler la ligne d'adresse A20. Cela est important car tous les systèmes PC ne gèrent pas cette ligne à travers un bit dans le port de sortie du contrôleur de clavier comme il est décrit dans les paragraphes suivants.

Contrairement à la mémoire étendue, l'utilisation de la HMA ne peut pas être répartie entre plusieurs programmes en raison de sa taille. Ainsi, un programme ayant obtenu l'accès à la HMA à l'aide de la fonction 01h reçoit la totalité de la HMA ou rien du tout. Le dernier cas se présente lorsque la HMA est déjà allouée ou lorsque la quantité de mémoire HMA nécessaire est inférieure au paramètre /HMAMIN. Il s'agit d'un paramètre optionnel spécifié lors de l'appel du driver. Il empêche d'accorder un droit d'accès exclusif à la HMA à un programme résident nécessitant peu de Ko alors qu'un autre programme ayant besoin de plus de mémoire serait lésé.

Cela ne concerne pas les applications normales libérant la HMA avant de prendre congé. Elles doivent toujours spécifier avec FFFFh la quantité de mémoire HMA dont elles ont besoin lors de l'appel de la fonction 02h. Au contraire, les programmes résidents doivent déclarer explicitement en octets la quantité nécessaire dans le registre DX.

Le contenu du registre AX obtenu après l'appel de la fonction indique si le droit d'accès a été accordé ou non. Ici, la valeur 0001h indique que la HMA a été libérée alors que la valeur 0000h signale l'échec de la demande.

Bien que son allocation soit effectuée correctement, il n'est pas encore possible d'accéder à la HMA car il faut auparavant libérer la ligne d'adresse A20. Dans ce contexte, le XMM fournit en tout quatre fonctions servant à libérer et verrouiller cette ligne. Pour leur appel, ces fonctions se contentent de leur numéro qui doit être placé dans le registre AX avant l'appel.

Il existe quatre fonctions pour remplir cette tâche relativement simple parce que les fonctions chargées de libérer et verrouiller la ligne A20 se présentent respectivement deux fois : une fois sous forme locale et une autre fois sous forme globale. Cet attribut décrit l'effet produit par les fonctions. Les fonctions globales agissent toujours sur la ligne d'adresse A20, alors que cela dépend d'un compteur interne dans le cas des fonctions locales. Les deux fonctions influent sur le compteur. Ce dernier veille à ce qu'elles ne viennent agir sur la ligne d'adresse A20 que lorsque leurs appels soient équilibrés. À la suite de deux appels consécutifs de la fonction d'activation locale, la ligne est donc d'abord désactivée lorsque deux appels consécutifs de la fonction de désactivation surviennent immédiatement après.

Vous avez rencontré une procédure similaire dans le contexte de la souris et l'affichage ou le masquage du pointeur de souris. Cette technique est intéressante dans le cadre des appels répétitifs. Partout où chaque procédure active ou désactive la ligne d'adresse avant de lancer l'action appropriée, il devient possible d'annuler à tout moment cette action. Mais comme cela n'arrive que très rarement, vous pouvez vous limiter aux deux fonctions globales lorsque vous utilisez la HMA.

N'oubliez pas de désactiver la ligne d'adresse A20 avec la fonction 04h avant de terminer votre programme et libérer la HMA avec la fonction 02h. Sinon, l'accès de la HMA reste interdit aux programmes appelés ultérieurement ou ils se plantent parce qu'ils espéraient un débordement de segment au-delà de la limite des 1 Mo.

Bloc de mémoire supérieure (UMB)

Tout comme la HMA, les blocs de mémoire supérieure présentent un avantage important. Ils se situent dans la zone d'adresse du processeur ce qui permet à un programme d'y accéder directement. En contrepartie, la mémoire RAM entre 640 Ko et 1 Mo est très rare si l'on ne dispose pas en particulier d'un i386. Dans ce cas, des programmes appropriés aident à rajouter une mémoire RAM dans la partie supérieure.

Si vous êtes sûr que le système cible pour lequel vous développez le programme dispose d'UMB ou du moins comporte une option concernant cette mémoire, vous soutenez alors le standard XMS avec deux fonctions d'accès à la mémoire supérieure. Notez toutefois que depuis la version 5.0, DOS est également capable d'utiliser les blocs de mémoire supérieure même s'il ne sert seulement que comme intermédiaire entre un programme et le driver XMS.

Contrairement à la HMA, il existe ici une véritable gestion de la mémoire permettant à plusieurs programmes de participer à la mémoire supérieure. Au lieu d'utiliser les Handles, le travail s'effectue avec l'adresse de segment du bloc alloué. Elle est utilisée comme une clé pour identifier un UMB par rapport à un XMM.

Allouer des UMB

Pour obtenir l'adresse de segment, appelez la fonction 10h qui alloue un UMB et adaptez le XMM à vos besoins. Si cela n'est pas possible parce que la mémoire disponible est insuffisante, consultez le registre DX qui indique l'ampleur du plus grand UMB libre mesuré en para-

graphes. Généralement, le registre DX est celui où vous devez stocker la taille du bloc souhaité avant l'appel de la fonction. L'unité utilisée ici est le paragraphe (16 octets).

Libérer des UMB

Si le XMM permet d'allouer des UMB, il autorise également à les libérer pour qu'ils ne soient pas liés à un autre programme. La fonction 11h remplit cette tâche. Mis à part le numéro de fonction, elle attend l'adresse de segment de l'UMB réclamé dans le registre DX.

Programmes de démonstration

Nous avons conçu deux programmes pour décrire le travail lié au standard XMS. Ils peuvent servir à intégrer la mémoire XMS dans vos propres programmes parce qu'ils contiennent d'ores et déjà toutes les routines nécessaires à l'appel des fonctions du standard XMS. Les deux programmes sont écrits en Pascal et C. Ils n'existent pas en Assembleur parce que l'appel du XMM pose quelque problème dans un langage évolué. La bibliothèque contient des routines modernes de compilation en C et Pascal. Elles sont prévues pour appeler n'importe quelle fonction d'interruption, mais l'appel et la transmission du contenu des registres à des sous-programmes tout à fait normaux ne sont pas prévus. Une routine en Assembleur a donc été développée pour l'appel du XMM. Elle peut être importée dans le programme C (XMSC.C) à l'aide d'un module en Assembleur (XMSCA.ASM). Dans le programme Pascal (XMSP.PAS), elle est codifiée avec l'instruction INLINE.

Dans les deux cas, cette routine fonctionne comme les commandes d'appel d'interruptions. Une structure contenant les registres du processeur pour l'appel de la fonction XMM lui est transmise. Cette structure contient également les valeurs retournées après l'appel de la fonction, ce qui permet d'obtenir l'état d'erreur et d'autres informations.

Dans les deux programmes, cette routine n'est pas appelée directement, mais à l'aide des diverses routines servant d'interface aux 18 fonctions du XMM. Cela vous soulage énormément comme le montre d'ailleurs le programme principal dans les deux cas. Il vérifie notamment l'existence d'un driver XMM et en cas de succès appelle deux procédures contrôlant la taille de la HMA et de la mémoire étendue.

| XMSP.PAS | XMSC.C | XMSCA.ASM |

15. Le son sur le PC

Tous les PC disposent d'un haut-parleur intégré, grâce auquel est produit le bip, que vous connaissez certainement très bien, qui retentit lorsque le buffer clavier est plein et que vous frappez encore une touche. Le haut-parleur ne permet toutefois pas uniquement de produire des bips mais aussi toutes sortes de notes. Ce chapitre a pour but de vous expliquer comment cela peut être réalisé sur le plan logiciel.

Dans ce chapitre, vous apprendrez à :

O Identifier l'électronique qui se cache derrière le haut-parleur pour créer le son,
O Programmer l'électronique pour créer le son et
O Connaître la manière dont un haut-parleur crée un signal sonore.

Création d'un signal dans un haut-parleur

Pour faire retentir des bruits ou des sons sur une machine électronique, il faut que la membrane d'un haut-parleur avance et recule rapidement pour produire ce qu'on appelle une vibration. Une vibration isolée ne produira cependant aucune note mais un simple "clic" étouffé.

Si par contre cette vibration est suivie d'autres vibrations se succédant à intervalles rapprochés, on obtiendra de véritables notes de musique. La hauteur de ces notes dépendra de la fréquence de ces vibrations, autrement dit du nombre de vibrations par seconde. L'unité de mesure des fréquences est le Hertz, qui correspond à une vibration par seconde.

Si la membrane du haut-parleur avance et recule 440 fois en une seconde, elle produira par exemple une note d'une fréquence de 440 Hertz. Sur le plan musical, chaque note de la gamme correspond à une fréquence bien précise.

C'est ainsi que les normes internationales définissent la note 'la' juste au-dessus de la clé de sol comme une fréquence de 440 Hertz. La table suivante vous présente les fréquences des notes de la gamme chromatique pour les 8 octaves du clavier :

Octave 0		Octave 1		Octave 2		Octave 3	
Do	16,35	Do	32,70	Do	65,41	Do	130,81
Do#	17,32	Do#	34,65	Do#	69,30	Do#	138,59
Ré	18,35	Ré	36,71	Ré	73,42	Ré	146,83
Ré#	19,45	Ré#	38,89	Ré#	77,78	Ré#	155,56
Mi	20,60	Mi	41,20	Mi	82,41	Mi	164,81
Fa	21,83	Fa	43,65	Fa	87,31	Fa	174,61
Fa#	23,12	Fa#	46,25	Fa#	92,50	Fa#	185,00
Sol	24,50	Sol	49,00	Sol	98,00	Sol	196,00
Sol#	25,96	Sol#	51,91	Sol#	103,83	Sol#	207,65
La	27,50	La	55,00	La	110,00	La	220,00
La#	29,14	La#	58,27	La#	116,54	La#	233,08
Si	30,87	Si	61,74	Si	123,47	Si	246,94

Octave 4		Octave 5		Octave 6		Octave 7	
Do	261,63	Do	523,25	Do	1046,50	Do	2093,00
Do#	277,18	Do#	554,37	Do#	1108,74	Do#	2217,46
Ré	293,66	Ré	587,33	Ré	1174,66	Ré	2349,32
Ré#	311,13	Ré#	622,25	Ré#	1244,51	Ré#	2489,02
Mi	329,63	Mi	659,26	Mi	1328,51	Mi	2637,02
Fa	349,23	Fa	698,46	Fa	1396,91	Fa	2793,83
Fa#	369,99	Fa#	739,99	Fa#	1479,98	Fa#	2959,96
Sol	392,00	Sol	783,99	Sol	1567,98	Sol	3135,96
Sol#	415,30	Sol#	830,61	Sol#	1661,22	Sol#	3322,44
La	440,00	La	880,00	La	1760,00	La	3520,00
La#	466,16	La#	923,33	La#	1864,66	La#	3729,31
Si	493,88	Si	987,77	Si	1975,53	Si	3951,07

Le haut-parleur de votre PC peut produire des fréquences de 1 Hertz à 1 000 000 Hertz mais notre ouïe ne perçoit que les fréquences comprises entre 20 Hertz et 20 000 Hertz. Malgré son spectre de fréquences impressionnant, le haut-parleur de votre PC ne se prête absolument pas à une exploitation musicale. C'est ainsi par exemple qu'il joue certaines notes (certaines fréquences) systématiquement plus fort que d'autres. Or cet effet ne peut être compensé car il n'est pas possible de régler le volume du son.

Programmation de l'électronique du son

Pour produire des notes, un programme devra donc faire vibrer la membrane de haut-parleur à la fréquence exigée par la note voulue. Le haut-parleur dispose d'un port (l'adresse 61h) à travers lequel on peut lui indiquer si la membrane doit se mouvoir en avant ou en arrière. Un programme de production de sons pourrait donc se présenter ainsi :

On donne tout d'abord l'ordre de déplacer la membrane vers l'avant. Peu après, l'ordre est rapporté, ce qui fait revenir la membrane en arrière. On revient ensuite à la première étape, à l'intérieur d'une boucle. Cette opération doit cependant être gérée dans le temps de façon à être répétée le nombre de fois nécessaire au cours d'une seconde pour produire la fréquence de la note voulue.

Cette méthode a cependant plusieurs inconvénients : la vitesse de traitement des différentes instructions dépend en effet de la fréquence d'horloge de l'ordinateur, de sorte que ce programme doit être adapté à la fréquence d'horloge de chaque ordinateur. D'autre part, cette boucle risque d'être interrompue par une interruption (par exemple lorsqu'une touche est actionnée), ce qui entraîne une distorsion du son. C'est pourquoi on utilise pour produire des sons un des nombreux circuits intégrés dont dispose chaque PC, le 8253, qui permet de résoudre le problème indiqué.

Le 8253 est un temporisateur programmable qui est au départ chargé, sur le PC, de gérer l'horloge interne. Le fait qu'il puisse également permettre de faire de la musique n'est au fond qu'un heureux effet secondaire. Dans les deux cas, on utilise sa faculté de déclencher une action déterminée au bout d'un laps de temps donné. Pour "savoir" qu'un certain temps s'est écoulé, encore faut-il bien sûr qu'il connaisse l'heure. Cela est obtenu sur le PC en retransmettant au 8253 les vibrations du coeur du PC, c'est-à-dire d'un oscillateur du type 8284, qui produit 1 193 180 impulsions par seconde.

Il suffit ensuite d'indiquer au 8253 après combien de ces impulsions une action déterminée devra être déclenchée. Dans le cas de la génération de sons, cette action consiste à envoyer une impulsion déterminée au haut-parleur. Avant de lui donner cet ordre, nous devons tout d'abord le programmer sur la fréquence à laquelle le signal devra être produit. L'unité de mesure qui nous sert à indiquer une fréquence, les "vibrations par seconde", ne signifie cependant rien pour lui. Nous devons donc tout d'abord convertir la fréquence en un nombre de vibrations de l'oscillateur. On utilise pour cela la formule suivante :

```
Compteur = 1 193 180 / fréquence
```

Le résultat de cette formule, la variable Compteur, doit donc être transmis au 8253. Vous pouvez déduire de cette formule que le résultat sera d'autant plus élevé que la fréquence sera basse et inversement. Cela est d'ailleurs parfaitement logique puisque cette valeur indique au 8253 combien de vibrations sur les 1 193 180 par seconde il devra attendre avant d'envoyer à nouveau un signal au haut-parleur. Plus cette valeur sera faible et plus le signal sera envoyé souvent, plus souvent donc la membrane avancera et reculera et plus la note sera haute.

Programmation du port 8253

La communication entre l'unité centrale se fait encore une fois à travers des ports. La valeur 182 est tout d'abord envoyée sur le port 43h. Le 8253 est ainsi prévenu qu'il doit commencer à générer un signal cyclique dès que l'intervalle entre deux signaux lui aura été communiqué dans la deuxième phase de l'opération.

Cet intervalle est défini par la valeur calculée à l'aide de la formule indiquée plus haut. Comme le 8253 stocke cette valeur, sur un plan interne, sous la forme d'un nombre de 16 bits (soit une valeur entre 0 et 65535), le spectre des fréquences pouvant être produites est limité de 18 à 1 193 180 Hertz. Ce nombre 16 bits doit être transféré sur le port 42h.

Mais comme ce port est un port 8 bits, les 16 bits de ce nombre doivent être transférés en deux temps, tout d'abord les 8 bits de plus faible poids, suivis des 8 bits de plus fort poids.

Nous en arrivons alors à la seconde étape, qui consiste à retransmettre le signal du 8253 au haut-parleur. L'accès au haut-parleur se fait à travers le port 61h qui est relié à un circuit périphérique programmable. Pour retransmettre le signal du 8253 au haut-parleur, les deux bits inférieurs de ce port doivent être fixés sur 1.

Comme les 6 autres bits sont utilisés à d'autres fins, il ne faut cependant pas les modifier. C'est pourquoi il convient tout d'abord de lire le contenu du port 61h, de fixer les deux bits inférieurs sur 1 (ce qui équivaut à une combinaison OU avec 3) et de renvoyer la valeur résultante sur le port 61h.

À partir de ce moment retentit un son qui ne s'arrêtera que lorsque les bits qui viennent juste d'être fixés sur 1 seront à nouveau fixés sur 0.

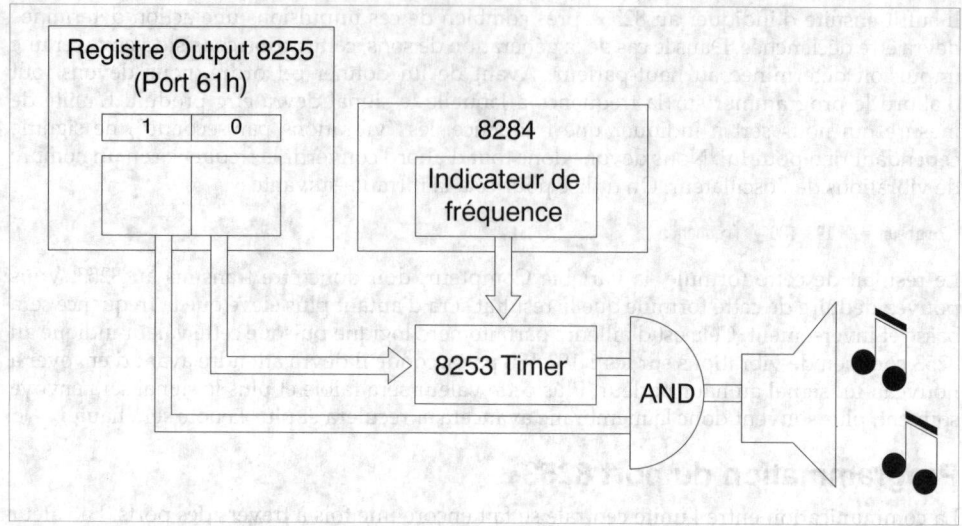

Génération de sons

Exemples de programmes

Si aussi bien le QuickBasic que Turbo Pascal disposent d'instructions pour sortir des sons, la bibliothèque du compilateur C de Microsoft ne comporte pas d'instruction de ce type et le programmeur en assembleur doit également les reconstituer.

C'est pourquoi nous proposons pour ces deux groupes d'utilisateurs des programmes d'exemple qui servent l'un à intégrer une fonction Sound en C, l'autre à organiser une sortie sonore commode en Assembleur.

Ces deux programmes vont au-delà de la simple activation et désactivation de sons puisqu'ils permettent au programmeur de fixer la durée des notes produites.

Nous utilisons à nouveau à cet effet l'interruption 1Ch du temporisateur qui est appelée 18,2 fois par seconde par l'interruption 8h du temporisateur. Lorsque la routine de génération de sons est appelée, elle attend donc que lui soient communiquées aussi bien la note à produire que la durée de cette note. Cette durée est exprimée en 18ᵉ de seconde, la valeur 18 correspondant par conséquent à une seconde, la valeur 9 à une demie seconde. Cette valeur est stockée dans une variable.

Immédiatement avant que la sortie sonore ne soit activée, la routine de l'interruption 1Ch est détournée sur une routine utilisateur. Elle sera désormais appelée 18,2 fois par seconde et elle n'aura rien d'autre à faire que de décrémenter la durée de note transmise (qui figure maintenant dans une variable) chaque fois qu'elle sera appelée. Lorsqu'elle atteint la valeur 0, la durée de la note est écoulée et le son doit être désactivé.

C'est ce qu'elle indique alors à la routine *Sound* proprement dite en fixant une variable déterminée. La routine *Sound* s'en aperçoit immédiatement car depuis le détournement de l'interruption du temporisateur elle se trouvait dans une boucle d'attente permanente dont le seul objet était justement de tester le contenu de cette variable.

Dès qu'elle détecte ainsi la fin de la durée de la note, elle arrête la sortie sonore et replace l'interruption du temporisateur sur son ancienne routine.

Un autre aspect très pratique de la routine Sound réside dans le fait qu'elle n'attend pas la fréquence de la note à sortir mais simplement le numéro de cette note. Ce numéro se réfère à une table dans laquelle Sound a stocké les fréquences des notes des octaves 3 à 5. La valeur 0 correspond ici au Do de la troisième octave, 1 à Do dièse, 2 à Ré, 3 à Ré dièse, 4 à Mi, 5 à Fa, ...

Les deux programmes jouent, en guise de démonstration, la gamme chromatique des octaves 3 à 5, chaque note retentissant pendant une demie seconde. Cependant le programme de démonstration et la routine *Sound* sont placés dans le même fichier en Assembleur alors qu'ils sont séparés en C. Le programme C contient simplement l'appel de la fonction Sound qui doit être reliée au programme C, en tant que programme assembleur indépendant, lors du linkage.

Voici tout d'abord le programme en C pour appeler la fonction Sound puis le listing du programmeur en Assembleur qui contient la fonction Sound pour la version C.

SOUNDC.C   SOUNDCA.ASM   SOUNDA.ASM

16. Configuration et type de processeur

Nombreuses sont les situations où la configuration de l'ordinateur joue un rôle important. Lorsqu'un programme doit connaître le nombre d'interfaces série, la taille de la mémoire RAM ou contrôler l'existence d'un coprocesseur numérique, les informations sur la configuration doivent toujours être demandées dans ces cas.

Ce chapitre montre comment obtenir les innombrables données de configuration à l'aide de deux interruptions spécifiques de la ROM BIOS et comment les placer sur la piste du processeur et de son coprocesseur à l'aide de programmes écrits en un langage approprié.

16.1. Définir la configuration à l'aide du BIOS

Pour obtenir des informations, la ROM BIOS fournit les interruptions 11h et 12h composées chacune d'une seule fonction. Elle permet d'avoir des renseignements précis sur l'équipement électronique d'un PC ainsi que sur la taille de la mémoire RAM.

16.1.1. Déterminer la configuration matérielle

L'appel de l'interruption BIOS 11h fournit des informations sur la configuration matérielle d'un ordinateur, le nombre d'interfaces série et parallèle, les lecteurs de disquettes et le contrôleur DMA.

Contrairement aux autres interruptions BIOS, le contenu du registre du processeur ne joue aucun rôle lors de l'appel de cette interruption car ni un numéro de fonction ni un autre argument ne sont attendus. Cette interruption n'étant composée que d'une seule fonction, les informations souhaitées sont retournées dans le registre AX.

Dans la figure suivante, le contenu du registre AX représente un champ de bits après l'appel de la fonction. Les divers champs donnent des informations sur les différents éléments de l'électronique. Les informations ne sont pas très abondantes vu l'ancienneté de cette interruption. Elle existait déjà sur les premiers PC et leur BIOS si bien qu'elle ne reproduit que la configuration matérielle présente dans les PC de cette époque.

Cette définition des différents bits s'applique aussi bien au PC qu'au XT mais elle diffère légèrement de la structure du mot de configuration fourni par l'AT. Pour pouvoir interpréter correctement le contenu du registre AX, il est donc indispensable de savoir à quelle machine on a affaire.

Cette interruption communique néanmoins à l'utilisateur de nombreuses informations importantes telles que le type du processeur, du clavier, la disponibilité d'une souris ou d'une mémoire EMS. Dans les divers chapitres de ce livre, n'hésitez donc pas à vous en servir pour connaître par exemple si une souris est connectée ou le type de carte vidéo installée.

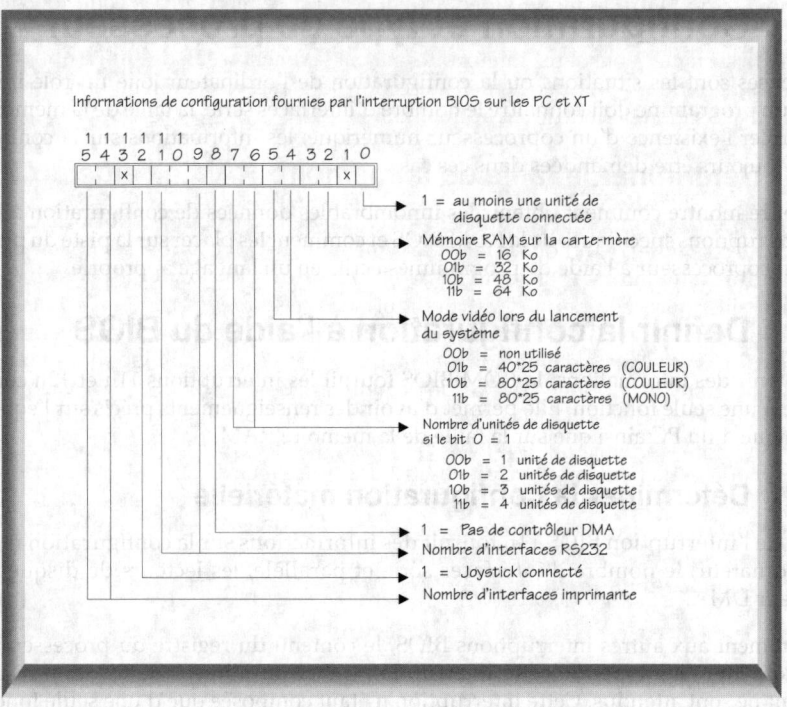

Informations de configuration fournies par l'interruption BIOS sur les PC et XT

1 = au moins une unité de disquette connectée

Mémoire RAM sur la carte-mère
00b = 16 Ko
01b = 32 Ko
10b = 48 Ko
11b = 64 Ko

Mode vidéo lors du lancement du système
00b = non utilisé
01b = 40*25 caractères (COULEUR)
10b = 80*25 caractères (COULEUR)
11b = 80*25 caractères (MONO)

Nombre d'unités de disquette si le bit 0 = 1
00b = 1 unité de disquette
01b = 2 unités de disquette
10b = 3 unités de disquette
11b = 4 unités de disquette

1 = Pas de contrôleur DMA
Nombre d'interfaces RS232
1 = Joystick connecté
Nombre d'interfaces imprimante

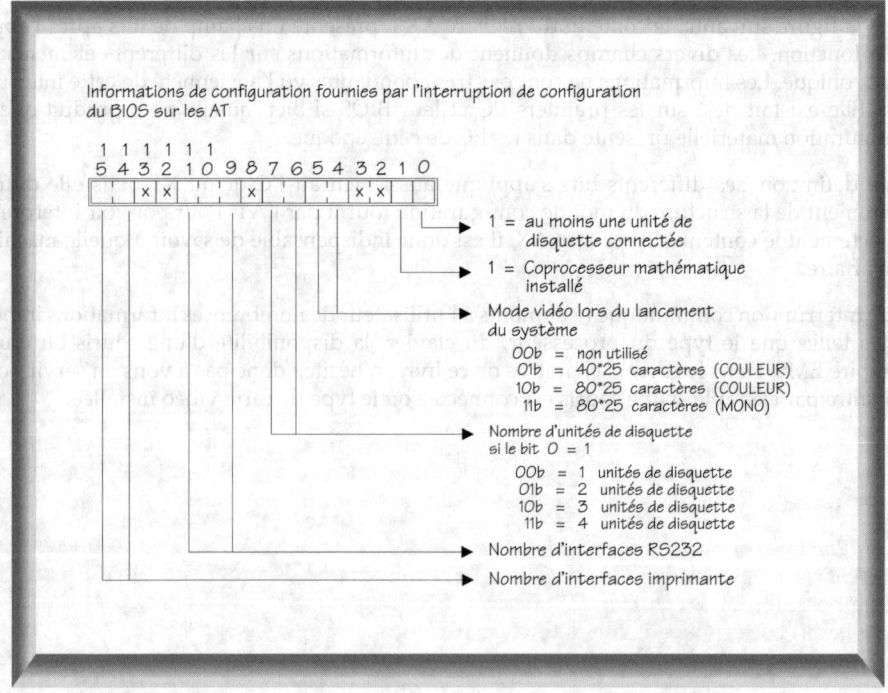

Informations de configuration fournies par l'interruption de configuration du BIOS sur les AT

1 = au moins une unité de disquette connectée

1 = Coprocesseur mathématique installé

Mode vidéo lors du lancement du système
00b = non utilisé
01b = 40*25 caractères (COULEUR)
10b = 80*25 caractères (COULEUR)
11b = 80*25 caractères (MONO)

Nombre d'unités de disquette si le bit 0 = 1
00b = 1 unités de disquette
01b = 2 unités de disquette
10b = 3 unités de disquette
11b = 4 unités de disquette

Nombre d'interfaces RS232
Nombre d'interfaces imprimante

Si vous voulez connaître le mode vidéo actuel, ce n'est cependant pas cette fonction qu'il conviendra d'utiliser puisqu'elle indique simplement quel mode vidéo était activé lors du lancement du système. Vous serez mieux informé par la fonction 0Fh de l'interruption 10h qui renvoie le numéro du mode vidéo actuel. La section suivante vous présentera un programme d'exemple d'utilisation de cette interruption.

16.1.2. Déterminer la taille de la mémoire RAM à l'aide du BIOS

L'interruption 11h communique à l'utilisateur la taille de la mémoire RAM sur la carte mère, alors que l'interruption 12h indique la taille de la mémoire RAM dans le système complet. Pour pouvoir fournir cette information, la taille de la RAM sur la carte mère est comptabilisée et enregistrée, ainsi que celle de la RAM figurant sur d'éventuelles cartes d'extension de la mémoire. Sur le PC et le XT, ces informations sont tirées de la position des différents switchs DIP sur les différentes cartes de mémoire, alors que sur l'AT elles sont lues dans l'une des 64 cellules de mémoire de l'horloge CMOS. On ne peut toutefois, en procédant ainsi, déterminer que la taille de la mémoire RAM en dessous de la limite de 1 Mo. Cela suffit cependant largement pour le PC et le XT car la zone d'adressage de leur processeur (le 8088) est limitée à 1 Mo. Ces modèles ne peuvent donc disposer d'une autre mémoire RAM en plus de la RAM ainsi comptabilisée. Il en va bien sûr autrement pour l'AT, dont le processeur (80286) peut gérer jusqu'à 16 Mo de mémoire. Avec un ordinateur de ce type, une mémoire supplémentaire, dont l'interruption 12h ne tient pas compte, peut donc être installée en plus de la RAM "normale" qui s'étend jusqu'à la limite de 1 Mo.

La taille de la mémoire est renvoyée dans le registre AX, après appel de cette interruption, exprimée en Ko (c'est-à-dire en unités de 1024 octets et non 1000 !).

Un résultat de 256 signifiera par exemple que votre PC comporte 256 Ko de mémoire RAM.

16.1.3. Exemples de programmes

En conclusion de ce chapitre, nous allons comme d'habitude vous présenter un exemple pratique d'utilisation de l'interruption que nous venons de décrire. Voici donc trois listings de programmes que nous avions déjà annoncés à la section précédente. La structure de base de ces trois programmes, qui sont écrits en BASIC, Pascal et C, reste la même.

Ils testent tout d'abord l'octet d'identification du modèle, dans la cellule de mémoire F000:FFFE, pour déterminer si on a affaire à un PC, XT ou à un AT. La désignation du modèle est sortie sur l'écran. C'est également sur cette identification du modèle que repose la sortie du type de processeur, en considérant systématiquement que l'AT dispose d'un processeur 80286 et que tous les autres PC disposent d'un processeur 8088. L'étape suivante consiste alors à déterminer puis à afficher la taille de la mémoire RAM sur la carte mère, à l'aide de l'interruption 12h qui a été décrite dans cette section. Comme nous l'avons toutefois indiqué, l'AT peut disposer de mémoire RAM supplémentaire au-delà de la limite de 1 Mo. C'est pourquoi, si l'ordinateur est un AT, la taille de cette mémoire RAM doit encore être déterminée. Le programme utilise à cet effet la fonction 08h de l'interruption 15h que nous décrirons plus précisément par la suite. Pour le moment, il nous suffira de savoir que la taille de la mémoire RAM au-delà de la limite de 1 Mo est renvoyée dans le registre AX, exprimée en Ko.

Ce n'est qu'après que cette information ait été affichée que l'interruption 11h sera appelée pour déterminer la configuration de la machine. La dernière tâche du programme consistera alors à décomposer le mot de configuration reçu en ses différents bits pour décoder les informations auxquelles ils correspondent afin d'afficher ces informations sur l'écran.

Pour que le programme ne soit pas trop long, nous nous sommes limités aux bits qui sont identiques aussi bien dans le mot de configuration du PC et du XT d'une part que dans celui de l'AT d'autre part. Nous avons ainsi négligé l'information indiquant, sur un AT, si l'ordinateur dispose ou non d'un coprocesseur mathématique.

Vous pouvez donc considérer ce programme comme un point de départ et le compléter de telle façon qu'il fournisse, suivant le modèle d'ordinateur, toutes les informations que recèle le mot de configuration. Si vous vous posez encore certaines questions sur le fonctionnement des différents programmes, les commentaires très complets des listings vous renseigneront certainement.

CONFIGB.BAS — CONFIGP.PAS — CONFIGC.C

16.2. Déterminer le type de processeur et coprocesseur

Sur le marché très encombré des programmes utilitaires pour le PC existent aujourd'hui toute une série de programmes permettant d'obtenir des informations sur la configuration ou l'équipement d'un PC. Ces programmes indiquent la taille de la mémoire RAM, le numéro de version DOS installée etc., ainsi que le type de processeur dont est doté le PC.

Cette information peut être très utile par exemple lors du développement de programmes en langage évolué car elle permet d'adapter le code produit à un processeur bien précis. C'est ainsi, par exemple, que Microsoft C et Turbo C permettent de produire un code spécifique pour le 8088, le 80286 ou le i386, ce qui permet d'exploiter au mieux les possibilités du processeur et son jeu d'instructions. Pour des programmes traitant des masses de données importantes, on peut ainsi obtenir une amélioration considérable des performances. Pour tirer parti de cet avantage, il faut compiler le programme séparément pour chacun des trois types de processeur. Il faut aussi développer un programme servant à charger le véritable programme, qui recherchera tout d'abord le type du processeur et exécutera celui des trois programmes qui avait été compilé pour ce processeur.

C'est ici que se pose donc le problème de savoir comment le type du processeur peut être déterminé. Contrairement aux autres paramètres de configuration, cette information ne peut en effet être obtenue en appelant une fonction BIOS ou DOS. Il n'existe malheureusement pas non plus d'instruction du langage machine pour inviter le processeur à décliner son identité, de sorte qu'il faut avoir recours à une petite astuce. Cette astuce repose sur une méthode qui devrait être irréalisable s'il fallait en croire les affirmations des fabricants de matériel électronique.

Il s'agit en effet d'un test reposant sur des différences d'exécution de certaines instructions du langage machine par les différents processeurs utilisés dans le domaine du PC. Les différents processeurs, du 8086 au i386 sont en effet compatibles du point de vue logiciel mais des modifications minimes de la logique de certaines instructions sont malgré tout intervenues au cours de l'évolution de cette gamme de processeurs. Ces modifications n'apparaissent toutefois que dans des situations très particulières et très rares, de sorte qu'un programme développé pour le 8088 peut tout de même tourner sans problème sur tous les autres processeurs de la gamme Intel 80xxx. On peut cependant déterminer l'identité du processeur en le plaçant délibérément dans une situation ou chaque modèle a un comportement différent.

Ces différences n'apparaissent qu'au niveau du langage machine et un programme de test de ce genre ne peut donc malheureusement être réalisé qu'en langage machine ou assembleur. A la fin de ce chapitre, vous trouverez deux modules en Assembleur dans lesquels la routine de test est intégrée dans des programmes en Pascal et C. Nous allons maintenant nous pencher sur le principe de fonctionnement de la routine de test et donc sur les différences entre les divers processeurs qui sont à la base de cette routine.

Remarque : Le i486 est l'assemblage sur la même puce d'un i386, i387 et 82385.

16.2.1. Déterminer le type de processeur

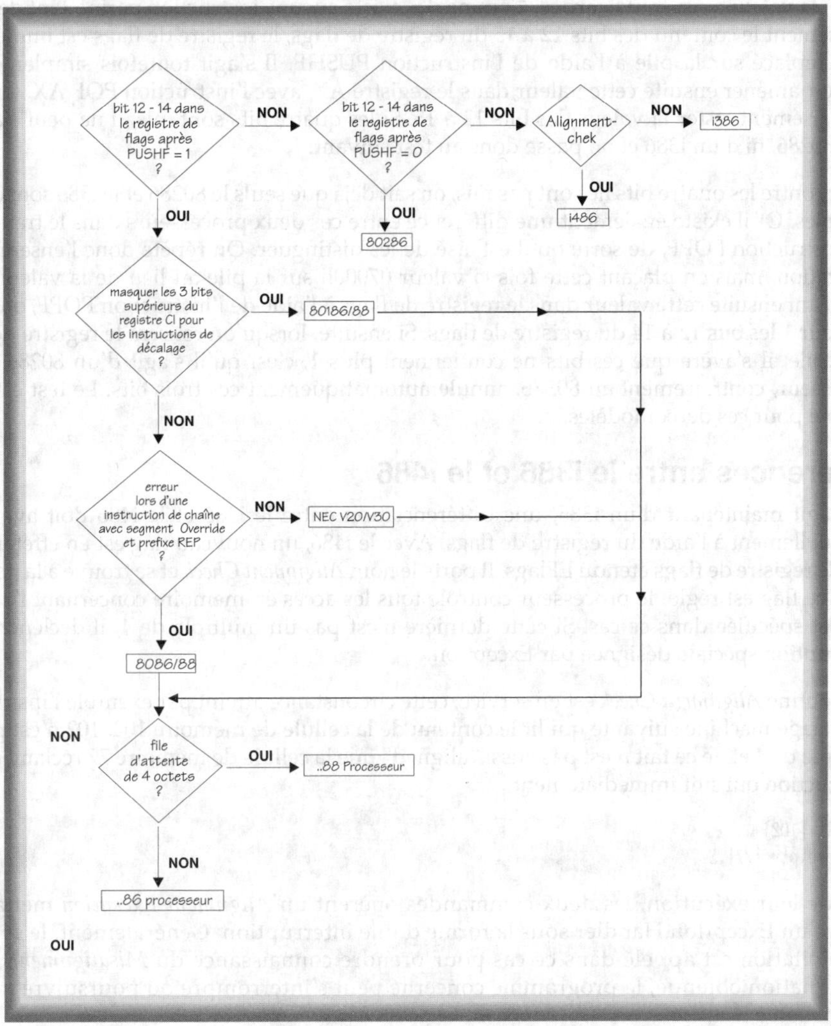

Tests pour déterminer le type du processeur d'un PC

Comme le montre l'organigramme, la routine de test se compose de plusieurs tests permettant de distinguer les différents types de processeur. Un test n'est exécuté que si le test précédent a échoué.

Différences d'affectation du registre de flags

Le premier test repose sur les différences d'affectation du registre de flags sur les divers processeurs. Le rôle des bits 0 à 11 de ce registre est en effet identique sur tous les processeurs mais les bits 12 à 15 ne sont utilisés qu'à partir du 80286 (du fait de l'introduction du mode protégé). Les instructions PUSHF (placer le contenu du registre de flags sur la pile) et POPF (retirer le contenu du registre de flags de la pile) ont donc dû en tenir compte. Alors que jusqu'au 80188, ces instructions fixaient toujours sur 1 les bits 12 à 15 du registre de flags, elles procèdent désormais différemment sur le 80286 et le i386. Le premier test de la routine de test s'appuie sur ce fait et place tout d'abord la valeur 0 sur la pile puis ramène dans le registre de flags, avec POPF, la valeur ainsi sauvegardée. Comme il n'existe aucune instruction permettant de tester directement le contenu des bits 12 à 15 du registre de flags, le registre de flags est immédiatement replacé sur la pile à l'aide de l'instruction PUSHF. Il s'agit toutefois simplement de pouvoir amener ensuite cette valeur dans le registre AX, avec l'instruction POP AX. On peut alors aisément tester la valeur des bits 12 à 15. Si les quatre bits sont mis, il ne peut s'agir ni d'un 80286, ni d'un i386 et on passe donc au test suivant.

Si par contre les quatre bits ne sont pas mis, on sait déjà que seuls le 80286 et le i386 sont encore possibles. Or il existe également une différence entre ces deux processeurs dans le traitement de l'instruction POPF, de sorte qu'il est aisé de les distinguer. On répète donc l'ensemble de l'opération, mais en plaçant cette fois la valeur 07000h sur la pile au lieu de la valeur 0. En chargeant ensuite cette valeur dans le registre de flags à l'aide de l'instruction POPF, on fixera donc sur 1 les bits 12 à 14 du registre de flags. Si ensuite, lorsqu'on retirera le registre de flags de la pile, il s'avère que ces bits ne contiennent plus 1, c'est qu'il s'agit d'un 80286 car ce processeur, contrairement au 80386, annule automatiquement ces trois bits. Le test est donc terminé pour ces deux modèles.

Différences entre le i386 et le i486

S'il s'agit maintenant d'un i386, une différenciation entre le i386 et le i486 doit avoir lieu éventuellement à l'aide du registre de flags. Avec le i486, un nouveau flag est en effet intégré dans le registre de flags étendu EFlags. Il porte le nom *Alignment Check* et se trouve à la position 18. Si ce flag est réglé, le processeur contrôle tous les accès en mémoire concernant l'adresse d'offset spécifiée dans ce cas. Si cette dernière n'est pas un multiple de 4, il déclenche une interruption spéciale désignée par Exception.

Si la routine *Alignment Check* est en service, cette circonstance atteint par exemple l'instruction de langage machine suivante qui lit le contenu de la cellule de mémoire 102. 102 n'est pas un multiple de 4 et de ce fait n'est pas aussi "aligned" que la cellule de mémoire 77 réclamée dans l'instruction qui suit immédiatement.

```
mov al, [102]
shl word ptr [77],3
```

Lors de leur exécution, les deux commandes opèrent un *Alignment Exception* mettant en oeuvre un Exception Handler sous la forme d'une interruption. Généralement, le système d'exploitation est appelé dans ce cas pour prendre connaissance du *Misalignment*. Selon l'information obtenue, le programme concerné peut s'interrompre ou poursuivre normalement son exécution.

Cette procédure permet de vérifier que l'accès à la mémoire s'effectue plus rapidement dans un i486 quand la case à éditer se trouve dans une adresse d'offset divisible par quatre. Expliquons-nous : Pour accéder à la mémoire, le i486 nécessite un temps particulièrement important lorsque cette condition n'est pas remplie. Pour éviter ce désagrément, un système d'exploitation peut activer la routine *Alignment Check* pour s'enquérir sur les programmes accédant aux données et variables mal alignées lors de leur exécution.

Le système d'exploitation peut par exemple émettre un message d'avertissement destiné au développeur de l'application pour signaler le déclenchement de l'exception appropriée. La routine *Alignment Check* devient une aide intéressante lorsqu'il s'agit d'optimiser les programmes pour le 80486.

Après avoir pris connaissance de la routine *Alignment Check*, il devient facile de rabaisser le i386 par rapport au i486 puisque le i386 ne connaît pas ce flag et n'est pas capable de modifier son contenu. En commençant par déterminer et sauvegarder le contenu du registre EFlag, on peut faire pivoter le bit d'alignement. On demande ensuite le registre EFlag pour contrôler si le contenu de ce flag a réellement changé. Si tel est le cas et dans ce cas seulement, on sait qu'il s'agit d'un i486.

Il ne faut cependant pas oublier de régler le flag d'alignement sur son ancienne valeur sans oublier que ce processus comporte quelques dangers. Ils sont surtout liés à la manipulation du registre EFlag qui ne s'effectue qu'à travers la pile. Les deux instructions du langage machine suivantes démontrent ce processus dont le rôle est de charger le registre EFlag dans le registre EAX. A cet effet, son contenu est d'abord poussé sur la pile avant d'atterrir dans le registre AX.

```
pushfd
pop eax
```

Bien que les deux instructions ne soient pas directement visibles, deux accès à la mémoire ont lieu dans ce contexte puisque la pile se trouve effectivement à cet endroit. Si le bit d'alignement est réglé au moment de l'exécution de cette instruction, cela déclenche une exception lorsque le pointeur SP n'indique pas une adresse divisible par quatre. Mais il est tout à fait possible de provoquer cette action si l'instruction de langage machine

```
and esp, OFFFCh
```

précède les instructions citées plus haut. Elle fixe tout simplement à 0 les deux bits inférieurs en arrondissant le pointeur de pile sur l'adresse suivante divisible par quatre. Sachant qu'un tel test de processeur s'exécute généralement dans le cadre d'un sous-programme, on doit d'abord prendre connaissance du contenu actuel du pointeur de pile pour pouvoir le restaurer par la suite.

Versions SX

Bien que ce test fonctionne correctement quand il s'agit de faire la différence entre le i386 et le i486, il comporte toutefois un hic. Ce test ne permet pas en effet de différencier les versions SX et DX de ces processeurs et, à notre connaissance, il n'existe pas de test logiciel qui distingue un i386SX d'un i386DX. Le processus est un peu différent dans le cas du i486SX et du i486DX quand il s'agit d'effectuer une distinction de manière indirecte également. La version SX de ce processeur n'est pas équipée du co-processeur numérique i387 qui est intégré dans la version DX. Après avoir découvert un processeur i486, il devient aisé de déterminer la présence des instructions à virgule flottante à l'aide d'un test de co-processeur et de connaître ainsi la version du processeur qui est installée.

Si les instructions à virgule flottante sont soutenues, cela ne signifie nullement qu'un i486DX est également installé. On peut très bien avoir un i486SX étendu à l'aide d'un coprocesseur numérique. On ne peut affirmer qu'un i486SX est effectivement installé que lorsqu'on découvre un 80486 ne soutenant pas les opérations numériques du processeur à virgule flottante.

Différence entre le 8086/8088 et le 80186/80188

Si cependant le premier test n'a pas été positif, le test suivant permet de déterminer si on a affaire à un 80188 ou à un 80186. Lors de l'introduction de ces deux modèles, le fonctionnement des instructions de décalage (SHL et SHR) a été modifié en liaison avec le registre CL utilisé comme compteur de décalage. Alors que sur les processeurs antérieurs le contenu du registre CL spécifiait un nombre de décalages compris entre 0 et 255, les trois bits supérieurs du registre CL sont désormais annulés avant le décalage, ce qui limite donc le nombre d'opérations de décalage. C'est d'ailleurs tout à fait logique car au bout de 16 décalages (ou de 17 en cas de décalage passant par le flag Carry), tous les bits d'un mot contiennent de toute façon toujours 0. Des décalages supplémentaires ne pourraient donc en rien changer la valeur de l'argument et ne serviraient qu'à faire perdre un temps précieux au processeur.

Le second test repose sur cette différence de comportement. Il consiste en effet à faire décaler de 021h positions sur la droite la valeur 0ffh dans le registre AL, à l'aide de l'instruction SHR. Si le processeur employé est le 80188 ou un des processeurs suivants, il masquera tout d'abord les 3 bits supérieurs du compteur de décalage et ne laissera donc subsister, sur les 021h décalages réclamés, qu'un seul décalage.

```
  021h (00100001b)    Nombre de décalages.
& 01fh (00011111b)    Masquer les 3 bits du haut
  ─────────────────
  001h (00000001b)    Nombre effectif de décalages.
```

Contrairement à leurs prédécesseurs, qui auraient effectivement décalé la valeur 0ffh 021h fois sur la droite et auraient donc renvoyé la valeur 0 en réponse, le 80188 et le 80186 renverront donc la valeur 07fh comme résultat. En examinant le registre AL après le décalage, on peut donc aisément déterminer si le processeur est un 80186 ou 80188 (auquel cas AL est différent de 0) ou un autre modèle (AL égal 0).

Différence entre le 8086/8088 et NEC V20/V30

Si le résultat de ce test est encore négatif, le processeur ne peut plus être qu'un 8088 ou 8086 ou bien un NEC V20 ou V30. Les deux derniers modèles cités sont des clones des 8088 ou 8086, dont le jeu d'instructions est identique à leurs homologues Intel mais qui travaillent nettement plus vite grâce à une optimisation de la logique interne et à une construction améliorée. Cet avantage est cependant contrebalancé par un coût nettement plus élevé qui dissuade la plupart des fabricants de PC d'implanter ces processeurs sur leurs ordinateurs.

En dehors de l'exécution plus rapide des instructions, ces processeurs éliminent aussi un petit défaut qui apparaît sur certains processeurs 8088 et 8086. En effet, lorsqu'une interruption électronique est déclenchée au cours de l'exécution d'une instruction de chaîne (par exemple LODS) avec le préfixe REP(eat) et un segment Override, l'exécution de cette instruction ne reprend pas une fois l'interruption terminée. On peut aisément s'en rendre compte au fait que le registre CX qui fonctionne comme compteur de boucle pour cette instruction ne contient pas la valeur 0 après exécution de cette instruction, contrairement à ce qu'on pourrait attendre.

Ce comportement est exploité par le programme de test qui charge la valeur 0ffffh dans le registre CX, faisant ainsi exécuter 65535 fois l'instruction de chaîne suivante avec préfixe REP et segment Override. Comme même un processeur rapide aura besoin d'un certain temps pour exécuter cette instruction, il est absolument certain qu'une interruption électronique sera déclenchée au cours des 65535 exécutions de cette instruction. Avec un 8088 ou un 8086, l'exécution de l'instruction ne reprendra pas après cette interruption et le nombre de parcours de boucle restants ne sera plus exécuté. Le programme de test examine donc si c'est le cas d'après le contenu du registre CX après exécution de l'instruction.

Déterminer la largeur du bus de données

Si une distinction a pu être opérée de cette manière entre les 8088 ou 8086 d'un côté et les V20 ou V30 de l'autre, un dernier test est effectué pour tous les processeurs (à l'exception du 80286 et du i386). Ce test a pour objet de déterminer si le processeur identifié correspond à une version dotée d'un bus 8 bits ou d'un bus 16 bits. Il s'agit donc ici de distinguer le 8088 du 8086, le V20 du V30, ou le 80186 du 80188. Il n'est pas possible de déterminer la largeur du bus de données à l'aide d'instructions du langage machine mais la longueur de la file d'attente (queue) à l'intérieur du processeur dépend directement de cette largeur.

Cette file d'attente a pour fonction de recevoir les instructions qui suivent l'instruction actuellement exécutée. Ces instructions n'ayant plus ensuite à être chargée à partir de la mémoire mais pouvant être retirées directement de la file d'attente, la vitesse d'exécution du processeur en est donc accrue.

Normalement, le remplissage de la queue s'effectue à l'insu du programme à condition qu'il utilise la méthode de la reprogrammation dynamique. Dans ce cas, le changement du code programme est réalisé par le programme où une instruction langage machine est par exemple réécrite par une autre dans un segment de code. C'est une technique rarement utilisée qui convient dans des situations particulières.

Cette procédure devient problématique quand il s'agit de modifier des commandes dont les codes sont déjà chargés dans la queue. Un tel cas se présente lorsque la commande à modifier se trouve très près de la commande chargée de modifier. Dans l'extrait de code suivant, une instruction INC DX est remplacée par une instruction NOP. L'instruction INC est tout de même exécutée parce que les deux instructions se trouvent tellement rapprochées qu'au moment de son exécution, l'instruction INC modifiée se trouvait déjà dans la file d'attente.

```
mov byte ptr cs:queue,Code NOP
queue:inc dx
```

Cette méthode permet de tester facilement la longueur de la file d'attente et du bus de données. Alors que cette file d'attente a une longueur de 6 octets sur les processeurs dotés d'un bus de données 16 bits, cette longueur n'est que de 4 octets sur les processeurs dotés d'un bus de données 8 bits.

Le dernier test de notre routine de test repose donc sur cette différence de longueur. A l'aide de l'instruction de chaîne STOSB (*store string byte*) avec le préfixe de répétition REP, nous modifions 3 octets placés peu après l'instruction STOSB. Le test repose sur le fait que ces octets doivent être placés de telle manière qu'ils se trouvent déjà à l'intérieur de la file d'attente sur un processeur avec file d'attente de 6 octets. Le processeur ne pourra donc prendre en compte cette modification du code programme. Avec un processeur à file d'attente de 4 octets, au contraire, ces instructions se trouveront encore en dehors de la file d'attente lors de l'exécution de l'instruction de chaîne et les instructions modifiées seront donc chargées sous leur version modifiée lors du prochain remplissage de la file d'attente. Le programme en tire parti en plaçant parmi les instructions modifiées une instruction INC DX, qui incrémente le contenu du registre DX, chargé dans la routine de recevoir le code du processeur identifié. Cette instruction ne sera donc exécutée que si le processeur dispose d'une file d'attente de 6 octets et si cette instruction figurait, de ce fait, déjà dans la file d'attente avant que le code programme n'ait été modifié.

Sur un processeur à file d'attente de 4 octets, cette instruction sera remplacée par l'instruction STI, qui n'affecte pas le contenu du registre DX, ni donc le code du processeur, mais fixe simplement sur 1 le bit d'interruption du registre de flags. Le code du processeur sera donc toujours augmenté d'une unité sur les processeurs xx86. Nous avons naturellement choisi les codes des processeurs de telle manière que le code du processeur xx88 soit toujours suivi du

code de son homologue xx86. Par conséquent, si le code de processeur 4, qui correspond au 80188, est chargé dans le registre DX avant le début de ce dernier test et s'il s'agit en fait d'un 80186, le code du processeur sera encore augmenté d'une unité au cours de ce dernier test. On obtiendra bien ainsi le code de processeur 5, que notre programme interprète comme le code du 80186.

16.2.2. Test du coprocesseur

Outre le processeur, il est également intéressant de déterminer le coprocesseur, surtout que de plus en plus d'ordinateurs sont équipés d'un tel outil de calcul. L'instruction de langage machine FSTCW permet de déterminer très facilement la présence d'un co-processeur mathématique en prenant soin auparavant de réinitialiser le co-processeur avec l'instruction FINIT. FSTCW place le Control Word du coprocesseur dans une variable spécifiée à l'avance et, après l'initialisation, l'octet de poids fort de ce registre contient toujours la valeur 3. On s'aperçoit très vite de l'absence d'un coprocesseur lorsque l'instruction FSTCW ne peut pas être exécutée et la cellule de mémoire spécifiée ne contient pas la valeur 3, à moins d'avoir déjà stocké cette valeur préalablement.

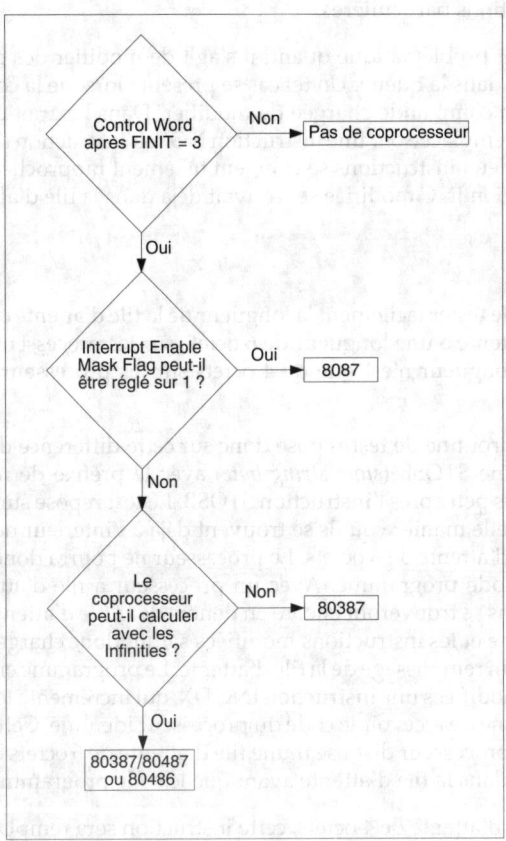

Test pour déterminer la présence du coprocesseur

Si cette méthode a permis de signaler l'existence d'un coprocesseur, il faut ensuite déterminer son type. Il s'agit en fait de faire la différence entre un 8087, 80287 et i387 car le coprocesseur intégré dans le i486 est identique au i387. Il en est de même pour le i487 qui représente en fait un i486 dans lequel la partie i486 est simplement désactivée.

Différence entre le 8087 et 80287/i387

Par rapport au 80287 et au i387, le 8087 se différencie par un flag situé dans le Control Word appelé *Interrupt Enable Mask*. Dans le 8087, il décide si le coprocesseur doit déclencher une interruption lorsqu'il reçoit une instruction de langage machine incorrecte. Comme les 80287 et i387 utilisent désormais les exceptions au lieu des interruptions, ce flag est toujours fixé sur 0 et jamais sur 1 dans le cas des 80287/i387.

Cela permet de tester que ce flag est d'abord mis sur 0 lors du chargement du Control Word puis sur 1 par l'instruction FDISI. Cette instruction reste toutefois sans effet dans le cas des 80287/i387 où la détermination du Control Word et le test de ce flag sont exigés immédiatement.

Différence entre le 80287 et le i387

L'affaire se complique lorsqu'on ne travaille pas avec un 8087 car les flags ne servent plus à rien. La différence entre les deux processeurs repose sur leurs capacités à traiter les valeurs infinies désignées par "Infinities".

Une Infinity se produit à l'intérieur d'une routine de test lorsqu'un est divisé par zéro. Le résultat de cette opération est ensuite dupliqué, son signe inversé et les deux valeurs comparées. Sachant que l'inversion du signe des Infinities ne fonctionne qu'avec un i387, la diversité entre ces deux valeurs ne se rencontre que dans un i387. Bien entendu, cela peut être vérifié à l'aide des commandes appropriées et déterminer ainsi l'identité du coprocesseur.

16.2.3. Programmes d'exemples

La théorie sur le test du processeur et son assistant sont conçus sous la forme de deux modules en Assembleur chargés d'assurer l'intégration dans les programmes Pascal et C. Ils portent les noms GETPROC et GETCO. Ils représentent des fonctions retournant des valeurs indiquant le type du processeur (GETPROC) ou le type du coprocesseur (GETCO).

Les programmes en langage évolué PROCP.PAS et PROCC.C mettent cela en évidence en utilisant les valeurs de ces fonctions en tant qu'indices dans des tableaux String. Ces derniers contiennent les noms des divers processeurs et coprocesseurs Intel.

Accès au registre 32 bits

L'examen des deux modules en Assembleur qui sont identiques jusqu'aux déclarations de segment vous permettra de constater les nombreuses instructions DB de la fonction GETPROC.

Elles représentent les codes machine des diverses commandes nécessaires pour effectuer la différence entre le i386 et le i486. Les instructions de langage machine du i386 et du i486 accédant aux registres 32 bits de ces processeurs (EAX, EBX, etc.) entrent en service dans ce contexte. Mais elles ne peuvent être utilisées que lorsque la pseudo-commande .386 informe explicitement à l'Assembleur que ces dernières doivent être autorisées.

Mais la conséquence fâcheuse de ce phénomène est que l'Assembleur affecte l'attribut "32 bits" au segment de code et le conserve dans le fichier Objet. Le linker que le module Assembleur relie ultérieurement au module en langage évolué n'aime pas du tout cela parce que les différents segments deviennent alors incompatibles.

Pour éviter ce désagrément, les instructions sont fournies directement en code machine si bien que l'Assembleur ne peut plus les considérer comme des instructions 386 étendues.

| PROCP.PAS | PROCPA.ASM |
| PROCC.C | PROCCA.ASM |

Partie 3

Le DOS

17.   L'histoire du DOS en bref

Dans ce chapitre, nous allons parler du système d'exploitation du PC, que l'ordinateur charge à partir d'une disquette ou du disque dur. Cet OS est habituellement désigné par PC-DOS, MS-DOS ou tout simplement DOS.

La plupart d'entre vous ne connaissent probablement jusqu'ici le DOS qu'en tant qu'interface utilisateur, à partir de laquelle vous appelez vos programmes, vous formatez des disquettes, etc.

Le développement du DOS

Avant d'étudier dans les sections suivantes l'évolution du DOS, nous souhaitons vous brosser un rapide tableau de l'histoire de ce système d'exploitation qui est maintenant devenu un véritable standard industriel.

Par exemple, cela fait déjà 12 ans que la version 2.0 du DOS fut mise sur le marché. Cette version incluait les fonctions FCB pour optimiser les accès aux fichiers. Toutefois, ces fonctions sont considérées comme obsolètes par beaucoup de développeurs, mais le DOS continue de supporter les fonctions FCB qui occupent un espace non négligeable dans le noyau du DOS.

L'histoire du DOS commence dans les années 70 lorsque Intel élabora le microprocesseur 8086, qui est la première génération des microprocesseurs 16 bit. En 1980, la plupart des micro-ordinateurs étaient des systèmes 8 bit et les processeurs Intel 8080 et Zilog Z-80 équipaient la majorité de ces micros. Le PC n'était qu'une vision dans l'esprit des développeurs et le seul OS disponible était le CP/M 80 de Digital Research.

Alors que la société Digital Research avait annoncé une version pour le processeur 8086 du système d'exploitation CP/M 80 (qui devait maintenant s'appeler CP/M 86), cette version n'était toujours pas disponible en avril 1980. C'est alors qu'un programmeur, Jim Paterson, se lança dans le développement d'un nouveau OS appelé QDOS (Quick and Dirty Operating System) et nommé plus tard 86-DOS, ce qui devait devenir l'ancêtre de l'actuel MS-DOS ou PC-DOS.

Il existait cependant à l'époque un grand nombre de logiciels sous CP/M 80. La nécessité de reprendre totalement le développement de ces logiciels aurait donc entraîné des coûts et des problèmes considérables. Le but premier pour Paterson était donc de parvenir à un système qui permette une conversion très aisée des logiciels déjà existants sous CP/M 80. C'est pourquoi il essaya de reproduire le fonctionnement et les principales structures de données de CP/M. Il ne se contenta toutefois pas de copier servilement tout le système CP/M 80 mais essaya, au contraire, de corriger les points faibles de ce système. Le résultat auquel il parvint fut un système d'exploitation occupant seulement 6 Ko et sous lequel on pouvait faire tourner sans trop de travail d'adaptation les programmes développés pour CP/M 80. Ce système fut baptisé 86-DOS.

Or, à la même époque, IBM avait pour projet de construire un micro-ordinateur 16 bits pour lequel Microsoft proposait de développer un système d'exploitation. A cet effet, Microsoft reçut un prototype du nouvel ordinateur d'IBM, acheta le système d'exploitation développé par Paterson et en poursuivit le développement. Paterson restait associé au projet mais les mesures de sécurité extrêmement strictes de la société IBM lui interdisaient ne serait-ce que de voir la machine pour laquelle il était tout de même censé développer un système d'exploitation. Le travail de développement put cependant être achevé pour août 1981 et le nouveau système d'exploitation fut présenté au public, sous le nom de MS-DOS, en même temps que le nouvel ordinateur personnel d'IBM.

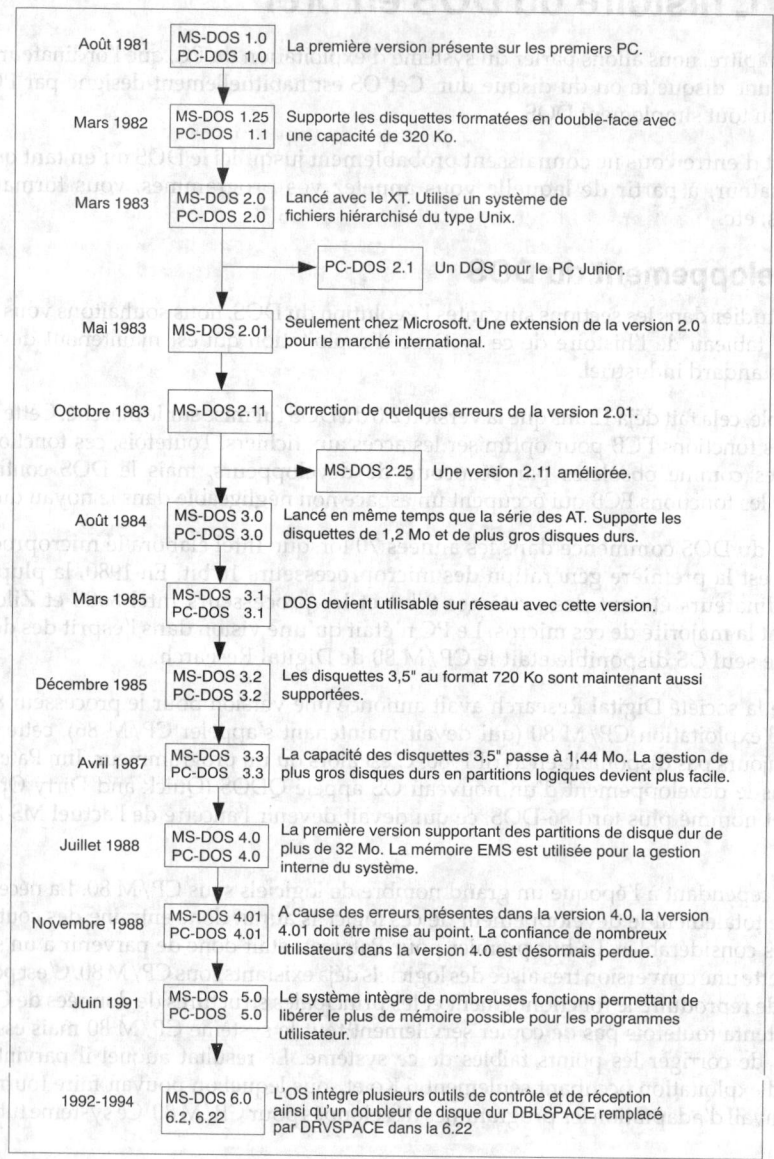

Août 1981	MS-DOS 1.0 / PC-DOS 1.0	La première version présente sur les premiers PC.
Mars 1982	MS-DOS 1.25 / PC-DOS 1.1	Supporte les disquettes formatées en double-face avec une capacité de 320 Ko.
Mars 1983	MS-DOS 2.0 / PC-DOS 2.0	Lancé avec le XT. Utilise un système de fichiers hiérarchisé du type Unix.
	PC-DOS 2.1	Un DOS pour le PC Junior.
Mai 1983	MS-DOS 2.01	Seulement chez Microsoft. Une extension de la version 2.0 pour le marché international.
Octobre 1983	MS-DOS 2.11	Correction de quelques erreurs de la version 2.01.
	MS-DOS 2.25	Une version 2.11 améliorée.
Août 1984	MS-DOS 3.0 / PC-DOS 3.0	Lancé en même temps que la série des AT. Supporte les disquettes de 1,2 Mo et de plus gros disques durs.
Mars 1985	MS-DOS 3.1 / PC-DOS 3.1	DOS devient utilisable sur réseau avec cette version.
Décembre 1985	MS-DOS 3.2 / PC-DOS 3.2	Les disquettes 3,5" au format 720 Ko sont maintenant aussi supportées.
Avril 1987	MS-DOS 3.3 / PC-DOS 3.3	La capacité des disquettes 3,5" passe à 1,44 Mo. La gestion de plus gros disques durs en partitions logiques devient plus facile.
Juillet 1988	MS-DOS 4.0 / PC-DOS 4.0	La première version supportant des partitions de disque dur de plus de 32 Mo. La mémoire EMS est utilisée pour la gestion interne du système.
Novembre 1988	MS-DOS 4.01 / PC-DOS 4.01	A cause des erreurs présentes dans la version 4.0, la version 4.01 doit être mise au point. La confiance de nombreux utilisateurs dans la version 4.0 est désormais perdue.
Juin 1991	MS-DOS 5.0 / PC-DOS 5.0	Le système intègre de nombreuses fonctions permettant de libérer le plus de mémoire possible pour les programmes utilisateur.
1992-1994	MS-DOS 6.0 / 6.2, 6.22	L'OS intègre plusieurs outils de contrôle et de réception ainsi qu'un doubleur de disque dur DBLSPACE remplacé par DRVSPACE dans la 6.22

L'évolution du DOS

La version 1.0

La version 1.0 constituait essentiellement un compromis pour Microsoft car on avait dû coller de très près à CP/M 80 pour permettre un transfert facile des programmes. C'est ce qui explique par exemple que la structure des noms de fichiers (8 caractères pour le nom de fichier et 3 caractères d'extension) soit restée identique à celle de CP/M 80. Mais le parallèle avec le système 8 bits si répandu apparaissait aussi dans la désignation des lecteurs de disquette ainsi que dans l'ensemble de la structure interne.

Il était évident à l'époque que l'électronique des PC était appelée à subir encore de nombreuses améliorations et extensions (des mémoires RAM plus grandes, des lecteurs de disquette plus rapides). C'est pourquoi on décida chez Microsoft que la prochaine étape devait consister à rendre le DOS plus indépendant de la machine. C'est ainsi qu'on fut, par exemple, amené à séparer la longueur de données physique de la longueur de données logique.

Sous CP/M 80, chaque disquette était subdivisée en unités de 128 octets et on ne pouvait accéder à chacune de ces unités qu'en bloc. Il n'était de ce fait pas toujours possible d'accéder à des octets déterminés de la disquette, ce qui entraînait un surcroît de travail inutile. Le DOS put donc éliminer ce défaut en séparant entre les longueurs de données logique et physique. On mit ensuite au point quelques fonctions qui permettaient d'écrire ou de lire simultanément plusieurs enregistrements d'un fichier sur disquette alors qu'on ne pouvait jusqu'ici en traiter qu'un à la fois. L'indépendance par rapport à l'électronique fut également obtenue en traitant les périphériques d'entrée ou de sortie comme des fichiers. Chacun reçut à cet effet un nom particulier.

```
CON   (Clavier et écran)
PRN   (Imprimante)
AUX   (Interface série)
```

Lorsqu'on indiquait un de ces trois noms, au lieu d'un nom de fichier normal, pour accéder à un fichier à travers une routine du DOS, ce n'était plus le lecteur de disquette mais le périphérique correspondant qui était appelé. Ainsi était également rendu possible un détournement du clavier ou de l'écran vers un fichier ou un autre périphérique.

Le DOS ne soutenait auparavant que les fichiers de programme qui avaient été chargés dans un emplacement bien précis de la mémoire centrale pour y être exécutés. Ce vestige de l'époque de CP/M s'avéra peu pratique et on introduisit donc un nouveau type de fichiers de programme. Contrairement à leurs prédécesseurs, les fichiers de ce type ne recevaient pas l'extension de nom de fichier .COM mais étaient désignés par l'extension .EXE et pouvaient être chargés dans (presque) n'importe quel emplacement de la mémoire de l'ordinateur.

En ce qui concerne l'interpréteur de commandes, cette partie du système d'exploitation qui reçoit les instructions de l'utilisateur et qui commande l'exécution de ces instructions, deux innovations permirent d'assouplir ce système. L'interpréteur de commandes fut tout d'abord relégué dans un fichier séparé appelé COMMAND.COM, ce qui permettait à l'utilisateur de développer un interpréteur de commandes personnel, par exemple géré par menu, pour l'intégrer dans le système.

La seconde innovation consistait à scinder l'interpréteur de commandes en une partie résidente et une partie transitoire. C'est qu'en effet la mémoire RAM du PC était encore assez réduite à l'époque et il s'agissait donc de comprimer au maximum la partie qui devait rester disponible en permanence sur le PC. On logea donc sur disquette le code de certaines instructions du système d'exploitation telles que DIR et COPY pour ne le charger dans la mémoire RAM que lorsque cela était nécessaire.

Une autre innovation essentielle, qui constituait en même temps une étape supplémentaire dans la distanciation par rapport aux structures de CP/M 80, consista, en ce qui concerne la gestion de disquettes, à mettre en place une table d'allocation de fichier appelée FAT (File Allocation Table). Chaque entrée de cette table correspond à une zone de données de 512 octets sur la disquette, appelée secteur, et elle indique si le secteur correspondant est déjà attribué à un fichier ou s'il est encore libre. La FAT joue un très grand rôle à l'égard de l'entrée du répertoire mise en place pour chaque type de fichier. Cette entrée du répertoire indique en effet, outre le nom de fichier et quelques autres informations, le numéro de l'entrée de la FAT qui correspond au premier secteur du fichier sur la disquette.

Cette entrée de la FAT désigne à son tour, comme les suivantes, une autre entrée de la FAT, qui correspond chaque fois au prochain secteur affecté au fichier considéré.

Indiquons encore, pour terminer, deux évolutions qui facilitent le travail de l'utilisateur sur un PC : le traitement batch et le stockage de la date de modification d'un fichier.

Le traitement batch a été introduit à la demande pressante d'IBM. Il permet à l'utilisateur de regrouper plusieurs instructions DOS dans un fichier. Lorsque ce fichier est appelé, le DOS lit automatiquement les différentes instructions de ce fichier, pour les exécuter dans l'ordre, comme si elles avaient été entrées au fur et à mesure au clavier.

Il est souvent extrêmement intéressant pour l'utilisateur de savoir quand un fichier a été modifié pour la dernière fois. C'est pourquoi le DOS inscrit les date et heure actuelles, lors de chaque modification d'un fichier, dans l'entrée de ce fichier dans le répertoire. Ces date et heure sont affichées sur l'écran chaque fois que le répertoire est appelé. Lorsqu'IBM sortit en 1982 un nouveau PC qui utilisait les deux faces de la disquette pour la sauvegarde des données, Microsoft sortit la version PC-DOS 1.1.

Elle comportait les modifications que nous venons de décrire par rapport à la version 1.0 et elle soutenait en outre les lecteurs de disquette double face. Il devenait ainsi possible de stocker maintenant 320 Ko sur une disquette, au lieu de 160 Ko auparavant.

La version 2.0

IBM annonça en mars 1983 un nouvel ordinateur personnel, appelé PC-XT, qui devait disposer non seulement d'un lecteur de disquette comme ses prédécesseurs, mais aussi d'un disque dur. L'énorme capacité de ce disque dur (10 Mo) présentait pour l'utilisateur l'avantage de permettre de loger plusieurs centaines de fichiers sur une unité de mémoire. Cela n'allait pas cependant sans poser quelques problèmes du point de vue du système d'exploitation. Le principal problème était que le DOS ne prévoyait qu'un seul répertoire par support de données. Il semblait pourtant peu souhaitable, pour l'utilisateur, que les innombrables fichiers d'un disque dur fussent réunis dans un même répertoire. Deux options s'offraient à Microsoft pour résoudre ce problème, la première empruntée à CP/M 80, la seconde au système d'exploitation UNIX.

CP/M traite le disque dur comme plusieurs lecteurs de disquette distincts, qui se partagent la mémoire totale disponible sur le disque dur, mais dont chacun ne dispose que d'un seul répertoire.

UNIX utilise par contre un système de fichiers hiérarchisé dans lequel chaque support de données dispose d'un répertoire racine qui peut comprendre non seulement des fichiers mais aussi des sous-répertoires. Chacun de ces sous-répertoires peut à son tour comporter des sous-répertoires et on obtient ainsi une sorte d'arbre de répertoires, dont le tronc est constitué par la racine et dont les branches représentent les différents sous-répertoires.

Tous les utilisateurs du PC savent que c'est le système de fichiers hiérarchisé qui a été choisi et qu'il est maintenant devenu un élément à part entière du DOS. C'était encore une étape supplémentaire vers un éloignement par rapport à CP/M 80 et vers un système d'exploitation 16 bits puissant.

L'introduction du système de fichiers hiérarchisé a fait subir au DOS quelques modifications d'envergure sur le plan de la gestion de fichiers.

L'accès à un fichier se faisait auparavant à travers un bloc de contrôle de fichier appelé FCB (File Control Block). Ce bloc de contrôle avait été mis en place par souci de compatibilité avec CP/M 80 et il contenait quelques informations importantes sur la taille et l'emplacement d'un fichier sur disquette, ainsi que le nom du fichier. Il n'était cependant pas possible d'appeler un fichier d'un autre répertoire (qui n'existait de toute façon pas sous CP/M).

C'est pour cette raison que les développeurs du DOS décidèrent de réorganiser l'accès aux fichiers à travers la fonction du DOS. L'accès à un fichier devait désormais se faire uniquement à travers ce qu'on appelait des "file handles", c'est-à-dire des numéros transmis au programme dès qu'un fichier était ouvert à l'aide d'une fonction DOS. Les FCB n'étaient toutefois pas supprimés mais le programmeur n'avait plus à s'en préoccuper car le DOS se chargeait automatiquement du maniement de ces blocs de contrôle.

Une autre innovation importante consistait à introduire la possibilité d'installer des drivers de périphériques. Ces drivers de périphérique permettent à l'utilisateur d'intégrer aisément dans le DOS certains appareils tels qu'un disque dur exotique, une souris ou un streamer. Dans le domaine de la sortie sur écran, la version 2.0 du DOS introduisit le driver de périphérique ANSI.SYS qui permet par exemple au programmeur de positionner le curseur ou de sélectionner les couleurs à travers des fonctions du DOS.

Un premier pas timide vers un travail multi-tâches consista à mettre en place le procédé appelé background processing. C'est une méthode qui consiste à faire tourner à l'arrière-plan un programme qui est appelé chaque fois que le programme de premier plan n'a rien à faire sur le moment. C'est sur ce procédé que repose par exemple le programme PRINT.COM du DOS qui permet d'imprimer un fichier sur l'imprimante pendant qu'un autre programme tourne au premier plan.

Pour augmenter la capacité des disquettes DOS, les différentes pistes d'une disquette ne furent plus formatées avec huit mais avec neuf secteurs à partir de la version 2.0. La capacité d'une disquette formatée sur une face passait ainsi de 160 à 180 Ko alors que celle d'une disquette formatée double face passait de 320 à 360 Ko.

Extensions de la version 2.0

De même que la version 1.25 corrigeait les bugs de la version 1.0, trois sous-versions de Microsoft et une version 2.0 commercialisée d'IBM apparurent sur le marché au cours de la même année.

La version 2.01 supportait les jeux de caractères internationaux, incluant l'alphabet Kanji. Très peu après la sortie de la version 2.01, la 2.11 apparut pour corriger d'autres petites erreurs. Cette version finale fut le standard DOS jusqu'à la sortie de la version 3.0.

IBM demanda un DOS adapté spécifiquement à l'IBM portable. Cet ordinateur était l'un des moyens d'IBM pour dominer le marché des ordinateurs domestiques qui était occupé par Commodore et Atari dans le milieu des années 80. La version 2.1 du DOS ainsi que le portable d'IBM disparurent rapidement du marché. C'était la dernière fois que Microsoft et IBM ne disposaient pas de versions identiques. A part quelques différences mineures entre des constructeurs tiers (par exemple la présence ou non de EXE2BIN.EXE), les numéros de version des deux sociétés étaient équivalents.

En 1985, après la disponibilité de la version 3.0, la version 2 fut mise à jour une dernière fois. La version 2.25 fut mise au point spécialement pour les utilisateurs d'Extrême-Orient, elle supportait les jeux de caractères internationaux, comme par exemple kanji.

La version 3.0 et ses descendantes

Comme pour la version 2.0, c'est l'apparition d'un modèle de PC plus puissant, le PC-AT en l'occurrence, qui entraîna l'apparition de la version 3.0.

Cette version fut présentée au public en août 1984. Elle soutient le disque dur 20 Mo de l'AT mais aussi le lecteur de disquette de grande capacité qui permet de loger jusqu'à 1,2 Mo sur une disquette.

Beaucoup des modifications apportées par rapport à la version 2.0 concernent les routines internes du DOS. Ces modifications ont permis l'exécution plus rapide de certaines opérations bien que ces changements restent invisibles pour le programmeur.

Six mois après, la version 3.1 fut annoncée. C'était la première fois que le support du réseau fut disponible. Quelques nouvelles fonctions furent ajoutées pour implémenter la gestion des réseaux.

La version 3.2 fut lancée en 1985. Cette version supportait les disquettes 3,5" de 720 Ko. Cette version représenta le standard pour des implémentations du DOS jusqu'à la sortie de la version 3.3 en avril 1987.

En plus de vouloir représenter le DOS le plus ouvert, la version 3.3 supportait les périphériques inclus dans les systèmes IBM PS/2 et les disquettes 3,5" haute densité de 1,44 Mo. Cette version fut aussi l'occasion d'améliorer la gestion des langues étrangères à travers les pages de code.

La version 3.3 permit d'améliorer la gestion des disques durs par l'utilisation des partitions. L'utilisateur pouvait partager un disque dur en partitions principale et secondaire, juste comme les lecteurs de disquettes pouvaient être divisés en unités physique et logique. il n'y avait plus besoin de logiciel externe pour gérer le partitionnement.

La plupart des changements entre les versions 3.0 et 2.0 étaient internes. Ils permettaient une exécution plus rapide des applications même si cela n'était pas très visible pour l'utilisateur.

La version 4.0

Quatre ans exactement après l'apparition de la version 3.0 du DOS fut présentée, en août 1988, la nouvelle version 4.0 du DOS. Depuis que Microsoft avait annoncé, à l'automne 1987, un nouveau système d'exploitation multitâche, sous le nom d'OS/2 et depuis que sa diffusion avait débuté au printemps 1988, il semblait acquis que les versions futures du DOS ne seraient pas dotées de possibilités de multitâche.

Malgré cela, on peut dire que beaucoup de choses ont néanmoins changé avec la version 4.0, notamment du point de vue de l'utilisateur. L'interpréteur de commande orienté ligne a maintenant été remplacé par un environnement utilisateur graphique qui rappelle Windows et Presentation Manager, l'environnement d'OS/2. Cet environnement permet à l'utilisateur de réaliser des menus personnels pour appeler aisément les applications et utilitaires souvent utilisés et de sélectionner des fichiers ou des répertoires sur l'écran, à l'aide de la souris ou du clavier.

L'utilisateur ne voit pas cependant les modifications intervenues dans l'intérieur même du DOS et qui avaient essentiellement pour but d'adapter ce système d'exploitation aux nouveaux standards électroniques. Avec la puissance toujours croissante des PC, les applications traitées deviennent aussi toujours plus complexes, ce qui entraîne également un accroissement constant de la taille des programmes ainsi que des masses de données gérées. Or les versions antérieures fixaient une limite à cette croissance car elles limitaient la capacité maximale des disques durs à 32 Mo "seulement" et la taille de la mémoire centrale à 640 Ko.

Le DOS 4.0 fait sauter ces deux verrous en soutenant les disques durs d'une taille de jusqu'à 2 gigaoctets (2 048 mégaoctets) et en soutenant la mémoire étendue (EMS) d'après le standard LIM, qui permet d'installer jusqu'à 8 Mo en plus de la mémoire RAM normale, cette mémoire supplémentaire pouvant être utilisée par les programmes d'application.

Malheureusement, le DOS 4.0 fut lancé avant d'être entièrement testé. De nombreux utilisateurs connurent des pannes système non provoquées et des pertes des données. Microsoft sortit une version déboguée (version 4.01) en novembre 1988, mais beaucoup d'utilisateurs revinrent tout simplement à la version 3.3 et attendirent une vraie version entièrement testée.

La version 5.0

Microsoft mit en place une vaste série de tests avant la sortie de la version 5.0 du DOS. Plus de 7 000 utilisateurs et développeurs de logiciels répartis dans le monde entier installèrent et testèrent les *bêta* pour garantir une version 5.0 sans aucun bogue. La version finale fut disponible en juin 1991.

La version 5.0 inclut une utilisation efficace de la RAM, qui fournit plus de RAM aux applications et aux programmes résidents. Comme les drivers de périphériques et les programmes résidents pouvaient être chargés au-delà de la barrière des 640 Ko, cela libérait d'autant plus de RAM utilisateur.

Les versions 6.0, 6.2 et 6.22

A l'image de ses prédécesseurs, la version 6.0 se démarque avec des nouveautés révolutionnaires, du moins sur le plan interne. L'aspect particulièrement intéressant de DOS 6 est sans doute représenté par DoubleSpace, l'outil qui double automatiquement la capacité disque et qui est reconnu grâce à une interface logicielle spécifique.

La version 6.0 se caractérise par une meilleure stabilité bien que des problèmes surgissent dans DoubleSpace en raison de certaines configurations de disque. C'est pourquoi, Microsoft se hâta de développer la version 6.2 qui élimina tous ces désagréments et atténua l'angoisse de nombreux utilisateurs en assurant que DoubleSpace pouvait accéder au contenu de leur disque dur.

Mais Microsoft rencontra entre-temps un problème complètement différent en rapport avec DoubleSpace : une plainte déposée par le fabricant de logiciel Stac qui, le premier, a mis sur le marché un produit à la DoubleSpace sous la forme du fameux Stacker. Après qu'un tribunal ait jugé Microsoft comme étant coupable d'avoir utilisé certaines parties du Code de Stac sans autorisation, Microsoft s'est vu dans l'obligation de retirer son DoubleSpace du marché et de le remplacer par un programme entièrement nouveau chargé de doubler la capacité du disque dur. Il est fourni avec la version 6.21 (6.22 en France) de DOS et ne présente aucune différence par rapport à l'ancien DoubleSpace ni du point de vue de son fonctionnement ni de son interface. Ce programme s'appelle DriveSpace.

Dix ans après : Un regard en arrière

En résumé, la version 2.0 du DOS fut la base pour toutes les sorties suivantes du DOS. Toutefois, les améliorations les plus révolutionnaires sont à venir, et ceci par rapport aux interfaces graphiques comme Windows.

DR DOS

Depuis 1981, Digital Research a lancé des systèmes d'exploitation et des interfaces utilisateur graphiques. En particulier, Digital avait lancé l'interface graphique GEM qui fut rapidement supplantée par Microsoft Windows.

Avec DR DOS, Digital Research a accaparé une partie du marché du PC. La plus grande caractéristique de DR DOS est sa compatibilité avec les produits Microsoft. Tout ce que nous disons à propos du DOS dans cet ouvrage s'applique à MS-/PC-DOS et à DR DOS.

Depuis 1993, Digital Research n'existe plus comme une société à part entière car elle a été achetée par Novell. Depuis ce jour, DR DOS est distribué sous le nom Novell DOS et ne connaît qu'un succès relativement modeste auprès des utilisateurs.

18. La structure interne du DOS

Ce chapitre traite de la structure interne du DOS et des procédures qui ont lieu lors du démarrage du système. Ces deux thèmes ne concernent pas la programmation DOS de tous les jours ; en effet, toutes les procédures que nous allons étudier se déroulent "en coulisses". Mais ce sont très souvent les choses cachées qui nous attirent le plus. Nous en savons tous quelque chose. Alors, levons le rideau...

18.1. Les différents composants du DOS

Le DOS se compose de plusieurs éléments affectés respectivement à un domaine de fonctions du système. Les trois éléments principaux en sont le DOS-BIOS (à ne pas confondre avec le BIOS), le noyau du DOS et l'interpréteur de commandes. Ces trois éléments sont physiquement séparés les uns des autres par le fait, notamment, qu'ils sont rangés dans des fichiers distincts.

Le DOS-BIOS

Le DOS-BIOS se trouve dans un fichier qui, dans le cas du DOS IBM, porte le nom de IBMBIO.SYS, et dans le cas de MSDOS le nom de IO.SYS. Ce fichier constitue obligatoirement sur chaque PC le premier fichier du répertoire racine du disque d'amorçage et est affecté des attributs de fichier HIDDEN et SYS afin qu'il n'apparaisse pas à l'écran lors de l'exécution de la commande DIR. Il contient les drivers des périphériques suivants :

Nom	Pilote
CON	Clavier et écran
PRN	Imprimante
AUX	Interface série
NUL	Objectif nul !
$CLOCK	Horloge
DISK	Disquette et disque dur, à condition qu'ils ne requièrent pas de drivers particuliers

Lorsque le DOS veut communiquer avec l'un des périphériques, il appelle le driver du périphérique concerné contenu dans ce module, lequel fera à son tour appel aux routines du BIOS. Sachant que seul le DOS-BIOS a accès à la machine (en passant par le BIOS), il est de fait, parallèlement aux pilotes de périphériques décrits dans le fichier de configuration CONFIG.SYS, l'élément du système d'exploitation le plus intimement lié à l'électronique. Il y a quelques années de cela, alors que les différences entre les PC existants étaient beaucoup plus importantes, les fabricants étaient contraints d'adapter cet élément du DOS à leur matériel.

Le noyau du DOS

Le noyau du DOS est rangé dans le fichier IBMDOS.SYS (pour le DOS IBM) ou dans le fichier MSDOS.SYS (dans le cas de MS-DOS). Il est rangé immédiatement après le fichier IBMBIO.SYS/IO.SYS du répertoire racine du disque d'amorçage. Ce fichier, à l'instar de celui qui le précède, est affecté des attributs HIDDEN et SYS et est donc, en principe, invisible pour l'utilisateur. De la même manière, il ne peut être supprimé car il est également affecté de l'attribut READ ONLY.

Ce fichier renferme les innombrables fonctions du DOS-API auxquelles on accède par l'interruption 21h. Mais c'est également l'ensemble de la gestion interne qui se déroule ici ; ni les utilisateurs, ni les programmeurs n'y ont accès. Toutes les routines sont formulées de manière indépendante de la machine et elles passent par les drivers de périphériques du DOS-BIOS

pour accéder aux périphériques tels que le clavier, l'écran et le lecteur de disquettes. Il n'est donc pas nécessaire d'adapter ce module à l'électronique des différents ordinateurs.

L'interpréteur de commandes

À l'opposé des modules présentés jusqu'à présent, l'interpréteur de commandes du DOS, baptisé SHELL, est rangé dans un fichier visible appelé COMMAND.COM. Ce programme est automatiquement lancé lors du chargement du système. C'est lui qui affiche à l'écran le message bien connu A> ou C>, qui reçoit les commandes saisies par l'utilisateur et se charge de les faire exécuter. Etant le seul élément visible du DOS, il est souvent considéré, à tort, par de nombreux utilisateurs comme le système d'exploitation "en personne". Il s'agit en réalité d'un programme comme les autres qui s'exécute sous le contrôle du DOS.

L'interpréteur de commandes n'est toutefois pas un bloc monolithique ; il est en effet organisé en trois modules : une partie résidente, une partie transitoire et la routine d'installation.

La partie résidente, c'est-à-dire la partie qui se trouve en permanence dans la mémoire de l'ordinateur, contient les différents contrôleurs d'interruption du DOS. Cette partie doit donc impérativement résider en mémoire ; dans le cas contraire, l'ordinateur "plantera" au plus tard lors de l'appel de la prochaine interruption machine dont le contrôleur est censé se trouver dans cette partie.

La partie transitoire contient quant à elle le code de sortie du prompt (A>, C>, etc) permettant également la lecture des saisies clavier de l'utilisateur et leur exécution. Ce module doit son nom au fait qu'il peut être remplacé et écrasé par des programmes utilisateur, la mémoire RAM dans laquelle il est stocké n'étant pas protégée. Ceci est sans importance car, le programme utilisateur une fois terminé, le contrôle est alors rendu à la partie résidente de l'interpréteur de commandes. Celle-ci vérifie alors si la partie transitoire a été effacée et, le cas échéant, la charge à nouveau à partir du disque d'amorçage.

Le module d'initialisation est chargé lors du lancement du système et se charge d'initialiser le système. Nous étudierons en détail dans le chapitre suivant cette partie de l'interpréteur de commandes. Cette phase d'exécution une fois achevée, le module n'est plus nécessaire et l'espace qu'il occupait en mémoire vive peut alors être affecté à une autre application.

Exploitation des saisies utilisateur

Les instructions reçues par l'interpréteur de commandes se répartissent en trois groupes : les commandes internes, les commandes externes et les fichiers batch.

Dans la première catégorie, on trouve les instructions dont le code appartient à la partie transitoire de l'interpréteur de commandes. On y trouve notamment les commandes COPY, REN et DIR. Lors du lancement de ces commandes, l'interpréteur de commandes n'a pas besoin de charger un programme ; il exécute ces commandes en tant que sous-programmes.

Contrairement à ce type d'instructions, les commandes externes ne font pas partie de l'interpréteur de commandes et sont stockées sur disquette ou disque dur. Elles doivent donc être préalablement chargées en mémoire afin de pouvoir être exécutées. Citons à titre d'exemple les commandes FORMAT et CHKDSK.

Ces commandes une fois exécutées, la mémoire qu'elles occupaient précédemment est alors rendue disponible pour l'exécution d'autres programmes ; son contenu peut donc être écrasé.

Un fichier batch est un fichier de texte qui contient ligne après ligne les noms des programmes ou des commandes DOS qui doivent être exécutés. Lorsque l'utilisateur indique le nom d'un fichier de ce type, celui-ci est chargé, puis traité dans la partie transitoire de l'interpréteur de commande par un interpréteur spécialement affecté à l'exécution des fichiers batch. Chaque ligne du fichier est alors traitée de la même manière que si l'utilisateur l'avait saisie directement depuis le clavier à partir de la ligne de commande du DOS.

Le fichier batch le plus connu est certainement le fichier AUTOEXEC.BAT qui est chargé et exécuté par le DOS immédiatement après le lancement du système. Les différentes instructions d'un fichier batch (il en va de même pour les instructions saisies au clavier) sont tout d'abord examinées afin de déterminer s'il s'agit d'une commande DOS interne ou externe ou s'il s'agit d'une des instructions batch qui ne peuvent être utilisées qu'à l'intérieur d'un fichier batch.

S'il s'agit d'une commande interne du DOS, celle-ci pourra être immédiatement exécutée vu que son code se trouve déjà en mémoire, c'est-à-dire dans la partie transitoire de l'interpréteur de commandes. En revanche, s'il s'agit d'une commande externe ou d'un fichier batch, l'interpréteur recherchera tout d'abord dans le répertoire courant un fichier portant le nom indiqué. Si aucun fichier correspondant ne s'y trouve, l'ensemble des répertoires indiqués dans la commande PATH comme répertoires par défaut supplémentaires sera alors examiné dans l'ordre correspondant. La recherche ne portera toutefois que sur les fichiers ayant l'extension .COM, .EXE ou .BAT.

L'interpréteur de commandes ne pouvant examiner simultanément ces trois types de fichiers, il commencera sa recherche par les fichiers .COM, puis .EXE, et finalement .BAT. Si la recherche est infructueuse, un message d'erreur apparaît alors à l'écran et de nouvelles saisies sont alors attendues.

18.2. Lancement du DOS

Le fonctionnement du DOS-BIOS, le noyau, et de l'interpréteur de commandes, tel que nous l'avons vu au chapitre précédent, signifie bien évidemment que tous deux doivent être chargés en mémoire et y être initialisés. C'est ce qui se produit au cours de la procédure d'amorçage que nous allons aborder plus en détail au cours de cette section.

Recherche des fichiers d'amorçage

Au début de la procédure d'amorçage du DOS, le BIOS tente de localiser ce que l'on appelle un secteur d'amorçage. C'est en effet le BIOS qui s'exécute dès que l'ordinateur est mis sous tension, procédant alors à une auto-initialisation, avant de charger le système d'exploitation proprement dit.

S'il détecte un secteur d'amorçage sur une disquette placée dans un lecteur ou sur le disque dur, celui-ci est chargé et la routine de lancement qu'il contient est alors exécutée. Celle-ci vérifie tout d'abord que les deux premiers fichiers inscrits sur le disque d'amorçage sont effectivement les fichiers IBMBIO.SYS et IBMDOS.COM ou IO.SYS et MSDOS.SYS. Si tel n'est pas le cas, le DOS ne peut être chargé et l'utilisateur en est alors averti par un message affiché à l'écran. Si les deux fichiers sont présents, ils sont alors chargés en mémoire et l'exécution du programme peut se poursuivre à l'aide du premier d'entre eux.

Lancement de l'initialisation

La routine d'initialisation est alors exécutée. Cette routine commence par se copier elle-même à la fin de la mémoire RAM d'où elle va gérer la suite des opérations d'initialisation du système. L'étape suivante consiste à transférer à son emplacement définitif dans la mémoire le noyau du DOS qui a été chargé avec le fichier IBMDOS.SYS ou MSDOS.SYS.

La routine d'initialisation appelle alors une routine à l'intérieur du noyau du DOS qui se charge de l'initialisation de ce module. Cette routine met en place certaines tables et zones de données essentielles et appelle les routines d'initialisation des différents pilotes de périphérique qui ont été chargés avec le fichier IBMBIO.SYS ou IO.SYS.

Lecture du fichier de configuration

L'initialisation du noyau du DOS est alors terminée, toutes les fonctions de l'API DOS sont maintenant disponibles et la recherche du fichier de configuration CONFIG.SYS peut alors commencer. Lorsque ce fichier est trouvé, il est chargé puis exploité. Le système peut alors être configuré et recevoir de nouveaux pilotes de périphériques, lesquels viennent s'ajouter aux pilotes de périphériques internes du DOS.

La dernière étape consiste finalement à charger l'interpréteur de commandes et à lui transmettre le contrôle des procédures qui suivront. La procédure d'amorçage est ensuite terminée et la routine d'initialisation restera en mémoire, en tant que données usagées, jusqu'à ce qu'elle soit remplacée et écrasée par un autre programme.

19.   Programmes COM et EXE

Le DOS reconnaît deux types de fichiers programmes, en dehors des fichiers batch, les programmes COM et EXE. Ces extensions indiquent que ces fichiers disposent de propriétés différentes et qu'ils sont exécutables.

Les différences entre les types de programmes ne sont pas importantes pour un programmeur travaillant avec un langage évolué. Le programmeur désire seulement que son programme fonctionne, peu importe son format. D'ailleurs, les packs de développement comme Turbo Pascal ou QuickBASIC créent uniquement des fichiers EXE. Certains compilateurs C peuvent produire des programmes COM en utilisant le modèle TINY, dans lequel tout le code de programme, le segment de données et la pile tiennent dans 64 Ko de RAM ou moins.

Le seul avantage des programmes COM par rapport aux EXE est la taille du programme qui est plus petite, la différence étant souvent de quelques centaines d'octets.

Le programmeur travaillant avec un langage évolué n'a pas à s'inquiéter à propos des formats et des nuances entre les programmes COM et EXE car le compilateur les gère directement. Toutefois, cette information est importante pour le programmeur qui développe des logiciels en langage assembleur.

Dans ce chapitre, nous allons décrire la structure et les fonctions de ces deux types de programmes.

19.1.   Différences entre programmes COM et EXE

Une première différence apparaît déjà dans la taille de ces programmes. Un programme EXE peut en effet être aussi grand que la mémoire RAM totale libérée par le DOS (il peut même être plus grand mais ne pourrait pas être chargé dans ce cas) alors que la taille d'un programme COM ne doit pas excéder 64 Ko. Le programme COM est une relique de l'époque CP/M où la RAM était minimale et les programmes ne pouvaient pas dépasser 64 Ko.

Il faut loger dans ces 64 Ko aussi bien le code de programme que les données et la pile. La conséquence en est naturellement que tous les registres de segment reçoivent lors du lancement et pendant l'exécution du programme la même valeur et qu'ils désignent le début du segment de mémoire de 64 Ko. Seul le contenu du registre ES peut être modifié car il ne revêt pas de signification directe pour l'exécution du programme.

Pour les fichiers EXE, l'organisation des segments n'est pas prescrite de façon aussi stricte. Le code, les données et la pile sont logés dans des segments différents, chacun de ces éléments pouvant même (suivant sa taille) être réparti sur plusieurs segments. C'est pourquoi les registres de segment peuvent avoir différentes valeurs au cours de l'exécution d'un programme EXE.

Les deux types de programmes peuvent être chargés et lancés à l'aide de la fonction (DOS) EXEC. Cette fonction, accessible à l'utilisateur mais aussi à l'interpréteur de commandes, sert à l'exécution des instructions externes. Avant que la fonction EXEC ne charge dans la mémoire le programme à appeler, elle réserve à travers d'autres fonctions DOS la mémoire RAM que le programme à appeler devra occuper. La fonction EXEC place au début de cette mémoire une structure de données appelée PSP (Program Segment Prefix). Le programme est chargé à la fin de cette structure de données, les registres de segment et la pile sont initialisés et le programme est finalement lancé. Une fois l'exécution du programme achevée, la mémoire occupée par le programme et le PSP est à nouveau libérée (à moins que cela ne soit empêché par un appel de fonction du programme).

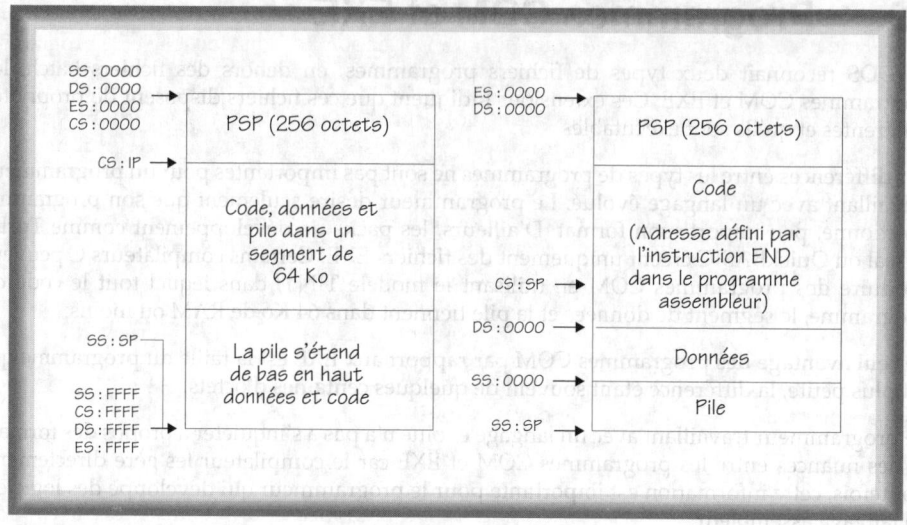

Comparaison entre les programmes COM et EXE en mémoire

19.2. Les programmes COM

Les fichiers COM sont stockés sur la disquette sous une forme reflétant exactement le contenu de la mémoire RAM lorsqu'ils sont chargés. Dans ce cas, aucune information supplémentaire n'est nécessaire et les programmes COM peuvent donc être chargés et lancés plus rapidement que les programmes EXE.

Microsoft et les programmes COM

Microsoft supporte de moins en moins les programmes COM. Microsoft Assembler (connu sous le nom de MASM) assemble les fichiers en tant que programmes EXE. Pour les convertir en COM, vous pouvez utiliser EXE2BIN qui est un utilitaire important fourni avec les anciennes versions du DOS. Le système de contrôle de version interdit justement d'utiliser EXE2BIN des anciennes versions avec les versions plus récentes de MS-DOS.

Aussi, les programmeurs qui désiraient continuer à utiliser EXE2BIN étaient obligés de modifier le système de contrôle de version pour rendre EXE2BIN compatible avec MS-DOS.

Contrairement au programme LINK fourni avec Microsoft Assembler MASM, Turbo Assembler de Borland International peut créer aussi bien des EXE que des COM.

Registres au début du chargement du programme

Un programme COM charge immédiatement après le PSP. L'exécution commence dès lors à la première zone mémoire suivant le PSP à l'offset 100H. Pour cette raison, un programme COM doit commencer par une instruction exécutable, même s'il s'agit d'un jump au début réel du programme.

Limites mémoire des COM

Comme nous l'avons déjà expliqué, un programme COM ne peut dépasser une taille de 64 Ko (65 536 octets), y compris la longueur du PSP (256 octets) et au moins 1 mot (2 octets) pour la pile. La longueur d'un programme COM ne peut de ce fait jamais dépasser 64 Ko et pourtant le DOS réserve toujours la totalité de la mémoire RAM disponible pour un programme de ce type. Il ne reste donc jamais de mémoire disponible (du point de vue du DOS) et le programme COM ne peut appeler un autre programme à l'aide de la fonction EXEC.

Ce problème peut toutefois trouver une solution si le programme COM libère à l'aide d'une fonction DOS la mémoire dont il n'a pas besoin pour la rendre disponible pour une autre application.

Lorsque le contrôle est transmis au programme COM, tous les registres de segment sont dirigés sur le début du PSP. Le début du programme COM (par rapport au début du PSP) se situe donc toujours à l'adresse 100h. Le pointeur de pile reçoit la valeur FFFEh et il est ainsi dirigé sur la fin du segment de mémoire de 64 Ko occupé par le programme COM. Lors de chaque appel de sous-programme à l'intérieur du programme COM, la pile se rapproche de 2 octets vers la fin du programme. Le programmeur (et lui seul) doit donc veiller à ce que la pile ne puisse grossir jusqu'à entrer en collision avec la fin du programme, ce qui entraînerait probablement un plantage du système.

Quitter un programme COM

Il existe plusieurs possibilités pour terminer un programme COM et pour rendre le contrôle au DOS ou au programme d'appel :

Si le programme tourne sous la version 1.0 du DOS, il peut être terminé en appelant la fonction 00h de l'interruption 21h ou bien en appelant l'interruption 20h. Une autre possibilité, qui peut sembler curieuse au premier abord, consiste à terminer le programme par un "Near Return" (Instruction assembleur RET). Lorsque cette instruction est exécutée, le programme se poursuit à l'adresse figurant au sommet de la pile. Or la fonction EXEC a placé en cet endroit la valeur 0 avant de passer la main au programme COM. L'exécution du programme se poursuivra donc de façon fort logique à l'adresse CS:0000. Comme cette adresse représente le début du PSP et qu'elle contient un appel de l'interruption 20h, le programme sera finalement terminé de cette façon.

Sous toutes les versions postérieures, c'est habituellement la fonction 4Ch de l'interruption (DOS) 21h qu'on utilisera. Celle-ci permet au programme qui vient d'être terminé d'envoyer au programme d'appel un message sous forme d'une valeur numérique. Le DOS n'impose ici l'emploi d'aucune valeur déterminée mais la transmission d'une valeur n'a naturellement d'intérêt que si le programme d'appel et le programme appelé lui attribuent la même signification. Une possibilité, souvent utilisée, consistera par exemple à indiquer à l'appelant, à l'aide de la valeur 0, que le travail du programme appelé s'est achevé sans problème, alors que toute autre valeur signalera l'apparition d'une erreur lors de l'exécution du programme.

Développer des programmes COM en Assembleur

Un programmeur en langage évolué n'a pas lieu de se préoccuper du développement d'un programme COM car soit le compilateur se chargera pour lui de tout le travail, soit il travaillera sous un interpréteur qui contrôlera l'exécution du programme. Le programmeur en Assembleur doit par contre prendre en compte un certain nombre de problèmes lorsqu'il veut développer un programme COM.

Les programmes COM sont stockés sur disquette ou disque dur sous une forme reflétant exactement le contenu de la mémoire lorsque le programme est chargé. Or ces programmes ne sont pas chargés par le DOS à une adresse définie d'avance. Ils peuvent en effet être chargés à n'importe quelle adresse (qui soit un multiple entier de 16).

Les programmes COM ne doivent donc pas comporter de call FAR ni d'adresses de segment explicites. Seuls les call NEAR, qui contiennent des adresses d'offset mais pas d'adresses de segment, sont autorisés.

Si en effet les adresses d'offset se réfèrent toujours au segment actuel et indiquent donc l'adresse qui convient à l'intérieur d'un segment quelconque, qui peut commencer à n'importe quelle cellule de mémoire, il n'en va pas de même pour les adresses de segments car ces dernières définissent des segments constants alors même que les programmes COM ne peuvent justement être systématiquement chargés à des adresses de segments constantes.

C'est d'ailleurs précisément pour cette raison que la taille d'un programme COM est limitée à 64 Ko et qu'il est interdit au programmeur d'utiliser des instructions FAR dans son programme. Les instructions FAR sont toutes les instructions qui permettent de poursuivre l'exécution du programme dans un autre endroit du programme, en définissant non seulement l'adresse d'offset mais aussi l'adresse de segment du nouvel emplacement. Le programmeur doit donc se limiter aux instructions NEAR, celles qui n'indiquent qu'une adresse d'offset.

Les programmes COM ne peuvent pas contenir des instructions assembleur comme LDS ou LES. L'Assembleur et le linker accepteront ces instructions mais EXE2BIN refusera la conversion. Cela s'applique aussi au Turbo Linker TLINK.

Des valeurs constantes peuvent cependant être chargées dans un registre de segment, comme l'adresse de segment de la RAM vidéo par exemple, mais il n'est pas possible de charger dans un registre de segment l'adresse du segment de code ou de données du programme COM. Ces adresses peuvent en effet varier lors de chaque appel du programme. Il découle du même principe qu'un programme COM ne peut non plus comporter plusieurs segments et que les variables doivent appartenir au segment unique, c'est-à-dire au segment de code.

Les instructions suivantes sont par exemple interdites car l'instruction MOV lit l'adresse de segment d'un programme :

```
MOV   AX,SEG PROGRAM
MOV   DS,AX
```

Les instructions suivantes sont acceptées car une adresse de segment constant est utilisée en référence :

```
MOV   AX,0B000h
MOVE DS,AX
```

Nous avons déjà indiqué également qu'un programme COM n'a pas l'embarras du choix pour ce qui est de la définition de la pile : celle-ci est en effet automatiquement placée à la fin du segment COM de 64 Ko. Avant d'appeler un programme COM, le DOS réserve pour ce programme toute la mémoire disponible. Cela ne pose d'ailleurs aucun problème dans la majorité des cas car ce programme disparaît de la mémoire après avoir été exécuté et la mémoire qu'il occupait est à nouveau libérée.

Si toutefois le programme COM se transforme en programme résident, c'est-à-dire s'il reste dans la mémoire après son exécution, un certain nombre de problèmes peuvent en résulter puisqu'il n'y a (du point de vue du DOS) plus de mémoire disponible et qu'il n'est donc plus possible de charger et d'exécuter d'autres programmes.

Un autre problème apparaît chaque fois qu'un programme COM en cours d'exécution veut charger ou exécuter un autre programme à l'aide de la fonction EXEC. Cela est également impossible puisque le DOS considère qu'il n'y a plus de mémoire disponible pour recevoir le programme appelé. Ces deux problèmes peuvent toutefois être résolus en libérant la place mémoire dont le programme n'a pas besoin.

On dispose à cet effet de deux possibilités : soit on libère uniquement la mémoire en dehors du segment COM de 64 Ko, soit on libère la totalité de la mémoire dont le programme n'a pas besoin, y compris la mémoire inutilisée à l'intérieur du segment COM. Cette seconde solution permet bien sûr de libérer encore plus de place pour d'autres programmes mais la pile se retrouve alors en dehors du segment de mémoire COM et elle peut de ce fait être effacée par d'autres programmes. C'est pourquoi il est nécessaire, dans ce cas, de déplacer la pile vers la fin du code de programme et de ne libérer que la mémoire placée après la fin de la pile. Il est bien sûr indispensable pour cela d'attribuer à la pile une taille déterminée. Dans la plupart des cas, 512 octets seront très largement suffisants.

L'exemple de programme suivant pourra vous servir de modèle pour tous les programmes COM que vous développerez. Une petite routine déplace la pile, immédiatement après le lancement du programme, vers la fin du segment de code et libère toute la mémoire restante. Même si votre programme ne charge pas d'autre programme et même s'il ne reste pas résident après exécution, cette routine peut se révéler utile et nous vous conseillons de l'intégrer dans tous vos programmes COM. Si l'exécution de plusieurs programmes à la fois est permise dans des versions ultérieures du DOS, cela ne sera en effet possible que si chaque programme dispose de suffisamment de mémoire. Or cela ne sera le cas que si la mémoire inutilisée est libérée.

COM_RAM.ASM

Lorsque vous voulez faire exécuter un programme COM, vous devez naturellement l'assembler à l'aide du macro-assembleur, comme un programme normal. Vous devez ensuite le linker avec le programme LINK. Ce programme sortira alors le message :

```
Warning: no stack segment
```

Vous ne devez pas vous laisser impressionner par ce message. Si votre programme ne comporte pas d'erreur, le programme LINK produira tout d'abord un fichier EXE. Mais comme nous voulons développer un programme COM, et non un programme EXE, la dernière étape consistera à appeler ensuite le programme EXE2BIN. Ce programme convertira le programme EXE en un programme COM. Voici les différentes étapes à suivre pour linker un programme assembleur intitulé TEST.ASM :

```
masm test;
link test;
exe2bin test.exe test.com
```

TASM et TLINK de Borland effectuent les mêmes tâches que MASM, LINK et EXE2BIN mais de manière quelque peu différente. Assemblez le fichier TEST.ASM avec TASM comme suit :

```
TASM TEST
```

Utilisez la syntaxe suivante pour créer directement le code COM :

```
TLINK /t TEST
```

19.3. Les programmes EXE

Par rapport aux programmes COM, les programmes EXE présentent l'avantage de ne pas être limités à une longueur maximale de 64 Ko pour le code, les données et la pile. Le prix à payer en échange de cet avantage est représenté par la plus grande complexité de ces fichiers qui est due à la présence dans un fichier EXE de toute une série d'informations autres que le programme lui-même. Pour les versions ultérieures du DOS, il peut cependant tout à fait en résulter un avantage supplémentaire, à savoir que ces programmes seront sans doute plus commodes à adapter à différentes innovations telles que l'introduction du travail multi-tâches par exemple.

EXE contre COM

Les programmes EXE comportent des segments distincts pour le code, les données et la pile. Ces segments peuvent se présenter dans n'importe quel ordre. Contrairement aux programmes COM, les programmes EXE ne sont pas chargés de la disquette ou du disque dur dans la mémoire pour être exécutés directement. Avant d'être exécutés, ils subissent en effet une préparation effectuée par une routine de la fonction EXEC. Cette préparation est nécessaire pour résoudre les problèmes déjà évoqués lors de la description des programmes COM.

Les programmes EXE ne sont pas non plus chargés dans un emplacement de la mémoire défini d'avance mais en n'importe quelle adresse (multiple entier de 16). Comme un programme EXE peut comporter plusieurs segments, l'utilisation d'instructions (langage machine) FAR est indispensable si l'on veut par exemple appeler à partir d'un segment un sous-programme situé dans un autre segment. Or une instruction FAR doit comporter non seulement l'indication de l'adresse d'offset mais encore celle de l'adresse de segment. D'où un premier problème puisque cette adresse de segment peut varier lors de chaque exécution du programme.

Dans les fichiers COM, ce problème est résolu de façon simple mais sévère puisque la taille des programmes est limitée à 64 Ko, ce qui rend l'emploi d'instructions FAR superflu. Les programmes EXE résolvent ce problème de façon plus complexe mais aussi plus constructive. Le programme LINK met en effet en place au début de chaque fichier EXE une structure de données qui contient entre autres les adresses de toutes les références de segment, c'est-à-dire l'adresse de toutes les cellules de mémoire dans lesquelles devra figurer l'adresse de segment d'un segment quelconque lors de l'exécution du programme.

Lorsque le programme EXE est chargé par la fonction EXEC, celle-ci connaît les adresses auxquelles sont chargés les différents segments du programme EXE. Elle peut ainsi inscrire les valeurs appropriées dans les cellules de mémoire enregistrées dans l'en-tête du fichier EXE. Cette opération entraîne un délai plus long entre l'appel et le lancement du programme EXE par rapport à un COM.

La taille d'un fichier EXE sera toujours supérieure à celle d'un fichier COM équivalent mais ces inconvénients sont négligeables au regard de l'avantage qu'il y a à pouvoir développer des programmes d'une taille supérieure à 64 Ko. Le tableau suivant vous présente la structure du header d'un fichier EXE.

Adresse	Contenu	Type
▬▬▬	Structure du header d'un fichier EXE	
00h	Signature du fichier EXE (5A4Dh)	1 WORD
02h	Longueur du fichier MOD 512	1 WORD
04h	Longueur du fichier DIV 512	1 WORD
06h	Nombre d'adresses de segment à reloger	1 WORD
08h	Taille du header en paragraphes	1 WORD
0Ah	Nombre minimal de paragraphes nécessaires	1 WORD
0Eh	Nombre maximal de paragraphes nécessaires	1 WORD
10h	Contenu du registre SP au lancement du programme	1 WORD
12h	Checksum sur l'en-tête du fichier EXE	1 WORD
14h	Contenu du registre IP au lancement du programme	1 WORD
16h	Début du segment de code dans le fichier EXE	1 WORD
18h	Adresse de la table de relogement dans le fichier EXE	1 WORD
1Ah	Numéro d'overlay	1 WORD
1Ch	Mémoire-tampon	variable
Variable	Adresses de segment à adapter	variable
Variable	Code programme, segments de données et de pile	variable

Après que les références de segment à l'intérieur du programme EXE aient été adaptées aux adresses effectives, la fonction EXEC fixe les registres de segment DS et ES sur le début du PSP, qui précède également dans la mémoire tout programme EXE, de même que tout programme COM. Le programme EXE peut donc accéder très aisément aux informations contenues dans le PSP telles que l'adresse du bloc d'environnement et les paramètres transmis dans la ligne d'instruction. L'adresse de la pile et le contenu du pointeur de pile sont stockés dans la tête du fichier EXE, d'où ils sont repris. Cela vaut également pour l'adresse du segment de code dans lequel figure la routine de lancement du programme, ainsi que pour le compteur de programme. Après qu'ils aient reçu les valeurs définies, l'exécution du programme commence.

Pour garantir la compatibilité avec les versions ultérieures du DOS, il convient de terminer un programme EXE en appelant la fonction 4Ch de l'interruption (DOS) 21h.

Affectation de la RAM

Il convient naturellement aussi de mettre de la mémoire à la disposition de tout programme EXE chargé. Cela ne se fera cependant pas tout à fait comme pour les programmes COM. Le chargeur EXE peut obtenir du fichier EXE la taille des différents segments du programme EXE et donc du même coup la taille globale du programme dans la mémoire. Il peut ensuite réclamer la mémoire nécessaire à l'aide d'une autre fonction. La mémoire réservée dépasse naturellement la mémoire de programme proprement dite. La taille de cette mémoire supplémentaire est fixée d'après le contenu de deux champs du header du fichier EXE qui indiquent les dimensions minimale et maximale de cette zone en paragraphes.

Le chargeur EXE tente dans un premier temps de réserver le nombre maximum de paragraphes. Si cela n'est pas possible, il se contente de la mémoire restante à condition toutefois qu'elle ne soit pas en deçà du nombre minimum de paragraphes. Ces deux champs ne sont pas fixés par le linker mais par le compilateur utilisé ou en l'occurrence par l'Assembleur. Il indique systématiquement FFFFh comme maximum. Cette dernière valeur est d'ailleurs parfaitement illusoire (elle correspondrait à 1 Mo) mais elle a pour effet de faire réserver toute la mémoire disponible pour le programme EXE.

Et voilà que nous retrouvons les mêmes problèmes que pour les programmes COM. Les programmes EXE ont cependant une structure qui ne convient pas très bien pour les installer comme programmes résidents mais il se peut très bien que tel ou tel programme ait besoin d'appeler un autre programme pendant son exécution. Or cela n'est possible, comme pour les programmes COM, que si la mémoire réservée en trop est libérée. C'est pourquoi nous vous présentons à nouveau un exemple de programme qui contient une routine pour réduire au minimum la mémoire réservée.

Sa structure comporte un segment de code ainsi qu'un segment de données et un segment de pile séparés. Tant que vos segments ne dépassent pas une taille de 64 Ko, c'est-à-dire tant que vous n'êtes pas contraint de les répartir sur plusieurs segments physiques, vous pouvez donc utiliser ce programme comme base de tous vos programmes EXE.

> **EXE_RAM.ASM**

Lorsque vous créez un programme EXE, vous devez naturellement le faire assembler comme un programme normal, à l'aide du macro-assembleur. Vous devez ensuite le linker à l'aide du programme LINK. Si votre programme ne comporte aucune erreur, le programme LINK produira alors un fichier EXE.

Voici la marche à suivre pour un programme assembleur appelé TEST.ASM :

```
masm test;
link test;
```

Si vous utilisez Turbo Assembler TASM, lancez les commandes suivantes :

```
tasm test
tlink test
```

Si toutes ces opérations se sont effectuées sans difficulté, vous pouvez lancer le programme TEST.EXE au niveau du DOS en entrant simplement le nom TEST.

19.4. Le PSP

Nous allons terminer ce chapitre en parlant du Program Segment Prefix (PSP) que DOS place devant chaque programme EXE ou COM en mémoire.

C'est un vestige des premières versions du DOS et il présente de ce fait de grandes similitudes avec les structures de données que CP/M place en mémoire devant les programmes à exécuter.

Le tableau suivant décrit la structure et les champs du PSP, plusieurs d'entre-eux restent non documentés (ou réservés) par Microsoft. La plupart de ces champs ont été décodés, même s'ils ne sont pas très utiles en programmation.

Adresse	Contenu	Type
	Structure du PSP	
00H	Appel de l'interruption 20H	2 BYTE
02H	Adresse de segment de mémoire allouée pour le programme	1 WORD
04H	Réservé	1 BYTE
05H	Appel de l'interruption 21H	5 BYTE
0AH	Copie du vecteur d'interruption 23H	2 WORD
0EH	Copie du vecteur d'interruption 23H	2 WORD
12H	Copie du vecteur d'interruption 24H	2 WORD
16H	Réservé	22 BYTE
2CH	Adresse de segment du bloc d'environnement	1 WORD
2EH	Réservé	46 BYTE
5CH	FCB 1	16 BYTE
6CH	FCB 2	16 BYTE
80H	Nombre de caractères dans la ligne de commande	1 BYTE
81H	Ligne de commande (CR-LF)	127 BYTE

Le PSP lui-même a toujours une longueur de 256 octets et il contient des informations importantes aussi bien pour le DOS que pour le programme à exécuter. A la cellule de mémoire 00h figure un appel de la fonction du DOS qui sert à terminer un programme. Elle sert à libérer la mémoire de programme et à rendre le contrôle à l'interpréteur de commandes ou du moins au programme d'appel quel qu'il soit. Un autre appel de fonction de l'interruption 21h figure à la cellule de mémoire 05h du PSP. Il ne s'agit cependant pas, dans ce cas, de l'instruction INT 21h mais d'une instruction FAR CALL, qui saute directement au code de programme résident du DOS. Seules les fonctions jusqu'à 24h peuvent cependant être appelées de cette façon et le numéro de fonction n'est pas transmis dans le registre AL, comme il est habituel avec INT 21h, mais dans le registre CL. Ces deux appels de fonction ne sont toutefois plus utilisés aujourd'hui car ils ne permettent pas d'appeler toutes les fonctions DOS et parce que la définition des registres lors de l'appel des fonctions DOS suivant cette méthode diffère des conventions habituelles.

À la cellule de mémoire 02h du PSP figure un mot (16 bits) qui indique la fin de la RAM réservée pour le programme. Si un programme a besoin de mémoire supplémentaire, il peut déterminer à l'aide de cette valeur s'il y a encore de la place entre sa propre fin et la fin de la mémoire RAM réservée. Si c'est le cas, il peut utiliser cette mémoire pour ses problèmes propres, sinon il doit réclamer de la mémoire RAM à travers une fonction du DOS. Les cellules de mémoire 0Ah, 0Eh et 12h stockent le contenu de trois vecteurs d'interruption. Il s'agit des vecteurs d'interruption pour terminer un programme, pour réagir lorsque la touche Control-C ou Control-Break a été actionnée et pour réagir à certaines erreurs. Si le programme modifie l'un de ces vecteurs au cours de son exécution, le DOS pourra inscrire à nouveau l'adresse originelle du vecteur dans la cellule de mémoire qui convient, en lisant les anciennes valeurs contenues dans le PSP.

L'adresse de segment du bloc d'environnement est stockée sous forme de mot dans la cellule de mémoire 2Ch. L'adresse d'offset du bloc d'environnement est toujours de 0 par rapport à l'adresse de segment. Le bloc d'environnement est une succession de chaînes ASCII dont chacune est terminée par une marque de fin. Ainsi sont délimitées différentes chaînes de caractères contenant différentes informations telles que par exemple le chemin de recherche actuel et le répertoire dans lequel figure l'interpréteur de commandes, dans le fichier COMMAND.COM.

Par souci de compatibilité avec CP/M, le PSP contient deux blocs de contrôle de fichier (file control block) respectivement à partir des cellules de mémoire 5Ch et 6Ch. Ces blocs contiennent les deux premiers paramètres qui ont été indiqués en plus du nom du programme lors de l'appel de ce dernier. Il est systématiquement supposé qu'il s'agit d'un nom de fichier. Même lorsque cela est vérifié, seul peut toutefois être stocké le nom de fichier ainsi que le lecteur (A, B etc) mais pas le chemin car les FCB ne soutiennent pas le système de fichiers hiérarchisé. Ces deux FCB sont d'ailleurs en fait sans importance pour la plupart des programmes car la compatibilité avec CP/M ne joue plus aucun rôle pour le développement des programmes alors que, d'autre part, un programme peut difficilement se dispenser de soutenir le système de fichiers hiérarchisé.

Tous les paramètres qui ont été indiqués lors de l'appel du programme à la suite du nom du programme (y compris donc ceux qui sont inscrits par le DOS dans les deux FCB) sont stockés dans le PSP à partir de la cellule de mémoire 81h. Les paramètres qui servent au détournement de l'entrée et de la sortie ne sont cependant pas pris en compte à cet égard car le détournement de l'entrée/sortie est de la responsabilité du système d'exploitation et il reste invisible pour le programme. Les paramètres ne remplissent toutefois pas systématiquement la totalité de la mémoire restant disponible entre l'adresse 81h et la fin du PSP à l'adresse 0FFh. C'est pourquoi le nombre de caractères dans le buffer de paramètres est inscrit dans la cellule de mémoire 80h, sans prendre en compte cependant le retour de chariot (code ASCII 13).

Cette zone (le buffer de paramètres) est cependant également utilisée par le DOS comme zone de transfert de données disque (en anglais DTA pour Disk Transfer Area). Tant que le programme ne reloge pas la DTA dans une autre zone de mémoire à l'aide d'une fonction DOS, le DOS utilisera cette zone comme buffer de données lors de tout accès de fichier soutenu par FCB.

20. Entrée et sortie de caractères

C'est en appelant les fonctions DOS pour l'entrée et la sortie de caractères que la plupart des programmeurs font leurs premières expériences dans l'emploi des différentes fonctions du DOS. C'est pourquoi nous avons souhaité aborder la description de cette fonction avant celle des autres fonctions telles que la manipulation des fichiers, de la disquette ou du disque dur.

Les différentes fonctions du DOS pour l'entrée et la sortie de caractères permettent de commander des périphériques tels que le clavier, l'écran, l'imprimante et l'interface série. Ces fonctions se divisent en deux groupes, le premier groupe comprenant les fonctions équivalant au système d'exploitation CP/M et le second groupe comprenant les fonctions compatibles avec le système d'exploitation UNIX.

Les premières constituent donc ce qu'on appellera les fonctions traditionnelles d'entrée et de sortie de caractères. Elles comprennent cependant quelques fonctions supplémentaires en dehors des fonctions dont dispose déjà CP/M. Elles facilitent en tout cas la transposition de programmes CP/M dans l'environnement DOS.

Les fonctions compatibles avec UNIX sont appelées fonctions Handle car un code numérique (appelé "Handle" en anglais) doit être transmis lorsqu'elles sont appelées. Le DOS associe à chaque Handle un périphérique déterminé qu'il appellera lors de l'entrée/sortie.

Tout comme dans d'autres domaines tels que la gestion de fichiers, les fonctions CP/M jouent le rôle d'un rescapé d'une époque révolue et continuent de survivre pour assurer la compatibilité avec les anciennes versions de DOS. Ces fonctions ne servent pratiquement à rien jusqu'à la fonction 09h qui est parfois utilisée dans les utilitaires en Assembleur pour afficher les messages à l'écran.

De même, les fonctions Handle interviennent très peu dans les programmes professionnels parce que la majorité des applications DOS fonctionnent aujourd'hui en mode interactif, c'est-à-dire avec des fenêtres, des menus et des boîtes de dialogue. Les fonctions DOS ne sont toutefois pas capables de gérer l'écran de cette manière car elles le considèrent comme un simple terminal. Par conséquent, elles ne permettent pas de positionner le curseur ou définir une couleur de sortie.

En dehors de ces arguments qui ne s'appliquent qu'aux diverses fonctions liées à la sortie sur l'écran, il existe d'autres raisons valables allant à l'encontre des fonctions DOS effectuant des sorties sur l'imprimante ou l'interface série. En effet, ces deux périphériques peuvent parfaitement être contrôlés grâce à des fonctions BIOS prévues à cet effet, à condition qu'il soit possible de programmer directement l'électronique concernée.

La seule et unique possibilité de détourner l'entrée et la sortie des programmes lors de leur appel parle encore en faveur des fonctions DOS car les fonctions BIOS ou la programmation directe de l'électronique ne sont pas encore en mesure d'assurer parfaitement cette routine. Les filtres, décrits à la fin de ce chapitre, constituent un débouché important pour les fonctions DOS chargées d'entrer et sortir les caractères.

20.1. Fonctions Handle

Comme nous le verrons dans un des chapitres suivants, les fonctions Handle ne servent pas seulement à l'entrée et à la sortie de caractères sur un périphérique mais aussi à l'accès aux fichiers. Le DOS reconnaît la différence en examinant le nom attribué à un Handle. S'il s'agit d'un nom de périphérique, il appellera le périphérique correspondant, sinon il considérera que l'accès doit se faire sur un fichier.

Les noms de périphériques définis sont :

```
CON             Clavier et écran
AUX             Interface série
COM1, COM2      Interfaces série
PRN             Imprimante
LPT1,LPT2,LPT3  Interfaces imprimante (parallèles)
NUL             Périphérique fictif, rien ne se passe
                lorsqu'il est appelé
```

Avec les périphériques AUX, COM1 et COM2, l'entrée comme la sortie sont envoyées sur l'interface série correspondante. Avec CON, c'est naturellement la sortie qui se fera sur l'écran alors que les entrées seront reçues du clavier.

Sachant que sur les interfaces parallèles, il est uniquement possible d'effectuer une sortie, les périphériques PRN, LPT1, LPT2 et LPT3 assurent exclusivement la sortie. Le même phénomène s'applique au périphérique NUL qui est une sortie de trou noir dans lequel les sorties disparaissent à jamais.

Les Handles standard

Lorsque le DOS donne le contrôle à un programme, il définit d'avance cinq Handles à travers lesquels il sera possible d'accéder aux différents périphériques. Ces Handles portent les numéros 0 à 4 et ils correspondent aux périphériques suivants :

0	Périphérique d'entrée standard (CON)
1	Périphérique de sortie standard (CON)
2	Périphérique standard de sortie des messages d'erreur (CON)
3	Interface série (AUX)
4	Imprimante standard (PRN)

Voici maintenant un petit exemple pour illustrer la signification de cette table :

Si un programme veut recevoir des entrées effectuées par l'utilisateur, il indiquera le Handle 0 pour appeler les fonctions Handle car c'est à travers ce Handle que le périphérique d'entrée standard peut être appelé. Il s'agira normalement du clavier et le programme pourra ainsi recevoir les entrées effectuées au clavier par l'utilisateur. Mais un programme ne peut jamais être entièrement sûr de cette action puisque l'utilisateur peut rediriger l'entrée et la sortie à l'aide des symboles < et >.

Par exemple, les fonctions BIOS ne se laissent nullement influencer par ce détournement de l'accès à l'écran et au clavier même s'il est effectué au niveau du DOS à travers le détournement des Handles standard. Ainsi, les données lues sur le périphérique d'entrée standard lors de l'accès peuvent provenir du clavier ou d'un fichier. Ce détournement demeure cependant imperceptible pour le programme. Il en est de même pour le périphérique de sortie standard avec le Handle 1. Toutefois, l'utilisateur n'a pas le droit de rediriger les autres Handles standard.

Avant d'en venir maintenant à une description des différents périphériques, nous voudrions vous présenter plusieurs fonctions qui permettent d'accéder à tous les périphériques.

Fonction	Tâche
3Dh	Ouverture d'un Handle
3Eh	Fermeture d'un Handle
3Fh	Lecture
40h	Ecriture

Sortie de caractères

Pour envoyer des données sur un périphérique, on utilise la fonction 40h de l'interruption 21h. Elle attend le numéro de fonction (40h) dans le registre AH et le Handle dans le registre BX. Pour sortir par exemple un message d'erreur, on indiquerait la valeur 2 comme Handle, pour appeler le périphérique chargé de la sortie des messages d'erreur (notez d'ailleurs que ce périphérique ne peut être détourné, le Handle 2 appelle donc toujours l'écran). Avant d'appeler la fonction, il faut charger dans le registre CX le nombre de caractères à transmettre. Ces caractères doivent figurer de façon séquentielle dans un buffer dont l'adresse de segment est inscrite dans la paire de registres DS:DX sous forme d'un pointeur FAR.

Après appel de la fonction, le flag "Carry" indique si les données ont pu être transmises sans problème. Si le flag "Carry" est annulé, c'est que la transmission a été réussie et le nombre de caractères transmis est inscrit dans le registre AX. Si la valeur de ce registre ne correspond pas au nombre d'octets à transmettre, cela indique au programmeur que les données étaient censées être transférées dans un fichier mais qu'il n'y avait plus de place disponible sur cette mémoire de masse (disquette ou disque dur). Si le flag "Carry" est mis après appel de la fonction, cela signifie par contre que les données n'ont pu être transmises et un code d'erreur figure alors dans le registre AX. Un code d'erreur de 5 dans ce registre signale que l'accès au périphérique a été refusé alors que la valeur 6 indique que le Handle spécifié n'était pas ouvert. Reportez-vous à la description de la fonction DOS 59h en annexe sur le CD-ROM pour obtenir les autres codes d'erreur.

Entrée de caractères

La fonction 3Fh, symétrique à la fonction 40h, permet de lire des données sur un périphérique. Le rôle des registres est le même que pour la fonction 40h : le registre AH doit recevoir le numéro de fonction, le registre BX le Handle, le registre CX le nombre de caractères à lire et enfin la paire de registres DS:DX l'adresse du buffer dans lequel les caractères lus doivent être transférés.

Après appel de cette fonction, le flag "Carry" signale également si une erreur est apparue, le registre AX recevant toujours le code d'erreur s'il y a lieu. Les codes d'erreur possibles, 5 et 6, ont la même signification que les codes d'erreur pour la fonction 40h. Si cependant le flag "Carry" est annulé, cela signale que la fonction a pu être exécutée correctement. Le registre AX contient alors le nombre de caractères lus figurant dans le buffer. Un 0 dans ce registre indique que les données à lire devaient venir d'un fichier mais que toutes les données de ce fichier avaient déjà été lues.

Ouverture de fichiers et périphériques

Comme nous l'avons déjà expliqué, lors de l'accès aux différents périphériques, il est possible que l'utilisateur ait opéré un détournement de l'entrée ou de la sortie, auquel cas les entrées que le programme attend du clavier viendraient en réalité d'un fichier. Si l'on veut éviter le risque d'un tel détournement, on peut ouvrir un nouveau Handle pour s'assurer que la communication se fera bien avec le périphérique avec lequel on veut réellement échanger des données.

On appelle à cet effet la fonction 3Dh de l'interruption 21h. Elle attend le numéro de fonction (3Dh) dans le registre AH et le mode d'accès dans le registre AL. Le mode d'accès définit si des données doivent être envoyées au périphérique ou bien au contraire reçues de ce périphérique. 0 signifiera ici lecture, 1 écriture et la valeur 2 permettra la lecture et l'écriture sur le périphérique. Le nom du périphérique appelé est placé dans un buffer dont l'adresse de segment doit être inscrite dans la paire de registres DS:DX sous forme d'un pointeur FAR. Pour que le DOS puisse identifier correctement le nom du périphérique (CON, PRN ...), il doit être entièrement écrit en majuscules et le dernier caractère du nom de périphérique doit être suivi dans la mémoire d'une marque de fin (le code ASCII 0).

Le flag "Carry" indique après appel de la fonction si l'ouverture du Handle a été réussie. Si ce flag est mis, ce n'est pas le cas et le registre AX contient un code d'erreur. Si le flag "Carry" est par contre annulé, le registre AX contient le nouveau Handle, à travers lequel on pourra accéder au périphérique lors de toutes les opérations suivantes. Reportez-vous à la description de la fonction DOS 59h en annexe sur le CD-ROM pour obtenir les autres codes d'erreur.

Fermeture de fichiers et périphériques

Si plus aucun accès à ce périphérique n'est effectué à travers ce Handle (ce qui arrive au plus tard à la fin du programme), il convient de le refermer à l'aide de la fonction 3Eh de l'interruption 21h. Si le programmeur oublie de refermer ceux qu'il a ouverts, il peut arriver qu'il y ait tellement de Handles ouverts sur le PC qu'il n'y en ait plus d'autres disponibles. C'est pourquoi tout Handle ouvert doit être refermé dès qu'il n'est plus utilisé. Il faut charger à cet effet la valeur 3Eh (le numéro de fonction) dans le registre AH et le Handle à refermer dans le registre BX.

Si le Handle a pu être refermé sans problème, le flag Carry sera annulé après appel de l'interruption. Si ce flag est mis, c'est que le Handle n'aura pu être refermé soit parce qu'il avait déjà été refermé auparavant, soit parce qu'il n'existait pas.

Cette fonction permet naturellement également de refermer les Handles prédéfinis 0 à 4. Il convient cependant d'être particulièrement prudent à cet égard. Si vous fermez en effet le Handle 0 (périphérique d'entrée / sortie standard), il ne sera par exemple plus possible de recevoir les caractères entrés au clavier.

Examinons les particularités des différents périphériques :

Le périphérique d'entrée standard

Aucune opération d'écriture n'est naturellement possible sur le clavier qui admet seulement les opérations de lecture. Le résultat de la fonction de lecture dépend étroitement du mode sous lequel ce périphérique est appelé. Le DOS distingue ici les modes "Raw" et "Cooked". En mode Cooked, tout caractère envoyé à un périphérique ou reçu d'un périphérique est examiné pour voir s'il s'agit d'un caractère de commande spécial. Si c'est le cas, une opération déterminée sera exécutée. En mode Raw au contraire, les différents caractères ne sont pas examinés et ne subissent donc aucune manipulation au départ. Le DOS exploite à priori tous les périphériques d'entrée et sortie de caractères en mode cooked mais il est possible de passer en mode Raw. Nous vous indiquerons plus loin comme procéder pour ce faire.

L'exemple du clavier permet d'illustrer très clairement la différence entre les modes Cooked et Raw :

Nous allons donc supposer que nous voulions lire 30 caractères sur le clavier en mode Cooked. Pour l'entrée des caractères, le DOS autorise l'édition de l'entrée à l'aide de quelques touches de commande, comme Backspace par exemple, et il stocke les entrées tout d'abord dans un buffer interne. On tiendra également compte pendant la saisie de l'entrée éventuelle de

<CTRL>-<C> ou <CTRL>-<Pause>, auquel cas la saisie sera interrompue. Dans ce mode, les combinaisons de touches <CTRL>-<P> et <CTRL>-<S> acquièrent également une signification particulière. Lorsque <CTRL>-<S> est actionné, le programme est suspendu jusqu'à ce qu'une nouvelle touche soit actionnée. Après entrée de <CTRL>-<P>, la sortie est dérivée de l'écran vers l'imprimante (PRN). Ce détournement n'est annulé que si la touche <CTRL>-<P> est à nouveau actionnée. Lorsque la touche <Entrée> est actionnée, les 30 premiers caractères ou au moins tous les caractères entrés (s'il y en a eu moins de 30) sont copiés du buffer DOS dans le buffer d'entrée du programme. Les caractères de commande utilisés pour l'édition ne sont cependant pas transmis dans ce cas.

En mode Raw au contraire, tous les caractères entrés, y compris les caractères de commande sont transmis au programme appelant la fonction d'entrée. La touche <Entrée> ne sera pas non plus traitée différemment et le contrôle sera de toute façon rendu au programme d'appel après l'entrée de 30 caractères même si la touche <Entrée> a été actionnée dès le second caractère.

Écran

Pour sortir des caractères sur l'écran, on appelle généralement le Handle 1 pour le périphérique de sortie standard. Comme ce périphérique peut cependant être redirigé, les sorties effectuées à travers ce Handle risquent de ne pas apparaître obligatoirement sur l'écran. Le périphérique d'erreur standard (Handle 2) ne peut toutefois, quant à lui, pas être détourné et les sorties à travers ce Handle apparaîtront donc toujours sur l'écran. C'est pour cette raison que ce Handle sera à recommander chaque fois qu'il s'agira de sortir des caractères sur l'écran et uniquement sur l'écran. L'écran est lui aussi exploité en principe en mode Cooked. Lorsqu'un caractère est sorti sur l'écran, les touches <Ctrl>-<C> ou <Ctrl>-<Pause> sont donc testées. Ce simple test ralentit cependant tellement la sortie sur l'écran qu'il est parfois préférable de passer en mode raw. Nous vous présentons à la fin de ce chapitre un programme permettant de le faire.

Interface parallèle

Contrairement au clavier et à l'écran, la sortie sur l'imprimante ne peut être détournée (du moins pas à partir du niveau utilisateur). La seule exception réside dans la possibilité de détourner la sortie d'une imprimante parallèle vers une imprimante série avec la commande DOS MODE. Il est toutefois possible de faire entreposer les caractères à sortir dans un fichier, avant qu'ils ne soient envoyés à l'imprimante ou de les faire retransmettre à une autre imprimante à l'intérieur d'un réseau. Il s'agit cependant dans ce cas d'un travail qui concerne le DOS et qui n'est pas perçu par le programme.

Pour la sortie sur imprimante, le programmeur dispose du Handle 4 qui lui permet d'appeler l'imprimante standard. S'il s'agit cependant d'appeler une imprimante bien précise parmi les trois qui peuvent être connectées sur le PC, il est nécessaire d'ouvrir un Handle pour accéder à cette imprimante. L'imprimante portant le numéro 1 s'appelle LPT1, la numéro 2 LPT2 et la numéro 3 LPT3. Le DOS considère que l'imprimante LPT1 et le périphérique DOS ne font qu'un. Lorsque la sortie est envoyée sur PRN, elle s'effectue sur l'imprimante LPT1. Lorsqu'on ouvre le Handle, on indique comme nom de périphérique LPT1, LPT2 ou LPT3.

Interface série

Bon nombre des observations faites sur l'imprimante s'appliquent également à l'interface série. C'est ainsi, par exemple, que l'entrée et sortie sur l'interface série ne peuvent être détournées en aucun cas, même pas d'une imprimante série vers une imprimante parallèle. Le programmeur peut utiliser pour accéder à l'interface série le Handle 3 qui permet d'appeler l'interface série standard (AUX).

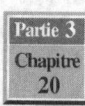

Le PC peut comporter plusieurs interfaces série. Seules les deux premières seront cependant reconnues par le DOS. Elles portent les noms COM1 et COM2. Comme on ne sait jamais très précisément laquelle des deux interfaces est appelée lorsqu'on accède au périphérique AUX, il est conseillé d'ouvrir un nouveau Handle pour accéder à une interface particulière.

La littérature technique consacrée au système DOS relève une erreur lors de l'exécution des opérations en lecture sur l'interface série en mode Cooked. Le nombre de caractères lus renvoyé dans le registre AX après une opération en lecture diffère en effet du nombre de caractères effectivement lus. C'est pourquoi il est conseillé d'exploiter l'interface série en modeRraw, même si ce mode ne permet pas de détecter les différents caractères de commande tels que <Ctrl>-<C> et la fin de fichier.

20.2. Fonctions traditionnelles

Les fonctions traditionnelles d'entrée et de sortie de caractères reposent sur un principe radicalement différent de celui des fonctions Handle. Lorsque ces fonctions sont appelées, aucun Handle n'est transmis car chaque fonction concerne un périphérique bien précis. Il n'existe donc pas de fonctions de lecture et écriture de base permettant d'accéder à tous les périphériques mais plutôt des fonctions diverses pour un périphérique donné. À partir de la version 2.0, le détournement de l'entrée et de la sortie peut également être réalisé à travers les fonctions de caractères traditionnelles mais elle reste également dissimulée au programmeur.

Nous allons donc maintenant vous présenter les fonctions traditionnelles de communication avec les différents périphériques d'entrée et de sortie, en décrivant le mode d'appel et les particularités de ces fonctions.

Fonction	Tâche
01h	Entrée de caractères sur l'écran avec Écho
02h	Sortie de caractères sans Écho
03h	Lecture de caractères sur interface série
04h	Sortie de caractères sur interface série
05h	Sortie de caractères sur imprimante
06h	Entrée/Sortie de caractères directe
07h	Entrée directe de caractères sans Écho
08h	Entrée de caractères sans Écho
09h	Sortie d'une chaîne de caractères
0Ah	Entrée d'une chaîne de caractères
0Bh	Lecture de l'état d'entrée
0Ch	Suppression du buffer d'entrée et appel de la fonction d'entrée/sortie

Clavier

Les sept fonctions qu'offre le DOS pour communiquer avec le clavier se distinguent par la façon dont elles réagissent lorsque les touches <Ctrl>-<C> ou <Ctrl>-<Pause> sont actionnées ainsi que par le fait qu'elles sortent ou non sur l'écran les caractères entrés.

Lorsqu'est actionnée une touche représentée par un code clavier étendu, les fonctions clavier renvoient dans un premier temps le code 0 pour signaler à l'appelant qu'il s'agit d'un code étendu. C'est le prochain appel d'une fonction clavier qui fournira alors l'extension du code clavier elle-même.

Les codes clavier étendus sont par exemple représentés par les touches du curseur, mais aussi <Insert> et <Suppr> parce que ces touches ne sont plus utilisées dans le jeu de caractères ASCII du PC. Pour lire les caractères un à un sur le clavier, le programmeur dispose des fonctions 01h, 06h, 07h et 08h de l'interruption 21h. Toutes les fonctions attendent dans le registre AH le numéro de la fonction et le caractère figure dans le registre AL après appel de la fonction. Contrairement à la fonction 06h, les fonctions 01h, 07h et 08h attendent qu'un caractère soit entré si aucun caractère ne figure encore dans le buffer clavier. La fonction 01h sort le caractère entré sur l'écran (ou plus précisément sur le périphérique de sortie standard) contrairement aux fonctions 07h et 08h.

La fonction 06h se distingue des fonctions présentées précédemment par le fait qu'elle sert également à la sortie de caractères. Pour lui indiquer qu'il s'agit de lire un caractère, il faut donc lui transmettre la valeur 255 dans le registre DL, en plus du numéro de fonction. Elle n'attend pas qu'un caractère soit entré mais rend au contraire immédiatement le contrôle au programme d'appel. Lorsqu'elle renvoie un caractère (qu'elle ne sort pas sur l'écran), elle le signale en annulant le flag zéro. Si ce flag est par contre mis après appel de la fonction, c'est qu'aucun caractère n'a pu être lu.

En appelant la fonction 0Bh, un programme peut déterminer si un ou plusieurs caractères figurent dans le buffer clavier avant même d'appeler une autre fonction de lecture de caractères. Après l'appel de fonction, le contenu du registre AL indique si des caractères sont disponibles. Si ce registre contient la valeur 0, aucun caractère n'est disponible, alors que la valeur 255 signale qu'un ou plusieurs caractères sont en attente dans le buffer clavier.

S'il est nécessaire de vider le buffer clavier avant d'appeler une fonction de lecture de caractères, on peut se servir de la fonction 0Ch. Celle-ci vide le buffer clavier et appelle ensuite une des autres fonctions de lecture de caractères dont le numéro de fonction doit être transmis à travers le registre AL lors de l'appel de la fonction 0Ch.

En dehors des fonctions que nous vous avons présentées jusqu'ici, et qui servent uniquement à l'entrée d'un caractère, le DOS offre également une fonction qui permet de lire une série de caractères. Elle porte le numéro de fonction 0Ah. Elle attend dans le registre AH le numéro de fonction ainsi que l'adresse d'un buffer dans la paire de registres DS:DX. Ce buffer recevra les caractères entrés mais il contiendra également dans ses deux premiers octets des informations sur le buffer lui-même. Le premier octet du buffer indique le nombre maximum de caractères que le DOS devra lire et qui devront être stockés à partir de la cellule de mémoire numéro deux dans le buffer. Cet octet doit bien sûr être fixé par le programmeur avant appel de la fonction.

Le DOS lit alors au maximum le nombre de caractères indiqué mais termine l'entrée auparavant si la touche <Entrée> a été actionnée. L'entrée peut être éditée avec les touches d'édition habituelles. Le nombre de caractères effectivement lus (y compris le caractère Entrée) est alors inscrit par le DOS dans la cellule de mémoire 1 du buffer. Les codes clavier étendus occupent 2 octets dans le buffer, le premier octet (toujours le code ASCII 0) indiquant qu'un code clavier étendu suit. Cela signifie par conséquent que si vous voulez lire 10 caractères, vous ne pourrez faire entrer plus de 5 codes étendus. C'est pourquoi il convient de prévoir une taille de buffer suffisamment grande pour que le nombre voulu de caractères puissent être lus même s'il s'agit de caractères étendus.

Structure du buffer lors de l'utilisation de la fonction 0Ah

Cela contraint par exemple le buffer à prévoir 20 octets lors de l'entrée de 10 caractères parce que, dans le pire des cas, il s'agit de codes clavier étendus occupant deux octets. Si vous ne respectez pas cette règle, il se peut que DOS écrive à l'extérieur du buffer en considérant que sa taille est suffisante pour recevoir également les codes clavier étendus. Cela porte préjudice à la bonne exécution du programme puisque les variables stockées en mémoire immédiatement après le buffer sont écrasées. La table suivante vous indique quelles sont, parmi les sept fonctions présentées, celles qui réagissent lorsque les touches <Ctrl>-<C> ou <Ctrl>-<Pause> sont actionnées. Cette table vous fournit un rapide aperçu des différentes fonctions d'entrée de caractères.

Numéro	Fonction	Control-C	Echo
01h	Entrée de caractères	oui	oui
06h	Entrée de caractères directe	non	non
07h	Entrée de caractères	non	non
08h	Entrée de caractères	oui	non
0Ah	Entrée de chaînes de caractères	oui	non
0Bh	Lire état d'entrée	oui	non
0Ch	Reset buffer d'entrée puis entrée	variable	variable

L'écran

Le DOS offre trois fonctions de sortie de caractères ou de textes sur l'écran ou sur le périphérique de sortie standard. Deux servent à la sortie d'un caractère alors que la troisième permet de sortir une chaîne de caractères. Elle porte le numéro de fonction 09h et contrairement aux fonctions du BIOS pour la sortie de chaînes de caractères, ce n'est pas le caractère de fin (code ASCII 0) mais le caractère dollar (code ASCII 36) qu'elle attend comme marque de fin à la fin de la chaîne de caractères à sortir. Le numéro de fonction doit naturellement, ici aussi, être transmis dans le registre AH. L'adresse de la chaîne de caractères à sortir doit cependant être placée dans la paire de registres DS:DX sous forme de pointeur FAR sur le buffer correspondant.

La table suivante indique la signification des différents codes de commande qui peuvent être contenus dans la chaîne de caractères :

7	"Bell", déclenche un bip
8	"Backspace", efface le caractère précédent et ramène le curseur un caractère en arrière
10	"Line Feed", (LF) déplace le curseur une ligne vers le bas
13	"Carriage Return", (CR) amène le curseur sur le début de la ligne actuelle

Comme pour la fonction 02h, les touches <Ctrl>-<C> ou <Ctrl>-<Pause> sont aussi testées pendant la sortie des différents caractères.

La fonction 02h est le pendant de la fonction 09h, si ce n'est toutefois qu'elle ne peut recevoir qu'un seul caractère à sortir (dans le registre DL) lors de chaque appel.

La seconde fonction de sortie d'un caractère est la fonction 06h que nous avons déjà rencontrée à propos de l'entrée de caractères. Elle attend également dans le registre DL le caractère à sortir. Le caractère de code ASCII 255 ne peut toutefois pas être sorti car la fonction 06h interprète la valeur 255, dans le registre DL, comme une demande d'entrée d'un caractère. Elle travaille cependant pour la sortie de caractères un peu plus rapidement que sa collègue, la fonction 02h, car elle ne teste pas après chaque caractère sorti si les touches <Ctrl>-<C> ou <Ctrl>-<Pause> ont été actionnées.

L'imprimante

Les fonctions traditionnelles de sortie de caractères sur l'imprimante se limitent à la fonction 05h qui permet d'envoyer un caractère à la fois à l'imprimante ou l'interface parallèle. On ne sait malheureusement pas très précisément, lorsqu'on appelle cette fonction, à quelle imprimante le caractère à sortir sera communiqué car le caractère sera envoyé de façon très générale à l'imprimante standard (correspondant au périphérique PRN ou LPT1), qui peut être n'importe laquelle des trois imprimantes parallèles possibles ou même l'interface série.

Si l'imprimante standard est occupée lorsque cette fonction est appelée, la fonction attendra pour sortir le caractère que l'imprimante soit à nouveau disponible. Ce n'est qu'ensuite que le contrôle sera rendu au programme d'appel. Pendant ce laps de temps, la fonction réagira si les touches <Ctrl>-<C> ou <Ctrl>-<Pause> sont actionnées.

Si vous voulez recourir à cette fonction malgré les difficultés évoquées, vous devez charger le numéro de fonction dans le registre AH, comme d'habitude, le code ASCII du caractère à sortir dans le registre DL et appeler alors l'interruption 21h. La fonction ne renvoie malheureusement pas comme résultat l'état de l'imprimante. Il n'y a donc aucun moyen d'obtenir cet état sous le DOS.

C'est pourquoi il est conseillé, à titre exceptionnel, de préférer une fonction du BIOS à la fonction du DOS, pour sortir des caractères sur l'imprimante. Les fonctions du BIOS permettent en effet de définir précisément à quelle imprimante le caractère doit être envoyé mais aussi de connaître l'état de l'imprimante appelée après chaque sortie sur l'imprimante.

Interface série

Pour communiquer avec l'interface série, le DOS offre deux fonctions de base de lecture et écriture. Comme pour l'imprimante, le problème est toutefois ici également que les données sont systématiquement envoyées à l'interface standard et il n'est pas possible de savoir exactement s'il s'agit de COM1 ou de COM2. Les deux fonctions réagissent si les touches <Ctrl>-<C> ou <Ctrl>-<Pause> sont actionnées. Elles ne fournissent malheureusement pas non plus l'état de l'interface série après avoir été appelées. Il n'existe donc aucun moyen sous le DOS de tester cet état pour détecter d'éventuelles erreurs de transmission.

Pour recevoir un caractère de l'interface série, on utilise la fonction 03h qui renvoie le caractère reçu dans le registre AL. Le DOS ne place malheureusement pas dans un buffer les données reçues de l'interface série. Il peut donc arriver que l'interface série reçoive des données plus vite qu'elles ne peuvent être lues avec la fonction 03h, ce qui entraîne bien sûr une perte de données. C'est pourquoi, utilisez de préférence les diverses fonctions du BIOS pour l'accès à l'interface série.

Pour envoyer des données à l'interface série, on peut avoir recours à la fonction 04h qui envoie à l'interface série le caractère dont le code ASCII lui est transmis dans le registre DL lorsqu'elle est appelée. Si l'interface série est occupée, la fonction attendra jusqu'à ce qu'elle soit de nouveau disponible et transférera alors seulement le caractère à sortir.

20.3. Basculer du mode Raw vers le mode Cooked

En décrivant les fonctions d'entrée au clavier et de sortie sur l'écran, nous avons évoqué la possibilité de passer du mode Cooked au mode Raw sur ces périphériques. Les programmes que voici maintenant se chargent de cette commutation. Ils sont formulés en Pascal et C. Ils utilisent la fonction appelée IOCTL qui permet d'accéder au drivers de périphériques du DOS. Il s'agit de routines qui servent d'interface entre les fonctions DOS d'entrée et de sortie et l'électronique. Les différents programmes indiquent au driver de périphérique chargé du clavier et de l'écran (il s'appelle CON), à travers cette fonction IOCTL, s'il doit travailler en mode Cooked ou en mode Raw.

Pour vous présenter les différences dans l'effet produit par plusieurs caractères sous les deux modes, le driver CON est tout d'abord passé par les programmes en mode Raw. Une chaîne

de test est ensuite sortie un nombre de fois déterminé sur ce driver. Contrairement à ce qui se passe habituellement (lorsque le gestionnaire est en mode Cooked), il n'est pas possible sous ce mode de suspendre la sortie en actionnant simultanément <CTRL> et <S>.

Une fois terminée la sortie de la chaîne de test, le gestionnaire passe en mode Cooked et la chaîne de test est à nouveau sortie. Si vous actionnez alors <CTRL> et <S>, la sortie sur l'écran sera suspendue comme à l'habitude.

La commutation entre les modes Raw et Cooked ne s'effectue cependant pas directement à travers une fonction. Il faut en effet déterminer tout d'abord ce qu'on appelle l'attribut de périphérique du driver. Cet attribut contient différentes informations qui identifient le gestionnaire et décrivent son mode de fonctionnement. Un bit de ce mot indique si le gestionnaire est exploité en mode Raw ou Cooked. Ce bit sera donc annulé ou mis par nos programmes suivant le mode sous lequel le gestionnaire sera censé travailler.

RAWCOOKP.PAS   RAWCOOKC.C

20.4. Filtres du DOS

Un filtre est, de façon très générale, un instrument dans lequel on introduit quelque chose pour en faire ressortir autre chose. Cette définition s'applique parfaitement à la notion de filtre sous le système d'exploitation : on entre en effet des caractères dans ce filtre pour les faire manipuler d'une certaine façon avant de les faire ressortir. Cette manipulation peut revêtir différentes formes. Il peut par exemple s'agir de trier l'entrée, de remplacer certaines entrées par d'autres, de coder ou de décoder l'entrée, ...

Le DOS fournit trois filtres standard :

O   FIND pour rechercher une séquence de caractères déterminées
O   SORT pour trier des textes ou des données
O   MORE pour l'affichage page par page d'un texte

Ces filtres reposent, comme tous les autres filtres concevables, sur la possibilité de rediriger les entrée et sortie standard. C'est en effet ce qui permet de lire des caractères sur le périphérique d'entrée standard et de les manipuler pour les ressortir ensuite sur le périphérique de sortie standard. Sous le DOS, le périphérique d'entrée standard est le clavier et le périphérique de sortie standard l'écran mais depuis la version 2.0 du DOS, il est possible, au niveau de l'utilisateur, de détourner vers des fichiers les entrée et sortie standard. Un filtre qui lit des caractères sur le périphérique d'entrée standard ne remarquera pas, de ce fait, que ces caractères ne viennent pas du clavier mais qu'ils sont tirés d'un fichier. Cela est rendu possible par le fait que le filtre de lecture et écriture a recours à l'une des fonctions Handle du DOS. A cet effet, cinq Handles sont réservés en permanence par le DOS :

0	Entrée standard	CON (Clavier)
1	Sortie standard	CON (Ecran)
2	Sortie d'erreur	CON (Ecran)
3	Interface série standard	AUX
4	Imprimante standard	PRN

Lorsque l'utilisateur appelle un programme (dans notre exemple le filtre SORT) à partir du niveau utilisateur, il peut rediriger l'entrée avec le caractère "<" et la sortie à l'aide du caractère ">". L'exemple suivant illustre comment détourner l'entrée sur le fichier ENTREE.TXT et la sortie sur le fichier SORTIE.TXT :

```
sort <entree.txt >sortie.txt
```

Une fois que cette ligne aura été entrée au clavier par l'utilisateur et transmise à l'interpréteur de commandes en actionnant la touche ENTREE, ce dernier la passera au crible. Il notera tout d'abord qu'il s'agit d'appeler un programme appelé SORT. Il rencontrera ensuite l'expression "<entree.txt" qui lui enjoint de rediriger l'entrée standard. Le processeur d'instructions s'exécutera donc, en associant au fichier ENTREE.TXT le Handle 0 (entrée standard) qui était jusqu'ici associé au clavier. Il en ira de même pour l'expression ">sortie.txt", si ce n'est naturellement que c'est le Handle 1 et non le Handle 0 qui sera redéfini. Concrètement cette opération consiste tout d'abord à fermer le Handle concerné.

La fonction Ouvrir Handle est ensuite appelée avec le nom du fichier voulu. Comme le DOS attribue systématiquement le premier Handle libre, c'est automatiquement le Handle qui vient juste d'être refermé qui est immédiatement réouvert.

L'examen de la ligne d'entrée est alors terminé et le processeur d'instructions appelle maintenant le programme SORT à l'aide de la fonction EXEC (fonction 4Bh du DOS). Comme le programme appelé à l'aide de la fonction EXEC dispose de tous les Handles du programme d'appel, le programme SORT peut maintenant lire et sortir des caractères respectivement à travers les Handles 0 et 1. Peu importe pour lui d'où viennent effectivement ces caractères et d'ailleurs il n'a pas la possibilité de le savoir.

Une fois que le programme SORT a terminé son travail, il rend le contrôle à l'interpréteur de commandes. Ce dernier annule la redirection des entrée et sortie avant d'attendre de nouvelles entrées de l'utilisateur.

Ce principe des filtres tel qu'il est soutenu par le DOS n'acquiert cependant toute sa puissance qu'à partir du moment où il est combiné avec la méthode du DOS, Pipe. Cette expression vient du terme pipe-line, qui signifie oléoduc. La fonction des pipe du DOS rappelle en effet ces gigantesques canalisations puisqu'ils servent à détourner des caractères d'un programme vers un autre, ce qui permet de relier différents programmes entre eux.

Lorsqu'on fait appel à cette possibilité, les caractères sortis par un programme sur le périphérique de sortie standard sont lus par l'autre programme lorsqu'il accède au périphérique d'entrée standard. Comme pour le détournement des entrée et sortie, les pipes sont mis en place à l'insu des deux programmes. La différence entre les deux méthodes réside dans le fait que la redirection des entrée et sortie standard permet seulement de détourner les données vers un périphérique ou vers un fichier alors que les pipes retransmettent les données à un autre programme.

La technique du pipe-lining présente un intérêt tout particulier dans le domaine des filtres car elle permet d'activer plusieurs filtres successifs et de les combiner entre eux. On utilise à cet effet le symbole Pipe "|" qui doit être placé entre les programmes à relier. Essayons d'illustrer ce principe par un exemple concret :

Il s'agira de trier puis de sortir page par page sur l'écran un fichier de texte, que nous appellerons DEMO.TXT. C'est une tâche qui peut sembler assez compliquée et pourtant elle est très facile à réaliser à l'aide de deux filtres du DOS : SORT triera notre fichier et MORE l'affichera ensuite page par page sur l'écran.

Mais comment envoyer nos instructions à l'interpréteur de commandes ? Il convient naturel-lement tout d'abord d'appeler SORT en indiquant à ce filtre qu'il doit trier le fichier DEMO.TXT. Nous pouvons utiliser à cet effet la redirection de l'entrée standard, que nous avons déjà expliquée au début de ce chapitre :

```
SORT <DEMO.TXT
```

Si vous entriez cette instruction, SORT sortirait maintenant le fichier DEMO.TXT, trié, sur l'écran. Pour que nous puissions examiner le résultat, il serait cependant préférable que la sortie se fasse page écran par page écran. À cet effet, nous pourrions rediriger la sortie de SORT vers un fichier (TEMP.TXT par exemple) puis faire afficher ce fichier avec MORE (pour la sortie page par page). Nous devrions donc entrer les instructions suivantes :

```
SORT <DEMO.TXT >TEMP.TXT
MORE <TEMP.TXT
```

La fonction de pipe-lining nous permet justement de simplifier ces deux entrées en combinant directement le filtre SORT avec le filtre MORE :

```
SORT <DEMO.TXT | MORE
```

Cette entrée a pour effet d'envoyer directement à MORE la sortie de SORT, de sorte que le fichier trié est immédiatement sorti page par page. Il est ainsi possible d'accrocher à la suite les uns des autres autant de filtres qu'on le souhaite, pourvu que la logique des différents programmes soit respectée. Le DOS procède toujours de gauche à droite, c'est-à-dire qu'il renvoie la sortie du premier programme à l'entrée du second programme dont la sortie est envoyée en entrée au troisième programme, et ainsi de suite. Rien n'empêche enfin, pour le dernier programme, de rediriger la sortie finale à l'aide du caractère ">" de façon à ce que le résultat de toute cette chaîne de programmes ou de filtres soit envoyé dans un fichier ou sur un autre périphérique au lieu d'être affiché sur l'écran.

Il convient toutefois de noter que le DOS n'est pas réellement capable de retransmettre directement des données d'un filtre à l'autre. Cela exigerait en effet que deux filtres fussent exécutés simultanément alors que le DOS ne permet pas encore le travail multitâche dans sa version actuelle. C'est pourquoi il a en fait recours à la méthode que nous indiquions ci-dessus. Il appelle donc d'abord le premier fichier et envoie sa sortie dans ce qu'on appelle un fichier pipe. Une fois terminé le travail du premier filtre, le second est appelé et son entrée est redirigée sur le fichier pipe. Les sorties du premier filtre deviennent donc les entrées du second. Il est ensuite procédé de même pour tous les filtres appelés. Une fois terminé le travail du fichier filtre, le fichier pipe est supprimé de sorte qu'il n'est jamais visible pour l'utilisateur.

20.5. Un exemple de filtre

Dans le jargon des informaticiens, on désigne sous le terme de "dumping" l'opération consis-tant à sortir le contenu d'un fichier en faisant afficher les différents caractères à la fois sous forme de caractères ASCII et sous forme de codes hexadécimaux. C'est cette fonction qui est réalisée par les exemples de programmes dont nous vous présentons maintenant le listing et qui s'appellent tous DUMP. Il s'agit du même programme écrit en Assembleur, Pascal et C.

La tâche de ce filtre consiste à lire des caractères sur le périphérique d'entrée standard pour les ressortir comme DUMP sur le périphérique de sortie standard aussi bien comme caractères ASCII qu'en code *hexa*. Pour sortir les caractères ASCII, DUMP distingue les caractères ASCII normaux (lettres, nombres, ...) et les caractères de commande comme Carriage Entrée, Line Feed, etc... Ces derniers ne sont pas sortis en effet sous forme de codes ASCII mais comme des textes tels que '<CR>' pour Carriage Return ou '<LF>' pour Line

Feed. La fonction du filtre Dump est donc assez élémentaire mais il peut rendre de grands services dans le travail avec le système d'exploitation, par exemple lorsqu'il s'agit de consulter rapidement le contenu d'un fichier.

Le mode de fonctionnement des programmes Dump est caractéristique des filtres. Comme ils sortent en effet sur une ligne 9 caractères au maximum sous forme de caractères ASCII et de codes hexa, ils réclament tout d'abord 9 caractères au périphérique d'entrée standard à travers la fonction Handle de lecture. S'il ne reste plus autant de caractères disponibles, les programmes se contentent d'un nombre inférieur. Les caractères entrés sont ensuite convertis en caractères ASCII et en codes hexa à l'intérieur d'un buffer interne. Ce buffer reçoit chaque fois une ligne entière (78 caractères).

Une fois terminé le traitement du buffer, le buffer est sorti sur le périphérique de sortie standard à l'aide de la fonction Handle d'écriture. Cette opération se répète jusqu'à ce qu'aucun caractère ne puisse plus être lu sur le périphérique d'entrée standard.

DUMPP.PAS   DUMPC.C   DUMPA.ASM

21.   Gestion de fichiers

En dehors des fonctions d'entrée et de sortie de caractères, les fonctions de gestion de fichiers sont certainement les fonctions les plus élémentaires qu'un système d'exploitation ait à offrir au programmeur. Celui qui programme dans un langage évolué tel que BASIC, Pascal ou C se trouve quelque peu désemparé face aux langages évolués qui disposent de fonctions et instructions destinées spécialement à la gestion de fichiers.

Ce chapitre explicite tous les concepts liés aux fonctions de fichiers du DOS et aux diverses fonctions utiles pour l'accès aux fichiers.

21.1.   Les deux visages du DOS

Dès qu'on évoque les fonctions de gestion de fichiers, on pense tout de suite aux fonctions :

O   De création et suppression d'un fichier,
O   D'ouverture et fermeture d'un fichier,
O   De lecture d'un fichier et écriture dans un fichier.

Les systèmes d'exploitation aussi perfectionnés que le DOS comprennent cependant également une série d'autres fonctions de gestion de fichiers. Sous DOS, il s'agit de fonctions fournissant des informations particulières sur un fichier mais aussi de fonctions spéciales, par exemple pour renommer un fichier. Une des particularités du DOS est à cet égard que chacune de ces fonctions existe sous deux formes. Cette situation peut sembler très curieuse de prime abord mais elle s'explique par le double souci de compatibilité avec CP/M et avec UNIX, auquel nous avons déjà fait allusion. Il existe donc pour chaque fonction de fichier compatible avec CP/M une fonction équivalente compatible avec UNIX.

Origine des fonctions FCB

Toujours pour garantir la compatibilité avec les versions ultérieures, les fonctions tournées vers le CP/M n'ont jamais été éliminées du DOS et se rencontrent encore aujourd'hui. Les rares programmes qui les utilisent s'en servent dans des domaines bien particuliers. Microsoft continue toujours d'annoncer que ces fonctions ne seront plus reconnues dans les versions futures de DOS mais les quelques Ko logés dans le coeur du système d'exploitation ne pèsent plus très lourd.

Les fonctions compatibles avec CP/M sont appelées fonctions FCB car elles reposent sur une structure de données appelée FCB. Le nom FCB signifie ici File Control Block (Bloc de contrôle de fichier). Le DOS emploie cette structure de données, pendant le travail sur un fichier, pour y stocker des informations importantes sur ce fichier. Bien que ce soit le DOS qui utilise en fait cette structure de données au premier chef, l'utilisateur doit réserver la place nécessaire pour cette structure à l'intérieur de son programme. Il peut ensuite accéder à travers ce FCB aux fonctions FCB telles que l'ouverture, la fermeture, l'écriture, la lecture, ...

Comme les fonctions FCB ont été développées par souci de compatibilité avec les fonctions de CP/M et que CP/M ne dispose pas d'un système de fichiers hiérarchisé, les fonctions FCB ne soutiennent pas cette importante innovation de la version 2.0 du DOS. Il en résulte que les fonctions FCB permettent uniquement d'accéder aux fichiers placés dans le répertoire actuel.

Le concept des fonctions Handle

Ce problème n'existe pas pour les fonctions Handle qui sont compatibles avec UNIX. Ces fonctions doivent leur nom au fait qu'elles utilisent comme code pour l'accès à un fichier donné une valeur numérique appelée Handle en anglais. Ce code est transmis au programme d'appel à la suite de l'ouverture d'un fichier. Le DOS doit naturellement également stocker quelque part un certain nombre d'informations lors d'un accès de fichier orienté Handle. Mais contrairement à ce qui se passe pour l'accès de fichier orienté FCB, ces informations sont stockées dans une structure de données mise en place dans une zone de mémoire occupée par le DOS et non dans une zone de mémoire fournie par le programme d'appel.

Pas de différence dans la structure de fichiers

Notez qu'il n'existe aucune différence dans la structure de fichiers des deux groupes de fonctions. Les fichiers créés et traités à l'aide d'une fonction FCB peuvent être ouverts, lus ou supprimés par la suite à l'aide d'une fonction Handle et inversement.

Lors de la programmation, il est important que vous vous décidiez pour l'un des deux groupes dans la mesure où vous ne programmez pas dans un langage évolué et que le compilateur ne vous accorde pas le contrôle.

Nous allons maintenant décrire séparément et en détail les différentes fonctions pour souligner les différences entre fonctions Handle et fonctions FCB.

21.2.   Fonctions Handle

L'accès aux fichiers à travers les fonctions Handle est beaucoup plus commode pour le programmeur que l'accès à travers les fonctions FCB car il n'a pas besoin de fournir au DOS une structure de données sous forme d'un FCB. De même que pour les fonctions du système d'exploitation UNIX, l'accès à un fichier se fait en premier lieu à travers le nom de ce fichier. Ce nom est transmis à la fonction d'ouverture ou de création du fichier avant tout premier accès en lecture ou écriture, sous forme d'une chaîne de caractères ASCII. Cette chaîne peut comprendre non seulement le nom de fichier proprement dit mais aussi une désignation de périphérique, une indication de chemin complète ainsi qu'une extension de fichier. Elle doit se terminer par un caractère de fin (code ASCII 0).

Prise de possession d'un Handle

Si le fichier n'a pu être ouvert ou créé, les deux fonctions renverront une valeur d'une largeur de 16 bits, appelée Handle, que le programme devra noter dans ses tablettes. C'est en effet à travers ce Handle que s'effectuera ensuite tout autre accès à ce fichier. Pour appeler la fonction de lecture par exemple, ce sera donc ce Handle, et non le nom du fichier, qu'il faudra transmettre. Le terme de Handle, qui ne signifie rien d'autre en français que poignée de porte, paraît donc particulièrement bien choisi pour désigner la fonction de ce code qui permet d'ouvrir la porte permettant d'accéder à un fichier.

Comme nous l'avons déjà indiqué, le DOS doit naturellement enregistrer au fur et à mesure un certain nombre d'informations sur ce fichier. Contrairement à ce qui se passe pour les fonctions FCB, cela ne se fait cependant pas dans une zone fournie par le programme mais dans des tables internes du DOS. La place mémoire prévue à cet effet n'est toutefois pas illimitée, le nombre de fichiers pouvant être ouverts simultanément est restreint, et donc du même coup le nombre de Handles est limité. Le nombre total de Handles disponibles est fixé par un paramètre spécifié dans le fichier de configuration du système, le fichier CONFIG.SYS. Il s'agit de l'entrée :

```
FILES = X
```

X représente ici le nombre maximum de Handles disponibles. La version 3.0 du DOS admet ici une valeur maximale de 255. L'utilisateur peut modifier cette entrée du fichier de configuration à l'aide d'un éditeur pour adapter cette valeur à ses besoins personnels.

Toute modification ne s'applique cependant qu'à partir du prochain lancement du système car le DOS n'examine ce fichier qu'à l'occasion de l'opération de lancement initial du système, pour mettre en place les tables appropriées et configurer le système en fonction des paramètres définis dans ce fichier.

Le nombre total de Handles est donc fixé par l'instruction Files dans le fichier de configuration mais le DOS n'autorise pas plus de 20 Handles par programme. Il y a là une contradiction apparente qu'il convient d'expliquer :

Lorsqu'un programme ouvre par exemple 3 fichiers, 3 Handles sont mis à sa disposition à cet effet. Le nombre de Handles restant disponibles est donc réduit de 3. Si ce programme appelle un autre programme, les 3 fichiers qu'il avait ouverts restent ouverts.

Si le nouveau programme ouvre alors à son tour d'autres fichiers, le nombre de Handles restants est encore réduit. Mais même s'il reste encore 30 Handles disponibles, il ne peut s'en attribuer plus de 20.

Il ne faut pas oublier non plus, à ce propos, que 5 Handles sont déjà réservés, lors de l'appel d'un programme, aux périphériques tels que le clavier, l'écran et l'imprimante. 15 Handles restent donc en fait seulement disponibles pour le programme.

Longueurs d'accès variables

Une autre différence par rapport aux fonctions FCB concerne les fonctions de lecture et écriture. Alors que les fonctions FCB travaillent avec une longueur d'enregistrement définie à l'intérieur du FCB, on doit indiquer chaque fois expressément aux fonctions Handle combien d'octets doivent être lus ou écrits.

Le travail avec des structures de données variables ou l'accès simultané à plusieurs enregistrements successifs est donc considérablement facilité. Outre les deux fonctions de lecture et écriture, le DOS offre aussi une fonction pour positionner le pointeur de fichier.

Cette fonction n'attend pas non plus un numéro d'enregistrement mais bien le numéro de l'octet sur lequel doit se faire le prochain accès. Si on connaît le numéro de l'enregistrement et le nombre d'octets par enregistrement, une formule élémentaire permet aisément de calculer le numéro de l'octet sur lequel le pointeur de fichier doit être positionné :

```
Octet = numéro d'enregistrement * octets par enregistrement
```

Si toutefois vous voulez accéder au fichier de façon séquentielle, vous n'avez pas à utiliser cette fonction car le DOS fixe automatiquement le pointeur de fichier sur le premier octet du fichier lors de l'ouverture ou de la création d'un fichier.

Tout accès ultérieur en lecture ou écriture décale ensuite le pointeur de fichier vers la fin du fichier, à raison du nombre d'octets lus ou écrits, de sorte que le prochain accès au fichier commence toujours à la suite du précédent.

Les fonctions Handle

Nous ne vous fournirons pas dans le présent chapitre une description détaillée des différentes fonctions de gestion des fichiers.

Pour vous donner cependant une idée de ces fonctions, voici une petite liste :

Numéro	Fonction	Version DOS
3Ch	Créer ou vider fichier	(à partir de 2.0)
3Dh	Ouvrir fichier	(à partir de 2.0)
3Eh	Fermer fichier	(à partir de 2.0)
3Fh	Lire fichier	(à partir de 2.0)
40h	Inscrire dans fichier	(à partir de 2.0)
41h	Supprimer fichier	(à partir de 2.0)
42h	Déplacer pointeur de fichier	(à partir de 2.0)
43h/00h	Consulter attribut d'un fichier	(à partir de 2.0)
43h/01h	Fixer attribut d'un fichier	(à partir de 2.0)
45h	Doubler Handle	(à partir de 2.0)
46h	Comparer Handles	(à partir de 2.0)
56h	Renommer ou déplacer fichier	(à partir de 2.0)
57h/00h	Lire date et heure de la dernière modification d'un fichier	(à partir de 2.0)
57h/01h	Régler date et heure de la dernière modification d'un fichier	(à partir de 2.0)
5Ah	Créer fichier temporaire	(à partir de 2.0)
5Bh	Créer nouveau fichier	(à partir de 3.0)
5Ch/00h	Interdire l'accès à une zone de fichier	(à partir de 3.0)
5Ch/01h	Libérer une zone de fichier verrouillée	(à partir de 3.0)
6Ch	Fonction OPEN étendue	(à partir de 4.0)

Utilisation des fonctions Handle

Il convient d'observer, pour appeler ces fonctions, un certain nombre de règles générales, que nous allons évoquer brièvement :

Les fonctions qui attendent comme argument un nom de fichier ou l'adresse d'un nom de fichier (par exemple Créer fichier et Ouvrir fichier) attendent l'adresse de segment du nom dans le registre DS et l'adresse d'offset de ce nom dans le registre DX. Si les fonctions renvoient un Handle après avoir été appelées, celui-ci est contenu dans le registre AX.

Les fonctions qui attendent par contre un Handle comme argument l'attendent dans le registre BX. Après avoir été appelées, elles indiquent à travers le Flag Carry si une erreur est apparue lors de leur exécution. Si c'est le cas, le Flag Carry est mis et le registre AX contient un code d'erreur qui indique les causes de l'erreur ou bien l'erreur elle-même.

La fonction 59h de l'interruption du DOS 21h permet d'obtenir des informations très détaillées sur toute erreur apparue lors d'une opération disquette ou lors de l'appel d'une autre fonction. Cette fonction n'est cependant disponible qu'à partir de la version 3.0 du DOS.

21.3. Fonctions FCB

Comme nous l'avons déjà expliqué au chapitre précédent, le DOS a recours pour la manipulation des fichiers à une structure de données appelée FCB.

Le programmeur peut d'ailleurs tirer parti de cette structure de données tout autant que le DOS, soit en lisant certaines informations que cette structure peut lui fournir sur le fichier voulu, soit en manipulant lui-même ces informations.

Il convient donc que nous nous intéressions tout d'abord à la structure d'un FCB, avant de décrire les différentes fonctions FCB.

Structure d'un FCB

Le FCB est une structure de données d'une longueur de 37 octets qui est divisée en champs de différentes tailles. La figure suivante présente ces différents champs :

Adresse	Contenu	Type
+00h	Numéro de périphérique	1 BYTE
+01h	Nom du fichier (comblé avec des espaces)	8 BYTES
+09h	Extension de fichier (comblée avec espaces)	3 BYTES
+0Ch	Numéro de bloc actuel	1 WORD
+0Eh	Taille d'enregistrement	1 WORD
+10h	Taille du fichier	1 DWORD
+14h	Date de la dernière modification	1 WORD
+16h	Heure de la dernière modification	1 WORD
+18h	Réservé	8 BYTES
+20h	Numéro de l'enregistrement actuel	1 BYTE
+21h	Numéro d'enregistrement pour l'accès sélectif	1 DWORD

Structure d'un File Control Block (FCB)
Longueur : 37 octets

Parmi bien d'autres informations, le FCB doit naturellement contenir le nom du fichier appelé. Il est stocké dans les premiers champs du FCB, de la cellule de mémoire 00h à la cellule de mémoire 0Bh. L'octet dans la cellule de mémoire 00h indique le nom du périphérique sur lequel figure le fichier ou sur lequel il doit être créé. 0 désigne ici le lecteur actuel, 1 le lecteur A, 2 le lecteur B... Le nom de fichier proprement dit est inscrit sous forme d'une chaîne de caractères ASCII à partir de la cellule de mémoire 01h. Ce champ a une taille de 8 octets et il ne peut donc contenir qu'un nom de fichier, sans indication de chemin.

C'est d'ailleurs la raison essentielle pour laquelle les fonctions FCB ne permettent d'accéder qu'aux fichiers situés dans le répertoire actuel. Si le nom de fichier comporte moins de 8 caractères, le reste de ce champ doit être rempli d'espaces (code ASCII 32). Il en va de même pour le champ suivant qui contient l'extension du nom de fichier, d'une longueur maximale de 3 caractères. Le champ suivant, à partir de la cellule de mémoire 0Ch, contient un mot qui indique pendant un accès de fichier séquentiel le numéro du bloc actuellement traité. En liaison avec le numéro d'enregistrement actuel (cellule de mémoire 20h), ce champ sert à l'accès séquentiel, en lecture et écriture, à un fichier.

Le champ à partir de la cellule de mémoire 0Eh reçoit la longueur d'un enregistrement. Celle-ci peut être comprise entre 1 et 65 536 et elle indique le nombre de caractères que le DOS considérera comme formant un registre et qu'il transférera simultanément lors de chaque opération de lecture ou écriture. Ces informations sont suivies de la longueur du fichier en octets, qui est stockée à partir de la cellule de mémoire 10h sous forme DWORD.

Les informations sur la date de la dernière modification du fichier sont stockées à partir de la cellule de mémoire 14h. Vous y trouvez d'ailleurs également l'heure de cette dernière modification. Ces deux informations sont stockées sous une forme codée.

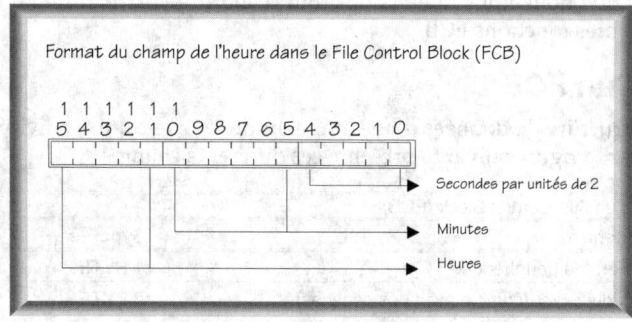

Format du champ de l'heure dans le File Control Block (FCB)

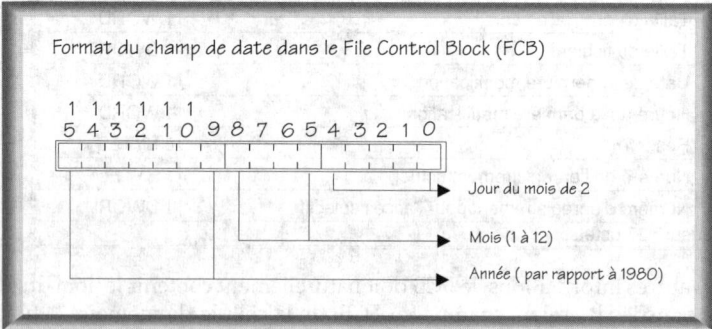

Format du champ de date dans le File Control Block (FCB)

Vient ensuite une zone de données de 8 octets qui est à la disposition exclusive du DOS et qui ne doit pas être modifiée par le programmeur. La signification des différents octets n'est pas fournie de manière précise par la société Microsoft et elle varie d'une version du DOS à l'autre.

La zone de données réservée est suivie du numéro d'enregistrement actuel que nous avons déjà évoqué à propos du numéro de bloc actuel.

Le dernier champ du FCB est utilisé dans le cadre de l'accès de fichier sélectif. Ce mode d'accès consiste à ne pas appeler les enregistrements successivement, dans leur ordre logique à l'intérieur du fichier, mais en les manipulant dans n'importe quel ordre. C'est ce qu'on appelle aussi les fichiers relatifs.

Bien que ce champ ait une taille de 4 octets, seuls les 3 premiers octets sont utilisés pour spécifier le numéro d'enregistrement actuel si la longueur d'enregistrement est supérieure ou égale à 64 octets. Si elle est inférieure à 64 octets, les 4 octets de ce champ seront utilisés.

FCB étendu

Outre ce FCB "normal", le DOS soutient également ce qu'on appelle les FCB étendus. Ces derniers, contrairement aux FCB normaux, permettent d'accéder également aux fichiers dotés d'attributs spéciaux, tels que les fichiers cachés ou les fichiers système. Ils permettent aussi d'accéder aux noms de disquette et de disque dur ainsi qu'aux sous-répertoires (ce qui ne signifie cependant pas qu'on puisse accéder par leur intermédiaire à des fichiers situés dans d'autres répertoires que le répertoire actuel).

Ils sont construits comme un FCB normal mais avec une extension de 7 octets. Ces 7 octets, qui portent à 44 octets la taille du FCB, sont placés au début du FCB. Les champs suivants se trouvent donc décalés de 7 octets par rapport à un FCB normal.

Adresse	Contenu	Type
▨ Structure d'un File Control Block étendu (FCB étendu)		
+00h	Marque d'un FCB étendu (FFh)	1 BYTE
+01h	Réservé	5 BYTES
+06h	Attribut de fichier	1 BYTE
+07h	Numéro de périphérique	1 BYTE
+08h	Nom de fichier (comblé avec des espaces)	8 BYTES
+10h	Extension de fichier (comblée avec espaces)	3 BYTES
+13h	Numéro de bloc actuel	1 WORD
+15h	Taille d'enregistrement	1 WORD
+17h	Taille du fichier	1 DWORD
+1Bh	Date de la dernière modification	1 WORD
+1Dh	Heure de la dernière modification	1 WORD
+1Fh	Réservé	8 BYTES
+27h	Numéro de l'enregistrement actuel	1 BYTE
+28h	Numéro d'enregistrement pour l'accès sélectif	1 DWORD
▨ Longueur : 44 octets		

Le premier octet d'un FCB étendu contient toujours la valeur 255 qui sert à identifier les FCB étendus. Cette cellule de mémoire contient en effet, dans un FCB normal le numéro de périphérique qui ne peut jamais être 255. Le DOS peut ainsi distinguer à coup sûr entre un FCB normal et un FCB étendu. Cette distinction nette est la raison essentielle qui permet au DOS d'accepter aussi bien les FCB normaux que les FCB étendus lors de tout appel d'une fonction orientée FCB. Ce code d'identification est suivi de 5 octets qui sont réservés à l'usage exclusif du DOS. Le programmeur ne doit pas modifier leur contenu.

Le dernier octet d'extension par rapport à un FCB normal est enfin, dans la cellule de mémoire 06h, l'attribut du fichier qui est en fait au centre du débat. La figure suivante décrit la structure de cet octet où chaque bit correspond à un attribut précis. Les différents attributs s'excluent mutuellement tels par exemple le nom de l'unité et le sous-répertoire puisqu'un sous-répertoire ne peut pas représenter un nom d'unité et inversement.

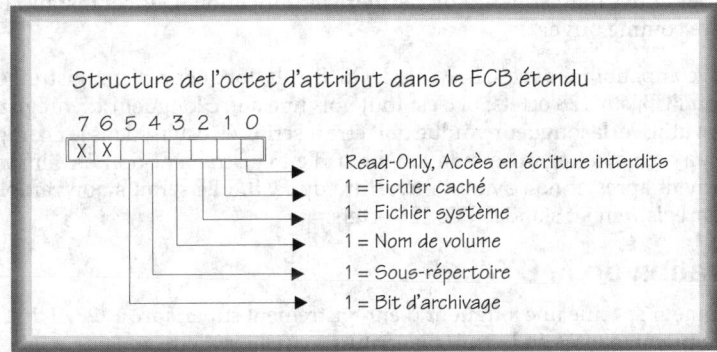

Structure de l'octet d'attribut dans le FCB étendu

7 6 5 4 3 2 1 0

Read-Only, Accès en écriture interdits
1 = Fichier caché
1 = Fichier système
1 = Nom de volume
1 = Sous-répertoire
1 = Bit d'archivage

Définition d'un FCB

Notre programme doit en premier lieu mettre une zone de mémoire à la disposition du système, pour le FCB à créer, car le DOS ne se charge pas lui-même de ce travail. Dans le cas d'un FCB normal, cette zone devra s'étendre sur 37 octets contre 44 pour un FCB étendu. Vous avez la possibilité de réserver cette zone de mémoire directement à l'intérieur du segment de données de notre programme ou bien de la faire réserver à l'aide d'une fonction du DOS.

Il faut ensuite inscrire dans le FCB le nom du fichier auquel il s'agit d'accéder. Vous pouvez bien sûr écrire cette information directement dans les différentes cellules de mémoire du FCB mais nous vous conseillons chaque fois que possible de n'accéder aux différents champs du FCB qu'à travers les fonctions appropriées du DOS. Cela permet en effet une programmation plus claire et cela vous dispense en même temps d'avoir chaque fois à vous demander s'il s'agit d'un FCB normal ou d'un FCB étendu. Vous risqueriez sinon trop aisément d'accéder à un champ erroné du FCB, ce qui risquerait dans le pire des cas d'entraîner une destruction irréversible du contenu d'un fichier.

Inscription d'un nom de fichier dans le FCB

Mais revenons à notre nom de fichier. Vous pouvez l'inscrire dans les champs du FCB prévus à cet effet à l'aide d'une fonction spéciale du DOS, la fonction 29h de l'interruption 21h. Cette fonction attend l'adresse (de départ) du FCB dans la paire de registres ES:DI et l'adresse du nom de fichier dans la paire de registres DS:SI. Ce nom de fichier doit figurer sous forme d'une chaîne de caractères ASCII terminée par une marque de fin (code ASCII 0). Ce nom peut comporter une extension et une désignation de périphérique (ces deux informations sont toutefois facultatives) ainsi que ce qu'on appelle les jokers, à savoir l'étoile ou le point d'interrogation.

Le registre AH doit en outre contenir le numéro de fonction et le registre AL certaines informations sur la transposition du nom de fichier. Ces dernières sont représentées par les bits inférieurs de ce registre. Nous indiquerons leur signification précise lorsque nous en viendrons à la description détaillée des fonctions (Annexe C). Vous pouvez donc vous contenter, pour vos premiers essais, d'attribuer systématiquement la valeur 0 au registre AL.

Une fois le nom de fichier correctement inscrit dans le FCB, le fichier (et donc du même coup le FCB) peut être ouvert à travers une fonction DOS. Cette opération consiste pour le DOS à inscrire dans le FCB des informations importantes sur le fichier, informations tirées en partie de l'entrée du fichier dans le répertoire. Il s'agit notamment, par exemple, de la taille du fichier et des date et heure de dernière modification. Dès cet instant, le FCB peut être considéré comme ouvert.

Par souci de compatibilité avec CP/M, le DOS fixe la longueur d'enregistrement, lors de l'ouverture du FCB, sur 128 octets. Si c'est toutefois une autre longueur d'enregistrement qui est censée être utilisée, la longueur voulue doit être inscrite, en octets, dans le champ approprié du FCB. Notez bien à cet égard que la longueur d'enregistrement doit être inscrite dans ce champ seulement après et non avant l'ouverture du FCB. Elle serait sinon remplacée par la longueur d'enregistrement standard de 128 octets.

Configuration de la DTA

Si le programmeur spécifie une longueur d'enregistrement supérieure à 128, il doit déplacer la DTA avant le premier accès en lecture ou écriture au fichier. Cette zone de mémoire appelée zone de transfert de données (en anglais : Disk Transfer Area) sert de buffer de données au DOS pour tous les accès de fichier orientés FCB.

Le DOS met en place ce buffer lors de l'appel de tout programme, à l'intérieur du PSP (Program Segment Prefix) qui précède chaque programme. Ce buffer a cependant une taille de 128 octets seulement. Tout accès à un fichier dont la longueur d'enregistrement excède 128 octets aurait donc pour conséquence que le DOS effacerait le début du programme. Cela pourrait bien sûr avoir des conséquences catastrophiques et entraîner un plantage du système.

Pour éviter cela, il faut attribuer une nouvelle zone de mémoire, plus importante, à la DTA. Comme pour les FCB, il est possible de réserver cette zone de mémoire directement dans le segment de données ou bien de se faire attribuer la place mémoire nécessaire à l'aide d'une fonction du DOS. Cette zone de mémoire doit avoir la même taille que la longueur d'enregistrement pour l'accès de fichier séquentiel. Pour l'accès de fichier sélectif (fichiers relatifs), la taille de cette zone dépend du nombre maximum d'enregistrements que vous voulez faire lire à la fois par le DOS lors de chaque appel de fonction. Il est en effet possible dans ce cas de lire plusieurs enregistrements simultanément. La taille nécessaire sera alors le produit du nombre maximum d'enregistrements lus par la longueur d'enregistrement.

Au point où nous en sommes, le DOS ne sait toujours pas que la DTA a été transférée dans une autre zone de la mémoire. Il faut donc le lui indiquer en appelant la fonction 1Ah de l'interruption 21h. L'adresse de la nouvelle DTA doit être transmise à travers les registres DS (segment) et DX (offset). Il n'est pas nécessaire d'indiquer au DOS la taille du buffer car le DOS considère systématiquement que le buffer a une taille suffisante pour recevoir les données transmises.

Édition d'un fichier

Nous pouvons maintenant accéder au fichier. Avec l'accès de fichier séquentiel, on commencera obligatoirement par traiter le premier enregistrement du fichier. Les accès suivants concerneront ensuite successivement les enregistrements 2, 3, 4, c'est-à-dire les différents enregistrements dans l'ordre.

Le DOS actualise au fur et à mesure les informations contenues dans le FCB, comme par exemple la taille du fichier et le pointeur de fichier qui désigne l'adresse du prochain enregistrement à l'intérieur du fichier.

En cas d'accès direct (relatif) au fichier, il est possible d'accéder aux différents enregistrements dans n'importe quel ordre. Cela implique naturellement que le numéro de l'enregistrement voulu soit communiqué au DOS avant tout accès au fichier en lecture ou écriture. Le numéro de l'enregistrement doit être à cet effet inscrit dans le dernier champ du FCB. Il est cependant possible de passer, pendant la durée de l'accès à un fichier, du mode séquentiel d'accès au mode direct et inversement car le mode d'accès dépend exclusivement de chaque appel de fonction. Il existe en effet deux séries de fonctions pour l'accès séquentiel et pour l'accès direct.

Utilisation des fonctions FCB

Il ne nous est toutefois pas possible de décrire les différentes fonctions FCB dans le cadre de ce chapitre. Voici cependant une liste de toutes les fonctions FCB avec les numéros de fonction correspondants (par rapport à l'interruption 21h).

Numéro	Fonction
0Fh	Ouvrir fichier
10h	Fermer fichier
13h	Supprimer fichier
14h	Lecture séquentielle
15h	Écriture séquentielle
16h	Créer fichier
17h	Renommer fichier
1Ah	Fixer l'adresse DTA
21h	Lecture sélective (d'un enregistrement)
22h	Écriture sélective (d'un enregistrement)
23h	Déterminer taille du fichier
24h	Fixer le numéro d'enregistrement pour l'accès direct
27h	Lecture sélective (d'un ou plusieurs enregistrements)
28h	Écriture sélective (d'un ou plusieurs enregistrements)
29h	Inscription du nom de fichier dans le FCB

Il convient d'indiquer ici quelques règles de base qui régissent l'appel de ces fonctions :

Les fonctions FCB permettent naturellement d'accéder à plusieurs fichiers. Il existe dans ce cas un FCB particulier pour chacun. Pour indiquer au DOS auquel de ces fichiers il s'agit d'accéder à l'aide d'une fonction FCB, chaque fonction FCB attend l'adresse du FCB attribué au fichier concerné. L'adresse de segment doit être placée dans le registre DS et l'adresse d'offset dans le registre DX. Après avoir été exécutées, la plupart de ces fonctions renvoient dans le registre AL une valeur qui indique si la fonction a pu être exécutée sans erreur. Si c'est bien le cas, c'est la valeur 0 qui sera renvoyée. En cas d'erreur, les fonctions de création, suppression, ouverture et fermeture d'un fichier renvoient la valeur 255 alors que les fonctions de lecture et écriture d'enregistrements renvoient un code d'erreur qui permet d'identifier les différentes sources et causes d'erreur possibles. La fonction 59h fournit des informations très détaillées sur toute erreur apparue lors d'une opération disquette. Cette fonction n'est cependant disponible qu'à partir de la version 3.0 du DOS.

21.4. Handles contre FCB

Après vous avoir présenté les principes à la base des deux groupes de fonctions que le DOS met à votre disposition, essayons de passer rapidement en revue les avantages et inconvénients des différentes fonctions. Comme nous l'avons déjà indiqué, le choix ira de soi pour tous ceux qui veulent transposer sur le DOS un programme du système d'exploitation CP/M ou UNIX. Notre objet est donc ici d'aider ceux qui veulent développer un nouveau programme sous le DOS à prendre leur décision.

Deux avantages essentiels des fonctions Handle, qui constituent du même coup des inconvénients des fonctions FCB, sautent immédiatement aux yeux. Il s'agit d'une part de la possibilité d'accéder à l'aide des fonctions Handle aux fichiers situés dans n'importe quel répertoire de la mémoire de masse. D'autre part, il n'est pas nécessaire avec les fonctions Handle de prévoir dans le programme utilisateur la mémoire requise pour chaque accès de fichier orienté FCB.

Il convient cependant de prendre également en compte un certain nombre d'aspects qui pour être moins évidents n'en sont pas moins tout aussi importants pour certaines applications. C'est ainsi par exemple que seul un FCB étendu (qui n'est toutefois plus compatible avec CP/M) permet d'accéder au nom d'une mémoire de masse. En ouvrant un FCB, on accède très facilement à certaines informations telles que la taille du fichier ou la date de la dernière modification. Sous les versions 1.0 ou 2.0 du moins, les FCB présentent l'avantage, pour les programmes qui ont besoin d'accéder simultanément à un grand nombre de fichiers, de permettre l'ouverture simultanée d'un nombre de fichiers illimité. Les fonctions Handle présentent par contre l'avantage pour le programmeur de le dispenser de prévoir une zone de transfert de données. Avec les fonctions Handle, l'accès de fichier peut en outre être détaché de la taille d'enregistrement qui joue un si grand rôle dans les fonctions FCB.

Comme vous le voyez de nombreux arguments plaident pour ou contre chacun des deux groupes de fonctions. Dans la perspective du développement futur du DOS, une tendance très nette se dessine toutefois vers un soutien accru des fonctions Handle. On peut donc envisager que les fonctions FCB disparaissent un jour ou l'autre du jeu de fonctions du DOS.

22.   Accès aux répertoires et lecteurs

Les fonctions du DOS qui concernent les répertoires se divisent en deux groupes. Il y a d'abord les fonctions qui permettent de manipuler des sous-répertoires et ensuite d'autres fonctions qui servent à rechercher des fichiers dans des zones déterminées d'une mémoire de masse.

Nous traiterons donc ces deux groupes de fonctions séparément, dans ce chapitre, en commençant par la manipulation des sous-répertoires.

22.1.   Gestion des répertoires

Peut-être savez-vous qu'il existe, à partir de la version 2.0 du DOS, la possibilité d'attribuer à chaque répertoire d'une unité de mémoire de masse, en partant du répertoire racine, plusieurs sous-répertoires, de façon à former une sorte d'arbre de répertoires.

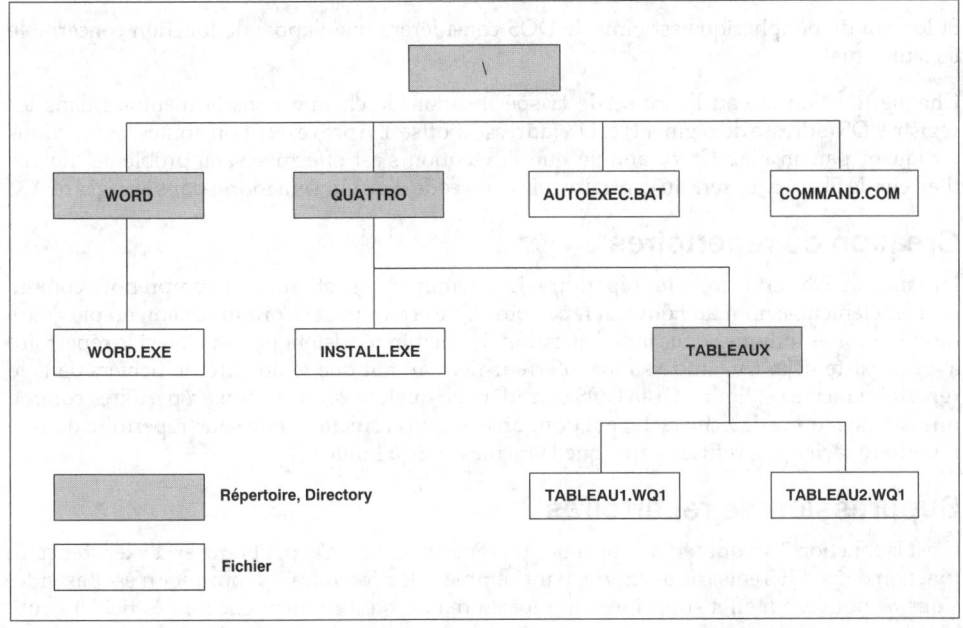

Un arbre de répertoires

Le nombre et le nom des sous-répertoires d'un répertoire ne sont pas définis de manière fixe par le DOS. L'utilisateur doit donc avoir la possibilité d'ajouter des répertoires à la ramification des répertoires. Il doit aussi pouvoir supprimer des répertoires (à condition que ceux-ci ne contiennent plus de fichiers). Il faut enfin qu'un répertoire puisse être déclaré comme étant le répertoire actuel. Le DOS supposera alors que font partie de ce répertoire tous les fichiers qui seront appelés en indiquant seulement le nom de fichier au sens strict, sans indication de chemin complète.

Au niveau utilisateur, ces fonctions sont offertes par le DOS sous la forme des instructions MD (Créer répertoire), RD (Supprimer répertoire) et CD (Changer le répertoire actuel). De façon interne, ces instructions correspondent aux fonctions 39h, 3Ah et 3Bh de l'interruption 21h. Ce sont ces fonctions que nous allons donc décrire maintenant.

Fonction	Tâche
0Eh	Sélection du lecteur en cours
19h	Déterminer le lecteur en cours
39h	Créer un répertoire
3Ah	Supprimer un répertoire
3Bh	Commuter vers le répertoire en cours

Appel de fonctions

Le rôle des registres lors de l'appel et après retour de ces fonctions est largement uniforme :

Il faut chaque fois transmettre le numéro de fonction dans le registre AH ainsi que le nom de chemin du répertoire à manipuler. La spécification du chemin peut comprendre naturellement la désignation complète du chemin mais aussi un nom de périphérique (placé en premier et suivi d'un double point) et elle doit se terminer par une marque de fin (Code ASCII 0).

Si le nom de périphérique est omis, le DOS considérera que l'appel de fonction concerne le lecteur actuel.

Chaque fonction attend l'adresse de la spécification de chemin dans la mémoire dans les registres DS (adresse de segment) et DX (adresse d'offset). Après exécution, toutes les fonctions indiquent par un Flag Carry annulé que l'exécution s'est effectuée sans problème. En cas d'erreur, le Flag Carry sera au contraire mis et un code d'erreur sera fourni dans le registre AX.

Création de répertoires

La fonction 39h sert à créer un répertoire. Le chemin qu'elle attend doit comprendre comme dernier élément le nom du nouveau répertoire. Une erreur peut se produire si un ou plusieurs des répertoires indiqués dans la spécification de chemin n'existent pas ou bien si le répertoire à créer existe déjà. Une autre source d'erreur tient au fait que le nombre de fichiers dans le répertoire racine est limité. Or le DOS considère en quelque sorte les sous-répertoires comme une certaine forme de fichiers. Il peut donc arriver que la création d'un sous-répertoire dans le répertoire racine soit refusée parce que la racine est déjà limitée.

Suppression de répertoires

C'est la fonction 3Ah qui sert à supprimer un répertoire. Le DOS peut refuser d'exécuter cette fonction dans différents cas de figure, par exemple si le répertoire à supprimer n'est pas vide. Vous ne pouvez en effet supprimer un répertoire tant qu'il contient encore des fichiers ou à plus forte raison d'autres sous-répertoires. Il ne faut pas non plus que le répertoire à supprimer soit le répertoire actuel.

Sélection du répertoire et du lecteur actuel

Lorsque vous voulez fixer le sous-répertoire actuel avec la fonction 3Bh, vous devez veiller à ce que tous les noms de chemin indiqués dans la spécification de chemin existent effectivement. C'est d'ailleurs la seule source d'erreur possible pour cette fonction.

S'il s'agit de redéfinir non seulement le répertoire actuel mais aussi le périphérique actuel, vous pouvez utiliser à cet effet la fonction 0Eh. Elle attend simplement, outre naturellement le numéro de fonction dans le registre AH, le code de périphérique du nouveau lecteur actuel dans le registre DL. Le code 0 correspond ici au lecteur A, 1 à B, 2 à C, ...

Déterminer le répertoire et du lecteur actuel

Avant de définir le répertoire actuel à travers la fonction 3Bh, il est parfois nécessaire de déterminer quel est momentanément le répertoire actuel. Ici aussi, le DOS offre au programmeur une fonction très pratique, la fonction 47h. Elle peut fournir le chemin du répertoire actuel non seulement pour le périphérique actuel mais aussi pour tous les périphériques. Il faut donc lui communiquer également le périphérique concerné par l'appel de la fonction. S'il s'agit du périphérique actuel, il faut transmettre à la fonction la valeur 0 dans le registre DL.

Pour tous les autres périphériques, on aura les valeurs 1 (lecteur A), 2 (B), 3 (C), ...

La fonction attend cependant aussi, en dehors du code de périphérique, l'adresse d'un buffer de 64 octets que vous devez réserver à l'intérieur de votre programme. Le registre DS recevra l'adresse de segment et le registre SI l'adresse d'offset de ce buffer. Après appel de la fonction, ce buffer contiendra la spécification de chemin du répertoire actuel, qui sera terminée par une marque de fin (Code ASCII 0). Il convient cependant de noter à cet égard que la spécification de chemin n'est précédée ni du nom de périphérique approprié ni du caractère "\". Si le répertoire actuel est la racine, le buffer contiendra donc comme premier (et comme dernier) caractère la marque de fin. Si un code de périphérique inconnu du DOS a été transmis lors de l'appel de fonction, le Flag Carry sera mis après appel de la fonction et le registre AX contiendra le code d'erreur 0Fh.

Outre le répertoire actuel, vous souhaitez certainement déterminer aussi le lecteur actuel. Utilisez à cet effet la fonction 19h qui attend uniquement le numéro de fonction dans le registre AH en guise de paramètres. L'évaluation des informations retournées s'effectue tout aussi simplement que l'appel de la fonction. Il suffit d'évaluer le registre AL après l'appel de la fonction. Il contient le code de périphérique du lecteur en cours où 0 représente le lecteur A, 1 le lecteur B, 2 le C et ainsi de suite. Mais notez toutefois que la procédure à suivre ici est différente de celle de la fonction 0Eh où 0 représente le lecteur en cours et la valeur 1 correspond au lecteur A.

22.2. Recherche de fichiers

Intéressons-nous maintenant à la recherche d'un ou plusieurs fichiers dans le répertoire actuel sur le périphérique actuel. Ici réapparaît l'opposition entre fonctions Handle et FCB. Il existe en effet deux groupes de fonctions pour la recherche de fichiers. Le groupe des fonctions FCB présente l'inconvénient de ne permettre de rechercher des fichiers que dans le répertoire actuel d'un périphérique déterminé, alors que les fonctions Handle permettent de rechercher des fichiers dans tous les répertoires des différents périphériques. Le terme de fonctions Handle est d'ailleurs assez impropre en l'occurrence puisque ces fonctions ne sont pas appelées à travers un Handle. Ce terme se justifie plutôt par le fait que ces fonctions ont été intégrées dans le jeu de fonctions du DOS avec la version 2.0, à l'occasion de l'introduction des sous-répertoires (et donc du même coup des fonctions Handle). Les fonctions FCB étaient au contraire disponibles dès la version 1.0.

Fonctionnement des fonctions de recherche

Bien que les fonctions Handle et FCB présentent des différences dans le mode de recherche de fichiers dans les répertoires "étrangers", elles comportent toutefois des similitudes. Dans les deux cas, deux fonctions entrent en jeu. Elles sont désignées par *FindFirst* et *FindNext*. *FindFirst* n'est appelée qu'une seule fois car elle lance la recherche. Elle attend par conséquent le nom du fichier à rechercher ainsi que l'attribut de fichier.

En ce qui concerne le nom recherché, vous pouvez préciser un nom bien spécifique (exemple, "COURRIER.TXT" ou "C:\DOS\COURRIER.TXT") ou utiliser les caractères génériques * et ? pour rechercher plusieurs fichiers correspondant au modèle indiqué. Les caractères génériques permettent d'utiliser *FindFirst* et *FindNext* pour afficher tous les fichiers d'un répertoire, tout comme la commande DIR.

FindFirst retourne seulement le premier nom de fichier trouvé indépendamment du nom de recherche à condition qu'un fichier correspondant au nom ou au modèle de nom spécifié soit trouvé dans le répertoire désigné. Tous les autres fichiers peuvent alors être déterminés par des appels successifs de *FindNext* où à chaque appel cette fonction retourne le nom de fichier suivant correspondant au modèle.

Fonction	Tâche
11h	FindFirst (FCB)
12h	FindNext (FCB)
4Eh	FindFirst (Handle)
4Fh	FindNext (Handle)

Le rôle de l'attribut de fichier

Toutes les fonctions utilisent les attributs standard tels qu'ils sont représentés dans la figure suivante. L'octet d'attribut renferme les différents bits décrivant des attributs bien précis. Ainsi, le bit 4 est par exemple réglé lorsqu'une entrée de répertoire n'est pas un fichier mais un sous-répertoire. Quant aux bits 2 et 3, ils sont réglés lorsqu'il s'agit d'un fichier système caché que DOS n'affiche pas lorsque la commande DIR est appelée.

Dès qu'une entrée est trouvée, l'octet d'attribut peut servir à déterminer tous les attributs définis au-dessous et contrôler ainsi le type de l'entrée. Ils jouent d'ailleurs un rôle important dès le début de la recherche. Lors de l'appel, les deux versions de la fonction FindFirst attendent la transmission d'un "attribut de recherche" spécifiant les fichiers à rechercher. Dans ce cas, l'attribut Read Only et le bit d'archivage ne jouent aucun rôle. Si la valeur 0 a été par exemple précisée comme attribut de recherche, vous obtenez tous les fichiers normaux, qu'ils soient munis de l'attribut Read Only ou que leur bit d'archivage soit réglé.

La procédure est tout à fait différente en ce qui concerne les entrées de répertoire décrivant des fichiers cachés, des fichiers système, des noms d'unités et des sous-répertoires. Ils sont exclus de la recherche de fichiers tant que le bit correspondant n'est pas réglé dans l'attribut de recherche. Réglez par exemple le bit 4 dans l'attribut de recherche et vous constatez que les sous-répertoires sont également retournés.

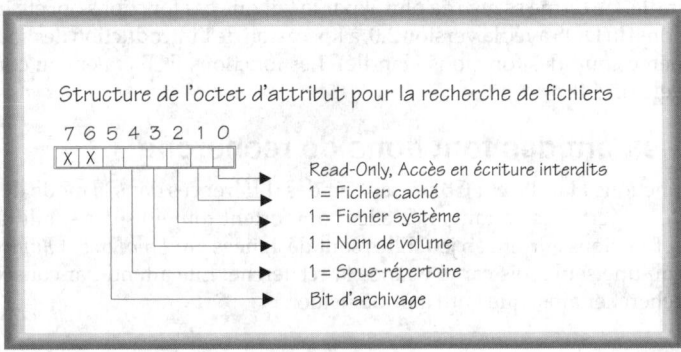

Structure de l'octet d'attribut pour la recherche de fichiers

Cette méthode ne permet toutefois pas d'exclure tous les fichiers normaux de la recherche, de ne rechercher en quelque sorte que les fichiers cachés ou les sous-répertoires. Pour vous aider, vous pouvez évaluer les attributs des fichiers trouvés et ne considérer que les fichiers dont le flag d'attribut est réglé. Examinons maintenant les fonctions FCB puis les fonctions Handle.

22.2.1. Recherche de fichiers avec les fonctions FCB

Pour rechercher des fichiers avec les fonctions FCB, on appelle essentiellement les deux fonctions 11h et 12h. Elles permettent de rechercher non seulement un fichier dont le nom est défini précisément mais aussi tous les fichiers ou encore tous les fichiers dotés d'une extension déterminée. La fonction 11h sert à rechercher le premier fichier à l'intérieur du répertoire actuel, alors que la fonction 12h recherche tous les fichiers suivants. Les FCB jouent un rôle essentiel dans cette opération. C'est en effet à travers eux que s'effectue l'échange de données entre le programme d'appel et les deux fonctions. Essayons donc d'abord de comprendre comment se déroule l'opération de recherche de fichiers dans un répertoire :

Le programme doit tout d'abord réserver la place nécessaire pour deux FCB, soit en réservant la place mémoire voulue dans la zone de données du programme, soit en réclamant au DOS la place mémoire correspondante à l'aide de la fonction 48h. Le programmeur est libre de travailler ici avec des FCB normaux ou étendus. Ces derniers présentent toutefois par rapport aux FCB normaux l'avantage de permettre également de rechercher les fichiers dotés d'attributs particuliers (système ou caché) ainsi que le nom (Volume) de la disquette ou du disque dur et des sous-répertoires. Les deux fonctions acceptent donc aussi bien des FCB normaux qu'étendus. L'un des deux FCB sert à recevoir le nom du fichier qu'il s'agit de rechercher alors que le DOS inscrit dans l'autre le nom du ou des fichiers trouvés. Pour pouvoir distinguer les deux FCB dans les explications qui vont suivre, nous les désignerons sous les noms de FCB_recherché et FCB_trouvé.

Spécifier l'adresse FCB

L'adresse du FCB_trouvé doit être communiquée au DOS à l'aide de la fonction 1Ah. En appelant cette fonction, vous fixez le FCB_trouvé comme la nouvelle zone de transfert de données (DTA). Cette zone joue cependant un rôle important non seulement pour ces deux fonctions mais aussi pour toutes les fonctions servant à la transmission des données entre l'ordinateur et le disque. C'est pourquoi il est conseillé de déterminer l'adresse de la DTA actuelle, à l'aide de la fonction 2Fh, avant d'activer la nouvelle DTA. Une fois la recherche de fichiers terminée, la DTA pourra être alors réinstallée dans son ancienne position à l'aide de la fonction 1Ah.

Traiter le FCB_trouvé

Après que la DTA ait été placée sur le FCB_trouvé, la prochaine étape consiste à inscrire le nom du fichier à rechercher dans le FCB_recherché. Si vous ne voulez pas que la recherche se limite à un fichier bien précis, vous pouvez insérer ce qu'on appelle des jokers ('*' et '?') dans le nom de fichier. Ce dernier peut être inscrit directement dans le FCB_recherché ou bien à l'aide de la fonction 29h. Si vous voulez par exemple faire rechercher tous les fichiers, vous devrez spécifier le nom de fichier '*.*'. Si vous travaillez avec un FCB étendu, vous pouvez inscrire en outre une valeur dans le champ d'attribut du FCB_recherché pour circonscrire la recherche aux fichiers dotés d'attributs déterminés.

La recherche

Les préparatifs sont maintenant terminés et la recherche du premier fichier figurant dans le répertoire actuel peut commencer. On appellera à cet effet la fonction 11h avec le numéro de fonction dans le registre AH, l'adresse de segment du FCB_recherché dans le registre DS et son adresse d'offset dans le registre DX. Si un fichier portant le nom spécifié a pu être identifié, le registre AL contiendra la valeur 0 après appel de la fonction, sinon 255. Le nom du fichier trouvé et de son attribut (si vous avez travaillé avec des FCB étendus) figureront alors dans le FCB_trouvé. Pour la suite de la recherche de fichiers, ce ne sera plus alors la fonction 11h mais la fonction 12h qu'il faudra appeler. La définition des registres pour cette deuxième fonction est identique à celle de la fonction 11h, aussi bien pour l'appel que pour le retour. Si elle renvoie la valeur 255 dans le registre AL après l'un des appels, cela signifie que la recherche est terminée car il n'y a plus d'autres fichiers portant le nom recherché dans le répertoire actuel.

Un exemple

Pour illustrer la recherche de fichiers avec les fonctions FCB 11h et 12h, nous vous proposons le programme FF.ASM écrit en Assembleur. Il est conçu comme un programme COM. FF signifie FileFind puisque la tâche du programme consiste à rechercher un fichier précis ou un groupe de fichiers dans tous les répertoires d'un lecteur. Les fonctions FCB peuvent également être utilisées pour rechercher des fichiers dans divers répertoires. Il suffit alors de spécifier le répertoire de recherche comme le répertoire en cours au début de la recherche.

L'appel de FF s'effectue avec la syntaxe suivante :

```
FF [Lecteur:] Nom de fichier [+ ou - ou = Date]
```

Le paramètre Nom de fichier indique le nom du fichier à rechercher. Entrez par exemple ici FF.ASM pour que la recherche porte sur le fichier FF.ASM. Si votre entrée est en revanche *.ASM, la recherche concerne alors tous les programmes Assembleur du lecteur en cours. Avec *.*, vous pouvez afficher les noms de tous les fichiers à l'écran. Dans ce cas, vous obtenez non seulement le nom du fichier trouvé mais aussi le répertoire dans lequel il a élu domicile.

Si la recherche ne doit pas s'effectuer sur le lecteur en cours, faites précéder le nom de fichier de la désignation du lecteur comme vous avez l'habitude de le faire avec les diverses commandes DOS.

Un autre critère de recherche consiste à spécifier une date derrière le nom de fichier précédée d'un signe plus, moins ou égal. Comme le montre le tableau suivant, l'affichage des fichiers trouvés tient compte de la date de leur dernière modification. Ainsi, vous pouvez par exemple trouver toutes les lettres écrites dès le début du mois en cours.

Paramètre	Fonction
-Date	Afficher uniquement les fichiers créés avant la date spécifiée ou dernièrement modifiés
+Date	Afficher uniquement les fichiers créés après la date spécifiée ou dernièrement modifiés
=Date	Afficher uniquement les fichiers créés à la date spécifiée ou dernièrement modifiés

La commande cherche tous les fichiers texte créés après le 1er octobre 1991.

```
ff *.txt+1.10.1991
```

FF.ASM

22.2.2. Recherche de fichiers avec les fonctions Handle

En comparaison, le travail avec les fonctions Handle est à la fois plus pratique et plus simple. Ici aussi, on dispose de deux fonctions, une pour rechercher le premier fichier (la fonction 4Eh) et l'autre pour poursuivre la recherche, la fonction 4Fh. Les deux fonctions placent dans la DTA les données des fichiers trouvés. C'est pourquoi la DTA doit être transférée dans une zone de mémoire accessible au programme avant d'appeler ces deux fonctions. Cette zone de mémoire, comme nous allons le voir, doit avoir une taille d'au moins 43 octets. Ici aussi, comme nous l'avons déjà expliqué pour les fonctions FCB, la DTA devra être réinstallée dans sa zone d'origine une fois la recherche terminée.

Pour appeler la fonction 4Eh, le numéro de fonction doit être transmis dans le registre AH, l'attribut recherché dans le registre CX et l'adresse dans la mémoire du nom de fichier recherché dans la paire de registres. Le nom de fichier lui-même doit être stocké sous forme d'une séquence de caractères ASCII terminée par une marque de fin (Code ASCII 0).

Il peut comporter un nom de périphérique et une spécification de chemin complète ainsi bien sûr que les jokers '*' et '?' qui permettent de faire rechercher tout un groupe de fichiers. Si aucun chemin n'est indiqué, le DOS considère que la recherche doit se faire dans le répertoire actuel du périphérique spécifié ou bien (si aucun périphérique n'est spécifié) dans le périphérique actuel. Après appel de la fonction, le Flag Carry indique si un fichier a été trouvé. Si ce n'est pas le cas, le Flag Carry est mis et le registre AX contient un code d'erreur. Ce code sera 2 si le chemin indiqué n'existe pas et 12h si aucun fichier n'a pu être trouvé. Si le Flag Carry est annulé, la DTA contient les informations sur le fichier trouvé. Ces informations présentent la structure suivante :

Structure d'une entrée du répertoire telle que les fonctions 4Eh et 4Fh du DOS la renvoient		
Adresse	**Contenu**	**Type**
+00h	Réservé	21 BYTES
+15h	Octet d'attribut du fichier	1 BYTE
+16h	Heure de la dernière modification	1 WORD
+18h	Date de la dernière modification	1 WORD
+1Ah	Taille du fichier	1 DWORD
+1Eh	Nom de fichier et extension séparés par un point, mais sans indication de chemin	12 BYTES
Longueur : 42 octets		

Toute recherche ultérieure se fera ensuite à travers la fonction 4Fh qui n'aura besoin d'aucun autre paramètre que le numéro de fonction dans le registre AH. Le Flag Carry indique ici aussi s'il y a encore dans le répertoire d'autres fichiers auxquels corresponde le critère de recherche.

Exemples de programmes

Pour illustrer le mode d'accès aux fichiers, nous vous proposons des programmes écrits en BASIC, Pascal et en C. Tout comme l'instruction DIR, ils reçoivent, en guise de paramètres, les noms des fichiers à afficher derrière le nom du programme. Contrairement à DIR, l'affichage des noms de fichier, leurs tailles et leurs attributs s'effectue dans une fenêtre de l'écran et la sortie des noms de fichier s'interrompt dès que cette fenêtre est entièrement remplie de nouveaux noms de fichier. Vous pouvez ainsi examiner en toute quiétude les fichiers affichés. Vous pouvez ensuite faire reprendre la sortie des autres noms de fichier en frappant une touche quelconque.

Comme pour la plupart des programmes de ce livre, nous avons tâché de fournir des codes que vous pouvez facilement intégrer dans vos programmes. Ainsi, vous n'aurez plus de problèmes à inviter l'utilisateur à sélectionner les fichiers directement sur l'écran.

Bien que les programmes soient proposés en trois langages, vous trouverez cinq listings dans les pages suivantes. En fait, nous avons écrit les programmes Pascal et C en deux versions différentes. Notre but n'est pas de présenter la différence entre les compilateurs Microsoft et Borland, mais de décrire l'appel direct et indirect des fonctions DOS 4Eh et 4Fh. En effet, les bibliothèques Turbo Pascal ainsi que les divers compilateurs C de la société Microsoft ou Borland disposent de fonctions prédéfinies appelées FINDFIRST et FINDNEXT. Elles prennent en charge l'appel direct des fonctions DOS 4Eh et 4Fh et offrent en outre d'autres techniques intéressantes que nous aurons l'occasion de rencontrer.

Les remarques précédentes ne concernent pas le BASIC puisque QuickBasic ne contient qu'une seule instruction rudimentaire qui est FILES et qui permet d'afficher seulement le contenu du répertoire en cours sans que ces informations ne soient accessibles par le programme. L'appel direct des fonctions DOS 4Eh et 4Fh ne s'applique donc pas au BASIC.

Structure des programmes

Les cinq programmes d'exemple sont bâtis autour d'une structure de base identique : la ligne de commande est d'abord évaluée dans le programme principal pour communiquer le nom du fichier à afficher. Si le nom du programme n'est suivi d'aucun paramètre, "*.*" est automatiquement sélectionné. Si le nom du programme est exactement suivi d'un paramètre, ce dernier est considéré comme le nom du fichier à afficher. En présence de plusieurs paramètres, le programme s'interrompt en renvoyant un message d'erreur.

Le nom du fichier à afficher est ensuite transmis à la fonction (ou procédure), sans oublier l'attribut qui doit également être indiqué. En principe, tous les bits d'attribut sont réglés dans ce cas, y compris les noms de volume, les sous-répertoires, les fichiers système et les fichiers cachés. L'utilisateur du programme ne peut pas agir sur cette définition qui peut toutefois être modifiée à l'intérieur du code de programme.

Les trois programmes ayant un rapport avec les fonctions 4Eh et 4Fh ne peuvent pas se servir des fonctions de bibliothèque prédéfinies et le DTA est donc réglé sur une structure de données locale à l'aide de la fonction/procédure SETDTA. SETDTA exécute un appel de la fonction DOS 1Ah pour décaler le DTA vers l'adresse spécifiée.

La structure de données prévue pour la réception du DTA est du type DIRSTRUCT dans les trois programmes. Elle représente un registre contenant la description des divers champs dans lesquels les fonctions 4Eh et 4Fh placent les informations obtenues sur les fichiers trouvés.

Après l'initialisation du DTA, la procédure/fonction ConfigEcran est appelée à l'intérieur de DIR. Elle ouvre la fenêtre sur l'écran devant contenir ultérieurement les informations concernant les fichiers.

L'appel suivant concerne FINDFIRST qui doit lancer la recherche. Si l'appel aboutit, l'exécution doit commencer par une boucle qui appelle en permanence FINDNEXT jusqu'à ce que tous les fichiers soient traités. Les fichiers trouvés sont alors affichés sur l'écran au moyen de la procédure/fonction PRINTDATA. En guise d'argument, elle attend DIRSTRUCT où DOS a placé les informations à propos du fichier. Ces informations sont décodées et affichées à l'écran sous une forme lisible.

DIRB.BAS

Appel direct des fonctions 4Eh et 4Fh en Pascal et C

Dans les deux programmes suivants en Pascal et C, les fonctions 4Eh et 4Fh sont appelées directement sans qu'il soit nécessaire d'utiliser les procédures ou fonctions FINDFIRST et FINDNEXT prédéfinies.

Si la configuration de l'écran le permet, il est plus intéressant pour nous de travailler en Turbo Pascal. Ce langage fournit une commande permettant de définir une zone quelconque de l'écran comme une fenêtre de sortie. En C, il faut au contraire utiliser la fonction Scroll de l'interruption 10h du BIOS pour remonter à chaque fois d'une ligne la fenêtre des répertoires. Comme la sortie écran avec PRINTF() ne s'avère pas du tout commode et que les bibliothèques des compilateurs Borland et Microsoft semblent ignorer les fonctions de sortie écran, une fonction appelée PRINT est définie à cet effet dans le programme C. Elle fonctionne comme PRINTF() et attend que l'utilisateur indique la position de sortie de la chaîne de caractères et la couleur d'affichage outre les arguments habituels. Ces informations sont utiles pour transmettre directement la sortie dans la RAM vidéo.

DIRP1.PAS   DIRC1.C

Utilisation des fonctions/procédures prédéfinies en Pascal et C

Les deux programmes DIRP2.PAS et DIRC2.C utilisent les fonctions FINDFIRST et FINDNEXT prédéfinies de Turbo et Borland Pascal ou des divers compilateurs C énumérés dans ce livre. Cela facilite naturellement l'affichage du répertoire parce qu'on n'a pas par exemple besoin de s'inquiéter de l'emplacement du DTA.

Dans les deux cas, les procédures/fonctions utilisent les fonctions DOS 4Eh et 4Fh définies par les compilateurs pour recevoir les informations sur les fichiers. En Turbo Pascal, cette structure de données s'appelle SEARCHREC. Elle est définie dans l'unité DOS en même temps que FINDFIRST et FINDNEXT. Elle renferme également les diverses constantes permettant de fixer confortablement les différents flags afin de spécifier l'attribut de fichier.

Mais la structure SEARCHREC regroupe les champs heure et date dans un paramètre longint, ce qui oblige quelque peu à chercher une astuce pour atteindre les différents Words. Le programme DIRP2.PAS montre comment y parvenir. Mais n'oubliez pas que dans la version Pascal, FINDFIRST et FINDNEXT ne sont pas des fonctions mais des procédures. Avant d'appeler la fonction, il convient donc de vérifier si un fichier peut être trouvé en déterminant la variable globale DOSERROR. Turbo Pascal y conserve notamment le contenu du registre AX après l'appel des fonctions 4Eh et 4Fh. La valeur obtenue est en effet 0 si un fichier est trouvé.

DIRP2.PAS

Le programme C DIRC2.C souffre quelque peu des différences existantes entre les bibliothèques des compilateurs Microsoft et Borland concernant la création des interfaces DOS API. Ce domaine n'étant pas standardisé selon la norme ANSI, chaque fabricant de compilateur n'en fait qu'à sa guise.

Dans les deux familles de compilateurs, FINDFIRST et FINDNEXT ne portent pas seulement des noms différents mais travaillent également avec des structures de données différentes dont les champs sont désignés avec des noms variés. Il n'empêche que le programme DIRC2.C peut être traduit sous les compilateurs des deux familles. Pour obtenir ce résultat, tous les noms relatifs aux compilateurs sont enregistrés à l'aide de macros définies par rapport au compilateur concerné.

DIRC2.C

23.   Date et heure

L'horloge en temps réel de l'AT fournit la date et l'heure pour les routines BIOS et les fichiers. Quatre fonctions DOS, qui étaient disponibles depuis la version 1.0 du DOS, peuvent être utilisées pour accéder à l'heure et à la date.

Fonctions date et heure	
Fonction	**Utilisation**
2AH	Lire la date
2BH	Régler la date
2CH	Lire l'heure
2DH	Régler l'heure

DOS et l'horloge temps réel de l'AT

Dans les versions 3.2 et précédentes, ces quatre fonctions transmettaient les informations depuis et à partir des variables d'environnement DOS. Toutefois, dans les versions DOS 3.3 et supérieures, ces fonctions passaient les mêmes informations depuis et à partir de l'horloge temps réel alimentée par piles. L'information date et heure reste toujours disponible même si l'ordinateur est éteint. La date et l'heure sont gérées à travers des fonctions BIOS décrites dans le chapitre 13. Cela est aussi possible dans les anciennes versions du DOS. Toutefois, le système doit être pourvu d'un driver horloge intégré car le DOS ne communique qu'avec un driver de périphérique sur carte nommé $CLOCK.

Lire et régler la date

Les fonctions 2AH et 2BH contrôlent la date en cours.

Fonction 2AH :   *Lire la date*

En plaçant le numéro de fonction 2AH dans le registre AH, la date en cours est renvoyée dans les registres suivants :

Registres de sortie : Fonction 2AH	
Registre	**Contenu**
AL	Jour de semaine *
CX	Année
DH	Mois
DL	Jour
*	0=Dimanche, 1=Lundi, etc.

Fonction 2BH :   *Régler la date*

La fonction 2BH place les informations de date dans les mêmes registres que ceux utilisés par la fonction 2AH. Cela est utile pour changer la date de création ou de modification d'un fichier.

Registres d'entrée : Fonction 2BH	
Registre	**Contenu**
AH	2BH
CX	Année
DH	Mois
DL	Jour

Le tableau précédent montre que la fonction 2BH nécessite la date actuelle (mais non le jour de la semaine). C'est la seule information dont le DOS a besoin.

Rappelez-vous que lorsque vous utilisez cette fonction, la plus ancienne date autorisée par le système est le 1er janvier 1980 (01-01-1980). Si une erreur se produit, vérifiez le registre AL. Si ce dernier contient la valeur 0, les données fournies par les autres registres sont valides. Si le registre AL contient la valeur 255, les données ne pourront pas être lues.

Lire et régler l'heure

Les fonctions 2CH et 2DH sont similaires aux fonctions 2AH et 2BH, sauf que 2CH et 2DH gèrent l'heure.

Fonction 2CH :   *Lire l'heure*

La fonction 2CH lit l'heure en cours selon le modèle décrit dans le tableau qui suit. Placez le numéro 2Ch de l'interruption 21H dans le registre AH pour lire les registres suivants :

Registres de sortie : Fonction 2CH	
Registre	**Contenu**
CH	Heure
CL	Minute
DH	Seconde
DL	Centième de seconde

Fonction 2DH :   *Régler l'heure*

La fonction 2DH règle l'heure. Le registre AL indique si la date est valide (par exemple, 36:48 engendre la valeur 255, qui signifie une erreur).

Registres d'entrée : Fonction 2CH	
Registre	**Contenu**
AH	2DH
CH	Heure
CL	Minute
DH	Seconde
DL	Centième de seconde

BIOS ou DOS ?

Vous pouvez utiliser le BIOS ou le DOS pour accéder à l'heure et à la date. Les deux méthodes ont leur avantage et elles sont disponibles sur tout PC.

24. Gestion de la mémoire

Une des tâches fondamentales d'un système d'exploitation consiste à gérer la mémoire vive (RAM). Cette dernière est le point de rencontre des composants les plus divers du système : drivers, programmes résidents, applications. Tout ce beau monde réclame sa part de gâteau et il faut veiller à ce qu'il n'y ait pas de conflit. DOS doit surveiller tous les programmes pour qu'ils ne s'écrasent pas mutuellement ou qu'ils ne tirent pas à eux la totalité de la mémoire disponible.

Ce chapitre décrit les mécanismes et les fonctions utilisés par DOS pour gérer la mémoire et vous y découvrirez même les actions secrètes menées en coulisse.

24.1. Gestion de la mémoire sous DOS

La gestion de la mémoire assurée par DOS repose sur une fonction qui permet de réclamer des blocs mémoire d'une certaine taille. La mémoire ainsi allouée reste en possession du programme qui l'a demandée et reçue, jusqu'à ce qu'il la restitue par le moyen d'une autre fonction réservée à cet usage. Ce n'est qu'à partir de ce moment que le bloc libéré est à la disposition des autres programmes. Quatre fonctions DOS en tout sont impliquées dans la gestion de la mémoire :

Fonction	Signification
48h	Alloue de la mémoire
49H	Libère de la mémoire
4Ah	Modifie la taille d'un bloc mémoire
58h	Lit ou fixe la stratégie d'allocation

Ce ne sont pas seulement les programmes qui tournent sous DOS qui exploitent les fonctions d'allocation et de libération de la mémoire. DOS lui-même en fait usage dans le module de chargement EXEC. Lorsqu'un programme doit être chargé et lancé, le chargeur EXEC commence par réserver la mémoire dans laquelle il va stocker le programme.

L'espace réclamé dépend du type de programme concerné. Pour les programmes COM, c'est l'intégralité de la mémoire vive qui est exigée. Pour les programmes EXE, la taille découle d'une indication portée dans l'en-tête du fichier EXE. Dans tous les cas, le chargeur ne peut mener à bien son travail que s'il obtient suffisamment de mémoire de DOS. Sinon il interrompt sa tâche en émettant le message bien connu :

```
Insufficient memory (mémoire insuffisante)
```

Le chargeur n'est pas seul à réclamer de la mémoire, les programmes chargés ont aussi des exigences. Beaucoup ne se satisfont pas de la mémoire accordée par le chargeur, parce qu'ils n'ont pas suffisamment de place pour ranger toutes leurs variables et leurs buffers dans les segments de données et de code prévus initialement. En effet la taille de l'espace à consacrer aux variables et aux buffers se décide souvent au moment de l'exécution, à la suite de diverses saisies effectuées par l'opérateur ou sous l'influence de toutes sortes de facteurs imprévisibles.

Allocation de mémoire par la fonction 48h

Un programmeur en langage évolué n'a pas trop à se tracasser à propos de l'allocation dynamique de la mémoire. Le langage qu'il pratique lui facilite la tâche en prévoyant la gestion de qui est appelé le "tas". Mais le développeur qui travaille en assembleur n'a pas d'autre choix que de collaborer avec DOS pour réserver un bloc mémoire. Il se servira à cet effet de la fonction 48h, qui reste la seule possibilité de demander de la RAM à DOS. Pour mettre

en service cette fonction, il faut lui communiquer le numéro 48H dans le registre AH et la taille requise dans BX.

Ce dernier paramètre doit se présenter non pas en nombre d'octets mais en nombre de paragraphes. Un paragraphe valant 16 octets, on voit que la mémoire ne peut se gérer que par multiple de 16 octets. La taille minimale d'un bloc est de 16 octets (BX=1) et la taille maximale de 1 Mo (BX=FFFFh). Notez qu'il n'est pas réaliste de demander 1 Mo à DOS car en mode réel la mémoire disponible n'a pas cette ampleur. Même une demande de 640, 512 voire 400 Ko sera excessive car il ne faut pas oublier que DOS et les drivers consomment eux-mêmes une partie de la mémoire. Sans parler des programmes résidents qui présentent la particularité de ne pas restituer la mémoire lorsqu'ils ont été exécutés, demeurant par définition résidents.

Comme DOS ne peut pas toujours répondre aux désirs exprimés à travers la fonction 48h, tout appel à cette fonction doit être accompagné d'un examen soigné de l'indicateur de retenue. S'il est à 1, la mémoire réclamée n'était pas disponible. Le registre BX donne alors la taille de la mémoire effectivement disponible. Comme on peut s'y attendre, cette taille est exprimée en paragraphes, c'est-à-dire qu'il faut la multiplier par 16 pour la convertir en octets.

Si la taille retournée par BX suffit à satisfaire le programme, la fonction 48h doit être rappelée avec cette valeur : elle obtiendra ainsi la totalité de la mémoire présentement disponible. Dans cette situation, il ne fait aucun doute que l'indicateur de retenue sera désarmé. AX contient alors l'adresse de segment du bloc mémoire que DOS a réservé à l'intention du programme demandeur. Ce bloc mémoire est alors sous le seul contrôle de son nouveau propriétaire, qui peut en faire l'usage qui lui plaît sans rendre de compte à personne.

Il faut cependant qu'il veille à respecter les limites de la taille allouée : ce n'est pas forcément l'intégralité du segment dont l'adresse a été renvoyée par la fonction 48h. Si par exemple un seul paragraphe a été demandé, le bloc s'étend de l'adresse AX:0000 à AX:000F et n'occupe donc que 16 octets du segment. Si un nombre plus élevé de paragraphes avait été demandé, le bloc aurait été plus long mais commencerait toujours à l'adresse de segment retournée avec l'offset 0000h.

Que se passe-t-il si on demande plus de 4096 paragraphes ce qui représente plus de 64 Ko ? Dans ce cas le bloc alloué occupe la totalité du segment, de AX:0000 à AX:FFFF et il peut même déborder sur les segments suivants.

Par principe le nouveau propriétaire du bloc alloué n'a le droit d'utiliser que la partie du segment qui lui a été expressément confiée. Tout espace situé au-delà de cette limite peut être attribué à d'autres programmes. Le non-respect de ce principe entraînerait selon toute vraisemblance un plantage du système.

Détermination de la mémoire disponible

Etant donné ses caractéristiques, la fonction 48h ne sert pas seulement à allouer de la mémoire mais aussi à renseigner un programme sur la mémoire disponible. DOS en effet ne possède pas d'autre fonction spécialisée dans cette interrogation. On opère alors de la façon suivante. Il faut charger la valeur 0FFFFh dans le registre BX pour demander un bloc mémoire de 1 Mo. DOS est incapable par nature de satisfaire une telle exigence. C'est pourquoi la fonction retourne dans le registre BX le nombre de paragraphes libres, d'où l'on déduit facilement le décompte en octets de la mémoire disponible.

Libération de mémoire par la fonction 49h

Dès qu'un bloc mémoire n'est plus indispensable, il doit être libéré à l'aide de la fonction 49h. Cette règle est à respecter impérativement à la clôture d'un programme qui a demandé

des blocs au moyen de la fonction 48h. En cas de non-respect, la mémoire abandonnée ne peut plus être réaffectée. Résultat final potentiel : les autres programmes peuvent ne plus avoir assez de mémoire pour tourner. Seul un redémarrage à chaud du système est susceptible de mettre fin à ce malheur.

En plus du numéro de la fonction à mettre dans AH, il faut communiquer à la fonction l'adresse de segment du bloc mémoire en la stockant dans ES. Il suffit d'utiliser à cette fin la valeur renvoyée en AX au moment de l'allocation du bloc.

Si le bloc mémoire a pu être libéré avec succès, la fonction 49h rend la main à l'appelant en mettant à 0 l'indicateur de retenue. Le bloc mémoire revient alors sous le contrôle de DOS et il ne peut plus être manié par le programme dans la suite de son exécution. Si l'indicateur de retenue est à 1 à l'issue de l'appel, c'est qu'une erreur est survenue. Plusieurs phénomènes peuvent en être la cause, ils sont précisés par un code erreur placé en AX.

Si ce code vaut 9, l'adresse de segment communiquée est inexacte. Il n'y a pas de bloc mémoire précédemment alloué à cette adresse. Il est tout à fait possible que le bloc en question ait bien été en possession du programme mais il a peut être déjà été libéré. Il faut donc vérifier si la désallocation n'a pas été dupliquée.

Une autre erreur commune est signalée par le code 7 qui indique qu'un incident est survenu dans la gestion interne de la mémoire de DOS. Les responsables tout désignés sont généralement les programmes qui débordent de leur territoire et écrasent des blocs en y écrivant des données sans autorisation. Dans ce cas, la mesure à prendre consiste à terminer le programme en cours de la façon habituelle mais il est conseillé à l'utilisateur de redémarrer ensuite le système.

Modification de la taille des blocs mémoire

La troisième fonction de gestion de la mémoire est la fonction 4Ah qui se charge de modifier la taille de blocs déjà alloués. Il est possible de les réduire ou de les augmenter. Mais évidemment en cas d'augmentation on risque de se voir opposer un refus en cas d'insuffisance de la mémoire disponible.

La fonction 4Ah demande qu'on lui communique en AH son numéro et en ES l'adresse de segment du bloc à modifier. Il faut par ailleurs mettre dans BX la nouvelle taille choisie pour le bloc, évaluée en paragraphes. Au retour de l'appel , les registres ont la même signification que dans le cas de la fonction 48h. En cas d'échec, DOS indique dans BX le maximum de paragraphes réservables. Bien entendu, cet incident ne peut se produire que dans le cadre d'une demande d'augmentation de la taille du bloc, une réduction étant par nature toujours possible.

24.2. TPA et UMB

Jusqu'à la version 5.0 de DOS la mémoire attribuée par la fonction 48h provenait exclusivement de la zone dite "Transient Program Area" = TPA, zone des programmes transitoires. Il s'agit là de l'espace qui s'étend de l'extrémité du noyau résident de DOS jusqu'à la frontière de 640 Ko. Si l'ordinateur possède moins de 640 Ko, la TPA est encore plus réduite mais de nos jours cette situation est plutôt rare.

La mémoire vive conventionnelle s'arrête normalement à la frontière des 640 Ko, car c'est là que commence l'espace réservé dans un PC à la mémoire d'écran, à la ROM du BIOS et aux autres extensions en ROM. Le cadre de page d'une carte EMS est aussi hébergé dans cette zone. Les ordinateurs qui disposent de plus de 1 Mo sont généralement construits de telle sorte que 640 Ko de mémoire vive sont disposés en-deçà de la frontière des 640 Ko tandis que les 384 Ko restants sont établis derrière la limite de 1 Mo.

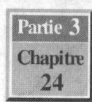

Davantage de mémoire grâce aux blocs de mémoire supérieure

Les octets ainsi déplacés ne sont pas accessibles à DOS en mode réel, mais de toute façon entre les limites de 640 Ko et 1 Mo ils ne lui auraient servi à rien, du moins avant la version 5.0 de DOS. Mais à partir de cette version, DOS gère les "Upper Memory Blocks" (UMB) ou blocs de mémoire supérieure, qui sont précisément situés à cet endroit. Il faut dire qu'en général le domaine compris entre 640 Ko et 1 Mo n'est pas complètement occupé par la mémoire d'écran et les ROM. Entre les différentes cartes connectées il existe de nombreux interstices qui peuvent être affectées à de la mémoire vive.

Cette mémoire est extrêmement précieuse pour les programmes DOS car contrairement à la mémoire étendue située au-delà de la limite de 1 Mo, elle peut être exploitée sans problème en mode réel. Car un programme ne se préoccupe pas de DOS de savoir si la mémoire dont il dispose est située avant ou après la limite des 640 Ko : ce qui compte c'est qu'elle soit implantée en-dessous de la limite de 1 Mo.

La mémoire UMB est créée de diverses manières :

○ par des dispositifs logiciels, comme par exemple dans le cas des cartes NEAT qui détournent de la RAM issue de la mémoire étendue dans le domaine UMB
○ par des cartes UMB équipées spécialement de RAM et qui affectent cette mémoire au domaine UMB du PC
○ par des programmes de gestion de la mémoire, tels que EMM386.EXE, 386-TO-The-Max ou QEMM qui déplacent de la mémoire étendue dans le domaine UMB.

C'est surtout cette dernière méthode qui se répand depuis le bon accueil réservé à DOS 5.0. Cette dernière version de DOS contient en effet un driver EMM386.EXE qui convient à tous les ordinateurs équipés de processeurs i386 ou i486.

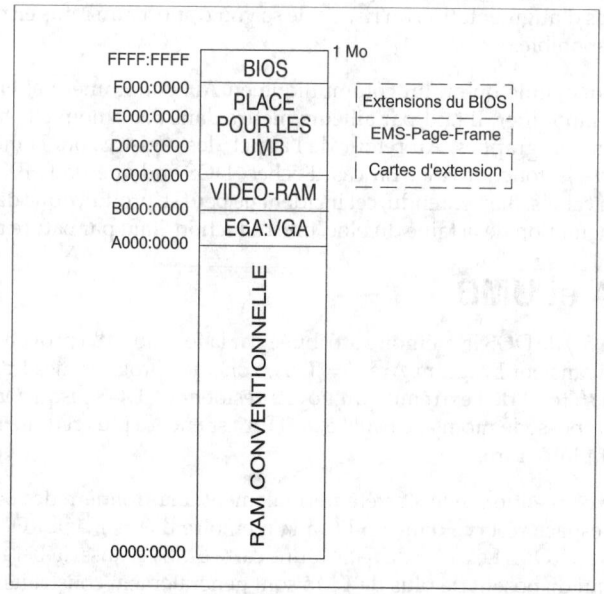

Les blocs de mémoire supérieure (UMB) dans l'espace mémoire du PC

La quantité exacte de mémoire disponible au titre des UMB dépend de la configuration de chaque PC, c'est-à-dire de sa mémoire vidéo, des cartes d'extension connectées et de la ROM du BIOS. Elle peut aller jusqu'à 260 Ko mais se réduit parfois à 64 Ko. Indépendamment de sa taille, cette mémoire est souvent très fragmentée, contrairement à la mémoire située en dessous des 640 Ko. Il ne faut pas oublier en effet que par principe on comble des interstices.

Pour que DOS exploite les UMB, il faut exécuter l'instruction

```
DOS=HIGH, UMB
```

ou

```
DOS=LOW,UMB
```

dans le fichier CONFIG.SYS. Une fois qu'il a rencontré cet ordre, DOS part à la recherche d'un driver XMS chargé de lui fournir les blocs UMB. Ainsi DOS ne se préoccupe pas lui-même de rechercher les emplacements physiques ouverts, c'est un driver du type EMM386 qui relève ce défi. L'avantage de cette démarche est évident car DOS peut alors travailler aussi bien avec des cartes NEAT qu'avec n'importe quel programme de gestion de la mémoire, quelle que soit la manière dont ils trouvent les blocs UMB.

Il faut cependant que les drivers soutiennent le standard XMS que suit DOS appeler des UMB. Une fois le système d'exploitation lancé, DOS contrôle complètement la distribution des UMB et c'est à lui de répartir équitablement cette mémoire entre les drivers de périphériques, les programmes résidents et les applications.

Des commandes spéciales du genre DEVICEHIGH ou LOADHIGH provoquent le chargement en mémoire supérieure c'est-à-dire dans les UMB des drivers de périphériques ou programmes de DOS, pour peu évidemment que la possibilité existe. Du fait de la fragmentation de la mémoire supérieure, cette tâche n'est pas toujours facile. Même si l'espace disponible est important il est souvent encombré par la présence en son milieu de ROM ou de quoi que ce soit d'autre.

Ce sont surtout les petits programmes résidents et les drivers de périphériques qui sont d'excellents candidats à l'hébergement en mémoire supérieure.

Incorporation des UMB dans la gestion ordinaire de la mémoire

La mémoire supérieure n'entre pas seulement en service lorsque les programmes de DOS ou les drivers la réclament par DEVICEHIGH ou LOADHIGH. Elle peut être incorporée dans la gestion usuelle de la mémoire de sorte qu'un appel de la fonction 48h permet d'obtenir un bloc de mémoire supérieure. Ces blocs sont reconnaissables à leur adresse de segment qui est supérieure à A000h (équivalent de 640 K en hexadécimal).

La fonction 58h offre quatre options pour piloter l'inclusion des blocs de mémoire supérieure dans la gestion usuelle de la mémoire. Les deux premières options numérotées 00h et 01h existent déjà depuis la version 2.0 de DOS, tandis que les options 02h et 03h n'ont été introduites qu'à partir de la version 5.0.

Option	Signification
00h	Lit la stratégie d'allocation
01h	Fixe la stratégie d'allocation
02h	Teste si les blocs de mémoire supérieure sont incorporés
03h	Demande l'incorporation des blocs de mémoire supérieure

L'option 03h permet de demander à DOS d'inclure les UMB lorsqu'une allocation est demandée par la fonction 48h. Cette mesure est d'autant plus recommandée que la mémoire requise par un programme est plus importante.

Pour appeler l'option 03h de la fonction 58h, chargez la valeur 5802h dans le registre AX et la valeur 0 ou 1 dans BX. 1 veut dire que vous souhaitez incorporer les UMB, tandis que 0 restreint l'usage de la mémoire à la partie conventionnelle située en-dessous des 640 Ko.

Mais avant de déclencher cet appel, il est sage de lire l'état présent de l'allocation de la mémoire supérieure, pour pouvoir la rétablir à la fin de votre programme. Vous vous servirez à cet effet de l'option 02h de la fonction 58h. Il faut charger la valeur 5802h dans AX, il n'y a pas d'autre argument. Une fois la fonction exécutée, vous trouverez dans le registre AL une valeur de 0 ou de 1 qui s'interprète comme dans le cas de l'option 03H.

Après avoir appelé l'une ou l'autre des deux options citées, il est recommandé de tester l'indicateur de retenue. N'oubliez pas que ces nouveautés n'existent que depuis DOS 5.0 et qu'elles nécessitent la présence dans le fichier de configuration CONFIG.SYS d'une ligne spéciale.

S'il se trouve que l'indicateur de retenue est à 1, c'est que l'une des deux conditions mentionnées n'est pas satisfaite : les blocs de mémoire supérieure ne sont donc pas gérés.

Pour exploiter la mémoire supérieure de votre ordinateur, il est préférable de mettre en service des petits blocs mémoire. Si vous réclamez plusieurs blocs contigus avec des centaines de Ko, vous ne les trouverez que rarement en mémoire supérieure. Par contre vous pourrez y exploiter avec profit une multitude de petits blocs. Au lieu de demander un bloc de 50 Ko, essayez plutôt de vous restreindre à 5 blocs de 10 Ko si votre algorithme le permet.

La stratégie d'allocation

Depuis la version 2.0 DOS est capable de suivre une stratégie d'allocation paramétrable par l'option 01h de la fonction 58h. La stratégie dont il est question ici concerne la recherche des blocs libres. Il existe trois codes possibles :

Code	Signification
00h	Recherche par le bas
01h	Recherche du meilleur ajustement
02h	Recherche par le haut

Les codes 00h et 02h sont faciles à comprendre. Lorsqu'il part en quête d'un bloc libre, DOS commence sa recherche tout en haut ou tout en bas de la mémoire vive. Il réserve le nombre demandé de paragraphes dans le premier bloc qui se présente avec une taille suffisante.

Le code 01h permet d'optimiser l'allocation. DOS parcourt l'intégralité de la mémoire et y recherche un bloc libre dont la taille soit exactement celle qui est requise, ou à défaut légèrement supérieure, mais le moins possible. Cette stratégie sous-entend que la mémoire est souvent fragmentée, notamment lorsque des programmes résidents restituent de la mémoire avant de s'installer définitivement. Il en résulte des morceaux de mémoire épars qui ne sont pas très importants.

Si un programme n'a besoin que de petits blocs, il est judicieux de les rechercher dans les parties fragmentées qui autrement ne seraient plus utiles, plutôt que d'entamer un grand bloc précieux.

Le code choisi pour la stratégie d'allocation est à mémoriser dans le registre BL. En plus des trois codes mentionnés plus haut, signalons que le bit 7 du registre BL, exploité indépendam-

ment du code, joue également un rôle important. Il décide si la recherche des blocs libres doit commencer par les UMB ou à l'intérieur de la TPA. Si l'on opte pour la première alternative, il faut mettre le bit à 1, ce qui n'a vraiment de sens que si la mémoire supérieure est incluse dans la gestion générale de la mémoire par l'option 03h.

L'option 00h permet de prendre connaissance de la stratégie d'allocation courante. Le résultat, c'est-à-dire le code de la stratégie, est retourné dans le registre AL. A partir de DOS 5.0, il faut également tenir compte du bit 7 qui indique si la recherche des blocs libres commence ou non en mémoire supérieure.

24.3. Visualisation de l'allocation mémoire

Pour vous permettre d'observer concrètement comment DOS alloue et libère la mémoire, j'ai mis au point deux programmes appelés MEMDEMOP.PAS et MEMDEMOC.PAS qui ont des fonctions et des structures pratiquement identiques.

L'un et l'autre ont pour préoccupation d'allouer, de libérer et de modifier des blocs mémoire à l'aide des fonctions DOS 48h, 49h et 4Ah, tout en affichant leur situation. Comme l'écran est trop petit pour donner une image complète de la TPA et des blocs de mémoire supérieure, le programme se consacre à deux zones bien précises : une zone de 160 Ko dans la TPA et une autre de 40 Ko dans la mémoire supérieure.

Cette restriction est rendue possible parce qu'en début de programme les deux zones sont allouées comme deux blocs contigus. Ensuite toute la mémoire restante est allouée sous forme de blocs de 1 Ko. Il n'existe alors plus aucun bloc libre qui atteigne 1 Ko, ni dans la TPA ni dans la mémoire supérieure. Mais pourquoi cette valeur de 1 Ko ? Attendez, vous allez comprendre dans un moment.

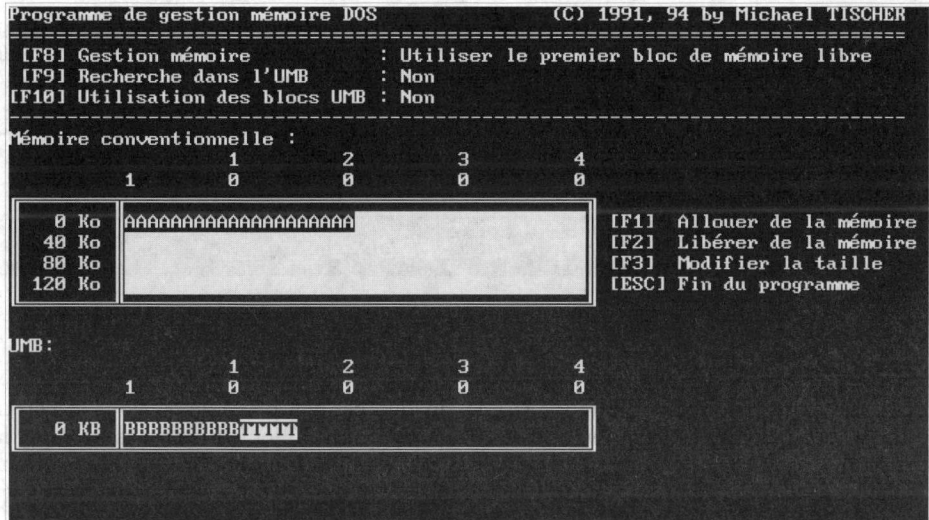

Comment les programmes MEMDEMOP et MEMDEMOC visualisent l'allocation de la mémoire

L'étape suivante consiste à libérer à nouveau les deux grands blocs. Ils constituent alors les seules zones dans lesquelles DOS peut allouer de la mémoire, pour peu que la requête atteigne ou dépasse 1 Ko, à quoi s'appliquent précisément les deux programmes.

En réalité c'est l'utilisateur qui demande et libère de la mémoire. Les touches <F1> et <F3> sont préposées à cet usage, comme l'explique la légende de la figure. Quand on actionne ces touches le programme demande quel est le bloc concerné. Les blocs sont référencés par les lettres de A à Z, sans distinction entre majuscule et minuscule. Il existe donc 26 blocs à la disposition de l'utilisateur.

Indiquez la lettre souhaitée et tapez <Entrée>. Pour allouer de la mémoire, il faut indiquer une lettre correspondant à un bloc libre. Inversement, pour libérer ou modifier la taille d'un bloc il faut mentionner une lettre rattachée à un bloc alloué.

Lorsque vous allouez, agrandissez ou réduisez un bloc, le programme vous demande la taille souhaitée en Ko. Tapez le nombre que vous désirez et clôturez par <Entrée>.

Après ces opérations l'un et l'autre programme redessinent la fenêtre centrale de l'écran qui représente l'occupation de la mémoire. Chaque zone de la mémoire occupée par un bloc se signale par la lettre attachée à ce bloc. Les zones non allouées restent vierges. Chaque caractère dans les deux fenêtres correspond à 1 Ko de la TPA ou de la mémoire supérieure, ce que rappelle l'échelle affichée en bordure.

La fenêtre des UMB n'apparaît que si une zone de 40 Mo a réellement pu être réservée dans la mémoire supérieure. Si elle est absente, cela signifier que votre système ne gère pas les blocs de mémoire supérieure ou qu'il ne s'est trouvé aucun espace en un seul tenant de 40 Ko dans la mémoire supérieure.

Le mécanisme de l'allocation devient particulièrement intéressant à observer lorsque vous jouez un peu avec les touches <F1>, <F2> et <F3>. Comme vous le voyez dans la partie supérieure de l'écran, vous pouvez choisir la stratégie de l'allocation et décider ou non de l'inclusion de la mémoire supérieure. A chaque fois que vous appuyez sur la touche concernée, l'état courant est inversé.

En changeant la stratégie d'allocation et la décision d'inclusion, vous pouvez voir très distinctement comment les blocs sont établis dans la partie haute ou basse de la mémoire disponible et s'ils sont pris dans la TPA ou dans la mémoire supérieure.

Pour terminer l'un ou l'autre programme, appuyez simplement sur la touche <Esc>. Toute la mémoire précédemment allouée est alors libérée.

MEMDEMOP.PAS   MEMDEMOC.C

24.4.   Les coulisses de la gestion mémoire

Si vous jetez un coup d'oeil attentif sur la fin des listings précédents, vous y verrez apparaître l'acronyme MCB qui veut dire "Memory Control Bloc" (Bloc de contrôle de la mémoire). Ces MCB jouent un rôle central dans la gestion interne de DOS. Nous allons étudier ce point dans le présent chapitre, ce qui revient à pénétrer véritablement dans les coulisses de l'activité de DOS.

La gestion des zones de mémoire allouées par les MCB

Pour gérer les zones de mémoire allouées par la fonction 48h de DOS, le système met un MCB à la tête de chaque bloc. Il occupe 16 octets, débute toujours à une adresse d'offset divisible par 16 et précède immédiatement la zone allouée.

Les fonctions DOS travaillent toujours avec l'adresse de segment des zones allouées, mais il est facile de déterminer le segment du MCB en diminuant cette adresse de 1.

Organisation d'un MCB en mémoire		
Adresse	**Fonction**	**Type**
+00h	ID ("Z" = dernier MCB, "M" = à suivre)	1 BYTE
+01h	adresse de segment PSP	1 WORD
+03h	taille des paragraphes en mémoire	1 WORD
+05h	non utilisé	11 BYTE
+10h	espace mémoire alloué	x PARAG
Longueur : 16 + taille de l'espace mémoire alloué		

Comme le montre le tableau ci-dessus, le MCB se compose de trois champs. Le premier d'entre eux contient l'une des initiales du dénommé Mark Zbikowski, un développeur de MS-DOS qui s'est amusé à immortaliser son nom. "M" indique que le présent MCB est suivi d'autres MCB, alors que "Z" signale qu'il s'agit du dernier MCB dans la mémoire.

Le deuxième champ est le segment du PSP du programme propriétaire. Ce champ n'est significatif que si la zone allouée fait partie de l'environnement d'un programme référencé par son PSP. Car avant de charger un programme la fonction EXEC alloue dans tous les cas une zone de mémoire séparée pour y stocker le bloc d'environnement du programme.

Si la zone de mémoire est un PSP, le deuxième champ d'un MCB pointera la plupart du temps sur la zone elle-même.

Le troisième champ du MCB est beaucoup plus intéressant. Il indique la taille en paragraphes de la zone de mémoire introduite. Comme le prochain MCB suit immédiatement la zone allouée, le nombre contenu dans ce champ est égal à la distance jusqu'au prochain MCB diminuée de 1. Chaque MCB pointe donc sur le suivant : il en résulte une liste chaînée qu'il suffit de parcourir pour détecter tous les MCB existants.

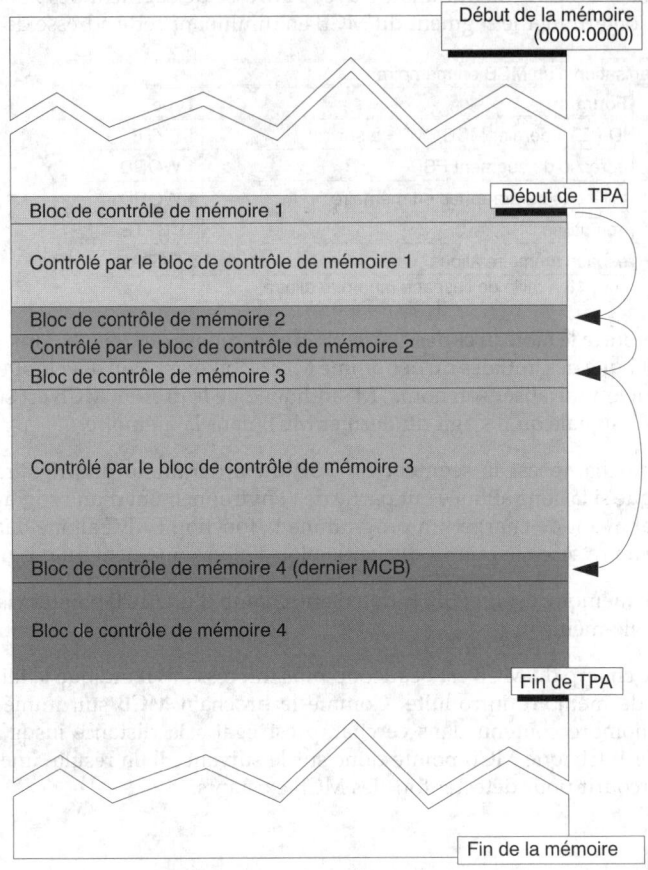

Début de la mémoire
(0000:0000)

Début de TPA

Bloc de contrôle de mémoire 1

Contrôlé par le bloc de contrôle de mémoire 1

Bloc de contrôle de mémoire 2
Contrôlé par le bloc de contrôle de mémoire 2
Bloc de contrôle de mémoire 3

Contrôlé par le bloc de contrôle de mémoire 3

Bloc de contrôle de mémoire 4 (dernier MCB)

Bloc de contrôle de mémoire 4

Fin de TPA

Fin de la mémoire

Gestion de la mémoire par les MCB

Entrée dans la liste des MCB

Pour pouvoir se déplacer dans la liste des MCB, il faut d'abord en trouver un point d'entrée. L'adresse du premier MCB en mémoire est tenue à jour par DOS dans une structure interne appelée DIB (DOS Information Bloc) ou bloc d'information DOS. Normalement ce DIB n'est pas accessibles aux programmes. Mais l'adresse de la structure peut être recherchée par le moyen de la fonction non documentée 52h qui renvoie un pointeur sur le DIB dans les registres appariés ES:BX.

Curieusement le pointeur ainsi obtenu ne référence pas le premier champ du DIB mais le second ! Mais le renseignement qui nous intéresse, à savoir l'adresse du premier MCB, se trouve justement dans le premier champ du DIB. Le pointeur se compose fort naturellement d'un segment et d'un offset, ce qui fait 4 octets. Il se trouve donc à l'adresse ES:[BX-4].

Cette indication est à exploiter avec beaucoup de précautions. On pourrait croire qu'il suffit de retrancher 4 du contenu du registre BX pour obtenir en ES:BX l'adresse effective de l'information recherchée. Mais tel n'est le cas que si l'offset en BX est supérieur ou égal à 4. Si l'offset est inférieur, la soustraction de 4 donne un nombre négatif, ce qui cause une erreur d'adressage. En effet il n'existe pas d'adresse négative !

Voici un exemple pour mettre en évidence le problème. Si le registre BX contient le nombre 0 comme offset du DIB, la soustraction de 4 donne 0FFFCh. Dans le cadre d'une opération arithmétique, ce nombre est interprété comme -4. Mais utilisé comme adresse, 0FFFCh est considéré comme un nombre non signé, représentant une mémoire tout au bout du segment du DIB. Il est clair qu'on ne trouvera pas l'information escomptée à cet endroit et qu'on ne pourra pas entrer ainsi dans la liste des MCB.

Programmes d'exemple

Les trois programmes suivants écrits en BASIC, Pascal et C suivent la liste chaînée des MCB et affichent leur contenu. Leur logique est suffisamment raffinée pour leur permettre de distinguer les zones qui mémorisent l'environnement d'un programme de celles qui contiennent un PSP ou d'autres informations.

La technique utilisée consiste à progresser à travers la mémoire de MCB en MCB pour analyser les zones rencontrées. Pour passer d'un MCB au suivant, il suffit de se servir du troisième champ d'un MCB qui permet de construire un pointeur sur le MCB suivant. Il en résulte une boucle qui est parcourue jusqu'au dernier MCB dont le champ d'identification contient le caractère "Z".

Chaque MCB ainsi exploré donne quelques informations d'état sur lui-même et sur la zone de mémoire qu'il gère. Ce sont plus précisément :

O   le numéro du MCB
O   son adresse en mémoire
O   l'adresse de la zone de mémoire générée par le MCB
O   le contenu du champ d'identification ("M" ou "Z")
O   l'adresse du PSP associé (indépendamment de son existence effective)
O   la taille de la zone de mémoire associée en paragraphes et octets

Affichage d'un bloc d'environnement

Une fois les informations recueillies, la zone de mémoire associée est examinée. Le programme teste d'abord s'il s'agit d'un bloc d'environnement. Tel est le cas si au début de la zone de mémoire se trouve la chaîne COMSPEC= qui introduit tout bloc de ce type.

Si la chaîne en question est découverte le programme se met à lire les différentes chaînes d'environnement. La tâche est facile car chacune de ces chaînes se présente en format ASCII et se termine par un caractère nul. Si à la suite d'une chaîne on retrouve un autre caractère nul, c'est qu'on a atteint la fin de la chaîne d'environnement.

Jusqu'à la version 3.0 de DOS, c'étaient là les seules informations à tirer du bloc d'environnement. Mais depuis la version 3.1 la dernière chaîne du bloc est suivie d'une information très intéressante, à savoir le nom du programme auquel appartient le bloc. Ce nom se présente avec le chemin d'accès complet au répertoire d'où a été lancé le programme.

Notez cependant qu'entre le caractère nul qui termine le bloc et le début de la chaîne du nom du programme se trouve un mot. Ce mot, terminé par un caractère nul, doit contenir la valeur 0001h pour que le nom du programme soit valable.

PSP ou non ?

Si la zone de mémoire n'est pas reconnue comme un bloc d'environnement, il peut s'agir d'un PSP, d'un programme transitoire ou résident. Le test consiste à lire les deux premières mémoires de la zone : en tête de chaque PSP se présentent les instructions machine INT 20h (code 0CDh, 020h).

Si ce test ne donne rien, il n'est pas possible de savoir si la zone de mémoire contient des instructions, des données ou quoi que ce soit d'autre. Pour vous permettre de vous faire votre idée personnelle à ce sujet, le programme affiche les premiers 80 octets de la zone sous forme de "dump" hexadécimal et ASCII.

Une fois que l'utilisateur a répondu à l'invitation qui lui est faite de taper une touche, le MCB suivant est examiné et le programme se termine lorsque le dernier MCB a été atteint.

Exemple d'affichage du programme

Pour vous aider à interpréter les affichages obtenus, les pages suivantes vous en donnent un exemple obtenu avec le programme en C sur l'ordinateur de l'auteur. Vous trouverez un peu plus loin une explication individuelle des différents MCB.

```
MCBC (c) 1988 by Michael Tischer

Numéro de MCB = 1
Adresse MCB   = 09C8:0000
Adr. mémoire  = 09C9:0000
ID            = M
Adresse PSP   = 0008:0000
Taille        = 1554 paragraphes ( 24864 octets )
Contenu       = non identifiable (programme ou données)

DUMP | 0123456789ABCDEF    00 01 02 03 04 05 06 07 08 09 0A 0B 0C 0D 0E 0F
---|-------------------15 1----
0000 | n p Ç! , $CLOCK     6E 01 70 00 08 80 21 00 2C 00 24 43 4C 4F 43 4B
0010 |    Ç                20 06 03 80 02 1F 1D 1F 1E 1F 1E 1F 1F 1E 1F 1E
0020 |  .ë  .î    PSQR     1F 2E 89 1E 11 00 2E 8C 06 13 00 CB 50 53 51 52
0030 | WVU £η  -  &ê]      57 56 55 1E 06 9C FC 0E 1F C4 3E 11 00 26 8A 5D
0040 | Ç√ t!Ç√ tJ ▌u Θ 20  02 80 FB 04 74 21 80 FB 08 74 4A 0A DB 75 03
E9
--------------- Veuillez frapper une touche ---
Numéro de MCB = 2
Adresse MCB   = 0FDB:0000
Adr. mémoire  = 0FDC:0000
ID            = M
Adresse PSP   = 0FDC:0000
Taille        = 231 paragraphes ( 3696 octets )
Contenu       = PSP (suivi d'un programme)
--------------- Veuillez frapper une touche ---
Numéro de MCB = 3
Adresse MCB   = 10C3:0000
Adr. mémoire  = 10C4:0000
ID            = M
Adresse PSP   = 0000:0000
Taille        = 3 paragraphes ( 48 octets )
Contenu       = non identifiable (programme ou données)
```

```
DUMP | 0123456789ABCDEF     00 01 02 03 04 05 06 07 08 09 0A 0B 0C 0D 0E 0F
---|-------------------------------------------------------------------------------
0000 |                      00 01 00 00 00 00 00 CB 00 00 00 00 FF FF FF FF FF
0010 |                C     FF FF FF FF FF FF FF FF FF FF FF FF FF FF FF FF 43
0020 | :\AUTOEXEC.BAT       3A 5C 41 55 54 4F 45 58 45 43 2E 42 41 54 00 00
0030 | M ■ 20               4D DC 0F 0A 00 00 00 00 00 00 00 00 00 00 00 00
0040 | COMSPEC=C:\COMMA      43 4F 4D 53 50 45 43 3D 43 3A 5C 43 4F 4D 4D 41
---------------------------- Veuillez frapper une touche ---
Numéro de MCB = 4
Adresse MCB    = 10C7:0000
Adr. mémoire   = 10C8:0000
ID             = M
Adresse PSP    = 0FDC:0000
Taille         = 10 paragraphes ( 160 octets )
Contenu        = environnement
Nom du progr. = inconnu
Chaînes d'environnement
          COMSPEC=C:\COMMAND.COM
          PATH=C:\;C:\DOS;C:\FONREV;E:\;D:\MSC\BIN
          INCLUDE=d:\msc\include
          LIB=d:\msc\lib
          TMP=d:\msc\tmp
          PROMPT=[$p]
---------------- Veuillez frapper une touche ---
Numéro de MCB = 5
Adresse MCB    = 10D2:0000
Adr. mémoire   = 10D3:0000
ID             = M
Adresse PSP    = 10DD:0000
Taille         = 9 paragraphes ( 144 octets )
Contenu        = environnement
Nom du progr. = C:\DOS\KEYB.COM
Chaînes d'environnement
          COMSPEC=C:\COMMAND.COM
          PATH=C:\;C:\DOS;C:\FONREV;E:\;D:\MSC\BIN
          INCLUDE=d:\msc\include
          LIB=d:\msc\lib
          TMP=d:\msc\tmp
------------------- Veuillez frapper une touche ---
Numéro de MCB = 6
Adresse MCB    = 10DC:0000
Adr. mémoire   = 10DD:0000
ID             = M
Adresse PSP    = 10DD:0000
Taille         = 341 paragraphes ( 5456 octets )
Contenu        = PSP (suivi d'un programme)
------------------- Veuillez frapper une touche ---
Numéro de MCB = 7
Adresse MCB    = 1232:0000
Adr. mémoire   = 1233:0000
ID             = M
Adresse PSP    = 123D:0000
Taille         = 9 paragraphes ( 144 octets )
Contenu        = environnement
Nom du progr. = C:\DOS\CED.COM
```

```
Chaînes d'environnement
        COMSPEC=C:\COMMAND.COM
        PATH=C:\;C:\DOS;C:\FONREV;E:\;D:\MSC\BIN
        INCLUDE=d:\msc\include
        LIB=d:\msc\lib
        TMP=d:\msc\tmp
―――――――――――――― Veuillez frapper une touche ――
Numéro de MCB = 8
Adresse MCB   = 123C:0000
Adr. mémoire  = 123D:0000
ID            = M
Adresse PSP   = 123D:0000
Taille        = 1030 paragraphes ( 16480 octets )
Contenu       = PSP (suivi d'un programme)
―――――――――――――― Veuillez frapper une touche ――
Numéro de MCB = 9
Adresse MCB   = 1643:0000
Adr. mémoire  = 1644:0000
ID            = M
Adresse PSP   = 164E:0000
Taille        = 9 paragraphes ( 144 octets )
Contenu       = environnement
Nom du progr. = C:\DOS\CACHE-AT.COM
Chaînes d'environnement
        COMSPEC=C:\COMMAND.COM
        PATH=C:\;C:\DOS;C:\FONREV;E:\;D:\MSC\BIN
        INCLUDE=d:\msc\include
        LIB=d:\msc\lib
        TMP=d:\msc\tmp
―――――――――――――― Veuillez frapper une touche ――
Numéro de MCB = 10
Adresse MCB   = 164D:0000
Adr. mémoire  = 164E:0000
ID            = M
Adresse PSP   = 164E:0000
Taille        = 1922 paragraphes ( 30752 octets )
Contenu       = PSP (suivi d'un programme)
―――――――――――――― Veuillez frapper une touche ――
Numéro de MCB = 11
Adresse MCB   = 1DD0:0000
Adr. mémoire  = 1DD1:0000
ID            = M
Adresse PSP   = 1DDC:0000
Taille        = 10 paragraphes ( 160 octets )
Contenu       = environnement
Nom du progr. = C:\DOS\KEYBUF.COM
Chaînes d'environnement
        COMSPEC=C:\COMMAND.COM
        PATH=C:\;C:\DOS;C:\FONREV;E:\;D:\MSC\BIN
        INCLUDE=d:\msc\include
        LIB=d:\msc\lib
        TMP=d:\msc\tmp
        PROMPT=[$p]
―――――――――――――― Veuillez frapper une touche ――
Numéro de MCB = 12
```

```
Adresse MCB    = 1DDB:0000
Adr. mémoire   = 1DDC:0000
ID             = M
Adresse PSP    = 1DDC:0000
Taille         = 27 paragraphes ( 432 octets )
Contenu        = non identifiable (programme ou données)


DUMP | 0123456789ABCDEF    00 01 02 03 04 05 06 07 08 09 0A 0B 0C 0D 0E 0F
---|-----------------------------------
0000 |  M M M M M M M M    00 4D 00 4D 00 4D 00 4D 00 4D 00 4D 00 4D 00 4D
0010 |  M M M M M M M M    00 4D 00 4D 00 4D 00 4D 00 4D 00 4D 00 4D 00 4D
0020 |  + 1 K K K K K K    2B 1B 31 02 00 4B 00 4B 00 4B 00 4B 00 4B 00 4B
0030 |  K K K K K K K K    00 4B 00 4B 00 4B 00 4B 00 4B 00 4B 00 4B 00 4B
0040 |  K K K K K K K K    00 4B 00 4B 00 4B 00 4B 00 4B 00 4B 00 4B 00 4B
--------------------- Veuillez frapper une touche --
Numéro de MCB = 13
Adresse MCB    = 1DF7:0000
Adr. mémoire   = 1DF8:0000
ID             = M
Adresse PSP    = 0FDC:0000
Taille         = 4 paragraphes ( 64 octets )
Contenu        = PSP (suivi d'un programme)
--------------------- Veuillez frapper une touche --
Numéro de MCB = 14
Adresse MCB    = 1DFC:0000
Adr. mémoire   = 1DFD:0000
ID             = M
Adresse PSP    = 1E08:0000
Taille         = 10 paragraphes ( 160 octets )
Contenu        = environnement
Nom du progr.  = D:\PCI\C\TC.EXE
Chaînes d'environnement
        COMSPEC=C:\COMMAND.COM
        PATH=C:\;C:\DOS;C:\FONREV;E:\;D:\MSC\BIN
        INCLUDE=d:\msc\include
        LIB=d:\msc\lib
        TMP=d:\msc\tmp
        PROMPT=[$p]
--------------------- Veuillez frapper une touche --
Numéro de MCB = 15
Adresse MCB    = 1E07:0000
Adr. mémoire   = 1E08:0000
ID             = M
Adresse PSP    = 1E08:0000
Taille         = 16200 paragraphes ( 259200 octets )
Contenu        = PSP (suivi d'un programme)
--------------------- Veuillez frapper une touche --
Numéro de MCB = 16
Adresse MCB    = 5D50:0000
Adr. mémoire   = 5D51:0000
ID             = M
Adresse PSP    = 5D5C:0000
Taille         = 10 paragraphes ( 160 octets )
Contenu        = environnement
Nom du progr.  = C:\TC\OBEX\MEMDEMO.EXE
```

```
Chaînes d'environnement
          COMSPEC=C:\COMMAND.COM
          PATH=C:\;C:\DOS;C:\FONREV;E:\;D:\MSC\BIN
          INCLUDE=d:\msc\include
          LIB=d:\msc\lib
          TMP=d:\msc\tmp
          PROMPT=[$p]
──────────────────── Veuillez frapper une touche ──
Numéro de MCB = 17
Adresse MCB   = 5D5B:0000
Adr. mémoire  = 5D5C:0000
ID            = M
Adresse PSP   = 5D5C:0000
Taille        = 4512 paragraphes ( 72192 octets )
Contenu       = PSP (suivi d'un programme)
──────────────────── Veuillez frapper une touche ──
Numéro de MCB = 18
Adresse MCB   = 6EFC:0000
Adr. mémoire  = 6EFD:0000
ID            = Z
Adresse PSP   = 0000:0000
Taille        = 12547 paragraphes ( 200752 octets )
Contenu       = non identifiable (programme ou données)

DUMP | 0123456789ABCDEF 20  00 01 02 03 04 05 06 07 08 09 0A 0B 0C 0D 0E 0F
───|───────────────────────────────────────────────────────────────────────
0000 | H  6   % ê   ¿      48 00 00 00 36 00 08 00 25 00 88 08 00 00 A8 00
0010 | (  v   û   '        28 04 1E 00 76 00 17 00 FF FF 96 08 00 00 27 0C
0020 | H  Q   û É .        48 1F 00 00 51 00 1E 00 FF FF 96 08 90 01 2E 05
0030 | HB 6   % û + B      48 42 00 00 36 00 08 00 25 00 96 08 EC 01 42 00
0040 | ( π v   ñ 20  E     28 0D E3 00 76 00 17 00 FF FF A4 08 00 00 45 0C
──────────────────── Veuillez frapper une touche ──
```

1   Le premier MCB n'a pu être identifié par le programme (l'adresse de PSP indiquée ne présente donc aucun intérêt) mais l'extrait de mémoire affiché permet de reconnaître son contenu. Dans la première ligne du dump ASCII figure le mot $CLOCK, qui est le nom sous lequel le DOS désigne le driver de l'horloge interne. Il semble effectivement qu'il s'agisse bien de la mémoire occupée par un driver de périphérique car la structure des 18 premiers octets correspond exactement à celle de l'en-tête d'un driver de périphérique. Il ne peut toutefois s'agir ici de l'un des drivers de DOS installés à demeure car ces derniers sont installés en dessous de la TPA (Transient Program Area), de sorte qu'il n'est pas nécessaire de leur allouer de la mémoire. Nous avons donc probablement un driver installé lors du lancement du système par le moyen d'une instruction DEVICE située à l'intérieur du fichier de configuration CONFIG.SYS. Il se trouve effectivement que le premier driver que j'ai installé dans ce fichier est le driver HEUREAT.SYS dont le nom de périphérique est justement $CLOCK. Ce driver n'occupe cependant que quelques Ko, alors que la zone de mémoire allouée s'étend bien au-delà. Il doit donc y avoir un autre code de programme ou d'autres données à la suite de ce driver. En examinant les 5 lignes du dump affichées par le programme, on s'aperçoit que ce driver est suivi de tous les autres drivers intégrés avec l'instruction DEVICE. La première zone de mémoire allouée est donc réservée par DOS dès le lancement du système (opération de Boot) pour recevoir les drivers de périphérique dans l'ordre où ils sont indiqués dans le fichier de configuration.

2 Cette zone de mémoire contient de toute évidence un programme. Comme elle n'est précédée d'aucun PSP qui pourrait en indiquer le nom, ce nom restera inconnu. La situation de ce programme dans la chaîne des MCB et dans la mémoire permet cependant de constater qu'il y a été placé peu après l'opération de lancement du système comme programme résident.

3 Il est impossible de formuler des affirmations sur le contenu de cette zone de mémoire. Soit elle a été réservée par un programme qui avait l'intention d'y placer des données par la suite, soit elle est tout simplement restée "en rade" lors de la libération de parcelles de la mémoire.

4 Il s'agit sans hésitation possible d'un environnement, mais le nom du programme correspondant fait défaut. Comme adresse du PSP on trouve 0FDC:0000. Il s'y trouve la zone de mémoire qui a été allouée à travers le MCB 2. Comme le MCB 2 est un PSP et le MCB 4 un environnement, on a tout lieu de supposer qu'on a ici affaire à un programme et à l'environnement correspondant. Le bloc d'environnement ne contenant pas de nom de programme, on peut supposer que le programme du MCB 2 n'a pas été chargé ni lancé car le moyen de l'interface utilisateur de DOS ni avec une instruction d'un fichier BATCH. Il semble plutôt que le MCB 2 représente la partie résidente de l'interpréteur de commandes COMMAND.COM qui aurait placé son environnement dans le MCB 4. En examinant le code programme du MCB 2 à l'aide d'un débogueur, on peut confirmer pleinement cette hypothèse.

5 On trouve ici l'environnement du programme KEYB.COM, qui permet de travailler avec un clavier français et qui est lancé dans le cadre de mon AUTOEXEC.BAT par l'instruction KEYB FR. Comme ce programme reste toujours en mémoire, c'est qu'il s'agit d'un programme résident.

6 Alors que le MCB 5 contient l'environnement du programme KEYB.COM, nous rencontrons ici sa mémoire (qui contient le PSP, les instructions et les données). La preuve en est que l'adresse du PSP dans le bloc d'environnement (MCB 5) désigne la zone de mémoire qui est gérée par ce MCB.

7,8 Ces deux zones de mémoire contiennent l'environnement et le PSP (code programme) du programme CED.COM invoqué dans mon fichier AUTOEXEC.BAT. Comme il se trouve toujours en mémoire, c'est qu'il s'agit visiblement d'un programme résident.

9,10 Mêmes explications que pour 7 et 8 mais concerne le programme CACHE-AT.COM.

11, 12 Nous retrouvons encore des zones de mémoire occupées par un programme (KEY-BUF.COM du chapitre xx) et son environnement. L'environnement peut être identifié clairement mais pas le PSP. En effet ce programme détourne son PSP de sa fonction originelle en l'employant comme buffer du clavier, écrasant ainsi l'appel d'interruption qui figurait au début du PSP. Or c'est justement cet appel qui nous sert à reconnaître un PSP. En conséquence, la zone de mémoire ne peut être identifiée comme PSP.

13 Le programme nous indique bien que nous avons affaire à un PSP mais il ne peut s'agir ici que du début d'un PSP, cette zone de mémoire comportant seulement 64 octets, alors qu'un PSP en occupe 256. Apparemment un PSP n'a pas été totalement libéré, de sorte qu'il en reste une partie en mémoire.

14,15 Le programme d'affichage des MCB ayant été écrit en C, je me trouvais à l'intérieur de l'environnement de Turbo C lorsque je l'ai lancé pour produire l'extrait décrit ici. C'est pourquoi l'environnement et les instructions du programme Turbo C figurent dans les MCB 14 et 15.

16,17   Pour obtenir un dump des MCB ou de la mémoire, le programme MEMDEMO a été compilé, linké et enfin exécuté à l'intérieur de l'environnement Turbo C. Turbo C a lancé l'exécution en appelant ce programme comme un processus subordonné, à l'aide du chargeur EXEC. Les zones de mémoire 16 et 17 ont donc été allouées par le chargeur EXEC pour l'exécution du programme. Une fois le programme terminé, elles ont dû être libérées.

18   Le dernier bloc de mémoire représente le reste de la mémoire non encore allouée. Dans ce cas précis, sa taille est de 200 Ko.

Les trois programmes qui suivent, écrits en Basic, Pascal et C, affichent le dump des MCB comme il a été présenté plus haut. Ces programmes se ressemblant beaucoup, tant dans leur logique que par les fonctions et variables utilisées, nous allons les décrire ensemble.

Seule la version en Basic présente quelques différences car la lecture de la mémoire ne peut pas s'y faire par des pointeurs FAR : il faut employer les instructions PEEK et DEF SEG.

Les programmes en C et Pascal accèdent à la mémoire à l'aide de pointeurs FAR car les zones de mémoire à adresser se situent en dehors de leur segment de données. Si les pointeurs sont automatiquement du type FAR sous Turbo Pascal, ce n'est le cas en C que si vous sélectionnez un modèle de mémoire approprié (Compact, Huge ou Large) ou si vous utilisez un opérateur de transtypage pour définir explicitement un pointeur FAR. C'est la seconde méthode que nous avons employée dans ce programme pour permettre une compilation même avec un modèle de mémoire travaillant de façon standard avec des pointeurs NEAR (Tiny, Small et Medium).

Notez qu'en C un problème se pose pour convertir en un pointeur FAR un segment et un offset obtenus séparément. Il existe heureusement une macro prédéfinie dans le fichier d'inclusion DOS.H de Turbo C, mais cette macro manque en Microsoft C. C'est pourquoi elle fait l'objet d'une définition spéciale pour prévenir son absence éventuelle. En Pascal, la conversion des adresses en pointeur FAR est effectuée à l'aide de la fonction prédéfinie PTR

Les deux listings sont commentés de façon suffisamment explicite pour que nous arrêtions là ces observations préliminaires.

MCBP.PAS   **MCBC.C**   **MCBB.BAS**

25.   La fonction EXEC

La fonction utilisée par DOS pour charger et exécuter des programmes est également disponible par le programmeur. En effet, les DOS-Shells à la Norton ou PC Tools ne sont pas les seuls qui ont besoin d'appeler un programme à partir d'un autre.

Ce chapitre décrit l'environnement de la fonction EXEC 4Bh que DOS propose pour réaliser cette tâche. Les programmeurs en langage évolué doivent noter ici qu'il existe des fonctions prédéfinies en Pascal et C qui peuvent être utilisées pour appeler des programmes et se servent de la fonction EXEC sur le plan interne. En tant que programmeur en langage évolué, tenez-vous donc prêt à travailler avec les blocs d'environnement, les lignes de commande et la restauration des registres de processeurs. Les pages suivantes décrivent ces diverses notions.

25.1.   Charger et lancer des programmes

Contrairement à la plupart des fonctions DOS toutes simples servant uniquement à sortir les caractères ou à lire un fichier, la fonction EXEC s'entoure d'une riche philosophie qu'il convient d'expliciter immédiatement.

La philosophie de la fonction EXEC

Etant donné que la fonction EXEC fait toujours intervenir deux programmes, on rencontre ici la terminologie des programmes père et enfant issue de l'anglais Father et Child. Le programme père représente le programme d'appel utilisant la fonction EXEC. Le programme d'appel s'appelle au contraire programme enfant lorsqu'il hérite d'une ou plusieurs routines similaires à celle de son père.

Sachant que DOS n'est pas un système multi-tâches et ne peut exécuter simultanément qu'un seul programme, l'exécution du programme père dépend donc d'un appel correct de la fonction EXEC. D'une manière très générale, cette fonction permet à un programme appelé père d'appeler un programme appelé enfant. Cet enfant sera chargé dans la mémoire à partir d'une mémoire de masse puis exécuté. Si ce programme ne s'installe pas lui-même comme résident, la place mémoire qu'il occupait est à nouveau libérée après son exécution. Le programme-enfant peut à son tour appeler un autre programme à l'aide de cette fonction, pour lequel il fera donc office de père. Ainsi peut se former une sorte de chaîne dont la longueur n'est limitée que par la taille de la mémoire RAM disponible.

L'interpréteur de commandes constitue un bon exemple d'application de cette fonction EXEC puisqu'il fait justement exécuter par celle-ci les programmes spécifiés par l'utilisateur, pour lesquels il représente le programme père. Certains programmes (comme WORD de Microsoft par exemple) permettent à l'utilisateur de faire exécuter des instructions du DOS à partir du programme, ce qui est également réalisé à l'aide de cette fonction.

Le programme-père peut aussi transmettre certains paramètres au programme-enfant. Cela peut être réalisé en transmettant ces paramètres dans la ligne d'instruction ou bien à l'aide du bloc d'environnement. Une troisième possibilité de transmission de paramètres consiste à transmettre au programme-enfant des informations à l'intérieur du PSP. Le programme-enfant est en effet précédé dans la mémoire d'un PSP, comme tous les autres programmes exécutables, et il est donc possible d'inscrire des informations dans les deux FCB figurant dans ce PSP. Ces informations seront ainsi rendues accessibles au programme-enfant. Nous reviendrons plus en détail sur ces trois possibilités dans le cadre de ce chapitre.

Hiérarchie du mode d'exploitation

Une fois que le contrôle a été transmis au programme-enfant, ce dernier peut accéder à tous les fichiers et périphériques qui ont été ouverts dans le programme-père ou plutôt dans un des programmes-pères à l'aide d'une fonction Handle. Un programme-enfant peut ainsi lire des informations ou bien en écrire dans un fichier dont il ne connaît même pas le nom, pourvu qu'il en connaisse le Handle. Or il ne peut connaître ce Handle que si ce numéro lui a été communiqué auparavant par le programme-père de l'une des trois façons que nous avons décrites, à moins que le programme-enfant ne se réfère à l'un des 5 Handles ouverts en permanence. Le pointeur de fichier est naturellement modifié par ces accès du programme-enfant. Cependant la valeur que revêtait ce pointeur de fichier lors de l'appel du programme-enfant n'est pas rétablie lorsque la main est rendue au programme-père et les accès au fichier sont donc aussi "visibles" pour ce dernier.

Transmission de codes d'erreur

Après exécution du programme-enfant, le contrôle est rendu au programme-père dont l'exécution se poursuit. Le programme-enfant peut transmettre une valeur numérique à la fin de son exécution pour communiquer certaines informations (notamment l'apparition d'une erreur au cours de l'exécution du programme-enfant) au programme-père. Cela peut être réalisé en appelant la fonction 4Ch qui permet de terminer un programme en transmettant en même temps un code au programme-père. Contrairement à l'appel de programme habituel, il ne s'agit pas du processeur de commande COMMAND.COM, mais la valeur de retour parvient toutefois au programme-père.

La communication entre les programmes père et enfant ne peut naturellement fonctionner que si tous deux parlent le même langage, c'est-à-dire s'ils ont la même compréhension de la signification de cette valeur. Une fois que le contrôle a été rendu au programme-père, ce dernier peut tester le code transmis à l'aide de la fonction 4Dh de l'interruption 21h. Pour appeler cette fonction, il suffit de placer le numéro de la fonction dans le registre AH. Après retour de la fonction, le registre AL contiendra alors le code de retour transmis par le programme-enfant.

Le contenu du registre AH indiquera en outre de quelle façon le programme-enfant a été quitté. La valeur 0 signifie une fin normale, 1 indique que le programme-enfant a été terminé en actionnant la touche <Ctrl>-<C> ou la touche <Ctrl>-<Pause>. Si une erreur est apparue au cours de l'exécution du programme-enfant à l'occasion d'un accès à une mémoire de masse et a entraîné l'arrêt du programme-enfant, le code 2 est transmis. La valeur 3 signale enfin que le programme-enfant a été terminé par un appel de la fonction 31h ou de l'interruption 27h et qu'il s'est donc installé lui-même comme résident.

Libération de la mémoire RAM

Comme nous l'avons indiqué plus haut, la fonction EXEC ne peut charger le programme-enfant que si la mémoire RAM disponible est suffisante. Avec les programmes EXE, le DOS parvient assez bien à évaluer la mémoire nécessaire. Par contre, avec les programmes COM, cela n'est pas possible. C'est pourquoi le DOS réserve pour tout programme COM la totalité de la mémoire RAM non encore occupée. En conséquence, un programme COM ne peut appeler un autre programme à l'aide de la fonction EXEC puisqu'il n'y a plus de place mémoire disponible. Il en va toutefois de même pour bon nombre de programmes EXE, bien que pour des raisons différentes. Si l'on veut malgré tout avoir recours à cette méthode d'appel d'un programme-enfant, il est nécessaire de libérer à nouveau la place mémoire qui n'est pas utilisée avant d'appeler la fonction EXEC.

Appel de la fonction EXEC

Pour appeler la fonction EXEC, les différents paramètres doivent être chargés dans les registres appropriés avant appel de l'interruption 21h. Le numéro de fonction doit être transmis comme d'habitude à travers le registre AH. Le registre AL doit recevoir la valeur 0 ou 3 suivant le mode d'appel de la fonction EXEC. 0 indique en effet à la fonction EXEC que le programme spécifié doit être chargé puis immédiatement exécuté. Si c'est au contraire la valeur 3 qui est transmise dans le registre AL, la fonction EXEC chargera le programme indiqué simplement comme un overlay, en le plaçant dans un emplacement du programme père défini d'avance (nous y reviendrons à la fin de cette section). L'adresse de deux paramètres est attendue dans les paires de registres DS:DX et ES:BX. Le premier paramètre représente le nom du programme à exécuter ou à charger, nom qui doit figurer dans la mémoire sous forme d'une chaîne de caractères ASCII et qui doit être terminé par une marque de fin (code ASCII 0). Le second paramètre est ce qu'on appelle un bloc de paramètres, dont la structure est définie par convention et qui contient toute une série d'informations.

Le nom du programme peut comprendre une désignation de périphérique ainsi qu'une spécification de chemin complète. Son dernier élément est le nom du programme qui doit comporter le nom proprement dit ainsi que l'extension ".COM" ou ".EXE". Si la désignation de périphérique ou la spécification de chemin sont omises, le programme sera recherché dans le répertoire actuel du périphérique actuel. Comme la fonction EXEC ne peut exécuter directement un fichier batch, le nom de programme indiqué ne peut comporter l'extension ".BAT".

Si l'on veut faire exécuter un fichier batch, on doit indiquer comme nom de programme le fichier COMMAND.COM, c'est-à-dire l'interpréteur de commandes. Pour indiquer à ce dernier qu'il devra exécuter un fichier batch, il faut lui transmettre dans la ligne d'instruction l'option /C suivie du nom du fichier batch à exécuter. L'appel de l'interpréteur de commandes avec l'option /C permet d'ailleurs non seulement de faire exécuter un fichier batch mais aussi de faire exécuter tout autre programme, y compris des instructions internes du DOS telles que DIR par exemple.

Contrairement à l'appel direct d'un programme, l'appel de l'interpréteur de commandes permet d'indiquer le nom du programme sans extension. L'interpréteur de commandes cherchera en effet tout d'abord, dans ce cas, un fichier correspondant avec l'extension EXE, puis avec COM et enfin avec BAT.

S'il ne trouve pas le fichier dans le répertoire indiqué, il cherchera également dans tous les répertoires définis avec l'instruction PATH, ce qui n'est pas non plus le cas lorsqu'un programme est appelé directement sans passer par l'interpréteur de commandes.

Si vous voulez donner la possibilité à l'utilisateur, à l'intérieur d'un programme, d'appeler n'importe quelle instruction du DOS, le seul moyen consistera également à appeler l'interpréteur de commandes avec l'option /C et l'instruction à appeler. Encore faut-il naturellement que vous sachiez dans quel répertoire figure l'interpréteur de commandes. Si votre PC dispose d'un disque dur, vous pouvez partir du principe qu'il figure dans le répertoire racine du disque dur. Sa situation précise est d'ailleurs également enregistrée dans le bloc d'environnement, où l'indication COMSPEC= est suivie de la spécification de chemin exacte, y compris le nom de l'interpréteur de commandes.

Il est naturellement possible de transmettre des paramètres non seulement à l'interpréteur de commandes mais aussi à l'instruction appelée, à la suite du nom du programme. L'interpréteur de commandes est en effet un programme tout à fait ordinaire pour la fonction EXEC. Ce ou ces paramètres sont identiques à ceux qui vous indiquez lorsque vous appelez certains programmes au clavier.

Le bloc de paramètres de la fonction EXEC

Nous allons donc examiner de plus près comment transmettre ces paramètres à la fonction EXEC. Voyons cependant tout d'abord comment se présente la structure du bloc de paramètres (lorsque le registre AL contient la valeur 0) dont l'adresse doit être transmise à la fonction EXEC dans la paire de registres ES:BX.

Adresse	Contenu	Type
	Structure du bloc de paramètres pour l'appel de la fonction EXEC	
ES:BX	Adresse de segment du bloc d'environnement	1 WORD
+02h	Adresse de la ligne de commande	1 PTR
+06h	Adresse du premier FCB	1 PTR
+0Ah	Adresse du second FCB	1 PTR
	Longueur : 14 octets	

Le champ 1 indique l'adresse de segment du bloc d'environnement du programme-enfant. Nul n'est besoin d'une adresse d'offset pour ce bloc puisqu'il doit toujours commencer à une adresse divisible par 16. Cette adresse peut donc être spécifiée avec une adresse d'offset valant toujours 0.

Bloc d'environnement

Il s'agit d'un groupe de chaînes de caractères ASCII dans lesquelles l'interpréteur de commandes et d'autres programmes peuvent puiser certaines informations comme par exemple le chemin (PATH) dans lequel doivent être recherchés les fichiers. Chacune de ces chaînes de caractères présente normalement la forme suivante :

```
Nom = Paramètre
```

et se termine par une marque de fin (code ASCII 0). Les différentes chaînes sont placées immédiatement à la suite l'une de l'autre. La marque de fin d'une chaîne doit donc être suivie immédiatement du premier caractère de la chaîne suivante. La fin du bloc d'environnement, dont la longueur ne doit pas excéder 32 Ko, est signalée par une marque de fin à la suite de la marque de fin de la dernière chaîne.

A partir de la version 3.0 du DOS, la dernière chaîne d'environnement peut encore être suivie de chaînes supplémentaires dont le nombre est indiqué dans un mot placé à la suite de la dernière chaîne d'environnement. Jusqu'à présent, cependant, le DOS ajoute ici seulement une chaîne supplémentaire (le mot à la suite de la dernière chaîne d'environnement porte donc la valeur 1), qui contient la désignation du périphérique et le nom de chemin complet du programme dont relève le bloc d'environnement.

A l'aide des informations ainsi fournies par le bloc d'environnement étendu, un programme peut par exemple déterminer à partir de quel répertoire il a été chargé, pour charger ensuite les overlays ou autres fichiers importants directement à partir de ce répertoire, sans avoir à demander à l'utilisateur d'indiquer ce répertoire.

La figure suivante montre l'environnement du programme DEBUG.COM après qu'il ait été lancé en mémoire.

```
1DFE:0000  43 4F 4D 53 50 45 43 3D-43 3A 5C 43 4F 4D 4D 41  COMSPEC=C:\COMMA
1DFE:0010  4E 44 2E 43 4F 4D 00 50-41 54 48 3D 43 3A 5C 3B  ND.COM.PATH=C:\;
1DFE:0020  43 3A 5C 44 4F 53 3B 43-3A 5C 42 41 54 43 48 45  C:\DOS;C:\FONRE
1DFE:0030  53 3B 45 3A 5C 3B 44 3A-5C 4D 53 43 5C 42 49 4E  V;E:\;D:\MSC\BIN
1DFE:0040  00 49 4E 43 4C 55 44 45-3D 64 3A 5C 6D 73 63 5C  .INCLUDE=d:\msc\
1DFE:0050  69 6E 63 6C 75 64 65 00-4C 49 42 3D 64 3A 5C 6D  include.LIB=d:\m
1DFE:0060  73 63 5C 6C 69 62 00 54-4D 50 3D 64 3A 5C 6D 73  sc\lib.TMP=d:\ms
1DFE:0070  63 5C 74 6D 70 00 50 52-4F 4D 50 54 3D 5B 24 70  c\tmp.PROMPT=[$p
1DFE:0080  5D 00 00 01 00 43 3A 5C-44 4F 53 5C 44 45 42 55  ]....C:\DOS\DEBU
1DFE:0090  47 2E 43 4F 4D 00 00 00-00 00 00 00 00 00 00 00  G.COM..........
```

A partir du niveau utilisateur, le bloc d'environnement peut être manipulé à l'aide des instructions SET et PATH du DOS. Les programmes qui sont chargés et restent résidents après leur exécution ne participent cependant en aucune manière à la modification du bloc d'environnement par ces deux instructions du DOS.

Si le programme-père veut transmettre certaines informations au programme-enfant à l'aide du bloc d'environnement, il peut mettre en place un nouveau bloc d'environnement ou ajouter ces informations dans son bloc d'environnement. Dans le premier cas, l'adresse de segment du nouveau bloc d'environnement devra alors être inscrite dans le premier champ du bloc de paramètres. Si le programme-enfant doit toutefois disposer du même bloc d'environnement que le programme-père, il suffit d'inscrire la valeur 0 dans ce champ. Avant que le contrôle ne soit transmis au programme-enfant, l'adresse de segment du bloc d'environnement sera copiée dans la cellule de mémoire figurant à l'adresse 2Ch du PSP-enfant.

Si un nouveau bloc d'environnement est transmis au programme-enfant, il doit contenir au moins 3 chaînes de caractères qui font (normalement) partie du bloc d'environnement du programme-père et qui sont très importantes pour l'interpréteur de commandes :

```
COMSPEC = Paramètre
PATH = Paramètre
PROMPT = Paramètre
```

Transmission des paramètres de commande

Si un programme-enfant modifie son bloc d'environnement, ces modifications ne sont pas transmises au bloc d'environnement du programme-père une fois terminée l'exécution du programme-enfant.

Le second champ indique l'adresse des paramètres d'instruction qui seront copiés dans le PSP du programme à exécuter à partir de l'adresse 80h. Ils doivent présenter dans la mémoire la même structure que celle attendue par le DOS dans le PSP.

Le premier octet indique donc le nombre de caractères d'instruction moins 1. Viennent ensuite les caractères d'instruction eux-mêmes, sous forme de codes ASCII normaux. Les paramètres d'instruction se terminent par un caractère de retour de chariot (code ASCII 13).

Nous évoquions plus haut la possibilité de faire exécuter un programme batch à l'aide de l'interpréteur de commandes (COMMAND.COM). Pour poursuivre avec cet exemple, voici comment devraient se présenter dans la mémoire les paramètres d'instruction pour un programme batch que nous appellerons simplement DO.BAT :

```
DB 9,"/C DO.BAT",13
```

La fonction EXEC ne copie cependant pas les paramètres d'instruction de façon incontrôlée dans le PSP. Elle élimine tout d'abord tous les paramètres qui entraîneraient un détournement de l'entrée ou de la sortie car un détournement des entrée et sortie standard ne peut être réalisé que par le programme-père. Le programme-enfant peut malgré tout tirer parti du détournement des entrée et sortie en ayant recours aux 5 Handles prédéfinis pour les entrée et sortie standard.

Transmission du FCB à l'aide du bloc de paramètres

Les champs 3 et 4 se réfèrent aux deux FCB qui ont été mis en place dans le PSP à l'adresse 5Ch ou 6Ch. Si vous ne voulez pas employer cette possibilité de transmettre des informations à travers les deux FCB, vous devez inscrire -1 (FFFFh) dans chacun de ces champs. Si vous tenez cependant à émuler exactement l'opération d'appel d'un programme à partir du clavier, vous devez inscrire les deux premiers paramètres d'instruction dans les deux FCB à l'aide de la fonction 29h du DOS. Avant de trans-mettre le contrôle au programme-enfant, la fonction EXEC copiera alors ces deux FCB dans le PSP du programme-enfant.

Sauvegarde des registres

Bien que tous les registres ainsi que le bloc de paramètres aient maintenant reçu les valeurs nécessaires, nous ne pouvons encore appeler la fonction EXEC. Elle détruit en effet lors de son exécution le contenu de tous les registres à l'exception des registres CS et IP. Il nous faut donc sauver sur la pile le contenu de tous les registres. Il faut ensuite sauvegarder le contenu des registres SS et SP à l'intérieur du segment de code.

Ce n'est qu'alors que la fonction EXEC pourra être activée en appelant l'interruption 21h. Une fois terminée l'exécution de la fonction EXEC, le flag Carry indique comme d'habitude si la fonction a été exécutée sans encombre. Le registre AL contient en outre le code d'erreur 2 "Fichier non trouvé" qui est le plus utilisé. Il signale que EXEC n'a pas trouvé le programme spécifié. Reportez-vous à l'annexe sur le CD-ROM pour obtenir la liste des autres codes d'erreur.

Avant que l'exécution du programme ne puisse se poursuivre, il convient toutefois d'abord de restaurer le contenu des registres SS et SP en les lisant dans le segment de code. On peut ensuite aller rechercher sur la pile le contenu des autres registres.

25.2. La fonction EXEC pour charger les overlays

La fonction EXEC acquiert une fonction toute différente lorsqu'elle est appelée avec la valeur 3 dans le registre AL. Sa tâche consiste en effet uniquement, dans ce cas, à charger un programme .COM ou .EXE dans la mémoire, mais sans l'exécuter. C'est pourquoi le contrôle est rendu au programme d'appel immédiatement après chargement du programme. Le programme d'appel peut alors appeler le programme chargé chaque fois que nécessaire. Contrairement à la sous-fonction 0, cette sous-fonction ne charge pas le programme appelé n'importe où mais à l'adresse prescrite par le programme d'appel.

Le bloc de paramètres destiné à charger les overlays

Comme aucun paramètre n'est transmis au programme chargé (à quoi cela servirait-il en effet ?), la structure du bloc de paramètres est avec la sous-fonction 3 très différente de ce qu'elle était pour l'appel de la sous-fonction 0 :

Adresse	Contenu	Type
+02h	Facteur de relogement	1 WORD
ES:BX	Adresse de segment à laquelle est chargé	1 WORD
Longueur : 4 octets		

Structure du bloc de paramètres pour l'appel de la fonction Overlay (sous-fonction 03h de la fonction EXEC)

Avant d'appeler la fonction, il faut inscrire dans le premier champ du bloc de paramètres l'adresse de segment à laquelle doit être chargé le programme voulu. Si le programme d'appel n'offre pas suffisamment de place mémoire pour charger le programme, il devra réclamer de la place mémoire à l'aide d'une des fonctions du DOS pour la gestion de la mémoire puis mettre la place mémoire ainsi obtenue à la disposition du programme appelé. Le programme chargé n'est toutefois pas précédé d'un PSP, de sorte qu'il est chargé directement à l'adresse de segment indiquée avec une adresse d'offset de 0.

Relogement d'overlays

Le facteur de relogement sert à adapter les adresses de segment du programme appelé. Cela n'a toutefois d'intérêt que pour les programmes EXE (puisque les programmes COM ne doivent pas comporter de définitions de segment explicites) et ce facteur de relogement devra donc toujours être fixé sur 0 pour les programmes COM. Pour les programmes EXE, par contre, il devra indiquer l'adresse de segment à laquelle le programme est chargé pour que les définitions de segment dans le programme EXE puissent être adaptées à cette adresse de segment.

Une fois le programme voulu chargé, encore faut-il bien sûr l'appeler pour que ses fonctions soutiennent le programme d'appel. Les routines du programme chargé doivent toujours être considérées comme des sous-programmes. Elles doivent donc être appelées à l'aide de l'instruction CALL (en langage machine). Il faut toujours utiliser un FAR-Call car le programme chargé est placé immédiatement à la suite du programme d'appel mais il ne peut jamais avoir la même adresse de segment.

Problèmes lors du chargement des overlays COM

Pour un programme COM, l'adresse d'offset pour cette instruction CALL sera toujours 100h puisque l'exécution des programmes COM commence toujours, par définition, immédiatement à la suite du PSP, c'est-à-dire à l'adresse 100h. Cela pose cependant un problème étant donné que la sous-fonction 3 ne charge pas le PSP. Le code d'un programme COM ne commencera donc pas à l'adresse d'offset 100h par rapport au segment de chargement mais bien à l'adresse 0. Or toutes les instructions de saut et tous les accès de données à l'intérieur du programme COM se réfèrent à l'adresse 100h et non à l'adresse 0. Il ne suffit donc pas de faire exécuter un FAR-CALL avec l'adresse du segment de chargement comme adresse de segment et 0 comme adresse d'offset. C'est l'adresse de segment elle-même qui doit être rectifiée. On indiquera donc l'adresse de chargement moins 10h comme adresse de segment pour le FAR-CALL et l'adresse 100h comme adresse d'offset.

Si un programme COM a été développé spécialement comme un overlay pour un autre programme, d'autres adresses d'entrée que l'adresse 100h sont naturellement possibles également. Il suffit de spécifier dans le FAR-CALL l'adresse d'offset voulue mais l'adresse de segment devra tout de même être inférieure de 10h à l'adresse du segment de chargement.

Exécution d'overlays EXEC

Le problème se présente différemment pour les programmes EXE. S'ils sont chargés pour être exécutés (à travers la sous-fonction 0), la fonction EXEC fixe le segment de code et le pointeur d'instruction sur l'instruction qui a été déclarée dans le source assembleur comme la première instruction. Cette adresse est toutefois inconnue du programme d'appel, c'est-à-dire du programme qui charge le programme EXE comme overlay.

On peut toutefois aisément y remédier en plaçant tout simplement au début du programme EXE, c'est-à-dire à l'adresse 0, la première instruction à exécuter dans ce programme. Cela suppose cependant que le source assembleur ne présente pas la structure habituelle avec en premier le segment de pile, puis le segment de données et enfin seulement le segment de code dont la première instruction constitue l'instruction de lancement du programme.

Il convient donc au contraire, dans ce cas, que le segment de code soit le premier segment dans le source pour qu'il figure en tout état de cause au début du programme EXE.

Le FAR-CALL utilise alors comme adresse de segment l'adresse du segment de chargement et comme adresse d'offset l'adresse 0.

25.3. Nouveautés à partir de DOS 5.0

Outre les deux sous-fonctions 00h et 03h, la fonction EXEC contient une autre sous-fonction portant le numéro 05h depuis la version DOS 5.0. Elle doit être utilisée par tous les programmes qui chargent, par leurs propres soins, des programmes et overlays dans la mémoire. Ils ne se servent pas alors des sous-fonctions 00h ou 03h mais ouvrent ces programmes comme un fichier normal pour charger ensuite leur contenu dans la RAM.

La nouvelle sous-fonction 05h n'est toutefois pas conçue pour charger ces programmes mais pour lancer leur exécution. Cette opération s'effectue certes parfaitement sans l'aide de la sous-fonction 05h, mais dans ce cas, DOS ne peut pas se permettre de réaliser les préparatifs nécessaires avant le lancement d'un programme. Ainsi, DOS active la ligne d'adresse A20 au cas où une partie du code de programme se trouve dans la HMA pour autoriser au programme l'accès à cette cellule de mémoire.

Il rectifie en outre son numéro de version lorsque le programme SETVER a attribué un numéro de version DOS différent de 5.0 au programme à exécuter. Pour parfaire l'opération, toutes sortes de paths sont examinés à l'intérieur du programme. Ils s'avèrent en effet nécessaires si le programme est chargé au-dessous des premiers 64 Ko de la RAM. Comme les versions précédentes de DOS ne prévoyaient pas cela, de nombreux programmes ne sont pas en mesure de réaliser cette action et ne fonctionnent pas alors convenablement.

Il est donc utile de mettre DOS au courant de l'exécution d'un tel programme ou overlay. A cet effet, la sous-fonction 05h doit transmettre un pointeur sur la structure de données dans la paire de registres DS:DX outre le numéro de fonction dans le registre AX (4B05h).

La figure suivante décrit cette structure. Grâce à cette dernière, DOS obtient toutes les informations nécessaires pour exécuter les opérations évoquées plus haut.

Adresse	Contenu	Type
00h	Réservé, doit contenir 0	1 WORD
02h	1 = Programme EXE 2 = Overlay	1 WORD
04h	Pointeur sur une chaîne ASCIIZ contenant le nom du programme ou overlay (il est possible d'indiquer les chemins dans cette chaîne)	1 PTR
08h	Adresse de segment du PSP du programme ou overlay	1 WORD
0Ah	Point d'entrée dans le programme ou overlay	1 PTR
0Eh	Taille du programme ou overlay y compris PSP	1DWORD
	Structure de ExecState	

Après appel de cette fonction, pensez à vérifier que le flag Carry donne les informations nécessaires concernant la bonne exécution de l'appel. Si tel est le cas, l'exécution du programme ou overlay peut être envisagée. Celle-ci doit avoir obligatoirement lieu car ni les fonctions DOS ou BIOS ni toute autre interruption logicielle ne peuvent être appelées avant l'introduction dans le programme/overlay.

25.4. Exemple de programme

Alors que les langages évolués comme le BASIC, le Pascal ou le C prévoient des instructions spéciales pour appeler un programme à partir d'un autre programme, la fonction 4Bh doit être utilisée directement en assembleur. Nous allons donc vous présenter un exemple de programme pour cette fonction, de façon à faciliter quelque peu l'appel assez complexe de cette fonction.

C'est la procédure EXEPRG qui se charge du travail véritable dans ce programme. Elle sert à appeler le programme voulu à travers la fonction 4Bh. Elle attend seulement deux chaînes dont la première contienne le nom du programme à appeler et la seconde les paramètres à transmettre. Ces deux chaînes doivent être terminées par une marque de fin (code ASCII 0). Toutes les variables dont EXEPRG a besoin pour son travail sont contenues dans le segment de code. L'avantage est pour vous qu'il vous suffit de reprendre dans un de vos programmes les lignes du segment de code pour pouvoir utiliser cette routine. Après appel de EXEPRG, le flag Carry indique si une erreur est apparue. Si c'est le cas (flag Carry = 1), le registre AX contient le code d'erreur renvoyé par la fonction EXEC du DOS. Si par contre le programme à appeler a pu être exécuté sans problème, le flag Carry est annulé et le code de fin du programme appelé, tel que renvoyé par la fonction 4Dh du DOS, figure dans le registre AX.

Dans notre programme d'exemple, EXEPRG est utilisé pour faire afficher le répertoire actuel à l'aide de l'interpréteur de commandes. Il faut que ce dernier figure dans le répertoire racine du périphérique actuel.

EXEC.ASM

26.   Interruptions Ctrl-Break et Critical Error

Sous le système d'exploitation DOS, il existe deux situations dans lesquelles un programme peut être terminé pratiquement à n'importe quel moment, du fait de l'intervention d'événements échappant totalement au contrôle du programme. Ces situations surviennent lorsque l'utilisateur actionne la touche <Ctrl>-<Pause> ou la touche <Ctrl>-<C> ou bien lorsqu'apparaît, lors de l'accès à un périphérique externe (imprimante, disque dur, lecteur de disquette etc.), un défaut particulièrement grave, qu'on appelle "critical error".

Il se peut naturellement que l'utilisateur, en actionnant la touche <Ctrl>-<Pause>, ait bien eu l'intention de mettre fin au programme sans attendre qu'il se termine de façon "régulière". Cependant un arrêt aussi brusque du programme ne va pas sans poser de problème. Le programme se termine en effet simplement par le fait que le DOS reprend le contrôle de l'exécution, de sorte que les instructions normalement exécutées lors de la fin régulière du programme se trouvent superbement ignorées. Il en résulte que les fichiers ouverts ne sont pas refermés comme il conviendrait, que les vecteurs d'interruption redirigés ne sont pas restaurés et que la mémoire allouée n'est pas libérée.

Toutes ces conséquences peuvent déboucher sur une perte de données ou même sur un plantage du système (et donc sur une perte de données encore plus importante).

L'interruption Ctrl-Break 23h

Pour éviter cela, le DOS ne met pas systématiquement fin au programme actuellement exécuté lorsque les touches <Ctrl>-<Pause> ou <Ctrl>-<C> sont actionnées, mais appelle l'interruption 23h qui, pour cette raison, est appelée interruption Ctrl-Break. Cette interruption est bien branchée, lors du lancement d'un programme, sur une routine du DOS chargée de terminer le programme, mais un programme peut parfaitement rediriger cette interruption sur une routine à lui, de façon à garder le contrôle des événements même lorsque <Ctrl>-<Pause> est actionné.

L'appel de cette interruption ne dépend toutefois pas directement du fait d'actionner l'une des deux combinaisons de touches. Le moment où le DOS teste si l'une des deux combinaisons de touches a été actionnée dépend en effet du flag Break. Ce flag peut être mis ou annulé soit dans le cadre de l'environnement DOS avec l'instruction BREAK (ON/OFF), soit à l'aide de la fonction DOS 33h, sous-fonction 1.

Si ce flag est mis, le contenu du buffer clavier sera examiné lors de chaque appel d'une fonction de l'interruption du DOS 21h pour voir si <Ctrl>-<Pause> ou <Ctrl>-<C> a été actionné. Si par contre le flag Break est annulé, ce test ne sera effectué que lors de l'appel des fonctions DOS servant à l'accès aux périphériques d'entrée et de sortie standard.

Si l'une des deux combinaisons de touches est identifiée au cours de ce test, on charge tout d'abord dans les registres du processeur les valeurs qu'ils contenaient lors de l'appel de la fonction DOS à exécuter. Ensuite seulement intervient l'appel de l'interruption 23h.

Si un programme redirige cette interruption sur une routine à lui, on peut aboutir à différents types de réaction à cet appel. Le programme peut par exemple ouvrir une fenêtre dans laquelle il demandera à l'utilisateur s'il veut sortir du programme. Mais il peut aussi décider de lui-même que le programme doit se terminer ou, au contraire, que le souhait de l'utilisateur de mettre fin au programme doit être purement et simplement ignoré.

Si le programme décide de s'arrêter, il conviendra d'appeler tout d'abord une sorte de fonction de remise en ordre, qui fermera tous les fichiers ouverts, restaurera les vecteurs d'interruption détournés et libérera à nouveau la mémoire allouée. Le programme pourra alors se terminer tout à fait normalement à travers la fonction 4Ch, sans qu'il soit nécessaire de rendre le contrôle à celui qui avait appelé l'interruption 23h.

S'il s'agit au contraire d'ignorer le fait que la touche <Ctrl>-<Pause> ou <Ctrl>-<C> ait été actionnée, il suffit de rendre le contrôle au DOS à l'aide de l'instruction IRET du langage machine. Il convient simplement dans ce cas que le programme veille à ce que tous les registres du processeur contiennent bien toujours les valeurs qu'ils contenaient lors de l'appel de l'interruption 23h. Dans le cas contraire, la fonction DOS qui avait été appelée à l'origine ne pourrait en effet être exécutée correctement jusqu'à son terme.

Les deux méthodes seront illustrées à la fin de ce chapitre dans le cadre d'un programme d'exemple.

L'interruption Critical Error 24h

Contrairement à l'interruption Ctrl-Break, l'appel de l'interruption Critical Error ne représente généralement pas une réaction à une intervention délibérée de l'utilisateur, mais bien plutôt à une erreur survenue lors de l'accès à un périphérique externe, tel qu'une imprimante, une unité de disquette ou un disque dur. Si l'utilisateur peut dans certains cas remédier de lui-même à cette erreur (par exemple en cas de "unité de disquette non fermée" ou "imprimante n'est pas en marche"), d'autres erreurs signalent un défaut de fonctionnement de l'électronique et indiquent qu'il est indispensable de réparer le périphérique concerné (par exemple en cas de "Erreur de lecture lors de l'accès au disque dur").

Pour tenir compte des différentes catégories d'erreur, l'interruption Critical Error 24h désigne normalement une routine du DOS qui sort sur l'écran le message bien connu "(A)bort, (R)etry, (I)gnore" ou "(A)bandon, (R)eprise, (E)chec ?" en français et attend une entrée de l'utilisateur. Cette routine présente cependant deux inconvénients. Le premier est que l'écran du programme interrompu est de toute façon détruit et le second est qu'en cas d'arrêt définitif (Abort), le programme ne sera pas terminé "proprement". On retrouve donc le même problème qu'avec <Ctrl>-<Pause>, à savoir que les fichiers ouverts ne seront pas refermés, que la mémoire allouée ne sera pas restituée etc.

La solution consistera ici aussi à installer un gestionnaire d'interruption personnel à l'intérieur du programme, qui sera activé à la place du gestionnaire du DOS lorsque l'interruption *Critical Error* sera activée. Pour pouvoir localiser la source de l'erreur, le DOS transmet à ce gestionnaire différentes informations, à l'aide des registres du processeur.

Les autres bits du registre AH

Le bit 7 du registre AH indiquera ici s'il s'agit d'une erreur lors de l'accès à la disquette ou au disque dur (bit 7 annulé) ou bien d'une autre erreur (bit 7 mis). Si le bit 7 est supprimé, le numéro du périphérique est retourné en AL où 0 représente le lecteur A, 1 le B, 2 le C et ainsi de suite.

En outre, d'autres informations sont retournées dans le registre AH. Elles concernent la source de l'erreur et les solutions pour y remédier. La figure suivante montre l'aspect de ce registre dans une telle circonstance.

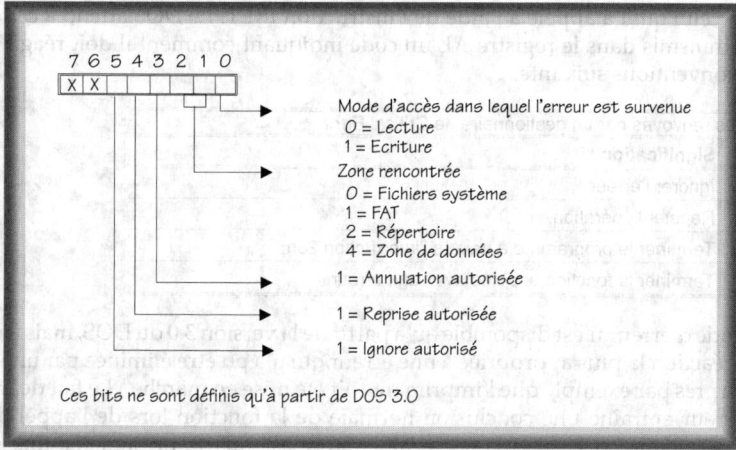

```
      7 6 5 4 3 2 1 0
     X X
```

Mode d'accès dans lequel l'erreur est survenue
  0 = Lecture
  1 = Ecriture
Zone rencontrée
  0 = Fichiers système
  1 = FAT
  2 = Répertoire
  4 = Zone de données
1 = Annulation autorisée

1 = Reprise autorisée

1 = Ignore autorisé

Ces bits ne sont définis qu'à partir de DOS 3.0

La paire de registres BP:SI désignera en outre l'en-tête du driver de périphérique lors de l'appel duquel l'erreur est survenue. Les 8 bits inférieurs du registre DI contiennent un code d'erreur détaillé, le contenu des 8 bits supérieurs restant indéfini. Les codes d'erreur suivants pourront être renvoyés :

Code	Signification
00h	Disquette protégée contre l'écriture.
01h	Accès à un périphérique inconnu.
02h	Unité de disquette n'est pas prête.
03h	Erreur inconnue.
04h	Erreur CRC.
05h	Longueur de données erronée.
06h	Erreur de recherche.
07h	Type de périphérique inconnu.
08h	Secteur non trouvé.
09h	Plus de papier dans l'imprimante.
0Ah	Erreur d'écriture.
0Bh	Erreur de lecture.
0Ch	Erreur générale.

Codes d'erreur transmis au gestionnaire de Critical Error

Le gestionnaire de *Critical Error* peut réagir en ouvrant sur l'écran une fenêtre dans laquelle il invite l'utilisateur à choisir entre ignorer l'erreur (c'est-à-dire poursuivre le travail comme si de rien n'était !), répéter la tentative d'accès ou interrompre le programme.

Si l'utilisateur opte pour la dernière possibilité, il ne sera toutefois pas possible de terminer proprement le programme, comme pour l'interruption <Ctrl>-<Pause>, en refermant les fichiers ouverts et en prenant d'autres mesures nécessaires, car le gestionnaire ne peut appeler que les fonctions DOS 01h à 0Ch.

Si d'autres fonctions DOS sont appelées à l'intérieur du gestionnaire de Critical Error, cela n'entraînera cependant pas directement une erreur, mais le retour au DOS qui s'ensuivra provoquera irrémédiablement un plantage du système. Un gestionnaire de ce type ne peut pas non plus terminer le programme à travers la fonction DOS 4Ch, mais doit absolument repasser le contrôle à celui qui l'a appelé à l'aide de l'instruction IRET. Le DOS attend à cette occasion que lui soit transmis dans le registre AL un code indiquant comment il doit réagir à l'erreur, d'après les conventions suivantes :

Code	Signification
Codes renvoyés par un gestionnaire de Critical Error	
00h	Ignorer l'erreur.
01h	Répéter l'opération.
02h	Terminer le programme à travers l'interruption 23h.
03h	Terminer la fonction appelée avec une erreur.

Le dernier code d'erreur n'est disponible qu'à partir de la version 3.0 du DOS, mais il représente pourtant la réaction la plus appropriée à une erreur qui n'a pu être éliminée par une répétition de l'accès. (Après par exemple que l'imprimante ait été mise en marche.) Le fait de transmettre ce code d'erreur entraîne une conclusion normale de la fonction lors de l'appel de laquelle l'erreur est survenue, si ce n'est que le flag Carry est mis pour signaler une erreur. Le programme ayant appelé la fonction ne peut cependant distinguer cette erreur "critique" d'une erreur "normale" mais cette distinction peut être rendue possible en fixant un autre flag à l'intérieur du gestionnaire de *Critical Error*.

Comme pour l'appel de l'interruption *Critical Error*, le programme peut alors réagir à une erreur de ce type en ouvrant une fenêtre et en demandant à l'utilisateur quelle attitude il doit adopter face à cette erreur. Si l'utilisateur se décide pour un arrêt du programme, il est maintenant possible de le terminer "proprement" car toutes les fonctions DOS, et non seulement les fonctions 01h à 0Ch, peuvent alors être appelées. Cette technique permet donc d'éviter une perte de données ou même le plantage du système lorsqu'une erreur critique est apparue, à moins naturellement que la nature même de cette erreur s'oppose à une sauvegarde des données ou aux autres mesures de remise en ordre.

Alors que les environnements de langages évolués tels que Borland Pascal et Microsoft C disposent de fonctions pour intercepter les interruptions <Ctrl>-<Pause> et Critical Error, le programmeur en assembleur doit avoir recours à des routines de son cru. Le listing assembleur ci-dessous devrait vous aider en cela, puisqu'il constitue l'armature de base pour un programme (EXE) dans lequel les deux gestionnaires sont redirigés sur des routines personnelles. Notez à cet égard que vous n'avez pas à réinstaller les deux gestionnaires une fois le programme terminé car le DOS réactive automatiquement les anciens gestionnaires.

CEBHAND.ASM

27. Les drivers de périphériques

L'un des chapitres les plus fascinants mais aussi l'un des plus difficiles de la programmation de DOS concerne les drivers de périphériques. Ce sont des programmes qui permettent à DOS d'accéder aux différents périphériques : clavier, disque dur, CD-ROM, etc... Le côté fascinant est dû à la diversité des appareils parfois exotiques que l'on intègre dans l'environnement de DOS. La difficulté provient de la programmation en assembleur qui s'avère indispensable dans ce cas.

Ce chapitre vous apprendra tout sur les drivers de périphériques de DOS, leur organisation et leur développement. Vous y trouverez les programmes sources de plusieurs drivers pleinement fonctionnels que vous pourrez utiliser comme base de vos propres développements.

27.1. Les drivers de périphériques sous DOS

La notion de driver (ou gestionnaire) n'est pas apparue avec DOS. Elle existait déjà dans de nombreux autres systèmes d'exploitation. Nous commencerons par nous interroger sur la nature et les fonctions des drivers de périphériques.

Fonction des drivers de périphériques

Un driver de périphérique est un programme qui réalise une interface entre un niveau logiciel supérieur et un niveau matériel. Le driver isole le niveau supérieur des caractéristiques physiques du périphérique en prenant en charge les commandes matérielles. Le niveau supérieur n'est pas forcément celui du système d'exploitation. De nombreux logiciels et langages du commerce (par exemple AutoCad ou Turbo Pascal) disposent de drivers de périphériques pour piloter des matériels spécifiques.

Dans le cadre de ce chapitre nous nous intéresserons uniquement aux drivers de périphériques que DOS utilise pour communiquer avec le matériel. Si on considère un système d'exploitation comme une superposition de plusieurs couches, les drivers de périphériques constituent la couche la plus profonde qui permet à toutes les autres de fonctionner indépendamment du matériel. Pour adapter un système d'exploitation à divers environnements matériels, les drivers présentent des avantages considérables car ils seront seuls concernés par les ajustements.

Dans les systèmes d'exploitation anciens, les drivers de périphériques étaient inclus dans le code lui-même, de sorte qu'il était très difficile voire impossible de brancher des périphériques d'un type nouveau. La version 2.0 de DOS a introduit une souplesse nouvelle pour inclure des drivers dans DOS. L'utilisateur est à même de rendre disponible sous DOS les disques les plus étranges, les cartes d'extension EMS les plus exotiques tout en conservant l'efficacité du système.

Pensez un moment à toutes les centaines (ou milliers ?) de disques durs qui sont connectables sur un PC. Ils se différencient non seulement par leur capacité, leurs dimensions (nombre de têtes, de cylindres, de secteurs par piste), mais ils fonctionnent aussi avec des contrôleurs différents qui sont complètement incompatibles entre eux. Comment DOS pourrait-il s'en sortir tout seul avec une telle profusion de possibilités et de particularités, alors que chaque semaine voit apparaître de nouveaux modèles de disques (généralement plus puissants) ? Lorsque DOS accède aux répertoires et aux fichiers, il ne s'adresse jamais directement à un lecteur mais il passe par un driver de périphérique. Un nouveau disque peut être immédiatement installé sous DOS à partir du moment où le fabricant livre le driver associé.

Un driver se compose de quelques informations d'état qui donnent à DOS des indications sur son type et ses capacités, et d'une série de routines appelées "fonctions du driver". Ces dernières

prennent en charge les différents services dont DOS a besoin pour accéder au périphérique commandé. C'est ainsi qu'un driver de disque dur devra disposer de fonctions de lecture, d'écriture et de vérification de secteurs.

Développement de drivers de périphériques

Comme la communication entre DOS et les drivers de périphériques repose sur un schéma simple d'appels de fonctions et de structures de données, un programmeur de niveau moyen est parfaitement en mesure de développer lui même des drivers. Dans le cadre de ce chapitre, nous présenterons un driver de disque virtuel qui n'a demandé que quelques heures de programmation.

Pourtant les drivers sous DOS ont une exigence ennuyeuse : ils ne peuvent être programmés qu'en assembleur. Il est pratiquement impossible de réaliser un driver en langage évolué. En effet les drivers doivent se présenter à DOS dans un format particulier qui n'est compatible avec aucun des types EXE ou COM et qui ne peut pas être généré directement par les compilateurs usuels. Grâce aux explications détaillées données dans ce chapitre, cet inconvénient ne devrait pas constituer un obstacle même si le codage en assembleur réclame plus de travail que la programmation en langage évolué.

Il ne faut pas oublier qu'en contrepartie les programmes écrits en assembleur offrent une vitesse d'exécution maximale, ce qui est important pour un driver. Supposez par exemple qu'un driver de disque dur soit mal programmé. A quoi servirait la vitesse d'accès du lecteur ou la mémoire cache, malgré ses qualités intrinsèques, si le disque risque d'être surclassé par ses concurrents.

Intégration des drivers

Les drivers sont incorporés au système au moment du lancement de DOS, ils ne peuvent pas être chargés au niveau de la ligne de commande de DOS comme les programmes COM et EXE ordinaires. Le "boot" commence par installer les drivers prédéfinis dans le noyau de DOS. Il s'agit des drivers appelés NUL, $CLOCK, CON, AUX et PRN. Il vient s'y ajouter un driver pour le lecteur de disquette et éventuellement un driver pour le disque dur s'il est disponible.

Nom	Driver
NUL	Avaleur de bits imaginaire
$CLOCK	Horloge
CON	Clavier et écran
AUX	Interface série
PRN	Interface parallèle

Les drivers fixes standard présentent la particularité de ne pas accéder directement aux périphériques mais de se servir des différentes fonctions du BIOS. Pour ce qui est du disque dur, le driver prédéfini ne peut donc entrer en action que si ledit disque est supporté par le BIOS, ce qui posait toujours problème dans le temps. Le BIOS n'est pas en mesure de commander n'importe quel disque, c'est là qu'interviennent les drivers fournis par le fabricant.

Les drivers standard sont rangés en mémoire directement à la suite les uns des autres et ils sont reliés par une sorte de chaîne. Si l'utilisateur veut installer un driver personnel, il doit l'indiquer à DOS dans le fichier CONFIG.SYS. Ce fichier est chargé et exploité au cours de l'opération de lancement du système, après intégration des drivers standard. Si DOS y rencontre l'instruction DEVICE=, il sait qu'un nouveau driver doit être intégré. Le nom du driver ainsi qu'une éventuelle désignation de lecteur et de chemin d'accès doivent être indiqués à la suite du signe =. Voici comment se présente par exemple l'instruction d'intégration de "ANSI.SYS", un driver qui offre des possibilités étendues d'affichage des caractères et qui fait partie des drivers fournis avec DOS :

```
DEVICE=ANSI.SYS
```

Le nouveau driver est alors intégré dans la chaîne : il vient se placer derrière le premier membre de la chaîne, le driver NUL, mais avant tous les autres. Il en est ainsi pour que les drivers installés de cette façon puissent remplacer l'un des drivers standard. En fait le driver ANSI.SYS que nous avons cité plus haut remplace le driver CON qui était en vigueur auparavant.

Le nouveau driver CON (ANSI.SYS) se trouve placé avant l'ancien pour que les appels des fonctions de clavier-écran passent désormais par lui. Si une opération fait appel au driver CON, DOS recherchera le premier qui se présente dans la liste chaînée. La recherche commence par le driver NUL et suit les éléments successifs de la chaîne : le premier driver CON trouvé sera bien le driver ANSI.SYS. L'ancien driver CON ne peut plus être adressé, il reste ignoré en mémoire.

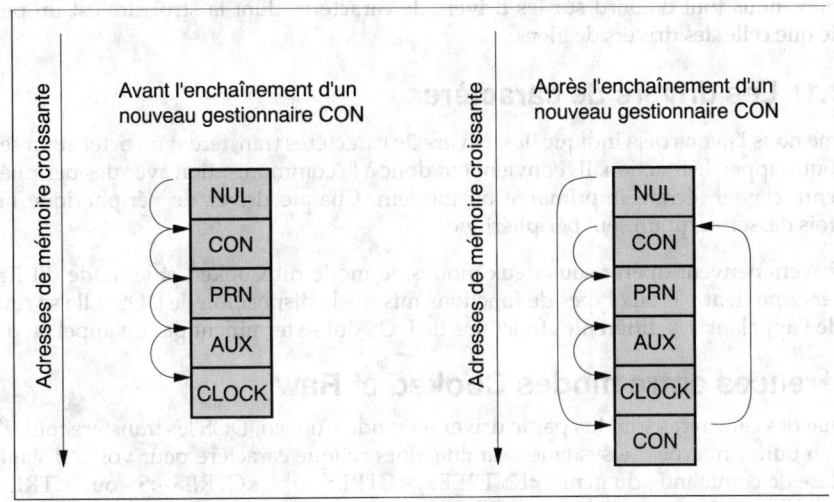

La chaîne des drivers

Mais tous les drivers ne peuvent être remplacés par de nouveaux. Le driver NUL reste toujours le premier dans la chaîne : un nouveau driver de ce nom serait de toute façon inséré après lui et ne pourrait donc jamais être appelé. Par ailleurs les drivers pour les mémoires de masse (disquette et disque dur) ne peuvent être remplacés aussi facilement. Contrairement en effet aux drivers que nous avons cités jusqu'ici, ils ne sont pas associés à un nom (comme CON ou AUX), mais à une désignation de périphérique (A, B, etc...). Or cette désignation de périphérique est attribuée d'office par DOS sans qu'il soit possible de la changer. Par conséquent, si un nouveau driver de disquette est intégré dans le système, DOS l'appellera probablement D et il sera ignoré des programmes qui accèdent au lecteur par sa désignation habituelle A.

Ce problème peut toutefois être résolu si tous les accès à un périphérique déterminé sont détournés sur un autre. L'instruction appropriée de DOS est ici ASSIGN.

Deux types de drivers

Vous voyez donc qu'il est nécessaire de traiter différemment les drivers de mémoires de masse et les drivers tels que CON, PRN, AUX etc... EN fait DOS distingue deux types de drivers de périphériques :

O   les drivers de caractères (character device drivers)
O   les drivers de blocs (block device drivers)

Les premiers communiquent en effet avec le matériel assujetti caractère par caractère (plus exactement : octet par octet). Parmi eux on trouve : l'écran, le clavier, l'imprimante, etc.... Les drivers de blocs, au contraire, peuvent transférer toute une série de caractères (bloc) en un seul appel de fonction (disquettes, disque dur, streamer, etc...). Ces deux groupes de drivers diffèrent donc quelque peu, ce qui se traduit par exemple par le fait qu'ils offrent au système des fonctions parfois différentes.

Penchons-nous tout d'abord sur les drivers de caractères dont la structure est un peu plus simple que celle des drivers de blocs.

27.1.1. Les drivers de caractères

Comme nous l'avons déjà indiqué, les drivers de caractères transfèrent un octet et un seul lors de chaque appel de fonction. Ils conviennent donc à la communication avec des périphériques du genre clavier, écran, imprimante ou modem. Chaque driver de périphérique ne peut toutefois desservir qu'un seul périphérique.

Ces drivers peuvent opérer sous deux modes, le mode dit Cooked et le mode dit Raw. La différence ne tient pas aux types de fonctions mises à la disposition de DOS. Elle se révèle du côté de l'appelant des différentes fonctions de DOS qui se terminent par un appel au driver.

Différences entre modes Cooked et Raw

Lorsque des caractères sont lus par le driver en mode Cooked, DOS les transfère tout d'abord dans un buffer interne. Le système examine alors chaque caractère pour voir s'il s'agit d'un caractère de commande du genre <ENTREE>, <CTRL>-<P>, <CTRL>-<S> ou <CTRL>-<C>. Dès qu'il rencontre un caractère <ENTREE>, il ne réclame plus rien au driver, même si le nombre attendu de caractères n'a pas encore été lu. C'est alors seulement qu'il copie les caractères lus depuis son buffer interne dans le buffer du programme appelant.

Lorsque des caractères sont affichés en mode Cooked, DOS teste après chaque affichage si l'une des touches <CTRL>-<C> ou <CTRL>-<Pause> a été actionnée, auquel cas le programme en cours est interrompu. Si la touche <CTRL>-<S> est pressée, le programme est arrêté jusqu'à ce qu'une touche quelconque soit à nouveau frappée. <CTRL>-<P>, enfin, sert à détourner l'affichage de l'écran vers l'imprimante (PRN). Ce détournement ne prend fin qu'après une nouvelle pression sur la même touche.

Tous ces tests disparaissent en mode Raw. Si un programme veut lire 10 caractères, ce seront effectivement 10 caractères qui seront lus, même si la touche <ENTREE> est déjà actionnée en guise de second caractère. Le détour par le buffer interne du DOS devient de ce fait inutile et les caractères sont transférés directement dans le buffer du programme appelant. En ce qui concerne l'affichage de caractères, il n'y a pas non plus de test des touches <CTRL>-<C> ou <CTRL>-<Pause>.

Pour définir ou interroger le mode de fonctionnement d'un driver de caractères, vous pouvez utiliser la fonction 44h de l'interruption 21h de DOS que nous décrirons plus en détail à la fin de ce chapitre.

27.1.2. Drivers de blocs

Les drivers de blocs servent à communiquer avec les mémoires de masse comme le disque dur, la disquette ou le streamer. C'est pourquoi ils travaillent non pas au niveau des caractères mais au niveau des blocs. Un bloc est généralement un secteur physique d'environ 512 octets. Dans certains cas, un unique appel de fonction a pour effet de transférer plusieurs blocs ensemble. La taille de ces blocs peut varier d'un modèle de périphérique à l'autre.

Lorsque DOS désire accéder à une mémoire de masse par le moyen d'un driver de blocs, il lui communique le numéro du premier secteur concerné. Le driver convertit ce numéro de secteur logique, décompté à partir de 0, en une adresse physique (tête, cylindre, piste) avant de procéder à l'accès. La correspondance entre adresse logique et adresse physique du secteur est l'affaire exclusive du driver. La seule chose importante, c'est que la correspondance soit unique : chaque secteur logique doit être associé à un seul secteur physique.

Contrairement aux drivers de caractères, les drivers de blocs peuvent gérer simultanément plusieurs périphériques. Ainsi un driver de disque dur pourra faire fonctionner en même temps deux disques et même trois ou quatre. Un driver de blocs est aussi capable de partitionner un périphérique en plusieurs unités logiques (volumes) : c'est ce qui se passe souvent pour les disques durs.

Désignation des unités gérées

Les périphériques gérés ne portent pas de nom particulier ou de nom de fichier, on les désigne par des lettres : A, B, C. Ces désignations ne sont pas librement choisies par les drivers, elles sont imposées par DOS. Le système lui-même les attribue en tenant compte de l'emplacement du driver dans la chaîne des drivers. Le premier périphérique géré par un driver de blocs est baptisé A, le second B, le troisième C et ainsi de suite.

Si un driver commande plusieurs unités logiques, elles portent nécessairement des désignations consécutives. Si la lettre C a été attribuée à un driver de disque dur qui gère trois unités logiques, il accapare aussi les lettres D et E. Le driver de blocs suivant sera appelé F.

Chacune des unités logiques commandées par un driver de périphérique doit disposer d'une table d'allocation des fichiers (file allocation table = FAT) ainsi que d'un répertoire racine. Contrairement aux drivers de caractères, les drivers de blocs ne connaissent pas la distinction entre modes Cooked et Raw. Les lectures et écritures qu'ils effectuent portent toujours sur le nombre exact de blocs qui leur a été commandé (à moins qu'une erreur ne se produise) et ils ne touchent pas aux données transférées.

27.1.3. Accès aux drivers

Il existe plusieurs possibilités pour accéder à un driver de périphérique. Les fonctions habituelles gérant les FCB ou les handles peuvent parfaitement exploiter les drivers de caractères lorsqu'on y remplace un nom de fichier par un nom de driver, par exemple 'CON'. On peut aussi accéder aux drivers de blocs par le moyen des fonctions usuelles de DOS (gestion des fichiers, des répertoires, etc...) en spécifiant simplement la désignation du driver au lieu de l'ancienne désignation.

L'accès évoqué n'est pas un accès direct car on se sert de différentes fonctions de DOS qui font appel au driver.

Pour effectuer des opérations de lecture ou écriture sur un driver de caractères vous pouvez bien sûr utiliser les fonctions gérant les FCB et les Handles mais vous disposez aussi des fonctions 1h à Ch de l'interruption 21h. Depuis la version 2.0 de DOS, celles-ci accèdent en effet aux drivers pour toutes les entrées-sorties de caractères.

Notez cependant qu'il existe encore deux autres moyens d'entrer en contact avec les drivers. C'est surtout la fonction 44h de DOS, appelée IOCTL (I/O Control), qui joue un grand rôle dans ce domaine en offrant de nombreuses options. Nous en apprendrons davantage sur cette fonction un peu plus loin.

27.2. Structure d'un driver de périphérique

Bien que les drivers de blocs et les drivers de caractères diffèrent par certains aspects importants, ils présentent néanmoins une structure uniforme.

Cette structure comporte un en-tête (header) qui donne des informations générales et deux routines qui gèrent toute la communication entre DOS et le driver. Les deux routines s'appellent routine de stratégie et routine d'interruption. Mais l'interruption dont il est question ici n'a rien à voir avec les interruptions matérielles et logicielles rencontrées jusqu'ici. Elles doivent être de type FAR pour que DOS puisse aussi les appeler de l'extérieur du driver.

Structure de l'en-tête

L'en-tête du driver contient certaines informations capitales pour permettre son exploitation par DOS. Par définition l'en-tête est situé tout au début du driver.

Adresse	Structure de l'en-tête d'un driver de périphérique	Type
+00h	Adresse du prochain driver	1 PTR
+04h	Attribut de périphérique	1 WORD
+06h	Offset de la routine de stratégie	1 WORD
+08h	Offset de la routine d'interruption	1 WORD
+0Ah	Nom du driver pour les drivers de caractères (complété avec des espaces) ou nombre de périphériques gérés pour les drivers de blocs	8 BYTES
	Longueur : 18 octets	

Le premier champ établit la liaison avec le driver suivant dans la chaîne des drivers. Il doit être initialisé avec la valeur -1 pour que DOS reconnaisse l'en-tête.

Attribut de périphérique

Le second champ est un champ de bits qui sert à décrire le driver de périphérique. Il indique, entre autres, à DOS s'il s'agit d'un driver de blocs ou d'un driver de caractères. Cette indication figure dans le bit 15 : 0 = driver de caractères, 1=driver de blocs. Le reste du champ doit être interprété en fonction de ce renseignement. Voici d'abord la structure de l'attribut pour un driver de caractères :

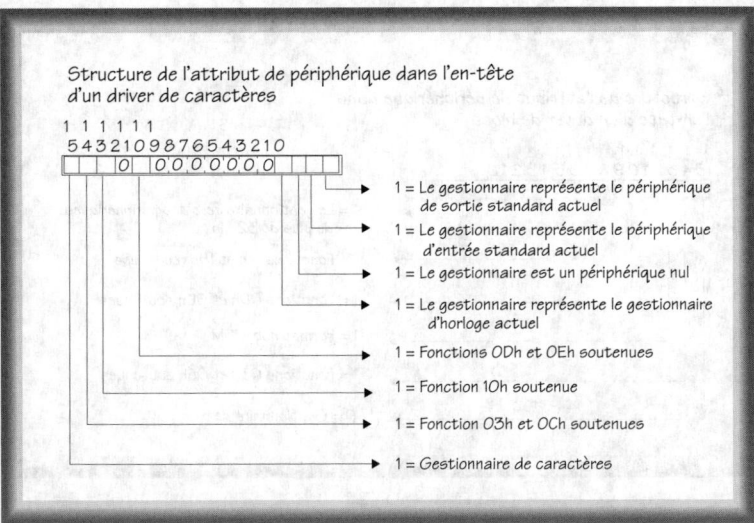

Structure de l'attribut de périphérique dans l'en-tête
d'un driver de caractères

```
1 1 1 1 1 1
5 4 3 2 1 0 9 8 7 6 5 4 3 2 1 0
```

1 = Le gestionnaire représente le périphérique de sortie standard actuel

1 = Le gestionnaire représente le périphérique d'entrée standard actuel

1 = Le gestionnaire est un périphérique nul

1 = Le gestionnaire représente le gestionnaire d'horloge actuel

1 = Fonctions 0Dh et 0Eh soutenue

1 = Fonction 10h soutenue

1 = Fonction 03h et 0Ch soutenues

1 = Gestionnaire de caractères

Comme le montre la figure précédente, les bits 0 à 3 servent à identifier le driver de caractères. On peut ainsi savoir s'il s'agit d'un nouveau driver standard pour les entrées-sorties par le périphérique CON, d'un autre driver NUL ou d'un nouveau driver d'horloge. Si aucun de ces bits n'est à 1, le driver en question ne remplace aucun driver prédéfini mais constitue un driver additionnel ordinaire.

Les autres bits signalent le support de diverses fonctions. Il faut que vous sachiez à ce propos que DOS connaît en tout 15 différentes fonctions de driver, mais elles ne sont pas nécessairement exploitées par tous les drivers. C'est ainsi que la disponibilité des fonctions optionnelles 03h, 0Ch, 0Dh, 0Eh et 10h est indiquée par ces bits. Notez que certaines de ces fonctions n'existent que depuis la version 3.1 ou 5 de DOS : le bit correspondant de l'attribut de périphérique n'est alors reconnu qu'à partir de cette version. Nous reviendrons là dessus lorsque nous étudierons le détail des fonctions.

Le bit 15 montre qu'on est en présence d'un driver de caractères s'il est à 1. Ce n'est qu'à cette condition que les autres bits acquièrent la signification décrite. Dans le cas d'un driver de blocs, les bits s'interprètent autrement comme le montre la figure suivante :

A côté des bits qui signalent le support de différentes fonctions, c'est surtout le bit 1 qui est significatif. Ce bit n'est exploité que depuis la version 4.0 de DOS. Lorsqu'il est à 1, il indique que le driver est capable de gérer des périphériques et des partitions de plus de 32 Mo, ce qui est possible depuis que la version 4.0 de DOS a agrandi la taille des clusters.

Lorsque la barrière des 32 Mo est dépassée, les secteurs ne peuvent plus être donnés sous la forme de nombres entiers de 16 bits. Le nombre maximum que l'on peut exprimer avec 16 bits est 65536. Multiplié par la taille d'un secteur standard soit 512 Ko ce nombre donne exactement 32 Mo. Les drivers dont le bit 1 est armé exploitent les numéros de secteurs dans un autre format qui leur permet d'aller au-delà de 32 Mo. Nous reviendrons sur ce sujet un peu plus loin.

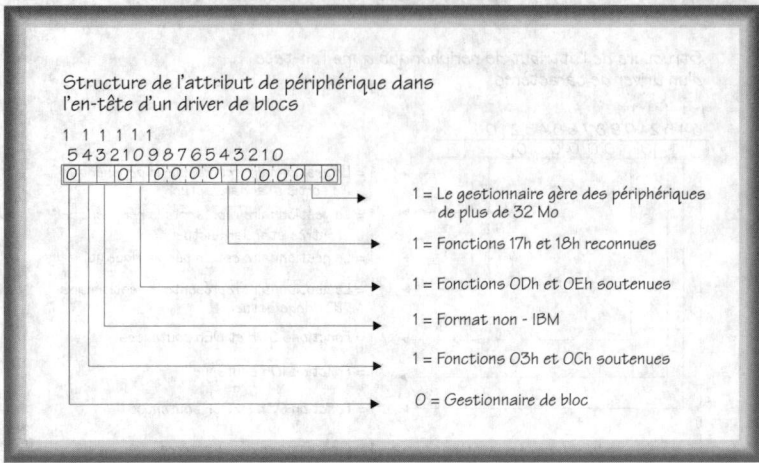

Structure de l'attribut de périphérique dans
l'en-tête d'un driver de blocs

```
1 1 1 1 1
5 4 3 2 1 0 9 8 7 6 5 4 3 2 1 0
0     0     0 0 0 0   0 0 0 0   0
```

1 = Le gestionnaire gère des périphériques
    de plus de 32 Mo

1 = Fonctions 17h et 18h reconnues

1 = Fonctions 0Dh et 0Eh soutenues

1 = Format non - IBM

1 = Fonctions 03h et 0Ch soutenues

0 = Gestionnaire de bloc

Autres champs de l'en-tête du driver

Mais revenons à notre en-tête. Après l'attribut de périphérique on trouve deux champs qui contiennent le segment et l'offset des routines de stratégie et d'interruption. Ces routines desservent la communication entre DOS et le driver. En réalité, seuls les offsets sont utilisés car tout comme les programmes COM les drivers de périphériques n'occupent qu'un seul segment. L'indication du segment est de ce fait superflue.

Dans le dernier champ on trouve enfin le nom du driver pour autant qu'il s'agisse d'un driver de caractères. Si ce nom comporte moins de 8 caractères, il doit être complété par des espaces (code ASCII 32). S'il s'agit par contre d'un driver de blocs, le premier octet du champ indique le nombre de périphériques logiques soutenus par ce driver. Les 7 octets suivants doivent alors être mis à 0.

Communication avec les routines de stratégie et d'interruption

La routine de stratégie est appelée par DOS dans deux circonstances : lors de l'installation du driver et avant tout appel de l'une des fonctions du driver. Elle doit recevoir en ES:BX l'adresse d'une structure de données contenant des informations sur l'opération à effectuer et les données correspondantes. La routine d'initialisation n'exécute pas elle-même ces opérations. Elle se contente de stocker l'adresse du bloc de données transmis, après quoi elle rend immédiatement le contrôle à DOS. Le système appelle alors la routine d'interruption du driver qui se charge de l'exécution de l'opération elle-même. Mais nous allons y revenir de suite...

Derrière ce mécanisme se cache une idée très simple : DOS n'a pas besoin de connaître les adresses de toutes les fonctions du driver, il lui suffit de se servir des routines de stratégie et d'interruption comme interface d'accès à ces fonctions.

C'est pourquoi le bloc de données dont l'adresse est transmise à la routine de stratégie contient aussi le numéro de la fonction de driver à invoquer. Ce bloc de données se compose en principe de 13 octets auxquels viennent s'en rajouter d'autres en fonction des besoins de la fonction à appeler. La figure suivante montre la structure de ce bloc de données tel qu'on le rencontre dans la plupart des appels, qu'il s'agisse de transmettre des caractères ou des secteurs.

Les 13 premiers octets sont représentés dans chaque appel :

Adresse	Contenu	Type
	Structure du bloc de paramètres pour l'appel d'une fonction d'un driver de périphérique	
+00h	Longueur du bloc de données en octets	1 BYTE
+01h	Numéro du périphérique appelé (drivers de blocs uniquement)	1 BYTE
+02h	Numéro de la fonction à appeler	1 BYTE
+03h	Mot d'état	1 WORD
+05h	Réservé	8 BYTE
+0Dh	Descripteur de support (drivers de blocs uniqt)	1 BYTE
+0Eh	Adresse du buffer de transmission	1 PTR
+12h	Nombre de secteurs à traiter (driver de blocs) Nombre d'octets à traiter (driver de car.)	1 WORD
+14h	Numéro du premier secteur (drivers de blocs uniquement)	1 WORD
	Longueur : 22 octets	

Comme nous l'avons indiqué plus haut, la routine d'interruption est appelée immédiatement après que DOS ait déclenché la routine de stratégie.

De ce fait la séparation en deux routines n'a pas beaucoup de sens. Elle a probablement été introduite pour préparer l'évolution de DOS vers un système multitâche. Dans ce cas, un driver peut être sollicité en lecture ou en écriture par plusieurs programmes à la fois et il est intéressant de séparer la "prise de commande" de l'"exécution". On sait aujourd'hui que DOS va rester un système monotâche, mais cette décision ne remet pas en cause la séparation des routines de stratégie et d'interruption.

La première tâche de la routine d'interruption consiste à sauvegarder (sur la pile) les registres du processeur qui risquent d'être modifiés par la suite. Elle lit ensuite dans le champ 3 du bloc de données transmis à la routine de stratégie, le numéro de la fonction à exécuter, qu'elle appelle alors sur-le-champ. Après exécution de ladite fonction, elle inscrit un nombre dans le champ d'état du bloc de données et restaure ensuite les registres du processeur qui avaient été sauvegardés au début. Elle rend enfin le contrôle à la fonction de DOS qui l'a appelée.

Signification du champ d'état

Une fois la routine d'interruption arrivée à son terme, la valeur du champ d'état est très importante pour la fonction DOS appelante car elle indique si l'exécution s'est bien passée. C'est pourquoi toute fonction de driver doit absolument mettre à 1 le bit TERMINE (bit 8) du champ d'état, même si elle est fictive (dummy), c'est-à-dire si elle n'exécute aucune opération. Examinons donc de plus près la structure du champ d'état :

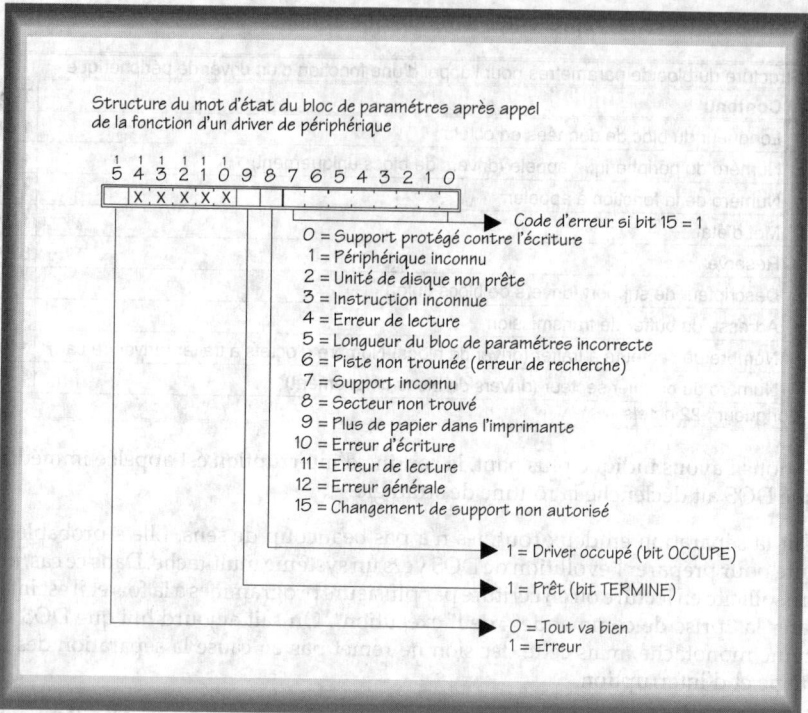

Structure du mot d'état du bloc de paramétres après appel de la fonction d'un driver de périphérique

1 1 1 1 1 1
5 4 3 2 1 0 9 8 7 6 5 4 3 2 1 0

X X X X X

Code d'erreur si bit 15 = 1
0 = Support protégé contre l'écriture
1 = Périphérique inconnu
2 = Unité de disque non prête
3 = Instruction inconnue
4 = Erreur de lecture
5 = Longueur du bloc de paramétres incorrecte
6 = Piste non trouée (erreur de recherche)
7 = Support inconnu
8 = Secteur non trouvé
9 = Plus de papier dans l'imprimante
10 = Erreur d'écriture
11 = Erreur de lecture
12 = Erreur générale
15 = Changement de support non autorisé

1 = Driver occupé (bit OCCUPE)

1 = Prêt (bit TERMINE)

0 = Tout va bien
1 = Erreur

27.3. Les fonctions d'un driver de périphérique

Dans la version 2 de DOS, tout driver à installer doit supporter 13 fonctions, numérotées de 0 à 12, même si leur seul effet est de mettre à 1 le bit TERMINE du champ d'état. Dans les versions ultérieures de DOS plusieurs fonctions supplémentaires sont venues s'y rajouter mais leur support est facultatif. La présence des fonctions est précisée comme nous l'avons vu par certains bits de l'attribut de périphérique

Certaines de ces fonctions ne concernent qu'un des deux types de drivers alors que d'autres (par exemple la fonction d'initialisation) s'appliquent aux deux. L'ancienne règle reste valable : toutes les fonctions même celles qui ne servent à rien doivent au moins mettre à 1 le bit TERMINE.

Le reste de ce chapitre est consacré à la description des différentes fonctions d'un driver. Voici comment seront données ces explications.

Chacune des fonctions tire ses arguments du bloc de données dont l'adresse est transmise à la routine de stratégie. C'est également dans ce bloc de données qu'elle placera ses "résultats".

C'est pourquoi nous indiquerons pour chaque fonction les offsets (par rapport au début du bloc) des champs où doivent être placés les arguments et où viennent se placer les résultats.

Nous indiquerons non seulement les offsets mais aussi s'il s'agit d'informations sous forme d'octets ou de mots. Il existe aussi un troisième type de données appelé PTR. Il s'agit d'un pointeur FAR sur un buffer, qui est donc composé de deux mots consécutifs. Le premier mot contient comme d'habitude l'offset du buffer, le second son segment.

Fonction 00h : Initialisation du driver

Cette fonction est appelée par DOS lors du chargement du système. Elle sert à initialiser le driver de périphérique. L'initialisation peut concerner le matériel, différentes variables internes ou bien encore un détournement d'interruptions. Comme l'ensemble du système n'est pas encore entièrement initialisé à cet instant, la routine d'initialisation ne peut appeler que les fonctions 01h à 0Ch (entrées-sorties de caractères), 30h (version de DOS) et 25h/35h (lecture et définition du vecteur d'interruption). Ces fonctions lui permettent déjà de tester le numéro de la version de DOS et d'afficher à l'écran un message signalant que le driver est activé.

Même si le driver qui vient d'être intégré est un driver CON, les sorties sur l'écran sont toujours effectuées par le moyen de l'ancien driver. Le nouveau driver n'est entièrement fonctionnel que lorsque la routine d'initialisation est achevée.

La routine d'initialisation peut prélever deux informations dans le bloc de données : d'abord l'adresse de la mémoire qui contient le texte du fichier CONFIG.SYS ayant requis l'intégration du driver. Ce texte présente le format suivant :

```
DEVICE=ANSI.SYS
```

Nous supposons ici que le driver appelé répond au nom d'ANSI.SYS. L'adresse de mémoire transmise référence le caractère placé à la suite du signe = (soit le A d'ANSI.SYS). Vous avez donc la possibilité d'ajouter d'autres informations à la suite du nom du driver. DOS n'en tiendra aucun compte mais vous pourrez les utiliser comme commentaire

- Paramètres d'entrée		
Adresse	**Contenu**	**Type**
+02h	Numéro de fonction (ici 00h)	1 BYTE
+0Eh	Adresse maximale atteinte par la fin du driver (à partir de DOS 5.0)	1 PTR
+12h	Adresse du caractère qui suit le signe = dans l'instruction DEVICE du fichier CONFIG.SYS	1 PTR
+16h	Désignation du périphérique supporté par le driver (drivers de blocs uniqt et à partir de la version 3.0 du DOS)	1 BYTE
- Paramètres de sortie		
Adresse	**Contenu**	**Type**
+03h	Mot d'état	1 WORD
+0Dh	Nombre de périphériques supportés (drivers de bloc uniquement)	1 BYTE
+0Eh	Adresse de la première mémoire libre à la suite du driver	1 PTR
+12h	Adresse du vecteur contenant les adresses des blocs de paramètres du DOS (DPB) (drivers de blocs uniquement)	1 PTR
+17h	Indicateur d'erreur, doit prendre une valeur différente de 0 lorsque le driver pour une raison ou une autre n'a pas pu être initialisé (à partir de la version 4.0 de DOS)	1 BYTE

Paramètres d'entrée et de sortie de la fonction 00h d'un driver

La seconde information n'est fournie qu'à partir de la version 3 de DOS et uniquement pour les drivers de blocs. Il s'agit de la lettre désignant le premier périphérique logique du driver. La valeur 0 signifie ici A, 1 B, etc...

La routine d'initialisation doit également renvoyer 4 paramètres à la fonction DOS appelante. Le premier argument sera, comme pour toutes les fonctions, son état c'est-à-dire l'indication si la fonction a pu être exécutée sans problème.

Pour un driver de blocs, il faut également indiquer le nombre de périphériques logiques supportés. A priori DOS peut tirer cette information de l'en-tête du driver mais il se pourrait qu'au moment de l'exécution le driver prenne une autre décision, par exemple en interrogeant le nombre de partitions effectivement disponibles sur le disque dur.

Le driver doit également transmettre la première adresse libre après la fin de la mémoire vive qu'il occupe, pour que DOS sache où il peut installer le prochain driver. Si le driver pour une raison ou une autre n'a pas pu prendre son service, il devra reporter son adresse de début dans ce champ pour que DOS reprenne la place rendue disponible.

Il faut noter qu'à partir de la version 5 de DOS un driver ne peut plus accaparer toute la mémoire qu'il occupe. Il lui est donné la possibilité de se charger dans la mémoire supérieure qui en règle générale est plutôt exiguë par rapport aux grands espaces de la TPA située en-deça de la limite des 640 Ko.

A partir de la version 5 de DOS, le champ qui attend l'adresse où finit le driver reçoit en fait l'adresse d'extension maximale du driver. Si l'espace ainsi proposé ne suffit pas, le driver devrait normalement renoncer à son installation.

S'il le driver est un driver de blocs, il doit transmettre comme dernier argument l'adresse d'un champ qui associe à chaque unité logique une adresse de "bloc de paramètres BIOS" (BPB). Cette structure de données doit être établie par le driver, à l'intérieur de son segment de mémoire, pour chacune des unités logiques supportées. Ainsi le champ transmis ne comporte que des pointeurs NEAR, c'est-à-dire les offsets des différents BPB.

Le premier mot de ce tableau donne l'offset de la première unité, le deuxième mot l'offset de la deuxième unité et ainsi de suite. Le BPB est un bloc de données contenant différentes informations sur une unité périphérique logique. Si plusieurs unités logiques commandées par le driver (ou même toutes) présentent le même format, les éléments du tableau des adresses de BPB peuvent désigner un seul et même BPB.

Adresse	Contenu	Type
+00h	Octets par secteur	1 WORD
+02h	Secteurs par cluster	1 BYTE
+03h	Secteurs réservés (y compris secteur de boot)	1 WORD
+05h	Nombre de tables d'allocation de fichiers (FAT)	1 BYTE
+06h	Nombre maximum d'entrées dans le répertoire racine	8 BYTES
+08h	Nombre total de secteurs	1 WORD
+0Ah	Descripteur de support	1 BYTE
+0Bh	Nombre de secteurs par table d'allocation de fichiers	1 WORD
Longueur : 13 octets		
Ici commence le BPB étendu qui ne concerne que les drivers de blocs qui opèrent sur des partitions de plus de 32 Mo (à partir de la version 4.0 de DOS)		
+0Dh	Secteurs par piste	1 WORD
+0Fh	Nombre de tête de lecture/écriture	1 WORD
+11h	Secteurs réservés (y compris secteur de boot)	1 DWORD
+15h	Nombre total de secteurs de fichiers	1 DWORD
Longueur : 25 octets		
Structure du bloc de paramètres du BIOS (BPB)		

Code	Support
F0h	Disquette 3", 2 faces, 80 pistes, 18 secteurs par piste Disquette 3", 2 faces, 80 pistes, 36 secteurs par piste
F8h	Disque dur
F9h	Disquette 5", 2 faces, 80 pistes, 15 secteurs par piste Disquette 3", 2 faces, 80 pistes, 9 secteurs par piste
FAh	Disquette 5", 1 face, 80 pistes, 8 secteurs par piste Disquette 3", 1 face, 80 pistes, 8 secteurs par piste
FBh	Disquette 5", 2 faces, 80 pistes, 8 secteurs par piste Disquette 3", 2 faces, 80 pistes, 8 secteurs par piste
FCh	Disquette 5", 1 face, 40 pistes, 9 secteurs par piste
FDh	Disquette 5", 2 faces, 40 pistes, 9 secteurs par piste
FEh	Disquette 5", 1 face, 40 pistes, 8 secteurs par piste
FFh	Disquette 5", 2 faces, 40 pistes, 8 secteurs par piste

Codes de descripteur du support (Media Descriptor)

A partir de la version 4.0 de DOS, la fonction 00H peut renvoyer un indicateur d'erreur à l'offset 17h du bloc de données. Si à l'issue de l'appel DOS trouve l'indicateur différent de 0, il émet un message "CONFIG.SYS : erreur à la ligne xxx".

Fonction 01h : Test de support

Cette fonction ne s'impose que pour un driver de blocs. Sur un driver de caractères, son rôle se limitera à mettre à 1 le bit TERMINE du champ d'état. DOS appelle cette fonction avant certains accès pour déterminer si le support a été changé. L'appel présente un intérêt concret lorsque certaines informations doivent être calculées à partir du répertoire d'un support (d'une disquette par exemple). Si le support n'a pas été changé depuis le dernier accès, DOS dispose encore de ces informations en mémoire mais dans le cas contraire il devra commencer par les lire sur le support, ce qui ralentira bien sûr considérablement l'exécution de la tâche voulue.

La fonction 01h sert donc dans une situation de ce type à indiquer à DOS si le support a été changé. Dans beaucoup de cas, par exemple pour les lecteurs de disquette, il sera assez difficile de répondre à cette interrogation. C'est pourquoi DOS permet à la fonction 01h de répondre par "oui" ou par "non" mais aussi à la normande par "peut-être". La réponse fournie aura de toute façon une grande influence sur le comportement ultérieur du DOS :

○ Si le support n'a pas été changé, l'accès à ce support peut s'effectuer immédiatement.
○ Si le support a par contre été changé, DOS refermera tous les buffers internes concernant le périphérique logique intéressé. De ce fait, toutes les données qui auraient encore dû être transférées sur ce support seront perdues. DOS appelle ensuite la fonction 02h du driver de périphérique intéressé, charge la FAT puis le répertoire principal. Si la fonction de test de support répond par "peut-être", les prochaines opérations entreprises par DOS dépendront de l'état des buffers internes concernant le périphérique logique correspondant. Si ces buffers sont vides, DOS considérera que le support a bien été changé et il agira comme si la fonction 01h avait répondu par un "oui" franc et massif. Si les buffers ne sont cependant pas encore vides, c'est-à-dire s'ils contiennent encore des données à transférer sur le support, DOS considérera que le support n'a pas été changé et il écrira ces données sur le support. Cette façon de procéder présente toutefois un risque au cas où le support aurait bien été changé. Les données de la structure de données du "faux-nouveau" support seraient en effet complètement désorganisées par les données ainsi écrites, ce qui rendrait le support totalement inutilisable.

- Paramètres d'entrée		
Adresse	**Contenu**	**Type**
+01h	Numéro de l'unité logique appelée (0=1ère unité, 1=2ème unité etc...)	1 BYTE
+02h	Numéro de fonction (ici 01h)	1 BYTE
+0Dh	Descripteur de support du périphérique appelé	1 BYTE
- Paramètres de sortie		
Adresse	**Contenu**	**Type**
+03h	Mot d'état	1 WORD
+0Eh	Y a-t-il eu changement de support : FFh = Oui 00h = Peut-être 01h = Non	1 BYTE
+0Fh	Adresse d'un buffer contenant le nom de volume précédent si le support a été changé	1 PTR

Paramètres d'entrée et de sortie de la fonction 01h d'un driver

La réponse de la fonction de test de support entraîne donc des conséquences importantes et il convient de bien peser cette réponse. Mais examinons d'abord les paramètres transmis à la fonction. Le premier d'entre eux est le numéro de l'unité logique : il n'a évidemment de sens que si le driver supporte plusieurs périphériques logiques.

La fonction attend également le code du descripteur de support. Ce code indique à la fonction le type du dernier support trouvé dans l'unité logique concernée. L'indication ne présente d'intérêt que pour les périphériques pouvant traiter plusieurs formats (comme par exemple les lecteurs de disquette de l'AT, qui peuvent traiter aussi bien des disquettes de 360 Ko que des disquettes de 1,2 Mo).

Lorsque la fonction de test constate que l'unité testée possède un support fixe (cas d'un disque dur par exemple), elle pourra répondre systématiquement que le support "n'a pas été changé". S'il s'agit par contre d'un périphérique qui gère des supports mobiles (par exemple un lecteur de disquette), seule des procédures de tests plus complexes pourront fournir une réponse précise. Si l'on ne tient pas à recourir à des méthodes compliquées, il est préférable de répondre par "peut-être".

Pour être complets, citons ici trois méthodes qui permettent d'obtenir des résultats relativement fiables.

Tout périphérique dont le support est interchangeable doit disposer d'un mécanisme d'ouverture et de fermeture. On pourra donc tester ce mécanisme et déterminer ainsi si un support est retiré de l'appareil. Malgré tout cette méthode ne permet pas de déterminer si le support retiré n'est pas le même que celui qui vient d'être introduit.

Si un support possède un nom de volume, on pourra lire ce nom pour détecter un changement éventuel. Cette méthode n'a toutefois d'intérêt que si l'utilisateur s'impose comme discipline de ne jamais utiliser le même nom pour deux disquettes différentes.

La méthode utilisée par DOS (pour les lecteurs de disquette) repose sur le fait qu'il faut un certain temps pour changer de support. En ce qui concerne les lecteurs de disquette des PC, on a ainsi pu constater que le disk jockey le plus expert a besoin d'au moins 2 secondes pour changer une disquette. Si deux accès à la disquette se suivent à moins de 2 secondes d'intervalle (c'est d'ailleurs généralement le cas car un accès disquette est rarement isolé), on peut en déduire raisonnablement que la disquette n'a pas été changée entre-temps.

Un octet du bloc de données sert à représenter les trois résultats possibles. La valeur -1 (FFh) signifie "changé", 0 "peut-être" et 1 "inchangé".

Si un changement de support a été effectué et détecté par le périphérique (Bit 11 de l'attribut du driver = 1), il faut à partir de la version 3 de DOS transmettre au système l'adresse d'un buffer en mémoire qui contienne le nom de volume du support précédent. Ce nom doit être écrit sous forme de chaîne ASCII et être terminé par un caractère nul (code ASCII 0).

Fonction 02h : Création d'un bloc de paramètres BIOS (BPB)

Cette fonction n'est réellement définie que dans les drivers de blocs. Dans un driver de caractères, elle se contentera de mettre à 1 le bit TERMINE du champ d'état. Elle est appelée chaque fois que le support a été changé sur le périphérique désigné. Elle transmet à DOS un pointeur sur le BPB du support.

En plus du numéro d'unité logique et du descripteur de support, DOS fournit à cette fonction un pointeur sur un buffer. Si le périphérique présente l'un des formats standard (bit 13 de l'attribut du driver = 0), ce buffer contiendra le premier secteur de la FAT. Si ce n'est pas le cas, ce buffer est dénué de signification.

A partir de la version 3 de DOS, cette fonction devrait aussi lire et sauvegarder le nom de volume du support puisque ce dernier doit être transmis à la fonction 01h en cas de détection de changement de support (bit 11 dans l'attribut du driver de périphérique = 1).

- Paramètres d'entrée		
Adresse	**Contenu**	**Type**
+01h	Numéro de l'unité logique appelée 0=1ère unité, 1=2ème unité	1 BYTE
+02h	Numéro de la fonction (ici 02h)	1 BYTE
+0Dh	Descripteur de support de l'unité appelée	1 BYTE
+0Eh	Adresse d'un buffer contenant une copie de la table d'allocation des fichiers	1 PTR
- Paramètres de sortie		
Adresse	**Contenu**	**Type**
+03h	Mot d'état	1 WORD
+12h	Adresse du bloc de paramètres BIOS (BPB) de l'unité appelée	1 PTR

Paramètres d'entrée et de sortie de la fonction 02h d'un driver

Fonction 03h : Lecture directe

Cette fonction peut être implémentée sur les drivers de blocs comme sur les drivers de caractères. Elle permet une communication directe entre un programme d'application et le driver qui peut inclure de cette façon une logique de commande supplémentaire. Grâce à cette fonction, un driver de blocs peut recevoir un bloc de données en provenance du programme d'application pour l'interpréter ensuite à sa guise. Toute forme de communication est ainsi réalisable entre le programme d'application et le driver, pour peu que l'un et l'autre parlent le même langage.

Notez cependant que cette fonction ne peut être appelée par le moyen de la fonction 44h de l'interruption 21h que si le bit 14 de l'attribut du driver est mis à 1. Elle attend qu'on lui transmette le nombre de caractères qui seront envoyés au programme d'application ainsi qu'un pointeur FAR sur le buffer où seront stockés les caractères. Le nombre de caractères lus doit correspondre au nombre de caractères transmis, sauf si une erreur survient qui empêche le traitement de l'intégralité des caractères.

- Paramètres d'entrée		
Adresse	**Contenu**	**Type**
+01h	Numéro de l'unité logique appelée (drivers de blocs uniquement)	1 BYTE
+02h	Numéro de la fonction (ici 03h)	1 BYTE
+0Dh	Descripteur de support du périphérique appelé (drivers de blocs uniquement)	1 BYTE
+0Eh	Adresse du buffer de transmission	1 PTR
+12h	Nombre d'octets à lire	1 WORD
- Paramètres de sortie		
Adresse	**Contenu**	**Type**
+03h	Mot d'état	1 WORD
+12h	Nombre d'octets lus (drivers de blocs)	1 WORD

Paramètres d'entrée et de sortie de la fonction 03h d'un driver

Fonction 04h : Lecture

Contrairement à la fonction 03h, cette fonction ne sert pas à la communication entre un programme d'application et un driver. Elle est simplement destinée à lire des caractères sur le support. Dans le cas d'un driver de disque dur, ce sont des secteurs qui seront lus tandis que le driver de console CON lira des touches du clavier.

Notez la manière dont est transmis le numéro de secteur. Selon qu'il s'agisse d'un driver de 16 ou 32 bits, le numéro de secteur est mémorisé à l'offset 14h du bloc de données, sous forme de mot simple, ou à l'offset 1Ah sous forme de mot double DWORD. On appelle drivers 32 bits des drivers de blocs qui supportent des périphériques et des partitions de plus de 32 Mo et dont le bit 1 de l'attribut de périphérique est à 1. Dans le cas de ces drivers, le numéro de secteur à l'offset 14h est fixé à FFFFh pour signaler l'exploitation de l'offset 1Ah.

- Paramètres d'entrée		
Adresse	**Contenu**	**Type**
+01h	Numéro de l'unité logique appelée (drivers de blocs uniqt) (0=premier périph., 1=deuxième périph. etc.)	1 BYTE
+02h	Numéro de la fonction (ici 04h)	1 BYTE
+0Dh	Descripteur de média de l'unité logique appelée (drivers de blocs uniqt)	1 BYTE
+0Eh	Adresse du buffer de transmission	1 PTR
+12h	Nombre de secteurs à lire (drivers de blocs) Nombre d'octets à lire (drivers de caractères)	1 WORD
+14h	Numéro du premier secteur (drivers de blocs <32Mo)	1 WORD
+1Ah	Numéro du premier secteur (drivers de bloc >32Mo)	1 DWORD
- Paramètres de sortie		
Adresse	**Contenu**	**Type**
+03h	Mot d'état	1 WORD
+12h	Nombre de secteurs lus (drivers de blocs) Nombre d'octets lus (drivers de caractères)	1 WORD

Paramètres d'entrée et de sortie de la fonction 04h d'un driver

Fonction 05 h : Lecture d'un caractère sans retrait du buffer

Cette fonction ne concerne que les drivers de caractères.

Dans un driver de blocs, elle se contentera de mettre à 1 le bit TERMINE.

Elle permet à DOS de tester si d'autres caractères sont déjà disponibles. Si tel est le cas, le bit OCCUPE doit être mis à 0 et le caractère suivant doit être transmis à DOS. Il importe de ne pas retirer le caractère lu du buffer, de façon qu'un appel ultérieur à une fonction de lecture le renvoie encore. Si aucun caractère n'est disponible, le bit OCCUPE doit être mis à 1. Cette fonction est essentiellement utilisée pour gérer le clavier.

- Paramètres d'entrée		
Adresse	**Contenu**	**Type**
+02h	Numéro de la fonction (ici 05h)	1 BYTE
- Paramètres de sortie		
Adresse	**Contenu**	**Type**
+03h	Mot d'état	1 WORD
+1Dh	Le caractère lu	1 BYTE
Paramètres d'entrée et de sortie de la fonction 05h d'un driver		

Fonction 06h : Test de l'état d'entrée

Comme la précédente, cette fonction ne concerne que les drivers de caractères. Elle devra donc se contenter de mettre à 1 le bit TERMINE dans un driver de blocs.

DOS appelle cette fonction pour savoir si des caractères sont disponibles, c'est-à-dire s'il existe des caractères en attente de lecture dans le buffer interne du driver. Pour un driver de clavier, cela signifie qu'un ou plusieurs caractères ont été tapés sans avoir encore été lus. Si tel est effectivement le cas, le bit OCCUPE du champ d'état est mis à 0, sinon il est mis à 1. Si un driver de caractères n'a pas de buffer interne, il devra systématiquement mettre à 1 le bit OCCUPE.

- Paramètres d'entrée		
Adresse	**Contenu**	**Type**
+02h	Numéro de la fonction (ici 06h)	1 BYTE
- Paramètres de sortie		
Adresse	**Contenu**	**Type**
+03h	Mot d'état	1 WORD
Paramètres d'entrée et de sortie de la fonction 06h d'un driver		

Fonction 07h : Effacement du buffer d'entrée

Cette fonction est invoquée pour vider les buffers d'entrée internes des drivers de caractères. Elle n'est pas significative pour un driver de blocs : dans ce dernier cas, elle devra simplement mettre l'indicateur TERMINE à 1.

A la suite de l'appel, tous les caractères lus qui n'ont pas encore été transmis à DOS sont irrémédiablement perdus.

- Paramètres d'entrée		
Adresse	**Contenu**	**Type**
+02h	Numéro de la fonction (ici 07h)	1 BYTE
- Paramètres de sortie		
Adresse	**Contenu**	**Type**
+03h	Mot d'état	1 WORD

Paramètres d'entrée et de sortie de la fonction 07h d'un driver

Fonction 08h : Ecriture

La fonction d'écriture concerne aussi bien les drivers de blocs que les drivers de caractères. Elle sert à transférer des caractères d'un buffer vers le périphérique souhaité. Si une erreur apparaît lors de la transmission, le champ d'état doit la signaler.

Suivant que le driver est un driver de caractères ou de blocs, la fonction s'attendra à recevoir des paramètres différents. Dans les deux cas cependant, la fonction attendra l'adresse d'un buffer à partir duquel devront être transférés un certain nombre de caractères. Pour un driver de caractères, il faudra encore indiquer le nombre d'octets à transférer. Pour un driver de blocs, par contre, ce n'est pas le nombre de caractères mais le nombre de secteurs à transférer qu'il faudra indiquer. Un driver de blocs devra également recevoir le numéro de l'unité logique concernée, son descripteur de support ainsi que l'adresse sur le support du premier secteur à transférer.

Notez la différence de traitement des drivers de 16 et 32 bits lorsqu'il s'agit d'indiquer des numéros de secteurs.

- Paramètres d'entrée		
Adresse	**Contenu**	**Type**
+01h	Numéro de l'unité logique appelée (drivers de blocs uniquement)	1 BYTE
+02h	Numéro de la fonction (ici 08h)	1 BYTE
+0Dh	Descripteur de support de l'unité logique appelée (drivers de bloc uniquement)	1 BYTE
+0Eh	Adresse du buffer de transmission	1 PTR
+12h	Nombre de secteurs à écrire (drivers de blocs) Nombre d'octets à écrire (drivers de caract.)	1 WORD
+14h	Numéro du premier secteur (drivers de blocs<32Mo)	1 WORD
+1Ah	Numéro du premier secteur (drivers de blocs>32Mo)	1 DWORD
- Paramètres de sortie		
Adresse	**Contenu**	**Type**
+12h	Nombre de secteurs écrits (drivers de blocs) Nombre d'octets écrits (drivers de caractères)	1 WORD
+03h	Mot d'état	1 WORD

Paramètres d'entrée et de sortie de la fonction 08h d'un driver

Fonction 09h : Ecriture et vérification

Cette fonction est appelée et utilisée comme la fonction 08h, si ce n'est que les caractères écrits doivent être relus pour être vérifiés. Sur certains périphériques, surtout s'ils sont orientés caractères comme les écrans ou les imprimantes par exemple, la vérification des données est inutile, soit qu'aucune erreur ne puisse se produire (cas de l'écran), soit que les données ne puissent être vérifiées (cas de l'imprimante).

- Paramètres d'entrée		
Adresse	**Contenu**	**Type**
+01h	Numéro de l'unité logique appelée (drivers de blocs uniquement)	1 BYTE
+02h	Numéro de la fonction (ici 09h)	1 BYTE
+0Dh	Descripteur de support de l'unité logique (drivers de bloc uniquement)	1 BYTE
+0Eh	Adresse du buffer de transmission	1 PTR
+12h	Nombre de secteurs à écrire (drivers de blocs) Nombre d'octets à écrire (drivers de caract.)	1 WORD
+14h	Numéro du premier secteur (drivers de blocs<32Mo)	1 WORD
+1Ah	Numéro du premier secteur (drivers de blocs>32Mo)	1 DWORD
- Paramètres de sortie		
Adresse	**Contenu**	**Type**
+03h	Mot d'état	1 WORD
+12h	Nombre de secteurs écrits (drivers de bloc) Nombre d'octets écrits (drivers de caractères)	1 WORD
Paramètres d'entrée et de sortie de la fonction 09h d'un driver		

Fonction 0Ah : Test de l'état de sortie

Cette fonction n'est appelée qu'à l'intérieur d'un driver de caractères. Dans un driver de blocs, elle devra simplement mettre à 1 le bit TERMINE du champ d'état.

Elle indique à la fonction appelante, par le moyen du bit OCCUPE du champ d'état, si le dernier appel en écriture a déjà été complètement traité ou non. DOS a besoin de cette information pour savoir si la fonction d'écriture est prête à recevoir un nouvel appel.

- Paramètres d'entrée		
Adresse	**Contenu**	**Type**
+02h	Numéro de la fonction (ici 0Ah)	1 BYTE
- Paramètres de sortie		
Adresse	**Contenu**	**Type**
+03h	Mot d'état (Le bit OCCUPE doit être mis à 1 si la dernière sortie n'est pas encore terminée)	1 WORD
Paramètres d'entrée et de sortie de la fonction 0Ah d'un driver		

Fonction 0Bh : Effacement du buffer de sortie

Cette fonction n'est également utilisée que sur les drivers de caractères. Dans un driver de blocs, elle devra donc simplement mettre à 1 le bit TERMINE du le champ d'état.

Lorsqu'elle est invoquée, elle vide tous les buffers de sortie, même si ceux-ci contiennent encore des caractères en attente qui seront alors perdus.

- Paramètres d'entrée		
Adresse	**Contenu**	**Type**
+02h	Numéro de la fonction (ici 0Bh)	1 BYTE
- Paramètres de sortie		
Adresse	**Contenu**	**Type**
+03h	Mot d'état	1 WORD

Paramètres d'entrée et de sortie de la fonction 0Bh d'un driver

Fonction 0Ch : Ecriture directe

La fonction d'écriture directe est utilisée aussi bien dans les drivers de caractères que dans les drivers de blocs.

Elle est la contrepartie exacte de la fonction 03h. Alors que cette dernière permettait aux programmes d'application de lire des caractères sur le driver, la fonction 0Ch effectue un transfert en sens inverse.

Un programme d'application peut ainsi écrire directement sur le périphérique après avoir fait part de ses intentions par la fonction 03h.

La structure de la communication est à l'initiative du driver car DOS n'impose aucune norme dans ce domaine.

Le driver doit signaler le support de cette fonction par le bit 14 de l'attribut de périphérique. Ce n'est que si ce bit est égal à 1 qu'un programme d'application peut y faire appel par l'intermédiaire de la fonction 44h de DOS. Pour ce qui est des paramètres d'entrée et de sortie, cette fonction est identique à la fonction 03h.

- Paramètres d'entrée		
Adresse	**Contenu**	**Type**
+01h	Numéro de l'unité logique appelée (drivers de blocs uniquement)	1 BYTE
+02h	Numéro de la fonction (ici 0Ch)	1 BYTE
+0Dh	Descripteur de support de l'unité logique appelée (drivers de blocs uniquement)	1 BYTE
+0Eh	Adresse du buffer de transmission	1 PTR
+12h	Nombre de caractères à écrire	1 WORD
- Paramètres de sortie		
Adresse	**Contenu**	**Type**
+03h	Mot d'état	1 WORD
+12h	Nombre de caractères écrits	1 WORD

Paramètres d'entrée et de sortie de la fonction 0Ch d'un driver

Fonction 0Dh : Ouverture

La fonction d'ouverture est exploitée aussi bien par les drivers de blocs que par les drivers de caractères. Elle n'est appelée que si le bit 11 de l'attribut de périphérique est à 1. Sa tâche sera différente suivant qu'elle fait partie d'un driver de caractères ou de blocs.

Dans un driver de blocs, la routine en question est appelée lors de chaque ouverture de fichier. Elle permet de déterminer combien de fichiers sont ouverts sur l'unité logique dont le numéro a été précisé. Il faut être prudent à ce sujet car les programmes qui ont recours aux fonctions FCB ont quelque peu tendance à ne jamais refermer les fichiers ouverts. Ce problème peut toutefois être résolu en considérant qu'aucun fichier ne reste ouvert après un changement de support. La méthode n'est cependant d'aucun secours pour les supports inamovibles tels qu'un disque dur par exemple.

Dans un driver de caractères, la fonction d'ouverture peut servir à envoyer une chaîne d'initialisation avant transmission des caractères au périphérique. Elle se révèle souvent très utile, notamment pour la communication avec une imprimante.

Il faut évidemment éviter de définir la chaîne d'initialisation à l'intérieur du driver. Il vaut mieux la transmettre au driver par le programme d'application, par exemple à l'aide de la fonction IOCTL de l'interruption 21h qui appelle la fonction 03h du driver.

La fonction d'ouverture présente aussi un autre intérêt car elle permet d'empêcher que deux opérations (à l'intérieur d'un réseau ou en fonctionnement multitâche) n'accèdent simultanément au même périphérique, ce qui risquerait naturellement d'entraîner un certain désordre.

Notez que la fonction d'ouverture n'est jamais appelée pour les périphériques CON, PRN et AUX qui restent toujours ouverts.

- Paramètres d'entrée		
Adresse	**Contenu**	**Type**
+01h	Numéro de l'unité logique appelée (drivers de bloc uniquement)	1 BYTE
+02h	Numéro de la fonction (ici 0Dh)	1 BYTE
- Paramètres de sortie		
Adresse	**Contenu**	**Type**
+03h	Mot d'état	1 WORD
Paramètres d'entrée et de sortie de la fonction 0Dh d'un driver		

Fonction 0Eh : Fermeture du périphérique

Cette fonction est l'opposée de la fonction 0Dh. Elle aussi n'est supportée qu'à partir de la version 3 de DOS et uniquement si le bit 11 de l'attribut de périphérique est à 1.

Dans un driver de blocs, elle est appelée chaque fois qu'un fichier a été fermé. Elle permet donc de contrôler facilement si on n'a pas tenté de fermer un fichier qui n'a pas été ouvert.

Dans un driver de caractères, la fonction est utile dans la mesure où elle permet d'envoyer une chaîne de clôture quand la sortie sur un périphérique est terminée. Cette chaîne pourra par exemple être un simple Form Feed pour une imprimante. Comme pour la fonction 0Dh, il faut veiller à ne pas affecter de valeur à cette chaîne à l'intérieur du driver. Le mieux est d'initialiser la chaîne par le programme d'application qui appellera à cet effet la fonction IOCTL.

- Paramètres d'entrée		
Adresse	**Contenu**	**Type**
+01h	Numéro de l'unité logique appelée (drivers de bloc uniquement)	1 BYTE
+02h	Numéro de la fonction (ici 0Eh)	1 BYTE
- Paramètres de sortie		
Adresse	**Contenu**	**Type**
+03h	Mot d'état	1 WORD

Paramètres d'entrée et de sortie de la fonction 0Eh d'un driver

Fonction 0Fh : Détection d'un support amovible

Cette fonction n'est appelée que si le bit 11 de l'attribut de périphérique est à 1. Comme elle ne concerne que les drivers de blocs, elle devra simplement mettre à 1 le bit TERMINE du champ d'état dans le cadre d'un driver de caractères. La seule tâche de cette fonction consiste à indiquer à l'appelant si le support placé dans le périphérique concerné peut être changé ou non. La fonction 0Fh répond à cette question en mettant à 1 ou à 0 le bit OCCUPE du champ d'état.

- Paramètres d'entrée		
Adresse	**Contenu**	**Type**
+01h	Numéro de l'unité logique appelée (drivers de bloc uniquement)	1 BYTE
+02h	Numéro de la fonction (ici 0Fh)	1 BYTE
- Paramètres de sortie		
Adresse	**Contenu**	**Type**
+03h	Mot d'état (Le bit OCCUPE doit être mis à 0 si le support est amovible)	1 WORD

Paramètres d'entrée et de sortie de la fonction 0Fh d'un driver

Fonction 10h : Sortie jusqu'à saturation

Cette fonction ne peut être supportée que par les drivers de caractères. Dans un driver de blocs, elle se limitera à mettre à 1 le bit TERMINE du champ d'état. Elle n'est appelée que si le bit 13 de l'attribut est à 1. Son rôle est de transmettre des caractères vers un périphérique jusqu'à ce que ce dernier indique qu'il est saturé c'est-à-dire qu'il ne peut plus traiter de caractère. Elle est particulièrement bien adaptée à la réalisation de spoolers pour effectuer des impressions en arrière-plan pendant qu'un programme s'exécute au premier plan. Le fait que tous les caractères à transmettre ne puissent être envoyés au périphérique concerné ne constitue pas une erreur mais un mode de fonctionnement normal. Il faut indiquer en plus de l'adresse du buffer le nombre des caractères à transmettre. Lorsque le périphérique indique qu'il est saturé, le nombre de caractère correctement transmis est reporté dans un champ du paramètre de sortie, et la fonction retourne à l'appelant.

Adresse	Contenu	Type
Paramètres d'entrée		
+02h	Numéro de la fonction (ici 10h)	1 BYTE
+0Eh	Adresse du buffer de transmission	1 PTR
+12h	Nombre d'octets à écrire	1 WORD
Paramètres de sortie		
Adresse	Contenu	Type
+03h	Mot d'état	1 WORD
+12h	Nombre d'octets écrits	1 WORD
Paramètres d'entrée et de sortie de la fonction 10h d'un driver		

Fonction 17h : Lecture du format d'une unité logique

Cette fonction n'est exploitée que par les drivers de blocs et elle n'est pas obligatoire. Lorsqu'elle est présente, le bit 6 de l'attribut de périphérique doit être à 1 pour que DOS soit informé. La fonction n'est utilisable qu'en liaison avec le driver de DOS appelé DRIVER.SYS qui permet de faire fonctionner un lecteur de disquette avec deux formats différents. Le rôle de la fonction est d'indiquer à l'appelant lequel des deux formats est présentement actif. Le code de l'unité logique transmis comme paramètre d'entrée n'est pas indispensable car par définition il ne peut exister qu'un seul driver dans le système dont le lecteur soit commutable.

Adresse	Contenu	Type
- Paramètres d'entrée		
Adresse	Contenu	Type
+01h	Numéro de l'unité logique appelée (0=1ère unité, 1=2ème unité, etc)	1 BYTE
+02h	Numéro de la fonction (ici 17h)	1 BYTE
- Paramètres de sortie		
Adresse	Contenu	Type
+01h	Code d'état 0 = le lecteur indiqué n'est pas commutable 1 = premier format actif 2 = deuxième format actif	1 BYTE
+03h	Mot d'état	1 WORD
Paramètres d'entrée et de sortie de la fonction 17h d'un driver		

Fonction 18h: Indication de format alternatif pour une unité logique

Cette fonction symétrique de la précédente permet à DOS d'indiquer au driver que le lecteur géré peut être désigné par un autre caractère sous un autre format.

- Paramètres d'entrée		
Adresse	**Contenu**	**Type**
+01h	Caractère de désignation alternative du lecteur	1 BYTE
+02h	Numéro de la fonction (ici 18h)	1 BYTE
- Paramètres de sortie		
Adresse	**Contenu**	**Type**
+03h	Mot d'état	1 WORD

Paramètres d'entrée et de sortie de la fonction 18h d'un driver

27.4. Driver d'horloge

Le driver d'horloge est un type tout à fait particulier de driver de périphérique. C'est en effet un driver de caractères dont la seule occupation est d'échanger la date et l'heure avec DOS. Au moment du lancement du système DOS charge un driver d'horloge appelé $CLOCK. Ce driver pourrait porter un autre nom car il n'est pas identifié par DOS d'après son nom mais par le fait que le bit 2 de l'attribut de périphérique est égal à 1. Le bit 15 doit également être égal à 1 car il s'agit d'un driver de caractères. Le driver lui-même est appelé par les fonctions 2Ah à 2Dh de l'interruption 21h de DOS qui lisent et règlent la date ou l'heure par son intermédiaire. En plus de la fonction 00h (pour l'initialisation) le driver doit supporter les fonctions 04h et 08h. En cas d'appel de la fonction 04h (Lecture), la date et l'heure courantes sont transmises à DOS par le driver. Inversement DOS peut fixer une nouvelle date et une nouvelle heure en appelant la fonction 08h (Ecriture). Pour l'une et l'autre fonction la date et l'heure sont transmises dans un buffer de 6 octets. Les données figurant dans le bloc de données correspondent à celles d'un driver de caractères.

Adresse	**Contenu**	**Type**
+00h	Nombre de jours depuis le 1/01/1980	1 WORD
+02h	Minutes	1 BYTE
+03h	Heures	1 BYTE
+04h	Centièmes de seconde	1 BYTE
+05h	Secondes	1 BYTE
▨▨▨ Longueur : 6 octets		

Structure du bloc de données pour transmettre la date et l'heure à un driver d'horloge

Le mode de transmission de la date peut sembler a priori quelque peu curieux. On s'attendrait à une communication séparée de l'année, du mois et du jour. Au lieu de cela c'est le nombre de jours écoulés depuis le 1er janvier 1980 qui est utilisé sous la forme d'un nombre de 16 bits. Pour reconvertir ce nombre en une date de forme classique année, mois et jour, il faut avoir recours à une formule relativement complexe car elle doit notamment prendre en compte les années bissextiles. Pour lire et fixer l'heure, un driver d'horloge utilisera normalement les fonctions 00h et 01h de l'interruption 1Ah du BIOS. Les possesseurs d'AT devraient être intéressés par le développement d'un nouveau driver d'horloge puisque leur ordinateur

dispose, comme vous le savez sans doute, d'une horloge temps réel à piles. Dans ce cas les fonctions 00h et 01h de l'interruption 1Ah n'interviennent que sur un compteur de temps qui est une simple variable de programme. La véritable horloge temps réel reste hors d'atteinte. Si la date et l'heure sont réglées à l'aide de la fonction 08h du driver, elles ne seront pas enregistrées définitivement car elles seront oubliées dès que l'ordinateur sera éteint ou dès que le système sera relancé. Il y aurait donc ici matière à développer un nouveau driver d'horloge qui n'accéderait pas à la date et à l'heure par les fonctions 0 et 1 de l'interruption 1Ah mais utiliserait les fonctions 02h à 05h de cette interruption, qui, elles, permettent d'intervenir sur la véritable horloge. En fait cette idée a bien été exploitée par Microsoft : à partir de la version 3.0 de DOS le driver prédéfini $CLOCK accède vraiment à l'horloge.

27.5. Appel d'un driver de périphérique par DOS

Après avoir décrit les différentes fonctions d'un driver de périphérique, nous allons pouvoir nous lancer dans le développement d'un driver maison. Nous consacrerons d'abord notre attention à la séquence des opérations exécutées avant et après appel d'une fonction d'un driver.

Le premier événement de la chaîne est un appel à une fonction de l'interruption 21h de DOS qui touche de près ou de loin aux entrées-sorties de caractères.

Le fait d'invoquer une telle fonction peut avoir pour conséquence toute une série d'autres appels qui se traduisent par un grand nombre d'accès en lecture/écriture.

C'est ce qui se passe par exemple avec la fonction 3Dh de DOS qui permet d'ouvrir un fichier dans n'importe quel sous-répertoire. Pour ouvrir un fichier, DOS doit commencer par le retrouver. A cette fin la fonction devra charger la FAT et même dans certains cas examiner toute une série de répertoires. A chacun de ces accès dont une partie se déroulera par l'intermédiaire de l'interruption 21h, DOS devra déterminer le périphérique qui doit exécuter les lectures ou écritures de caractères. Après cela, DOS mettra en place, à l'intérieur d'une zone de mémoire réservée à cet effet, un bloc de données qui recevra les informations nécessitées par la fonction de driver.

En ce qui concerne les fichiers, DOS doit encore convertir le numéro de l'enregistrement à traiter, inexploitable par une fonction de driver, en un numéro de secteur logique. C'est alors que commence l'appel de la fonction du driver. La routine de stratégie du driver est déclenchée en premier et reçoit l'adresse du bloc de données qui vient d'être mis en place. C'est ensuite la routine d'interruption du driver qui s'exécute. Elle sauvegarde tous les registres et isole dans le bloc de données le numéro de la fonction à appeler, dont elle déclenche aussitôt l'exécution.

Si le driver appelé est un driver de caractères, la fonction appelée doit simplement envoyer au matériel les caractères à transférer ou lui réclamer les caractères à lire.

S'il s'agit d'un driver de blocs (de type mémoire de masse, par exemple lecteur de disquette ou disque dur), le numéro de secteur logique devra être converti en une adresse physique préalablement à tout accès en lecture ou écriture.

Cette adresse physique pourra se composer par exemple d'un numéro de tête, d'un numéro de piste et d'un numéro de secteur. Une fois que la fonction de lecture/écriture a été exécutée, la fonction du driver devra inscrire dans le champ d'état le résultat de son travail pour le communiquer à la fonction appelante.

Le contenu de l'ensemble des registres peut alors être restauré et le contrôle est rendu à la fonction appelante. Nous voilà revenus à l'intérieur de l'interruption 21h qui, suivant le résultat

de la fonction de driver, met à 1 ou à 0 l'indicateur de retenue et charge un code d'erreur dans le registre AX.

En tant que premier et dernier intervenant dans le déroulement des opérations, l'interruption rend ensuite le contrôle à la fonction qui l'avait appelée.

27.6. Accès direct aux drivers de périphériques : IOCTL

Au cours de ce chapitre, la fonction IOCTL a été évoquée plusieurs fois sous la forme de la fonction 44h de DOS. C'est à elle que nous allons nous intéresser maintenant car elle représente, au-delà des méthodes présentées au début de ce chapitre, une autre possibilité de communiquer avec un driver de périphérique. Elle n'est toutefois supportée que par les drivers qui dans leur attribut de périphérique présentent un bit IOCTL égal à 1 (bit 14).

La fonction IOCTL n'est elle-même que l'une des nombreuses fonctions qui sont susceptibles d'être appelées par l'interruption 21h du DOS. Son numéro de fonction est 44h. Elle offre toute une série d'options qui peuvent être divisées en trois groupes : configuration du driver, transmission de données et état du driver. Le numéro de chaque option (numéro de fonction IOCTL) doit toujours être transmis à la fonction 44h par l'intermédiaire du registre AL. Après appel de la fonction, l'indicateur de retenue signale la bonne exécution de la fonction. S'il est à 1, une erreur s'est produite dont le code est placé dans le registre AX.

Pour tester l'état d'un driver de caractères (l'état d'un driver de blocs n'est pas directement détectable), on dispose des fonctions IOCTL 06h et 07h. La fonction 06h permet de déterminer si le driver peut recevoir des données alors que la fonction 07h indique l'état de sortie du driver, autrement dit si le driver peut envoyer des données. Les deux fonctions attendent en AL leur numéro et en BX un Handle ou numéro d'accès. Par conséquent, lorsqu'on souhaite déterminer l'état d'un driver de caractères, il convient d'ouvrir tout d'abord un Handle à l'aide de la fonction "Ouvrir Handle" en spécifiant comme "nom de fichier" le nom du driver de caractères concerné.

Après exécution les deux fonctions renvoient en AL la valeur FFh si le driver est prêt. La valeur 0 signale au contraire que le driver est encore occupé.

Les fonctions IOCTL 02h et 03h servent à échanger des données avec un driver de caractères. Comme paramètres elles attendent également un Handle en BX mais il faut aussi disposer en CX le nombre d'octets à transférer et en DS:DX une adresse de buffer. La fonction IOCTL 02h transfère le nombre de caractères spécifié depuis le driver dans le buffer indiqué du programme appelant. A l'issue de l'appel, le registre AX contient le nombre d'octets transférés.

La fonction IOCTL 03h transfère à l'inverse les données du buffer spécifié vers le driver. Le registre AX contient également, après exécution, le nombre d'octets transférés.

Ces deux fonctions permettent de construire un driver de telle façon qu'un programme d'application puisse lui transmettre certaines instructions, avec les paramètres appropriés, à l'aide de la fonction 03h. Le driver exploitera alors chaque instruction et exécutera les calculs correspondants. S'il doit fournir en réponse certaines données au programme d'application, celles-ci pourront être réclamées par le programme utilisateur en appelant la fonction 02h.

Les fonctions IOCTL 04h et 05h ont la même tâche que les fonctions 02h et 03h. Il existe cependant une différence de principe car les fonctions 04h et 05h n'appellent pas des drivers de caractères mais des drivers de blocs. C'est pourquoi ces fonctions ne s'attendent plus à

recevoir en BX un Handle. Il faut mettre en BL la désignation de l'unité logique invoquée (0=A, 1=B, etc...). Pour le reste, ces deux fonctions sont identiques aux fonctions IOCTL 02h et 03h.

Les deux dernières options de la fonction IOCTL, les fonctions IOCTL 00h et 01h servent à fixer et à tester l'état d'un driver de caractère. Pour tester cet état avec la fonction IOCTL 00h, il suffit de mettre dans le registre AH le numéro de la fonction de DOS (44h), dans le registre AL le numéro de l'option (00h) et dans le registre BX le numéro d'un Handle correspondant au driver souhaité. A l'issue de l'appel, le registre DX contiendra l'état du driver. Le bit 7 indique si le Handle transmis correspond à un fichier ou à un driver de caractères. Dans ce dernier cas, ce bit aura la valeur 1. Le bit 14 indique si les fonctions IOCTL 02h et 03 peuvent émettre ou réceptionner des caractères à destination ou en provenance du driver. Si le driver supporte ces fonctions, le bit 14 sera à 1. Le bit 5 indique si le driver est exploité en mode Raw (bit 5 = 1) ou en mode Cooked (bit 5 = 0). Les bits 0 à 3 indiquent de quel type de driver il s'agit. Si le bit 3 = 1, il s'agit du driver d'horloge. Le bit 2 indique s'il s'agit du driver NUL, le bit 1 si le driver est le driver de sortie CON et le bit 0 s'il s'agit du driver d'entrée CON.

Les bits ont la même signification pour la fonction IOCTL 01h qui permet de fixer l'état d'un driver de caractère. La seule information pertinente à cet égard est le choix du mode Raw ou Cooked. C'est pourquoi on procède généralement de la façon suivante : on appelle tout d'abord d'appeler la fonction IOCTL 00h pour charger en DX l'état du driver, puis on manipule le bit 5 pour le conformer au mode d'exploitation souhaité et on termine en invoquant la fonction 01h pour entériner le réglage.

Les interruptions 25h et 26h

La dernière possibilité de communication avec un driver est fournie par les interruptions 25h et 26h. Ne sont concernés dans ce cas que les drivers de blocs. Les interruptions citées servent à lire (INT 25h) ou à enregistrer (INT 26h) des secteurs déterminés d'une unité de mémoire de masse. DOS ne convertit pas les numéros de secteurs qui lui sont transmis, les accès se font donc exactement sur les secteurs spécifiés.

Il sera intéressant d'appeler cette interruption chaque fois qu'il faudra accéder aux structures de données d'une mémoire de masse, c'est-à-dire à la FAT ou à un répertoire. Ces deux interruptions permettent également d'exploiter des disquettes qui tout en étant lisible par le lecteur utilisé ont été formatées sous un autre système d'exploitation et présentent de ce fait une structure logique différente de celle en vigueur sous DOS.

Les deux interruptions sont conçues pour recevoir les mêmes paramètres. Il faut mettre le numéro d'unité logique en AL (A = 0, B = 1, etc...), le nombre de secteurs à lire ou à enregistrer en CX, le numéro du premier secteur appelé en DX, une adresse de buffer en DS:BX. A l'issue de l'interruption, l'indicateur de retenue sera égal à 0 si l'accès au support s'est fait sans problème. Sinon l'indicateur de retenue sera mis à 1 et un code d'erreur figurera dans le registre AX.

A partir de la version 4.0 de DOS, le mode de fonctionnement des deux interruptions a dû être quelque peu modifié car si DX contient un numéro de secteur à 16 bits il n'est pas possible d'adresser plus de 65536 secteurs et de franchir la barrière des 32 Mo.

Pour accéder à des volumes de grande taille, il faut désormais placer en DS:BX un pointeur qui référence un bloc de données selon le schéma suivant :

Adresse	Contenu	Type
+00h	Numéro du premier secteur	1 DWORD
+04h	Nombre de secteurs	1 WORD
+06h	Pointeur sur buffer	1 PTR
	Longueur: 0Ah (10 octets)	

Structure du bloc de données à l'appel des interruptions 25h et 26h sous DOS 4.0

En même temps il faut mettre le nombre -1 (FFFFh) dans CX pour que DOS soit informé de l'utilisation du nouveau schéma. Tant que les secteurs adressés sont situés en deçà de 32 Mo, l'ancienne structure peut être conservée même pour les volumes qui dépassent au total 32 Mo.

27.7. Conseils pour développer un driver

Le développement d'un driver de périphérique pose le difficile problème de sa mise au point, autrement dit de son débogage. Il faut savoir qu'un driver de périphérique est automatiquement chargé à une adresse de la mémoire fixée par DOS et que le programmeur ignore. Par ailleurs il n'est pas possible de tester un nouveau driver de console CON avec le programme DEBUG car ce débogueur utilise lui-même ce driver pour la sortie et l'entrée de caractères.

C'est pourquoi nous vous conseillons, après avoir programmé le driver proprement dit, de développer un petit programme de test qui appellera les différentes fonctions du driver exactement comme DOS mais sans intégrer le driver dans DOS. L'avantage sera bien sûr que tout se déroulera sous votre contrôle et que vous pourrez suivre toute l'opération à l'aide d'un débogueur. En tout cas il est absolument indispensable de n'intégrer dans le système un nouveau driver (surtout s'il s'agit d'un driver de blocs) qu'après l'avoir testé de façon approfondie. Avec les mémoires de masse gérées par des drivers de bloc, il peut arriver, faute de précautions, qu'un défaut de fonctionnement du driver occasionne une perte de données considérable.

Si vous travaillez avec un disque dur, il faut absolument réaliser une disquette de lancement du système avant procéder au démarrage du système avec le nouveau driver. Si votre driver contient la moindre imperfection qui plante le système au moment de son initialisation (ce qui m'est justement arrivé au cours du développement du driver de Console que nous allons maintenant vous présenter), le démarrage du système se bloque et vous n'avez aucun moyen de revenir à DOS. Dans une telle situation, la seule solution est de relancer le système avec une disquette DOS non modifiée pour accéder à nouveau au disque dur et éliminer le driver en développement jusqu'à ce qu'il soit opérationnel.

27.8. Exemples de drivers

Pour mettre en pratique les informations fournies dans ce chapitre, nous allons maintenant vous présenter un driver de chacun des trois types étudiés.

Il s'agira d'un driver de caractères qui présente exactement la même structure qu'un driver de console ordinaire, d'un driver de blocs permettant de mettre en place un disque virtuel de 160 Ko et enfin d'un driver d'horloge qui opère directement sur l'horloge temps réel sur piles d'un AT.

Un driver doit par définition respecter les règles des programmes COM. Il ne doit occuper qu'un seul segment qui regroupe à la fois le code et les données. Par ailleurs il ne doit pas contenir de références directes à des segments. Mais à la différence des programmes COM il doit commencer à l'offset 0h (et non 100h) car une fois en mémoire il n'est pas disposé à la suite d'un PSP.

Voici d'abord le nouveau driver de console CON pour les entrées-sorties sur clavier-écran :

CONDRV.ASM

L'en-tête de ce driver signale clairement qu'il s'agit d'un driver de caractères qui gère aussi bien le périphérique d'entrée standard (le clavier) que le périphérique de sortie standard (l'écran). Si vous mettez à 1 les deux bits appropriés de l'attribut de périphérique, ce driver, une fois intégré dans le système, sera mis en service à chaque appel précédemment dirigé sur le driver CON. Comme tout autre driver, il dispose naturellement d'une routine de stratégie et d'une routine d'interruption. La première sauvegarde simplement l'adresse du bloc de données transmis dans la variable DB_PTR.

La routine d'interruption, lorsqu'elle est appelée, commence par placer sur la pile les registres qu'elle va modifier, avant de lire dans le bloc de données transmis le numéro de la routine à appeler. Elle examine ensuite si cette fonction est supportée par CONDRV. Si ce n'est pas le cas, on saute directement à la fin de la routine d'interruption où le code d'erreur approprié est enregistré dans le champ d'état du bloc de données transmis. Les registres qui avaient été sauvegardés sur la pile sont alors restaurés et le contrôle est rendu à la fonction de DOS qui avait appelé la routine.

Si par contre la fonction appelée est bien supportée, l'offset de la routine demandée à l'intérieur du driver est lu dans la table TAB_FCT pour permettre son appel. Si vous examinez ladite table, vous constaterez que les noms des routines DUMMY et NO_SUP y apparaissent plusieurs fois. DUMMY est appelé pour toutes les fonctions qui ne peuvent être utilisées que dans un driver de blocs ou qui, plus généralement, ne sont pas définies dans ce driver. C'est pourquoi la seule fonction de la routine DUMMY est de mettre à 0 le registre AX et du même coup le bit OCCUPE dans le champ d'état. Cette disposition est imposée par les fonctions de niveau supérieur de DOS.

La routine NO_SUP est quant à elle appelée à la place de toutes les routines qui ne doivent pas être déclenchées par les fonctions supérieures de DOS parce que CONDRV a indiqué dans son attribut de driver qu'il ne supporte pas ces fonctions.

Examinons maintenant les autres fonctions du driver, dans l'ordre dans lequel elles apparaissent dans le listing.

La première routine que nous trouvons après NO_SUP est STORE_C. Elle n'est pas appelée par les fonctions de rang supérieur du DOS mais par les autres routines à l'intérieur même du driver. Elle sert à sauvegarder un caractère dans le buffer interne du driver. Le driver devrait en principe pouvoir se dispenser d'un tel buffer puisque c'est à travers les fonctions du BIOS, qui dispose lui-même d'un buffer, que le driver lit les caractères du clavier. Le problème est que le BIOS renvoie deux caractères chaque fois que l'utilisateur actionne une touche à code étendu (touches de direction, touches de fonction, etc...). Si les fonctions de rang supérieur de DOS ne réclament de CONDRV que la lecture d'un seul caractère, il ne faut pas pour autant que le second caractère soit perdu. C'est pourquoi il faut le sauvegarder dans un buffer pour

qu'il puisse être renvoyé à DOS lors du prochain appel de la fonction de lecture. C'est en cela que consiste la tâche de STORE_C.

La routine suivante est la fonction de lecture à laquelle nous venons de faire allusion. Elle détermine tout d'abord le nombre de caractères à lire en fonction du bloc de données fourni par DOS. Si ce nombre est égal à 0, la routine s'achève sur-le-champ.

C'est alors que démarre une boucle qui sera parcourue autant de fois qu'il y a de caractères à lire. Cette boucle sert à tester s'il reste encore des caractères dans le buffer interne du driver. Si tel est le cas, le prochain caractère y est lu pour être transféré dans le buffer de la fonction appelante. S'il n'y a plus de caractères dans le buffer associé au clavier, on fait appel à la fonction 00h de l'interruption 16h du BIOS 16h pour aller lire un caractère au clavier. Ce caractère est lui aussi sauvegardé dans le buffer de clavier interne. S'il s'agit d'un code de clavier étendu, il est séparé en deux caractères.

La prochaine étape consiste alors à retirer à nouveau le caractère du buffer de clavier pour le transférer dans le buffer de la fonction appelante. L'ensemble de l'opération est répété jusqu'à ce que tous les caractères réclamés aient été transmis à DOS. La routine est alors terminée.

La fonction suivante, nommée LIRE_B, est également invoquée par les fonctions de rang supérieur de DOS. Elle sert à tester si un caractère a été ou non entré au clavier. Si tel n'est pas le cas, elle met à 1 le bit OCCUPE du champ d'état du bloc de données fourni par DOS avant de retourner à la fonction appelante. Si par contre un caractère déjà saisi n'a pas encore été lu, ce caractère est lu, transmis à la fonction appelante de DOS par l'intermédiaire du bloc de données après quoi le bit OCCUPE est mis à 0. Le caractère en question ne sera pas retranché du buffer de clavier : ainsi il pourra être transmis à DOS dans le cadre d'un appel ultérieur de la fonction de lecture. Pour tester si un caractère est déjà prêt, la fonction LIRE_P utilise la fonction 01h de l'interruption 16h du BIOS.

La fonction appelée DEL_B_EN est également à la disposition des fonctions de rang supérieur du DOS. Elle sert à vider le buffer de clavier. A cet effet, elle lit les caractères de ce buffer, par l'intermédiaire de la fonction 0 de l'interruption clavier du BIOS, jusqu'à épuisement, c'est-à-dire jusqu'à ce que la fonction 01h signale qu'il n'y a plus de caractères à lire. Le rôle de cette fonction est alors terminé et elle revient à la fonction appelante, non sans avoir au préalable mis à 0 le bit OCCUPE.

ECRIRE sert à retirer un nombre donné de caractères d'un buffer transmis par DOS pour les afficher à l'écran. C'est la fonction 0Eh de l'interruption vidéo du BIOS qui est utilisée à cet effet. Une fois que tous les caractères ont été amenés sur l'écran, le bit OCCUPE du champ d'état est mis à 0 et la fonction est terminée. Notez qu'elle intervient également lorsque vous appelez les fonctions DOS d'"Ecriture et vérification". Aucune erreur ne peut en effet se produire lors d'un affichage à l'écran, de sorte que toute vérification est complètement inutile.

La dernière fonction, la routine d'initialisation, est la première appelée par DOS. Il n'est pas nécessaire d'initialiser des variables ou le matériel dans CONDRV. La seule tâche de la routine consiste donc à enregistrer l'adresse où se termine le driver dans le bloc de données transmis. Pour cela elle transmet sa propre adresse de début puisqu'elle ne servira plus après ce premier appel et qu'elle est située à la fin du driver.

Sous sa forme actuelle, ce driver ne présente pas un intérêt pratique considérable puisqu'il vous offre uniquement des fonctions déjà définies par le driver CON de DOS. Il pourra cependant vous être extrêmement utile par la suite si vous le prenez pour base du développement d'un driver étendu du type ANSI.SYS, afin de pouvoir mieux contrôler la gestion de l'écran.

Vous pourriez par exemple intégrer dans ce driver une gestion de fenêtres complète qui pourrait être appelée directement par tous vos programmes, quel que soit leur langage...

Voici maintenant driver de blocs qui définit un disque virtuel de 160 Ko :

RAMDISK.ASM

L'armature de base de ce driver ressemble beaucoup à celle du driver CONDRV que nous venons de voir précédemment. Les fonctions supportées ne sont toutefois pas les mêmes puisque ces drivers relèvent de deux types différents.

Intéressons-nous tout d'abord à la première fonction du driver, la routine d'initialisation. Elle est beaucoup plus développée que la routine équivalente du driver CONDRV et elle n'a pas non plus été placée à la fin du driver. Elle demeurera donc en mémoire une fois son exécution terminée, bien qu'elle ne soit plus utilisée. Nous ne tarderons pas à comprendre pourquoi il en est ainsi.

Cette routine lit tout d'abord le numéro de la version de DOS à l'aide de la fonction 30h. Si ce numéro de version est supérieur ou égal à 3, le bloc de données transmis par DOS contiendra la désignation de périphérique du disque virtuel. Dans ce cas ladite désignation sera lue, convertie en une lettre et reportée dans le message d'installation qui est affiché par la fonction 09h de DOS.

La routine calcule ensuite l'adresse où se termine le disque virtuel. Comme la zone de données proprement dite du disque virtuel commence immédiatement après la dernière routine du driver, il faut ajouter 160 Ko à l'adresse où se termine le driver. On envoie ensuite à DOS l'adresse d'une variable (BPB_PTR) qui contient elle-même l'adresse du bloc de paramètres du BIOS décrivant le format du disque virtuel. Ce bloc de paramètres indique ici que le disque virtuel fonctionne avec des secteurs de 512 octets, que chaque cluster ne comporte qu'un seul secteur, qu'il n'y a qu'un secteur réservé (le secteur de boot), qu'il n'existe qu'une seule FAT. Par ailleurs le répertoire racine peut comporter 64 entrées au maximum, le disque virtuel compte 320 secteurs, autrement dit 160 Ko, la FAT occupe un seul secteur et enfin que le descripteur de support vaut FEh, ce qui définit une disquette simple face de 40 pistes de 8 secteurs.

Une fois que ces paramètres ont été reportés dans le bloc de données de DOS, on calcule le segment de la zone de données du disque virtuel. Cette adresse n'est en fait requise qu'à des fins internes et elle n'est pas communiquée à DOS.

Il s'agit à présent de formater le disque virtuel, c'est-à-dire qu'il faut le doter d'un secteur de lancement du système (secteur de boot), d'une FAT (table d'allocation des fichiers) et d'un répertoire racine. C'est maintenant qu'apparaît clairement la raison pour laquelle la routine d'initialisation n'a pas été placée après la dernière routine du driver, c'est-à-dire au début de la zone de données du disque virtuel. Comme les structures de données indiquées vont se placer dans les premiers secteurs du disque virtuel, la routine INIT s'effacerait donc elle-même si elle se situait à cet endroit, ce qui ne manquerait pas de planter le système.

Le secteur de lancement du système, ou secteur de boot, occupe comme d'habitude l'intégralité du premier secteur du disque mais seuls ses 15 premiers mots sont enregistrés car ce sont les seules informations indispensables à DOS.

Il est évident que le secteur de lancement du système a été installé ici uniquement par souci de compatibilité avec le format habituel. Il n'est pas possible en effet de lancer le système à partir d'un disque virtuel.

La FAT est mise en place dans le second secteur du disque virtuel. Les deux premiers éléments de la table sont constitués par le descripteur de support, les autres éléments sont initialisés à 0 pour signaler qu'aucun cluster n'est encore occupé et que le disque virtuel est encore vierge.

La dernière structure de données installée est le répertoire racine qui ne comporte au départ aucune entrée en dehors du nom de volume. Le rôle de la routine d'initialisation est alors achevé et elle rend la main à la fonction appelante.

Examinons maintenant dans l'ordre les autres routines du driver. INIT est suivi de la routine DUMMY qui a la même fonction que dans CONDRV.

Vient ensuite la routine MED_TEST qui n'existe que dans les drivers de blocs et qui indique à DOS si le support géré a été changé. Nous renvoyons bien sûr systématiquement la valeur 1 pour "inchangé".

La routine suivante, GET_BPB a simplement pour objet de fournir à nouveau à DOS l'adresse de la variable qui contient l'adresse du BPB du disque virtuel, comme l'a déjà fait la routine d'initialisation.

La routine suivante s'appelle NO_REM. Elle permet à DOS de déterminer si le support géré (notre disque virtuel en l'occurrence) est amovible ou non. Comme notre support est inamovible, nous mettons à 1 le bit OCCUPE du champ d'état.

Le listing fait alors apparaître les deux fonctions principales du driver qui s'occupent de la lecture et de l'écriture de données. Comme dans CONDRV, c'est la fonction d'écriture ordinaire qui est appelée lorsqu'on invoque la fonction "Ecriture et vérification" car aucune erreur de données n'est possible lors d'un accès à la mémoire vive. Notre routine ne fait d'ailleurs pas grand chose ; elle charge simplement la valeur 0 dans le registre BP, après quoi elle se branche sur la routine MOVE. La routine LIRE fonctionne de la même façon, si ce n'est bien sûr que c'est la valeur 1 qu'elle charge dans le registre BP.

MOVE est une routine élémentaire qui sert à transférer des données. Lorsqu'elle est appelée, le registre BP est simplement utilisé pour indiquer si les données doivent être transférées du disque virtuel vers DOS ou bien en sens inverse. Toutes les autres informations, l'adresse du buffer de DOS, le nombre de secteurs à transférer et le premier secteur à transférer sont communiqués par le bloc de données que lui fournit DOS. Les commentaires du listing décrivent en détail le fonctionnement de cette routine et il n'est donc pas nécessaire que nous y revenions.

Ce disque virtuel peut évidemment être encore agrandi. Si la taille de votre mémoire vive le permet, il pourrait par exemple être intéressant de porter sa capacité à 360 Ko. Les possesseurs d'AT peuvent aussi envisager de loger le disque virtuel au-delà de la limite de 1 Mo. Dans ce cas, la transmission des données entre DOS et le disque virtuel devra s'effectuer par l'intermédiaire de la fonction 87h de l'interruption 15h.

Voici maintenant un dernier exemple de driver de périphérique. Il s'agit cette fois d'un driver d'horloge qui permet d'accéder directement à l'horloge sur piles de l'AT. Grâce à lui, la date et l'heure sont sauvegardées directement dans l'horloge en temps réel lorsque vous appellerez les instructions DATE et TIME du DOS. Inversement, lorsque vous voudrez connaître la date ou l'heure, ces informations seront tirées directement des mémoires de l'horloge en temps réel.

Regardons d'abord le driver, que nous décrirons ensuite de façon détaillée.

HEUREAT.ASM

La structure de base de ce driver ne se distingue de celle des précédents que dans la mesure où les différentes fonctions sont appelées directement, sans passer par une table d'adresses. Comme ce driver ne doit en effet supporter que les fonctions 00h, 04h et 08h, il peut tester directement le numéro de fonction transmis par DOS pour voir s'il s'agit bien d'une de ces fonctions, et signaler une erreur si ce n'est pas le cas. Outre la routine INIT qui fixe simplement l'adresse où se termine le driver, comme dans CONDRV, ce driver ne comporte, du point de vue de DOS, que les fonctions "Lecture de la date et de l'heure" ou "Réglage de la date et de l'heure".

La communication de l'heure s'effectue d'une façon très simple. En lecture, il suffit de lire l'heure dans les mémoires appropriées de l'horloge, de la convertir du format BCD au format binaire puis de la reporter dans le buffer de DOS. Le réglage s'effectue en sens inverse : les données sont tout d'abord lues dans le buffer de DOS puis converties du format binaire au format BCD et enfin reportées dans les mémoires de l'horloge.

Si cette transmission de données ne pose aucun problème avec ces deux fonctions, c'est que DOS utilise pour indiquer l'heure le même format que l'horloge : heures, minutes et secondes sont codées chacune dans un octet.

Avec la date les choses se compliquent. L'horloge stocke en effet le jour, le mois et l'année dans autant d'octets différents alors que DOS fournit la date sous la forme du nombre de jours écoulés depuis le 1.1.1980. Lors du réglage de la date et de l'heure, il est donc nécessaire de convertir tout d'abord ce nombre en une date au format jour, mois, année. C'est naturellement l'inverse qui se produit lorsqu'est appelée la fonction de lecture. Il faut alors convertir la date fournie par l'horloge en nombre de jours. Essayons donc de suivre le déroulement des opérations.

La routine de conversion commence par l'année 1980 et met à 0 le nombre de jours écoulés depuis le 1er janvier 1980. Elle teste alors si cette année est inférieure à l'année actuelle. Si oui, le nombre de jours que compte cette année est additionné au nombre de jours écoulés, sans oublier naturellement d'ajouter un jour supplémentaire pour toute année bissextile. Cette boucle est répétée jusqu'à ce que l'année actuelle soit atteinte. On calcule ensuite le nombre de jours en février de cette année et on le reporte dans une table qui contient le nombre de jours de chaque mois.

L'étape suivante consiste à ajouter au nombre de jours écoulés le nombre de jours de tout mois inférieur au mois actuel. Une fois le mois actuel atteint, il ne reste plus qu'à additionner le jour actuel au nombre de jours écoulés. C'est ainsi qu'on obtient le nombre de jours écoulés depuis le 1.1.1980.

Cette valeur est alors reportée dans le buffer de DOS et le tout est transmis à DOS.

La conversion du nombre de jours écoulés en une date au format ordinaire se déroule exactement à l'identique mais en sens inverse. On commence tout d'abord par l'année 1980 et on teste si le nombre de jours que compte cette année est inférieur au nombre de jours écoulés. Si tel est le cas, l'année est incrémentée et le nombre de jours de cette année est retranché du nombre de jours écoulés. Cette boucle est répétée jusqu'à ce que le nombre de jours d'une année

soit supérieur au nombre de jours écoulés. On calcule alors le nombre de jours en février de cette année et on le reporte dans la table des mois.

Une nouvelle boucle commence avec le mois de janvier, pour tester si le nombre de jours de chaque mois est inférieur ou égal au nombre de jours écoulés. Tant que c'est le cas, le nombre de jours du mois considéré est retranché du nombre de jours écoulés. Lorsque le nombre de jours d'un mois est enfin supérieur au nombre de jours écoulés, la boucle est interrompue. Il ne reste plus alors qu'à augmenter le nombre pour obtenir le jour du mois et compléter ainsi la date.

La dernière opération consiste à convertir au format BCD la date ainsi calculée et à l'enregistrer dans les mémoires de l'horloge.

27.9. Drivers sous forme de programmes EXE

Ces dernières années ont vu apparaître de nombreux drivers présentés sous forme de fichiers EXE. Ces drivers peuvent être intégrés dans le système soit par une instruction DEVICE= du fichier de configuration CONFIG.SYS soit par un appel au niveau de la ligne de commande. A partir de la version 5.0 DOS contient également une chimère de ce type : le driver EMM386.EXE.

En fait comme la plupart des autres drivers EXE, si on y regarde de plus près, ce programme n'est pas un véritable driver mais plutôt un programme résident. La dénomination de driver signifie ici que par le moyen du fichier CONFIG.SYS le programme peut être intégré au système à un moment où il n'a pas à craindre la concurrence des autres programmes résidents.

Ces "drivers résidents" se font passer pour des drivers de caractères pour que DOS ne leur affecte pas de désignation d'unité logique. Leur nom est défini de façon à ne pas entrer en collision avec celui d'un fichier (par ex EMMXXX0 pour les drivers d'EMS). Comme ils ne prennent pas en charge les devoirs normaux d'un driver ordinaire, ils n'en supportent pas les fonctions, exception faite de la routine d'initialisation (00h). Cette dernière routine doit s'exécuter de façon que DOS installe le programme résident comme un driver.

Comme on n'est jamais sûr que les autres fonctions du driver ne vont pas être déclenchées d'une manière ou d'une autre, les appels injustifiés ne devront pas être ignorés mais donner lieu à une erreur par activation de l'indicateur d'état dans le bloc de données.

C'est exactement ce que fait le programme présenté ci-dessous appelé EXESYS.ASM. Il a été conçu de manière à pouvoir être appelé indifféremment comme driver classique ou comme programme résident. Pour les drivers classiques, DOS n'exige pas l'extension SYS même si elle est presque toujours utilisée. DOS est donc capable de charger comme drivers des programmes EXE à condition qu'ils tiennent sur un seul segment et que leur en-tête se présente à l'offset 0h.

En assembleur cette condition est facile à réaliser il suffit de mettre en début de segment la directive

```
org 0h
```

et de rédiger ensuite l'en-tête. Au moment de l'installation, DOS y prélèvera l'offset des routines de stratégie et d'interruption pour les invoquer ensuite comme d'habitude.

Mais pour que le même programme puisse aussi être appelé au niveau de la ligne de commande du système, il doit présenter un point d'entrée à la manière d'un programme EXE ordinaire. Pas de problème : il suffit de faire suivre la directive END, à la fin du programme, par le nom d'une routine d'initialisation ad hoc, comme on le fait toujours quand on réalise un programme EXE.

Notre monstre à deux faces peut détecter assez simplement s'il est exploité comme driver ou comme programme ordinaire de DOS. En effet la routine d'initialisation n'est appelée que lorsqu'il est lancé comme programme EXE, alors que la routine de stratégie et d'interruption n'entre en action qu'en cas d'installation comme driver.

Mais quel est l'avantage d'appeler le programme résident lorsqu'il est déjà intégré comme driver ? On pourrait par exemple simuler le pilotage d'un driver en prévoyant que le programme demande certaines informations à l'utilisateur lorsqu'il est appelé à partir de la ligne de commande et qu'il transmette ces informations au driver. Avec les fonctions IOCTL (fonction 44h de DOS) et les fonctions du driver, la programmation ne pose aucun problème.

Le programme suivant constitue un modèle de développement qui peut être aussi bien lancé comme programme EXE que comme driver. Sa seule tâche consiste à afficher un message qui indique son mode d'appel. Mais il contient tout ce qu'il faut pour être étendu selon vos idées personnelles.

EXESYS.ASM

27.10. Le CD-ROM : un driver tout à fait particulier

Quelques années seulement après son entrée dans l'univers de la hi-fi et l'explosion des ventes qui s'en est suivie, l'industrie du disque laser s'attaque maintenant au marché du PC. Force est de reconnaître qu'un lecteur de CD-ROM et un PC constituent un attelage intéressant, car un lecteur de disque laser met à la disposition de l'ordinateur une mémoire de masse qui est certes encore limitée à la lecture mais qui est amovible et permet de loger, sur son sillon unique, 660 Mo de données, qu'il s'agisse de textes, d'images, etc. Le CD-ROM est-il appelé à ouvrir une nouvelle ère de l'informatique ?

Ce n'est pas impossible car dans le domaine de la Hi-Fi on a pu constater que les prix des disques laser ont fondu avec la diffusion toujours plus large des lecteurs de disques laser. On trouve déjà aux USA, sous forme de CD-ROM, de nombreux ouvrages imprimés à des prix relativement faibles, par exemple des annuaires téléphoniques, des catalogues de livres, la Bible ou encore la traduction anglaise de la Pravda. On trouve également, numérisés sur CD-ROM, des cartes géographiques, des bibliothèques de photos, des recueils de programmes du domaine public, des banques de données médicales, avec des titres nouveaux tous les jours sur un marché en expansion.

L'avantage par rapport aux ouvrages imprimés classiques est évident : les informations qui ont été saisies et numérisées peuvent ensuite être retraitées par ordinateur sous n'importe quelle forme. Les possibilités ainsi offertes sont pratiquement illimitées si l'on songe combien il est facile de combiner des informations entre elles, de les évaluer, de les examiner sous différents angles et aussi, aspect non négligeable, de les mettre à la disposition d'autres publics.

Pour bénéficier dès aujourd'hui de ces possibilités, on peut acquérir, pour une somme allant de 800 à 4000 F, un lecteur de CD-ROM qui peut être exploité par un PC comme périphérique externe ou interne. L'architecture matérielle d'un PC lui permet très bien d'intégrer un tel lecteur, mais quelques problèmes se posent néanmoins sur le plan logiciel, car DOS n'est pas prévu a priori pour supporter ce type de lecteur.

Cette section aura donc pour objet de montrer comment, à l'aide de drivers et de programmes auxiliaires appropriés, on peut parvenir à faire accepter le lecteur de CD-ROM comme un simple lecteur de disquette (en lecture seulement). Il ne nous est toutefois pas possible de vous garantir que les informations fournies ici auront pour vous un intérêt pratique, mais cette section nous permettra en tout cas une incursion captivante dans le domaine des drivers de périphériques. Elle s'adresse donc à tous les lecteurs intéressés par l'organisation interne de leur système d'exploitation.

Comme l'ont montré les chapitres précédents, les drivers de périphériques font le lien entre DOS et les périphériques externes tels que l'écran, l'imprimante, les lecteurs de disquette et le disque dur. DOS, nous l'avons vu, distingue deux sortes de drivers, les drivers de blocs et les drivers de caractères. Un lecteur de CD-ROM étant une mémoire de masse où les informations sont lues par blocs, on pourrait supposer que c'est tout naturellement par un driver de blocs qu'un lecteur de CD-ROM sera relié au reste du système. Mais voilà, ce n'est pas possible et les complications commencent car DOS exige des périphériques de blocs un certain nombre de conditions qu'un lecteur de CD-ROM ne peut remplir.

Notez déjà le problème posé par la capacité d'un CD-ROM. Normalement la capacité d'un périphérique de blocs est limitée, avant la version 4.0 de DOS en tout cas, à 32 Mo. Par ailleurs un CD-ROM ne dispose pas d'une table d'allocation des fichiers (File Allocation Table, FAT) car il n'est pas possible d'écrire sur les secteurs et aucun secteur ne peut donc être attribué à la FAT. A la place de la FAT, le CD-ROM comporte une sorte de table des fichiers dans laquelle sont inscrites les adresses où commencent les différents sous-répertoires et fichiers.

Pour réaliser un driver de CD-ROM, il est donc préférable d'avoir recours à la classe des drivers de caractères pour lesquels DOS ne pose aucune condition de structure des périphériques. Mais à bien y réfléchir, ces drivers conviennent assez mal à la communication avec un lecteur de CD-ROM car ils ne transfèrent pas les caractères par blocs mais un par un. Ils ne fonctionnent pas avec une désignation d'unité logique mais avec un nom de fichier tel que CON ou NUL. En dépit de ces inconvénients, le driver de CD-ROM devra se présenter à DOS comme un driver de caractères pour éviter des accès en lecture à une FAT inexistante. Le driver n'imposera cependant pas de nom de périphérique mais tirera un nom de son appel à l'intérieur du fichier de configuration CONFIG.SYS.

Comme le driver de CD-ROM est en général fourni par le fabricant du lecteur, il porte un nom du style SONY.SYS ou HITACHI.SYS et son appel de l'intérieur du fichier de configuration CONFIG.SYS se présentera par exemple de la façon suivante

```
DEVICE=HITACHI.SYS /D:CDR1
```

Le driver choisit ici "CDR1" comme nom du lecteur de CD-ROM.

Après appel de la routine d'initialisation par DOS, le driver révèle son vrai visage en s'initialisant comme un driver de blocs complété par quelques fonctions spéciales pour supporter le CD-ROM. Pour DOS, il reste néanmoins un driver de caractères de sorte qu'il est par exemple impossible d'examiner le répertoire du CD-ROM ou bien d'accéder à l'un des fichiers.

Pour franchir cet obstacle, un programme résident appelé MSCDEX (Microsoft CD-ROM Extension) est fourni avec le lecteur de CD-ROM en plus du driver. Ce programme est destiné à être appelé de l'intérieur du fichier AUTOEXEC. Il faut lui fournir dans la ligne de commande un paramètre représentant le nom du driver de CD :

```
MSCDEX /D:CDR1
```

MSCDEX ouvre tout d'abord ce driver par la fonction *Open* de DOS et lui attribue une désignation d'unité logique. MSCDEX fait en même temps croire à DOS que le périphérique en question est un lecteur lointain du réseau, tel que DOS les supporte à partir de la version 3.1.

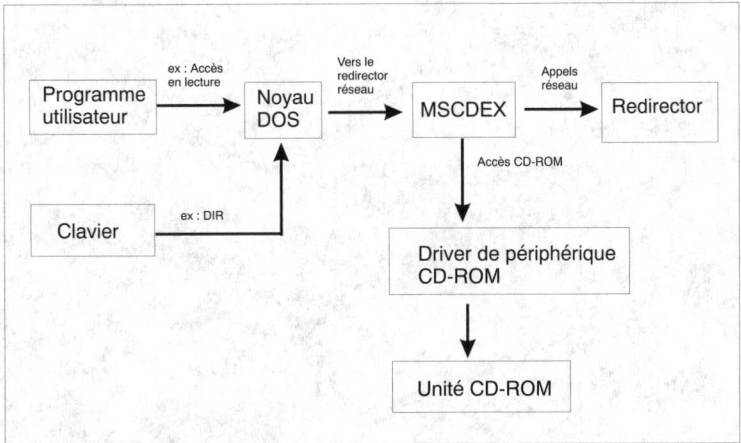

Accès à un lecteur de CD-ROM par MSCDEX et le driver associé

MSCDEX fait ainsi un grand pas vers le but recherché car les lecteurs du réseau sont traités par DOS comme de grands fichiers pouvant comporter plus de 32 Mo. Ces périphériques ne sont pas appelés directement par DOS, mais par l'intermédiaire de ce qu'on appelle un redirecteur. Mais la partie résidante de MSCDEX s'installe dans ce redirecteur, interceptant ainsi tous les appels audit redirecteur. Si un appel destiné au lecteur de CD-ROM est rencontré, cet appel n'est pas retransmis au redirecteur de réseau classique mais chaque instruction est convertie en appels des différentes fonctions du driver de CD-ROM. La liaison entre DOS et le lecteur de CD-ROM est ainsi parfaite et un accès aux sous-répertoires et aux fichiers est possible à tout moment.

28. La gestion du système de fichiers sous MS-DOS

Du point de vue de l'utilisateur, le phénomène paraît très simple : il suffit de copier les fichiers d'un répertoire à l'autre, formater une disquette ou supprimer un fichier, le tout au moyen d'une seule commande. Mais derrière les coulisses, il en est tout autrement. DOS doit parcourir un long chemin avant de localiser un fichier sur le disque dur ou découvrir une place disque disponible afin de pouvoir y stocker un nouveau fichier.

Les unités de disquettes et disques durs ne veulent rien savoir à propos des fichiers et sous-répertoires. Elles ne connaissent que les secteurs, pistes et têtes. Par conséquent, DOS doit équiper chaque mémoire de masse d'un système permettant de basculer du niveau physique vers le niveau logique. Un tel système de fichiers se compose de toute une série de structures de données décrivant la taille d'une disquette ou du disque dur et leur contenu. Ce chapitre explicite le mode de configuration de ce système de fichiers.

28.1. La structure fondamentale du système de fichiers

La notion du volume constitue le noyau de la gestion de fichiers sous MS-DOS. Chaque disquette ou chaque unité de disque dur, désignée par une lettre individuelle, représente un volume. Contrairement aux disques durs, les disquettes ne peuvent pas être réparties entre plusieurs volumes. Jusqu'à la version 4.0 (non comprise) de DOS, les volumes étaient limités à une taille maximale de 32 Mo si bien qu'il fallait subdiviser les disques durs de plus de 32 Mo en plusieurs volumes pour ne pas perdre inutilement de la place mémoire.

Vous saurez comment la barrière des 32 Mo a été franchie depuis la version 4.0 au cours de ce chapitre. Mais notez d'ores et déjà que sous DOS chaque volume dispose d'une structure homogène qu'il soit défini sur une disquette ou un disque dur. Ici, la taille ne joue aucun rôle puisqu'elle dépend tout simplement de la taille des différentes structures de données nécessaires pour gérer le volume.

Noms de labels de volumes

Même si cela n'est pas toujours demandé, chaque volume peut être affecté d'un nom de volume lors de sa création. La commande DIR affiche les noms des volumes (labels) lorsqu'ils existent. Chaque volume dispose de son propre répertoire principal qui peut contenir à son tour des sous-répertoires et des fichiers. Ces sous-répertoires et fichiers peuvent être gérés par les fonctions de l'interruption 21H.

Secteurs

Du point de vue du DOS, un volume représente avant tout une succession de secteurs occupant chacun 512 octets. Les différents secteurs portent un numéro logique et leur numérotation commence à 0. Par exemple, un volume de 10 Mo se compose de 20480 secteurs numérotés de 0 à 20479. DOS n'agit pas du tout sur la disposition des différents secteurs. Cela incombe uniquement au driver de périphérique à travers lequel la communication entre DOS et le support physique est établie.

Peu importe qu'un driver de périphérique éparpille à tout hasard les différents secteurs logiques sur le support désigné ou les dispose en respectant un ordre strict. Le plus important est qu'il existe une affectation claire et nette entre les secteurs logiques et physiques.

Sur le plan interne, DOS opère avec des numéros de secteurs logiques alors que les diverses fonctions de fichier du DOS API font référence aux fichiers et sous-répertoires. Ainsi, DOS doit convertir les appels de fonctions en appels de secteurs. Il se sert à cet effet des répertoires du volume ainsi que d'une structure appelée FAT dont nous reparlerons plus loin.

Le tableau suivant affiche la structure fondamentale d'un volume.

Structure d'un volume

Secteur de boot
Première table d'allocation des fichiers (FAT)
Une ou plusieurs copies de la FAT
Répertoire racine avec nom de volume
Zone de données pour les fichiers et les sous-répertoires

Comme le montre le tableau ci-dessus, chaque volume est divisé en différentes zones recevant d'une part les différentes structures de données du DOS et d'autre part les différents fichiers. Ces structures sont définies lors du formatage d'un volume à l'aide de l'instruction FORMAT.

Vous avez sans doute remarqué que la figure précédente ne donne aucune information sur la taille des différentes structures et zones. Il s'agit en effet d'une action quelque peu impossible car la taille coïncide toujours à celle du volume concerné. Une fois le volume formaté, on obtient la taille des différentes zones à partir des informations fournies par le secteur de boot.

28.2. Le secteur de boot

Lors du formatage d'un volume, le secteur de boot est toujours placé dans le premier secteur du volume pour que DOS puisse le localiser facilement. En dehors des informations concernant la taille et la structure du volume, il contient surtout le bootstrap loader qui permet d'amorcer le DOS.

Ce secteur contient toutes les informations nécessaires au lancement du DOS. Contrairement à ce que beaucoup supposent à tort, le DOS ne figure pas dans la mémoire du PC immédiatement après la mise en marche de ce dernier. Il doit, au contraire, être tout d'abord chargé puis lancé. A cet effet, c'est en premier lieu le BIOS qui se charge de l'initialisation du système après mise en marche de l'ordinateur et qui, une fois son travail terminé, charge en mémoire le secteur logique 0 de la disquette figurant dans le lecteur de disquette ou bien du disque dur, après quoi ce secteur est exécuté à partir de l'adresse 0.

Vérifiez que le premier secteur physique a été effectivement chargé et non le premier secteur logique. Il est important de faire attention à cette circonstance qui permet de déterminer que le premier secteur logique doit coïncider avec le premier secteur physique. Au moment où le secteur de boot est chargé, aucun driver de périphérique ne se trouve encore en mémoire pour autoriser l'accès au support. Même si un driver de périphérique dispose arbitrairement les divers secteurs logiques sur le support mémoire désigné, le secteur logique 0 doit néanmoins concorder avec le secteur physique.

Le tableau suivant décrit la structure du secteur de boot. d'un volume :

Adresse	Contenu	Type
+00 h	Instruction de saut à la routine boot	3 BYTE
+03h	Nom du fabricant et numéro de version	8 BYTE
+0Bh	Octets par secteur	1 WORD *
+0Dh	Secteurs par cluster	1 BYTE *
+0Eh	Nombre de secteurs réservés	1 WORD *
+10h	Nombre de File Allocation Tables (FATs)	1 BYTE *
+11h	Nombre d'entrées dans le répertoire racine	1 WORD *
+13h	Nombre de secteurs dans le volume	1 WORD *
+15h	Descripteur de support	1 BYTE *
+16h	Nombre de secteurs par FAT	1 WORD *
+18h	Secteurs par piste	1 WORD
+1Ah	Nombre de têtes de lecture/écriture	1 WORD
+1Ch	Distance du premier secteur du volume au premier secteur du support de mémoire de masse	1 WORD
+1Eh-1FFh	Routine boot	482 BYTE
Taille : 512 octets		
▓▓▓▓ * = Bloc de paramètres BIOS (BPB)		

Structure du secteur de boot d'un volume

L'exécution du code de programme dans le secteur de boot commence toujours par le premier octet, c'est-à-dire à l'adresse d'offset 00h. C'est pourquoi le secteur de boot contient toujours à cet endroit une instruction JUMP (en langage machine) après exécution de laquelle le programme se poursuit. Cette instruction peut être une instruction de saut normale ou bien ce qu'on appelle un "short jump". Or le champ réservé à cette instruction de saut a une longueur de 3 octets alors qu'un "short jump" ne nécessite que 2 octets.

Cette instruction sera donc toujours suivie de l'instruction NOP qui ne fait rien et qui mesure 1 octet, de façon à ce que les 3 octets du champ soient comblés. Ce champ est suivi de toute une série de champs fournissant des informations bien précises sur la structure du support. Le premier de ces champs mesure 8 octets et il contient le nom du fabricant de l'ordinateur avec lequel ce support a été formaté ainsi que le numéro de la version du DOS sous laquelle cela a été effectué. Les champs suivants stockent le format physique du support, c'est-à-dire le nombre d'octets par secteur, le nombre de secteurs par piste, etc.

Ici est également inscrite la taille des différentes structures de données du DOS qui sont placées sur le support. Ces informations sont très importantes pour les différentes fonctions BIOS de l'interruption 13h dont les drivers de périphérique servent généralement à écrire dans les secteurs et les lire. C'est pourquoi cette zone est appelée bloc de paramètres du BIOS (BPB). Les informations du secteur de boot sont donc désignées par une partie du BPB. Mais DOS utilise ces informations dans des buts variés.

Le BPB est encore suivi de trois champs qui ne sont pas utilisés par le DOS mais qui peuvent fournir au driver de périphérique des informations supplémentaires sur le support.

Cette zone est suivie de ce qu'on appelle la routine boot strap, à laquelle l'instruction de saut saute au tout début du secteur de boot. Il incombe à cette routine de charger et de lancer le DOS à travers les différents éléments du système qui ont été présentés au chapitre 18.

Le secteur de boot peut encore être suivi de plusieurs secteurs réservés, qui peuvent, par exemple, contenir la suite du code du programme boot strap. Le nombre de ces secteurs est inscrit dans le BPB à partir de l'adresse 0Eh. Il comprend toujours le secteur de boot, de sorte qu'un 1 dans ce champ indique qu'il n'y a pas d'autre secteur réservé, ce qui est le cas sur la plupart des PC.

L'option permettant d'étendre le secteur de boot à plusieurs secteurs aide considérablement à varier la disposition des différents éléments de la structure des fichiers. En effet, la FAT, sa duplication et le répertoire principal font naturellement un bond en arrière lorsque de multiples secteurs réservés font irruption dans le secteur de boot.

28.3.   La FAT (Table d'allocation des fichiers)

Lorsque le DOS veut créer de nouveaux fichiers ou bien agrandir des fichiers déjà existants, encore faut-il bien sûr qu'il sache quels secteurs sont encore libres sur le support utilisé. Le DOS tire ces informations d'une structure appelée FAT (File Allocation Table), qui est placée immédiatement à la suite de la zone réservée sur le support. Chaque entrée de cette table correspond à un nombre de secteurs bien déterminé, qui se suivent immédiatement sur le support d'un point de vue logique pour former un groupe appelé cluster. Le nombre de secteurs constituant un cluster est inscrit dans la cellule de mémoire 0Dh du secteur de boot, qui fait partie de la table de paramètres du BIOS. Seules sont cependant autorisées les valeurs représentant une puissance de 2. Sur le disque dur du XT, cette cellule de mémoire contient par exemple la valeur 8 et un cluster comporte donc 8 secteurs contigus. Sur les disques durs connectés aux AT, 386 et 486, un cluster ne comporte généralement que 4 secteurs contigus.

La table suivante vous indique que le nombre de secteurs formant un cluster varie en fonction du support de mémoire.

Machine	secteur/Cluster
Unité de disquette simple face	1
Unité de disquette haute capacité	1
Unité de disquette double face	2
Disque dur de l'AT	4
Disque dur du XT	8

Le tableau précédent indique qu'un programme de formatage n'est pas défini par rapport aux valeurs spécifiées, mais la taille d'un cluster peut être sélectionnée automa-tiquement. Cela est d'autant plus valable que depuis la version DOS 4.0 les volumes de plus de 32 Mo peuvent être configurés avec un nombre plus important de secteurs par cluster.

Avec plus de 32 Mo par volume et 4 secteurs par cluster, on avoisine en fin de compte la limite des 65536 clusters si bien qu'il faut plus de 16 bits pour lire le numéro de cluster. Le nombre toujours accru de secteurs regroupés dans un cluster permet d'augmenter quelque peu l'organisation de la structure des fichiers sans être obligé d'avoir recours à la structure actuelle.

Le tableau suivant montre la répartition des clusters effectuée par DOS 4.0 dans les volumes de plus de 32 Mo. Les volumes peuvent être augmentés de cette manière jusqu'à une capacité de 2 Go. Dans ce cas, le dernier cluster d'un fichier reçoit naturellement une place mémoire plus importante car le dernier cluster n'est complété que si la taille du fichier est un multiple de la taille du cluster.

Taille de volume jusqu'à	128 Mo	256 Ko	512 Mo	1028 Mo	2048 Mo
Taille de cluster	2 Ko	4 Ko	8 Ko	16 Ko	32 Ko
Secteurs par cluster	4	8	16	32	64

Tailles de volume et cluster sous DOS 4.0

Fragmentation des fichiers

Le regroupement de plusieurs secteurs dans un cluster est dû à la logique employée par le DOS pour écrire des fichiers sur un support. Le DOS ne choisit en effet pas systématiquement des secteurs contigus pour sauvegarder les fichiers car il est plus économique de décomposer un fichier, autant que nécessaire, de façon à occuper tous les secteurs encore libres même si ces secteurs ne se suivent pas. Cette méthode de décomposition ne va cependant pas sans ralentir quelque peu l'accès aux fichiers puisque la tête de lecture/écriture doit être repositionnée pratiquement lors de chaque accès en lecture. Il convient donc d'éviter tout de même une trop grande fragmentation des fichiers et c'est pourquoi on regroupe en clusters plusieurs secteurs contigus sur un support. On est ainsi assuré que les secteurs d'un cluster pourront uniquement comporter une partie d'un fichier déterminé.

Si on travaillait au lieu de cela en utilisant tous les secteurs de façon totalement indépendante, un fichier de 24 secteurs pourrait fort bien, dans un cas limite, être réparti dans 24 secteurs complètement isolés les uns des autres, de sorte que la tête de lecture/écriture devrait être déplacée 24 fois pour lire la totalité du fichier. Le principe des clusters, tel qu'il est appliqué sur l'AT, c'est-à-dire avec 4 secteurs par cluster, permet donc de gagner beaucoup de temps puisqu'un fichier de cette taille n'occupe plus que 6 clusters différents et que la tête de lecture/écriture devra au maximum être déplacée 6 fois.

Il y a cependant un revers à la médaille. Cette méthode permet de gagner du temps en moyenne mais elle a aussi un inconvénient de taille. Chaque fichier occupant en effet au moins un cluster, une place mémoire parfois considérable risque d'être gaspillée. Songez par exemple à votre fichier AUTOEXEC.BAT qui ne comporte certainement pas plus de 150 octets. Un secteur suffirait largement à stocker un fichier de cette taille et on gaspillerait même déjà près de 400 octets. Or sur le disque dur d'un AT, le moindre fichier occupe un cluster entier, c'est-à-dire 2048 octets, dont moins de 10 % seront utilisés. Plus de 1,5 Ko seront donc gaspillés pour tout fichier de moins de 512 octets mais aussi pour tout fichier dont le dernier cluster n'est rempli qu'à concurrence de moins de 512 octets !

Si la fragmentation des fichiers ralentit considérablement la vitesse d'accès lors de la lecture et l'écriture, ce n'est pas une raison valable pour rejeter l'organisation en clusters. Cela fait d'ailleurs l'affaire des fameux programmes de défragmentation qui, pendant longtemps, étaient fournis comme parties intégrantes de produits tels que PC Tools ou Norton Utilities. Leur principale fonction est d'annuler la fragmentation des fichiers et réorganiser ensuite le support de mémoire pour que tous les fichiers soient disposés en clusters contigus.

Structure de la FAT

La taille des différentes entrées de cette table est de 12 bits sous les versions 1 et 2 du DOS. Sous la version 3 du DOS, cette même taille dépend du nombre de clusters : s'il y a plus de 4096 clusters, 16 bits sont utilisés, sinon les 12 bits usuels par entrée. La largeur d'une entrée de la FAT tend à augmenter le nombre de clusters adressables et ainsi la taille du volume à gérer de cette manière.

Avec une FAT 12 bits, il est en fait possible de gérer 4096 clusters ce qui correspond à une capacité de 8 Mo dans un regroupement de quatre secteurs par cluster. On peut certes augmenter cette capacité en rajoutant davantage de secteurs dans un cluster, mais cela risque

de provoquer une dépense inutile de place mémoire. Ainsi, dans les PC équipés de disques durs de 20, 40 Mo ou davantage, on rencontre tout simplement une FAT de 16 bits permettant d'adresser un maximum de 65536 clusters.

Il n'est pas possible de lire correctement la FAT si on ignore le nombre de bits par entrée de la FAT. Cette valeur doit donc être calculée avant tout accès à la FAT. On utilise à cet effet les informations fournies dans le bloc de paramètres du BIOS. Le nombre total de secteurs sur le volume est indiqué à partir de la cellule de mémoire 13h. Il suffit de diviser cette valeur par le nombre de secteurs par cluster (voir plus haut) pour obtenir le nombre de clusters dans le volume.

Les deux premières entrées de la FAT sont réservées et elles n'ont rien à voir avec l'occupation des différents clusters. Suivant la taille des différentes entrées, ces deux entrées réservées offrent 24 bits (3 octets) ou 32 bits (4 octets). Le premier octet contient ici ce qu'on appelle le descripteur de support (Media Descriptor) alors que les octets suivants contiennent systématiquement la valeur 255. Le descripteur de support figure également à l'adresse 15h du BPB. Il indique le type de machine permettant de traiter le support (une disquette par exemple). Les codes suivants sont possibles :

Code	Support
F0h	Disquette 3"1/2, 2 faces, 80 pistes, 18 secteurs par piste Disquette 3"1/2, 2 faces, 80 pistes, 36 secteurs par piste
F8h	Disque dur
F9h	Disquette 5"1/4, 2 faces, 80 pistes, 15 secteurs par piste Disquette 3"1/2, 2 faces, 80 pistes, 9 secteurs par piste
FAh	Disquette 5"1/4, 1 face, 80 pistes, 8 secteurs par piste Disquette 3"1/2, 1 face, 80 pistes, 8 secteurs par piste
FBh	Disquette 5"1/4, 2 faces, 80 pistes, 8 secteurs par piste Disquette 3"1/2, 2 faces, 80 pistes, 8 secteurs par piste
FCh	Disquette 5"1/4, 1 face, 40 pistes, 9 secteurs par piste
FDh	Disquette 5"1/4, 2 faces, 40 pistes, 9 secteurs par piste
FEh	Disquette 5"1/4, 1 face, 40 pistes, 8 secteurs par piste
FFh	Disquette 5"1/4, 2 faces, 40 pistes, 8 secteurs par piste

Codes du descripteur de support (Media Descriptor)

Codification des entrées de la FAT

Vous vous êtes certainement déjà demandé pourquoi, au fond, les différentes entrées de la FAT devraient comporter 12 ou 16 bits s'il s'agit simplement de spécifier si un cluster est occupé ou non. Un bit suffirait en effet pour indiquer que le cluster est occupé (avec la valeur 1) ou qu'il est libre (avec la valeur 0).

S'il n'en est pas ainsi, vous vous doutez bien que cela est dû au fait que les entrées de la FAT n'ont pas simplement pour tâche de désigner les clusters libres mais aussi d'enregistrer dans quels clusters sont stockées les données de chaque fichier. L'entrée du répertoire consacrée à chaque fichier indique au DOS dans quel cluster sont stockées les premières données d'un fichier. Le numéro de ce cluster coïncide avec le numéro de l'entrée de la FAT correspondante. Cette entrée contient à son tour le numéro du cluster dans lequel sont stockées les données suivantes du fichier et ainsi de suite jusqu'à la fin du fichier. Cependant, les numéros de cluster ne se rapportent pas au début du volume mais au début de la zone de données comme nous le verrons au cours de ce chapitre. Prenons un exemple pour illustrer ce point : Supposons que dans une entrée de répertoire il existe un fichier dont le début se trouve dans le quatrième cluster du volume. Pour obtenir maintenant le numéro du cluster suivant, il faut lire la quatrième entrée de la FAT (attention ! la longueur d'une entrée de la FAT peut être de 12 ou 16 bits). Le numéro du cluster suivant du fichier se trouve dans cette dernière.

Comme le montre la figure suivante, il se forme ainsi une chaîne permettant de localiser, dans l'ordre qui convient, les différents clusters constitutifs d'un fichier. Et à partir des numéros de clusters, on obtient les numéros logiques des différents secteurs que DOS doit communiquer au driver de périphérique lorsqu'il souhaite lire ces secteurs ou y écrire. Les drivers de périphérique de DOS ne travaillent pas en fait au niveau des clusters mais au niveau des secteurs. La conversion entre cluster et secteur logique devient ainsi très souple puisqu'il suffit de multiplier le numéro de cluster par le nombre de secteurs par cluster.

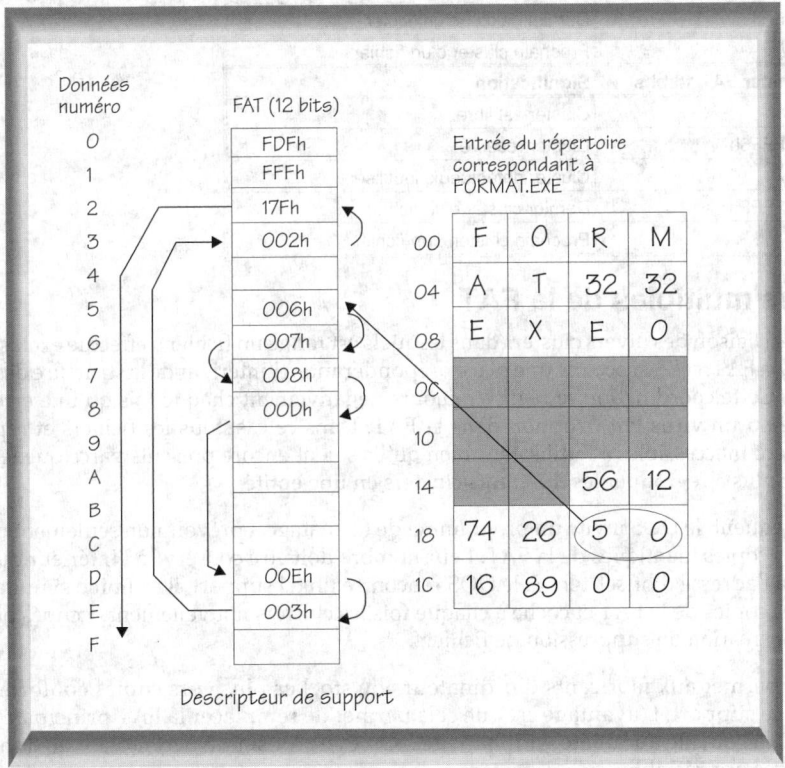

Affectation des clusters d'un fichier définie par l'entrée de la FAT

L'entrée de la FAT coïncidant avec le dernier cluster doit contenir un code particulier indiquant à DOS la fin du fichier. Cela est signalé par un numéro de cluster qui est supérieur à FF8h dans une FAT 12 bits et à FFF8h dans une FAT 16 bits. Ces numéros de clusters ne sont pas les seuls et uniques réservés à des fins spéciales, comme le montre d'ailleurs le tableau suivant. Il existe ainsi les numéros FF0h à FF6h ou FFF0h à FFF6h pour les clusters réservés. Ils désignent par exemple le répertoire principal d'un volume dont la taille et l'état sont fixes et dont les clusters ne doivent pas former une chaîne à travers la FAT.

De même, le code cluster FF7h ou FFF7h a également une signification particulière. Il marque les clusters comportant des secteurs défectueux pour qu'ils ne soient pas utilisés pour stocker des fichiers au risque de provoquer une perte de données.

Les clusters inoccupés sont signalés par le code 0h. Il sert également pour le premier cluster du volume mais, tout comme le premier cluster, il ne représente aucun secteur parce que le type du support du volume se trouve stocké à l'intérieur. Cela explique également pourquoi le numéro de cluster doit être réduit à deux lors de la conversion des numéros de clusters en numéros de secteurs. Mais nous reviendrons sur ce point ultérieurement.

Code cluster FAT 12 bits	Signification
000h	Cluster est libre
FF0h - FF6h	Cluster réservé
FF7h	Cluster défectueux, inutilisé
FF8h - FFFh	Dernier cluster d'un fichier
xxxh	Prochain cluster d'un fichier
Code cluster FAT 16 bits	**Signification**
0000h	Cluster est libre
FFF0h - FFF6h	Cluster réservé
FFF7h	Cluster défectueux, inutilisé
FFF8h - FFFFh	Dernier cluster d'un fichier
xxxxh	Prochain cluster d'un fichier

Copies multiples de la FAT

Comme la liaison des divers clusters dans lesquels est rangé un fichier s'effectue exclusivement à travers la FAT, celle-ci occupe une place prépondérante à l'intérieur de la structure des fichiers de DOS. Cette coordination se réalise toujours négativement chaque fois qu'une erreur électronique ou un virus fait irruption dans la FAT. Dans ce cas, tous les fichiers et répertoires deviennent inaccessibles à l'utilisateur bien qu'ils soient encore présents parce que le DOS ne parvient plus à regrouper les différents clusters en une entité.

Par conséquent, le DOS invite un programme de formatage à prévoir non seulement une mais plusieurs copies identiques de la FAT. Leur nombre doit être conservé à l'intérieur du secteur de boot à l'adresse d'offset 10h. Si le DOS rencontre un tel support, il examine simultanément toutes les copies de la FAT et coche à chaque fois les clusters nouvellement occupés ou libérés lors de la création ou suppression de fichiers.

Le DOS permet aux fabricants d'ordinateurs de stocker plusieurs copies conformes de la FAT sur le support. L'avantage est que cela permet de remplacer la FAT principale par une autre au cas où elle aurait été endommagée. On évite ainsi une perte totale de données, ce qui est très appréciable.

L'instruction CHKDSK permet par exemple de tester si les différentes FAT sont identiques.

28.4. Le répertoire principal

Le répertoire racine d'un volume est placé immédiatement à la suite de la dernière copie de la FAT. Il comporte comme tous les autres sous-répertoires des entrées de 32 octets fournissant des informations sur les différents fichiers et sous-répertoires. Outre le nom du volume, il indique l'attribut, la date de création et de dernière modification et l'heure, surtout l'état du fichier, c'est-à-dire le numéro de son premier cluster.

Le nombre maximum d'entrées dans le répertoire racine est limité par sa taille stockée dans le secteur de boot à l'adresse d'offset 11h. En raison de la structure statique du répertoire racine, sa taille ne peut pas croître lorsque le nombre de fichiers et sous-répertoires augmente dans le répertoire principal d'un volume. Il arrive ainsi que le répertoire racine soit saturé et qu'un message d'erreur apparaisse sur l'écran lors de la création de sous-répertoires ou de la duplication de fichiers.

Lors du formatage d'un volume, il faut sélectionner la capacité du répertoire racine en fonction de la taille du volume pour éviter un tel désagrément, à moins que vous ne souhaitiez regrouper tous vos programmes dans le répertoire racine d'une disquette ou d'un disque dur.

Le nombre des entrées du répertoire racine provient de la multiplication par 16 des secteurs réservés à cet effet puisqu'avec une entrée de 32 octets, on peut stocker 16 entrées de répertoire différentes dans un secteur.

La structure des entrées de répertoire

Le tableau suivant montre la structure d'une entrée de répertoire pouvant décrire des fichiers et sous-répertoires :

Adresse	Contenu	Type
+00h	Nom du fichier (comblé avec des espaces)	8 BYTE
+08h	Extension de fichier (comblée avec espaces)	3 BYTE
+0Bh	Attribut de fichier	1 BYTE
+0Ch	Réservé	10 BYTE
+16h	Heure de la dernière modification	1 WORD
+18h	Date de la dernière modification	1 WORD
+1Ah	Premier cluster du fichier	1 WORD
+1Ch	Taille du fichier	1 DOWRD

Taille : 32 octets

Les 8 premiers octets contiennent normalement le nom du fichier. Si ce nom comporte moins de 8 caractères, il est comblé avec des espaces (code ASCII 32). Si l'entrée du répertoire ne contient cependant pas les informations concernant un fichier, parce qu'elle est employée à un autre usage, le premier octet du nom de fichier, c'est-à-dire le premier octet de l'entrée du répertoire, reçoit un code particulier :

Code	Signification
00h	Dernière entrée du répertoire
05h	Le premier caractère du nom de fichier est le caractère ASCII E5h
2Eh	Fichier concernant le répertoire actuel. Si un autre 2Eh suit, il se rapporte au répertoire père.
E5h	Le fichier a été supprimé

Le second champ reçoit l'extension de trois lettres du fichier. Ici également, l'extension est comblée le cas échéant avec des espaces pour obtenir cette longueur de 3 octets. Le point entre le nom de fichier et l'extension, qui doit être employé lorsque vous spécifiez les deux éléments d'un nom de fichier, n'est pas stocké.

Vient ensuite un champ d'attribut d'une taille d'un octet. La figure suivante montre comment les différents bits de ce champ spécifient chacun un attribut bien précis. Les différents attributs peuvent être combinés. Un fichier pourra donc présenter à la fois (comme c'est le cas par exemple du fichier IBMBIO.COM) les attributs LECTURE_SEULE, SYSTEME et CACHE.

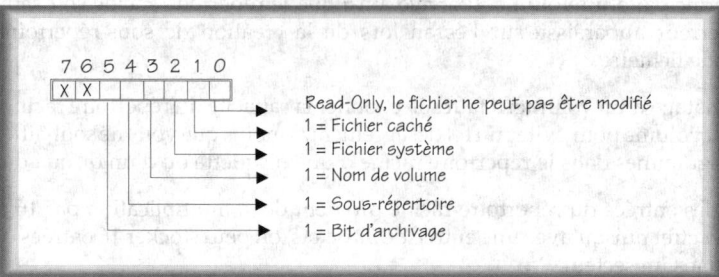

La signification des bits 0 à 4 est assez évidente. Celle du bit 5 appelle, par contre, quelques explications supplémentaires. Ce bit est dit bit d'archivage car il sert à la mise en place de copies de sécurité. Chaque fois qu'un fichier est créé ou modifié, ce bit est fixé sur 1. Si un programme de sauvegarde (par exemple le programme BACKUP du DOS est utilisé après cela), ce programme sauvegardera le fichier mais fixera ensuite le bit d'archivage sur 0. Si ce programme ou tout autre programme de sauvegarde est à nouveau appelé, il pourra alors déterminer d'après l'état de ce bit si le fichier a ou non été modifié depuis la dernière sauvegarde. Tant que ce bit vaut 0, cela signifie qu'il n'est pas nécessaire de sauvegarder le fichier à nouveau. Par contre, si le bit d'archivage contient la valeur 1, c'est que le fichier a été modifié entre-temps et qu'il convient donc de le sauvegarder à nouveau.

Le champ d'attribut est suivi d'un champ réservé que le DOS utilise pour ses opérations internes. Jusqu'à présent, Microsoft n'a pas officialisé sa signification.

Les champs d'heure et de date indiquent à quel moment le fichier a été créé ou bien modifié pour la dernière fois. Ces deux informations sont sauvegardées sous forme d'un mot (2 octets) mais leurs formats sont différents.

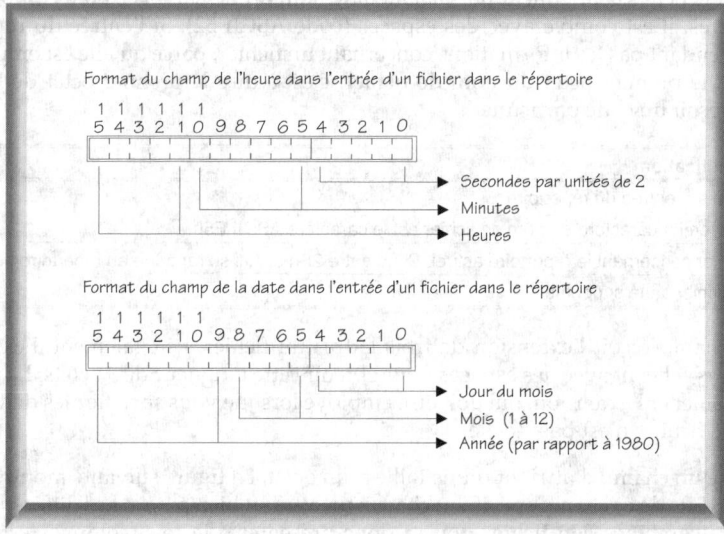

Aux champs heure et date viennent se brancher un champ particulièrement décisif qui indique le numéro du cluster contenant les premiers secteurs du fichier.

Il conduit également à l'entrée de la FAT révélant ainsi le cluster suivant du fichier. Notez toutefois que ce champ ne joue aucun rôle dans un nom de volume parce qu'il n'est pas relié à un fichier mais indique tout simplement le nom du volume. Il en est tout autrement dans le cas des sous-répertoires, comme nous allons le voir ci-après.

La taille du fichier en octets est stockée sous forme de 2 mots, le mot de plus faible poids étant stocké en premier. La petite formule suivante permet de calculer la taille du fichier à partir de ces deux mots :

```
Taille du fichier = Mot1 + Mot2 * 65536
```

Sous-répertoires

Si le bit 4 du champ d'attribut est mis, c'est que l'entrée considérée représente un sous-répertoire. Si, en outre, le bit 1 est également mis dans ce champ, cela signifie que ce sous-répertoire peut être appelé mais qu'il ne sera pas affiché par l'instruction DIR. Dans une entrée de ce type, les champs de nom de fichier et d'extension reçoivent le nom du sous-répertoire, les champs de date et heure reçoivent les date et heure de sa création et le champ de longueur du fichier contient toujours 0.

Le champ qui indique normalement le premier cluster du fichier indique dans ce cas quel cluster contient les entrées de ce sous-répertoire. Ces entrées présentent la même structure sur 32 octets que les entrées du répertoire racine. Comme pour un fichier normal, l'entrée de la FAT qui correspond au cluster du sous-répertoire désigne le prochain cluster de ce sous-répertoire si ce répertoire compte plus d'un cluster.

Ce n'est pas le cas pour le répertoire racine bien que celui-ci s'étende généralement sur plusieurs secteurs ou clusters car ces clusters se suivent toujours sur le plan logique. Les différents clusters de la racine ne pourraient de toute façon pas être reliés à travers la FAT puisque celle-ci se réfère uniquement à la zone de données du volume, c'est-à-dire à la zone qui reçoit les fichiers et les sous-répertoires mais pas le répertoire racine. La méthode que nous venons de décrire révèle deux aspects importants de la gestion des fichiers par le DOS : les différents fichiers d'une unité de mémoire de masse sont distingués d'après les répertoires dont ils relèvent mais les fichiers d'un répertoire déterminé ne sont pas nécessairement logés dans une zone particulière de cette unité de mémoire ; ils peuvent en effet être répartis dans des emplacements très divers de la mémoire de masse.

Lorsqu'un sous-répertoire est créé, deux entrées y sont immédiatement mises en place d'office, sous les noms '.' et '..'. Ces entrées ne peuvent être éliminées et elles ne peuvent être supprimées que lors de l'effacement du sous-répertoire tout entier. Le premier de ces deux fichiers désigne le sous-répertoire actuel et son champ de cluster contient le numéro du premier cluster du sous-répertoire actuel. La seconde entrée désigne ce qu'on appelle le répertoire-père, qui correspond exactement, dans l'arbre des répertoires, au noeud précédant le répertoire actuel. Si le répertoire-père est la racine, le champ de cluster contient la valeur 0. C'est cette entrée qui permet au DOS de retrouver le chemin qui mène à la racine puisqu'en recherchant chaque fois le répertoire-père du sous-répertoire on se rapproche toujours plus du répertoire racine.

Bien que le DOS traite les sous-répertoires et le nom de volume comme des fichiers, on ne peut y accéder à travers les fonctions de manipulation d'un fichier. Nous ne pouvons d'ailleurs que vous déconseiller de faire la moindre tentative dans ce sens.

28.5. La zone de données

Mais revenons à notre examen de la structure d'une mémoire de masse sous le DOS. Après le répertoire racine, que nous venons de décrire, vient la zone des fichiers, qui occupe le reste de la place mémoire disponible sur une mémoire de masse. Cette zone reçoit les différents fichiers ainsi que les différents sous-répertoires. A chaque cluster de cette zone correspond naturellement une entrée de la FAT qui peut être modifiée lorsque sont manipulés les fichiers placés dans cette zone.

Si un fichier est agrandi, par exemple, le DOS réserve un cluster encore libre pour y stocker les données suivantes de ce fichier. L'entrée de la FAT qui correspondait jusqu'ici au dernier cluster du fichier voit la marque de fin qu'elle contenait remplacée par l'indication du nouveau cluster qui reçoit à son tour la marque de fin. Pour rechercher un cluster pouvant recevoir les nouvelles données du fichier, les versions 1 et 2 du DOS examinaient la FAT du début à la fin, pour réserver le premier cluster non marqué occupé.

La version 3 applique une méthode un peu plus complexe de façon à choisir dans la mesure du possible un cluster qui se situe à proximité de l'ancien cluster, de façon à minimiser les temps d'accès au fichier. Lorsqu'un fichier est raccourci ou supprimé, les clusters ainsi libérés sont marqués comme libres dans la FAT. Ils peuvent donc être réutilisés dès la prochaine création ou dès le prochain agrandissement d'un fichier.

Nous n'en avons pas fini avec les explications d'ordre théorique. En conclusion de ce chapitre, nous allons en effet essayer de comprendre comment nous pouvons accéder à l'aide de la FAT aux différents secteurs d'un fichier.

Pour commencer, il nous faudra déterminer à partir de l'entrée de répertoire du fichier voulu son premier cluster et du même coup l'entrée de la FAT désignant le cluster suivant. Il s'agira ensuite de calculer le secteur correspondant à partir de cette valeur de cluster. Il faut tout d'abord retrancher 2 du numéro de cluster car les deux premières entrées de la FAT sont occupées (descripteur de support).

C'est donc la troisième entrée de la FAT qui correspond au cluster numéro zéro sur le support. Le numéro de cluster doit ensuite être multiplié par le nombre de secteurs par cluster.

Nous n'avons cependant toujours pas le numéro de secteur qui convient car les numéros de cluster dans l'entrée du répertoire ainsi que dans la FAT ne se réfèrent pas au premier secteur du volume mais au premier secteur d'une zone de données du volume. Or comme nous l'avons vu au début de ce chapitre, cette zone ne commence qu'après le répertoire racine du volume.

Il convient donc d'additionner encore au numéro de secteur calculé le numéro du premier secteur de la zone de données. Ce numéro peut être calculé à partir des informations fournies dans le bloc de paramètres du BIOS, à l'intérieur du secteur de boot. Comme vous le savez, la zone de données d'un volume est précédée du secteur de boot, de la FAT et des copies de celle-ci et, en dernier lieu, du répertoire racine. Il nous faut donc additionner la longueur de chacune de ces zones de données. Le nombre de secteurs réservés (y compris le secteur de boot) nous est fourni par la cellule de mémoire 0Eh du secteur de boot alors que la cellule de mémoire 16h indique le nombre de secteurs par FAT.

Cette valeur doit être multipliée par le nombre de FAT, dans la cellule de mémoire 10h, à quoi il faut additionner le nombre de secteurs réservés. Il ne reste plus qu'à lire, dans le mot à l'adresse 11h du secteur de boot, le nombre d'entrées dans le répertoire racine. En multipliant cette valeur par 32 (octets par entrée), puis en divisant le résultat par 512 (octets par secteur), nous obtenons le nombre de secteurs de la racine. Nous additionnons le résultat au total précédent et nous obtenons ainsi le numéro du premier secteur de la zone des données.

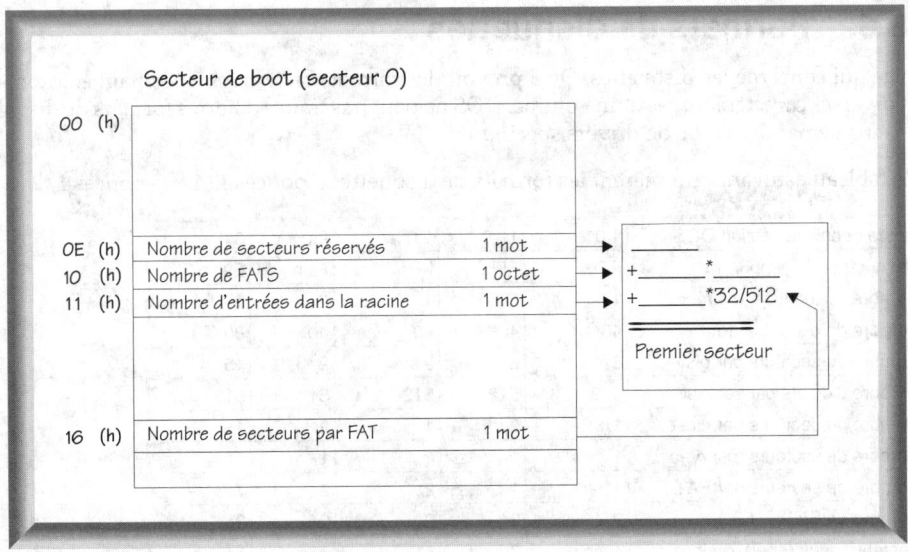

Calcul du premier secteur de la zone des données

En additionnant ce total au numéro du premier secteur de notre fichier que nous venons de calculer, nous obtenons le numéro de secteur absolu du premier secteur de notre fichier. Les secteurs placés d'un point de vue logique à la suite de ce premier secteur forment le premier cluster de notre fichier, en fonction du nombre de secteurs que contient un cluster. Nous pouvons maintenant lire ou écrire des données dans ce cluster ou secteur en employant ce numéro de secteur dans les fonctions du DOS qui se cachent derrière les interruptions 25h et 26h.

Si nous voulons déterminer ensuite quel est le cluster suivant et donc quelle est la prochaine entrée de la FAT, c'est dans la FAT que nous devrons lire ces informations. La façon de procéder pour ce faire μdépend ici essentiellement de la largeur des différentes entrées de la FAT.

Il sera en effet très facile de lire le prochain cluster si la largeur des entrées de la FAT est de 16 bits. Dans ce cas, il suffit de multiplier le numéro de cluster par 2. Le résultat de cette multiplication représente l'adresse d'offset, par rapport au début de la FAT dans la mémoire, à laquelle est indiqué le prochain cluster.

Si la largeur de la FAT est par contre de 12 bits, le numéro de cluster devra d'abord être multiplié par 1,5. La partie entière de ce produit sera alors utilisée comme offset par rapport à la FAT pour lire le mot figurant à cette adresse. Si le produit était entier, il suffira ensuite de faire subir au mot lu un ET logique avec la valeur 0FFFh pour obtenir le numéro du prochain cluster. Si le produit n'était pas par contre un nombre entier, il n'y a pas lieu d'opérer de combinaison ET logique et le mot doit simplement être décalé de 4 bits vers la droite, c'est-à-dire divisé par 16.

Nous connaissons ainsi le premier cluster du fichier. Si sa valeur est comprise entre FF8h et FFFh pour une FAT de 12 bits ou entre FFF8h et FFFFh, c'est que la fin du fichier est atteinte. Sinon l'opération doit être renouvelée depuis le début.

28.6.   Formats de disquettes

En ce qui concerne les disquettes, DOS prévoit des formats bien précis spécifiant exactement les diverses caractéristiques d'un volume. DOS ne peut pas traiter d'autres formats de disquettes sans demander l'aide de drivers spécifiques.

Les tableaux suivants énumèrent les formats de disquettes 5 pouces 1/4 et 3 pouces 1/2 :

Existe depuis la version DOS	1.0	1.10	2.0	2.0	3.0
Descripteur de support	FEh	FFH	FCh	FDh	F9h
Nombre de têtes de lect./écr.	1	2	1	2	2
Nombre de pistes par tête	40	40	40	40	80
Nombre de secteurs par piste	8	8	9	9	15
Nombre d'octets par secteur	512	512	512	512	512
Nombre de secteurs par clust.	1	2	1	2	1
Nombre de secteurs réservés	1	1	1	1	1
Nombre de secteurs par FAT	1	1	2	2	7
Nombre de FATs	2	2	2	2	2
Secteurs dans répert. racine	4	7	4	7	14
Entrée dans répert. racine	64	112	64	112	224
Nombre total de secteurs	320	640	360	720	2400
Secteurs libres pour fichiers	313	630	351	708	2371
Nombre de clusters	313	315	351	354	2371
Capacité totale	160 Ko	320 Ko	180 Ko	360 Ko	1,2 Mo
Capacité totale pour fichiers	156,5 Ko	315 Ko	175,5 Ko	354 Ko	1,185Mo

Les différents formats DOS de disquettes 5"1/4

Existe depuis la version DOS	3.0	3.30
Descripteur de support	F9h	F0H
Nombre de têtes de lect./écr.	2	2
Nombre de pistes par tête	80	80
Nombre de secteurs par piste	9	18
Nombre d'octets par secteur	512	512
Nombre de secteurs par clust.	2	1
Nombre de secteurs réservés	1	1
Nombre de secteurs par FAT	3	9
Nombre de FATs	2	2
Secteurs dans répert. racine	7	14
Entrée dans répert. racine	112	224
Nombre total de secteurs	1440	2880
Secteurs libres pour fichiers	1426	2847
Nombre de clusters	720	2880
Capacité totale	720 Ko	1.5 Mo
Capacité totale pour fichiers	713 Ko	1.4 Mo

Les différents formats DOS de disquettes 3,5"

29. Le multiplexeur

Parmi les différentes commandes de DOS il en existe certaines qui fonctionnent comme des programmes résidents. Elles s'installent en mémoire pour pourvoir à leurs tâches en arrière-plan. Parmi ces commandes figurent PRINT, ASSIGN, SHARE, APPEND, DOSKEY et quelques autres. Une fois ancrées en mémoire ces commandes s'incrustent dans l'interruption 2Fh appelée multiplexeur. Ce chapitre est destiné à démontrer le fonctionnement du multiplexeur et à étudier les commandes qui l'exploitent.

29.1. Fonctionnement d'un multiplexeur

Le nom porté par cette interruption est dû à ce qu'elle ne limite pas ses services à un seul programme DOS : elle est ouverte à tous les programmes résidents qui ont besoin d'une interface de communication vers l'extérieur. Très souvent le premier appel à un programme résident provoque son installation tandis que les appels ultérieurs à partir de la ligne de commande de DOS servent à modifier des paramètres dans la copie installée ou à retirer le programme de la mémoire. Le programme appelé entre en contact avec la copie installée par l'interruption multiplexeur.

Les programmes d'application peuvent eux aussi exploiter ces appels pour intervenir dans le fonctionnement de différentes commandes résidentes de DOS ou pour vérifier si le programme est actif. Un programme de réseau qui est obligé de s'appuyer sur les fonctions de la commande SHARE de DOS peut ainsi tester si SHARE a déjà été chargé et interrompre son exécution par un message d'erreur si tel n'est pas le cas.

Ce sont les programmes résidents eux-mêmes qui font en sorte que l'interruption 2Fh puisse être exploitée simultanément par plusieurs programmes. Le processus est le suivant.

Un programme désireux d'utiliser le multiplexeur (MUX) doit commencer par s'attribuer un numéro de 8 bits. Ce numéro est appelé code MUX. Les codes de 00h à BFh sont réservés aux programmes de DOS mais la plage de 0Ch à FFh est libre et peut être utilisée par les programmes d'application.

Lors de son installation un programme résident devra prévoir un gestionnaire multiplexeur en plus de tous les autres gestionnaires d'interruption qui lui sont indispensables. Il est donc obligé de détourner l'interruption 2Fh vers une routine qui remplace l'ancien gestionnaire d'interruption. Plus tard si un programme déclenche le multiplexeur, le gestionnaire multiplexeur du programme résident sera exécuté.

Ce gestionnaire d'interruption doit d'abord tester si c'est son programme qui est concerné ou un autre qui fait partie de la chaîne des gestionnaires multiplexeurs. A cet effet il examine le registre AH, car à l'appel de l'interruption il doit s'y trouver le code MUX du programme concerné.

Si AH contient son propre code MUX, la suite est simple à imaginer. Il va lire les autres registres du processeur qui ont une signification pour lui, exécute sa fonction et retourne à l'appelant par une instruction IRET.

Si en examinant le code MUX, il constate qu'un autre programme est visé, il n'a pas le droit de mettre fin à l'appel en rendant le contrôle à l'appelant. Il doit appeler l'ancien gestionnaire multiplexeur qu'il a repoussé lors de son installation. Par conséquent le programme résident prendra soin de sauvegarder l'adresse du gestionnaire précédent mais cette précaution ne pose aucun problème.

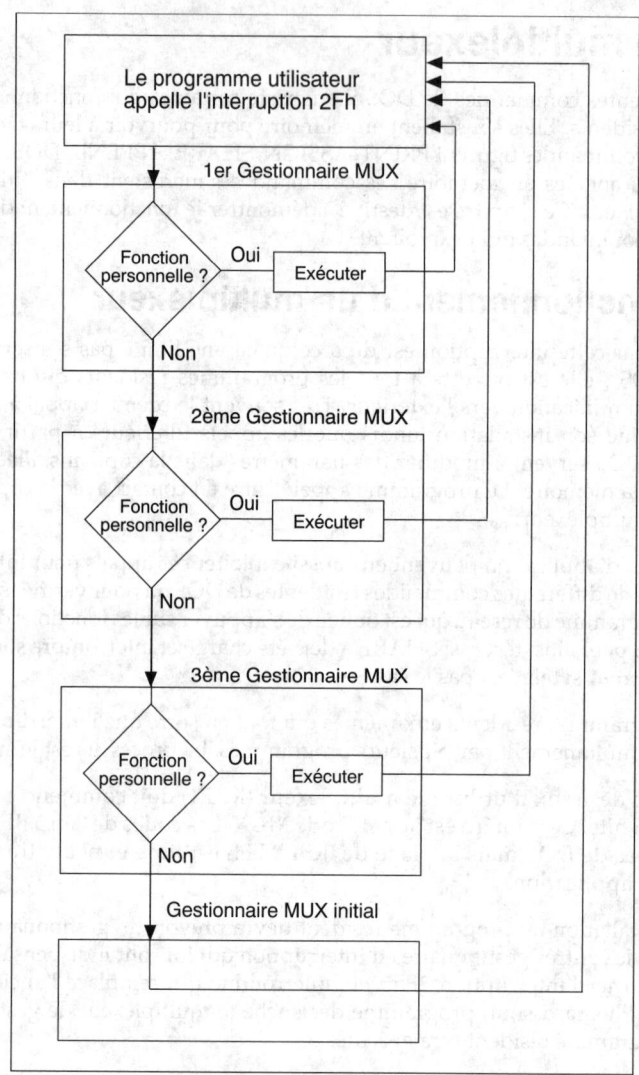

Chaîne des gestionnaires MUX

Chaque gestionnaire multiplexeur se comportant de cette façon, il se forme une chaîne. Tout appel au multiplexeur est transmis de gestionnaire en gestionnaire jusqu'à ce que l'un d'eux découvre son code MUX et exécute la fonction désirée sans repasser le contrôle plus loin. A la fin de la chaîne se trouve toujours le gestionnaire d'origine installé par le BIOS au lancement du système et qui contient simplement la commande IRET.

Concurrence entre les gestionnaires multiplexeurs

Un problème se pose lorsque deux gestionnaires multiplexeurs utilisent le même code d'identification. Dans ce cas c'est la situation du gestionnaire dans la chaîne des interruptions qui décide de la fonction qui sera déclenchée. C'est toujours le dernier gestionnaire installé qui aura la main car il est plus proche du début de la chaîne. Le gestionnaire plus ancien ne peut faire valoir aucun droit.

Pour les programmes DOS il ne faut pas s'attendre à des difficultés de ce type. En effet Microsoft leur a attribué des codes MUX distincts. Mais si vous développez vous-même des programmes résidents et si vous faites appel au multiplexeur, vous devriez normalement vivre dans la crainte qu'un autre programme n'exploite déjà le même code. Mais heureusement il existe une possibilité de recherche au démarrage d'un programme.

Par convention chaque programme est tenu de préparer une fonction pour le test d'installation. Elle est exécutée lorsqu'à l'appel du multiplexeur on met en AH le code du programme et en AL la valeur 00h. Si l'un des gestionnaires déjà installés reconnaît son code, il doit retourner en AL une valeur différente de 0 (en général FFh).

Si aucun des gestionnaires ne se sent responsable pour le code indiqué, il passe finalement aux mains du dernier de la chaîne, c'est-à-dire à l'original qui est constitué de la seule instruction IRET et qui ne modifie donc pas AL. Si à l'issue de l'appel, le registre AL n'est pas différent de 0, on peut être sûr que le code testé n'a pas encore été utilisé par un gestionnaire.

Le chapitre 35 montre l'utilité du multiplexeur dans le développement des programmes résidents.

29.2. Exploitation du multiplexeur par les programmes de DOS

Cette section est consacrée à l'étude du multiplexeur au service des différents programmes de DOS. Un programme d'application ne pourra à mon avis exploiter que les seules fonctions de la commande PRINT qui permet d'effectuer une impression en arrière-plan mais vous jugerez vous-même.

Code MUX	Commande de DOS
01h	PRINT
06h	ASSIGN
10h	SHARE
1Ah	ANSI.SYS
43h	HIMEM
48h	DOSKEY
ADh	KEYB
B0h	GRAFTABL
B7h	APPEND

Liste de commandes de DOS qui s'intègrent dans le multiplexeur

Nous allons examiner une à une les fonctions des différentes commandes de DOS en les décrivant brièvement.

Vous trouverez en annexe XX la liste des paramètres d'entrée et de sortie.

PRINT

Code MUX 01h

PRINT était la première commande à utiliser le multiplexeur. Il lui permet de rester en contact avec sa partie résidente, d'ajouter des fichiers à la file en attente d'impression, de retirer des fichiers de la file d'attente ou de la supprimer intégralement.

Les programmes d'application peuvent exploiter ces fonctions lorsqu'ils ont l'intention d'exécuter des travaux d'impression volumineux sans immobiliser l'utilisateur. En général les imprimantes sont bien plus lentes que les logiciels, c'est là la seule raison qui justifie l'existence de PRINT.

Pour exploiter PRINT, un programme d'application doit émettre les impressions souhaitées dans un fichier puis insérer ce fichier dans la file d'attente de PRINT. Avec les fonctions de PRINT c'est très facile.

Fonctions multiplexées de la commande PRINT	
Fonction	**Rôle**
00h	Tester l'installation
01h	Ajouter un fichier à la file d'attente
02h	Retirer un fichier de la file d'attente
03h	Retirer tous les fichiers de la file d'attente
04h	Arrêter l'impression et lire l'état de l'impression
05h	Reprendre l'impression
06h	Tester l'imprimante

ASSIGN
SHARE
ANSI.SYS
GRAFTABL

Code MUX 06h
Code MUX 10h
Code MUX 1Ah
Code MUX B0h

Ces commandes ne comportent qu'une seule fonction numérotée 00h qui sert au test d'installation. Si à l'issue de l'appel, le registre AL contient la valeur FFh, c'est que le programme correspondant est installé. Le code MUX est à lire dans le tableau ci-dessus.

HIMEM.SYS

Code MUX 43h

Le driver HIMEM.SYS qui est responsable de la gestion de la mémoire selon le standard XMS possède deux fonctions multiplexées. La première qui porte le numéro 00h sert au test d'installation et ne vaut la peine d'être mentionnée que dans la mesure où contrairement à ses consoeurs elle ne retourne pas la valeur FFh mais 80h en cas d'installation de HIMEM.SYS. La deuxième fonction renvoie le point d'entrée dans le driver par lequel les différentes fonctions XMS seront appelées. Le multiplexeur joue un peu le rôle d'une clé qui ouvre la porte de HIMEM.SYS.

Fonctions multiplexées du driver HIMEM.SYS	
Fonction	**Rôle**
00h	Test d'installation
10h	Indique le point d'entrée pour l'appel des fonctions XMS

DOSKEY *(à partir de la version 5.0 DOS)*   *Code MUX 48h*

A partir de la version 5.0 de DOS le programme résident DOSKEY permet de mémoriser et de rappeler les commandes saisies. Il autorise aussi l'usage d'abréviations par exploitation de macros.

Ces propriétés n'existent pas seulement au niveau de la ligne de commande de DOS elles sont aussi à la disposition des programmes d'application grâce à deux fonctions multiplexées. Le code de DOS est 48h, les numéros des deux fonctions sont 00H et 01h. La fonction 00h permet de tester si DOSKEY est installé. C'est la fonction de test d'installation usuelle.

La deuxième fonction permet à un programme d'application de demander à DOSKEY de prendre en compte la saisie effectuée comme si elle avait lieu au niveau de DOS. Le maniement des touches de direction verticales permet donc de repasser en revue les saisies faites jusqu'ici au niveau de DOS et les nouvelles saisies vont entrer dans le buffer où puise DOSKEY.

KEYB   *Code MUX ADh*

Le driver de clavier KEYB.COM offre quatre fonctions. Elles permettent de lire le numéro de version de KEYB, la page de code courante et l'indicateur de nationalité.

Fonctions multiplexées du driver de clavier KEYB	
Fonction	**Rôle**
80h	Lire le numéro de version
81h	Fixe la page de code courante
82h	Fixe l'indicateur de nationalité
83h	Lit l'indicateur de nationalité

APPEND   *Code MUX B7h*

Parmi les différentes commandes de DOS qui s'intègrent dans le multiplexeur, la commande APPEND se caractérise par le code le plus élevé. La numérotation des fonctions est un peu bizarre mais les services offerts correspondent à la palette des options disponibles au niveau de DOS.

Fonctions multiplexées de la commande APPEND	
Fonction	**Rôle**
00h	Tester l'installation
02h	Tester la compatibilité avec la version 5.0 de DOS
04h	Lire le répertoire
06h	Lire le mode opératoire
07h	Fixer le mode opératoire
11h	Etablir la conversion en noms de fichiers complets

30.   La programmation en réseau sous DOS

Les réseaux se sont considérablement répandus ces dernières années dans le monde des PC. L'expansion s'est amorcée dans les grandes sociétés et s'est poursuivie dans les entreprises moyennes pour finalement toucher également les petites sociétés. Les cartes de réseaux ne valent plus que quelques centaines de francs.

La diffusion des réseaux s'accompagne naturellement d'un accroissement de la demande de logiciels capables de fonctionner sous réseau. Ce chapitre est justement destiné à vous initier à la réalisation de programmes fonctionnant sous réseau. Il s'agit en fait d'une simple introduction car traiter le sujet dans toute sa complexité dépasserait l'ambition de cet ouvrage. Mais les indications données devraient vous suffire pour réaliser votre premier programme capable de fonctionner sous réseau.

30.1.   Les fondements

Les réseaux ont plusieurs tâches à remplir. Dans leur forme classique ils relient plusieurs PC (postes ou stations de travail) à un serveur qui est généralement constitué par un PC particulièrement puissant avec une grande capacité en mémoire vive et en disque dur. Le serveur offre ses ressources et différents services aux stations de travail qui sont branchées sur le réseau. Le plus important de ces services est le partage des fichiers grâce auquel certains fichiers ne sont pas gérés localement dans les différents postes de travail mais de façon centralisée dans le serveur de fichiers.

Les fichiers en question sont généralement issus de bases de données qui ont une très grande importance dans l'exploitation quotidienne et qui peuvent être traitées par plusieurs postes de travail en même temps. A cet égard, l'exemple de la gestion de stocks est particulièrement illustratif. Plusieurs agents spécialisés disposent d'autant de postes de travail pour consulter l'état des stocks qui est maintenu à jour dans une même base de données.

Les programmes susceptibles d'être appelés par l'ensemble des postes de travail du réseau sont également stockés sur le serveur pour économiser de la place sur les postes et minimiser le temps d'installation. Il est plus simple d'installer une seule fois un programme sur le serveur plutôt que de faire la même opération sur tous les postes de travail. Il suffit de penser à l'exemple de Windows.

Mais c'est justement cet exemple qui nous montre aussi qui malgré l'installation d'un programme unique sur le serveur, il reste indispensable de maintenir des fichiers sur les postes de travail. Car s'il est vrai que les fichiers programmes de Windows (WIN.COM, PROGMAN.EXE, PAINTBRUSH.EXE, etc.) sont les mêmes pour tous les utilisateurs, chacun d'eux a besoin de son propre WIN.INI ou SYSTEM.INI qui reflétera son environnement individuel.

Pourtant la plupart du temps ces mêmes fichiers sont aussi hébergés sur le serveur. Mais pour chaque utilisateur une zone individuelle est prévue dans laquelle il peut déposer ses fichiers privés sans avoir à craindre qu'un collègue n'y effectue des modifications. Cette garantie est apportée par le système d'exploitation du réseau, le composant le plus important du réseau.

Un serveur de réseau ne se contente pas de mettre son disque dur à la disposition des différents postes de travail. Il facilitera aussi les impressions et les communications en permettant aux postes d'accéder à une imprimante, à un modem ou à un autre réseau. Les investissements en matériel en seront réduits d'autant: il ne sera pas nécessaire par exemple de doter tous les postes d'une imprimante individuelle.

Depuis l'avènement d'OS/2, les serveurs SQL connaissent un grand succès. Il s'agit de serveurs fonctionnant sous OS/2 et qui offrent aux postes de travail un accès aux bases de données SQL. SQL veut dire "Structured Query Language", c'est un langage de requête pour interroger des bases de données relationnelles.

Le serveur SQL ne gère pas seulement les bases de données SQL mais il traite aussi les requêtes des postes de travail qui s'adressent à lui. Si un poste de travail émet une requête SQL pour demander les adresses complètes des clients dont le code postal est 75000, le serveur SQL renverra automatiquement les enregistrements désirés. On parle alors d'appel de procédure à distance (Remote Procedure Call). A partir des postes de travail une routine (procédure) du serveur est appelée pour prendre en charge un certain travail.

Le système d'exploitation du réseau

Qui dit réseau dit pratiquement Novell car, avec ses différentes versions de Netware cette société est incontestablement le plus grand fournisseur de systèmes de réseaux au monde. Mais il existe quand même d'autres sociétés qui fabriquent soit des systèmes compatibles avec Netware soit des systèmes particuliers, par exemple IBM, 3Com ou BanyanVines.

Un système d'exploitation de réseau comporte toujours deux éléments. D'abord un programme serveur qui gère le serveur de fichiers. Ensuite un logiciel installé sur chaque poste de travail pour lui permettre d'accéder au serveur. Ce logiciel se présente généralement sous forme de driver ou de programme résident qui intervient dans le noyau de DOS pour modifier le mode d'accès aux fichiers. Car les postes de travail continuent de fonctionner sous DOS et peuvent s'adresser au serveur comme à une unité de disquette ou de disque dur ordinaire.

Le logiciel de réseau intercepte tous les accès aux fichiers et ne transmet au noyau standard de DOS que ceux qui concernent les périphériques locaux. Supposons que pour un poste donné le serveur soit désigné par la lettre S. Le logiciel de réseau interceptera un accès au fichier "S:LETTRE.TXT" pour le détourner vers le serveur. Les fichiers du serveur pourront ainsi être traités comme des fichiers DOS ordinaires.

Un utilisateur n'aura cependant pas accès à tous les fichiers et répertoires stockés sur le disque dur du serveur. Sur un disque qui peut atteindre 1 Go leur nombre dépasse plusieurs milliers. L'administrateur du réseau fixe les répertoires et fichiers qui sont accessibles aux différents postes de travail. Les droits d'accès sont souvent liés à un mot de passe que l'utilisateur doit taper au moment où il accède pour la première fois au serveur ("Login").

Comme plusieurs utilisateurs auront ainsi le droit d'utiliser le serveur, ce dernier ne sera généralement pas exploité sous DOS. Le système traditionnel ne serait pas capable de satisfaire assez vite les postes de travail. Netware de Novell installe ainsi sur le serveur un système d'exploitation indépendant qui s'exécute en mode protégé et n'a plus besoin de DOS avec lequel il n'a rien à voir. Même le disque dur du serveur n'est plus géré selon le schéma classique de DOS mais avec un système d'enregistrement propre à Novell. Même si vous arrivez à lancer le serveur avec une disquette DOS, l'accès au disque dur sera impossible car son format est inconnu de DOS.

Pourtant si vous rédigez des programmes pour réseau sous DOS vous n'avez pas à vous faire de souci à ce sujet. A moins que vous ne développiez des outils pour Netware ce qui est évidemment une autre paire de manches.

De la même façon vous n'entrerez jamais en contact avec le matériel du réseau. Qu'il s'agisse d'un anneau à jeton, d'EtherNet ou d'ArcNet est sans importance. Ce qui compte, ce sont les interfaces des fonctions qui permettent d'accéder au serveur et à la communication avec les autres postes de travail.

680

Les interfaces

Trois interfaces se sont établies comme standards sur les PC. Il s'agit d'abord d'une série de fonctions rudimentaires offertes par DOS à partir de la version 3.0. Elles permettent à plusieurs postes de travail d'accéder simultanément à des fichiers du serveur et se trouvent analysées dans la section suivante.

Mais depuis la domination de Novell une autre interface s'est imposée qui s'appelle IPX/SPX.

Ce nom désigne un ensemble de fonctions mises à la disposition des programmes qui s'exécutent sur un poste de travail géré par NetWare. Les fonctions en question permettent aux postes de travail de communiquer entre eux, ce qui est indispensable pour réaliser des messageries électroniques ou pour commander les postes de travail à distance.

NetBios introduit par IBM poursuit le même objectif. Ce système est tellement répandu que NetWare comporte un émulateur NetBios qui convertit les appels à NetBios en autant d'appels à IPX/SPX, ce qui est possible car les deux interfaces reposent sur les mêmes principes.

Les programmes développés sou NetBios tournent aussi sous NetWare. C'est pourquoi je vous recommande d'utiliser NetBios si vous voulez monter dans les hautes sphères de la programmation sous réseau.

Réseau "Peer to peer"

La notion de réseau égalitaire ("peer to peer") connaît actuellement un important succès qui remet quelque peu en cause les principes traditionnels des réseaux car chaque poste de travail peut aussi jouer le rôle de serveur.

Cette configuration convient particulièrement aux réseaux de petite envergure, avec un trafic réduit, ce qui permet d'économiser l'investissement d'un serveur relativement cher. Chaque poste de travail est doté d'un sur-ensemble de DOS qui permet d'accéder aux autres postes de travail par les commandes de DOS et les instructions de traitement de fichiers habituelles.

Les programmes du type NetWare-Lite de Novell ou LANTastic de Microware en sont une illustration.

30.2. La programmation réseau sous DOS

Au centre de la programmation réseau sous DOS on trouve deux fonctions de l'API de DOS et le programme SHARE qui fait partie intégrante de DOS depuis la version 3.0.

SHARE contient les deux fonctions de l'API de DOS. Elles évitent tout conflit entre des programmes qui accéderaient simultanément aux mêmes fichiers. C'est bien là l'enjeu primaire de la programmation en DOS, à savoir le partage des fichiers. Très souvent d'ailleurs un même programme exécuté simultanément sur plusieurs postes de travail maintient ses fichiers sur le serveur de façon qu'ils puissent être exploités en même temps.

Prenons l'exemple d'un centre de tennis/squash. A la réception plusieurs employés gèrent la location des courts au moyen des différents postes de travail. Ils sont reliés par réseau à un serveur qui contient le fichier central des réservations pour les prochaines semaines. Sur l'ensemble des postes se déroule le même programme de réservation des courts. Comme les employés travaillent en même temps, différents problèmes vont se poser que nous allons étudier dans un moment.

Pour le moment restons-en à Share.

Test d'installation de Share

Comme la présence de SHARE est très importante pour l'exploitation des fonctions réseau de DOS, tout programme fonctionnant sous réseau devra en prendre connaissance au moment de son démarrage.

Notons à ce sujet que depuis la version 4.0 de DOS, le programme SHARE fait partie intégrante du système.

Si vous êtes sûr que votre programme ne tourne que sous DOS 4, 5 ou une version postérieure, vous pouvez vous passer du test d'installation de SHARE.

Ce test est en fait assez simple. Il est constitué par une unique instruction d'interruption. C'est la fonction 1000h du multiplexeur qu'il faut appeler car la partie résidente de Share se connecte au multiplexeur. Si cette fonction renvoie en AL la valeur FFh, Share est bien installé. Sur le mode de fonctionnement du multiplexeur, voyez le chapitre 27.

Verrouillage des enregistrements

Le verrouillage des enregistrements joue un rôle essentiel lors de l'utilisation simultanée d'un même fichier par plusieurs postes de travail. Reprenons l'exemple du centre de tennis. Plusieurs clients téléphonent en même temps pour réserver des courts. A la réception un certain nombre d'agents traitent les appels des clients. Ils affichent sur leurs postes de travail le planning des jours concernés. Cet affichage repose évidemment sur l'exploitation de fichiers mais la lecture simultanée des enregistrements ne pose aucun problème.

Les choses deviennent critiques à partir du moment où les enregistrements doivent subir des modifications. Supposons que l'un des agents prenant note d'une réservation reporte le nom du client dans l'enregistrement correspondant. Comme à cet instant précis le court était encore libre, un autre agent l'a peut-être également loué à un autre client. Un conflit se produit. Car le deuxième agent écrasera peut-être le nom de l'autre client parce que le logiciel n'était pas assez rapide pour lui indiquer à l'écran que le court venait d'être réservé.

Voilà le genre de situation que doit résoudre le verrouillage des enregistrements. Un programme désireux de modifier un enregistrement doit commencer par en prendre possession de façon exclusive, pour écarter toute tentative d'accès conflictuel. L'enregistrement est verrouillé pour les autres programmes ("Verrou enregistrement").

Techniquement on procède de la manière suivante. L'agent qui reçoit l'appel repère un court libre sur l'écran. Il actionne une touche de fonction pour indiquer au logiciel qu'il désire réserver ce court. L'enregistrement est alors verrouillé pour que le programme puisse y opérer ses transformations. Un poste de travail extérieur ne peut plus accéder à l'enregistrement car toute nouvelle tentative de verrouillage serait vouée à l'échec.

Le programme peut y réagir en émettant un message à l'écran qui indique que le court en question est actuellement en cours de réservation. Mais il est vrai que le client au téléphone peut changer d'avis et préférer finalement une autre réservation. Il est donc recommandé au poste de travail dont la demande a été rejetée d'attendre un moment pour voir si l'enregistrement verrouillé ne va pas être libéré. Il répétera donc sa demande dans le cadre d'une boucle jusqu'à ce que l'enregistrement soit à nouveau libre ou jusqu'à ce qu'un délai limite soit dépassé.

L'enregistrement peut ensuite être relu et le programme pourra vérifier si le court est resté libre ou s'il a été loué à un autre client. A condition évidemment que l'enregistrement ait été libéré par le premier poste de travail, immédiatement après sa modification.

682

Pour partager les fichiers et leurs enregistrements entre plusieurs programmes sur autant de postes de travail, il faut respecter les règles suivantes:

O   Avant d'être modifié, un enregistrement doit être verrouillé pour qu'aucun autre programme ne puisse y accéder.
O   Un enregistrement verrouillé doit être libéré aussitôt après sa modification pour que les autres programmes puissent l'exploiter à leur tour.

Pour écarter toute possibilité de modification ou de lecture d'un enregistrement verrouillé, SHARE agit en liaison avec le système d'exploitation du réseau. Les appels aux fonctions inhibées sont rejetés par un signal d'erreur tant que l'enregistrement visé est verrouillé.

Si la théorie paraît simple, l'application se révèle complexe. Le verrouillage des enregistrements est exécuté par une seule fonction de DOS, à savoir la fonction 5Ch. Il faut lui fournir le Handle du fichier ainsi que l'offset et la longueur de la zone à verrouiller à l'intérieur du fichier. Les fichiers étant souvent d'une taille supérieure à 64 Ko, ces paramètres sont communiqués sur 32 bits et répartis sur deux registres. Pour l'offset, le registre CX reçoit les 16 bits supérieurs, tandis que DX accueille les 16 bits inférieurs. Pour ce qui est de la taille de la zone, elle est répartie de la même façon sur les registres SI et DI.

Il n'est plus question ici d'enregistrements, mais ce n'est pas grave car une fois connue la longueur d'un enregistrement il est facile de trouver la zone où il débute à partir de son numéro, ce qui détermine aussi la longueur à verrouiller.

Paramètres communiqués à la fonction 5Ch	
Registre	Signification
AH	Numéro de la fonction = 5Ch
AL	Mode: 0=Verrouiller 1=Déverrouiller
BX	Handle du fichier
CX:DX	Offset à l'intérieur du fichier (32 bits)
SI:DI	Longueur de la zone concernée (32 bits)

La même fonction servant aussi à libérer les zones verrouillées, le registre AL doit contenir le mode d'action souhaité: verrouillage ou déverrouillage. La fonction permet de verrouiller simultanément plusieurs zones de données, ce qui est très utile car les opérations de gestion impliquent souvent plusieurs enregistrements. Avant de verrouiller un fichier il faut évidemment l'ouvrir. C'est cette ouverture qui fournit le Handle attendu en BX par la fonction. Mais là aussi l'environnement du réseau impose des conditions particulières.

Partage de fichiers

Grâce à SHARE, DOS autorise non seulement le verrouillage des enregistrements mais aussi le verrouillage d'un fichier qui restreint l'accès des programmes externes à l'ensemble du fichier. Cette option est enclenchée à l'ouverture d'un fichier par la fonction 3Dh de DOS qui a un rôle général même en dehors des réseaux. Mais par rapport à une utilisation ordinaire, il faut fournir davantage d'informations en AL:

Paramètres communiqués à la fonction 3Dh	
Registre	Signification
AH	Numéro de la fonction
AL	Mode d'accès (cf. infra)
DS:DX	Pointeur sur le nom du fichier

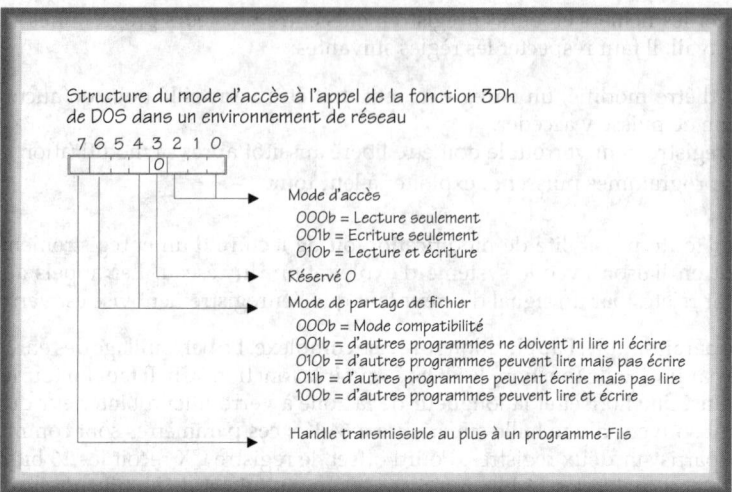

Structure du mode d'accès à l'appel de la fonction 3Dh
de DOS dans un environnement de réseau

7 6 5 4 3 2 1 0

Mode d'accès
000b = Lecture seulement
001b = Ecriture seulement
010b = Lecture et écriture

Réservé 0

Mode de partage de fichier
000b = Mode compatibilité
001b = d'autres programmes ne doivent ni lire ni écrire
010b = d'autres programmes peuvent lire mais pas écrire
011b = d'autres programmes peuvent écrire mais pas lire
100b = d'autres programmes peuvent lire et écrire

Handle transmissible au plus à un programme-Fils

Comme le montre l'illustration précédente, dans le cas d'un réseau les bits 4 à 6 définissent les opérations que les autres programmes ont le droit de faire sur le fichier. Vous pouvez ainsi éviter que "votre" fichier ne soit modifié, accorder aux autres programmes le droit d'y lire des informations ou même leur interdire tout accès pendant l'exécution de votre programme.

Les trois bits inférieurs prennent également une importance spéciale qu'on ne leur accorde généralement pas lorsqu'on programme simplement sous DOS. Ils définissent les opérations que le programme est susceptible d'exécuter lui-même sur le fichier. Par exemple si un programme indique le mode "Lecture seule", la fonction d'ouverture marchera même si le fichier a déjà été ouvert par un autre programme autorisé par le mode de partage.

Dans un environnement de réseau il faut éviter d'indiquer comme mode d'accès "Lecture et écriture" si on désire uniquement lire le fichier. Sinon l'accès peut être verrouillé parce qu'un autre programme a déjà ouvert le fichier et y interdit les écritures.

Si l'ouverture d'un fichier échoue, la fonction 3Dh retourne le code erreur 5, qui signifie " Accès refusé ". C'est ce code qui est également renvoyé par les fonctions de lecture et d'écriture lorsqu'une opération interdite a été demandée.

Si vous examinez les différents modes de partage de fichiers, vous serez frappé par la présence du mode dit de compatibilité. Ce mode est presque identique au mode 001b car il interdit la lecture et l'écriture du fichier à tous les autres programmes. Mais lorsqu'un de ces autres programmes tente une ouverture, il ne renvoie pas un code d'erreur ordinaire (5) mais appelle carrément le gestionnaire d'erreurs critiques de DOS. Sur l'écran s'affiche alors le message suivant :

```
Fonction SHARE interdite en lecture sur C:
(A)bandon, (R)eprise, (I)gnorer ?
```

Il est donc préférable lorsqu'on programme sous réseau de renoncer à ce mode et de choisir à la place le mode de partage des fichiers 001b si vous voulez interdire l'accès à tout autre programme.

Pratique de la programmation sous réseau

Pour montrer un exemple de programmation sous réseau en DOS, j'ai développé deux programmes qui exploitent les possibilités du verrouillage d'enregistrement et du verrouillage de fichier. Vous en trouverez les versions Pascal et C à la fin de cette section. Pour essayer ces programmes, vous n'avez pas besoin d'avoir un réseau. Windows 3.0 suffit. En effet si avant de lancer Windows 3.0 vous déclenchez SHARE, vous pouvez simuler autant de postes de travail que vous voulez en ouvrant des boîtes DOS et en y exécutant des programmes.

Dans le cas du verrouillage de fichier (programmes FLOCKP.PAS et FLOCKC.C), ce ne sera même pas nécessaire. Car le programme va ouvrir le même fichier deux fois de suite, ce qui revient à ouvrir ce programme par deux applications différentes.

Examinons d'abord les deux modules NETFILEP.PAS et NETFILEC.C qui contiennent les mêmes routines pour les deux programmes. Ils sont bâtis sur le même canevas mais ils se distinguent par la manière dont le fichier à traiter est transmis par l'appelant. Voici d'abord une liste des fonctions et procédures offertes:

Procédures et fonctions disponibles dans les modules NETFILEP.PAS et NETFILEC.C	
Nom	**Rôle**
ShareInst	Teste si SHARE est installé
NetErrorMsg	Fournit le texte d'un message d'erreur
NetRewrite	Crée un fichier
NetReset	Ouvre un fichier existant
NetClose	Ferme un fichier
NetLock	Verrouille des enregistrements
NetUnLock	Libère des enregistrements verrouillés
Is_NetWRiteOK	Teste si les écritures sont autorisées
Is_NetReadOk	Teste si les lectures sont autorisées
Is_NetOpen	Teste si un fichier est ouvert
NetWrite	Ecrit des données dans un fichier
NetRead	Lit des données dans un fichier
NetSeek	Positionne le pointeur du fichier

La version Pascal du module a été programmée sous forme d'unité. La version C est à inclure par une directive #INCLUDE, ce qui évite la compilation séparée du module et la constitution d'un fichier Make ou d'un projet.

Dans la version Pascal les différentes fonctions et procédures utilisent comme argument une variable fichier typée tout à fait ordinaire, semblable à celle des instructions ASSIGN READ, WRITE, etc...Malheureusement ces dernières ne peuvent être mises en service dans un réseau car elles ne fonctionnent pas si le fichier n'est pas ouvert à la fois en lecture et en écriture. C'est ainsi que l'unité NETFILEP est amenée à définir ses propres routines de lecture et d'écriture. L'utilisation des variables fichier reste pratique car on peut en déduire par exemple la taille des enregistrements. Elles contiennent aussi le Handle ainsi que le mode d'accès du fichier qui y est habituellement enregistré par la procédure REWRITE du Pascal standard.

Dans la version C un fichier est défini par la structure de données suivante qui est transmise sous la forme d'une variable aux différentes fonctions du module NETFILEC.C.

```
typedef struct { unsigned int Handle, /* Handle du fichier */
                 RecS,   /* Taille de l'enregistrement */
                 Mode ; /* Mode d'accès */
} NFILE;
```

NETFILEP.PAS   NETFILEC.C

Les programmes FLOCKP.PAS et FLOCKC.PAS sont destinés à démontrer l'usage du verrouillage des fichiers. Ils demandent d'abord à l'utilisateur de définir le type d'accès et le mode de partage de deux fichiers qui seront ouverts par la suite. Il s'agit en fait d'un seul et même fichier appelé selon le cas FLOCKC.DAT ou FLOCKP.DAT. Créez ces fichiers en recopiant n'importe quel fichier texte, par exemple AUTOEXEC.BAT. Ce fichier est ouvert par deux appels OPEN pour être associé à deux Handles différents, ce qui permet de simuler un environnement de réseau où deux programmes accèdent simultanément au même fichier.

```
FLOCKP Démo de verrouillage de fichiers sous DOS    (c) 1992 by Michael Tischer
================================================================================

Types d'accès possibles:           Modes de partage possibles:
 1: Lecture seule                    1: Mode de compatibilité ( pas de prot)
 2: Ecriture seule                   2: Tout accès étranger interdit
 3: Lecture et écriture              3: Lecture seule
                                     4: Ecriture seule
                                     5: Tout est permis (Record lock)

Type d'accès pour le fichier de test A:
```

Image d'écran du programme FLOCKP.PAS

Dès l'ouverture des deux Handles, des messages d'erreur DOS s'affichent. Les Handles servent aussi à entreprendre des opérations d'écriture et de lecture dont le statut est affiché. Le programme écrit "AAAA" dans le premier Handle et "BBBB" dans le deuxième.

Puis le contenu du fichier est lu par les deux Handles et affiché sur l'écran. Si l'accès en écriture a pu être mené à bien par le deuxième Handle, les deux Handles provoquent l'affichage du texte "BBBB", autrement dit le deuxième enregistrement a écrasé le premier, pour autant que celui-ci ait pu être effectué. Lorsque les deux écritures ont échoué, le fichier est vide et l'affichage donne deux chaînes vides. La dernière étape consiste à refermer à nouveau les Handles.

L'intérêt des ces programmes est de permettre le test de toutes les combinaisons possibles de type d'accès et de mode de partage. Elles ne sont pas toutes raisonnables et certaines d'entre elles donnent des résultats curieux mais il ne se passera rien d'autre en cas d'accès simultané à un même fichier dans un réseau si l'on s'en tient aux règles du jeu.

Contrairement aux programmes FLOCK, les programmes RECLOCK (RECLOCKP.PAS et RECLOCKC.C) doivent être exécutés sur deux ordinateurs reliés par réseau ou sous Windows dans deux boîtes DOS séparées. La démonstration porte sur le verrouillage des enregistrements d'un fichier appelé REC.DAT pour les versions Pascal et C. Le fichier en question est créé au début du programme et comporte dix enregistrements de 160 octets chacun. On mémorise dans chacun de ces enregistrements un code ASCII unique, "A" majuscule pour le premier, "B" pour le second, "C" pour le troisième, etc.

```
Démo des fonctions de verrouillage de fichiers DOS  (C) 1991 by Michael Tischer
================================================================================

Fonctions possibles
   1: Positionner le pointeur de fichier.
   2: Verrouiller l'enregistrement
   3: Lire l'enregistrement
   4: Modifier l'enregistrement
   5: Ecrire dans l'enregistrement
   6: Lever l'interdiction
   7: Fin

Choix:


Enregistrement actuel:    0
Etat           : Libre
Statut réseau  :    0  = Pas d'erreur


Enregistrement actuel:
```

Image d'écran du programme RECLOCKP.PAS

Les deux programmes offrent la possibilité d'accéder aux différents enregistrements, de les lire, d'y écrire des données et surtout de les verrouiller individuellement. La partie droite de l'écran indique quels sont les enregistrements verrouillés dans chaque instance du programme.

Essayez de verrouiller quelques enregistrements dans la première instance du programme et d'y accéder dans la seconde. DOS va protester et retourner le code d'erreur 5 qui apparaît sur l'écran avec le message d'erreur associé.

31.   DOS et Windows

L'utilisateur qui crée des programmes DOS à l'heure actuelle doit toujours envisager de les faire tourner également sous Windows. Bien que Windows simule parfaitement l'environnement normal du DOS, il arrive toutefois que toutes les routines des programmes DOS ne peuvent pas être exécutées sous Windows. Il faut notamment faire attention aux utilitaires tels que Speed Disk ou Calibrate de Norton qui risquent de se planter sous Windows. Des problèmes surviennent également avec les programmes TSR qui accèdent essentiellement au noyau de DOS pour se protéger contre d'autres programmes TSR.

Ce n'est pas sans raison que les guides d'utilisation informent le programmeur que certains utilitaires disque et programmes résidents ne doivent pas être exploités sous Windows. Mais des utilisateurs veulent néanmoins élucider ce mystère.

Des programmes considérés potentiellement comme dangereux commencent alors par une sorte de test destiné à signaler la présence de Windows. Dans ce cas, le programme s'interrompt après avoir affiché un message d'erreur à l'écran. Ce chapitre montre comment réaliser un test de ce genre.

31.1.   Découvrir Windows

Avant tout, notez qu'il n'existe aucune fonction DOS capable de communiquer si Windows est activé et indiquer sa version et son mode. Mais au contraire, il faut associer plusieurs appels de fonctions qui n'ont aucune relation apparente entre elles pour obtenir progressivement les informations souhaitées.

Comme le montre la figure suivante illustrant le déroulement du test Windows, l'interruption Multiplexer joue un rôle important dans la détermination de la présence de Windows. Il s'agit de l'interruption 2Fh contenant de nombreux programmes DOS et utilitaires (SHARE et PRINT) résidents offrant leurs services à d'autres programmes. Windows insère également des fonctions dans cette interruption.

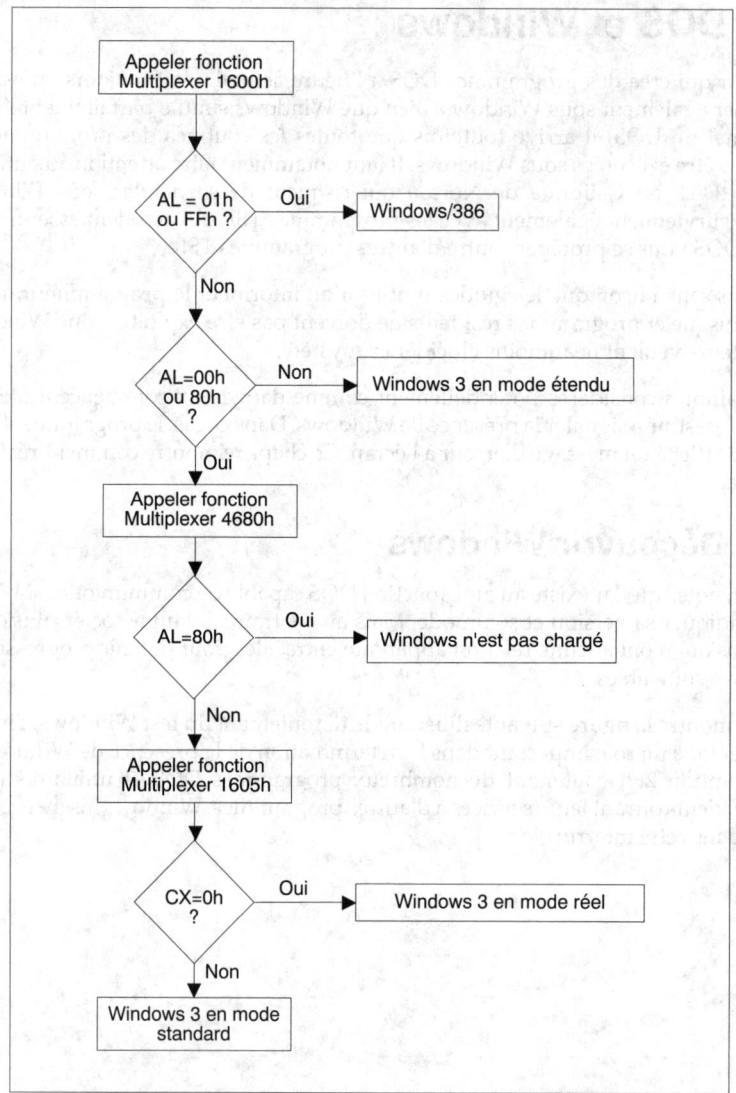

Algorithme de contrôle de la version Windows et du mode d'exploitation

D'après la figure précédente, le multiplexeur appelle d'abord la fonction 1600h. Windows la tient prête pour déterminer le mode d'exploitation de Windows 3.x. Si l'interruption multiplexeur ne contient aucune fonction portant ce numéro, le contenu du registre n'est pas alors modifié par l'appel de la fonction et le registre AL contient la valeur 0. Ainsi, on sait d'ores et déjà que Windows 3.x n'est pas activé. Les tests suivants révèlent si une autre version de Windows est active.

Après l'appel de la fonction, si on rencontre la valeur 01h ou FFh dans le registre AL, cela confirme l'absence de Windows 3.x mais la présence de la version spéciale installée auparavant, c'est-à-dire la version 386 de Windows 2.x. On ne peut certes pas spécifier avec précision de quelle version il s'agit, mais ce qui est sûr c'est que Windows est activé.

Notez cependant que Windows 3.1 ne fonctionne qu'en mode standard ou étendue, et que Windows por Workgroups 3.11 ne supporte que le mode étendu.

Après cet appel, une autre valeur permet de répondre à la question : 80h. Si cette valeur se trouve dans le registre AL, cela signifie que Windows 3 est bel et bien activé mais pas en mode étendu. Tout comme avec la valeur 00h, d'autres tests s'avèrent nécessaires. Cependant, il convient d'examiner d'abord ces tests au cas où ils pourraient apporter une réponse à la question. Si le registre AL contient une valeur différente de 00h, 01h, 80h ou FFh, cela confirme la présence de Windows 3 (3.1 ou plus) en mode étendu. La valeur du registre AL représente le numéro de version principal de la version Windows qui est en train de tourner. Quant au numéro secondaire, il se trouve dans le registre AH.

Revenons au test à effectuer en cas de réception de la valeur 00h ou 80h. Pour spécifier si Windows 3 est réellement activé, on peut se servir de la fonction 4680h. Elle introduit Windows 3 dans l'interruption multiplexeur . Si elle retourne la valeur 80h dans le registre AL, cela indique que cette fonction n'est pas du tout implantée. On en déduit que Windows n'est pas non plus activé.

Mais si on rencontre la valeur 00h, cela signifie que Windows est activé. Il ne reste plus qu'à déterminer le mode. En fin de compte, Windows 3 peut toujours fonctionner en mode standard ou réel une fois que le mode étendu a été exclu.

Une autre fonction ayant inséré Windows dans l'interruption multiplexeur fait son apparition. Il s'agit de la fonction 1605h. Elle sert à commuter Windows depuis le mode d'exploitation en cours vers le mode standard et subit un échec si le mode standard est déjà activé. On reconnaît cet état de fait par la valeur 0 retournée dans le registre CX.

Si la fonction peut toutefois être exécutée, Windows passe alors du mode réel au mode standard. Cette commutation peut être annulée aussitôt en appelant la fonction multiplexeur 1606h.

En tout cas, ce dernier test confirme si Windows 3 a été dernièrement exécuté en mode standard ou réel. Ainsi se termine le test.

Programmes d'exemples

Nous avons écrit trois programmes en Basic, Pascal et C qui se chargent de convertir à votre place l'algorithme décrit plus haut en code programme. Ils portent les noms WINDAB.BAS, WINDAP.PAS et WINDAC.C et sont construits de manière identique.

Le point fort de ces programmes est une routine portant le nom WINDOWS. Comme résultat de fonction, elle retourne l'une des constantes NO_WIN, WIN_386_X, WIN_REAL, WIN_STANDARD ou WIN_ENHANCED déclarées au début des programmes. Grâce à leurs noms, elles reproduisent fidèlement la version Windows et le mode d'exploitation en présence.

La fonction Windows retourne également le numéro exact de la version Windows, du moins lorsque Windows 3 est exploité en mode étendu. A cet effet, il faut transmettre deux variables integer (ou leurs adresses dans la version C) à cette fonction. La fonction Windows fournit ensuite le numéro de version de Windows dans ces variables.

WINDAP.PAS   WINDAC.C   WINDAB.BAS

32. Préserver la compatibilité

Au cours des premières années du PC, la compatibilité jouait un rôle important du point de vue de l'électronique. En effet, seuls les ordinateurs portant l'étiquette "compatibles IBM" pouvaient espérer une exécution sans encombre des logiciels PC. Flight simulator de Microsoft, qui n'existait encore que dans la version 1.0, représentait l'outil idéal pour tester la compatibilité.

A l'heure actuelle, le problème lié à la compatibilité électronique ne joue plus aucun rôle puisque les ordinateurs proposés par les innombrables fournisseurs dépendent d'un petit groupe de constructeurs dont le souci essentiel est d'assurer la compatibilité vis-à-vis de leurs concurrents. Cependant, du point de vue logiciel, le problème de la compatibilité reste toujours aussi important qu'auparavant. Prenons un exemple : l'utilisateur qui accède directement et exclusivement à une carte VGA dans ses programmes ne doit pas s'étonner lorsque son programme ne fonctionne pas sur des ordinateurs avec une carte graphique Hercules. Ce chapitre décrit d'ailleurs les règles à respecter pour garantir la compatibilité logicielle.

32.1. Problèmes de compatibilité lors de la programmation DOS

Nous étudierons dans cet ouvrage trois possibilités d'accéder à l'électronique du PC. Nous pouvons utiliser à cet effet les fonctions DOS ou BIOS déjà disponibles ou bien développer également des fonctions ou routines personnelles qui nous permettent de contrôler l'électronique directement. Cette seconde méthode ne présente guère d'avantage en ce qui concerne les mémoires de masse (disquette et disque dur) et le clavier. Des routines spéciales de sortie sur écran peuvent par contre être beaucoup plus rapides, et donc beaucoup plus efficaces, que les routines offertes par le BIOS et le DOS dans ce domaine.

Du point de vue de la compatibilité, ce sont cependant les fonctions du DOS qui l'emportent haut la main dans toute comparaison. Il convient donc de respecter un certain nombre de règles pour tous ceux qui veulent développer des programmes qui ne soient pas limités aux ordinateurs dont le BIOS ou l'électronique sont compatibles avec une machine bien précise mais qui puissent, au contraire, tourner sans problème sur tous les ordinateurs fonctionnant sous le DOS. Les précautions à prendre sont également rendues nécessaires pour préserver la compatibilité avec les versions futures du DOS, qui soumettront les programmes à de très rudes épreuves avec l'introduction du multi-tâches et d'autres innovations. Si vous souhaitez, par conséquent, développer des programmes sous la version actuelle du DOS de façon à ce qu'ils puissent encore tourner sans problème sous les versions 4, 5 ou 6, nous vous recommandons de suivre les conseils suivants :

❍ Pour accéder aux fichiers, utilisez uniquement les fonctions Handle introduites dans la version 2. Seules ces dernières garantissent la compatibilité avec les versions futures de DOS. Evitez de faire appel aux fonctions FCB.

❍ Si vous êtes cependant parfois contraint d'avoir recours aux anciennes fonctions FCB (par exemple pour accéder aux fichiers dotés de certains attributs ou bien pour accéder aux sous-répertoires), veillez bien à ne pas ouvrir de FCB déjà ouvert et à ne pas refermer de FCB déjà refermé. Cela pourrait en effet entraîner des problèmes dans le cadre d'un réseau.

❍ Testez le numéro de version du DOS au début de votre programme et terminez le programme par un message d'erreur s'il ne peut fonctionner sous cette version.

❍ Sauvegardez autant que possible dans le bloc d'environnement les constantes nécessaires au bon déroulement de votre programme (par exemple le chemin des programmes ou fichiers à charger à la suite du programme principal). Allez ensuite rechercher ces constantes dans le bloc d'environnement.

○ Libérez à l'aide de la fonction appropriée du DOS toute la mémoire que votre programme n'utilise pas. C'est surtout important pour les programmes COM car ceux-ci se voient attribuer, après avoir été chargés, la totalité de la mémoire restant disponible.

○ Si vous avez besoin de mémoire supplémentaire, ne vous "servez" pas directement mais réclamez la poliment à l'aide de la fonction appropriée du DOS.

○ Ne poussez pas la familiarité avec les vecteurs d'interruption jusqu'à les manipuler directement par des accès à la mémoire mais utilisez plutôt les fonctions du DOS prévues à cet effet.

○ Lorsque vous êtes contraint de modifier le contenu de différents vecteurs d'interruption dans le cadre de votre programme, n'oubliez pas de sauvegarder tout d'abord l'ancienne valeur de ces vecteurs pour pouvoir la rétablir avant de mettre fin à votre programme.

○ Pour mettre fin à votre programme, appelez une des fonctions du DOS (31h ou 4Ch) qui permettent de transmettre au programme d'appel une valeur signalant si le programme a pu ou non être correctement exécuté. Il est préférable de ne plus utiliser les autres fonctions servant à terminer un programme (interruption 20h et fonction 0 de l'interruption 21h).

○ Pour pouvoir localiser plus précisément l'origine d'une erreur lorsqu'il s'en produit une, nous vous conseillons d'utiliser la fonction 59h de l'interruption 21h, dont vous disposez à partir de la version 3 du DOS.

○ Voici à nouveau, pour terminer, une liste de fonctions du DOS très anciennes qu'il vaut mieux éviter d'utiliser chaque fois que c'est possible. Nous vous indiquons en regard leurs équivalents plus "modernes".

Ancienne fonction		Nouvelle fonction	
00h	Fin du programme	4Ch	Fin de l'opération
0Fh	Ouvrir fichier	3Dh	Ouvrir Handle
10h	Fermer fichier	3Eh	Fermer Handle
11h	Rechercher première entrée	4Eh	Rechercher première entrée
12h	Rechercher entrée suivante	4Fh	Rechercher entrée suivante
13h	Supprimer fichier	41h	Supprimer entrée de répertoire
14h	Lecture séquentielle	3Fh	Lecture (à travers Handle)
15h	Ecriture séquentielle	40h	Ecriture (à travers Handle)
16h	Créer fichier	3Ch	Créer Handle ou
		5Ah	créer fichier temporaire ou
		5Bh	créer nouveau fichier
17h	Renommer fichier	56h	Renommer entrée du répertoire
21h	Lecture sélective	3Fh	Lecture (à travers Handle)
22h	Ecriture sélective	40h	Ecriture (à travers Handle)
23h	Déterminer taille du fichier	42h	Déplacer pointeur de fichier
24h	Fixer numéro d'enregistrement	42h	Déplacer pointeur de fichier
26h	Créer nouveau PSP	4Bh	Chargement et exécution de fichiers
27h	Lecture sélective	3Fh	Lecture (à travers Handle)
28h	Ecriture sélective	40h	Ecriture (à travers Handle)

33.   Structures secrètes de DOS

Il existe des ouvrages entièrement consacrés aux aspects peu connus, non documentés ou non publiés du bon vieux DOS. Ils satisfont une sorte de voyeurisme dont tout programmeur engagé dans ce domaine peut devenir la victime. Je n'ai pas l'intention ici de suivre ce penchant. Si on estime correctement l'utilité de ces informations pour la programmation en DOS, on s'aperçoit bien vite qu'elle est en général fort minime. Mais on ne peut pas nier non plus qu'il existe plusieurs variables non documentées de DOS qui donnent des informations de première importance que l'on ne peut pas obtenir autrement. Ce sont elles qui vont attirer notre attention dans ce chapitre.

33.1.   Secret ou public ?

Pour gérer les ressources d'exploitation (mémoire vive, mémoire de masse), DOS a recours à de nombreuses structures de données. Pour certaines de ces structures il existe une documentation officielle complète et nous avons déjà pu les décrire de façon détaillée dans le cadre de cet ouvrage. Il s'agit :

○   du préfixe du segment de programme (PSP) qui précède chaque programme dans la mémoire,

○   des blocs de contrôle des fichiers (FCB) qui gèrent l'accès aux fichiers,

○   des blocs de contrôle de la mémoire (MCB) qui servent à gérer la mémoire vive,

○   des structures d'en-tête des drivers de périphériques,

○   des blocs d'environnement qui associent à chaque programme en mémoire une série de chaînes de caractères et

○   des nombreuses structures que DOS met en place dans les mémoires de masse (secteur de boot, table d'allocation des fichiers, répertoire racine, etc.).

En plus des structures citées, il en existe toute une série d'autres uniquement connues de quelques initiés, car elles ne sont pas évoquées par Microsoft dans les documentations techniques fournies avec DOS. Microsoft justifiait cette attitude en alléguant que ces structures n'avaient pas d'utilité pour les programmes et que leur définition risquait d'être modifiée dans les versions futures de DOS. Ces deux arguments ne sont pas très pertinents car certains programmes ont véritablement besoin de ces structures et ils ne pourraient absolument pas être réalisés si elles n'existaient pas.

Les nombreux utilitaires de gestion des disquettes et des disques durs en sont des exemples criants. Si on examine par exemple avec un débogueur le représentant le plus célèbre de cette catégorie, les Norton Utilities, on se rend compte que ces programmes font même un usage très intensif de ces structures et qu'ils y sont contraints. Mais ils ont eu à souffrir de l'instabilité de ces structures. Beaucoup d'entre eux ne fonctionnaient plus lorsqu'on passait de la version 3.3 à la version 4.0 de DOS car Microsoft avait opéré des changements internes sur certaines des structures exploitées de façon illégitime.

Maintenant que l'avertissement a été compris, jetons un coup d'oeil sur les plus importantes des structures internes cachées de DOS, le bloc d'information de DOS ou DIB.

33.2. Le bloc d'informations de DOS

La clé d'accès aux principales structures de DOS est le bloc d'informations de DOS (DOS Info Block =DIB). Il s'agit d'une structure qui contient des pointeurs sur d'autres structures de DOS et quelques autres informations. Savoir que le DIB existe et connaître sa structure ne sert à rien si on ignore son adresse en mémoire. Or cette adresse n'est pas inscrite dans un emplacement de mémoire défini une fois pour toutes et elle ne peut pas non plus être obtenue à l'aide de l'une des fonctions documentées de l'API de DOS. Il faut donc avoir recours à une fonction non documentée, la fonction 52h, qui sert uniquement à cette fin et qui renvoie l'adresse du bloc d'informations de DOS dans les registres ES:BX.

Contrairement à toutes les autres fonctions de DOS qui renvoient des pointeurs sur une structure ou sur une zone de données, le contenu des registres ES:BX, à l'issue de l'appel, ne référence pas le premier champ du DIB mais directement le second.

Structure du DIB

Le premier champ du DIB contient un pointeur FAR sur le bloc de contrôle MCB de la première zone de mémoire allouée. Vous trouverez des informations détaillées sur cette structure et sa fonction à l'intérieur du système dans le chapitre consacré à la gestion de la mémoire vive sous DOS.

Adresse	Contenu	Type
-04h	Pointeur sur le premier MCB	1 PTR
ES:BX	Pointeur sur le premier bloc de paramètres du lecteur (DPB)	1 PTR
+04h	Pointeur sur le dernier buffer de DOS	1 PTR
+08h	Pointeur sur le driver de l'horloge ($CLOCK)	1 PTR
+0Ch	Pointeur sur le driver de console (CON)	1 PTR
+10h	Longueur maximale d'un secteur (pour toutes les mémoires de masse connectées)	1 WORD
+12h	Pointeur sur le premier buffer de DOS	1 PTR
+16h	Pointeur sur la table des chemins d'accès	1 PTR
+1Ah	Pointeur sur la table des fichiers système (SFT)	1 PTR
Longueur : 1Eh (30 octets)		

Structure du bloc d'informations de DOS (DIB)

Le bloc de paramètres du lecteur

Le pointeur qui forme le second champ du DIB permet d'accéder à quantité d'informations impossibles à obtenir autrement. Il référence le premier Bloc de paramètres d'un périphérique (Drive Parameters Block = DPB), une structure que DOS met en place pour chaque mémoire de masse connectée (disquette, disque dur, streamer etc.).

Adresse	Contenu	Type
+00h	Numéro ou nom du périphérique (0 = A, 1 = B etc.)	1 BYTE
+01h	Numéro de sous-unité attribué par le driver du périphérique	1 BYTE
+02h	Octets par secteur	1 WORD
+04h	Facteur Interleave	1 BYTE
+05h	Secteurs par cluster	1 BYTE
+06h	Secteurs réservés (pour le secteur Boot)	1 WORD
+08h	Nombre de tables d'allocation des fichiers (FATs)	1 BYTE
+09h	Nombre d'entrées du répertoire racine	1 WORD

Adresse	Contenu	Type
+0Bh	Premier secteur occupé	1 WORD
+0Dh	Dernier cluster occupé	1 WORD
+0Fh	Secteurs par table d'allocation	1 BYTE
+10h	Premier secteur de données	1 WORD
+12h	Pointeur sur l'en-tête du driver de périphérique associé	1 PTR
+16h	Descripteur du support	1 BYTE
+17h	Indicateur d'exploitation (0FFh = le périph. n'a pas encore été appelé)	1 BYTE
+18h	Pointeur sur le prochain DPB (xxxx:FFFF = plus de DPB)	1 PTR
	Longueur : 1Ch (28 octets)	

Structure du bloc de paramètres d'un périphérique

Le premier champ du DPB indique la désignation du périphérique concerné. 0 représente l'unité A, 1 l'unité B, 2 l'unité C etc. La signification du second champ qui indique le numéro de sous-unité n'est pas aussi évidente. Pour la comprendre, il faut se rappeler que l'accès aux différents périphériques s'effectue à travers ce qu'on appelle des drivers de périphériques. Pour que DOS ne soit pas obligé de se préoccuper des caractéristiques physiques d'une mémoire de masse, DOS n'accède pas directement à une unité de disquette ou à un disque dur mais fait appel à un driver de périphérique qui sert d'intermédiaire entre DOS et le matériel.

Il n'existe pas de driver de périphérique séparé pour chaque périphérique car un seul driver peut fort bien supporter plusieurs périphériques. C'est ainsi par exemple qu'un driver intégré dans DOS gère la ou les unités de disquette et le premier disque dur s'il en existe un. DOS met donc en place un DPB pour chacun de ces périphériques : 3 DPB seront ainsi installés automatiquement dans le cas d'un système à disque dur. (Un DPB est systématiquement prévu pour l'unité de disquette B, même si elle n'est pas montée). Pour que le driver puisse distinguer les périphériques qu'il gère, un numéro d'ordre compris entre 0 et le nombre de périphériques moins 1 leur est attribué. C'est ce numéro qui figure dans le champ de sous-unité (Sub Unit).

Le champ suivant indique le nombre d'octets par secteur. Sous DOS, c'est en fait toujours 512 octets. Vient ensuite ce qu'on appelle le facteur Interleave qui exprime le décalage des secteurs logiques par rapport aux secteurs physiques lors du formatage du support. Il ne faut pas prendre cette valeur trop au sérieux car les systèmes de disques modernes trompent DOS en mettant ici des valeurs fictives.

Ces deux champs sont suivis de toute une série de champs qui ont déjà été cités à propos de la gestion des mémoires de masse par DOS (chapitre 6). Ils décrivent la situation et la taille des structures que DOS met en place dans les mémoires de masse pour les gérer.

Ils contiennent notamment un pointeur sur l'en-tête du driver auquel DOS a recours pour accéder au périphérique. Ce pointeur permet d'obtenir d'autres informations intéressantes car l'en-tête du driver de périphérique indique par exemple l'attribut du driver de périphérique.

On repère ensuite le champ du descripteur de support (Media Descriptor) et de l'indicateur d'exploitation. Ce dernier contient la valeur 0FFh tant qu'aucun accès au périphérique n'a été effectué. Après le premier accès, il est mis à 0 et ne se modifie plus par la suite.

Le DPB se termine par un pointeur servant de lien avec le DPB suivant. Chaque DPB se terminant par un pointeur de ce type, l'ensemble forme une liste chaînée. Pour signaler la fin de la chaîne, l'adresse d'offset de ce pointeur contient la valeur 0FFFFh dans le dernier DPB.

Accès aux DPB

Lorsque dans un programme vous avez besoin d'informations contenues dans le DPB, vous avez plusieurs possibilités pour déterminer l'adresse du DBP recherché. La première consiste à suivre la méthode que nous venons de décrire, c'est-à-dire à déterminer d'abord l'adresse du DIB. Cette adresse vous permet alors de lire le pointeur référençant le premier DPB et de suivre la chaîne des DPB jusqu'à ce que vous ayez atteint le DPB recherché. Une seconde possibilité, un peu plus simple et moins exposée aux modifications du DIB, consiste à recourir à deux fonctions non documentées de DOS. Il s'agit des fonctions 1Fh et 32h qui font partie du jeu de fonctions de DOS depuis la version 2.0. Quand elles sont invoquées, ces deux fonctions fournissent un pointeur référençant un DPB dans les registres DS:BX. Alors que la fonction 1Fh fournit systématiquement un pointeur sur le DPB de l'unité de disque actuelle, l'adresse renvoyée par la fonction 32h se rapporte au périphérique dont le numéro a été transmis à la fonction dans le registre DL lors de l'appel. (0 représentant l'unité de disque courante, 1 l'unité A, 2 l'unité B, etc.) Cette fonction est donc plus souple et devrait pour cette raison être préférée à la fonction 1Fh.

L'accès aux différents DPB par les fonctions 1Fh et 32h présente un autre avantage car il oblige DOS à rechercher certaines informations comme le facteur Interleave et l'octet de descripteur de support (Media Descriptor) par exemple, qui ne sont disponibles pour les unités de disquette qu'après un premier accès. Si par contre vous accédez au DPB par le pointeur du bloc DIB, il peut arriver que certains champs n'aient pas encore été initialisés et que des valeurs erronées vous soient fournies.

Le buffer de DOS

A coté du pointeur sur le premier DPB, le DIB comporte à l'adresse 12h un pointeur sur le premier buffer DOS. Les buffers ainsi nommés existent indépendamment du nombre de périphériques. Ils servent à stocker des secteurs en mémoire centrale. Il faut savoir en effet que les secteurs sont toujours lus intégralement par le système alors que les programmes d'application par le moyen de l'API de DOS ne réclament souvent que des parties de secteurs. Certains secteurs sont mémorisés de façon permanente parce qu'ils sont sans cesse relus par le programme en cours d'exécution, par exemple la table d'allocation des fichiers ou le catalogue du répertoire principal.

Le nombre de buffers peut être fixé par l'utilisateur à l'intérieur du fichier de configuration CONFIG.SYS. Si ces buffers offrent plus de place mémoire qu'il n'est nécessaire pour la table d'allocation des fichiers, le répertoire racine et les sous-répertoires, des secteurs ordinaires y seront également sauvegardés dans l'espoir qu'ils soient rechargés sous peu, auquel cas ils pourront être lus directement dans le buffer.

Les secteurs sont reliés par une liste chaînée pour permettre à DOS, lors de chaque opération de lecture, d'examiner tout d'abord si le secteur à lire ne figure pas par hasard dans l'un des buffers.

Comme pour les DPB, la liste chaînée est construite à l'aide d'un pointeur placé au tout début de chaque buffer. Ici aussi, le dernier buffer est atteint lorsque l'offset présenté par le pointeur est 0FFFFh.

Adresse	Contenu	Type
+00h	Pointeur sur le prochain buffer de DOS	1 PTR
+04h	Numéro de l'unité de disque (0=A, 1=B etc.)	1 BYTE
+05h	Indicateurs	1 BYTE
+06h	Numéro de secteur	1 WORD
+08h	Réservé	2 BYTE
+0Ah	Contenu du secteur mémorisé	512 BYTE
	Longueur : 210h (528 octets)	
	Structure d'un buffer de DOS	

Le champ de liaison avec le buffer suivant est suivi du numéro de l'unité de disque dont provient le secteur dans le buffer. La valeur 0 représente ici l'unité A, 1 l'unité B, 2 l'unité C etc. Outre le code de l'unité de disque, le numéro du secteur est également indispensable pour identifier précisément le secteur. Ce numéro se présente dans la mémoire 06h du buffer. Pour que DOS puisse obtenir des informations sur le périphérique à partir duquel le secteur a été chargé dans le buffer, le dernier champ de l'en-tête du buffer contient un pointeur sur le DPB correspondant. Bien que ce champ soit le dernier champ de l'en-tête du buffer de DOS, il n'est pas directement suivi du secteur stocké dans le buffer car deux octets viennent encore s'intercaler avant ce secteur. Il s'agit probablement d'une place réservée à des extensions futures.

La table des chemins d'accès

Ce n'est pas la dernière fois que nous rencontrons le DPB dans l'en-tête d'un buffer de DOS. Il réapparaît en effet dans ce qu'on appelle la table des chemins d'accès qui commence à l'adresse 16h du DIB. Cette table contient pour chaque unité de disque le chemin d'accès courant ainsi qu'un pointeur sur le DPB de l'unité de disque.

```
       0  1  2  3  4  5  6  7  8  9  A  B  C  D  E  F
0000:  41 3A 5C 43 41 43 48 45-00 00 00 00 00 00 00 00   A:\CACHE........
0010:  00 00 00 00 00 00 00 00-00 00 00 00 00 00 00 00   ................
0020:  00 00 00 00 00 00 00 00-00 00 00 00 00 00 00 00   ................
0030:  00 00 00 00 00 00 00 00-00 00 00 00 00 00 00 00   ................
0040:  00 00 00 00 40 20 74 80-02 27 03 FF FF FF FF 02   ....@ t..'......
0050:  00 42 3A 5C 00 00 00 00-00 00 00 00 00 00 00 00   .B:\............
0060:  00 00 00 00 00 00 00 00-00 00 00 00 00 00 00 00   ................
0070:  00 00 00 00 00 00 00 00-00 00 00 00 00 00 00 00   ................
0080:  00 00 00 00 00 00 00 00-00 00 00 00 00 00 00 00   ................
0090:  00 00 00 00 00 40 40 74-80 02 00 00 FF FF FF FF   .....@@t........
00A0:  02 00 43 3A 5C 54 43 5C-42 41 55 53 5C 41 53 4D   ..C:\FONREV_\ASM
00B0:  5C 48 45 52 43 4D 4F 4E-4F 00 00 00 00 00 00 00   \HERCMONO.......
00C0:  00 00 00 00 00 00 00 00-00 00 00 00 00 00 00 00   ................
00D0:  00 00 00 00 00 00 00 00-00 00 00 00 00 00 00 00   ................
00E0:  00 00 00 00 00 00 40 60-74 80 02 65 05 FF FF FF   ......@`t..e....
00F0:  FF 02 00 44 3A 5C 4D 53-43 5C 42 49 4E 00 00 00   ...D:\MSC\BIN...
0100:  00 00 00 00 00 00 00 00-00 00 00 00 00 00 00 00   ................
0110:  00 00 00 00 00 00 00 00-00 00 00 00 00 00 00 00   ................
0120:  00 00 00 00 00 00 00 00-00 00 00 00 00 00 00 00   ................
0130:  00 00 00 00 00 00 00 40-00 00 80 0D 17 00 FF FF   .......@........
0140:  FF FF 02 00                                       
```

Extrait de mémoire montrant le contenu de la table des chemins d'accès

Si l'instruction LASTDRIVE= figure dans le fichier de configuration du système, la table contient des chemins pour toutes les unités de A jusqu'à la lettre spécifiée. Si par contre cette instruction fait défaut, la table contiendra juste le nombre de chemins correspondant aux périphériques supportés par les drivers de périphériques installés.

En modifiant les éléments de cette table, on peut rediriger une unité de disque vers une autre. C'est cette possibilité qu'exploitent les instructions JOIN et SUBST de DOS car elles manipulent à l'intérieur de la table le chemin associé à l'unité à rediriger.

34.   Compression en ligne avec MS-DOS 6.x

Dans la communauté des utilisateurs, la sixième version de DOS, parue en 1993, suscita en général l'étonnement par le nombre limité des innovations qu'elle proposa. Pas de trace des extensions multitâches attendues, mais à la place quelques outils en provenance de tiers, un meilleur support de l'organisation de la mémoire et avant tout : DoubleSpace. Du point de vue de la programmation système, DoubleSpace, le compresseur de disque dur en ligne que Microsoft fournit à partir de DOS 6 constitue le seul composant nouveau important de cette version de DOS. Suite aux problèmes juridiques avec la société Stac Electronics, Microsoft a lancé récemment MS-DOS 6.22 qui contient le doubleur DriveSpace en lieu et place de DoubleSpace. Les deux programmes fonctionnent de manière identique, c'est pourquoi nous parlerons ici indifféremment de DoubleSpace ou de DriveSpace.

Les deux sous-sections de ce chapitre seront consacrées à cette extension système. Le premier traitera du fonctionnement de DoubleSpace, de l'organisation des données sur un lecteur compressé et de l'interface DoubleSpace pour les utilitaires disque. La deuxième section décrira le moteur de compression/décompression sur lequel repose DoubleSpace et montrera comment exploiter ses capacités pour compresser et décompresser des données dans ses propres programmes.

34.1.   DoubleSpace / DriveSpace

Cette section est consacrée à la compression en ligne par DoubleSpace, un utilitaire fourni par Microsoft à partir de la version 6 de DOS (remplacé par DriveSpace à partir de la 6.22). Il existait déjà des produits comparables avant DOS 6 (par exemple Stacker) mais DOS 6 prend soin de son intégration optimale dans le système général (ce que font d'ailleurs maintenant aussi les autres produits). Compte tenu d'une pénalisation maximale de 10 % en matière de performance, le quasi-doublement de l'espace disque est un argument de poids auquel peu d'utilisateurs savent résister.

Ce chapitre montre le fonctionnement interne de DoubleSpace, comment sont gérées les données compressées et quelles sont les fonctions disponibles pour les utilitaires disque. Nous commencerons par quelques considérations générales sur la décompression.

34.1.1.   Compression des données

C'est une opération qui ressemble à de l'alchimie moderne, mais compresser les fichiers et répertoires pour augmenter l'espace disque apparent n'est pas un secret difficile à percer. Tous les programmes de compression, de LHARC à Stacker en passant par DoubleSpace augmentent la densité des données à l'aide de trois algorithmes :

O   RLE ou run length encoding
O   codage de Huffman
O   compression de Lempel-Ziv (également connue sous le nom de LZW pour Lempel-Ziv-Welsch)

Ces trois algorithmes connaissent de nombreuses variantes mais l'idée de base demeure la même. Ils ont chacun leurs avantages et inconvénients en ce qui concerne le degré de compression réalisable et les calculs nécessaires à la compression/décompression. Le raffinement des calculs influence évidemment la vitesse de compression/décompression et en fin de compte le temps d'accès aux données. Un programme comme DoubleSpace doit donc faire un savant

dosage entre taux de compression et performance. Les explications qui suivent montrent pourquoi les développeurs de Microsoft ont opté pour l'algorithme de Lempel-Ziv.

Codage RLE

La forme la plus simple de compression est le codage dit RLE (run length encoding). Pour compresser une séquence d'octets répétitifs on enregistre le premier octet et le nombre de répétitions. Il faut placer un caractère d'échappement spécial devant les deux octets descripteurs pour qu'ils soient considérés comme tels à la décompression.

Ce procédé convient particulièrement aux fichiers qui contiennent de nombreux octets répétitifs, comme par exemple les fichiers graphiques. Plus on y trouvera de séquences répétitives et prolongées plus le taux de compression sera élevé. L'algorithme RLE est relativement facile à programmer mais compte tenu de la variété des fichiers existants il donne le plus piètre des résultats parmi les trois algorithmes : ne traitant que les séquences répétitives il ne s'occupe pas des autres caractères.

Codage de Huffman

Tirant son nom du mathématicien français Huffman, ce codage fait voler en éclat un paradigme sur lequel semble reposer toute l'informatique. Alors qu'on admet toujours que tous les caractères d'un texte ou d'un fichier sont à représenter par un nombre constant de bits (en général 8), cet algorithme mémorise les caractères dans des codes de longueur variable. A cet effet il analyse d'abord la fréquence des caractères dans le fichier à comprimer. C'est en fonction des résultats de cette analyse que les caractères sont codés en séquences de bits de longueur variable. La longueur d'un code est d'autant plus petite que le caractère correspondant est plus répandu. S'il est vrai qu'un certain nombre de caractères sont codés sur plus de huit bits, en moyenne la longueur d'un code est nettement inférieure à huit bits car les caractères les plus fréquents utilisent nettement moins que huit bits.

La procédure de constitution et de conversion des codes repose sur la création d'un arbre binaire qui contient les différents caractères avec leurs fréquences. Dans l'ensemble la méthode est plutôt lourde et complexe et nous n'entrerons pas dans son détail. Mais elle a pour résultat de coder le caractère le plus fréquent sur deux bits seulement, alors que les autres codes sont de plus en plus longs, dépassant parfois huit bits. Le fichier d'origine se trouve d'autant plus fortement compressé que la fréquence des caractères est plus dispersée et que le nombre de caractères distincts est plus faible.

Pour ce qui est du taux de compression atteint, la méthode de Hufman est toujours supérieure au codage RLE et la plupart du temps meilleure que le procédé LZ, le résultat dépendant évidemment du contenu du fichier. Notez cependant que ce taux est plus proche de celui obtenu par la méthode LZ qu'il ne l'est de celui obtenu par la méthode RLE. L'inconvénient par rapport à la méthode LZ tient à la mise en oeuvre compliquée de la méthode de Huffman qui ralentit la décompression ultérieure. En fin de compte il faut interpréter le contenu du fichier comme une suite de codes binaires de longueur variable, ce qui n'est pas aisé par rapport à l'association habituelle de 8 bits à chaque caractère.

La méthode de Lempel-Ziv

Bien que la méthode de Lempel-Ziv permette d'obtenir des taux de compression comparables, elle emprunte un moyen plus simple qui ressemble même au principe du codage RLE. Elle se fonde en fait sur la recherche de séquences répétitives. Mais alors que le codage RLE se limite à la détection de suites d'octets identiques, la méthode LZ tient compte de l'ensemble du texte.

Prenons un exemple. Si le fichier contient le mot "Dupond", l'algorithme recherche ce mot dans l'ensemble du texte déjà traité. S'il existe déjà, il écrit à la place de ce mot un repère de concordance (match tag). Ce repère est une sorte d'offset inverse : il indique de combien de caractères il faut revenir en arrière à partir de la position courante jusqu'à la chaîne référencée, et combien de caractères sont à prendre en compte dans ladite chaîne. Les suites de caractères constants sont par ailleurs intégrées dans le processus à la manière du codage RLE. Le caractère répétitif est en effet écrit une seule fois dans le fichier suivi d'un repère de concordance. Ce repère a pour offset 1 et indique le nombre de répétitions à prendre en compte.

Bien entendu cette méthode n'a de sens que si le repère de concordance ne prend pas plus de place que le texte référencé. La version de l'algorithme mise en oeuvre dans le cadre de DoubleSpace en tient compte et donne les taux de compression suivants, en fonction du type de fichier traité :

Type de fichier	Taux de compression
Fichiers programmes	1,4 à 1
Textes, feuilles de tableur, tables de bases de données	2 à 1
Graphiques et autres fichiers à contenu fortement redondant	3 à 1 et plus

Dans l'ensemble, pour un cocktail de fichiers équilibré, DoubleSpace réussit presque à doubler la capacité de disque disponible.

34.1.2. Fichiers CVF

Pour exploiter le mieux possible l'espace disque disponible, DoubleSpace n'enregistre pas les fichiers compressés selon le schéma habituel du système de fichiers DOS. Ils sont mémorisés dans un "fichier de volume compressé" (compressed volume file = CVF). Ce fichier dont la taille est définitivement fixée au moment de l'installation de DoubleSpace occupe en général la majeure partie du disque. Comme le montre le chapitre qui suit, DoubleSpace y stocke non seulement les fichiers compressés mais aussi toutes les structures de données nécessaires à la gestion de l'ensemble. DoubleSpace peut installer plus d'un fichier CVF à l'intérieur d'un système : chacun d'eux est alors considéré comme un lecteur indépendant et porte sa propre désignation d'unité. Un fichier CVF - éventuellement sous forme de disquette virtuelle -peut prendre jusqu'à 512 Mo d'espace disque (non compressé), de sorte que grâce à la compression on peut stocker jusqu'à 1 Go de fichiers et même plus.

Un fichier de ce type s'appelle toujours DBLSPACE.nnn (DRVSPACE.nnn), nnn étant un numéro séquentiel. Lors de la conversion d'un lecteur existant en lecteur DoubleSpace, le fichier CVF généré reçoit le numéro 000 et s'appelle donc DBLSPACE.000. Mais au démarrage du système à partir de l'unité C ce fichier n'est pas visible, car ce que DOS présente comme unité C est en réalité le contenu du fichier CVF avec les fichiers repris sur C et compressés. On peut cependant faire apparaître le fichier CVF car le lecteur C d'origine répond désormais à la dénomination H:. En jetant un coup d'oeil dans le catalogue du répertoire principal de ce lecteur, on y trouve le fichier DBLSPACE.000 (DRVSPACE.000). Il est vrai que DoubleSpace peut remplacer H: par une autre désignation si l'utilisateur l'a explicitement demandé au moment de la conversion de son disque en lecteur.

Alors que DoubleSpace installe un système de FAT modifié à l'intérieur du fichier CVF, le lecteur d'origine (H:) reste inchangé. Ni sa structure ni les fichiers que l'utilisateur y dispose après l'opération de création du lecteur DoubleSpace ne sont altérés. DoubleSpace y place notamment les fichiers systèmes pour que l'ordinateur soit toujours en état de démarrer à partir du disque dur. En fait DoubleSpace ne devient actif qu'à un stade avancé du processus d'initialisation et il n'est donc pas disponible au début de la mise en route de l'ordinateur. Dans un premier temps le système démarre donc avec la FAT ordinaire du lecteur C:. Du point de vue de ce lecteur, le fichier CVF est un fichier tout-à-fait normal. Si on affiche le contenu du lecteur H: à l'aide de la commande

```
DIR H: /A:HS
```

on obtient le résultat suivant :

```
Le volume dans le lecteur C s'appelle HOST_FOR_C
Le numéro de série du volume est 1AAB-734F
Répertoire de H:\
IO       SYS      40767 10.03.93     6:00
MSDOS    SYS      38186 10.03.93     6:00
386SPART PAR   16769024 12.08.93    15:17
DBLSPACE BIN     51288 10.03.93     6:00
DBLSPACE INI        91 30.06.93    10:37
DBLSPACE 000 295322624 12.08.93    15:16
 10 fichier(s) 312221980 octets
 111099904 octets libres
```

En plus des fichiers systèmes IO.SYS et MSDOS.SYS et du fichier CVF DBLSPACE.000 le lecteur abrite trois autres fichiers. Il s'agit d'abord du fichier d'échange permanent de Windows - si installé - qui pour des raisons de performance n'est pas enregistré sous forme compressée. Les deux autres fichiers sont également des fichiers DBLSPACE nécessités par DoubleSpace pour installer le lecteur compressé au démarrage du système. Le chapitre 34.1.5 vous en apprendra davantage sur cette procédure de "montage". Voici une énumération détaillée des différents fichiers DoubleSpace :

DBLSPACE.BIN (DRVSPACE.BIN)	Programme faisant partie du noyau de MS-DOS et permettant l'accès aux fichiers compressés. Ce fichier est chargé au démarrage et exécuté avant-même que DOS ne commence à traiter CONFIG.SYS
DBLSPACE.EXE (DRVSPACE.EXE)	Programme d'installation et de maintenance des lecteurs Double Space
DBLSPACE.HLP (DRVSPACE.HLP)	Fichier d'aide associé à DBLSPACE.EXE
DBLSPACE.INF (DRVSPACE.INF)	Contient les informations de configuration de DoubleSpace.
DBLSPACE.INI (DRVSPACE.INI)	Fichier de configuration de DoubleSpace destiné à Windows.
DBLSPACE.WIN (DRVSPACE.WIN)	Fichier utilisé uniquement pendant l'installation de Double Space pour conserver des informations sur le système Windows présent
DBLSPACE.SYS (DRVSPACE.SYS)	Gestionnaire de périphérique qui fixe la place définitive du code de DBLSPACE.BIN et le déplace en mémoire supérieure en cas de besoin
DBLSPACE.xxx (DRVSPACE.xxx)	Fichier CVF de DoubleSpace, contient un lecteur compressé
DBLWIN.HLP	Fichier d'aide pour DblSpace sous Windows.

704

34.1.3. Structure d'un fichier CVF

Pour étudier la structure d'un fichier CVF, il faut se rappeler deux contraintes imposées aux développeurs de DoubleSpace et qui ont grandement influencé la conception du système.

Aux utilitaires du genre Norton's SpeedDisk ou Directory Sort le lecteur DoubleSpace doit apparaître comme une unité normale de DOS

Les fichiers stockés sur un lecteur DoubleSpace ne doivent pas être compressés dans leur totalité mais par blocs de longueur constante.

La première de ces contraintes est un tribut à la continuité autrement dit elle assure la compatibilité avec le monde de DOS auquel paraît suspendue toute chose. Les applications existantes et les utilitaires doivent conserver le droit d'accéder aux fichiers DoubleSpace par les fonctions classiques de DOS et notamment par les interruptions 25h et 26h. De ce fait la structure de la table d'allocation des fichiers d'un lecteur DoubleSpace doit être maintenue. Vous verrez effectivement que mis à part quelques extensions et modifications mineures, les fichiers CVF reproduisent la structure de la FAT d'un support de données classique.

Découpage en blocs des données compressées

La deuxième contrainte se reflète également dans la structure d'un fichier CVF. Il paraît relativement peu judicieux de compresser les fichiers dans leur globalité. Les techniques de compression utilisées par DoubleSpace doivent être compatibles avec cette préoccupation. Imaginez le scénario suivant : un programme DOS ouvre un fichier et positionne le pointeur de fichier sur l'octet d'offset 35000 pour y lire un enregistrement. Une opération de ce type, qui incombe en fin de compte au système de gestion de fichiers de DOS, ne pose habituellement aucun problème. Sauf infection de la FAT par un virus, l'octet se trouve exactement là où on le cherche : c'est à dire à une distance de 34999 caractères du premier octet.

Mais si le fichier est compressé, DoubleSpace doit d'abord situer l'octet dans l'imbroglio apparent des données compressées. L'octet qui se trouve directement à la position mentionnée représente peut-être le 48000me ou 120000me octet du fichier d'origine. Pour sortir de cette difficulté, il faudrait décompresser entièrement le fichier, depuis le début, jusqu'à ce qu'on ait reconstitué 35000 caractères. Mais ce processus est trop long. En fait DoubleSpace suit une autre stratégie et compresse les données par blocs de 8 Ko. Pour rechercher l'octet d'offset 35000, DoubleSpace commence par situer le bloc où se trouve l'octet en question. Ce bloc devra certes être décompressé en totalité mais les blocs précédents n'auront pas besoin d'être traités.

Ce découpage en blocs de 8 Ko se répercute évidemment sur la qualité de la compression, en bien et en mal. En raison de la logique de l'algorithme LZW utilisé pour la compression, les références aux séquences de caractères déjà codées jouent un rôle important.

Ces références ne se rapportent plus qu'au bloc de 8 Ko courant et ne peuvent plus exploiter le réservoir intégral des données du fichier. Cette restriction est un inconvénient certain. La compression du fichier révélera moins de séquences répétitives et la réduction de taille sera moindre. Mais en contrepartie, les accès se trouvent quelque peu améliorés. Il serait trop long de décrypter le fichier tout entier pour écrire quelques octets à un endroit donné, et les remplacer éventuellement par une référence en arrière. Il faudrait à ce moment-là garder en mémoire tout le fichier, ce qui paraît excessivement coûteux.

Par ailleurs les références elles-mêmes risquent d'être bien encombrantes car elles doivent contenir l'offset de la séquence de caractères qu'elles désignent. Dans un bloc de 8 Ko, un offset ne dépasse pas 13 bits.

Mais si on prend en compte l'intégralité d'un fichier, on pourra avoir affaire à des offsets de 24 ou même 32 bits. L'un dans l'autre, le découpage du fichier compressé en blocs de 8 Ko est finalement le seul moyen acceptable de garantir une compression raisonnablement rapide et efficace.

Mais revenons maintenant à la structure d'un fichier CVF. La répartition en blocs n'est pas étrangère à un lecteur géré par une FAT. Les secteurs d'un lecteur ne sont jamais lus isolément mais par groupes de 2, 4, 8, etc...appelés clusters. De fait les blocs compressés de 8 Ko forment le fondement des lecteurs DoubleSpace. Ils en constituent les clusters gérés par la table d'allocation des fichiers.

Différence avec un lecteur à table d'allocation ordinaire

Comme va le montrer l'étude ci-dessous, les structures de données présentes dans un fichier CVF comportent d'abord les éléments habituels présents dans un lecteur DOS (cf chapitre 26) : un bloc de paramètres BIOS au début du lecteur, le secteur d'amorçage, la FAT ou table d'allocation des fichiers, le répertoire principal etc...Mais on dispose en plus de deux structures supplémentaires appelées BitFAT et MDFAT.

Ces dernières interviennent parce que les clusters de 8 Ko compressés n'ont plus une taille d'enregistrement constante. Etant donné leur taux de compression, ils n'occuperont que rarement les 16 secteurs (8 Ko) normalement dévolus à un cluster ordinaire (ce sera unique-ment le cas pour des fichiers pas ou très peu compressibles). La plupart du temps, l'espace requis sera probablement de 8 secteurs (compression: 50%), peut-être plus ou moins, les limites allant de 1 à 16 secteurs de 512 octets. Alors que sur un lecteur à FAT standard un cluster de 8 Ko prend systématiquement 16 secteurs, soit 8 Ko, un lecteur DoubleSpace doit avoir une vision des choses plus souple, sinon la compression devient absurde. C'est là que se joue en fait l'économie de secteurs qui fera paraître le lecteur plus spacieux qu'il n'est en réalité.

Les structures de données supplémentaires ont pour mission de reproduire les informa-tions sur les clusters à l'échelle des secteurs. La granularité de l'allocation de mémoire reste en apparence au niveau du cluster mais elle est en fait déplacée au niveau du secteur. La notion de cluster est donc dans un certain sens détournée mais les structures existantes demeurent en place.

La BitFAT

Dans le nouveau schéma la BitFAT sert de bloc-notes pour noter les secteurs libres dans le fichier CVF. Lorsqu'un nouveau secteur de 8 Ko doit être enregistré sur le disque, DoubleSpace consulte d'abord cette structure et y recherche un nombre convenable de secteurs libres. Seuls les secteurs contigus sont pris en compte pour éviter la fragmentation du cluster.

Lorsque les secteurs sont alloués, ils sont marqués comme "occupés" dans la BitFAT. En cas de désallocation (suppression du fichier associé) ils sont à nouveau marqués comme libres.

La MDFAT

La structure de la FAT étant conservée sans qu'elle permette désormais de trouver les secteurs où se trouvent un cluster de 8 Ko, il a fallu introduire des indications supplémentaires. D'après leur conception initiale, les entrées de la table d'allocation des fichiers avaient avant tout pour mission de pointer sur le cluster suivant où était stockée la suite de chaque fichier. Ce rôle n'a pas été changé. Mais ce qui n'est plus valable c'est l'association entre le numéro d'une entrée de la FAT et le numéro du cluster où sont enregistrées les données correspondantes. Dans une FAT standard, la règle est la suivante : les secteurs du cluster associé à l'entrée de FAT N°43 se trouvent dans le cluster N°43.

Pour accéder au cluster dans le cadre d'un lecteur DoubleSpace il faut d'abord analyser la 43me entrée de la MDFAT. C'est elle qui nous apprend dans quels secteurs est enregistré le cluster 43 à l'intérieur du fichier CVF, ainsi que le nombre de secteurs utilisés. L'organisation précise de la MDFAT est donnée un peu plus loin.

34.1.4. Détail des structures de données

Ayant étudié dans la section précédente le rôle des différentes structures de données dans un fichier CVF, il nous reste à examiner à la loupe le contenu de ces structures : comment sont organisés le bloc étendu de paramètres BIOS et les entrées de la MDFAT. Si vous n'envisagez pas de développer des programmes qui exploitent directement ces structures, le informations présentées dans ce cadre ne vous seront pas vraiment utiles.

Séquence des structures

Le tableau qui suit donne l'ordre et la taille des différentes structures de données dans un fichier CVF. Notez que la taille et la position de certaines structures dépendent de la taille du fichier CVF. Pendant l'exécution d'un programme, leur situation doit d'abord être appréciée par lecture des informations correspondantes dans le bloc étendu des paramètres BIOS qui se trouve en tête du fichier CVF. Aucune structure n'est compressée, à l'exception des secteurs de l'espace des secteurs, ce qui permet de les lire sans mesure particulière.

Structure de donnée	Offset du secteur	Nombre de secteurs	Description
MFBPB	0	1	Bloc étendu de paramètres BIOS (Microsoft DoubleSpace BIOS Parameter Block). Il s'agit d'un bloc de paramètres BIOS normal dans le format utilisé depuis MS-DOS 4.0, avec quelques champs "DoubleSpace" supplémentaires. Contient notamment la taille du fichier CVF qui donne l'étendue des structures de données qui suivent.
BitFAT	1	*	Contient pour chaque secteur de l'espace des secteurs un bit égal à 0 ou 1 selon que ce secteur est présentement utilisé ou non. La taille de cette structure s'adapte à celle de l'espace des secteurs et par conséquent à celle du fichier CVF. Son maximum est de 128 Ko lorsque le fichier CVF atteint 512 Mo.
Réservé	*	1	Secteur libre à la disposition d'une version ultérieure de DoubleSpace
MDFAT	*	*	Tableau d'éléments de 4 octets chacun qui associe les clusters des entrées de FAT aux secteurs de l'espace des secteurs. Sa taille dépend du volume du fichier CVF et atteint 256 Ko lorsque le fichier CVF atteint 512 Mo.
Réservé	*	31	Domaine de 31 secteurs réservé pour les versions ultérieures de DoubleSpace
Secteur d'amorçage	*	1	Secteur de "boot" du lecteur CVF, qui représente une copie du lecteur hôte. Il n'est pas utilisé à des fins de démarrage mais renvoyé en cas d'accès au secteur 0 du lecteur DoubleSpace (emplacement normal du secteur d'amorçage)
FAT	*	*	Table d'allocation des fichiers du lecteur DoubleSpace. Même structure qu'une FAT de DOS ordinaire. Taille dépendante du volume du fichier CVF
Répertoire principal	*	32	Répertoire principal (racine) de DOS tout-à-fait standard, avec les entrées de répertoire usuelles à 32 octets
Réservé	*	2	Deux autres secteurs prévus pour les extensions futures de DoubleSpace.

Structure de donnée	Offset du secteur	Nombre de secteurs	Description
Espace des secteurs	*	*	Zone des secteurs utilisés pour enregistrer les clusters compressés. Remplit tout le reste du fichier CVF jusqu'au secteur terminal
Secteur terminal	*	>=1*	Ensemble de secteurs qui marquent la fin du fichier CVF

* = dépend de la taille du fichier CVF et de la longueur des structures qui précèdent

Bloc étendu de paramètres BIOS (MDBPB)

Cette structure (Microsoft DoubleSpace BIOS Parameter Block) sert à décrire l'organisation du fichier CVF. Elle permet de localiser toutes les structures présentes dans le fichier CVF.

Jusqu'à l'octet d'offset 22h le MDBPB suit l'organisation d'un BPB tel qu'il existe depuis DOS 4.0. A ce BPB standard succèdent ensuite divers champs que DoubleSpace utilise comme extensions pour y stocker des informations sur la taille et la structure du fichier CVF. La structure d'un MDBPB est la suivante :

Offset	Contenu	Type
+00h	Instruction de branchement vers la routine d'amorçage	3 BYTE
+03h	Identification du fabricant et numéro de version	8 BYTE
+0Bh	Nbre d'octets par secteur	1 WORD
+0Dh	Nbre de secteurs par cluster	1 BYTE
+0Eh	Nombre de secteurs réservés	1 WORD
+10h	Nombre de tables d'allocation de fichiers (FAT)	1 BYTE
+11h	Nombre d'entrées du répertoire principal (ici toujours 512)	1 WORD
+13h	Nombre de secteurs dans le volume	1 WORD
+15h	Descripteur de support	1 BYTE
+16h	Nombre de secteurs par FAT	1 WORD
+18h	Nombre de secteurs par piste	1 WORD
+1Ah	Nombre de têtes de lecture/écriture	1 WORD
+1Ch	Distance entre le premier secteur du volume et le premier secteur du support	1 WORD
+1Eh	Nombre total de secteurs dans le volume	1 DWORD
Extensions DoubleSpace		
+22h	Premier secteur de la MDFAT	1 WORD
+24h	NLog2 nombre d'octets par secteur	1 BYTE
+25h	Nombre de secteurs avant le secteur d'amorçage de DOS	1 WORD
+27h	Premier secteur du répertoire principal	1 WORD
+29h	Premier secteur de l'espace des secteurs	1 WORD
+2Bh	Nombre de clusters (entrées de MDFAT) occupés par le secteur de démarrage, la zone réservée et le répertoire principal	1 WORD
+2DH	Nombre de pages de 2K pages dans la BitFat	1 BYTE
+2Eh	Réservé	1 WORD
+30h	NLog2 nombre de secteurs par cluster	1 BYTE
+31h	Réservé	5 WORD
+3Dh	Type de FAT (0 = FAT de 16 bits , 1 = FAT de 12 bits)	1 BYTE
+3Eh	Taille maximale du fichier CVF en Mo (= taille du lecteur-hôte)	1 WORD
+40h-1FFh	Routine d'amorçage (ne sert à rien ici)	449 BYTE

Longueur totale : 512 octets

Comme on peut le constater en examinant cette structure à la lumière d'un exemple concret de fichier CVF, la BitFAT, la MDFAT et la FAT ordinaire prennent en général plus de place qu'il n'est nécessaire. Cette précaution facilite une extension rapide du fichier CVF lorsque l'utilisateur le demande. Au lieu d'être obligé de repousser l'espace des secteurs - ce qui conduit pratiquement à décaler l'ensemble du fichier compressé - il suffit d'effectuer quelques modifications sur des champs appropriés du MDBPB.

Lorsque DoubleSpace installe ces structures il ne s'appuie pas sur la taille du fichier CVF choisie par l'utilisateur mais sur la taille du support associé au lecteur hôte. Telle est alors la taille maximale que le fichier CVF peut atteindre ultérieurement.

La BitFAT

Grâce à la BitFAT DoubleSpace gère les secteurs de l'espace des secteurs. Elle est organisée comme un grand tableau binaire, chaque bit correspondant à un secteur de l'espace des secteurs. Si ce bit est à un, le secteur associé est occupé, sinon il est à zéro et le secteur est libre. Un mot de la BitFAT embrasse 16 secteurs à la fois, le bit 15 désignant le premier secteur du groupe, le bit 14 le second,... Contrairement aux autres structures de données qui sont persistantes, DoubleSpace reconstruit la BitFAT à chaque démarrage du système. Cette reconstruction se fonde sur une analyse de la MDFAT.

La MDFAT

La MDFAT est le lien entre la FAT et l'espace des secteurs. Pour accéder aux secteurs d'une entrée de FAT, le système doit d'abord lire l'entrée de la MDFAT qui lui est associée.

Un élément de la MDFAT s'étend sur 4 octets et se présente de la façon suivante :

Bits 0-21	Secteur de départ
Bits 22-25	Taille du cluster compressé
Bits 26-29	Taille du cluster non compressé
Bit 30	0 = Secteur compressé 1 = secteur non compressé
Bit 31	0 = entrée de MDFAT non utilisée 1 = entrée de MDFAT utilisée

Les différents groupes de bits dans une entrée de MDFAT contiennent les informations suivantes :

Secteur de départ	Numéro du premier secteur dans l'espace des secteurs où est enregistré le cluster compressé. Les secteurs suivants contiennent les autres octets du cluster compressé.
Taille du cluster compressé	Indique le nombre de secteurs utilisés pour la compression du cluster. Minimum = 1 secteur, maximum = 16 secteurs. Les nombres de 1 à 16 sont représentés par la suite 0 à 15, de sorte que 0 signifie 1 secteur unique.
Taille du cluster non compressé	Enregistre la longueur du cluster avant compression, qui est en principe de 16 secteurs. Il y a exception pour le dernier cluster d'un fichier lorsque la taille d'un fichier n'est pas un multiple de la longueur d'un cluster de 16 secteurs. Ici aussi le nombre compris entre 0 et 15 représente une valeur entre 1 et 16. En d'autres termes ce champ contient la plupart du temps le nombre 15 (pour 16 secteurs).

Secteur compressé/non compressé

Cet indicateur signale si le contenu du cluster a été enregistré avec ou sans compression. Lorsque DoubleSpace n'économise pas au moins un secteur dans le processus de compression il renonce à la transformation et enregistre le cluster tel quel sans compression.

Entrée de MDFAT utilisée/non utilisée

Indique si l'entrée de la MDFAT est actuellement utilisée ou non. Ce bit est prévu pour les programmes DOS du type Undelete qui en rétablissant un fichier redonnent aux clusters de la FAT le statut "utilisé". DoubleSpace dans ce cas marque également l'entrée de la MDFAT correspondante comme étant utilisée.

Le secteur d'amorçage

Le secteur d'amorçage est une copie 1:1 du secteur de "boot" mais il n'est pas exploité pour amorcer le lecteur DoubleSpace. Il ne figure ici que par souci de compatibilité.

La FAT

La table d'allocation des fichiers d'un lecteur DoubleSpace est une table ordinaire comme on la trouve habituellement avec les lecteurs non compressés. Contrairement à la situation normale DoubleSpace ne gère pas deux instances de la FAT mais simplement une seule. La deuxième FAT est virtualisée par les programmes de DOS lors des accès en lecture/écriture pour qu'ils ne s'aperçoivent pas de son absence. Les accès en lecture sur la deuxième FAT sont redirigés sur la première FAT et les accès en écriture sur la deuxième FAT sont ignorés. Seuls les accès en écriture sur la deuxième FAT se reflètent ainsi dans la FAT d'un lecteur DoubleSpace.

Répertoire principal

Le répertoire principal d'un lecteur DoubleSpace a une structure identique à celui d'un lecteur ordinaire. Les fichiers et sous-répertoires enregistrés dans le répertoire principal sont décrits par des entrées de 32 octets, au nombre maximal de 512.

Espace des secteurs

Les secteurs de ce domaine servent à mémoriser les fichiers compressés et les sous-répertoires qui à cet égard sont traités comme des fichiers. Les secteurs qui contiennent des données compressées sont introduits par un repère de 4 octets qui indique le mode de compression. Pour l'algorithme standard de DoubleSpace le repère s'écrit de la façon suivante :

```
4Dh 44h 00h 00h
```

Les secteurs non compressés ne possèdent pas de repère.

34.1.5. DoubleSpace et la procédure d'amorçage

Pour que l'utilisateur puisse exploiter le lecteur compressé par DoubleSpace comme le lecteur hôte d'origine, DoubleSpace est automatiquement lancé pendant le processus d'amorçage. Cette opération s'effectue après le chargement et le démarrage de IO.SYS, l'un des deux modules du noyau de DOS. A ce moment tous les tests matériels ont été réalisés, la partition active a été sélectionnée et le secteur d'amorçage qui s'y trouve a été chargé et lancé. En d'autres termes : DOS est sur le point de prendre le contrôle du système.

IO.SYS commence par rechercher le fichier DBLSPACE.BIN qui contient le code du programme d'accès aux lecteurs compressés. Si ce fichier se trouve dans le répertoire principal, il est chargé et exécuté. Si le fichier est manquant, IO.SYS continue son déroulement habituel en poursuivant l'initialisation du système de gestion des fichiers, sans prendre garde à la présence éventuelle d'un fichier compressé CVF. Une fois lancé, DBLSPACE.BIN ouvre le fichier d'initialisation DBLSPACE.INI qui contient les noms des fichiers CVF et les futures nouvelles désignations des lecteurs. DBLSPACE.INI procède au "montage" de ces fichiers: c'est ainsi qu'on appelle leur insertion dans le système DOS comme des unités ordinaires. S'il existe un fichier CVF portant le numéro 000 (DBLSPACE.000), sa désignation de lecteur est échangée avec celle du lecteur hôte : il contient en effet les données compressées du lecteur hôte. A partir de ce moment, les lecteurs "montés" peuvent être maniés par leur désignation comme toutes les autres unités de DOS.

Si DBLSPACE.BIN ne trouve pas de fichier CVF, il se retire de la mémoire et rend le contrôle à IO.SYS. Ce mécanisme a été implémenté pour que pour que les disquettes contenant le fichier DBLSPACE.BIN puissent être lancées sans compression.

Après le "montage" des lecteurs, le système poursuit son exécution comme d'habitude en traitant les lignes du fichier de configuration CONFIG.SYS. Dans ce fichier le noyau système va généralement rencontrer l'instruction

```
DEVICEHIGH=C:\DOS\DBLSPACE.SYS /MOVE
```

qui a été déposée à cet endroit par le programme d'installation de DoubleSpace. Elle a pour effet de charger DoubleSpace en mémoire supérieure, pour autant que cette mémoire soit disponible, ce qui évite de gaspiller des ressources en-dessous de la limite des 640 Ko. Le gestionnaire DBLSPACE.SYS a pour seule et unique tâche de transférer en mémoire supérieure le noyau DoubleSpace de DBLSPACE.BIN, il ne joue aucun rôle dans les accès disque proprement dits effectués par DoubleSpace.

Cette seconde initialisation de DoubleSpace est indispensable car au moment de l'exécution de DBLSPACE.BIN il n'existe pas encore de mémoire supérieure. Celle-ci n'est en effet créée que lors du traitement du fichier de configuration CONFIG.SYS par l'exécution du gestionnaire HIMEM.SYS.

En fait DoubleSpace anticipe son déplacement et c'est ainsi que DBLSPACE.BIN ne se charge pas à l'extrémité inférieure de la mémoire vive mais tout en haut, près de la limite des 640 Ko. On évite ainsi l'apparition d'un "trou" en mémoire basse qui serait dû au déplacement. Si le fichier CONFIG.SYS ne contient pas d'appel à DBLSPACE.SYS c'est DOS lui-même qui se charge finalement de déplacer le code de DBLSPACE.BIN. Mais dans ce cas le transfert ne se fait pas en mémoire supérieure mais à l'extrémité inférieure de la mémoire vive, où se trouvent déjà d'autres gestionnaires.

DoubleSpace et les programmes d'application

Pour ce qui est des instructions et commandes DOS, DoubleSpace est complètement transparent du point de vue de l'utilisateur. Ce dernier peut s'adresser par leur désignation aux lecteurs DoubleSpace comme à toute autre mémoire de masse, les instructions habituelles restant utilisables.

Au niveau des programmes d'application, DoubleSpace est tout aussi transparent. Mais il faut cependant opérer une distinction entre les différents types d'accès disque. Au niveau le plus élevé les programmes d'application accèdent aux fichiers et aux répertoires par le moyen de l'interruption 21h de DOS. Dans la chaîne de traitement ainsi mise en jeu, DoubleSpace intervient à un moment donné comme élément du système de gestion des fichiers. Après le mécanisme d'initialisation décrit précédemment le logiciel se fraye un chemin jusqu'au secteur situé dans l'espace des secteurs du fichier CVF et qui contient les octets recherchés ou va recevoir les octets à enregistrer. Les données en question sont ensuite compressées ou décompressées selon le type d'accès pratiqué.

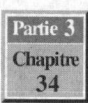

Au niveau suivant ce sont les interruptions 25h et 26h de DOS qui sont en cause. Elles permettent aux programmes DOS de lire ou enregistrer directement des secteurs d'un volume. Même si la plupart des applications évitent ces fonctions, elles sont largement utilisées par toutes sortes d'utilitaires de DOS. On peut citer comme exemple directorySort de Norton ou les logiciels de défragmentation.

Mais là encore DoubleSpace arrive à faire croire à ces programmes qu'ils gèrent un lecteur ordinaire du monde de DOS. L'une et l'autre interruption sont en effet interceptées, les numéros de secteurs indiqués sont convertis en indications de secteurs de la MDFAT, de sorte que finalement les informations arrivent ou sont lues à l'endroit où il faut, compression ou décompression incluses. Ce mimétisme est poussé tellement loin que les programmes de défragmentation de DOS 5.0 peuvent également fonctionner sous DOS 6 sur les lecteurs DoubleSpace. Notez cependant que cette défragmentation apparente est de peu d'effet car elle ne rassemble que les secteurs d'un fichier tels qu'ils sont décrits dans la FAT. Elle ne peut pas réarranger les secteurs des clusters compressés en modifiant l'ordre où ils apparaissent dans l'espace des secteurs. Car issus de la génération DOS 5, les programmes de ce genre ignorent l'existence de l'espace des secteurs. Il est de ce fait recommandé de défragmenter les lecteurs DoubleSpace en mettant en oeuvre le programme DEFRAG livré avec les DOS 6. Ce programme tient compte de l'espace des secteurs et est capable de le remettre en ordre.

34.1.6. L'interface logicielle de DoubleSpace

Il est possible de communiquer avec DoubleSpace par le moyen d'une interface logicielle dont le principe repose sur une extension de l'interruption de multiplexage 2Fh. Les huit fonctions ainsi mises à la disposition du programmeur sont destinées aux besoins des utilitaires disque et ne concernent normalement pas la programmation des applications ordinaires. En fin de compte DoubleSpace est complètement transparent pour les programmes de DOS tant qu'ils font appel aux méthodes classiques d'accès aux fichiers, répertoires et lecteurs. Il n'existe donc aucun besoin spécial à ce titre.

Voici une récapitulation des huit fonctions de multiplexage de DoubleSpace :

Fonction	Rôle
0000h	Lire les informations de version
0001h	Interroger l'état d'un lecteur
0002h	Echanger des désignations de lecteurs
0005h	Inclure un lecteur compressé
0006h	Désactiver un lecteur DoubleSpace
0007h	Demander la place restante
0008h	Donner des renseignements sur la fragmentation des fichiers CVF
0009h	Demander le nombre maximal de lecteurs compressés

Toutes les fonctions doivent être appelées avec la valeur 4A11h dans le registre AX et leur numéro dans BX. Le code 4A11h sert d'identificateur associé à DoubleSpace dans le cadre de l'interruption de multiplexage. Par ailleurs toutes les fonctions attendent en DL la désignation du lecteur DoubleSpace concerné, avec la correspondance 0 pour A:, 1 pour B:, etc...

La fonction 0000h sert d'abord à vérifier l'existence de DoubleSpace et à lire des informations sur les désignations des lecteurs accaparés par DoubleSpace. Son appel doit précéder tout autre appel de fonction pour qu'on soit sûr que DoubleSpace est bien résident en mémoire. En même temps on peut savoir si le programme se trouve en mémoire supérieure ou en mémoire conventionnelle en dessous de la limite des 640 Ko.

La fonction 0001h permet de répondre à des questions du type : un lecteur donné est-il un lecteur compressé, sa désignation est-elle authentique ou a-t-il été échangé avec le lecteur hôte ? Un échange de cette sorte peut être déclenché explicitement par la fonction 0002h et l'inclusion d'un lecteur s'obtient par la fonction 0005h. Mais les lecteurs DoubleSpace "normaux" ayant été automatiquement inclus au démarrage du système, cette fonction est surtout conçue à l'usage des gestionnaires de supports amovibles. Vous pourriez ainsi avertir DoubleSpace de l'introduction dans un lecteur d'un support amovible de données compressé. Inversement la fonction 0006h permet de retirer à DoubleSpace le contrôle d'une unité qui à partir de ce moment ne sera plus accessible par son ancienne désignation. Cette manipulation n'équivaut pas à un effacement: mais le fichier CVF ne sera plus modifié.

La fonction 0007h a pour mission de renseigner un programme sur la taille de l'espace des secteurs dans le fichier CVF, ce qui donne la taille maximale admissible pour les données compressées. On ne peut pas connaître par ce moyen le volume maximal de données compressibles car le taux de compression n'est pas calculable a priori. Mais l'appel permet aussi de décompter le nombre de secteurs dans l'espace des secteurs.

Une autre information de faible intérêt est fournie par l'invocation de la fonction 0008h. Elle concerne la fragmentation des fichiers CVF enregistrés sur un lecteur hôte. La valeur retournée est celle du paramètre MaxFileFragments qui est mémorisé dans le fichier de configuration DBLSPACE.INI. La fonction 0009h se trouve quant à elle étroitement associée avec un autre paramètre de ce fichier appelé MaxRemovableDrives, qui est renvoyé comme valeur de retour. Lors du chargement de DoubleSpace, ce paramètre décide du nombre d'occurrences de la structure DISK_UNIT qui seront tenues à jour en mémoire. Cette structure occupe 96 octets et elle sert à gérer un lecteur actif DoubleSpace à la fois.

En plus des fonctions de multiplexage, DoubleSpace offre deux autres fonctions qui ne sont plus accessibles par l'interruption de multiplexage mais par l'option 04h de la fonction IOCTL de DOS.

La raison de ce partage de compétences est claire : lorsque des fonctions sont appelées par l'interruption de multiplexage, l'indicateur .dgras.InDos.fgras. de DOS n'est pas armé, ce qui rend possible des appels réentrants. Autrement dit, pendant qu'une fonction multiplexée est en cours d'exécution, elle peut très bien être appelée une deuxième fois, par exemple par un programme TSR ou une autre "machine virtuelle DOS " sous Windows.

Les huit fonctions multiplexées ne posent aucun problème de réentrance mais tel n'est pas le cas pour les deux fonctions IOCTL de DoubleSpace.

Celles-ci en effet sont en intercation avec les caches internes que DOS entretient pour le stockage temporaire des données des clusters et des secteurs issus de la MDFAT et de la BitFAT. Par nature les caches sont toujours très sensibles aux problèmes de réentrance. Concrètement ces deux fonctions déclenchent l'enregistrement sur le support magnétique du contenu des caches DoubleSpace. Cette opération est importante en cas de changement de support amovible ou lorsqu'une réinitialisation du système doit être entreprise. Si on introduit par exemple un nouveau disque amovible dans le lecteur géré, DoubleSpace ne peut plus écrire sur l'ancien le contenu des caches de DoubleSpace. Voilà qui est déjà ennuyeux en soi puisque des données vont être perdues sur l'ancien disque. Mais la situation devient franchement catastrophique si le contenu des caches est transféré sur le nouveau disque. Ce dernier subira alors des dommages potentiellement très importants. Un changement de support amovible doit donc être soigneusement préparé par l'appel de l'une des deux fonctions IOCTL DoubleSpace. La différence entre les deux fonctions est la suivante. La deuxième fonction déclare invalide le contenu des caches alors que la première les laisse en état de validité.

Exemple de programme

Parmi les différentes fonctions que DoubleSpace met à la disposition des programmes externes, ce sont surtout les fonctions 0000h et 0001h qui sont intéressantes. Elles permettent de savoir si DoubleSpace est installé et quels sont les lecteurs qui sont placés sous son autorité. Le programme DBLSPCP.PAS montre comment les maîtriser à partir de Pascal.

DBLSPCP.PAS

34.2. L'interface de compression MRCI

L'interface logicielle MRCI de Microsoft est étroitement liée à DoubleSpace. MRCI veut dire Microsoft Real Time Compression Interface. Cette interface permet aux applications, aux programmes résidents ou aux gestionnaires de périphériques d'avoir accès à un serveur MRCI qui a pour rôle de compresser et de décompresser des blocs de données. Le serveur en question est chargé en mémoire comme composant de DoubleSpace lorsque ce dernier est initialisé. DoubleSpace lui-même l'exploite pour compresser ou décompresser des blocs de données mais il offre ses services à tout autre programme qui le solliciterait. Ainsi le programme de Backup de DOS 6 l'utilise pour enregistrer sous forme compressée les données à archiver sur un support extérieur. Le système FlashFile2 recourt également aux services de l'interface MRCI.

Le format de compression MRCF (Microsoft Real Time Compression Format)

Le serveur MRCI compresse les données selon un schéma bien déterminé appelé MRCF (Microsoft Real Time Compression Format). Le respect de ce schéma garantit la possibilité de décompresser sur un serveur des données qui ont été compressées sur un autre serveur. La compression a lieu sans perte de données : en décompressant des données compressées on les retrouve exactement dans leur état d'origine. Cette propriété paraît aller de soi mais il existe d'autres méthodes de compression comme JPEG et MPEG qui simplifient l'information pour atteindre un meilleur taux de compression (spécialement dans le domaine des images).

Les serveurs MRCI ne se livrent pas à ce type de pratique.

Serveur matériel

Les serveurs MRCI peuvent être implémentés sous forme de logiciel mais aussi sous forme électronique matérielle. Le moteur MRCI de DoubleSpace n'existe pour le moment que sous forme logicielle mais sa réalisation matérielle peut très bien être proposée par un fournisseur tiers. L'avantage serait une vitesse de traitement plus élevée car des circuits spécialisés dans la compression/décompression seraient mieux à même de maîtriser cette tâche qu'un processeur commandé par un logiciel. Mais les extensions de ce type doivent pouvoir compter sur un bus très rapide pour que les données arrivent et repartent avec le moins de perte de temps possible. Les premiers serveurs sous forme de carte électronique seront de ce fait probablement prévus pour le bus VL ou PCI.

Un autre avantage des serveurs matériels est d'offrir un taux de compression plus élevé. Travaillant plus vite qu'un serveur logiciel, un serveur matériel peut se permettre de parcourir plusieurs fois les données à la recherche de redondances supplémentaires. Microsoft estime que le gain en taux de compression pourrait atteindre de ce fait 15 %. Il faut enfin noter que les systèmes multitâches du type Windows/NT profiteront énormément de circuits de compression dédiés. Dans ce contexte le processeur peut confier une tâche de compression / décompression au serveur matériel MRCI et en attendant l'achèvement de son exécution s'occuper d'une autre tâche. On réalise ainsi une sorte de multitraitement qui exploite au mieux les ressources du processeur.

Clients MRCI

Alors que Microsoft ne révèle les secrets de la réalisation des serveurs MRCI qu'à des fabricants de matériel soigneusement sélectionnés, le développement de logiciels clients MRCI est largement ouvert à tous. Les clients MRCI sont des applications, des programmes résidents ou des gestionnaires de périphérique qui font appel aux services du serveur MRCI pour compresser ou décompresser des données. Pourraient ainsi, à titre d'exemples, utiliser le serveur : un programme de terminal désireux de transmettre des données compressées, ou un programme qui enverrait des images à différentes stations de travail connectées en réseau, ou encore un programme qui aurait besoin de compresser des données pour effectuer une sauvegarde.

Le reste de ce chapitre est consacré à l'interface logicielle que le serveur MRCI met à la disposition du client MRCI. Après la description des fonctions du client MRCI un programme écrit en Pascal et en C en donnera un exemple d'utilisation.

Les clients MRCI disposent de cinq différents services offerts par le serveur MRCI, comme le montre le tableau ci-après. Les noms n'ont qu'une signification symbolique, car l'appel au serveur MRCI ne s'effectue pas par des fonctions spécialisées mais par un point d'entrée unique, le numéro de la fonction souhaitée étant précisé sous la forme d'une constante disposée dans le registre AX.

Nom	Rôle
MRCQuery	Lit les informations relatives à un serveur MRCI installé
MRCCompress	Compresse un bloc de données avec la méthode de compression standard
MRCDecompress	Décompresse un bloc de données
MRCMaxCompress	Compresse au maximum un bloc de données
MRCIncrementalDecompress	Effectue une décompression incrémentale

Prise de contact par le client MRCI

La première des fonctions à être appelée par le client est nécessairement la fonction **MRCQuery** qui fournit le point d'entrée dans le serveur, une information indispensable pour la suite des événements. MRCQuery est appelé par le multiplexeur 2F, le code MUX transmis par le registre AX étant 4A12h. Pour prouver ses bonnes intentions, le client MRCI doit en plus disposer les caractères 'MR' dans DX et 'CI' dans DX. Le serveur rend la politesse en renversant les caractères et en renvoyant 'IC' dans CX et 'RM' dans DX.

Ce protocole un peu surprenant doit garantir au client d'avoir affaire à un authentique serveur MRCI. En effet dans l'interruption du multiplexeur peut s'incruster sous le même code 4A12h n'importe quel autre programme mais aucun d'eux ne permutera ainsi les contenus des registres CH, CL, DH et DL.

Si cette permutation n'a pas lieu, il n'y a pas de serveur MRCI branché sur l'interruption du multiplexeur. En conséquence aucun logiciel serveur n'est présent, ce qui ne veut pas dire qu'il n'existe pas de serveur matériel. Ce dernier en effet se connecte par une autre interruption système, l'interruption 1Ah du BIOS. Microsoft a défini dans le cadre de cette interruption une nouvelle fonction qui n'est exploitée par aucune des différentes versions et variantes du BIOS : la fonction B001h. L'appel se fait avec les registres CX/DX tout comme pour le multiplexeur. S'il n'est pas couronné de succès, c'est qu'il n'y a pas de serveur MRCI dans le système. Si la combinaison de caractères attendue est retournée dans CX/DX, le couple de registres ES:DI fournit l'adresse d'une structure d'information MRCI expliquée par le tableau ci-dessous. On y trouve la mention des capacités du serveur ainsi que le point d'entrée de ses services.

Offset	Signification	Type
+00h	Code ASCII de 4 octets contenant le nom du fabricant ('MSFT' pour Microsoft)	4 BYTE
+04h	Numéro de version du serveur MRCI	1 WORD
L'octet de poids fort contient le numéro principal de la version, l'octet de poids faible le numéro de sous-version		
+06h	Version MRCI sur laquelle se fonde le serveur	1 WORD
L'octet de poids fort contient le numéro principal de la version, l'octet de poids faible le numéro de sous-version		
+08h	Point d'entrée dans le serveur MRCI pour appeler les fonctions MRCI	1 VAR PTR
+0Ch	Indicateur exprimant les capacités du serveur (cf infra)	1 WORD
+0Eh	Indicateur matériel exprimant les capacités du serveur implémentées matériellement	1 WORD
+10h	Taille maximale d'un bloc de données compressible par le serveur	1 WORD
Longueur totale : 18 octets		

Les deux indicateurs renvoyés à travers la structure ont une organisation semblable. Le premier indicateur annonce les fonctions réellement disponibles et le second signale les fonctions implémentées par des moyens électroniques. Si un bit est armé dans le premier indicateur sans l'être dans le second, c'est que la fonction correspondante est réalisée par logiciel, et non par des circuits matériels.

16 bits au total
Bit 0 = Compression standard (1)
Bit 1 = Décompression standard (2)
Bit 2 = inutilisé
Bit 3 = Compression maximale (8)
Bit 4 = inutilisé
Bit 5 = Décompression incrémentale (32)
Bits 6-15 = inutilisés

Les compressions et décompressions standard sont supportées par n'importe quel serveur MRCI. Mais il n'en est pas de même pour la compression maximale et la décompression incrémentale. Dans la compression dite maximale les données sont encore plus réduites que par la compression ordinaire, mais au détriment de la vitesse d'exécution du processus. Dans la décompression dite incrémentale un bloc de données compressé peut être décompressé jusqu'à un certain octet seulement. Cette possibilité est intéressante lorsque les besoins de lecture sont limités à un certain nombre de caractères et ne s'étendent pas à un bloc entier. Pour éviter de gaspiller du temps en décompressant l'ensemble d'un bloc, on peut arrêter le processus à un certain endroit pour le reprendre éventuellement un peu plus tard. La disponibilité des deux fonctions est révélée par l'examen de l'indicateur dans la structure d'information MRCI.

La taille maximale des blocs compressibles ne sera jamais une cause d'embarras. Pour un serveur MRCI elle est toujours au moins de 8 Ko, de sorte que pour des blocs inférieurs il n'est même pas nécessaire de lire l'indication fournie.

Appel des fonctions du serveur MRCI

Sur la figure ci-dessus on a représenté à côté des bits qui composent les indicateurs leur valeur équivalente en puissance de deux. Ces valeurs servent en effet de code de fonction lorsqu'on appelle le serveur MRCI par son point d'entrée en AX. Il faut mettre par ailleurs 0 ou 1 dans CX, selon que le client est une application transitoire ou un programme résident du genre TSR ou gestionnaire de périphérique.

Lorsqu'on l'appelle, le serveur MRCI s'attend encore à recevoir deux pointeurs FAR dans les couples de registres ES:BX et DS:SI. ES:BX doit contenir le pointeur retourné par l'appel à **MRCQuery**. et qui pointe sur le bloc des informations MRCI. DS:DI doit pointer sur le bloc de requête MRCI qui contient des données importantes indispensables à l'exécution des fonctions. Il s'agit par exemple des adresses des buffers dans lesquels se trouvent les données à compresser ou décompresser. Cette structure est organisée de la façon suivante :

Offset	Contenu	Type
+00h	Pointeur FAR sur le buffer source	1 VAR PTR
+04h	Taille du buffer source en octets	1 WORD
+06h	Réservé	1 WORD
+08h	Pointeur FAR sur le buffer de destination	1 VAR PTR
+0Ch	Taille du buffer de destination en octets	1 WORD
+0Eh	Taille du bloc de données compressées	1 WORD
+10h	Pointeur pour la décompression incrémentale	1 VAR PTR
Longueur totale : 18 octets		

Les quatre premiers champs de la structure décrivent la situation en mémoire centrale des buffers source et destination ainsi que leur taille. Pendant la compression les données du buffer source passent dans le buffer de destination de sorte qu'à l'issue de l'opération le buffer de destination contient l'image compressée des données d'origine du buffer source. A la décompression le mécanisme est le même : le buffer de destination contient alors les données décompressées. Le serveur MRCI suppose que les deux buffers ne se chevauchent pas et respecte à cet égard la taille indiquée.

Le nombre d'octets à compresser ou décompresser se trouve indiqué dans la structure. Le serveur MRCI est ainsi en état de calculer la place à réserver dans le buffer de destination. Si cette place ne suffit pas, le serveur retourne un code erreur au client. Il n'y a donc pas à craindre que le buffer ne déborde. La taille du buffer de destination permet aussi de connaître à l'issue de la compression ou de la décompression le nombre d'octets résultants.

Le champ Taille du bloc de données compressées n'est pas en relation avec les tailles et les adresses des buffers. Il ne concerne que la compression des données et sert à accélérer le fonctionnement du serveur. Les données compressées dans une mémoire de masse sont généralement enregistrées sous forme de blocs de longueur constante. Pour DoubleSpace il s'agit au niveau le plus bas du secteur de disque qui contient en principe 512 octets. Lorsqu'on compresse des données, il n'est donc pas intéressant de descendre en dessous de 512 octets. Tout bloc inférieur occupe alors de toute façon un secteur entier. Même si on continue de réduire les données jusqu'à 300 ou 200 octets, au niveau du disque dur le gain est nul. Il paraît donc judicieux d'arrêter la compression lorsqu'on atteint 512 octets, toute recherche supplémentaire constituant un gaspillage de temps. Voilà à quoi sert le champ en question. Il peut avoir une valeur entre 1 et 32768. DoubleSpace le met à 512. Les programmes d'application peuvent le mettre à 1 s'ils recherchent une compression maximale.

Appels au serveur et Windows

En résumé les ingrédients pour appeler une fonction du serveur MRCI sont : le code d'instruction en AX, le type d'application en CX, un pointeur sur le bloc d'informations MRCI en ES:BX et un pointeur sur le bloc de requête MRCI en DS:SI. Mais il faut prévoir l'entrée dans une section critique Windows pour le cas où l'application serait exécutée dans une machine virtuelle DOS sous Windows en mode 386 étendu. Entre ces machines virtuelles (MV) existe une véritable activité multitâche, il peut donc arriver que le serveur MRCI soit confronté à plusieurs appels émanant en même temps de plusieurs MV, une circonstance qui ne lui réussit pas. Mais si l'appel du serveur est précédé par l'entrée en section critique Windows le problème se trouve contourné. Dans une section critique il ne peut se trouver qu'une seule MV ou application Windows en même temps. Si une autre MV a déjà accaparé cette position, l'entrée en section critique lui est refusée jusqu'à ce que l'autre MV la quitte. Le code pour entrer en section critique et pour en ressortir est exactement prescrit par Windows. Il doit être écrit en assembleur ou langage machine et être ainsi rédigé :

(pour l'entrée)

```
push ax
mov ax,8001h
int 2ah
pop ax
```

(pour la sortie)

```
push ax
mov ax,8101h
int 2ah
pop
ax
```

Si Windows n'est pas actif, ces appels tournent à vide car aucun gestionnaire particulier ne se trouve derrière l'interrupteur 2Ah avec le code indiqué. Mais cette opération ne conduit pas à un plantage de l'ordinateur, l'exécution est simplement poursuivie sans autre forme de procès. On ne se trouvera pas à l'intérieur d'une section critique mais comme Windows n'est pas actif, cela n'a aucune importance.

Avant de faire appel au serveur, les programmes résidents et les gestionnaires de périphériques doivent encore armer l'indicateur **InDos** qui empêche toute réentrance de DOS. Voyez à ce sujet le chapitre 35 consacré aux programmes résidents.

Après appel du serveur PRCI, le registre A contient un indicateur d'état. 0 signale le succès de la fonction, toute autre valeur signale une erreur selon le code ci-après :

Code	Erreur
0	OK
1	Numéro de fonction erroné
2	Serveur occupé
3	Buffer de destination trop petit
4	Impossible de compresser les données

Exemple de programme

Le programme MRCIP.PAS montre comment mettre en service les fonctions du serveur pour compresser et décompresser des données dans le cadre d'une application. Il crée les structures et indicateurs mentionnés précédemment avec les types et constantes nécessités par chacun des langages. Il présente des fonctions pour détecter un serveur MRCI et pour compresser ou décompresser des données.

La fonction **MRCQuery** sert d'abord à rechercher la présence d'un serveur MRCI. En cas de succès les renseignements fournis par le bloc d'informations MRCI sont affichés à l'écran. Ensuite un bloc de 12 Ko est créé, rempli de caractères, compressé puis décompressé. Le code d'erreur et la taille du bloc sont affichés avant et après traitement. Les programmes sont conçus de façon que vous puissiez reprendre facilement les routines de compression/Décompression pour les incorporer dans vos propres programmes.

MRCIP.PAS

Interruption 2Fh, code MUX 4A11h, fonction 0000h
DoubleSpace : Lit les informations de version

Cette fonction permet à un programme de tester si DoubleSpace est chargé et de lire des informations sur le gestionnaire DoubleSpace présent.

Entrées
   AX=4A11h
   BX=0000h

Sorties
   AX=0000h : DoubleSpace est installé
   BX=444Dh
   CL = premier lecteur utilisé par DoubleSpace (65=A:)
   CH=Nombre de désignations de lecteurs réservées pour DoubleSpace
   DX=numéro de version interne à DoubleSpace

Si la fonction ne renvoie pas la valeur 0 en AX, DoubleSpace n'est pas installé. Le contenu des autres registres est alors indéterminé.

La valeur mise en BX correspond aux codes ASCII de la chaîne "MD" pour Microsoft DoubleSpace.

Les valeurs retournées en CH et CL se fondent sur les paramètres FirstDrive et LastDrive enregistrés dans le fichier de configuration DBLSPACE.INI. Notez bien que contrairement aux conventions habituelles, ce n'est pas le nombre 0 qui désigne le lecteur A, mais le code ASCII 65 de la lettre A.

Le numéro de version interne qui apparaît en DX sert à assurer une cohérence entre DBLSPACE.BIN, IO.SYS et DBLSPACE.EXE. Si le bit 15 de ce numéro est à 1, c'est qu'il manque un appel du gestionnaire DBLSPACE.SYS avec le paramètre /MOVE dans le fichier de configuration CONFIG.SYS. DoubleSpace dans ce cas n'a pas été déplacé en mémoire supérieure mais se trouve en mémoire conventionnelle en-dessous de la limite des 640 Ko.

Interruption 2Fh, code MUX 4A11h, fonction 0002h
DoubleSpace: Echange les désignations des lecteurs

Cette fonction incite un lecteur DoubleSpace à échanger sa désignation d'unité avec celle de son lecteur hôte Entrées AX=4A11h

Entrée   BX=0002h
                DL=numéro du lecteur compressé dont la désignation est à échanger (A:=0)

Sorties   X=0000h: Echange réussi
                101h: désignation de lecteur erronée
                102h: le lecteur indiqué n'est pas compressé
                103h: les désignations ont déjà été échangées
                autre valeur: DoubleSpace n'est pas installé

Cette fonction n'est prévue qu'à l'usage interne de DoubleSpace

---

Interruption 2Fh, code MUX 4A11h fonction 0003h
DoubleSpace: à usage interne

Fonction non documentée

Interruption 2Fh, code MUX 4A11h fonction 0004h
DoubleSpace: à usage interne

Fonction non documentée

Interruption 2Fh, code MUX 4A11h fonction 0005h
DoubleSpace: Inclure un lecteur compressé

Cette fonction permet de "monter" un lecteur compressé dans le système. L'appel de cette fonction est très compliqué, et Microsoft conseille plutôt d'invoquer à la place DBLSPACE.EXE par l'intermédiaire de la fonction Exec de DOS. La syntaxe est la suivante :

```
DBLSPACE.EXE /Mount=[n° de CVF] lect_hôte:
[/NEWDRIVE=nouvelle_désignation_de_lecteur:]
```

Interruption 2Fh Code MUX 4A11h Fonction 0006h
DoubleSpace: Désactive un lecteur DoubleSpace

Il s'agit ici de "démonter" un lecteur DoubleSpace présentement actif. Du point de vue de l'utilisateur, le lecteur n'existera plus.

Entrées :   Ax=4A11h
                BX=0006h
                DL=lecteur à désactiver (0=A:)

Sorties: X=000h : lecteur désactivé
                102h : le lecteur indiqué n'est pas compressé et ne peut
                donc pas être désactivé.

Si la fonction ne renvoie en A aucune des valeurs précitées, c'est que DoubleSpace n'est pas installé. Le lecteur compressé reste inchangé sur le disque dur, mais DOS refuse désormais de reconnaître l'ancienne désignation du lecteur.

Interruption 2Fh, code MUX 4A11H, fonction 0007h
DoubleSpace : Indiquer la place disponible

Cette fonction indique le nombre total de secteurs dans l'espace des secteurs d'un lecteur compressé ainsi que le nombre de secteurs qui restent libres.

Entrées :   AX=4A11h
                      BX=0007h
                      DL=Désignation de lecteur (0=A:)

Sortie :   AX= 0000h: OK
                      DS:SI = pointe sur un DWORD qui contient le nombre total de secteurs
                      de l'espace des secteurs
                      DS:SI+4 = pointe sur un DWORD qui contient le nombre de secteurs
                      libres dans l'espace des secteurs

Si la fonction ne retourne pas 0 en AX, DoubleSpace n'est pas installé et le contenu des autres registres est indéterminé.

Interruption 2Fh, code MUX 4A11h, fonction 0008h
DoubleSpace: Lire les informations de fragmentation des fichiers CVF

Cette fonction donne des informations sur la fragmentation des fichiers CVF d'un lecteur donné

Entrées :   AX=4A11h
                      BX=0008h
                      DL=lecteur compressé (0=A:)

Sorties :   AX=000h OK, dans ce cas BX= valeur maximale de fragmentation,
                      CX = nombre de fragmentations restant possibles
                      AX=102h: le lecteur indiqué n'est pas compressé

Si la fonction ne retourne aucune des valeurs indiquées DoubleSpace n'est pas installé et le contenu des registres est indéterminé.

Interruption 2Fh, code MUX 4A11h, fonction 0009h
DoubleSpace : Demander quel est le Nb maximal de lecteurs compressés

Cette fonction est destinée à prendre connaissance du nombre de structures DISK_UNIT nécessitées par DOS pour gérer les lecteurs DoubleSpace et qui sont créées en mémoire par DoubleSpace moment de son initialisation.

Entrées :   AX=4A11h
                      BX=0009h
                      DL= désignation d'unité d'un lecteur compressé (0=A:)

Sorties :   AX= 0000h OJ, dans ce cas CL=nombre de structures
                      DISK_UNIT allouées par DoubleSpace au moment de son initialisation.

Si la fonction ne retourne pas 0 en AX, DoubleSpace n'est pas installé et le contenu des autres registres est indéterminé

Chaque structure DISK_UNIT occupe 96 octets en mémoire. Le nombre renvoyé ici est déterminé par le paramètre MaxRemovableDrives du fichier d'initialisation DBLSPACE.INI.

Interruption 21h, fonction 44h, sous-fonction 04h (DOS à partir de 1.0)
IOCTL/DoubleSpace: Enregistrer le contenu du cache interne

Cette fonction IOCTL demande à DoubleSpace d'écrire sur disque le contenu de ses buffers de cache internes pour les données des clusters, la bitFAT et la MDFAT.

Entrées :	AH=44h
	AL=04h
	BX=Désignation d'unité (0=A)
	CX=Nombre d'octets à lire
	DS:DX= Pointeur FAR sur le buffer (cf infra)
Sorties :	Indicateur de retenue = 0 : OK
	Indicateur de retenue = 1 : Erreur
	BX peut recevoir la désignation de n'importe quel lecteur compressé

Le buffer référencé par DS:DX à l'appel de la fonction doit présenter le contenu suivant :

Offset	Contenu	Rôle	Type
+00h	'DM'	Identificateur de Microsoft DoubleSpace	1 WORD
+02h	'F'	Pour la commande de 'flush'	
+03h	0	Reçoit le code d'erreur à l'issue de l'appel	1 WORD
+05h	0,0,0,0,0	Cinq bits de remplissage	5 BYTE
Longueur totale : 10 octets			

Après l'appel de la fonction le mot situé à l'offset 03h du buffer contient la combinaison de caractères 'OK' si l'exécution s'est bien passée.

Interruption 21h Fonction 44h sous-fonction 04h DOS (à partir de la version 1.0)
IOCTL/DoubleSpace: Enregistrer et invalider le contenu du cache interne

Cette fonction IOCTL demande à DoubleSpace d'écrire sur disque le contenu de ses buffers de cache internes c'est-à-dire les données des clusters, la BitFAT et la MDFAT. A l'issue de cette opération le contenu est déclaré invalide.

Entrées :	AH=44h
	AL=04h
	BX=Désignation d'unité (0=A)
	CX=nombre d'octets à lire
	DS:DX= Pointeur FAR sur le buffer (cf infra)
Sorties :	Indicateur de retenue =0 : OK
	Indicateur de retenue=1 : Erreur

La désignation d'unité en BX peut être celle d'un lecteur compressé quelconque

Le buffer sur lequel pointe DS:DX à l'appel de la fonction doit avoir le contenu suivant :

Offset	Contenu	Rôle	Type
+00h	'DM'	Identificateur de Microsoft DoubleSpace	1 WORD
+02h	'F'	Pour la commande d'invalidation	
+03h	0	Reçoit le code d'erreur à l'issue de l'appel	1 WORD
+05h	0,0,0,0,0	Cinq bits de remplissage	5 BYTE
Longueur totale : 10 octets			

Après l'appel de la fonction le mot situé à l'offset 03h du buffer contient la combinaison de caractères 'OK' si l'exécution s'est bien passée.

DBLSPACE.BIN Code MUX 4Ah

DoubleSpace, le compresseur de données en ligne de DOS 6, offre aux utilitaires les services de dix fonctions accessibles par l'intermédiaire de l'interruption multiplexeur. Contrairement aux autres interfaces du multiplexeur, le numéro de fonction doit être toujours 11h en AL alors qu'en BX doit figurer le numéro de l'option (sous-fonction).

Fonction	Rôle
0000h	Lit les informations de version
0001h	Interroge l'état d'un lecteur
0002h	Echange des désignations de lecteurs
0005h	Inclut un lecteur compressé
0006h	Désactive un lecteur DoubleSpace
0007h	Indique la place mémoire restante
0008h	Donne des renseignements sur la fragmentation des fichiers CVF
0009h	Indique le nombre maximal de lecteurs compressés

Partie 4

Au delà du DOS et du matériel

35. Programmes résidents

Depuis sa "naissance", DOS souffre de ce que les fées qui se sont penchées sur son berceau ne l'ont pas doté du don de "multitâche", c'est-à-dire de la faculté à exécuter plus d'un programme à la fois. Ce n'est que maintenant, après plus de dix ans de règne, que DOS est complété par deux systèmes d'exploitation qui comblent cette lacune : OS/2 et Windows.

Les programmes dits résidents ou TSR (TSR = terminate and stay resident) apportent comme un semblant de multitâche dans l'univers du DOS. Ces programmes, une fois lancés, sommeillent à l'arrière-plan en attendant d'être activés. Ils se sont surtout imposés depuis l'apparition de SideKick.

Un programme résident ne fait pas un véritable travail multitâche puisqu'il n'y a pas d'exécution simultanée de plusieurs programmes. Mais l'utilisateur peut à tout moment frapper une "touche d'activation" pour appeler le programme. Le travail en cours est alors interrompu, l'écran sauvegardé, et l'utilisateur se voit offrir différents services. Lorsqu'il met fin au programme résident, l'écran est restauré et le travail interrompu se poursuit sans qu'il se soit aperçu de rien.

Les programmes résidents permettent notamment d'accéder à tout moment à des outils aussi utiles qu'une calculatrice, un agenda ou un bloc-notes. Par exemple avec SideKick et ses émules l'utilisateur peut rapidement prendre ou lire des notes sans sortir du programme en cours.

En dehors de ces applications typiques, les programmes résidents sont également employés comme générateurs de macrocommandes, formateurs d'écran et même comme correcteurs orthographiques.

Certains programmes peuvent même entrer en interaction avec les programmes interrompus et échanger des données avec eux. C'est ainsi par exemple qu'un programme résident peut transmettre une page d'agenda à un traitement de texte.

Bien que les applications les plus diverses puissent être transformées en programmes résidents, ces derniers présentent tous un mode de fonctionnement et une structure identique que nous allons étudier dans ce chapitre.

Avant de jeter un coup d'oeil dans les coulisses des programmes résidents, nous ne vous cacherons pas toutefois qu'il s'agit d'un sujet extrêmement complexe dont la compréhension réclame une parfaite connaissance du fonctionnement interne du système. Il ne faut pas commencer la lecture de cet ouvrage par le présent chapitre : il est indispensable avant de vous y attaquer d'acquérir une certaine expérience de la programmation système.

Cette exigence est notamment due au fait que par définition les programmes résidents sortent du cadre classique des systèmes monotâches, dans lesquels chaque programme peut en principe accéder tout seul à l'ensemble des ressources du système (mémoire vive, écran, disque dur etc.). Ici en plus du programme de premier plan il existe un programme résident qui surveille son activité en arrière-plan. A l'intérieur du système, le programme résident doit donc affronter de nombreux concurrents, tels que le BIOS, DOS, le programme interrompu, mais aussi les autres programmes résidents. Tâcher d'y parvenir n'est pas une mince affaire, même si cela représente un défi très stimulant à relever. De toute façon, la solution passe par l'usage de l'assembleur.

Mais ce langage ne convient pas très bien pour programmer des sujets typiquement résidents comme des calculatrices ou des blocs-notes pour lesquels des langages évolués comme Pascal ou C sont plus appropriés. C'est pourquoi dans ce chapitre, nous travaillerons avec deux programmes en assembleur permettant de "convertir" en programmes résidents des programmes ordinaires écrits en Pascal ou en C. Mais avant de nous pencher sur ces programmes, nous allons tout d'abord étudier comment activer des programmes résidents.

35.1. Activation de programmes résidents

Si nous exigeons de notre programme résident qu'il passe au premier plan dès qu'une certaine combinaison de touches est actionnée (= hot Key ou touche d'activation), il nous faut naturellement installer une sorte de mécanisme de déclenchement qui soit d'une manière ou d'une autre relié au clavier. On peut avoir recours à cet effet aux interruptions 09h et 16h, qui sont toutes deux appelées par le système pour la gestion du clavier. L'interruption 16h est la fameuse interruption clavier du BIOS qui permet aux programmes de lire les caractères et l'état du clavier. Si nous utilisions cette interruption, notre programme résident ne pourrait être activé que lorsque cette interruption est appelée par un programme de lecture du clavier.

L'interruption 09h convient donc mieux à notre objectif car elle est déclenchée par le processeur du clavier chaque fois qu'une touche est actionnée ou relâchée. Il nous faut donc rediriger cette interruption vers une routine de notre cru qui vérifiera si le programme résident doit être activé ou non.

Avant de procéder à cette activation, elle devra appeler la routine qui était responsable de l'interruption 09h avant que le programme résident ne soit installé. Il y a deux raisons à cela. La première tient au rôle même de l'interruption 09h. Cette interruption est chargée d'informer le système que le clavier requiert son attention pour lui transmettre des informations sur le fait qu'une touche a été actionnée ou relâchée. L'interruption 09h est donc normalement dirigée sur une routine du BIOS chargée de recevoir et d'exploiter les informations en provenance du clavier. Concrètement, elle reçoit le code d'une touche et le convertit en un code ASCII qu'elle place dans le buffer clavier du BIOS. Comme notre programme résident ne veut et ne peut pas se charger de cette tâche, la routine d'origine doit être appelée, faute de quoi plus aucune entrée au clavier ne serait possible.

La seconde raison est qu'il est possible que d'autres programmes résidents aient déjà été installés avant le nôtre et que ces programmes aient déjà redirigé l'interruption 09h vers une routine particulière. Comme notre programme figure maintenant, dans la chaîne des gestionnaires d'interruption, avant ces programmes, leurs routines d'interruption ne seront plus appelées automatiquement si nous empêchons l'appel de l'ancien gestionnaire d'interruption. Il en résulterait que ces programmes résidents ne pourraient plus être invoqués. C'est pourquoi tous les programmes résidents doivent appeler l'ancien gestionnaire d'interruption avant ou après leur propre traitement d'interruption.

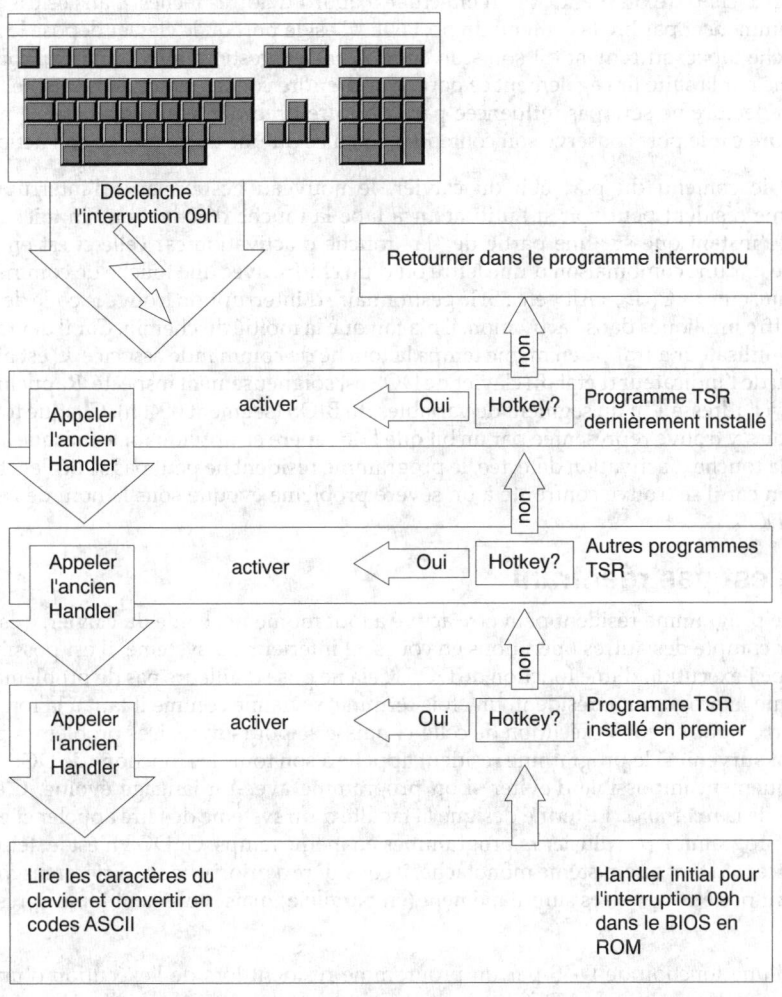

Déclenche
l'interruption 09h

Retourner dans le programme interrompu

non

Appeler
l'ancien
Handler

activer

Oui

Hotkey?

Programme TSR
dernièrement installé

non

Appeler
l'ancien
Handler

activer

Oui

Hotkey?

Autres programmes
TSR

non

Appeler
l'ancien
Handler

activer

Oui

Hotkey?

Programme TSR
installé en premier

Lire les caractères du
clavier et convertir en
codes ASCII

Handler initial pour
l'interruption 09h
dans le BIOS en
ROM

Chaîne des programmes résidents (exemple de l'interruption 09h)

Cet appel ne doit pas s'effectuer avec l'instruction INT du langage machine car c'est notre gestionnaire d'interruption qui risquerait ainsi de se déclencher à nouveau. Dans la plupart des cas, il en résulterait un empilage infini d'appels récursifs qui entraînerait un débordement de la pile, d'où un plantage du système. Pour éviter cela, l'adresse de l'ancien gestionnaire d'interruption doit être recherchée lors de l'installation du programme résident et être stockée dans une variable interne au programme résident. A l'aide de l'adresse ainsi sauvegardée, l'ancien gestionnaire d'interruption pourra alors être appelé avec une instruction FAR CALL. Pour simuler l'appel de ce gestionnaire avec l'instruction INT, le contenu du registre des indicateurs doit être placé sur la pile à l'aide de l'instruction PUSHF, avant l'instruction CALL, comme cela se fait automa- tiquement lorsque l'instruction INT est exécutée.

L'endroit exact où l'ancien gestionnaire d'interruption doit être appelé à l'intérieur du nouveau dépend toujours de la logique de cette routine. Dans les deux modules en assembleurs présentés

729

à la fin de ce chapitre on prend soin d'effectuer d'abord d'autres tâches. Dans ce cas précis il faudra commencer par lire le contenu du port 60h. C'est le port où le clavier dépose le numéro de la touche tapée, autrement dit son scan code. L'ancien gestionnaire d'interruption qui va être appelé par la suite lira également ce port pour prendre connaissance de la touche frappée. Mais cette lecture ne sera pas influencée par la lecture précédente effectuée par le nouveau gestionnaire car le port conserve son contenu jusqu'à ce qu'une autre touche soit actionnée.

En lisant le contenu du port 60h du clavier, le nouveau gestionnaire d'interruption du programme résident peut voir si l'utilisateur a tapé la touche d'activation. En fait ce test ne porte sur l'instant que sur une partie de "la" touche d'activation car celle-ci est en général constituée par une combinaison d'une lettre ou d'un chiffre avec une touche de commande du type <Majuscule> <Ctrl>, <Alt> etc...Si le gestionnaire d'interruption trouve le code de la lettre ou du chiffre impliqués dans l'activation, il n'a fait que la moitié du chemin. Car il devra encore tester si l'utilisateur a frappé en même temps la touche de commande associée. C'est ainsi que le contenu de l'indicateur d'état du clavier de DOS est soigneusement inspecté. Rappelons qu'il se trouve à l'adresse 17h du segment de variables du BIOS (segment 0040h). Chaque touche de commande s'y trouve représentée par un bit que l'on repère en appliquant le masque adéquat. Une fois la touche d'activation détectée, le programme résident ne peut pas se déclencher sans précaution car il se trouve confronté à un sévère problème évoqué sous le nom de *Non-réentrance de DOS*.

DOS n'est pas réentrant

Comme le programme résident peut être activé à tout moment à l'aide du clavier, c'est-à-dire sans tenir compte des autres opérations en cours à l'intérieur du système, il est possible qu'il interrompe l'exécution d'une fonction de DOS. Cela ne pose d'ailleurs pas de problème en soi, pourvu que le programme résident, une fois terminé, revienne comme il faut à la fonction de DOS interrompue et que l'exécution de celle-ci puisse se poursuivre. Des problèmes peuvent cependant survenir si le programme résident appelle à son tour des fonctions de DOS, ce qu'il est pratiquement impossible d'éviter si on programme avec un langage évolué. C'est là le problème de la *réentrance*. Le terme désigne la faculté d'un système de faire appeler et exécuter son code programme par plusieurs programmes en même temps. Or DOS n'est justement pas réentrant car, en tant que système monotâche, il considère a priori que ses différentes fonctions ne peuvent pas être appelées simultanément (en parallèle) mais seulement l'une après l'autre (en série).

L'appel d'une fonction de DOS par un programme résident lors de l'exécution d'une autre fonction pose des problèmes à DOS car au moment du déclenchement de l'interruption 21h il charge l'adresse de l'une des trois piles de DOS dans les registres SS:SP du processeur. Laquelle des trois piles est utilisée dépend du groupe de fonctions dans lequel le DOS range la fonction concernée, et cela n'est pas identifiable par l'utilisateur. Pendant l'exécution de la fonction de DOS appelée, des données temporaires sont placées sur cette pile, mais aussi et surtout les adresses de retour des sous-programmes. Si l'exécution de la fonction est alors interrompue par l'activation d'un programme résident qui appelle à son tour une fonction de DOS, DOS va à nouveau charger l'adresse de départ d'une pile interne dans les registres SS:SP. S'il s'agit de la même pile déjà employée lors de l'exécution de la fonction interrompue (ce qui ne peut jamais être exclu), tout accès à la pile détruira alors irrémédiablement les informations que la fonction de DOS interrompue y avait placées. Les appels de fonctions de DOS par le programme résident s'exécuteront sans problème mais les difficultés commenceront lorsque le programme résident sera terminé et que le contrôle sera rendu à la fonction de DOS interrompue par le lancement du programme. Le contenu de la pile ayant été modifié par les appels de fonction de DOS intervenus entre-temps, un comportement imprévisible de la fonction en résultera, qui finira par planter le système.

Pour résoudre ce problème de réentrance, la seule possibilité consiste, pour un programme résident, à renoncer à appeler les fonctions de DOS ou à ne permettre l'activation du programme résident que lorsqu'aucune fonction de DOS n'est en cours d'exécution. La première possibilité étant exclue pour les raisons indiquées plus haut, il faut recourir à la seconde. Le système DOS nous aide en cela, en mettant à notre disposition un indicateur INDOS qui n'est normalement utilisé qu'à l'intérieur de DOS mais qui peut être très utile pour le but que nous poursuivons. Il s'agit d'un compteur du nombre des imbrications des appels à DOS. S'il contient la valeur 0, c'est qu'aucune fonction de DOS n'est actuellement en train d'être exécutée. La valeur 1 indique au contraire qu'une fonction de DOS est actuellement en cours d'exécution. Dans certaines situations bien précises, cet indicateur peut aussi contenir des valeurs plus élevées, lorsqu'une fonction a appelé une autre fonction DOS au cours de son exécution, ce qui n'est toutefois permis que dans des cas très particuliers.

Comme le contenu de cet indicateur ne peut naturellement pas être testé à l'aide d'une fonction de DOS (car elle risquerait d'être un obstacle pour son propre appel), son contenu doit être lu directement dans la mémoire. L'adresse en question n'étant plus modifiée après le lancement du système, il suffit pour cela de la rechercher au cours de l'installation du programme résident et de la sauvegarder dans une variable. On peut se servir pour cela de la fonction 34h de DOS (non documentée) qui renvoie l'adresse de l'indicateur INDOS dans les registres ES:BX.

Le test de cet indicateur doit ensuite être intégré dans le gestionnaire de l'interruption 09h. Il faut vérifier si la touche d'activation a été actionnée. Si tel est le cas, l'activation du programme résident ne doit être autorisée qu'à condition que l'indicateur INDOS contienne la valeur 0.

Tous les problèmes ne sont pas réglés pour autant. Si l'activation du programme résident est maintenant coordonnée avec les appels de fonction de DOS par un programme transitoire exécuté au premier plan, le programme résident ne pourra néanmoins pas être activé à partir de l'environnement DOS. L'interpréteur de commandes DOS (COMMAND.COM) a en effet lui-même recours à quelques fonctions de DOS pour afficher le message d'attente de DOS et pour recevoir les saisies de l'utilisateur. L'indicateur INDOS contient donc en permanence la valeur 1. Dans ce cas particulier, une interruption de la fonction de DOS en cours d'exécution serait sans grand risque, à condition toutefois que l'on puisse être sûr que l'indicateur INDOS contient la valeur 1 à cause de l'interpréteur de commandes du DOS et non par suite des activités d'un programme transitoire.

Il existe heureusement une solution à ce problème. Elle est liée au fait que DOS se trouve dans une sorte d'état d'attente lorsqu'il attend des frappes de l'utilisateur à l'intérieur de l'interpréteur de commandes. Pour ne pas gaspiller inutilement le temps d'exécution du processeur, DOS appelle à intervalles réguliers l'interruption 28h qui est chargée de l'activation d'opérations d'arrière-plan telles que le spooling de l'imprimante (instruction PRINT du DOS) et d'autres tâches semblables. Si cette interruption (appelée Idle = inoccupé) a été appelée, on peut considérer qu'il n'y a pas grand risque à interrompre DOS et à activer le programme résident.

Pour tirer parti de ce comportement du DOS, on installera un nouveau gestionnaire pour l'interruption 28h lors du lancement du programme résident. Ce gestionnaire appellera tout d'abord l'ancien gestionnaire et examinera alors si l'utilisateur a actionné la touche d'activation. Si tel est le cas, le programme résident pourra être activé même si dans certains cas le flag INDOS contient une valeur différente de 0.

Une autre condition doit cependant être respectée (qui vaut également à l'intérieur du gestionnaire de l'interruption clavier 09h) : un programme résident ne doit pas être activé si des interruptions critiques sont en cours d'exécution.

Interruptions critiques

Il s'agit d'actions qui, pour différentes raisons, ne peuvent être interrompues et qui doivent donc se terminer en un temps relativement court. Sur un PC, il s'agit surtout des accès à la disquette ou au disque dur qui sont gérés au niveau le plus bas par l'interruption 13h du BIOS. Si l'accès à ces périphériques ne se termine pas dans un délai extrêmement bref, des perturbations très sérieuses peuvent en résulter dans le fonctionnement du système. La situation peut même devenir dramatique si le programme résident exécute un accès à ces périphériques alors qu'un autre accès (déclenché par le programme qui vient d'être interrompu) n'est pas encore terminé. Il se peut que le système ne se plante pas mais il est certain que des données seront perdues.

La solution consiste, ici aussi, à installer un gestionnaire d'interruption de notre cru pour l'interruption 13h du BIOS. Lorsqu'il sera appelé, ce gestionnaire mettre à 1 un indicateur interne signalant que l'interruption disque du BIOS est actuellement activée. Il appellera ensuite l'ancien gestionnaire de cette interruption, qui exécutera l'accès à la disquette ou au disque dur. Lorsqu'il reviendra au gestionnaire du programme résident, ce dernier annulera alors l'indicateur qui avait été mis à 1 et signalera ainsi la fin de l'activité de l'interruption disque du BIOS.

Pour éviter que cette interruption ne soit interrompue, les autres gestionnaires d'interruption à l'intérieur du programme résident tiendront compte de cet indicateur et n'activeront le programme résident que lorsque le contenu de l'indicateur signalera que l'interruption disque du BIOS n'est pas activée.

Récursion

Une dernière condition à remplir pour activer le programme résident est de s'assurer qu'aucun appel récursif ne puisse avoir lieu. Rien n'empêchant en effet l'utilisateur d'actionner la touche d'activation après que le programme résident ait été activé, il faut interdire que le programme résident puisse être à nouveau être activé avant d'être arrivé à son terme. La solution est très simple puisqu'il suffit d'installer ici encore un indicateur qui sera mis à 1 lors de l'activation du programme résident et sera remis à 0 lorsque le programme sera terminé. Lorsque la touche d'activation sera actionnée, si un des gestionnaires d'interruption constate au vu de cet indicateur que le programme résident a déjà été activé, il ignorera tout simplement la touche d'activation.

Si toutes les conditions indiquées sont remplies, plus rien ne s'oppose à ce que le programme résident soit activé.

Activation différée

Compte tenu des activités de DOS ou du BIOS un programme résident ne peut pas être exécuté au premier plan à n'importe quel moment. C'est pourquoi la plupart des programmes résidents réaménagent également le gestionnaire de l'interruption 08h du timer pour pouvoir différer leur activation. Lorsque la touche d'activation est détectée par le gestionnaire d'interruption du clavier, un indicateur spécial est initialisé pour signaler que le programme résident ne peut pas être déclenché sur le champ.

Cet indicateur est testé à l'intérieur du nouveau gestionnaire de l'interruption du timer qui est appelé 18,2 fois par seconde, à moins que le programme en cours d'exécution n'ait modifié ce rythme. Si le gestionnaire du timer constate que le programme résident est en attente de déclenchement et que ni DOS ni le BIOS ne sont actifs, plus rien ne s'oppose au déclenchement attendu.

Il faut cependant limiter le délai qui sépare la frappe de la touche d'activation du déclenchement effectif du programme résident. Si l'opération de DOS en cours est particulièrement longue, l'attente peut théoriquement durer plusieurs secondes. Mais l'utilisateur ne sait pas si la touche qu'il a frappée a été prise en compte.

L'indicateur initialisé pour demander le différé d'activation va également servir à décompter le temps et être décrémenté par le timer. Le déclenchement ne reste potentiel que tant que cet indicateur reste positif. Si le gestionnaire d'interruption initialise l'indicateur avec la valeur 6, le programme résident devra être appelé dans l'intervalle des 6 prochains tops d'horloge, ce qui correspond à environ 1/3 de seconde. Une fois ce délai dépassé, la touche d'activation n'est plus prise en compte.

Changement de contexte

Les opérations d'activation d'un programme résident représentent ce qu'on appelle en informatique un changement de contexte. Le contexte (ou en d'autres termes l'environnement) est constitué par toutes les informations nécessaires à l'exploitation d'un programme. Il s'agit par exemple du contenu des registres du processeur, d'informations importantes du système d'exploitation, et aussi de la mémoire occupée par le programme. Nous n'avons toutefois pas à nous préoccuper de ce dernier point lors du changement de contexte car notre programme résident a été marqué comme résident lors de son installation et la mémoire qu'il occupe lui est donc réservée et ne peut être attribuée par le système d'exploitation à d'autres programmes.

Mais les registres du processeur, et en premier lieu les registres de segment doivent recevoir les valeurs que le programme résident attend lors de son exécution. Elles ont été sauvegardées à cet effet dans des variables internes lors de l'installation du programme résident où nous pouvons maintenant les lire. Comme le contenu de ces registres et de tous les autres va être modifié lors de l'exécution du programme résident, il faut s'occuper de les sauvegarder car ils font partie du contexte du programme interrompu et ne devront paraître inchangés lorsque l'exécution de ce programme reprendra. Il en va de même pour les informations du système d'exploitation dépendant du contexte. Pour DOS seul le PSP (Segment de préfixe du programme) ainsi que la zone appelée DTA (Disk Transfer Area) sont importants. Les adresses de ces deux structures doivent donc être déterminées lors de l'installation du programme résident et être sauvegardées pour pouvoir être restaurées lors du changement de contexte. Il ne faut pas oublier non plus de sauvegarder l'adresse du PSP et de la DTA du programme interrompu avant de passer au contexte du programme résident, de façon à ce que ces adresses puissent être rétablies à leurs valeurs d'origine une fois le programme résident terminé.

L'adresse de la DTA peut être fixée et lue à l'aide de deux fonctions de DOS (respectivement les fonctions 1Ah et 2Fh) mais il n'existe pas de fonctions documentées équivalentes pour le PSP dans toutes les versions de DOS. A partir de la version 3.0 de DOS, la fonction documentée numéro 62h permet de déterminer l'adresse du PSP courant mais il manque toujours une fonction permettant de fixer cette adresse. Ces fonctions existent cependant depuis la version 2.0 de DOS en tant que fonctions non documentées. Il s'agit de la fonction 50h ("fixer l'adresse du PSP") et de la fonction 51h ("lire l'adresse du PSP"). Ces deux fonctions sont utilisées à l'intérieur de notre programme résident.

Une dernière précaution s'impose lorsque le programme est activé à l'aide de l'interruption 28h. Lorsque l'activation provient de cette interruption, on interrompt du même coup une fonction DOS active dont le contenu de la pile doit absolument être préservé. C'est pourquoi on va généralement rechercher les 64 mots supérieurs de la pile courante pour les sauvegarder dans la pile du programme résident. Le changement de contexte pour passer au programme résident est ainsi achevé et ce dernier peut être lancé.

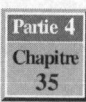
A partir de cet instant, le programme résident peut être considéré comme un programme tout à fait normal, capable d'appeler n'importe quelle fonction de DOS ou du BIOS. De tous les concurrents à l'intérieur du système, seul subsiste encore le programme de premier plan, que le programme résident doit respecter en ce sens qu'il ne doit pas détruire le contenu de son écran (ou alors il doit le rétablir à l'issue de son exécution)

Sauvegarde du contexte d'écran

Si les tâches décrites jusqu'ici incombaient obligatoirement à l'interface en assembleur (approfondie par la suite), la sauvegarde du contexte d'écran entre dans le cadre des attributions du programme en C ou en Pascal constituant le véritable programme résident. Le contexte d'écran comprend le mode vidéo courant, la position du curseur et le contenu de l'écran. De plus, pour les cartes graphiques, il convient de sauvegarder également le contenu des registres de sélection des couleurs et des autres registres de la carte vidéo, si des modifications sont susceptibles d'y être apportées.

Comme nous l'avons expliqué au chapitre 9, le mode vidéo en cours peut être lu facilement avec la fonction 00h de l'interruption vidéo 16h du BIOS. S'il apparaît alors que l'écran se trouve en mode texte (ces modes portent les numéros 0, 1, 2, 3 et 7), le programme résident doit seulement sauvegarder les 4000 premiers octets de la mémoire d'écran. Pour cela il peut encore recourir au BIOS vidéo (voyez le chapitre 9) ou accéder directement à la mémoire d'écran (les techniques appropriées sont décrites au chapitre 9).

Si le test du mode vidéo indique par contre que c'est un mode graphique qui est activé, la sauvegarde du mode vidéo est nettement plus compliquée, ne serait-ce que parce que la mémoire d'écran peut atteindre, sur certaines cartes EGA et VGA et dans certains modes, une taille allant jusqu'à 256 Ko. Or si le programme résident a interrompu le travail d'un programme transitoire, il ne sera guère possible d'allouer un buffer d'une telle taille.

C'est pourquoi beaucoup de programmes résidents renoncent carrément à s'activer en mode graphique. Ils n'autorisent leur lancement que dans le cadre des différents modes texte. Comme sur le PC on travaille généralement en mode texte, cet inconvénient est normalement sans grande portée. Font toutefois exception à cet égard les environnements utilisateur comme Windows, qui travaillent exclusivement en mode graphique. Ces logiciels disposent d'ailleurs de leurs propres mécanismes pour permettre une exécution parallèle d'autres programmes ou pour intégrer des calculatrices, des blocs-notes etc., de sorte qu'il n'est de toute façon pas très intéressant d'utiliser les programmes résidents en liaison avec ces environnements utilisateur.

35.2. Les programmes résidents en Pascal et C

Avec les réflexions précédentes, nous avons défini la base sur laquelle reposera le travail des deux interfaces en assembleur que nous allons maintenant vous présenter (TSRPA.ASM pour les programmes en Pascal et TSRCA.ASM pour les programmes en C). L'un et l'autre de ces deux programmes fonctionnent selon les mêmes principes, ils ne se distinguent qu'à cause des différences de structure existant entre les programmes compilés en C ou en Pascal. Nous pouvons donc examiner tout d'abord les points communs entre les deux programmes.

Les deux interfaces considèrent que le programme résident est à installer lorsqu'on l'appelle pour la première fois et à désinstaller lors de tout nouvel appel. Par ailleurs il est possible de rentrer à nouveau en contact avec le programme résident en l'appelant à partir de la ligne de commande, par exemple pour changer la touche d'activation sans être obligé de procéder à une réinstallation. Mais on peut aussi exploiter d'autres possibilités, car n'importe quelle routine en C ou en Pascal peut être appelée à partir du programme résident comme nous le verrons dans un instant.

35.2.1. Les fonctions de l'interface en assembleur

Pour faire fonctionner les mécanismes cités, l'interface en assembleur met à la disposition du programme en langage évolué sept routines présentées par le tableau suivant :

Nom	Rôle
Lecture de l'état d'installation	
TsrInit	Transforme le programme en programme résident, installe le gestionnaire d'interruption, termine le programme en le laissant en mémoire
TsrIsInst	Teste si un exemplaire du programme résident est déjà présent en mémoire centrale
TsrCanUninst	Teste si l'exemplaire installé peut être désinstallé
TsrUnInst	Procède à la désinstallation de l'exemplaire résident en mémoire centrale
TsrSetptr	Mémorise l'adresse de la routine qui doit être appelée dans l'exemplaire déjà installé du programme
TsrCall	Déclenche la routine fixée par TsrSetptr
TsrSetHotKey	Fixe la touche d'activation du programme

Parmi toutes ces routines, le programme en langage évolué doit d'abord appeler *TsrInInst* qui permet de savoir s'il existe déjà un représentant du programme résident en mémoire. Cette routine se sert à cet effet de l'interruption 2Fh du multiplexeur DOS (MUX) car au moment de l'installation du programme résident un gestionnaire de l'interruption 2Fh a été aménagé.

Mais ce gestionnaire ne réagit qu'à une fonction particulière dont le numéro est fixé à l'appel de *TsrIsInst*. Si l'interruption est appelée avec un autre numéro de fonction, le programme résident transmet simplement l'appel à l'ancien gestionnaire. Le multiplexeur supporte deux options pour la fonction désignée par son numéro : elles portent elles-mêmes les numéros AAh et BBh. La première sert à rechercher un exemplaire existant du programme résident.

Comme il est d'usage pour les fonctions du multiplexeur, les numéros de fonction et d'option sont soumis à une permutation dans les registres AH/AL. Si le programme résident n'est pas installé, la permutation n'a pas lieu, puisqu'il n'existe pas de gestionnaire MUX qui se sente concerné par la fonction indiquée. Le registre AX garde donc sa valeur.

En appelant cette fonction MUX, *TsrIsInst* peut très facilement détecter si le programme résident a déjà été installé. Si tel est le cas, *TsrIsInst* appelle dans la foulée la deuxième fonction MUX du programme résident qui retourne le segment mémoire où se trouve le programme résident. Cette valeur est mémorisée dans une variable du programme résident. Comme toutes les autres variables du module en assembleur, elle est hébergée dans le segment de code. C'est ainsi qu'elles peuvent être accédées de l'intérieur du gestionnaire d'interruption même quand le segment de données du programme est hors de portée.

Définition de la touche d'activation et installation

Si à l'aide de *TsrIsInst* le programme détecte qu'il n'est pas encore installé, il va procéder en règle générale à son installation. L'opération se fait en deux étapes. Il faut d'abord choisir la touche d'activation par *TsrSetHotKey* et ensuite fixer le programme en mémoire par *TsrInit*.

Mais restons en pour le moment à *TsrSetHotkey*. Il faut communiquer à cette routine les deux paramètres qui déterminent la touche d'activation : le masque binaire de la touche de commande et le scan code de la lettre ou du chiffre associé.

Ces paramètres peuvent être fournis sous forme de constantes qui se trouvent en tête des programmes en Pascal ou en C.

Les touches de commande portent les noms LSHIFT (majuscule gauche), RSHIFT (majuscule droite), ALT, CTRL, etc. Plusieurs de ces constantes peuvent être combinées par un opérateur OU si vous voulez que l'activation se fasse par plusieurs touches de commande actionnées simultanément. Sous cet angle un OU binaire correspond à un ET logique pour l'utilisateur.

Les différentes constantes définissant les scan codes des touches commencent par le préfixe SC_ suivi du nom de la touche (par exemple SC_5, SC_X, ou SC_SPACE). Ces constantes sont faciles à reconnaître car elles forment un bloc important dans les programmes en langage évolué. Si votre touche d'activation se limite à une ou plusieurs touches de commande sans aucun caractère additionnel, vous pouvez utiliser la constante SC_NOKEY.

Une fois la touche d'activation fixée, le programme est transformé en un programme résident par l'action de *TsrInit*. Il faut communiquer deux paramètres à TsrInit : l'offset de la routine proprement dite et une information sur la taille mémoire nécessaire. Cette dernière n'est pas traitée de la même façon dans les versions destinée aux programmes en C et en Pascal : c'est pourquoi nous reviendrons sur ce point un peu plus tard.

Retenons pour l'instant que le premier paramètre fourni à *TsrInit* est l'offset de la routine en langage évolué qui est déclenchée lors de l'activation du programme résident. Il s'agit bien de la routine qui représente la fonctionnalité même du programme résident et qui peut ainsi exploiter toutes les possibilités du langage utilisé. Tout y est permis : accès aux fichiers, lecture de catalogues, actions diverses et variées impliquant des fonctions de DOS. Lorsque cette routine s'achève, le programme résident se replace à l'arrière-plan et laisse le champ libre au programme interrompu.

La fonction de *TsrInit* consiste tout d'abord à rechercher et à sauvegarder les adresses des gestionnaires des interruptions 08h, 09h, 13h, 28h et 2Fh. TsrInit doit ensuite prendre connaissance des données appartenant au contexte du programme en langage évolué. Ces données sont également sauvegardées dans des variables à l'intérieur du segment de code de façon à rester accessibles ultérieurement aux gestionnaires d'interruption et à l'action du programme résident. L'étape suivante consiste à installer les gestionnaires d'interruption pour les interruptions 08h, 09h, 13h 28h et 2Fh. Le numéro de fonction communiqué au multiplexeur 2Fh est celui indiqué précédemment lors de l'appel à TsrInit.

Avant que le programme puisse être ancré en mémoire comme programme résident, il faut calculer sa taille c'est-à-dire le nombre de paragraphes qui resteront occupés à l'issue de l'installation. Comme nous l'avons déjà dit, les interfaces en C et en Pascal diffèrent sensiblement sur ce point. Vous trouverez donc les explications nécessaires sur ce calcul dans la description de chacune des interfaces, dans les pages suivantes.

L'installation proprement dite est alors terminée et le programme est laissé à lui-même comme programme résident. Notez bien à ce propos que la routine d'installation ne retourne pas au programme en langage évolué et que toutes les tâches d'initialisation telles que la réservation de mémoire ou l'initialisation de variables doivent donc être terminées avant que cette routine ne soit appelée.

Désinstallation

Les programmes résidents appliquent souvent le principe suivant : au premier appel ils s'installent, au second ils se retirent à nouveau de la mémoire. Si *TsrIsInst* détecte la présence en mémoire d'un exemplaire du programme, il faudra généralement désinstaller cet exemplaire.

Pour cela il faut d'abord appeler la fonction *TsrCanUninst* qui vérifie si la désinstallation est possible. Il existe en effet des cas d'impossibilité, lorsque l'installation du programme résident a été suivie par une autre installation, le nouveau programme résident détournant également les vecteurs d'interruption du timer, du clavier, etc...Ce faisant, il enlève toute possibilité d'accès à l'ancien gestionnaire du programme à désinstaller sans que ce dernier soit prévenu de sa disparition en mémoire. le résultat est un plantage du système.

TsrCanUninst prend la précaution de tester si toutes les interruptions détournées renvoient bien sur les gestionnaires des interruptions de l'exemplaire déjà installé du programme résident. Il répond True ou False. Seule la valeur True ouvre la voie à l'appel de TsrUninst pour désinstaller le programme.

Les anciens gestionnaires des interruptions 08h, 09h 13h, 28h et 2Fh sont rétablis. La mémoire occupée par le programme est ensuite libérée pour que DOS puisse l'allouer à d'autres programmes. Le programme désinstallé ne laisse ainsi aucune trace en mémoire.

Appel de routines à l'intérieur du programme résident

C'est au plus tard au moment de la désinstallation d'un programme résident qu'il faudra faire appel à des routines depuis l'intérieur du programme. Car la partie en langage évolué d'un programme résident consommera souvent des ressources d'exploitation (mémoire, vecteurs d'interruption, fichiers) qu'il faudra restituer lors de la désinstallation.

Comme les adresses de segment de l'exemplaire installé peuvent être lues facilement par l'intermédiaire du multiplexeur et comme les offsets sont les mêmes que pour l'exemplaire en cours d'exécution, il n'est pas difficile de réaliser un pointeur qui référence une routine à appeler à l'intérieur du programme résident installé. Il faut simplement supposer que la routine en question est du type FAR.

Il apparaît cependant une difficulté car comme on appelle directement la routine, aucun changement de contexte ne se produit en direction de l'exemplaire installé. Le segment de données de l'exemplaire en cours d'exécution restera actif, tout comme ses PSP et DTA. La routine appelée ne peut donc pas accéder à ses variables du segment de données, ce sont les variables de l'exemplaire en cours d'exécution qui sont exploitées.

Il faut donc mettre en place un moyen qui effectue un changement de contexte avant l'appel de la fonction puis rétablit le contexte à l'issue de l'appel.

La routine en question ne nécessiterait comme argument que le seul offset de la routine à exécuter dans l'exemplaire installé du programme résident. Ce mécanisme fonctionne mais il n'est pas particulièrement confortable car aucun argument ne peut être transmis à la routine appelée et inversement aucune valeur de retour n'est exploitable.

Pour rendre possible la transmission d'arguments et le retour d'un résultat, on a choisi une autre voie qui se compose de deux routines de l'interface en assembleur. Ces routines s'appellent *TsrSetPtr* et *TsrCall*.

TsrSetPtr va intervenir en premier pour recueillir l'adresse de la routine à appeler et la mémoriser dans une variable de l'interface en assembleur. Puis *TsrCall* exécute le changement de contexte et se sert de l'adresse mémorisée précédemment pour déclencher la routine.

Le seul problème est de déclarer *TsrCall* dans le module en langage évolué avec la liste des arguments transmis à la routine appelée. Mais le nombre et le type de ces arguments varie selon la nature de la routine. Mais ce problème se résout également comme on le verra dans la description de la partie en langage évolué.

35.2.2. Les gestionnaires d'interruption

Les gestionnaires d'interruption de l'interface en assembleur fonctionnent selon le principe décrit plus haut. Au centre se trouve le gestionnaire de l'interruption 09h du clavier. La collaboration avec les gestionnaires des interruptions 08h (timer), 13h (disque BIOS) et 28h (Idle DOS) se fait par trois indicateurs situés dans le segment de code de l'interface en assembleur : *in_bios*, *tsractif* et *tsrnow*.

Les indicateurs

L'indicateur *TsrActif* signale si le programme résident est actuellement actif. Il ne peut prendre que les états 0 ou 1. L'indicateur *in_bios* est incrémenté lorsque le gestionnaire INT 13h se déclenche et décrémenté à son issue. Partant de la valeur 0 comme tous les autres indicateurs, il présente donc la valeur 1 en cours d'exécution de INT 13h, et 0 dans toute autre circonstance. En fait *in_bios* peut avoir une valeur supérieure à 1 lorsqu'une fonction de l'interruption 13h effectue un appel récursif à cette même interruption. Pour nous il sera important de savoir que l'indicateur est nul lorsqu'aucune fonction disque du BIOS n'est en cours d'exécution, ce qui ouvre la voie à l'activation du programme résident.

Le troisième indicateur du groupe mentionné est *TsrNow*. Il est fixé à l'intérieur du gestionnaire d'interruption du clavier lorsque la touche d'activation a été frappée mais que le déclenchement du programme résident n'est pas possible pour l'une des raisons déjà décrites. Les gestionnaires de l'interruption du timer et de l'interruption Idle de DOS se servent de cet indicateur pour savoir si le programme résident est en attente de déclenchement.

Le gestionnaire d'interruption du timer décrémente l'indicateur tsrnow à chaque appel de façon qu'à l'issue d'un certain délai il atteigne la valeur 0, ce qui interdira le déclenchement du programme résident parce qu'il sera trop tard.

Après la théorie, jetons un coup d'oeil sur le code des différents gestionnaires d'interruption. Nous y verrons quelques détails fort intéressants pour la programmation de ce type de routine. Ce sont surtout les interruptions 08h (timer) et 09h (clavier) que nous examinerons. Les explications valent pour les deux versions, qu'elles soient écrites en C ou en Pascal.

Le gestionnaire d'interruption du timer

L'extrait de listing suivant montre la partie de l'interface en assembleur consacrée au nouveau gestionnaire d'interruption du timer 08h.

L'indicateur *tsrnow* est testé dès le début de la routine. Notez l'absence d'indication explicite du segment (par exemple cmp cs:tsrnow,0) car la variable en question se trouve dans le segment de code. Le segment n'a pas besoin d'être précisé dans le programme source car l'assembleur en tient compte automatiquement dans la génération du code machine. Une directive ASSUME a précisé antérieurement que le registre de segment CS référençait le segment de code et que le contenu de DS et des autres registres n'était pas défini à l'avance :

```
assume cs:code, ds:nothing, es:nothing, ss:nothing
```

Tous les gestionnaires d'interruption pourront ainsi accéder directement aux différentes variables de l'interface en assembleur car elles sont hébergées dans le segment de code, ce qui évite de charger à chaque fois le segment de données du programme correspondant en langage évolué.

Mais revenons à l'interruption du timer. Si le gestionnaire trouve que *TsrNow* est nul, c'est-à-dire que le programme résident n'attend pas son déclenchement immédiat, il se branche à l'étiquette *i8_end* où se trouve l'appel à l'ancienne version du gestionnaire. L'instruction correspondante s'écrit :

```
jmp [int8_ptr]
```

int8_ptr n'est pas une adresse de branchement mais une variable qui a mémorisé l'adresse de l'ancien gestionnaire sous l'effet de la routine *TsrInst* lors de l'installation du programme résident. Comme *int8_ptr* est une variable de type DWORD, l'assembleur sait qu'il doit exécuter un branchement long (FAR JMP) et non pas un saut de proximité. Il est clair en effet que l'ancien gestionnaire se trouve dans un tout autre segment de code que l'actuel (qui est celui du programme résident).

Le branchement vers l'ancien gestionnaire termine l'exécution du nouveau gestionnaire car l'instruction IRET située à la fin de l'ancien gestionnaire rend la main au programme interrompu par l'appel du timer.

```
;- Nouveau gestionnaire de l'interruption 8h (Timer)-----------

int08      proc far

           cmp  tsrnow,0        ;Faut-il activer le programme résident
           je   i8_end          ;Non, passe à l'ancien gestionnaire

           dec  tsrnow          ;Oui, décrémente l'indicateur d'activation

           ;- TSR doit être activé mais est-ce possible ? ---------

           cmp  in_bios, 0      ;Interruption disque du BIOS active ?
           jne  i8_end          ;OUI -> pas d'activation possible

           call dosactif        ;DOS peut-il être interrompu ?
           je   i8_tsr          ;Oui, appelle le programme résident

i8_end:    jmp  [int8_ptr]      ;retourne à l'ancien gestionnaire

           ;- Active le programme résident -----------

i8_tsr:    mov  tsrnow,0        ;Le TSR n'attend plus son activation
           mov  tsractif,1      ;le programme résident est maintenant actif
           pushf                ;Simule l'appel de l'ancien gestionnaire
           call [int8_ptr]      ; par INT 8h
           call start_tsr       ;Lance le programme résident
           iret                 ;retourne au programme interrompu

int08      endp
```

Mais que se passe-t-il si l'indicateur *tsrnow* n'est pas nul, c'est-à-dire si le programme résident est en différé d'activation ? Dans ce cas l'indicateur est décrémenté dans l'espoir qu'il devienne nul et puisse ainsi au prochain appel du timer conduire à l'activation effective du programme résident.

Supposons que le programme résident doive être activé. Il faut d'autres tests pour en démontrer la possibilité. Le premier porte sur *in_bios*. Si cet indicateur n'est pas nul, l'interruption du timer est survenue pendant une opération sur disque gérée par le BIOS. Le contrôle est alors transmis à l'ancien gestionnaire d'interruption du timer. Sinon c'est au tour de l'indicateur INDOS d'être testé. Rappelons qu'il sert à détecter si une fonction de DOS a été interrompue.

739

Le test est géré par la routine en assembleur *dosactif*. Elle lit l'adresse de l'indicateur INDOS dans une variable de l'interface en assembleur et compare le contenu mémorisé à cette adresse avec la valeur 0. Si DOS ne peut pas être interrompu (INDOS:1), l'ancien gestionnaire est appelé et le programme résident n'est pas activé.

Sinon plus rien ne s'oppose au déclenchement de notre programme résident. Il faut naturellement exécuter au préalable l'ancien gestionnaire d'interruption du timer car il effectue des tâches importantes se rapportant à l'avancement de l'horloge et à la gestion des lecteurs de disquette. Par ailleurs ce même gestionnaire contient une instruction machine fort importante pour gérer les interruptions matérielles et qui s'énonce :

```
out 20h,20h
```

Cette instruction indique au contrôleur d'interruption que l'exécution de l'interruption est achevée. Tant qu'il ne la réceptionne pas, le contrôleur d'interruption ne génère plus d'interruption. Donc les appels au timer ne s'effectuent plus, l'horloge du PC n'avance plus , il est même impossible de faire des saisies au clavier puisque l'interruption 09h du clavier ne marche plus.

Pour appeler l'ancien gestionnaire, on se sert de l'adresse stockée en *int8_ptr* mais avec une instruction CALL pour que le processeur en rencontrant un IRET dans l'ancien gestionnaire revienne au nouveau gestionnaire du programme résident.

Ce retour ne s'effectuerait d'ailleurs pas correctement si le contenu du registre des indicateurs n'était pas empilé par PUSHF préalablement à l'instruction CALL. Cette dernière instruction en effet ne dépose sur la pile que l'adresse de retour, sans ajouter le registre des indicateurs comme le fait une interruption. En conséquence, si on ne prend pas de précaution, l'instruction IRET prend comme contenu du registre des indicateurs une partie de l'adresse de retour et comme adresse de retour des informations toutes autres de la pile, ce qui plante évidemment le système.

Bien que le programme résident ne soit lancé qu'après l'appel de l'ancien gestionnaire, il faut déjà mettre à 0 l'indicateur *TsrNow* et à 1 l'indicateur *TsrActif*. On fait donc comme si le programme était déjà déclenché. En effet l'ancien gestionnaire informe le contrôleur d'interruption que l'interruption est terminée (cf plus haut). Donc pendant l'exécution du nouveau gestionnaire d'interruption du timer d'autres interruptions peuvent survenir, et notamment des interruptions clavier parce que l'utilisateur a frappé une touche.

Supposons que cette touche soit par malheur la touche d'activation. Le programme résident serait activé à partir du gestionnaire d'interruption du clavier si on n'avait pris la précaution de mettre à 1 l'indicateur tsractif. Le nouveau gestionnaire d'interruption du timer ne pourrait se poursuivre qu'au terme de l'exécution du programme résident.

Mais ce risque n'existe pas si on positionne correctement les indicateurs avant même d'appeler l'ancien gestionnaire : le programme résident ne peut plus être invoqué par les autres gestionnaires d'interruption.

Le programme résident se déclenche en fait par *Start_Tsr*, une routine de l'interface en assembleur qui commence par sauvegarder le contexte d'écran du programme interrompu. Cette routine établit ensuite le contexte du programme résident et appelle la partie résidente qui a été installée par *TsrInit*. A l'issue du programme résident, le contexte du programme interrompu sera rétabli.

Ce n'est qu'à ce moment que l'on revient à l'exécution du nouveau gestionnaire d'interruption du timer, qui rend la main par une instruction IRET au programme interrompu à l'origine. Il est remarquable de penser que le nouveau gestionnaire du timer est sans cesse invoqué pendant l'exécution du programme résident alors même que son exécution n'est pas achevée. Mais peu importe, pourvu que l'adresse du programme interrompu reste sur la pile au retour de *Start_Tsr*. Du point de vue du système, l'exécution du nouveau gestionnaire du timer est considérée comme achevée à la réception de l'instruction out 20h,20h.

Le gestionnaire d'interruption du clavier

Beaucoup d'observations faites à propos du gestionnaire d'interruption du timer sont aussi valables pour le gestionnaire d'interruption du clavier relié à l'interruption 09h. On commence par y sauvegarder sur la pile le contenu de AX qui sera modifié. D'une manière générale tous les gestionnaires d'interruption doivent restituer les registres dans l'état où ils les ont trouvés. Pour le gestionnaire d'interruption du timer, cette règle ne posait pas de problème car il ne modifie aucun registre.

L'étape suivante consiste à lire le contenu du port 60h. C'est le port où le contrôleur du clavier dépose le scan code de la touche tapée et c'est ce scan code qui devra être examiné pour détecter la touche d'activation.

Mais le nouveau gestionnaire du clavier teste d'abord si le programme résident est déjà actif. Si tel est le cas, les autres tests sont inutiles et un branchement vers *i9_end* passe le contrôle à l'ancien gestionnaire, après restauration de AX.

Les mêmes événements se produisent si *TsrActif* est nul sans que *TsrNow* le soit. Cette configuration signifie que la touche d'activation a été tapée mais que le programme résident est en instance de déclenchement. A lors à quoi bon retester la touche d'activation ?

Ce test reste cependant nécessaire si le programme résident n'est ni actif ni en instance de déclenchement. Le scan code est comparé à la variable *sc_code*. Si elle contient la valeur 128, c'est qu'il n'existe pas à proprement parler de touche d'activation, il faut alors tester l'état des touches de commande à l'adresse de branchement *i9_ks*.

```
;- Nouveau gestionnaire de l'interruption 09h (clavier)————

int09     proc far

          push ax
          in   al,60h                    ;Lit le port du clavier

          cmp  tsractif,0  ;Le programme résident est-il déjà actif ?
          jne  i9_end   ;OUI: appelle l'ancien gestionnaire puis retour

          cmp  tsrnow,0  ;Le programme est-il en attente d'activation ?
          jne  i9_end   ;OUI: appelle l'ancien gestionnaire puis retour

          ;- Teste la touche d'activation ————————

          cmp  sc_code,128               ;Y a-t-il un scan code ?
          je   i9_ks          ;Non, ne teste que les touches de commande

          cmp  al,128               ;Oui est-ce un code release ?
          jae  i9_end                    ;Oui, pas d'activation
          cmp  sc_code,al        ;Code make à comparer avec le modèle
          jne  i9_end                    ;Pas d'activation si pas le même
```

```
i9_ks:      ;- Teste l'état des touches de commande ----------

            push ds
            mov  ax,040h           ;DS sur le segment des variables
            mov  ds,ax                              ; du BIOS
            mov  ax,word ptr ds:[17h] ;lit indic. d'état clavier en BIOS
            and  ax,key_mask          ;bits de la touche d'activation
            cmp  ax,key_mask          ;bits de la touche d'activation ?
            pop  ds
            jne  i9_end   ;Touche d'activation détectée ? NON -> retour

            cmp  in_bios, 0        ;Interruption disque du BIOS en cours ?
            jne  i9_e1                ;OUI -> pas d'activation possible

            call dosactif          ;Est-il possible d'interrompre DOS ?
            je   i9_tsr               ;Oui, lance le programme résident

i9_e1:      mov  tsrnow,TIME_OUT       ;TSR en attente d'activation

i9_end:     pop  ax                                ;Reprend AX

            jmp  [int9_ptr]        ;Se branche sur l'ancien gestionnaire

i9_tsr:     mov  tsractif,1        ;Le TSR va être actif (dans un moment)
            mov  tsrnow,0          ;Pas de délai de lancement
            pushf
            call [int9_ptr]        ;Appelle l'ancien gestionnaire
            pop  ax                                ;Récupère AX
            call start_tsr         ;Lance le programme résident
            iret                   ;retourne au programme interrompu

int09       endp
```

S'il existe une vraie touche d'activation (*sc_code* différent de 128) le scan code livré par le port 60h est examiné. S'il est supérieur à 128, il s'agit d'un code Release qui signale le relâchement d'une touche et non son enfoncement. Dans ce cas le programme se branche sans tarder sur l'ancien gestionnaire, car ce qui nous intéresse ici c'est de détecter une pression sur la touche.

Si une touche est effectivement enfoncée, son code est comparé à *sc_code*. S'il n'y a pas identité, il ne s'agit pas de la touche d'activation et le contrôle est rendu à l'ancien gestionnaire. Mais si le code correspond, il faut tester l'état des touches de commande.

Nous voilà donc revenus à l'étiquette *i9_ks* déjà mentionnée précédemment. L'état courant des touches de commande lu à l'adresse 0040h:0017h du BIOS est comparé à l'état de référence stocké dans la variable *key_mask*. S'il n'y a pas de correspondance, on retourne à l'ancien gestionnaire du clavier qui est chargé de la suite du traitement.

Mais si les touches de commandes attendues ont été activées, c'est le signal du déclenchement du programme résident. Auparavant il faut cependant tester si aucune fonction disque du BIOS ou aucune fonction de l'API de DOS n'est en cours. Si cet obstacle existe, le programme résident n'est pas activé mais le contrôle est rendu à l'ancien gestionnaire du clavier. Mais on fixe auparavant à l'indicateur *tsrnow* la valeur représentée par la constante TIME_OUT. Ainsi aux prochains appels du timer, le programme aura une nouvelle possibilité de se déclencher.

TIME_OUT possède a priori la valeur 9 qui correspond à une demi seconde (le timer est appelé 18,2 fois par seconde). Ainsi vous pouvez y reporter toute autre valeur à votre convenance.

Si rien du côté du BIOS ou de DOS ne s'oppose au déclenchement du programme résident, il faut d'abord appeler l'ancien gestionnaire du clavier (tout comme dans le cas du timer nous avions invoqué son ancienne version). Les deux indicateurs TsrNow et TsrActif sont initialisés de façon qu'aucun autre gestionnaire d'interruption n'ait la malencontreuse idée de déclencher le programme résident. Ce déclenchement se fait en effet tout seul à l'intérieur du gestionnaire de clavier.

35.2.3. Les programmes en langage évolué

Après toutes ces considérations sur les modules en assembleur, je voudrais attirer votre attention sur les programmes en langage évolué TSRP.PAS et TSRC.C qui montrent leur interfaçage. Les deux programmes ont la même structure et ne diffèrent que sur des points de détail auxquels nous nous consacrerons un peu plus tard. Pour l'instant je parlerai des points communs.

Après leur lancement, les programmes exploitent les paramètres de la ligne de commande avec la fonction *ParamGetHotKey*. Les touches d'activation sont introduites par le préfixe "/t". Ce préfixe doit être suivi du nom d'une touche de commande (lshift, rshift, alt, ctrl, etc...) ou d'un numéro de scan code sous forme décimale.

Par exemple pour définir <Majuscule gauche> et <Espace> comme touche d'activation, il faut mettre comme paramètres :

```
/tlshift /t57
```

Si on y ajoute la touche <Alt>, l'ensemble devient :

```
/tlshift /talt /t57
```

L'ordre des paramètres est sans importance.

Comme résultat, *ParamGetHotKey* reporte l'état attendu des touches de commande et le scan code de la touche d'activation dans les deux variables *keymask* et *ScCode* qui lui sont transmises à cet effet.

Si une erreur est détectée à l'exploitation de la ligne de commande, l'exécution du programme est arrêtée avec émission d'un message approprié. Sinon la fonction *TsrIsInst* du module en assembleur teste si le programme est déjà installé. En même temps son code de reconnaissance par le multiplexeur est fixé. La constante I2F_CODE est a priori égale à C4h mais vous pouvez choisir un autre code. Ce sera nécessaire si vous développez plusieurs programmes résidents avec le module en assembleur. Faute de cette précaution, leur code serait le même et il y aurait confusion au niveau du multiplexage.

Si *TsrIsInst* indique que le programme n'est pas encore installé, les variables *Keymask* et *ScCode* sont examinées. Si aucun paramètre /t n'a été fourni sur la ligne de commande, ces variables reçoivent des valeurs par défaut et la routine *TsrSetHotKey* décide de prendre comme touche d'activation <Alt><H>. Sinon la même routine donne la valeur prévue à la touche d'activation.

Il reste alors à appeler la routine *TsrInit* qui rend le programme résident. La procédure résidente communiquée est le programme de haut niveau mais nous verrons cela un peu plus loin.

Si l'appel de *TsrInit* a révélé que le programme était déjà installé, la suite des opérations dépend de l'utilisateur. Si au lancement du programme il a indiqué une touche d'activation, celle-ci est répercutée par *TsrSetHotkey* sur l'exemplaire déjà installé du programme et il n'y a pas de désinstallation. Si aucune nouvelle touche d'activation n'a été communiquée, *TsrCanUninst* teste si l'exemplaire déjà installé peut être retiré de la mémoire. Si tel est le cas, la procédure *TsrUninst* se charge de la désinstallation.

Auparavant une routine en langage évolué est appelée à l'intérieur de l'exemplaire installé pour libérer les ressources internes et afficher un message. Cette routine s'appelle *endfct* (en C) ou *Endprc* (en Pascal).

Elle prend note du nombre d'activations du programme résident tenu à jour dans la variable globale *ATImes*. Chaque fois que le programme résident est déclenché, cette variable est incrémentée par la procédure *Tsr*. Le buffer du clavier est vidé pour retirer la touche d'activation. Puis l'écran du programme interrompu est sauvegardé et l'utilisateur est invité à taper une touche quelconque.

Aussitôt l'écran du programme interrompu est restauré, la procédure résidente est achevée et le programme interrompu reprend son exécution.

Implémentation en C

Par nature un programme résident doit occuper le moins de mémoire possible. C'est pourquoi l'interface en assembleur suppose qu'il a été développé dans le modèle de mémoire SMALL. En modèle SMALL le compilateur de Microsoft et Borland C disposent le code et les données dans deux segments distincts qui ne peuvent pas dépasser 64 Ko. Dans le segment de données se trouvent non seulement les données globales et statiques mais aussi la pile et le tas.

Comme le montre la figure suivante, les deux compilateurs adoptent des organisations différentes. Dans Borland C, la pile est disposée derrière le tas et s'étend de la fin du segment de données jusqu'à l'extrémité du tas. Dans MSC la pile se trouve entre les données globales et le tas. Sa taille est donc prédéterminée dans le cas de MSC alors que dans le cas de Borland C elle varie et dépend de l'espace pris par le tas.

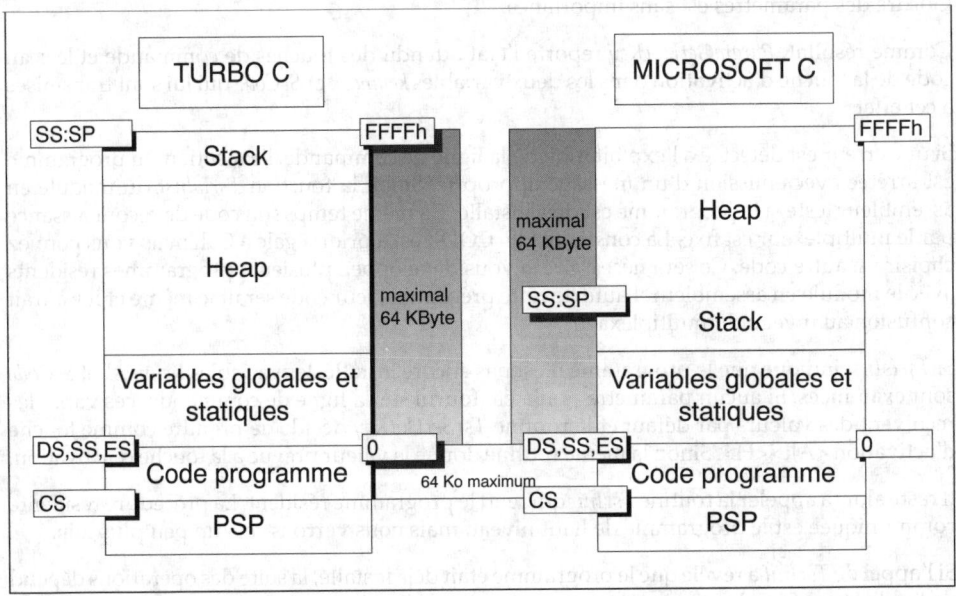

Structure d'un programme en modèle de mémoire SMALL dans Turbo/Borland C et dans MSC

Cette structure n'aurait aucune influence sur l'interface en assembleur si à l'installation du programme nous étions prêts à laisser en mémoire non seulement le code mais aussi les 64 Ko du segment de données. Mais il s'agirait là d'une attitude de gaspillage et comme nous l'avons dit les programmes résidents doivent être économes en mémoire. L'interface en assembleur ne laisse donc en mémoire que la partie du segment des données qui est vraiment nécessaire.

La taille de cet espace dépend de la taille des données (ou plus précisément des objets) qui ont été alloués sur le tas par les fonctions *Calloc* et *Malloc*. Cette taille doit faire l'objet d'une estimation de votre part et être communiquée comme troisième et dernier paramètre à *TsrInit*. Par rapport à la fin du tas occupé jusqu'à présent, on maintient libre le nombre d'octets indiqué qui est ancré en mémoire centrale avec le programme résident.

Ce procédé vous permet de travailler normalement avec les fonctions de manipulation du tas à l'intérieur du programme résident. Mais à vrai dire la permission n'est valable sans restriction que pour le compilateur Turbo Borland C. Comme MSC pour allouer de la mémoire utilise un algorithme qui suppose que la mémoire disponible s'étend jusqu'à la fin du segment de données, il vaut mieux renoncer à ce type d'allocation à l'intérieur du programme résident. Il est préférable d'allouer les buffers et variables nécessaires avant d'appeler *TsrInit* ou de définir les objets comme variables globales.

Le programme d'exemple TSRC.C suit ce principe en allouant les deux buffers nécessaires à l'intérieur de la fonction *main* et en stockant leurs adresses dans des variables globales.

Si on utilise Turbo /Borland C il faut noter une autre particularité. Comme la pile descend de la fin du segment de données de 64 Ko vers le tas, elle se trouve, une fois le segment de données partiellement libéré, en dehors du programme dans une zone de mémoire que DOS peut attribuer à d'autres programmes. Pour que ceci ne pose pas problème, l'interface en assembleur déplace la pile juste à la suite du tas avec une taille fixe de 512 octets donnée par la constante TC_STACK du module TSRCA.ASM.

Dans la plupart des applications cette taille est suffisante mais si vous implantez des gros objets (par exemple des tableaux) comme variables locales, ou si vous les communiquez comme arguments à des fonctions, vous risquez d'avoir des problèmes. Dans ce cas n'hésitez pas à augmenter la taille en modifiant en conséquence la constante TC_STACK.

Le traitement différencié de la pile explique pourquoi il faut indiquer à *TsrInit* si le programme a été développé avec le compilateur de Microsoft ou avec Turbo Borland C. En pratique il n'y a pas lieu de s'en soucier car à l'intérieur du programme en C figure une constante appropriée traitée par le préprocesseur.

Le même type de directive conditionnelle se trouve dans la fonction *GetHeapEnd* qui est invoquée dans le module en assembleur à partir de *TsrInit*. Cette fonction fournit un pointeur FAR référençant l'extrémité du tas occupé. Avec les compilateurs de Borland la même information peut être obtenue par la fonction de bibliothèque SBRK, également disponible jusqu'à la version MSC 6.0 et QuickC 2.5. Lorsque cette fonction n'est plus supportée le tas doit être parcouru par _heapwalk pour détecter le dernier bloc occupé.

Dans la version en C du programme, il faut noter la manière dont les fonctions sont appelées dans l'exemplaire installé du programme résident. Comme nous l'avons déjà évoqué dans l'étude du module en assembleur, il faut d'abord invoquer *TsrSetPtr* qui recueille l'adresse de la routine à appeler et la transmet en vue d'un appel ultérieur de *TsrCall*.

Dans la version en C *TsrSetPtr* renvoie directement un pointeur sur *TsrCall*. On peut ainsi appeler la fonction souhaitée en exploitant directement le résultat de *TsrSetPtr* mais il est nécessaire de procéder à un transtypage pour que le compilateur y retrouve son latin. Examinons tout cela en détail.

Au début du module en C on définit deux types de pointeurs procéduraux appelés OAFP et SHKFP. OAFP pointe sur toute fonction qui n'attend aucun argument et ne renvoie aucun résultat. SHKFP a été conçu spécialement pour les besoins de la routine en assembleur *TsrSetHotKey* :

```
typedef void (*OAFP) (void);
typedef void (*SHKFP) (WORD Keymask, BYTE ScCode);
```

Pour appeler *TsrSetHotKey* par *TsrSetPtr*, il faut écrire :

```
(*(SHKFP) TsrSetPtr(TsrSetHottKey))(Keymask, ScCode);
```

On communique à *TsrSetPtr* l'adresse de la fonction *TsrSetHotKey* sous forme de pointeur FAR. En fait un pointeur NEAR suffirait puisque le segment sera plus tard celui de l'exemplaire déjà installé du programme. Mais les fonctions ainsi appelées doivent être de type FAR sinon elles ne pourraient pas être appelées à partir d'un autre segment de code. Pour éviter l'avertissement émis par le compilateur lorsqu'on transforme un pointeur FAR en NEAR, *TsrSetPtr* prend l'adresse FAR de la fonction à appeler mais n'en utilise que l'offset.

TsrSetPtr retourne l'adresse de *TsrCall* comme un pointeur NEAR. Par transtypage on obtient un pointeur de type SHKFP. Ce n'est qu'à ce prix que les paramètres peuvent être indiqués pour que les compilateurs les déposent sur la pile sans maugréer. *TsrCall* sera appelé par référencement du pointeur ainsi transtypé.

Lorsqu'il intervient, *TsrCall* trouve sur la pile les arguments qui sont en fait destinés à la fonction à appeler? Ces arguments doivent être recopiés sur la pile de l'exemplaire installé du programme résident à cause du changement de pile qui va avoir lieu. La plupart des compilateurs C génèrent un code qui suppose que le registre DS pointe sur le même segment que SS. Si le changement de pile n'était pas effectué, cette hypothèse ne serait plus remplie, et la fonction à appeler ne pourrait pas fonctionner normalement.

Pour appeler des fonctions à partir de l'exemplaire déjà installé du programme résident il faut donc suivre ces deux étapes :

Définir un type de pointeur procédural sur une fonction qui attend les mêmes arguments que la vôtre.

Transmettre l'adresse de cette fonction à *TsrSetPtr*, transtyper le résultat de la fonction avec le pointeur défini précédemment et appeler la fonction avec les arguments souhaités.

TSRC.C   **TSRCA.ASM**

Implémentation en Pascal

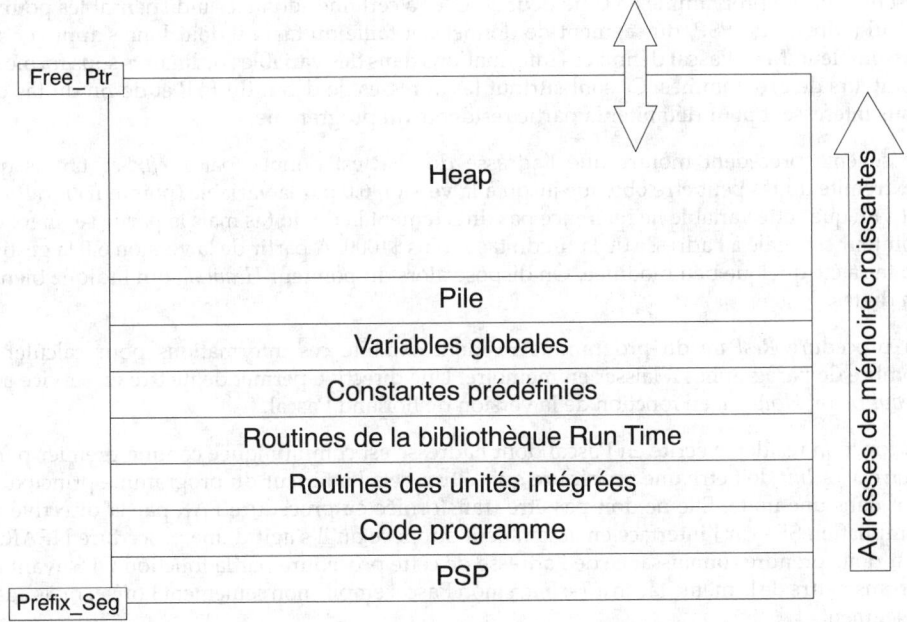

Structure en mémoire d'un programme écrit en Borland-Pascal

La figure précédente montre que le PSP est suivi du code et des routines issues des différentes unités et de la bibliothèque Run Time. Puis viennent les constantes prédéfinies, les données globales et le segment de pile. La taille de ces éléments est fixée au moment de la compilation du programme et ne se modifie plus par la suite quand le programme est chargé en mémoire centrale. Mais la taille du tas qui est contigu au segment de pile n'est pas prédéterminée. Lorsque des objets nouveaux sont créés ou alloués par NEW, le tas croît en direction de l'extrémité de la mémoire, tandis que les désallocations par RELEASE le ramènent du côté de la fin du segment de pile.

Par rapport aux compilateurs C, Pascal offre l'avantage de permettre le réglage de la taille maximale du tas ainsi que celle de la pile par une directive de compilation au sein du code source. Il s'agit plus précisément de la directive $M qui s'utilise de la façon suivante :

```
{$M Taille de la pile, taille minimale du tas, taille maximum du tas }
```

Toutes les indications doivent être exprimées en octets. En écrivant :

```
{$M 2048, 0, 5000}
```

on installe au moment de la compilation une pile de 2 Ko et un tas s'étendant au maximum sur 5000 octets. Si ce type de directive n'est pas mis en place, le tas n'est pas limité et peut aller jusqu'à l'extrémité de la mémoire existante. En conséquence, la totalité de la mémoire devrait être réservée au programme résident ce qui évidemment. Aucun espace ne serait plus disponible pour les autres programmes. Avec la directive $M on peut limiter la taille du programme en mémoire et calculer en conséquence le nombre de paragraphes qui doivent rester résidents.

Là aussi Borland Pascal présente un avantage car le nombre de paragraphes à réserver peut être déterminé dans le programme en Pascal ce qui évite les fastidieuses manipulations en assembleur. Le programme en C ne peut accéder à certaines données indispensables pour ce calcul (adresse du PSP, du segment de données et taille du tas) : il doit donc s'appuyer sur l'assembleur. Mais Pascal définit ces informations dans des variables ordinaires sous forme de pointeurs de programmes. Ce sont surtout les adresses de début du PSP et de fin du tas qui nous intéressent pour délimiter la partie résidente du programme.

Le schéma précédent montre que l'adresse du PSP est donnée par *PrefixSeg* tandis que l'extrémité du tas peut être obtenue jusqu'à la version 6.0 par la variable (pointeur) *FreePtr*. Il est vrai que cette variable ne référence pas directement la fin du tas mais la partie segment du pointeur est égale à l'adresse de la fin du tas moins $1000. A partir de la version 6.0 la gestion du tas a été quelque peu modifiée. On dispose alors du pointeur *HeapEnd* qui indique bien la fin du tas.

La procédure *ResPara* du programme résident exploite ces informations pour calculer le nombre de paragraphes à laisser en mémoire. Une directive permet de mettre en service soit *HeapPtr* soit *HeapEnd* en fonction de la version de Borland Pascal.

La fonction résidente écrite en Pascal dont l'adresse est communiquée comme premier paramètre à *TsrInit* doit être une procédure qui se trouve à l'intérieur du programme principal et non dans une unité. Elle ne doit pas être transformée en procédure FAR par la directive de compilation $F+ car l'interface en assembleur suppose qu'il s'agit d'une procédure NEAR. Il faut donc prendre connaissance de l'adresse de cette procédure par la fonction OFS avant de la transmettre de la même façon à *TsrInit*, sinon Pascal empile non seulement l'offset mais aussi le segment.

Par contre les procédures et fonctions à appeler de l'intérieur du programme résident doivent être de type FAR. Leur appel ne s'écrit pas d'une façon aussi confortable qu'en C car le transtypage des pointeurs de fonction est interdit en Borland Pascal. *TsrSetPtr* ne renvoie pas de résultat et les appels de *TsrSetPtr* et de *TsrCall* ne peuvent pas être combinés.

Dans la version en Pascal il faut déclarer les pointeurs de code qui décrivent les procédures ou fonctions à appeler ainsi que leurs arguments. Comme le montre l'extrait suivant de TSRP.PAS, ces pointeurs s'appellent SAProcT et SHKProcT. SAProcT représente un pointeur qui référence une procédure sans argument, tandis que SHKProcT est créé pour les besoins de la procédure *TsrSetHotKey* :

```
type SAProcT = procedure;
     SHKProcT = procedure( Keymask : word; ScCode  : byte );
     PPtrT = record
         case integer of
             1 : ( SAProc  : SAProcT );
             2 : ( SHKProc : SHKProcT );
         end;
const Call : PPtrT = ( SAProc : TsrCall
```

Les types sont rassemblés dans un enregistrement variable dont les deux composantes s'appellent *OAProc* et *SHKProc*. Pour invoquer les fonctions liées à ces types, on définit une variable globale appelée CAll dont la composante *SAProc* est initialisée par un pointeur sur *TsrCall*.

La procédure ou fonction souhaitée peut être appelée par cette variable pour autant que son offset ait été transmis auparavant à *TsrSetPtr*. Les deux lignes suivantes montrent comment *TsrSetPtr* fixe d'abord *TsrHotKey* comme routine à appeler puis *TsrCall* est appelé avec les arguments destinés à *TsrSetHotkey*.

```
TsrSetPtr(ofs(TsrSetHotKey));
Call.SHKProc( Keymask, ScCode );
```

Ceci est rendu possible parce que le compilateur en voyant la composante SHKProc de Call suppose qu'une telle procédure est vraiment appelée. Mais en réalité c'est *TsrCall* qui est exécuté, avec plus de facilités d'ailleurs pour gérer la pile que son pendant en C.

Car les programmes en Pascal ne supposent pas a priori que le segment de données est égal au segment de pile. Ainsi à l'appel de la procédure ou de la fonction dans l'exemplaire déjà installé du programme a pile de l'exemplaire en cours d'exécution peut rester active.

TSRP.PAS   **TSRPA.ASM**

35.2.4. Quelques conseils pour terminer

Ce chapitre a montré combien il était simple de développer des programmes en langage évolué, lorsque les routines de base étaient écrites en assembleur. Malgré tout la mise au point de programmes résidents reste un travail délicat, même s'il présente le charme des défis.

Il faut respecter certaines règles qui tiennent au caractère particulier des programmes résidents. Le mieux est de développer d'abord le programme comme un programme ordinaire à lancer à partir de la ligne de commande de DOS ou de l'environnement intégré du compilateur.

Pour effectuer le moins de transformations possibles par la suite, on peut déjà prévoir distinctement la routine d'initialisation et la routine proprement résidente qui sera déclenchée par la touche d'activation.

Contrairement à la version résidente, on appelle explicitement ces routines dans la procédure (ou fonction) principale du programme sans les faire dépendre de la touche d'activation.

On développe et on teste complètement le programme sous cette forme. Ce n'est que lorsqu'il sera sans erreur qu'on entreprendra la transformation en programme résident. En effet la recherche des erreurs d'un programme résident est très difficile voire impossible même avec un débogueur.

La transformation proprement dite est relativement simple, il suffit d'inclure la partie en assembleur et d'en appeler les fonctions. Le détail de l'opération est expliqué dans le cadre des programmes d'exemple qui présentent tous les appels de fonctions nécessaires.

36. Mode protégé, DOS-Extender, DPMI/VCPI

Le mode protégé du 80286 et de ses successeurs s'est inexorablement frayé son chemin dans le monde de DOS, un monde qui par principe ne pouvait lui être qu'hostile. DOS est *et* reste fondamentalement un système d'exploitation qui fonctionne en mode dit réel, qui n'a rien à voir avec le mode protégé. La même observation s'applique au BIOS du PC qui est en ROM et qui a été conçu pour être exécuté en mode réel : en cas de déclenchement du mode protégé le premier appel au BIOS entraîne inévitablement un plantage du système.

Mais les véritables capacités de processeurs comme le 80386 et l'i486 ne se révèlent qu'en mode protégé. Il n'est donc guère étonnant que de nombreux éditeurs de logiciels aient recherché un moyen de rendre opérationnel le mode protégé sous DOS. Il en a résulté des émulateurs EMS, des programmes de gestion de la mémoire, des DOS-Extenders et des gestionnaires d'exploitation multitâche qui à son insu placent DOS sous le contrôle d'un système en mode protégé.

Ce chapitre va décrire le fonctionnement de ces logiciels.

36.1. Le mode protégé

John Crawford, l'un des développeurs en chef de la société Intel, s'est souvent emporté contre l'industrie micro-informatique. C'est sous son autorité que les processeurs 80286, 80386 et i486 ont été pourvus de possibilités riches d'avenir. Mais l'utilisateur n'en a guère profité jusqu'ici faute de système d'exploitation capable de les exploiter. Or le mode protégé des processeurs a justement été inventé pour permettre le développement de systèmes d'exploitation multitâche.

C'est en 1982 déjà que le 80286 a été introduit avec le mode protégé. Mais le monde de DOS était et reste dans l'incapacité d'en tirer profit. DOS en effet est basé sur l'antique mode réel et le système ne serait plus DOS si on le réécrivait pour le mode protégé. Près de dix ans auront passé jusqu'à ce que le mode protégé soit réellement exploité avec l'introduction de la version 32-bits de Windows et l'apparition de la version 2.0 d'OS/2. Dans l'intervalle, il faudra se contenter de solutions intérimaires, telles qu'elles s'expriment par exemple à travers les modes standard et étendu de Windows 3.

Pour vous préparer à l'avenir et pour les besoins des chapitres suivants, le présent chapitre sera consacré au fonctionnement du mode protégé et de son environnement comparé au mode réel. Nous supposerons que vous êtes familier de ce dernier.

36.1.1. Caractéristiques d'un système multitâche

Avant d'étudier le mode protégé, il est indispensable d'approfondir les conditions de son introduction. En d'autres termes, il s'agit d'examiner la structure et les besoins des systèmes d'exploitation multitâches en liaison avec les possibilités du processeur sous-jacent.

Lorsqu'on parle de système multitâche, la plupart des utilisateurs pensent à l'exécution simultanée de plusieurs programmes (appelés tâches). Mais l'exécution en parallèle ne concerne pas seulement des programmes indépendants mais également des modules à l'intérieur de chacun de ces programmes. Prenez l'exemple d'un traitement de texte qui procède à une impression en tâche de fond tout en autorisant la poursuite de la saisie. Nous avons là deux tâches au sein d'un même programme.

Cette exécution en parallèle suppose une coexistence harmonieuse des tâches en cours, chacune d'elles se gardant bien d'empiéter sur la mémoire gérée par l'autre car aucune n'est seul maître à bord de la mémoire centrale. Les tâches doivent être isolées les unes des autres, le système

d'exploitation devant lui aussi être protégé contre l'incursion des programmes et de leurs différentes tâches. C'est pour cela qu'on qualifie le mode de "protégé".

Caractéristiques d'un processeur indispensables au support d'un système multitâche

Protection réciproque des tâches et du système d'exploitation contre l'écriture dans des zones de mémoire étrangères.

Gestion de la commutation des tâches, notamment pour sauver et restaurer l'environnement d'une tâche.

Définition d'un statut privilégié pour le système d'exploitation permettant l'exécution de certaines instructions machine réservées.

Soutien d'une gestion de la mémoire virtuelle.

Nous étudierons plus loin l'isolement des zones mémoire. Mais retenons dès à présent que cet isolement est la première condition requise pour qu'un système d'exploitation puisse être multitâche, même si le processeur n'a pas besoin de spécialisation sous ce rapport.

Multitâche

L'exécution simultanée de plusieurs programmes dans un système multitâche demeure une illusion si l'électronique sous-jacente ne repose pas sur plusieurs processeurs travaillant en parallèle. Dans la micro-informatique traditionnelle, les PC ne disposent évidemment que d'un seul processeur, abstraction faite de quelques rares cas particuliers d'ordinateurs multiprocesseurs. Le mode multitâche revient donc à répartir le temps de traitement sur plusieurs tâches de façon qu'elles ne consomment qu'une fraction de seconde.

Par exemple avec trois tâches, la première prendra 1/3 de seconde, la deuxième 1/3 de seconde et la troisième le tiers restant. Une fois la boucle bouclée, le contrôle est rendu à la première tâche, et ainsi de suite.

C'est ce qu'on appelle le multitâche préemptif, fondé sur le découpage du temps en petites tranches ("time-slicing"). Le système intervient sans ménagement sur chacune des tâches en stoppant brutalement son déroulement pour donner la main à une autre. Pour la tâche interrompue, le processus doit être transparent car elle ne peut pas savoir d'avance à quel moment aura lieu l'interruption.

Le système d'exploitation est donc responsable pour que l'exécution se fasse sans bavure : après chaque interruption les choses doivent reprendre comme si rien ne s'était passé. L'environnement d'une tâche donnée doit donc être minutieusement sauvegardé au moment de l'interruption et être rétabli par la suite. Les données concernées sont les ressources système telles que la mémoire et les fichiers traités mais aussi les registres du processeur qui ne doivent pas se trouver altérés.

La sauvegarde et la restauration de l'environnement constituent une activité essentielle pour un système multitâche. Il n'est pas absolument nécessaire que le processeur soit accompagné de périphériques spéciaux mais lorsque c'est le cas les choses se trouvent accélérées par rapport à un traitement purement logiciel. Il ne faut pas oublier que l'illusion de simultanéité des exécutions exige des commutations de tâches nombreuses et rapprochées, ce qui exclut que le système passe trop de temps à assurer précisément la gestion de ces commutations.

Le soutien de ces commutations est la deuxième exigence requise pour faire fonctionner un système multitâche.

Traitement privilégié du système d'exploitation

La troisième exigence concerne la définition d'un statut privilégié pour le système d'exploitation qui doit pouvoir exécuter certaines instructions machines interdites aux tâches. C'est ainsi que les instructions qui servent à commuter les tâches ou à changer le mode de fonctionnement du processeur ne doivent être qu'à la seule disposition du système. Si une tâche prenait l'initiative de déclencher le mode réel alors que le processeur tourne en mode protégé, les conséquences seraient évidemment catastrophiques.

Mais tout comme l'accès à des zones interdites de la mémoire, le non-respect de ces dispositions ne doit pas entraîner le plantage du système tout entier, mais seulement l'appel d'une commande système spéciale. S'il n'est pas possible de corriger l'erreur à ce stade, le système doit mettre fin au programme litigieux et le retirer de la mémoire. Les autres programmes, qui n'y sont pour rien dans l'incident, ne doivent pas être pénalisés pour autant. Une gestion des erreurs programmable constituera ainsi la quatrième exigence d'un système multitâche.

Mémoire virtuelle

Pour terminer, le processeur devra apporter son aide à la gestion de la mémoire. Lorsqu'augmentent le nombre et la complexité des programmes exécutés simultanément, les besoins en mémoire s'accroissent et ne peuvent pas toujours être satisfaits par la mémoire physique présente. Le système d'exploitation doit donc être en mesure de mettre à la disposition des programmes plus de mémoire qu'il n'en existe réellement. En fait, l'intégralité de la mémoire n'est pas constamment utilisée, et il est possible de stocker sur disque les parties inactives jusqu'à ce qu'elles soient de nouveau réclamées par un programme. Pour déterminer les zones de mémoire qui ne sont pas indispensables et qui peuvent être temporairement transférées sur disque, ainsi que celles qui doivent être rapatriées de toute urgence, il est préférable de s'appuyer sur certaines caractéristiques du processeur, sans quoi on est obligé de passer par des artifices logiciels coûteux en temps d'exploitation.

Les sections suivantes vont montrer comment appliquer pratiquement ces exigences. Nous commencerons par une description du mode protégé du 80286. Puis nous étudierons le mode protégé des processeurs 80386 et i486, qui sont compatibles avec le 80286 mais présentent des améliorations très importantes. Vous verrez que les processeurs mentionnés sont très puissants en mode protégé, mais que la programmation de ce mode n'est pas simple et doit s'appuyer sur une logique interne très complexe.

En contrepartie de cette complexité, il faut payer un certain prix car les processeurs d'Intel fonctionnent plus lentement en mode protégé qu'en mode réel. Pourquoi ? C'est ce que nous verrons un peu plus loin.

36.1.2. Le mode protégé du 80286

Les programmeurs familiarisés avec l'assembleur en mode réel sous DOS mais peu au courant du mode protégé se demandent souvent dans quelle partie de l'assembleur se révèle la différence entre les deux modes. Est-ce que par exemple en mode protégé le processeur ne connaîtrait plus des instructions aussi banales que JMP, PUSH ou MOV, est-ce que d'autres instructions viennent les remplacer, est-ce que les instructions habituelles fonctionnent différemment ? Les programmeurs expriment ainsi leur inquiétude de voir surgir devant eux un autre processeur à partir du moment où ils déclenchent le mode protégé. Ne se trouveraient-ils pas entraînés dans un monde où les certitudes acquises se dérobent, où toutes choses ont un comportement nouveau ?

Mais évidemment il n'en est rien. Toutes les instructions du mode réel restent valables en mode protégé et seules quelques instructions en nombre limité viennent s'y rajouter. S'il est vrai que certaines instructions fonctionnent différemment, les nouveaux mécanismes sont la plupart du temps invisibles pour le programmeur qui travaille en assembleur. Car les modifications s'effectuent sur le plan interne. Il s'agit principalement de l'adressage de la mémoire, autrement dit du chargement des adresses de segment dans le registre de segment, de la formation des pointeurs FAR et de leur codage dans les instructions de branchement et d'appel aux sous-programmes. Dans ce domaine le mode protégé suit des voies toutes nouvelles. Mais nous allons commencer par jeter un coup d'oeil sur les registres du 80286, et plus spécialement sur ceux qui gèrent le mode protégé.

Les registres du 80286

Par rapport aux registres du 8086, de nouveaux registres ont été ajoutés comme vous le voyez sur la figure suivante. Ces registres sont également disponibles en mode réel mais ils n'ont alors aucune signification, ce qui explique que vous ne vous en soyez jamais préoccupé. Certains d'entre eux, par exemple GDTR, LDTR et IDTR doivent être chargés avant tout déclenchement du mode protégé. Le système se plante sans délai s'ils ne sont pas correctement initialisés lors du fonctionnement en mode protégé. Le rôle précis de ces registres dans la programmation du mode protégé sera étudié dans les sections qui suivent.

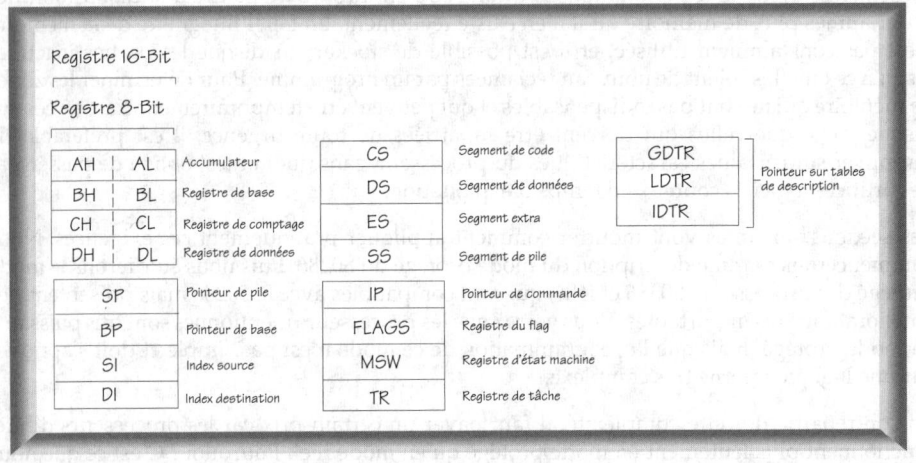

Les registres du 80286 en mode protégé

Les programmeurs qui pratiquent l'assembleur connaissent bien le registre des indicateurs qui joue un rôle clé pour beaucoup d'instructions (comparaisons, branchements). Sa signification est la même en mode protégé qu'en mode réel, la position des différents bits étant conservée. Il s'y ajoute cependant deux bits supplémentaires appelés IOPL et NT. L'indicateur IOPL sera étudié dans la partie consacrée à l'accès au matériel, tandis que l'indicateur NT sera examiné au moment de l'étude de la commutation de tâche.

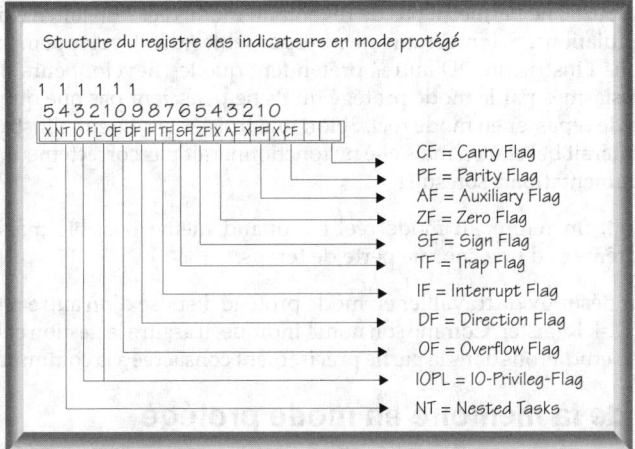

Stucture du registre des indicateurs en mode protégé

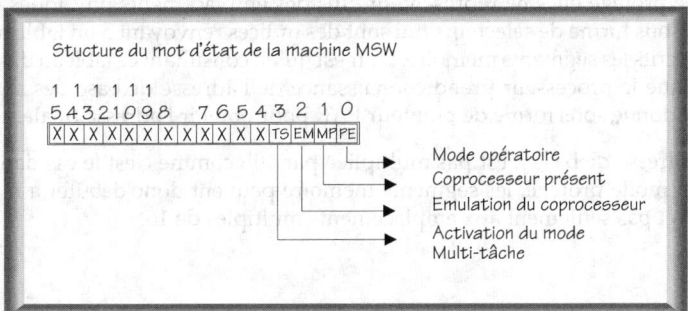

Stucture du mot d'état de la machine MSW

Déclenchement du mode protégé

Le registre appelé MSW (Machine Status Word = mot d'état machine) est aussi une sorte de registre d'indicateurs car les différents bits qui le constituent décrivent l'état ("statut") du processeur. Des seize bits présents le 80286 n'en exploite cependant que quatre, ceux dont le poids est le plus faible. Les bits 1, 2 et 3 assurent la liaison avec un coprocesseur arithmétique, ce qui ne nous intéresse pas dans le cadre de ce chapitre. Mais le bit 0 est autrement important pour nous : il constitue en effet la clé d'accès au mode protégé. Au moment de l'initialisation du processeur, il est mis automatiquement à zéro, ce qui signifie que le mode par défaut est le mode réel. Mais si un programme charge la valeur 1 dans ce bit, le processeur fonctionne aussitôt en mode protégé.

Hélas il n'est pas possible de ramener le 80286 en mode réel en remettant ce même bit à zéro. Cette particularité a causé bien du tracas aux développeurs et elle a alimenté d'innombrables rumeurs et anecdotes. En effet les programmes DOS comme les DOS-Extenders et les émulateurs EMS ont toujours besoin, à un moment ou à un autre, de revenir au mode réel pour que l'utilisateur puisse continuer son travail sous DOS. Comme le 80286 n'a pas d'instruction pour remettre à zéro le bit PE du MSW, on en est réduit à des solutions du type radical, par exemple en déclenchant une réinitialisation complète (Reset) du processeur ce qui remet effectivement en route le mode réel. Normalement ce genre de mesure entraîne aussi la réinitialisation du BIOS en ROM ainsi que l'effacement intégral de la mémoire vive : il s'agit donc de contrecarrer ces débordements en mettant en service des astuces plus ou moins heureuses.

Mais pourquoi le 80286 ne permet-il pas de revenir au mode réel ? En fait, il existe à ce sujet de nombreuses spéculations. Selon certains, les responsables du développement du 80286 ont simplement oublié l'instruction. D'autres prétendent que les développeurs du 80286 ont été tellement enthousiasmés par le mode protégé qu'ils ne pensaient pas que quelqu'un éprouve un jour le besoin de repasser en mode réel. Selon une troisième rumeur, l'instruction de retour au mode réel existerait bel et bien mais elle ne fonctionnerait pas correctement, ce qui explique l'absence de documentation à son sujet.

Quoi qu'il en soit, un retour au mode réel est quand même possible mais au prix d'une complication extrême et d'une énorme perte de temps.

Le programmeur désireux de travailler en mode protégé dispose d'un autre registre spécialisé appelé TR pour Task Register. Comme son nom l'indique, il assure la gestion et la commutation des tâches. Nous l'étudierons dans la partie précisément consacrée à la commutation des tâches.

La gestion de la mémoire en mode protégé

En mode réel le programmeur dispose de l'intégralité de l'espace d'adressage de 1 Mo. Une fois qu'il a chargé dans l'un des quatre registres de segment une adresse de segment comprise entre 0000h et FFFFh, il peut librement fouiller dans la partie résidente de COMMAND.COM, effacer des variables appartenant au BIOS ou modifier des entrées dans la table des vecteurs d'interruption : le plantage est presque toujours garanti.

En mode protégé il faut renoncer à ce genre de distraction car le simple chargement incontrôlé d'une adresse de segment dans l'un des registres de segment conduit déjà à une protestation du processeur. Il est vrai qu'il ne se mettra pas en grève mais il générera un appel dit d'exception dont nous parlerons plus loin. Le système d'exploitation reprendra le contrôle et il punira le programme qui s'est mal comporté en y mettant fin. C'est cela, le mode protégé !

Un tel comportement s'explique par le fait que les adresses de segment ont toujours 16 bits mais en mode protégé elles ne représentent plus des emplacements physiques. Les adresses sont données sous forme de sélecteurs qui sont des indices renvoyant à un tableau dans lequel se trouvent décrits les segments mémoire. Ce n'est qu'en consultant ce tableau des descripteurs de segments que le processeur prend connaissance de l'adresse de base des segments. Il lui ajoute l'offset donné sous forme de pointeur FAR pour obtenir l'adresse finale.

Notez que l'adresse de base n'est pas multipliée par 10h comme c'est le cas dans le calcul en mode réel. En mode protégé, les segments mémoire peuvent donc débuter à n'importe quel emplacement et pas seulement aux emplacements multiples de 16.

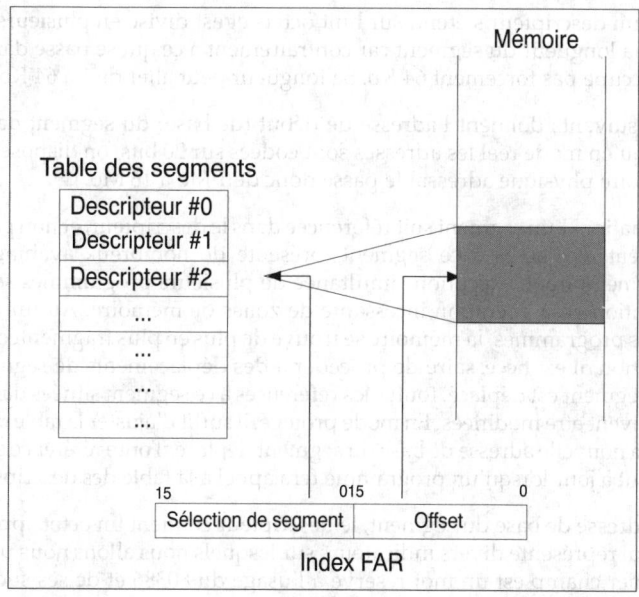

Accès mémoire en mode protégé avec sélecteur de segment et offset

La table des descripteurs associe une adresse virtuelle (sélecteur de segment:offset) à une adresse linéaire (adresse de base issue du sélecteur + offset). Pour le 80286, l'adresse linéaire est en même temps l'adresse physique, c'est-à-dire en fin de compte l'adresse concrète finale. Avec les processeurs 80836 et 80486 le système est plus compliqué. L'adresse linéaire doit encore subir une transformation avant de livrer l'adresse physique. Mais nous verrons ce point plus tard. La figure précédente ne mentionne pas la structure des descripteurs de segment à l'intérieur de la table des descripteurs. Chaque descripteur contient en effet d'autres informations que la simple adresse de départ. La figure suivante montre la structure complète d'un descripteur.

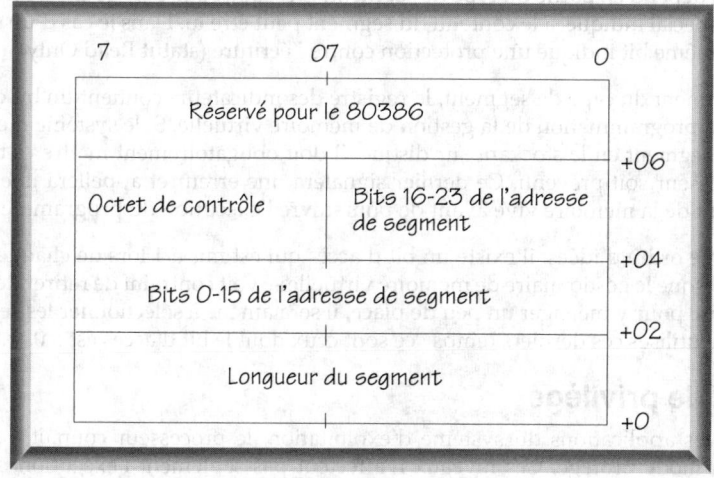

Structure d'un descripteur de segment

Vous voyez qu'un descripteur s'étend sur huit octets et est divisé en plusieurs champs. On y trouve d'abord la longueur du segment car contrairement à ce qui se passe dans le mode réel un segment n'occupe pas forcément 64 Ko. Sa longueur peut aller de 1 à 64 Ko.

Les trois octets suivants donnent l'adresse de début (de base) du segment dans la mémoire centrale. Alors qu'en mode réel les adresses sont codées sur 20 bits, on dispose maintenant de 24 bits. La mémoire physique adressable passe donc de 1 Mo à 16 Mo.

Le fait que la situation d'un segment soit référencée dans le descripteur, et non par les pointeurs FAR qui résultent de l'accès à ce segment, présente de nombreux avantages pour gérer efficacement la mémoire. L'exécution simultanée de plusieurs programmes se caractérise en effet par l'allocation et la libération incessante de zones de mémoire. Au fur et à mesure du déroulement des programmes, la mémoire se trouve de plus en plus fragmentée. Pour prévenir cette fragmentation, il est nécessaire de procéder à des déplacements de segments. En mode réel, lorsqu'un segment est déplacé, toutes les références à ce segment situées dans les programmes en cours doivent être modifiées. En mode protégé, il suffit d'ajuster la table des descripteurs en y inscrivant la nouvelle adresse de base du segment déplacé. Toute référence au segment sera automatiquement à jour lorsqu'un programme fera appel à la table des descripteurs.

A la suite de l'adresse de base du segment, le descripteur contient un octet appelé registre des indicateurs et qui représente divers indicateurs sur lesquels nous allons nous pencher dans un instant. Le dernier champ est un mot réservé à l'usage du 80386 et de ses successeurs et qui doit être à zéro pour un 80286. Nous étudierons ce point dans la partie consacrée à la programmation des processeurs 80386 et i486 en mode protégé.

Les différents types de segments

Le mode protégé connaît trois types de segments : les segments de données, les segments de code et les segments système. Les segments de données sont destinés à recevoir des données et à être relus, il n'est pas possible d'y exécuter des programmes. Inversement les segments de code sont réservés à des instructions exécutables. Le troisième type, les segments système, recouvre en fait plusieurs catégories de segments essentiellement destinés à gérer le mode protégé. Il en sera question un peu plus loin.

En plus du type de segment, le registre des indicateurs contient d'autres attributs dont la signification dépend en partie du type de segment. C'est ainsi que dans le cas d'un segment de code un bit spécial indique si le contenu du segment peut être lu. Dans le cas d'un segment de données, le même bit indique une protection contre l'écriture (statut Read Only).

Indépendamment du type de segment, le registre des indicateurs contient un bit de présence qui facilite la programmation de la gestion de mémoire virtuelle. Si le système d'exploitation expatrie un segment en le stockant sur disque, il doit obligatoirement mettre ce bit à 0 pour que le processeur soit prévenu. Ce dernier signalera une erreur et appellera une routine de rechargement de la mémoire vive avant de poursuivre l'exécution du programme.

Dans le même ordre d'idées, il existe un bit d'accès qui est mis à 1 lors de chaque accès à un segment. Lorsque le gestionnaire de mémoire virtuelle se voit contraint de retirer des segments de la mémoire pour y ménager un peu de place, il sera amené à sélectionner les segments qui n'ont pas été utilisés ces derniers temps : ce sont ceux dont le bit d'accès est à 0.

Niveaux de privilège

Pour isoler les applications du système d'exploitation, le processeur connaît 4 niveaux de privilège en mode protégé. Ces niveaux n'affectent pas seulement l'exécution de certaines instructions, ils servent aussi à réglementer l'accès aux segments mémoire. Ils se caractérisent par un numéro compris entre 0 et 3, le niveau 0 représentant le privilège maximal. S'il s'agissait simplement de faire la distinction entre applications et système, deux niveaux suffiraient. Mais le système d'exploitation lui-même est composé de plusieurs modules qui n'ont pas la même importance (seul DOS ne connaît pas ces raffinements). Le privilège le plus élevé est attribué au noyau du système qui surveille la gestion de la mémoire et la commutation des tâches. Le niveau de ce module est donc 0.

Le niveau 1 concerne les différentes fonctions système appelées par les applications et les utilitaires d'exploitation. Les primitives de gestion des fichiers, les routines d'affichage et les drivers d'imprimantes se rattachent à ce même niveau de privilège.

Au niveau suivant, qui porte le numéro 2, on trouve les extensions du système d'exploitation qui reposent sur les fonctions de niveau 1. Dans le cas du système OS/2, il s'agit par exemple du serveur SQL ou du LAN Manager (gestionnaire de réseau local).

Au privilège le plus bas, c'est-à-dire de niveau 3, se situent les applications qui se déroulent sous le contrôle du système d'exploitation. C'est justement parce qu'ils sont moins privilégiés que le système qu'ils peuvent être contrôlés par ce dernier (et non vice-versa).

La hiérarchie des niveaux de privilège est généralement illustrée sous forme de cercles concentriques, comme le montre la figure. Au coeur de l'ensemble se tient le noyau du système. Quand on part ainsi du niveau zéro, les privilèges diminuent lorsqu'on s'éloigne du centre, à mesure que l'on se rapproche des applications et de l'utilisateur.

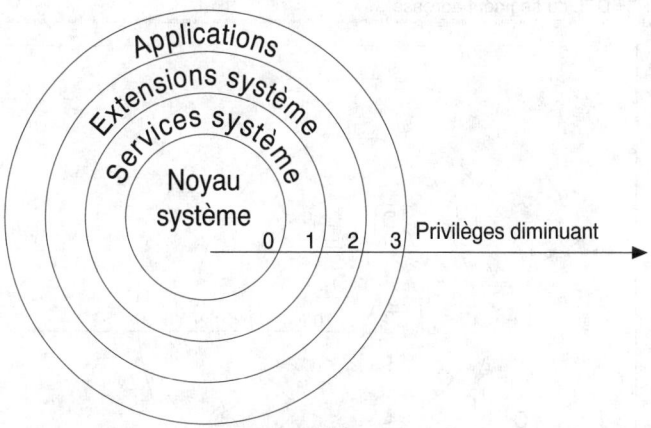

Les quatre niveaux de privilège du 80286 et de ses successeurs

Les niveaux de privilège jouent un rôle crucial lorsque des accès mémoire portent sur des segments étrangers ou lorsqu'une exécution donne lieu à un changement de segment.

Il faut alors éviter qu'une application vienne par exemple mettre son nez dans le noyau du système ou que son exécution soit transférée à un autre point d'entrée.

Le processeur effectue alors une comparaison des niveaux de privilège et signale une erreur lorsqu'une tâche essaye d'accéder à un segment plus prioritaire. Les bases de cette comparaison sont stockées dans les sélecteurs et les descripteurs de segments qui contiennent tous deux une information sur le niveau de privilège.

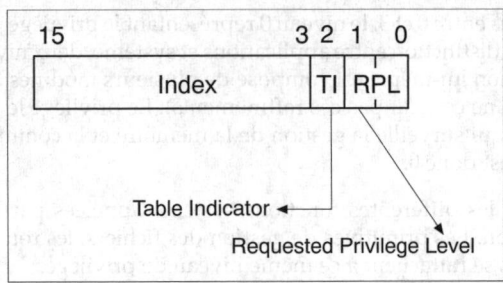

Structure d'un sélecteur de segment en mode protégé

Comme le montre la figure, les deux bits inférieurs de chaque sélecteur de segment contiennent le RPL = "Requested Privilege Level".

Par ailleurs le processeur dispose encore de deux autres sources d'information appelées CPL et DPL. La signification de ces indicateurs est donnée par la table suivante :

DPL (Descriptor Privilege Level)
Niveau de privilège de la tâche en cours d'exécution. Il est tiré du descripteur de segment de code courant. Le sélecteur de ce descripteur de segment est issu du registre CS.

RPL (Requested Privilege Level)
Niveau de privilège mémorisé à l'intérieur d'un sélecteur. Il correspond toujours au niveau de privilège du segment référencé par le descripteur.

On a donc : RPL= DPL du segment adressé

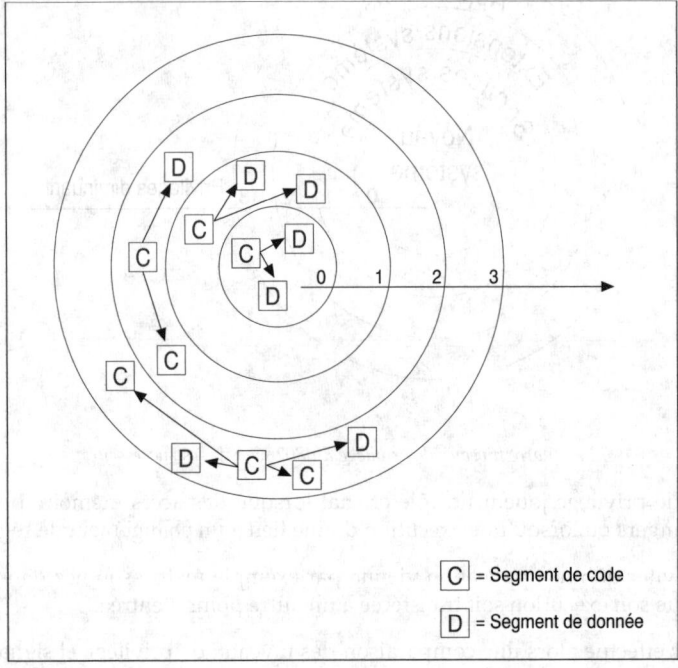

Accès autorisés aux données et au code

En principe on peut dire que l'accès aux données et aux instructions (branchements et appels de sous-programmes) est autorisé lorsque

```
CPL=DPL
```

autrement dit le segment de code doit avoir le même niveau de privilège que les instructions ou les données adressées. Si les niveaux diffèrent, le système applique diverses règles selon la nature des accès.

Accès aux données

Les accès aux données suivent la règle :

```
CPL <= DPL
```

Une tâche ne peut pas exploiter un segment de données qui possède un privilège supérieur au sien. Une application est donc dans l'impossibilité d'accéder aux segments de données du système d'exploitation, mais inversement le système peut par exemple déposer des informations dans un buffer géré par une application.

Cette règle entre en jeu à partir du moment où un sélecteur référençant un segment de données est chargé dans l'un des registres DS ou ES. Si elle est violée, le processeur arrête l'exécution de la tâche en cours et déclenche une exception en appelant une routine de gestion spécialisée dans le traitement de cette erreur.

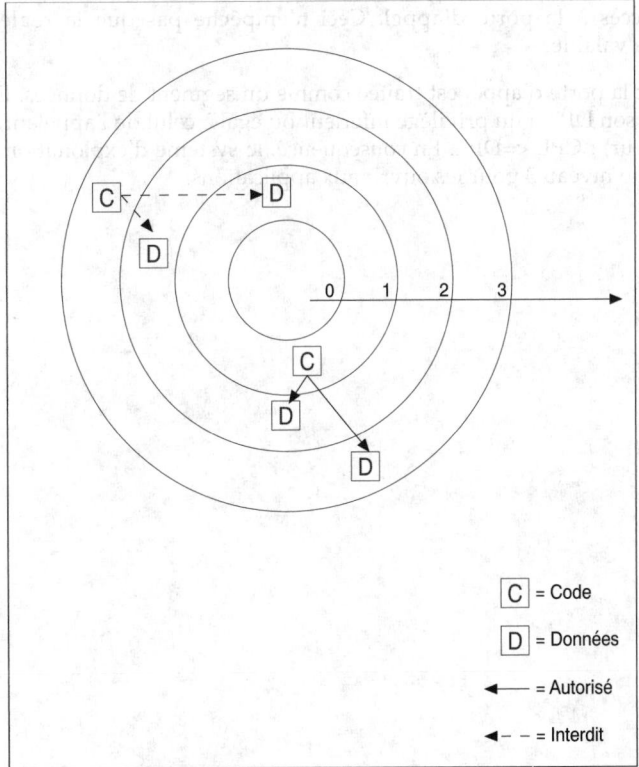

Accès aux données interdits et autorisés en mode protégé

Accès au code et portes d'appel (call gates)

Le processeur est encore plus restrictif pour les accès au code, c'est-à-dire dans le traitement des instructions JMP et CALL. Les branchements et appels de sous-programmes ne sont permis que si le segment de destination se trouve au même niveau de privilège que le code appelant. Cette règle a évidemment pour but d'empêcher des exécutions incontrôlées.

Mais alors comment une application peut-elle faire appel aux fonctions du système d'exploitation, ces dernières étant par définition situées à un niveau de privilège supérieur ? La réponse est donnée par des instruments spécialement créés à cette intention, les call-gates ou portes d'appel. Ce sont des descripteurs de segment spéciaux (descripteurs système) qui occupent cependant huit octets comme les autres descripteurs et se rangent comme eux dans la table des descripteurs. Mais contrairement aux descripteurs de segments de données et de code, ils ne définissent pas un segment mémoire mais un point d'entrée dans une routine dont le segment de code peut avoir un privilège de plus haut rang que l'appelant.

Ce segment est déterminé sous la forme d'un sélecteur tout à fait banal à l'intérieur du descripteur de la porte d'appel mais il doit évidemment s'agir d'un segment de code. Mais en plus de l'adresse du segment, le sélecteur indique aussi l'offset, c'est-à-dire le point d'entrée dans la routine. On évite ainsi qu'un branchement conduise à l'exécution de n'importe quelle partie du code segment. Sinon il serait trop facile de violer les principes des règles d'accès.

Comme la porte d'appel mémorise l'offset de la routine, l'offset indiqué dans l'instruction CALL proprement dite perd sa signification : il est alors simplement ignoré et le sélecteur seul dirige l'accès à la porte d'appel. Ceci n'empêche pas que la réglementation des privilèges reste valable.

Sous ce rapport la porte d'appel est traitée comme un segment de données. Elle ne peut être adressée que si son DPL a un privilège inférieur ou égal à celui de l'appelant (c'est-à-dire un numéro supérieur) : CPL <=DPL. En conséquence, le système d'exploitation doit mettre ses portes d'appel au niveau 3 pour les ouvrir aux applications.

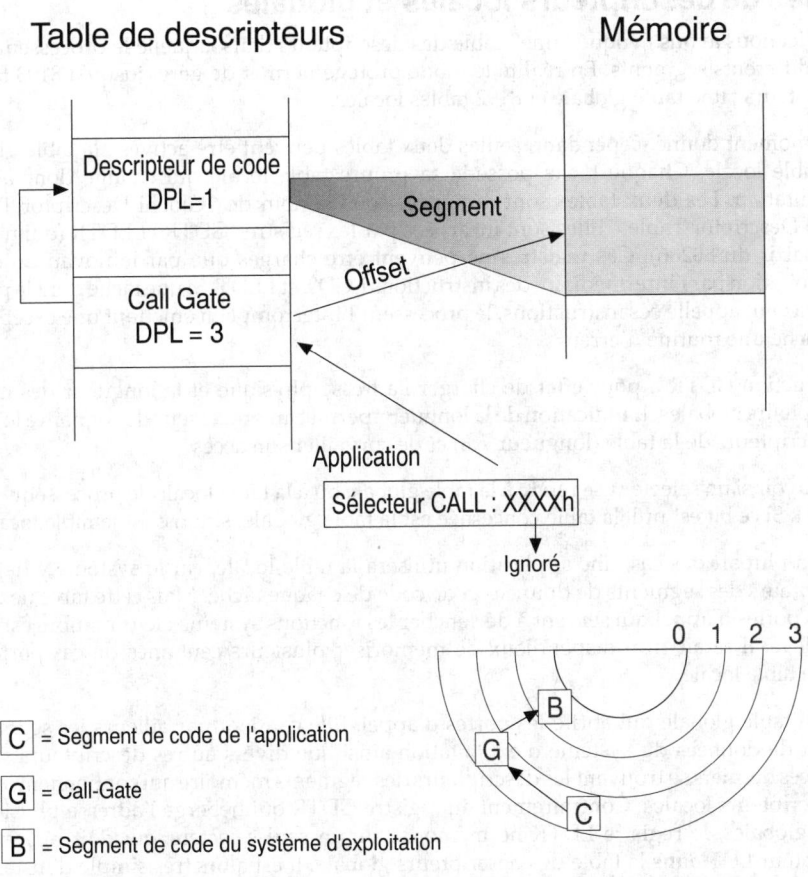

Table de descripteurs   Mémoire

Descripteur de code
DPL=1

Segment

Call Gate
DPL = 3

Offset

Application

Sélecteur CALL : XXXXh

Ignoré

0 1 2 3

B

G

C

C = Segment de code de l'application

G = Call-Gate

B = Segment de code du système d'exploitation

Déclenchement d'une routine système par l'intermédiaire d'une porte d'appel

Un système d'exploitation se voit donc contraint d'offrir des portes d'appel pour que des programmes externes puissent profiter de ses fonctions. Les programmes ne connaissent jamais l'adresse des routines appelées mais peuvent lire les sélecteurs de segment concernés.

Dans le même ordre d'idées, il existe des segments spéciaux appelés conforming segments (segments adaptables). Ce sont des segments de code ordinaires dont le descripteur se caractérise simplement par un bit spécial du registre des indicateurs. Les segments de code ainsi repérés adaptent automatiquement leur privilège à celui du programme appelant.

Lorsqu'une application appelle par exemple une fonction système mémorisée dans un segment adaptable, le code concerné prend le niveau de privilège de l'appelant, passant donc de 0 (niveau système) à 3 (niveau de l'application). Ce mécanisme revient à considérer certaines fonctions système comme des prolongements purs et simples des applications, sans privilège particulier.

Tables de descripteurs locales et globales

Jusqu'ici nous avons évoqué "une" table des descripteurs dans laquelle le processeur mémorisait différents segments. En réalité le mode protégé permet de gérer jusqu'à 8193 tables de descripteurs : une table globale et 8192 tables locales.

A un moment donné, cependant, seules deux tables peuvent être actives : la table globale et une table locale. Chaque tâche possède sa propre table locale qui change donc à chaque commutation. Les deux tables sont désignées sous le nom de "Global Descriptor Table" et "Local Descriptor Table". Elles sont incarnées par les registres GDTR et LDTR (qui n'existent qu'à partir du 80286). Ces registres ne peuvent être chargés que par le noyau du système d'exploitation par l'intermédiaire des instructions LGDT et LLDT. Si une tâche dont le privilège n'est pas nul appelle ces instructions, le processeur l'interrompt en émettant une exception qui déclenche une routine d'erreur.

L'instruction GDTR a pour effet de charger l'adresse physique et la longueur des tables de descripteurs globales. L'indication de la longueur permet au processeur de connaître le nombre de descripteurs de la table (longueur / 8) et de surveiller son accès.

Pour savoir si un sélecteur se réfère à la table globale ou à la table locale, le processeur examine le bit TI. Si ce bit est nul, la table concernée est la table globale, sinon c'est la table locale.

Dans la plupart des cas, une application utilisera la table locale, car le système y dépose les descripteurs des segments de données et de code de chaque tâche. Mais cette table ne contient pas les portes d'appel qui servent à déclencher les fonctions système : leur nombre est en effet trop élevé, il serait trop dispendieux de mémoriser plusieurs centaines de ces portes dans chaque table locale.

C'est la table globale qui abrite les portes d'appel. Elle contient par ailleurs les segments de code et de données du système d'exploitation ainsi que divers autres descripteurs système. Parmi ces derniers se trouvent les descripteurs des segments mémoire qui contiennent les tables de descripteurs locales. Contrairement au registre GDTR qui héberge l'adresse physique des tables globales, le registre LDTR ne mémorise qu'un seul sélecteur qui doit référencer un descripteur LDT dans la table des descripteurs globale. Il est alors très simple d'installer une nouvelle table locale en cas de commutation de tâche, il suffit de mettre dans le registre LDTR le sélecteur de la nouvelle table locale.

Espace mémoire adressable

Pour calculer la taille de la mémoire virtuelle adressable, il faut multiplier le nombre maximal de descripteurs par la taille maximale des segments, c'est-à-dire 64 Ko. Quel est donc le nombre de descripteurs qui peuvent être mémorisés dans la table des descripteurs globale et dans les différentes tables des descripteurs locales ? Dans les deux cas la réponse est 8192, et ce pour deux raisons convergentes.

D'abord les tables locales et globales sont des segments qui ne peuvent dépasser 64 Ko dans le cadre d'un processeur 80286. Il se trouve que 64 Ko ne permettent pas de stocker plus de 8192 descripteurs car chacun d'eux occupe 8 octets.

Mais par ailleurs le numéro d'un descripteur à l'intérieur d'un sélecteur est codé sur 13 bits, ce qui impose également une limite de 8192 descripteurs (numérotés de 0 à 8191).

Supposons que la table globale contienne 8192 descripteurs de tables locales et que chacune de ces dernières contienne à son tour 8192 descripteurs référençant 64 Ko de code ou de données.

La mémoire virtuellement accessible est alors de :

```
8192 * 8192 * 64 Ko = 1 Gigaoctet
```

Il s'agit là d'un résultat qui exprime une limite théorique.

Comment accéder à un descripteur ?

Quelle que soit la complexité des liaisons entre sélecteurs et descripteurs, entre les tables locales et globales, en pratique le développeur d'applications n'en est guère affecté. Ce qui est important, c'est de ne pas utiliser de sélecteur fantaisiste dans les instructions de branchement et de ne pas charger n'importe quoi dans les registres de segment. mais après tout d'où proviennent les sélecteurs utilisés dans une application ?

En principe ils viennent tous directement ou indirectement du système d'exploitation, car une application ne peut pas accéder directement à la table des descripteurs globale. Il lui est interdit d'ajouter de nouveaux descripteurs à la table existante ou de modifier ceux qui s'y trouvent déjà. C'est là une tâche réservée au noyau du système qui possède le privilège 0 et qui est seul habilité à manipuler les tables.

Le système d'exploitation est également responsable de la création des tables locales pendant le processus de chargement d'une application. Il mémorise alors les descripteurs des segments de données et de code nécessaires à l'application. Les segments créés n'occupent pas systématiquement 64 Ko. la mémoire allouée est ajustée aux besoins exacts de chacun. Si par suite d'une erreur de programmation l'application essaye d'accéder à des données ou des instructions suitées au-delà des segments prévus, une exception vient interrompre la tâche et une routine système appropriée se déclenche aussitôt.

Mais il ne suffit pas de créer les segments en y associant des descripteurs car les programmes se réfèrent eux-mêmes aux différents segments. Prenons par exemple la séquence suivante extraite d'un programme en assembleur :

```
MOV AX, seg donnees
MOV DS,AX
```

Le même genre de problème se pose lorsque par exemple dans un programme écrit en C un pointeur FAR sur une fonction située dans un autre segment de code est transmis à une fonction. Le sélecteur du segment visé doit être disponible : par rapport à l'exemple précédent il s'agit simplement d'un segment de code au lieu d'un segment de données.

Un système d'exploitation multitâche va se comporter comme le bon vieux DOS : il va citer dans l'en-tête du fichier EXE (ou du fichier exécutable quel que soit son nom) les adresses des instructions ou des variables qui se réfèrent à des segments de code ou de données. La table correspondante permet au chargeur du système d'exploitation d'écrire directement les sélecteurs des segments adressés dans le code ou les variables concernées. Le principe est le même pour les appels des fonctions système. Dans ce cas, ce ne sont plus des sélecteurs de segments de données ou de code qui sont nécessaires mais des portes d'appel.

Par ailleurs de nombreuses fonctions système vont renvoyer des sélecteurs comme résultat de leur activité, surtout les fonctions de gestion de la mémoire. Dans ce cas les sélecteurs peuvent être traités comme des adresses de segment ordinaires faisant partie d'un pointeur FAR. Il est évidemment interdit de manipuler ces adresses comme on le ferait sous DOS, sinon on risque de se trouver devant un sélecteur qui référence un descripteur fantaisiste ou inexistant.

Le champ RPL joue un rôle important lorsque le système d'exploitation traite les sélecteurs d'une application. Nous avons vu précédemment qu'il contient toujours le niveau de privilège

de la tâche qui le possède. Mais ce n'est là qu'une demi-vérité. Ce champ peut en fait recevoir n'importe quelle valeur mais le système d'exploitation, lorsqu'il attribue des sélecteurs, va y reporter le privilège de la tâche concernée. La raison de cette précaution est simple. Si plus tard un tel sélecteur est communiqué à une fonction système pour qu'elle accède par exemple à un buffer d'application, le niveau de privilège élevé de la fonction système ne doit pas se transmettre. Il est préférable que l'accès se fasse sur la base du niveau de privilège de l'appelant. Ainsi le détour par la fonction système n'ouvrira pas la voie à toutes les zones de données. Lorsque le champ RPL du sélecteur sera testé, il renverra au privilège de l'appelant et non à celui du système.

Registres fantômes

Si les différents segments mémoire ne sont plus référencés par leurs adresses physiques mais par des sélecteurs qui pointent sur des descripteurs de segment, il est clair que les registres de segment eux-mêmes ne doivent plus contenir d'adresses physiques. Grâce au sélecteur chargé dans un registre de segment le processeur doit être à même de trouver le descripteur concerné dans la table des descripteurs globale ou locale, et de déterminer la situation et la longueur du segment. Si ce mécanisme devait se répéter à chaque instruction qui implique un registre de segment, - ce qui est presque toujours le cas -, il en résulterait une perte de temps inacceptable.

C'est pourquoi au moment du chargement d'un registre de segment, l'adresse physique et la longueur du segment sont chargées dans un registre qualifié de fantôme. Tout registre de segment possède une partie fantôme. Le sélecteur de 16 bits est prolongé par une extension invisible de 48 bits. le même principe s'applique d'ailleurs aux registres GDTR, LDTR et IDTR, simplement la partie fantôme possède alors une autre signification.

C'est le chargement des registres fantômes et les contrôles de validité et de privilège qui l'accompagnent qui sont responsables du ralentissement du processeur en mode protégé. Ainsi l'instruction

```
MOV DS,AX
```

qui ne prend que 2 cycles en mode réel en nécessite 18 en mode protégé. Les programmes ne seraient pas ralentis si ce genre d'instruction restait rare, mais c'est exactement l'inverse qui est vrai. Sont notamment concernés les langages de haut niveau compilés dans les modèles mémoire qui génèrent des pointeurs FAR, par exemple le langage C à l'exception des modèles SMALL et TINY. La restriction à 64 Ko de la taille des segments empêche la plupart du temps une autre approche en mode réel.

Création des alias

Il n'est pas permis d'écrire des données dans un segment de code et le contenu d'un segment de données ne peut être lu par deux tâches dont les segments de code possèdent des privilèges différents. Ce sont là deux règles parmi de nombreuses chargées d'assurer le fonctionnement fiable d'un système multitâche. Mais il existe aussi des situations dans lesquelles ces protections doivent être levées.

Comment le système d'exploitation peut-il charger le code d'une application dans un segment de code puisque par définition il est interdit d'y écrire quoi que ce soit ? Comment deux tâches de privilège différent peuvent-elles accéder à un segment de données commun ?

Pour faire face à ce type de situation, il existe un mécanisme de création d'alias destiné à contourner en toute connaissance de cause les règles de protection du processeur. S'il est vrai que le processeur contrôle les accès à un segment mémoire par l'intermédiaire de son descripteur, il ne peut pas empêcher que l'on définisse plusieurs descripteurs différents pour un même segment et qu'on les mémorise dans la même table ou dans des tables différentes. Une zone de mémoire déjà identifiée comme segment de code par un certain descripteur peut également être décrite, en partie ou en totalité, comme segment de données. Le deuxième descripteur est qualifié d'alias car il rend possible l'adressage de la zone mémoire sous un autre "nom".

On parvient ainsi à résoudre non seulement le problème du chargement de code dans un segment de données mais aussi de la mémoire partagée. Il suffit de créer dans la table LDT de la tâche plusieurs descripteurs de segments de données différents qui reflètent à chaque fois le niveau de privilège de la tâche qui doit accéder au segment.

La création des alias est très utile pour assouplir les mécanismes de protection du processeur. Mais mal utilisée, elle ouvre évidemment la porte à tous les abus. C'est pourquoi le système d'exploitation n'accorde des alias que dans des situations bien déterminées.

Accès au matériel

De même que l'accès des applications à la mémoire vive est contrôlé par la distribution de sélecteurs, de même il est possible d'accéder sous surveillance au matériel par les ports d'entrée-sortie. Les instructions associées IN et OUT, qui ont été complétées par INS et OUTS à partir du 80286, peuvent en effet recevoir des privilèges.

Ce sont deux bits à l'intérieur du registre des indicateurs qui gèrent ces privilèges. Ils forment l'indicateur appelé IOPL (I/O Privilege Level) qui indique le niveau de privilège que doit posséder une tâche pour exécuter les instructions d'entrée-sortie mentionnées. Si les deux bits sont par exemple à 1, seules les tâches de privilège 0 et 1 ont le droit d'exécuter ces instructions. Si jamais une tâche de niveau 2 ou 3 essaye de faire fonctionner une des instructions, le processeur génère une exception et active une routine d'erreur du système.

Ce mécanisme n'a de sens que si les applications ont un droit limité sur l'IOPL, sinon il leur suffirait de le modifier à sa guise pour s'accorder tous les privilèges. Il ne faut pas oublier qu'il est très facile de modifier un bit du registre des indicateurs : il suffit d'empiler le contenu souhaité puis d'exécuter une instruction POPF.

Mais les concepteurs du 80286 ont prévu le coup en modifiant quelque peu le fonctionnement de l'instruction POPF. Cette dernière peut toujours servir à fixer librement le contenu du registre des indicateurs quelque soit le privilège de l'appelant. Mais les bits de l'IOPL ne peuvent être modifiés que par une tâche de niveau 0, c'est-à-dire par le système d'exploitation. Ainsi les applications ne peuvent pas y toucher.

Commutation des tâches

Pour donner une impression d'exécution en parallèle, la commutation des tâches doit être extrêmement rapide. En mode protégé, le processeur se sert à cet effet du registre de tâche (TR, Task Register) et des segments d'état des tâches (TSS, task State Segments). Ce sont des zones mémoire de 44 octets qui au moment de l'interruption d'une tâche accueillent le contenu de tous les registres du processeur. Par ailleurs un pointeur référençant le TSS de la tâche interrompue est stocké pour que le processeur puisse la reprendre ultérieurement.

Comme tous les segments de mémoire, chaque TSS possède un descripteur qui en principe doit être mentionné dans la table des descripteurs globale. Même s'il s'agit en fait d'un descripteur système particulier, il indique la situation et la taille de son segment comme un descripteur commun. Ce descripteur est référencé par le registre TR qui doit toujours contenir le sélecteur du descripteur de la tâche courante. Au moment de la commutation, le contenu des registres du processeur peut ainsi être sauvegardé sans délai dans le segment d'état de la tâche.

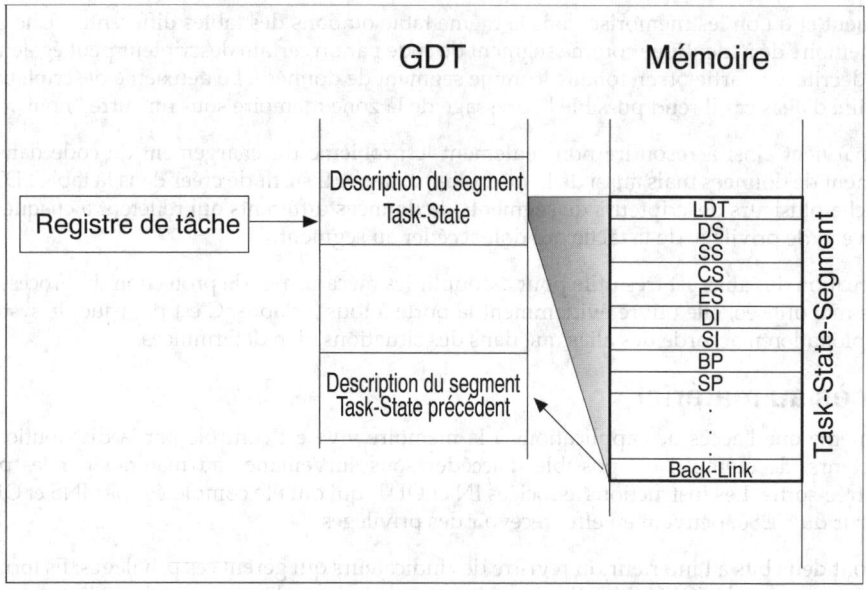

Lien entre le registre de tâche TR et le segment d'état TSS

Une commutation de tâche peut s'opérer de plusieurs manières. En règle générale, elle est impliquée par un branchement JMP FAR ou un appel CALL FAR. Bien que ce type d'instruction nécessite à la fois la donnée d'un sélecteur et d'un offset, seul le sélecteur est pris en compte par la commutation, ce qui nous rappelle le comportement des portes d'appel. L'adresse d'offset est complètement ignorée.

Le sélecteur peut être issu d'un descripteur de TSS de la table GDT ou il peut s'agir du sélecteur d'une porte de tâche (Task gate). Tout comme une porte d'appel, une porte de tâche joue un rôle d'entremetteur et occupe une place de descripteur système dans une table locale ou la table globale. La seule information importante qui s'y trouve est le sélecteur du descripteur du TSS de la table globale qui identifie la nouvelle tâche. Par le détour de la porte de tâche, le processeur parvient finalement au descripteur du segment d'état de la tâche situé dans la table globale.

La commutation peut alors commencer mais il faut encore traiter le contenu du registre TR qui référence le descripteur du segment d'état de la tâche actuelle. Ce segment va mémoriser le contenu des registres du processeur. Puis le registre TR va être chargé avec le sélecteur du TSS de la nouvelle tâche. Le contenu présent du registre TR est encore conservé brièvement pour être reporté dans le champ Back-Link du nouveau segment d'état de tâche.

Les registres du processeur vont recevoir les valeurs référencées dans le nouveau segment d'état de tâche. Parmi les valeurs chargées figurent celles de CS et IP, de sorte que l'exécution continue à l'endroit même où la nouvelle tâche a été précédemment interrompue.

Pour créer et lancer une nouvelle tâche, le système d'exploitation créera d'abord un descripteur de TSS dans la table GDT puis le segment correspondant associé à la tâche. Comme la tâche en question n'a pas encore été active, les zones mémoire prévues pour les registres du processeur dans le nouveau TSS devront être initialisées manuellement. Ce sont surtout les registres de segment, le pointeur de pile et le registre IP qui sont importants car le couple CS:IP détermine l'adresse de départ de la nouvelle tâche. Grâce à un JMP FAR associé au sélecteur du TSS, l'exécution est transmise à la nouvelle tâche.

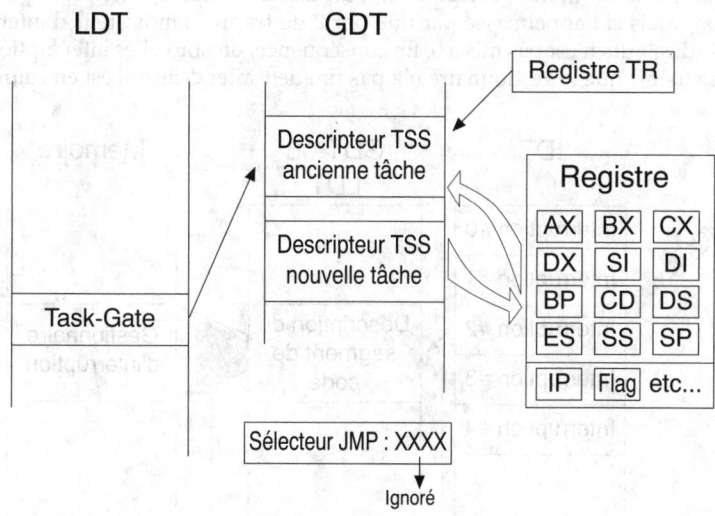

Commutation de tâche par un JMP FAR associé à un descripteur de porte de tâche

Interruptions et exceptions

En mode protégé les interruptions sont traitées autrement qu'en mode réel. Tout comme avant, le processeur reconnaît 256 interruptions différentes et fait le lien entre une interruption et le gestionnaire associé mais ce lien ne s'effectue plus par l'intermédiaire d'une table de vecteurs d'interruption. C'est une table dite de descripteurs d'interruption (IDT, Interrupt Descriptor Table) qui reprend ce rôle. L'adresse où débute cette table dans la mémoire physique ainsi que sa longueur sont mémorisés dans le registre IDTR.

Seul le noyau du système qui tourne avec un niveau de privilège 0 a accès à ce registre en mode protégé. Contrairement à ce qui se passe en mode réel, une application n'est pas en mesure d'influencer l'exécution des interruptions. C'est là une condition d'importance pour assurer la stabilité de fonctionnement d'un système multitâche. Il faut se rappeler à ce sujet les nombreux problèmes suscités sous DOS par les programmes TSR qui gèrent librement la table des vecteurs d'interruption.

Si une interruption est déclenchée par un périphérique externe sur la ligne INTR ou par une instruction d'assembleur INT, le processeur prend le numéro de l'interruption comme indice d'accès à la table des descripteurs d'interruption et il y lit le descripteur associé. Il peut s'agir d'une porte d'interruption (interrupt gate) ou d'une porte de trappe (trap gate) qui ne se distinguent guère par leur structure. Dans l'une et l'autre on trouve essentiellement un sélecteur et un offset.

Le sélecteur sert de clé d'accès à un descripteur de segment de code situé dans la table globale ou une table locale. Le processeur prend ainsi connaissance du segment de code prévu par le gestionnaire d'interruption pour l'interruption déclenchée. L'offset sert à fixer le point d'entrée dans ce segment de code, c'est donc l'adresse de départ du gestionnaire d'interruption à l'intérieur du segment. La différence entre porte d'interruption et porte de trappe tient simplement au traitement de l'indicateur d'interruption situé dans le registre des indicateurs. En mode réel, le principe général veut qu'une fois une interruption déclenchée, aucune autre ne peut plus être prise en compte. En effet le processeur met automatiquement l'indicateur d'interruption à 0 jusqu'à ce que l'interruption soit traitée. Le comportement du processeur est exactement le même en mode protégé lorsqu'un appel d'interruption passe par une porte d'interruption. Mais si l'appel passe par une porte de trappe, l'indicateur d'interruption du registre des indicateurs n'est pas mis à 0. En conséquence, de nouvelles interruptions peuvent survenir alors même que le gestionnaire n'a pas fini de traiter celle qui est en cours.

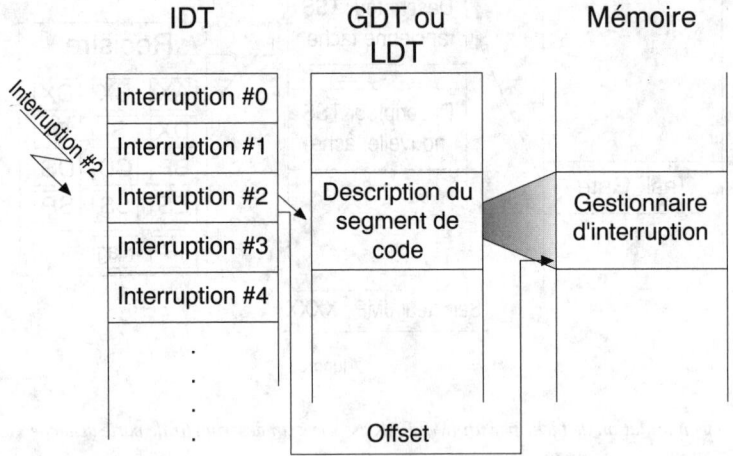

Déclenchement d'une interruption en mode protégé par
l'intermédiaire de la table des descripteurs d'interruption

Les exceptions ne sont au fond que des interruptions directement provoquées par le processeur lorsqu'il détecte une anomalie d'exécution. Il peut s'agir par exemple d'une infraction à la réglementation des privilèges ou d'un accès au-delà des limites d'un segment.

Alors que le processeur ne prend en compte les interruptions envoyées par le contrôleur uniquement entre deux instructions, les exceptions sont déclenchées en plein milieu d'une instruction. Une fois l'erreur traitée et si possible corrigée par le gestionnaire d'exception du système d'exploitation, l'instruction interrompue doit donc être réexécutée.

Les exceptions du 80286 occupent les numéros d'interruption de 0 à 16. Ils sont récapitulés par le tableau ci-dessous. Selon le type d'exception déclenché, le processeur dépose des informations sur la pile avant d'appeler le gestionnaire d'exception. Ces informations concernent l'origine de l'exception.

Numéro	Signification
0	Erreur de division
1	Pas à pas
2	NMI (erreur mémoire)
3	Point d'arrêt (pour DEBUG)
4	Déclenchée par la commande INTO
5	Déclenchée par la commande BOUND
6	Code opératoire inconnu
7	Coprocesseur non disponible
8	Double erreur
9	Dépassement du segment du coprocesseur

Numéro	Signification
10	Segment d'état de tâche (TSS) non-valide
11	Segment indisponible (transféré)
12	Erreur de pile
13	Accès segment non autorisé
16	Erreur du coprocesseur

Exploitation des nouvelles instructions

Lorsqu'on développe des programmes pour le mode protégé du 80286 ou de l'un ses successeurs, on doit évidemment renoncer à la compatibilité avec le 8086. On peut donc sans regret se servir des instructions nouvellement introduites par le 80286. En voici la liste. Elles sont toutes exploitables en mode réel :

BOUND Teste si le contenu du registre se trouve dans un certain intervalle

ENTER Empile des paramètres de fonction et réserve de la place sur la pile pour les variables locales. Surtout utile pour interfacer l'assembleur avec des langages de haut niveau

INS Répétition de l'instruction IN

LEAVE Instruction symétrique de ENTER. Retire de la pile les paramètres transmis à une fonction et les variables locales

OUTS Répétition de l'instruction OUT

PUSHA Sauvegarde tous les registres sur la pile

POPA Reprend tous les registres sur la pile

Les instructions qui vont suivre sont indispensables lorsqu'on programme en mode protégé et qu'on est obligé de faire un peu de système, ce qui est pratiquement inévitable compte tenu du manque de support de DOS. Toutes ces instructions sont privilégiées et ne peuvent être exécutées qu'au niveau de privilège 0. Mais elles sont également accessibles en mode réel, ce dernier étant traité par le processeur par une tâche de niveau 0.

ARPL Contrôle et corrige le niveau de privilège de segment de code

LAR Charge le registre des indicateurs d'un descripteur

LGDT Charge dans le registre GDT l'adresse et la longueur de la table des descripteurs globale

LIDT Charge dans le registre IDT l'adresse et la longueur de la table des descripteurs d'interruption

LLDT Charge dans le registre LDT un sélecteur sur une table de description locale

LMSW Lit le mot d'état machine

LSL Charge dans un registre la longueur d'un segment

LTR Charge le registre de tâche TR

SGDT Mémorise le contenu d'un registre GDT

SIDT Mémorise le contenu d'un registre IDT

SLDT Mémorise le contenu d'un registre LDT

SMSW Mémorise le contenu du mot d'état machine

STR Mémorise le contenu du registre de tâche TR

VERR Vérifie si les accès en lecture sont autorisés pour un segment donné

VERW Vérifie si les accès en écriture sont autorisés pour un segment donné

36.1.3. Le mode protégé du 80386 et de l'i486

Le fonctionnement du 80386 et de l'i486 n'est pas fondamentalement différent de celui du 80286 tel qu'il a été décrit dans la section précédente. De nouvelles notions ont certes été introduites mais elles n'ont pas à être exploitées obligatoirement par un système multitâche. C'est ainsi que la gestion des pages de mémoire par blocs de 4 Ko est surtout utile lorsqu'on installe une gestion de mémoire virtuelle. De même il est possible maintenant d'inhiber séparément certains ports d'entrée-sortie. Ces extensions vont être décrites dans les pages qui suivent.

Les modifications les plus profondes affectent également le fonctionnement en mode réel du 80386 et de l'i486 : il s'agit avant tout de la présence de registres 32 bits et de l'adaptation du jeu des instructions à la nouvelle dimension de ces registres. La première section de ce chapitre sera donc consacrée aux registres du 80836 et de l'i486 et à leurs implications sur la programmation en mode protégé.

Les registres du 80386 et de l'i486

L'introduction du 80386 marque un changement de génération dans le monde de la famille 80xxx d'Intel : elle inaugure l'ère des processeurs de 32 bits. Alors que les trois premières générations de cette famille, représentées par le 80886, le 80186 et le 80286 se limitaient à traiter des nombres de 16 bits, le 80386 et ses successeurs ouvrent la porte de l'univers à 32 bits.

Le jeu des registres du processeur en tire les conséquences car la plupart de ces registres ont maintenant 32 bits. Les registres généraux AX, BX, CX et DX ont certes encore 16 bits, tout comme DI, SI et BP mais ils ne constituent plus que la partie inférieure de registres étendus de 32 bits. Ces registres étendus s'appellent EAX, EBX, ECX etc. la lettre "E" signifiant évidemment "extended". Les registres de 8 bits AH, AL, BH, BL etc. sont encore disponibles mais les 16 bits supérieurs des registres E ne sont plus divisibles en deux registres de 8 bits. Le nombre des registres de 8 bits présents ne s'est donc pas accru par rapport à la situation qui existait avec le 80286 et ses prédécesseurs.

Toutes les instructions telles que MOV, SHL, ADD etc. peuvent être appliquées non seulement comme avant aux registres de 8 et 16 bits mais aussi aux nouveaux registres de 32 bits. Le 80386 et ses successeurs accélèrent donc la vitesse de traitement des mots doubles DWORDS (type long en C et longint en Pascal).

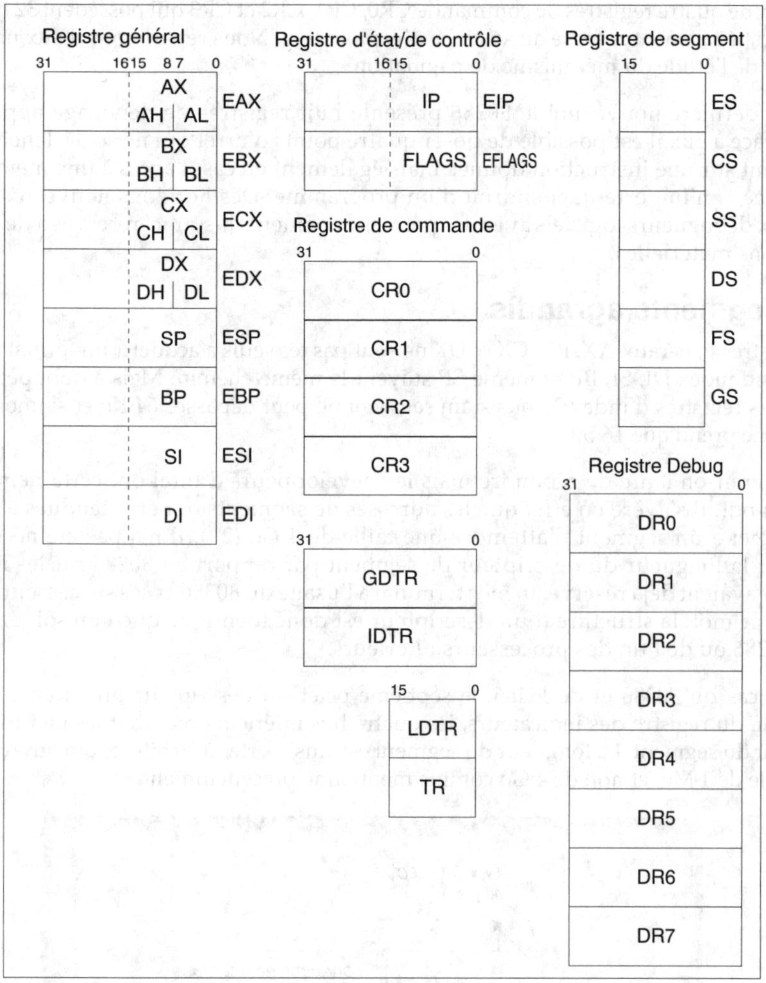

Registre général

31	16 15	8 7	0

```
        AX
      AH | AL      EAX

        BX
      BH | BL      EBX

        CX
      CH | CL      ECX

        DX
      DH | DL      EDX

        SP           ESP

        BP           EBP

        SI           ESI

        DI           EDI
```

Registre d'état/de contrôle

31	16 15	0

```
        IP           EIP

      FLAGS        EFLAGS
```

Registre de commande

31	0

```
        CR0

        CR1

        CR2

        CR3
```

31	0

```
        GDTR

        IDTR
```

15	0

```
        LDTR

         TR
```

Registre de segment

15	0

```
         ES

         CS

         SS

         DS

         FS

         GS
```

Registre Debug

31	0

```
        DR0

        DR1

        DR2

        DR3

        DR4

        DR5

        DR6

        DR7
```

Les registres du 80386 et de l'i486 (sans le registre de virgule flottante)

La figure précédente montre que par rapport au 80286 les différents registres n'ont pas seulement augmenté en taille mais aussi en nombre. Sont venus s'ajouter les deux registres FS et GS ainsi que deux autres registres de segment qui comme ES peuvent faciliter certains accès mémoire. DS reste le registre des données par défaut tandis que CS reste le registre par défaut où s'exécute le programme en cours.

Comme avec le 80286, les différents registres de segment reflètent en mode réel les adresses des segments référencés. En mode protégé, ils contiennent des sélecteurs pour l'accès aux descripteurs de segment issus de la table des descripteurs globale ou locale. Rien de neuf par rapport au 80286, les registres en question conservent leur taille de 16 bits.

De même rien n'a changé pour les registres GDTR, LDTR, IDTR et TR qui ont une importance déterminante dans la gestion de la mémoire et des tâches. Ces registres ne sont toujours

accessibles qu'au noyau du système d'exploitation au niveau de privilège 0. Mais ils reçoivent le renfort de quatre registres de commande CR0, CR1, CR2 et CR3 qui possèdent 32 bits et dont l'usage est également réservé au système d'exploitation. Nous reparlerons d'eux un peu plus tard lors de l'étude du mécanisme de pagination.

Comme dernière nouveauté le 80386 présente huit registres de débogage appelé DR0 à DR7. Grâce à eux il est possible de poser quatre points d'arrêt qui ne se déclencheront pas seulement sur une instruction donnée mais également en cas d'accès à une mémoire fixée à l'avance, à n'importe quel endroit d'un programme. Des horizons nouveaux s'ouvrent ainsi aux débogueurs logiciels avec des perfectionnements jusqu'ici réservés à de coûteuses extensions matérielles.

Des segments agrandis

Les registres généraux AX, BX, CX et DX ne sont pas les seuls à acquérir un format 32 bits, les registres d'index DI, SI, BP et même SP suivent le même chemin. Mais à quoi peuvent bien servir des registres d'index 32 bits si un segment ne peut dépasser 64 Ko et si une indication d'offset ne prend que 16 bits ?

A rien serait-on tenté de répondre mais les développeurs d'Intel ont certainement poursuivi un but. Il s'avère en effet que les adresses de segments ont été étendues à 32 bits, ce qui permet à un segment d'atteindre une taille de 4 Go (2^{32}). Il n'a pas été nécessaire de modifier la longueur du descripteur de segment par rapport au 80286 car les ingénieurs d'Intel y avaient déjà réservé un mot terminal à l'usage du 80386 et ses successeurs. Compte tenu de ce mot, la structure d'un descripteur est donc identique que l'on soit en présence d'un 80286 ou de l'un des processeurs ultérieurs.

Dans le cas du 80386 et de l'i486, le septième octet du descripteur prend en compte une extension du registre des indicateurs, les quatre bits inférieurs recevant les bits 16 à 19 de la longueur du segment. La longueur du segment est ainsi portée à 20 bits, ce qui ouvre un espace accessible de 1 Mo, et non de 4 Go comme mentionné précédemment.

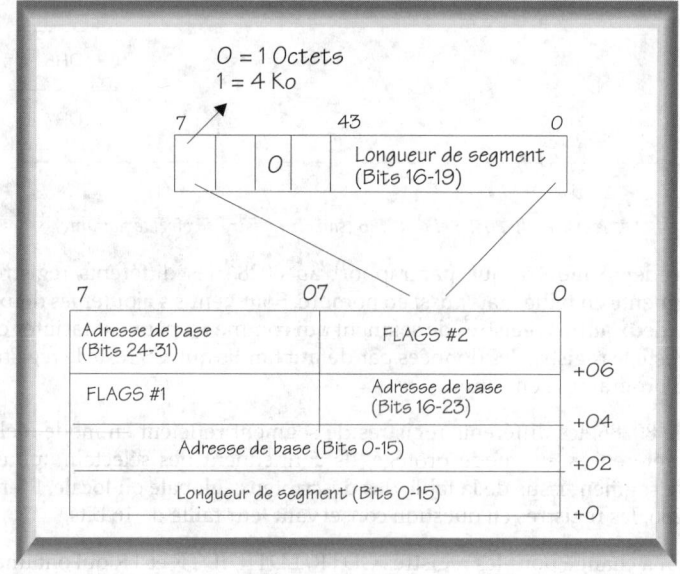

Structure des descripteurs de segments avec les 80386 et i486

Dans les nouveaux descripteurs de segments, l'adresse de base du segment occupe désormais 32 bits. Alors que les 24 bits inférieurs sont à leur place habituelle, les bits 24 à 31 sont hébergés dans le dernier octet du descripteur.

L'adresse de base et la longueur d'un segment s'exprimant sur 32 bits, l'espace d'adressage linéaire atteint 4 Go lorsqu'on exploite des processeurs 80386 et i486, la mémoire virtuelle va même jusqu'à 64 To (téraoctets, soit 2^{46}). Ce sont là des capacités astronomiques qui nous paraissent aujourd'hui inépuisables. Mais les dix premières années de l'histoire de la micro-informatique nous ont montré que les besoins croissaient très rapidement, mais la réalisation d'une capacité de 4 Go est encore une gageure du point de vue de l'électronique.

Pour l'instant on trouve surtout sur le marché des mémoires de 512 Ko (4 Mbits). Huit de ces circuits sont rassemblés en un module SIMM (Single Inline Memory Module) qui possède une capacité de 4 Mo. Pour atteindre 4 Go, il nous faut un facteur multiplicatif de 2^{10} (1024), ce qui représente dix générations de composants si on considère que les capacités doublent à chaque génération. Jusqu'ici les générations se succédaient à environ deux ans d'intervalle, il nous faudra donc attendre encore 20 ans sans compter les difficultés croissantes de finition.

Les offsets prenant 24 bits, les pointeurs FAR occuperont non plus 4 mais 6 octets dans le mode protégé du 80386 et de l'i486 : deux octets pour le sélecteur de segment et quatre pour l'offset.

Pagination et gestion de mémoire virtuelle

Le 80286 permet déjà de réaliser une gestion de mémoire virtuelle car chaque descripteur de segment contient un indicateur qui signale la présence du segment en mémoire. Si pendant l'exécution le processeur tombe sur un segment absent, il déclenche automatiquement une exception qui est interceptée par le système d'exploitation et est interprétée comme une demande de chargement du segment.

Cette méthode n'est cependant pas la meilleure pour mettre en place une gestion de mémoire virtuelle, et cela pour plusieurs raisons. D'abord les blocs de mémoire à importer et à exporter ont des tailles différentes, car il s'agit de segments complets qui chez un 80286 peuvent varier de 1 octet à 64 Ko. Il est possible que seule une partie du segment soit utile, et que dans l'instant qui suit elle doive être retirée de la mémoire en raison d'une commutation de tâche. C'est pourtant l'intégralité du segment qui est expatriée avant d'être rechargée. Par ailleurs la taille du fichier d'échange (swap file) croît sans cesse. Il arrive souvent qu'un segment B doive être réenregistré dans le fichier d'échange mais qu'il ne puisse pas y prendre la place du segment A qui vient d'être rappelé en mémoire.

Un problème de fragmentation similaire se pose en mémoire centrale car les différents segments rappelés et restockés n'ont pas la même taille. Le gestionnaire de mémoire virtuelle est sans cesse contraint de rapprocher les segments. Même si ce mécanisme est transparent et s'effectue sans que les différents programmes s'en rendent compte (le sélecteur de segment ne change pas, seuls les descripteurs de segments sont modifiés), il n'en reste pas moins vrai qu'il gaspille du temps d'exécution.

Tous ces problèmes trouvent une solution si on maintient constante la taille des blocs en circulation. Ce processus doit se trouver en retrait par rapport à la segmentation, c'est-à-dire à un niveau plus bas qui le rend transparent. C'est ce que font le 80386 et ses successeurs qui implémentent un mécanisme de pagination qui repose sur des blocs de 4 Ko. Tant que ce mécanisme est désactivé, les adresses linéaires qui résultent de l'exploitation des sélecteurs de segment et des offsets correspondent à des adresses physiques auxquelles accède effectivement le processeur, comme c'est le cas pour le 80286.

Lorsque la pagination est activée, les adresses linéaires ne sont plus identiques aux adresses physiques mais elles y sont associées par le moyen d'une table des pages. Si on examine isolément les instructions machines qui accèdent à la mémoire, si on s'aperçoit que ce processus ralentit l'exécution car la formation des adresses requiert un décodage supplémentaire. Mais si à un niveau plus élevé on prend en considération la performance d'un système d'exploitation multitâche, ce mécanisme se révèle très efficace car il permet la réalisation d'une gestion de mémoire virtuelle nettement meilleure.

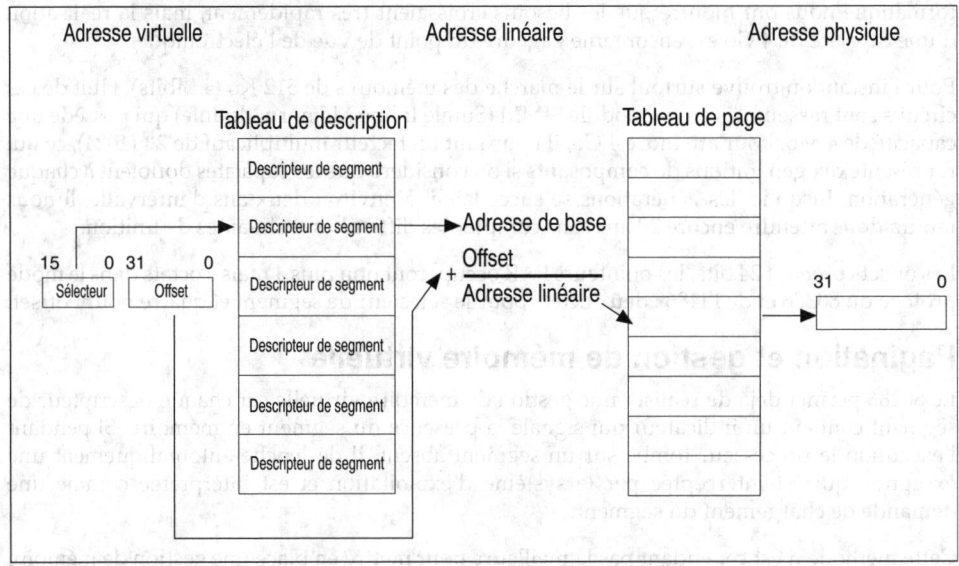

Formation d'une adresse virtuelle avec pagination active

La mise en service de blocs de mémoire de taille constante ne simplifie pas seulement la gestion du fichier d'échange. L'accroissement de ce fichier n'est plus incessant : lorsqu'une page de 4 Ko se libère, une autre peut prendre sa place puisqu'elle a la même taille. Par ailleurs seules des pages limitées à 4 Ko vont circuler, et non plus des segments entiers pouvant théoriquement aller jusqu'à 1 Go.

Autre avantage : le rapprochement des blocs en mémoire n'est plus nécessaire. En effet les blocs en question peuvent être placés à n'importe quelle adresse linéaire par l'intermédiaire de la table des pages. Les quatre blocs qui composent un segment de 16 Ko peuvent ainsi s'installer à des adresses physiques complètement différentes tout en formant un espace linéaire continu pouvant être exploité de la façon habituelle par un programme. Mais quels sont les aspects concrets de ce mécanisme ?

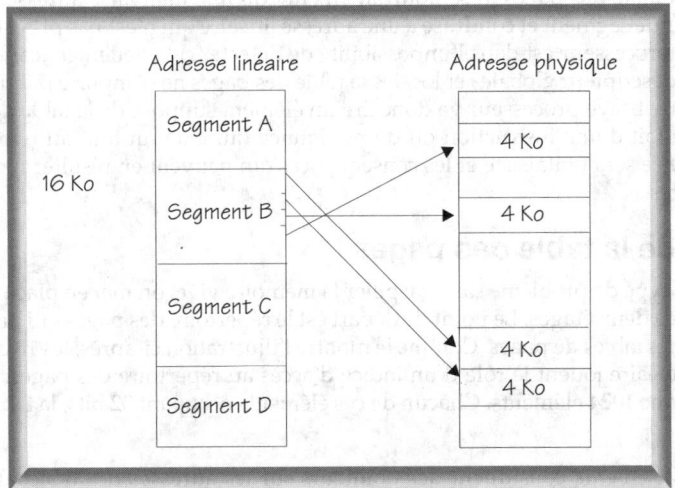

*Un espace linéaire peut apparaître continu alors que
les adresses physiques correspondantes sont disséminées en mémoire*

La table des pages

C'est le bit PG du registre de contrôle 0 (CR0) qui déclenche la mise en service de la pagination. Normalement ce bit est à 0 : les adresses linéaires sont alors reproduites par des adresses physiques et il n'y a pas de pagination. Si dans le cadre du mode protégé ce bit est mis à 1, les adresses linéaires sont converties par l'intermédiaire d'une table des pages.

La taille de chaque page est de 4 Ko, comme nous l'avons déjà vu, et chaque page commence à une adresse physique multiple de 4 Ko. L'espace linéaire de 4 Go (232) exploitable par les 80386 et i486 est réparti sur 220 pages de 212 octets (4 Ko) chacune. Le compte est bon car 220 * 212 = 232.

La division en pages de 4 Ko permet de reprendre directement dans l'adresse physique les 12 bits inférieurs d'une adresse linéaire. Ils représentent donc une sorte d'offset à l'intérieur de la page. Les 20 bits supérieurs de l'adresse linéaire indiquent le numéro de la page où se trouve la mémoire adressée. Ils sont considérés comme un indice dans la table des pages, d'où il est possible de tirer l'adresse de base physique de chaque page.

Chaque élément ou entrée de la table des pages possède 32 bits. Pour l'adresse de base, 20 bits suffisent puisqu'elle doit représenter un emplacement physique multiple de 4 Ko. Les 12 bits inférieurs sont donc nécessairement nuls. On les utilise en fait pour héberger différents indicateurs qui servent à signaler au gestionnaire de mémoire virtuelle si une page donnée se trouve en mémoire ou doit être lue dans le fichier d'échange.

La formation de l'adresse physique ne requiert donc que les 20 bits supérieurs de l'élément de la table des pages. Ces 20 bits sont complétés par les 12 bits inférieurs de l'adresse linéaire qui peuvent être repris tels quels.

A vrai dire, l'opération est un peu plus compliquée car sans précaution la table des pages avec ses 220 éléments de 4 octets prendrait 4 Mo, ce qui représenterait un gaspillage inacceptable. Si l'ordinateur dispose de 4 Mo de mémoire vive, la table ne comporte que 1024 éléments et n'occupe donc que 4 Ko. Malgré tout, à chaque page de l'espace linéaire doit être associée une entrée dans la table des pages. Il se pourrait en effet qu'une mauvaise adresse se glisse dans un descripteur de segment et conduise à une adresse linéaire qui n'est pas prévue dans la table des pages. Le processeur est dans l'impossibilité de détecter cet événement car contrairement aux tables de descripteur globales et locales la table des pages ne comporte pas d'indication de longueur. Notre brave processeur va donc lire un élément supposé de la table des pages alors qu'il s'agit en fait d'une instruction ou d'une donnée qui joue un tout autre rôle. L'adresse physique formée sera fantaisiste et les conséquences qui peuvent en résulter n'ont pas besoin d'être dépeintes.

Partition de la table des pages

Pour éviter ce type de problème sans gaspiller la mémoire vive, on met en place une organisation des tables à deux étages. Le point de départ est le répertoire des pages qui permet de gérer plusieurs petites tables de pages. Comme le montre l'illustration ci-après, les 10 bits supérieurs de l'adresse linéaire jouent le rôle d'un indice d'accès au répertoire des pages. Ce répertoire comportera donc 1024 éléments. Chacun de ces éléments occupant 32 bits, la table tout entière prend 4 Ko.

Les différents éléments constituent des pointeurs sur les adresses des tables de pages dans l'espace mémoire physique. Ce n'est qu'en les mettant à contribution que le processeur apprend l'adresse physique d'une page. Le numéro de l'élément qui est pris dans la table des pages pour le calcul de l'adresse physique est obtenu par les bits 12 à 21 de l'adresse linéaire. Celle-ci est donc finalement divisée en deux parties : un indice de 10 bits se rapportant au répertoire des pages et un deuxième indice de 10 bits se rapportant à la table des pages correspondante. Chaque table de pages, tout comme les tables de répertoire, contient les adresses de 1024 pages et occupe donc 4 Ko.

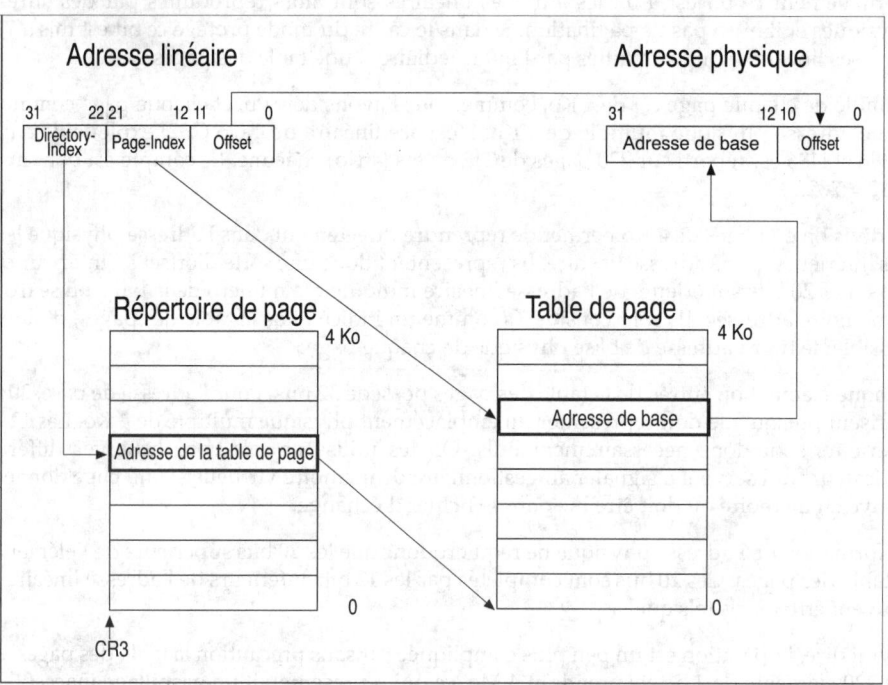

Conversion d'une adresse linéaire en adresse physique par la table des pages

Grâce à cette structure chaque élément du répertoire des pages couvre un domaine de 4 Mo à l'intérieur de l'espace mémoire linéaire. L'avantage de ce procédé est évident : pendant l'amorçage du système d'exploitation il suffit de constituer un seul répertoire de page et une seule table des pages pour gérer les quatre premiers Mo de la mémoire. Dans un premier temps, il n'est sûrement pas nécessaire de disposer de plus de 4 Mo de mémoire. Lorsque les différents composants réclameront de la mémoire, le système d'exploitation va en faire une distribution contiguë et non pas disséminée. C'est pourquoi la totalité de la mémoire allouée va se trouver dans les premiers 4 Mo et sera donc gérée par la table des pages référencée par le premier élément du répertoire des pages.

Tous les autres éléments du répertoire des pages pourront faire l'objet d'un marquage spécial destiné à déclencher une exception en cas de traitement par le processeur. Ce n'est qu'à partir du moment où la demande de mémoire dépasse 4 Mo qu'une nouvelle table des pages devra être créée, son adresse étant mémorisée dans le deuxième élément du répertoire des pages. Finalement, chaque tranche de 4 Mo de mémoire nécessitera une table de 4 Ko. Voilà qui est très inférieur aux 4 Mo requis par une table de page unique qui gérerait à elle seule tout l'espace linéaire.

Bien entendu, en plus des adresses des différentes tables de pages il faut encore stocker l'adresse du répertoire des pages pour qu'elle soit portée à la connaissance du processeur. C'est là la destination du registre CR3 qui est prévu pour mémoriser l'adresse physique du dit répertoire. Le registre CR2 joue aussi un rôle dans la pagination mais ce rôle est plutôt mineur. C'est en CR2 que le processeur charge l'adresse linéaire en cours en cas d'exception due à une erreur de pagination.

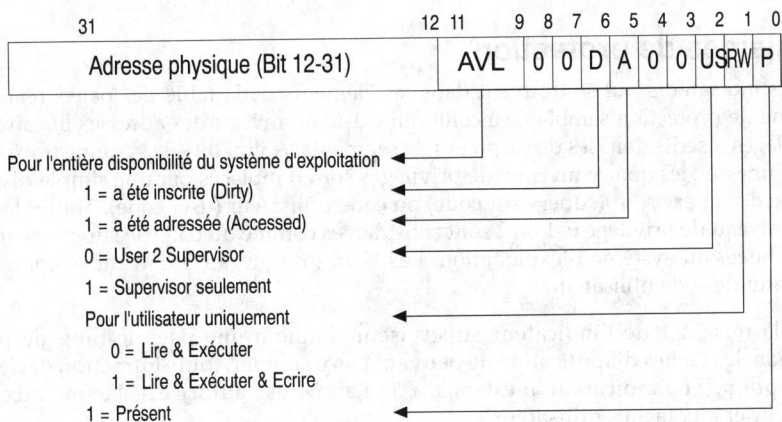

Structure d'un élément de la table des pages

Stratégies de stockage des pages

Le gestionnaire de mémoire virtuelle va se servir des différents indicateurs qui constituent les 20 bits inférieurs des éléments de la table des pages. Le plus important de ces indicateurs est certainement l'indicateur de présence. Il doit être mis à 0 par le système d'exploitation lorsqu'une page a été remisée dans le fichier d'échange. Lorsque le processeur fera appel à cette page, une exception sera générée et le système d'exploitation pourra reprendre le contrôle des opérations pour recharger la page. En même temps il devra mettre à 1 le bit de présence sinon le processeur redéclenchera une exception au prochain accès.

Un gestionnaire de mémoire virtuelle exploitera aussi les bits Dirty et Accessed. Ce dernier est automatiquement mis à 1 par le processeur avant qu'il n'accède à la page référencée par un élément de la table des pages. Dans le répertoire des pages cet indicateur est mis à 1 même si une seule des 1024 pages correspondantes fait l'objet d'un adressage.

Comme le processeur met toujours à 1 cet indicateur sans jamais l'annuler, le gestionnaire de mémoire virtuelle s'en servira pour marquer les pages adressées. Quand une page a été chargée en mémoire ou swappée sur disque, il suffit de mettre l'indicateur Accessed à 0 pour tester plus tard si la page a déjà été adressée.

Cette information est toujours précieuse lorsque la mémoire physique se fait exiguë et que certaines pages doivent être enregistrées dans le fichier d'échange. Pour sélectionner les pages à swapper, on privilégiera celles qui n'ont pas été adressées ces derniers temps et qui de ce fait ont des chances de ne pas être réutilisées dans un avenir immédiat. Il existe cependant des raisons de penser que ce sont justement les pages qui viennent d'être adressées qui doivent être stockées sur fichier. Les tenants de cette théorie prétendent que ces pages viennent d'être exploitées et que ce sont les autres qui attendent leur tour : c'est là une querelle d'école dans laquelle nous n'entrerons pas.

Indépendamment de cette remarque, le bit Dirty fournit un autre élément de décision pour définir la stratégie qui nous préoccupe. Ce bit est mis à 1 en cas d'accès en écriture. Grâce à lui on peut distinguer les pages modifiées de leurs consoeurs qui n'ont pas été retouchées. Ces dernières sont à privilégier pour le swap car elles peuvent encore figurer sous leur forme d'origine dans le fichier d'échange : elles n'ont pas besoin d'être restockées, il suffira de les recharger telles quelles. Le bit Dirty pourra ainsi être intelligemment exploité par une stratégie appropriée.

Mécanismes de protection

Les autres indicateurs qui se trouvent dans les éléments de la table des pages réalisent un mécanisme de protection semblable à celui qui existe au niveau des adresses linéaires grâce aux privilèges inscrits dans les descripteurs de segments. A vrai dire, le système travaille avec moins de finesse : les quatre niveaux de privilèges sont remplacés par une simple distinction entre code de superviseur (supervisor code) ou code utilisateur (user code). Toutes les tâches ayant un niveau de privilège 0, 1 ou 2 sont considérées comme du code de superviseur et sont donc attribuées au système d'exploitation. Les tâches de niveau 3 doivent se contenter du simple statut de code utilisateur.

Lorsque la mise à 1 de l'indicateur superviseur donne à une page le rang de page de supervision, les tâches d'application ne peuvent pas y accéder, toute infraction déclenchant une exception. Si l'indicateur n'est pas à 1, l'accès est autorisé à la fois aux tâches superviseur et aux tâches utilisateur.

En cas d'accès à une tâche d'application, un autre indicateur appelé indicateur de lecture/écriture (Read Write Flag) vient compléter la protection. S'il contient la valeur 0, la page concernée peut être lue et exécutée mais non modifiée. Si sa valeur est 1, la page est complètement ouverte à la lecture comme à l'écriture. Les infractions sont signalées au système d'exploitation par des déclenchements d'exception.

La conversion d'une adresse linéaire en adresse physique coûte évidemment beaucoup de temps, c'est d'ailleurs surtout le chargement des tables de pages en mémoire qui est dispendieux. Le 80386 et ses successeurs disposent à cet effet d'une mémoire cache destinée à stocker les derniers éléments de la table des pages. Dans la littérature spécialisée, cette mémoire cache est parfois désignée sous le nom de TLB : Translation Lookaside Buffer. Elle mémorise systématiquement les 32 derniers éléments lus dans la table des pages. Cet espace ne recouvre

780

que 128 Ko de la mémoire vive, mais Intel prétend que la mémoire cache ainsi installée est efficace à 98 %.

Mais toute médaille a son revers et la mémoire cache apporte avec elle un lot de problèmes nouveaux. Ils surgissent lorsqu'un élément de la table des pages a été modifié en mémoire centrale alors que la mémoire cache qui contient le même élément n'a pas subi la même modification. Dans les systèmes à base 80386 et i486, c'est le logiciel qui est responsable de l'intégrité de la TLB car le processeur ne s'en préoccupe pas par lui-même. Il dispose cependant d'un petit mécanisme qui permet de déclarer périmé le contenu de la mémoire cache pour que ses éléments puissent être rechargés progressivement. Ce mécanisme consiste à charger dans le registre CR3 l'adresse où commence le répertoire des pages. Si cette adresse ne demande pas de modification et si la seule péremption de la mémoire cache est à signaler, il suffit de remettre dans le registre CR3 son propre contenu :

```
MOV AX,CR3
MOV CR3,AX
```

On maintient ainsi le buffer TLB en bonne santé.

La pagination ne s'impose pas nécessairement pour l'ensemble des tâches, elle peut très bien être activée individuellement pour l'une ou l'autre tâche. En effet à chaque commutation de tâche l'indicateur de pagination peut être mis à 0 ou à 1 dans le registre CR0 et dans le registre CR3 le système peut charger à sa guise une adresse de début d'un répertoire de pages.

Inhibition sélective des ports d'entrée-sortie

Pour déterminer si un port d'entrée-sortie peut être adressé par une tâche, le 80386 et ses successeurs sont un peu plus sélectifs que le 80286. Avec le 80286 seuls comptaient l'indicateur d'IOPL dans le registre des indicateurs et le niveau de privilège de la tâche en cours. Avec les nouveaux processeurs il est possible de définir une table d'autorisations d'entrée-sortie dans le segment d'état d'une tâche. Cette table est une table de bits pouvant comporter jusqu'à 216 éléments. Elle peut donc gérer 65536 ports indiquant si un accès est possible indépendamment du niveau de privilège ou s'il est nécessaire de tester l'indicateur d'IOPL. La valeur 0 ouvre le libre accès, tandis que la valeur 1 requiert le test d'IOPL.

L'offset de l'adresse de début de la table à l'intérieur du segment d'état de tâche n'est pas fixé a priori mais peut être librement choisi par le système d'exploitation. Mais il doit être indiqué à l'offset 66h de ce même segment d'état de tâche qui du fait de l'élargissement des registres du 80386 comporte au moins 102 octets. A partir de cette adresse de début et de la longueur du segment d'état de tâche qui est inscrite dans son descripteur, le processeur détermine la taille de la table binaire. Les ports qui ne sont pas mentionnés dans cette table sont soumis au test d'IOPL.

Si l'offset de la table binaire est supérieur ou égal à la longueur du segment, c'est qu'en fait la table n'existe pas et c'est le test d'IOPL qui intervient. Si entre l'offset indiqué et la longueur du segment il reste plus d'espace que les 8 Ko maximaux, c'est que tous les ports sont couverts par la table. Si aucune des deux conditions indiquées n'est réalisée, la différence entre l'extrémité terminale du segment d'état de tâche et le début de la table binaire est multipliée par 8 pour donner le nombre de ports représentés.

Des modes d'adressage plus souples

L'introduction du 80386 a permis une extension des modes d'adressage, le processeur se rapprochant de ses concurrents de Motorola. En mode réel comme en mode protégé tous les registres généraux peuvent désormais servir de registre de base ou de registre d'index, on n'est

plus limité à certaines combinaisons de SI, DI et BP. L'un des registres d'index peut être multiplié automatiquement par le facteur 2, 4 ou 8 pour permettre un accès rapide aux tables de mots (WORDS), doubles mots (DWORDS) ou quadruples mots (QWORDS). Un offset de 8 ou de 32 bits peut encore être ajouté à l'ensemble comme le montre la figure suivante.

```
  Base        +      (Index     *    Facteur) +    Offset

  Aucun              Aucun
  EAX                EAX
  EBX                EBX
  ECX                ECX            1
  EDX        +       EDX       *    2      +     Aucun
  EDI                EDI            4            8-Bit
  ESI                ESI            8            32-Bit
  EBP                EBP
  ESP                ___

                                               X
                                               Y      = X ou Y ou Z
                                               Z
```

Mode d'adressage du 80386 et de ses successeurs

Plus encore qu'avec les processeurs précédents, il est recommandé avec le 80386 et l'i486 d'aligner les variables en mémoire, en fonction de leur taille, à des frontières de mots, doubles mots ou quadruples mots. L'accès est notablement ralenti si plusieurs lectures ou écritures sont nécessaires pour composer les opérandes.

Nouvelles instructions

Comme le 80286, le 80386 a été doté de quelques instructions ou modes opératoires supplémentaires. Ne sont concernées que les instructions non privilégiées car au niveau de privilège 0 les ordres système n'ont pas varié.

Le tableau suivant récapitule les nouvelles possibilités que recèle le jeu d'instructions du 80386 :

BT,BTC,BTR,BTS	Instructions pour tester et manipuler des bits dans les registres et les variables
BSF,BSR	Instructions pour rechercher des bits à 0 ou à 1 dans les registres et variables
LSS,LFS,LGS	Charge l'un des registres de segment SS,FS ou GS
Jxx 32-bits	Branchement conditionnel (JA, JC, JBE, etc.) avec déplacement de 32 bits
MOVSX, MOVZX	Instruction MOV avec extension automatique du signe ou extension de 0

MOV Drx,Reg	Chargement d'un registre de mise au point
MOV CRx,Reg	Chargement d'un registre de contrôle
MOV Reg,CRx	Chargement du contenu d'un registre de contrôle
SHRD, SHLD	Décalage de doubles mots vers la droite ou vers la gauche
SETxx	Initialisation d'un registre de 8 bits si la condition indiquée est remplie. Combine les instructions CMP, Jxx et MOV

36.1.4. Le mode virtuel des processeurs 80386 et i486

Alors qu'ils s'affairaient à mettre au point le 80286, les développeurs d'Intel misaient sur le succès rapide du mode protégé et la morte lente du mode réel. Pendant la conception du 80386, les idées durent se plier à l'implacable entêtement des faits, autrement dit à la pérennité de DOS. Le mode virtuel 86 (V86) devait constituer la symbiose entre le mode réel et le mode protégé. Il est aujourd'hui présent dans de nombreux types d'extensions système. Son domaine va des émulateurs d'EMS (par exemple EMM386.SYS de Microsoft) aux extensions multitâche (par ex DesqView/386) en passant par la boîte DOS de Windows.

Du point de vue d'un programme tournant en mode V86, le système apparaît comme un ordinateur fonctionnant en mode réel, alors qu'à l'arrière-plan la gestion de la mémoire, la commutation des tâches et les règles de privilège du mode protégé restent actives. En mode V86, un programme exécuté comme une tâche V86 autonome ne voit rien de ces mécanismes. Il a les yeux fixés sur son espace mémoire de 1 Mo qui est adressé selon les règles habituelles du mode réel, avec la formule Segment+Offset*16. Pour la tâche V86, les contenus des registres de segment sont véritablement des adresses de segments et non des sélecteurs comme en mode protégé. Un programme peut donc charger n'importe quelle valeur dans un registre de segment sans craindre de déclencher une exception.

Pourtant le processeur punit la tâche V86 lorsqu'elle utilise l'un des modes d'adressage sur 32 bits du 80386 pour générer un offset qui se trouve au-delà de la limite des 64 Ko. Dans ce cas il déclenche bien une exception mais cette situation est rarissime car le mode V86 est généralement mis en service pour exécuter des programmes DOS ordinaires qui ne font pas appel aux possibilités étendues du 80386 et de ses successeurs.

Comme il n'existe en mode V86 ni sélecteurs ni tables de descripteurs, les seules adresses exploitées sont linéaires. Le mégaoctet de mémoire d'une telle tâche recouvre donc le premier Mo de la mémoire vive physiquement présente, à moins que la pagination ne soit enclenchée. Si la pagination est active, l'espace mémoire d'une tâche V86 est reproduit à un emplacement quelconque de la mémoire physique par l'intermédiaire du répertoire des pages et d'une table des pages. L'illusion est alors parfaite.

Pendant qu'une tâche est exécutée en mode V86, d'autres tâches peuvent être actives sans être en mode V86. Le mode protégé reste disponible, aussi bien dans la version 16 bits compatible avec le 80286 qu'avec les versions 32 bits du 80386 et de l'i486. Ces modes sont généralement utilisés par un "moniteur de contrôle virtuel" qui gère en arrière plan l'exécution du programme DOS en mode V86 pour lui donner la sensation d'une machine DOS ordinaire. Le détail de ces opérations est évoqué dans les sections consacrées aux émulateurs d'EMS et aux gestionnaires d'exploitation multitâche.

En mode protégé ordinaire, les interruptions et exceptions déclenchées pendant l'exécution d'une tâche V86 sont également traitées. Le processeur se remet en mode protégé où le gestionnaire d'interruptions et d'exceptions est appelé par la porte correspondante de la table

des descripteurs d'interruption. L'initialisation de cette table et la mise en service du gestionnaire d'interruptions et d'exceptions n'est pas de la responsabilité de la tâche V86 mais de celle du moniteur de contrôle virtuel qui réglemente le fonctionnement de la tâche.

La commutation du mode protégé en mode V86 peut s'effectuer de plusieurs manières. Le plus souvent elle se fait par une porte de tâche, comme une commutation ordinaire. Le mode d'exploitation de la nouvelle tâche est contrôlé par l'indicateur VM tiré du registre EFLAGS qui est chargé à partir du segment d'état de la nouvelle tâche. Si cet indicateur est à 1, l'exécution se fait en mode V86, sinon c'est le mode protégé ordinaire qui entre en service.

La section consacrée à la commutation de tâche expliquait comment une nouvelle tâche se trouvait amorcée par la création d'un segment d'état de tâche avec une porte de tâche associée. Pour l'exécution d'une tâche en mode V86, il faut encore ajouter la mise à 1 de l'indicateur VM à l'intérieur du segment d'état de tâche pour que l'exécution commence directement en mode V86.

Les tâches V86 se déroulent toujours au niveau de privilège le plus bas (3). Toutes les instructions qui d'une manière ou d'une autre influencent le contenu de l'indicateur d'interruption ou de l'indicateur VM à l'intérieur du registre EFLAGS (PUSHF, POPF, INIT, IRET, CLI et STI) sont soumises au test d'IOPL et ne peuvent être exécutées que si l'indicateur d'IOPL contient la valeur 3. On cherche ainsi à éviter qu'une tâche V86 puisse se commuter en mode protégé. On peut aussi par ce moyen contrôler la modification de l'indicateur d'interruption car les programmes DOS ont tendance à mettre à 0 de temps en temps cet indicateur pour éviter les requêtes INTR. Mais en règle générale ce procédé ne fait pas le bonheur du moniteur de contrôle virtuel car pendant ce temps les demandes d'interruptions des autres tâches s'accumulent et ne peuvent plus être traitées à temps.

C'est pourquoi le mécanisme d'IOPL permet de générer à chaque accès au registre EFLAGS des exceptions qui empêchent la prise en compte de modifications. Mais les exceptions incessantes ralentissant énormément l'exécution du programme, il est recommandé de mettre à l'IOPL 3 les programmes DOS "sûrs".

En mode V86 les commandes IN, OUT, INS et OUTS ne sont pas privilégiées par l'indicateur d'IOPL comme c'est le cas en mode protégé. Mais avant d'exécuter une de ces commandes le processeur teste la table binaire des autorisations d'entrée-sortie dans le segment d'état de la tâche en question pour barrer ou libérer sélectivement les ports. En cas d'accès à un port barré une exception est générée qui rend la main au moniteur de contrôle virtuel. Ce dernier peut alors "virtualiser" certains ports, ce dont nous reparlerons dans la section consacrée au multitâche.

Avec tous ces mécanismes, de la simulation d'un espace d'adressage de mode réel à la pagination en passant par la table binaire des autorisations d'entrée-sortie, le mode V86 est parfaitement équipé pour affronter l'exécution de programmes DOS en multitâche. La section suivante montre comment est réalisée une telle exécution.

36.2. Utilitaires en mode protégé

Le mode V86 présenté précédemment convient parfaitement pour développer des utilitaires en mode protégé qui fonctionnent sous DOS. Ce mode d'exploitation permet en effet de réaliser une sorte de moniteur qui s'exécute en mode protégé mais qui contrôle une (ou plusieurs) machines virtuelles DOS. DOS est donc doté d'un "grand frère" qui contrôle et dirige tous ses pas sans qu'il s'en rende compte.

Les deux sections suivantes montrent le résultat du couplage du mode V86 avec DOS.

36.2.1. Emulateurs d'EMS et programmes de gestion de la mémoire

Les émulateurs d'EMS existent pour toutes sortes de systèmes allant du 8086 à l'i486 en passant par le 80286 et le 80386. Leur rôle est d'initialiser de la mémoire paginée aux normes LIM quand cette mémoire n'existe pas. On les appelle parfois des "limulateurs".

Les limulateurs appliquent différents principes de fonctionnement selon le processeur pour lequel ils ont été développés. D'une génération à l'autre les conditions de mise au point se sont améliorées et leur degré d'efficacité s'est accru. Leur seul point commun reste de préparer une interface logicielle aux spécifications LIM : mais quant à la présence de mémoire EMS ils ne font que tromper les programmes qui font appel à leurs fonctions.

Avec un 8086 l'installation d'un limulateur ne se justifie pas car la mémoire paginée est simulée sous forme d'un fichier sur disque dur. Le temps d'accès est alors excessif. Par ailleurs la fenêtre EMS avec ses 64 Ko de mémoire vive doit être située en dessous de la frontière des 640 Ko, ce qui entraîne un prélèvement douloureux. Les limulateurs pour 8086 ne sont donc pas très efficaces et il faut leur donner une mauvaise note.

Il en est tout autrement avec le 80286. La mémoire EMS émulée peut évidemment être tirée du disque dur, mais ce ne serait pas un choix très heureux. Il vaut mieux se servir de la mémoire étendue située au-delà de la limite de 1 Mo et qui est aujourd'hui presque toujours disponible sur n'importe quel AT. Le limulateur transforme cette mémoire en mémoire paginée en copiant une partie dans le cadre de page EMS à l'aide d'une fonction spéciale du BIOS. Mais le cadre de page doit être mémorisé en dessous des 640 Ko. Par ailleurs la copie de mémoire étendue en mémoire vive conventionnelle prend pas mal de temps car à chaque fois une commutation en mode protégé est nécessaire, le retour au mode réel étant, avec le 80286, une véritable odyssée à travers les tréfonds de la programmation système.

Plutôt que d'exploiter ainsi de la mémoire paginée, il est souvent plus intéressant, avec les ordinateurs à base de 80286, de faire appel à des cartes d'extension EMS. Il faut dire aussi que de nombreux AT (surtout avec NEAT-BIOS) disposent déjà de la possibilité de configurer de la mémoire étendue en mémoire paginée, ce qui apporte les mêmes avantages.

La véritable percée des limulateurs ne s'est faite qu'avec le processeur 80386. De nombreuses caractéristiques favorisent à ce titre l'exploitation de ce processeur. La mémoire est prélevée dans la mémoire étendue au-delà de la limite de 1 Mo, mais contrairement à ce qui se passe avec le 80286, aucune recopie dans le cadre de page n'est nécessaire.

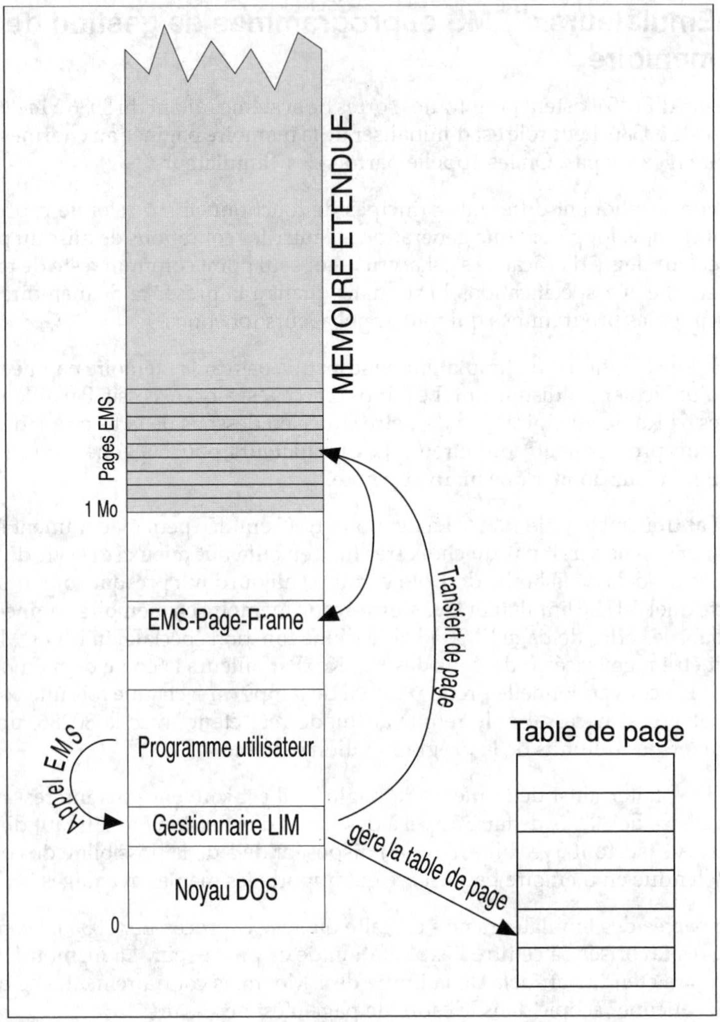

MEMOIRE ETENDUE

Pages EMS

1 Mo

EMS-Page-Frame

Transfert de page

Appel EMS

Programme utilisateur

Gestionnaire LIM

gère la table de page

Table de page

Noyau DOS

0

Fonctionnement d'un limulateur pour le 80386 et ses successeurs

En effet le 80386 et ses successeurs disposent d'un mécanisme de pagination performant grâce auquel il est aisé de reproduire de la mémoire étendue dans le cadre de page EMS tout en plaçant ce dernier entre 640 Ko et 1 Mo, même s'il n'existe pas de mémoire physique à cet endroit. C'est en tout cas ce que font tous les gestionnaires de mémoire et limulateurs un peu sophistiqués tels que 386-to-the-Max, QEMM-386 ou EMM386 de DOS.

Mais il y a quand même un problème. Car en mode réel, à partir duquel les programmes DOS réclament et exploitent de la mémoire EMS, le mécanisme de pagination du 80386 et de ses successeurs ne fonctionne pas. Il faut donc faire appel au mode V86 ce qui signifie que le limulateur au moment de son lancement bascule l'ordinateur en mode V86. Il doit donc se situer au-dessus de DOS comme moniteur de contrôle virtuel. La section suivante consacrée au multitâche vous en apprendra davantage sur ce sujet.

Programmes de gestion de la mémoire

Les gestionnaires de mémoire comme 386-to-the-Max ou QEMM-386 n'offrent pas seulement des limulateurs mais ils supportent également l'interface XMS pour accéder à la mémoire étendue. En plus -ce qui est encore plus intéressant- ils permettent de déplacer des programmes résidents, des drivers et des parties de DOS pour les disposer au delà de la barrière des 640 Ko, ce qui libère d'autant la mémoire conventionnelle. Ces programmes sont chargés dans des zones de mémoire que la table des pages situe entre 640 Ko et 1 Mo sans que ces emplacements existent réellement. Le plus difficile n'est pas de programmer les tables de pages en conséquence mais de s'assurer que les zones de mémoire en question ne sont pas déjà revendiquées par des cartes ou d'autres logiciels. Il est clair que des zones de mémoire attribuées à plusieurs acteurs garantissent un plantage système immédiat.

36.2.2. Exploitation multitâche

Depuis que les PC frisent le niveau de performance des postes de travail, les utilisateurs de DOS se font plus pressants en demandant les avantages qu'offrent ce type de matériel, et notamment une possibilité d'exploitation multitâche. En l'occurrence, il s'agit moins d'exécuter simultanément plusieurs programmes que de pouvoir passer de l'un à l'autre sans être obligé de procéder à des clôtures et des réinitialisations. Il existe depuis longtemps des programmes qui effectuent ce genre de "commutation de tâche" pour un PC. Le plus connu est sans doute DESQView de Quarterdeck qui a trouvé un solide concurrent dans le "Commutateur de tâches" du shell de DOS 5.0.

Dans le monde de DOS, les vrais gestionnaires d'exploitation multitâche s'appellent essentiellement DESQView/386 et Windows 3.0 qui permettent l'exécution en parallèle de plusieurs programmes DOS et leur affichage dans des fenêtres écran séparées. Pour parvenir à ce résultat, les problèmes à résoudre sont nombreux et ils ne sont pas toujours du ressort de la programmation système mais plutôt de celle de la théorie des systèmes d'exploitation. Un gestionnaire d'exploitation multitâche n'est au fond rien d'autre qu'un super système d'exploitation qui coiffe DOS pour lancer d'autres systèmes dans les machines virtuelles qu'il contrôle.

Comme cet ouvrage est consacré à la programmation système, je ne souhaiterais pas examiner ici les questions théoriques que soulève le développement d'un tel super système, quel que soit l'intérêt qui s'y attache. Je voudrais plutôt me tourner vers un problème qui touche la programmation système et pour la résolution duquel le mode V86 est irremplaçable : il s'agit du problème de la "virtualisation du matériel".

Ce n'est que par ce moyen que chaque programme exécuté dans un environnement multitâche peut croire à l'existence de son PC propre où il se trouve tout seul. Par nature les programmes de DOS ne sont pas coopératifs et leur comportement d'égoïste invétéré les amène à écrire directement dans la mémoire d'écran, à programmer sans ménagement le contrôleur d'interruption ou à tirer à eux toute la mémoire disponible.

Virtualisation du matériel

Les problèmes qui surgissent sont particulièrement apparents si l'on considère l'exemple de l'écran. Normalement chaque programme DOS peut supposer qu'il dispose d'un espace d'affichage de 25 lignes de 80 colonnes, c'est-à-dire de la totalité de l'écran pour son usage exclusif. Mais avec un gestionnaire d'exploitation multitâche ce n'est plus le cas. L'espace d'affichage est alors réduit à une petite fenêtre. Le gestionnaire d'exploitation multitâche va rassembler les sorties dans un buffer interne et représenter une partie de ce buffer dans la fenêtre attribuée par l'utilisateur au programme concerné.

Pour que l'utilisateur puisse contempler tous les affichages du programme, le gestionnaire d'exploitation multitâche permet de faire défiler le contenu de la fenêtre : de nouveaux extraits de l'"écran virtuel" deviennent alors visibles. Il est par ailleurs possible d'étendre l'écran virtuel à la totalité de l'écran physique : vous connaissez cette manoeuvre si vous utilisez Windows.

Voilà le point de vue de l'utilisateur. Mais que se passe-t-il dans les coulisses, comment le gestionnaire d'exploitation multitâche collecte-t-il les affichages des différents programmes ?

Tant que le programme utilise les fonctions vidéo du BIOS pour réaliser ses affichages, le problème est simple à résoudre. il suffit que le gestionnaire d'exploitation multitâche déroute l'interruption du BIOS sur une fonction qui lui appartienne et qui enverra les caractères dans un buffer interne (l'écran virtuel) avant de les faire apparaître à l'écran.

Le détournement de l'interruption vidéo du BIOS ne permet pas seulement de capter les affichages provoqués par l'appel direct au BIOS. Toutes les fonctions d'affichage de DOS et les instructions des langages de haut niveau telles que PRINT, printf() ou writeln() (avec DirectVideo=False) se soldent en définitive par des appels au BIOS. Mais que se passe-t-il lorsque le programme en question n'exploite aucune des possibilités mentionnées et qu'il accède directement à la mémoire écran, ce qui est un moyen courant d'accroître la vitesse d'affichage ?

Avec les ordinateurs à base de 8086/8088 ou 80286 la partie est perdue d'avance car il n'existe aucune possibilité d'intercepter les accès directs à une mémoire. Avec le 80386 et ses successeurs, les choses sont différentes car on dispose du mode V86 et du mécanisme de pagination.

Si vous avez lu la section consacrée à la pagination du 80386 et de ses successeurs, vous savez que ce mécanisme reproduit l'adresse linéaire de la mémoire physique. Un gestionnaire d'exploitation multitâche ne peut pas se permettre de renoncer à cette possibilité car il doit donner à tous les programmes DOS en concurrence l'impression de s'exécuter dans le premier Mo de la mémoire vive, même s'ils sont en réalité situés ailleurs.

Mais pour virtualiser la mémoire écran il est encore plus intéressant d'exploiter les possibilités intrinsèques de la pagination pour réaliser une gestion de mémoire virtuelle. C'est le bit de présence qui est particulièrement précieux. Rappelons qu'il s'agit d'une partie de l'indicateur qui fait partie de chaque élément de la table des pages.

Si ce bit est à 0, le processeur sait en accédant à une page que cette dernière n'est pas en mémoire. Il déclenche alors une exception pour que le système reprenne le contrôle des opérations et puisse recharger la page manquante. L'exception est déclenchée même quand il n'existe pas de gestion de la mémoire virtuelle, elle doit toujours être gérée par une routine appropriée du système d'exploitation.

Le gestionnaire multitâche va alors marquer comme étant absentes les pages qui correspondent à la mémoire écran. A chaque accès à la mémoire écran, la routine d'exception du gestionnaire d'exploitation multitâche va être appelée, stockant l'octet ou le mot en voie d'affichage dans l'écran virtuel d'où il sera extrait pour être affiché un peu plus tard.

En pratique cette manière de procéder permet même de se dispenser du détournement de l'interruption vidéo du BIOS car cette dernière en fin de compte effectue également une écriture directe dans la mémoire écran, ce qui va déclencher la routine d'exception du gestionnaire multitâche. Malheureusement, compte tenu des microprocesseurs actuellement disponibles, cette méthode reste un peu dispendieuse en terme de temps d'exécution. C'est pourquoi les gestionnaires d'exploitation multitâche effectuent tout de même le détournement de l'interruption vidéo du BIOS.

Ce que nous venons de voir au sujet de la mémoire écran est aussi valable pour n'importe quelle zone de mémoire qui peut ainsi être prémunie contre les accès directs. En fait les zones concernées ne peuvent pas se restreindre à des mémoires individuelles, elles doivent en principe s'étendre sur au moins une page entière, soit 64 Ko. Mais comme la routine d'exception du gestionnaire multitâche reçoit comme argument l'offset de l'accès, on peut quand même protéger des zones inférieures à 64 Ko. Si la routine d'exception constate que la mémoire est en dehors de la zone à protéger, elle met à 1 le bit de présence, effectue elle-même l'accès et réinitialise ensuite à 0 le bit de présence.

Interception des accès aux ports d'entrée-sortie

Les collisions susceptibles de se produire dans un système multitâche n'ont pas pour seule cause des accès concurrents à une même zone de mémoire. Le même accident risque d'affecter les ports d'entrée-sortie qui servent à commander les cartes matérielles. Revenons encore une fois à notre exemple d'affichage sur l'écran. Que se passe-t-il par exemple si un programme accède directement aux registres de la carte graphique pour mettre en service le mode graphique ou sélectionner une autre palette de couleurs ? Comment le gestionnaire multitâche peut-il s'en rendre compte ?

Ici encore c'est une caractéristique particulière du mode protégé, la table binaire des autorisations d'entrée-sortie, qui va nous être utile. En mode V86 elle est toujours active et permet au gestionnaire multitâche de protéger les ports sensibles contre les accès inconsidérés. Lorsqu'un programme s'adresse à un port interdit, une exception est déclenchée qui avertit le gestionnaire multitâche.

C'est ce que fait Windows en mode étendu lorsqu'une boîte DOS en mode V86 exploite le contrôleur DMA qui intervient dans l'accès aux disquettes et au disque dur. Ce circuit ignore tout de l'existence d'une gestion des pages et il prend donc les adresses qu'on lui communique pour des adresses physiques réelles auxquelles il cherche à accéder. Windows est obligé d'intercepter chaque accès à ce circuit dans le cadre de la boîte DOS pour convertir les adresses indiquées en adresses physiques véritables avant qu'elles ne parviennent au contrôleur.

Les gestionnaires multitâches ont encore bien d'autres problèmes à surmonter mais la combinaison du mode V86, de la pagination et de la table des autorisations d'entrée-sortie en vient généralement à bout. Même des programmes DOS particulièrement peu coopératifs peuvent ainsi être exécutés dans un environnement multitâche, comme le montre d'ailleurs Windows 3.0.

Mais il existe malgré tout un problème insoluble : la dispute pour le mode protégé entre les gestionnaires multitâche et les DOS Extenders.

Si un programme développé à l'aide d'un DOS Extender est lancé en exploitation multitâche, il essayera en vain de se mettre en mode protégé. Ce n'est pas pour rien en effet qu'une tâche en mode V86 se déroule au niveau de privilège le plus bas.

Heureusement il existe des interfaces logicielles appelées DPMI et VCPI qui viennent à la rescousse. Elles sont présentées en section 36.4.

36.3. Les DOS Extenders

D'un côté les données et les programmes ont besoin de mémoire, de l'autre côté la mémoire est présente sous forme étendue. Mais il n'y a pas de rencontre. Un scénario typique du mode réel sous DOS. Bien sûr, les interfaces logicielles telles que EMS ou XMS donnent accès à davantage de mémoire mais uniquement pour les données et aux prix de mécanismes compliqués difficiles à mettre en harmonie avec la logique interne des programmes. Les développeurs ont depuis

longtemps demandé à pouvoir utiliser la mémoire étendue comme de la mémoire vive ordinaire dans leurs programmes DOS. Les DOS Extenders leur donnent enfin satisfaction.

Il s'agit d'outils de développement proposés par différentes sociétés d'édition de logiciels américaines dans une optique de collaboration avec certains compilateurs bien précis. Ce sont surtout les compilateurs C standard qui sont visés par les DOS Extenders mais peut-être aussi Turbo Pascal bien que je ne connaisse pas de produit associé. Dans les sections consacrées à la mise en service concrète de DOS Extenders nous parlerons uniquement de produits qui s'appliquent à des développements en langage C.

Les DOS Extenders sont adaptés spécialement à des compilateurs bien précis car ils manipulent le code machine généré par eux. Leur ambition est de faire fonctionner des programmes DOS dans le mode protégé du 80286, 80386 ou i486. Un programme en mode protégé a à sa disposition l'intégralité de la mémoire vive et non seulement l'espace restreint de 640 Ko que DOS lui-même ne libère pas entièrement.

Mais exécuter des programmes DOS en mode protégé est presque aussi difficile que la quadrature du cercle. Mais l'objectif peut être atteint comme le montrent des logiciels connus qui ont été développés avec des DOS Extenders : parmi eux on compte par exemple, en plus de la version 10.0 d'AutoCAD, la version 3 de Lotus 1-2-3 ou une version spéciale 386 de Paradox. Il n'est pas étonnant que de telles célébrités logicielles aient été candidates à l'intervention des DOS EXtenders. Du fait de leur puissance, ces logiciels comportent beaucoup d'instructions et gèrent une énorme quantité de données et de variables en mémoire vive.

Mode de fonctionnement d'un DOS Extender

En termes simplifiés, la tâche d'un DOS Extender peut se résumer en une formule sommaire : exécuter le programme en mode protégé mais revenir au mode réel à chaque appel à DOS ou au BIOS. Le DOS Extender a modifié le code de l'application dans le fichier EXE de façon à ce qu'il tourne en mode protégé. Mais il n'a pas pu faire la même chose pour DOS ou le BIOS. Au moment de l'exécution de nombreuses difficultés apparaissent.

Si le principe de fonctionnement est simple, les détails sont d'une grande complexité. Un DOS Extender est livré avec divers utilitaires qui agissent sur le code compilé des compilateurs DOS (par exemple MSC 6.0). Le programme reçoit d'abord une nouvelle adresse de lancement derrière lequel se cache le code de l'Extender.

Quand on lance le programme à partir de la ligne de commande DOS, c'est en fait le DOS Extender incorporé qui prend le contrôle. Dans un premier temps il copie le programme en mémoire étendue, sans toutefois le mettre à exécution car il reste encore des travaux préliminaires à effectuer. Le DOS Extender installe alors toujours en mode réel une table de descripteurs globale qui définit les différents segments de code et de données du programme. Les informations nécessaires ont été tirées du fichier OBJ généré par le compilateur, au moment du développement.

C'est également au moment de la compilation qu'est défini l'ordre dans lequel sont créés les différents descripteurs de segments. Dans les références aux segments qui apparaissent dans le code et les données se trouvent déjà des sélecteurs qui ne sont plus modifiés par la suite. Une adaptation des références à l'instar de ce que fait le chargeur de DOS en mode réel n'est pas nécessaire car en fin de compte les adresses des segments étant dans les descripteurs, elles peuvent y être modifiées.

Le programme est prêt pour le décollage, il manque simplement la table des descripteurs d'interruption et le gestionnaire d'interruption que réclament les fonctions de DOS et du BIOS.

Une fois qu'ils sont installés, plus rien ne s'oppose à l'exécution en mode protégé. Le DOS Extender commute donc le processeur en mode protégé et lance le programme.

Pendant que le programme tourne, le DOS Extender agit uniquement à l'arrière-plan, par le moyen des fonctions de DOS et du BIOS dont le traitement particulier est décrit plus loin. Lorsque le programme se termine d'une façon normale, autrement dit par l'invocation de la fonction 4Ch de DOS, le DOS Extender reprend le contrôle des opérations. Il fait le ménage dans la mémoire centrale et repasse en mode réel, ce qui le ramène au niveau de DOS sans que l'utilisateur ait remarqué la mise en service du mode protégé.

DOS Extenders pour 286 et 386/i486

Le marché des DOS Extenders se divise en deux segments : les DOS Extenders pour 80286 et les DOS Extenders pour 80386 ou i486. Les derniers cités exploitent évidemment les possibilités étendues du processeur 80386 et de ses successeurs (32 bits, segments plus longs) ce qui leur donne un niveau de performance bien supérieur à ce qu'il est possible d'obtenir avec un 80286. Mais leur mise en service demande souvent des modifications à l'intérieur du code source, ce qui n'est pas nécessairement le cas pour un 80286. Nous approfondirons cette question dans les deux sections consacrées d'une part aux DOS Extenders pour 80286 et d'autre part aux DOS Extenders pour 80386/i486. Mais commençons par jeter un coup d'oeil très général sur les problèmes posés par l'exécution d'un programme DOS en mode protégé.

36.3.1. Les exigences du mode protégé

Un programme DOS en mode protégé se voit d'abord confronté à une gestion de mémoire modifiée, où interviennent des sélecteurs, des descripteurs de segment et des tables de descripteurs. Il n'est plus question d'adresses de segments ou de segments constants de 64 Ko. Ce problème est essentiellement résolu par les manipulations qu'effectue le DOS Extender sur le code compilé avant même le premier lancement du programme.

Les choses deviennent plus compliquées lorsque le programme fait appel à des fonctions de DOS ou du BIOS, ou lorsque des périphériques externes déclenchent des interruptions. Ni le code de DOS, ni la ROM du BIOS ni les gestionnaires d'interruptions dans les programmes résidents n'ont été conçus pour fonctionner en mode protégé. Si on appelle leurs fonctions en mode protégé, on occasionnerait un plantage immédiat du système, dès le premier chargement d'un segment dans l'un des registres de segment.

L'un ou l'autre développeur amateur de portabilité pourrait prétendre que ses programmes ne comportent aucun appel à DOS ou au BIOS sous prétexte qu'ils tournent aussi sur un autre système XYZ, mais une telle prétention est insensée. Car même si un programme ne contient aucun appel explicite aux fonctions de DOS ou du BIOS, il est rempli d'appels cachés. En effet les fonctions de traitement des fichiers, d'affichage à l'écran ou de saisie au clavier offertes par les langages évolués s'appuient toujours sur des appels à DOS ou au BIOS.

Mais que se passe t-il exactement si pendant l'exécution d'un programme une fonction de DOS ou du BIOS est appelée par le moyen de l'interruption logicielle associée ou si le clavier déclenche une interruption matérielle ? Le DOS Extender prend aussitôt les choses en main car avant le démarrage du programme proprement dit il a installé ses propres gestionnaires d'interruption dans la table des descripteurs d'interruption. Le DOS Extender a ainsi manipulé les gestionnaires d'interruption de DOS 20h, 21h, 24h, etc.., les gestionnaires d'interruption du BIOS 10h, 11h, 12h, 13h, 14h, 15h, 16h, etc. ainsi que les interruptions matérielles 08h, 09h, 0Ah etc.

Pour ce qui est des requêtes matérielles IRQ0 à IRQ7, il faut signaler qu'elles déclenchent normalement les mêmes interruptions que les différentes exceptions du mode protégé, à savoir

les interruptions 08h à 0Fh. La plupart des DOS Extenders reprogramment donc le contrôleur d'interruption de façon qu'il déroute les requêtes IRQ0 à IRQ7 sur d'autres interruptions. Ce n'est qu'à ce prix que les interruptions et les exceptions peuvent coexister pacifiquement.

Mais revenons aux gestionnaires d'interruption du DOS Extender qui doivent être exécutés à partir du mode protégé. Leur rôle consiste à passer en mode réel, à appeler le gestionnaire d'interruption d'origine par le moyen de la table des vecteurs d'interruption et à revenir ensuite au mode protégé. L'exécution de l'interruption est alors terminée et le programme interrompu reprend son cours. La commutation temporaire en mode réel est complètement transparente pour le programme.

Un aller-retour pour le mode protégé

Le passage incessant du mode protégé au mode réel et vice-versa coûte beaucoup de temps. C'est surtout le 80286 qui cause souci car s'il est bien possible de passer du mode réel au mode protégé, le retour en sens inverse est un parcours semé d'embûches. Un AT moderne avec une cadence de 16MHz peut faire 2000 commutations par seconde du mode protégé au mode réel, aller-retour. Un 386 à 20 MHz est capable de mener à bien 9000 commutations dans le même temps, soit plus de quatre fois plus. L'amélioration tient moins à l'augmentation de la cadence qu'au support du retour de commutation du mode protégé en mode réel.

2000 ou 9000 commutations, on peut interpréter ces chiffres comme on veut. Mais ils sont quand même faibles comparés aux centaines de milliers d'instructions par seconde d'un processeur. Mais la vraie question est de savoir combien d'appels DOS ou BIOS ou combien d'interruptions matérielles se déclenchent habituellement à chaque seconde. Probablement pas beaucoup, surtout lorsque les programmes consistent davantage à traiter de grandes quantités de données qu'à gérer l'interactivité avec l'utilisateur. Ces sont justement ces programmes-là qui sont candidats à la mise en service de DOS Extenders parce que les 640 Ko standard ne leur suffisent pas. La perte de temps entraînée par les commutations d'un mode à l'autre n'est donc pas a priori un frein à l'usage des DOS Extenders.

Transmission d'adresses de buffers

La commutation du mode protégé en mode réel ne résout pas tout, surtout pas pour l'interruption 21h de DOS et ses fonctions. Car ces fonctions vont lire des paramètres dans les différents registres du processeur et la plupart du temps y retourner des résultats. Une fois la commutation en mode réel effectuée, le gestionnaire d'interruption du DOS Extender pourrait transmettre ces informations telles quelles au gestionnaire d'origine de DOS mais la conséquence en serait rapidement un plantage du système. Plus précisément, ce sera le cas si la fonction DOS en question attend comme paramètre une adresse de buffer.

En effet avant d'appeler la fonction de DOS le programme va charger soigneusement l'adresse du buffer dans le registre prévu mais cette adresse ne fournit pas un segment mais un sélecteur. Le sélecteur ne correspond évidemment pas au segment du buffer, c'est ainsi que la fonction de DOS va peut-être accéder au segment 104h alors qu'en fait il s'agissait du sélecteur 104h qui désignait un segment quelconque au-delà de la limite de 1 Mo.

Le DOS Extender est donc obligé, avant d'appeler la fonction, de transformer les références concernant des buffers du mode protégé en adresses de segments. Il ne suffit pas à cet effet de consulter une table des descripteurs globale ou locale, car le résultat en serait une adresse de base à 24 ou 32 bits, mais sûrement pas une adresse de segment à 16 bits. Par ailleurs l'adresse en mode protégé ne pourra être que rarement exprimée sous forme de segment ordinaire car le programme et ses buffers sont généralement situés au-delà de la limite de 1 Mo, ce qui les rend inaccessibles aux fonctions du mode réel de DOS.

Avant d'appeler la fonction, le DOS Extender va donc recopier le contenu du buffer d'origine dans un buffer provisoire installé en-dessous de la fameuse limite de 1 Mo. Ce déménagement devra être renouvelé à l'issue de l'appel car DOS pourrait avoir modifié le buffer. Le contenu du buffer provisoire devra donc être recopié dans le buffer du mode protégé.

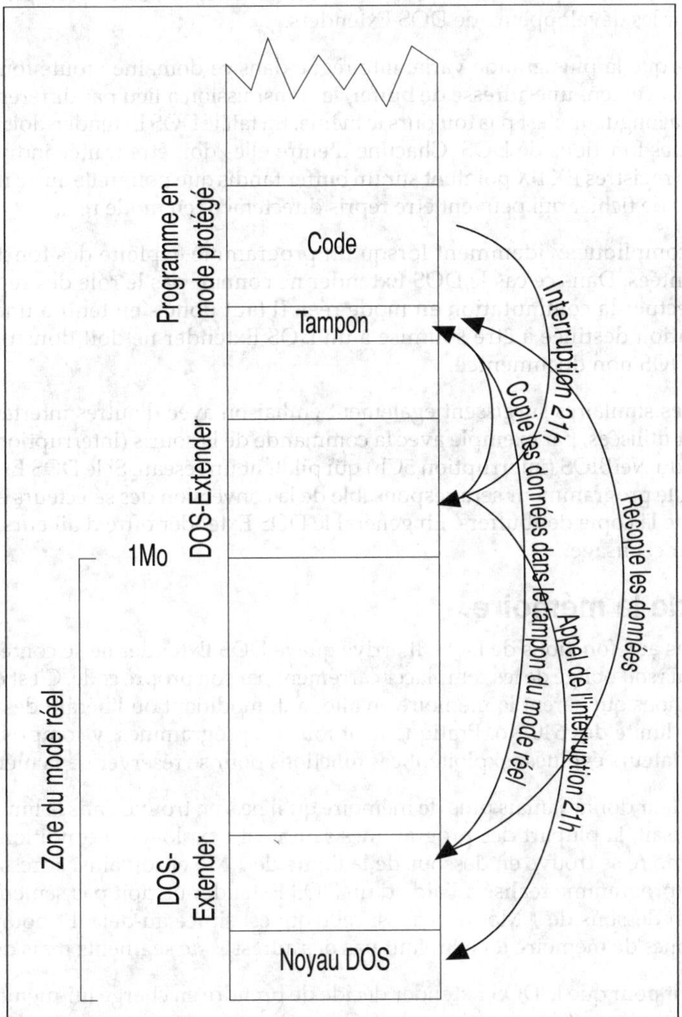

Transmission d'un buffer lors de l'appel d'une fonction de DOS ou du BIOS

Ce déplacement d'informations fait évidemment perdre du temps, surtout lorsqu'on accède à des fichiers qui se caractérisent souvent par des blocs de données importants. Mais après tout, dans ce cas-là, le temps de recopie est négligeable par rapport au temps d'accès aux supports externes. Il ne faut pas oublier que plusieurs puissances de dix séparent un temps de lecture/écriture sur disque du délai d'exécution d'une instruction REP MOSW.

Le DOS Extender encadre donc les différentes fonctions de DOS et les interruptions du BIOS appelées par le programme. Dans le mode de DOS un tel comportement n'est pas une grande

nouveauté, car les programmes résidents et les extensions système l'ont adopté depuis long-temps en modifiant à leur guise le fonctionnement de diverses fonctions.

Si la copie d'informations entre buffers en mode réel et buffers en mode protégé est une source de complications et de perte de temps, elle n'est cependant pas la plus grande difficulté rencontrée par les développeurs de DOS Extenders.

IL faut savoir que la plus grande variabilité règne dans ce domaine : toute fonction de DOS n'attend pas forcément une adresse de buffer, la transmission a lieu par différents registres et le codage de la longueur n'est pas toujours le même. En fait le DOS Extender doit être un intime connaisseur des fonctions de DOS. Chacune d'entre elles doit être traitée individuellement : pour l'une les registres EX:BX pointent sur un buffer tandis que pour telle autre ils mémorisent deux Handles de fichier qui peuvent être repris directement en mode réel.

L'affaire se complique évidemment lorsqu'un programme exploite des fonctions de DOS non documentées. Dans ce cas le DOS Extender ne connaît pas le rôle des registres et il ne peut pas effectuer la commutation en mode réel. Il faut donc s'en tenir à une règle stricte : une application destinée à être soumise à un DOS Extender ne doit donc pas comporter de fonction DOS non documentée.

Des problèmes similaires surgissent également en liaison avec d'autres interfaces logicielles fréquemment utilisées, par exemple avec la commande de la souris (interruption 33h) ou avec les fonctions du NetBIOS (interruption 5Ch) qui pilotent un réseau. Si le DOS Extender ignore ces fonctions, le programmeur sera responsable de la conversion des sélecteurs en adresses de segments et de la copie des buffers. En général le DOS Extender offre d'ailleurs des fonctions spéciales pour cet usage.

Gestion de la mémoire

Mais revenons aux fonctions de DOS. Il arrive que le DOS Extender ne se contente pas de les compléter mais soit obligé de les remplacer carrément par son propre code. C'est ce qui se passe pour les fonctions qui gèrent la mémoire en allouant, modifiant ou libérant des zones situées en-deçà de la limite des 640 Ko. Pratiquement tous les programmes y compris ceux générés par les compilateurs évolués- exploitent ces fonctions pour se réserver de la mémoire.

Mais DOS ne leur donne jamais plus de mémoire qu'il ne s'en trouve dans la limite des 640 Ko. Mais s'il le faisait, la plupart des programmes sauraient l'exploiter, à condition évidemment que cette mémoire se trouve en dessous de la limite de 1 Mo et soit ainsi adressable en mode réel. Mais un programme réalisé à l'aide d'un DOS Extender ne doit pas seulement exploiter la mémoire en dessous de 1 Mo mais aussi celle qui est située au-delà. Et pour identifier les différentes zones de mémoire il ne lui faut pas des adresses de segments mais des sélecteurs.

Tout cela suffit pour que le DOS Extender décide de prendre en charge lui-même la gestion de la mémoire, remplaçant les fonctions de DOS prévues à cet effet par les siennes propres. Lorsqu'un programme demande la quantité de mémoire disponible, ces fonctions peuvent très bien répondre qu'il reste 1 Mo. Il n'est pas possible de dépasser ce chiffre car le schéma de transmission de la fonction concernée ne le permet pas (il faut charger en BX le nombre de paragraphes de 16 octets). Dans l'étape qui suit le programme va réclamer la mémoire requise et probablement aller jusqu'à la limite renseignée par un appel de fonction précédent. Le DOS Extender attribue ainsi 1 Mo de mémoire qui peuvent être adressés par le sélecteur fourni. Comme la plupart des programmes demanderont plusieurs fois de la mémoire à des fins diverses, toute la mémoire physiquement disponible peut leur être allouée.

Il se pose cependant un problème pour la mise à disposition des zones de mémoire qui dépassent 64 Ko. En effet si le code du programme a été créé sur un processeur 80286 ou sur un de ses successeurs, il ne fonctionne qu'avec des registres de 16 bits et ne peut atteindre que des segments de 64 Ko. Lorsque de grandes zones de mémoire sont parcourues, l'adresse de segment doit être modifiée de temps à autre pour sortir des premiers 64 Ko. Mais l'arithmétique des adresses de segment est interdite en mode protégé car on obtient des sélecteurs qui référencent de toutes autres zones de mémoire.

Le DOS Extender éprouve aussi des difficultés à allouer des blocs de plus de 64 Ko à un 80286 car un segment ne peut simplement pas dépasser cette taille. Pour allouer un grand bloc de mémoire, le DOS Extender est obligé de créer plusieurs segments et par conséquent plusieurs descripteurs de segments dans la table des descripteurs globale ou locale. Ces descripteurs à leur tour nécessitent plusieurs sélecteurs que la fonction de DOS ne fournit pas au programme appelant.

Pour les allocations de plus de 64 Ko le 80286 requiert une intervention du DOS Extender qui va au-delà du traitement habituel des fonctions de DOS. La section suivante va examiner ce point particulier.

Ce n'est pas seulement l'arithmétique des segments qui représente un obstacle insurmontable en mode protégé. Les références absolues à certains segments constituent une autre plaie. Le DOS Extender peut encore installer des descripteurs de segment pour pointer sur la table des vecteurs d'interruption et la zone des variables du BIOS en prenant des numéros égaux aux segments mais avec les segments de la mémoire écran c'est plus difficile. La table des descripteurs globale ou locale - selon le cas - doit être étendue à B800h+1 éléments pour que le segment de la mémoire écran corresponde au descripteur de numéro B800h. La table des descripteurs atteint alors la taille respectable de 360 Ko, avec une majorité d'éléments inutiles étant donné qu'aucun DOS Extender n'a besoin de B800h segments pour exécuter un programme.

Les DOS Extender exploitent donc une autre voie. Ils reproduisent les segments par des descripteurs accolés à la fin de la table des descripteurs avec un indice sans rapport avec les adresses des segments. Ils offrent ensuite des fonctions spéciales qui à partir du sélecteur permettent d'accéder directement à la mémoire associée.

36.3.2. DOS Extenders pour 80286

On estime en général que les DOS Extenders pour 80286 donnent des programmes moins bons que les DOS Extenders pour 80386 et i486 mais que la conversion des programmes existants est plus facile.

Ainsi lorsque la conversion est effectuée avec l'un des DOS Extenders les plus connus pour 80286 (DOS/16M de Rational Systems) il suffit de recompiler le source avec le modèle large, d'enclencher une édition de liens un peu modifiée et de soumettre le tout au DOS Extender. Au bout de cinq minutes on dispose d'un programme qui tourne sur un ordinateur sans afficher "insufficient memory" et en profitant de plus de mémoire que jamais.

Tout fonctionne très bien à condition de respecter les règles décrites précédemment, surtout celles qui concernent le maniement des segments. Mais comment cela est-il possible alors qu'aucune fonction spéciale du DOS Extender n'a été invoquée ? Que se passe-t-il exactement lors de la conversion du programme ?

Réalisation d'un programme en mode protégé avec DOS/16M

Au moment de la compilation il ne se passe pas encore grand-chose. Le programme est traité avec le modèle mémoire large pour que les pointeurs de données et de code soient de type FAR. Les données et le code peuvent ainsi franchir la frontière des 64 Ko, ce qui est une condition minimale d'intervention du DOS Extender.

Le programme objet obtenu après compilation est d'abord un programme ordinaire en mode réel mais l'étape suivante va préparer sa conversion.

Lors du processus d'édition des liens le programme ne va pas être lié aux routines de la bibliothèque du compilateur C mais à des modules additionnels issus du DOS Extender. Le programme reçoit ainsi un nouvel en-tête de démarrage, et à la place des routines de la bibliothèque C sont insérées des routines propres au DOS Extender. Par ailleurs une place est préparée pour l'installation ultérieure des tables de descripteurs. La nouvelle routine de démarrage prend soin d'arrêter immédiatement l'exécution du programme lorsque le processeur est un 8086 ou si la mémoire étendue est insuffisante.

L'édition de liens génère un fichier EXE qui ne peut plus tourner dans le mode réel de DOS et qui ne n'est pas encore fonctionnel pour le mode protégé. Il doit être soumis à un programme de conversion qui dans le cas du DOS Extender DOS/16M s'appelle MAKEPM et transforme le fichier EXE en un fichier EXP. D'une certaine manière MAKEPM prend en charge la tâche dont s'occupe habituellement le chargeur de DOS : il ajuste les adresses des segments à leur situation physique en mémoire.

Il est vrai qu'un programme en mode protégé n'a pas besoin d'adresses de segments mais uniquement de sélecteurs. MAKEPM remplace les différentes adresses de segments par des numéros de sélecteurs, ces numéros reflétant l'ordre dans lequel les descripteurs de segments seront ultérieurement chargés dans la table des descripteurs.

Une fois soumis à MAKEPM le fichier généré ne peut plus être lancé à partir de la ligne de commande de DOS : d'ailleurs il ne porte plus l'extension EXE. Mais même si on changeait l'extension il ne fonctionnerait pas car pour être lancé il doit être confié à un chargeur spécial. Ce chargeur va extraire les segments du fichier EXE, les placer en mémoire et noter leur emplacement dans la table des descripteurs locale.

Il faut donc finalement deux programmes : le chargeur mis à disposition par le DOS Extender et le programme EXP. Comme la plupart des utilisateurs n'aiment pas cela, la quasi-totalité des DOS EXtenders fournissent des utilitaires qui permettent d'enregistrer le chargeur dans le fichier EXP. Dans le cas de DOS/16M cet utilitaire s'appelle SLICE et crée un fichier EXE tout à fait ordinaire qui comme toute application peut être lancée à partir de la ligne de commande de DOS.

Fonctions de bibliothèque modifiées

La réalisation d'un programme en mode protégé à l'aide d'un DOS Extender est une opération assez étonnante, ne serait-ce que parce qu'elle implique un compilateur en mode réel tel que MSC ou Turbo C. Mais à y regarder de plus près la différence entre instructions machine en code réel et en code protégé n'est pas si importante que ça, abstraction faite de la mise en service des sélecteurs. Les sélecteurs cependant ont la même longueur que des adresses de segments, ils sont mémorisés et traités de la même façon. Autrement dit les ajustements nécessaires sont raisonnables et peuvent être effectués par un "post-processeur" comme MAKEPM qui ne touche pas vraiment au code original.

Il en est tout autrement des fonctions de bibliothèque qui sont proposées par le compilateur et sont incluses dans le programme au moment de l'édition des liens. Certaines de ces fonctions contreviennent aux principes du mode protégé, elles sont donc remplacées par d'autres. Parmi elles se trouvent les fonctions qui modifient le code (notamment les fonctions d'interruption *int86()* et *int86x()* telles qu'elles sont implémentées par les compilateurs C sous MS-DOS). Ou encore toutes les fonctions qui jouent sur l'arithmétique des segments.

L'une des fonctions les plus importantes lorsqu'on se préoccupe de la portabilité en C est la fonction *malloc()*. Elle est l'instrument central de l'allocation dynamique de mémoire. Contrairement à l'ancienne version, la nouvelle fonction *malloc()* du DOS Extender est en mesure de distribuer progressivement toute la mémoire étendue au programme qui le requiert. Elle renvoie à cet effet le sélecteur et l'offset de la zone de mémoire allouée. Lorsqu'un programme réserve de la mémoire par la fonction *malloc()* et non par les fonctions du DOS, ces dernières n'entrent pas en service.

Détection des erreurs de pointage

La programmation en C exploite abondamment les pointeurs, mais c'est là précisément une chance. Car les plantages et dysfonctionnements d'un programme en C résultent souvent de pointeurs erronés qui référencent des zones de mémoire situées au-delà de leur portée. Si on suppose qu'à chaque appel de *malloc()* un seul objet mémoire est alloué, les erreurs de ce type sont plus faciles à détecter en mode protégé. Il suffit que *malloc()* à chaque appel crée un nouveau segment ainsi que son descripteur associé qui contiendra entre autres la taille mémoire requise par l'appelant. Si au moment de l'accès à ce segment un pointeur va trop loin ou adopte un numéro de sélecteur invalide, une exception est immédiatement déclenchée ce qui permet de repérer la ligne du programme en cause.

Ce principe n'est toutefois guère applicable en pratique car la table des descripteurs globale ne peut mémoriser que 8191 descripteurs au plus et il faut retrancher de ce nombre tous ceux qui sont exploités pour d'autres segments de mémoire. Si on fait trop souvent appel à la fonction *malloc()*, la table des descripteurs globale se remplit rapidement et en conséquence la mémoire restante ne peut plus être attribuée à la suite du programme. Il est vrai qu'une table de descripteurs locale de 8192 segments peut être rajoutée mais la plupart des DOS Extenders ne misent que sur la seule table globale des descripteurs.

La fonction *malloc()* va donc être obligée de compacter plusieurs zones de mémoire en un seul segment qui croît à chaque appel. Dès qu'il est plein ou qu'un bloc requis n'y rentre plus, un nouveau segment est créé par addition d'un nouveau descripteur dans la table des descripteurs globale. Plusieurs objets mémoire se partagent donc le même sélecteur avec des offsets différents. Les vrais problèmes ne se posent qu'à partir du moment où un programme demande plus de 64 Ko en une fois, mais cette requête est déjà en dehors du champ de *malloc()* en mode réel.

Malgré la restriction à des blocs de 64 Ko, l'allocation de mémoire par la nouvelle fonction *malloc()* est déjà en elle-même fascinante par l'impression de facilité qu'elle donne. La plupart des programmes C épuisent la fonction *malloc()* jusqu'à ce qu'elle ne puisse plus distribuer de mémoire. Avec le mode protégé, le processus d'épuisement est beaucoup plus long, le programme est donc capable de traiter automatiquement beaucoup plus de données. Cette constatation justifie largement l'attrait de la transformation des programmes C ordinaires par un DOS Extender pour 80286.

S'il est impossible de gérer par le moyen décrit des blocs de plus de 64 Ko, le DOS Extender fournit d'autres fonctions à cet effet. Ces fonctions établissent plusieurs sélecteurs, un par bloc de 64 Ko. Les zones ainsi allouées ne peuvent pas être parcourues par des pointeurs obéissant à l'arithmétique ordinaire, elles nécessitent des fonctions qui en cas de débordement de l'offset référencent le sélecteur suivant ou précédent.

Les possibilités étendues du 80386

Nous avons signalé plus haut que les programmes réalisés avec un DOS Extender pour 80386 étaient plus rapides en mode protégé que leurs homologues réduits à l'usage d'un 80286. La section suivante en explique les raisons.

36.3.3. DOS Extenders pour 80386

Les DOS Extenders pour 80386 donnent de meilleurs résultats que les DOS Extenders pour 80286, nous l'avons déjà dit à plusieurs reprises. Il existe plusieurs raisons à l'accroissement de performances mais elles tiennent toutes à un nombre magique : 32.

Le 80386 est un processeur à 32 bits ce qui s'exprime par plusieurs facettes très importantes pour les langages évolués :

○ les segments peuvent avoir jusqu'à 4 Go. On peut donc se passer de segments de code et de données multiples
○ les entiers 32 bits peuvent être mémorisés et traités dans un registre unique
○ les instructions sur chaînes de caractères qui servent à copier, parcourir ou traiter des zones de mémoire peuvent travailler sur la base de mots doubles DWORD ce qui se traduit par une vitesse accrue

Il existe encore d'autres raisons par lesquelles le 80386 manifeste sa supériorité sur le 80286 :

○ le mécanisme de pagination donne au DOS Extender la possibilité de munir le programme en mode protégé d'une gestion de mémoire virtuelle complètement transparente. Les limitations de mémoire s'en trouvent supprimées.
○ les possibilités d'adressage ont été démultipliées. Chaque registre peut servir de registre d'index et être multiplié automatiquement par 2, 4 ou 8. L'accès aux tableaux s'en trouve considérablement accéléré. Le compilateur peut désormais stocker davantage de variables locales en permanence dans des registres.
○ le jeu d'instructions a été étendu par l'adjonction de commandes puissantes pour le traitement des tables binaires. Il en résulte une amélioration notable de performance.
○ les branchements conditionnels peuvent porter sur de grandes distances. Jusqu'ici pour atteindre le même résultat il fallait combiner plusieurs instructions qui alourdissaient et ralentissaient les programmes.

Il est vrai que toutes ces possibilités ne sont pas exploitées par les compilateurs DOS ordinaires qui souvent négligent même les instructions introduites par le 80286. Sans parler des difficultés de portabilité dans le domaine des pointeurs, les offsets ont maintenant 32 bits et non plus 16 ce qui représente un problème parmi d'autres.

Le modèle Flat

Aucun compilateur DOS ne supporte le modèle mémoire qui est celui des véritables compilateurs 386 et accroît la puissance d'exécution des programmes en mode protégé : le modèle plat (Flat model). Ce modèle vaut pour les programmes qui ne comportent que deux segments : un segment de code avec l'ensemble des instructions et un segment de données avec toutes les variables et constantes. Le monde DOS connaît bien un modèle de ce type : il s'appelle TINY mais la taille de ses segments est limitée à 64 Ko. Le modèle plat du 80386 permet d'utiliser deux segments s'étendant conjointement sur 4 Go, ce qui est propre à éteindre toute envie de répartir le code et les données sur plusieurs segments.

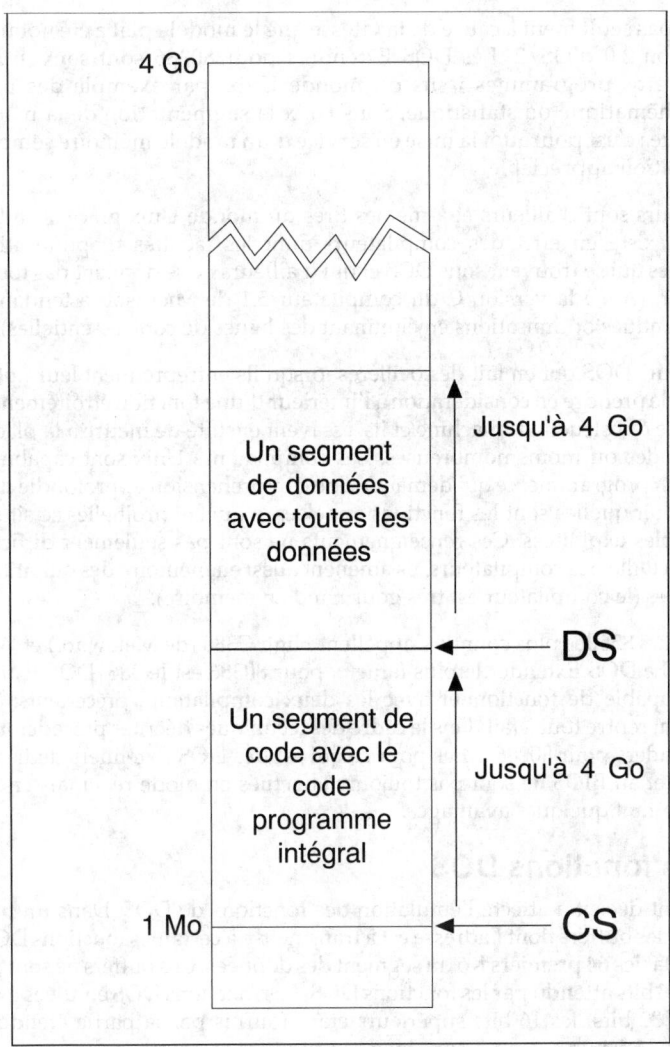

4 Go

Un segment
de données
avec toutes les
données

Jusqu'à 4 Go

DS

Un segment de
code avec le
code
programme
intégral

Jusqu'à 4 Go

CS

1 Mo

Programme en modèle Flat

Avec ce modèle on obtient une vitesse d'exécution accrue parce que malgré la taille impressionnante des segments, les pointeurs sont en fin de compte de type NEAR, autrement dit on manipule uniquement un offset sans sélecteur. Ce dernier se trouve en effet en DS pour les données et en CS pour le code. Le temps des distinctions entre pointeurs NEAR et FAR est donc révolu.

Même si les offsets s'étendent non plus sur 16 bits mais sur 32 bits, l'avantage précédent n'est pas remis en cause. Par ailleurs dans le modèle plat les perpétuels chargements des registres de segments qui grevaient le mode protégé par rapport au mode réel n'ont plus de raison d'être. Les problèmes suscités par l'arithmétique des pointeurs disparaissent : les pointeurs peuvent désormais être incrémentés et décrémentés comme des nombres ordinaires (en tant que doubles mots DWORD) sans qu'il faille craindre des modifications du sélecteur.

Mais ce n'est pas seulement à cause de la vitesse que le modèle plat a été notamment retenu pour la version 2.0 d'OS/2. Les DOS Extenders pour 80386 sont souvent utilisés pour convertir de gros programmes issus du monde Unix, par exemple des programmes à vocation mathématique ou statistique. Sous Unix la segmentation de la mémoire est une chose inconnue : c'est pourquoi la mise en service d'un modèle mémoire semblable apporte une simplification appréciable.

Les compilateurs sont d'ailleurs eux-mêmes tirés du monde Unix grâce à un Dos Extender. Sous Unix il existe en effet des compilateurs dont les facultés d'optimisation dépassent nettement celles qui se trouvent sous DOS et qui d'ailleurs ne se donnent pas toujours la peine de fonctionner. (Ainsi la version C du compilateur 5.1 de Microsoft a tendance à effectuer certaines prétendues optimisations en éliminant des lignes de code essentielles).

Les compilateurs DOS ont en fait des oeillères lorsqu'ils entreprennent leur optimisation : ils se contentent de prendre en considération à l'intérieur d'une fonction étroitement localisée une petite séquence d'instructions machine et ils essayent ensuite de mettre à la place des instructions plus rapides ou moins nombreuses. Les compilateurs Unix sont capables d'optimiser globalement un programme, ce qui demande une compréhension approfondie de sa structure. Ils doivent savoir quelles sont les fonctions appelées, à quel endroit elles se situent et quelles sont les variables exploitées. Ces renseignements ne sont pas seulement difficiles à obtenir, alourdissant la taille des compilateurs, ils amènent aussi en mémoire des quantités de données très importantes (le compilateur est très gourmand en mémoire).

Les compilateurs 836 les plus connus s'appellent High C386 (de Metaware) et Watcom C/386 (de Watcom). Le DOS Extender le plus fameux pour 80386 est le 386|DOS Extender de Phar Lap qui est capable de fonctionner avec les deux compilateurs précédents. Son mode de fonctionnement rentre tout à fait dans le cadre des techniques décrites précédemment à propos des DOS Extenders pour 80286. Mais pour ce qui est des DOS Extenders dédiés au 80386, les appels à DOS et au BIOS ne sont pas toujours effectués en mode réel mais en mode V86, ce dernier comportant quelques avantages.

Appel des fonctions DOS

Un changement décisif a affecté l'émulation des fonctions de DOS. Dans un programme en mode protégé, les buffers dont l'adresse est à transmettre à certaines fonctions DOS se trouvent souvent au-delà des 64 premiers Ko du segment des données. Ces buffers ne sont pas à la portée de l'offset de 16 bits attendu par les fonctions DOS. Les fonctions DOS émulées exploitent donc des offsets de 32 bits, les 16 bits supérieurs étant fournis par la partie étendue du registre correspondant. Voici un exemple pour bien comprendre ce point.

La fonction 09h DOS sert à émettre une chaîne de caractères sur le périphérique de sortie standard. Elle attend à cet effet dans les registres DS:DX l'adresse de la chaîne. La fonction DOS émulée exploite quant à elle les registres DS:EDX pour pouvoir traiter également un offset situé au-delà de la limite des 64 Ko. Le contenu du buffer indiqué est copié par le DOS Extender dans une zone temporaire situé en-dessous des 640 Ko. A cet endroit l'offset est à nouveau inférieur à 64 Ko et la fonction DOS originale peut à nouveau être appelée avec l'adresse du buffer en DS:DX.

Les registres étendus n'entrent pas seulement en service pour transmettre des adresses de buffers, ils servent aussi à mémoriser certaines indications de longueur. En font notamment usage les différentes fonctions de fichier lorsqu'il s'agit de manier le nombre de caractères à lire ou à écrire. Au lieu du registre CX c'est ECX qui va mémoriser le nombre d'octets à traiter. Mais les fonctions originales de DOS ne peuvent traiter que 64 Ko à la fois, le DOS Extender répète donc plusieurs fois des appels sur des blocs de 64 Ko jusqu'à ce que le nombre de caractères souhaité soit atteint. Ceci n'est qu'un exemple parmi toutes sortes de fonctions qui jusqu'ici agissaient avec des indications de longueur sur 16 bits et qui désormais grâce au DOS Extender peuvent travailler sur des nombres de 32 bits.

Intégration d'une gestion de mémoire virtuelle

Mais revenons au DOS Extender de Phar Lap cité précédemment. Il peut être mis en service avec un autre produit de la maison PharLap appelé 386 | VMM. Il s'agit d'un gestionnaire de mémoire virtuelle qui met à la disposition d'un programme protégé un espace de mémoire pratiquement illimité. Toutes les barrières imposées par la mémoire disparaissent bien que les échanges de mémoire consomment du temps et diminuent l'efficacité du programme. Cette gestion ne se justifie vraiment que pour des programmes qui nécessitent plus de mémoire qu'il n'en reste à la disposition des utilisateurs dans les ordinateurs sur lesquels ils travaillent.

Citons à titre d'exemple le logiciel Interleaf Pusbisher d'IBM. Il s'agit d'un logiciel de PAO issu du monde Unix. Avant d'être soumis à la gestion de mémoire virtuelle de PharLap, il exigeait au moins 6 Mo de mémoire. Il se contente à présent de 2 Mo.

Il est préférable de planifier l'intervention de la mémoire virtuelle dès le stade de l'analyse du programme. Si vous allouez un tableau de 8 Mo et si vous le parcourez à plusieurs reprises, vous ne devrez pas vous étonner de voir clignoter tout le temps la diode du disque dur et il ne faudra pas vous plaindre de la lenteur de l'exécution.

Pour le programmeur habitué à DOS, travailler avec des compilateurs 386 réclame une certaine reconversion. Par exemple les variables entières de type INT sont maintenant stockées sur 32 bits. Pour continuer à traiter des entiers de 16 bits, il faudra recourir au type SHORT.

De nombreuses fonctions se voient attribuer de nouvelles capacités. Ainsi malloc() peut désormais allouer d'un seul coup un bloc pouvant aller jusqu'à 4 Go. Les autres fonctions qui opèrent sur des blocs de données (notamment les fonctions de traitement des fichiers) bénéficient des mêmes améliorations.

Les bibliothèques des compilateurs demandent un certain apprentissage car elles émanent du monde Unix. Mais il est vrai qu'elles se recoupent largement avec les fonctions de DOS de sorte qu'on reste quand même en territoire connu.

Mais finalement le travail en vaut la peine. Les différents logiciels commerciaux qui existent à la fois en version mode réel et en version "386" le démontrent amplement car les versions "386" sont généralement développées avec un DOS Extender. Elles sont à la fois plus rapides et plus puissantes par leurs capacités. En conclusion, les DOS Extenders sont des instruments fort utiles pour développer des logiciels de grande envergure exploitant de nombreux calculs.

36.4. DPMI et VCPI

On dit parfois que la multiplication des cuisiniers n'améliore pas pour autant la soupe, et cette sentence pourrait très bien s'appliquer au mode protégé. Les conflits de ressources opposent des cuisiniers dont aucun n'accepte facilement de déposer sa louche.

Les utilitaires en mode protégé convoitent avant tout deux types de ressources : la mémoire étendue et le mode protégé lui-même. Chaque utilitaire s'imagine volontiers que la mémoire étendue lui appartient entièrement et que le mode d'exploitation du processeur est de son seul ressort. Qui pourrait d'ailleurs dire le contraire puisqu'il n'existe pas d'instance centrale qui gérerait ces ressources. Après tout nous nous trouvons encore dans le monde DOS qui du point de vue du système d'exploitation ignore les termes de "mémoire étendue" et de "mode protégé".

C'est pourquoi les différents cuisiniers ne peuvent pas vraiment coexister. Les émulateurs d'EMS empêchent tout démarrage d'un programme développé avec un DOS Extender ou désireux de passer au mode virtuel 86 pour se lancer dans le multitâche. Après tout les choses sont très bien ainsi car sinon l'étape suivante consisterait à partager égalitairement la mémoire étendue, ce qui enlèverait beaucoup d'intérêt au mode protégé.

Si ces problèmes peuvent intéresser le programmeur système et lui donner matière à réflexion, l'utilisateur n'en a généralement cure. Il a investi son argent dans la version "386" d'un logiciel coûteux. Le voilà cependant qui constate que son programme ne fonctionne pas avec son utilitaire de gestion de la mémoire habituel. Ce gestionnaire est pourtant indispensable car la mémoire conventionnelle est accaparée par une infinité de drivers de périphériques. Et en plus le même programme refuse de fonctionner en multitâche alors qu'il serait si pratique de visualiser en même temps les données d'une feuille de calcul. Adieu le rêve de la station de travail sous DOS.

Mais la scène n'est pas aussi désespérée que cela car depuis les premiers jours où apparurent les utilitaires en mode protégé la situation a beaucoup évolué. Les éditeurs de logiciels se sont assis à une table et ont défini des interfaces logicielles pour assurer la coexistence pacifique des utilitaires en mode protégé. Il en a résulté deux standards : le plus ancien est appelé VCPI (Virtual Control Programming Interface) et il est surtout exploité par les DOS Extenders et les gestionnaires de mémoire. Le plus récent s'appelle DPMI (Dos Protected Mode Interface), c'est sur lui que mise Microsoft dans Windows 203.

Si on compare les deux standards il s'avère incontestablement que DMPI est meilleur. Il est vrai qu'il est trop jeune pour s'imposer à travers les DOS Extenders et les traditionnels utilitaires en mode protégé. Mais par rapport au bricolage de VCPI, le standard VPMI est bien plus professionnel.

Les principes des deux interfaces vont être exposés ci-dessous mais ne vous attendez à une exploration détaillée de toutes les notions et fonctions en jeu. Une telle étude dépasserait le cadre du présent ouvrage. Mon intention est plutôt de vous montrer la complexité des mécanismes qui ont dû être inventés pour maintenir artificiellement DOS en vie.

36.4.1. VCPI

L'interface VCPI a été présentée en 1989 par un consortium de sociétés éditrices de logiciels sous la conduite de PharLap (développeur de DOS Extenders) et de QuarterDeck (auteur de DESQView et QEMM). Elle se préoccupe essentiellement des problèmes posés par la coexistence de DOS Extenders, de gestionnaires d'exploitation multitâche et de gestionnaires de mémoire lorsqu'ils interviennent en même temps sur un système à base de 80386 ou i486. Le 80286 ne joue aucun rôle dans ces spécifications.

Les premières difficultés commencent avec l'installation d'un gestionnaire de mémoire qui dote l'ordinateur d'une mémoire virtuelle EMS. Pour exploiter les possibilités de pagination du processeur, la machine DOS est commutée en mode V86 ce qui la relègue au niveau de privilège 3. Si à partir de ce niveau on lance un gestionnaire multitâche ou une application créée par un DOS Extender, le processeur ne peut pas passer en mode protégé et il est impossible d'installer une quelconque table des descripteurs. Les mécanismes de protection du processeur s'y opposent.

Mais VCPI offre justement à ces programmes un moyen de commutation en mode protégé tout en prenant des dispositions pour leur assurer une coexistence harmonieuse en mémoire étendue. Presque tous les gestionnaires de mémoire connus (QEMM, 386-to-the-Max, etc.) supportent VCPI tout comme le DOS Extender de PharLap et l'environnement multitâche de

DESQView de QuarterDeck. Même DOS, à partir de la version 5.0, se plie à VCPI lorsqu'il fournit le driver EMM386 qui gère l'accès aux blocs de mémoire supérieure.

Lorsqu'on est un programmeur qui développe une application avec un DOS Extender ou qui réalise des logiciels fonctionnant avec DesQView, on n'entre pas en contact avec VCPI. Ce sont le DOS Extender et l'API de DESQView qui s'en chargent. L'interface VCPI ne s'impose que pour les programmes qui voudraient exploiter le mode protégé sans ces utilitaires.

Client et serveur

Vous connaissez peut-être déjà les notions de client et de serveur pour avoir côtoyé des réseaux. Le modèle client-serveur y est en effet très utilisé. Sous VCPI ces notions ont une signification quelque peu différente malgré certaines analogies.

On appel serveur l'application qui offre des fonctions VCPI à différents clients. Sous VCPI le serveur est toujours constitué par un gestionnaire de mémoire (par ex EMM836.EXE) car ce type de programme est installé dès le lancement du système par l'intermédiaire du fichier CONFIG.SYS. Il est donc déjà présent au premier appel d'un DOS Extender ou d'un environnement multitâche.

Les DOS Extenders et les gestionnaires multitâche deviennent ainsi clients du programme VCPI préinstallé et sont en quelque sorte hébergés sous le même toit. Il est vrai qu'un DOS Extender ou un gestionnaire multitâche pourraient très bien être des serveurs mais il se trouve que seuls les gestionnaires de mémoire sont automatiquement présents du démarrage du système jusqu'à son extinction et qu'ils constituent donc le meilleur choix. Les autres utilitaires en mode protégé n'ont pas cet avantage. Ainsi le premier arrivé prend en charge l'ensemble des opérations, c'est donc le gestionnaire de mémoire qui va jouer au chef d'orchestre.

Les services offerts

Le serveur VCPI offre à ses clients 13 fonctions qui couvrent tous les domaines où il existe un risque de collision entre les utilitaires en mode protégé :

○   3 fonctions sont consacrées à l'initialisation de l'interface VCPI
○   4 fonctions proposent une gestion rudimentaire de la mémoire étendue
○   3 fonctions permettent d'accéder au premier registre de contrôle CR0 et aux registres de mise au point du processeur
○   2 fonctions sont une aide à la programmation du contrôleur d'interruption
○   1 fonction est responsable de la commutation entre mode V86 et mode protégé

Ces fonctions sont implémentées comme une extension du gestionnaire de mémoire EMS car tout gestionnaire de mémoire doit évidemment supporter la mémoire EMS avec son interface. La base de départ est constituée par la version 4.0 du standard LIM. Les fonctions s'appellent par l'interruption EMS 67h et portent toutes le numéro DEh (ce qui évoque très curieusement le nom de DESQView). La fonction VCPI choisie est définie par un code de fonction à placer en AL, et qui doit être compris entre 00h et 0Ch.

Le résultat retourné au client est mémorisé en AH, comme c'est le cas habituellement pour les fonctions EMS. La valeur 0 signifie "OK", toute autre valeur signale une erreur d'exécution de la fonction appelée. Il n'est possible de déclencher l'interruption 67h que dans le mode réel ou le mode V86. En mode protégé le processeur n'exploite pas la table des vecteurs d'interruption dans laquelle se trouve le pointeur qui référence le gestionnaire EMS. En mode V86 la communication entre client et serveur doit être introduite par différents appels de fonctions qui assurent au client un accès au serveur malgré le mode protégé.

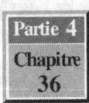
Initialisation d'une liaison client-serveur

Les fonctions VCPI ne peuvent naturellement être exploitées que s'il existe un serveur VCPI. Il en est d'ailleurs de même pour les fonctions EMS ordinaires. Un client potentiel doit donc commencer par tester la présence d'un serveur VCPI ce qui veut d'abord dire : s'assurer qu'un driver EMS est disponible.

Une page EMS doit ensuite être requise à l'aide des fonctions EMS ordinaires. Pourquoi ? Parce que certains émulateurs de mémoire paginée restent latents en mode réel tant qu'aucune mémoire EMS n'est demandée. C'était le cas jusqu'à la version 5.0 de DOS de l'émulateur EMMM386 de Microsoft. Ce n'est qu'après commutation en mode V86 que de nombreux émulateurs d'EMS se font reconnaître comme serveurs VCPI. Il faut donc maintenir l'allocation de la page jusqu'à la fin du programme pour éviter le retour au mode réel et l'abandon des fonctionnalités VCPI.

Mais même si une page EMS a été allouée, il reste encore à s'assurer que l'émulateur d'EMS supporte l'interface VCPI. Il suffit pour cela d'appeler la fonction VCPI 00h avec la valeur DE00h en AX. Si seule l'interface EMS ordinaire est présente, le driver EMS retourne le code erreur 84h en AH. Un serveur VCPI répondra par contre par le code 00h. Vous trouverez alors en BX le numéro de version de l'interface VCPI, sous forme binaire, chiffre majeur en BH et chiffre mineur en BL.

Il faut ensuite invoquer la fonction 01h, qui est relativement complexe et qu'on ne peut comprendre qu'en liaison avec la gestion de la mémoire en mode protégé avec un émulateur EMS.

Exploitation des tables de pages

Le serveur VCPI et le client qui s'exécute en mode protégé possèdent tous deux une table des descripteurs propre car ils contrôlent entièrement les registres GDTR, LDTR, IDTR et TR. Comme les tables de descripteurs ne contiennent que des adresses linéaires, et non pas des adresses physiques, aucun conflit n'est encore possible. Partager l'espace physique signifie cependant soit exploiter une structure de table de pages commune au serveur et au client (le registre CR3 restant inchangé), soit travailler au moins partiellement avec des tables de pages identiques.

L'interface VCPI utilise la deuxième possibilité. Le client VCPI doit initialiser sa collaboration par un appel à la fonction VCPI 01h qui, entre autres, remplit sa table de pages. Cet appel doit être effectué en mode réel avant toute commutation en mode protégé.

Lors de l'appel de la fonction, le client doit transmettre au serveur par l'intermédiaire des registres ES:DI l'adresse physique d'un bloc de mémoire de 4 Ko. Ce bloc servira ultérieurement à l'installation de la première table de pages qui reproduira les premiers 4 Mo de l'espace mémoire linéaire. Le répertoire des pages que doit référencer le premier élément de la table des pages est à constituer par le client avant sa commutation en mode protégé.

La future table des pages est initialisée par le serveur de telle sorte que les 256 premiers éléments qui reflètent le premier mégaoctet de l'espace linéaire dans l'espace physique créent une relation de 1 à 1 entre les deux espaces. En clair cela veut dire que le client peut accéder au premier mégaoctet de son espace physique par l'intermédiaire du premier mégaoctet de l'espace linéaire, ce qui ouvre la voie au BIOS, à la mémoire écran et à la mémoire convention-nelle de DOS. Le serveur VCPI procède exactement de même : la zone en question peut donc être exploitée pour échanger des données entre client et serveur.

Mais avec la table des pages en service le serveur VCPI peut installer encore davantage de mémoire linéaire en mémoire physique. La fonction VCPI 01h renvoie à cet effet dans le registre DI l'offset référençant le premier élément libre de la table des pages. C'est à partir de cette adresse que le client pourra installer ultérieurement ses propres éléments dans la table.

En soustrayant l'offset d'origine de la valeur renvoyée en DI, on obtient la longueur courante de la table des pages. Comme chaque élément en occupe 4 octets, une division par 4 donne le nombre de pages référencées et l'indice de la prochaine page libre. De cet indice on peut déduire la première adresse libre dans l'espace linéaire : il suffit de le multiplier par 4 Ko. Cette information est importante lorsqu'on alloue de la mémoire, comme le montrera la section suivante.

La fonction 01h attend aussi en DS:SI un argument constitué par un pointeur. A partir de l'emplacement référencé, le serveur stocke trois descripteurs de segments occupant 24 octets au total. Le client devra plus tard incorporer ces descripteurs dans sa table globale. Ils pourront être recopiés à n'importe quel endroit de la GDT, à moins que l'on ne préfère englober dans la GDT la zone pointée par DS:SI. Il faudra cependant mémoriser la situation de ces descripteurs au sein de la GDT c'est-à-dire leur indice car ultérieurement un sélecteur sur le premier élément devra être établi.

Ce premier élément décrit le segment de code par lequel le client peut atteindre les fonctions EMS du serveur en mode protégé. Comme il ne s'agit que d'un descripteur de segment et non d'une porte d'appel, l'appel du serveur nécessite en plus un offset. Ce dernier est renvoyé en BX par la fonction 01h.

L'appel du serveur devra en fin de compte se faire par un FAR CALL qui se réfère au sélecteur du segment de code du serveur et adopte comme offset la valeur retournée en BX.

La gestion de la mémoire dans l'interface VPCI

Un client VCPI peut généralement supposer que le serveur VCPI a pris en charge la totalité de la mémoire étendue disponible au moment de son lancement. S'il reste encore un peu de mémoire disponible -le plus souvent à la demande expresse de l'utilisateur- elle est presque toujours épuisée par une disquette virtuelle, un programme de cache ou quelque chose de semblable. Les appels de l'interruption 15h du BIOS ou de l'interface XMS pour exploiter de la mémoire étendue resteront habituellement insatisfaits. Le client VCPI en mode protégé ne peut réclamer de la mémoire que par le serveur VCPI, abstraction faite des petits résidus qu'un programme en mode réel (en fait le mode V86) peut encore tirer des fonctions de DOS.

La gestion de la mémoire VPCI est fondée sur des pages de 4 Ko gérées par le mécanisme de pagination des processeurs 80386 et au-delà. La mémoire ne peut ainsi être allouée et libérée que par multiples de 4 Ko. Les quatre fonctions VCPI qui interviennent peuvent être appelées à la fois en mode protégé et en mode V86, ce qui n'est pas le cas de toutes les fonctions VCPI.

La fonction 02h indique l'adresse physique de la plus haute page que le serveur VCPI puisse attribuer. Avant de l'appeler, il faut charger la valeur DE02h dans le registre AX. Si à l'issue de l'appel le même registre contient le nombre 0, c'est que la fonction s'est exécutée correctement. Le registre EDX donne alors l'information recherchée.

Cette information est cependant à manier avec précaution. Certains serveurs VCPI retournent l'adresse de la dernière page théoriquement possible et non celle de la dernière page physiquement disponible. La fonction 02h renvoie alors systématiquement la valeur FFF000h (dernière page avant la limite de 16 Mo) et non pas quelque chose comme 3FF000h si l'ordinateur est équipé de 4 Mo.

Il est donc prudent de renoncer à la mise en service de la fonction 02h et de se rabattre sur la fonction 03h qui indique en EDX le nombre de pages disponibles. C'est là le maximum qui puisse ensuite être réclamé à la fonction 04h en une seule fois. A chaque appel la fonction 04h retourne l'adresse physique de la page demandée mais uniquement si le registre AH est à 00h. Toute autre valeur en AH dénote une erreur d'allocation, le résultat en EDX étant alors dénué de signification.

Pour adresser cette mémoire qui peut provenir de zones diverses, le client VCPI doit faire deux choses :

Il doit créer un descripteur de segment dans sa table de descripteurs globale ou locale pour pouvoir accéder la mémoire allouée par un segment. Le segment en question peut dépasser 4 Ko lorsque plusieurs pages sont rassemblées dans un segment qui les englobe.

Il doit créer un élément dans la table des pages qui permette de refléter l'espace linéaire de 4 Ko dans l'espace de la mémoire physique. L'adresse linéaire qui est contenue dans le descripteur de segment mentionné plus haut décide de la situation de l'élément dans la table des pages. Comme une table des pages a déjà été installée pour les quatre premiers mégaoctets (elle doit être transmise à la fonction 01h), il est recommandé de choisir une adresse linéaire à l'intérieur de ces 4 Mo. Il ne faut pas oublier à ce propos que le serveur VCPI à l'appel de la fonction 01h a déjà créé quelques entrées dans la table des pages au moins pour installer le premier mégaoctet de l'espace linéaire. La première adresse linéaire libre et l'indice dans la table des pages correspondante peuvent être calculés à l'aide la formule indiquée précédemment.

Si le client VCPI n'a plus besoin des pages allouées, il peut les restituer avec la fonction 05h, mais il n'a plus le droit d'y accéder par la suite même si sa table des pages en garde la possibilité. En plus de son numéro la fonction attend comme argument en EDX l'adresse physique de la page.

VCPI et mémoire EMS

Le client VCPI peut non seulement réclamer de la mémoire par l'interface VCPI mais aussi par les fonctions EMS ordinaires, par blocs de 16 Ko. L'accès à ces pages EMS se fait par le cadre de page dont l'emplacement se situe en dessous de la limite de 1 Mo, comme c'est la règle pour la mémoire paginée.

Pour connaître l'origine des ces pages, on peut mettre en service la fonction VCPI 06h. Pour chaque zone de mémoire située en-deçà de 1 Mo, elle donne la situation de la page associée dans l'espace physique. On peut ainsi détecter des zones de mémoire qui n'existent pas directement sous forme de RAM mais que le gestionnaire de mémoire a associé à de la mémoire réelle par la table des pages. Ce mécanisme s'appelle le "backfilling". DOS 5.0 l'exploite pour caser ses blocs de mémoire supérieure.

Lorsqu'on appelle la fonction 06h, il faut lui fournir en CX le numéro de la page testée en-dessous de 1 Mo. On l'obtient en divisant l'adresse linéaire par 4096, ce qui revient à décaler l'adresse de 12 bits vers la droite. Le résultat renvoyé en EDX est l'adresse physique de la page mémoire représentée à cet endroit.

Si le contenu de EDX est égal à CX * 4096, aucune mémoire étrangère n'est insérée à l'adresse indiquée. L'adresse linéaire de ces pages de 4 Ko est alors identique à leur adresse physique.

En fait tout l'espace de 1 Mo ne peut pas être interrogé par ce moyen. les zones dans lesquelles se trouvent le BIOS ou ses extensions sont exclues. Dans ce cas la fonction 06h renvoie en AH le code erreur 8Bh alors que normalement il doit s'y trouver la valeur 00h.

Accès aux registres de mise au point et d'état

L'accès aux différents registres de mise au point n'est possible que sous le contrôle étroit du serveur VCPI, du moins avec le mode V86 qui fonctionne au niveau de privilège 3.

Grâce aux fonctions VCPI 08h et 09h, les différents registres de mise au point peuvent être lus et chargés à partir du mode V86. Les programmes habituels ne se servent pas de ces registres mais ils valent leur pesant d'or pour un logiciel du genre Turbo Debugger de Borland qui exploite également l'interface VCPI.

Les deux fonctions opèrent simultanément sur les huit registres de mise au point. Les contenus des registres sont transmis par un buffer référencé par ES:DI. Comme chaque registre de mise au point s'étend sur 32 bits, ce buffer doit avoir une capacité de 32 octets. DR0 est mémorisé dans le premier double mot du buffer, DR1 passe dans le second, et ainsi de suite. La fonction 08h copie les registres dans le buffer alors que la fonction 09 h fait exactement l'inverse.

Si ces fonctions peuvent être très utiles, la fonction 07h par contre est un anachronisme. Elle renvoie le contenu du registre d'état en EBX. Ce registre peut effectivement indiquer le mode d'exploitation courant et l'état du mécanisme de pagination mais les mêmes informations sont fournies par l'instruction non privilégiée SMSW qui recopie le contenu du registre en question dans un autre registre du processeur ou dans une mémoire.

Interception et fixation des vecteurs d'interruption

Lorsque nous avons parlé des exceptions en mode V86 nous avons déjà indiqué qu'il était recommandé de reprogrammer le premier contrôleur d'interruption pour éviter que des exceptions ne se mélangent aux interruptions matérielles IRQ0 à IRQ7.

Si un client VCPI souhaite ainsi reprogrammer le premier contrôleur d'interruption, il devra commencer par lire son contenu actuel. Il peut se servir à cet effet de la fonction VCPI 0Ah qui renvoie en BX l'interruption de base du premier contrôleur et en CX l'interruption de base du second contrôleur. Si les deux contrôleurs n'ont plus leurs valeurs par défaut 08H et 70h c'est que le serveur VCPI a déjà détourné ces interruptions. Tout nouveau détournement est alors strictement prohibé.

Mais si tel n'est pas le cas, le client VCPI peut reprogrammer le premier contrôleur d'interruption et même le deuxième s'il le juge utile. L'accès aux contrôleurs devra se faire manuellement après inhibition de toutes les interruptions. Avant que l'indicateur d'interruption ne soit à nouveau mis à 1, le client doit appeler la fonction VCPI 0Bh pour informer le serveur de la reprogrammation du contrôleur. De façon analogue à ce qui se passe avec la fonction 0Ah mais en sens inverse, l'adresse de base du premier contrôleur devra être mise en BX et celle du deuxième en CX.

Changement de mode d'exploitation

L'une des tâches les plus importantes du serveur VCPI consiste à passer du mode V86 au mode protégé et vice-versa. C'est la fonction VCPI 0Ch qui en est responsable. En mode V86 elle est appelée par une interruption EMS tout à fait ordinaire. En mode protégé elle est accessible par le segment de code et l'offset renvoyés par le serveur lors de l'appel de la fonction VCPI 01h.

Lorsque cette fonction est appelée à partir du mode V86, elle attend en ESI l'adresse linéaire d'une structure de données dont l'organisation est décrite par le tableau suivant. C'est de là qu'elle tire les valeurs qui seront chargées dans les différents registres système :

Structure de données pour passer du mode V86 au mode protégé en appelant la fonction VCPI 0Ch		
Offset	Signification	Type
00h	CR3 (Adresse où commence le répertoire des pages)	DWORD
04h	Adresse linéaire de la variable en dessous de 1 Mo qui contient le pointeur FAR (FWORD) pour le registre GDTR	DWORD
08h	Adresse linéaire de la variable en dessous de 1 Mo qui contient le pointeur FAR (FWORD) pour le registre IDTR	DWORD
0Ch	Sélecteur pour le registre LDTR	WORD
0Eh	Sélecteur pour le registre TR	WORD
10h	Point d'entrée dans le code de programme commutation en mode protégé avec sélecteur et offset de 32 bits	FWORD

Il est très important que cette structure soit installée en dessous de la limite de 1 Mo car ce n'est que dans cette zone que les espaces d'adressage du serveur VCPI et de son client sont identiques, comme nous l'avons remarqué à l'examen de la fonction 01h.

La première étape de la fonction consiste à charger dans le registre CR3 la valeur prévue dans la structure de données. A partir de ce moment ce sont plus les tables de pages du serveur mais celles du client qui sont valables. Le serveur ne peut plus lire que des informations dans les zones qui se recouvrent c'est-à-dire en dessous de 1 Mo.

Le registre GDTR est ensuite chargé. La table de descripteurs globale ainsi référencée peut se trouver n'importe où dans l'espace d'adressage du client VCPI. Elle doit évidemment avoir été initialisée auparavant en mode V86 mais la supposition en est déjà faite lors de l'appel de la fonction VCPI 01h.

C'est ensuite au tour des registres LDT, IDTR et TR d'être chargés. Puis la commutation en mode protégé est effectuée et le programme se branche à l'endroit indiqué. A ce moment toutes les interruptions sont encore inhibées et elles doivent encore le rester car des six registres de segment seul le registre CS contient déjà un sélecteur valable. Il est donc urgent de créer une pile appropriée et de mettre des sélecteurs valables dans les registres DS, ES, FS et GS. Ensuite les interruptions peuvent à nouveau être autorisées.

Si avant le chargement des registres de segment une interruption survenait, la sauvegarde et la restauration des registres à l'intérieur du gestionnaire d'interruption (PUSHA, PUSH DS, PUSH ES ...POP ES, POP DS, POPA) conduirait par la suite à la prise en compte de sélecteurs invalides, ce qui finirait par déclencher une exception au niveau du processeur.

Le retour au mode V86 se fera par la fonction 0Ch mais avec d'autres contenus de registres. Le point d'entrée sera indiqué par le sélecteur de segment de code et l'offset retournés par la fonction 01h.

Avant d'appeler la fonction 0Ch le client VCPI devra mémoriser une structure de données dans la RAM physique située en dessous de 1 Mo. Cette structure contiendra les valeurs que le serveur VCPI doit charger en CS,DS, ES,FS, GS, SS, EIP et ESP après la commutation en mode V86. L'indication de CS:EIP fixe l'adresse où l'exécution du programme doit reprendre en mode V86. Les registres SS:ESP décrivent le nouvel emplacement de la pile.

Notez bien que les valeurs pour les différents registres ne sont pas des sélecteurs mais des adresses de base (adresse physique divisée par 16), comme le réclament le mode réel et le mode V86. Si le programme en mode V86 n'a pas été développé spécialement pour le 386 et ses successeurs, les registres FSet GS peuvent recevoir un contenu quelconque car ils ne jouent aucun rôle dans l'exécution du programme.

Même si les registres ne prennent qu'un mot, la structure de données mentionnées plus haut en prévoit deux pour chacun. Le premier mot va mémoriser une adresse de segment tandis que le second qui lui succède reste inutilisé.

Offset	Signification	Type
	Structure de données pour passer du mode protégé au mode V86 en appelant la fonction VCPI 0Ch	
00h	réservé	QWORD
08h	EIP après commutation en mode V86	DWORD
0Ch	CS après commutation en mode V86	DWORD
10h	réservé (registre EFLAGS)	DWORD
14h	ESP après commutation en mode V86	DWORD
18h	SS après commutation en mode V86	DWORD
1Ch	ES après commutation en mode V86	DWORD
20h	DS après commutation en mode V86	DWORD
24h	FS après commutation en mode V86	DWORD
28h	GS après commutation en mode V86	DWORD

Pour que le serveur VCPI puisse accéder à la table précédente après l'appel de la fonction 0Ch, il faut transmettre son adresse linéaire dans les registres SS:ESP. Par ailleurs le client doit préalablement à l'appel charger en DS un sélecteur référençant un descripteur de segment de données qu'il a lui-même installé dans sa table de descripteurs globale ou locale. Ce descripteur doit contenir une adresse de base nulle et représenter une taille de 1 Mo.

Après commutation en mode V86, le contenu des registres standard (EBX, ECX etc.) est préservé. Seul le contenu de EAX se trouve modifié dans un sens indéfini. Les registres du mode protégé GDTR, LDTR etc. ont été rechargés par le serveur qui y a remis les adresses ou les sélecteurs de ses tables de descripteurs. Mais après tout ce n'est plus l'affaire du programme en mode V86.

36.4.2. DPMI

L'interface du mode protégé de DOS (DOS Protected Mode Interface = DMPI) n'était pas destiné a priori à fixer des règles standard de collaboration entre gestionnaires d'exploitation multitâche et autres utilitaires en mode protégé. Il s'agissait à l'origine d'un produit développé à titre interne par Microsoft pour les besoins de Windows 3. Le but poursuivi était de permettre l'exécution en mémoire étendue des applications Windows. Pour des raisons inconnues Microsoft décida de publier et d'étendre cette interface. Début 1990 un comité DMPI fut créé avec différents fabricants de logiciels. Cette association regroupe en plus de Microsoft les sociétés Borland, Intel, Eclipse, IBM, Lotus, Phar Lap, Quarterdeck et Rational Systems : on y reconnaît certains protagonistes de VCPI.

On peut en déduire que les DOS Extenders, gestionnaires multitâche et gestionnaires de mémoire proposés à l'avenir par ces participants supporteront non seulement VCPI mais aussi DMPI, à moins que VCPI ne passe carrément à la trappe. Les DOS Extenders de Phar Lap exploitent déjà le nouveau standard.

Différences avec VCPI

La force agissante qui détermine cet engagement trouve son origine dans le marché ouvert par la diffusion explosive de Windows. Par ailleurs les spécifications DPMI sont supérieures à celles de VCPI, à la fois du point de vue théorique et dans le domaine de la réalisation concrète. En deux mots, DPMI est plus "propre" et plus général que son concurrent.

L'interface DPMI couvre toute la gamme des services que nécessitent les programmes DOS en mode protégé pour vivre pacifiquement en compagnie d'autres programmes en mode protégé. Elle assure notamment :

O   la gestion des tables de descripteurs d'un programme en mode protégé
O   la gestion et l'allocation de la mémoire étendue
O   la gestion des interruptions et exceptions
O   la communication avec les programmes en mode réel et les gestionnaires d'interruption
O   l'accès à différents registres du processeur
O   la virtualisation DMA

La liste de ces services montre déjà que les clients DPMI doivent céder une grande partie de leurs droits de mode protégé à l'hôte DPMI. C'est la seule possibilité envisageable pour que les différents programmes ne se querellent pas. Le modèle de protection du processeur garantit alors qu'un client potentiel n'utilise pas ces services pour fouiller par exemple de sa propre initiative dans sa table des descripteurs locale.

Contrairement au serveur VCPI, l'hôte DPMI s'exécute à un niveau de privilège supérieur à celui de son client, ce qui lui confère le contrôle de tous les clients et de leurs activités. Microsoft a toujours reproché à l'interface VCPI de ne pas exploiter ce type de protection, et il est tout à fait vrai que sa présence dans VCPI aurait été un atout de première valeur.

Clients et hôte

Le comité DPMI ne parle jamais de "serveur", il utilise le terme "hôte". La signification est la même. Je suppose qu'on a voulu s'écarter du modèle client-serveur qui en informatique évoque autre chose.

Dans l'interface DPMI le programme hôte est celui qui met les services DMPI à la disposition des différents clients. Jusqu'à ce jour il n'existe qu'un seul hôte DPMI : Windows 3.0 ou 3.1 qui est conforme aux spécifications de la version 0.9 de DPMI. Entre-temps le comité DPMI a publié la version 1.0 qui diffère sur quelques points de la version 0.9 mais nous en reparlerons plus tard.

DPMI 16 ou 32 bits

Contrairement à VCPI, DPMI est également conçu pour le processeur 80286 même si Windows 3 n'en tient pas compte. Les propriétés de l'hôte DPMI ne s'activent que dans le mode étendu de Windows qui ne s'exécute que sur les ordinateurs pourvus d'un 80386 ou d'un processeur postérieur et d'une quantité suffisante de mémoire étendue. Comme les systèmes à base de 80286 sont en perte de vitesse, il est peu probable qu'il y ait jamais un hôte DPMI pour 80286.

Mais à cause de l'existence du 80286, un hôte DPMI peut se présenter sous deux formes : 16 bits et 32 bits. Les hôtes DPMI 16 bits sont conçus pour le processeur 80286 et ne supportent que des segments de 64 Ko. Un hôte DPMI 32 bits fonctionne par contre avec des segments 32 bits qui peuvent atteindre 4 Go en modèle plat. Un tel hôte n'est exécutable que sur un ordinateur à base de 80386 ou i486.

Mis à part certains compléments qui concernent la gestion de la mémoire virtuelle avec les tables de pages, un hôte DPMI de 32 bits présente les mêmes fonctions que son homologue à 16 bits. La différence tient essentiellement au transfert des pointeurs, plus précisément au transfert des offsets. Quand un hôte de 16 bits attendra un offset en BX, son compère 32 bits l'attendra en EBX. Ce n'est qu'à ce prix que peuvent être communiqués les adresses des buffers dont l'offset se trouve au delà des 64 premiers Ko d'un segment.

Les clients qui sont destinés à collaborer avec des hôtes 16 bits peuvent ainsi tourner sous le contrôle d'hôtes 32 bits, pour peu que les 16 bits supérieurs des registres du 80386 ne soient pas altérés. Mais l'inverse n'est pas possible.

La plupart des DOS Extenders et des gestionnaires de mémoire n'exploiteront pas cette compatibilité ascendante, car il est trop tentant pour eux de ne fonctionner qu'avec des hôtes 32 bits. Pour savoir si en tant que client DPMI on a devant soi un hôte 16 ou 32 bits il suffit de tester l'indicateur d'état qui signale la disponibilité de l'hôte.

Destination du standard DPMI

Tout comme VCPI, l'interface DMPI ne s'adresse pas au programmeur d'applications ordinaires mais aux développeurs de DOS Extenders et de gestionnaires de mémoire. Ces derniers sont censés exploiter ses services pour que leurs programmes en mode protégé s'exécutent également dans un environnement multitâche comme Windows 3.0. Les premiers DOS Extenders qui font usage de cette possibilité sont déjà sur le marché. Mais un tel DOS Extender ou le programme qu'il génère doit aussi fonctionner comme hôte DPMI. Car si le programme est lancé à partir de DOS, sans que jusqu'ici aucun autre hôte DPMI n'ait été activé (tous les utilisateurs ne travaillent pas forcément sous Windows), il doit mettre ses services à sa propre disposition.

Exécution à l'intérieur d'une machine virtuelle

L'hôte DPMI exécute ses programmes clients dans une machine dite virtuelle incarnée sous Windows 3 par la boîte DOS. Plusieurs clients DPMI peuvent tourner à l'intérieur d'une même machine virtuelle (MV). tel sera par exemple le cas si le gestionnaire de mémoire exploite les services de l'hôte DPMI dans un boîte DOS de Windows et s'il est lancé au niveau de DOS à partir d'un programme d'application qui a été créé avec un DOS Extender. En tant que composants d'une même machine virtuelle, les différents programmes en mode réel se partagent un espace d'adressage qui reproduit une machine DOS de 1 Mo plus la HMA.

Entre les différents clients d'une même MV il n'existe pas d'exploitation multitâche mais elle est possible entre les différentes MV. Ce n'est qu'ainsi que Windows est capable d'exécuter simultanément plusieurs programmes de DOS dans plusieurs boîtes DOS. Le multitâche est de type préemptif : au bout d'un certain temps l'hôte DPMI interrompt l'exécution dans une MV pour passer à une autre exécution dans une autre MV.

La commutation se fait après expiration d'un certain délai, mais les clients peuvent apporter leur soutien à ce processus en indiquant par une fonction spéciale (Int 2Fh, fonction 1680h) qu'ils sont inoccupés, dans l'attente par exemple d'une saisie au clavier. L'hôte DPMI peut alors passer directement le contrôle à la MV suivante sans gaspiller du temps d'attente.

C'est dans la gestion de la machine virtuelle que réside la plus grande différence entre les versions 0.9 et 1.0 de DPMI. Dans la version 0.9, tous les clients d'une même VM se partagent une table de descripteurs locale (LDT) et une table des vecteurs d'interruption (IDT). Ce mécanisme n'est pas sans danger car les différents clients ont ainsi accès à leurs segments mutuels en exploitant leurs descripteurs. L'hôte DPMI ne peut rien faire contre. Par ailleurs ledit mécanisme rend impossible l'exécution simultanée de clients 16 bits et clients 32 bits parce que leurs descripteurs ne peuvent pas être rassemblés dans un même tableau.

La version 1.0 de DPMI affecte à chaque client d'une même MV ses propres LDT et IDT, ce qui met en difficulté Windows. Car beaucoup de programmes DOS en mode protégé qui jusqu'ici tournaient impeccablement dans la boîte DOS de Windows s'étaient accordés à exploiter la même LDT avec d'autres programmes : ils doivent être réécrits. C'est peut-être la raison pour laquelle l'hôte DPMI de Windows soutient comme précédemment l'ancienne version 0.9.

Fonctions de l'interface DPMI

L'interface DPMI prend en charge toute une série de tâches qui vont être brièvement présentées ici. Vous trouverez ensuite dans les sections suivantes l'étude individuelle des fonctions les plus importantes. Le point de départ sera la version DPMI 0.9.

Il existe 13 fonctions différentes qui se consacrent au traitement de la table des descripteurs locale du client et des descripteurs de segments qu'elle contient. Rappelons que dans l'interface VCPI le traitement de cette table des descripteurs était aux mains du client, ce qui ouvrait la porte à bien des problèmes. Ici il en est différemment mais il ne faut pas se cacher que les fonctions DMPI laissent encore quelques possibilités d'abus.

Sous DPMI chaque tâche ne peut accéder qu'à sa propre table de descripteurs locale, la table des descripteurs globale étant hors de portée. Cette dernière est réservée à l'hôte DPMI seul.

Pour ce qui est de la gestion de la mémoire, l'interface DPMI supporte trois groupes de fonctions différentes. Le premier s'occupe de l'allocation et de l'accès à la mémoire DOS conventionnelle en dessous de la limite de 1 Mo. Comme l'a expliqué la section consacrée aux DOS Extenders, cette mémoire est requise par les programmes en mode protégé lorsqu'ils font appel à des fonctions DOS qui attendent des informations dans des buffers.

Le deuxième groupe de fonctions de gestion de la mémoire se consacre à la mémoire étendue, la véritable patrie des programmes en mode protégé. Comme il faut s'y attendre, ces fonctions permettent d'allouer ou de libérer des blocs de mémoire, ou encore de modifier leur taille.

Le troisième groupe de fonctions sert à gérer la mémoire virtuelle. Celle-ci n'est pas forcément fournie par tous les hôtes DPMI, car elle ne peut pas fonctionner sur les systèmes à base de 80286 en raison de l'absence de pagination. Les fonctions concernées permettent notamment de geler une page pour qu'elle ne puisse pas être swappée hors de la mémoire.

Un autre groupe important s'occupe d'appeler les routines en mode réel et les gestionnaires d'interruption à partir du mode protégé. En invoquant les fonctions de DOS ou du BIOS, l'hôte DPMI décharge énormément son client. Mais inversement l'appel de routines en mode protégé à partir d'un gestionnaire d'interruption en mode réel est également possible grâce aux call backs.

Les spécifications du standard DMPI décrivent aussi des fonctions pour travailler sur les registres de mise au point du 80386 et de ses successeurs, pour interroger et tester des gestionnaires d'interruption en mode réel ou protégé, pour inhiber ou libérer des interruptions matérielles et naturellement aussi pour initialiser un client et effectuer une commutation en mode protégé.

Voici sous forme de tableau une récapitulation des différents services qu'un hôte DPMI peut offrir à un de ses clients :

Récapitulation des services de l'interface DPMI	
Interruption 2FH appel en mode réel	
1680h	Client inoccupé, transmettre l'exécution
1686h	Lire le mode d'exploitation (égal en mode protégé)
1687h	Déterminer si DPMI disponible
Interruption 31h appel en mode protégé uniquement	
Gestion des LDT	
0000h	Allouer un descripteur de segment de LDT
0001h	Libérer un descripteur de segment de LDT
0002h	Reproduire un segment de mode réel dans le descripteur de segment
0003h	Lire l'incrément pour les sélecteurs
0004h	Empêcher le swap d'un segment
0005h	Autoriser le swap d'un segment
0006h	Lire l'adresse de base d'un segment
0007h	Fixer l'adresse de base d'un segment
0008h	Fixer la longueur d'un segment
0009h	Fixer les droits d'accès et le type de segment
000Ah	Créer un alias pour un segment de code
000Bh	Lire un descripteur de segment
000Ch	Charger un descripteur de segment
000Dh	Réclamer un sélecteur
Accès à la mémoire DOS	
0100h	Allouer de la mémoire DOS
0101h	Libérer de la mémoire DOS
0102h	Modifier la taille d'un bloc de mémoire
Gestion des interruptions et des exceptions	
0200h	Lire l'adresse d'un gestionnaire d'interruption en mode réel
0201h	Installer un gestionnaire d'interruption
0202h	Lire l'adresse d'un gestionnaire d'exceptions
0203h	Installer un gestionnaire d'exceptions
0204h	Lire l'adresse d'un gestionnaire d'interruption en mode protégé
0205h	Installer un gestionnaire d'interruption en mode protégé
0900h	Inhiber l'indicateur d'interruption virtuel
0901h	Libérer l'indicateur d'interruption virtuel
0902h	Lire l'indicateur d'interruption virtuel
Appel des routines en mode réel	
0300h	Simuler une interruption en mode réel
0301h	Appeler une routine en mode réel
0302h	Appeler une routine en mode réel
0303h	Générer un call back
0304h	Retourner un call back
Fonctions diverses	
0400h	Lire le numéro de version
Fonctions pour accéder à la mémoire étendue	

Récapitulation des services de l'interface DPMI	
0500h	Lire des informations sur l'occupation de la mémoire
0501h	Allouer de la mémoire étendue
0502h	Libérer un bloc de mémoire
0503h	Modifier la taille d'un bloc de mémoire
0800h	Convertir une adresse physique en adresse linéaire
Fonctions de gestion des interruptions et des exceptions	
0600h	Protéger une zone de mémoire contre le swap
0601h	Déverrouiller une zone de mémoire
0602h	Déverrouiller une zone de mémoire en mode réel
0603h	Reverrouiller une zone de mémoire en mode réel
0604h	Lire la taille d'une page
0702h	Privilégier une zone de mémoire pour le remisage
0703h	Protéger une zone de mémoire contre l'écriture
Support des registres de mise au point du 80386 et de ses successeurs	
0B00h	Définir un point d'inspection (watchpoint)
0B01h	Effacer un point d'inspection
0B02h	Lire l'état d'un point d'inspection
0B03h	Réinitialiser l'état d'un point d'inspection

Initialisation du client et commutation en mode protégé

Tout appel DPMI doit être précédé d'une interrogation de l'hôte sinon les services DPMI sont inaccessibles. L'interrogation doit se faire en mode réel, après le lancement du client potentiel au niveau de DOS.

C'est la fonction 1678h qui va intervenir. L'hôte DPMI l'a intégrée lors de son installation dans l'interruption multiplexeur 2Fh de DOS. Si elle retourne en AX la valeur 0, un hôte DPMI est effectivement installé. Le bit 0 du registre BX indique alors s'il s'agit d'un hôte DPMI de 16 bits ou d'un hôte DPMI de 32 Bits. dans ce dernier cas le bit 0 est à 1.

En même temps le registre CL indique le type de processeur et le registre DX le numéro de version de l'hôte DPMI. En SI se trouve une information particulièrement importante. Elle donne en paragraphes la taille d'un bloc de mémoire dont l'hôte DPMI a besoin pour ses tâches de gestion et qui doit être alloué par le client avant la commutation en mode protégé.

La commutation proprement dite se fait par une routine dont l'adresse est renvoyée en ES:DI par la fonction multiplexeur. Le branchement doit s'effectuer par une instruction FAR CALL, le registre ES contenant le segment du bloc de mémoire mis à la disposition de l'hôte pour ses besoins de gestion.

Si la routine de l'hôte DMPI appelée par ES:DI renvoie un indicateur de retenue à 1, le programme se trouve toujours en mode réel parce que la commutation en mode protégé a échoué pour une raison que nous n'analyserons pas. Si l'indicateur de retenue est à 0, le programme est passé en mode protégé et peut maintenant appeler tous les services disponibles par l'intermédiaire de l'interruption 31h. Il faut noter qu'en cas d'erreur la plupart des fonctions DPMI rendent la main avec l'indicateur de retenue mis à 1, mais qu'elles ne livrent pas de code d'erreur. Voilà un point d'amélioration possible pour les futures extensions de l'interface.

Même commuté en mode protégé le programme se trouve toujours en dessous de la barrière des 640 Ko, où il est exécuté normalement, les adresses de segments en CS, DSet SS étant remplacées par des sélecteurs. Ces derniers référencent des segments de 64 Ko dont les descripteurs ont été automatiquement installés par l'hôte. Les sélecteurs en DS et SS sont identiques lorsque les deux segments étaient confondus dans le mode réel.

ES représente un descripteur qui correspond au PSP du programme et mémorise une longueur de segment de 100h octets. Lorsque GS et FS sont disponibles, ils reçoivent la valeur 0.

Dès que la commutation en mode protégé est réussie, un DOS Extender va par exemple chercher à charger en mémoire étendue le programme qu'il a généré pour l'y mettre à exécution. Il faudra qu'il alloue de la mémoire étendue en la demandant à l'hôte DPMI et qu'il fasse enregistrer les descripteurs de segments associés dans la table de descripteurs locale. La section suivante donnera plus d'informations à ce sujet.

L'exécution du programme en mode protégé se termine par l'appel à partir du mode protégé de la fonction terminale de DOS 4Ch (Int 21h). L'hôte DPMI repasse alors automatiquement en mode réel, retire de la mémoire le programme d'origine en mode réel (le chargeur) et revient au message d'attente de DOS.

Gestion de la table locale des descripteurs du client

Avec ses 14 fonctions, la gestion de la table des descripteurs locale paraît richement dotée - une peu trop à mon avis car on aurait pu regrouper certains appels. Ces fonctions sont néanmoins indispensables car en matière de gestion de la mémoire étendue l'interface DPMI se contente de distribuer des blocs de mémoire sans y associer de descripteur de segment. C'est le client qui est responsable de cette tâche. Mais le client ne peut pas accéder à sa table de descripteurs pour des raisons de privilège : il est donc obligé de se servir des fonctions de l'hôte DPMI.

La première à intervenir est la fonction 0000h grâce à laquelle le client peut créer un ou plusieurs descripteurs de segments dans sa table locale."Créer" veut dire ici que l'hôte installe une série de descripteurs de segments de données dans la table de descripteurs locale, ces descripteurs présentant tous une adresse de début de segment nulle et une longueur identique. Ce n'est que par des appels réitérés que le client peut fixer les adresses de début, les longueurs et les types souhaités (a priori le type est celui des segments de données mais il se peut que le client ait besoin de segments de code).

Le résultat fourni par la fonction 0000h est un sélecteur sur le descripteur créé. Si plusieurs descripteurs ont été créés, leurs "numéros" peuvent être lus par addition de la valeur retournée par la fonction 0003h. Compte tenu de la structure compliquée des sélecteurs, il est faux de supposer que le sélecteur renvoyé s'incrémente de 1 à chaque fois pour retrouver progressivement les sélecteurs suivants. Avant la clôture du programme, tous les sélecteurs ainsi créés devront être restitués. C'est la fonction 0001h qui s'en charge pour un sélecteur à la fois.

Pour adresser un segment de mémoire en dessous de la limite de 1 Mo en mode protégé, il est également nécessaire de disposer d'un descripteur de segment et d'un sélecteur associé. Il suffit à cet effet de transmettre à la fonction 0002h l'adresse du segment en mode réel. Ladite fonction génère aussitôt un descripteur de segment qui référence un bloc de 64 Ko et renvoie le sélecteur qui pointe sur ce descripteur.

Un descripteur de segment créé par la fonction 000h ou 0002h peut être modifié par l'une des fonctions 0007h, 0008h ou 0009h. On peut ainsi fixer individuellement l'adresse de début, la longueur et les droits d'accès ou l'attribut du segment. Pour ce qui est de l'adresse de début et de la longueur, le client doit se préoccuper de ne pas accéder à des segments qu'il n'a pas alloués et de ne pas faire se chevaucher les allocations. Ces vérifications ne sont pas faites par les fonctions citées. Leur absence peut conduire aux abus qui ont été évoqués plus haut. Les informations sont lues par l'instruction machine LSL (Load Segment Limit) et LAR (Load Access Rights) ou par la fonction 0006h qui retourne l'adresse de base d'un segment.

Pour charger dans un buffer un descripteur complet de segment, il faut se servir de la fonction 000Bh. Inversement c'est la fonction 000Ch qui charge un descripteur avec le contenu d'un buffer. L'hôte DPMI vérifie que le client ne s'accorde pas dans cette opération une priorité meilleure que celle qui lui est échue, à savoir 3.

Pour charger un programme en mémoire étendue, la fonction 000Ah s'avère très utile. A un segment de code donné elle associe un descripteur de segment de données où sont mémorisées l'adresse de début et la taille du segment de code et elle renvoie ensuite un sélecteur de référence.

Allocation de mémoire étendue

La gestion et la distribution de la mémoire étendue s'effectuent par le moyen de quatre fonctions numérotées 0500h, 0501h, 0502h et 0503h. La fonction 0500h renvoie quant à elle des informations d'état, de la quantité de mémoire libre jusqu'au fichier d'échange d'une gestion de mémoire virtuelle.

L'allocation de mémoire étendue est à la charge de la fonction 0501h à laquelle on doit fournir en BX:CX la taille demandée. Comme la mémoire de l'hôte DPMI est répartie en blocs de 4 Ko (en raison de la mémoire virtuelle, presque toujours en service dans le cas des "32 bits"), il est conseillé de faire des requêtes qui soient des multiples de 4 Ko.

Si la demande de mémoire a pu être satisfaite, les registres BX:CX contiennent à l'issue de l'appel l'adresse linéaire du bloc alloué. Les registres SI:DI fournissent un Handle nécessaire pour traiter le même bloc par d'autres fonctions DPMI.

Après avoir invoqué avec succès la fonction 0501h le client est bien en possession du bloc requis mais il ne peut pas encore y accéder. Il lui manque le descripteur de segment associé comme nous l'avons déjà mentionné précédemment. Ce descripteur doit être créé par la fonction 000h puis rempli avec l'adresse de début et la taille appropriée.

Ce mécanisme un peu fastidieux a quand même des contreparties avantageuses : le client est par exemple libre de diviser la zone de mémoire créée en plusieurs segments contigus. Une telle démarche est même recommandable car l'interface DPMI ne dispose pas d'un collecteur de résidus qui rassemble automatiquement à l'arrière-plan les blocs libérés pour en faire des blocs de taille supérieure. Un client DPMI aura intérêt à demander la totalité de la mémoire nécessaire en un seul appel à la fonction 0501h puis d'établir les segments souhaités dans la zone attribuée.

Pour libérer un bloc de mémoire étendue on se sert de la fonction 0502h. Le bloc un question est identifié par le Handle renvoyé lors de l'allocation par la fonction 0501h.

La dernière fonction de la bande des quatre qui gère la mémoire porte le numéro 0503h. Elle est destinée à modifier un bloc de mémoire déjà alloué. La modification concerne évidemment non pas son contenu mais sa taille, ce qui entraînera parfois son déplacement à l'intérieur de la mémoire étendue.

Comme argument d'entrée il faut fournir à la fonction le Handle du bloc de mémoire et sa nouvelle taille. En retour elle renvoie la nouvelle adresse de début et un nouveau Handle. Si le bloc de mémoire a été réellement déplacé, le client est responsable de l'ajustement de l'adresse de début dans le ou les descripteurs(s) de segment qu'il a créé(s) pour y accéder.

Allocation de mémoire DOS

Pour allouer et gérer la mémoire DOS, l'hôte DPMI offre les fonctions 0100h, 0101h, 0102h qui sont les équivalents des fonctions bien connues de DOS 48h, 49h et 4Ah.

Contrairement à la fonction d'allocation de mémoire étendue, la fonction 0100h renvoie tout de suite un descripteur de segment pour accéder au bloc alloué, de sorte que le client n'a pas à s'en occuper. Il faut lui fournir en entrée la taille en paragraphes de la zone souhaitée.

Le sélecteur renvoyé servira notamment à libérer la mémoire par la suite à l'aide de la fonction 0101h.

Il sert aussi d'identificateur pour agrandir ou réduire le bloc de mémoire : il faut alors le charger en DX avant d'appeler la fonction 0102h. BX devra contenir la nouvelle taille souhaitée pour le bloc de mémoire, exprimée en paragraphes.

Ce sont surtout les DOS Extenders qui ont besoin de blocs de mémoire de DOS lorsque des appels aux fonctions de DOS surviennent en mode protégé et que certaines informations doivent être transmises dans des buffers.

Les accès aux fichiers entrent souvent dans ce cas de figure. Mais sur ce point précis les spécifications de l'interface DPMI sont facilement améliorables. En règle générale on peut en effet supposer que l'hôte DPMI tourne sur une machine à base de 80386 ou i486 dont le mécanisme de pagination dessert également la gestion de la mémoire. Avec ce mécanisme et la disponibilité de fonctions DPMI appropriées il aurait été facile de représenter des blocs de mémoire étendue à l'intérieur de la mémoire conventionnelle en dessous de la limite de 1 Mo et de les rendre ainsi accessibles à DOS. Le client aurait ainsi évité de perdre son temps à copier des données.

Gestion de la mémoire virtuelle

La gestion de la mémoire virtuelle est assurée par les fonctions 0600h, 0601h, 0602h, 0603h et 0604h. Ces fonctions ne sont implémentées que sur les hôtes DPMI 32 bits car les processeurs 80286 ignorent les tables de pages et par conséquent toute mémoire virtuelle. Elles servent à interdire le swap de certaines zones de mémoire ("page-locking") ou à les désigner comme candidates au swap c'est-à-dire à l'enregistrement sur fichier d'échange. Les tâches sont prises en charge par les fonctions 0600h et 0601h. La première protège contre le stockage de la zone de mémoire dont l'adresse et la taille lui sont communiquées. Seront concernées toutes les pages qui sont situées totalement ou partiellement dans la zone indiquée. Ce verrouillage se justifie par exemple pour un gestionnaire d'interruption qui doit se déclencher immédiatement quand on l'appelle. Si la protection d'une page n'est plus indispensable, elle peut être déverrouillée par la fonction 0601h.

Alors que les fonctions 0600h et 0601h concernent la mémoire étendue allouée par le client au moyen de la fonction 0501h, les fonctions 0602h et 0603h s'appliquent à la mémoire située en dessous de la limite de 1 Mo qui a été allouée avec la fonction 0100h. Notez que l'ordre des deux fonctions est inversé par rapport à 0600h et 0601h : la fonction 0602h déverrouille les pages, tandis que la fonction 0603h les verrouille.

Dernière fonction du groupe, la fonction 0604h renvoie la taille d'une page.

Gestionnaire d'interruption et appel de routines en mode réel

La gestion des interruptions pose de graves problèmes lorsqu'on programme des DOS Extenders ou d'autres utilitaires en mode protégé, surtout lorsque les interruptions sont matérielles. Comment réagir lorsqu'une telle interruption se produit brusquement en mode protégé, alors que le gestionnaire compétent n'est disponible qu'en mode réel ? S'il est vrai que le standard VCPI laisse le programmeur livré à lui-même pour résoudre cette question, l'interface DPMI offre divers services pour faire face à l'urgence de la situation. Mais avant de décrire le détail de ces fonctions, je voudrais expliquer les idées qui les soutiennent. Il faut être conscient qu'il ne peut exister de conflit entre les exceptions et les interruptions matérielles car le premier contrôleur d'interruption est systématiquement reprogrammé par l'hôte. Le bas niveau de privilège du client le garantit contre la tentation de se livrer à la même activité.

C'est aussi l'hôte DPMI qui en cas d'interruption matérielle la déclenche en mode protégé même si elle est survenue pendant l'exécution d'un programme en mode réel ou en mode V86. Dans ce processus le gestionnaire standard DPMI reprend d'abord le contrôle des opérations puis il le rend au premier client qui a enregistré un gestionnaire pour cette interruption par le moyen de la fonction DPMI appropriée. La rencontre d'une instruction machine IRET destinée à rendre la main à l'appelant met aussi fin à la gestion des interruptions car les gestionnaires d'interruption des autres clients n'arrivent plus à prendre leur tour (nous sommes dans un environnement multitâche). Il est donc recommandé avant d'installer un gestionnaire d'interruption matérielle de prendre connaissance du gestionnaire précédent et de l'appeler dans le cadre d'une routine d'interruption propre.

Si tous les gestionnaires appliquent ce principe il en résulte une sorte de chaîne et aucun gestionnaire d'interruption n'est brimé. Chaque client DPMI peut cependant se prémunir contre l'action des interruptions matérielles en appelant des fonctions appropriées. Car l'hôte DPMI gère pour chaque client une sorte d'indicateur d'interruption virtuel à l'intérieur du registre des indicateurs. Cet indicateur identifie les clients qui doivent être gardés à l'abri des interruptions matérielles alors qu'elles atteignent les autres.

Les interruptions logicielles déclenchées en mode réel se comportent différemment. Seules trois de ces interruptions parviennent jusqu'au mode protégé pour peu que le client ait prévu des Handlers à cet effet : l'interruption du timer du BIOS, l'interruption Ctrl-C de DOS (23h) et l'interruption d'erreur critique (24h) qui fait aussi partie de DOS. Mais les interruptions logicielles peuvent aussi être déclenchées en mode protégé par exemple lorsqu'un DOS Extender gère une instruction machine INT. Tant qu'aucun client DPMI n'a installé un gestionnaire pour cette interruption elle entraîne une commutation en mode réel suivie de l'exécution de l'interruption et du retour en mode protégé.

Ce mécanisme est la plupart du temps pleinement justifié : car la majorité des interruptions logicielles sert à appeler des fonctions de DOS ou du BIOS. Mais à la réflexion les choses sont un peu moins simples. Ces fonctions reçoivent en effet des arguments par les registres du processeur. Les registres généraux ne posent pas de problème. Mais les contenus des registres de segments sont détruits au moment de la commutation en mode réel car ils sont interprétés comme des adresses alors que ce sont des sélecteurs.

C'est pour cela que les DOS Extenders s'immiscent dans les différentes interruptions logicielles et à l'intérieur-même du mode protégé convertissent en adresses de segments les sélecteurs dans les registres de segments, avant de transmettre l'interruption au mode réel.

Mais il est temps d'examiner les principales fonctions DPMI en matière d'interruption. Il existe d'abord six fonctions qui permettent d'installer des gestionnaires d'interruption en mode réel, des gestionnaires d'interruption et d'exception en mode protégé et de lire les adresses des gestionnaires déjà installés. Ces fonctions sont numérotées de 0200h à 0205h.

Avec la fonction DPMI 0300h l'hôte offre la possibilité de simuler une interruption en mode réel. Les gestionnaires d'interruptions logicielles en mode protégé en font un large usage. Ils interceptent les interruptions logicielles (BIOS, DOS, etc), testent le numéro de la fonction et sur la base de cette information transforment les pointeurs transmis par les registres du processeur en les adaptant au mode réel, après avoir préalablement recopié les données adressées dans un buffer DOS situé en dessous de la limite de 1 Mo.

Les fonctions 0301h et 0302h jouent un rôle similaire. Mais elles ne simulent pas des interruptions logicielles : elles appellent directement une routine en mode réel située en dessous de la limite de 1 Mo et dont l'adresse est connue. La différence entre les deux fonctions tient à la façon dont elles attendent que les routines se terminent. Avec la fonction 0301h la routine en mode réel doit se terminer par l'instruction en langage machine VAR RET, tandis qu'avec la fonction 0302h, la même fin doit se caractériser par une instruction IRET.

La situation inverse dans laquelle une routine en mode protégé doit être invoquée à partir du mode réel est également envisageable. Il suffit de penser par exemple à un driver de souris qui appelle une certaine routine dès que la souris est déplacée ou que l'état de la souris soit modifié. La routine en question doit évidemment être établie en mode réel, mais elle peut avoir à appeler une routine en mode protégé pour que l'événement souris soit pris en compte dans le cadre d'un programme en mode protégé (créé par un DOS Extender).

Grâce à la fonction 0303h l'hôte DPMI offre le moyen de générer un call back. Il s'agit d'une petite routine que l'hôte dépose de sa propre initiative en mémoire vive et qui lorsqu'on l'invoque, déclenche la routine en mode protégé qu'on lui indique. Mais seulement après commutation préalable en mode protégé.

Pour gérer les indicateurs d'interruption virtuels on dispose des fonctions 0900h, 0901h et 0902h. Elles se chargent de garder à distance les redoutables interruptions matérielles lorsqu'on le souhaite.

Accès aux registres de mise au point

Pour que chaque client DPMI puisse profiter un peu des registres de mise au point du 80386 et de ses successeurs, l'hôte DPMI centralise l'accès à ces registres au moyen de quatre fonctions. Chaque client peut installer ses propres points d'arrêt et points d'inspection (watchpoints). Les adresses de ces points sont chargées par l'hôte DPMI dans les registres de mise au point chaque fois que le client concerné entre en exécution.

La fonction 0B00h permet de définir un point d'inspection. Il faut lui fournir tous les paramètres que nécessite la mise en service des registres de mise au point : adresse linéaire du point d'arrêt, taille (Byte, Word, DWord) et type d'opération (lire la mémoire, y écrire ou l'exécuter). En retour on obtient un Handle de point d'inspection à moins que le nombre de points déjà installés soit excessif ou qu'un paramètre invalide n'ait été transmis.

Un point d'inspection est effacé par la fonction 0B01h. Il faut communiquer à cette fonction le Handle obtenu lors de la définition du point.

Tant qu'un point d'inspection est encore actif, son état peut être lu par la fonction 0B02h. On peut ainsi tester si le point a été atteint ou non. L'indicateur correspondant peut ensuite être remis à 0 par la fonction 0B03h pour permettre une nouvelle détection.

Partie 5

Multimédia

37.   La technologie du CD-ROM

Il n'y a pas d'équivoque sur ce sujet, le meilleur parmi les supports de données du PC de ces dernières années s'appelle *CD-ROM*. Les chiffres parlent d'eux-mêmes : plus de 10 millions de lecteurs CD-ROM sont installés de par le monde sur des ordinateurs personnels. Pour la première fois, plus de 100 000 000 de CD-ROM furent fabriqués en 1993 et il est fort probable que très bientôt il sera difficile de se procurer un nouveau PC dépourvu d'un lecteur CD-ROM.

Voilà une raison suffisante pour les développeurs de logiciels d'intégrer le support CD-ROM dans leurs créations. En tant que moyen de distribution convivial pour les logiciels, en tant qu'extension du PC méritant le développement d'utilitaires ou en tant que gigantesque support d'informations lorsqu'il s'agit par exemple d'archiver les données. Ce chapitre introduit la structure d'un CD, explicite les formats de CD et montre le chemin à suivre depuis le plus petit bit vers la structure des répertoires. Vous comprendrez comment des lecteurs CD-ROM viennent s'implémenter dans un système DOS du côté logiciel et comment des gestionnaires adéquats permettent de contrôler directement les lecteurs.

37.1.   Les formats de CD

Comment sont stockées les séquences de bits sur le CD et comment sont-elles regroupées - au niveau immédiatement supérieur - en blocs logiques ? C'est l'une des questions qui vient directement à l'esprit quand on s'intéresse à la technologie du CD.

En premier lieu,on trouve une topologie de fichiers qui regroupe des blocs en fichiers et qui conserve dans des répertoires des informations sur les fichiers enregistrés. Ce passage, du bit au fichier, sera étudié dans les sections suivantes. Le point de départ de la norme CD est ce qu'on appelle le *Red Book* qui a été mis au point par les inventeurs du CD, Sony et Philips, en 1982. Il décrit toutes les facettes du format des CD audio. D'autres formats ont vu le jour à partir de ce dernier et ont été organisés en différents *book* de moindre importance : *Yellow Book* pour le format CD-ROM, *Green Book* pour le format CD-I et *Orange Book* pour le format de CD réinscriptible et le Photo-CD. Chacun d'entre eux dérive largement du *Red Book* et se conforme au format de données qui y est prédéfini malgré quelques petites différences.

37.1.1.   Le format physique

La description d'un CD commence nécessairement par le format physique qui reste identique pour tous les types de CD. Que les CD utilisent un support audio ou un support de données, ils possèdent un diamètre de 12 cm avec une épaisseur de 1,2 mm. Le trou situé au milieu du CD a un diamètre de 15 mm. Le CD est enveloppé dans une couche métallique réfléchissante qui est recouverte d'une couche protectrice en vernis.

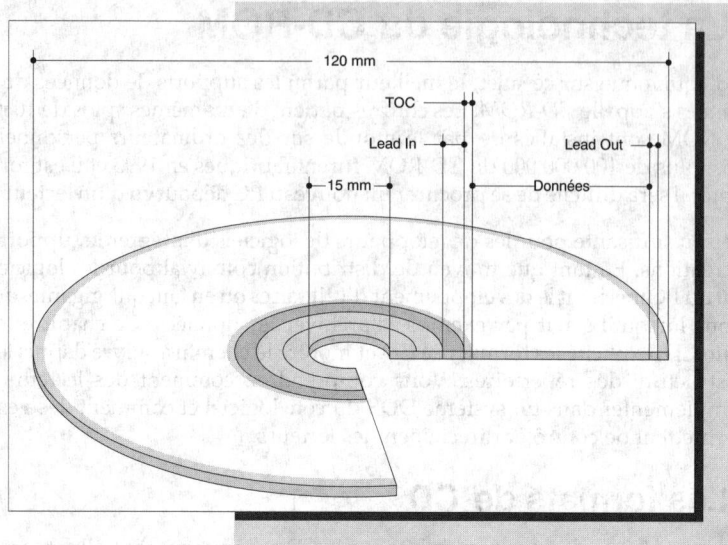

Dimensions et structure d'un CD

Les informations à enregistrer sont imprimées dans la couche métallique sous forme de *pits* et *lands* lors de la pression d'un CD - élévations et profondeurs représentant les bits. Les *pits* et *lands* sont ordonnés le long de la seule et unique spirale entourant le CD et en allant de l'intérieur vers l'extérieur. Contrairement à un disque dur, le CD commence à partir du bord intérieur et non du bord extérieur.

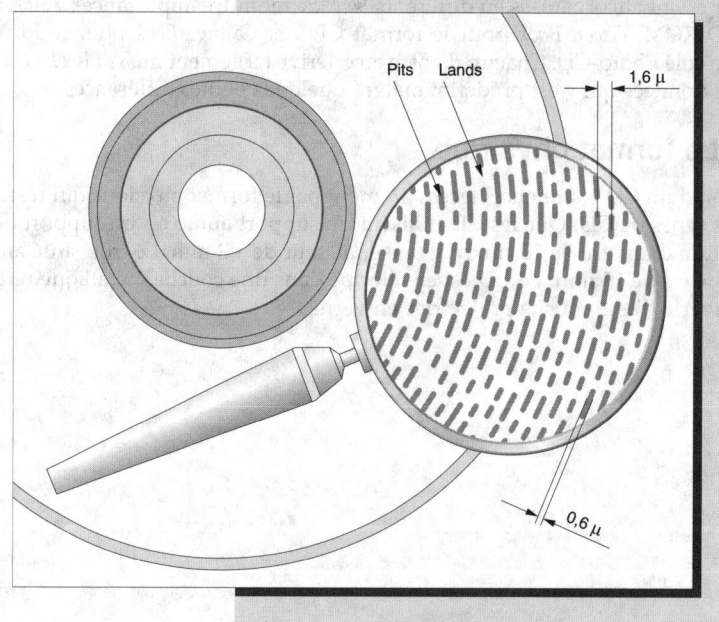

Pits et Lands

La largeur des *pits* ne s'élevant qu'à 0,6 micron (un micron correspond à un millionième de mètre), les pistes se suivent entre elles avec un interstice microscopique de 1,6 micron. La densité des pistes s'élève à presque 16 000 pistes par pouce (tracks per inch = TPI) ce qui est difficilement comparable aux 135 TPI dont sont dotées par exemple les disquettes HD 3,5". Cette spirale, atteignant une bonne longueur de 6 kilomètres, renferme pas moins de 2 milliards de pits. Le rayon de balayage qui effectue la succession des pits et des lands est forcément d'autant plus infime.

Découpage d'un CD

L'interface descriptible d'un CD est divisée en trois zones : la zone *Lead In*, la zone de données et la zone *Lead Out*. *Lead In* (l'en-tête) occupe les quatre premiers millimètres d'un CD dans le bord interne et représente une sorte de table de répertoire. *Lead In* est suivie de la zone de données occupant au maximum 33 mm selon la manière dont le CD est rempli. La dernière zone est constituée par *Lead Out* qui marque en quelque sorte la fin. Elle se trouve impérativement derrière la zone de données occupée et mesure un bon millimètre.

CAV et CLV

Pour la sauvegarde de données sur un support de stockage rotatif, on distingue deux procédés concurrents nommés CAV et CLV. CAV est l'abréviation de *Constant Angular Velocity* et CLV est celle de *Constant Linear Velocity*. Ces deux dénominations évoquent la vitesse de rotation du support de stockage.

Les disques durs et les disquettes qui sont divisés en pistes et secteurs fonctionnent selon le principe CAV. Il repose sur une vitesse angulaire constante. Quel que soit l'endroit où se trouve la tête de lecture/écriture, le support tourne toujours avec une vitesse angulaire constante. Lorsque la tête se trouve sur une piste du bord interne, elle décrit un cercle beaucoup plus court que si elle était placée sur une piste externe. Ce procédé est adopté par les disques modernes car il leur permet de stocker davantage de secteurs sur les pistes externes (dont la surface est plus importante).

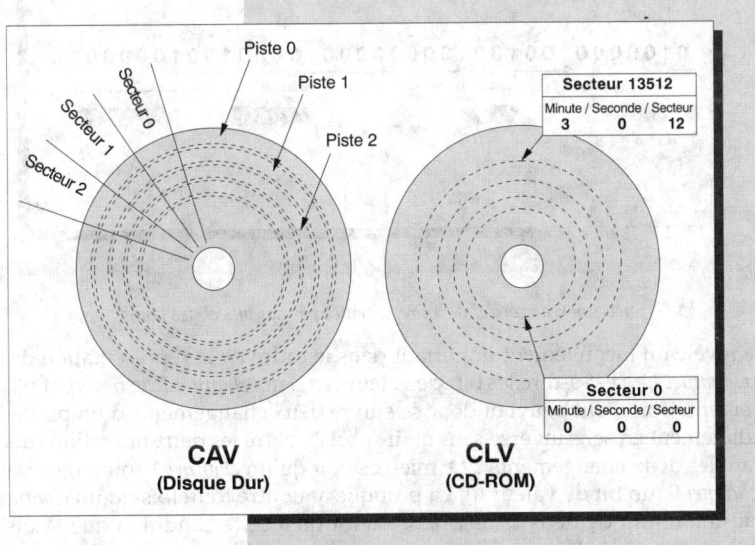

CAV contre CLV

En comparaison avec le procédé CLV, la caractéristique primordiale est la constance de la vitesse de rotation du support quel que soit l'endroit où se trouve la tête de lecture/écriture. Le procédé est en fait complètement inversé en mode CLV qui est appliqué sur le CD. Ici, la tête de lecture/écriture parcourt une distance constante dans un laps de temps donné, qu'elle se trouve sur le bord interne ou externe du CD. Mais il faut alors que la vitesse de rotation soit toujours adaptée à la position actuelle de la tête (la formule qui s'applique ici est vitesse de rotation = vitesse angulaire).

Le lecteur accroît la vitesse de rotation selon la manière dont la tête se déplace du bord interne du support vers le bord externe. C'est l'une des raisons pour laquelle un lecteur CD-ROM réalise des temps d'accès beaucoup plus médiocres qu'un lecteur de disque dur. Il doit changer en permanence sa vitesse de rotation et l'accélération et le ralentissement qui s'ensuivent font perdre naturellement un temps énorme. Par ailleurs, il est nettement plus difficile de rechercher un secteur le long d'une spirale de 6 Km que sur un support divisé scrupuleusement en pistes et secteurs.

Enregistrement de bits et d'octets

Même si l'emploi de pits et lands laisse supposer que les informations binaires sont directement enregistrées sous forme de zéros (lands) et de uns (pits), tel n'est pourtant pas le cas. Le principe de fonctionnement de la lecture optique d'un lecteur CD n'admet tout simplement pas cette affectation simpliste. Bien au contraire, un bit de valeur 1 est toujours considéré comme un passage depuis un pit vers un land. La longueur des pits ou des lands représente le nombre de "zéro" délimités par deux "un". Le procédé reste du moins identique à l'enregistrement de données sur un support magnétique tel que le disque dur, sauf que les pits et lands remplacent un changement de flux magnétique.

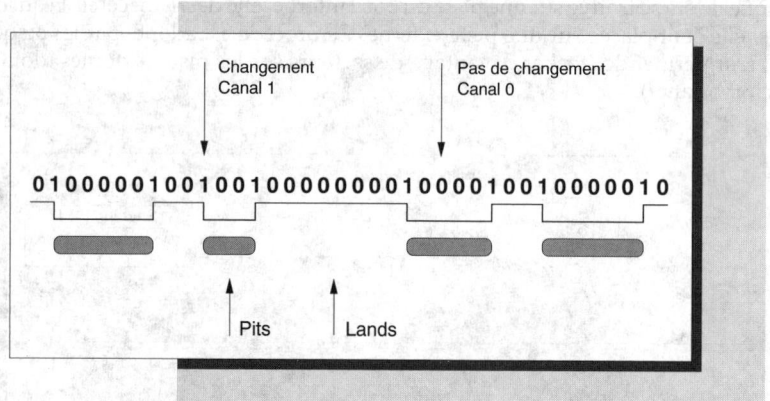

Succession de zéro et de un représentée par des pits et des lands

Ce procédé révèle un inconvénient important dans le cadre de la représentation de ce qui est désigné par *channel 1* - c'est-à-dire les bits de valeur 1 - : deux *channel 1* ne peuvent pas se suivre consécutivement. Comment peuvent donc se suivre deux changements d'un pit vers un land puis immédiatement en sens inverse sans qu'il subsiste entre les deux opérations une bribe de land séparant les deux changements ? Le mieux serait qu'un *channel 1* soit toujours suivi d'au moins un *channel 0* (un bit de valeur 0). La pratique a montré toutefois qu'un *channel 1* devait être suivi au minimum de deux *channel 0*. Ce n'est qu'à cette condition que la distance par rapport au *channel 1* suivant sera suffisante pour qu'il ne puisse pas passer inaperçu lors de la lecture optique.

D'un autre côté, il ne faut pas non plus que les pits et lands soient trop longs sinon l'électronique du lecteur aurait du mal à mesurer exactement la longueur et à déterminer le nombre de *channel 0*. La longueur maximale adoptée lors de la mise au point des premiers CD est de 11 bits.

Toutes ces conditions aboutissent au procédé EFM, *Eight To Fourteen Modulation*, où un octet ainsi que ses huit bits à enregistrer est converti en bits de *14 channel*. La succession de *channel 0* et *channel 1* au sein de ces 14 channel bits est spécifiée dans une table de conversion qui fait partie des éléments composant l'électronique de contrôle d'un lecteur CD-ROM. Les codes figurant dans la table EFM sont choisis en sorte qu'ils évitent la succession directe de deux *channel 1* et limitent la longueur maximale de *channel 0* consécutifs à 11.

Octet		Code EFM
Déc	Binaire	
0	00000000	01001000100000
1	00000001	10000100000000
2	00000010	10010001000000
3	00000011	10001000100000
4	00000100	01000100000000
5	00000101	00000100010000
6	00000110	00010000100000
7	00000111	00100100000000
8	00001000	01001001000000
9	00001001	10000001000000
10	00001010	10010001000000
•	•	•
•	•	•
•	•	•

Extrait de la table EFM (EFM = Eight To Fourteen Modulation)

La conversion via la table EFM laisse un problème en suspens : la séparation des octets. Si le premier octet doté d'un *channel 1* termine nécessairement un changement de pit vers land (ou inversement), l'octet suivant ne peut pas commencer par un changement de ce type car il ne reste plus de place entre les deux opérations. C'est pourquoi, trois channel bits supplémentaires appelés *merging bits* sont ajoutés à chaque octet et ses 14 channel bits. Les merging bits isolent les octets les uns des autres et augmentent le nombre de channel bits à 17 par octet.

Frames (trames)

A partir des octets codés sous forme de 17 channel bits, on arrive au plus petit bloc d'informations consécutives sur un CD, ce qu'on appelle *frame*. Un *frame* renferme 24 octets (par 17 channel bits) auxquels s'ajoutent des informations complémentaires constituant le *frame* sous forme d'un bloc de données. Le début est représenté par un *sync-pattern*, un code spécifique composé en tout de 27 channel bits indiquant au lecteur le début d'un nouveau *frame*. Celui-ci est attaché à un octet de contrôle et ce n'est qu'ensuite qu'arrivent les 24 octets de données proprement dits du *frame*.

Un *frame* se termine par 8 octets pour la correction d'erreurs qui se compose à son tour de 17 channel bits. Tout compte fait, on atteint un total de 588 channel bits par frame comme le montre la liste suivante.

Channel bits	Sync-Pattern
27	Octet de contrôle
1 * 17	Données
24 * 17	Correction d'erreurs
8 * 17	588 channel bits par frame

Secteurs

98 frames forment un secteur au niveau suivant sachant d'une part que les octets de données sont constitués à partir des frames et d'autre part que les octets de contrôle et les octets d'erreur servent pour la correction d'erreurs. D'après la figure suivante, on obtient ainsi un secteur renfermant en tout 3234 octets. Parmi ces derniers, 2352 octets sont disponibles en tant que données utiles alors que les 882 restants résultent des octets d'erreur et des 98 octets de contrôle. C'est là le format CD-DA d'origine auquel se conforment tous les CD audio.

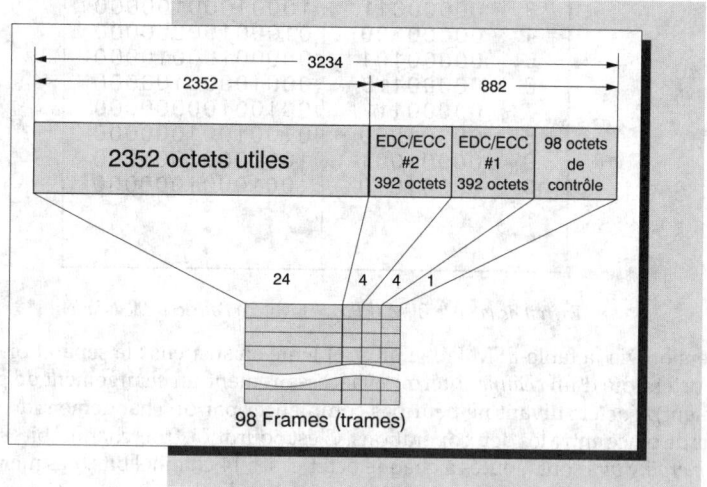

Secteur au format CD-DA

Le format CD-DA (CD-Digital Audio) illustré ci-dessus vaut exclusivement pour les pistes audio mais permet de tirer des conclusions intéressantes sur le fonctionnement et la vitesse de transfert des données d'un système CD. Chaque secteur correspond notamment à 1/75 de seconde c'est-à-dire qu'un lecteur CD lit 75 secteurs par seconde. En considérant qu'un lecteur CD fonctionne avec une fréquence de 44,1 Khz, en échantillonnage 16 bits 2 voies, on atteint facilement une valeur de 1 411 200 bits par seconde (44100 * 16 * 2). Cela correspond à un transfert de données de 18816 bits par 1/75 de seconde ou plus exactement aux 2352 octets que se réserve un secteur selon le format CD-DA.

Sachant que les secteurs sont joués dans un laps de temps bien défini, l'adressage se fait à l'aide d'une unité de temps et notamment au format minutes/secondes/secteur, par exemple 62/03/15 pour le quinzième secteur à la troisième seconde durant les 62 minutes de durée d'un CD.

Sub-channels

Si les octets de correction d'erreurs ne jouent aucun rôle dans l'adressage d'un CD, les 98 octets de contrôle provenant des 98 frames d'un secteur contiennent d'importantes informations. Les divers octets sont répartis entre des *sub-channels* où par exemple tous les bits 0 des 98 octets forment le sub-channel P. Pour obtenir les informations stockées dans le sub-channel P, on doit placer côte à côte les 98 premiers bits des octets de contrôle, ce qui donne 12 octets (et 2 bits). Concrètement, ce sub-channel sert à afficher le début d'un enregistrement audio ou des données numériques.

La même procédure s'applique aux seconds bits des 98 octets de contrôle qui forment ensemble le sub-channel Q. Il contient des informations importantes telles que la position d'un secteur sur le CD. Le sub-channel Q joue un rôle important dans la zone *lead-in* du CD. Il contient ici ce qu'on appelle la *Table Of Contents* (TOC) ou "table des qui fournit par exemple le nombre des pistes audio disponibles sur le CD.

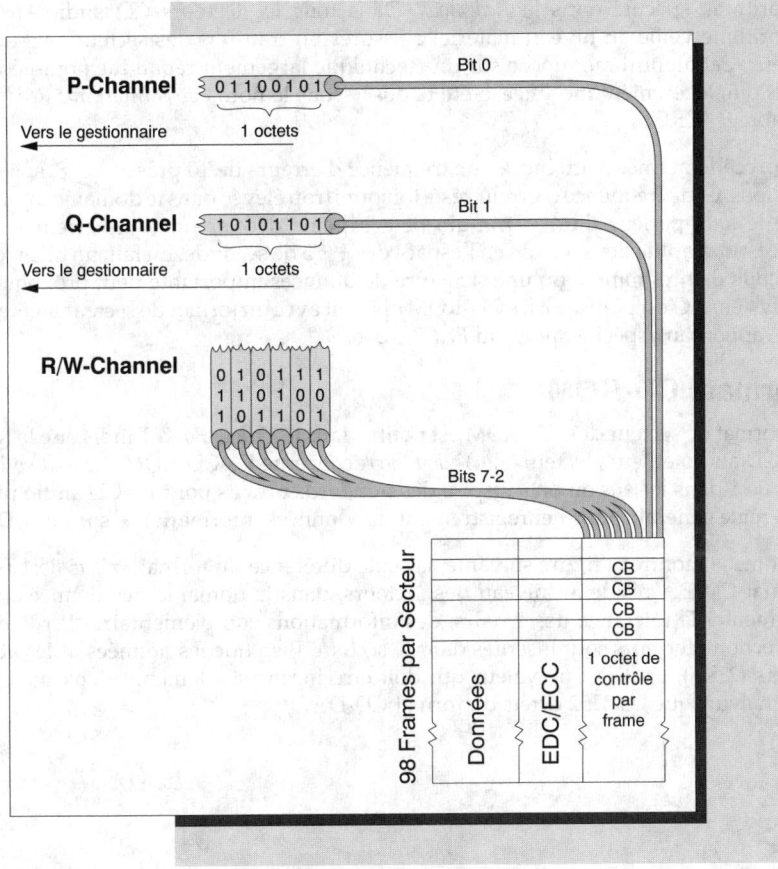

Structure des sub-channels

Les 6 bits restants parmi les 98 octets de contrôle constituent le sub-channel R/W qui renferme 73 octets correctement ordonnés. Ils sont utilisés pour des tâches de synchronisation.

Capacité de stockage

La capacité de stockage d'un CD-ROM découle du nombre de secteurs. Des nombres variés entrent ici en jeu, allant de 500 à 680 Mo. Il est primordial de savoir si on exploite ou non la largeur totale de la surface de gravage d'un CD-ROM. A l'origine, les machines de presse rencontraient des difficultés à graver sur les 5 mm externes d'un CD-ROM et c'est la raison pour laquelle cette zone est restée inutilisée. La capacité se limitait donc à 550 Mo. Entre-temps, on est arrivé à brûler depuis longtemps la largeur entière du CD de sorte que la capacité de stockage maximale s'élève à 682 Mo.

Correction d'erreurs

Les 2 * 392 octets stockés dans chaque secteur pour la correction d'erreurs se conforment à un algorithme spécifié dans le *Red Book*. Dans tous les lecteurs CD audio et CD-ROM, cet algorithme veille au niveau matériel à assurer un transfert des secteurs dépourvu de toute erreur. Cet algorithme repose sur une technique largement répandue nommée *Reed Solomon Code* qui, légèrement modifiée, a été baptisée sous le nom *Cross Interleave Reed Solomon Code*, en abrégé CIRC.

Ce procédé permet d'atteindre une fréquence d'erreurs de 10 puissance -8, soit un bit sur 100 millions. Cette fréquence d'erreur reste toujours trop élevée dans le domaine informatique alors que le haut-parleur d'un CD audio peut à peine déceler une telle erreur en raison de la succession rapide des secteurs en l'espace des 1/75 de seconde. En fait, un bit erroné situé dans un code de programme ou une structure de données importante peut provoquer un blocage du système. C'est pourquoi les CD-ROM opèrent avec un format de secteur légèrement modifié par rapport aux spécifications du *Red Book*.

Formats CD-ROM

Le format de secteur des CD-ROM est notifié dans le *Yellow Book*. Tandis que le *Red Book* décrit les CD audio et leurs lecteurs, le *Yellow Book* concerne les CD-ROM. Le *Yellow Book* hérite du *Red Book* dans le sens où on s'inspire des standards prévus pour les CD audio pour concevoir une règle générale pour l'enregistrement des données informatiques sur des CD (Audio).

Comme le montre la figure suivante, la seule différence du format *Yellow Book* par rapport au format CD-DA réside au niveau des secteurs, dans le domaine des données utilisées. Pour augmenter la tolérance des erreurs, des informations complémentaires sur la détection et la correction d'erreurs sont inscrites dans le secteur. Bien que les données utiles atteignent 2048 octets (2 Ko), c'est là une valeur qui doit être incontestablement mieux manipulée par les ordinateurs que les 2352 octets du format CD-DA.

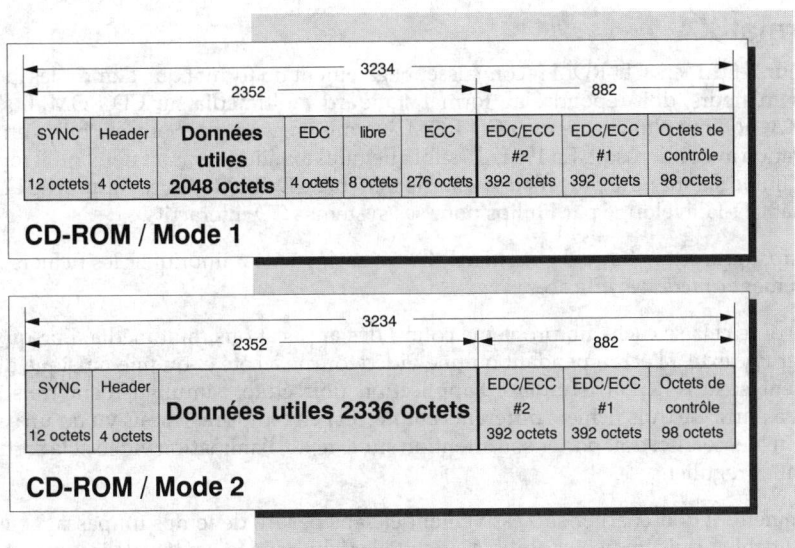

Structure des secteurs au format CD-ROM, mode 1 et mode 2

La figure révèle que le *Yellow Book* reconnaît deux formats pour les secteurs CD-ROM, les modes 1 et 2. En mode 2, on met en réserve des informations pour la correction d'erreurs car ces secteurs sont prévus pour l'enregistrement de données où les erreurs de lecture ne provoquent pas de conséquences graves sur un programme. Tel est par exemple le cas des images qui doivent être affichées momentanément à l'écran. En fin de compte, la correction d'erreurs du lecteur CD reste ici préservée.

On peut stocker 2336 octets dans un secteur de ce genre en renonçant aux informations correspondantes. Quant aux secteurs du mode 2, on les rencontre très rarement. Pratiquement tous les CD-ROM conçus pour PC renferment exclusivement des secteurs du mode 1. Des exceptions confirment tout au plus la règle. L'effet secondaire des secteurs du mode 2 est d'accroître la vitesse de transmission du lecteur - même si l'effet est moindre. Si 75 secteurs du mode 1 sont lus par seconde, on obtient une vitesse de transmission de 75 * 2 Ko = 150 Ko par seconde. Avec des secteurs du mode 2, on atteint 75 * 2336 octets / 1024 octets par Ko = 171 Ko par seconde. Des lecteurs double, triple ou quadruple vitesse offrent d'autant plus.

Les deux formats de secteurs ont chacun 12 octets de synchronisation au début du secteur ainsi qu'un header de 4 octets. Ce dernier indique le numéro et le type du secteur selon le format *Red Book*. Le type mode 0 désigne un secteur vide rempli uniquement avec des zéros.

Offset	Contenu	Type
00h	Adresse de secteur : Minute	1 BYTE
01h	Adresse de secteur : Seconde	1 BYTE
02h	Adresse de secteur : Secteur	1 BYTE
03h	Type du secteur	1 BYTE
	0 = Mode 0	
	1 = Mode 1	
	2 = Mode 2	
Le header d'un secteur CD-ROM, mode 1 ou 2		

Le format XA

Les lecteurs et drivers CD-ROM reconnaissent également un format qui, d'après les intentions de leurs créateurs, doit répondre au format standard multimédia sur CD-ROM. Il s'agit du format XA, nommé plus exactement CD-ROM XA, mis en avant par Sony et Philips en 1989 en collaboration avec Microsoft. En 1991, il a subi quelques améliorations au point qu'il représente aujourd'hui le standard le plus répandu sur le marché. CD-ROM/XA se rapproche beaucoup du format CD-I développé par Philips pour ses systèmes CD interactifs.

La principale caractéristique du standard XA est sa capacité à imbriquer les fichiers avec un entrelacement (*interleave*) efficace.

Mais derrière cela se cache un problème connu des applications multimédia. Lorsqu'il s'agit d'afficher un texte à l'écran pendant qu'une vidéo tourne à côté et qu'une musique d'accompagnement susurre à l'arrière-plan, l'application doit éditer simultanément trois flux de données à partir de trois fichiers différents et tout cela en temps réel. Mais vu qu'un seul CPU est disponible, celui-ci doit porter son attention sur le texte, l'animation vidéo et la sortie audio à intervalles réguliers.

Concrètement, il doit charger successivement et sans perdre de temps un passage de texte à partir du fichier, puis un fichier audio et ensuite le fichier vidéo. La tête de lecture est obligée de se déplacer en permanence d'un endroit à l'autre quel que soit l'endroit occupé par ces fichiers : contigus sur le CD ou complètement éparpillés. Compte tenu du médiocre temps d'accès d'un lecteur CD-ROM, ce phénomène transforme très vite en chaos le monde merveilleux du multimédia. La vidéo fait des soubresauts, le son est inaudible et le texte disparaît soudainement de l'écran.

C'est dans ce contexte que la spécification XA apporte son aide. Grâce au procédé d'entrelacement, elle fait en sorte que le CPU puisse charger les extraits nécessaires (texte, vidéo et son) sans déplacer la tête de lecture - les morceaux sont tout simplement imbriqués. La succession commence par trois secteurs de texte, suivis de quatre secteurs vidéo et trois audio et cette énumération se répète jusqu'à ce que les trois flux de données arrivent à la fin.

Le mode d'imbrication des fichiers (placer tout d'abord deux ou trois secteurs de texte puis cinq ou même quinze secteurs de données vidéo) se définit au niveau logique à l'aide des entrées de répertoire. Ici au niveau physique, un nouveau format de secteur est utilisé pour affecter les divers secteurs à certains flux de données (ou fichiers).

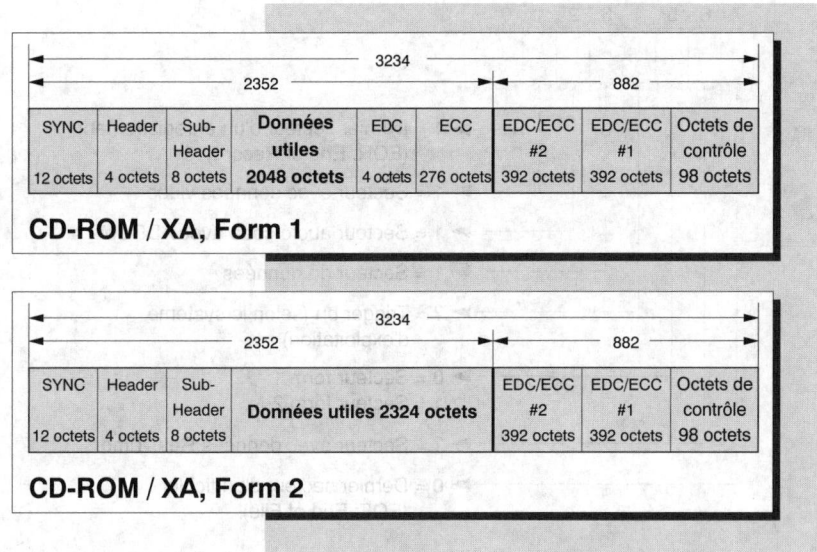

Structure des secteurs au format CD-ROM XA, form 1 et form 2

Tout comme le format ordinaire CD-ROM spécifié dans le *Yellow Book*, le format CD-ROM XA connaît également deux formats de secteurs différents qui sont désignés par form 1 et form 2 au lieu de mode 1 et mode 2.

Les deux formats ressemblent au format CD-ROM mode 1 si ce n'est quelques légères différences dans la partie en-tête du format.

Les deux formats, form 1 et form 2, se servent des huit octets inutilisés et laissés par le mode 1 entre les données de détection (EDC) et de correction d'erreurs (ECC).

Le format XA déplace ces octets vers le début du secteur où ils forment un subheader derrière le header. Dans ce subheader sont stockées les informations complémentaires, nécessaires par exemple à l'entrelacement.

Offset	Contenu	Type
00h	Numéro de fichier pour l'entrelacement	1 BYTE
	0 = Pas d'entrelacement	
01h	Numéro de canal pour données audio	1 BYTE
02h	Flag XA	1 BYTE
03h	Flag de code pour données audio ou vidéo	1 BYTE (avec secteurs de données 0)
04h-07h	Répétition des octets 00h à 03h	4 BYTE
Le subheader dans la tête d'un secteur CD-ROM XA, form 1 ou 2		

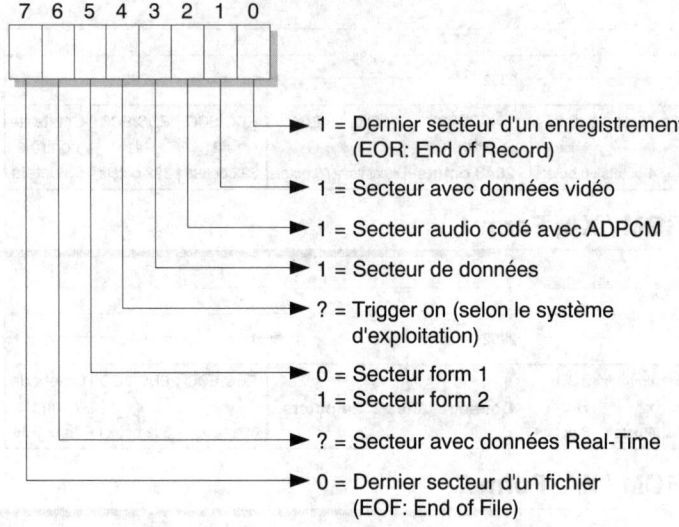

Flag XA dans le subheader d'un secteur CD-ROM XA

Photo CD et CD-WO

Appartenant à la classe des CD-WO (CD-Write Once), le Photo CD est la toute dernière nouveauté dans le domaine du CD. Ces CD sont désignés également sous le terme de CD-R pour *CD-Recordable*. La caractéristique de ces CD réside sur le niveau physique, leur capacité à enregistrer plusieurs sessions c'est-à-dire à les décrire plusieurs fois à la suite. Ce standard est spécifié dans le tout nouveau livre, *Orange Book*, publié en 1990.

Les utilisateurs peuvent identifier d'un seul coup d'œil les CD inscriptibles qui sont dorés contrairement à leurs acolytes argentés qui sont uniquement lisibles. Pour arriver à cette fin, le CD est recouvert d'une substance colorée organique (au lieu des habituels pits et lands) dont les propriétés de réflexion sont modifiées par un rayon laser de telle sorte qu'elles simulent les pits ou lands. Les lecteurs CD-ROM ordinaires peuvent eux aussi lire ces CD.

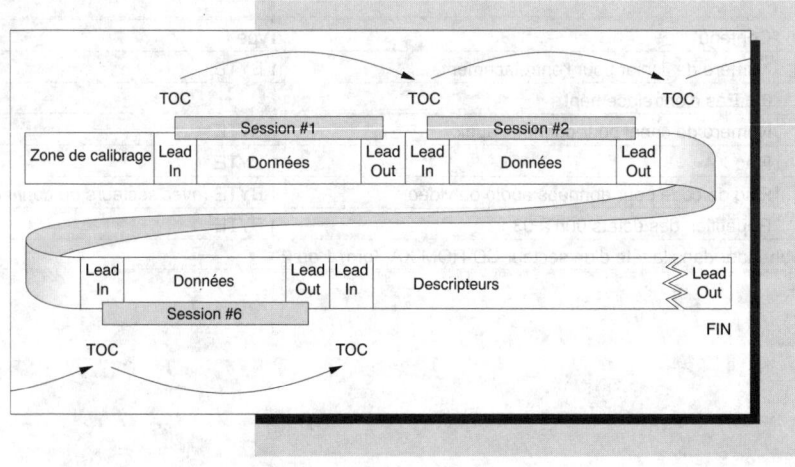

Structure d'un CD-WO

En raison de sa capacité d'inscription en plusieurs sessions, un CD-WO est forcément construit selon des méthodes différentes d'un CD-ROM ordinaire. Tandis que le début d'un CD normal est identifié par le lead in, le lead in d'un CD-WO nécessite deux zones requises pour affiner le calibrage du laser sur le CD concerné.

A chaque session d'un CD-WO, une référence est inscrite derrière le lead out de la zone en cours dans le lead in actuel. Cette information est stockée dans la TOC qui représente une partie du lead in.

Lors d'une session ultérieure du CD, le laser se place derrière le lead out de la zone précédente et génère un nouveau volume comprenant un lead in, la zone de données et un lead out. Les lead in étant attachés à leurs TOC, un lecteur peut commuter d'un volume à l'autre (ou d'une session à l'autre) et parcourir ainsi le contenu intégral du CD.

CD Livre Electronique diffusés par exemple par SONY sont plus petits. Leur diamètre mesure 8 cm mais respectent le standard de leurs aînés. On les désigne également par *Single CD*.

❍ beaucoup plus de rotations par unité de temps ; la vitesse de rotation est différente de celle de l'en-tête ;
❍ l'entrelacement se rencontre également dans les mémoires de masse DOS tels que les disques durs pour augmenter la vitesse d'accès en lecture/écriture
.

Au chapitre des variantes sur le thème du CD-ROM, on notera les CD...

37.1.2. High Sierra - le format logique

Comme il a été énoncé dans la section précédente, un enregistrement de données dépend toujours du format physique du support de stockage. Mais il faut prévoir en plus un format logique dès lors qu'on souhaite adresser une mémoire de masse en tant que support de fichiers et de répertoires et non plus sous forme de secteurs.

Il va sans dire que chaque fabricant a entière liberté d'équiper ses CD-ROM d'un format logique quelconque mais il ne faut pas oublier qu'il aura toujours besoin d'un driver afin de pouvoir lire un tel CD sous un système d'exploitation. L'échange de ces CD entre les divers systèmes d'exploitation est loin d'avoir atteint la perfection car chaque système d'exploitation (et chaque lecteur CD) a besoin d'un driver différent.

La raison était suffisante pour mettre au point une spécification pour le format logique d'un CD-ROM. Cette spécification doit régir le découpage d'un CD-ROM en fichiers et répertoires. En 1985, les fabricants de logiciels et de matériel décidèrent donc de se réunir pour donner naissance au format HSG qui est toujours respecté jusqu'à aujourd'hui par les CD du domaine PC et aussi par de nombreux systèmes UNIX. Tous les CD qui circulent dans votre PC possèdent ce format.

Le nom de ce format découle de *High Sierra Group*. Ce nom mirobolant a été imaginé par les spécialistes ayant participé au développement de HSG en souvenir de l'endroit où eut lieu le colloque, l'hôtel High Sierra et le Casino dans l'Etat du Nevada aux Etats-Unis. Un an plus tard, sa définition fut standardisée par le Bureau des normes américaines ISO sous le titre "Volume and File Structure of Compact Read-Only Optical Disk for Information Interchange". Depuis cette date, on parle du standard ISO 9660 ou plus simplement de ISO 9660.

Bien que le standard ISO reprenne à 99,5 % les spécifications HSG, il existe néanmoins quelques petites différences s'articulant dans la structure des entrées de répertoire. C'est pourquoi, les uns parlent de format HSG, les autres de ISO 9660 et les troisièmes de HSG/ISO 9660. Mais c'est toujours la même chose qui est évoquée.

Les paragraphes suivants relèvent les principaux concepts de la spécification ISO et les explicitent du point de vue d'un utilisateur et d'un programmeur PC.

Quiconque se décide à accéder à un titre ou à un fichier CD-ROM au niveau du DOS ne sera plus perturbé par ce concept. Pour lui, le CD s'est d'ores et déjà transformé en une mémoire de masse tout à fait ordinaire telle un disque dur.

Mais celui qui veut adresser directement le driver électronique d'un lecteur CD-ROM pour jouer par exemple des pistes audio, celui-ci devra tout au moins se familiariser avec les notions décrites ci-après.

Secteurs logiques

Le format HSG définit tout d'abord le secteur logique pour prendre ses distances du niveau des secteurs physiques. En ce qui concerne sa taille, le format HSG se réfère au *Yellow Book* et renferme 2048 octets, disons 2 Ko.

Chaque secteur possède un numéro unique, appelé *logical secteur number*, en abrégé LSN. Le premier LSN adressable porte le numéro 0 et concorde avec le secteur physique de l'adresse RedBook 00:02:00.

Cela signifie que les 150 premiers secteurs physiques, englobant les deux premières secondes d'un CD, ne sont pas adressables au niveau du format logique.

Cela donne simultanément la formule de conversion entre les adresses RedBook (mm:ss:ff) et LSN, comme suit :

```
LSN(mm:ss:ff) = (mm * 60 + ss) * 75 - 150
```

Blocs logiques

HSG subdivise le secteur logique en plusieurs blocs logiques pour pouvoir mieux adresser les composants des secteurs logiques et d'affiner simultanément la taille d'un secteur logique.

La taille d'un bloc logique (LBN) peut être de 512 octets, 1024 octets ou 2048 octets. Dans le dernier cas, il correspond à un secteur logique. L'adressage d'un LBN se fait également à l'aide d'un numéro.

Les blocs logiques de 512 octets permettent de mieux mettre en évidence cette affectation. Dans ce cas, 0 correspond au premier secteur logique dans le premier secteur physique, 1 au deuxième, 2 au troisième et 3 au quatrième.

Le bloc logique 4 se trouve au début du deuxième secteur physique.

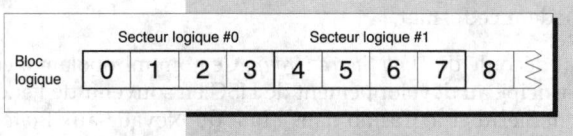

Affectation entre secteurs logiques et blocs logiques

Fichiers et noms de fichier

Sur un CD HSG, les fichiers sont toujours enregistrés sous forme d'une séquence continue formée de blocs logiques, une sorte d'Extent. Il n'existe pas ici de table d'allocation de fichiers (FAT) comme c'est le cas sur des lecteurs DOS classiques. Pour peu qu'on connaisse le début d'un fichier et sa longueur et on connaît tous les LBN dans lesquels il est stocké. C'est d'autant plus simple que les fichiers stockés sur CD-ROM ne sont pas effaçables. On est donc à l'abri d'un quelconque problème de fragmentation et on n'est pas obligé de remplir l'espace libéré avec des fragments de nouveaux fichiers. Car c'est la seule raison qui oblige à définir une FAT sur un lecteur DOS.

Par ailleurs, HSG fournit l'option quelque peu exotique, mais si élégante, d'étaler les fichiers sur plusieurs CD ce qui n'est absolument pas possible dans DOS.

Le standard HSG/ISO 6990 définit également des règles concernant la structure et la longueur des noms de fichier puisque les fichiers portent toujours des noms. C'est l'un des rares aspects où ISO et HSG sont en désaccord. Les règles HSG laissent paraître Microsoft comme l'un des précurseurs de ce standard vu que les noms de fichier doivent respecter ici leur formulation sous DOS. Cela signifie 8 caractères au maximum pour le nom suivis d'un point et ensuite de trois caractères pour l'extension. HSG s'écarte de DOS dans le seul et unique contexte des caractères spéciaux pour se limiter aux chiffres 0-9, les majuscules A-Z et le trait de souligne-ment (_).

En ce qui concerne les caractères autorisés, la variante ISO concorde avec la variante HSG. Sinon, elle a un léger faible pour les systèmes de dénomination reconnus par UNIX, c'est-à-dire jusqu'à 31 caractères pour les noms de fichier, avec ou sans point de séparation, et celui-ci figurant en un endroit quelconque dans le nom. Le nom doit être suivi d'un point-virgule séparant le nom de fichier du numéro de version (indication facultative). Vous ne rencontrerez pas des noms de ce type sur des CD DOS même si, dans la section suivante, vous verrez qu'une place suffisante est laissée dans les entrées de répertoire pour des noms de fichier longs.

Répertoires et sous-répertoires

Pour organiser les fichiers enregistrés, un CD ISO contient un répertoire principal à partir duquel se ramifient des sous-répertoires. Ces derniers peuvent à leur tour contenir des sous-répertoires de manière à développer l'arborescence connue sous DOS et UNIX. Seule restriction : le nombre maximal des niveaux de répertoires s'élève à 8.

Le répertoire principal est stocké comme un fichier au même titre que tous les sous-répertoires qui en découlent. Ces "fichiers de répertoire" (nos entrées de répertoire sous DOS) peuvent ainsi être placés parmi les autres fichiers en un endroit quelconque du CD.

Offset	Champ HSG	Type	Signification	Champ ISO	Type
+00h	len_dr	1 BYTE	Longueur de l'entrée de répertoire en octet	=	
+01h	XAR_len	1 BYTE	Nombre de secteurs logiques réservés pour XAR	=	
+02h	loc_extendI	1 DWORD	Premier bloc logique du fichier au format Intel (numéro de bloc de début)	=	
+06h	loc_extendM	1 DWORD	dito au format Motorola	=	
+0Ah	data_lenI	1 DWORD	Longueur de fichier au format Intel	=	
+0Eh	data_lenM	1 DWORD	dito au format Motorola	=	

Offset	Champ HSG	Type	Signification	Champ ISO	Type
+12h	record_time	6 BYTE	Date et heure du fichier	record_time	7 BYTE
+18h	file_flags_hsg	1 BYTE	Flags de fichier HSG	=	
+19h	Réservé	1 BYTE		file_flags_iso	1 BYTE
+1Ah	il_size	1 BYTE	Nombre de secteurs consécutifs pour l'entrelacement (0=tous)	=	
+1Bh	il_skip	1 BYTE	Nombre de secteurs à sauter après un bloc interleave (secteurs isolés)	=	
+1Ch	VSSNI	1 WORD	Numéro de volume au format Intel		
+1Eh	VSSNM	1 WORD	dito au format Motorola	=	
+20h	len_fi	1 BYTE	Longueur du nom de fichier	=	
+21h	file_id	n BYTE	Nom de fichier en tant que chaîne, longueur en len_fi (jusqu'à 32 caractères)	=	
+21h+n	padding	1 BYTE	Octet de remplissage si le champ suivant ne commence pas sur une adresse de mémoire paire	=	
	sys_data	n Byte	Toute information complémentaire dont la longueur permet de calculer la longueur du nom de fichier (len_fi), la longueur des champs fixes et la longueur totale de l'entrée de répertoire (len_dr) (données système)	=	

Structure des entrées de répertoire selon HSG/ISO 9660

Le tableau montre que les entrées de répertoire se différencient par le champ heure et un octet de flag qui s'ensuit, sinon tout reste identique entre ISO et HSG. Il en ressort que de nombreux champs sont cités deux fois. Une fois avec le suffixe I et une autre fois avec le suffixe M. Derrière cela se cache un problème fondamental concernant l'échange de données entre deux systèmes. Pour tous les nombres dont la représentation nécessite plus de 8 bits, il reste à savoir dans quel ordre il faut ranger les octets du nombre. La réponse d'Intel est connue à ce sujet : d'abord l'octet de poids faible puis l'octet de poids fort. Pourtant de nombreux processeurs opèrent exactement à l'inverse comme par exemple ceux de Motorola. C'est ce qui explique pourquoi toutes les informations de 16 et 32 bits sont d'abord stockées au format Intel (suffixe I) puis au format Motorola (suffixe M). Le système d'exploitation peut ainsi extraire le champ dont le format est attendu par le processeur sur lequel tourne le système d'exploitation.

Le format CD-ROM XA impose une condition préalable sur le plan physique (entrelacement de fichiers) et sur le plan logique (entrée de répertoire). Les deux champs *il_size* et *il_skip* indiquent le nombre de secteurs logiques d'un fichier devant se suivre consécutivement et le nombre de secteurs à sauter jusqu'à atteindre le bloc suivant muni de secteurs continus.

Pour rechercher très vite un fichier en parcourant un fichier de répertoire, il est conseillé de ne pas stocker plus de 40 fichiers dans un répertoire. Un secteur logique peut en effet contenir autant d'entrées de répertoire de sorte qu'il est nécessaire de charger seulement le premier secteur d'un fichier de répertoire pour localiser le fichier voulu.

Path Table du CD ROM

Enregistrer des répertoires comme des fichiers est certes une méthode simple et élégante mais qui renferme quelques désagréments. Pour rechercher notamment des fichiers situés dans les profondeurs de sous-répertoires imbriqués, il faut tout d'abord parcourir puis lire un grand nombre de fichiers de répertoire avant d'atteindre le répertoire correspondant à l'entrée du fichier recherché. Compte tenu de la lenteur d'un lecteur CD-ROM en matière de recherche, il a été construit une sorte de raccourci menant aux sous-répertoires, la *Path Table*.

La *Path Table* (table des répertoires) contient les noms de tous les répertoires et sous-répertoires d'un CD ainsi que le numéro du secteur logique à partir duquel commence le fichier de sous-répertoire. Dès lors que cette table se trouve en mémoire, la lecture d'un secteur suffit pour déterminer l'adresse d'un fichier. La condition préalable est que l'entrée de répertoire se trouve dans le premier secteur des données de répertoire. Sinon, il faudrait recharger en plus les autres secteurs de répertoire.

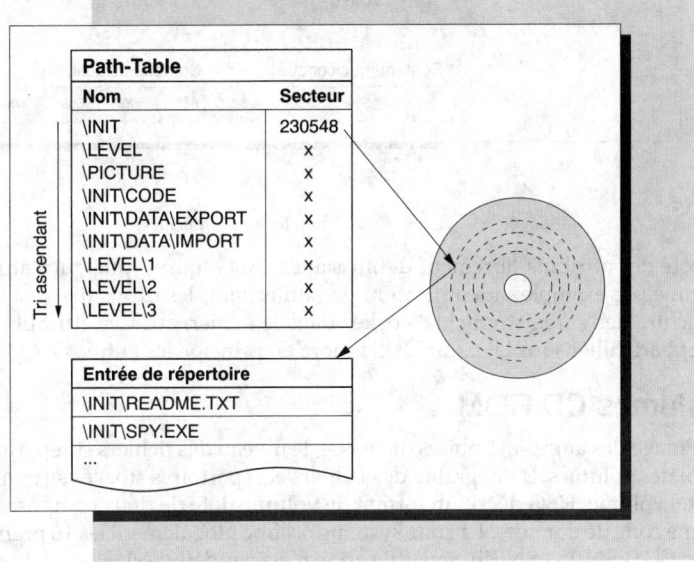

Path Table

Etant donné que la *Path Table* utilise des nombres entiers 32 bits pour stocker les numéros de secteur, un CD-ROM contient toujours deux copies de la *Path Table*. L'une affiche les nombres au format Intel, l'autre au format Motorola.

Extended Attribut Records (XAR) sur CD ROM

Les *eXtended Attribut Records* ou en abrégé XAR représentent une autre particularité intéressante d'un CD-ROM. Ils permettent à un créateur de fichier d'enregistrer un nombre quelconque d'informations associées à ce fichier, ce qui constitue d'ailleurs la base fondamentale de la structure d'un système de fichier orienté objet. Le créateur du fichier peut ainsi se rendre compte à un moment donné si le fichier n'est pas devenu obsolète car les données ne sont plus à jour et bien d'autres choses encore.

Pour éviter que ces informations encombrent inutilement les entrées de répertoire, elles sont placées dans le premier secteur logique du fichier au lieu d'être stockées dans l'entrée de répertoire. Lors d'un accès en lecture sur un fichier, le système d'exploitation (ou le programme) doit d'abord lire le nombre de secteurs XAR contenus dans l'entrée de répertoire du fichier pour basculer ensuite vers le début du fichier.

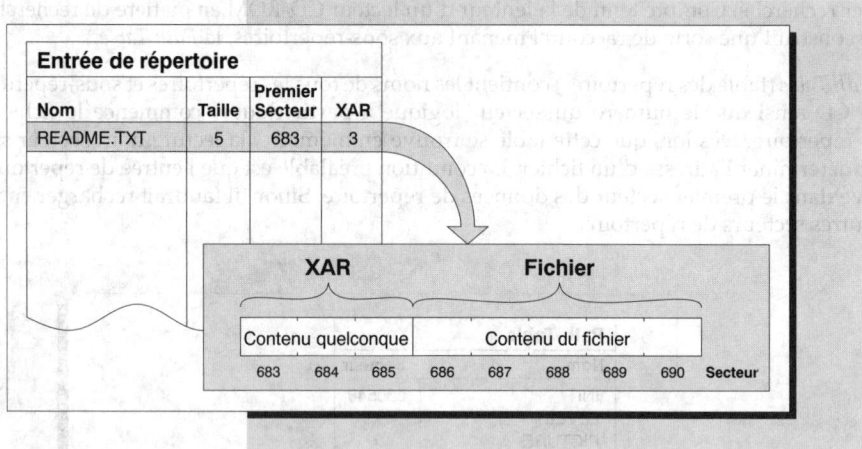

XAR au début d'un fichier

A côté des attributs librement définissables, HSG fournit quelques attributs XAR prédéfinis comme par exemple l'identification de l'utilisateur, les droits d'accès, les informations sur la structure des enregistrements stockés dans le fichier, etc. Ces attributs ne constituent pas un sujet particulier sous DOS car DOS ignore en principe les entrées XAR.

Volumes CD ROM

A l'image des autres mémoires de masse, le niveau des fichiers et répertoires est chapeauté par celui des volumes. L'intégralité des fichiers et répertoires stockés sur un CD est englobée dans un tel volume. HSG décrit un format de volume doté de deux composants : une zone système et une zone de données. La zone système occupe globalement les 16 premiers secteurs logiques d'un CD (LSN 0 à LSN 15). Son utilisation n'est pas définie et dépend du système d'exploitation sous lequel est exploité le CD. Un secteur de boot peut par exemple figurer ici si l'amorçage doit avoir lieu depuis le CD.

La zone de données d'un volume est introduite par ce qu'on appelle les *Volume Descriptors* (VD) dont HSG définit 5 types différents. Chacun d'eux décrit un aspect différent du support bien qu'ils occupent respectivement un secteur logique complet. Parmi les 5 VD, il en est un qui doit exister impérativement dans n'importe quelle circonstance. Il s'agit de *Standard Volume Descriptor*. Les autres sont facultatifs. Il n'empêche qu'on recherche un champ en tenant compte du nombre des VD. Sinon un *Volume Sequence Terminator* indique la fin des VD.

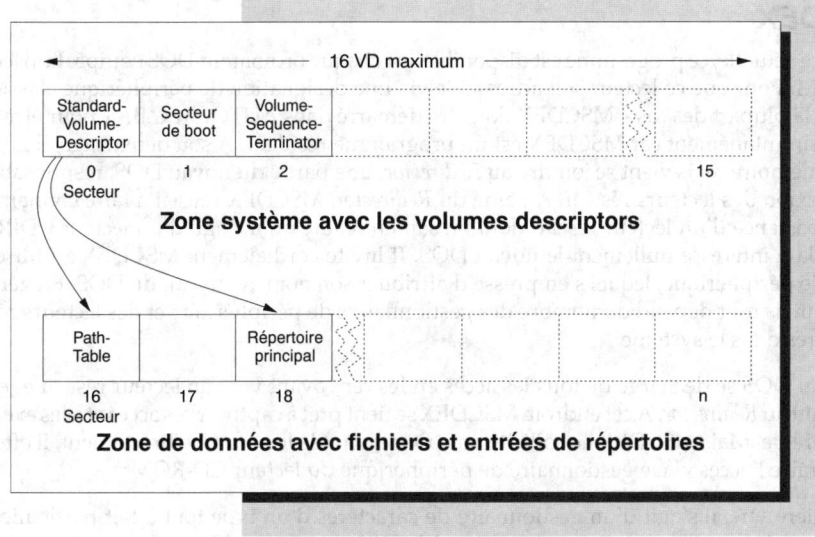

Les Volume Descriptors décrivent le volume

La principale information stockée dans un *Standard Volume Descriptor* est l'adresse de l'entrée du répertoire principal et l'adresse de la *Path Table*. Il contient également le message de Copyright et les *Abstract Files*. Ce sont des fichiers situés dans le répertoire principal contenant un texte ASCII renseignant sur l'origine du CD (*Copyright File*) et son contenu (*Abstract File*).

37.2. Intégration de lecteurs CD-ROM dans un environnement DOS/Windows

Un matériel haut de gamme ne sert à rien s'il ne peut pas être intégré dans l'environnement du système d'exploitation. DOS opère dans ce contexte avec des gestionnaires de périphérique qui sont requis également pour accéder à des lecteurs CD-ROM sous DOS et Windows. Alors qu'à la fin des années 1987/88, on a eu l'idée chez Microsoft de développer les premiers drivers pour lecteurs CD-ROM sous DOS, personne ne s'attendait à une surprise extraordinaire. Les nouveaux supports refusaient absolument de s'accommoder avec le concept des gestionnaires de périphérique de l'époque.

Les CD-ROM ne reposent pas sur une structure de fichier telle qu'elle est connue sous DOS. Les CD-ROM se conforment au format High Sierra comme il a été mentionné plus haut. Ce format n'est doté ni d'une FAT ni d'autres structures de données dont DOS ne peut se passer. Il faut noter par ailleurs qu'à cette époque on n'utilisait que DOS 3.0 dont la capacité de gestion de la mémoire de masse ne dépassait guère 32 Mo.

L'intégration d'un driver CD sous forme d'un driver de bloc habituel sous DOS n'entrait même pas en ligne de compte. Mais pour réaliser néanmoins le driver CD comme un gestionnaire de périphérique DOS, on décida de faire un détour via le gestionnaire de caractères. Les gestionnaires de caractères adoptent la même structure que les gestionnaires de bloc sauf qu'ils ne sont pas adressables sur les lecteurs A:, B:, etc. et c'est ce qui fait l'atout du gestionnaire de bloc. Il a donc fallu concevoir un autre programme destiné au gestionnaire CD capable de réaliser le lien entre le noyau DOS et le gestionnaire CD : *MSCDEX*.

MSCDEX

A l'heure actuelle, ce programme est disponible sur chaque ordinateur DOS équipé d'un lecteur CD-ROM. Pour que ce lecteur soit adressable via une désignation de périphérique classique - D: dans la plupart des cas -, MSCDEX doit être démarré dans AUTOEXEC.BAT pour être ainsi chargé simultanément car MSCDEX est un programme résident. A son démarrage, il ne reste pas en mémoire mais vient se joindre au *Redirector*, une partie du noyau DOS, responsable de la connexion des lecteurs réseau. A l'aide du *Redirector*, MSCDEX réussit à faire connaître au DOS l'existence d'un lecteur réseau dont on sait en réalité qu'il s'agit d'un lecteur CD-ROM. Mais cela n'intéresse nullement le noyau DOS. Il invite cordialement MSCDEX à utiliser les lettres de périphérique, lequel s'empresse d'attribuer son nom au niveau du DOS. En général, c'est D: mais tout dépend du nombre des gestionnaires de périphérique et des lecteurs réseau configurés dans le système.

Le noyau DOS se décharge de tous les accès en les renvoyant vers un lecteur réseau et en les déléguant au *Redirector*. A cet endroit, MSCDEX se tient prêt à capturer ces accès et à les exécuter dans sa régie. Mais MSCDEX ne sollicite pas pour autant le lecteur CD directement, il effectue au contraire l'accès via le gestionnaire de périphérique du lecteur CD-ROM.

A première vue, il s'agit d'un gestionnaire de caractères d'un type tout à fait particulier qui fournit précisément les fonctions nécessaires à MSCDEX pour accéder au lecteur. Vous découvrirez les différentes fonctions dans les paragraphes qui suivent.

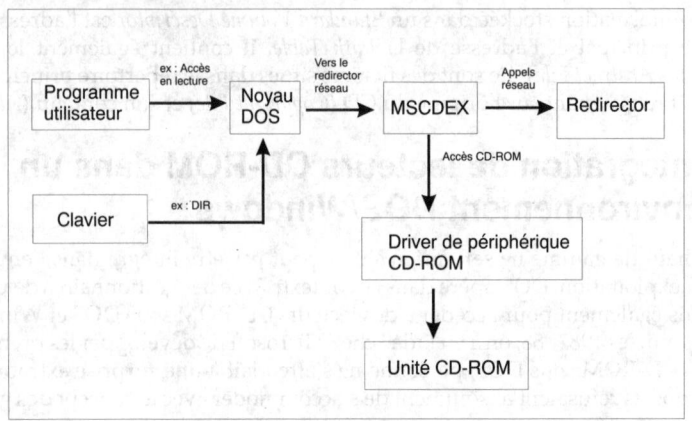

Accès à un lecteur de CD-ROM par MSCDEX et le driver associé

Mis à part l'appel de MSCDEX dans AUTOEXEC.BAT, chaque PC équipé d'un lecteur CD-ROM doit être en mesure de charger un gestionnaire de périphérique CD-ROM dans le fichier CONFIG.SYS. On peut y installer de nombreux gestionnaires CD-ROM de toutes sortes en particulier quand il existe plusieurs lecteurs CD-ROM de marque différente. Dans la mesure où les gestionnaires CD-ROM sont tributaires du matériel et de l'interface du lecteur CD-ROM concerné, ils peuvent généralement utiliser plusieurs lecteurs du même fabricant mais surtout pas des autres fabricants.

Et voici comment est assuré l'équilibre entre MSCDEX et le gestionnaire de périphérique CD-ROM : le driver CD-ROM simplifie la tâche de MSCDEX en prenant en charge les différences générées par la disparité des lecteurs CD-ROM et en rendant ainsi MSCDEX indépendant du matériel. Chaque fabricant de CD-ROM fournit par conséquent sur la disquette d'installation le même MSCDEX avec son lecteur.

Les drivers CD-ROM à proprement parler sont dépendants du lecteur CD et ne sont pas conçus comme MSCDEX par Microsoft. Ils sont au contraire préparés par le fabricant du lecteur.

Fusion entre MSCDEX et les gestionnaires de périphérique

Le seul point crucial de ce système est la symbiose entre MSCDEX et le gestionnaire de périphérique au démarrage du système. En tant que partie intégrante de AUTOEXEC.BAT, MSCDEX est le premier à entrer en service une fois que les drivers CD-ROM ont été chargés via CONFIG.SYS.

Pour que MSCDEX soit en mesure de reconnaître les gestionnaires CD-ROM en tant que tels, ils doivent porter des noms précis qui, par définition, doivent avoir la forme MSCD00x où x représente un chiffre. Il faut utiliser ici des noms souples car il se peut qu'on soit amené à raccorder plusieurs drivers CD-ROM portant des noms différents. Les drivers ne choisissent pas automatiquement le x car le nombre de drivers CD-ROM chargés réellement dépend de l'utilisateur. Au contraire, ils lisent généralement ce chiffre ainsi que le nom complet dans un paramètre d'une ligne de commande qui doit être spécifié par l'utilisateur lors de l'appel du driver dans CONFIG.SYS. Cela s'applique à tous les drivers connus, de Sony aux lecteurs CD SoundBlaster en passant par Hitachi. L'appel peut par exemple être formulé comme suit :

```
device=SBCD.SYS /P:200 /D:MSCD001
```

Tout cela paraît incompréhensible et compliqué à première vue mais en fin de compte il est tout à fait normal qu'il existe une séparation fonctionnelle entre les composants dépendant du matériel et les composants indépendants du matériel sous forme de MSCDEX et des gestionnaires. Il est vrai que MSCDEX pourrait être inclus dans le système d'exploitation de manière à rendre sa manipulation plus élégante. Mais c'est un contexte qui se rencontre partout où évoluent des systèmes qui se voient soudainement confrontés à de nouvelles exigences impossibles à mettre en valeur dans le corset fort serré des considérations et règles générales définies à l'origine. De tels "workarounds" sont devenus des phénomènes quotidiens dans le monde de la programmation système eu égard à l'évolution effrénée des techniques. L'ensemble fonctionne pourtant parfaitement même si ce va-et-vient donne l'impression d'une organisation chaotique.

Programmation de l'accès CD

Une fois que l'utilisateur a accompli les tâches d'installation de MSCDEX et des gestionnaires, le lecteur CD-ROM se présente comme un lecteur DOS tout à fait ordinaire. Et ce n'est pas seulement le cas au niveau DOS où un DIR D: suffit pour afficher le répertoire principal du CD-ROM inséré. Au niveau de l'API DOS également, D: fait désormais corps avec un lecteur complètement ordinaire utilisable avec toutes les fonctions d'ouverture et de lecture de fichiers et répertoires. Les fonctions de l'interruption DOS 21h sont disponibles sans aucune restriction. Mais compte tenu de la nature même du support, il ne faut pas s'étonner qu'il interdise d'exécuter des accès en écriture de quelque type que ce soit tant qu'on ne dispose pas d'un CD-R.

Maintenant que la caractéristique absolument spécifique à un lecteur CD-ROM est largement renseignée au niveau de l'API DOS, le moment est venu de faire la lumière sur les fonctions de MSCDEX et sur le driver CD-ROM. Les fonctions de MSCDEX concernent par exemple l'accès au fameux fichier de copyright et aux *Abstract Files*, fichiers disponibles uniquement sur un lecteur CD-ROM.

Quant au driver, il fournit plutôt des fonctions orientées matériel pour s'informer par exemple sur le CD ou pour lire les codes UPC. Et lorsqu'il s'agit notamment de tester la capacité des lecteurs CD à jouer des CD audio, on ne peut le faire que grâce au gestionnaire de périphérique car MSCDEX ne fournit pas la fonction appropriée.

Une multitude de tâches diverses et variées sont réalisables à l'aide de MSCDEX et directement à l'aide du gestionnaire. Comme c'est souvent le cas dans une telle circonstance, c'est l'interface plutôt abstraite qui conserve le dessus, ici MSCDEX.

37.3. Accès logiciel via l'API MSCDEX

Techniquement, l'interface logicielle de MSCDEX représente l'un des MUX Handler (cf. chapitre 29) les plus préférés tels qu'ils sont connus de DOS sous la forme de commandes PRINT, DOSKEY et APPEND. MSCDEX a aussi sa place dans l'interruption DOS 2Fh. Si cette interruption est appelée avec la valeur 15h dans le registre AH, MSCDEX se sent investi d'un pouvoir et déclenche l'appel de l'une de ses fonctions.

MSCDEX est décliné en plusieurs versions, depuis 1.0 vers 2.2 en passant par 1.1, 2.0, 2.1. L'API présentée ici repose sur la version 2.2. 15 fonctions y sont définies en tout.

Fonction	Sous-fonction	Description	MSCDEX à partir de la version
AX			
AH	AL		
15h	00h	Renvoie le nombre de lecteurs CD-ROM	1.0
15h	01h	Fournit des informations sur le driver CD-ROM	1.0
15h	02h	Renvoie le nom du fichier Copyright	1.0
15h	03h	Renvoie le nom du fichier Abstract	1.0
15h	04h	Renvoie le nom du fichier Bibliographic Documentation	1.0
15h	05h	Lit VTOC	1.0
15h	06h	Réservé	1.0
15h	07h	Réservé	1.0
15h	08h	Lit des secteurs	1.0
15h	09h	Ecrit sur des secteurs	1.0
15h	0Ah	Réservé	1.0
15h	0Bh	Interroge le lecteur CD-ROM	2.0
15h	0Ch	Demande le numéro de version MSCDEX	2.0
15h	0Dh	Communique les lecteurs CD-ROM	2.0
15h	0Eh/00h	Renvoie le paramétrage par défaut du volume	2.0
15h	0Eh/01h	Définit le paramétrage par défaut du volume	2.0
15h	0Fh	Lit les entrées de répertoire	2.0
15h	10h	Envoie la requête vers le gestionnaire de périphérique	2.1

Appel d'une fonction depuis l'API MSCDEX

Le point commun entre toutes les fonctions est que MSCDEX attend le numéro de fonction dans le registre AL lors de leur appel. Il existe sinon d'autres similitudes afférentes à l'emploi des registres du processeur :

CX	En CX, de nombreuses fonctions attendent la désignation du lecteur CD-ROM à accéder. 0 correspond toujours ici à A:, 1 à B:, etc.
ES:BX	Là où des pointeurs doivent être transmis sur le buffer lors de l'appel de fonction, ces derniers sont attendus sous forme de pointeurs FAR dans les registres ES:BX.
DX	Si la fonction opère avec un nombre défini de secteurs, ces derniers sont inscrits en règle générale dans DX.
DI:SI	Si la fonction a besoin d'un numéro de secteur, elle l'obtient sous forme d'entier 32 bits dans les registres DI:SI. DI contient l'octet de poids fort (Hi-Word) et SI l'octet de poids faible (Lo-Word).
Flag Carry	Après l'appel de fonction, les erreurs sont affichées comme d'habitude via le flag Carry. Un code d'erreur est transmis en plus en AL.

Vous trouverez la liste complète et la description de ces fonctions dans l'annexe concernant le multiplexeur fournie dans le CD du livre. Le texte suivant énumère les domaines d'application des fonctions et indique les critères à prendre en compte lors de l'appel.

Test d'installation

A l'intérieur d'un programme, le premier appel d'une fonction MSCDEX doit toujours porter sur un test d'installation. Comme d'ailleurs pour tous les gestionnaires MUX, on doit s'assurer une première fois que le programme est réellement installé et que son API est disponible. Ici entre en jeu la fonction 0 de MSCDEX qui exécute une tâche quelque peu différente. Elle renvoie le nombre de lecteurs CD-ROM adressables via MSCDEX et ce dans le registre BX.

Interruption 2Fh, Code MUX 15h, Fonction 00h   *Renvoie le nombre de*
MSCDEX à partir de la version 1.0   *lecteurs CD-ROM*

Cette fonction permet de déterminer le nombre de lecteurs CD-ROM installés. Elle effectue aussi un test d'installation pour MSCDEX.

Entrée :   AH = 15h
             AL = 00h

Sortie :   BX = Nombre de lecteurs CD-ROM gérés
            CX = Désignation du premier lecteur CD-ROM (0=A:, 1=B: etc.)

Remarque :   *Un programme doit appeler cette fonction avant toutes les autres fonctions MSCDEX pour s'assurer que MSCDEX est réellement installé. Avant l'appel de fonction, chargez la valeur 0 dans le registre BX et vérifiez si BX contient toujours 0 après l'appel. Si oui, MSCDEX ne peut pas être installé car il faut qu'il existe au moins un lecteur CD-ROM lorsque MSCDEX est actif.*

            Bien que les désignations des lecteurs CD-ROM puissent être obtenues après l'appel de fonction à partir de BX et CX, il vaut mieux cependant utiliser la fonction 0Dh si le driver MSCDEX est supérieur à la version 2.0. Dans les réseaux, il n'est pas toujours évident d'attribuer des noms de lecteur consécutifs aux lecteurs CD-ROM installés. Le premier lecteur CD-ROM D: peut être suivi d'un lecteur réseau E: auquel fait suite le second lecteur CD-ROM sous l'appellation F:. Il est conseillé d'appeler la fonction 0Dh car cette information n'est pas communiquée par la fonction 00h.

Numéro de version

Vu l'importance prise par l'API MSCDEX au cours du temps, on doit s'assurer (avant d'appeler certaines fonctions) que la version MSCDEX utilisée reconnaît bel et bien la fonction concernée. La fonction MSCDEX 0Ch est venue s'ajouter dans ce but précis dans la version 2.0. Dans le registre BH, elle renvoie le numéro de version majeur et en BL le numéro de version mineur, par exemple BH = 2 et BL = 20 pour la version 2.20.

Mais malgré le fait que cette fonction n'ait vu le jour que depuis la version 2.0, on doit s'assurer avant de l'appeler qu'on n'est pas confronté à un driver de la version 1.x. Chargez par conséquent le registre BX avec 0 avant l'appel de la fonction et vérifiez son contenu. Si vous y rencontrez encore la valeur 0, cela signifie que la fonction 0Ch ne peut pas être exécutée. Vous avez donc affaire à un driver de la version 1.x.

Interruption 2Fh, Code MUX 15h, Fonction 0Ch	*Déterminer le numéro*
MSCDEX à partir de la version 2.0	*de version MSCDEX*

Un appel de cette fonction permet de connaître le numéro de version du driver MSCDEX installé.

Entrée :   AH = 15h
               AL = 0Ch

Sortie :   BH = Numéro de version majeur (1, 2 etc.)
               BL = Numéro de version mineur, par exemple 10 pour 1.10 ou 2.10

Remarque :   *L'appel de cette fonction doit être précédé d'un appel de la fonction 00h pour s'assurer que MSCDEX est réellement installé.*

               Cette fonction n'étant disponible que depuis la version 2.0 de MSCDEX, il faut charger le registre BX avec la valeur 0 avant l'appel de cette fonction. Si le registre contient toujours cette valeur après l'appel, cela signifie que la fonction ne peut pas être exécutée. Il faut en déduire qu'on a affaire à un driver MSCDEX de la version 1.x.

Désignations de lecteur

Pour accéder à des lecteurs CD-ROM via MSCDEX, on doit connaître les noms des lecteurs. Cette information est par exemple communiquée par la fonction 0 qui renvoie le nombre de lecteurs CD-ROM soutenus ainsi que le nom de périphérique du premier lecteur CD-ROM dans le registre CX. Si on obtient par exemple 2 en BX et 3 en CX, cela signifie que le système en cours possède 2 lecteurs (BX) adressables par la désignation D: (CX) et E:. Mais cette égalité comporte un hic surtout dans le cadre des lecteurs réseau. Dans ce cas, MSCDEX ne peut pas toujours attribuer des noms consécutifs car par exemple E: est déjà utilisé par un lecteur réseau. Ici, MSCDEX n'hésiterait pas à appeler le premier lecteur CD-ROM par D: et le second par F: au lieu de E:.

La fonction 0 ne tient pas encore compte de cet état de chose car elle est originaire de la version 1.0 de la spécification MSCDEX. On n'avait pas encore envisagé cette problématique autrefois.

Une fonction plus récente (0Dh), introduite avec la version 2.0, contourne ce désagrément. A côté du numéro de fonction, elle attend en ES:BX un pointeur sur un tableau de 26 octets au maximum. Dans ce tableau, la fonction écrit les désignations de périphérique des lecteurs CD-ROM adressables par MSCDEX. Dans le pire des cas, les 26 lettres peuvent représenter des lecteurs CD-ROM. Ce cas est de toute façon à exclure car le nombre de lecteurs réellement existants est renvoyé par la fonction 0. Et ce sont seulement les n premières entrées du tableau qui sont remplies par la fonction.

Interruption 2Fh, Code MUX 15h, Fonction 0Dh
MSCDEX à partir de la version 2.0
Renvoie le nombre de lecteurs CD-ROM

Cette fonction renvoie les désignations exactes des lecteurs CD-ROM gérés par MSCDEX. Elle est préférable à la fonction 00h car elle ne part pas du principe que tous les lecteurs CD-ROM doivent être nommés consécutivement.

Entrée :   AH = 15h
               AL = 0Dh
               ES:BX = Pointeur FAR sur le buffer dans lequel sont inscrites les désignations
               des lecteurs CD-ROM.

Sortie :   ES:BX = Pointeur FAR sur le buffer contenant les données concernées.

Remarque :   *Le buffer spécifié doit prévoir 1 octet pour chaque lecteur CD-ROM raccordé. La désignation du lecteur est spécifiée dans cet octet où 0 correspond à A:, 1 à B:, etc. Si le buffer est alloué dynamiquement pendant l'exécution du programme, il faut d'abord déterminer le nombre de lecteurs CD-ROM avec la fonction 00h car chaque lecteur CD-ROM nécessite exactement une entrée dans le buffer. Si le buffer est alloué statiquement, il faut réserver une entrée à chacun des 26 lecteurs CD-ROM (A: à Z:).*

Si on veut au contraire savoir explicitement s'il s'agit d'un lecteur CD-ROM, on doit tout simplement passer la désignation à la fonction MSCDEX 0Bh dans le registre CX. En réponse, le registre transmet une valeur différente de 0 s'il s'agit réellement d'un lecteur CD-ROM.

Interruption 2Fh, Code MUX 15h, Fonction 0Bh
MSCDEX à partir de la version 2.0
Déterminer le lecteur CD-ROM

Cette fonction permet de savoir si le lecteur spécifié est un lecteur CD-ROM reconnu par MSCDEX.

Entrée :   AH = 15h
               AL = 0Bh
               CX = Désignation du lecteur CD-ROM à adresser (0=A:, 1=B: etc.)

Sortie :   AX = 0 : Pas de lecteur CD-ROM
               AX <> 0 : C'est un lecteur CD-ROM
               BX = ADADh

Remarque :   *Après l'appel de la fonction, il faut d'abord évaluer le contenu du registre BX pour savoir si c'est MSCDEX qui a répondu effectivement à l'appel et non pas un autre gestionnaire MUX. Si on aperçoit la signature MSCDEX ADADh en BX, le contenu de AX indique si le lecteur spécifié est un lecteur CD-ROM.*

Lecture et écriture

La fonction primordiale d'un driver consiste à lire et à écrire des données. Dans le cas de MSCDEX, ces activités sont déléguées aux fonctions 08h et 09h. Du point de vue de leur fonctionnalité, elles correspondent aux interruptions DOS 25h et 26h qui se consacrent exclusivement à la lecture et à l'écriture des secteurs sur n'importe quel support. A ce niveau, MSCDEX n'opère une fois de plus ni avec des fichiers ni avec des répertoires mais avec des secteurs de 2 Ko capables d'êtres lus et décrits. Mais la description n'est réalisable que si on adresse un descripteur CD-ROM ce qui devrait être un cas de plus en plus rare.

Ces fonctions s'avèrent inutiles tant qu'on se contente d'accéder aux fichiers et répertoires du CD-ROM. Elles prennent de l'importance dès qu'on envisage de sonder un CD-ROM pour scruter le contenu spécifique de certains secteurs ou copier certaines zones d'un CD-ROM.

Interruption 2Fh, Code MUX 15h, Fonction 08h   *Lire des secteurs*
MSCDEX à partir de la version 1.0   *du CD ROM*

Cette fonction correspond à l'interruption 25h permettant de lire des secteurs à partir d'un lecteur quelconque. Contrairement à l'interruption 25h, l'appel de cette fonction ne peut avoir lieu que sur des lecteurs CD-ROM.

Entrée :   AH = 15h
            AL = 08h
            CX = Désignation du lecteur CD-ROM à adresser (0=A:, 1=B: etc.)
            SI:DI = Numéro du premier secteur
            DX = Nombre de secteurs à lire
            ES:BX = Pointeur FAR sur le buffer devant accueillir les secteurs lus

Sortie :   Flag Carry = 0 : Tout va bien
            Flag Carry = 1 : Erreur dans ce cas
            AL = 15 : Lecteur spécifié incorrect ou
            AL = 21 : lecteur pas prêt

Remarque :   *Chaque secteur d'un CD-ROM renferme 2048 octets si bien que le lecteur doit offrir 2 Ko d'espace par secteur lu.*

                  Le numéro du premier secteur à lire est codé sur 32 bits à l'aide de SI et DI. SI contient l'octet de poids fort 16 bits (Hi-Word) et DI l'octet de poids faible (Lo-Word).

Interruption 2Fh, Code MUX 15h, Fonction 09h   *Ecrire sur des secteurs*
MSCDEX à partir de la version 1.0   *CD ROM*

Cette fonction n'est disponible que pour les CD-R. La fonction correspond en ce sens à l'interruption 26h permettant d'écrire sur des secteurs dans un lecteur quelconque. Contrairement à l'interruption 26h, l'appel de cette fonction ne peut s'effectuer que sur des lecteurs CD-ROM standard.

Entrée :   AH = 15h
            AL = 09h
            CX = Désignation du lecteur CD-ROM à adresser (0=A:, 1=B: etc.)
            SI:DI = Numéro du premier secteur
            DX = Nombre de secteurs à écrire
            ES:BX = Pointeur FAR sur le buffer devant accueillir le contenu
                 des secteurs à écrire.

Sortie :   Flag Carry = 0 : Tout va bien
            Flag Carry = 1 : Erreur, dans ce cas
            AL = 15 : Lecteur spécifié incorrect ou
            AL = 21 : lecteur pas prêt

Remarque :   *Pour chaque secteur du CD-ROM à écrire, le buffer doit prévoir 2048 octets.*
                  Le numéro du premier secteur à écrire est codé en tant que valeur 32 bits à l'aide de SI et DI. SI contient l'octet de poids fort 16 bits (Hi-Word) et DI l'octet de poids faible (Lo-Word).

Informations spécifiques au CD-ROM

Le standard High-Sierra pourvoit chaque CD de trois fichiers particuliers renseignant sur les droits de copyright du CD, sur le contenu et la source des informations fournies. Ces trois fichiers s'appellent *Copyright-File*, *Abstract-File* et *Bibliographic Documentation-File*. Tous les CD ne sont pas nécessairement munis de ces trois fichiers mais les fonctions 02h, 03h et 04h de l'API MSCDEX permettent de lire les noms de ces fichiers sur le CD en cours. Si les fichiers existent, la fonction concernée renvoie le nom de fichier qui se réfère toujours au répertoire principal du CD. A cet endroit, le fichier est stocké comme un fichier ordinaire de sorte qu'il peut être ouvert et consulté par l'intermédiaire des fonctions usuelles d'accès aux fichiers.

Interruption 2Fh, Code MUX 15h, Fonction 02h	*Renvoie le nom*
MSCDEX à partir de la version 1.0	*du Copyright-File*

Tout CD-ROM peut contenir un tel *Copyright-File* qui fournit des informations sur l'auteur du CD. Un programme peut se servir de cette fonction pour connaître le nom de ce fichier.

Entrée : AH = 15h
AL = 02h
CX = Désignation du lecteur CD-ROM à adresser (0=A:, 1=B: etc.)
ES:BX = Pointeur FAR sur le buffer devant contenir le nom.

Sortie : Flag Carry = 0 : Tout va bien
Flag Carry = 1 : Erreur, dans ce cas
AL = 15 : Lecteur spécifié incorrect

Remarque : *Le buffer transmis doit disposer de 38 octets bien que le nom du fichier de copyright ne se compose que de 8 caractères pour le nom et 3 caractères pour l'extension d'après le format High-Sierra, ce qui correspond au format habituel "nnnnnnnn.eee". Le nom est stocké dans le buffer en tant que chaîne ASCIIZ, donc terminé par un octet nul. Le nom ne pouvant donc pas contenir de chemin, le fichier doit se trouver dans le répertoire principal du CD.*

Le CD est dépourvu d'un fichier de copyright si la fonction renvoie une chaîne vide.

Interruption 2Fh, Code MUX 15h, Fonction 03h	*Renvoie le nom du*
MSCDEX à partir de la version 1.0	*Abstract-File*

Tout CD-ROM peut contenir ce qu'on appelle un *Abstract-File* qui résume le contenu du CD. Un programme peut se servir de cette fonction pour déterminer le nom de ce fichier.

Entrée : AH = 15h
AL = 03h
CX = Désignation du lecteur CD-ROM à adresser (0=A:, 1=B: etc.)
ES:BX = Pointeur FAR sur le buffer devant contenir le nom.

Sortie : Flag Carry = 0: Tout va bien
Flag Carry = 1 : Erreur, dans ce cas
AL = 15 : Lecteur spécifié incorrect

Remarque : *Le buffer transmis doit disposer de 38 octets bien que le nom du Abstract-File ne se compose que de 8 caractères pour le nom et 3 caractères pour l'extension d'après le format High-Sierra, ce qui correspond au format habituel "nnnnnnnn.eee". Le nom est stocké dans le buffer en tant que chaîne ASCIIZ, donc terminé par un octet nul. Le nom ne pouvant donc pas contenir de chemin, le fichier doit se trouver dans le répertoire principal du CD.*

Le CD est dépourvu d'un *Abstract-File* si la fonction renvoie une chaîne vide.

Interruption 2Fh, Code MUX 15h, Fonction 04h   *Renvoie le nom du*
MSCDEX à partir de la version 1.0   *Bibliographic Documentation-File*

Tout CD-ROM peut contenir ce qu'on appelle un *Bibliographic Documentation-File* qui communique la source des informations stockées sur le CD. Un programme peut se servir de cette fonction pour déterminer le nom de ce fichier.

Entrée :   AH = 15h
                AL = 04h
                CX = Désignation du lecteur CD-ROM à adresser (0=A:, 1=B: etc.)
                ES:BX = Pointeur FAR sur le buffer devant contenir le nom.

Sortie :   Flag Carry = 0 : Tout va bien
                Flag Carry = 1 : Erreur, dans ce cas
                AL = 15 : Lecteur spécifié incorrect

Remarque :   *Le buffer transmis doit disposer de 38 octets bien que le nom du BibDoc-File ne se compose que de 8 caractères pour le nom et 3 caractères pour l'extension d'après le format High-Sierra, ce qui correspond au format habituel "nnnnnnnn.eee". Le nom est stocké dans le buffer en tant que chaîne ASCIIZ, donc terminé par un octet nul. Le nom ne pouvant donc pas contenir de chemin, le fichier doit se trouver dans le répertoire principal du CD.*

Le CD est dépourvu d'un BibDoc-File si la fonction renvoie une chaîne vide.

Une autre spécificité des CD-ROM de format High Sierra provient de la VTOC, *Volume Table Of Contents*, une sorte de contenu de répertoire pourvu d'informations d'état sur le CD. Cette table occupe un secteur entier de 2 Ko et peut être lue avec la fonction MSCDEX 05h.

Interruption 2Fh, Code MUX 15h, Fonction 05h   *Lire la*
MSCDEX à partir de la version 1.0   *VTOC*

Entrée :   AH = 15h
                AL = 05h
                CX = Désignation du lecteur CD-ROM à adresser (0=A:, 1=B: etc.)
                DX = Numéro du volume dont il faut lire la VTOC
                ES:BX = Pointeur FAR sur le buffer de 2 Ko pour recevoir la VTOC

Sortie :   Flag Carry = 0: Tout va bien
                Flag Carry = 1 : Erreur, dans ce cas
                AX = 1 : VTOC lue
                00FFh : Il n'y a plus de volume, donc il est impossible de lire une autre VTOC
                (fameux Terminator)
                AL = 15 : Lecteur spécifié incorrect
                AL = 21 : Lecteur pas prêt

Remarque :   *Une Volume Table Of Contents (VTOC) renferme 2048 octets si bien qu'un buffer de 2 Ko doit se tenir prêt à accueillir les données.*

                La plupart des CD-ROM ne possèdent qu'un seul volume et donc une seule VTOC. Des volumes multiples ne se rencontrent que sur des CD multisessions tels que les Photo CD ou les CD-MO.

Accès par le biais du gestionnaire

Quand on n'arrive pas à obtenir ce qu'on veut avec les fonctions MSCDEX, on doit recourir aux fonctions du gestionnaire de périphérique CD-ROM. Comme vous le verrez dans les paragraphes qui suivent, l'opération ne pose aucune difficulté si ce n'est qu'il faut utiliser une fonction MSCDEX qui a été spécialement ajoutée dans ce but dans la version 2.1 de MSCDEX. Il s'agit de la fonction 10h. Elle attend uniquement la désignation du lecteur ainsi qu'un pointeur sur le bloc de données que nous sommes habitués à rencontrer lors de l'appel d'une fonction de gestionnaire DOS. Le principal avantage procuré par cette fonction est que la simple désignation du périphérique spécifié lui suffit pour localiser le gestionnaire requis par le lecteur en implémentant simultanément le *Sub Unit Code*. Un driver CD-ROM pouvant notamment gérer plusieurs lecteurs simultanément, il a besoin d'une valeur numérique pour pouvoir les différencier. Cette valeur est transmise sous forme d'un *Sub Unit Code*. La fonction MSCDEX 10h prend la responsabilité d'accomplir cette tâche.

Interruption 2Fh, Code MUX 15h, Fonction 10h	Envoyer une requête
MSCDEX à partir de la version 2.1	au gestionnaire de périphérique

Un programme peut utiliser cette fonction pour envoyer une requête au gestionnaire de périphérique d'un lecteur CD-ROM sans être obligé de connaître l'adresse du gestionnaire ni le *Sub Unit Code* nécessaire au lecteur CD-ROM.

Entrée :   AH = 15h
            AL = 10h
            CX = Désignation du lecteur CD-ROM à adresser (0=A:, 1=B: etc.)
            ES:BX = Pointeur FAR sur le buffer muni de la requête

Sortie :   Aucune

Remarque :   *Microsoft recommande cette fonction pour communiquer avec le gestionnaire de périphérique d'un lecteur CD-ROM car elle permet au programmeur d'adresser un gestionnaire sans connaître son adresse ni le Sub Unit Code du lecteur. Lors de l'appel de cette fonction, MSCDEX place automatiquement cette information dans le Device Request Block et renvoie le gestionnaire adéquat à partir de la désignation du lecteur.*

Si vous n'avez pas entière confiance dans l'appel direct d'une fonction de gestionnaire, sachez que MSCDEX fournit aussi les adresses des divers gestionnaires ainsi que les *Sub Unit Codes* correspondants. La fonction MSCDEX 01h a la responsabilité de cette opération.

Interruption 2Fh, Code MUX 15h, Fonction 01h	Obtenir des informations
MSCDEX à partir de la version 1.0	sur un driver CD-ROM

Cette fonction remplit un buffer de l'appelant avec des informations sur les gestionnaires de périphérique qui, sur la demande de MSCDEX, effectuent l'accès aux lecteurs CD-ROM installés. Ces informations permettent d'accéder directement aux gestionnaires en contournant MSCDEX.

Entrée :   AH = 15h
            AL = 01h
            ES:BX = Pointeur FAR sur le buffer dans lequel la fonction inscrit les
            informations voulues

Sortie :   Aucune

Remarque :   *Chaque entrée nécessite 5 octets dans le buffer. Si le buffer est alloué dynamiquement pendant l'exécution du programme, il faut d'abord déterminer le nombre de lecteurs*

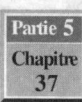
CD-ROM au moyen de la fonction 00h car une entrée de buffer est requise pour chaque lecteur CD-ROM. Si le buffer est alloué statiquement, il faut prévoir une entrée pour chacun des 26 lecteurs CD-ROM (A: à Z:).

Les entrées du buffer occupent respectivement un pointeur FAR sur l'en-tête du gestionnaire de périphérique concerné ainsi que le Sub Unit Code. Il est indispensable car un gestionnaire de périphérique peut se fier à plusieurs lecteurs CD-ROM de la même marque. Lors d'un appel du gestionnaire, il faut préciser le Sub Unit Code pour faire la différence entre les lecteurs.

Offset	Contenu	Type
00h	Sub-Unit-Code pour le premier lecteur CD-ROM	1 BYTE
01h	Pointeur FAR sur l'en-tête du gestionnaire de périphérique concerné	1 DWORD
05h	Sub-Unit-Code pour le second lecteur CD-ROM	1 BYTE
06h	Pointeur FAR sur l'en-tête du gestionnaire de périphérique concerné	1 DWORD
0Ah	Sub-Unit-Code pour le troisième lecteur CD-ROM	1 BYTE
0Bh	Pointeur FAR sur l'en-tête du gestionnaire de périphérique concerné	1 DWORD
...		

Code

Pour toutes les fonctions présentées ici, vous trouverez en 37.5 des fonctions prêtes à l'emploi prédéfinies (procédures et fonctions en Pascal) grâce auxquelles vous pourrez implémenter aisément les fonctions MSCDEX dans vos programmes. Un petit programme d'exemple vous explicite par ailleurs l'appel des fonctions Wrapper dans le cadre d'un programme utilisateur.

37.4. Accès logiciel via le gestionnaire CD-ROM

MSCDEX n'exécute pas lui-même l'accès à proprement parler au lecteur CD-ROM. MSCDEX se permet bien au contraire de déléguer cette tâche au gestionnaire CD-ROM concerné. Le tableau suivant dresse la liste des fonctions que les gestionnaires doivent en général soutenir sous DOS. Bien que techniquement un gestionnaire CD-ROM soit considéré comme un gestionnaire de caractères, il ne réalise pas en pratique toutes les fonctions citées ici. Un gestionnaire CD-ROM de modèle simple se contente des fonctions cochées dans la première colonne intitulée "Driver CD-ROM". Parmi ces fonctions, nombreuses sont celles dont le numéro est supérieur ou égal à 80h. Ce sont des fonctions destinées aux besoins particuliers de MSCDEX et non reconnues par les gestionnaires de périphérique classiques sous DOS.

A côté des drivers CD-ROM simples assurant uniquement l'accès aux CD de données, DOS fournit également des drivers CD-ROM étendus qui intègrent des fonctions servant à jouer des pistes audio. Il faut citer avant tout les lecteurs CD-ROM exploités conjointement avec les cartes son, qui sont en mesure de lire des CD de données ordinaires et de jouer les CD audio. Le gestionnaire de périphérique accomplit ces tâches à l'aide de fonctions appropriées.

Une troisième catégorie de drivers CD-ROM est celle des drivers destinés au CD-R. A côté des fonctions d'un driver CD-ROM ordinaire et des fonctions audio éventuellement disponibles, ils doivent disposer de fonctions servant à écrire sur le CD. Ces dernières ne figurent qu'au nombre de trois.

Fonction	Nom/Description	Driver CD-ROM	Driver CD-ROM étendu	Driver pour CD-R
00h	INIT			
	Initialisation du driver	X		
01h	MEDIA CHECK			
	Tester le changement de périphérique			
02h	BUILD BPB			
	Créer un bloc de paramètres BIOS			
03h	IOCTL INPUT			
	Lecture directe	X		
04h	INPUT			
	Lecture			
05h	NONDESTRUCTIVE INPUT			
	Lire des caractères sans les effacer			
06h	INPUT STATUS			
	Tester l'état à l'entrée			
07h	INPUT FLUSH			
	Effacer le buffer en entrée			
08h	OUTPUT			
	Ecriture			
09h	OUTPUT WITH VERIFY			
	Ecriture avec vérification			
0Ah	OUTPUT STATUS			
	Tester l'état à la sortie			
0Bh	OUTPUT FLUSH			
	Vider le buffer à la sortie			X
0Ch	IOCTL OUTPUT			
	Ecriture directe	X		
0Dh	DEVICE OPEN			
	Ouvrir le périphérique	X		
0Eh	DEVICE CLOSE			
	Fermer le périphérique	X		
0Fh	REMOVABLE MEDIA			
	Support amovible			
10h	OUTPUT UNTIL BUSY			
	Sortie jusqu'à ce que occupé			
17h	GET LOGICAL DEVICE			
	Obtenir le périphérique logique			
18h	GET LOGICAL DEVICE			
	Définir le périphérique logique			
80h	READ LONG			
	Lire des secteurs	X		
81h	Réservé			
82h	READ LONG PREFETCH			
	Lecture préliminaire	X		
83h	SEEK			
	Rechercher un secteur	X		

Fonction	Nom/Description	Driver CD-ROM	Driver CD-ROM étendu	Driver pour CD-R
84h	PLAY AUDIO			
	Jouer audio		X	
85h	STOP AUDIO			
	Terminer audio		X	
86h	WRITE LONG			
	Ecrire des secteurs			X
87h	WRITE LONG VERIFY			
	Ecriture de secteurs avec vérification			X
88h	RESUME AUDIO			
	Continuer audio		X	
Fonctions driver devant être reconnues par les divers types de drivers CD-ROM				

L'en-tête du gestionnaire CD-ROM

Comme n'importe quel gestionnaire de périphérique DOS, un gestionnaire de périphérique CD-ROM commence aussi par un en-tête situé à l'adresse d'offset 0000h dans le segment de mémoire où a été chargé le driver. Exceptés les deux derniers champs à la fin de l'en-tête, sa structure est exactement identique à celle de l'en-tête d'un gestionnaire de périphérique DOS. Le seul aspect inhabituel concerne la formulation du nom qui s'écrit MSCD00x où x représente un chiffre. C'est ainsi que MSCDEX comprend par la suite que le driver en question est un driver CD-ROM qu'il doit prendre en considération.

Adresse	Contenu	Type
+00h	Pointeur FAR jusqu'au driver suivant	1 PTR
+04h	Attribut de périphérique	1 WORD
+06h	Adresse d'offset de la routine de stratégie à l'intérieur du segment de gestionnaire	1 WORD
+08h	Adresse d'offset de la routine d'interruption à l'intérieur du segment de gestionnaire	1 WORD
+0Ah	Nom de gestionnaire (MSCD00x) rempli de 8 caractères comprenant des espaces	8 BYTE
+12h	Réservé	1 WORD
+14h	Désignation du premier lecteur CD-ROM de ce gestionnaire (0=A:, 1=B: etc.)	1 BYTE
+15h	Nombre de lecteurs CD-ROM gérés par le gestionnaire	1 BYTE
En-tête d'un gestionnaire de périphérique CD-ROM		

Les deux derniers champs de l'en-tête du gestionnaire présentent un intérêt particulier pour un programme utilisateur. Ils permettent de connaître le nombre de lecteurs CD-ROM gérés par le gestionnaire ainsi que la désignation attribuée au premier lecteur.

L'attribut de périphérique, stocké comme un élément de l'en-tête de gestionnaire, montre que le gestionnaire agit comme un gestionnaire de caractères eu égard au système. Il est construit d'après la même structure que celle caractérisant les attributs de périphérique où les flags prennent les valeurs suivantes :

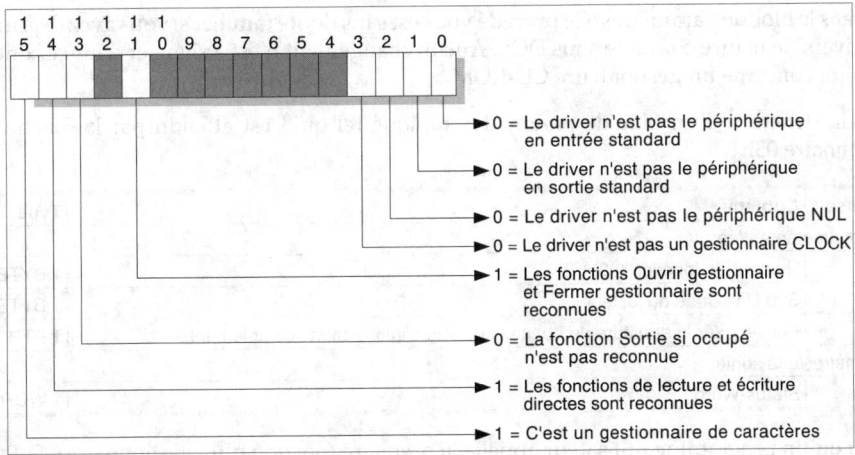

```
 1 1 1 1 1
 5 4 3 2 1 0 9 8 7 6 5 4 3 2 1 0
```

▶ 0 = Le driver n'est pas le périphérique
en entrée standard

▶ 0 = Le driver n'est pas le périphérique
en sortie standard

▶ 0 = Le driver n'est pas le périphérique NUL

▶ 0 = Le driver n'est pas un gestionnaire CLOCK

▶ 1 = Les fonctions Ouvrir gestionnaire
et Fermer gestionnaire sont
reconnues

▶ 0 = La fonction Sortie si occupé
n'est pas reconnue

▶ 1 = Les fonctions de lecture et écriture
directes sont reconnues

▶ 1 = C'est un gestionnaire de caractères

Structure de l'attribut de périphérique dans l'en-tête d'un driver CD-ROM

Structure d'une fonction de gestionnaire

Abstraction faite de la fonction de gestionnaire 00h qui n'est appelée qu'une seule fois, notamment au chargement d'un gestionnaire, toutes les autres fonctions de gestionnaire se tiennent à la disposition des programmes utilisateur et des utilitaires. L'appel doit être effectué, si possible, avec la fonction 10h de l'API MSCDEX conçue spécialement à cet effet. Elle prend en charge de nombreuses tâches qui autrement devraient être exécutées manuellement lors de l'appel d'une fonction de gestionnaire :

Déterminer l'adresse de l'en-tête de gestionnaire (par exemple à l'aide de la fonction MSCDEX 01h).

Appeler la routine de stratégie du driver via son adresse dans l'en-tête de gestionnaire en transmettant un pointeur FAR sur ES:BX avec les paramètres de l'appel de fonction (bloc de données des paramètres).

Appeler la routine d'interruption du gestionnaire via son adresse dans l'en-tête du gestionnaire.

Vous ne pouvez pas charger la fonction MSCDEX 10h de la construction du bloc de paramètres. De ce point de vue, un gestionnaire CD-ROM ne présente aucune différence par rapport au gestionnaire de périphérique DOS. La seule tâche dont la fonction MSCDEX 10h décharge l'appelant est celle qui consiste à déterminer le *Sub Unit Code*. Il indique au gestionnaire CD-ROM le lecteur CD-ROM à adresser dans le cadre d'un appel de fonction parmi la totalité des lecteurs gérés. Pour prendre en main l'appel d'une fonction de gestionnaire, il faut entrer cette information devant l'appel de la routine de stratégie dans le bloc de paramètres et précisément sous forme d'un octet à l'adresse d'offset +02h.

La structure du bloc de paramètres varie selon la fonction et doit être placée en mémoire par l'appelant avant l'appel de fonction. Sa taille dépend de l'information entrée devant l'appel de fonction et de l'information que la fonction elle-même a pu stocker.

En revanche, la position des numéros de fonction ainsi que le Status Word sont des informations invariables. Le Status Word renseigne sur le bon déroulement de la fonction ou sur son échec une fois l'appel exécuté. L'appelant doit toujours préciser le numéro de fonction à l'adresse d'offset 01h dans le bloc de paramètres. Quant au Status Word, il peut être lu à l'adresse d'offset

03h dans le bloc de paramètres. Ce procédé vous est sans doute familier si vous avez déjà utilisé les drivers de nature courante sous DOS. Aucun changement n'est à signaler dans ce contexte en ce qui concerne un gestionnaire CD-ROM.

Voici la structure d'un bloc de paramètres typique tel qu'il est attendu par la fonction de gestionnaire 03h :

Adresse	Contenu	Type
Paramètres en entrée		
+01h	Numéro de fonction (03h)	1 BYTE
+02h	Sub Unit Code du lecteur	1 BYTE
+0Eh	Pointeur sur la structure de donnés pourvue d'informations complémentaires	1 PTR
Paramètres à la sortie		
+03h	Status-Word	1 WORD

Avant qu'un programme utilisateur appelle la première fonction d'un gestionnaire CD-ROM, il doit toujours commencer par exécuter la fonction 0Dh. Le gestionnaire est ainsi mis au courant du fait qu'un autre appelant utilise ses fonctions et qu'il peut prendre les dispositions nécessaires sur le plan interne. Et pour attirer en plus son attention sur le fait qu'il ne sera plus appelé par le programme concerné, ce dernier doit impérativement appeler la fonction de gestionnaire 0Eh avant de prendre congé. Cette fonction termine le gestionnaire avant le programme utilisateur.

Status Word

Status Word indique à l'appelant si la fonction demandée peut être exécutée en bonne et due forme. Si l'octet de poids fort est actif après l'appel de fonction, cela signifie qu'une erreur s'est produite. Sa signification relève du code d'erreur situé dans les bits 0 à 7.

Code d'erreur, reportez-vous à la table suivante

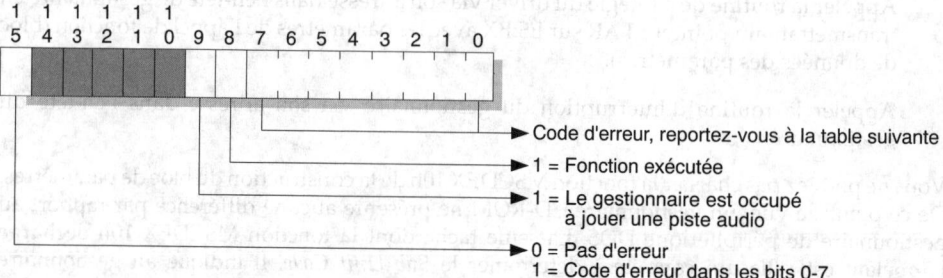

Structure de Status-Word telle qu'elle est renvoyée dans le bloc de paramètres après l'appel d'une fonction de gestionnaire

00h	Accès en écriture impossible
01h	Lecteur inconnu
02h	Lecteur pas prêt (pas de CD inséré)
03h	Fonction inconnue/Fonction non reconnue
04h	Erreur CRC
05h	Longueur du bloc de paramètres inadéquate
06h	Erreur de recherche

07h	Type de support inconnu (format CD-ROM incorrect)
08h	Secteur non trouvé
0Ah	Erreur en écriture
0Bh	Erreur en lecture
0Ch	Erreur générale
0Eh	Support non défini
0Fh	Changement de support non valide
	Codes d'erreur d'un gestionnaire CD-ROM renvoyés dans Status Word après l'appel d'une fonction de gestionnaire

Le bit 9, appelé *BUSY bit*, présente de l'intérêt si le gestionnaire est autorisé à jouer des pistes audio. S'il est actif, le lecteur est occupé à jouer des pistes audio. Tous les appels de fonction produisant un déplacement de la tête de lecture sont quittés dans une telle situation avec un code d'erreur.

Demander et définir des informations d'état

L'une des fonctions de gestionnaire la plus souvent appelée par les programmes utilisateur est sans doute la fonction 03h pour la lecture directe. Elle fournit toute une variété d'informations d'état concernant le gestionnaire, le lecteur CD-ROM ainsi que le CD-ROM inséré. C'est ainsi qu'on peut demander l'état du lecteur ou la position actuelle de la tête de lecture. Dans la zone audio, cette fonction renvoie des informations utiles sur le nombre de pistes, leur longueur et la durée totale du CD. La fonction 03h permet en outre de déterminer ce qu'on appelle l'UPC (*Universal Product Code*) du CD. C'est un code de type unique formé de 13 chiffres BCD et qui est gravé sur l'enveloppe en plastique. Sous forme d'un code barres, il sert à identifier un CD dans les caisses enregistreuses.

La plupart des CD en vente dans le marché proposant des applications multimédia ou des shareware utilisent ce code UPC en raison de son unicité. Dès que l'utilisateur entre les noms de titres sur un CD, cette information est enregistrée avec le code UPC du CD dans une sorte de base de données. Lorsque le CD est réinséré par la suite, les titres du CD peuvent être affichés automatiquement si, à la suite d'une comparaison du nouveau code UPC avec les entrées de la base, on constate que l'utilisateur a changé le CD. La condition préalable est qu'un programme de ce genre remarque le changement de support et lise immédiatement le nouveau code UPC. C'est la raison pour laquelle la fonction 03h est la solution idéale pour tester le changement de support.

La fonction 0Ch (écriture directe) agit à l'inverse de 03h. Elle permet non seulement de définir des paramètres concernant le gestionnaire mais exécute des tâches élémentaires comme l'éjection d'un CD du lecteur ou l'introduction d'un CD.

Jouer des pistes audio

Une opération importante qui n'est pas réalisable par MSCDEX est celle qui consiste à jouer des pistes audio. La plupart des lecteurs CD-ROM reconnaissent cette fonctionnalité, surtout les lecteurs vendus avec des cartes son. A côté du câble d'interface proprement dit, le lecteur CD-ROM est raccordé généralement à une carte son par un câble audio à trois ou cinq broches à travers lequel sont acheminées les sorties audio du lecteur vers la carte son. Les signaux audio sont rendus audibles par des enceintes connectées à la carte son.

La lecture des pistes s'effectue à l'arrière-plan sans que MSCDEX ne soit par exemple concerné. L'opération est prise en charge par les fonctions 84h, 85h et 88h destinées spécialement à cet effet. Avant le premier appel, il faut lire l'état du lecteur à l'aide de la fonction 03h déjà évoquée.

On apprend ainsi si le gestionnaire est réellement en mesure de jouer des pistes audio et de fournir les fonctions nécessaires.

Les fonctions d'un gestionnaire CD-ROM

Les paragraphes suivants énumèrent les 15 fonctions qu'un gestionnaire CD-ROM doit soutenir compte tenu de son type et du lecteur correspondant.

INIT	Initialisation (00h)

La fonction d'initialisation d'un gestionnaire CD-ROM est appelée exactement une fois (comme pour un gestionnaire d'usage courant) et ce, pendant l'initialisation du gestionnaire. Dans le cas d'un gestionnaire CD-ROM, c'est également le noyau DOS et non pas MSCDEX qui appelle en premier lieu cette fonction. Etant donné que le gestionnaire DOS doit agir comme un gestionnaire de caractères, la valeur à renvoyer pour le nombre de périphériques soutenus est 0 et c'est la valeur attendue par DOS pour un gestionnaire de caractères.

Adresse	Contenu	Type
Paramètres en entrée		
+02h	Numéro de fonction (00h)	1 BYTE
+0Eh	Adresse finale maximale du gestionnaire (à partir de DOS 5.0)	1 PTR
+12h	Adresse du caractère faisant suite au signe égal derrière la commande DEVICE dans le fichier CONFIG.SYS	1 PTR
Paramètres à la sortie		
+03h	Status-Word	1 WORD
+0Dh	Nombre de périphériques soutenus, doit être réglé sur 0	1 BYTE
+0Eh	Adresse du premier octet libre derrière le gestionnaire	1 PTR
+16h	Désignation de périphérique, doit être réglé sur 0 pour MSCDEX	1 BYTE
Paramètres en entrée et sortie lors de l'appel de la fonction 00h d'un gestionnaire CD-ROM		

En plus des fonctions d'initialisation habituelles d'un gestionnaire de périphérique, le driver CD-ROM doit définir le nom de périphérique dans l'en-tête du gestionnaire lors de l'exécution de la fonction d'initialisation. Pour que MSCDEX - qui n'est activé que plus tard - puisse identifier le gestionnaire comme étant l'un de "ses" partenaires, il attend le nom MSCD00x dans l'en-tête du gestionnaire. x représente un chiffre aidant à différencier les gestionnaires CD-ROM. Les gestionnaires de périphérique se réfèrent eux-mêmes à ce chiffre (ou au nom de gestionnaire) provenant de la ligne DEVICE= de CONFIG.SYS ayant permis de les charger. Voici à titre d'exemple les gestionnaires de lecteurs CD-ROM connectés à une carte son.

```
device=SBCD.SYS /P:220 /D:MSCD001
```

La tâche de la fonction d'initialisation consiste à filtrer le nom depuis la ligne DEVICE= et à l'inscrire dans l'en-tête du gestionnaire où il doit être rempli avec 8 caractères au maximum et des espaces.

IOCTL INPUT | *Lecture directe du CD-ROM (03h)*

Cette fonction renvoie à l'appelant toutes sortes d'informations d'état reflétant des aspects variés de l'état actuel du lecteur. L'appelant décide des informations à obtenir.

Adresse	Contenu	Type
Paramètres en entrée		
+01h	Numéro de fonction (03h)	1 BYTE
+02h	Sub Unit Code du lecteur	1 BYTE
+0Eh	Pointeur sur la structure de données avec des informations complémentaires	1 PTR
Paramètres à la sortie		
+03h	Status-Word	1 WORD
Paramètres en entrée et sortie lors de l'appel de la fonction 03h d'un gestionnaire CD-ROM		

L'appelant doit transmettre un pointeur sur une structure de données à l'adresse d'offset 0Eh dans le bloc de données. A partir de cette structure, la fonction de gestionnaire extrait le type d'information à renvoyer. Le premier octet de cette structure doit contenir le code de l'information souhaitée. Le gestionnaire CD-ROM s'en sert comme une sorte de numéro de sous-fonction. Derrière cet octet, le gestionnaire CD-ROM renvoie les informations demandées dans l'ordre spécifié par l'appelant. La taille du buffer est déterminée par la sous-fonction et les paramètres renvoyés par cette dernière.

Si le gestionnaire ne connaît pas le numéro de sous-fonction ou la sous-fonction elle-même, il renvoie le code d'erreur 3 pour *Unknown Command* dans Status Word. S'il peut transmettre l'information demandée mais pas au moment de l'appel pour quelque raison que ce soit, il affiche code d'erreur 2 pour *Drive Not Ready* dans Status Word.

Sous-fonctions disponibles :

Code	Signification	Taille de buffer/BYTE
0	Lire l'adresse de l'en-tête du gestionnaire	5
1	Déterminer la position de la tête de lecture	6
2	Réservé	-
3	Renvoyer des informations d'erreur	-
4	Lire les informations sur le canal audio	9
5	Obtenir des informations sur le lecteur	130
6	Interroger l'état du lecteur	5
7	Déterminer la taille des secteurs	4
8	Déterminer la taille du volume en cours	5
9	Obtenir des informations sur le changement de support	2
10	Obtenir des informations sur un CD audio	7
11	Obtenir des informations sur une piste audio	7
12	Déterminer Audio-Q-Channel	11
13	Déterminer Audio-Sub-Channel	13
14	Déterminer UPC (Universal Product Code)	11
15	Tester l'état de la transmission audio	11
Sous-fonctions de la fonction 03h d'un gestionnaire CD-ROM		

Sous-fonction 0 - Lire l'adresse de l'en-tête du gestionnaire CD-ROM

MSCDEX utilise cette sous-fonction pour déterminer l'adresse de l'en-tête du gestionnaire. Mais la sous-fonction reste accessible à tout programme utilisateur qui désire inspecter l'en-tête du gestionnaire.

Adresse	Contenu	Type
A charger par l'appelant		
+00h	Numéro de sous-fonction (00h)	1 BYTE
A charger par la sous-fonction		
+01h	Pointeur FAR sur l'en-tête du gestionnaire	1 PTR
Bloc de données pour l'exécution de la sous-fonction 0 de la fonction 03h d'un gestionnaire CD-ROM		

Sous-fonction 1 - Déterminer la position de la tête de lecture du CD-ROM

Lors de l'appel de cette sous-fonction, le gestionnaire CD-ROM doit renvoyer la position actuelle de la tête de lecture au format HSG ou *Red Book*. Le gestionnaire a le libre choix du format mais il lui est demandé d'afficher le format dans le bloc de données de la sous-fonction à l'aide d'un flag approprié.

Adresse	Contenu	Type
A charger par l'appelant		
+00h	Numéro de sous-fonction (01h)	1 BYTE
A charger par la sous-fonction		
+01h	Format (0 = HSG, 1 = Red Book)	1 BYTE
+02h	Position de la tête de lecture en tant que numéro de bloc logique au format HSG ou en tant qu'unité donnée en minutes/secondes/frames d'après le format Red Book	1 DWORD
Bloc de données pour l'exécution de la sous-fonction 1 de la fonction 03h d'un gestionnaire CD-ROM		

Sous-fonction 3 - Renvoyer des informations d'erreur

Cette sous-fonction est prévue pour une utilisation ultérieure. La structure des informations à renvoyer n'est pas définie. En conséquence de quoi, les gestionnaires CD-ROM doivent éviter d'implémenter cette fonction.

Adresse	Contenu	Type
A charger par l'appelant		
+00h	Numéro de sous-fonction (03h)	1 BYTE
A charger par la sous-fonction		
+01h	Tableau non défini devant contenir des informations sur l'erreur	variable
Bloc de données pour l'exécution de la sous-fonction 3 de la fonction 03h d'un gestionnaire CD-ROM		

Sous-fonction 4 - Lire les informations sur le canal audio

Cette sous-fonction permet à l'appelant de connaître les canaux d'entrée et de sortie ainsi que la puissance du volume des canaux d'entrée.

Adresse	Contenu	Type
A charger par l'appelant		
+00h	Numéro de sous-fonction (04h)	1 BYTE
A charger par la sous-fonction		
+01h	Canal d'entrée (0 - 3) pour le canal de sortie 0	1 BYTE
+02h	Puissance du volume pour le canal de sortie 0 (0 - 0FFh)	1 BYTE
+03h	Canal d'entrée (0 - 3) pour canal de sortie 1	1 BYTE
+04h	Puissance du volume pour le canal de sortie 1 (0 - 0FFh)	1 BYTE
+05h	Canal d'entrée (0 - 3) pour le canal de sortie 2	1 BYTE
+06h	Puissance du volume pour le canal de sortie 2 (0 - 0FFh)	1 BYTE
+07h	Canal d'entrée (0 - 3) pour le canal de sortie 3	1 BYTE
+08h	Puissance du volume pour le canal de sortie 3 (0 - 0FFh)	1 BYTE
Bloc de données pour l'exécution de la sous-fonction 4 de la fonction 03h d'un gestionnaire CD-ROM		

Sous-fonction 5 - Obtenir des informations sur le lecteur de CD-ROM

Cette fonction est réservée à l'utilisation du logiciel du fabricant du lecteur. Elle permet de lire directement jusqu'à 128 octets de données depuis le lecteur CD-ROM. Une communication est en quelque sorte établie entre le lecteur et son fabricant. Cette sous-fonction n'est pas disponible par les programmes utilisateur.

Adresse	Contenu	Type
A charger par l'appelant		
+00h	Numéro de sous-fonction (05h)	1 BYTE
A charger par la sous-fonction		
+01h	Nombre d'octets renvoyés (128 maximum)	1 BYTE
+02h	Buffer pour la transmission des informations	128 octets max.
Bloc de données pour l'exécution de la sous-fonction 5 de la fonction 03h d'un gestionnaire CD-ROM		

Sous-fonction 6 - Interroger l'état du lecteur du CD-ROM

Cette sous-fonction renvoie à l'appelant un grand nombre de flags sous forme d'un DWord parmi lesquels l'état actuel et les capacités du lecteur sont mis en évidence.

Adresse	Contenu	Type
A charger par l'appelant		
+00h	Numéro de sous-fonction (06h)	1 BYTE
A charger par la sous-fonction		
+01h	Etat du lecteur	1 DWORD
Bloc de données pour l'exécution de la sous-fonction 6 de la fonction 03h d'un gestionnaire CD-ROM		

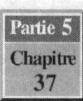
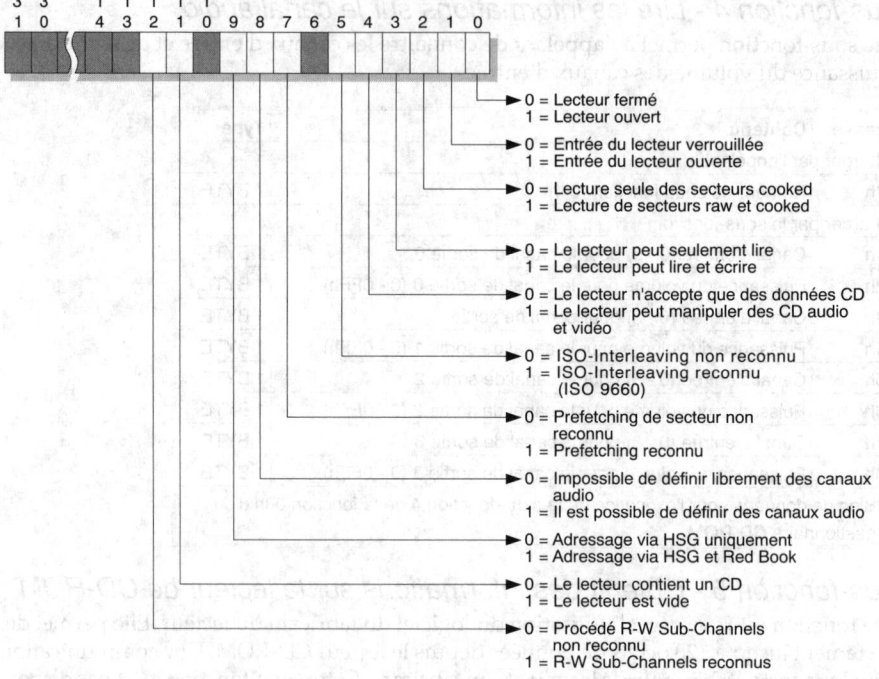

Un état de lecteur tel que la sous-fonction 6 de la fonction 03h d'un gestionnaire CD-ROM peut renvoyer

Sous-fonction 7 - Déterminer la taille des secteurs du CD-ROM

Cette sous-fonction renvoie la taille des secteurs raw ou cooked suivant la demande.

Adresse	Contenu	Type
A charger par l'appelant		
+00h	Numéro de sous-fonction (07h)	1 BYTE
+01h	Mode de lecture auquel il est fait référence (0 = raw, 1 = cooked)	1 BYTE
A charger par la sous-fonction		
+02h	Taille de secteurs en octets dans le mode spécifié	1 DWORD
Bloc de données pour l'exécution de la sous-fonction 7 de la fonction 03h d'un gestionnaire CD-ROM		

Les secteurs raw occupent 2352 octets sur un CD-ROM et contiennent des informations de correction et de contrôle en plus des simples données d'utilisation. Les secteurs cooked ne renferment que de pures données d'utilisation et nécessitent 2048 octets (2 Ko).

Sous-fonction 8 - Déterminer la taille du volume en cours du CD-ROM

Cette sous-fonction renvoie la taille du volume en cours. Lors du calcul du numéro de secteur, la sous-fonction se réfère à la position du lead-out selon l'indication donnée dans la TOC (Table Of Contents). Voici l'énoncé de la formule de calcul depuis la position de début du lead-out jusqu'au numéro de secteur (HSG):

```
(Minute * 60 * 75) + (Seconde * 75) + Frame
```

Adresse	Contenu	Type
A charger par l'appelant		
+00h	Numéro de sous-fonction (08h)	1 BYTE
A charger par la sous-fonction		
+01h	Taille du volume en secteur	1 DWORD
Bloc de données pour l'exécution de la sous-fonction 8 de la fonction 03h d'un gestionnaire CD-ROM		

Sous-fonction 9 - Obtenir des informations sur le changement de support CD

Cette sous-fonction indique si le CD situé dans le lecteur a été changé ou non depuis le dernier appel de cette sous-fonction. Celle-ci est à préférer par rapport à la fonction de gestionnaire 1 (media check) qui accomplit la même tâche sauf qu'elle n'est pas implémentée pour les gestionnaires CD-ROM.

Adresse	Contenu	Type
A charger par l'appelant		
+00h	Numéro de sous-fonction (09h)	1 BYTE
A charger par la sous-fonction		
+01h	Statut	1 BYTE
	-1 : Le CD a été changé	
	0 : Le gestionnaire ne sait pas si un changement a eu lieu	
	1 : CD non changé	
Bloc de données pour l'exécution de la sous-fonction 9 de la fonction 03h d'un gestionnaire CD-ROM		

Sous-fonction 10 - Obtenir des informations sur un CD audio

Cette sous-fonction renvoie les numéros des première et dernière pistes à partir desquels on peut calculer le nombre de pistes existant sur le CD. Cette sous-fonction renvoie également l'adresse du lead-out au format Red Book. Cette information se joint à la durée du CD.

Adresse	Contenu	Type
A charger par l'appelant		
+00h	Numéro de sous-fonction (0Ah)	1 BYTE
A charger par la sous-fonction		
+01h	Numéro du premier track	1 BYTE
+02h	Numéro du dernier track	1 BYTE
+03h	Début du lead-out track au format Red Book (durée du CD)	1 DWORD
Bloc de données pour l'exécution de la sous-fonction 10 de la fonction 03h d'un gestionnaire CD-ROM		

Sous-fonction 11 - Obtenir des informations sur une piste audio

Cette sous-fonction renvoie le début d'une piste et les informations d'état concernant cette piste. A côté du numéro de la sous-fonction, l'appelant doit charger la piste voulue avant l'appel de la sous-fonction dans le buffer à spécifier.

Adresse	Contenu	Type
A charger par l'appelant		
+00h	Numéro de sous-fonction (0Bh)	1 BYTE
+01h	Numéro du track	1 BYTE
A charger par la sous-fonction		
+02h	Début de la piste au format Red Book	1 DWORD
+06h	Informations d'état sur le track (Hi-Nibble CONTROL, Lo-Nibble ADR	1 BYTE
Bloc de données pour l'exécution de la sous-fonction 11 de la fonction 03h d'un gestionnaire CD-ROM		

Les codes suivants sont applicables aux informations d'état. Le bit 5 (x) joue le rôle de *copy bit*, avec *0 = Copie numérisée interdite* et *1 = Copie numérisée autorisée*. Ces bits n'influent aucunement sur la possibilité de lire une piste au moyen d'un PC, de l'enregistrer numériquement ou de le dupliquer. Ils indiquent au contraire aux supports audio si une copie correcte de la piste concernée est réalisable ou non.

Code CONTROL	ADR	Signification
00x0	0000b	La piste contient 2 canaux audio sans Pre-Emphasis
00x1	0000b	2 canaux audio avec Pre-Emphasis
10x0	0000b	La piste contient 4 canaux audio sans Pre-Emphasis
10x1	0000b	4 canaux audio avec Pre-Emphasis
01x0	0000b	Pas d'audio mais piste de données
Informations d'état sur une piste audio renvoyées par la sous-fonction 11 de la fonction 03h d'un gestionnaire CD-ROM		

Sous-fonction 12 - Déterminer l'Audio-Q-Channel

Pendant l'exécution d'une piste audio, cette sous-fonction permet de demander des informations sur la position actuelle de la tête de lecture à l'intérieur de la piste en cours ainsi que sur l'ensemble du CD.

La sous-fonction renvoie également des informations d'état sur la piste en cours. Toutes les informations proviennent du Q-Sub-Channel du CD qui est lu continuellement durant la transmission.

Adresse	Contenu	Type
A charger par l'appelant		
+00h	Numéro de sous-fonction (0Ch)	1 BYTE
A charger par la sous-fonction		
+01h	Informations d'état similaires à celles de la sous-fonction 11 (octet CONTROL et ADR)	1 BYTE
+02h	Numéro de track en tant que valeur BCD si ADR = 1, suivi d'une conversion au format binaire	1 BYTE
+03h	Index en cours en tant que valeur BCD (POINT)	1 BYTE
+04h	Minute à l'intérieur de la piste en cours	1 BYTE
+05h	Seconde à l'intérieur de la piste en cours	1 BYTE
+06h	Frame à l'intérieur de la piste en cours	1 BYTE
+07h	0 (Réservé)	1 BYTE

Adresse	Contenu	Type
+08h	Minute à l'intérieur de la durée totale	1 BYTE
+09h	Seconde à l'intérieur de la durée totale	1 BYTE
+0Ah	Frame à l'intérieur de la durée totale	1 BYTE
Bloc de données pour l'exécution de la sous-fonction 12 de la fonction 03h d'un gestionnaire CD-ROM		

Sous-fonction 13 - Déterminer l'Audio-Sub-Channel

Cette sous-fonction permet de lire les sub-channels R-W, c'est-à-dire les 6 bits de poids faible du sub-channel parmi plusieurs frames consécutifs. 96 octets contenant les informations sub-channel forment un secteur. La préparation de cette sous-fonction par un gestionnaire CD-ROM est facultative. Cela est affiché par le bit 12 dans l'attribut du gestionnaire.

Adresse	Contenu	Type
A charger par l'appelant		
+00h	Numéro de sous-fonction (0Dh)	1 BYTE
+01h	Numéro du premier frame dont il faut lire le sub channel au format Read Book	1 DWORD
+05h	Pointeur FAR sur le buffer devant contenir les informations sub channel	1 PTR
+09h	Nombre de frames à lire (nombre de secteurs)	1 DWORD
Bloc de données pour l'exécution de la sous-fonction 13 de la fonction 03h d'un gestionnaire CD-ROM		

Sous-fonction 14 - Déterminer l'UPC du CD-ROM

La plupart des CD portent ce qu'on appelle un *Universal Product Code*, un nombre à 13 chiffres identifiant le CD sans équivoque et gravé souvent sur l'enveloppe du CD sous forme d'un code barre (pour des caisses enregistreuses). Ce code est stocké dans le Q-Sub-Channel d'un frame Mode-2. Il peut être demandé à la sous-fonction 14.

Adresse	Contenu	Type
A charger par l'appelant		
+00h	Numéro de sous-fonction (0Eh)	1 BYTE
A charger par la sous-fonction		
+01h	Flag CONTROL/ADR	1 BYTE
+02h	Code UPC/EAN	7 BYTE
+09h	0	1 BYTE
+0Ah	Réservé	1 BYTE
Bloc de données pour l'exécution de la sous-fonction 14 de la fonction 03h d'un gestionnaire CD-ROM		

Le CD est dépourvu d'un code UPC si la valeur 0 est renvoyée dans l'octet CONTROL/ADR. Sinon, le code UPC est donné sous forme d'un nombre BCD où chacun des 7 octets prend deux chiffres BCD. Le dernier chiffre, c'est-à-dire le quartet de poids faible du septième octet, vaut toujours 0.

Sous-fonction 15 - Tester l'état de la retransmission audio

Lors de la restitution d'un CD audio, cette sous-fonction renvoie des informations sur l'état actuel de l'opération. Un flag de pause ainsi que la position de début et de fin sont des éléments importants pour la commande RESUME suivante.

Adresse	Contenu	Type
A charger par l'appelant		
+00h	Numéro de sous-fonction (0Fh)	1 BYTE
A charger par la sous-fonction		
+01h	Statut audio avec bit 0 en tant que flag pause	1 WORD
	Bit 0 = 0 : Pause désactivée	
	Bit 0 = 1 : Pause activée	
+03h	Position de début pour la commande RESUME suivante sous forme d'adresse Red Book	1 DWORD
+07h	Position de fin pour la commande RESUME suivante sous forme d'adresse Red Book	1 DWORD
Bloc de données pour l'exécution de la sous-fonction 15 de la fonction 03h d'un gestionnaire CD-ROM		

INPUT FLUSH   *Effacer le buffer en entrée du Gestionnaire CD (07h)*

Cette fonction de gestionnaire correspond à celle d'un gestionnaire de caractères ordinaire. Le gestionnaire est invité à effacer son buffer en entrée et de rejeter les requêtes ou appels non traités.

Adresse	Contenu	Type
Paramètres en entrée		
+01h	Numéro de fonction (07h)	1 BYTE
+02h	Sub Unit Code pour le lecteur	1 BYTE
Paramètres à la sortie		
+03h	Status-Word	1 WORD
Paramètres en entrée et à la sortie lors de l'appel de la fonction 07h d'un gestionnaire CD-ROM		

OUTPUT FLUSH   *Effacer le buffer de sortie du gestionnaire CD (0Bh)*

Cette fonction de gestionnaire correspond à celle d'un gestionnaire de caractères ordinaire. Le gestionnaire est invité à écrire sur le CD toutes les données non inscrites qui se trouvent encore dans le buffer de sortie. La condition préalable est d'avoir affaire à un gestionnaire compatible avec un CD-R.

Adresse	Contenu	Type
Paramètres en entrée		
+01h	Numéro de fonction (0Bh)	1 BYTE
+02h	Sub Unit Code pour le lecteur	1 BYTE
Paramètres à la sortie		
+03h	Status-Word	1 WORD
Paramètres en entrée et à la sortie lors de l'appel de la fonction 0Bh d'un gestionnaire CD-ROM		

IOCTL OUTPUT   *Ecriture directe sur un gestionnaire CD (0Ch)*

En tant que l'inverse de la fonction Lecture directe, cette fonction permet de régler des paramètres variés relatifs au gestionnaire CD-ROM. Il s'agit par exemple de l'ouverture et de la fermeture de la porte du lecteur ainsi que de l'éjection du CD.

Adresse	Contenu	Type
Paramètres en entrée		
+01h	Numéro de fonction (0Ch)	1 BYTE
+02h	Sub Unit Code pour le lecteur	1 BYTE
+0Eh	Pointeur sur la structure de données munie d'informations complémentaires	1 PTR
Paramètres à la sortie		
+03h	Status-Word	1 WORD
Paramètres en entrée et à la sortie lors de l'appel de la fonction 0Ch d'un gestionnaire CD-ROM		

Comme pour la lecture directe, l'appelant doit transmettre un pointeur sur la structure de données à l'adresse d'offset 0Eh dans le bloc de données. La fonction prend note du réglage à effectuer à partir de cette structure de données. Le premier octet de cette structure doit contenir le code des paramètres voulus, en quelque sorte un numéro de sous-fonction. Les informations inscrites dans cet octet varient selon la sous-fonction. Cela permet au bloc de données de décrire intégralement l'appel de fonction.

Sous-fonctions disponibles :

Code	Signification	Taille de buffer/BYTE
0	Ejecter le CD-ROM	1
1	Verrouiller/déverrouiller la porte du lecteur	2
2	Rétablir les paramètres du lecteur	1
3	Régler les canaux audio	9
4	Envoyer les informations de contrôleur directement au lecteur	variable
5	Fermer l'entrée	1
Sous-fonctions de la fonction 0Ch d'un gestionnaire CD-ROM		

Sous-fonction 0 - Ejecter le CD-ROM

L'appel de cette sous-fonction invite le lecteur CD-ROM à éjecter le CD inséré sachant que la porte est déverrouillée au même moment.

Adresse	Contenu	Type
A charger par l'appelant		
+00h	Numéro de sous-fonction (00h)	1 BYTE
Bloc de données pour l'exécution de la sous-fonction 0 de la fonction 0Ch d'un gestionnaire CD-ROM		

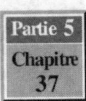

Sous-fonction 1 - Verrouiller/déverrouiller la porte du lecteur CD-ROM

Cette fonction permet de verrouiller ou déverrouiller le clapet du lecteur CD-ROM. Il est indispensable de fermer le clapet pour jouer le CD et déverrouiller le clapet pour extraire le CD à la différence de l'extraction explicite réalisée par la sous-fonction 0. Tous les lecteurs ne sont pas physiquement en mesure d'exécuter le verrouillage. Il n'empêche que cette sous-fonction doit être appelée également avec ce type de lecteur.

Adresse	Contenu	Type
A charger par l'appelant		
+00h	Numéro de sous-fonction (01h)	1 BYTE
+01h	0 = Déverrouiller, 1 = Verrouiller	1 BYTE
Bloc de données pour l'exécution de la sous-fonction 1 de la fonction 0Ch d'un gestionnaire CD-ROM		

Sous-fonction 2 - Rétablir les paramètres du lecteur CD

Après une erreur, le lecteur peut être réinitialisé à l'aide d'un appel de cette sous-fonction.

Adresse	Contenu	Type
A charger par l'appelant		
+00h	Numéro de sous-fonction (02h)	1 BYTE
Bloc de données pour l'exécution de la sous-fonction 2 de la fonction 0Ch d'un gestionnaire CD-ROM		

Sous-fonction 3 - Régler les canaux audio CD

Cette sous-fonction permet de régler les paramètres des canaux audio tout comme ils peuvent être demandés au moyen de la sous-fonction 4 de lecture directe. L'appelant peut ainsi définir les canaux d'entrée/sortie ainsi que la puissance du volume.

Adresse	Contenu	Type
A charger par l'appelant		
+00h	Numéro de sous-fonction (03h)	1 BYTE
+01h	Canal d'entrée (0-3) pour le canal de sortie 0	1 BYTE
+02h	Puissance du volume pour le canal de sortie 0 (0-0FFh)	1 BYTE
+03h	Canal d'entrée (0-3) pour le canal de sortie 1	1 BYTE
+04h	Puissance du volume pour le canal de sortie 1 (0-0FFh)	1 BYTE
+05h	Canal d'entrée (0-3) pour le canal de sortie 2	1 BYTE
+06h	Puissance du volume pour le canal de sortie 2 (0-0FFh)	1 BYTE
+07h	Canal d'entrée (0-3) pour le canal de sortie 3	1 BYTE
+08h	Puissance du volume pour le canal de sortie 3 (0-0FFh)	1 BYTE
Bloc de données pour l'exécution de la sous-fonction 3 de la fonction 0Ch d'un gestionnaire CD-ROM		

Tous les lecteurs ne peuvent pas paramétrer différemment les canaux tel que le réalise la sous-fonction à l'aide de la zone de valeurs 0 à 255. Pour ce type de lecteur, le gestionnaire est chargé de reproduire la valeur spécifiée par rapport à l'un des réglages définis. Dans le plus simple des cas, cela donne : 0 signifie que le canal est désactivé et 255 correspond à la puissance maximale.

Parmi la diversité des canaux de sortie, le canal 0 vaut pour la sortie de gauche, 1 pour la sortie de droite, 2 et 3 pour les deux sorties dites principales générées par un haut-parleur 4 voies. Ici, le canal de sortie 2 correspond au canal principal gauche et 3 au canal principal droit. Les gestionnaires dont le lecteur ne peut garantir que les deux sorties stéréo élémentaires ignorent le paramétrage relatif aux canaux 2 et 3.

Sous-fonction 4 - Envoyer les informations de contrôle directement au lecteur

Cette sous-fonction assure la communication entre le fabricant d'un lecteur CD-ROM et le lecteur. C'est ainsi qu'un canal de communication est créé pour contrôler directement le lecteur par le biais du matériel.

Adresse	Contenu	Type
A charger par l'appelant		
+00h	Numéro de sous-fonction (04h)	1 BYTE
+01h	Variable de données quelconque	
Bloc de données pour l'exécution de la sous-fonction 4 de la fonction 0Ch d'un gestionnaire CD-ROM		

Sous-fonction 5 - Fermer le chariot du lecteur CD

Dans la mesure où le lecteur dispose d'un chariot automatique, celui-ci peut être fermé à l'aide de cette sous-fonction.

Adresse	Contenu	Type
A charger par l'appelant		
+00h	Numéro de sous-fonction (05h)	1 BYTE
Bloc de données pour l'exécution de la sous-fonction 5 de la fonction 0Ch d'un gestionnaire CD-ROM		

DEVICE OPEN   Ouvrir le périphérique (0Dh)

Cette fonction de gestionnaire correspond à celle d'un gestionnaire de caractères ordinaire. Elle est utilisée pour mémoriser le nombre d'appelants accédant au lecteur CD-ROM. Avant d'implémenter les fonctions d'un gestionnaire CD-ROM, un programme utilisateur doit d'abord appeler cette fonction pour informer le gestionnaire qu'il va être sollicité par une autre instance.

Adresse	Contenu	Type
Paramètres en entrée		
+01h	Numéro de fonction (0Dh)	1 BYTE
+02h	Sub Unit Code pour le lecteur	1 BYTE
Paramètres à la sortie		
+03h	Status-Word	1 WORD
Paramètres en entrée et sortie lors de l'appel de la fonction 0Dh d'un gestionnaire CD-ROM		

DEVICE CLOSE   Fermer le périphérique (0Eh)

Cette fonction de gestionnaire correspond à celle d'un gestionnaire de caractères ordinaire. Elle est utilisée pour mémoriser le nombre d'appelants accédant au lecteur CD-ROM. Avant de prendre congé, un programme utilisateur ayant avisé au préalable le gestionnaire CD-ROM de son intention via la fonction 0Dh, il doit se déconnecter une fois de plus du gestionnaire au moyen de cette fonction.

Adresse	Contenu	Type
Paramètres en entrée		
+01h	Numéro de fonction (0Eh)	1 BYTE
+02h	Sub Unit Code pour le lecteur	1 BYTE
Paramètres à la sortie		
+03h	Status-Word	1 WORD
Paramètres en entrée et sortie lors de l'appel de la fonction 0Eh d'un gestionnaire CD-ROM		

READ LONG
Lecture de secteurs du CD (80h)

Cette fonction permet de lire des secteurs isolés du CD directement via le gestionnaire CD-ROM sachant que l'adressage Red Book ainsi que HSG est reconnu. Les secteurs peuvent être sollicités comme des secteurs cooked avec les 2048 données pures et simples ou comme des secteurs raw. Dans ce cas, il faut réserver 2352 octets pour chaque secteur dans le buffer spécifié. En plus des données pures, la fonction de gestionnaire copie également les octets Sync et Header ainsi que les octets EDC dans le buffer de l'appelant. Si le gestionnaire ne peut pas renvoyer une partie de ces données de contrôle, il doit remplir la partie concernée par des octets nuls pour ne pas décaler le reste du secteur.

Adresse	Contenu	Type
Paramètres en entrée		
+01h	Numéro de fonction (80h)	1 BYTE
+02h	Sub Unit Code pour le lecteur	1 BYTE
+0Dh	Mode d'adressage	1 BYTE
	0 = HSG, 1 = Red Book	
+0Eh	Pointeur FAR sur le buffer pour recevoir les secteurs lus	1 PTR
+12h	Nombre de secteurs à lire	1 WORD
+14h	Premier secteur à lire	1 DWORD
+18h	Mode de lecture	1 BYTE
	0 = Cooked (2048 Byte), 1 = Raw (2352 Byte)	
+19h	Interleave Size	1 BYTE
+1Ah	Interleave Skip	1 BYTE
Paramètres à la sortie		
+03h	Status-Word	1 WORD
Paramètres en entrée et sortie lors de l'appel de la fonction 80h d'un gestionnaire CD-ROM		

Les deux paramètres *Interleave* ne sont requis que si le gestionnaire effectue la lecture en mode *Interleaved*. *Interleave Size* indique ici le nombre de secteurs consécutifs qui doivent se suivre impérativement. *Interleave Skip* représente le nombre de secteurs à sauter pour atteindre la partie suivante du fichier concerné.

READ LONG PREFETCH
Lecture anticipée de secteurs CD (82h)

Cette fonction a été introduite pour augmenter les performances des gestionnaires CD-ROM. Elle est utilisée par le système d'exploitation (ici MSCDEX) pour permettre au gestionnaire de lire des secteurs définis à l'avance et qui ont une bonne probabilité d'être accédés immédiatement après. Cette technique est particulièrement utile pour parcourir par exemple un gros répertoire secteur par secteur ou pour lire un fichier CD-ROM étape par étape. Dans de telles situations, MSCDEX peut anticiper les secteurs nécessaires dans l'immédiat.

Avant d'envoyer les secteurs lus au système d'exploitation ou au programme utilisateur, MSCDEX peut utiliser cette fonction pour anticiper la lecture des secteurs suivants. Cela permet de compenser les temps d'accès relativement longs des lecteurs CD-ROM. Au moment où l'accès prévu se réalise à l'instant suivant, le gestionnaire a d'ores et déjà stocké les secteurs voulus dans une sorte de cache et il est prêt à les renvoyer. Il exécute toutefois une recherche sur le secteur spécifié de manière à accélérer l'accès.

Adresse	Contenu	Type
Paramètres en entrée		
+01h	Numéro de fonction (82h)	1 BYTE
+02h	Sub Unit Code pour le lecteur	1 BYTE
+0Dh	Mode d'adressage	1 BYTE
	0 = HSG, 1 = Red Book	
+12h	Nombre de secteurs à lire	1 WORD
+14h	Premier secteur à lire	1 DWORD
+18h	Mode de lecture	1 BYTE
	0 = Cooked (2048 Byte), 1 = Raw (2352 Byte)	
+19h	Interleave Size	1 BYTE
+1Ah	Interleave Skip	1 BYTE
Paramètres à la sortie		
+03h	Status-Word	1 WORD
Paramètres en entrée et sortie lors de l'appel de la fonction 82h d'un gestionnaire CD-ROM		

Les données à transmettre lors de l'appel de gestionnaire sont identiques à celles de la fonction 80h. L'adresse de buffer n'est pas nécessaire car l'appel de cette fonction ne provoque pas la lecture immédiate des données mais il sert à aviser le gestionnaire qu'un accès en lecture va avoir lieu. Le gestionnaire doit rendre immédiatement le contrôle de l'exécution à l'appelant c'est-à-dire qu'il ne peut pas exécuter l'accès en lecture anticipé si la fonction n'est pas renvoyée à l'appelant.

Un "bon" gestionnaire CD-ROM se donne les moyens de préparer l'accès attendu à l'arrière-plan, et peut-être même l'exécuter, pendant que l'appelant est occupé à accomplir une autre tâche.

SEEK   *Recherche de secteur du CD (83h)*

Cette fonction s'occupe de déplacer la tête de lecture vers le secteur indiqué pour réduire le temps de recherche occasionné par un autre accès en lecture sur ce secteur. Après son appel, la fonction revient vers l'appelant pour que ce dernier puisse poursuivre son travail pendant que la recherche du secteur spécifié se déroule en tâche de fond.

Adresse	Contenu	Type
Paramètres en entrée		
+01h	Numéro de fonction (83h)	1 BYTE
+02h	Sub Unit Code pour le lecteur	1 BYTE
+0Dh	Mode d'adressage	1 BYTE
	0 = HSG, 1 = Red Book	
+14h	Secteur recherché	1 DWORD
Paramètres à la sortie		
+03h	Status-Word	1 WORD
Paramètres en entrée et sortie lors de l'appel de la fonction 83h d'un gestionnaire CD-ROM		

PLAY AUDIO   *Jouer une piste audio du CD (84h)*

Cette fonction déclenche la retransmission d'une piste audio. La fonction n'opère pas au niveau de la piste mais au niveau du secteur. Il est donc nécessaire de spécifier auparavant l'adresse de la piste. La sous-fonction 11 de la fonction 3 (lecture directe) convient pour cette opération. L'indication d'une adresse de secteur permet de démarrer une piste en plein milieu.

Une fois l'opération démarrée, le gestionnaire revient toujours vers l'appelant et exécute l'action en tâche de fond jusqu'à l'adresse finale spécifiée. Le fait que le gestionnaire se trouve en mode play et qu'il peut recevoir des opérations de lecture et de recherche est montré par le bit Busy dans Status Word lors du retour vers l'appelant. Un gestionnaire ne soutenant pas la lecture des CD audio ignore cet appel de fonction et ne permet pas la définition du bit Busy.

Il est conseillé d'utiliser le polling permanent du statut audio via la sous-fonction 15 de la fonction 3 (lecture directe) si un programme attend que le gestionnaire ait terminé de jouer le CD. Cette sous-fonction renvoie les informations adéquates.

Adresse	Contenu	Type
Paramètres en entrée		
+01h	Numéro de fonction (84h)	1 BYTE
+02h	Sub Unit Code pour le lecteur	1 BYTE
+0Dh	Mode d'adressage	1 BYTE
	0 = HSG, 1 = Red Book	
+0Eh	Premier secteur à jouer	1 DWORD
+12h	Nombre de secteurs à jouer	1 DWORD
Paramètres à la sortie		
+03h	Status-Word	1 WORD
Paramètres en entrée et sortie lors de l'appel de la fonction 84h d'un gestionnaire CD-ROM		

STOP AUDIO   *Arrêter un CD audio (85h)*

Une fois l'écoute d'un CD audio démarrée avec la fonction 84h, l'opération peut être interrompue à l'aide de Stop Audio. Si la fonction est appelée pendant que le lecteur se trouve en mode pause, elle réinitialise uniquement les positions de début et de fin pour la commande RESUME suivante (cf. fonction 3, sous-fonction 15).

Adresse	Contenu	Type
Paramètres en entrée		
+01h	Numéro de fonction (85h)	1 BYTE
+02h	Sub Unit Code pour le lecteur	1 BYTE
Paramètres à la sortie		
+03h	Status-Word	1 WORD
Paramètres en entrée et sortie lors de l'appel de la fonction 85h d'un gestionnaire CD-ROM		

WRITE LONG   *Ecriture de secteurs sur un CD (86h)*

Disponible uniquement avec des CD-R, cette fonction permet d'écrire distinctement des secteurs. La fonction présuppose que le gestionnaire reconnaît des formats de secteur multiples tout en se conformant à la spécification indiquant qu'un lecteur ne doit supporter que le mode 1 - les autres formats étant facultatifs. Dans tous les cas, la fonction attend les données pures du ou des secteurs dans le buffer spécifié. Cette fonction génère automatiquement les autres informations de contrôle stockées dans un secteur.

Adresse	Contenu	Type
Paramètres en entrée		
+01h	Numéro de fonction (86h)	1 BYTE
+02h	Sub Unit Code pour le lecteur	1 BYTE
+0Dh	Mode d'adressage	1 BYTE
	0 = HSG, 1 = Red Book	
+0Eh	Pointeur FAR sur le buffer contenant les données	1 PTR
+12h	Nombre de secteurs à écrire	1 WORD
+14h	Premier secteur à écrire	1 DWORD
+18h	Mode de stockage	1 BYTE
	0 = Mode 0	
	1 = Mode 1	
	2 = Mode 2 Form 1	
	3 = Mode 2 Form 2	
+19h	Interleave Size	1 BYTE
+1Ah	Interleave Skip	1 BYTE
Paramètres à la sortie		
+03h	Status-Word	1 WORD
Paramètres en entrée et sortie lors de l'appel de la fonction 86h d'un gestionnaire CD-ROM		

Le nombre de données pures attendues dans le buffer varie selon le mode d'écriture. En mode 0, la fonction ignore complètement le buffer car les secteurs sont remplis ici par 0. En mode 1 ou en mode 2 Form 1, la fonction attend 2048 octets de données utiles par secteur, en mode 2 Form 2 2336 octets.

WRITE LONG VERIFY — *Ecriture de secteurs sur CD avec vérification (87h)*

Du point de vue de son fonctionnement et des paramètres attendus, cette fonction ressemble à la fonction de gestionnaire Write Long (86h). La seule différence réside dans la vérification des données écrites qui intervient indiscutablement après chaque écriture. Le résultat de cette vérification est reproduit à la fin de l'appel de fonction dans le contenu du Status Word renvoyé. Une erreur en écriture se traduit par un message d'erreur.

RESUME AUDIO — *Reprendre l'écoute audio (88h)*

Après avoir stoppé l'écoute audio avec la fonction 85h, l'opération peut être remise en route au moyen de cette fonction.

Adresse	Contenu	Type
Paramètres en entrée		
+01h	Numéro de fonction (88h)	1 BYTE
+02h	Sub Unit Code pour le lecteur	1 BYTE
Paramètres à la sortie		
+03h	Status-Word	1 WORD
Paramètres en entrée et sortie lors de l'appel de la fonction 88h d'un gestionnaire CD-ROM		

37.5. Programmes d'exemple

Pour expliciter l'emploi des fonctions de MSCDEX et du gestionnaire CD-ROM correspondant, nous avons développé un module nommé CDUTIL.C. Il contient des fonctions prêtes à l'emploi concernant toutes les fonctions MSCDEX et celles du gestionnaire. Le fichier d'en-tête CDU-TIL.H de CDUTIL renferme la déclaration des constantes et des types requis pour exploiter les fonctions de CDUTIL.C. Le tableau suivant dresse la liste des fonctions prédéfinies, elles sont rangées selon leur domaine d'utilisation.

Fonctions prêts à l'emploi pour la conversion entre les divers modes d'adressage d'un CD-ROM

Fonction	Description
Time2Frame	Convertit l'heure en nombre de frames
Time2HSG	Convertit l'heure en adresse HSG
Time2REDBOOK	Convertit l'heure en adresse REDBOOK
FrameTime	Divise le nombre de frames en minute, seconde, frame
REDBOOK2Time	Divise l'adresse REDBOOK en minute, seconde, frame
HSG2Time	Divise l'adresse HSG en minute, seconde, frame
REDBOOK2HSG	Convertit l'adresse REDBOOK en adresse HSG
HSG2REDBOOK	Convertit l'adresse HSG en adresse REDBOOK

Fonctions prêtes à l'emploi pour l'appel de fonctions MSCDEX

Fonction	Description
MSCDEX_GetNumberOfDriveLetters	Renvoie le nombre de lecteurs reconnus
MSCDEX_Installed	Test d'installation MSCDEX
MSCDEX_GetCDRomDriveDeviceList	Renvoie des informations sur les désignations de lecteur
MSCDEX_GetCopyrightFilename	Renvoie le nom du fichier Copyright
MSCDEX_GetAbstractFilename	Renvoie le nom du fichier Abstract
MSCDEX_GetBibDocFilename	Renvoie le nom du fichier BibDoc
MSCDEX_ReadVTOC	Lit la "Volume Table of Contents" (VTOC)
MSCDEX_AbsoluteRead	Lit des données dans secteur(s)
MSCDEX_AbsoluteWrite	Ecrit des données dans secteur(s)
MSCDEX200_CDRomDriveCheck	Est-ce un lecteur CD-ROM ?
MSCDEX200_GetVersion	Renvoie la version MSCDEX
MSCDEX200_GetCDromDriveLetters	Renvoie tous les noms de lecteur CD
MSCDEX200_GetVDPreference	Lit Volume Descriptor Preference
MSCDEX200_SetVDPreference	Définit Volume Descriptor Preference
MSCDEX200_GetDirectoryEntry	Lit l'entrée de répertoire
MSCDEX210_SendDeviceRequest	Envoie Device-Request au périphérique, à partir de la version 2.1
MSCDEX_SendDeviceRequest	Envoie Device-Request au périphérique, avant la version 2.1
MSCDEX_ReadWriteReq	Exécute une requête MSCDEX-IOCTLI_READ/WRITE
_CallStrategy	Envoie device request au gestionnaire de périphérique

Fonctions prêtes à l'emploi pour l'appel de fonctions du gestionnaire du CD-ROM

Fonction	Description
cd_IsError	Status Word décrit une erreur ?
cd_GetReqHdrError	Renvoie le code d'erreur
cd_IsReqHdrBusy	Device encore occupé ?
cd_IsReqHdrDone	Dernière commande du périphérique complètement traitée ?
cd_GetDeviceHeaderAdress	Renvoie l'adresse du device header
cd_GetLocationOfHead	Renvoie la position de la tête de lecture/écriture
cd_GetAudioChannelInfo	Renvoie l'affectation des canaux d'entrée par rapport aux canaux de sortie
cd_ReadDriveBytes	Lit les données spécifiques au lecteur
cd_GetDevStat	Lit device status (état du lecteur)
cd_GetSectorSize	Indique la taille d'un secteur
cd_GetVolumeSize	Indique la taille du volume d'un CD
cd_GetMediaChanged	Changement de CD ?
cd_GetAudioDiskInfo	Renvoie le nombre de titres (titres, pistes)
cd_GetAudioTrackInfo	Indique les données concernant un titre
cd_IsDataTrack	Est-ce une piste audio ou une piste de données ?
cd_GetTrackLen	Indique la taille d'une piste
cd_QueryAudioChannel	Renvoie des informations de temps à partir de Q-Sub-Channel
cd_GetAudioSubChannelInfo	Lecture R/W Sub-Channel
cd_GetUPCode	Lecture de Universal Product Code (UPC)
cd_GetAudioStatusInfo	Renvoie l'état actuel de l'audio
cd_Eject	Ouvre la porte (éjection)
cd_CloseTray	Ferme la porte (insertion)
cd_LockDoor	Verrouiller/déverrouiller la porte
cd_Reset	Réinitialise le lecteur
cd_SetAudioChannelInfo	Définit l'affectation entre les canaux CD et les canaux de sortie
cd_WriteDriveBytes	Transmet des données spécifiques au lecteur
cd_PlayAudio	Joue une piste audio
cd_StopAudio	Suspend l'écoute d'une piste audio
cd_ResumeAudio	Reprend l'écoute d'une piste audio
cd_Seek	Recherche de secteur
cd_ReadLong	Lecture de secteur
cd_ReadLongPrefetch	Prépare la lecture de secteur
cd_WriteLong	Décrit un secteur
cd_WriteLongVerify	Ecriture d'un secteur avec vérification
cd_FastForward	Laisser défiler la sortie son en cours pendant 2 secondes

Fonctions prêtes à l'emploi concernant l'affichage d'informations du CD-ROM

Fonction	Description
cd_PrintDiskTracks	Affiche les titres et la durée correspondante
cd_PrintActPlay	Affiche la durée et le titre de la piste en cours
cd_PrintSektor	Affiche le contenu du secteur à l'écran
cd_PrintDirEntry	Affiche l'entrée de répertoire
cd_PrintDevStat	Affiche device status
cd_PrintUPCode	Affiche UPC en tant que nombre BCD

Nous avons concocté pour vous le programme CDROM.C pour illustrer l'implémentation des fonctions de CDUTIL.C. CDROM est un programme permettant d'obtenir des informations diverses sur un CD. Ces informations vont du nombre des pistes et leur durée jusqu'aux entrées de répertoire des fichiers et le contenu de n'importe quel secteur. Cet utilitaire permet en outre de jouer des pistes audio à condition que votre lecteur CD-ROM dispose de cette capacité.

Toutes les fonctions deviennent disponibles dès lors qu'elles sont définies via la ligne de commande lors de l'appel du programme :

```
CDROM D: -UPC
```

pour demander l'affichage de l'*Universal Product Code* du CD inséré. Appelé sans paramètres, le programme renvoie la liste des options à l'écran.

```
C:\EDITION\PROG\FR\EXE>cdrom
Paramètre:
A-Z:            Lettre de lecteur
  -DEVSTAT      Affiche device status
  -VTOC         Affiche Volume Table Of Contents
  -UPC          Affiche Universal Product Code
  -CONTENTS     Affiche pistes
  -SHOW:X       Affiche numéro de secteur X [avec -RAW pour Raw-Data]
  -PLAY:X       Joue piste audio numéro X [Infos d'état affichées avec -WAIT]
  -ENTRY:nom    Affiche l'entrée de répertoire du fichier spécifié

C:\EDITION\PROG\FR\EXE>cdrom d: -upc
MSCDEX V2.22 détecté
 UPC: 0000000000000
```

Appel de CDROM.EXE

CDUTIL.H   CDUTIL.C   CDROM.C

38. SoundBlaster et cartes son

Multimédia ! tout commença avec les cartes son. Au départ, ce sont les jeux qui ont rendu populaire l'usage des cartes son dès la fin des années 80 en enlevant au PC son charme sévère de machine purement bureautique. Aujourd'hui, il se décline en tous genres et même les portables ne font plus exception à la règle. La majorité d'entre eux est désormais équipée d'une carte son.

Le nombre des cartes son de toutes sortes est légion et il a bien fallu se résoudre à adopter un standard dans ce domaine pour que les programmeurs ne soient pas contraints de se référer à une quantité infinie de cartes son de tous types. Et ce standard porte un nom : *SoundBlaster*. Il s'agissait des cartes de Creative Labs provenant de Singapour qui, grâce à un excellent rapport qualité/prix et à une bonne étude de marketing, envahirent très vite le marché pour dominer en tant que standard international. Et ce, malgré la présence d'un autre fabricant régnant en maître sur le marché : AdLib et sa carte de même nom. Mais ce furent les cartes SoundBlaster qui, en fin de compte, prirent le dessus bien qu'à l'heure actuelle leur position sur le marché ne soit plus aussi significative qu'au début du boom des cartes son.

Cette évolution s'est effectuée dans un tel sens qu'aujourd'hui aucun fabricant ne peut se permettre le luxe de ne pas assurer la compatibilité à la carte SoundBlaster. Du moins dans le domaine de la musique synthétique où un standard s'est établi à travers toutes les barrières imposées par les fabricants. Et ce standard se présente sous la forme du composant OPL de Yamaha. C'est la raison pour laquelle le présent chapitre est consacré aux cartes son de Creative Labs. Estimez-vous heureux si vous possédez une carte de ce genre car ce chapitre révèle les principaux secrets de la carte SoundBlaster.

Ceux qui disposent d'une carte son d'un modèle différent ne sont pas ignorés par ce chapitre. La section 38.2 qui concerne la synthèse FM réalisée au moyen du composant OPL intéresse la plupart des cartes son. N'hésitez pas à effectuer un test en démarrant le programme FM fourni en 38.2. Pour peu que votre carte son émette des vocalises et vous avez la garantie qu'elle est compatible SoundBlaster.

38.1. La famille des cartes SoundBlaster

Comme on devait s'y attendre, les cartes SoundBlaster ont connu sans cesse des améliorations depuis leur première apparition et ont ainsi accru leurs performances. Cela s'applique aux trois domaines représentant le coeur même de la fonctionnalité des cartes SoundBlaster :

○ La création synthétique du son, une opération réalisable non seulement dans les cartes SoundBlaster mais aussi dans de nombreuses cartes son de modèles différents par le fameux composant OPL de Yamaha. Il génère près de 11 voix (de nouvelles variantes OPL peuvent générer davantage de sons) pouvant être jouées simultanément et qui font surgir du PC un véritable amalgame de sons après bien sûr une programmation adéquate. Le composant OPL exista d'abord en version 1, puis 2, puis 3 et ensuite 4 mais c'est la version 2 qui est considérée comme celle assurant la compatibilité avec SoundBlaster.

○ L'échantillonnage à l'aide d'un processeur de son numérique (DSP = Digital Sound Processor) qui est fourni avec chaque carte SoundBlaster et qui est originaire de Creative Labs. Contrairement à la création artistique de son via le composant OPL, l'échantillonnage consiste à enregistrer sur un support de stockage des signaux analogiques du CD, d'une chaîne stéréo ou d'un micro avec la meilleure qualité possible et ensuite à les jouer. C'est dans ce domaine que les cartes SoundBlaster ont connu le plus grand développement

877

depuis les techniques relativement modestes de SoundBlaster 1.5 jusqu'à l'échantillonnage en qualité CD de SoundBlaster 16.

○ La table de mixage qui contrôle le volume des sons émis par les diverses sources et qui
mélange les sons. En comparant le degré d'évolution connu par le DSP, il semble que la
table de mixage reste toujours la plus performante.

Variable d'environnement Blaster

Abstraction faite de la diversité en matière des techniques offertes par les membres de la famille
SoundBlaster, il y a un élément auquel ils se plient tous. C'est notamment la variable d'environnement *Blaster* définie dans AUTOEXEC.BAT. Si vous décidez d'installer une carte Sound-
Blaster dans votre ordinateur, soyez sûr de trouver dans votre fichier AUTOEXEC.BAT une
ligne dans laquelle sera définie cette variable au niveau DOS, par exemple :

```
SET BLASTER=A220 I5 D1 H5 P330 T6
```

Cette variable d'environnement contient les principales informations concernant l'adresse du
port de la carte SoundBlaster installée, les interruptions utilisées, le canal DMA et bien d'autres
indications. Les programmes accédant à SoundBlaster commencent généralement par interroger puis évaluer cette variable d'environnement au moyen d'un appel DOS approprié ou de
routines en langage évolué. Voici les différentes informations transmises par les paramètres de
cette variable d'environnement :

Paramètre	Signification
A	Adresse d'E/S de base de la carte son
I	Interruption utilisée par la carte son
D	Numéro de canal DMA 8 bits
H	Numéro de canal DMA 16 bits si la carte assure les transferts DMA 16 bits
M	Principale adresse de port de la table de mixage SoundBlaster
P	Port MIDI
T	Identification de la carte SoundBlaster (par exemple 1 correspond à des versions SB antérieures, 3 à SB 2.0, 6 à SB 16)
	Paramètres de la variable d'environnement BLASTER

Une indication fait cependant défaut dans cette variable : le type exact de la Sound-
Blaster installée. Mais si l'adresse de base est connue, cette information peut être
obtenue assez facilement comme vous l'apprendrez plus loin à propos de l'échantillonnage avec SoundBlaster.

Ne faites pas entière confiance à l'évaluation en imaginant que l'ordre des paramètres doit être
toujours respecté et en supposant que tous les paramètres sont disponibles. Il faut tout au moins
que les paramètres A et I répondent présents sinon la variable d'environnement BLASTER ne
sert pas à grand-chose. Les exemples présentés dans les sections suivantes contiennent des
routines qui s'occupent à votre place de lire et d'analyser cette variable d'environnement.

Principaux sujets étudiés dans ce chapitre

Les paragraphes qui suivent explicitent la programmation des principaux aspects de la carte
SoundBlaster : la création de son via la synthèse FM, l'échantillonnage via le processeur de son
numérique DSP, le contrôle de la table de mixage et la sortie de la voix. Le contrôle MIDI a été
omis volontairement car MIDI ne représente pas seulement un monde en soi mais un aspect
de la carte SoundBlaster qui est exploité par un petit nombre d'utilisateurs. Bien que Creative
Labs fournisse des bibliothèques de drivers destinées à des situations variées, nous nous

sommes concentrés sur la programmation directe de la carte et nous proposons donc quelques bibliothèques personnalisées. L'infime compatibilité entre les cartes qui existe au niveau matériel devient caduque au niveau du driver. A ce niveau-là, il n'existe pas de standard SoundBlaster et c'est pourquoi nous avons préféré la programmation directe.

38.2. Synthèse FM

L'une des méthodes les plus usitées par les cartes son PC pour générer un son synthétique est représentée par la modulation de fréquence, en abrégé FM ou encore synthèse FM. Elle poursuit le même but que tous les procédés destinés à produire un son synthétique. Son objectif est donc de reproduire aussi fidèlement que possible la séquence des signaux émis par des voix naturelles et des instruments. Pour comprendre ce procédé, il faut d'abord avoir une idée de la nature physique des sons.

38.2.1. La nature physique des sons et la modulation de fréquence

Les sons générés par exemple par une guitare, un clavier ou une trompette peuvent être visualisés sous forme de courbe sinusoïdale grâce à un oscilloscope. La caractéristique de cette courbe est sa variation continuelle au cours du temps. Elle oscille en permanence en suivant les vibrations émises par l'instrument par exemple une corde de guitare qui est frappée. La courbe oscille plus ou moins fort selon la puissance avec laquelle le joueur fait vibrer la corde qui s'active à une certaine vitesse ou mieux une fréquence. Cette fréquence est celle qui parvient à notre oreille par exemple 400 hertz (1 hertz = 1 vibration par seconde) pour le son A.

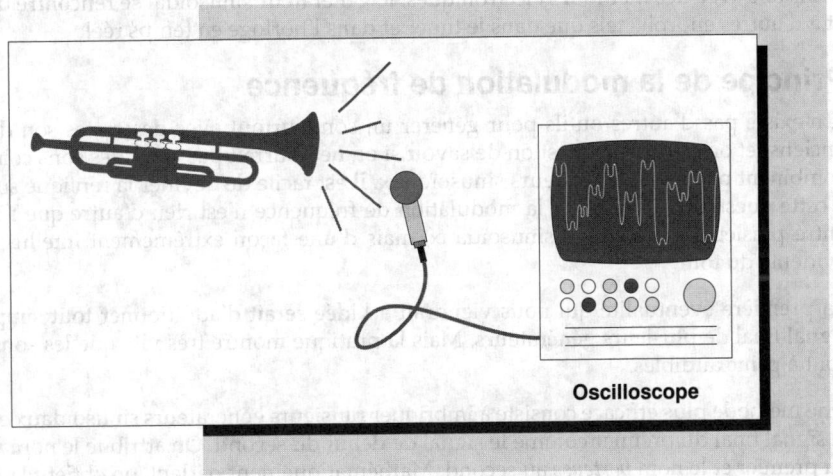

Oscilloscope

Enregistrement électronique d'un son

la fréquence générée dépend de la tension de la corde que le joueur peut faire varier. Tous ceux qui ont déjà tenu une guitare à la main connaissent sans doute cet effet. Plus la corde est tendue et plus fort devient le son et plus vite vibre la corde en une seconde. Lors d'un enregistrement électronique, cet effet s'articule à travers une fréquence plus élevée c'est-à-dire une succession plus rapprochée des phases ascendantes et descendantes de la courbe sinusoïdale.

La fréquence n'est pas le seul facteur déterminant l'apparence de la courbe sinusoïdale. L'intensité des phases ascendantes et descendantes de la courbe est déterminée par la puissance

de frappe sur la corde. Elle correspond à l'amplitude de l'oscillation. La fréquence et l'amplitude forment donc les deux principales caractéristiques d'un son. Mathématiquement parlant, la courbe d'un son peut être formulée comme suit :

```
f(t) = Amplitude * sin(Fréquence * t * 2 pi)
pi = 3,14...
```

t est le temps écoulé en *s* (secondes). Le facteur 2 *pi* est indispensable car la fonction sinus opère avec des mesures en radian nécessitant une conversion entre l'argument *t* et la mesure en radian. Sachant qu'une fonction sinus renvoie toujours une valeur entre 1 et -1, dans cette formule l'amplitude correspond à la valeur maximale et à la valeur minimale de l'élongation.

Comme dans tous les cas, la pratique est toujours quelque peu plus compliquée que la théorie et la génération du son ne fait pas exception à la règle. Le son émis par un instrument naturel est beaucoup plus complexe vu la multiplicité des ondes sinusoïdales qui viennent se superposer. De plus, l'amplitude ne reste pas constante pendant l'émission du son. Elle commence par monter pour ensuite diminuer lentement et c'est ce que l'auditeur perçoit à l'oreille.

Il n'en reste pas moins qu'un simple générateur sinusoïdal aide à produire des sons même s'ils sont relativement élémentaires. Notre vie quotidienne est remplie de sons de ce genre. La sonnerie du téléphone, le bruit strident du radioréveil ou le bip bip du micro-ondes ne sont que quelques exemples.

Bien qu'un simple générateur sinusoïdal ne soit pas en mesure de reproduire les sons complexes d'une guitare ou d'une trompette, il faut savoir que ce générateur sinusoïdal est le seul outil dont dispose la SoundBlaster de même que toutes les autres cartes son. Assez facilement réalisable avec des méthodes électroniques, le générateur sinusoïdal se rencontre dans un PC et à d'autres endroits tels que dans le timer et dans l'horloge en temps réel.

Principe de la modulation de fréquence

Il n'existe pas d'autres outils pour générer un son (surtout avec des cartes son de modèles anciens) et on se pose la question de savoir si on ne pourrait pas créer des sons complexes en combinant plusieurs générateurs sinusoïdaux. Il est facile de deviner la réplique sous-jacente à cette question : à vrai dire, la modulation de fréquence n'est rien d'autre que l'interaction entre plusieurs générateurs sinusoïdaux, mais d'une façon extrêmement intelligente et pas évidente du tout.

La première éventualité qui nous viendrait à l'idée serait d'additionner tout simplement le signal final de plusieurs générateurs. Mais la pratique montre très vite que les sons attendus sont à peine audibles.

Une méthode plus efficace consiste à imbriquer plusieurs générateurs sinusoïdaux en utilisant le signal final du premier comme le signal de début du second. On attribue le nom *modulateur* au premier et le nom *porteuse* au second. Mathématiquement parlant, on obtient la formule :

```
f(t) = Amplitude2 * Sinus(Fréquence2 * t * 2pi + (Amplitude1 *
Sinus(Fréquence1 * t * 2pi))
pi = 3,14...
Amplitude2 : porteuse, Amplitude1 : modulateur, Fréquence1 : modulateur,
Fréquence2 : porteuse
```

Ce qui est à noter dans ce procédé c'est que l'argument de fonction de la fonction sinusoïdale du second générateur (porteuse) ne croît plus avec le temps *t* mais oscille entre *-Amplitude1* et *+Amplitude1* autour de *t*. Sin(t) n'est plus nécessairement suivie de sin(t+1) mais selon la fréquence et l'amplitude choisies pour le premier générateur sinusoïdal (modulateur), on peut avoir sin(t-5), sin(t+100) ou autre chose. Comme le montrent les figures suivantes, on peut faire varier à volonté les séquences de signaux qui se rapprochent davantage d'une séquence naturelle produite par un instrument que le résultat d'une simple addition entre deux générateurs.

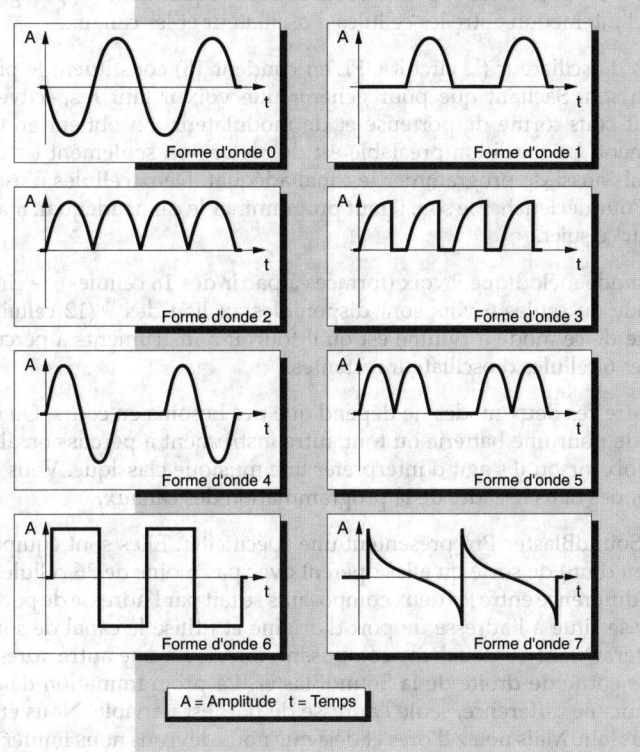

Diverses séquences de signaux générées par la modulation de fréquence

Nous n'avons évoqué jusqu'à présent que l'imbrication entre deux générateurs sinusoïdaux mais cette procédure peut être implémentée avec un nombre quelconque de générateurs de façon à obtenir des sons de plus en plus complexes. Dans la pratique de la programmation des cartes son, cette procédure reste toutefois limitée à deux générateurs car le composant OPL2 de Yamaha équipant un grand nombre de cartes son ne prévoit pas des niveaux d'imbrications plus importants. Son successeur, OPL3, améliore déjà ses performances en permettant d'imbriquer quatre générateurs sinusoïdaux. Toujours est-il que ce composant n'a pas encore atteint une renommée qui lui permettrait de régner en tant que standard SoundBlaster. Dans la suite de notre exposé, nous ne parlerons donc que de OPL2 et de l'imbrication de deux générateurs sinusoïdaux qui, dans la terminologie de Yamaha, sont désignés par *cellules d'oscillateur*.

38.2.2. Création de sons au moyen des cellules d'oscillateur et des canaux

Avant de nous intéresser à la programmation des cellules d'oscillateur et à la définition de leurs paramètres, faisons d'abord le point sur les sujets évoqués dans les paragraphes qui suivent et examinons l'interaction entre les cellules d'oscillateur et les canaux.

Les cellules d'oscillateur (le circuit OPL en contient 18) constituent le plus bas niveau de la création du son. Sachant que pour générer une voix il faut respectivement deux cellules d'oscillateur sous forme de porteuse et de modulateur, on obtient en tout 9 voix jouables simultanément. La condition préalable est de régler non seulement les cellules d'oscillateur voulues mais aussi de programmer le canal adéquat. Deux cellules d'oscillateur forment un canal FM. Pour déclencher le son, il faut programmer le canal adéquat, mais nous reviendrons plus loin sur ce sujet.

A côté du mode mélodique 9 voix (formées à partir des 18 cellules), le circuit OPL fournit un second mode où seules 6 voix sont disponibles au lieu des 9 (12 cellules d'oscillateur). La particularité de ce mode à rythme est qu'il fournit 5 instruments à percussion qui occupent ensemble les 6 cellules d'oscillateur restantes.

Le choix entre ces deux modes ne dépend que des besoins en cours. On choisit en général le second mode pour une batterie ou tout autre instrument à percussion alors qu'on préfère le mode à 9 voix lorsqu'il s'agit d'interpréter une musique classique. Vous apprendrez à régler ces deux modes dans le cadre de la programmation des canaux.

Les cartes SoundBlaster Pro présentent une spécificité : Elles sont équipées de deux circuits OPL (au lieu d'un) de sorte qu'elles opèrent avec pas moins de 36 cellules d'oscillateur ou 18 canaux. La différence entre les deux composants se fait par l'adresse de port et le canal de sortie. Le premier se situe à l'adresse de port d'origine et utilise le canal de sortie de gauche de la SoundBlaster. Quant au deuxième composant, il réside à une autre adresse de port et se sert du canal de sortie de droite de la SoundBlaster. La programmation de ces deux circuits ne comporte aucune différence, seule l'adresse de port est variable. Nous étudierons également ce point plus loin. Mais notez d'ores et déjà que nous devrons nous limiter à la programmation du circuit OPL de gauche pour assurer la compatibilité avec le standard SoundBlaster.

Les paragraphes suivants décrivent les paramètres d'une cellule d'oscillateur. Il est vrai que leur fonctionnalité et leur signification restent à un stade théorique dans le contexte de la création de son, mais on est obligé de manier quelque peu leurs réglages pour se rendre compte de leur interaction. Cette sous-section se termine donc volontairement par un programme permettant de définir interactivement les paramètres et d'observer leurs effets sur la création de son.

Enveloppe d'une cellule d'oscillateur

Les principaux paramètres d'une cellule d'oscillateur sont l'amplitude et la fréquence mais le circuit OPL permet d'agir isolément sur chaque cellule d'oscillateur en réglant ses propres paramètres qui sont très nombreux. Parmi cette multitude de paramètres, l'enveloppe est certainement le paramètre le plus important. Elle détermine l'évolution de l'amplitude dans le temps car il ne suffit pas d'activer un son pour générer une musique, comme nous l'avons montré à propos d'une corde de guitare. Au départ, un son est à peine audible puis son volume augmente avant d'atteindre son volume sonore maximal (amplitude). Un temps variable s'écoule à ce niveau selon le type d'instrument avant qu'il résonne une deuxième fois. L'enveloppe joue un rôle déterminant dans la perception d'un son. Pensez tout simplement à la différence entre une flûte qui résonne immédiatement et une cloche qui continue de vibrer

un long moment même si à la fin elle ne produit qu'un faible souffle qui se perd progressivement dans le néant.

L'enveloppe étant spécifique à chaque instrument, il convient de la régler distinctement en fonction de chaque cellule d'oscillateur et de chaque instant musical. Mais cela fait appel à beaucoup d'efforts de concentration et c'est la raison pour laquelle les cellules d'oscillateur cherchent à standardiser l'enveloppe en se limitant à quatre paramètres réglables individuellement. Malgré les restrictions imposées par le procédé, on arrive à imiter pour ainsi dire parfaitement l'évolution d'un signal pour la plupart des instruments. Ces paramètres s'appellent l'attaque (attack), la décroissance (decay), le maintien (sustain) et le relâchement (release) - en abrégé ADSR -. Ils peuvent prendre une valeur comprise entre 0 et 15.

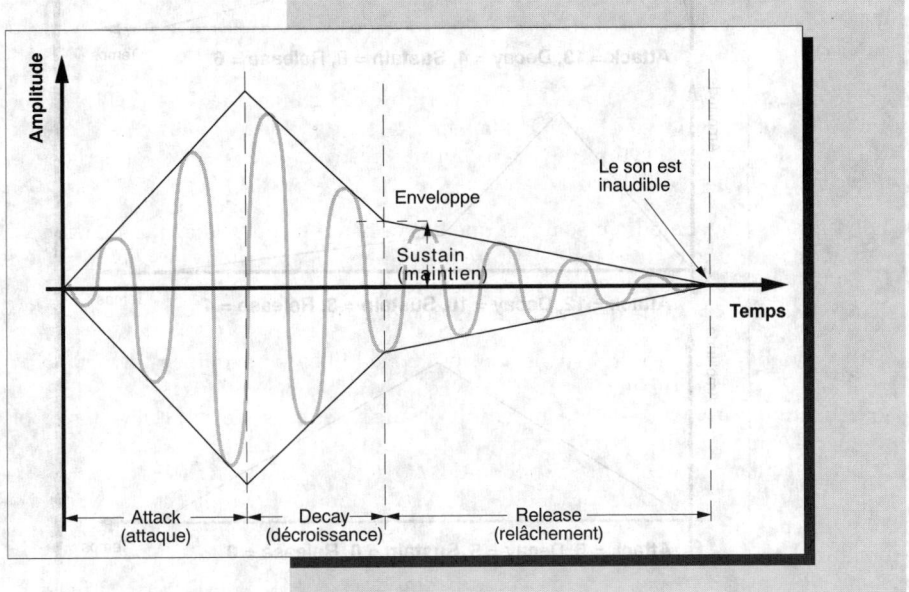

Paramétrage de l'enveloppe à l'aide de l'attaque, la décroissance, le maintien et le relâchement

Le paramètre *attaque* agit sur la première phase de la création de son. Il indique la vitesse à laquelle le son atteint son volume maximal c'est-à-dire l'amplitude. La valeur 0 représente ici une montée lente, 15 signifie que le son atteint immédiatement son volume (amplitude) maximal. Les trois autres paramètres (décroissance, maintien, relâchement) indiquent la vitesse à laquelle résonne le son et à quelle vitesse il décroît depuis son amplitude maximale vers l'amplitude 0.

En phase *décroissance*, le son revient à un niveau caractérisé par le paramètre *maintien*. Plus la valeur de décroissance est élevée et plus vite descend l'amplitude vers le niveau *maintien* - très lentement avec 0 et presque imperceptiblement avec 15 -. Le paramètre *maintien* indique le niveau d'amplitude atteint entre les phases *décroissance* et *relâchement* - la vibration finale du son. La phase *décroissance* sera brève si cette valeur est élevée.

En phase *relâchement*, le son s'achève de résonner. La rapidité d'exécution de ce processus dépend de l'importance de la valeur spécifiée ici. Il ne faut pas oublier que le son n'émet plus aucun bruit à la fin de la phase *relâchement* puisqu'il a atteint l'amplitude 0. Les cellules d'oscillateur continuent quant à elles de fonctionner. Ce sujet sera évoqué à nouveau lors de la programmation des cellules d'oscillateur.

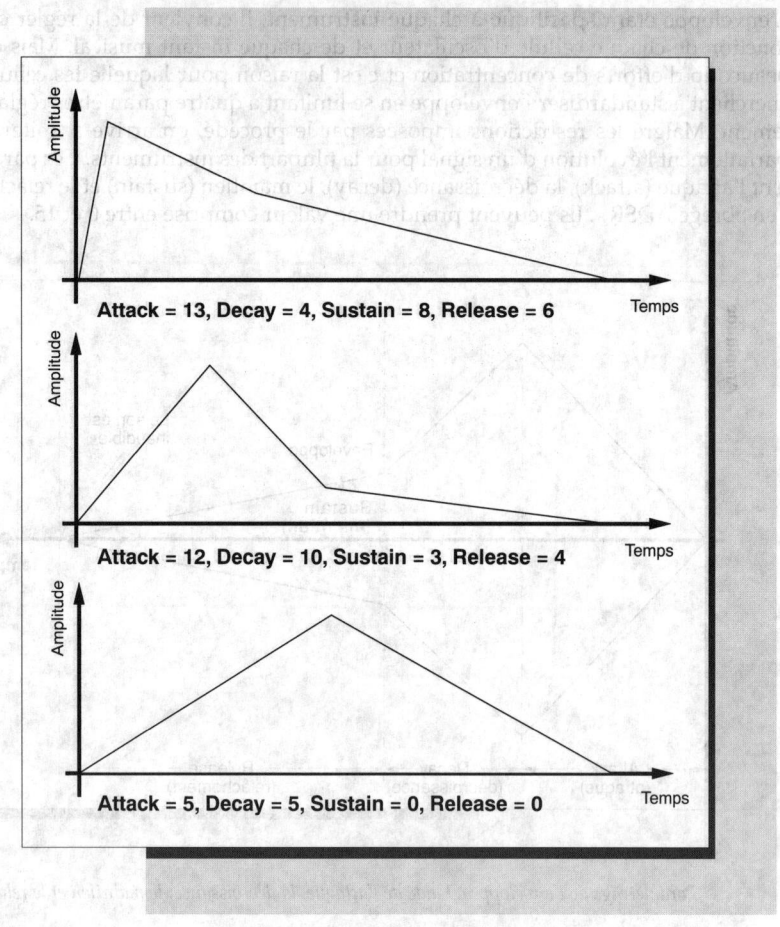

Attack = 13, Decay = 4, Sustain = 8, Release = 6

Attack = 12, Decay = 10, Sustain = 3, Release = 4

Attack = 5, Decay = 5, Sustain = 0, Release = 0

Variation du paramétrage de l'attaque, de la décroissance,
du maintien et du relâchement pour des enveloppes différentes

A côté de cette forme d'enveloppe, le circuit OPL permet de générer un autre type d'enveloppe se définissant également à l'aide des paramètres attaque, décroissance, maintien et relâchement. Cette enveloppe se différencie de la précédente par un aspect déterminant : ici le programmeur a entière liberté pour maintenir la durée du son aussi longtemps qu'il le souhaite. Rappelez-vous que dans le cas précédent (enveloppe décroissante) c'est le circuit OPL qui s'occupait de définir les phases attaque, décroissance, maintien et relâchement en fonction des valeurs spécifiées.

Ici également, le circuit OPL détermine par lui-même la durée des phases attaque et décroissance mais il maintient le son à une amplitude constante pendant la phase maintien tant que le programme n'a pas désactivé le son par le biais du canal approprié. Ce n'est qu'après qu'il passe en phase relâchement pour générer le son.

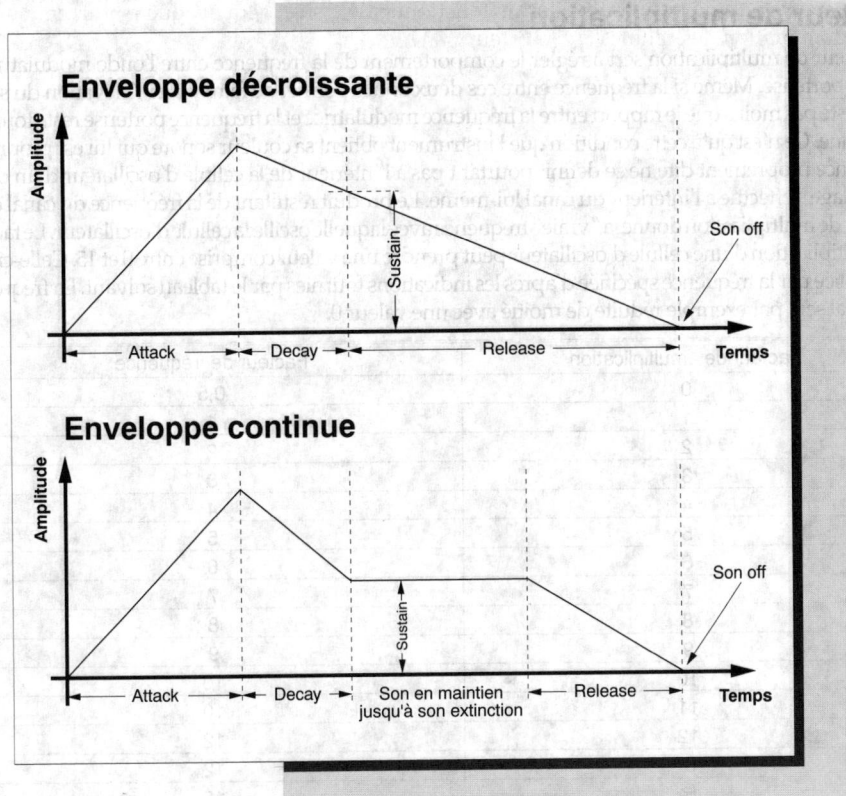

Enveloppe décroissante

Amplitude

Sustain

Son off

Attack — Decay — Release — **Temps**

Enveloppe continue

Amplitude

Sustain

Son off

Attack — Decay — Son en maintien jusqu'à son extinction — Release — **Temps**

Enveloppe décroissante contre enveloppe continue

Le choix entre ces deux enveloppes dépend essentiellement de l'instrument utilisé. L'enveloppe décroissante convient pour les instruments à cordes et tous les instruments résonnant automatiquement. Ici, il n'y a aucun moyen de définir la durée du son une fois que la corde a été frappée. Il en va tout autrement des instruments à vent qui peuvent maintenir le son aussi longtemps que le musicien continue de souffler - à moins que le programme perde patience. L'enveloppe continue représente ici le meilleur choix. L'enveloppe décroissante permet un réglage supplémentaire consistant à raccourcir automatiquement le signal des sons aigus. On peut décider ainsi que les sons aigus résonnent plus vite que les sons graves sur un clavier ou sur tous les instruments de même famille (à cordes notamment).

Facteur d'atténuation

Le facteur d'atténuation permet d'amortir l'amplitude d'une cellule d'oscillateur lorsqu'un son doit résonner moins fort par rapport à un autre. Ce facteur peut prendre une valeur comprise entre 0 et 63 mais l'atténuation à proprement parler est donnée par la formule :

```
Atténuation = facteur * 0,75 dB
dB = décibel, unité de mesure de la puissance physique d'une onde sonore.
```

Facteur de multiplication

La facteur de multiplication sert à régler le comportement de la fréquence entre l'onde modulatrice et l'onde porteuse. Même si la fréquence entre ces deux ondes permet de faire varier l'élévation du son, il n'en reste pas moins que le rapport entre la fréquence modulatrice et la fréquence porteuse reste toujours identique. Ce n'est qu'à cette condition que l'instrument obtient sa couleur sonore qui lui est propre. La fréquence proprement dite ne se définit pourtant pas à l'intérieur de la cellule d'oscillateur d'un canal. Ce réglage s'effectue à l'intérieur du canal lui-même. Le produit résultant de la fréquence du canal et du facteur de multiplication donne la "vraie" fréquence avec laquelle oscille la cellule d'oscillateur. Le facteur de multiplication d'une cellule d'oscillateur peut prendre une valeur comprise entre 0 et 15. Celle-ci sera multipliée par la fréquence spécifiée d'après les indications fournies par le tableau suivant. La fréquence du canal sera par exemple réduite de moitié avec une valeur 0.

Facteur de multiplication	Facteur de fréquence
0	0,5
1	1
2	2
3	3
4	4
5	5
6	6
7	7
8	8
9	9
10	10
11	10
12	12
13	12
14	15
15	15

Le facteur de multiplication détermine la fréquence d'une cellule d'oscillateur

Si le rapport entre le modulateur et la porteuse est impair, tel que 5:7, il faut définir un facteur de multiplication de 5 pour le modulateur et un facteur de multiplication de 7 pour la porteuse. Quant à la fréquence de canal par rapport à la fréquence souhaitée effectivement sur la porteuse, il faut la diviser par 7. Cette conversion n'étant pas effectuée par le circuit OPL, il convient de l'exécuter manuellement à l'aide du programme.

Atténuation des aigus

Sur un clavier et sur tous les instruments de la même famille (instruments à cordes notamment), les sons résonnent de plus en plus forts au fur et à mesure qu'ils deviennent graves. Inversement, les sons résonnent faiblement dès qu'ils se rapprochent de la fin de la gamme musicale. Le circuit OPL prévoit donc une méthode atténuant l'amplitude des sons en fonction de leur disposition. Une valeur de 0 à 3 d'après le tableau suivant correspond à l'atténuation des sons aigus :

Valeur	Atténuation des aigus
0	0
1	3 dB par octave
2	1,5 dB par octave
3	6 db par octave

Paramétrage de l'atténuation des sons aigus

Tremolo et vibrato

Hormis les paramètres décrits précédemment, le circuit OPL génère deux effets spéciaux qui se rencontrent désormais sur n'importe quel orgue domestique de bonne qualité : tremolo et vibrato. Ces deux paramètres peuvent être activés et désactivés séparément pour chaque cellule d'oscillateur. L'effet tremolo modifie de manière cyclique l'amplitude (volume sonore) d'une onde à la fréquence constante de 3,7 Hz. Le volume du son augmente légèrement pour diminuer aussitôt toutes les 3,7 fois par seconde. Pour toutes les cellules d'oscillateur, l'importance de la modification d'amplitude peut être définie à 1 dB ou 4,8 dB lorsque l'effet tremolo est actif.

Tandis que l'effet tremolo agit sur l'amplitude d'une cellule d'oscillateur, l'effet vibrato opère sur sa fréquence. Avec fréquence de 6,7 Hz, la cellule peut au choix augmenter de 7 % ou 14 % pour ensuite diminuer de volume. C'est ainsi qu'est généré le fameux son de la sirène.

Forme de l'onde

A côté du signal de sortie classique sous forme sinusoïdale, les cellules d'oscillateurs peuvent modifier à la demande la forme de ce signal comme le montrent les figures suivantes. Dans la forme d'onde 1, les cellules d'oscillateur tombent continuellement au niveau 0 dans la phase négative de la courbe sinusoïdale. Dans la forme d'onde 2, on obtient toujours la valeur absolue de la courbe sinusoïdale de même que dans la forme d'onde 3 sauf que le signal est ramené à 0 en phase décroissante. En faisant varier les formes de l'onde sans pour autant changer le réglage des cellules d'oscillateur, on peut créer des sons complètement différents.

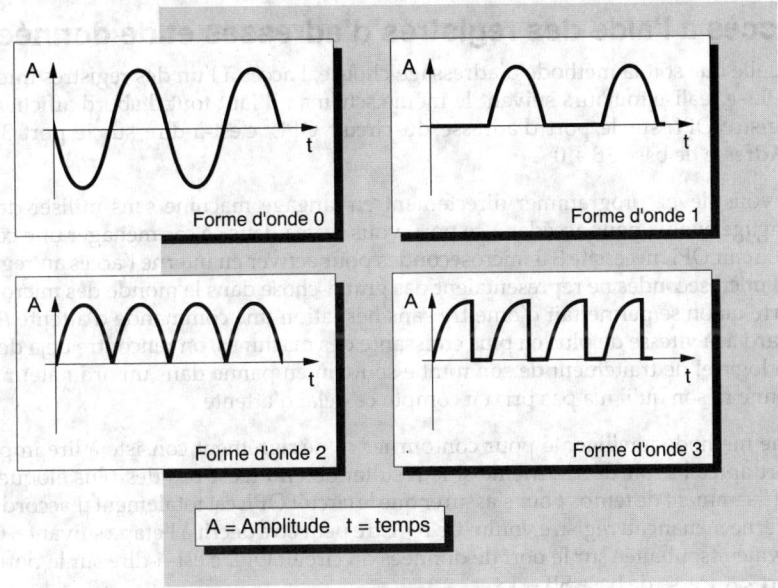

Variation des formes de l'onde en tant que signal de sortie des cellules d'oscillateur

38.2.3. Définition des cellules d'oscillateur

Le circuit OPL dispose de quelques 120 registres servant à paramétrer les cellules d'oscillateur, les canaux et d'autres aspects de la création du son. Le circuit OPL étant un élément à part entière de la carte son et vu le nombre important des registres, tous les registres ne seront pas spécifiés dans la zone d'adresse E/S de la carte son. En revanche, le circuit OPL est équipé d'un registre d'adresses et d'un registre de données accessibles via la zone d'adresse de la carte son. Ils permettent d'accéder ainsi à tous les registres internes du circuit OPL. Ces deux registres sont accessibles à l'aide de plusieurs ports :

○ Par les ports 388h et 389h qui sont des ports dont se servait l'ancêtre des cartes son PC, la carte AdLib, pour accéder au circuit OPL. Bien que la carte AdLib ne soit depuis longtemps une référence, ces deux ports sont néanmoins reconnus par pratiquement toutes les cartes son équipées du circuit OPL. Un logiciel accédant à ces ports ne doit se poser aucune question à propos de la carte son installée dans le système et des ports qu'elle occupe. Les ports 388h et 389h constituent ainsi la meilleure méthode préférée pour la programmation du circuit OPL.

○ Par les deux premiers ports d'une carte SoundBlaster c'est-à-dire les ports Adresse de base + 0 et Adresse de base + 1. Le circuit OPL peut être adressé via ces deux registres sur toutes les cartes compatibles SoundBlaster. Un inconvénient : On doit d'abord prendre connaissance de l'adresse d'E/S de base de la carte ce qui n'est pas toujours évident quand on n'a pas affaire à une carte SoundBlaster.

Accès à l'aide des registres d'adresses et de données

Quelle que soit la méthode d'adressage choisie, l'accès à l'un des registres internes du circuit OPL se réalise toujours suivant le même schéma : il faut tout d'abord afficher le numéro du registre OPL sur le port d'adresse du circuit OPL, c'est-à-dire sur le port 388h ou le port <Adresse de base SB + 0>.

Si vous devez programmer directement en langage machine sans utiliser des fonctions de langage évolué pour accéder à ce port, vous devez dans ce cas ménager une courte pause car le circuit OPL nécessite 3,3 microsecondes pour activer en interne l'accès au registre demandé. 3,3 microsecondes ne représentaient pas grand-chose dans le monde des microprocesseurs de sorte qu'on se permettait d'omettre sans hésitation une commande d'attente (NOP). Mais eu égard à la vitesse de plus en plus croissante des machines, on rencontre déjà des situations où un logiciel de traitement de son tombe soudain en panne dans un ordinateur rapide pour la bonne raison qu'il n'a pas pris en compte ce délai d'attente.

Une méthode intelligente pour contourner ce désagrément consiste à lire impérativement le port après l'avoir décrit. Même si le résultat obtenu n'est pas des plus éloquents, il s'écoule suffisamment de temps pour s'assurer que le circuit OPL est totalement d'accord avec le chemin interne menant au registre voulu. Ce registre peut être décrit à l'étape suivante. On inscrit donc la valeur souhaitée sur le port de données du circuit OPL c'est-à-dire sur le port 389h ou sur le port <Adresse de base SB + 1>.

Définir une courte pause avant d'autoriser le prochain accès au port de données devient une nécessité absolue après un accès au port de données, encore plus que lors d'un accès au port d'adresse. Il faut savoir que le circuit OPL nécessite environ 23 microsecondes pour inscrire la nouvelle valeur dans le registre souhaité.

Les ports d'adresse et de données permettent en fait d'adresser sans difficulté les registres OPL mais quant à savoir ce que le composant a pu avaler, cela reste un mystère. La lecture des registres OPL n'est pas en effet autorisée. A première vue, cela ne présente aucun danger grave puisque le circuit OPL ne renferme pas de registre d'état qui fournit par exemple à un programme des informations intéressantes pendant l'exécution.

Mais le problème surgit au niveau de quelques registres OPL internes qui attendent toutes sortes de paramètres sous forme de bits groupés. Tel est par exemple le cas du registre 60h qui permet de définir les paramètres attaque et décroissance de l'enveloppe nécessaires à la cellule d'oscillateur 0. Quelle attitude prendre pour changer dans ce cas l'un des paramètres sans toucher à l'autre ? Il n'est même pas possible de lire le registre pour connaître la valeur du paramètre à préserver.

Une technique s'est établie dans ce contexte pour parer à cette lacune. Connue sous l'appellation de mémoire shadow, elle peut être implémentée dans d'autres situations analogues. Le point de mire de cette technique est représenté par un tableau où on conserve le contenu en cours de tous les registres non lisibles. Dans le cas du circuit OPL, ce registre doit renfermer 256 octets sachant que le composant fournit 120 registres dont les adresses sont stockées sur toute la zone allant de 0 à 255. Le remplissage de ce tableau se fait à l'aide d'une routine centrale pour l'accès aux registres. Donnons-lui le nom *SB_Write*. Il est important maintenant qu'un programme utilise la fonction *SB_Write* pour réaliser tous les accès à l'un des registres. *SB_Write* ne se contente pas d'inscrire la valeur dans le registre voulu mais elle la reporte simultanément dans le tableau shadow. Le programme est ainsi mis au courant du contenu actuel du registre concerné.

Pour modifier des bits isolés dans un registre, il suffit de lire son contenu en cours dans le tableau shadow, changer la valeur des bits concernés, écrire le nouveau contenu dans le circuit OPL à l'aide de *SB_Write* et l'enregistrer en même temps dans le tableau shadow. Et pour que ce tableau shadow indique effectivement le contenu actualisé des registres OPL au démarrage du programme, on commence généralement par initialiser les registres - y compris le tableau entier - avec la valeur 0. L'émission du son est ainsi désactivée et le circuit OPL parfaitement réinitialisé car toutes les valeurs par défaut affichent 0 dans les registres OPL. Les programmes fournis à la fin de cette section mettent en évidence cette théorie. Mais revenons à la définition des cellules d'oscillateur.

Registres des cellules d'oscillateur

Les paramètres des cellules d'oscillateur sont répartis entre cinq registres de base cités dans le tableau suivant. Certains de ces registres attendent plusieurs paramètres. Leur structure sera décrite dans les paragraphes qui suivent.

Les adresses mentionnées dans le tableau ne concernent que la cellule d'oscillateur 0. Pour les autres cellules, il faut ajouter un offset à l'adresse concernée. Cet offset découle du second tableau. Cette addition donne le numéro du registre qui servira à définir les paramètres d'une cellule donnée.

Registre de base	Contenu
20h	Facteur de multiplication, réduction, type de l'enveloppe, vibrato, tremolo
40h	Facteur d'atténuation, Atténuation des aigus
60h	Enveloppe : Attack, Decay
80h	Enveloppe : Sustain, Release
E0h	Forme de l'onde
	Registres de base pour la définition des cellules d'oscillateur

Cellule d'oscillateur	Offset	Cellule d'oscillateur	Offset
0	00h	9	0Bh
1	01h	10	0Ch
2	02h	11	0Dh
3	03h	12	10h
4	04h	13	11h
5	05h	14	12h
6	08h	15	13h
7	09H	16	14h
8	0Ah	17	15h
Offsets des registres pour la définition des cellules d'oscillateur			

D'après le tableau précédent, l'offset de la cellule d'oscillateur 10 vaut par exemple 0Ch. Si on veut maintenant définir les paramètres attack et decay de l'enveloppe, on doit ajouter l'offset 0Ch à l'adresse de base 60h de ce registre. On arrive ainsi au registre 6Ch dans lequel il convient de stocker la définition. L'affectation entre les cellules d'oscillateur n'est pas du tout le fait du hasard. Elle s'effectue suivant une formule mathématique n'intervenant aucunement dans la programmation des cellules. Pour déterminer un offset, on définit dans le programme un tableau statique devant stocker les offsets des cellules d'oscillateur. Pour accéder à l'une de ces cellules, on utilise le numéro de cellule en tant qu'index dans ce tableau et on obtient l'adresse d'offset à laquelle on ajoute l'adresse de base pour parfaire la définition.

Voici un aperçu de la structure exacte des registres servant à définir les cellules d'oscillateur :

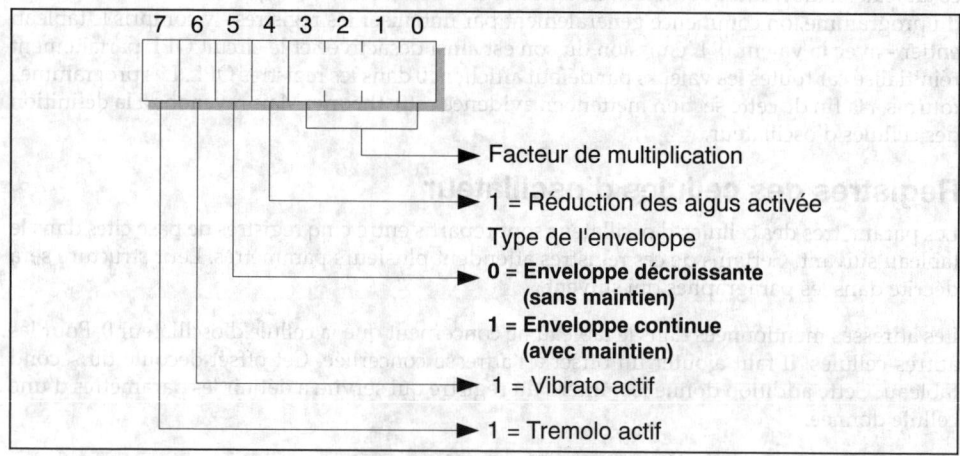

Structure du registre de base 20h

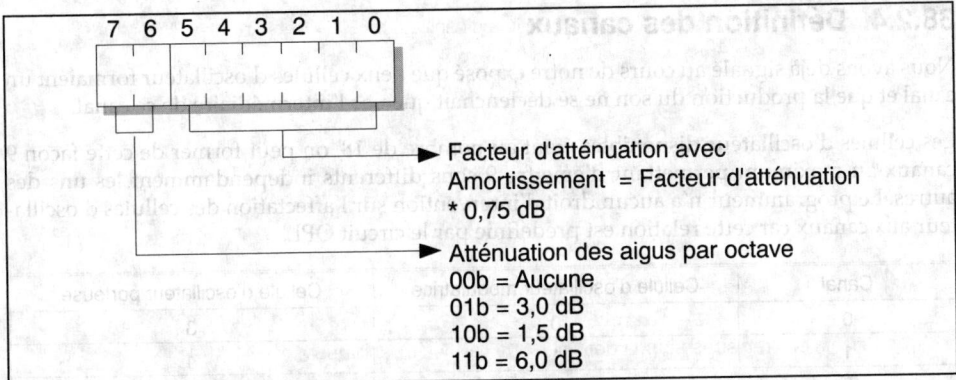

Structure du registre de base 40h

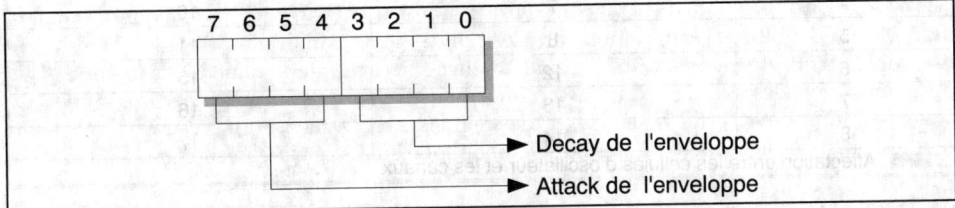

Structure du registre de base 60h

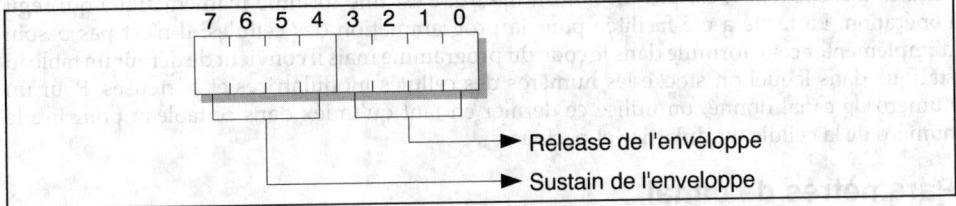

Structure du registre de base 80h

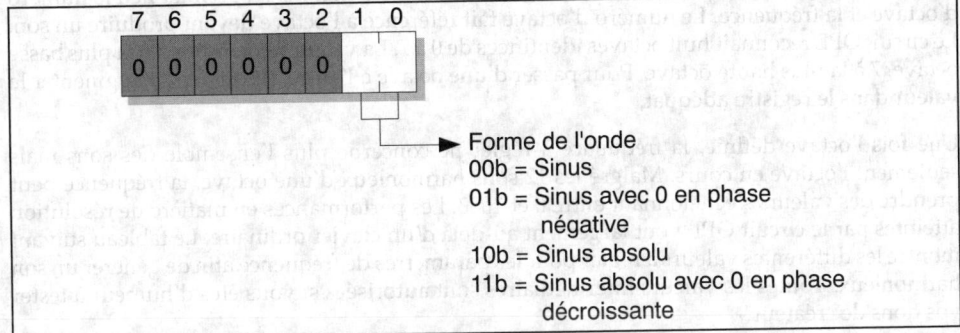

Structure du registre de base E0h

38.2.4. Définition des canaux

Nous avons déjà signalé au cours de notre exposé que deux cellules d'oscillateur formaient un canal et que la production du son ne se déclenchait que par l'intermédiaire de ce canal.

Les cellules d'oscillateur disponibles étant au nombre de 18, on peut former de cette façon 9 canaux au maximum permettant d'émettre 9 sons différents indépendamment les uns des autres. Le programmeur n'a aucun droit d'intervention sur l'affectation des cellules d'oscillateur aux canaux car cette relation est prédéfinie par le circuit OPL.

Canal	Cellule d'oscillateur modulatrice	Cellule d'oscillateur porteuse
0	0	3
1	1	4
2	2	5
3	6	9
4	7	10
5	8	11
6	12	15
7	13	16
8	14	17

Affectation entre les cellules d'oscillateur et les canaux

La même règle que celle énoncée pour le calcul des offsets utilisé par les registres des cellules d'oscillateur s'applique également dans ce contexte. L'affectation entre un canal et ses deux cellules d'oscillateur n'est pas un fait du hasard, c'est une formule mathématique qui régit l'opération. La tâche a été facilitée pour la programmation des cellules. Il n'est pas besoin d'implémenter cette formule dans le code du programme mais il convient de définir un tableau statique dans lequel on stocke les numéros des cellules modulatrices et porteuses. Pour un numéro de canal donné, on utilise ce dernier en tant qu'index dans ce tableau pour lire le numéro de la cellule modulatrice et porteuse.

Paramètres de canal

5 paramètres différents peuvent ou doivent être définis par canal. Ils déterminent le son à générer ainsi que la fonctionnalité des cellules d'oscillateur. Citons en premier lieu le numéro d'octave et la fréquence. Le numéro d'octave fait référence à l'octave devant produire un son. Le circuit OPL reconnaît huit octaves identifiées de 0 à 7. La valeur 0 correspond à la plus basse octave, 7 à la plus haute octave. Pour passer d'une octave à l'autre, il convient d'augmenter la valeur dans le registre adéquat.

Une fois l'octave définie, la fréquence à régler ne concerne plus l'ensemble des sons mais seulement l'octave en cours. Malgré les 12 sons harmonieux d'une octave, la fréquence peut prendre des valeurs s'échelonnant entre 0 et 1023. Les performances en matière de résolution atteintes par le circuit OPL vont largement au-delà d'un clavier ordinaire. Le tableau suivant montre les différentes valeurs à régler pour les paramètres de fréquence afin de générer un son harmonieux. Toutes les valeurs intermédiaires sont autorisées si vous êtes d'humeur à tester vos dons de créateur.

Son	Valeur du paramètre de fréquence	Fréquence en hertz
C#	363	277,2
D	385	293,7
D#	408	311,1
E	432	329,6
F	458	349,2
F#	485	370,0
G	514	392,0
G#	544	415,3
A	577	440,0
B	611	466,2
H	647	493,9
C	686	523,3
Réglages des paramètres de fréquence d'un canal		

En plus de ces deux paramètres, le canal permet de définir la relation entre les deux cellules d'oscillateur correspondantes. Comme vous le savez maintenant, l'imbrication entre deux cellules d'oscillateur constitue la pierre fondamentale de la synthèse FM. La synthèse entre les deux cellules peut en outre être activée par addition pour générer deux oscillations superposées. Bien que ce procédé joue un rôle moins important que la synthèse FM, il n'en reste pas moins que c'est une méthode permettant de créer d'intéressants sons et effets.

Ce n'est qu'au niveau des cellules de l'onde modulatrice d'un canal qu'on peut autoriser une rétroaction : la cellule d'oscillateur vient ajouter une part plus ou moins importante de son signal de sortie au signal d'entrée du temps. Une valeur de 0 à 7 indique l'intensité de cette rétroaction où la valeur par défaut 0 désactive la rétroaction.

Il est difficile de décrire les effets acoustiques d'une telle rétroaction. Il vaut donc mieux s'en tenir ici, comme dans le cas de bien d'autres paramètres, à la règle de base élémentaire : l'expérience approfondit le savoir. Les exemples fournis à la fin de cette section vous procurent une bonne base de départ. Dernière remarque avant la fin : un son peut être activé et désactivé à l'aide d'un paramètre de canal. En d'autres termes, les cellules d'oscillateur sont mises en éveil ou mieux, elles démarrent leur travail. Les paragraphes suivants montrent comment les paramètres peuvent être réglés concrètement à l'aide des registres OPL.

Réglage des paramètres de canal

Au même titre que les cellules d'oscillateur, la définition des paramètres du canal se réalise à l'aide de quelques registres de base auxquels il faut ajouter un offset requis par le canal voulu. Contrairement aux cellules d'oscillateur, l'offset n'a pas besoin d'être reporté dans un tableau car le numéro de canal représente lui-même l'offset. Pour programmer par exemple le canal 7, il suffit d'ajouter 7 à l'adresse de base des registres du canal. Les cinq paramètres de canal figurent dans trois registres de base aux adresses A0h, B0h et C0h. Le seul et unique paramètre, la fréquence, doit être réparti entre deux registres car la représentation de son intervalle de valeurs (0-1023) nécessite 10 bits. Un seul registre ne suffit pas.

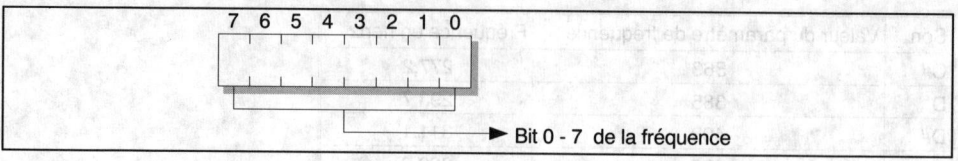

Structure du registre de base A0h

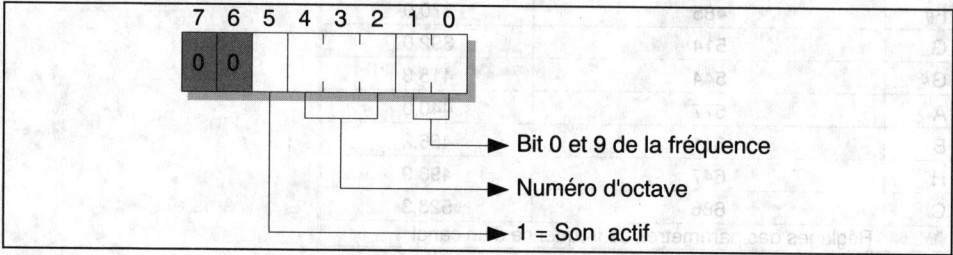

Structure du registre de base B0h

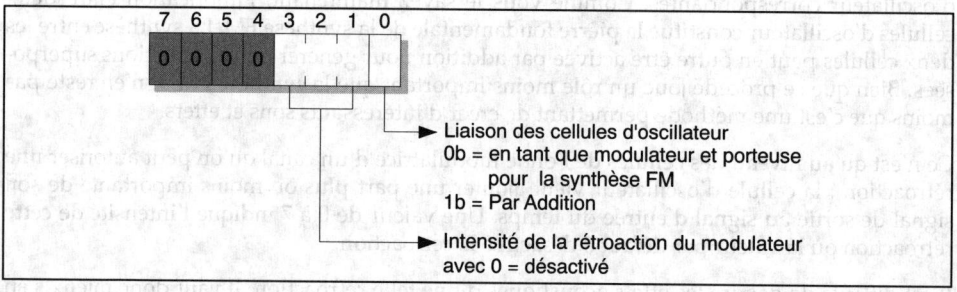

Structure du registre de base C0h

Mode percussion

A côté du mode mélodique doté de neuf sons indépendants (disons canaux), le circuit OPL fournit un second mode équipé de seulement six sons indépendants mais où apparaissent cinq instruments à percussion. La plupart des jeux accompagnés d'un son opèrent dans ce mode. Tout comme l'activation des instruments à percussion, la mise en oeuvre de ce mode rythme se fait par le registre OPL BDh. Là, c'est le bit 5 qui assure la commutation entre les deux modes.

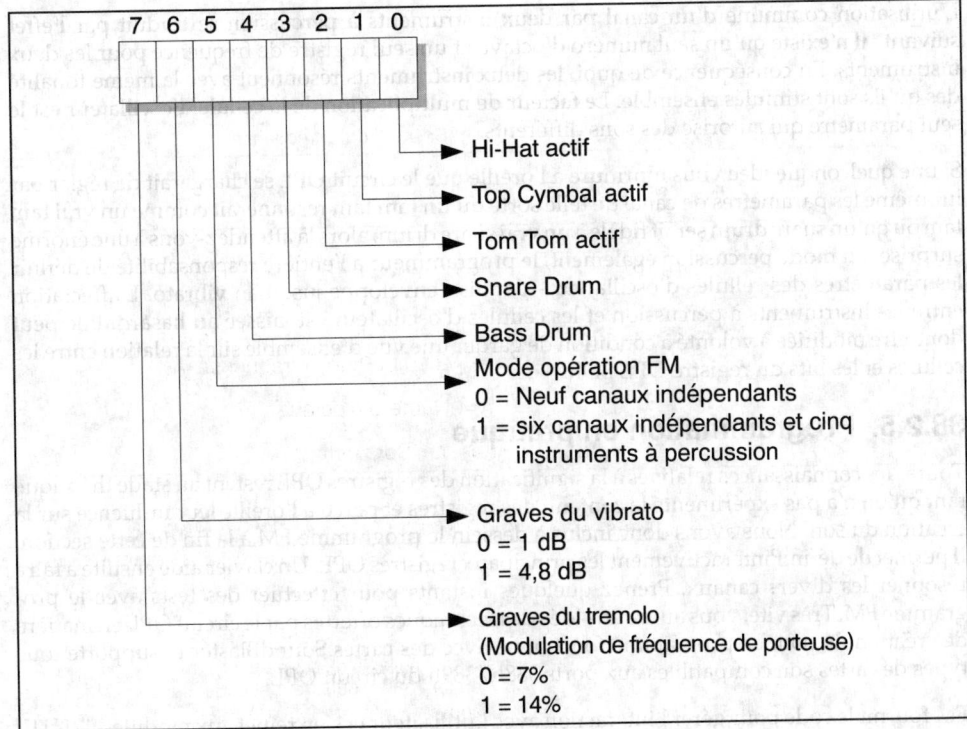

Structure du registre OPL BDh permettant d'activer le mode percussion

La figure montre que ce registre contient également les deux réglages concernant les sons graves du tremolo et du vibrato. Ils influent en général sur toutes les cellules d'oscillateur où les effets tremolo et vibrato sont activés.

Mais revenons au mode percussion. Le tableau suivant énumère les instruments disponibles en mode percussion en indiquant les cellules d'oscillateur et les canaux adéquats.

Instrument	Cellule d'oscillateur	Canal
Bass Drum	12 + 15	6
Hi Hat	13	7
Tom Tom	14	8
Snare Drum	16	7
Top Cymbal	17	8
Instruments à percussion en mode percussion, leurs cellules d'oscillateur et les canaux correspondants		

Par rapport au mode standard, aucun changement n'est intervenu dans ce mode en ce qui concerne l'affectation entre les canaux et les cellules d'oscillateur. La seule différence est que le bass drum peut exceptionnellement s'accaparer deux cellules d'un canal. C'est aussi la raison pour laquelle la création du son des instruments à percussion nécessite d'être activée par le bit approprié du registre OPL BDh et non par le canal concerné. Dans le cas des instruments à percussion, il faut notamment que le bit activé/désactivé se trouve sur 0 pour que ces instruments génèrent un son.

L'utilisation commune d'un canal par deux instruments à percussion se traduit par l'effet suivant : il n'existe qu'un seul numéro d'octave et un seul registre de fréquence pour les deux instruments. En conséquence de quoi, les deux instruments résonnent avec la même tonalité dès qu'ils sont stimulés ensemble. Le facteur de multiplication de la cellule d'oscillateur est le seul paramètre qui autorise des sons différents.

Si une quelconque idée vous murmure à l'oreille que le circuit OPL se chargerait de régler par lui-même les paramètres de canal de telle sorte qu'un tam tam résonnerait comme un vrai tam tam ou qu'un snare drum serait fidèle à un vrai snare drum, alors là attendez-vous à une énorme surprise. En mode percussion également, le programmeur a l'entière responsabilité de définir les paramètres des cellules d'oscillateur - depuis l'enveloppe jusqu'au vibrato. L'affectation entre les instruments à percussion et les cellules d'oscillateur est laissée au hasard. Elle peut donc être modifiée à volonté à condition de garder une vue d'ensemble sur la relation entre les cellules et les bits du registre OPL BDh.

38.2.5. **Programmation en pratique**

Toutes les connaissances relatives à la signification des registres OPL restent au stade théorique tant qu'on n'a pas expérimenté le contenu des registres et perçu à l'oreille leur influence sur la création du son. Nous avons donc inclus à dessein le programme FM à la fin de cette section. Il permet de définir interactivement les principaux registres OPL. Un clavier aide ensuite à faire résonner les divers canaux. Prenez quelques instants pour effectuer des tests avec le programme FM. Très vite, vous aurez une idée des techniques offertes par le circuit OPL en matière de création du son. Le programme fonctionne avec des cartes SoundBlaster et supporte tous types de cartes son compatibles aux ports 388h/389h du circuit OPL.

FM fournit le code pour gérer l'interaction avec l'utilisateur et s'en remet aux modules SBUTIL et FMUTIL en ce qui concerne le contrôle de la carte son. Les deux modules sont pourvus de fichiers include devant être intégrés par un programme susceptible d'accéder à la fonctionnalité des modules. Vous aurez l'occasion de rencontrer souvent SBUTIL au cours de ce chapitre car il renferme des routines fondamentales pour la programmation des cartes SoundBlaster. Quant à FMUTIL, il est destiné spécialement à la programmation du circuit OPL.

Fonction	Description
sb_GetEnviron	Initialise la structure SBBase en fonction des variables d'environnement de la SoundBlaster
sb_Print	Affiche la structure SBBase
sb_LoadDriver	Charge le driver Soundblaster
sb_UnloadDriver	Enlève de la mémoire le driver Soundblaster
Les fonctions du module SBUTIL	

Par la structure SBBase évoquée dans le contexte des fonctions *sb_GetEnviron* et *sb_Print* il faut sous-entendre la structure de données de même nom déclarée dans le fichier include SBUTIL.H. Un appel de *sb_GetEnviron* permet de mémoriser les principaux paramètres concernant la carte SoundBlaster installée. Toutes les fonctions de SBUTIL et FMUTIL accédant directement à un registre de la carte SoundBlaster font référence à l'adresse de port de la carte provenant de cette structure. Un appel de *sb_GetEnviron* doit donc figurer en début de tout travail portant sur ces deux modules.

Et pour que le module FMUTIL dispose aussi de cette information, il faut que la première fonction appelée dans ce module soit *fm_SetBase*. Elle attend une structure SBBase qui a été remplie auparavant par un appel de *sb_GetEnviron*.

Fonction	Description
fm_SetBase	Remplit les routines avec la structure SBBase
fm_Write	Ecrit la valeur dans un registre OPL
fm_WriteBit	Efface/Définit un bit isolé dans un registre OPL
Reset_Card	Réinitialise tous les registres OPL
fm_GetChannel	Lit le numéro de canal d'un oscillateur
fm_GetModulator	Lit le numéro de modulateur d'un canal
fm_GetCarrier	Lit le numéro d'oscillateur d'un canal
fm_SetOszilator	Définit les paramètres d'une cellule d'oscillateur
fm_SetModulator	Définit tous les paramètres du modulateur
fm_SetCarrier	Définit tous les paramètres d'une porteuse
fm_SetChannel	Définit tous les paramètres d'un canal
fm_PlayChannel	Active ou désactive un canal
fm_SetCard	Définit les effets tremolo et vibrato de tous les canaux
fm_PollTime	Délai d'attente
fm_PlayHiHat	Active ou désactive Hi Hat
fm_PlayTopCymbal	Active ou désactive Top Cymbal
fm_PlayTomTom	Active ou désactive Tom Tom
fm_PlaySnareDrum	Active ou désactive Snare Drum
fm_PlayBassDrum	Active ou désactive Bass Drum
fm_PercussionMode	Commute entre le mode mélodique standard et le mode percussion

Les fonctions du module FMUTIL

Les fonctions de FMUTIL permettent de contrôler tous les aspects de la synthèse FM depuis le réglage d'un registre jusqu'au chargement complet d'une cellule d'oscillateur.

FMUTIL utilise la technique (déjà décrite) d'un tableau shadow -ici sous forme de la variable *mirror*- pour mémoriser le contenu actuel des registres OPL.

Notez que le contenu des registres OPL ne peut être préservé que si vous utilisez exclusivement les fonctions FMUTIL *fm_Write* et *fm_WriteBit* pour accéder aux registres OPL.

Des accès directs aux registres OPL, en faisant fi de ces fonctions, risquent de créer des discordances entre le contenu du tableau shadow et le contenu réel des registres.

Il y a de fortes chances qu'un nouvel appel de *fm_WriteBit* génère alors des valeurs erronées dans le registre concerné.

SBUTIL.H	SBUTIL.C	SBUITL.PAS
FMUTIL.H	FMUTIL.C	FMUTIL.PAS
FM.C	FM.PAS	

38.3. Echantillonnage

L'échantillonnage est une technique qui transforme le PC en un studio musical numérique par l'intervention d'une carte son. On peut enregistrer sur disque dur, en qualité CD, les séquences son d'un micro, d'une chaîne hi-fi ou d'un lecteur CD-ROM pour ensuite les écouter sans que la qualité du son ne soit en rien altérée. La technique utilisée ici est similaire à celle implémentée dans un studio pour enregistrer d'abord un CD audio qui est ensuite écouté - chez le consommateur -.

Globalement, l'échantillonnage consiste à convertir des données numériques en signaux analogiques ou inversement des signaux analogiques en données numériques. Lors de l'enregistrement, la carte son reçoit le signal acoustique analogique qu'elle convertit en échantillons numériques. Ici s'effectue donc une conversion analogique/numérique. Lors de la restitution des sons, l'opération est inversée de telle sorte que le flux de données numériques des échantillons est reconverti en signaux analogiques.

Quant à savoir si le résultat de la conversion analogique/numérique est fidèle au signal analogique d'origine, cela dépend de la fréquence d'échantillonnage et de sa qualité (taille d'échantillonnage).

L'idéal serait que le signal analogique continue d'enregistrer son cycle à chaque instant t mais c'est une opération vaine qui ferait perdre à la longue beaucoup d'espace mémoire. Au lieu de cela, un nombre précis d'échantillons est extrait par seconde ce qui signifie que le signal analogique en cours est converti et enregistré cycliquement en une valeur numérique à intervalles réguliers.

Plus cette opération se répétera et plus petit sera l'écart entre les échantillons. Le cycle du signal analogique sera d'autant plus précis sans compter la haute qualité d'enregistrement qui sera atteinte. L'unité de mesure dans ce domaine est la fréquence d'échantillonnage du CD audio qui s'élève ici à 44,1 Khz. Autrement dit, 44100 échantillons sont préparés par seconde ce qui correspond à la célèbre qualité de son restituée par les CD audio.

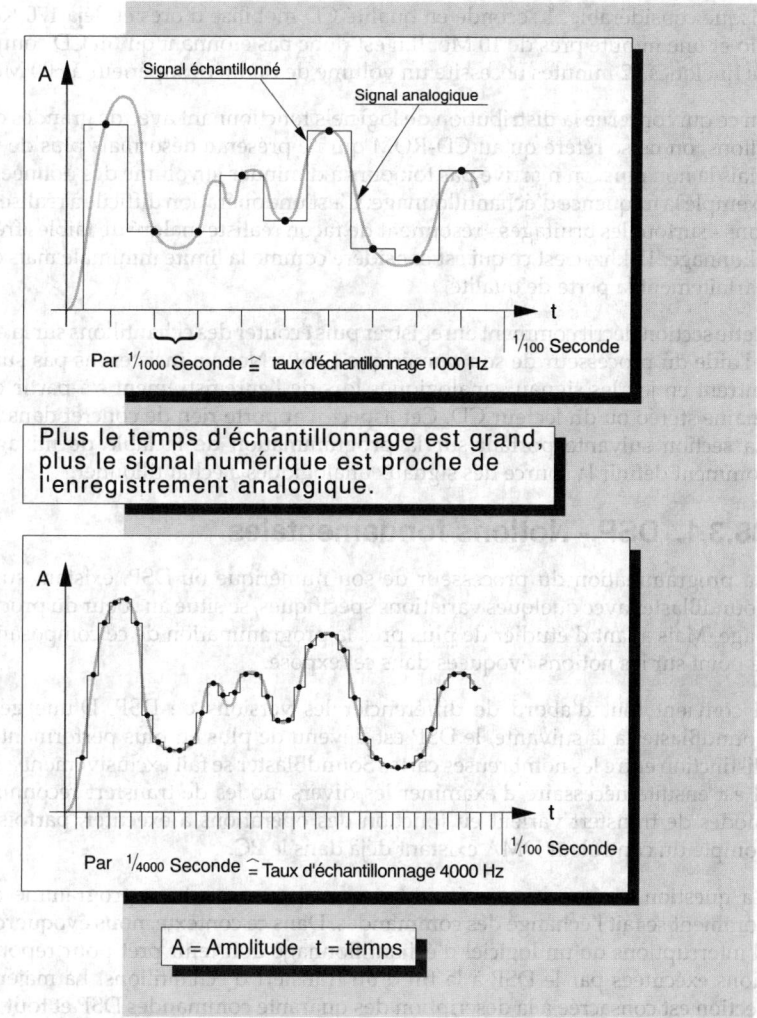

Echantillons de signaux

La fréquence d'échantillonnage n'est pas le seul paramètre déterminant la qualité d'un enregistrement numérique. La taille des échantillons joue un rôle encore plus décisif. Il faut sous-entendre par là la reproduction des signaux acoustiques analogiques en un champ de valeurs numériques. En qualité CD, on enregistre en 16 bits ce qui permet de différencier 65536 volumes acoustiques. Avec une qualité plus faible - en général de 8 bits - le champ de valeurs se réduit de 256 fois pour donner un résultat à peine audible à l'oreille.

Quelles sont les moyens offerts par l'échantillonnage au programmeur et au possesseur d'une carte son ? Tout d'abord, la possibilité d'enregistrer n'importe quel son, de le modifier avec des outils appropriés et de les restituer dans ses programmes (par exemple dans des jeux).

Bref, des sons de loin beaucoup plus réels que ceux générés par un synthétiseur tel que le circuit OPL. C'est là l'atout majeur de l'échantillonnage par rapport à la création synthétique du son. Mais au même endroit se cache un gros inconvénient. L'échantillonnage requiert un espace

disque considérable. 1 seconde en qualité CD mobilise d'ores et déjà 170 Ko, 10 secondes 1,7 Mo et une minute près de 10 Mo. Il n'est donc pas étonnant qu'un CD complet avec sa durée de quelques 72 minutes nécessite un volume de données supérieur à 600 Mo.

En ce qui concerne la distribution de logiciels fonctionnant avec de grandes quantités d'échantillons, on ne se réfère qu'au CD-ROM qui ne présente désormais plus de problème majeur. Mais là non plus, on n'arrive pas toujours à diminuer le volume des données en réduisant par exemple la fréquence d'échantillonnage. C'est une opération difficile à réaliser car de nombreux sons - surtout les bruitages - résonnent de façon réaliste malgré de faibles fréquences d'échantillonnage. 12 khz, c'est ce qui est considéré comme la limite minimale mais où l'oreille perçoit parfaitement la perte de qualité.

Cette section décrit comment enregistrer puis écouter des échantillons sur la carte SoundBlaster à l'aide du processeur de son numérique (DSP). Nous n'insisterons pas sur les situations où entrent en jeu les signaux analogiques lors de l'enregistrement - à partir d'un micro, d'une chaîne stéréo ou du lecteur CD. Cet aspect n'apporte rien de concret dans le contexte actuel. La section suivante portant sur la programmation de la table de mixage vous montrera comment définir la source des signaux analogiques à échantillonner.

38.3.1. DSP - Notions fondamentales

La programmation du processeur de son numérique ou DSP, existant sur toutes les cartes SoundBlaster avec quelques variations spécifiques, se situe au coeur du procédé d'échantillonnage. Mais avant d'étudier de plus près la programmation de ce composant, faisons d'abord le point sur les notions évoquées dans cet exposé.

Il convient tout d'abord de différencier les versions de DSP. D'une génération de carte SoundBlaster à la suivante, le DSP est devenu de plus en plus performant à tel point que la distinction entre les nombreuses cartes SoundBlaster se fait exclusivement à l'aide de leur DSP. Il est ensuite nécessaire d'examiner les divers modes de transfert reconnus par le DSP. Les modes de transfert varient en fonction des opérations à exécuter, parfois même sans tenir compte du contrôleur DMA existant déjà dans le PC.

La question à résoudre ensuite est de savoir comment un programme accède au DSP et comment se fait l'échange des commandes. Dans ce contexte, nous évoquerons le gestionnaire d'interruptions qu'un logiciel d'échantillonnage doit tenir prêt pour répondre aux interruptions exécutées par le DSP à la fin d'un transfert d'échantillons. La majeure partie de cette section est consacrée à la description des quarante commandes DSP et tout ce qui les entoure. Avant d'écouter ou lire un échantillon, il faut savoir que le DSP a eu le temps de programmer toute une légion de registres.

Les différentes versions de DSP

La différence entre les membres de la famille SoundBlaster s'articule autour des nombreuses versions de DSP qui sont utilisées. A vrai dire, l'interrogation du numéro de version de DSP représente pour un programme la seule méthode permettant de connaître la version de la carte SoundBlaster installée. Le paragraphe intitulé *Déterminer la version de DSP* montre la mise en pratique de cet énoncé. Commençons ici par examiner les différentes versions de DSP et les cartes dans lesquelles on peut les rencontrer.

Carte	Version de DSP
SBMCV (SoundBlaster pour MCA)	1.xx - 2.00
SB 2.0	2.01+
SBPRO	3.xx
SBPRO MCV (SoundBlaster Pro pour MCA)	3.xx
SB 16	4.xx
SB 16 ASP (Advanced Signal Processor)	4.xx
▓▓▓ Chaque génération de la famille SoundBlaster dispose de son propre DSP	

Tout a commencé avec les cartes SoundBlaster et SoundBlaster 1.5 qui sont aujourd'hui communément désignées par SoundBlaster 1.5. Sur ces cartes, on rencontre les versions 1.xx et 2.0 du DSP. Techniquement, il n'existe pas de différences entre les versions 1.xx et c'est le cas également des versions dont le numéro principal est 3 ou 4. La SoundBlaster 2.0 est équipée d'un DSP dont le numéro de version principale est 2 mais le numéro de sous-version vaut au moins 01 car un pas important a été franchi entre 2.0 et 2.01 avec l'introduction du mode high speed. Malgré l'apparition de la version 3.xx, cette dernière a été très vite surpassée par la quatrième version du DSP. Nous en reparlerons plus loin.

Sur la SoundBlaster Pro et sa consoeur destinée au bus MCA, on rencontre un DSP avec un numéro de version principale 3. Quant à la SB 16 et ses extensions, elles fonctionnent avec la version de DSP la plus moderne actuellement, c'est-à-dire la version 4.xx.

Les principales différences à relever entre les versions de DSP reposent sur la vitesse et la taille de l'échantillonnage. La vitesse sous-entend le nombre d'échantillons enregistrés ou restitués par seconde. Quant à la taille, il s'agit de la qualité entre le signal analogique d'origine et son reflet numérisé.

Plus cette taille est élevée et plus affinées seront les différences d'enregistrement d'un échantillon à l'autre et d'autant plus excellente sera la qualité du son. Le maître mot de toute l'opération est ce qu'on appelle la qualité CD, c'est-à-dire la taille et la vitesse procurés lors de l'écoute d'un CD audio. Ramené à une simple formule, cela donne 16 bits, stéréo, 44,1 khz.

Cela signifie que 44100 échantillons sont joués par seconde en 16 bits tant sur le canal de gauche que sur celui de droite. Du point de vue informatique, on atteint ainsi une fréquence de 170 Ko par seconde (44100 échantillons par seconde * 2 octets par échantillon * 2 canaux). Les deux tableaux suivants montrent qu'une qualité de ce niveau lors de l'enregistrement et lors de la restitution ne peut être atteinte qu'à partir de la version 4 du DSP.

Vous devez par conséquent renoncer à cette qualité si vous disposez d'une version antérieure à SB 16.

Version de DSP	Mono/Stéréo	High Speed	Taille	Fréquence
Tous les DSP	Mono		8 bits/4 bits ADPCM*	4000-12000 Hz
	Mono		8 bits /3bits ADPCM	4000-13000 Hz
	Mono		8 bits/2 ADPCM	4000-11000 Hz
1.xx et 2.00	Mono		8 bits	4000-23000 Hz
2.01+	Mono		8 bits	4000-23000 Hz
	Mono	Oui	8 bits	23000-44100 Hz
3.xx	Mono		8 bits	4000-23000 Hz
	Mono	Oui	8 bits	23000-44100 Hz
	Stéréo	Oui	8 bits	11025-22050 Hz
4.xx	Mono		8 bits	5000-44100 Hz
	Mono		16 bits	5000-44100 Hz
	Stéréo		8 bits	5000-44100 Hz
	Stéréo		16 bits	5000-44100 Hz

**** ADPCM = Adaptive Delta Pulse Code Modulation
▓▓▓ Fréquences d'échantillonnage des DSP en écoute

Version de DSP	Mono/Stéréo	High Speed	Taille	Fréquence
1.xx et 2.00	Mono		8 bits	4000-13000 Hz
2.01+	Mono		8 bits	4000-13000 Hz
	Mono	Oui	8 bits	13000-15000 Hz
3.xx	Mono		8 bits	4000-23000 Hz
	Mono	Oui	8 bits	23000-44100 Hz
	Stéréo	Oui	8 bits	11025-22050 Hz
4.xx	Mono		8 bits	5000-44100 Hz
	Mono		16 bits	5000-44100 Hz
	Stéréo		8 bits	5000-44100 Hz
	Stereo		16 bits	5000-44100 Hz

▓▓▓ Fréquences d'échantillonnage des DSP en enregistrement

High Speed signifie le mode high speed que nous aurons l'occasion de rencontrer dans les paragraphes suivants à propos des modes de transfert des DSP. Les versions 2.01+ et 3.xx ont pu atteindre une fréquence d'échantillonnage plus élevée que leurs prédécesseurs mais cette performance se situe déjà loin derrière comparée au mode high speed dans lequel fonctionne la quatrième version. La fréquence d'échantillonnage mise en oeuvre dans ce mode n'a rien à envier à la qualité CD.

Modes de transfert du DSP

Le DSP opère en cinq modes d'échantillonnage implémentés selon la tâche à accomplir. Parmi ces modes, quatre accèdent au contrôleur DMA pour échanger des données entre la mémoire principale et le DSP. L'un des modes est exploité par le DSP en procédé polling. L'atout majeur des modes DMA réside dans l'exécution automatique du transfert de données entre le contrôleur DMA et le DSP, le tout en tâche de fond, pendant que le CPU est occupé à remplir d'autres obligations. Le CPU est mis au courant de la fin du transfert par une interruption déclenchée par le DSP.

Mode direct

En Mode direct, le DSP est exploité selon le procédé polling c'est-à-dire que le logiciel parvient manuellement à jouer des octets PCM ou lire un octet PCM. La vitesse à laquelle se déroule cette opération détermine la fréquence d'échantillonnage. Dans ce mode, le DSP ne manipule que des échantillons 8 bits non signés. Pour obtenir une fréquence d'échantillonnage constante, on intègre généralement la sortie ou la lecture des échantillons dans une routine d'interruption dépendant du timer.

L'avantage du mode direct réside dans sa relative simplicité à convertir, ce qui permet d'éviter la programmation du contrôleur DMA. Par ailleurs, la fréquence d'échantillonnage n'est pas limitée par le bas alors qu'elle l'est par le haut. En raison du contrôle du DSP exercé pour chaque échantillon unique, il devient impossible d'atteindre une fréquence d'échantillonnage équivalente à celle procurée par les autres modes utilisant le transfert DMA. On n'obtient en aucun cas la qualité CD dans ce mode. On ne peut franchir les 15000 Hz compte tenu de la vitesse du PC.

Mode DMA Single Cycle

Dans ce mode, l'échange entre le DSP et la mémoire principale s'effectue à travers le contrôleur DMA. Il faut programmer séparément le contrôleur DMA et le DSP pour chaque bloc d'échantillons à transférer. Eu égard aux restrictions imposées par le contrôleur DMA, un tel bloc peut atteindre au maximum 64 Ko ou 128 Ko si on accède à l'un des canaux DMA 16 bits. Le bloc de données entier doit en plus tenir dans une page mémoire de 64 Ko (ou dans une page de 128 Ko dans le cas d'un canal DMA 16 bits). Le DSP déclenche une interruption pour annoncer la fin de l'échange. Ce mode convient pour transférer un seul bloc d'échantillons entre la mémoire principale et le DSP et vice versa.

Dans ce mode, comme dans tous les autres modes de transfert DMA, le DSP peut manipuler des échantillons 8 et 16 bits ainsi que des échantillons ADPCM.

Mode DMA Auto Initialize

Ce mode met à profit la technique du contrôleur DMA qui consiste à s'initialiser (mode *auto init*) automatiquement avec l'adresse de début initiale et la longueur de bloc en fin d'exécution d'un transfert. Avec un bon logiciel, il devient possible de traiter des échantillons de n'importe quelle longueur et convertir le disque dur en un lecteur DAT digne de ce nom. Ce n'est que dans ce mode que le logiciel peut culminer à une vitesse d'échange de 170 Ko par seconde qui s'avère indispensable pour réaliser des échantillons en qualité CD c'est-à-dire en stéréo 16 bits et avec une fréquence d'échantillonnage de 44,1 Khz. Tel n'est pas le cas en mode *single cycle* où il faut sans cesse reprogrammer le DSP et le DMA. La technique logicielle implémentée pour surmonter le mode *DMA auto initialize* s'appelle *double buffering*. La section suivante décrira plus en détail cette technique.

Lorsque le DSP se trouve en mode *DMA auto initialize*, le logiciel ne dispose que de deux méthodes pour stopper l'échange de données permanent :

◯ Envoyer une commande au DSP l'autorisant à exécuter un transfert en mode *single cycle*. Bien que le DSP mènera le transfert en cours jusqu'au bout, il quitte malgré tout ce mode en exécutant le transfert en mode *single cycle* comme il a été demandé.

◯ Envoyer au DSP une commande *exit auto initialize*. Ici également, le DSP achèvera le transfert en cours pour quitter ensuite le mode *auto initialize*.

Mode DMA High Speed

Pour satisfaire des demandes de fréquence encore plus élevées que celles accessibles en mode *auto initialize*, les versions DSP 2.01+ et 3.xx font entrer en jeu le mode *DMA high speed*. Dans ce mode, les transferts *single cycle* et *auto initialize* ne sont exécutables que pour des échantillons 8 bits mono et stéréo. La principale différence avec le mode *auto initialize* repose sur le principe qui fait que le mode *high speed* ne peut plus être terminé par l'envoi d'une commande au DSP. Seul un reset complet peut mettre fin à ce mode sachant que le transfert en cours sera mené en bonne et due forme jusqu'au bout. En pratique, ce mode joue un rôle plutôt moindre car il n'est reconnu que par les versions DSP 2.01+ et 3.xx. Les transferts DMA *high speed* ne sont plus exécutables à partir de la version 4 du DSP et ils s'avèrent d'ailleurs inutiles car le circuit arrive d'ores et déjà à atteindre la fréquence d'échantillonnage maximale de 44,1 Khz en mode DMA *auto initialize*.

Mode DMA ADPCM

Pour mieux maîtriser l'important flux de données lors de l'enregistrement des échantillons, le DSP - à partir de la version 1 - arrive à restituer des échantillons compactés qui ont été réunis selon le procédé ADPCM. Abréviation de *Adaptive Delta Pulse Code Modulation*, ADPCM décrit un procédé où l'enregistrement ne porte plus sur la valeur de chaque octet d'échantillonnage mais seulement sur la modification par rapport à l'enregistrement antérieur. En fin de compte, les valeurs d'échantillonnage - du moins avec des fréquences élevées - ne fluctuent plus sauvagement entre la valeur minimale 0 et la valeur maximale 255 puisqu'elles grimpent et tombent en un rythme continu. Mais comme l'enregistrement porte toujours sur des modifications relatives par rapport à l'ancien, un bloc d'échantillons composé d'échantillons ADPCM nécessite d'être introduit par un octet de référence qui n'est pas compressé et qui renvoie ainsi un point de départ absolu pour le bloc d'échantillons.

La SoundBlaster reconnaît les formats ADPCM 8/4, 8/3 et 8/2. En 8/4, quatre bits sont respectivement mis en commun pour relever la différence par rapport à la valeur antérieure. Autrement dit, deux valeurs d'échantillonnage peuvent être compactées en un octet. Le besoin en place des blocs d'échantillons est donc réduit de moitié. Quant à la différence par rapport à l'échantillonnage précédent, elle doit toujours se situer entre -7 et +7. Sachant qu'il ne reste que 4 bits disponibles parmi lesquels un bit doit être réservé au signe, il ne reste finalement que 3 bits pour effectuer la différence. Les données d'échantillonnage renfermant de grands écarts sont impossibles à compacter au format ADPCM 8/4.

Les modes ADPCM 8/3 et 8/2 permettent de réaliser une compression plus importante à condition de préserver de très faibles différences entre les valeurs d'échantillonnage car la construction de la différence repose sur 3 à 2 bits.

Force est d'admettre que les modes ADPCM ne conviennent qu'aux échantillons 8 bits et en particulier à la sortie. Cela signifie que le format ADPCM ne permet pas d'effectuer un enregistrement direct. Ces modes sont inutilisables dans la programmation pratique car Creative Labs n'a pas défini avec précision le format des échantillons ADPCM. On n'est donc pas en mesure de concocter un utilitaire permettant de convertir un enregistrement d'échantillons simple en un enregistrement ADPCM. Ce n'est qu'ainsi qu'il pourrait être joué dans un mode ADPCM. Il faudrait utiliser une carte SB 16 équipée d'un circuit ASP assurant entre autres cette opération (il compacte et décompacte les échantillons en temps réel rendant superflue une conversion des échantillons).

Modes de transfert dans les différentes versions de DSP

Le tableau suivant donne une vue d'ensemble sur les modes reconnus par les différentes versions de DSP. On s'aperçoit que l'échantillonnage 16 bits et donc la qualité CD n'est à envisager qu'à partir de la version DSP 4.xx et par conséquent à partir de la SoundBlaster 16.

Mode	Version DSP				
	1.xx	2.00	2.01+	3.xx	4.xx
8 Bit Mono SingleCycle	x	x	x	x	x
8 Bit Mono Auto Initialize		x	x	x	x
8 Bit Mono ADPCM Single Cycle	x	x	x	x	x
8 Bit Mono ADPCM Auto Initialize		x	x	x	x
8 Bit Mono High Speed Single Cycle			x	x	
8 Bit Mono High Speed Auto Initialize			x	x	
8 Bit Stereo High Speed Single Cycle				x	
8 Bit Stereo High Speed Auto Initialize				x	
8 Bit/16 Bit Mono Single Cycle					x
8 Bit/16 Bit Mono Auto Initialize					x
8 Bit/16 Bit Stereo Single Cycle					x
8 Bit/16 Bit Stereo Auto Initialize					x

Les modes d'échantillonnage et leur reconnaissance par les différentes versions DSP de la famille SoundBlaster

Interaction entre le contrôleur DMA et le DSP

Le contrôleur DMA et le DSP travaillent main dans la main lors des transferts DMA. Par exemple lors de la sortie d'échantillons, le CPU envoie les échantillons vers le DSP à l'aide du contrôleur DMA en les extrayant d'un buffer de la mémoire principale. Ce dernier les convertit en signaux analogiques et les expédie vers l'amplificateur de la carte SoundBlaster. A partir de là, elles aboutissent jusqu'à l'utilisateur en passant par un casque, une enceinte ou un matériel stéréo.

En sens inverse, c'est le DSP qui reçoit les signaux analogiques provenant d'une source (microphone, entrée ligne ou CD), les convertit en échantillons numériques et les envoie vers un buffer de la mémoire principale à l'aide du contrôleur DMA. Vu les limitations du contrôleur DMA dans le PC (cf. chapitre 5), le buffer de transmission doit être configuré en-deçà de la barrière des 1 Mo et ne doit pas déborder d'une page de 64 Ko.

L'interaction entre le contrôleur DMA et le DSP est commandée à travers le logiciel (d'échantillonnage). C'est lui qui programme le contrôleur DMA avant le démarrage d'un enregistrement ou d'une restitution d'échantillons. Les réglages doivent être effectués sur le canal DMA sur lequel est configurée la carte SoundBlaster. Le numéro de canal doit être interrogé au préalable à l'aide de la variable d'environnement BLASTER où il est stocké dans les paramètres D et H. Le paramètre D concerne le transfert 8 bits, le paramètre H indique le numéro de canal du transfert 16 bits. Un transfert 16 bits n'est réalisable qu'avec une SoundBlaster 16 équipée d'un DSP de la version 4.xx.

Une fois le numéro de canal connu, on peut régler l'adresse de début du buffer de transfert sur le contrôleur DMA ainsi que la longueur du transfert. Pour des transferts à exécuter en mode DMA *auto initialize*, le logiciel doit activer le canal concerné du contrôleur DMA en mode *auto init*. Ainsi s'achève la programmation du contrôleur DMA. Tous les autres paramètres sont à définir dans le DSP.

Il n'est pas besoin de définir une adresse de mémoire au niveau du DSP vu que le contrôleur DMA s'occupe de contrôler la mémoire. En revanche, le DSP attend la fréquence d'échantillonnage et la taille. Elles indiquent le nombre d'échantillons à lire et à afficher dans la mémoire ou à lire depuis une source de son analogique. Une fois ces deux paramètres définis, le logiciel d'échantillonnage envoie au DSP une commande spéciale l'invitant à démarrer l'enregistrement ou la restitution des échantillons.

Pour que le logiciel d'échantillonnage soit informé de la fin du transfert, il déclenche - après le traitement du dernier échantillon - l'interruption dont le numéro est spécifié sous le paramètre I de la variable d'environnement BLASTER. En général, le logiciel d'échantillonnage configure un gestionnaire d'interruptions destiné à spécialement à cette interruption pour être mis au courant de cet événement et poursuivre son travail.

Le paragraphe suivant décrit le mode de programmation du DSP. Mais étudions d'abord la technique du *double buffering* permettant de jouer ou lire des séquences d'échantillonnage de longueur quelconque. Elle transforme le PC en un véritable lecteur DAT.

Double buffering

Le *double buffering* est une technique qui transforme le PC en un lecteur DAT par l'intermédiaire d'un logiciel compétent et à l'aide du mode DMA *auto initialize*. Peu importe le but qui est visé : échantillonner les données à partir d'une source acoustique (micro, CD ou entrée ligne) pour les stocker ensuite sur disque ou pour restituer des échantillons déjà stockés. On parle dans ce contexte de *harddisk recording*.

Le logiciel concerné alloue tout d'abord un buffer de transfert devant satisfaire aux conditions habituelles d'un buffer DMA, c'est-à-dire 64 Ko maximum et ne devant pas déborder d'une page de 64 Ko. Les morceaux musicaux échantillonnés sont acheminés vers le DSP à partir de ce buffer ou en d'autres termes, les données échantillonnées sont réceptionnées par ce buffer. Avant que l'enregistrement ou la restitution ne soit enclenché(e), le contrôleur DMA est programmé comme à l'accoutumée avec l'adresse de début et la longueur de ce bloc puis activé en mode *auto init*. Une fois démarré, il continue de parcourir sans cesse le bloc de mémoire entier - chaque fois qu'il laisse derrière lui le dernier octet d'échantillonnage, il saute automatiquement vers le début du buffer.

L'astuce consiste à programmer le DSP avec la moitié de la longueur et non pas la longueur tout entière. Dès lors que démarre l'échantillonnage, le DSP commence par lire les données dans la première moitié du buffer via le contrôleur DMA ou à les écrire dans le buffer en se limitant à la moitié du buffer. La routine d'interruption a ainsi accompli sa tâche. La commande DSP lit ou décrit ensuite la deuxième moitié du buffer. En fait, le contrôleur DMA n'a pas été déprogrammé entre-temps et a donc pris en compte la moitié de la longueur de transfert prévue à son intention. Il poursuit donc l'opération là où il l'avait dernièrement interrompue et notamment au premier octet de la deuxième moitié de buffer.

Pendant que le DSP lit ou décrit en tâche de fond la deuxième moitié de buffer en collaboration avec le contrôleur DMA, l'action décisive se déroule dans le programme principal. Ici s'exécute continuellement une boucle depuis le démarrage du programme. La simple et unique tâche de cette boucle consiste à rechercher le flag défini dans la routine d'interruption. La routine se met en route si ce flag lui permet de découvrir que le DSP est passé de la première moitié vers la seconde moitié du buffer. Si le DSP a lu des données, la routine inscrit le demi-buffer ainsi rempli dans le fichier d'échantillonnage. Si le DSP a écrit des données, elle charge le demi-buffer avec le bloc de données suivant provenant du fichier d'échantillonnage.

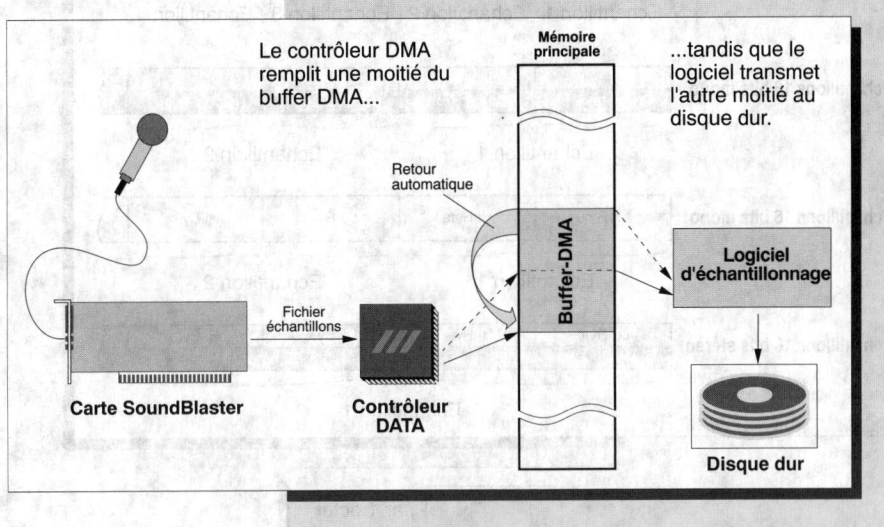

Echantillonnage en mode DMA auto initialize avec double buffering

Et c'est exactement ce qui se produit quand le DSP a fini de traiter entièrement le deuxième demi-buffer et que le contrôleur DMA revient au début du buffer grâce au mode *auto initialize* pour recommencer une nouvelle fois le transfert du premier demi-buffer. On a ainsi la garantie que le demi-buffer qui est chargé ou enregistré est toujours celui que le DSP n'est pas en train de traiter. Le DSP peut ainsi passer d'un demi-buffer à l'autre sans être dérangé. Le DSP et le contrôleur DMA accèdent tour à tour au premier ou au deuxième demi-buffer, y découvrent toujours de nouvelles données ou se contentent de remplacer d'anciennes données déjà inscrites dans le fichier d'échantillonnage sur le disque dur.

La condition préalable est que le programme principal puisse charger ou enregistrer suffisamment vite le demi-buffer non encore traité et ce, avant même que le contrôleur DMA revienne au début de cette moitié. Ce procédé ne pose aucun problème majeur sur des PC modernes équipés d'un processeur 486 ou supérieur à condition d'avoir programmé intelligemment les éléments du programme. L'exemple fourni à la fin de cette section met en évidence cette technique.

Construction d'échantillons

Le DSP adopte un schéma immuable pour mémoriser des échantillons musicaux et les attend dans ce même format au moment où il faut jouer ces données. La succession exacte des échantillons dépend des conditions d'enregistrement : en mono ou stéréo, avec des échantillons 8 bits ou 16 bits.

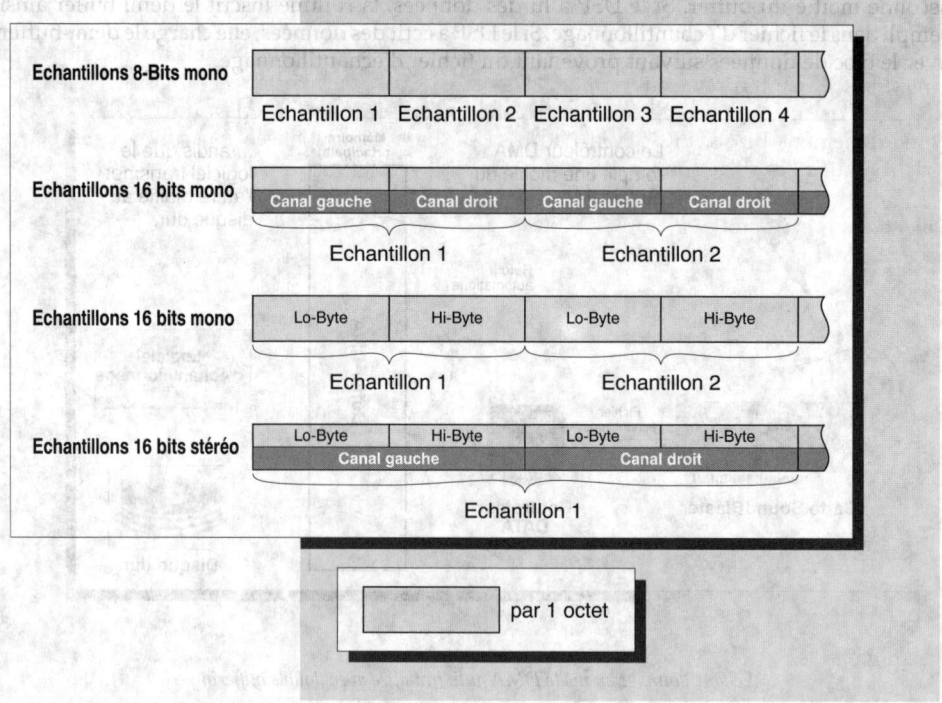

Structure des échantillons dans la mémoire

Par rapport aux différentes commandes de lecture et écriture d'échantillons, le DSP reconnaît des échantillons signés ou non. Les échantillons 8 bits sont en principe non signés alors que les échantillons 16 bits peuvent être signés ou non.

Non signé signifie que l'enregistrement des échantillons s'effectue sous forme de nombres positifs. Les échantillons 8 bits représentent l'intervalle des valeurs 0 à 255 (00h à ffh), les échantillons 16 bits s'échelonnent de 0 à 65535. Il en va autrement des valeurs signées. La valeur d'un échantillon 16 bits est comprise ici entre -32768 et +32767 (-8000h à 7FFFh).

L'une de ces différences n'apporte pas de gêne particulière tant que les deux types ne sont pas confondus lors de l'enregistrement et ensuite lors de la restitution. L'affaire se complique lorsqu'on déclare par exemple des échantillons 16 bits signés en tant que valeurs non signées pour ensuite les écouter. C'est ainsi que le niveau zéro des échantillons signés, -32768 (alias 08000h), devient soudain un niveau à quasi 50 %, lorsqu'on les considère comme des échantillons non signés.

38.3.2. Accès au DSP

Le contrôle du DSP s'effectue à travers cinq registres énoncés dans le tableau suivant. Leur adresse doit être interprétée par rapport à l'adresse de base de la carte SoundBlaster. Il est donc nécessaire qu'un programme soit informé de l'adresse de base de la carte via la variable d'environnement BLASTER. Sinon l'adresse de base est initialisée par un accès direct à l'électronique de la carte son.

Port(Adresse de base SB + ...)	Nom	Lecture	Ecriture	Description
+06h	Reset		X	Réinitialise le DSP
+0Ah	Read Data	X		Lecture des données du DSP.
+0Ch	Write Command / Data		X	Sortie des données et commandes vers le DSP
+0Ch	Etat du Write Buffer	X		Indique si le DSP est prêt à recevoir des commandes et des données
+0Eh	Etat du Read Buffer	X		Sert à vérifier si les données peuvent être lues depuis le DSP
Les ports du DSP				

Envoi de données et commandes au DSP

Les commandes et les paramètres correspondants sont envoyés au DSP via le port _Write Command/Data_. Il faut au préalable que le registre soit décrit après qu'un accès en lecture au port d'état _Write Buffer_ ait montré que ce port était vide. La dernière commande ou le dernier octet de données réside toujours à cet endroit tant que le DSP n'a pas complètement terminé le traitement de la dernière commande. Il convient donc de lire tout d'abord le port d'état _Write Buffer_ et de vérifier si le bit 7 est actif dans ce registre. Si oui, le DSP est encore occupé et le programme doit continuer à lire sans cesse l'état de _Write Buffer_ dans une boucle jusqu'à ce bit soit effacé. Ce n'est qu'ensuite que la commande suivante peut être transmise au port _Write Command/Data_.

La programmation de ce procédé se présente comme suit en assembleur :

```
      mov   dx,SbPortBasis   ;Charger le port d'adresse de la carte SB
      add   dl,0Ch           ;Offset pour Write Buffer Status
Attendre: in  al,dx          ;Lire le registre d'état Write Buffer
      test  al,80h           ;Tester le bit 7
      jne   Attendre         ;Différent de 0 donc réexécuter la boucle

      ;— Le DSP est prêt à recevoir la commande suivante
      mov   al,CommandByte    ;Charger la commande
      out   dx,al             ;et afficher
```

De nombreuses commandes DSP ne se composent pas d'un seul code de commande mais renferment plusieurs paramètres. Le code de commande ainsi que les paramètres sont envoyés au DSP à travers le port _Command/Data_ sachant que le transfert porte toujours en premier sur le code de commande. Les paramètres sont envoyés par la suite en respectant l'ordre prédéfini par la commande concernée. Ici également, il faut attendre pour chaque octet que le DSP rende compte de sa prédisposition à accepter l'octet suivant par le biais du port d'état _Write Buffer_.

Lecture des données provenant du DSP

Le comportement adopté avec le registre *Read Data* qui permet de lire les données du DSP est exactement analogue à celui de *Write Command/Data*. Ici c'est le registre d'état *Read Buffer* qui est lu autant de fois que nécessaire tant que son bit 7 n'a pas indiqué qu'une information préalablement demandée est disponible dans le registre d'état *Write Buffer*. Contrairement à l'écriture, ici il faut attendre que ce bit contienne la valeur 1 et non 0.

Programmé en assembleur, ce procédé donne le résultat suivant :

```
     mov  dx,SbPortBasis  ;Charger l'adresse de port de la carte SB
     add  dl,0Eh          ;Offset pour Read Buffer Status
Attendre: in  al,dx       ;Lire le registre d'état Read Buffer
     test al,80h          ;Tester le bit 7
     je   Attendre        ;Différent de 1 donc réexécuter boucle

     ;— Le DSP est prêt à recevoir la commande suivante
     sub  dl,4            ;depuis le registre Read Buffer vers
                         ;le registre Read Data
     in   al,dx           ;Lire le registre Read Data
```

Initialisation du DSP

La programmation du DSP doit toujours commencer par une initialisation du circuit. Cette méthode permet non seulement de remettre à zéro les paramètres de tous les registres internes mais d'informer le programme si une carte SoundBlaster existe réellement à l'adresse spécifiée et si un DSP s'y trouve également. Voici les conditions à remplir dans ce but :

Ecrire d'abord la valeur 1 sur le port reset.

Le programme doit attendre ensuite au moins 3 microsecondes (temps requis par le DSP) avant de réagir.

Réécrire un octet sur le port reset mais cette fois avec la valeur 0.

La suite d'octets formée de 0 et 1 indique au DSP qu'il doit exécuter un reset. En guise de réponse, il déclare la valeur 0AAh au port d'état *Read Buffer*. Avant la lecture de ce port, il faut attendre comme d'habitude que le bit 7 passe à 1 dans le registre d'état *Read Buffer*. Mais comme à ce stade, on n'a pas encore reçu la confirmation sur l'existence du DSP, on doit placer un timeout dans la boucle sinon on risque d'attendre jusqu'à la tombée de la nuit.

Une telle attente peut se formuler comme suit en assembleur :

```
     ;— Envoyer d'abord 1 au port Reset ————
     mov  dx,SbPortBasis  ;Charger l'adresse de port de la carte SB
     add  dl,6            ;Offset pour le port Reset
     mov  al,1
     out  dx,al
     ;— Laisser quelques instants au DSP ————
     ;— Exécuter 256 fois la boucle dummy
     sub  al,al          ;Mettre AL sur 0
DspLoop1: dec  al         ;Décrémenter AL
     jne  DspLoop1        ;Différent de 0 donc réexécuter la boucle

     out  dx,al           ;Envoyer le 2ème octet (0) au DSP
```

```
;— Attendre que le registre Read Buffer annonce -
;— qu'un octet est disponible
        xor  cx,cx          ;65536 exécutions de la boucle au maximum
        add  dl,8           ;Depuis le port Reset vers le reg Read Buffer
DspLoop2: in  al,dx         ;Lire Read Buffer
        test al,80h         ;Tester le bit 7
        jne  ByteAvail      ;Si actif donc octet disponible
        loop DspLoop2       ;Sinon, nouvelle exécution de la boucle
        jmp  ZeroDSP        ;Toujours pas d'octet après 65536 exécutions

ByteAvail: ;— Un octet est disponible au port Read Data —
        sub  dl,4           ;Depuis Read Buffer vers Read Data
        in   al,dx          ;Lire Read Data
        cmp  al,0AAh        ;Le DSP doit répondre avec 0aah
        jne  ZeroDSP        ;Non donc DSP inexistant

        ;— L'existence du DSP est confirmée
        ;— si le processeur parvient jusqu'ici
        jmp  DSPFound
ZeroDSP: ;— Aucun DSP n'a été découvert ——————————
```

Gestion d'interruptions

Le registre d'état *Read Buffer* joue un rôle prépondérant dans le traitement des interruptions DSP. Dès que le DSP déclenche une interruption après avoir traité un bloc d'échantillons, le gestionnaire d'interruptions installé par un programme doit annoncer au DSP que l'interruption a été réceptionnée par le logiciel. Un accès en lecture sur le registre d'état *Read Buffer* suffisait amplement jusqu'à la version 4.xx du DSP.

Mais à partir de la version 4.xx, il faut d'abord rechercher la source d'interruption. Contrairement aux versions précédentes, il ne s'agit plus ici de transferts 8 bits. Désormais, des transferts 16 bits entrent aussi en ligne de compte et les deux éléments se partagent une interruption et un gestionnaire d'interruptions. Le gestionnaire d'interruptions est donc obligé de lire d'abord le registre 82h de la table de mixage SoundBlaster qui renferme une information désignant l'exécuteur de l'interruption.

Les registres internes de la table de mixage sont adressés à l'aide d'un port de données et d'un port d'adresses distinct tout comme les registres du circuit OPL. Il convient tout d'abord de sortir le numéro du registre mixer voulu par le biais du port d'adresses avant de lire ou décrire son contenu via le port de données. L'adresse du port d'adresses et du port de données de la table de mixage se définit par rapport à l'adresse de base de la carte SoundBlaster selon la formule :

```
Port d'adresses table de mixage = Adresse de base SoundBlaster + 4
Port de données table de mixage = Adresse de base SoundBlaster + 5
```

En affichant tout d'abord la valeur 82h sur le port d'adresses de la table de mixage et en lisant ensuite le port de données de la table de mixage, on obtient le contenu du registre d'état *Interrupt* de la carte SoundBlaster. Ce registre, dont le contenu se présente comme suit, n'est disponible rappelez-vous, que sur des cartes SoundBlaster à partir de la version 4.xx du DSP.

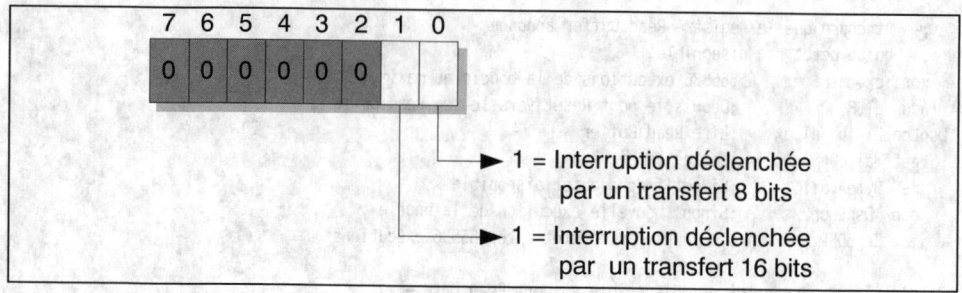

Structure du registre d'état Interrupt du DSP à partir de la version 4.xx

Si la lecture du registre d'état *Interrupt* révèle que l'appel d'interruption a été déclenché par un transfert 8 bits, il faut comme à l'accoutumée lire le registre *Read Buffer* à l'adresse d'offset 0Eh par rapport à l'adresse de base de la SoundBlaster. S'il s'agit en revanche d'un transfert 16 bits, l'accès en lecture doit concerner le port situé à l'adresse d'offset 0Fh par rapport à l'adresse de base de la SoundBlaster. Ce n'est qu'à cette condition que le DSP obtient la confirmation que l'interruption a été acceptée par un gestionnaire d'interruptions.

La séquence suivante en assembleur démontre la lecture du registre d'état *Interrupt* et la confirmation qui s'ensuit par le gestionnaire d'interruptions.

```
;— Lire d'abord le registre Mixer 82h ———
;—(registre d'état Interrupt)
mov  dx,SbPortBasis ;Charger l'adresse de port de la carte SB
add  dl,4           ;Offset pour le port d'adresses Mixer
mov  al,82h         ;Numéro du registre Interrupt
out  dx,al          ;Envoyer au port d'adresses Mixer
inc  dl             ;DX situé sur le port de données Mixer
in   al,dx          ;Lire le contenu du registre Interrupt
                    ;depuis le port de données Mixer

add  dl,9           ;DX situé maintenant sur le registre Read Buffer
test al,2           ;Tester si interruption 16 bits
jne  SbInt16        ;Activé donc 16 bits

;— C'est une interruption 8 bits
in   al,dx          ;Lire le registre Read Buffer
                    ;en guise de confirmation pour le DSP
jmp  qqpart         ;On continue

;— C'est une interruption 16 bits
SbInt16: inc dl     ;DX sur le registre ayant l'offset 0Fh
in   al,dx          ;Lire le registre en guise de confirmation
                    ;pour le DSP
```

L'interruption SoundBlaster étant une interruption matérielle, vous devez envoyer une commande EOI au contrôleur d'interruptions avant de retourner vers le programme interrompu c'est-à-dire avant d'exécuter la commande IRET. C'est ainsi que le contrôleur d'interruptions apprend que l'interruption a été complètement traitée. Mais pour que l'interruption parvienne jusqu'au programme, il faut que l'interruption soit librement activable par le logiciel d'échantillonnage au moyen du contrôleur d'interruptions. Reportez-vous à ce propos au chapitre 4 sur la programmation du contrôleur d'interruptions.

38.3.3. Commandes DSP

Parmi les quarante commandes du DSP, la plupart d'entre elles sont disponibles depuis la version 1.0. Près de la moitié de ces commandes servent à lire et à jouer des échantillons. Les 20 commandes restantes s'alignent sur les précédentes, soit elles les modifient soit elles fournissent des fonctions d'aide comme par exemple pour activer ou désactiver le lien entre le DSP et l'amplificateur de la carte SoundBlaster ou pour déterminer le numéro de version DSP. Les tableaux suivants dressent la liste des commandes disponibles. Cette liste est complétée par des explications sur les principales commandes et des exemples décrivant leur appel. Cette section se termine enfin par un guide de référence énumérant les diverses commandes du DSP.

Liste des commandes DSP par groupes de fonction

Les commandes suivantes sont disponibles depuis la version 1.xx du DSP :

Champ d'application	Code	Commande
Entrée et sortie d'échantillons 8 bits en Direct Mode		
	10h	Sortie d'un échantillon 8 bits en Direct Mode
	20h	Lecture d'un échantillon 8 bits en Direct Mode
Définition d'une fréquence d'échantillonnage		
	40h	Définition d'une fréquence d'échantillonnage
Entrée et sortie d'échantillons 8 bits en mode DMA Single Cycle		
	14h	Sortie 8 bits en mode DMA Single Cycle
	24h	Entrée 8 bits en mode DMA Single Cycle
	16h	Sortie 8/2 bits ADPCM en mode DMA Single Cycle
	17h	Sortie 8/2 bits ADPCM en mode DMA Single Cycle avec octet de référence
	74h	Sortie 8/4 bits ADPCM en mode DMA Single Cycle
	75h	Sortie 8/4 bits ADPCM en mode DMA Single Cycle avec octet de référence
	76h	Sortie 8/3 bits ADPCM en mode DMA Single Cycle
	77h	Sortie 8/3 bits ADPCM en mode DMA Single Cycle avec octet de référence
Contrôle de l'entrée/sortie d'échantillons 8 bits		
	D0h	Suspension du transfert d'échantillons 8 bits
	D4h	Reprise du transfert d'échantillons 8 bits
Contrôle du haut-parleur		
	D1h	Activation du haut-parleur
	D3h	Désactivation du haut-parleur
Divers		
	80h	Interruption momentanée de l'entrée
	E1h	Test du numéro de version DSP

Les commandes suivantes sont disponibles depuis la version 2.00 du DSP :

Champ d'application	Code	Commande
Entrée et sortie d'échantillons 8 bits en mode DMA Auto Init		
	1Ch	Sortie 8 bits en mode DMA Auto Init
	2Ch	Entrée 8 bits en mode DMA Auto Init
	1Fh	Sortie 8/2 bits ADPCM en mode DMA Auto Init avec octet de référence
	7Dh	Sortie 8/4 bits ADPCM en mode DMA Auto Init avec octet de référence
	7Fh	Sortie 8/3 bits ADPCM en mode DMA Auto Init avec octet de référence
	DAh	Fin du transfert DMA 8 bits en mode Auto Init
Définition de la taille du bloc à transférer		
	48h	Définition de la longueur de bloc des transferts DMA Auto Init et High Speed
Contrôle du haut-parleur		
	D8h	Test de l'état du haut-parleur

Les commandes DSP suivantes ne sont disponibles que dans les versions 2.01+ et 3.xx :

Champ d'application	Code	Commande
Entrée et sortie d'échantillons 8 bits en mode High Speed		
	90h	Sortie 8 bits en mode DMA High Speed Auto Init
	98h	Entrée 8 bits en mode DMA High Speed Auto Init
	91h	Sortie 8 bits en mode DMA High Speed Single Cycle
	99h	Entrée 8 bits en mode DMA High Speed Single Cycle

Les commandes DSP suivantes ne sont disponibles que dans la version 3.xx :

Champ d'application	Code	Commande
Réglage de l'entrée mono/stéréo		
	A0h	Réglage du mode d'entrée sur mono
	A8h	Réglage du mode d'entrée sur stéréo

Les commandes DSP suivantes ne sont disponibles qu'à partir de la version 4.xx :

Champ d'application	Code	Commande
Définition de la fréquence d'échantillonnage		
	41h	Définition de la fréquence d'échantillonnage pour la sortie
	42h	Définition de la fréquence d'échantillonnage pour l'entrée
Entrée et sortie d'échantillons 8 bits		
	Cxh	Entrée/sortie DMA d'échantillons 8 bits
Entrée et sortie d'échantillons 16 bits		
	Bxh	Entrée/sortie DMA d'échantillons 16 bits
	D5h	Suspension du transfert DMA 16 bits
	D6h	Reprise du transfert DMA 16 bits
	D9h	Fin du transfert DMA 16 bits en Auto Init

Déterminer la version DSP

La commande E1h permet de déterminer le numéro de version du DSP installé. Après l'affichage du code de commande, il faut lire successivement deux fois le registre *Read Data*. Le numéro de version principal est renvoyé dans le premier octet et le numéro de sous-version dans le second octet. Le type de la carte son installée est à déduire du numéro de version ainsi obtenu.

Définition de la fréquence d'échantillonnage

Il faut en premier lieu définir la fréquence d'échantillonnage avant de pouvoir exécuter l'une des commandes DSP déclenchant la lecture ou la sortie d'échantillons. On parle dans ce contexte de "fréquence d'échantillonnage" car cette valeur indique le nombre d'échantillons lus ou sortis par seconde. La commande DSP 40h assure ce rôle dans toutes les versions DSP.

A côté du code de commande 40h, le DSP doit transmettre la fréquence d'échantillonnage demandée sous forme d'un produit résultant de la formule suivante. Cette dernière renvoie une base de temps en guise de résultat :

```
base de temps = 65536 - (256000000/(canaux * fréquence d'échantillonnage))
```

Pour calculer cette formule, il faut indiquer la fréquence d'échantillonnage et choisir la valeur 1 pour le paramètre *canaux* en cas d'échantillonnage mono et la valeur 2 en cas d'échantillonnage stéréo. Seul l'octet de poids fort découlant du résultat est transmis au DSP, l'octet de poids faible est ignoré.

Deux commandes supplémentaires sont venues s'ajouter à la commande 40h à partir de la version 4.xx du DSP pour le calcul de la fréquence d'échantillonnage. Ces commandes facilitent la tâche du programmeur en ce sens qu'elles acceptent directement la fréquence d'échantillonnage sans qu'il soit nécessaire d'effectuer une conversion à l'aide de la formule citée plus haut.

Mais une méthode encore plus facile consiste à définir la fréquence d'échantillonnage avec les commandes 41h et 42h de la version 4.xx du DSP. Toutes les versions antérieures renvoient toutefois à la commande 40h.

La syntaxe des commandes 41h et 42h est identique. Elles ne se différencient que du point de vue de l'entrée/sortie de la fréquence d'échantillonnage. La commande 41h définit la fréquence d'échantillonnage lors de la lecture d'échantillons, la commande 42h sert à restituer les échantillons. Les deux commandes attendent que la fréquence d'échantillonnage voulue soit spécifiée en hertz au code de commande sachant que l'octet de poids fort soit transmis avant l'octet de poids faible au port *Write Command/Data*. Il importe peu que la restitution s'effectue en mode mono ou stéréo.

Indépendamment du fait que la fréquence d'échantillonnage soit définie via la commande 40h, 41h ou 42h, la règle générale veut que la fréquence d'échantillonnage spécifiée soit reconnue par le DSP installé (reportez-vous aux tableaux énumérant les versions DSP). Le DSP ne prend pas la peine de renvoyer un message annonçant s'il accepte ou non la fréquence d'échantillonnage.

Définition de la taille du transfert

Sans compter la fréquence d'échantillonnage, le DSP exige que la taille du transfert soit également définie pour qu'il soit en mesure de dénombrer les échantillons à lire ou à sortir avant de terminer son travail et déclencher une interruption. Selon le type d'échantillonnage voulu, la taille du transfert peut être définie distinctement via la commande 48h (pour tous les

modes *DMA Auto Init* et *High Speed*) ou spécifiée comme un élément faisant partie de la commande d'échantillonnage (pour tous les modes *DMA Single Cycle*).

La règle générale qui s'applique ici est la suivante : indiquer tout d'abord l'octet de poids faible puis l'octet de poids fort de la taille du transfert après avoir mentionné le code de la commande d'échantillonnage ou le code de la commande 48h. Notez que le DSP attend toujours la longueur de transfert - 1. Pour transférer par exemple 4 Ko (hexa 1000h), vous devez indiquer 0FFFh.

Activer et désactiver le haut-parleur

Du côté logiciel, il convient d'activer ou de désactiver le haut-parleur de la carte SoundBlaster avant que la commande démarrant l'échantillonnage ne puisse être transmise au DSP. Le haut-parleur assure le lien entre le DSP et l'amplificateur de la carte SoundBlaster. Pour écouter des échantillons, il faut en principe désactiver le haut-parleur et pour lire des échantillons, il faut l'activer. La désactivation est prise en charge par la commande DSP D3h, l'activation par la commande D1h.

Parmi le labyrinthe des commandes d'échantillonnage

A vrai dire, on cherche purement et simplement à enregistrer ou à écouter des échantillons et pourtant il faut interroger une bonne vingtaine de commandes et pourquoi pas seulement deux ?

Commençons par le commencement. Pour chacun des divers modes de transfert DMA (*Direct Mode*, *Single Cycle* ou *Auto Initialize*), il existe des commandes indépendantes et ce, respectivement pour l'entrée et pour la sortie. Considérons ensuite les échantillons ADPCM qui peuvent uniquement être joués et qui sont déclinés sous trois formats différents. Et pour couronner le tout, chacun de ces formats ne dispose pas d'une seule commande mais de deux commandes, parfois pourvues et parfois dépourvues d'un octet de référence. N'oublions pas les commandes réservées au mode *High Speed* introduites dans la version 3.xx du DSP et abolies immédiatement par la version 4.xx.

Et puis encore - seulement à partir de la version 3.xx - est apparue soudainement une commande supplémentaire destinée à l'échantillonnage stéréo, nouveauté de cette version. Et que dire des différentes fréquences d'échantillonnage.

Vous constatez qu'une véritable montagne de commandes s'est érigée ici. Mais ce qui est étrange, c'est que seulement 20 commandes aient pu percer la masse des 200 au total. Qu'importe ! 20 ou 200, pour le programmeur tout cela est déjà assez lourd à gérer. Comment jongler avec les différents cas de figure, s'agit-il de telle ou telle commande, cette fréquence d'échantillonnage est-elle disponible dans cette version DSP ou plutôt dans une autre ? Le plus simple c'est de se limiter exclusivement à la version 4.xx du DSP et de se référer aux deux commandes d'échantillonnage qu'elle a introduites. Ces deux commandes permettent de couvrir toutes les fréquences d'échantillonnage souhaitées y compris la qualité CD, en mode 8 bits ou 16 bits, en mono ou en stéréo.

Si vous faites partie de ceux qui ne peuvent pas se limiter à la version 4.xx du DSP et, par voie de conséquence, aux cartes SoundBlaster 16, vous devez donc de plein gré ou de force jongler avec les commandes d'échantillonnage restantes. Une description est fournie dans les paragraphes suivants. Ces explications sont données également sous forme de code programme à la fin de cette section où vous attend d'ailleurs un programme complet de *Harddisk Recording* et *Harddisk Playback*.

Commandes d'échantillonnage de la version 4.xx

A partir de la version 4.xx du DSP, la lecture et la sortie d'échantillons dans les divers modes et constellations sont assurées par les deux commandes Bxh et Cxh. Ces deux commandes opèrent de façon identique à tous points de vue avec une seule différence. Bxh fonctionne avec des échantillons 16 bits et Cxh avec des échantillons 8 bits. x est un paramètre variable car le quartet inférieur du code de commande se définit en fait par la manière dont agit la commande. Examinons tout d'abord Bxh pour comprendre ensuite Cxh.

Le code de commande est défini par un champ de bits dont les quatre bits du haut restent invariables (et notamment sur Bh) tandis que ceux du bas varient selon le mode choisi. La structure de ce champ de bits se présente comme suit :

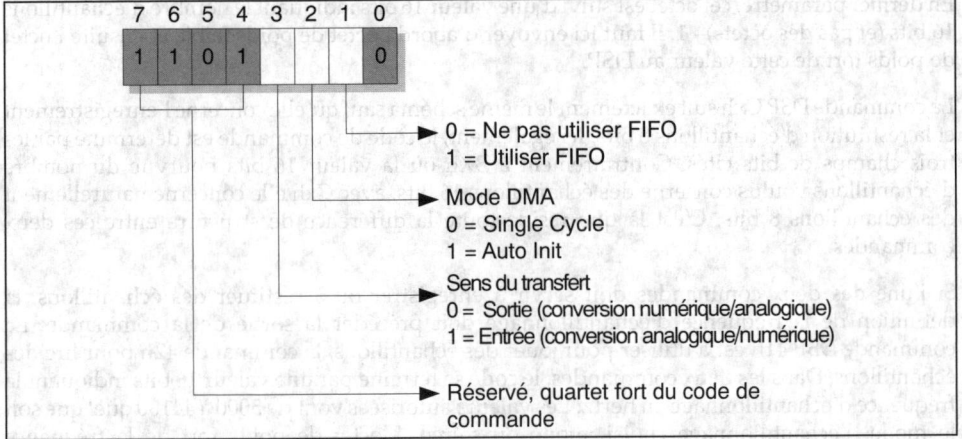

Structure du code de commande

Le bit 3 permet d'indiquer si la commande doit lire des échantillons ou doit afficher des données déjà échantillonnées. Le bit 2 spécifie le mode DMA à utiliser : *Single Cycle* ou *Auto Init*. Le bit 1 détermine enfin si FIFO, une petite mémoire temporaire interne du DSP, doit être activée ou non. Cela est conseillé notamment pour le traitement d'importantes fréquences d'échantillonnage. Pour peu que le contrôleur DMA rencontre un canal à priorité élevée lors du transfert et cela suffit pour provoquer la perte des échantillons. Le contrôleur DMA a le temps de rattraper son faible retard si les données peuvent être stockées temporairement dans FIFO.

Si on définit ces trois bits, on obtient l'une des huit commandes Bxh par exemple BAh (10111010b) pour lire des échantillons 16 bits en mode *Single Cycle* avec FIFO activé. Ou sinon, B4h pour la sortie d'échantillons 16 bits en mode *Auto Init* avec FIFO désactivé.

Comme d'habitude, le code de commande est le premier octet à envoyer au DSP. Il est suivi d'un octet qui renseigne davantage le DSP sur le mode choisi à l'aide de 2 paramètres supplémentaires : le format d'enregistrement (signé ou non) et le nombre de canaux (mono ou stéréo). La figure suivante montre la structure de cet octet.

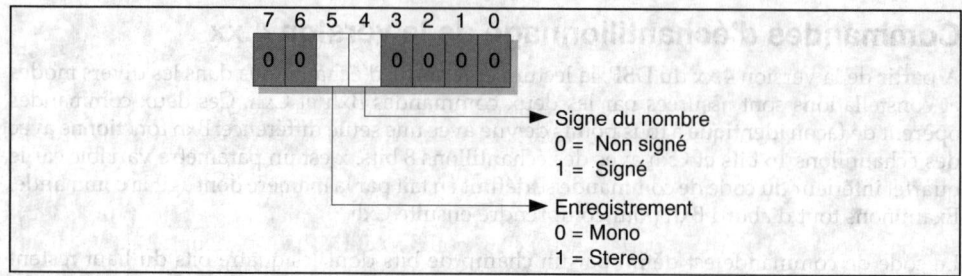

Structure du mode d'opération

En dernier paramètre, cet octet est suivi d'une valeur 16 bits indiquant le nombre d'échantillons 16 bits (et pas des octets) - 1. Il faut ici envoyer d'abord l'octet de poids faible et ensuite l'octet de poids fort de cette valeur au DSP.

La commande DSP Cxh suit exactement le même schéma sauf qu'elle concerne l'enregistrement et la restitution d'échantillons 8 bits. Ici également, le code de commande est déterminé par les trois champs de bits cités. Contrairement à BXh où la valeur 16 bits pourvue du nombre d'échantillons voulus concerne des échantillons 16 bits, avec Cxh elle concerne naturellement des échantillons 8 bits. C'est là que réside toute la différence de structure entre ces deux commandes.

Si l'une des deux commandes doit servir à enregistrer ou à restituer des échantillons, la définition de la fréquence d'échantillonnage doit précéder la sortie de la commande. La commande DSP 41h est à utiliser pour jouer des échantillons, la commande 42h pour lire des échantillons. Dans les deux commandes, le code se termine par une valeur 16 bits indiquant la fréquence d'échantillonnage en hertz. Les valeurs autorisées vont de 5000 à 44100 quel que soit le mode d'échantillonnage choisi, mono ou stéréo. L'octet de poids fort de la fréquence d'échantillonnage doit être envoyé au DSP avant l'octet de poids faible.

Comme d'habitude, il faut programmer auparavant le contrôleur DMA avant l'appel de Bxh/Cxh avec l'adresse de départ et le nombre d'octets échantillons (Cxh) ou de mots échantillons (Bxh). N'oubliez pas qu'un autre canal DMA entre en jeu avec des échantillons 16 bits à la différence des échantillons 8 bits.

Le DSP déclenche une interruption après avoir lu ou sorti le nombre d'échantillons demandés. Si la commande Bxh/Cxh a été définie en mode DMA *Auto Init*, elle peut être terminée dans la routine d'interruption par la commande DSP DAh pour des échantillons 8 bits et D9h pour des échantillons 16 bits.

Lecture et sortie d'échantillons mono 8 bits en mode DMA Single Cycle

Huit commandes sont disponibles pour lire ou sortir des échantillons 8 bits en mode DMA *Single Cycle*. Toutes les commandes étant programmées selon le même principe, elles peuvent donc être décrites ensemble.

14h	Sortie 8 bits en mode DMA Single Cycle
24h	Entrée 8 bits en mode DMA Single Cycle
16h	Sortie 8/2 bits ADPCM en mode DMA Single Cycle
17h	Sortie 8/2 bits ADPCM en mode DMA Single Cycle avec octet de référence
74h	Sortie 8/4 bits ADPCM en mode DMA Single Cycle

75h	Sortie 8/4 bits ADPCM en mode DMA Single Cycle avec octet de référence
76h	Sortie 8/3 bits ADPCM en mode DMA Single Cycle
77h	Sortie 8/3 bits ADPCM en mode DMA Single Cycle avec octet de référence
	Commandes DSP pour lire et jouer des échantillons mono 8 bits en mode DMA Single Cycle

Avant d'envoyer l'une des commandes de la liste au DSP, il faut activer ou désactiver le lien entre le DSP et l'amplificateur de la carte SoundBlaster. La commande appropriée pour la sortie d'échantillons est D1h (haut-parleur actif), D3h pour la lecture (haut-parleur désactivé). Il faut en plus définir la fréquence d'échantillonnage via la commande 40h avant d'exécuter la commande d'échantillonnage. Il ne faut pas non plus oublier de programmer le canal adéquat du contrôleur DMA avec l'adresse et la taille de bloc avant d'exécuter la commande d'échantillonnage. Il convient de configurer également le gestionnaire d'interruptions qui reçoit l'interruption déclenchée en fin de transfert.

La commande d'échantillonnage elle-même se compose de l'une des commandes citées dans le tableau précédent se terminant par deux octets. Ils renferment l'octet de poids fort et l'octet de poids faible de la taille du transfert. L'octet de poids faible doit être envoyé en premier. Le DSP déclenche une interruption après avoir traité la taille du transfert.

La relation entre le DSP et l'amplificateur de la carte SoundBlaster doit être annulée via la commande DSP D3h en fin d'exécution de la commande ou de toutes les commandes d'échantillonnage lisant ou affichant d'autres échantillons. Ce n'est qu'à cette condition que la commande est entièrement achevée.

Lecture et sortie d'échantillons mono 8 bits en mode DMA Auto Init

Cinq commandes sont prévues pour la lecture et la sortie d'échantillons 8 bits en mode DMA *Auto Init*. Elles sont toutes programmées selon le même principe que les commandes DSP énoncées précédemment. La seule différence avec ces commandes réside dans la répétition ininterrompue de la lecture et de la sortie. C'est opération ne peut être arrêtée que par la commande DSP DAh ou par la sortie d'une des commandes *Single Cycle* décrites auparavant.

Code	Description
1Ch	Sortie 8 bits en mode DMA Auto Init
1Fh	Sortie 8/2 bits ADPCM en mode DMA Auto Init avec octet de référence
2Ch	Entrée 8 bits en mode DMA Auto Init
7Dh	Sortie 8/4 bits ADPCM en mode DMA Auto Init avec octet de référence
7Fh	Sortie 8/3 bits ADPCM en mode DMA Auto Init avec octet de référence
	Commandes DSP pour la lecture et la sortie d'échantillons mono 8 bits en mode DMA Auto Init

Lecture et sortie d'échantillons mono 8 bits en mode DMA High Speed Single Cycle

Un mode DMA nommé *High Speed* a été inventé spécialement pour la version 3.xx du DSP afin d'affiner les performances de cette version et réaliser ainsi un échantillonnage avec des fréquences plus élevées. Deux commandes assurent l'enregistrement et la restitution d'échantillons 8 bits dans la version *Single Cycle* de ce mode.

Code	Description
91h	Sortie 8 bits en mode DMA High Speed Single Cycle
99h	Entrée 8 bits en mode DMA High Speed Single Cycle
▨▨▨	Commandes DSP pour lire et sortir des échantillons mono 8 bits en mode DMA High Speed Single Cycle

Ces deux commandes opèrent exactement comme les commandes d'échantillonnage 8 bits décrites précédemment avec une seule différence. Il convient ici de réinitialiser le DSP à la fin du transfert c'est-à-dire à l'intérieur du gestionnaire d'interruptions intervenant dans l'exécution. C'est ainsi qu'il peut être rappelé à partir du mode *High Speed* et être déplacé pour recevoir de nouvelles commandes.

Lecture et sortie d'échantillons mono 8 bits en mode DMA High Speed Auto Init

Deux commandes sont préparées pour le mode DMA *Auto Init* au même titre que les deux commandes *High Speed* du mode *Single Cycle*. Leur programmation est identique à celle des commandes *Single Cycle*.

Code	Description
90h	Sortie 8 bits en mode DMA High Speed Auto Init
98h	Entrée 8 bits en mode DMA High Speed Auto Init
▨▨▨	Commandes DSP pour lire et sortir des échantillons mono 8 bits en mode DMA High Speed Auto Init

Ces deux commandes opèrent exactement comme les commandes d'échantillonnage 8 bits décrites précédemment avec une seule différence. Il convient ici de réinitialiser le DSP à la fin du transfert c'est-à-dire à l'intérieur du gestionnaire d'interruptions intervenant dans l'exécution. C'est ainsi qu'il peut être rappelé à partir du mode *High Speed* et être déplacé pour recevoir de nouvelles commandes.

Lecture et sortie d'échantillons stéréo 8 bits en mode DMA High Speed Single Cycle

Une autre nouveauté de la version 3.xx du DSP concerne (ou concernait) pour la première fois l'enregistrement et la restitution d'échantillons stéréo même si l'opération se déroule en 8 bits. Mais le processus fait perdre beaucoup de temps comme il a été constaté immédiatement. L'échantillonnage proprement dit s'effectue avec les commandes DSP 8 bits 91h et 99h décrites plus haut. Mais avant et après la sortie des commandes, il est nécessaire d'exécuter une autre opération autorisant le DSP à préparer des échantillons en stéréo.

Code	Description
91h	Sortie 8 bits en mode DMA High Speed Single Cycle
99h	Entrée 8 bits en mode DMA High Speed Single Cycle
▨▨▨	Commandes DSP pour lire et sortir des échantillons stéréo 8 bits en mode DMA High Speed Single Cycle

Selon la coutume habituelle, il faut commencer par établir le lien (pour la sortie) ou par rompre le lien (pour l'entrée) entre le DSP et le haut-parleur avec les commandes DSP D1h ou D3h. Le DSP doit ensuite être commuté vers le mode stéréo. Lire des échantillons stéréo est une opération relativement simple qui nécessite tout simplement d'exécuter la commande DSP A8h.

Pour sortir en revanche des échantillons stéréo, il faut exécuter successivement plusieurs actions concernant la programmation du DSP ainsi que celle de la table de mixage. Tout d'abord, le bit 2 doit être défini dans le registre 0Eh de la table de mixage. (Reportez-vous en 38.4 pour apprendre à programmer le registre Mixer). Il convient ensuite d'exécuter une sorte de transfert factice (dummy) *Single Cycle* à l'aide de la commande 14h. On ne sait pas exactement ce dont il s'agit mais sachez que la sortie stéréo ne fonctionne pas si on n'accomplit pas les tâches suivantes.

Le transfert sollicité doit renfermer exactement un octet doté de la valeur 80h. La marche à suivre générale se décompose comme suit :

○ programmer le contrôleur DMA avec la longueur 1 et l'adresse d'une zone de mémoire renfermant un octet doté de la valeur 80h,
○ appeler la commande DSP 14h avec une longueur de transfert de 1 octet,
○ l'octet d'échantillonnage dummy 80h est ainsi renvoyé par le DSP qui déclenche une interruption,
○ à ce stade, le gestionnaire d'interruptions doit se contenter de confirmer l'interruption du DSP selon la méthode habituelle.

Ainsi s'achève l'étrange sortie de l'échantillon dummy. Le code programme peut à nouveau se consacrer à sa tâche primordiale, la préparation à la lecture et à la sortie d'échantillons stéréo.

Il réagit pour ainsi dire de façon purement conventionnelle en communiquant au contrôleur DMA l'adresse du buffer de transfert concerné et la longueur de bloc. Il ne faut pas ensuite oublier de définir comme d'habitude la fréquence d'échantillonnage via la commande DSP 40h.

A l'étape suivante, c'est la table de mixage qui entre à nouveau en jeu. Cela suppose le traitement du registre Mixer 0Eh pour la sortie d'échantillons stéréo et du registre Mixer 0Ch pour l'entrée de ces mêmes échantillons. Dans les deux cas, il faut lire le contenu du registre, le stocker dans une variable locale et activer le bit 5. Le filtre d'entrée ou le filtre de sortie (cf. chapitre 38.4) sera activé en fonction du registre.

C'est enfin que peut être générée l'opération d'échantillonnage tant attendue : on définit d'abord la longueur du transfert via la commande DSP 48h puis on démarre l'exécution du transfert via la commande DSP 91h ou 99h. Le DSP déclenche comme à son habitude une interruption en fin de traitement du bloc d'échantillonnage.

A l'intérieur du gestionnaire d'interruptions, on peut démarrer d'autres opérations d'échantillonnage stéréo à condition de programmer adéquatement le contrôleur DMA et de spécifier la commande DSP 91h ou 99h. Les autres opérations telles que l'accès au registre Mixer n'ont pas besoin d'être répétées à cet endroit.

Mais il convient d'annuler ces définitions dès que le programme décide de ne plus exécuter d'autres échantillonnages stéréo. Cela nécessite de redéfinir dans ce registre l'ancienne valeur donnée par le registre Mixer 0Ch ou 0Eh. A cet effet, on a pris soin de stocker au préalable son contenu dans une variable locale. Ne pas oublier non plus de réactiver le DSP en mode mono.

La simple sortie de la commande DSP A0h s'avère suffisante lors de la lecture d'échantillons stéréo. Un accès au registre Mixer 0Eh doit faire suite à la sortie d'échantillons stéréo. Le bit 1 initialement défini doit être effacé.

Et en dernier lieu, comme avec la plupart des commandes d'échantillonnage, il faut désactiver le haut-parleur pour terminer l'opération en bonne et due forme. Summa summarum, on doit en fait dépenser beaucoup d'énergie pour jouer ou lire des échantillons stéréo dans la version 3.xx du DSP. Pour que vous ne soyez pas submergé par les nombreux petits détails de cette opération, le programme d'exemple fourni à la fin de cette section contient une routine prédéfinie qui renferme toutes les étapes qui viennent d'être énoncées.

Lecture et sortie d'échantillons stéréo 8 bits en mode DMA High Speed Auto Init

En ce qui concerne la programmation, nous avons le plaisir de vous annoncer que les commandes *High Speed Single Cycle* pour l'échantillonnage 8 bits en stéréo ne présentent aucune différence par rapport à celles du mode DMA *Auto Init*. La différence s'articule comme d'habitude autour du code de commande et vient du fait que les transferts *High Speed Auto Init* ne s'arrêtent que si on réinitialise le DSP avec un reset. Sinon, l'opération reste inchangée par rapport à un transfert *High Speed Single Cycle*.

Code	Description
90h	Sortie 8 bits en mode DMA High Speed Auto Init
98h	Entrée 8 bits en mode DMA High Speed Auto Init
	Commandes DSP pour lire et sortir des échantillons stéréo 8 bits en mode DMA High Speed Auto Init

Guide de référence des commandes DSP

10h	Sortie 8 bits en Direct Mode
14h	Sortie 8 bits en mode DMA Single Cycle
16h	Sortie 8/2 bits ADPCM en mode DMA Single Cycle
17h	Sortie 8/2 bits ADPCM en mode DMA Single Cycle avec octet de référence
1Ch	Sortie 8 bits en mode DMA Auto Init
1Fh	Sortie 8/2 bits ADPCM en mode DMA Auto Init avec octet de référence
20h	Lecture d'un échantillon 8 bits en Direct Mode
24h	Entrée 8 bits en mode DMA Single Cycle
2Ch	Entrée 8 bits en mode DMA Auto Init
40h	Définition d'une fréquence d'échantillonnage (base de temps)
41h	Définition de la fréquence d'échantillonnage pour la sortie
42h	Définition de la fréquence d'échantillonnage pour l'entrée
48h	Définition de la longueur de bloc des transferts DMA Auto Init et High Speed
74h	Sortie 8/4 bits ADPCM en mode DMA Single Cycle
75h	Sortie 8/4 bits ADPCM en mode DMA Single Cycle avec octet de référence
76h	Sortie 8/3 bits ADPCM en mode DMA Single Cycle
77h	Sortie 8/3 bits ADPCM en mode DMA Single Cycle avec octet de référence
7Dh	Sortie 8/4 bits ADPCM en mode DMA Auto Init avec octet de référence
7Fh	Sortie 8/3 bits ADPCM en mode DMA Auto Init avec octet de référence
80h	Interruption momentanée de l'entrée

90h	Sortie 8 bits en mode DMA High Speed Auto Init
91h	Sortie 8 bits en mode DMA High Speed Single Cycle
98h	Entrée 8 bits en mode DMA High Speed Auto Init
99h	Entrée 8 bits en mode DMA High Speed Single Cycle
A0h	Réglage du mode d'entrée sur mono
A8h	Réglage du mode d'entrée sur stéréo
Bxh	Entrée/sortie DMA d'échantillons 16 bits
Cxh	Entrée/sortie DMA d'échantillons 8 bits
D0h	Suspension du transfert d'échantillons 8 bits
D1h	Activation du haut-parleur
D3h	Désactivation du haut-parleur
D4h	Reprise du transfert d'échantillons 8 bits
D5h	Suspension du transfert DMA 16 bits
D6h	Reprise du transfert DMA 16 bits
D8h	Test de l'état du haut-parleur
D9h	Fin du transfert DMA 16 bits en Auto Init
DAh	Fin du transfert DMA 8 bits en mode Auto Init
E1h	Test du numéro de version DSP

Commandes DSP en détail

10h   Sortie d'échantillons 8 bits en Direct Mode

Sortie	10h	Code de commande
	bSample	Octet d'échantillon à sortir

Description   Sort un échantillon 8 bits par le biais du DSP. La séquence des appels de cette commande détermine la fréquence d'échantillonnage.

Disponible dans	1.xx	2.0	2.01+	3.xx	4.xx
	X	X	X	X	X

14h   Sortie d'échantillons 8 bits en mode DMA Single Cycle

Sortie	14h	Code de commande
	lo(Longueur-1)	Octet de poids faible de la longueur de bloc-1
	hi(Longueur-1)	Octet de poids fort de la longueur de bloc-1

Description   Cette commande renvoie un bloc d'échantillons complet avec des échantillons 8 bits via le DSP. Avant l'appel, il faut définir la fréquence d'échantillonnage et programmer le contrôleur DMA avec l'adresse de début et la longueur de bloc. Lors de l'appel de cette commande, il faut indiquer la longueur de bloc - 1.

Disponible dans	1.xx	2.0	2.01+	3.xx	4.xx
	X	X	X	X	X

923

16h   ***Sortie 8/2 bits ADPCM en mode DMA***
Single Cycle

Sortie	16h	Code de commande
	lo(Longueur-1)	Octet de poids faible de la longueur de bloc-1
	hi(Longueur-1)	Octet de poids fort de la longueur de bloc-1

Description   Cette commande renvoie via le DSP un bloc d'échantillons complet avec
des échantillons ADPCM de 8/2 bits. Avant l'appel, il faut définir la fréquence d'échantillonnage et programmer le contrôleur DMA avec
l'adresse de début et la longueur de bloc. Lors de l'appel de cette commande, il faut indiquer la longueur de bloc - 1. Cette commande est utilisée pour le deuxième bloc ainsi que pour tous les blocs suivants pourvus
d'échantillons ADPCM 8/2 bits. Le premier bloc doit être transmis via la
commande 17h.

Disponible dans	1.xx	2.0	2.01+	3.xx	4.xx
	X	X	X	X	X

17h   ***Sortie 8/2 bits ADPCM en mode***
DMA Single Cycle avec octet de référence

Sortie	17h	Code de commande
	lo(Longueur-1)	Octet de poids faible de la longueur de bloc-1
	hi(Longueur-1)	Octet de poids fort de la longueur de bloc-1

Description   Cette commande génère la sortie d'échantillons ADPCM 8/2 bits. Avant
l'appel, il faut définir la fréquence d'échantillonnage et programmer le
contrôleur DMA avec l'adresse de début et la longueur de bloc. Le premier octet situé dans le bloc d'échantillons spécifié ne doit pas être compacté en ADPCM. Il doit s'agir un échantillon 8 bits entier. La sortie des
blocs d'échantillons restants se fait par la commande 16h.

Disponible dans	1.xx	2.0	2.01+	3.xx	4.xx
	X	X	X	X	X

1Ch   ***Sortie 8 bits en mode DMA***
Auto Init

Sortie	1Ch	Code de commande

Description   Cette commande démarre la sortie d'échantillons 8 bits en mode DMA
Auto Init. Avant l'appel, il faut définir la fréquence d'échantillonnage et
programmer le contrôleur DMA avec l'adresse de début et la longueur de
bloc. Il faut en plus définir la longueur de bloc via la commande 48h.
Le mode *Auto Init* s'achève soit par la présence de la commande DAh qui
termine le mode *Auto Init* soit par la commande 14h qui exécute une sortie
Single Cycle 8 bits.
La sortie peut à tout moment être suspendue par la commande D0h et
poursuivie par la commande D4h.

Disponible dans	1.xx	2.0	2.01+	3.xx	4.xx
	X	X	X	X	

| **1Fh** | | **Sortie 8/2 bits ADPCM en mode** |
| | | **DMA Auto Init avec octet de référence** |

Sortie   1Fh   Code de commande

Description   Cette commande démarre la sortie d'échantillons ADPCM 8/2 bits en
mode DMA *Auto Init*. Avant l'appel, il faut définir la fréquence d'échantillonnage et programmer le contrôleur DMA avec l'adresse de début et la
longueur de bloc. La longueur de bloc doit être définie au préalable avec
la commande 48h.

En premier octet, le bloc de données doit renfermer l'octet de référence démarrant la sortie.

Le mode *Auto Init* s'achève soit par la présence de la commande DAh qui
termine le mode *Auto Init* soit par la commande 16h qui exécute une sortie
Single Cycle 8/2 bits ADPCM.

La sortie peut à tout moment être suspendue par la commande D0h et
poursuivie par la commande D4h.

Disponible dans   1.xx   2.0   2.01+   3.xx   4.xx
                           X   X   X   X

| **20h** | **Lecture d'un échantillon 8 bits en Direct Mode** |

Sortie   20h   Code de commande

Description   Lit un échantillon 8 bits. Après la sortie de la commande, l'échantillon
peut être lu via le port *Read Data*.

La séquence des appels de cette commande détermine la fréquence
d'échantillonnage.

Disponible dans   1.xx   2.0   2.01+   3.xx   4.xx
                    X   X   X   X   X

| **24h** | **Entrée 8 bits en mode DMA** |
| | **Single Cycle** |

Sortie   24h   Code de commande
                  lo(Longueur-1)   Octet de poids faible de la longueur de bloc-1
                  hi(Longueur-1)   Octet de poids fort de la longueur de bloc-1

Description   Cette commande lit via le DSP un bloc complet d'échantillons 8 bits.
Avant l'appel, il faut définir la fréquence d'échantillonnage et program-
mer le contrôleur DMA avec l'adresse de début et la longueur de bloc.
Lors de l'appel de cette commande, il faut indiquer la longueur de bloc - 1.

Disponible dans   1.xx   2.0   2.01+   3.xx   4.xx
                    X   X   X   X   X

2Ch		**Entrée 8 bits en mode DMA Auto Init**
Sortie	2Ch	Code de commande

Description   Cette commande démarre la lecture d'échantillons 8 bits en mode DMA *Auto Init*. Avant l'appel, il faut définir la fréquence d'échantillonnage et programmer le contrôleur DMA avec l'adresse de début et la longueur de bloc. La longueur de bloc doit en outre être spécifiée avec la commande 48h.

Le mode *Auto Init* se termine par la commande DAh ou par la commande 24h chargée d'exécuter une entrée 8 bits *Single Cycle*.

La sortie peut à tout moment être suspendue par la commande D0h et poursuivie par la commande D4h.

Disponible dans	1.xx	2.0	2.01+	3.xx	4.xx
	X	X	X	X	

40h		**Définition d'une fréquence d'échantillonnage**
Sortie	40h	Code de commande
	hi(base de temps)	Octet de poids fort de la base de temps

Description   La base de temps requise par cette commande résulte de la fréquence d'échantillonnage calculée avec la formule suivante :

16 bits : base de temps = 65536 - (256000000 / (canaux * fréquence d'échantillonnage)),

8 bits : base de temps = 256 - (1000000 / (canaux * fréquence d'échantillonnage)),

canaux prend la valeur 1 pour un échantillonnage mono et 2 pour un échantillonnage stéréo. Seul l'octet de poids fort de la valeur résultante doit être transmis au DSP avec le code de commande.

Une méthode plus simple consiste à utiliser les commandes 41h et 42h de la version 4.xx pour définir la fréquence d'échantillonnage. Mais toutes les versions antérieures nécessitent l'emploi de cette commande.

Disponible dans	1.xx	2.0	2.01+	3.xx	4.xx
	X	X	X	X	X

41h		**Définition de la fréquence d'échantillonnage pour la sortie**
Sortie	41h	Code de commande
	hi(fréquence d'échantillonnage)	
		Octet de poids fort de la fréquence d'échantillonnage
	lo(fréquence d'échantillonnage)	
		Octet de poids faible de la fréquence d'échantillonnage

Description   Dans la version 4.xx du DSP, cette commande permet de définir la fréquence d'échantillonnage d'un transfert DMA *Single Cycle* et *Auto Init* avec une valeur comprise entre 5000 (hertz) et 45000 (hertz). Il importe peu que l'échantillonnage se déroule en mode mono ou stéréo.

Disponible dans	1.xx	2.0	2.01+	3.xx	4.xx
					X

42h	**Définition de la fréquence d'échantillonnage pour l'entrée**

Sortie   41h   Code de commande
                hi(fréquence d'échantillonnage)
                            Octet de poids fort de la fréquence d'échantillonnage
                lo(fréquence d'échantillonnage)
                Octet de poids faible de la fréquence d'échantillonnage

Description   Dans la version 4.xx du DSP, cette commande permet de définir la fréquence d'échantillonnage d'un transfert DMA *Single Cycle* et *Auto Init* avec une valeur comprise entre 5000 (hertz) et 45000 (hertz). Il importe peu que l'échantillonnage se déroule en mode mono ou stéréo.

Disponible dans

1.xx	2.0	2.01+	3.xx	4.xx
				X

48h	**Définition de la longueur de bloc des transferts DMA Auto Init et High Speed**

Sortie   48h   Code de commande
               hi(longueur de bloc-1)
                          Octet de poids fort de la longueur de bloc en octets -1
             lo(longueur de bloc-1)
                          Octet de poids faible de la longueur de bloc en octets -1

Description   Cette commande définit la longueur de bloc en octets pour des transferts consécutifs en mode DMA *Auto Init* et *High Speed*. Le DSP déclenche l'interruption spécifiée dès que la longueur est atteinte.

Disponible dans

1.xx	2.0	2.01+	3.xx	4.xx
	X	XX	X	

74h	**Sortie 8/4 bits ADPCM en mode DMA Single Cycle**

Sortie   74h   Code de commande
               lo(Longueur-1)   Octet de poids faible de la longueur de bloc-1
               hi(Longueur-1)   Octet de poids fort de la longueur de bloc-1

Description   Cette commande renvoie un bloc complet d'échantillons 8/4 bits ADPCM via le DSP. Avant l'appel, il faut définir la fréquence d'échantillonnage et programmer le contrôleur DMA avec l'adresse de début et la longueur de bloc. La longueur de bloc - 1 est à spécifier. Cette commande est utilisée pour le deuxième bloc d'échantillons et pour tous les blocs suivants dotés d'échantillons 8/4 bits ADPCM. Le premier bloc est à transmettre via la commande 75h.

Disponible dans

1.xx	2.0	2.01+	3.xx	4.xx
X	X	X	X	X

75h		**Sortie 8/4 bits ADPCM en mode DMA Single Cycle avec octet de référence**
Sortie	75h	Code de commande
	lo(Longueur-1)	Octet de poids faible de la longueur de bloc-1
	hi(Longueur-1)	Octet de poids fort de la longueur de bloc-1

Description Cette commande démarre la sortie d'échantillons 8/4 bits ADPCM. Avant l'appel, il faut définir la fréquence d'échantillonnage et programmer le contrôleur DMA avec l'adresse de début et la longueur de bloc. Le premier octet du bloc d'échantillons ne doit pas être compacté en ADPCM. Il doit contenir un échantillon intégral de 8 bits. La sortie des blocs d'échantillons suivants s'effectue avec la commande 74h.

Disponible dans
1.xx	2.0	2.01+	3.xx	4.xx
X	X	X	X	X

76h		**Sortie 8/3 bits ADPCM en mode DMA Single Cycle**
Sortie	76h	Code de commande
	lo(Longueur-1)	Octet de poids faible de la longueur de bloc-1
	hi(Longueur-1)	Octet de poids fort de la longueur de bloc-1

Description Cette commande permet de sortir via DSP un bloc d'échantillons complet de 8/3 bits ADPCM. Avant l'appel, il faut définir la fréquence d'échantillonnage et programmer le contrôleur DMA avec l'adresse de début et la longueur de bloc. Cette commande est utilisée pour le deuxième bloc d'échantillons et pour tous les blocs suivants dotés d'échantillons 8/3 bits ADPCM. Le premier bloc est à transmettre via la commande 77h.

Disponible dans
1.xx	2.0	2.01+	3.xx	4.xx
X	X	X	X	X

77h		**Sortie 8/3 bits ADPCM en mode DMA Single Cycle avec octet de référence**
Sortie	77h	Code de commande
	lo(Longueur-1)	Octet de poids faible de la longueur de bloc-1
	hi(Longueur-1)	Octet de poids fort de la longueur de bloc-1

Description Cette commande démarre la sortie d'échantillons 8/3 bits ADPCM. Avant l'appel, il faut définir la fréquence d'échantillonnage et programmer le contrôleur DMA avec l'adresse de début et la longueur de bloc. Le premier octet du bloc d'échantillons ne doit pas être compacté en ADPCM. Il doit contenir un échantillon intégral de 8 bits. La sortie des blocs d'échantillons suivants s'effectue avec la commande 76h.

Disponible dans
1.xx	2.0	2.01+	3.xx	4.xx
X	X	X	X	X

7Dh	**Sortie 8/4 bits ADPCM en mode DMA**
	Auto Init avec octet de référence

Sortie   7Dh   Code de commande

Description   Cette commande démarre la sortie d'échantillons 8/4 bits ADPCM en mode DMA *Auto Init*. Avant l'appel, il faut définir la fréquence d'échantillonnage et programmer le contrôleur DMA avec l'adresse de début et la longueur de bloc. La longueur de bloc doit être définie au préalable avec la commande 48h.

En premier octet, le bloc de données doit contenir l'octet de référence déclenchant la sortie.

O   Le mode Auto Init *se termine par la commande DAh ou par la commande 74h chargée d'exécuter une sortie 8/4 bits ADPCM Single Cycle.*

O   La sortie peut à tout moment être suspendue par la commande D0h et poursuivie par la commande D4h.

Disponible dans   1.xx   2.0   2.01+   3.xx   4.xx
                               X   X   X   X

7Fh	**Sortie 8/3 bits ADPCM en mode DMA**
	Auto Init avec octet de référence

Sortie   7Fh   Code de commande

Description   Cette commande démarre la sortie d'échantillons 8/3 bits ADPCM en mode DMA *Auto Init*. Avant l'appel, il faut définir la fréquence d'échantillonnage et programmer le contrôleur DMA avec l'adresse de début et la longueur de bloc. La longueur de bloc doit être définie au préalable avec la commande 48h.

En premier octet, le bloc de données doit contenir l'octet de référence déclenchant la sortie.

O   Le mode Auto Init *se termine par la commande DAh ou par la commande 76h chargée d'exécuter une sortie 8/3 bits ADPCM Single Cycle.*

O   La sortie peut à tout moment être suspendue par la commande D0h et poursuivie par la commande D4h.

Disponible dans   1.xx   2.0   2.01+   3.xx   4.xx
                     X   X   X   X

80h   *Interruption momentanée de l'entrée*

Sortie	80h	Code de commande
	lo(délai - 1)	Octet de poids faible du délai - 1
	hi(délai - 1)	Octet de poids fort du délai - 1

Description   Pendant l'exécution d'une entrée DMA *Single Cycle* ou *Auto Init*, cette commande suspend la conversion analogique/numérique pendant un certain temps. Le délai imparti est considéré comme un facteur tenant compte de la fréquence d'échantillonnage indiquée en 40h. Une fois ce délai écoulé, le DSP reprend la conversion analogique/numérique et déclenche simultanément une interruption.

Disponible dans	1.xx	2.0	2.01+	3.xx	4.xx
	X	X	X	X	X

90h   *Sortie 8 bits en mode DMA*
                                                           High Speed Auto Init

Sortie	90h	Code de commande

Description   Cette commande démarre la sortie d'échantillons 8 bits en mode DMA *High Speed Auto Init*. Avant l'appel, il faut définir la fréquence d'échantillonnage et programmer le contrôleur DMA avec l'adresse de début et la longueur de bloc. La longueur de bloc doit être définie au préalable avec la commande 48h. Le DSP déclenche une interruption une fois le bloc entièrement transféré.

Le mode High Speed Auto Init *ne peut être terminé que par un reset du DSP exécuté sur le port Reset.*

Disponible dans	1.xx	2.0	2.01+	3.xx	4.xx
			X	X	

91h   *Sortie 8 bits en mode DMA*
                                                           High Speed Single Cycle

Sortie	91h	Code de commande

Description   Cette commande démarre la sortie d'échantillons 8 bits en mode DMA *High Speed Single Cycle*. Avant l'appel, il faut définir la fréquence d'échantillonnage et programmer le contrôleur DMA avec l'adresse de début et la longueur de bloc. La longueur de bloc doit être définie au préalable avec la commande 48h. Le DSP déclenche une interruption une fois le bloc entièrement transféré et termine automatiquement le mode *High Speed*.

Disponible dans	1.xx	2.0	2.01+	3.xx	4.xx
			X	X	

98h		**Entrée 8 bits en mode DMA** **High Speed Auto Init**
Sortie	98h	Code de commande

Description Cette commande démarre la lecture d'échantillons 8 bits en mode DMA *High Speed Auto Init*. Avant l'appel, il faut définir la fréquence d'échantillonnage et programmer le contrôleur DMA avec l'adresse de début et la longueur de bloc. La longueur de bloc doit être définie au préalable avec la commande 48h. Le DSP déclenche une interruption une fois le bloc entièrement transféré.
Le mode *High Speed Auto Init* ne peut être terminé que par un reset du DSP exécuté sur le port Reset.

Disponible dans	1.xx	2.0	2.01+	3.xx	4.xx
			X	X	

99h		**Entrée 8 bits en mode DMA** **High Speed Single Cycle**
Sortie	91h	Code de commande

Description Cette commande démarre la lecture d'échantillons 8 bits en mode DMA *High Speed Single Cycle*. Avant l'appel, il faut définir la fréquence d'échantillonnage et programmer le contrôleur DMA avec l'adresse de début et la longueur de bloc. La longueur de bloc doit être définie au préalable avec la commande 48h. Le DSP déclenche une interruption une fois le bloc entièrement transféré et termine automatiquement le mode *High Speed*.

Disponible dans	1.xx	2.0	2.01+	3.xx	4.xx
			X	X	

A0h		**Réglage du mode d'entrée sur mono**
Sortie	A0h	Code de commande

Description Cette commande règle sur mono le mode d'entrée. C'est l'option par défaut.

Disponible dans	1.xx	2.0	2.01+	3.xx	4.xx
				X	

A8h		**Réglage du mode d'entrée sur stéréo**
Sortie	A8h	Code de commande

Description Cette commande règle sur stéréo le mode d'entrée au cours d'un enregistrement. Il faut réactiver ensuite le mode mono.
Cette commande n'est plus disponible dans la version 4.xx du DSP. Elle est remplacée par la commande Bxh.

Disponible dans	1.xx	2.0	2.01+	3.xx	4.xx
				X	

931

Bxh		Entrée/sortie DMA d'échantillons 16 bits
Sortie	Bxh	Code de commande
	lo(Echantillons-1)	Octet de poids faible du nombre d'échantillons 16 bits - 1
	hi(Echantillons-1)	Octet de poids fort du nombre d'échantillons 16 bits - 1
Description		Cette commande réalise toutes les entrées/sorties d'échantillons 16 bits dans la version 4.xx du DSP. Le code de commande se construit à partir du sens du transfert, du mode DMA voulu et du buffer FIFO. Voici sa structure :

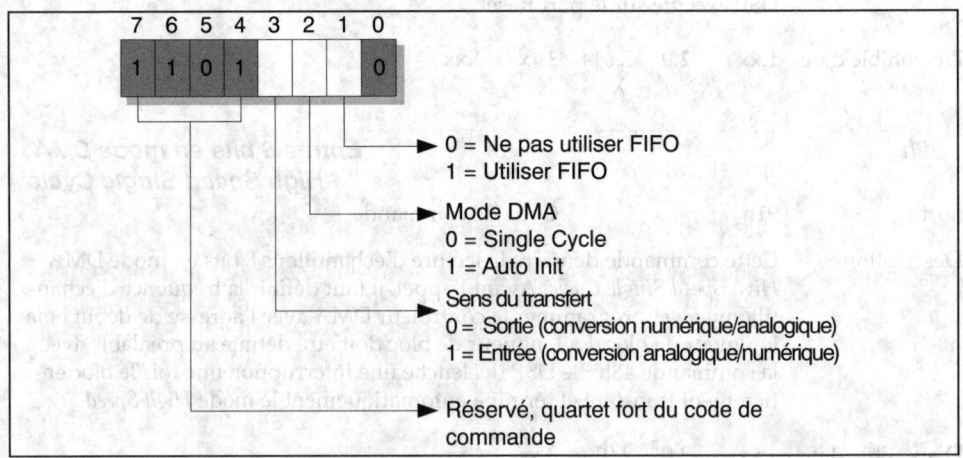

Structure du code de commande

Le mode opérationnel contient deux champs de bits indiquant si l'échantillonnage doit se dérouler en mono ou stéréo et précisant si les échantillons sont ou ont été enregistrés avec ou sans signe. Dans le cas d'un enregistrement non signé, la plus petite amplitude mesurable du signal correspond à la valeur 0h et à 8000h (-1) dans le cas d'un enregistrement signé.

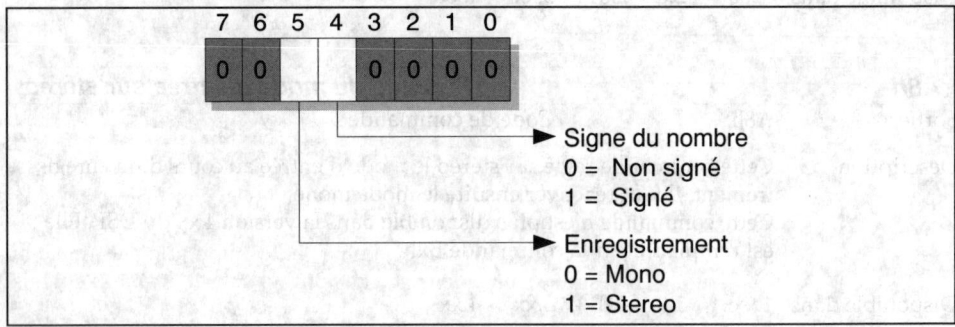

Structure du mode opérationnel

○ Avant l'appel, il faut définir la fréquence d'échantillonnage et programmer le contrôleur DMA avec l'adresse de début et la longueur
de bloc. La longueur de bloc doit être définie au préalable avec la
commande 48h.

○ Si la commande démarre un transfert DMA en mode Auto Init, celui-ci
peut être terminé par la commande D9h ou par un appel renouvelé de
Bxh avec Bit 2=0 (Single Cycle).

○ La sortie peut à tout moment être suspendue par la commande D5h et
reprise par la commande D6h.

Disponible dans   1.xx   2.0   2.01+   3.xx   4.xx
                                                     X

Cxh		**Entrée/sortie DMA d'échantillons 8 bits**
Sortie	Cxh	Code de commande
	lo(Echantillons-1)	Octet de poids faible du nombre d'échantillons 8 bits - 1
	hi(Echantillons-1)	Octet de poids fort du nombre d'échantillons 8 bits - 1
Description		Cette commande réalise toutes les entrées/sorties d'échantillons 8 bits dans la version 4.xx du DSP. Le code de commande se construit à partir du sens du transfert, du mode DMA voulu et du buffer FIFO. Voici sa structure :

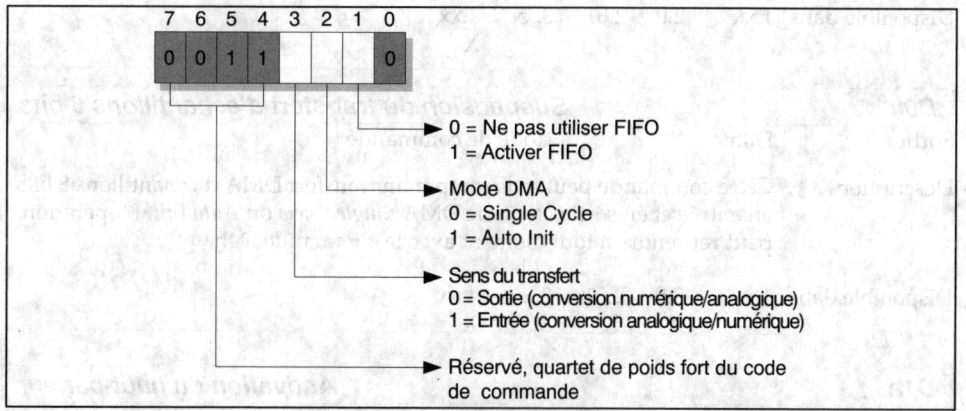

Structure du code de commande

○ Le mode opérationnel contient deux champs de bits indiquant si
l'échantillonnage doit se dérouler en mono ou stéréo et précisant si les
échantillons sont ou ont été enregistrés avec ou sans signe. Dans le cas
d'un enregistrement non signé, la plus petite amplitude mesurable du
signal correspond à la valeur 0h et à 80h (-1) dans le cas d'un enregistrement avec signe.

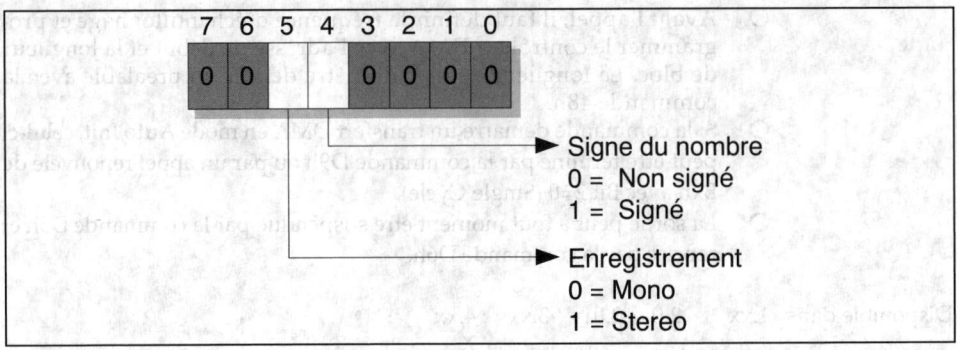

7	6	5	4	3	2	1	0
0	0			0	0	0	0

Signe du nombre
0 = Non signé
1 = Signé

Enregistrement
0 = Mono
1 = Stereo

Structure du mode opérationnel

○ Avant l'appel, il faut définir la fréquence d'échantillonnage et programmer le contrôleur DMA avec l'adresse de début et la longueur de bloc. La longueur de bloc doit être définie au préalable avec la commande 48h.

○ Si la commande démarre un transfert DMA en mode *Auto Init*, celui-ci peut être terminé par la commande DAh ou par un appel renouvelé de Cxh avec Bit 2=0 (Single Cycle).

○ La sortie peut à tout moment être suspendue par la commande D0h et reprise par la commande D4h.

Disponible dans	1.xx	2.0	2.01+	3.xx	4.xx
					X

D0h		**Suspension du transfert d'échantillons 8 bits**
Sortie	D0h	Code de commande
Description	Cette commande peut interrompre un transfert DMA d'échantillons 8 bits en entrée et en sortie en mode DMA *Single Cycle* ou *Auto Init*. L'opération peut reprendre à tout moment avec la commande D4h.	

Disponible dans	1.xx	2.0	2.01+	3.xx	4.xx
	X	X	X	X	X

D1h		**Activation du haut-parleur**
Sortie	D1h	Code de commande
Description	Cette commande libère la voie menant du DSP vers le haut-parleur de la carte SoundBlaster. Cette commande est devenue obsolète depuis la version 4.xx du DSP.	

Disponible dans	1.xx	2.0	2.01+	3.xx	4.xx
	X	X	X	X	X

D3h   *Désactivation du haut-parleur*

Sortie   D1h   Code de commande

Description   Cette commande rompt le lien entre le DSP et le haut-parleur de la carte
                SoundBlaster. Cette commande est devenue obsolète depuis la version
                4.xx du DSP.

Disponible dans 1.xx   2.0   2.01+   3.xx   4.xx
                 X   X   X   X   X

D4h   *Reprise du transfert d'échantillons*
                                                                        8 bits

Sortie   D4h   Code de commande

Description   Les transferts d'échantillons 8 bits interrompus par la commande D0h peu-
                vent être poursuivis.

Disponible dans 1.xx   2.0   2.01+   3.xx   4.xx
                 X   X   X   X   X

D5h   *Suspension du transfert DMA 16 bits*

Sortie   D5h   Code de commande

Description   Les transferts d'échantillons 16 bits démarrés par la commande Bxh vont
                être interrompus à l'aide de cette commande. Ils peuvent être poursuivis
                plus tard à l'aide de D6h.

Disponible dans 1.xx   2.0   2.01+   3.xx   4.xx
                                                 X

D6h   *Reprise du transfert DMA 16 bits*

Sortie   D5h   Code de commande

Description   Cette commande reprend les transferts d'échantillons 16 bits qui ont été in-
                terrompus par la commande D5h.

Disponible dans 1.xx   2.0   2.01+   3.xx   4.xx
                                                 X

D8h   *Test de l'état du haut-parleur*

Sortie   D8h   Code de commande

Description   Cette commande vérifie si le lien entre le DSP et le haut-parleur de la carte
                SoundBlaster est actuellement interrompu. Après la sortie du code de com-
                mande, un octet de données doit être lu par le port *Read Data*. Le lien est
                établi si la valeur vaut 0ffh (-1). La valeur 0 indique que le lien est rompu.

Disponible dans 1.xx   2.0   2.01+   3.xx   4.xx
                          X   X   X   X

| **D9h** | | **Fin du transfert DMA 16 bits** |
		en Auto Init
Sortie	D9h	Code de commande
Description	La sortie de cette commande met fin à un transfert d'échantillons 16 bits démarré en mode *Auto Init* par la commande Bxh. Il faut que le transfert en cours soit mené jusqu'au bout.	

Disponible dans	1.xx	2.0	2.01+	3.xx	4.xx
					X

| **DAh** | | **Fin du transfert DMA 8 bits** |
		en mode Auto Init
Sortie	DAh	Code de commande
Description	La sortie de cette commande met fin à un transfert d'échantillons 8 bits démarré en mode *Auto Init* par la commande Cxh. Il faut que le transfert en cours soit mené jusqu'au bout.	

Disponible dans	1.xx	2.0	2.01+	3.xx	4.xx
					X

E1h		**Test du numéro de version DSP**
Sortie	E1h	Code de commande
Description	Cette commande détermine le numéro de version du DSP installé. Après la sortie du code de commande, il convient de lire successivement deux fois le registre *Read Data*. En premier octet, la commande renvoie le numéro de version principale du DSP, en second octet le numéro de sous-version. Le numéro de version permet d'identifier le type de la carte SoundBlaster installée.	

Disponible dans	1.xx	2.0	2.01+	3.xx	4.xx
	X	X	X	X	X

DSPUTIL.H	DSP.C	DSP.PAS

38.4. La table de mixage

La tâche de la table de mixage (Mixer) consiste à gérer le volume acoustique des sources d'entrée/sortie, à définir le lien entre les sources et à libérer les signaux en entrée pour mener à bien l'échantillonnage. Tout comme les différentes versions DSP implémentées sur des cartes SoundBlaster de modèles variés, la table de mixage présente également des disparités entre les membres de la famille SoundBlaster.

Trois types de table de mixage sont en circulation jusqu'à ce jour :

○ la CT1335, avec son caractère plutôt rudimentaire, utilisée par la SoundBlaster 2.0 à condition qu'une extension nécessaire au lecteur CD-ROM soit installée,

○ la CT1345, modèle plus avancé, que l'on rencontre sur des cartes SoundBlaster Pro,

○ la CT1745, la plus performante, développée avec la SoundBlaster 16.

Le fossé entre le caractère primitif et le caractère performant de la table de mixage est marqué par les paramètres de définition dont le nombre n'a pas cessé de croître de version en version. Cela concerne l'accélération des entrées/sorties, la préparation des filtres pour réduire les bruits parasites et les options de résolution concernant le volume d'une source acoustique ou d'un signal de sortie. Plus les niveaux de résolution sont importants et plus les sources peuvent affiner leurs différences.

Accès à la table de mixage

L'adressage des registres de la table de mixage s'effectue à l'aide d'un port de données et d'un port d'adresses exactement comme le circuit OPL. Il convient tout d'abord de spécifier le numéro du registre Mixer voulu via le port d'adresses avant de pouvoir lire ou décrire son contenu via le port de données. L'adresse du port d'adresses et du port de données de la table de mixage se définit par rapport à l'adresse de base de la carte SoundBlaster selon la formule :

```
Port d'adresses de la table de mixage = Adresse de base SoundBlaster + 4
Port de données de la table de mixage = Adresse de base SoundBlaster + 5
```

A la différence du circuit OPL, il est inutile ici de définir une boucle d'attente après la sortie du numéro de registre demandé sur le port d'adresses de la table de mixage afin de laisser quelques instants au chip pour exécuter l'accès. En revanche, un accès en lecture sur le port de données a lieu indiscutablement lorsqu'il s'agit de lire le registre spécifié ou un accès en écriture lorsqu'il s'agit de le remplir avec un nouveau contenu.

Voici un exemple illustrant la description d'un registre Mixer :

```
mov    dx,SbPortBasis   ;Charger l'adresse de port de la carte SB
add    dl,04h           ;Offset pour l'adresse de port du Mixer
mov    al,MixRegNr      ;Charger le numéro du registre Mixer voulu
out    dx,al            ;Envoyer au port d'adresses du Mixer
inc    dl               ;Définir DX sur le port de données
mov    al,NouvValeur    ;Charger la nouvelle valeur du registre
out    dx,al            ;et transmettre au port de données
```

La lecture d'un registre Mixer s'effectue pratiquement selon le même procédé :

```
mov  dx,SbPortBasis   ;Charger l'adresse de port de la carte SB
add  dl,04h           ;Offset pour l'adresse de port du Mixer
mov  al,MixRegNr      ;Charger le numéro du registre Mixer voulu
out  dx,al            ;Envoyer à l'adresse de port du Mixer
inc  dl               ;Définir DX sur le port de données
in   al,dx            ;Lire le contenu en cours
```

La description des registres Mixer figurant dans les pages suivantes vous montrera qu'un nombre assez important de bits n'est pas défini dans ces registres.

Creative Labs met en garde contre cette situation et conseille de prendre des renseignements sur le contenu des bits réservés lors de l'accès à ces registres.

Creative Labs invite à respecter les règles suivantes :

O   Ne soyez pas tributaires des bits non définis lorsque vous testez le contenu des bits définis dans un registre. Masquez les bits non définis.

O   Réglez toujours sur 0 les bits réservés lors de la description d'un registre Mixer ou mieux encore :

O   Lisez d'abord le contenu d'un registre Mixer à modifier, ne changez que les bits qui en sont réellement concernés et écrivez la nouvelle valeur dans le registre.

O   Au démarrage du programme, chargez le contenu du registre Mixer qui a été modifié pendant l'exécution du programme et réinscrivez impérativement cette valeur avant la fin du programme.

Mixer CT1335

La première table de mixage de la série SoundBlaster dispose seulement de cinq registres. La seule opération qu'elle peut réaliser consiste à mélanger les diverses sources de sortie. Elle est équipée en plus de quelques paramètres pour la définition du volume Entrée ligne, MIDI, CD et Microphone.

Registre	Bit 7	Bit 6	Bit 5	Bit 4	Bit 3	Bit 2	Bit 1	Bit 0
00h	Mixer-Reset							
02h					Volume Master			
06h					Volume MIDI			
08h					Volume CD			
0Ah					Volume Voice			

Mixer CT1335

Registre 00h   Mixer Reset

Envoyer une valeur quelconque à ce registre en cas de reset du Mixer qui a été déplacé afin de réinitialiser le contenu par défaut du registre.

Registre 02h   Volume Master

8 paramètres différents peuvent être définis. Les valeurs s'échelonnent de 0 à 7 couvrant un intervalle de -46 dB à 0 par pas de 4 dB. La valeur par défaut est 4 pour -11 dB.

Registre 06h   Volume MIDI

Analogue au registre 02h.

Registre 08h   Volume CD

8 paramètres différents peuvent être définis. Les valeurs s'échelonnent de 0 à 7 couvrant un intervalle de -46 dB à 0 par pas de 4 dB. La valeur par défaut est 0 pour -46 dB.

Registre 0Ah   Volume Voice

4 paramètres différents peuvent être définis. Les valeurs s'échelonnent de 0 à 3 couvrant un intervalle de -46 dB à 0 par pas de 7 dB. La valeur par défaut est 0 pour -46 dB.

Mixer CT1345

Une amélioration technique du 1335 permet de régler séparément le volume du canal stéréo de gauche et de droite et de choisir la source en entrée qui sera transmise au DSP afin d'être échantillonnée. Ce Mixer est équipé en plus d'un filtre en entrée et en sortie pour éviter le parasitage. Il est compatible avec la version 3.xx du DSP.

Registre	Bit 7	Bit 6	Bit 5	Bit 4	Bit 3	Bit 2	Bit 1	Bit 0
00h	Mixer-Reset							
04h	Volume Voice gauche				Volume Voice droit			
0Ah							Volume Microphone	
0Ch			Filtre entrée		Filtre passe bas	Echantillon simple		
0Eh			Filtre sortie				Bouton stéréo	
22h	Volume Master gauche				Volume Master droit			
26h	Volume FM gauche				Volume FM droit			
28h	Volume CD gauche				Volume CD droit			
2Eh	Volume Line gauche				Volume Line droit			

Mixer CT1345

Registre 00h   Mixer Reset

Envoyer la valeur 0 à ce registre en cas de reset du Mixer qui a été déplacé afin de réinitialiser le contenu par défaut du registre.

Registre 04h   Volume Voice Gauche & Droit (valeurs 0-15)
Registre 0Ah, Bits 0-2 Volume Microphone

4 paramètres différents peuvent être définis. Les valeurs s'échelonnent de 0 à 7 couvrant un intervalle de -46 dB à 0 par pas de 6 dB. La valeur par défaut est 0 pour -46 dB.

Registre 0Ch, Bits 1&2 Source d'échantillonnage

00b	Microphone (valeur par défaut)
01b	CD
10b	Microphone
11b	Line In (entrée ligne)

Registre 0Ch, Bit 3   Filtre passe bas

Ce bit détermine le volume du filtre Passe bas. Il n'intervient qu'en présence de signaux en entrée si le bit 5 est réglé sur 1 dans le même registre. Pour des signaux en sortie, il n'entre en jeu que si le bit 5 est réglé sur 1 dans le registre 0Eh.

0b	passe bas 3,2 Khz (valeur par défaut)
1b	passe bas 8,8 Khz (Filtre haut)

Registre 0Ch, Bit 5   Filtre en entrée

0b	Filtre en entrée Passe bas actif (valeur par défaut)
1b	Filtre en entrée Passe bas inactif

Registre 0Eh, Bit 1   Commutateur stéréo

Ce bit permet d'activer des sorties stéréo.

0b	Sortie mono (valeur par défaut)
1b	Sortie stéréo

Registre 0Eh, Bit 5   Filtre en sortie

0b	Filtre en sortie Passe bas actif (valeur par défaut)
1b	Filtre en sortie Passe bas inactif

Registre 22h   Volume Master Gauche & Droit (valeurs 0-15)
Registre 26h   Volume FM Gauche & Droit

8 paramètres différents peuvent être définis. Les valeurs s'échelonnent de 0 à 15 couvrant un intervalle de -46 dB à 0 par pas de 4 dB. La valeur par défaut est 4 pour -11 dB.

Registre 28h   Volume CD Gauche & Droit (valeurs 0-15)
Registre 2Eh   Volume Line Gauche & Droit (valeurs 0-15)

8 paramètres différents peuvent être définis. Les valeurs s'échelonnent de 0 à 7 couvrant un intervalle de -46 dB à 0 par pas de 4 dB. La valeur par défaut est 4 pour -46 dB.

Le filtre Passe bas est chargé de désactiver des sons à haute fréquence lors de l'enregistrement pour atteindre une meilleure qualité. Le filtre 3,2 Khz est conseillé pour des échantillons mono avec une fréquence d'échantillonnage inférieure à 18 Khz. Le filtre 8,8 Khz est conseillé pour des échantillons mono avec une fréquence d'échantillonnage comprise entre 18 Khz et 36 Khz. Il convient de désactiver les deux filtres avec des échantillons stéréo et mono avec une fréquence d'échantillonnage supérieure à 36 Khz.

Mixer CT1745

Les performances actuelles en matière de table de mixage ont été encore une fois notoirement améliorées mais elles ont produit une énorme quantité de nouveaux registres. La taille des registres son a été augmentée au point d'atteindre aujourd'hui 5 bits. Désormais, on ne se contente plus de mélanger de nombreuses sources en sortie avec le signal en sortie puisque le signal en entrée peut lui aussi être composé de sources multiples. Et pour couronner le tout, les sons graves et aigus du signal en sortie peuvent être réglés séparément pour le canal en sortie de gauche et de droite à l'intérieur de la table de mixage. On ne peut que rechercher vainement les bits de filtre du CT1345 dans le CT1745 qui s'est vu doter d'une méthode dynamique de filtre des signaux. Le nouveau circuit Mixer a été introduit avec la version 4.xx du DSP.

Registre	Bit 7	Bit 6	Bit 5	Bit 4	Bit 3	Bit 2	Bit 1	Bit 0
00h	Mixer-Reset							
04h	Volume Voice Gauche				Volume Voice Droit			
0Ah						Volume Microphone		
22h	Volume Master Gauche				Volume Master Droit			
26h	Volume FM gauche				Volume FM Droit			
28h	Volume CD gauche				Volume CD Droit			
2Eh	Volume Line gauche				Volume CD Droit			
30h	Volume Master Gauche							
31h	Volume Master Droit							
32h	Volume Voice Gauche							
33h	Volume Voice Droit							
34h	Volume MIDI Gauche							
35h	Volume MIDI Droit							
36h	Volume CD Gauche							
37h	Volume CD Droit							
38h	Volume Line Gauche							
39h	Volume Line Droit							
3Ah	Volume Microphone							
3Bh	Volume haut-parleur PC							
3Ch				Line Gauche	Line droit	CD Gauche	CD Droit	Micro
3Dh		MIDI Gauche	MIDI Droit	Line Gauche	Line Droit	CD Gauche	CD Droit	Micro
3Eh		MIDI Gauche	MIDI Droit	Line Gauche	Line Droit	CD Gauche	CD Droit	Micro
3Fh	Ampli en entrée Gauche							
40h	Ampli en entrée Droit							
41h	Ampli en sortie Gauche							
42h	Ampli en sortie Droit							
43h								AGC
44h	Aigu gauche							
45h	Aigu droit							
46h	Basse gauche							
47h	Basse droit							

Mixer CT1745

Registre 00h   Mixer Reset

Envoyer la valeur 0 à ce registre en cas de reset du Mixer qui a été déplacé afin de réinitialiser le contenu par défaut du registre.

Registre 04h   Volume Voice Gauche & Droit
Registre 0Ah   Volume Microphone

8 paramètres différents peuvent être définis. Les valeurs s'échelonnent de 0 à 7 couvrant un intervalle de -42 dB à 0 par pas de 6 dB. La valeur par défaut est 0 pour -42 dB.

Ce registre ne doit également sa survie que pour des raisons de compatibilité - utiliser de préférence le registre 3Ah (registre 32 niveaux).

Registre 22h   *Volume Master Gauche & Droit*
Registre 26h   *Volume FM Gauche & Droit*

16 paramètres différents peuvent être définis. Les valeurs s'échelonnent de 0 à 15 couvrant un intervalle de -60 dB à 0 par pas de 4 dB. La valeur par défaut est 12 pour -12 dB.

Ce registre n'a été conservé que pour assurer la compatibilité avec la version antérieure de la table de mixage. Si possible, un programme doit utiliser les nouveaux registres 30h à 3Ah.

Registre 28h   *Volume CD Gauche & Droit*
Registre 2Eh   *Volume Line Gauche & Droit*

16 paramètres différents peuvent être définis. Les valeurs s'échelonnent de 0 à 15 couvrant un intervalle de -60 dB à 0 par pas de 4 dB. La valeur par défaut est 0 pour -60 dB.

Ce registre n'a été conservé que pour assurer la compatibilité avec la version CT1345 de la table de mixage. Si possible, un programme doit utiliser les nouveaux registres 30h à 3Ah.

Registre 30h/31h *Volume Master Gauche & Droit*
Registre 32h/33h *Volume Voice Gauche & Droit*
Registre 34h/35h *Volume MIDI Gauche & Droit*

32 paramètres différents peuvent être définis. Les valeurs s'échelonnent de 0 à 31 couvrant un intervalle de -62 dB à 0 par pas de 2 dB. La valeur par défaut est 24 pour -14 dB.

Registre 36h/37h *Volume CD Gauche & Droit*
Registre 38h/39h *Volume Line Gauche & Droit*
Registre 3Ah   *Volume Microphone*

32 paramètres différents peuvent être définis. Les valeurs s'échelonnent de 0 à 31 couvrant un intervalle de -62 dB à 0 par pas de 2 dB. La valeur par défaut est 0 pour -18 dB.

Registre 3Bh   *Haut-parleur du PC*

4 paramètres différents peuvent être définis. Les valeurs s'échelonnent de 0 à 3 couvrant un intervalle de -18 dB à 0 par pas de 6 dB. La valeur par défaut est 0 pour -18 dB.

Registre 3Ch   *Mixer en sortie*

Dans ce registre, réglez sur 1 les bits de toutes les sorties dont le signal en sortie doit être libéré.

Registre 3Dh   *Mixer en entrée pour le canal de gauche*

Dans ce registre, réglez sur 1 les bits de toutes les sorties dont le signal en entrée doit être libéré.

En cas d'enregistrement mono, tous les échantillons seront réceptionnés par ce canal. En cas d'enregistrement mono sur un périphérique stéréo, les deux canaux doivent être configurés sur le canal en entrée de gauche à l'aide des registres 3Dh et 3Eh.

Registre 3Eh — Mixer en entrée pour le canal droit

Dans ce registre, réglez sur 1 les bits de toutes les sorties dont le signal en entrée doit être libéré pour le canal droit.

Registre 3Fh / 40h — Amplificateur en entrée Gauche & Droit
Registre 41h / 42h — Amplificateur en sortie Gauche & Droit

4 paramètres différents peuvent être définis. Les valeurs s'échelonnent de 0 à 3 couvrant un intervalle de 0 dB à 18 dB par pas de 6 dB. La valeur par défaut est 0 pour 0 dB.

Registre 43h, Bit 0 — Amplificateur Microphone automatique (AGC)

0 = AGC actif
1 = Amplificateur réglé sur 20 dB

Registre 44h / 45h — Aigu Gauche & Droit
Registre 46h / 47h — Basse Gauche & Droit

6 paramètres différents peuvent être définis. Les valeurs de 0 à 15 couvrent un intervalle de -14 dB à 0 par pas de 2 dB et les valeurs de 8 à 15 couvrent un intervalle de 0 dB à 14 dB par pas de 2 également. La valeur par défaut est 8 pour 0 dB.

MIXUTIL.H	MIXUTIL.C	MIXUTIL.PAS
MIX.C	MIX.PAS	

Aide sur la programmation de la table de mixage

Pour vous aider à programmer la table de mixage, nous vous proposons le module MIXUTIL qui renferme des fonctions servant à définir et à tester les registres dans les différentes versions de la table de mixage. Comme vous pouvez le deviner à travers les tableaux ci-dessous, les fonctions sont regroupées selon qu'il s'agit d'un accès au Mixer CT1335 (mix_...), au Mixer CT1345 (mix3_...) ou au Mixer CT1745 (mix4_...).

Fonction	Description
mix_SetBase	Définit l'adresse de port de la SoundBlaster
mix_Write	Transmet un octet au registre Mixer
mix_Read	Lit un octet dans le registre Mixer
mix_Reset	Réinitialise le Mixer
mix3_SetDACFilter	Active ou désactive le filtre ADC
mix3_GetDACFilter	Lit l'état du filtre ADC
mix3_SetDACFilter	Active ou désactive le filtre DAC
mix3_GetDACFilter	Lit l'état du filtre DAC
mix3_SetDACStereo	Active ou désactive la sortie stéréo (DAC)
mix3_GetDACStereo	Lit l'état de la sortie stéréo
mix3_SetADDACLowPass	Définit le filtre Passe bas pour la réception
mix3_GetADDACLowPass	Lit le filtre Passe bas utilisé
mix3_PrepareForStereo	Prépare le Mixer pour un enregistrement/une sortie stéréo
mix3_RestoreFromStereo	Rétablit les paramètres par défaut du Mixer

Fonction	Description
mix3_SetVolume	Définit le volume en sortie
mix3_GetVolume	Lit le volume en sortie
mix3_SetADCSource	Définit la source de réception
mix3_GetADCSource	Lit la source d'enregistrement en cours
mix4_PrepareForMonoADC	Prépare le Mixer pour un enregistrement mono
mix4_RestoreFromMonoADC	Rétablit l'état du Mixer
mix4_SetVolume	Définit le volume en sortie d'une source Mixer
mix4_GetVolume	Lit le volume en sortie
mix4_SetADCSourceL	Définit la source d'enregistrement ADC de gauche
mix4_SetADCSourceR	Définit la source d'enregistrement ADC de droite
mix4_GetADCSourceL	Détermine la source d'enregistrement ADC de gauche
mix4_GetADCSourceR	Détermine la source d'enregistrement ADC de droite
mix4_SetOUTSource	Définit la source de sortie (restitution)
mix4_GetOUTSource	Indique la source de sortie
mix4_SetADCGain	Règle l'amplificateur d'enregistrement
mix4_GetADCGain	Renvoie les valeurs de l'amplificateur d'enregistrement
mix4_SetOUTGain	Règle la sortie de l'amplificateur
mix4_GetOUTGain	Lit la sortie de l'amplificateur
mix4_SetAGC	Définit/supprime Automatic Gain Control
mix4_GetAGC	Lit Automatic Gain Control
mix4_SetTreble	Règle les aigus
mix4_GetTreble	Lit le réglage en cours des aigus
mix4_SetBass	Règle les basses
mix4_GetBass	Lit le réglage en cours des basses
▬▬▬ Les fonctions du module MIXUTIL	

L'appel de ces fonctions est démontré par le programme MIX. Ce programme permet à l'utilisateur de personnaliser les définitions en entrant des paramètres dans la ligne de commande. Appelé sans paramètre, ce programme affiche la syntaxe des paramètres attendus.

```
Démarrage MIX
[ -MIC:0-255][ -SPEAKER:0-255][ -CD:0-255[,0-255]]
[ -LINE:0-255[,0-255]][ -VOICE:0-255[,0-255]]
[ -MIDI:0-255[,0-255]][ -MASTER:0-255[,0-255]]
[ -ADC_L:[ MIDI_L:0/1]      [ -ADC_R:[ MIDI_L:0/1]
         [,MIDI_R:0/1]               [,MIDI_R:0/1]
         [,MIDI:0/1]                 [,MIDI:0/1]
         [,LINE_L:0/1]               [,LINE_L:0/1]
         [,LINE_R:0/1]               [,LINE_R:0/1]
         [,LINE:0/1]                 [,LINE:0/1]
         [,CD_L:0/1]                 [,CD_L:0/1]
         [,CD_R:0/1]                 [,CD_R:0/1]
         [,CD:0/1]                   [,CD:0/1]
         [,MIC:0/1]]                 [,MIC:0/1]]
[ -OUT_L:[LINE_L:0/1][,LINE_R:0/1][,LINE:0/1]
         [,CD_L:0/1][,CD_R:0/1][,CD:0/1][,MIC:0/1]]
[ -TREBLE:0-15[,0-15]][ -BASS:0-15[,0-15]]
[ -ADCGAIN:0-3[,0-3]][ -OUTGAIN:0-3[,0-3]][-AGC:ON/OFF]
[/r] = Reset du Mixer
[/q] = Pas de sortie (Quiet)

Exemple d'appel: MIX -MIC:255 -CD:128,255 -LINE:255
-ADC_L:CD_L:1,CD_R:0 -ADC_R:CD_L:0,CD_R:1
```

Le programme MIX

38.5.   Sortie vocale

Depuis la nuit des temps, la vision d'une machine parlante exerce une fascination sur l'homme. Si ce but fut difficile à atteindre à l'ère de la révolution industrielle, les progrès de la micro-électronique ne laissent plus le choix à l'ordinateur d'agir comme une entité parlante. L'ancêtre du PC - Apple II et par la suite Commodore 64 - disposait déjà de programmes capables de convertir un texte en langage qui résonnait à travers le haut-parleur intégré au PC. Il va sans dire que la sortie de texte ne pose aucune difficulté majeure à la carte SoundBlaster.

Mais ce qui est gênant, c'est le besoin en mémoire sollicité par la sortie vocale.

Tout le secret d'une bonne sortie vocale repose en effet sur la numérisation des séquences de phonèmes, aussi nombreuses que possibles.

Tout le monde sait qu'un A placé devant un C produit un son complètement différent d'un A précédant un P et qu'un E situé à la fin d'un mot est inaudible (E muet). Le même E commençant un mot peut quant à lui produire des sons divers selon la lettre qui le suit.

Toutes ces conditions sont à prendre en considération pour générer une sortie vocale d'excellente qualité, si tel est le but visé.

Comme vous le constaterez au cours de cette section, un gestionnaire SoundBlaster adéquat aide parfaitement à réaliser la sortie vocale à l'intérieur d'un programme, par exemple pour lire des fichiers texte à l'utilisateur ou pour renvoyer des messages à haute voix. Mais l'ennui est qu'il faut s'habituer au langage américain car le gestionnaire TTS (Text To Speech) n'existe qu'en version américaine. Il n'y a aucune raison d'espérer que les fichiers de phonèmes soient adaptés en langue française eu égard à la distribution massive de la SoundBlaster, mais ce jour n'est pas encore arrivé. Force est donc de faire abstraction de cette éventualité afin de préserver la qualité vocale.

Architecture du moteur Text To Speech

Pour que la carte SoundBlaster lise un texte à haute voix, elle a besoin d'un certain nombre de fichiers qui sont copiés sur disque lors de l'installation logicielle de la SoundBlaster. Il s'agit des fichiers CTTS.DRV, SBTALKER.EXE et BLASTER.DRV. La figure suivante montre le rôle joué par ces fichiers dans le cadre de la génération du langage.

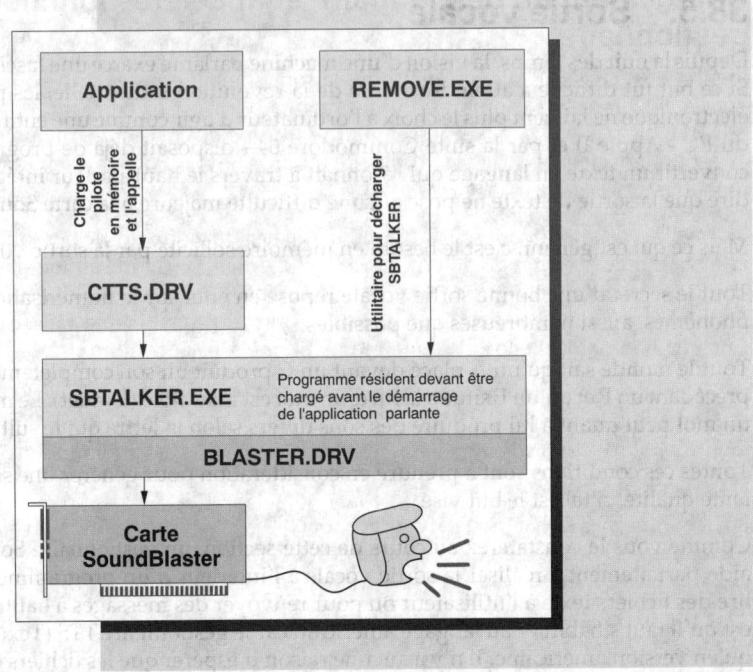

Architecture du moteur Text To Speech

SBTALKER est le véritable module de langage acheté par Creative Labs à son fabricant américain First Byte. C'est un programme résident devant être activé avant le démarrage de son application "parlante" pour être ainsi figé en mémoire. SBTALKER est activable également depuis votre programme pour ne pas encombrer l'utilisateur. Vous disposez à cet effet de la fonction DOS EXEC dont l'appel est décrit au chapitre 25. Les modules de langage ne font plus partie intégrante de la carte SoundBlaster. Ils sont disponibles dans des BBS et dans des programmes shareware.

SBTALKER n'accède pas directement à l'électronique de la SoundBlaster. Il utilise un gestionnaire nommé BLASTER.DRV situé dans le même répertoire que SBTALKER, généralement C:\SBTALKER. A cet endroit, le programme d'installation configure un fichier batch sous le nom SBTALK.BAT doté d'une seule ligne formulée comme suit :

```
SBTALKER /dBLASTER
```

L'appel de SBTALKER s'effectue dans cette ligne où le paramètre **d** (pour driver) lui renseigne sur le nom du gestionnaire donnant accès à la carte SoundBlaster. N'oubliez pas de spécifier le paramètre **d** lorsque vous effectuez l'appel de SBTALKER à partir de votre programme.

Etant donné que SBTALKER demeure résident en mémoire, il est conseillé de l'enlever de la mémoire en fin d'exécution du programme. Le répertoire SBTALKER contient dans ce but le programme REMOVE.EXE accessible directement depuis votre programme pour décharger SBTALKER de la mémoire.

Chargement du gestionnaire et appel des fonctions du gestionnaire

Bien que SBTALKER dispose de toute la fonctionnalité nécessaire pour exécuter une sortie vocale, il n'en reste pas moins qu'un gestionnaire est activé entre un programme "parlant" et SBTALKER : CTTS.DRV. Ce gestionnaire s'occupe de charger en mémoire votre programme avant qu'il déclenche la sortie vocale. Le module SBUTIL déjà présenté contient à cet effet les fonctions *sb_LoadDriver* et *sb_UnloadDriver*.

sb_LoadDriver attend un seul argument qui est le nom de fichier du gestionnaire. Cette information lui permet de déterminer la taille du gestionnaire, allouer la mémoire principale requise et charger le gestionnaire dans le segment ainsi réservé. Il est indispensable que le gestionnaire commence par un paragraphe (une adresse divisible par 16) car c'est la condition sine qua non pour que le gestionnaire fonctionne sans encombre.

Le point de mire de toutes les fonctions de gestionnaire est l'adresse d'offset 0 située dans le segment du gestionnaire sachant que l'appel doit être exécuté par un FAR CALL. Pour identifier la fonction concernée, un numéro de fonction est attendu dans le registre BX et des informations complémentaires dans d'autres registres du processeur selon la fonction.

Les paragraphes suivants décrivent les fonctions du gestionnaire mais ne vous faites pas de souci quant à l'affectation des registres des diverses fonctions. Le module CTTS, fourni à la fin de cette section, présente les routines nécessaires à l'appel des fonctions du gestionnaire.

Fonction 0	**Indique le numéro de version**
Description	Renvoie le numéro de version du gestionnaire CTTS
Registre en entrée	BX = 0
Registre en sortie	AH = Numéro de version principale
	AL = Numéro de sous-version

Fonction 1	**Transmet la variable d'environnement BLASTER**
Description	Le gestionnaire doit connaître les données clé (adresse de port, canal DMA, etc.) afin de pouvoir accéder à la SoundBlaster. Cette fonction renvoie la variable d'environnement BLASTER qui fournit au gestionnaire les informations dont il a besoin.
Registre en entrée	BX = 1
	ES:DI = Pointeur FAR sur la chaîne ASCIIZ contenant la variable d'environnement BLASTER. La chaîne doit commencer derrière le signre égal, le texte "BLASTER=" ne doit pas être inclus dans la chaîne.
Registre en sortie	AX = 0 : Tout va bien
	AX = 1: Erreur, ES:DI est NULL ou pointe vers une chaîne vide.
	AX = 2: Erreur, les paramètres mentionés dans la chaîne sont incorrects.
Remarque	*Cette fonction est la première fonction de gestionnaire à appeler avant même que la fonction 2 ne soit appelée à l'étape suivante.*

Fonction 2	**Initialise le gestionnaire CTTS**
Description	Un appel de cette fonction initialise le gestionnaire CTTS. A l'exception de la fonction 1, les autres fonctions ne doivent être appelées qu'après une exécution réussie de cette fonction.
Registre en entrée	BX = 2
Registre en sortie	AX = 0 : Tout va bien AX 0 : Erreur
Remarque	*Un appel réussi de la fonction 1 doit précéder l'appel de cette fonction.*

Fonction 3	**Termine le gestionnaire**
Description	Cette fonction indique au gestionnaire qu'il faut arrêter l'appel d'autres fonctions de gestionnaire.
Registre en entrée	BX = 3
Registre en sortie	Aucun
Remarque	*Le gestionnaire ne se retire pas de lui-même de la mémoire - le programme concerné doit tenir compte de cette description. Il convient de réinitialiser le gestionnaire avec les fonctions 1 et 2 avant d'appeler d'autres fonctions de gestionnaire.*

Fonction 4	**Règle les paramètres de la sortie vocale**
Description	Cette fonction définit les paramètres nécessaires à la sortie vocale. Il s'agit notamment de la voix masculine ou féminine, la gravité du son, le volume et la vitesse d'élocution.
Registre en entrée	BX = 4 AL = Sexe, 0 = voix masculine et 1 = voix féminine AH= Etat de la voix 0 = grave et 1 = aigu DL = Volume, valeur comprise entre 0 et 9. La valeur par défaut est 5. DH =Gravité du son, valeur comprise entre 0 et 9. La valeur par défaut est 5. CL=Vitesse d'élocution, valeur comprise entre 0 et 9. La valeur par défaut est 5.
Registre en sortie	Aucun
Remarque	*Seule la voix masculine est reconnue jusqu'à présent. L'indication de AL = 1 pour une voix féminine est ignorée.*

Fonction 5	**Sortie vocale**
Description	Permet au gestionnaire de lire un texte à haute voix.
Registre en entrée	BX = 5 ES:DI = Pointeur FAR sur une chaîne ASCIIZ contenant le texte à lire haute voix.
Registre en sortie	AX = 0 : Tout va bien, le texte a été dit AX = 1 : Erreur, la chaîne est vide AX = 2 : Erreur, la chaîne est trop longue

Programmes d'exemple

Pour que vous ne soyez pas dérouté par l'amalgame des fonctions, le module CTTS fournit des fonctions prêtes à l'emploi relatant toutes les fonctions de gestionnaire. CTTS est accompagné d'un fichier include nommé CTTS.H. Vous pouvez l'intégrer dans vos programmes pour qu'ils puissent accéder aux fonctions CTTS.

Fonction	Description
ctts_GetDrvVer	Renvoie le numéro de version du gestionnaire
ctts_GetEnvSettings	Configure le gestionnaire avec une variable d'environnement
ctts_Init	Initialise le gestionnaire
ctts_SetSpeechParam	Définit les paramètres du langage
ctts_Terminate	Désinstalle le gestionnaire
ctts_Say	Dit le texte
Fonctions du module CTTS	

L'emploi des fonctions de CTTS est démontré par le programme VOICE - un utilitaire en ligne de commande permettant à la SoundBlaster de lire à haute voix une phrase quelconque, par exemple par l'appel :

```
voice "See how speaks SoundBlaster card"
```

VOICE accepte les paramètres concernant le sexe (voix masculine ou voix féminine), le volume, etc. Le programme rappelle la syntaxe adéquate lorsque vous l'appelez sans paramètre. N'oubliez pas d'appeler SBTALKER avant le démarrage du programme. Et assurez-vous que le gestionnaire CTTS se trouve dans le même répertoire que VOICE.

CTTS.H   CTTS.C   VOICE.C

Partie 6

La télécommunication

39.   Communication ISDN avec le PC

Qui aurait pu penser cela ? Il y a quelques années encore, ISDN (Integrated Service Digital Network) était considéré comme une sorte de norme secrète juste bonne à exciter la curiosité de quelques initiés. Mais voilà que grâce à une politique de prix habilement menée par l'administration des télécommunications, grâce à quelques actions de marketing agressif, ISDN, ou RNIS en français (Réseau Numérique à Intégration de Services), connaît depuis 1993 un indéniable succès.

Dans ce chapitre, nous nous en tiendrons à l'appellation internationale de "ISDN". En France, c'est surtout via le Numéris de France Télécom que s'est opéré ce développement. Tous les pays voient fleurir des prises ISDN, et la fin de cette tendance n'est pas en vue. La mise en service des PC comme équipements terminaux du réseau ISDN ne joue pas un rôle négligeable dans cette évolution, car les machines digitales que sont les ordinateurs s'insèrent de façon idéale dans le monde digital ISDN.

D'un côté l'ordinateur profite de ISDN comme moyen de communication rapide et sûr, capable d'assurer des transmissions de données à la vitesse de 64 Koctets par seconde avec un taux d'erreur binaire inférieur à 10^{-9}.

Voilà qui laisse loin derrière les techniques de transmission analogique (modems). Inversement le réseau ISDN profite du PC en tant que "machine de communication programmable universelle", utilisable comme télécopieur, téléphone, répondeur automatique, minitel, messagerie électronique, ou encore comme routeur pour relier des réseaux locaux.

Il suffit pour cela de disposer d'un logiciel approprié qui s'entend avec le correspondant à l'autre bout de ligne. Un logiciel qui veut envoyer et réceptionner des télécopies doit maîtriser le protocole de transmission des télécopies, de même qu'un émulateur de Minitel doit interpréter correctement le flot des données reçues pour dessiner correctement une page de Minitel.

Il n'en est pas autrement avec les communications analogiques par modem mais le réseau ISDN est plus rapide et réunit un plus grand nombre de formes de communications tandis que son coût, pour une communication *Numéris* par exemple est identique à celui d'une communication analogique par modem ou par fax.

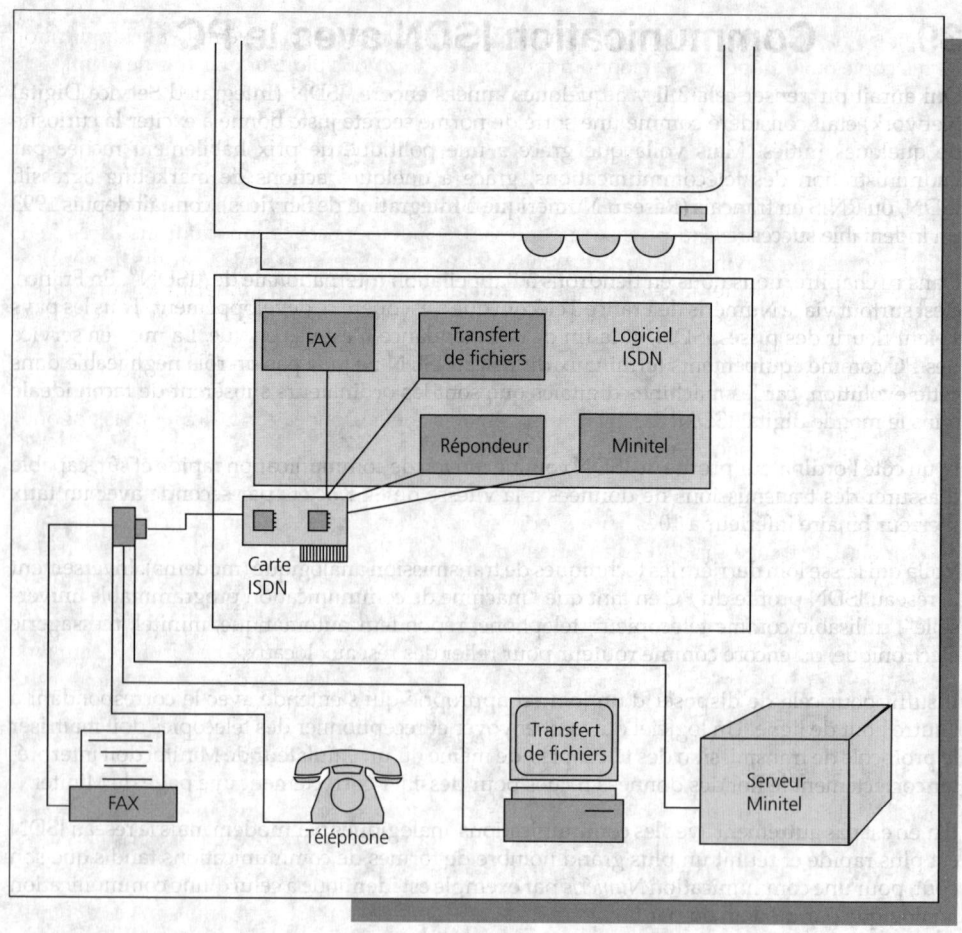

Le PC comme équipement terminal dans le réseau ISDN

Le présent chapitre traite de la liaison logicielle entre l'ordinateur et le réseau ISDN. Au centre de nos préoccupations se trouvera la transmission des données par ISDN. Nous aimerions vous montrer comment vous pouvez mettre en service dans les applications que vous programmez sur votre ordinateur des échanges de données de PC à PC via le réseau ISDN. Et ceci indépendamment de la nature des données : il peut s'agir de graphiques, de courrier électronique, de mesures, etc. Il vous faudra simplement disposer :

O   d'un PC
O   d'un accès ISDN
O   d'une carte ISDN déjà installée, active, passive ou semi-active avec un gestionnaire CAPI.

Avec leurs millions d'abonnés et des équipements terminaux encore plus nombreux, les réseaux de télécommunication ne peuvent exister que si les composants respectent rigoureusement toutes les normes et spécifications convenues, du format des prises et de leurs caractéristiques électriques jusqu'aux protocoles des échanges de données. ISDN est donc à lui seul toute une science. Le présent chapitre a pour ambition de rendre transparents les principes de base du réseau et son pilotage par logiciel en se concentrant sur l'essentiel.

Si vous voulez en savoir davantage sur ISDN, pour développer par exemple une application de télécopie ou un répondeur téléphonique, vous devrez vous plonger que vous le veuillez ou non dans un océan de documents et de standards.

39.1.   Les principes de base d'ISDN

Si on demande ce que veut dire ISDN, les réponses mettent habituellement l'accent sur le caractère digital du réseau puis sur sa vitesse. Ces deux observations sont justifiées mais ISDN représente davantage encore. ISDN est aussi un réseau à intégration de services comme le fait remarquer la dénomination française : RNIS, réseau numérique à intégration de services (en anglais : ISDN = Integrated Services Digital Network).

Les services dont il est question ici sont les différentes formes de communication électronique qui peuvent être prises en charge par le réseau de France Télécom ou d'autres opérateurs de télécommunications : téléphonie, télécopie, transmission de données et de fichiers, visiophonie, videotex, télex et vidéoconférence.

L'intégration de ces services dans ISDN s'effectue à deux niveaux. D'abord du côté de la connexion, par des prises et des connecteurs spéciaux qui permettent un branchement simple et normalisé de toutes sortes d'équipements terminaux. De l'autre côté l'intégration se réalise par l'uniformisation des commandes de liaison et la mise en oeuvre de protocoles digitaux.

Un bit envoyé sur la ligne par un correspondant arrive de l'autre côté de la ligne sous la même forme. On n'utilise plus de modulateur ou démodulateur pour mettre en forme le signal de façon que tel ou tel service le comprenne. Si deux appareils spécialisés dans une certain service veulent s'entendre, par exemple deux téléphones, il suffit qu'ils supportent le même protocole. Voilà qui prédestine le PC à œuvrer pour ISDN, puisqu'on peut le programmer pour n'importe quel protocole.

Dans la suite de ce chapitre, les protocoles seront souvent à l'ordre du jour. Ils constituent en effet l'alpha et l'oméga de toute transmission de données et peuvent être implémentés aussi bien par le matériel que par des logiciels.

Non seulement ils définissent le vocabulaire de base de la communication, mais en plus il décident du moment où les correspondants ont droit à la parole. On s'assure ainsi que les correspondants ne se parlent pas en quiproquo et retrouvent un terrain d'entente, si par hasard la communication est interrompue parce des données ont été perdues ou modifiées entre l'émission et la réception. Les protocoles définissent à cet effet des messages échangés sous forme de paquets de données.

En plus du contenu proprement dit de la communication, on trouve dans chaque paquet des informations de service comme l'adresse du destinataire, celle de l'émetteur ou une sous-commande qui précise encore davantage le message. Dans un réseau de la complexité d'ISDN, les protocoles apparaissent généralement à plusieurs niveaux. Tout en bas il garantissent la transmission sans défaut des paquets de données, tout en haut, au niveau de l'utilisateur, ils garantissent la bonne réception des fichiers.

39.1.1. Accès et canaux ISDN

En matière de connexion et de programmation ISDN, il faut distinguer deux accès. L'accès dit de base et l'accès primaire multiplexé. Dans la littérature spécialisée anglophone on tombe régulièrement sur les termes BRI (Basic Rate Interface pour branchement de base) et PRI (Primary Rate Interface pour branchement primaire multiplexé). Ces deux accès se distinguent par le nombre de canaux disponibles, ce qui les destine à des groupes d'usagers différents.

L'accès de base est prévu pour les usagers privés et les petites entreprises. Il comporte deux canaux de données. Contrairement au réseau téléphonique analogique, il permet de gérer avec une seule connexion deux communications simultanées ; on peut ainsi par exemple composer un numéro pendant qu'on reçoit un appel, ou recevoir un fax sur un canal pendant que sur l'autre on feuillette des pages de vidéotex. On parle à ce sujet d'interface SØ, une notion qui est reprise dans la dénomination de mainte cartes ISDN, par exemple *Teles SØ* ou *Creatix SØ*. Ces cartes sont prévues pour être branchées sur un accès de base ISDN et sont capables de gérer simultanément les deux canaux de cet accès.

Plus précisément, la notion SØ désigne l'interface située de l'autre côté sur le "Network terminator" (NT ou TNR Terminaison Numérique de Réseau)

C'est ainsi que l'on appelle le boîtier gris que les aimables techniciens des télécommunications fixent sur le mur lorsqu'ils installent une prise ISDN. Il constitue le lien entre le terminal ISDN de l'usager et le point d'échange digital (DIVO) des télécommunications auquel aboutit le branchement.

L'accès primaire multiplexé est pour sa part associé à l'interface appelée S2M. On dispose alors de 30 canaux, ce qui permet d'ouvrir 30 liaisons simultanées. Il faut évidemment à cet effet un standard téléphonique ISDN capable de gérer autant d'équipements sur ces différents canaux. Il existe aussi des cartes ISDN prévues pour l'interface S2M et qui gèrent tous les 30 canaux, transformant le PC en un standard téléphonique digital. Dans la pratique ces cartes sont cependant nettement moins répandues que celles pour l'interface SØ, plus simples à construire et de ce fait moins coûteuses.

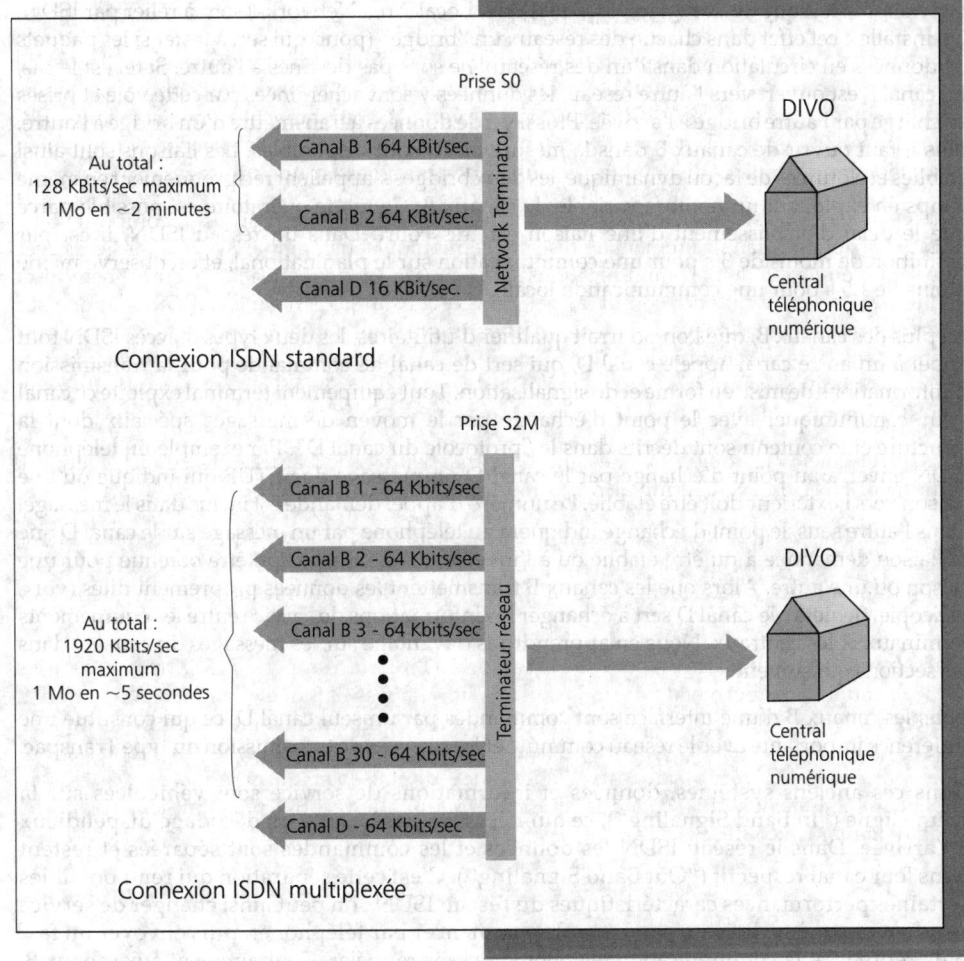

Accès de base et accès primaire multiplexé ISDN

Bien que les deux types d'accès offrent un nombre différent de canaux, ces derniers sont identiques. Il s'agit de canaux appelés canaux B (B comme base) qui transmettent les données à la vitesse caractéristique chez ISDN de 64 Koctets par seconde, ce qui équivaut à 8 Ko par seconde. Ainsi un fichier de 1 Mo nécessitera 2 mn 8 s de transmission. Ce résultat n'est pas tout-à-fait atteint dans la pratique, car il faut tenir compte de la présence d'informations de service ; la vitesse de transmission en terme de données utiles est par conséquent inférieure. Cette vitesse de transmission est à la disposition des correspondants reliés dans les deux sens : ils peuvent envoyer simultanément 64 Koctets/s de données du poste A vers le poste B et du poste B vers le poste A. On parle alors de mode "full duplex" ou bidirectionnel simultané.

Si on a besoin d'une vitesse plus grande, par exemple pour des images de vidéoconférence, on peut regrouper plusieurs canaux B. Avec l'interface SØ. La réunion des canaux ISDN est intéressante chaque fois que la bande passante, c'est-à-dire le nombre de données transmissibles dans un certain intervalle de temps, est sujette à des variations dynamiques. Il en est ainsi

par exemple lorsque deux réseaux locaux (LAN, Local Area Networks) sont à relier par ISDN. On installe à cet effet dans chacun des réseaux un "bridge" (pont) qui sert à tester si les paquets de données en circulation dans l'un des réseaux ne sont pas destinés à l'autre. Si tel est le cas, un canal B est ouvert vers l'autre réseau, les données y sont acheminées par cette voie et prises en charge par l'autre bridge à l'arrivée. Plus il y a de données à transmettre d'un bridge à l'autre, plus il faut ouvrir de canaux B dans la mesure où ils sont disponibles. Les liaisons sont ainsi établies et clôturées de façon dynamique, les deux bridges s'appellent réciproquement en même temps en exploitant un nombre variable de canaux B. Ce mode opératoire est possible parce que le délai d'établissement d'une liaison est très court. Dans un réseau ISDN, il est par définition de moins de 3 s pour une communication sur le plan national, et on observe même moins de 1.5 s pour une communication locale.

En plus des canaux B, que l'on pourrait qualifier d'utilitaires, les deux types d'accès ISDN font appel à un autre canal appelé canal D, qui sert de canal de commande pour la transmission d'informations de mise en forme et de signalisation. Tout équipement terminal exploite ce canal pour communiquer avec le point d'échange par le moyen de messages spéciaux dont la structure et le contenu sont décrits dans le "protocole du canal D". Par exemple un téléphone ISDN enverra au point d'échange par le canal D un message de SETUP qui indique qu'une liaison vers l'extérieur doit être établie. Le numéro d'appel demandé est inclus dans le message. Dans l'autre sens, le point d'échange indiquera au téléphone par un message sur le canal D que la liaison demandée a pu être établie ou à l'inverse qu'elle n'a pas pu être obtenue pour une raison ou une autre. Alors que les canaux B transmettent les données proprement dites (voix, télécopie, fichiers), le canal D sert à échanger les informations de service entre les équipements terminaux et les centraux. Nous en apprendrons davantage sur les messages du canal D dans les sections qui suivent.

Tous les canaux B d'une interface sont commandés par un seul canal D, ce qui constitue une différence importante avec le réseau commuté et les services de transmission du type Transpac.

Dans ces anciens systèmes, données et informations de service sont véhiculées sur la même ligne ("In Band Signaling"), ce qui nécessite par la suite un décodage dispendieux à l'arrivée. Dans le réseau ISDN les données et les commandes sont séparées et restent dans leur canal respectif ("Out Band Signaling"). C'est cette séparation qui rend possibles certaines performances caractéristiques du réseau ISDN : on peut ainsi changer de service pendant une même liaison, par exemple commencer par téléphoner, puis envoyer un fax, puis reprendre la communication téléphonique sans rappeler. Contrairement aux canaux B, le canal D d'une interface SØ ne fonctionne pas à 64 Koctets/s mais à 16 Koctets/s. Mais dans une interface S2M la vitesse du canal D est bien de 64 Koctets/s. Il est vrai que dans ce cas les 30 canaux B que doit gérer le canal D voient passer davantage de commandes que les deux canaux B de l'interface SØ.

En plus de la commande unique des différents canaux B par un seul canal D, les interfaces ISDN (S0 et S2M) présentent une autre caractéristique remarquable : le concept de bus. Tous les terminaux ISDN sont reliés au Network Terminator par un bus commun et passif, les prises ISDN étant branchées en parallèle. On n'est donc pas obligé de tirer un câble séparé entre chaque prise et le NT mais en contrepartie il est nécessaire de prévoir des mécanismes de synchronisation pour l'accès aux canaux. Il faut en effet éviter que deux terminaux essaient de prendre contact avec le point d'échange en même temps et se brouillent mutuellement. Par ailleurs un terminal doit se signaler comme émetteur lorsqu'il envoie un message par le canal D pour que le DIVO reconnaisse l'origine du message et ne l'attribue pas par erreur à un autre terminal.

Inversement un DIVO qui envoie un message sur le canal D doit indiquer le destinataire (le terminal concerné). N'oublions pas que si tous les terminaux branchés sur le bus reçoivent le message, seul le terminal destinataire doit réagir.

Le DIVO peut aussi envoyer des messages tous azimuts de type "Broadcast", qui sont destinés à l'ensemble des terminaux connectés. Ce processus est utilisé, lorsqu'arrive un appel, pour déterminer quel est le poste qui va le prendre en charge. Heureusement tout ceci se passe à un niveau qui n'intéresse pas directement le programmeur ISDN.

Il est important de remarquer que la philosophie du bus ISDN implique une association dynamique entre les canaux B disponibles et les terminaux connectés.

Supposons que les postes téléphoniques A et B sont en service. Au moment même où A raccroche, une télécopie arrive à destination du télécopieur C. Si l'appel survient avant que A n'ait raccroché, l'émetteur de la télécopie reçoit de la part du point d'échange un signal d'occupation.

En effet les deux canaux B disponibles sont occupés à cet instant précis. Un seul accès ISDN suffit donc pour exploiter en même temps toute une série de terminaux (jusqu'à 8 pour un accès B). Mais à tout moment le nombre de liaisons gérées en même temps ne peut dépasser le nombre de canaux B libres.

La séparation des canaux B et des canaux D responsables de la gestion des terminaux et des standards téléphoniques s'arrête précisément au Network Terminator, c'est-à-dire au seuil du point d'échange digital des télécoms.

Car le NT est relié au DIVO par un câble en cuivre à quatre fils (deux paires), le même qui aboutit aux prise "analogiques" ordinaires destinées au téléphone et au télécopieurs. C'était la seule façon pour les télécommunications d'être en mesure de proposer des accès ISDN sur tout le territoire sans être obligés de tirer des câbles en fibre optique jusque dans le moindre recoin du pays. Le Network terminator a donc pour mission de mélanger les canaux B et D.

Dans le cadre d'un multiplexage soigneusement réglementé, le NT rassemble les signaux des trois canaux en un seul flot de données qu'il expédie à la vitesse de 192 Koctets/s au DIVO (2*64 Koctets + 16 Koctets + informations complémentaires).

Il doit également veiller à démêler le flot d'informations qui arrive en réception pour le répartir dans deux canaux B et un canal D. Le détail de ces opérations ne nous intéresse pas particulièrement car il n'influence pas la programmation ISDN.

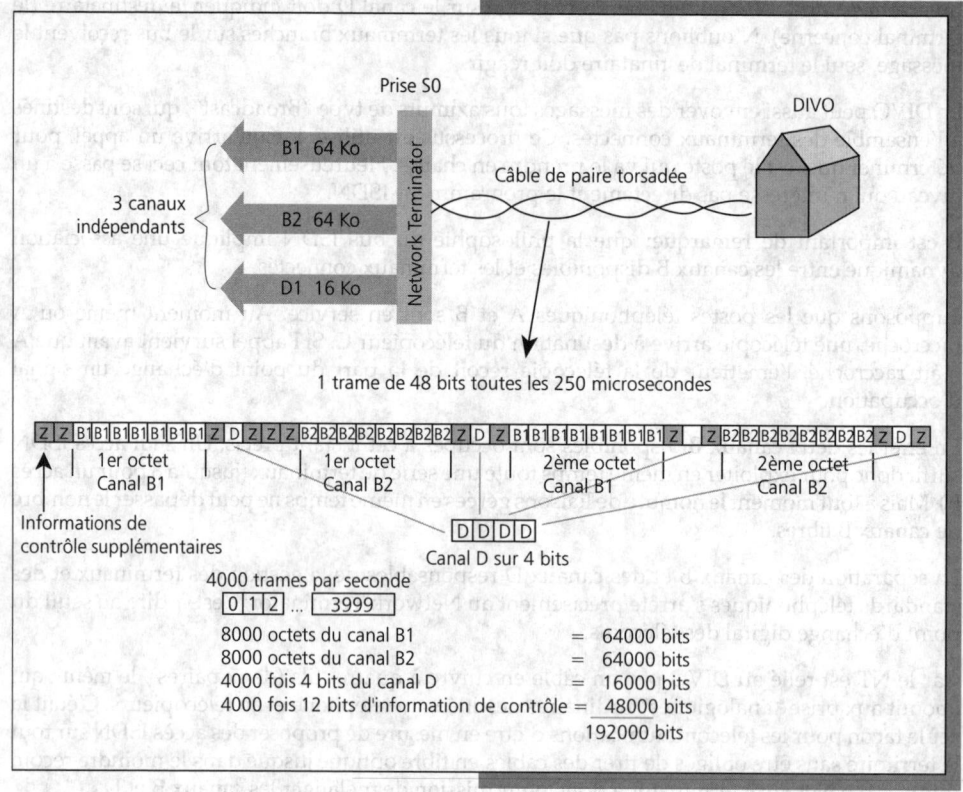

Une liaison ISDN dans le réseau de télécommunication

39.1.2. Les protocoles du canal D

Pour fixer les mécanismes d'établissement et de clôture des communications à l'intérieur d'un réseau ISDN, on a défini très tôt un protocole dit du canal D. Ce protocole réglemente les communications entre un terminal et le point d'échange des télécoms en imposant la forme des messages de commande.

Ces messages sont indépendants du service concerné, ils sont donc utilisés par toutes sortes de services. Pour établir une communication téléphonique, le message du canal D sera le même que pour demander une liaison avec un télécopieur.

La seule différence réside dans un champ de données spécial où le service (téléphone, fax, ou autre) sera identifié par un contenu spécifique.

L'équipement terminal du destinataire prendra connaissance de ce champ et pourra ainsi décider s'il est prêt à traiter l'appel. Ainsi un téléphone refusera de recevoir un fax, ce que le point d'échange digital de l'appelé communiquera à l'appelant. Aucun canal B ne sera ouvert mais un signal d'erreur sera émis.

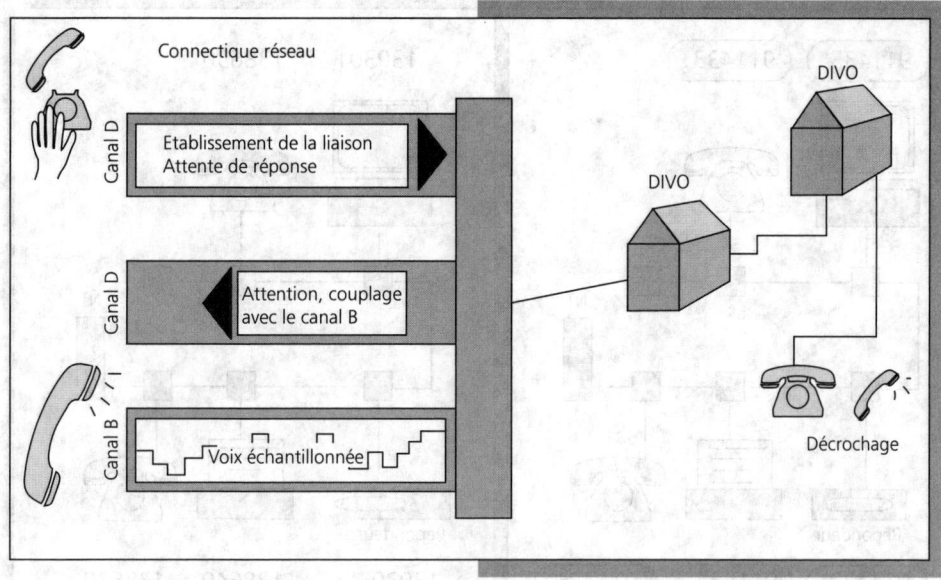

Etablissement d'une liaison sur le canal B par le canal D

Actuellement, il existe une norme européenne de transmission par le canal D, E-DSS1 utilisée partout en Europe. Par contre, à titre indicatif, il existe dans le réseau ISDN allemand deux sortes de protocoles du canal D qui sont associés à des prises ISDN différentes. Le protocole "1TR6" est l'ancien protocole introduit à l'origine du réseau ISDN allemand en 1987. Le protocole E-DSS1 concerne les nouveaux accès et sera à l'avenir le seul utilisé au niveau européen. Ces deux protocoles sont incompatibles, ce qui fait que les équipements prévus pour fonctionner sur des accès nationaux ne peuvent pas fonctionner automatiquement sur les accès Euro-ISDN et vice-versa. Les appareils ne se comprennent pas. Voilà qui est tout-à-fait contraire à la philosophie de l'"intégration de services" et ne peut être compris que dans la perspective historique de l'introduction d'ISDN en Allemagne. Pour en assurer le plus rapidement possible la diffusion, les télécoms ont adopté hâtivement des normes et des standards avant même qu'ils ne soient validés au niveau européen et international, car le standard pour le protocole du canal D s'est fait attendre pendant plusieurs années.

Dans le protocole E-DSS1 du canal D la notion de numéro de terminal ou EAZ utilisée en "1TR6" a été délaissée au profit de la notion de Multiple Subscriber Numbers (MSN). Un abonné ISDN ne dispose plus d'un seul numéro mais d'un certain nombre de numéros pouvant aller jusqu'à dix MSN. Chaque équipement connecté se voit attribuer un numéro d'appel. A la place d'un numéro de terminal, les équipements disposent donc d'un numéro d'appel complet. Il est vrai que l'utilisateur n'est pas tout à fait libre de choisir ce numéro qui est fixé par les télécoms. Au moment de l'installation d'un accès ISDN, on reçoit d'abord trois MSN, et on peut par la suite en acquérir sept autres en payant à chaque fois une majoration modique de l'abonnement mensuel.

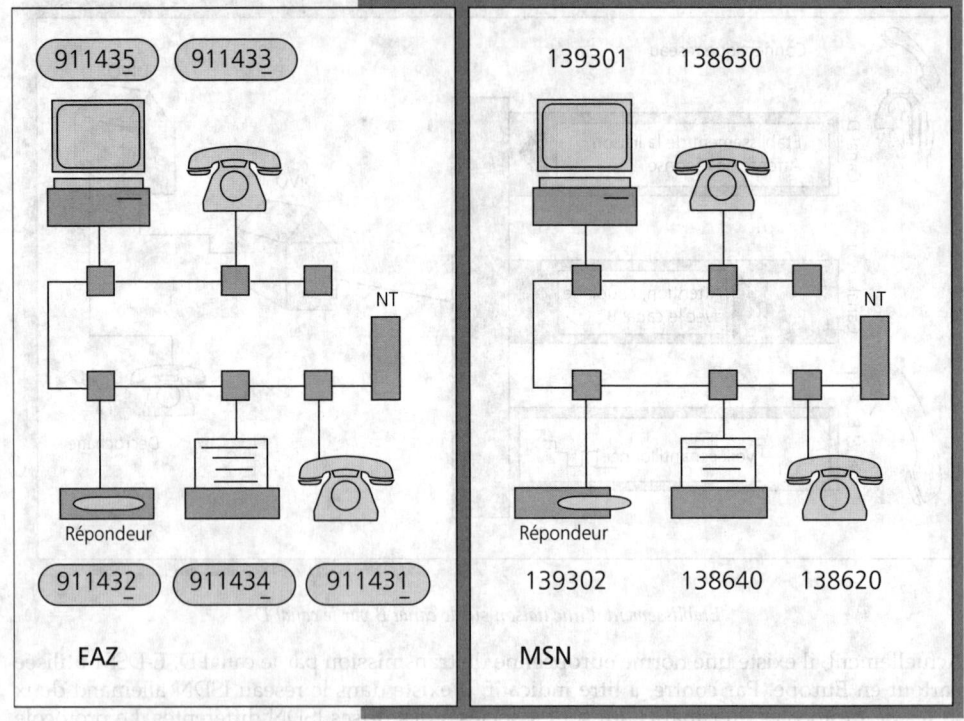

Comparaison MSN EAZ

Depuis qu'existe le standard européen E-DSS1 pour le protocole du canal D, les télécoms allemands n'installent des accès au protocole 1TR6 que sur demande particulière et ce sont les nouveaux accès Euro-ISD qui sont devenus la règle. Cependant, la communication entre la France et l'Allemagne doit être adaptée dans le cas d'une installation à la norme 1TR6 chez le correspondant. Si l'ancien standard national doit être supporté jusqu'au changement de millénaire, ce qui entretient une certaine confusion au sein du réseau, il va à terme céder la place au standard européen. Les anciens équipements terminaux du type téléphone ou télécopieur vont devoir être transformés assez péniblement mais les cartes et logiciels ISDN sont plus souples à cet égard. En fait le protocole n'est pas implémenté matériellement mais uniquement par logiciel. On change de driver et le tour est joué. Dans la programmation ISDN on rencontrera les deux protocoles et il faudra préciser si le PC sur lequel s'exécute un logiciel est branché sur un accès ISDN national ou Euro, surtout en raison de l'existence de deux types de numéros d'appel (MSN et numéros de terminal).

39.1.3. Le modèle OSI

Les communications dans les canaux B et D se déroulent dans le cadre du modèle OSI (Open System Interconnection). Le comité international de normalisation ISO (International Standard Organisation) a choisi ce modèle pour structurer les communications des données. Son champ d'application ne se limite pas à la définition du réseau ISDN mais s'étend aussi à toutes sortes d'autres moyens et de formes de communication : par exemple à InterNet et ses protocoles TCP/IP ainsi qu'aux les réseaux locaux (LAN).

Le modèle OSI distingue sept couches dans les processus de communication. La couche 1 est la plus basse et concerne le moyen de transport physique. La couche 7 est la plus haute , elle reçoit les données et documents que l'utilisateur envoie au moyen de son équipement et de ses logiciels. Entre les deux l'information parcourt cinq couches intermédiaires auxquelles le modèle OSI assigne parfois un rôle un peu flou pour ne pas enfermer les développements futurs dans des normes trop rigides.

Dans ces cinq couches il s'agit notamment d'éviter les erreurs de transmission en mettant en oeuvre des protocoles adéquats, ou d'assurer la réception d'un message par le destinataire concerné. Plus on se rapproche de la couche 7, plus les fonctions deviennent abstraites, c'est ainsi que la couche 6 (couche de présentation) s'occupe de la conversion de différents systèmes de codes entre émetteur et récepteur. Il peut s'agir de la simple conversion de caractères ASCII en ANSI mais aussi de la traduction simultanée, gérée par ordinateur, d'une vidéoconférence entre Hambourg et Hong-Kong.

Le modèle OSI applique l'idée d'une hiérarchisation à plusieurs niveaux des fonctions nécessaires à une communication. Chaque couche n d'un côté de la ligne est en liaison par le moyen d'un protocole fixé avec la même couche n située de l'autre côté. Pour transmettre des données et des informations de la couche n vers l'autre côté, elle va se servir des fonctions de sa couche subordonnée n-1. Celle-ci est en contact avec son homologue n-1 située de l'autre côté et pour communiquer avec elle va se servir de sa couche subordonnée n-2. Ainsi un message issu de la couche n de l'émetteur parcourt d'abord toutes les couches subordonnées de l'émetteur jusqu'à la couche 1 puis remonte du côté du récepteur à travers les couches 1 à n.

Bien que le modèle OSI opère une séparation théorique très stricte entre les différentes couches et les fonctions associées, la pratique est un peu plus libérale. Dans la réalité les différents groupes de fonctions d'un équipement de communication ne peuvent pas toujours appliquer exactement les couches du modèle OSI. Il n'est pas rare que certains jeux de fonctions commandent plusieurs niveaux en même temps ou qu'un même niveau soit contrôlé par plusieurs jeux de commandes. Par ailleurs les différents niveaux peuvent être implémentés de multiples façons par le matériel ou par le logiciel.

Pour ce qui est du réseau ISDN, il faut dire cependant qu'il est en règle avec le modèle OSI. Ainsi la signalisation par le protocole du canal D est bien isolée dans les trois couches basses du modèle. Même observation pour les canaux B qui sont utilisés par les applications pour la transmission des données. Les couches concernées sont :

O   couche n°3 : couche réseau
O   couche n°2 : couche de liaison de données
O   couche n°1 : couche physique

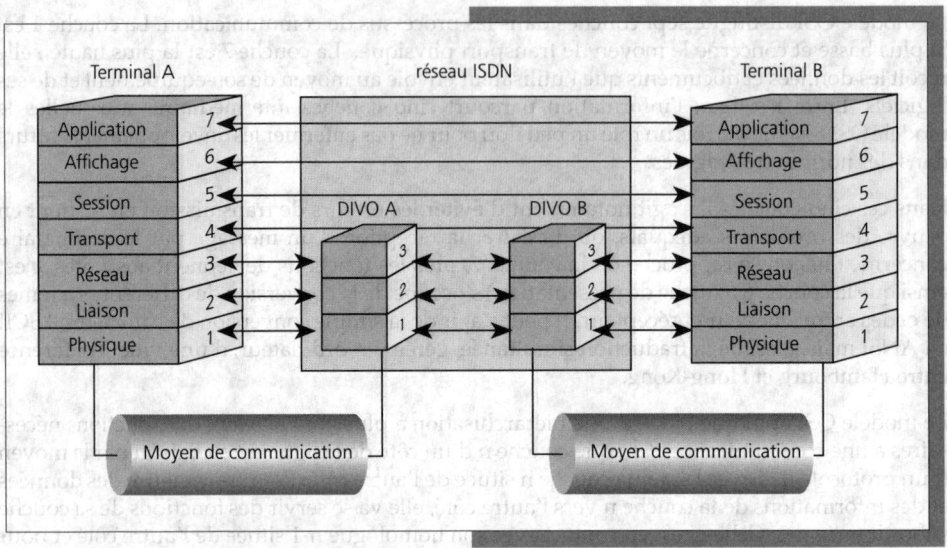

ISDN dans le cadre du modèle OSI

La communication proprement dite entre un terminal ISDN et un point d'échange ISDN pour établir et libérer une liaison sur le canal B se déroule dans la troisième couche. C'est ici que sont échangés des messages selon les protocoles 1TR6 ou E-DSS1. En dessous on trouve la couche 2 qui offre ses services à la couche 3 pour la transmission des messages. Elle a pour mission de rassembler les données en paquets et d'assurer la sécurité de la communication, c'est-à-dire de détecter les paquets mal transmis et de les réémettre dans le cadre d'un protocole. La couche 2 fait appel à un protocole standardisé largement répandu au niveau international : le protocole HDLC (High Level Data Link Control). La couche 2 se sert à son tour de la couche 1, la couche physique qui est constituée dans le cas le plus simple d'un câble, pour entrer en contact avec le correspondant.

Avantage de ce procédé : comme la couche 2 garantit une transmission sans erreur, la couche 3 n'a pas besoin de se soucier de la sécurité des paquets de données en ajoutant par exemple des sommes de contrôle. Un paquet de données parvenu jusqu'au récepteur est exactement semblable au paquet qui a été émis.

Sur la base des couches 1 et 2, des messages peuvent donc être envoyés par la couche 3 pour établir ou mettre fin à une liaison sur le canal B. En fait les messages ne sont pas transmis directement du terminal appelant (émetteur) au terminal appelé (récepteur) ; ils vont simplement de l'appelant à son point d'échange.

Là ils sont convertis en un format spécial appelé jeu de caractères numéro 7 qui n'a rien à voir avec ISDN mais sert uniquement à la communication entre les points d'échange du réseau. Il s'agit donc d'un protocole interne au réseau.

Lorsque l'information est parvenue au point d'échange de l'appelé en passant par divers points d'échange intermédiaires, elle est reconvertie dans le protocole du canal D de l'accès de destination et dirigée sur le Network Terminator associé. Ce dernier envoie finalement le signal sur le bus ISDN sur lequel sont branchées les prises ISDN et par voie de conséquence les équipements ISDN.

39.1.4. Les messages de la couche 3 dans le canal D

L'échange de messages entre le terminal ISDN et le point d'échange se fait dans la couche 3 du canal D. Bien que la programmation ISDN n'entre en contact avec ces messages que de façon très indirecte, les paragraphes qui suivent vont expliquer le mouvement des informations qui se produit à l'occasion de l'établissement ou de la clôture d'une liaison. Vous comprendrez ainsi ce qui ne peut pas échapper au niveau supérieur de la programmation ISDN et qui contribue largement à la complexité du thème : le flot asynchrone des informations entre les terminaux ISDN et les points d'échange (DIVO) auxquels ils sont reliés par le Network Terminator.

Les messages de la couche 3 dans le canal D sont structurés selon un modèle fixe et présentent une longueur variable. La longueur maximale est limitée à 260 octets. Au début se trouve un en-tête de messsage d'au moins quatre octets, suivi d'autres données qui sont fonction du message. Au début de l'en-tête se trouve le discriminateur de protocole, un octet qui associe le message à un certain protocole du canal D. Pour le protocole européen E-DSS1 ce sera le nombre 16, pour le protocole national allemand 1TR6 le nombre 65. Cette identification permet aux points d'échange de convertir les messages en cas de besoin, pour que par exemple un PC muni d'une carte ISDN et branché sur un accès Euro-ISDN puisse communiquer sans problème avec un PC branché sur un accès 1TR6. En effet les deux protocoles du canal D appliquent les mêmes principes dans leur fonctionnement de base. Seul le codage des informations individuelles diffère sur certains points.

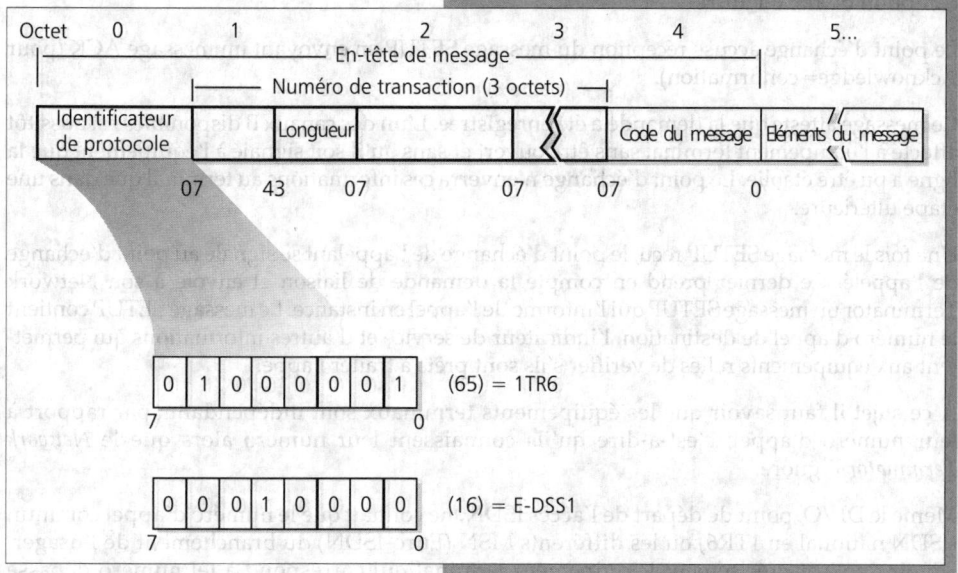

Structure d'un message de la couche 3 dans le canal D

Dans l'en-tête du message le discriminateur de protocole est suivi d'un numéro de transaction. Ce numéro est nécessaire parce que dans un équipement terminal plusieurs processus de signalisation pour l'établissement ou la clôture de liaisons de canal B sont susceptibles d'être actifs en même temps.

Prenons par exemple un standard téléphonique ISDN qui relie des postes analogiques au réseau ISDN. Pour séparer les différentes demandes d'établissement et de clôture de ligne, le DIVO a besoin d'une sorte d'identificateur sur lequel il puisse compter.

C'est pourquoi un message du canal D contient toujours un numéro de transaction qui peut avoir jusqu'à 16 octets. Le premier de ces octets indique justement le nombre d'octets constitutifs du numéro proprement dit. Le dernier octet de l'en-tête du message donne le type du message sous la forme d'un code fixé par le protocole du canal D. Il détermine ainsi les autres paramètres qui font suite à l'en-tête.

Comme exemple de communication dans le canal D nous étudierons dans les deux sections suivantes deux processus élémentaires qui sont commandés par des messages du canal D : l'établissement et la clôture d'une liaison de canal B pour une communication entre deux équipements terminaux quelconques.

39.1.5.   Etablissement d'une liaison par le canal D

Les deux protocoles du canal D définissent toute une série de messages dont seul un faible nombre intervient pour l'établissement et la clôture de liaisons de canal B. L'équipement terminal signale une demande d'établissement de liaison en envoyant un message SETUP à son point d'échange. Le code du type de message SETUP figure comme à chaque fois dans le dernier octet de l'en-tête. En plus du numéro de destination, le message doit aussi contenir un indicateur de service qui précise le service demandé : liaison téléphonique, réception de fax ou autre.

Le point d'échange accuse réception du message SETUP en envoyant un message ACK (pour Acknowledge= confirmation).

Ce message atteste que la demande a été enregistrée. L'un des canaux B disponibles est aussitôt affecté à l'équipement terminal sans être ouvert et sans qu'il soit signalé à l'équipement que la ligne a pu être établie. Le point d'échange n'enverra ces informations au terminal que dans une étape ultérieure.

Une fois le message SETUP reçu, le point d'échange de l'appelant se signale au point d'échange de l'appelé. Ce dernier prend en compte la demande de liaison et envoie à son Network Terminator un message SETUP qui l'informe de l'appel en instance. Le message SETUP contient le numéro d'appel de destination, l'indicateur de service et d'autres informations qui permettent aux équipements reliés de vérifier s'ils sont prêts à traiter l'appel.

A ce sujet il faut savoir que les équipements terminaux sont indépendants par rapport à leur numéro d'appel, c'est-à-dire qu'ils connaissent leur numéro alors que le *Network Terminator* l'ignore.

Même le DIVO, point de départ de l'accès ISDN, ne connaît que le numéro d'appel commun (ISDN national en 1TR6) ou les différents MSN (Euro-ISDN) du branchement de l'usager. Savoir quel est précisément l'équipement terminal qui correspond à tel numéro dépasse son horizon.

Ici intervient à nouveau le type du bus de l'accès ISDN. Le DIVO du côté du récepteur envoie le message SETUP avec les données reçues sous forme d'information *broadcast* à l'intention de l'ensemble des équipements branchés. Disposant du numéro appelé et de l'indicateur de service, chaque équipement a la possibilité de savoir s'il est prêt à traiter la demande. Il n'est pas obligé de répondre au message SETUP s'il n'est pas concerné. Si au contraire il l'est, il va envoyer l'un des trois messages du canal D possibles : ALERT, RELEASE et CONNECT.

Le cas le plus simple est celui de la réponse RELEASE. Ce message signifie : "je ne suis pas prêt pour recevoir l'appel", parce que par exemple l'équipement terminal gère déjà une liaison existante et est donc occupé.

Les messages ALERT et CONNECT sont par contre à interpréter comme des réponses positives. ALERT informe le DIVO que l'équipement terminal s'est déclaré prêt mais doit d'abord appeler le correspondant avant que la liaison soit établie.

Un téléphone ISDN émettra un signal ALERT en même temps qu'il se mettra à sonner pour appeler le correspondant. Après avoir reçu le premier ALERT, le DIVO de l'appelé envoie un message ALERT au DIVO de l'appelant. De là le message parvient à l'équipement de l'appelant, lui indiquant la disponibilité de principe du poste appelé. Le téléphone ISDN en profitera pour produire un signal sonore approprié.

Quand tous les équipements raccordés du côté récepteur ont reçu le message SETUP, il est possible que plusieurs d'entre eux se déclarent prêts à traiter l'appel et envoient un ALERT. La commande d'accès du canal D se préoccupe alors de sérialiser le flot de messages pour qu'ils arrivent au DIVO dans un certain ordre, quoique ce dernier soit imprévisible.

Seul le premier ALERT sera retenu pour donner lieu à l'émission d'un ALERT au DIVO de l'appelant. Les autres ALERT restent dans un buffer sans effet.

A ce moment-là on ne sait pas encore lequel parmi les équipements qui ont envoyé un ALERT va recevoir l'appel. Car la liaison n'est établie que si l'un des équipements terminaux situés du côté de l'appelé envoie un message CONNECT à destination du DIVO.

Ce sera par exemple le cas d'un téléphone qui a envoyé un message ALERT et se trouve maintenant prêt pour l'établissement de la liaison parce que le correspondant a décroché le combiné. Si plusieurs équipements envoient en même temps un message CONNECT, la commande d'accès du canal D se charge d'en acheminer un avant les autres jusqu'au DIVO. L'équipement concerné emporte alors la mise.

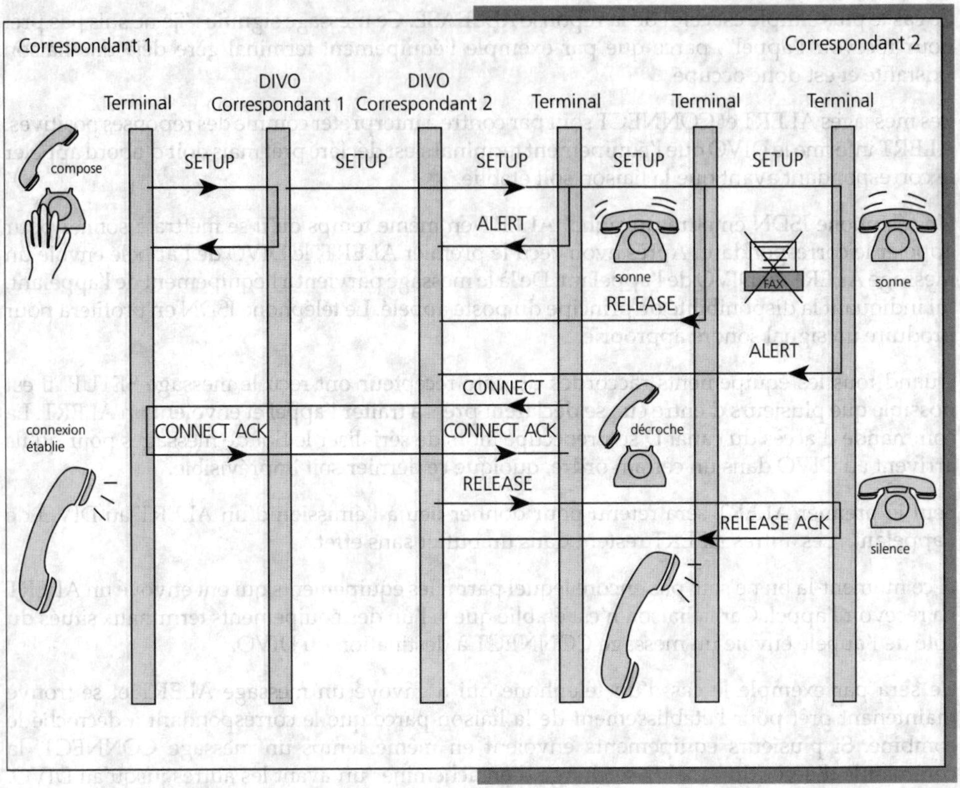

Flot de données dans le canal D lors de l'établissement d'une liaison B

La liaison n'est ouverte que lorsque le DIVO de l'appelé a transmis le message CONNECT au DIVO de l'appelant. L'équipement appelé reçoit alors un message CONNECT ACKNOW-LEDGE qui indique l'ouverture de la liaison du canal B et marque en même temps le début de la taxation.

Tous les autres équipements terminaux du côté réception qui ont envoyé précédemment un message ALERT ou CONNECT reçoivent un message RELEASE, ce qui signifie qu'aucune liaison n'a été établie pour eux. Les équipements répondent alors par un message RELEASE ACKNOWLEDGE.

Lorsqu'une liaison est établie pour l'un des équipements appelés, il reçoit dans le cadre de son message CONNECT le numéro du canal B qui est déjà commuté à ce moment-là. Ce numéro n'est pas forcément le même chez l'appelant et chez l'appelé mais c'est un détail sans importance pour la liaison. La liaison est à présent ouverte : les données peuvent être transmises pour le service requis.

Tel est le déroulement quelque peu simplifié des opérations. Dans la pratique d'autres messages du canal D sont impliqués et de nombreux chronomètres (*timers*) veillent à ce que le DIVO ou l'équipement terminal ne restent pas indéfiniment en attente de message. C'est une raison de plus pour abstraire les processus du canal D par une interface logicielle de niveau supérieur.

39.1.6. Clôture d'une liaison par le canal D

L'opération de clôture d'un canal B est semblable à l'établissement de la liaison, même si ce sont d'autres messages du canal D qui entrent en jeu. La clôture est déclenchée par la réception d'un message DISCONNECT par l'un des deux points d'échange de la liaison, selon que c'est l'émetteur ou le récepteur qui est l'initiateur du message. Le point d'échange envoie alors un message RELEASE à l'équipement terminal qui a émis le message DISCONNECT. La taxation est arrêtée et la liaison sur le canal B est coupée. L'équipement terminal peut facultativement accuser réception du message de déconnection par un message RELEASE ACKNOWLEDGE.

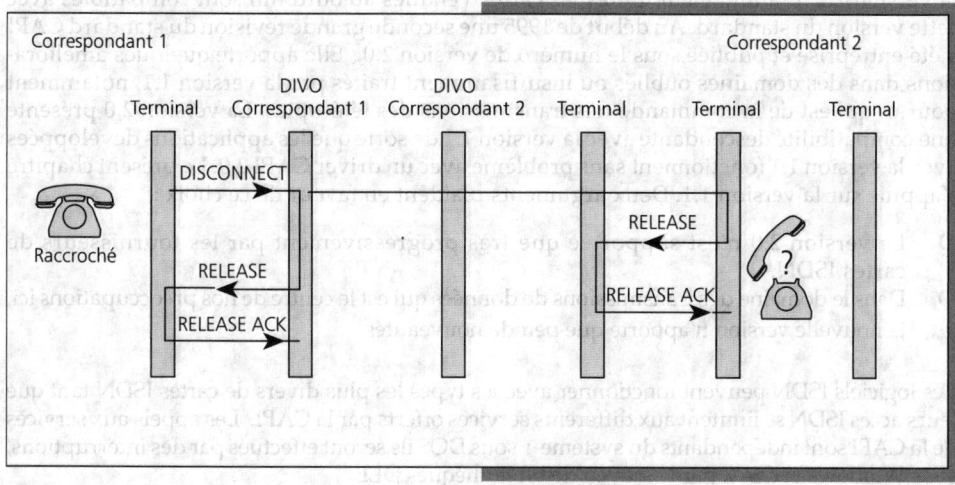

Flot de messages dans le canal D lors de la clôture d'une liaison

Parallèlement à ces opérations, le point d'échange qui a reçu le DISCONNECT initial a envoyé un message interne à l'autre point d'échange. Celui-ci génère alors un message DISCONNECT qui informe l'équipement concerné de l'opération de clôture. Le poste en question est tenu de répondre par un message RELEASE pour que le point d'échange puisse être sûr qu'il a été compris. Le point d'échange lui-même accuse réception du message RELEASE par un RELEASE ACKNOWLEDGE, dernier message du processus de clôture qui est alors achevé.

39.2. Programmation ISDN avec la CAPI

Pour faciliter le développement de logiciels exploitant le réseau ISDN pour des transmissions de toutes sortes et afin d'éviter la prise en compte des différences entre les cartes, un groupe de travail a été créé en 1989 à l'initiative de Deutsch Telekom. Faisaient notamment partie de ce groupe les sociétés AVM, Stollmann et Systec en tant que fabricants de cartes ISDN ainsi que d'autres partenaires stratégiques dans le domaine ISDN. Le but annoncé était la publication d'un standard pour la programmation des cartes ISDN, indépendant de la plateforme et du matériel. Son nom : "Common ISDN Application Programming Interface", en abrégé la CAPI, admise aujourd'hui comme un des standards pour la programmation ISDN. La plupart des logiciels ISDN disponibles supportent la CAPI et aucun fabricant de carte ISDN ne peut plus se permettre de ne pas inclure de driver CAPI avec ses produits.

Au niveau européen, à un autre standard appelé PCI a été créé et diffusé par les fournisseurs français. Ce PCI n'a bien entendu rien à voir avec le bus d'Intel portant le même nom.

Pendant longtemps il a paru difficile de savoir lequel des deux standards était en tête mais ces derniers temps la balance s'est nettement inclinée du côté de la CAPI même si bizarrement son agrément au niveau européen rencontre quelques obstacles face au PCI. La distribution de cartes ISDN répondant au standard CAPI prend de plus en plus d'importance. Quiconque veut développer des logiciels ISDN ne peut pratiquement plus se passer de la CAPI.

Publiée à l'origine dans la version 1.0, la CAPI a été révisée en 1990 ce qui a donné lieu à la version 1.1. Pratiquement toutes les cartes vendues aujourd'hui sont compatibles avec cette version du standard. Au début de 1995 une seconde grande révision du standard CAPI a été entreprise et publiée sous le numéro de version 2.0. Elle apporte quelques améliorations dans des domaines oubliés ou insuffisamment traités par la version 1.1, notamment pour ce qui est de la commande des transmissions des télécopies. La version 2.0 présente une compatibilité descendante avec la version 1.1 de sorte que les applications développées avec la version 1.1 fonctionnent sans problème avec un driver CAPI 2.0. Le présent chapitre s'appuie sur la version 1.1. Deux arguments plaident en faveur de ce choix :

○ La version 2.0 n'est supportée que très progressivement par les fournisseurs de cartes ISDN.

○ Dans le domaine des transmissions de données qui est le centre de nos préoccupations ici, la nouvelle version n'apporte que peu de nouveautés.

Les logiciels ISDN peuvent fonctionner avec les types les plus divers de cartes ISDN tant que leurs accès ISDN se limitent aux différents services offerts par la CAPI. Les appels aux services de la CAPI sont indépendants du système : sous DOS ils seront effectués par des interruptions, sous Windows et OS/2 par le moyen de bibliothèques DLL.

Il est de la responsabilité du fabricant de mettre à la disposition du programmeur les programmes résidents ou fichiers DLL qui appliquent les fonctions CAPI standard à l'électronique de chaque carte. Un développeur ISDN n'est pas tenu de livrer un driver avec son logiciel, il peut être sûr que le fabricant de la carte a livré à son client une interface appropriée.

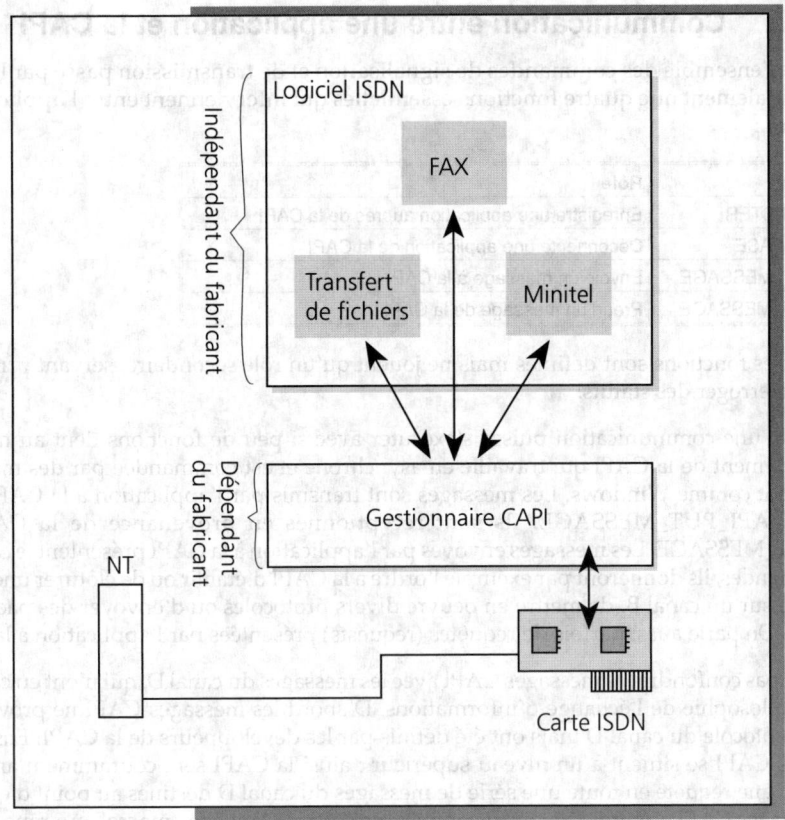

Rôle de la CAPI à l'intérieur du système ISDN

Selon la philosophie de la CAPI, les services offerts peuvent être exploités en même temps par différentes applications qui peuvent accéder chacune à un ou plusieurs canaux B simultanément. Le nombre de canaux B disponibles n'est limité que par l'interface ISDN de l'utilisateur. Avec l'interface SØ et la carte correspondante ISDN-SØ on dispose de deux canaux B, mais on en a 30 avec un accès primaire multiplexé et l'interface associée S2M. Si la carte ISDN correspondante est installée, ces 30 canaux peuvent être exploités en même temps par un logiciel qui fait appel à la CAPI. On peut par ailleurs concevoir des solutions dans lesquelles un utilisateur disposerait de plusieurs interfaces SØ ou S2M qui correspondraient à autant de cartes. Dans ce cas aussi le logiciel ISDN n'aurait affaire qu'à une seule instance de la CAPI qui répartit automatiquement les différents canaux B sur les différentes cartes ISDN. L'association d'un canal B à une interface ISDN donnée est complètement transparente pour le logiciel.

La CAPI n'a pas seulement pour rôle d'isoler le programmeur du matériel de la carte ISDN mais elle fonctionne aussi comme instance de protocole pour les couches 2 et 3 du réseau ISDN, c'est-à-dire pour les couches liaison de données et réseau. Grâce aux services de la CAPI, les programmes d'application peuvent envoyer des paquets de données par la couche 3 sans se préoccuper des protocoles sous-jacents. Dans la couche 2 interviennent les protocoles suivants : X.25 SLP, Transparent-HDLC, Bittransparent, SNA-LDC ainsi que X.75 BTX. Dans la couche 3 : X.25, T70 NL, ISO 8208, T.90 et Transparent. La CAPI sélectionne le protocole nécessaire et offre la possibilité d'ouvrir plusieurs canaux logiques à l'intérieur d'une liaison physique par canal B. Mais nous reparlerons de cela plus tard.

39.2.1.   Communication entre une application et la CAPI

Bien que l'ensemble des commandes de signalisation et de transmission passe par la CAPI, il n'y a finalement que quatre fonctions essentielles qui interviennent entre l'application et l'interface :

Fonction	Rôle
API_REGISTER	Enregistre une application auprès de la CAPI
API_RELEASE	Déconnecte une application de la CAPI
API_PUT_MESSAGE	Envoie un message à la CAPI
API_GET_MESSAGE	Prend un message de la CAPI

Cinq autres fonctions sont définies mais ne jouent qu'un rôle secondaire, servant principalement à interroger des statuts.

Que toute une communication puisse s'exécuter avec si peu de fonctions tient au mode de fonctionnement de la CAPI qui travaille en asynchrone et est commandée par des messages, exactement comme Windows. Les messages sont transmis par l'application à la CAPI par la fonction API_PUT_MESSAGE, ils sont réceptionnés en provenance de la CAPI par API_GET_MESSAGE. Les messages envoyés par l'application à la CAPI présentent le caractère de commandes, ils donneront par exemple l'ordre à la CAPI d'établir ou de clôturer une liaison physique sur un canal B, de mettre en oeuvre divers protocoles ou d'envoyer des paquets de données. On parle aussi parfois de requêtes (requests) présentées par l'application à la CAPI.

Il ne faut pas confondre les messages CAPI avec les messages du canal D, qui n'ont en commun que la philosophie de l'échange d'informations. D'abord les messages CAPI ne proviennent pas du protocole du canal D mais ont été définis par les développeurs de la CAPI. Ensuite les messages CAPI se situent à un niveau supérieur : ainsi la CAPI sera couramment amenée à convertir une requête en toute une série de messages du canal D destinés au point d'échange. Les messages CAPI apparaissent ainsi comme une sorte de langage "macro" qui repose sur le protocole du canal D tout en donnant au programmeur une vision simplifiée des opérations.

L'émission des messages CAPI est asynchrone : la fonction API_PUT_MESSAGE ne fait que recueillir le message, le place dans la file d'attente interne de la CAPI et rend aussitôt la main à l'appelant. Ce dernier peut donc déposer par API_PUT_MESSAGE toute une série d'instructions à l'attention de la CAPI, sans attendre que la première ait été exécutée. Pour que l'interface puisse stocker les messages, elle prévoit pour chaque application qui fait appel à elle une file d'attente interne gérée selon le principe FIFO (First In, First Out). Les messages sont donc traités dans l'ordre de leur arrivée.

Malgré le mode de fonctionnement asynchrone de la CAPI, une application doit avoir la possibilité de savoir si une instruction CAPI a pu être menée à bonne fin ou non pour réagir éventuellement en conséquence. Un message CAPI ne reste donc jamais sans réponse. La CAPI renvoie toujours un message dans la file d'attente des messages à destination de chaque application. Une application peut lire le contenu de cette file à l'aide de la fonction API_GET_MESSAGE. Chaque appel à cette fonction prélève le premier message qui n'a pas encore été lu dans la file.

Si la file d'attente est vide parce que tous les messages ont déjà été lus, le fait est dûment signalé. La file applique aussi le principe FIFO : les messages sont donc lus dans l'ordre de leur arrivée.

Pour qu'un programme ne soit pas obligé de tester sans cesse la file d'attente des messages en guettant l'arrivée d'un message, la fonction API_SET_SIGNAL permet de mettre en service une fonction dite de signalisation. Elle est automatiquement appelée par la CAPI dès qu'un message est arrivé et met ainsi l'application en situation de réagir à l'événement. On évite par ce moyen l'interrogation perpétuelle de la file d'attente par une boucle, procédé appelé *polling* qui provoque un gaspillage inutile des ressources de calcul.

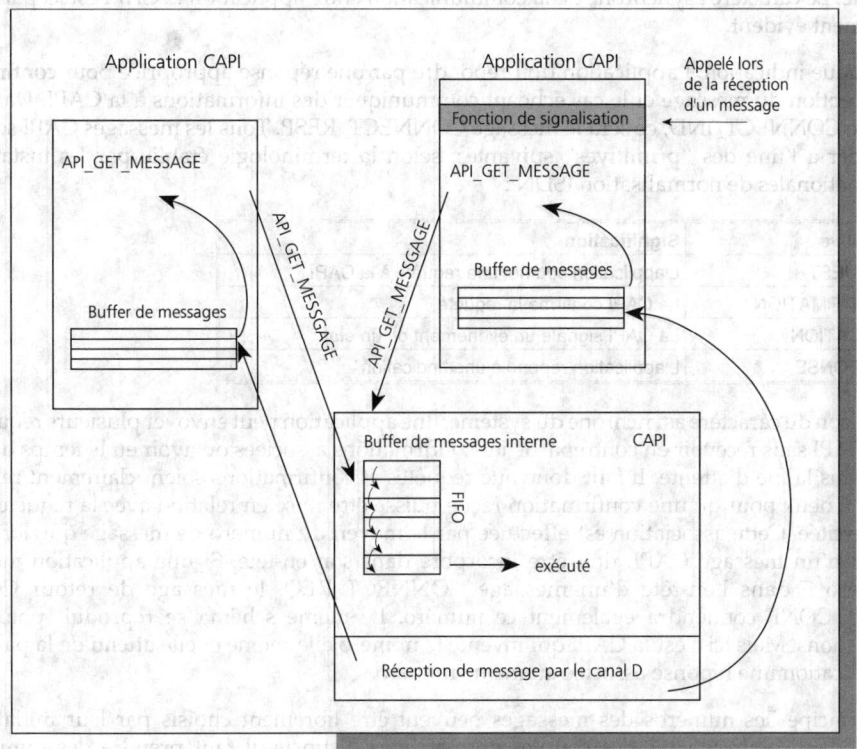

Application CAPI   Application CAPI

Appelé lors
de la réception
d'un message

Fonction de signalisation

API_GET_MESSAGE   API_GET_MESSAGE

API_GET_MESSGAGE

API_GET_MESSGAGE

Buffer de messages

Buffer de messages

Buffer de messages interne   CAPI

FIFO

exécuté

Réception de message par le canal D

Messages de communication entre CAPI et application

Les fonctions CAPI citées précédemment sont définies indépendamment du système. Il existe en fait des implémentations pour DOS, Windows, UNIX, OS/2 et NetWare. Nous nous concentrerons ici sur la mise en oeuvre de la CAPI sous Windows. L'implémentation Windows des fonctions CAPI est décrite au sous-chapitre 2.16.

39.2.2.   Primitives

Entre les messages envoyés par une application à la CAPI et ceux renvoyés par la CAPI à titre de réponse, il existe un lien fondamental. La CAPI répond aux requêtes par des confirmations. La symétrie des questions et des réponses s'exprime également dans les noms des différents messages CAPI indiqués dans le tableau 1. Ainsi l'établissement d'une liaison physique sur un canal B s'effectue par un message CONNECT_REQ, qui correspond à la demande effectuée par l'application. En réponse, l'application reçoit le message CONNECT_CONF qui indique si la liaison a pu être établie. A chaque requête correspond ainsi une confirmation appropriée de la CAPI.

En plus des requêtes et des confirmations, les indications et réponses forment un autre couple de messages appariés. Les indications sont des messages par lesquels la CAPI attire l'attention de l'application sur un événement (asynchrone). L'établissement d'une liaison physique sur un canal B est ainsi signalé par le message CONNECT_IND. Quand une application a demandé une ligne par CONNECT_REQ, en a obtenu confirmation par CONNECT_CONF, elle reçoit encore un peu plus tard un message CONNECT_IND au moment où la liaison est effectivement établie. Le caractère asynchrone de la communication entre application et CAPI est ici particulièrement évident.

A chaque indication, l'application doit répondre par une réponse appropriée pour confirmer la réception du message et le cas échéant communiquer des informations à la CAPI. Dans le cas de CONNECT_IND, ce sera le message CONNECT_RESP. Tous les messages CAPI sont à associer à l'une des "primitives" suivantes, selon la terminologie établie par les instances internationales de normalisation ISDN :

Primitive	Signification
REQUEST	L'application soumet une requête à la CAPI
CONFIRMATION	La CAPI confirme la requête
INDICATION	La CAPI signale un événement ou un état
RESPONSE	L'application répond à une "indication"

En raison du caractère asynchrone du système, une application peut envoyer plusieurs requêtes à la CAPI sans recevoir en contrepartie les confirmations associées ou avoir eu le temps de les lire dans la file d'attente. Il faut donc que requêtes et confirmations soient clairement reliées deux à deux pour qu'une confirmation reçue puisse être mise en relation avec la requête qui l'a suscitée. Cette association est effectuée par le moyen du numéro de message qui, lors du dépôt d'un message CAPI, doit être incorporé dans son en-tête. Si une application met le numéro 5 dans l'en-tête d'un message CONNECT_REQ, le message de retour CONNECT_CONF contiendra également ce numéro. Le même schéma se reproduit pour les indications. Mais ici c'est la CAPI qui invente le numéro elle-même et elle attend de la part de l'application une réponse associée au même numéro.

En principe, les numéros des messages peuvent être librement choisis par leur initiateur. Cependant, pour séparer des couples de messages distincts, il faut prendre des numéros séquentiels et non identiques. Les numéros sont des entiers non signés de 16 bits. L'intervalle 0000h à 7FFFh est réservé à l'application alors que les numéros entre 8000h à FFFFh sont réservés à la CAPI. On opère donc avec deux intervalles séparés, ce qui permet au programme de reconnaître l'origine du message rien qu'à son numéro.

39.2.3. Structure d'un message CAPI

Le numéro du message ne constitue qu'un champ parmi d'autres dans l'en-tête de 5 octets qui introduit chaque message. D'autres données suivent et leur structure varie d'un message à l'autre. La figure suivante montre la structure d'un en-tête de message.

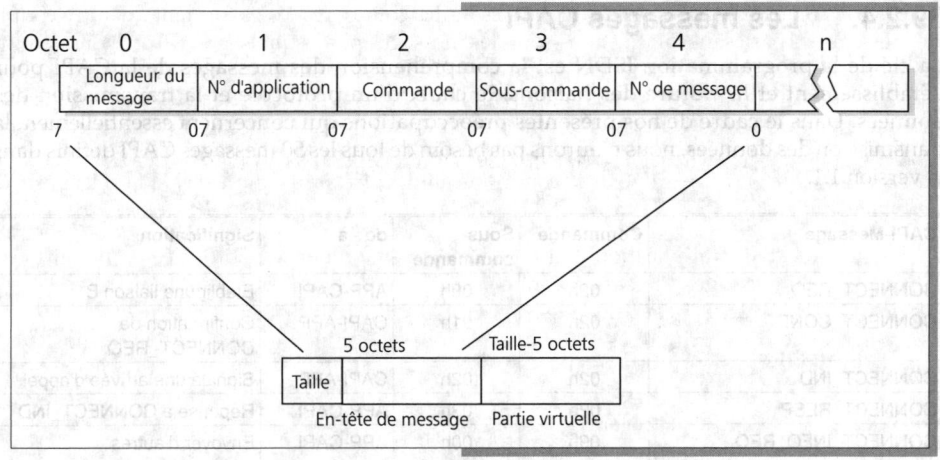

Structure d'un message CAPI

Le premier octet indique la longueur totale du message y compris l'en-tête. Celle-ci ne doit pas dépasser 180 octets. On trouve ensuite l'identificateur (ID) de l'application, une information transmise à la CAPI lors de l'enregistrement de l'application par la fonction API_REGISTER. Elle identifie l'application vis-à-vis de la CAPI et s'avère nécessaire parce que la CAPI peut desservir plusieurs applications avec des files d'attente différentes. L'en-tête comporte encore deux octets qui identifient le message CAPI par ses numéros de commande et de sous-commande. Le dernier octet est constitué par le numéro de message dont nous avons déjà parlé.

Le code de la sous-commande permet de distinguer les différents types de primitives précédemment évoquées. Les messages de type *requête* ont un numéro de sous-commande égal à 00h, les confirmations ont pour numéro 01h, les indications 02h et les réponses 04h.

Dans la partie variable du message sont codés les éléments qui dépendent du message. La CAPI distingue les types *Byte*, *Word* et *DWord* qui ont pour longueur respective 8, 16 ou 32 octets. Elle reconnaît aussi le type général *Struct*, une structure qui peut à son tour être composée des éléments *Byte*, *Word*, *Dword* et *Struct*. A l'intérieur d'une structure, le premier octet doit indiquer le nombre d'octets qui suivent. Ce n'est qu'ensuite que l'on trouve les différents éléments proprement dits de la structure.

L'usage fréquent des indications de longueur dans les éléments de structure et les messages CAPI présente plusieurs avantages :

❍ Les structures ainsi codées qui contiennent souvent des informations pour le point d'échange ISDN peuvent être transmises directement au réseau par la CAPI. Cette dernière n'a pas besoin de connaître leur détail et peut se borner à lire le nombre des octets pour les transmettre en bloc.

❍ Il est plus facile de gérer les ajustements et les modifications de structures dans les versions futures de la CAPI. Si des champs nouveaux sont ajoutés, la longueur de la structure s'accroît. La CAPI peut reconnaître à la seule longueur indiquée si un logiciel fonctionne avec la nouvelle ou l'ancienne structure et prendre ses dispositions en conséquence.

39.2.4.   Les messages CAPI

La clé de la programmation ISDN est la compréhension des messages de la CAPI pour l'établissement et la clôture des liaisons, le choix d'un protocole et la transmission des données. Dans le cadre de nos présentes préoccupations qui concernent essentiellement la transmission des données, nous n'aurons pas besoin de tous les 50 messages CAPI définis dans la version 1.1.

CAPI-Message	Commande	Sous-commande	de - à	Signification
CONNECT_REQ	02h	00h	APP-CAPI	Etablir une liaison B1
CONNECT_CONF	02h	01h	CAPI-APP	Confirmation de CONNECT_REQ
CONNECT_IND	02h	02h	CAPI-APP	Signale une arrivée d'appel
CONNECT_RESP	02h	03h	APP-CAPI	Réponse à CONNECT_IND
CONNECT_INFO_REQ	09h	00h	APP-CAPI	Envoyer d'autres informations d'appel
CONNECT_INFO_CONF	09h	01h	CAPI-APP	Confirmation de CONNECT_INFO_REQ
CONNECT_ACTIVE_IND	03h	02h	CAPI-APP	Signale l'établissement réussi d'une liaison B1
CONNECT_ACTIVE_RESP	03h	03h	APP-CAPI	Réponse à CONNECT_ACTIVE_IND
DISCONNECT_REQ	04h	00h	APP-CAPI	Clôturer une liaison B1 existante
DISCONNECT_CONF	04h	01h	CAPI-APP	Confirmation de DISCONNECT_REQ
DISCONNECT_IND	04h	02h	CAPI-APP	Echec de la liaison B1 / Liaison clôturée
DISCONNECT_RESP	04h	03h	APP-CAPI	Réponse à DISCONNECT_IND
LISTEN_REQ	05h	00h	APP-CAPI	Signaler les appels entrant
LISTEN_CONF	05h	01h	CAPI-APP	Confirmation de LISTEN_REQ
GET_PARAMS_REQ	06h	00h	APP-CAPI	Lire les paramètres de la liaison B1
GET_PARAMS_CONF	06h	01h	CAPI-APP	Confirmation de GET_PARAMS_REQ
INFO_REQ	07h	00h	APP-CAPI	Activer/Désactiver la réception d'éléments W
INFO_CONF	07h	01h	CAPI-APP	Confirmation de INFO_REQ
INFO_IND	07h	02h	CAPI-APP	Signale la réception d'un élément W
INFO_RESP	07h	03h	APP-CAPI	Réponse à INFO_IND
DATA_REQ	08h	00h	APP-CAPI	Envoyer un bloc de données sur le canal D
DATA_CONF	08h	01h	CAPI-APP	Confirmation de DATA_REQ
DATA_IND	08h	02h	CAPI-APP	Signale la réception d'un bloc de données sur le canal D
DATA_RESP	08h	03h	APP-CAPI	Réponse à DATA_IND

CAPI-Message	Commande	Sous-commande	de - à	Signification
SELECT_B2_PROTOCOL_REQ	40h	00h	APP-CAPI	Sélectionner le protocole de la couche 2
SELECT_B2_PROTOCOL_CONF	40h	01h	CAPI-APP	Confirmation de SELECT_B2_PROTOCOL_REQ
SELECT_B3_PROTOCOL_REQ	80h	00h	APP-CAPI	Sélectionner le protocole de la couche 3
SELECT_B3_PROTOCOL_CONF	80h	01h	CAPI-APP	Confirmation de SELECT_B3_PROTOCOL_REQ
LISTEN_B3_REQ	81h	00h	APP-CAPI	Signaler les appels entrants de la couche 3
LISTEN_B3_CONF	81h	01h	CAPI-APP	Confirmation de LISTEN_B3_REQ
CONNECT_B3_REQ	82h	00h	APP-CAPI	Etablir une liaison B3 sur la base d'une liaison existante B1
CONNECT_B3_CONF	82h	01h	CAPI-APP	Confirmation de CONNECT_B3_REQ
CONNECT_B3_IND	82h	02h	CAPI-APP	Signale un appel entrant de couche 3
CONNECT_B3_RESP	82h	03h	APP-CAPI	Réponse à CONNECT_B3_IND
CONNECT_B3_ACTIVE_IND	83h	02h	CAPI-APP	Liaison B3 établie
CONNECT_B3_ACTIVE_RESP	83h	03h	APP-CAPI	Réponse à CONNECT_B3_ACTIVE_IND
DISCONNECT_B3_REQ	84h	00h	APP-CAPI	Clôturer une liaison B3 existante
DISCONNECT_B3_CONF	84h	01h	CAPI-APP	Confirmation de DISCONNECT_B3_REQ
DISCONNECT_B3_IND	84h	02h	CAPI-APP	Liaison B3 clôturée
DISCONNECT_B3_RESP	84h	03h	APP-CAPI	Réponse à DISCONNECT_B3_IND
GET_B3_PARAMS_REQ	85h	00h	APP-CAPI	Demander des informations sur une liaison B3
GET_B3_PARAMS_RESP	85h	01h	CAPI-APP	Réponse à GET_B3_PARAMS_REQ avec les informations souhaitées
DATA_B3_REQ	86h	00h	APP-CAPI	Envoyer des données par liaison B3
DATA_B3_CONF	86h	01h	CAPI-APP	Confirmation de DATA_B3_REQ
DATA_B3_IND	86h	02h	CAPI-APP	Arrivée d'un paquet de données par liaison B3
DATA_B3_RESP	86h	03h	APP-CAPI	Réponse à DATA_B3_IND
RESET_B3_REQ	01h	00h	APP-CAPI	Réinitialiser une liaison B3
RESET_B3_CONF	01h	01h	CAPI-APP	Confirmation de RESET_B3_REQ

CAPI-Message	Commande	Sous-commande	de - à	Signification
RESET_B3_IND	01h	02h	CAPI-APP	Signale la réinitialisation d'une liaison déclenchée par le correspondant ou la CAPI
RESET_B3_RESP	01h	03h	APP-CAPI	Réponse à RESET_B3_IND
HANDSET_IND	87h	02h	CAPI-APP	Signale des événements liés au combiné téléphonique
HANDSET_RESP	87h	03h	APP-CAPI	Réponse à HANDSET_IND
Quelques messages de la version 1.1 de la CAPI				

Les sections suivantes traitent des messages CAPI qui entrent en action dans le cadre d'une transmission de données. L'accent n'est pas seulement mis sur la structure des différents messages et l'interprétation de leurs éléments mais aussi sur leur chronologie. Car au-delà de la simple nécessité de faire suivre une requête par une confirmation et une indication par une réponse, il est important de respecter le jeu des différentes paires de messages et la chronologie de leurs interventions. C'est pourquoi les messages ont été présentés dans l'ordre des fonctions qu'ils remplissent.

Pour souligner le va-et-vient des messages entre application et CAPI, à la façon d'un jeu de questions et de réponses, nous présenterons systématiquement des extraits d'un trafic de messages issu d'une application CAPI existante.

Les protocoles étudiés ont été réalisés par le CAPIlyzer, un logiciel d'initiation à la programmation ISDN. CAPIlyzer a pour fonction d'enregistrer et de visualiser sur l'écran les échanges de messages à l'intérieur d'une application CAPI sous Windows.

Quel que soit le logiciel, émulateur de minitel, programme de télécopie ou utilitaire de transfert de données, le flot de messages peut être observé en temps réel. Nous parlerons de la mise en service et du maniement du CAPIlyzer au sous-chapitre 2.15.

39.2.5. Etablissement actif d'une liaison

Une communication de données qui ne repose pas sur une liaison fixe se déroule toujours entre un appelant et un appelé. Tels sont les deux pôles que doit également distinguer la programmation ISDN.

En effet ce ne sont pas les mêmes messages qui interviennent chez l'émetteur et chez le récepteur. Examinons d'abord l'émetteur qui désire entrer en liaison avec son correspondant. On parle à ce sujet d'un établissement de liaison actif, par opposition à l'établissement passif dont il sera question plus loin.

L'établissement de liaison actif se déroule en quatre étapes :

O   Sélection du correspondant par le canal D et désignation du service demandé
O   Etablissement d'une liaison physique non sécurisée sur le canal B en couche 1 (appelée liaison B1)
O   Spécification des protocoles de transmission pour les couches de niveaux supérieurs 2 et 3
O   Etablissement d'une liaison logique sécurisée sur le canal B en couche 3 (appelée liaison B3)

Pour appeler un correspondant, il faut d'abord émettre le message CAPI CONNECT_REQ, indépendamment du service demandé, communication de données, fax ou autre. Le but de ce message est d'ouvrir un canal B1 pour établir une liaison physique avec le correspondant.

Message : CONNECT_REQ   *(Commande/Sous-commande : 02h/00h)*
Demande d'établissement d'une ligne B1

Paramètres dans la partie données du message :

Offset	Type	Contenu
0	byte	Controller
1	byte	B-Channel
2	dword	Info-Mask
6	byte	Outgoing-Service
7	byte	Outgoing-Service-Additional
8	byte	Source-EAZ
9	struct	Destination-Address

Controller

Le paramètre *Controller* offre la possibilité d'ouvrir la liaison par un contrôleur ISDN spécifique et contient un code dépendant du fabricant. Ce code pourra être exploité par des solutions spécifiques à un fabricant qui gèrent plusieurs cartes ISDN. Il servira alors à sélectionner la carte souhaitée. Parfois ce même paramètre est également exploité pour sélectionner une interface SØ parmi plusieurs.

Comme en règle générale on ne souhaite pas limiter son application au matériel d'un fabricant, on donnera à ce paramètre la valeur 0, dans ce message et dans les autres.

B-Channel

Permet de spécifier le canal B souhaité pour la liaison. On laissera généralement le libre choix de ce canal au réseau ce qui conduit à donner au paramètre la valeur 83h (qui veut dire "canal quelconque").

Info-Mask

Le masque d'informations détermine les éléments W qu'une application va recevoir spontanément de la CAPI, dans le cadre d'une liaison, par l'intermédiaire du message INFO_IND. Les éléments W sont des données dépendantes de la liaison en cours, comme par exemple la date/heure courante ou le statut du correspondant appelé.

La CAPI reçoit cycliquement ces informations sur le canal D de la part du DIVO. Le paramètre *Info-Mask* permet à l'appelant de définir quels sont les éléments W que la CAPI doit transmettre à l'application par un message INFO_IND approprié.

Vous en apprendrez davantage sur le masque d'informations et les différents éléments W au chapitre sous 2.13

Outgoing Service / Outgoing Service Additional

Ces deux paramètres indiquent à l'appelé le service demandé et le mettent en situation de reconnaître le type d'appel pour éventuellement le refuser s'il ne peut pas le satisfaire. Supposons par exemple qu'une transmission de données à 64 Koctets/s soit demandée entre

deux cartes ISDN. Le paramètre Outgoing Service aura la valeur 07h et le paramètre *Outgoing Additional Service* la valeur 00h. Ces codes sont en effet ceux de la transmission à 64 Koctets/s.

Numéro du terminal source

Le numéro du terminal source permet à la CAPI de transmettre le numéro de l'appelant (pas celui de l'appelé). Cette information est nécessaire en raison d'une caractéristique importante du réseau ISDN : le numéro de l'appelant est communiqué à l'appelé. Ceci n'est pas seulement utile dans le domaine des transmissions de données mais permet aussi à un utilisateur de limiter le nombre des appelants à quelques numéros connus.

Destination Address

Représente sous forme de structure le numéro de l'appelé. Ce numéro doit être codé selon le jeu de caractères IA5, un sous-ensemble du jeu ASCII, en n'utilisant que les chiffres de 0 à 9. Avant le numéro proprement dit on place un octet qui décrit le type du numéro. Cet octet contient deux champs binaires qui caractérisent d'une part l'origine du numéro (*numbering plan*) et d'autre part sa "portée" (nationale/internationale).

Octet	0	1	2	3	4	5	6	7	8
		0	9	4	3	7	8	0	7

Numéro d'appel composé
de caractères iA5

Type de numéro
d'appel codé binaire

Structure de l'adresse de destination

Bit	Signification
0 - 3	Origine du numéro
	0000b = inconnu
	0001b = ISDN
4 - 6	Portée du numéro
	000b = inconnue
	001b = internationale
	010b = nationale
7	réservé (0)
Codage du type de numéro dans l'adresse de destination	

Le champ *origine* correspondra généralement au code ISDN. La valeur *inconnu* intervient dans l'adressage d'équipements situés dans d'autres réseaux lorsqu'ISDN ne joue qu'un rôle de convoyeur. Il s'agit alors d'un cas particulier qui n'a rien à voir avec les transmissions de données dont il est question ici.

A un message CONNECT_REQ la CAPI répond toujours par une confirmation CONNECT_CONF qui indiquera la prise en compte correcte de la commande ou éventuellement une erreur dans la requête.

Message : CONNECT_CONF
Confirmation de CONNECT_REQ   *(Commande/Sous-commande : 02h/01h)*

Offset	Type	Contenu
0	word	PLCI
2	word	Info

Paramètres dans la partie données du message :

PLCI

PLCI veut dire "Physical Link Connection Identifier" et représente une sorte de handle par lequel l'application référencera le canal ISDN demandé dans la suite des requêtes à la CAPI. La CAPI elle-même se sert de ce numéro dans ses indications et confirmations relatives à la liaison B1. L'application est donc tenue de le mémoriser. Tant que l'application n'a pas reçu de message CONNECT_IND de la CAPI, le canal n'est pas encore ouvert, même si le PLCI est déjà valide.

Info

Par ce paramètre la CAPI transmet le statut d'erreur du message CONNECT_CONF. Le PLCI n'est valide que si le paramètre *Info* a la valeur 0.

0000h   =   Tout est OK, demande de liaison reçue, traitement lancé

2001h   =   Le contrôleur indiqué est faux

3101h   =   Erreur dans le paramètre *B-Channel*

3102h   =   Erreur dans le paramètre *Info-Mask*

La confirmation "locale" que la CAPI signale par un message CONNECT_CONF de bonne fin ne signifie pas que la connexion "lointaine" souhaitée a pu être établie correctement.

Elle indique simplement que la demande a été reçue et qu'elle est en cours de traitement. Sur la situation du correspondant et l'état actuel de la liaison on ne sait rien pour le moment. Tel est le sens du qualificatif "local".

Si la CAPI n'est pas en mesure de traiter une requête CONNECT_REQ en raison par exemple d'une erreur dans le numéro d'appel, le message CONNECT_CONF renvoie un statut d'erreur.

Application - CAPI	CAPI - Application	Commentaire
Statut d'entrée :	L'application s'est enregistrée correctement auprès de la CAPI	
CONNECT_REQ (0x0000)		L'application demande une liaison B1
Controller : 0x0		Pas de contrôleur spécifique
B-Channel : 0x83		N'importe quel canal B
InfoMask : 0x0		Pas d'élément W
OutGoingService : 0x7		Service : Transmission à 64 KBIT/S
OutGoingSerivceAdd : 0x0		
Numéro du term. source : 0x31		Le numéro du terminal est 1
Destination Address :		
0xC 0x81 : 03046700012		Numéro de l'appelé
	CONNECT_CONF (0x0000)	La CAPI accuse réception de la demande de liaison
	PLCI : 0x2	La liaison reçoit l'identification PLCI 2
	Info : 0x0	Tout est o.k.
	CONNECT_ACTIVE_IND (0x8023)	La CAPI signale l'établissement de la liaison
	PLCI : 0x2	PLCI sert ici de lien avec la requête initiale CONNECT_REQ
	ConnectedAddress : 0xC 0x81 : 03046700012	Numéro de l'appelé
CONNECT_ACTIVE_RESP (0x8023)		Réponse de l'application à CONNECT_ACTIVE_IND
PLCI : 0x2		
Statut de sortie :	Le PLCI 0x2 représente une liaison B1 ouverte sur laquelle peut être établie une liaison de niveau supérieur B3 pour l'échange de données	

Etablissement réussi d'une liaison B1

Encore un mot sur le numéro du terminal présent dans le message CONNECT_REQ : normalement il n'est pas significatif dans les accès Euro-ISDN où il est remplacé par le *Multiple Subscriber Number* MSN. Cependant, quel que soit l'accès utilisé, la CAPI attend un numéro de terminal. On a donc inventé un mécanisme pour reproduire les numéros de terminal avec les numéros MSN.

La plupart des fabricants de cartes ISDN fournissent un utilitaire à lancer avant le premier appel d'un logiciel ISDN qui s'appuie sur l'interface CAPI. Avec les cartes Teles et Creatix, il s'agit par exemple du programme MAPCFG.EXE, un petit module qui a pour mission d'associer à des MSN les numéros de terminal disponibles de 0 à 9. A titre d'exemple si le logiciel CAPI s'identifie par le numéro de terminal 1 (le plus souvent sur la demande de l'utilisateur), le driver CAPI exploité avec un accès Euro-ISDN consulte une table de conversion et charge le MSN associé. Il transmet ensuite ce numéro à la place du numéro de terminal dans le message du canal D correspondant. Lors de la formation en mémoire d'un message CONNECT_REQ, une application ne sera donc pas concernée par la distinction entre numéro de terminal et MSN.

Code/Caract.	Code/Caract.	Code/Caract.	Code/Caract.	Code/Caract.	Code/Caract.
32 (Espace)	48 0	64 @	80 P	96 `	112 p
33 !	49 1	65 A	81 Q	97 a	113 q
34 "	50 2	66 B	82 R	98 b	114 r
35 #	51 3	67 C	83 S	99 c	115 s
36	52 4	68 D	84 T	100 d	116 t
37 %	53 5	69 E	85 U	101 e	117 u
38 &	54 6	70 F	86 V	102 f	118 v
39 '	55 7	71 G	87 W	103 g	119 w
40 (	56 8	72 H	88 X	104 h	120 x
41)	57 9	73 I	89 Y	105 i	121 y
42 *	58 :	74 J	90 Z	106 j	122 z
43 +	59 ;	75 K	91 [	107 k	123 {
44 „ 60 <	76 L	92	108 l	124 l	
45 -	61 =	77 M	93]	109 m	125 }
46 .	62 >	78 N	94 ^^	110 n	126 _
47 /	63 ?	79 O	95 _	111 o	127 DEL

Le jeu de caractères IA5

Mais revenons à l'établissement de la liaison. Une fois la confirmation CONNECT_CONF reçue, le programme peut demander d'autres connexions physiques ou vaquer à d'autres tâches jusqu'à ce qu'il obtienne de la part de la CAPI l'un des deux messages CONNECT_AC-TIVE_IND ou DISCONNECT_IND. CONNECT_ACTIVE_IND indique que le traitement de la demande est en cours, tandis que DISCONNECT_IND signale l'échec de la demande avec mention de sa cause. Dans les deux cas, le message reçu est relié à la requête de départ par l'identifiant PLCI. Si une application dépose plusieurs messages CONNECT_REQ pour établir plusieurs liaisons, elle pourra associer les messages de retour CONNECT_ACTIVE_IND et DISCONNECT_IND aux requêtes qui les ont suscités par le moyen des PLCI. Par ailleurs il ne faut pas oublier que dans chaque confirmation la CAPI mentionne le numéro de message issu de la requête précédente de l'application. Si on respecte ces numéros, il est déjà impossible de mélanger les messages relatifs à différents PLCI.

Quel que soit le cas de figure, l'application ISDN doit toujours accuser réception des indications reçues en envoyant une réponse qui sera CONNECT_ACTIVE_RESP (en réponse à CON-NECT_ACTIVE_IND pour une liaison établie) ou DISCONNECT_RESP (en réponse à DIS-CONNECT_IND pour une liaison refusée ou avortée).

Application - CAPI	CAPI - Application	Commentaire
Statut d'entrée :	L'application s'est enregistrée correctement auprès de la CAPI	
CONNECT_REQ (0x0000)		L'application demande une liaison B1
Controller : 0x0		Pas de contrôleur spécifique
B-Channel : 0x83		N'importe quel canal B
InfoMask : 0x0		Pas d'élément W
OutGoingService : 0x7		Service : Transmission à 64 KBIT/S
OutGoingSerivceAdd : 0x0		
Numéro du term. source : 0x33		Le numéro du terminal est 3
Destination Address :		
0x7 0x81 : 915934		Numéro de l'appelé
	CONNECT_CONF (0x0000)	La CAPI accuse réception de la demande de liaison
	PLCI : 0x1	La liaison reçoit l'identification PLCI 1
	Info : 0x0	Toute est ok
	DISCONNECT_IND (0x8000)	La CAPI signale l'abandon de l'établissement de la liaison
	PLCI : 0x1	
	Info : 0x34BA	Cause : l'appelé ne décroche pas
DISCONNECT_RESP (0x8000)		Réponse de l'application
PLCI : 0x1		
Statut de sortie :	La liaison B1 demandée n'a pas pu être établie. Le PLCI 0x1 n'est plus valide	

Abandon de l'établissement d'une liaison B1

Message : CONNECT_ACTIVE_IND   *(Commande/Sous-commande : 03h/02h)*
Indique qu'une liaison B1 a été établie avec succès

Paramètres dans la partie données du message :

Offset	Type	Contenu
0	word	PLCI
2	struct	Connected Address

PLCI

Identificateur PLCI précédemment fixé dans le message CONNECT_CONF.

Connected Address

Numéro de l'appelé, codé comme le paramètre *Destination Address* de la requête CONNECT_REQ.

Message : CONNECT_ACTIVE_RESP *(Commande/Sous-commande : 03h/03h)*
Réponse de l'application à CONNECT_ACTIVE_IND

Paramètres dans la partie données du message :

Offset	Type	Contenu
0	word	PLCI

PLCI

Indiquer ici le PLCI tiré du message CONNECT_ACTIVE_IND.

Message : DISCONNECT_IND *(Commande/Sous-commande : 04h/02h)*
Echec de l'établissement de la liaison B1 / liaison coupée par le correspondant

Paramètres dans la partie données du message :

Offset	Type	Contenu
0	word	PLCI
2	word	Info

PLCI

Le PLCI issu du message CONNECT_CONF..

Info

Mentionne la cause de l'échec de la tentative de liaison ou de la coupure par l'appelé. Avant de tester le code d'erreur dans l'application, il faut mettre à 0 le bit le plus élevé dans l'octet de poids faible, ce bit étant manipulé différemment en fonction de l'implémentation de la CAPI :

3301h	=	Erreur à l'ouverture du canal D niveau 1
3302h	=	Erreur à l'ouverture du canal D niveau 2
3305h	=	Coupure du canal D niveau 1 (déclenchée par l'appelé)
3306h	=	Coupure du canal D niveau 2 (déclenchée par l'appelé)
3307h	=	Coupure du canal D niveau 3 (déclenchée par l'appelé)
3435h	=	Pas d'accès au numéro demandé
3438h	=	Le numéro du correspondant a changé
343Ah	=	Le correspondant ne décroche pas
343Bh	=	Le correspondant est occupé
343Eh	=	Appel rejeté par le correspondant

D'autres codes d'erreur sont possibles, suivant le réseau.

Message : DISCONNECT_RESP *(Commande/Sous-commande : 04h/03h)*
Réponse de l'application à DISCONNECT_IND

Paramètres dans la partie données du message :

Offset	Type	Contenu
0	word	PLCI

PLCI

Indiquer ici le PLCI tiré du message DISCONNECT_ IND

Vous voyez ainsi que CONNECT_REQ, CONNECT_CONF, CONNECT_ACTIVE_IND, CONNECT_ACTIVE_RESP, DISCONNECT_IND et DISCONNECT_RESP sont les quatre messages auxquels on a affaire dans le cadre de l'établissement actif d'une liaison. Si la tentative échoue (DISCONNECT_IND), on peut toujours relancer la requête (CONNECT_REQ) ou informer l'utilisateur des problèmes rencontrés. Si la liaison a pu être établie, l'étape suivante consiste à spécifier les protocoles de communication et à ouvrir une liaison logique en couche 3.

39.2.6. Sélection des protocoles et établissement d'une liaison logique

Si le correspondant appelé a pu être joint et s'il s'est déclaré prêt à traiter l'appel après avoir examiné l'indicateur de service, l'arrivée du message CONNECT_ACTIVE_IND signale l'existence d'une liaison physique de couche 1. Pour qu'une application puisse échanger des données avec son correspondant, il faut encore établir une liaison de couche 2 et une autre de couche 3. Les deux fonctions sont regroupées dans la requête CONNECT_B3_REQ que l'application doit envoyer à la CAPI pour obtenir une liaison B3 valide. Cette requête peut être précédée par SELECT_B3_PROTOCOL_REQ ou SELECT_B2_PROTOCOL_REQ, si l'application ne se satisfait pas des protocoles préétablis X.75 SLP (pour la couche 2 ou couche de liaison des données) et T70 NL (pour la couche 3 ou couche réseau).

Bien que la transmission des données puisse très bien s'effectuer avec ces protocoles, il est recommandé d'en spécifier d'autres et ce pour deux raisons :

D'abord parce que le protocole X.75 SLP, responsable de la sécurité des données, se base sur une longueur maximale de 130 octets. Les blocs de données qui ont une longueur supérieure à 130 octets sont découpés en plusieurs blocs de 130 octets auxquels le protocole X.75 ajoute des informations supplémentaires typiques (numéro du bloc, somme de contrôle, etc...). La transmission subit donc un effet de dilution qui nécessite davantage de bande passante si les blocs de paquets émis ne rentrent pas dans le modèle de 130 octets et doivent être découpés. Il est donc avantageux d'adapter la taille du bloc prévu par le protocole X.75 à la longueur moyenne des données transmises. En pratique on la choisira suffisamment importante pour que les découpages soient rares. Comme les données à transmettre proviennent souvent du disque dur (transfert de fichiers), on fixera la longueur à 512 octets. Sur un disque dur les données sont en effet stockées dans des secteurs de 512 octets. Chaque secteur de disque peut ainsi être transféré sous la forme d'un bloc unique de couche 2 sans qu'il soit nécessaire de procéder à son découpage.

Pour ce qui est du protocole de couche 3, on peut s'en passer dans la transmision de données. Comme le protocole X75 assure déjà la sécurité en couche 2, il n'est pas indispensable d'installer un protocole supplémentaire en couche 3. Dans la cadre de la requête SECT_B3_PROTOCOL_REQ on choisit donc le mode "Transparent" (voir plus loin).

La mise en service du protocole X.75 garantit une transmission de données impeccable dans le cadre d'une liaison B3. Le développeur d'une application CAPI n'a pas besoin de programmer des mécanismes de questions/réponses entre l'émetteur et le récepteur en installant des sommes de contrôle, des caractères CRC ou d'autres dispositifs analogues (du genre ARQ = Automatic Repeat Request). Ces tâches sont prises en charge par la CAPI sur la base du protocole spécifié. Quiconque a déjà pris la peine d'implémenter des mécanismes d'ARQ connaît le prix du service offert dans ce domaine par la CAPI.

Après dépôt de la requête CONNECT_B3_REQ, l'émetteur reçoit un message de confirmation CONNECT_B3_CONF de la part de la CAPI. Comme pour la paire de messages CON-NECT_REQ et CONNECT_CONF, la confirmation est de nature locale. Seule la réception d'un message CONNECT_B3_ACTIVE_IND signale à l'application que la liaison B3 est effective-ment établie et que les données peuvent être envoyées. Si l'ouverture de la liaison échoue, l'application reçoit un message DISCONNECT_B3_IND dont elle doit accuser réception par DISCONNECT_B3_RESP.

Application - CAPI	CAPI - Application	Commentaire
Statut d'entrée :	L'application s'est enregistrée correctement auprès de la CAPI	
CONNECT_REQ (0x0000)		L'application demande une liaison B1
Controller : 0x0		Pas de contrôleur spécifique
B-Channel : 0x83		N'importe quel canal B
InfoMask : 0x0		Pas d'élément W
OutGoingService : 0x7		Service : Transmission de données à 64 KBIT/S
OutGoingSerivceAdd : 0x0		
Numéro du term. source : 0x31		Le numéro du terminal est 1
Destination Address : 0xC 0x81 : 03046700012		Numéro de l'appelé
	CONNECT_CONF (0x0000)	La CAPI accuse réception de la demande de liaison
	PLCI : 0x2	La liaison reçoit l'identification PLCI 2
	Info : 0x0	Tout est o.k.
	CONNECT_ACTIVE_IND (0x8023)	La CAPI signale l'établissement de la liaison
	PLCI : 0x2	Le PLCI sert ici de lien avec la requête de départ CONNECT_REQ
	ConnectedAddress : 0xC 0x81 : 03046700012	Numéro de l'appelé
CONNECT_ACTIVE_RESP (0x8023)		Réponse de l'application à CONNECT_ACTIVE_IND
PLCI : 0x2		
SELECT_B2_PROT_REQ (0x0001)		Sélection du protocole de couche 3
PLCI : 0x2		
B2 Prot : 0x1		Protocole standard X.75 SLP
DataLen : 0x200		Taille des blocs 512 octets

Application - CAPI	CAPI - Application	Commentaire
LinkAddressA : 0x3		Paramétrage standard fixé par le réseau
LinkAddressB : 0x1		idem
ModuloMode : 0x8		idem
WindoSize : 0x7		idem
	SELECT_B2_PROT_CONF (0x0001)	La CAPI confirme la sélection du protocole
	PLCI : 0x2	
	Info : 0x0	Tout est ok
SELECT_B3_PROT_REQ (0x0002)		Sélection du protocole de couche 3
PLCI : 0x2		
B3 Prot : 0x4		Mode transparent (pas de protocole de couche 3)
	SELECT_B3_PROT_CONF (0x0002)	La CAPI confirme la sélection du protocole
	PLCI : 0x2	
	Info : 0x0	Tout est o.k.
CONNECT_B3_REQ (0x0003)		L'application demande une liaison B3
PLCI : 0x2		
	CONNECT_B3_CONF (0x0003)	La CAPI accuse réception de la demande de liaison
	PLCI : 0x2	
	NCCI : 0x2	Le futur NCCI de la liaison B3
	Info : 0x0	Tout est o.k.
	CONNECT_B3_ACTIVE_IND (0x8024)	La CAPI signale l'établissement de la liaison B3
	NCCI : 0x2	
CONNECT_B3_ACTIVE_RESP (0x8024)		Réponse de l'application
NCCI : 0x2		
Statut de sortie :	Le NCCI 0x2 représente une liaison B3 correctement ouverte, par laquelle on peut envoyer des données en toute sécurité	

Etablissement actif d'une liaison avec sélection de protocole

---

Message : SELECT_B2_PROTOCOL _REQ *(Commande/Sous-com. : 40h/00h)*
Sélection du protocole de couche 2

Paramètres dans la partie données du message :

Offset	Type	Contenu
0	word	PLCI
2	byte	Protocole
3	struct	DLPD

PLCI

Le PLCI de la liaison B1 pour laquelle on installe le protocole de couche 2.

Protocole

Code du protocole souhaité, par exemple 0x01 pour X.75 SLP.

DLPD

Structure contenant des informations complémentaires qui dépendent du protocole spécifié, dans l'exemple :

Offset	Signification	Valeur	Commentaire
0	Longueur de la structure	6	
1	Data-Length	512	Taille de bloc souhaitée
2	Link-Address A	3	Valeur par défaut
3	Link-Address B	1	Valeur par défaut
4	Modulo-Mode	8	Valeur par défaut
5	Windows-Size	7	Valeur par défaut
6	Structure XID	0	XID n'est pas nécessaire, on indique simplement une longueur de 0

Message : SELECT_B2_PROTOCOL_CONF *(Commande/Sous-commande : 40h/01h)*
Confirmation par la CAPI de SELECT_B2_PROTOCOL_REQ

Paramètres dans la partie données du message :

Offset	Type	Contenu
0	word	PLCI
4	word	Info

PLCI

Le PLCI de la requête SELECT_B2_PROTOCOL_ REQ précédente.

Info

Indique si le protocole B2 spécifié a pu être établi :

0000h	=	Tout est ok, le protocole B2 est établi
2002h	=	Erreur dans l'identificateur PLCI
3105h	=	Erreur de code de protocole B2
3106h	=	Erreur dans DLPD

3206h = Protocole B2 non supporté

3207h = Impossible de changer de protocole B2 dans le présent contexte

---

Message : SELECT_B3_PROTOCOL _REQ   *(Commande/Sous-com. : 80h/00h)*
Sélection du protocole de couche 3

Paramètres dans la partie données du message :

Offset	Type	Contenu
0	word	PLCI
2	byte	Protocole
3	struct	NCPD

PLCI

Le PLCI de la liaison B1 pour laquelle on installe le protocole de couche 3.

Protocole

Code du protocole souhaité, par exemple 0x04 pour Transparent.

NCPD

Structure contenant des informations complémentaires qui dépendent du protocole spécifié, dans l'exemple :

Offset	Signification	Valeur	Commentaire
0	Longueur de la structure	0	0 en l'absence de structure pour le protocole "transparent"

Message : SELECT_B3_PROTOCOL_CONF*(Commande/Sous-commande : 80h/01h)*
Confirmation par la CAPI de SELECT_B3_PROTOCOL_REQ

Paramètres dans la partie données du message :

Offset	Type	Contenu
0	word	PLCI
2	word	Info

PLCI

Le PLCI de la requête SELECT_B3_PROTOCOL_ REQ précédente.

Info

Indique si le protocole B3 spécifié a pu être établi :

0000h = Tout est ok, le protocole B3 est établi

2002h = Erreur dans l'identificateur PLCI

3107h = Erreur de code de protocole B3

3108h = Erreur dans NCPD

3208h = Protocole non supporté

3209h = Impossible de changer de protocole dans le présent contexte

---

Message : CONNECT_B3_REQ   (Commande/Sous-commande : 82h/00h)
Demande d'établissement d'une liaison B3 sur la base d'une liaison B1 existante

---

Paramètres dans la partie données du message :

Offset	Type	Contenu
0	word	PLCI
2	struct	NCPI

PLCI

Indiquer ici le PLCI tiré du message CONNECT_ACTIVE_IND. Il référence la liaison B1 qui sert de base à la liaison B3.

NCPI

La structure *Network Control Protocol Information* sert à transmettre à la CAPI des informations complémentaires qui dépendent du protocole. Leur signification ne sera pas la même selon le protocole B3 et peuvent être ignorées si on fonctionne avec le protocole préétabli. Dans ce cas on se contente de remplir le premier octet de la structure avec la valeur 0 (qui correspond à la longueur de la structure).

Message : CONNECT_B3_CONF   Commande : 82h/01h)
Confirmation par la CAPI de CONNECT_B3_REQ

Paramètres dans la partie données du message :

Offset	Type	Contenu
0	word	PLCI
2	word	NCCI
4	word	Info

PLCI

Le PLCI de la requête CONNECT_B3_REQ précédente.

NCCI

De même que le PLCI servait de handle pour la liaison B1, le "Network Control Connection Identifier" (NCCI) sert de handle pour une liaison B3. L'identificateur obtenu ici sera utilisé par l'application pour référencer la liaison B3 auprès de la CAPI dans les requêtes à venir. La CAPI mentionne également cet identificateur pour désigner la liaison B3 dans ses messages d'indication.

Info

Indique si la demande d'établissement d'une liaison B3 a été reçue :

0000h	=	Tout est ok, demande reçue, traitement lancé
2002h	=	Erreur dans l'identificateur PLCI
3109h	=	Erreur dans NCPI
3204h	=	PLCI non actif

991

Message : CONNECT_B3_ACTIVE_IND *(Commande/Sous-commande : 83h/02h)*
Indique qu'une liaison B3 a été établie avec succès

Paramètres dans la partie données du message :

Offset	Type	Contenu
0	word	NCCI
2	struct	NCPI

NCCI

Reprend l'identificateur NCCI associé à la requête CONNECT_B3_REQ.

NCPI

Reprend le NCPI spécifié dans la requête CONNECT_B3_REQ.

Message : CONNECT_B3_ACTIVE_RESP *(Commande/Sous-commande : 83h/03h)*
Réponse de l'application à CONNECT_B3_ACTIVE_IND

Paramètres dans la partie données du message :

Offset	Type	Contenu
0	word	NCCI

NCCI

Le NCCI tiré du précédent message CONNECT_B3_ACTIVE_IND.

Message : DISCONNECT_B3_IND *(Commande/Sous-commande : 84h/02h)*
Echec de l'établissement de la liaison B3 / liaison coupée par le correspondant

Paramètres dans la partie données du message :

Offset	Type	Contenu
0	word	NCCI
2	word	Info
4	struct	NCPI

NCCI

Le NCCI qui représente la liaison B3.

Info

Mentionne la cause de l'échec ou de l'interruption de la liaison par l'appelé :

3303h	=	Erreur à l'établissement de la liaison B1
3304h	=	Erreur à l'établissement de la liaison B2
3308h	=	Coupure de la liaison B1 (déclenchée par l'appelé)
3309h	=	Coupure de la liaison B2 (déclenchée par l'appelé)
330Ah	=	Coupure de la liaison B3 (déclenchée par l'appelé)

NCPI

Structure avec des informations de protocole complémentaires, telle qu'elle a été spécifiée dans CONNECT_B3_REQ.

Message : DISCONNECT_B3_RESP   *(Commande/Sous-commande : 84h/03h)*
Réponse de l'application à DISCONNECT_B3_IND

Paramètres dans la partie données du message :

Offset	Type	Contenu
0	word	NCCI

NCCI

Le NCCI tiré du message DISCONNECT_B3_IND.

Alors que pour chaque canal disponible de l'interface ISDN, une seule liaison B1 peut être établie par CONNECT_REQ, cette association simple n'est plus valable pour les liaisons "virtuelles" de couche 3. En effet, un liaison de couche 1 peut ouvrir plusieurs liaisons de couche 3 avec la requête CONNECT_B3_REQ. Leur nombre est limité par le paramètre indiqué dans la fonction API_REGISTER lors de l'enregistrement de l'utilisateur auprès de la CAPI.

Les liaisons virtuelles B3 se partagent la bande passante de la liaison B1 sur laquelle elles reposent. La répartition du flot de données sur plusieurs canaux B3 est particulièrement avantageuse dans les cas suivants :

O Plusieurs types de données différentes sont transmises en même temps, par exemple images et voix.
O Deux applications qui s'échangent en permanence des données dans les deux sens ouvrent un deuxième canal B3 comme canal de commande pour la coordination des échanges.

39.2.7.   Emission de données

Une fois la liaison B3 établie, après réception du message CONNECT_B3_IND, le canal désiré est prêt pour la transmission de données. C'est la requête DATA_B3_REQ qui va demander l'émission des blocs de données. En plus de l'identificateur NCCI on lui communique aussi la longueur du bloc à émettre, un pointeur sur le bloc en mémoire ainsi qu'un numéro de bloc librement définissable. La longueur du bloc ne doit pas être en contradiction avec la spécification en vigueur pour le protocole de couche 2. Si on s'en tient au paramétrage recommandé de 512 octets, chaque requête DATA_B3_REQ pourra transmettre 512 octets.

Le numéro de bloc référence chacun des blocs et sera repris dans le message DATA_B3_CONF par lequel la CAPI confirme la prise en charge des données et leur envoi au niveau local. A ce stade, l'application ne sait pas vraiment si les données ont été reçues par le destinataire, mais compte tenu des protocoles de niveau 2 et 3, elle peut être sûre qu'elles vont arriver sous peu en toute sécurité.

Si par malheur des erreurs survenaient que ne pourraient rattraper les procédures prévues par les protocoles en vigueur, la liaison serait interrompue et la coupure serait signalée à l'application par le moyen des indications DISCONNECT_B3_IND et DISCONNECT_IND (voir également à ce sujet la section 2.12 de ce chapitre, concernant la clôture de liaison passive).

Application - CAPI	CAPI - Application	Commentaire
Statut d'entrée :	Le NCCI 0x2 représente une liaison B3 ouverte	
DATA_B3_REQ (0x0137)		L'application envoie un paquet de données
NCCI : 0x2		NCCI de la liaison B3
DataLength : 0x3A		Nombre d'octets
DataAddress : 0x513E0000		Pointeur FAR sur les données en mémoire
Number : 0x0		Bloc #0
Flags : 0x0		
DATA_B3_REQ (0x0138)x		Envoie le bloc suivant
NCCI : 0x2		Même liaison B3
DataLength : 0x2		
DataAddress : 0x51420000		
Number : 0x1		On passe au bloc #1
Flags : 0x0		
	DATA_B3_CONF (0x0137)	La CAPI confirme l'envoi
	NCCI : 0x2	
	Number : 0x0	
	Info : 0x0	Tout est ok
	DATA_B3_CONF (0x0138)	Nouvelle confirmation de la CAPI
	NCCI : 0x2	
	Number : 0x1	
	Info : 0x0	Tout est ok, les données sont en route
Statut de sortie :	D'autres paquets de données peuvent être transmis par le NCCI 0x2 c'est-à-dire par la liaison B3 correspondante	
Emission de données		

Message : DATA_B3_REQ   *(Commande/Sous-commande : 86h/00h)*
Envoie des données par liaison B3

Paramètres dans la partie données du message :

Offset	Type	Contenu
0	word	NCCI
2	word	Data-Len
4	dword	Data-Ptr
8	byte	Block-Nr
9	word	Flags

NCCI

Le NCCI qui représente la liaison B3.

Data-Len

Le nombre d'octets à envoyer. Ne pas dépasser 64 Ko par appel dans la transmission des données proprement dites.

Data-Ptr

Pointeur far sur le buffer qui contient les données en attente d'émission. Les données doivent y rester en attendant la confirmation DATA_B3_CONF. Ce n'est qu'à ce moment-là que le buffer pourra être libéré.

Block-Nr

Numéro de bloc librement définissable. Ce numéro est sans signification pour la CAPI mais il sera retourné dans la confirmation DATA_B3_CONF qui suit. Si une application envoie plusieurs requêtes DATA_B3_REQ sans attendre que la CAPI confirme la première d'entre elles, elle pourra, en examinant les numéros de blocs accompagnant les confirmations DATA_B3_CONF ultérieures, savoir quelles sont les données déjà émises et quels sont les buffers qui peuvent être libérés.

Flags

Les flags ne jouent aucun rôle dans la transmission de données. Indiquer ici la valeur 0.

Message : DATA_B3_CONF   *(Commande/Sous-commande : 86h/01h)*
Confirmation par la CAPI de DATA_B3_REQ

Paramètres dans la partie données du message :

Offset	Type	Contenu
0	word	NCCI
2	byte	Block-Nr
3	word	Info

NCCI

Le NCCI spécifié dans DATA_B3_REQ.

Block-Nr

Le numéro de bloc spécifié lors de l'émission par DATA_B3_REQ.

Info

Informe l'appelant du succès ou de l'échec de la requête DATA_B3_REQ :

0000h	=	Tout est ok, transmission lancée
2003h	=	Erreur dans l'identificateur NCCI
310Ah	=	Erreur dans Flags
3205h	=	NCCI non actif
320Dh	=	Longueur de données non supportée (dépend du protocole)

39.2.8. Etablissement de liaison passif

Jusqu'ici il a été question d'un établissement actif de liaison, c'est-à-dire d'applications qui appellent des correspondants et leur envoient des données. Mais pour établir une communication il faut être deux et si aucune application ne prend l'appel à l'autre bout de la ligne, c'en est fini de la liaison. Nous allons donc changer de côté et examiner les opérations du côté de l'appelé.

Pour qu'une application soit en mesure de prendre des appels, elle doit d'abord s'y déclarer prête vis-à-vis de la CAPI. La requête correspondante s'appelle LISTEN_REQ et la CAPI en accuse réception par le message de confirmation LISTEN_CONF.

Message : LISTEN_REQ	*(Commande/Sous-commande : 05h/00h)*

L'application se déclare prête à répondre à des appels

Offset	Type	Contenu
0	byte	Controller
1	dword	Info-Mask
5	word	Serviced EAZ
9	word	Serviced SI-Mask

Controller

Spécifique au fabricant (cf CONNECT_REQ), mettre la valeur par défaut 0.

Info-Mask

Voir description dans CONNECT_REQ et INFO_IND.

Serviced EAZ

Ce paramètre permet de spécifier les numéros auxquels l'application souhaite répondre. Dans un accès ISDN national, les bits 0 à 9 du masque correspondent aux numéros des terminaux 0 à 9. Si le bit 0 est mis à 1, l'application réagit au numéro du terminal 0, si le bit 1 est à 1, elle réagit au numéro du terminal 1 et ainsi de suite. On peut ainsi mettre à 1 plusieurs bits, ce qui met l'application à l'écoute de tous les appels correspondant à ces numéros de terminaux. Le numéro de terminal 0 a une signification particulière : d'après le protocole ISDN national, il représente la spécification *Global Call*, autrement dit la totalité des numéros de terminaux.

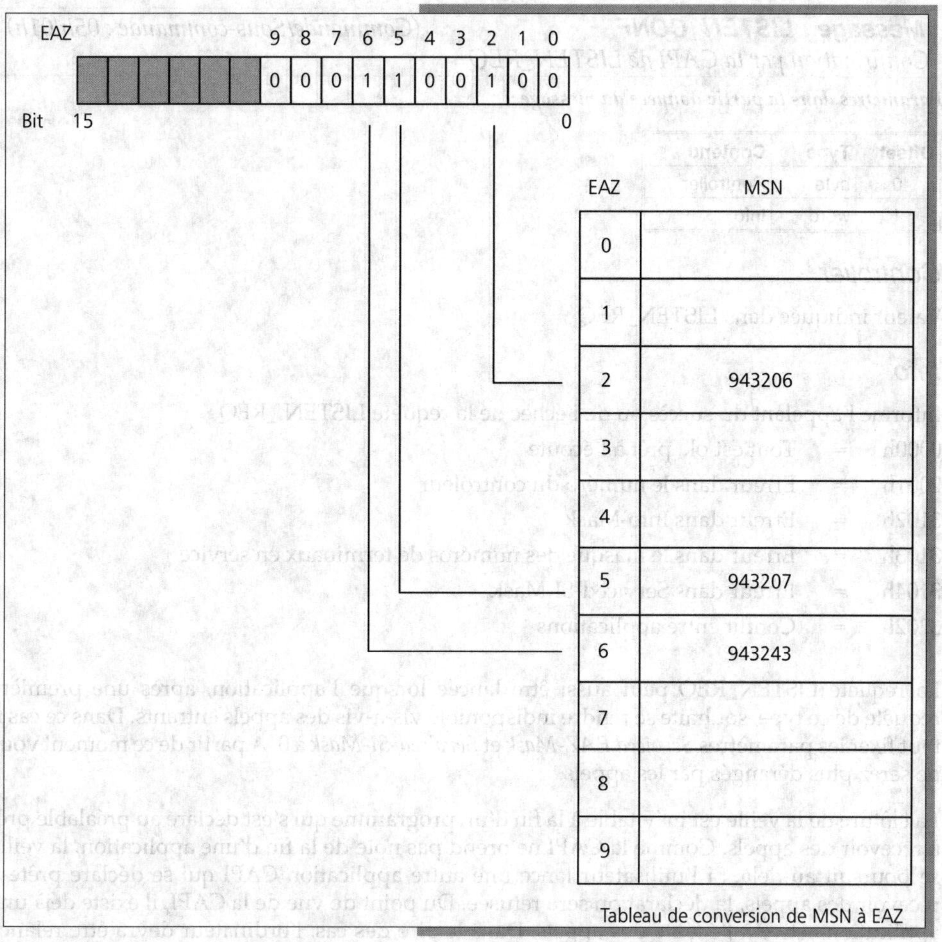
EAZ
9 8 7 6 5 4 3 2 1 0
0 0 0 1 1 0 0 1 0 0
Bit 15
0
EAZ
MSN
0
1
2
943206
3
4
5
943207
6
943243
7
8
9
Tableau de conversion de MSN à EAZ

Relation entre Serviced EAZ-Mask, numéros de terminaux (EAZ) et MSN

Lorsqu'on branche une carte ISDN à un accès Euro-ISDN, le numéro de terminal est converti en numéro MSN par un utilitaire externe, comme nous l'avons vu dans la description du message CONNECT_REQ. Chaque numéro de terminal et par conséquent chacun des bits 0 à 9 du masque des numéros de terminaux en service correspond alors à un numéro MSN tiré d'une table de conversion.

Serviced-SI-Mask

Ce champ binaire permet à l'application de spécifier quels sont les services auxquels elle souhaite répondre, par exemple fax, appels téléphoniques ou transmissions de données. Dans ce dernier cas, seul le bit 7 est à 1, tous les autres étant nuls. Nous indiquerons donc la valeur 128 dans le cadre de notre exemple.

Message : LISTEN_CONF	*(Commande/Sous-commande : 05h/01h)*
Confirmation par la CAPI de LISTEN_REQ	

Paramètres dans la partie données du message :

Offset	Type	Contenu
0	byte	Controller
1	word	Info

Controller

Valeur indiquée dans LISTEN_REQ

Info

Informe l'appelant du succès ou de l'échec de la requête LISTEN _REQ :

0000h	=	Tout est ok, prêt à l'écoute
2001h	=	Erreur dans le numéro du contrôleur
3102h	=	Erreur dans Info-Mask
3103h	=	Erreur dans le masque des numéros de terminaux en service
3104h	=	Erreur dans Serviced-SI-Mask
3202h	=	Conflit entre applications

La requête LISTEN_REQ peut aussi être lancée lorsque l'application, après une première requête de ce type, souhaite se rendre indisponible vis-à-vis des appels entrants. Dans ce cas il faut fixer les paramètres *Serviced EAZ-Mask* et *Serviced-SI-Mask* à 0. A partir de ce moment vous ne serez plus dérangés par les appels.

La clôture de la veille est inévitable à la fin d'un programme qui s'est déclaré au préalable prêt à recevoir des appels. Comme la CAPI ne prend pas note de la fin d'une application, la veille se poursuit au-delà. Si l'utilisateur lance une autre application CAPI qui se déclare prête à recevoir des appels, la déclaration sera refusée. Du point de vue de la CAPI, il existe déjà une application active à l'écoute des appels. Dans le pire des cas, l'ordinateur devra être relancé pour réinitialiser la CAPI.

Après branchement de l'écoute, si un appel survient et passe à travers le filtre des numéros de terminaux et des services spécifié dans LISTEN_REQ, la CAPI envoie un message CON-NECT_IND à l'application. Celle-ci est non seulement informée de l'appel mais aussi du service, du terminal et du numéro demandés. Elle décide alors si elle donne suite à l'appel ou si elle le refuse. Cette décision est communiquée à la CAPI par le moyen du message CONNECT_RESP.

> **Message : CONNECT_IND**   (*Commande/Sous-commande : 02h/02h*)
> *Signale à la CAPI un appel entrant*

Paramètres dans la partie données du message :

Offset	Type	Contenu
0	word	PLCI
2	byte	Controller
3	byte	Requested-Service
4	byte	Requested Service-Additional
5	byte	Requested EAZ
6	struct	Caller-Address

PLCI

L'identificateur PLCI qui référencera la liaison B1 dans les messages ultérieurs.

Controller

Numéro du contrôleur qui a reçu l'appel.

Requested Service / Requested Service Additional

Type du service demandé, communication téléphonique, télécopie, transmission de données, etc. Pour une transmission de données de carte ISDN à carte ISDN à 64 Koctets/s le paramètre *Requested Service* contient la valeur 07h et le paramètre *Requested Service Additional* la valeur 00h.

Requested EAZ

Numéro du terminal associé à l'appel. Si l'accès est du type Euro-ISDN, la CAPI convertit en numéro de terminal le MSN reçu par le canal D, grâce à une table de conversion.

Caller Address

Fournit le numéro de l'appelant. Le codage suit les principes exposés pour le paramètre *Destination Address* de la requête CONNECT_REQ.

> **Message : CONNECT_RESP**   (*Commande/Sous-commande : 02h/03h*)
> *Réponse de l'application à CONNECT_IND*

Paramètres dans la partie données du message :

Offset	Type	Contenu
0	word	PLCI
2	byte	Reject

PLCI

Le PLCI reçu par l'application dans le cadre du message CONNECT_IND.

Reject

Paramètre permettant à l'application de signaler à la CAPI si elle désire prendre l'appel ou le refuser. En cas de refus, l'application appelante reçoit un message DISCONNECT_IND avec indication d'un code d'erreur. Si l'appel est accepté, une liaison de couche 1 est établie par le

PLCI, sur laquelle viendront s'établir des liaisons de couche 2 et 3. L'application doit coder le paramètre *Reject* comme suit :

0 = Appel accepté

0 = Appel rejeté

Dans cette situation, l'application n'est obligée de répondre immédiatement par le message CONNECT_RESP que si elle rejette l'appel. L'appelant reçoit alors un message DISCONNECT_IND en provenance de sa CAPI et pour les deux correspondants l'affaire est terminée.

Application - CAPI	CAPI - Application	Commentaire
Statut d'entrée :	L'application s'est enregistrée correctement auprès de la CAPI	
LISTEN_REQ (0x07AF)		L'application se déclare prête à recevoir des appels
Controller : 0x0		Contrôleur quelconque
InfoMask : 0x0		Aucun élément W
Serviced EAZ : 0x32		Ne prend que les appels pour le terminal n° 5
ServicedSIMask : 0x80		Seul service autorisé : la transmission de données à 64 KOCTETS/S
	LISTEN_CONF (0x07AF)	La CAPI confirme
	Controller : 0x0	
	Info: 0x0	Tout est ok.
il ne se passe rien pendant un certain temps		
	CONNECT_IND (0xCC20)	La CAPI signale un appel
	PLCI : 0x4	PLCI pour la liaison B1
	Controller : 0x0	
	RequestedService: 0x7	L'appelant requiert le service "Transmission de données à 64 KOCTETS"
	RequestedServiceAdd : 0x0	
	Numéro du term. demandé : 0x35	Le terminal demandé est le n°5
	CallerAdress : 0xB 0x21 : 2114711	Numéro de l'appelant
CONNECT_RESP (0xCC20)		L'application décide d'accepter ou de rejeter l'appel
PLCI : 0x4		
Reject : 0xFFFF		Appel rejeté
	DISCONNECT_IND (0xCC21)	La CAPI indique que la liaison B1 est coupée
	PLCI : 0x4	
	Info : 0x0	Tout est ok
DISCONNECT_RESP (0xCC21)		Réponse de l'application
PLCI : 0x4		
Statut de sortie :	Pas de liaison B1 établie, le PCLI 0x4 est à nouveau libre	
Etablissement passif d'une liaison rejetée par l'appelé		

Si l'application appelée souhaite que la liaison soit établie, elle doit encore envoyer quelques requêtes à la CAPI avant de lancer CONNECT_RESP.

Il faut en effet qu'une liaison de couche 2 et 3 s'établisse par-dessus la liaison B1 à venir. Les protocoles correspondants devront être spécifiés le cas échéant. A moins de se contenter des protocoles standard, il faudra lancer SELECT_B2_PROTOCOL_REQUEST et SELECT_B3_PROTOCOL_REQUEST.

On utilisera le PLCI transmis par le message CONNECT_IND pour référencer la liaison B1 en cours de connexion.

Après spécification des protocoles, la CAPI devra émettre la requête LISTEN_B3_REQ pour se déclarer prête à recevoir des appels en liaison de couche 3.

Si on ne fait rien, la liaison n'est pas prise en compte. Il semble compliqué que l'application ne puisse se déclarer prête qu'après réception de CONNECT_IND, mais la justification s'impose d'elle-même. La CAPI a besoin de l'identifiant PLCI du canal dans la requête LISTE_B3_REQ ; or cet identifiant n'est disponible qu'à la réception du message CONNECT_IND qui signale l'établissement de la liaison B1.

Après avoir reçu le message LISTEN_B3_REQ, la CAPI renvoie une confirmation LISTE_B3_CONF. Ce n'est qu'à ce moment que l'application peut communiquer la réponse positive CONNECT_RESP et valider le message CONNECT_IND.

La liaison est immédiatement établie, ce qui du côté de l'application conduit à la réception du message CONNECT_ACTIVE_IND, le même que celui qui est reçu à l'issue d'une requête CONNECT_REQ dans le cadre de l'établissement actif d'une liaison. Elle doit être acquittée par une réponse CONNECT_ATIVE_RESP. Mais ce n'est pas encore le dernier message CONNECT.

Dans l'étape suivante l'application reçoit de la CAPI un message CONNECT_B3_IND. Il signifie que le correspondant souhaite établir une liaison de type B3 sur la base de la liaison B1 déjà établie et du PCLI qui la représente.

Dans le cadre de ce message, l'application reçoit aussi l'identificateur NCCI qui sert à référencer par la suite la liaison B3. Elle doit répondre par un message CONNECT_B3_RESP qui lui donne encore une fois la possibilité de rejeter la liaison B3.

Si elle accède au désir de connexion, la CAPI lance l'établissement de la liaison B3. A ce moment donc la liaison n'existe pas encore mais elle est en cours d'ouverture. Une fois l'opération effectivement menée à bien, la CAPI envoie encore un dernier signal à l'application, le message CONNECT_B3_ACTIVE_IND qui réclame la réponse CONNECT_B3_RESP. La liaison B3 s'y trouve référencée par l'indicateur NCCI obtenu précédemment.

Quand la liaison B3 est établie, l'application tient en main un canal de communication tout-à-fait sûr. Les protocoles de couche 2 et 3 assurent le transfert des données en toute sécurité, et il n'est pas nécessaire d'implémenter ses propres protocoles.

Application - CAPI	CAPI - Application	Commentaire
Statut d'entrée :	L'application s'est enregistrée correctement auprès de la CAPI	
LISTEN_REQ (0x0005)		L'application se déclare prête à recevoir des appels
Controller : 0x0		Contrôleur quelconque
InfoMask : 0x0		Pas d'élément W
Numéro du term. demandé : 0x8		Ne prend que les appels pour le terminal n° 3
ServicedSIMask : 0x80		Seul service autorisé : la transmission de données à 64 KOCTETS/S
	LISTEN_CONF (0x0005)	La CAPI confirme
	Controller : 0x0	
	Info : 0x0	Tout est ok
il ne se passe rien pendant un certain temps		
	CONNECT_IND (0x8002)	La CAPI signale un appel
	PLCI : 0x4	PLCI pour la liaison B1
	Controller : 0x0	
	RequestedService : 0x7	L'appelant requiert le service : transmission de données à 64 KOCTETS/S
	RequestedServiceAdd : 0x0	
	Numéro du term. demandé: 0x33	Le terminal demandé est le n°3
	CallerAdress : 0xB 0x21 : 2131915934	Numéro de l'appelant
SELECT_B2_PROT_REQ (0x0006)		Avant de prendre l'appel, l'application spécifie un protocole de couche 2
PLCI : 0x4		
B2 Prot : 0x1		Protocole standard : X.75 SLP
DataLen : 0x200		avec modification de la taille des blocs (512 octets au lieu de 130 par défaut)
LinkAddressA : 0x3		Valeur par défautt
LinkAddressB : 0x1		idem
ModuloMode : 0x8		idem
WindoSize : 0x7		idem
	SELECT_B2_PROT_CONF (0x0006)	La CAPI confirme la sélection du protocole
	PLCI : 0x4	
	Info : 0x0	Tout est ok
SELECT_B3_PROT_REQ (0x0007)		L'application spécifie un protocole de couche 3
PLCI : 0x4		
B3 Prot : 0x4		Protocole "transparent"
	SELECT_B3_PROT_CONF (0x0007)	La CAPI confirme le changement de protocole
	PLCI : 0x4	

Application - CAPI	CAPI - Application	Commentaire
	Info : 0x0	Tout est ok
LISTEN_B3_REQ (0x0008)		L'application se déclare prête à communiquer par la couche 3
PLCI : 0x4		
	LISTEN_B3_CONF (0x0008)	Confirmation de la CAPI
	PLCI : 0x4	
	Info : 0x0	Tout est ok
CONNECT_RESP (0x8002)		Ce n'est que maintenant que l'application répond au message initial CONNECT_IND
PLCI : 0x4		
Reject : 0x0		Appel non rejeté
	CONNECT_ACTIVE_IND (0x8003)	La CAPI signale l'établissement de la liaison B1
	PLCI : 0x4	
	ConnectedAddress : 0xB 0x21 : 2131915934	A nouveau le numéro de l'appelant
CONNECT_ACTIVE_RESP (0x8003)		Réponse de l'application
PLCI : 0x4		
	CONNECT_B3_IND (0x8004)	La CAPI signale que le correspondant souhaite établir une liaison de couche 3
	NCCI : 0x3	NCCI de la liaison B3
	PLCI : 0x4	PLCI de la liaison B1 qui sert de base à la liaison B3
CONNECT_B3_RESP (0x8004)		Réponse de l'application
NCCI : 0x3		
Reject : 0x0		D'accord pour la liaison
	CONNECT_B3_ACTIVE_IND (0x8005)	La CAPI signale l'établissement de la liaison B3
	NCCI : 0x3	
CONNECT_B3_ACTIVE_RESP (0x8005)		Réponse de l'application
NCCI : 0x3		
Statut de sortie :	Une liaison B1 a été établie avec l'appelant (PLCI 0x4). Puis après sélection d'un protocole de transfert approprié, une liaison B3 (NCCI 0x3) a été établie par-dessus la liaison B1. Les données peuvent alors être émises et reçues par l'intermédiaire de cette liaison.	

Etablissement actif d'une liaison avec accord de l'appelé

Message : LISTEN_B3_REQ	*(Commande/Sous-commande : 81h/00h)*

L'application se déclare prête à recevoir des appels de couche 3

Paramètres dans la partie données du message :

Offset	Type	Contenu
0	word	PLCI

PLCI

PLCI de la liaison B1 sous-jacente aux liaisons B3 attendues.

Message : LISTEN_B3_CONF	*(Commande/Sous-commande : 81h/01h)*

Confirmation par la CAPI de LISTEN_B3_REQ

Paramètres dans la partie données du message :

Offset	Type	Contenu
0	word	PLCI
2	word	Info

PLCI

Le PLCI de la requête LISTEN_B3_REQ précédente.

Info

Informe l'appelant du succès ou de l'échec de la requête LISTEN _B3_REQ :

0000h = Tout est ok, prêt à l'écoute

2002h = Erreur dans l'identificateur PLCI

Message : CONNECT_B3_IND	*(Commande/Sous-commande : 82h/02h)*

Signale un appel de couche 3

Paramètres dans la partie données du message :

Offset	Type	Contenu
0	word	NCCI
2	word	PLCI
4	struct	NCPI

NCCI

Identificateur de la liaison B3 pour les messages de la CAPI.

PLCI

Le PLCI de la liaison B1 sous-jacente.

NCPI

Informations complémentaires qui dépendent du protocole, sans objet pour les transmissions de données.

Message : CONNECT_B3_RESP   *(Commande/Sous-commande : 82h/03h)*
Réponse de l'application à CONNECT_B3_IND

Paramètres dans la partie données du message :

Offset	Type	Contenu
0	word	NCCI
2	byte	Reject
3	struct	NCPI

NCCI

Le NCCI du message CONNECT_B3_IND reçu précédemment.

Reject

Paramètre permettant à l'application de signaler à la CAPI si elle accepte ou refuse l'établissement d'une liaison B3. Doit être codé comme suit :

0 = Établissement accepté
0 = Établissement refusé

NCPI

Informations complémentaires qui dépendent du protocole. Sans objet pour les pures transmissions de données, mettre un octet nul.

39.2.9.   Réception de données

Quand la liaison B3 entre l'appelant et l'appelé est établie, chacun des correspondants peut envoyer des données à l'autre (!) car le canal est bidirectionnel (mode *full duplex*). Lorsqu'un paquet de données arrive à destination, la CAPI émet un message DATA_B3_IND. Ce message contient non seulement le NCCI de la liaison B3 et le numéro de bloc issu de la requête DATA_B3_REQ de l'expéditeur, mais aussi la longueur du bloc de données reçu et un pointeur FAR sur le buffer de réception en mémoire. Comme d'habitude il revient à l'application de répondre au message de la CAPI par un message approprié, en l'occurrence DATA_B3_RESP.

Mais auparavant les données doivent être traitées (par exemple affichées ou enregistrées sur disque) car la réponse DATA_B3_RESP autorise la CAPI à réutiliser le buffer de réception. Le pointeur tiré de DATA_B3_IND perd alors sa validité. Si l'application a encore besoin des données, elle devra les recopier dans un autre buffer qui lui appartient avant d'émettre la réponse DATA_B3_RESP.

Application - CAPI	CAPI - Application	Commentaire
Statut d'entrée :	Le NCCI 0x2 représente une liaison B3 correctement établie.	
	DATA_B3_IND (0x9137)	Paquet de données en réception
	NCCI : 0x2	NCCI de la liaison B3
	DataLength : 0x3A	Nombre d'octets reçus
	DataAddress : 0x513E0000	Pointeur FAR sur le buffer de réception en mémoire
	Number : 0x0	Bloc #0
	Flags : 0x0	
DATA_B3_RESP (0x9137)x		Réponse de l'application
NCCI : 0x2		NCCI de la liaison B3
Number : 0x0		Bloc #0 acquitté
Statut de sortie :	Un paquet de données a été reçu	
Réception de données		

Message : DATA_B3_IND (*Commande/Sous-commande : 86h/02h*)

Réception d'un paquet de données par liaison B3

Paramètres dans la partie données du message :

Offset	Type	Contenu
0	word	NCCI
2	word	Data-Len
4	dword	Data-Ptr
8	byte	Block-Nr
9	word	Flags

NCCI

Référence la liaison B3 qui a acheminé les données.

Data-Len

Nombre d'octets reçus. Au maximum 64 Ko pour une transmission de données.

Data-Ptr

Pointeur *Far* sur le buffer de réception des données en mémoire. Le pointeur perd sa validité lorsqu'on envoie la réponse DATA_B3_RESP à la CAPI.

Block-Nr

Le numéro de bloc indiqué par l'expéditeur dans le cadre de sa requête DATA_B3_REQ.

Flags

Sans objet pour une transmission de données.

Message : DATA_B3_RESP	*(Commande/Sous-commande : 86h/03h)*
Réponse de l'application à DATA_B3_IND	

Paramètres dans la partie données du message :

Offset	Type	Contenu
0	word	NCCI
2	byte	Block-Nr

NCCI

Le NCCI transmis par DATA_B3_IND.

Block-Nr

Le numéro de bloc transmis par DATA_B3_IND.

39.2.10. Clôture active d'une liaison

Lorsqu'une application désire mettre fin à une liaison établie antérieurement, elle doit d'abord clôturer toutes les liaisons B3 avant de refermer la liaison physique établie à l'origine.

Pour chaque liaison B3 existante associée à la liaison B1 il faut envoyer une requête DISCONNECT_B3_REQ dont la CAPI accusera réception par un message DISCONNECT_CONF. Cette réponse étant locale, la clôture effective sera annoncée par DISCONNECT_B3_IND.

A son tour le programme devra accuser réception de ce message par DISCONNECT_B3_RESP. A ce moment-là la liaison B3 sera considérée comme dissoute tant par l'application que par la CAPI.

Lorsque toutes les liaisons B3 associées à une liaison physique et par conséquent à un PLCI sont fermées, le programme peut s'employer à clôturer la liaison B1.

Cette opération équivaut à raccrocher le combiné et entraîne l'arrêt de la taxation. Il faut envoyer une requête DISCONNECT_REQ que la CAPI acquittera par un message de confirmation DISCONNECT_CONF.

La signification de cet échange est purement locale. C'est le signal DISCONNECT_IND qui marque l'achèvement effectif de la clôture. On lui répond par le message DISCONNECT_RESP. La liaison est alors coupée, le canal B se trouve libéré et prêt à transmettre d'autres communications.

Application - CAPI	CAPI - Application	Commentaire
Statut d'entrée	Une liaison B3 a été établie dans les règles (NCCI 0x2).	
DISCONNECT_B3_REQ (0x3352)		L'application demande la clôture de la liaison B3
NCCI : 0x2		NCCI de la liaison à clôturer
	DISCONNECT_B3_CONF (0x3352)	La CAPI confirme la demande de clôture
	NCCI : 0x2	
	Info : 0x0	Tout est ok.
	DISCONNECT_B3_IND (0x1643)	La CAPI annonce la clôture effective de la liaison B3
	NCCI : 0x2	
	Info : 0x330A	Clôture de liaison B3
DISCONNECT_B3_RESP (0x1643)		Réponse de l'application
NCCI : 0x2		
DISCONNECT_REQ (0x3353)		L'application demande la clôture de la liaison B1
PLCI : 0x2		PLCI de la liaison à clôturer
Cause : 0x0		Pas de cause spéciale à l'origine de la clôture
	DISCONNECT_CONF (0x3353)	La CAPI confirme le lancement de l'opération de clôture
	PLCI : 0x2	
	Info : 0x0	Tout est ok.
	DISCONNECT_IND (0x1644)	La CAPI annonce la clôture effective de la liaison B1
	PLCI : 0x2	
	Info : 0x0	Tout est ok.
DISCONNECT_RESP (0x1644)		Réponse de l'application
PLCI : 0x2		
Statut de sortie :	La liaison B3 a été clôturée en même temps que la liaison B1 sous-jacente	
Clôture active d'une liaison		

Message : DISCONNECT_B3_REQ   *(Commande/Sous-commande : 84h/00h)*
Clôture une liaison B3 existante

Paramètres dans la partie données du message :

Offset	Type	Contenu
0	word	NCCI
2	struct	NCPI

NCCI

Le NCCI de la liaison B3 à clôturer.

NCPI

Informations complémentaires qui dépendent du protocole, sans objet dans le cas d'une transmission de données. On met 0 comme longueur de la structure.

Message : DISCONNECT_B3_CONF   *(Commande/Sous-commande : 84h/01h)*
Confirmation par la CAPI de DISCONNECT_B3_REQ

Paramètres dans la partie données du message :

Offset	Type	Contenu
0	word	NCCI
2	word	Info

NCCI

Le NCCI de la requête précédente DISCONNECT_B3_REQ.

Info

Indique si la clôture de la liaison a été lancée :

0000h	=	Tout est ok, clôture lancée
2003h	=	Erreur dans l'identificateur NCCI
3109h	=	Erreur dans l'identificateur NCPI

Message : DISCONNECT_B3_IND   *(Commande/Sous-commande : 84h/02h)*
La liaison B3 a été clôturée

Paramètres dans la partie données du message :

Offset	Type	Contenu
0	word	NCCI
2	word	Info
4	struct	NCPI

NCCI

Le NCCI de la requête précédente DISCONNECT_B3_REQ.

Info

Fournit la cause de la clôture de la liaison B3 :

3303h	=	Erreur à l'établissement de la liaison B1
3304h	=	Erreur à l'établissement de la liaison B2
3308h	=	Coupure de la liaison B1 (déclenchée par le correspondant)
3309h	=	Coupure de la liaison B2 (déclenchée par le correspondant)
330Ah	=	Coupure de la liaison B3 (déclenchée par le correspondant)

NCPI

Informations complémentaires qui dépendent du protocole, sans objet dans une transmission de données.

> ### Message : DISCONNECT_B3_RESP   *(Commande/Sous-commande : 84h/03h)*
> *Réponse de l'application à DISCONNECT_B3_IND*

Paramètres dans la partie données du message :

Offset	Type	Contenu
0	word	NCCI

NCCI

Indiquer ici le NCCI mentionné dans le message DISCONNECT_B3_IND.

> ### Message : DISCONNECT_REQ   *(Commande/Sous-commande : 04h/00h)*
> *Clôture une liaison B1 existante*

Paramètres dans la partie données du message :

Offset	Type	Contenu
0	word	PLCI
2	byte	Cause

PLCI

Le PLCI associé à la liaison B1 à clôturer.

Cause

Permet à l'application de communiquer au réseau la raison de la clôture. N'est pas indispensable dans une transmission de données et peut donc recevoir la valeur 0.

> ### Message : DISCONNECT_CONF   *(Commande/Sous-commande : 04h/01h)*
> *Confirmation par la CAPI de DISCONNECT_REQ*

Paramètres dans la partie données du message :

Offset	Type	Contenu
0	word	PLCI
2	word	Info

PLCI

Contient le PLCI de la requête DISCONNECT_ REQ.

Info

Indique si la clôture a pu être lancée :

0000h   =   Tout est ok, clôture lancée
2002h   =   Erreur dans l'identificateur PLCI

39.2.11. Clôture passive d'une liaison

Une application n'est pas toujours en situation de pouvoir terminer une liaison qu'elle a établie antérieurement de façon active, c'est-à-dire de sa propre initiative. Il n'est pas rare que le correspondant raccroche inopinément ou que le réseau lui-même mette fin à la liaison en raison de surcharges ou d'erreurs de transmission.

Ces événements étant par nature imprévisibles, les applications ISDN aux deux extrémités de la ligne doivent être capables de réagir aux messages annonciateurs de coupure.

Il existe en l'occurrence deux messages chargés de signaler à l'application la coupure d'une liaison B3 ou B1 : DISCONNECT_B3_IND et DISCONNECT_IND.

Si la liaison B1 sert de support à une ou plusieurs liaisons B3, l'application reçoit d'abord autant de messages d'interruption DISCONNECT_B3_IND. Puis elle reçoit le message DISCON-NET_IND qui l'avertit de la coupure de la liaison de base B1, ce qui libère le canal B correspondant.

Dans tous les cas les indications de la CAPI doivent être acquittées par une réponse appropriée. A DISCONNECT_B3_IND est associée la réponse DISCONNECT_B3_RESP et à DISCON-NECT_IND la réponse DISCONNECT_RESP.

Mais lorsqu'elle a reçu le premier message DISCONNECT_B3_IND, une application n'est pas obligée d'attendre les autres messages de ce type.

Elle peut passer à l'offensive et immédiatement entamer une procédure de clôture active de ligne. Elle pourra donc d'elle-même envoyer des requêtes DISCONNECT_B3_REQ pour fermer les liaisons B3 encore ouvertes sur la base de la même liaison sous-jacente B1.

Celles-ci seront confirmées par la CAPI au moyen d'un message DISCONNECT_B3_CONF, suivi peu après d'un message DISCONNECT_B3_IND qui signale l'achèvement de la clôture B3. En suivant le même schéma, une application peut ensuite procéder à une clôture active de la liaison B1 par la requête DISCONNECT_REQ.

Application - CAPI	CAPI - Application	Commentaire
Statut d'entrée :	Une liaison B3 a été correctement établie (NCCI 0x3)	
	DISCONNECT_B3_IND (0x900F)	La CAPI signale la coupure de la liaison
	NCCI : 0x3	NCCI de la liaison coupée
	Info : 0x330A	Cause : initiative du correspondant
DISCONNECT_B3_RESP (0x900F)		Réponse de l'application
NCCI : 0x3		
DISCONNECT_REQ (0x225E)		L'application n'attend pas le signal DISCONNECT_IND, mais demande elle-même la clôture de la liaison B1
PLCI : 0x4		PLCI de la liaison B1
Cause : 0x0		
	DISCONNECT_CONF (0x225E)	Confirmation de la CAPI
	PLCI : 0x4	
	Info : 0x0	Tout est ok .

Application - CAPI	CAPI - Application	Commentaire
	DISCONNECT_IND (0x9010)	La CAPI signale l'achèvement de la clôture de la liaison B1
	PLCI : 0x4	
	Info : 0x0	Tout est ok.
DISCONNECT_RESP (0x9010)		Réponse de l'application
PLCI : 0x4		
Statut de sortie :	La liaison B3 et la liaison B1 sous-jacente ont été clôturées en raison d'une coupure provoquée par le correspondant	
Clôture passive d'une liaison		

Il peut arriver que le correspondant clôture la ligne en même temps et qu'on obtienne ainsi un avis.

DISCONNECT_B3_IND ou DISCONNECT_IND avant même qu'on ait pu émettre sa propre requête de clôture. Dans ce cas on y renonce évidemment puisque de toute façon la ligne est déjà coupée. Si les clôtures active et passive se croisent (requête émise et confirmée par la CAPI), on obtient de la CAPI une seule indication à laquelle il faut réagir comme à l'accoutumée.

39.2.12. Messages d'information

Tant qu'une liaison B1 est ouverte, le point d'échange ISDN utilise le canal D pour envoyer sans cesse au Network Terminator et donc à la carte ISDN des paramètres relatifs à la liaison. Appelées éléments W, ces informations de complément concernent la taxation, la date et l'heure courantes, le statut du correspondant, etc.

Une application n'a pas forcément besoin de ces informations, c'est pourquoi la CAPI ne les achemine pas systématiquement à moins qu'on ne l'ait spécifié par un paramètre approprié dans la requête d'établissement de la liaison CONNECT_REQ. Le paramètre en question est le paramètre *Info-Mask*, dont les bits 0 à 5 correspondent chacun à un élément W. Si son bit est mis à 1, l'élément W désigné est acheminé vers l'application lorsqu'il est reçu.

Bit	Signification
0	Informations de taxation
1	Date et heure
2	Display
3	User-User-Information
4	Cause
5	Statut du correspondant
6-31	réservé (0)
Structure du paramètre "Info-Mask"	

La réception des élément W peut aussi être demandée ou supprimée après l'établissement d'une liaison B1. La requête ad hoc s'appelle INFO_REQ et utilise le même champ binaire Info-Mask que la requête de connexion CONNECT_REQ. INFO_REQ est confirmé par la CAPI au moyen d'un message INFO_CONF. Si la réception des éléments W doit être désactivée par la suite, on envoie une requête INFO_REQ en mettant à 0 tous les bits du champ Info-Mask.

La réception des éléments W proprement dits est signalée par un message spécial appelé INFO_IND. Il met en évidence une fois de plus le caractère asynchrone de la communication ISDN, et peut survenir n'importe quand, indépendamment même de tous les autres processus de communication qui se déroulent sur le canal B. Dès qu'une application ISDN libère les éléments W, elle devra compter avec l'arrivée permanente de ce type de message. Chaque élément W reçu est emballé dans un message individuel dont la réception doit être acquittée par une réponse INFO_RESP.

En travaillant à ce chapitre, nous avons malheureusement pu constater que le royaume enchanté des éléments W était largement du domaine de l'invisible. Tantôt les éléments W n'arrivaient pas parce que le réseau ne les envoyait pas ou parce qu'en dépit de leur activation ils restaient mystérieusement bloqués, tantôt ils arrivaient à destination mais dans un état de déformation pitoyable. De toute évidence, certains éléments W ne sont gérés qu'en liaison avec certains types d'équipements terminaux (par exemple Display) et n'apparaissent pas dans la transmission de données.

Ce qui reste, ce sont le statut du correspondant, ainsi que les informations de taxation et de date/heure. Ces trois éléments W sont effectivement accessibles. Il est vrai que le statut du correspondant n'offre guère d'intérêt, car il ne présente que deux valeurs : "Pas d'information" et "Correspondant en cours d'appel". Frustration aussi avec la taxation et les informations horaires. Dans le cadre de l'implémentation CAPI dont nous disposions, ces deux éléments ne nous sont pas parvenus dans le format attendu et n'ont pas pu être décryptés. En raison de ces incidents, nous avons renoncé à présenter la réception des éléments W dans les programmes d'exemple.

Message : INFO_REQ　　　　　　*(Commande/Sous-commande : 07h/00h)*
Active ou désactive la réception des éléments W

Paramètres dans la partie données du message :

Offset	Type	Contenu
0	word	PLCI
2	word	Info-Mask

PLCI

Le PLCI de la liaison B1 concernée.

Info-Mask

Spécifie les éléments W qui doivent être transmis (Bit = 1) ou inhibés (Bit = 0)

Bit	W-Element
0	Informations de taxation
1	Date et heure
2	Display
3	User-User-Information
4	Cause
5	Statut du correspondant
6-31	réservé (0)

Message : INFO_CONF   *(Commande/Sous-commande : 07h/01h)*
Confirmation par la CAPI de INFO_REQ

Paramètres dans la partie données du message :

Offset	Type	Contenu
0	word	PLCI
2	word	Info

PLCI

Le PLCI indiqué dans la requête INFO_REQ précédente.

Info

Annonce le succès ou l'échec de la requête INFO_REQ :

0000h	=	Tout est ok, éléments W activés
2002h	=	PLCI inconnu
3102h	=	Erreur dans le paramètre Info-Mask

Message : INFO_IND   *(Commande/Sous-commande : 07h/02h)*
Signale la réception d'un élément W

Paramètres dans la partie données du message :

Offset	Type	Contenu
0	word	PLCI
2	word	Info-Nr
4	struct	Info-Element

PLCI

Identifie la la liaison B1 qui a reçu un élément W.

Info-Nr

Le code de l'élément W reçu

0602h	Informations de taxation
0603h	Date et heure
0028h	Display
007Eh	User-Information
0008h	Cause
0607h	Statut du correspondant

Info-Element

Pour l'élément Informations de taxation (code 0602h).

Offset	Type	Contenu
0	byte	Nombre d'octets de l'élément
1	byte	= 1
2	n byte	Le montant de la taxe échue en centimes sous forme de chaîne de caractères IA5. (par exemple "255" pour F 2,,55)

Pour l'élément Date et heure (Code 0603h).

Offset	Type	Contenu
0	byte	Nombre d'octets de l'élément
1	n byte	La date et l'heure dans le format „jj.mm.aa-hh:mm:ss" comme chaîne de caractères IA5. La longueur spécifiée dans le champ précédent permet de savoir si tous les composants de la date/heure ont été transmis ou si par exemple les secondes ont été omises

Pour l'élément Statut du correspondant (Code 0607h).

Offset	Type	Contenu
0	byte	0x01 = Pas d'information
0x02 = Correspondant en cours d'appel		

Message : INFO_RESP   *(Commande/Sous-commande : 07h/03h)*
Réponse de l'application à INFO_IND

Paramètres dans la partie données du message :

Offset	Type	Contenu
0	word	PLCI

PLCI

Le PLCI indiqué dans le message INFO_IND précédent.

39.2.13.   Demande de renseignements sur une liaison

En plus des messages déjà décrits, la CAPI tient à la disposition de l'application deux autres messages pour lui permettre de s'informer sur une liaison ouverte active. Il s'agit d'abord du message GET_B3_PARAMS_REQ qui permet d'interroger la liaison B1 qui sert de support à la liaison B3 définie par son identificateur NCCI. Deux niveaux plus bas, la requête GET_PA-RAMS_REQ donne des informations sur une liaison B1 existante, caractérisée par son identificateur PLCI. Parmi les données recueillies figurent par exemple le contrôleur, le canal B de transmission, l'indicateur de service, le numéro du terminal choisi et le numéro de l'appelé. Dans les deux cas la CAPI renvoie les informations souhaitées dans le cadre d'une confirmation. La confirmation associée à GET_B3_PARAMS_REQ s'appelle GET_B3_PARAMS_CONF, celle associée à GET_PARAMS_REQ s'appelle GET_PARAMS_CONF.

1015

> **Message : GET_PARAMS_REQ**   *(Commande/Sous-commande : 06h/00h)*
> *Demande d'informations sur une liaison B1 existante*

Paramètres dans la partie données du message :

Offset	Type	Contenu
0	word	PLCI

PLCI

Le PLCI de la liaison B1 interrogée.

> **Message : GET_ PARAMS_CONF**   *(Commande/Sous-commande : 06h/01h)*
> *Confirmation par la CAPI de GET_ PARAMS_REQ*

Paramètres dans la partie données du message :

Offset	Type	Contenu
0	word	PLCI
2	byte	Controller
3	byte	Canal-B
4	word	Info
6	byte	Nombre de liaisons B3
7	byte	Service-Indicator
8	byte	Additional Service-Indicator
9	byte	Numéro du terminal
10	struct	Numéro du correspondant

PLCI

Le PLCI spécifié dans la requête GET_PARAMS_REQ précédente.

Controller

Numéro du contrôleur ISDN par lequel passe la liaison. Information spécifique au constructeur.

Info

Indique si les informations demandées ont pu être obtenues :

0000h = Tout est ok, les informations sont disponibles
2002h = PLCI inconnu
3204h = PLCI inactif

Nombre de liaisons B3

Donne le nombre de liaisons B3 qui s'appuient sur la liaison Binterrogée.

Service Indicator / Additional Service Indicator

Paramètres caractérisant le service (transmission de données, téléphone, télécopie etc...) qui exploite actuellement la liaison.

Numéro du terminal

Numéro du terminal choisi par l'appelant et auquel l'application a réagi.

Numéro du correspondant

Structure codée comme dans CONNECT_REQ, indique le numéro d'appel du correspondant.

Message : GET_B3_PARAMS_REQ *(Commande/Sous-commande : 85h/00h)*
Demande d'informations sur une liaison B3 existante

Paramètres dans la partie données du message :

Offset	Type	Contenu
0	word	NCCI

NCCI

NCCI de la liaison B3 interrogée.

Message : GET_B3_PARAMS_CONF *(Commande/Sous-commande : 85h/01h)*
Confirmation par la CAPI de GET_B3_PARAMS_REQ

Paramètres dans la partie données du message :

Offset	Type	Contenu
0	word	NCCI
2	word	PLCI
4	word	Info

NCCI

NCCI spécifié dans la requête GET_B3_PARAMS_REQ précédente.

PLCI

Indique le PLCI et par conséquent la liaison B1 sur laquelle s'appuie la liaison B3 interrogée.

Info

Informe l'appelant si les informations demandées ont pu être obtenues :

0000h	=	Tout est OK, le PLCI a été fourni
2003h	=	Identificateur NCCI inconnu
3205h	=	NCCI inactif

39.2.14. Les messages de la CAPI sous la loupe

Les sections précédentes ont montré qu'il n'est pas si simple de garder ses repères dans la jungle des messages de la CAPI. Mais c'est là que se situe précisément l'enjeu, la tâche primordiale d'une application CAPI est d'émettre le bon message au bon moment et de ne pas être prise au dépourvue par les messages qui arrivent. Quiconque souhaite écrire des applications CAPI devra donc d'abord se battre avec le protocole des messages échangés. La théorie toute seule

ne conduit pas au succès car il faut se plonger dans un véritable dédale de messages, de protocoles et de canaux. Pour rendre transparent le va-et-vient des messages, nous avons développé un moniteur pour la CAPI sous Windows, le "CAPIlyzer".

Une fois lancé, il se branche entre la CAPI et l'application ISDN qui y a recours et intercepte tous les appels de fonctions CAPI. Avant que ces appels ne parviennent à la CAPI, ils sont obligés de passer par le CAPIlyzer qui permet leur décodage et leur examen. Chaque fois que des messages sont envoyés par la fonction API_PUT_MESSAGE ou reçus par la fonction API_GET_MESSAGE, le CAPIlyzer analyse leur contenu et l'affiche à l'écran. En même temps ces messages sont enregistrés dans un fichier journal appelé CAPI.LOG, qui est recréé à chaque lancement du CAPIlyzer et se trouve dans le répertoire de travail du CAPIlyzer.

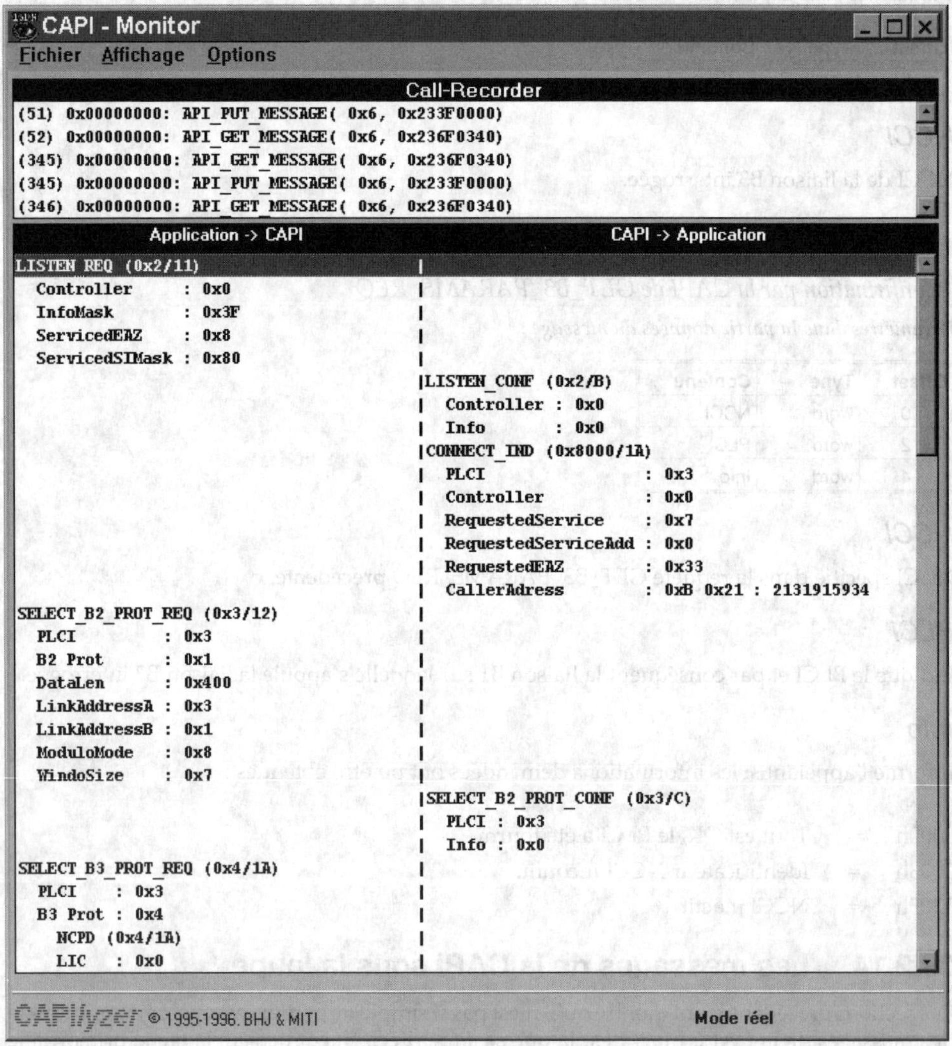

```
CAPI - Monitor                                                    _ □ ×
Fichier   Affichage   Options
                              Call-Recorder
(51)  0x00000000: API_PUT_MESSAGE( 0x6, 0x233F0000)
(52)  0x00000000: API_GET_MESSAGE( 0x6, 0x236F0340)
(345) 0x00000000: API_GET_MESSAGE( 0x6, 0x236F0340)
(345) 0x00000000: API_PUT_MESSAGE( 0x6, 0x233F0000)
(346) 0x00000000: API_GET_MESSAGE( 0x6, 0x236F0340)

        Application -> CAPI                        CAPI -> Application
LISTEN REQ (0x2/11)                       |
    Controller    : 0x0                   |
    InfoMask      : 0x3F                  |
    ServicedEAZ   : 0x8                   |
    ServicedSIMask : 0x80                 |
                                          |LISTEN_CONF (0x2/B)
                                          | Controller : 0x0
                                          | Info       : 0x0
                                          |CONNECT_IND (0x8000/1A)
                                          | PLCI                : 0x3
                                          | Controller          : 0x0
                                          | RequestedService    : 0x7
                                          | RequestedServiceAdd : 0x0
                                          | RequestedEAZ        : 0x33
                                          | CallerAdress        : 0xB 0x21 : 2131915934
SELECT_B2_PROT_REQ (0x3/12)               |
    PLCI         : 0x3                    |
    B2 Prot      : 0x1                    |
    DataLen      : 0x400                 |
    LinkAddressA : 0x3                    |
    LinkAddressB : 0x1                    |
    ModuloMode   : 0x8                    |
    WindoSize    : 0x7                    |
                                          |SELECT_B2_PROT_CONF (0x3/C)
                                          | PLCI : 0x3
                                          | Info : 0x0
SELECT_B3_PROT_REQ (0x4/1A)               |
    PLCI   : 0x3                          |
    B3 Prot : 0x4                         |
      NCPD (0x4/1A)                       |
      LIC  : 0x0                          |
CAPIlyzer © 1995-1996. BHJ & MITI                        Mode réel
```

Communication entre une application BTX ISDN et la CAPI, enregistrée par le CAPIlyzer

Vous trouverez le CAPIlyzer sur le CD qui accompagne l'ouvrage. Pour l'installer, copiez-le simplement dans un répertoire de votre disque dur. Si vous le lancez directement depuis le CD-ROM, vous obtiendrez un message du type "Path/File access error". En effet, les fichiers situés sur le CD-ROM possèdent tous un attribut "Lecture seule" activé, y compris le fichier CAPI.LOG, que le programme tente d'ouvrir au démarrage. Bien sûr le programme ne fonctionne que si une carte ISDN CAPI est installée sur votre machine et que ses gestionnaires ont été initialisés. Veillez de plus à ce que le fichier CAPI.DLL, qui doit être fourni avec les logiciels de votre carte ISDN, soit présent dans le répertoire de Windows.

Quand vous avez lancé le CAPIlyzer, vous apercevez dans la partie supérieure de la fenêtre la pile des appels (*Call-Stack*) qui indique les noms des dernières fonctions CAPI invoquées. Par ailleurs, à chaque appel de API_PUT_MESSAGE et API_GET_MESSAGE, les messages émis ou reçus sont représentés en détail dans la zone située au-dessous. A gauche, les messages envoyés par l'application à la CAPI, à droite les messages reçus par l'application de la CAPI. A côté du nom du message apparaît son numéro, entre parenthèses, tel qu'il a été défini par l'émetteur du message.

A chaque appel de fonction ou message transmis, les contenus de la pile des appels et de la fenêtre des messages sont mis à jour, les entrées les plus anciennes étant décalées vers le bas disparaissant au bout d'un certain temps. La zone de liste qui mémorise les appels comporte deux cents lignes, celle qui mémorise les messages CAPI cinq cents lignes. Vous pouvez reprendre sous la loupe les messages qui ne sont plus dans la fenêtre en jetant un coup d'oeil dans le fichier journal évoqué précédemment.

La liste des appels présente de gauche à droite l'heure système de réception du message, le résultat de la fonction appelée et l'appel proprement dit avec ses paramètres. L'heure système est décomptée en tops d'horloge système, deux tops étant séparés par un intervalle de 55 ms. Il ne s'agit donc pas d'une indication de temps absolue, mais d'une valeur relative qui mesure le délai entre deux appels.

Dans la zone au-dessous on lit d'abord le nom du message et dans les lignes suivantes les paramètres associés. Pour mettre en évidence le déroulement dans le temps des échanges réciproques entre CAPI et applications, les messages sont représentés face à leur contrepartie.

Le programme dispose de trois menus . Le menu **Fichier** contient la seule commande **Quitter**. Sous **Affichage** vous trouverez les commandes **Paquets de données**, **Appels CAPI invalides** et **Effacer l'écran**. Cette dernière commande efface le contenu des deux zones de liste et sert à faire le vide avant d'examiner de nouveaux appels. La commande **Paquets de donnnées** fonctionne comme une case à cocher. Lorsqu'elle est activée et qu'on effectue une transmission de données, le CAPIlizer affiche non seulement les messages d'émission et de réception mais aussi les données en notation hexadécimale et sous forme de caractères ANSI. Comme l'affichage consomme des ressources appréciables, il ne faudrait utiliser cette option que sur des ordinateurs rapides équipés de cartes graphiques performantes. Pour savoir si cette opération ne prend pas trop de temps, compte tenu de la configuration de votre matériel et de votre logiciel, le mieux est de faire quelques essais. Vous verrez alors si vous gênez le déroulement de l'application ISDN ou si le système est suffisamment solide pour encaisser l'affichage de ces informations sans influencer la transmission.

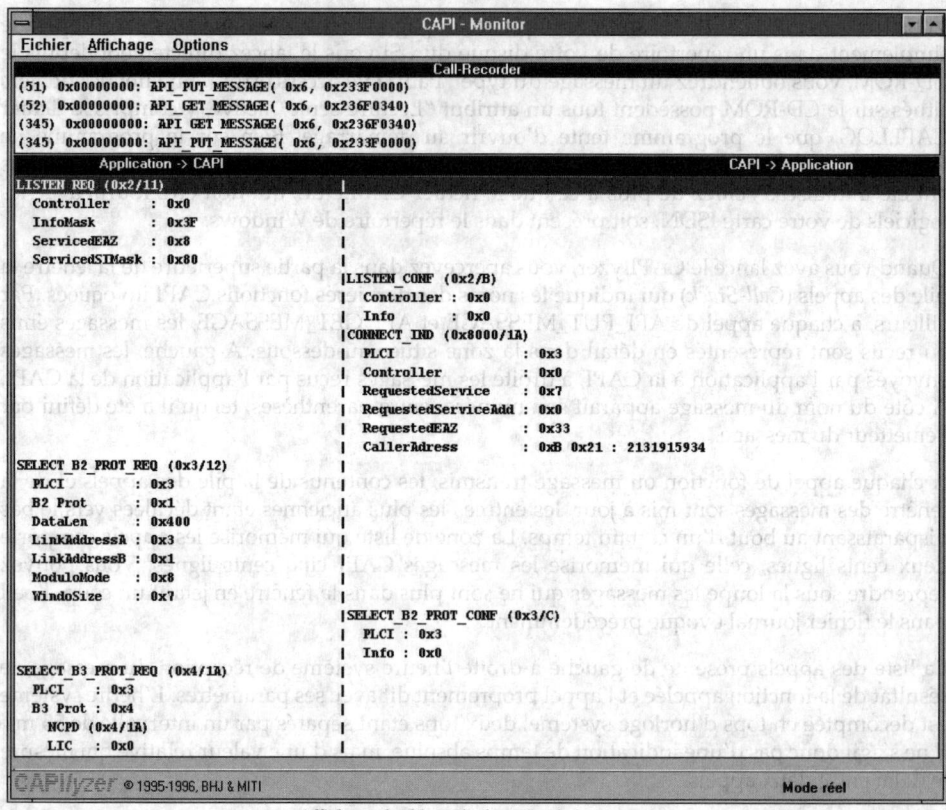

Affichage des blocs de données émis et reçus

La commande **Appels CAPI invalides** s'utilise aussi comme une case à cocher. Normalement le CAPIlyzer affiche uniquement les appels aux fonctions CAPI qui ont réussi, c'est-à-dire les appels qui ne retournent pas un résultat "négatif". Tel sera généralement le cas car une fonction CAPI qui lance une opération qui échoue déclenche une réaction non pas par son résultat mais en suscitant un message ultérieur qui comporte les informations d'erreur. Par ailleurs certains logiciels ISDN testent la disponibilité des messages CAPI en faisant tourner une boucle qui appelle sans cesse la fonction DLL API_GET_MESSAGE jusqu'à ce qu'elle trouve un message. Et (pratiquement) à chaque fois l'appel déclenche une erreur en raison de l'absence de message. C'est pour éviter l'affichage de ces appels sans cesse répétés que la commande **Appels CAPI invalides** a été implémentée. Mais si vous souhaitez également suivre les appels qui échouent, n'hésitez pas à l'activer. Le succès des fonctions API_GET_MESSAGE et API_PUT_MESSAGE est signalé par une valeur de retour égale à 0x00000000. Toute valeur différente de zéro indique une erreur.

La dernière commande disponible dans le menu des options s'appelle **Pas-à-pas**. Elle se comporte également comme une case à cocher. Si elle est activée, le CAPIlyzer prend le contrôle après chaque appel d'une fonction CAPI et arrête l'exécution jusqu'à ce qu'on actionne dans la ligne d'état un bouton appelé "Message suivant". Vous pouvez ainsi suivre les événements en toute tranquilité, avant que l'application ISDN ne poursuive leur exécution. Il faut cependant être prudent : si un message CAPI est retenu trop longtemps, l'application active ou celle du correspondant peut considérer qu'il y a dépassement du temps imparti et couper la communication (DISCONNECT...)

Nous avons testé le programme avec différentes applications à notre disposition. Il nous a révélé des informations intéressantes sur l'établissement des liaisons, la sélection des protocoles et les échanges de données, indépendamment de la spécialisation du logiciel examiné (télécopie, vidéotex, transfert de données). Si à l'exploitation d'une application ISDN le CAPIlyzer n'affiche aucun message, il faut y voir l'effet d'un accès direct à la CAPI sous DOS.

A supposer que vous disposiez d'une carte ISDN et de logiciels correspondants, le CAPIlyzer vous permet d'observer concrètement le déroulement des messages CAPI. En complément de la documentation, vous avez là un auxiliaire précieux pour progresser rapidement dans le développement de logiciels ISDN.

Capilyse.mak

39.2.15. **Les appels CAPI sous Windows**

La réalisation des fonctions CAPI sous Windows s'effectue par une bibliothèque DLL (Dynamic Link Library) que nous avons déjà mentionnée, appelée CAPI.DLL. Pour communiquer avec la CAPI, les applications CAPI se servent de 11 fonctions standardisées que chaque fabricant sur le marché doit offrir dans sa DLL. Il peut s'y trouver d'autres fonctions mais elles seront alors spécifiques au fabricant. Si vous voulez développer des applications indépendantes, vous devrez renoncer à leur emploi.

En raison de l'existence d'un nom unique CAPI.DLL, les fournisseurs ne peuvent pas caractériser leur DLL en lui donnant un nom particulier. Si vous installez plusieurs cartes ISDN différentes sur votre ordinateur, vous pouvez en fin de compte trouver plusieurs fichiers CAPI.DLL sur votre disque dur. Mais ils ne fonctionneront pas forcément tous avec la dernière carte ISDN installée. Il se peut même qu'une seule carte soit opérationnelle. Pour maîtriser la distinction, il convient de disposer d'un programme qui rend visible le contenu d'une DLL, par exemple le programme EXEHDR, que vous pouvez trouver sur de nombreux réseaux ou serveurs télématiques comme CompuServe. Voici l'affichage donnée par EXEHDR lorsqu'on examine le fichier CAPI.DLL du fabricant de cartes TELES :

```
Microsoft (R) EXE File Header Utility  Version 3.20
Copyright (C) Microsoft Corp 1985-1993.  All rights reserved.
Library :             CAPI
Description :         Common ISDN API V1.1 DLL, Copyright 1993-94 TELES GmbH, Berlin
Data :                SHARED
Initialization :      Global
Initial CS:IP :       seg   1 offset 21d2
Initial SS:SP :       seg   0 offset 0000
DGROUP :              seg   2
Heap allocation :     2000 bytes
Application type :    WINDOWAPI
Other module flags :  Contains gangload area; start : 0x280; size 0x3780
no. type address  file  mem   flags
  1 CODE 000002a0 02204 02204 PRELOAD
  2 DATA 000025a0 01450 01450 SHARED, PRELOAD
Exports :
ord seg offset name
 14   1  008e  WEP exported, shared data
 15   1  217c  ___EXPORTEDSTUB exported, shared data
```

```
 9   1   0eac   API_GET_SERIAL_NUMBER exported, shared data
13   1   10ce   VKPRINTF exported, shared data
 3   1   037c   API_PUT_MESSAGE exported, shared data
 2   1   0296   API_RELEASE exported, shared data
 7   1   0c04   API_GET_MANUFACTURER exported, shared data
 8   1   0d58   API_GET_VERSION exported, shared data
 6   1   0b18   API_DEINSTALL exported, shared data
 5   1   089a   API_SET_SIGNAL exported, shared data
 1   1   00ee   API_REGISTER exported, shared data
10   1   1000   API_MANUFACTURER exported, shared data
 4   1   05d4   API_GET_MESSAGE exported, shared data
12   1   1074   API_INSTALLED exported, shared data
11   1   1046   API_GET_ADDRESSMODE exported, shared data
```

Examen d'un fichier CAPI.DLL par EXEHDR

On observe, à la suite de la procédure WEP obligatoire, la présence d'une seule fonction spécifique au fabricant, VKPRINTF. Toutes les autres sont définies dans la spécification CAPI pour ce qui est de leur nom , de leurs arguments et de leur fonctionnalité.

Fonction	Rôle
API_INSTALLED	Teste si l'interface CAPI est installée
API_REGISTER	Enregistre l'application auprès de la CAPI
API_RELEASE	Signale que l'application n'exploite plus la CAPI
API_GET_ADDRESSMODE	Demande le mode d'adressage en vigueur
API_PUT_MESSAGE	Envoie un message à la CAPI
API_GET_MESSAGE	Lit un message de la CAPI
API_SET_SIGNAL	Permet de spécifier une fonction de signalisation
API_GET_MANUFACTURER	Lit le nom du fabricant de la CAPI
API_GET_VERSION	Lit le numéro de version de la CAPI
API_GET_SERIAL_NUMBER	Lit le numéro de série de la CAPI
API_MANUFACTURER	Fonction spécifique au fabricant

Avant de commencer à bombarder la CAPI avec des paquets de données, une application doit d'abord tester la disponibilité de l'interface. La fonction API_INSTALLED permet en même temps de s'assurer de la présence d'une carte ISDN.

Fonction : API_INSTALLED *Teste si l'interface CAPI est installée*

Déclaration : WORD FAR PASCAL API_INSTALLED (void);

Indique si une interface CAPI est disponible sur la base d'une carte ISDN installée :

Valeur de retour : 0x0000 : CAPI non disponible

0x0001 : CAPI disponible

La deuxième étape pour une application consiste à se faire enregistrer auprès de la CAPI pour pouvoir recourir à ses services. Elle reçoit alors un numéro qu'elle devra indiquer lors des appels à venir. En contrepartie, la CAPI attend de l'application une zone mémoire qu'elle utilisera pour le stockage temporaire de trois types d'objets :

O   Les messages émis à l'intention de la CAPI et non encore traités par elle

O   Les blocs de données B3 émis par l'application et en attente de transfert

O   Les blocs de données B3 reçus pour l'application et qui n'ont pas encore été lus par elle

La taille du buffer à définir devra être calculée par l'application elle-même sur la base des paramètres transmis à API_REGISTER :

```
(180*wMsgCount) + (wMaxB3Connection * wMaxB3DataBlocks * wMaxB3DataLen)
```

180 est une constante correspondant à la longueur maximale d'un message CAPI qui est limitée à 180.

Ce buffer doit être alloué avant l'appel de API_REGISTER et ne peut être libéré qu'après API_RELEASE. Il va de soi que l'application n'a pas le droit d'y accéder entretemps.

Si API_REGISTER renvoie un résultat différent de 0, la CAPI a enregistré l'application et les autres fonctions CAPI peuvent être invoquées. Le résultat constitue le numéro attribué à l'application. Il doit être mémorisé et fera partie des paramètres transmis aux différentes fonctions utilisées. Si la CAPI est sollicitée par plusieurs applications en même temps, elle pourra les distinguer par leur numéro.

Fonction : API_REGISTER   *Enregistre l'application auprès de la CAPI*
Déclaration : WORD FAR PASCAL API_REGISTER (LPSTR lpMessageBuffer, WORD wMsgCount, WORD wMaxB3Connection, WORD wMaxB3DataBlocks, WORD wMaxB3DataLen);

Cette fonction permet à une application de s'enregistrer auprès de la CAPI. Elle doit avoir été invoquée avec succès pour que des messages puissent par la suite être échangés avec la CAPI. Avant l'appel, l'application doit préparer une zone de mémoire où la CAPI pourra déposer les messages pour l'application, ainsi que les paquets de données B3 reçus où en attente d'émission. L'application ne doit pas toucher à ce buffer et ne pourra le libérer qu'à l'issue d'un appel à API_RELEASE.

Si l'enregistrement de l'application se fait correctement, elle reçoit un numéro qu'elle joindra à ses appels ultérieurs pour se faire reconnaître de la CAPI.

○ *lpMessageBuffer :* Pointeur FAR sur un buffer que l'application doit mettre à la disposition de la CAPI pour stocker des messages et des blocs de données B3. La taille du buffer en octets se calcule à l'aide de la formule suivante :

```
( 180 * MsgCount ) + ( maxB3Connection * maxB3DataBlocks * MaxB3DataLen )
```

○ *wMsgCount :* Nombre de messages CAPI, adressés à l'application, qui peuvent être stockés sans pertes

○ *wMaxB3Connection :* Nombre maximal de liaisons B3 que l'application peut établir sur la base des liaisons B3 ouvertes

○ *wMaxB3DataBlocks :* Nombre maximal de blocs de données B3 que la CAPI peut stocker sans perte de données

○ *wMaxB3DataLen :* Taille maximale d'un bloc de données B3, doit correspondre à la taille maximale spécifiée dans le cadre du protocole B2

Valeur de retour = 0x0000 : Erreur à l'enregistrement

0 : Enregistrement réussi, la valeur de retour est le numéro de l'application vis-à-vis de la CAPI, à rappeler dans les appels à venir

La contrepartie de la fonction API_REGISTER est la fonction déjà mentionnée API_RELEASE. Toute application enregistrée auprès de la CAPI doit appeler cette fonction avant de se terminer, pour que la CAPI puisse tenir compte de son départ.

Fonction : API_RELEASE   *Annonce la fin de l'exploitation de la CAPI*
Déclaration : WORD FAR PASCAL API_RELEASE (WORD wAppID);

L'application spécifiée signale qu'elle met fin à l'exploitation de la CAPI. Le numéro d'application devient invalide et tout appel ultérieur aux fonctions de la CAPI est interdit, à moins que l'application ne demande à nouveau son enregistrement par API_REGISTER. Le buffer préparé pour API_REGISTER peut à nouveau être libéré :

○   *wAppID : Numéro de l'application*

Dans l'implémentation de la CAPI sous Windows il existe une particularité relative à l'allocation des buffers dont il faut absolument tenir compte. Certains fabricants basent leur CAPI.DLL sur un programme résident DOS (TSR) qui réalise les fonctionnalités de la CAPI sous DOS. Ce programme s'efforce de mettre également à la disposition des applications DOS le bénéfice des fonctions CAPI. La bibliothèque CAPI.DLL se contente alors de convertir les appels CAPI sous Windows en appels sous DOS en réacheminant les résultats des fonctions vers l'application Windows. Les fabricants s'épargnent ainsi la peine de développer une véritable CAPI sous Windows en s'appuyant simplement sur un stock de fonctions déjà programmées sous DOS.

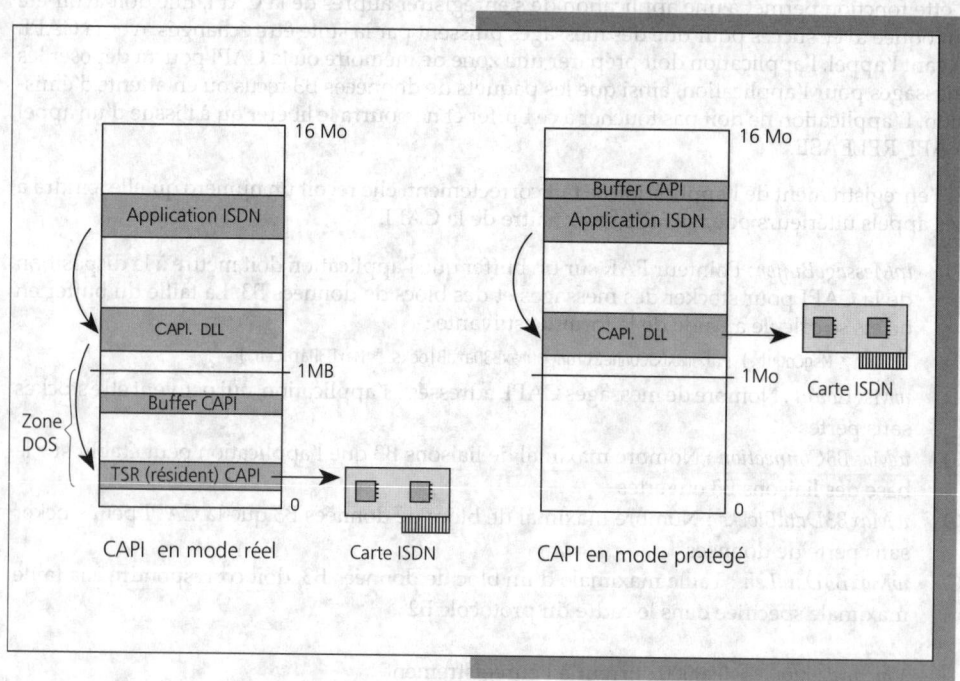

Fig 1 : Les versions de la CAPI en mode réel et en mode protégé

Abstraction faite de la perte de performance impliquée par ces conversions inutiles, cette implémentation suscite un autre problème relatif à l'adressage mémoire. Car contrairement à Windows 3.1 ou 3.11 et à leurs applications (y compris CAPI.DLL), la CAPI sous DOS ne fonctionne pas dans le mode protégé du processeur mais dans le mode dit *réel*. En conséquence la CAPI sous DOS ne peut adresser que les zones mémoire situées en-deçà de la limite de 1 Mo, alors que les applications Windows ont à leur disposition la totalité de la mémoire. Chaque fois que les fonctions CAPI attendent de leur appelant la spécification d'une zone mémoire, la CAPI.DLL devra s'assurer que celle-ci se situe bien au-dessous de la limite de 1 Mo. Cette responsabilité s'étend même aux applications Windows.

Quiconque souhaite accéder aux fonctions CAPI sous Windows, devra préalablement à la première allocation de mémoire pour la CAPI (par exemple pour API_REGISTER) faire appel à la fonction API_GET_ADDRESSMODE.

Le résultat retourné par cette fonction indiquera si la CAPI.DLL fonctionne complètement en mode protégé ou si elle s'appuie sur un module DOS en mode réel. Dans ce dernier cas, l'application sera obligée d'allouer tous les buffers pour la CAPI au moyen de la fonction Windows *GlobalDosALloc()*. Elle apporte la garantie que la mémoire réservée se trouve au-dessous du premier mégaoctet et est donc accessible à une CAPI sous DOS.

Une autre différence importante entre une application DOS en mode réel et une application Windows en mode protégé réside dans la structure des pointeurs FAR.

Tandis que DOS fonctionne avec des adresses de segments physiques, les pointeurs FAR d'une application Windows contiennent des sélecteurs.

Mais contrairement à ce qui se passe pour l'allocation mémoire, une application CAPI sous Windows n'a pas à se faire de souci à ce sujet. La CAPI.DLL prend à sa charge toutes les conversions entre pointeurs en mode réel et pointeurs en mode protégé. Une application Windows pourra ainsi transmettre à la CAPI un pointeur ordinaire en mode protégé.

Fonction : API_GET_ADDRESSMODE *Demande le mode d'adressage*
Déclaration : WORD FAR PASCAL API_GET_ADDRESSMODE(void);

Renseigne l'application sur le mode d'adressage du driver CAPI (mode réel ou mode protégé) et décide en conséquence si les pointeurs FAR transmis à la CAPI doivent référencer la mémoire située au-dessous de 1 Mo. Concerne les fonctions API_REGISTER, API_PUT_MESSAGE, API_GET_MESSAGE, API_GET_MANUFACTURER, API_GET_VERSION, et API_GET_SERIAL_NUMBER :

Valeur de retour : 0x0000 : Mode réel
0x0001 : Mode protégé

Au centre de la communication entre la CAPI et l'application se trouve l'échange des messages CAPI déjà étudiés en détail, de CONNECT_REQ à DISCONNECT_IND. Du côté de la CAPI, ce sont les fonctions API_PUT_MESSAGE et PAI_GET_MESSAGE qui gèrent cet échange.

Lorsqu'on envoie un message par API_PUT_MESSAGE, la CAPI attend à côté du numéro de l'application un pointeur FAR sur la zone mémoire qui contient le message émis. La valeur de retour indique simplement si la CAPI a trouvé un message valide dans le buffer et si elle a pu l'envoyer. Si la valeur de retour indique que la file des messages de la CAPI est saturée, il faut renouveler l'appel jusqu'à ce que le message puisse y trouver sa place, après traitement d'au moins un message antérieur. Dans ce cas la CAPI retourne la valeur 0 qui signifie que le message est bien parti.

Fonction : API_PUT_MESSAGE   *Envoie un message à la CAPI*
*Déclaration : WORD FAR PASCAL API_PUT_MESSAGE(WORD wAppID,
LPVOID pCapiMessage);*

Remet un message à la CAPI :

❍ *AppID* : Numéro de l'application
❍ *pCapiMessage* : Pointeur FAR sur la mémoire qui contient le message en attente d'émission

Valeur de retour :   0x0000 : Tout est ok, le message à été transmis à la CAPI
                          0x1002 : Numéro d'application erroné
                          0x1003 : Message trop petit ou erreur dans le numéro du message
                          0x1004 : Erreur de commande ou de sous-commande dans le message
                          0x1005 : File d'attente saturée

Les messages que la CAPI destine à l'application peuvent être lus par la fonction API_GET_MESSAGE. Comme argument il faut donner un pointeur sur un pointeur qui contient l'adresse de réception du message en mémoire. L'application a donc besoin d'un pointeur FAR sous la forme d'une variable dont l'adresse est transmise à la fonction API_GET_MESSAGE. A l'issue de l'appel elle trouvera dans ce pointeur l'adresse de la zone mémoire où la CAPI a déposé le message reçu. Cette adresse est prise dans le buffer indiqué à API_REGISTER. Elle n'est valide que jusqu'au prochain appel à API_GET_MESSAGE. Si l'application n'exploite pas sur-le-champ le message, elle devra transférer son contenu, en totalité en partiellement, dans une autre zone mémoire qui lui appartient en propre. Ce n'est qu'ensuite qu'elle pourra à nouveau invoquer API_GET_MESSAGE.

Fonction : API_GET_MESSAGE   *Lit un message de la CAPI*
*Déclaration : WORD FAR PASCAL API_GET_MESSAGE(WORD wAppID, char
FAR * FAR *pcMessage);*

Lit un message envoyé par la CAPI à l'application :

❍ *wAppID* : Numéro de l'application
❍ *pcMessage* : Pointeur FAR sur un pointeur FAR qui indique l'adresse où la CAPI mémorise
le message reçu

Valeur de retour :   0x0000 : Tout est ok
                          0x1002 : Numéro d'application erroné
                          0x1006 : Aucun message en réception, file d'attente vide
                          0x1007 : Un message au moins a été perdu en raison du
                                          débordement de la file d'attentei

Si on ne souhaite pas passer par une procédure de type polling pour lire les messages au moyen de API_GET_MESSAGE, on peut recourir à la fonction API_SET_SIGNAL. Cette fonction permet de définir une fonction de rappel qui sera invoquée par la CAPI chaque fois qu'elle a reçu un message à destination de l'application. La fonction de rappel est appelée dans un contexte d'interruption et doit tenir compte des limites imposées par Windows dans ces circonstances. Par ailleurs elle devra se terminer rapidement pour ne pas gêner inutilement le système.

La fonction de signalisation ne reçoit pas directement communication du contenu du message mais elle peut se servir de AI_GET_MESSAGE pour en prendre connaissance.

1026

Fonction : API_SET_SIGNAL   *Permet de spécifier une fonction de signalisation*
Déclaration : WORD FAR PASCAL API_SET_SIGNAL (WORD wAppID, VOID
(FAR *CAPI_Callback)(void));

Permet de désigner une fonction à l'intérieur de l'application qui sera appelée par la CAPI à chaque réception de message. L'application est alors avertie de la présence d'un message et pourra en lire le contenu par AI_GET_MESSAGE :

○   *wAppID* : Numéro de l'application
○   *CAPI_Callback* : Pointeur FAR sur une fonction *void*, appelée par la CAPI comme fonction
     FAR dans un contexte d'interruption

Valeur de retour :   0x0000 : Tout est ok
                          0x1002 : Numéro d'application erroné

En plus des fonctions déjà citées, la CAPI offre trois autres fonctions qui servent simplement à prendre connaissance de divers paramètres. On peut ainsi connaître le nom du fabricant de la CAPI, le numéro de version de la CAPI et le numéro de série facultatif. Dans ces trois cas la CAPI attend comme argument un pointeur FAR sur une zone de mémoire où elle stockera le paramètre demandé sous la forme d'une chaîne de caractères C. La fin de la chaîne est constituée par un caractère nul. Si la chaîne est vide, son premier et unique caractère est le caractère nul.

Fonction : API_GET_MANUFACTURER   *Lit le nom du fabricant*
Déclaration : LPSTR FAR PASCAL API_GET_MANUFACTURER (LPSTR lpstrManufacturer);

Retourne le nom du fabricant de l'interface CAPI en cours d'exécution :

○   *lpstrManufacturer* : Pointeur FAR sur un buffer de 64 octets au minimum où le nom sera
     mémorisé sous forme de chaîne ASCII de type C, avec caractère nul terminal.

Valeur de retour : Le pointeur indiqué dans lpstrManufacturer

Fonction : API_GET_VERSION   *Lit le numéro de version*
Déclaration : LPSTR FAR PASCAL API_GET_VERSION (LPSTR lpstrVersion);

Retourne le numéro de version de l'interface CAPI en cours d'exécution :

○   *lpstrVersion*Pointeur FAR sur un buffer de 64 octets au minimum où le numéro de série
     sera mémorisé sous forme de chaîne ASCII de type C, avec caractère nul terminal.

Valeur de retour :   Le pointeur indiqué dans lpstrVersion

> **Fonction : API_GET_SERIAL_NUMBER**   *Lit le numéro de série*
> *Déclaration : LPSTR FAR PASCAL API_GET_SERIAL_NUMBER (LPSTR lpstrSerialNumber);*

Retourne sous forme de chaîne le numéro de série de l'interface CAPI en cours d'exécution. Information facultative, c'est pourquoi on obtient parfois une chaîne vide :

○ *lpstrSerialNumber*Pointeur FAR sur un buffer de 64 octets au minimum où le numéro de série sera mémorisé sous forme de chaîne ASCII de type C, avec caractère nul terminal. D'après les spécifications, un numéro de série doit être constitué de 7 chiffres ASCII.

Valeur de retour : Le pointeur indiqué dans *lpstrSerialNumber*

39.3.   ISDN pour informaticiens avancés

Au chapitre précédent nous avons décrit la transmission de données comme l'un des services ISDN les plus importants et nous avons expliqué comment le réseau se commandait par l'interface standardisée CAPI. Mais en tant que terminal dans un réseau ISDN, le PC peut encore rendre bien d'autres services. Il peut par exemple envoyer et recevoir des télécopies, gérer un standard téléphonique, une liaison vidéotex ou relier des réseaux locaux. Si vous caressez l'idée de développer ce type d'application, le code source présenté vous fournit une base solide. Mais vous ne pourrez pas éviter l'étude d'ouvrages spécialisés consacrés à ISDN.

Tôt ou tard vous tomberez sur la "bible ISDN", le Blue Book (livre bleu) de l'ITU. Au milieu des années 80, on a consigné dans les 14 (!) tomes de cet ouvrage les fondements d'une standardisation mondiale du réseau ISDN, encore à l'état de projet. Le Blue Book rassemble les "recommandations" de l'ITU qui couvrent une vingtaine de domaines ("recommandations de la série B", "recommandations de la série C", "recommandations de la série D", etc...). Chacun de ces domaines comprend un nombre variable de documents appelés par exemple C.1, C.2, C.3 lorsqu'ils se rapportent aux recommandations de la série C. Certains standards de communication bien connus, comme par exemple X.2, X.400 ou H.320, doivent leur nom au document qui les décrit. L'ensemble de ces spécifications se compte par centaines.

Partie 7

Windows 95

40. Introduction aux chapitres sur la programmation Windows 95

Windows 95 représente un conglomérat de multiples sous-systèmes et APIs. Pour vous faciliter au maximum l'accès à la programmation Windows 95, nous avons essayé d'aborder Windows 95 et ses principales nouveautés sous deux angles différents. D'abord en les approchant par le côté système, par le bas en quelque sorte. Le fonctionnement de base du système se trouve alors projeté au premier plan avec l'étude du multitâche, de la mémoire virtuelle, de l'accès aux DLLs et de la base de registres. En bref, on aborde ainsi tout ce qui distingue Windows 95 de ses prédécesseurs et en fait un véritable système 32 bits. Les composants décrits forment en quelque sorte la technologie de base de Windows 95.

Ces chapitres fournissent un fondement solide pour le développement de logiciels sous Windows 95 et en même temps préparent l'avenir sous Windows NT. Car bien que Windows NT ne soit évoqué que marginalement, les domaines étudiés sont précisément ceux qui portent la marque du grand frère NT. Si on se sent à l'aise sous Windows 95 avec le multitâche et la mémoire virtuelle, il n'y a plus qu'un petit pas à franchir pour aller dans le monde de Windows NT.

L'autre approche nous conduit à Windows 95 par le haut, par l'interface utilisateurs. Les deux volumineux chapitres consacrés au shell et aux contrôles communs montrent comment on peut exploiter l'interactivité de Windows 95 dans ses propres applications, en leur donnant des caractéristiques Windows 95. Vous apprendrez comment fonctionne le Bureau, comment manier les noms de fichiers longs dans vos programmes, comment créer des raccourcis ou préparer en toute élégance la désinstallation de vos programmes.

Entre l'approche "haut niveau" et l'approche "bas niveau" il existe une lacune qui ne manquera pas de frapper les lecteurs déjà "versés" dans Windows. Certains sujets comme les fonctions de gestion des fenêtres et des menus ainsi que les fonctions de dessin du GDI ne sont pas abordés. La raison est simple : dans ce domaine peu de choses ont changé par rapport aux anciennes versions du système. Nous avons d'abord voulu nous précipiter sur les nouvelles possibilités de Windows 95 avant de nous consacrer aux "vieux chameaux". Une fois qu'il s'est avéré que les nouvelles parties allaient remplir plus de 500 pages, les vieux thèmes ont dû être sacrifiés. Malgré tout, les deux douzaines de programmes qui illustrent les chapitres qui suivent font un usage intensif des APIs liées à USER et GDI. Même si la théorie n'est pas exposée, la pratique pure et dure vous attend dans nos exemples.

Voici un premier aperçu des thèmes étudiés dans les chapitres à venir.

Multitâche

La discipline reine. Dans ce domaine le public averti ne vous pardonnera aucune faute. Contrairement à son prédécesseur, Windows 95 n'a pas besoin de se montrer discret ici : processus, threads, espaces mémoires séparés, mécanismes de synchronisation et de communication, voilà qui réchauffe le coeur du théoricien des systèmes d'exploitation. Au chapitre 41 nous vous dirons, en nous appuyant sur la théorie et quelques exemples intéressants à quel endroit le multitâche se justifie dans votre programme et comment il faut l'y installer. Nous ferons pousser une forêt tropicale sur votre écran et nous observerons quelques personnages importants en train de se disputer un repas.

Gestion de la mémoire virtuelle

La gestion de la mémoire virtuelle a fait l'objet d'un remaniement particulièrement important. Si les versions de Windows jusqu'à 3.11 laissaient à désirer sur un point, c'était bien celui de la mémoire virtuelle. Née au temps famélique du mode réel, la gestion de la mémoire virtuelle en 16 bits n'est jamais parvenue à l'âge adulte et est restée une misère. Mais depuis l'arrivée de Windows 95 on ne peut plus se plaindre. L'adressage de la mémoire s'est considérablement simplifié (pour une fois...). De plus la gestion mise en place a engendré presque par accident le concept fascinant de la projection en mémoire des fichiers. Les nouveaux mécanismes révolutionnent véritablement la façon dont les programmes accèdent aux fichiers. Oubliez *Read()*, *Write()* et *Seek()* et traitez désormais les fichiers comme de simples tableaux. Le chapitre 42 vous donne toutes les explications à ce sujet.

DLL

Héritières des interruptions du bon vieux temps de DOS, les DLL sont devenues à l'époque de Windows les intermédiaires attitrés entre l'application et le noyau système. Le chapitre 43 traite de ce mécanisme fondamental qui offre aussi le moyen de rendre les applications modulaires. Nous nous pencherons également sur le format PE qui définit la structure des fichiers EXE et DLL 32 bits de Windows 95 et Windows NT. Il n'éclaire pas seulement le fonctionnement intime de l'arrimage des DLL mais intègre aussi d'une façon assez surprenante la gestion de la mémoire virtuelle.

Contrôles système

"Quel joli bouquet de couleurs !" pourrait-on s'exclamer à la vue du Bureau. Ce sont surtout les nouveaux contrôles système qui imprègnent l'image du Bureau et de l'Explorateur : par exemple le contrôle TreeView qui présente la structure arborescente des répertoires ou le contrôle ListView qui affiche les icônes et les tables. Nous vous révélons au chapitre 44 tous les secrets pour mettre à niveau l'interface de vos applications Windows.

OLE

En route vers le futur, telle pourrait être la devise du chapitre 45. Avec OLE, Microsoft introduit une philosophie très ambitieuse qui a pour dessein de transformer les composants et les extensions du système en objets universellement réutilisables. Quiconque a évité jusqu'ici le contact avec OLE y sera immanquablement confronté de près avec Windows 95. Car certains composants du système, comme le shell, sont déjà disponibles sous forme d'objets OLE. Il est donc temps d'approfondir le sujet. Nous vous entraînerons à la manipulation des objets OLE sous Windows 95.

Shell

Avec le Bureau et l'Explorateur, composants phares visibles de l'extérieur, le shell est à la fois la plaque tournante et le point d'ancrage du travail avec Windows 95. Au chapitre 46 vous apprendrez comment est construit le Bureau, comment on y dépose des dossiers et des fichiers, comment on crée des raccourcis et comment on incorpore dans ses programmes les masques de dialogue standard pour ouvrir et enregistrer des fichiers. Nous verrons aussi comment paramétrer une imprimante ou installer des groupes de programmes. Vous bénéficierez en plus d'une petite gâterie supplémentaire : une description des raccourcis Internet qui sur un simple clic affichent à l'écran une page donnée du World Wide Web lorsqu'un accès Internet est disponible.

Base de registres

C'est maintenant la fin d'un autre anachronisme qui se perpétuait dans les anciennes versions de Windows : le chaos des fichiers INI est remplacé par une base de données centralisée gérée par le système. La base de registration n'enregistre pas seulement les paramètres de configuration du système. Les programmes peuvent y mémoriser des données persistantes qui ne se perdront plus d'une session de travail à l'autre. Le chapitre 47 montre comment accéder à la base de registration à partir de vos applications personnelles.

41. Processus, threads et multitâche

Aux cotés du modèle 32 bits, de l'interface OLE et du nouvel environnement graphique, la notion de "multitâche" fait partie des principaux arguments que les développeurs de Microsoft mettent en avant pour valoriser la plate-forme Windows 95. Le fait que cette notion ait, à tort ou à raison, depuis toujours figurée dans les caractéristiques indispensables du parfait système d'exploitation y est certainement pour quelque chose. D'autres systèmes comme UNIX proposent depuis longtemps le multitâche, tout comme le rival de toujours, OS/2. Par contre le bon vieux Windows 3.1 n'en était pas capable. Plus exactement il n'était pas capable de ce que l'on considère communément comme le seul "vrai" multitâche, à savoir le multitâche préemptif.

Toutefois le multitâche à lui seul n'est pas la panacée. C'est la conclusion à laquelle on arrive lorsque l'on étudie en détail ce sujet. Le multitâche de Windows 95 est quelque chose de merveilleux si on prend la peine de gratter un peu la surface du système d'exploitation. Par ailleurs le multitâche apporte incontestablement des solutions à de nombreux problèmes. Néanmoins il ne s'agit pas de la solution miracle à tous les problèmes de traitement de l'information. De nombreuses applications se passent très bien du multitâche et deviendraient beaucoup plus complexes si elles devaient y faire appel. Et pour combler le tout, un programme converti au multitâche peut très bien pâtir en vitesse d'exécution à cause de la puissance de calcul nécessaire à la sauvegarde de contexte inhérente au parallélisme.

Pour cette raison il convient de considérer sérieusement le champ d'application du multitâche.

Dans ce chapitre nous vous expliquerons :

O Ce qu'est le multitâche.
O Dans quels cas son emploi est recommandé et quand il vaut mieux s'en passer.
O Ce qu'il faut savoir lorsque l'on programme en multitâche.
O Quelles sont les fonctions API offertes et comment les utiliser.

Par ailleurs de nombreuses autres questions trouveront une réponse et de nombreux exemples de programmation constitueront les points de départ vous permettant d'aller plus loin dans le sujet. Ici commence la descente dans l'univers fascinant des processus, threads, sémaphores et autres créatures du monde parallèle qui vous permettront à vos applications d'enclencher le turbo.

41.1. Le multitâche dans Windows 95

Lorsque l'on s'intéresse à la manière dont les applications sont chargées, démarrées et gérées par le noyau de Windows 95, on tombe inévitablement sur les notions de "processus" et de "thread". Elles matérialisent ce que le système nécessite pour lancer l'exécution des programmes.

Lorsqu'il s'agit de démarrer une application, le système d'exploitation commence par créer un processus auquel sont allouées toutes les ressources de l'application, parmi lesquelles on trouve :

O L'espace d'adressage de l'application avec les différentes structures nécessaires à la gestion de la mémoire, telles que les tables de pages et les tables de descripteurs.
O La mémoire physique mise à disposition de l'application pour le code, les données et la pile.
O La ligne de commande qui a servi à démarrer l'application.

○ Les variables d'environnement.
○ Le répertoire de travail de l'application.

Ainsi que toutes les ressources mises à disposition de l'application par l'intermédiaire d'appel de fonctions API, telles que des fichiers ou des espaces mémoire.

L'objet processus accompagne l'application en mémoire pendant toute sa durée de vie. Ce n'est qu'avec la fin de l'application et la libération de la mémoire qui s'en suit que l'objet processus est détruit.

Le processus sert en quelque sorte de coquille à l'application pendant son exécution. Il sert également au système d'exploitation comme entité permettant de contrôler les différentes applications qui s'exécutent de façon concurrente et d'en délimiter les effets.

Si l'utilisateur lance plusieurs applications simultanément, il y aura autant de processus actifs : un processus par application.

Les threads sont situés hiérarchiquement en dessous des processus. Il s'agit d'unités d'exécution qui matérialisent l'application. Ce n'est pas le processus qui s'exécute au démarrage de l'application, mais ce que l'on appelle le thread initial ou "primary thread", créé automatiquement par le shell. Ainsi tout processus est constitué d'au moins un thread qui matérialise son exécution.

41.1.1.   Multitâche préemptif

Le véritable multitâche se passe au niveau des threads, c'est à dire que plusieurs threads sont exécutés de manière concurrente. En réalité, l'exécution simultanée n'est qu'une illusion puisque le commun des ordinateurs de bureau ne dispose que d'un seul processeur qui ne peut donc à un instant donné qu'exécuter une seule fraction de code. Seuls les systèmes multiprocesseurs, d'un niveau de prix considérable et que seul Windows NT permet d'exploiter, permettent l'exécution en parallèle de plusieurs threads sur plusieurs processeurs.

Si l'on veut exécuter simultanément plusieurs threads sur un seul processeur, il faut faire appel à la technique du temps partagé ; c'est ce que fait Windows 95. Dans ce principe, de courts segments de temps sont alloués successivement aux différentes tâches qui sont exécutées cycliquement. Le processeur exécute la tâche A pendant 20 millisecondes, puis la tâche B pendant 20 millisecondes, puis la tâche C. Ensuite il revient à la tâche A et ainsi de suite jusqu'à ce qu'une tâche se termine ou que de nouvelles tâches viennent s'ajouter à la liste. Tout comme au cinéma, où le défilement des images successives apparaît comme un mouvement fluide, l'utilisateur a l'illusion d'une exécution en parallèle des tâches.

Plus le temps de commutation entre tâches est court, plus une tâche donnée revient rapidement à l'état actif et par conséquent plus l'impression de parallélisme est forte. Mais il y a une limite à ce principe car chaque changement de tâche s'accompagne d'un certain travail de sauvegarde de contexte de la part du système.

Ainsi il faut notamment sauvegarder le contenu des registres du processeur afin de pouvoir les restaurer lorsque la tâche redeviendra active. En effet, une tâche peut être interrompue pour laisser la place à une autre à n'importe quel instant et à n'importe quel endroit du programme. Si on se préoccupait pas de l'état des registres la tâche aurait de grandes chances de "planter" lors de sa reprise.

Comme le temps nécessaire au changement de contexte est constant (en particulier il est indépendant du temps d'exécution de la tâche), il ne faut pas trop réduire la durée allouée à chaque période active. Sinon la proportion de temps de gestion devient trop importante par rapport au temps d'exécution utile, ce qui dans un cas extrême pourrait mener le processeur à être occupé à 100% par la gestion plutôt qu'à l'exécution des tâches, ce qui n'est pas le but de l'opération.

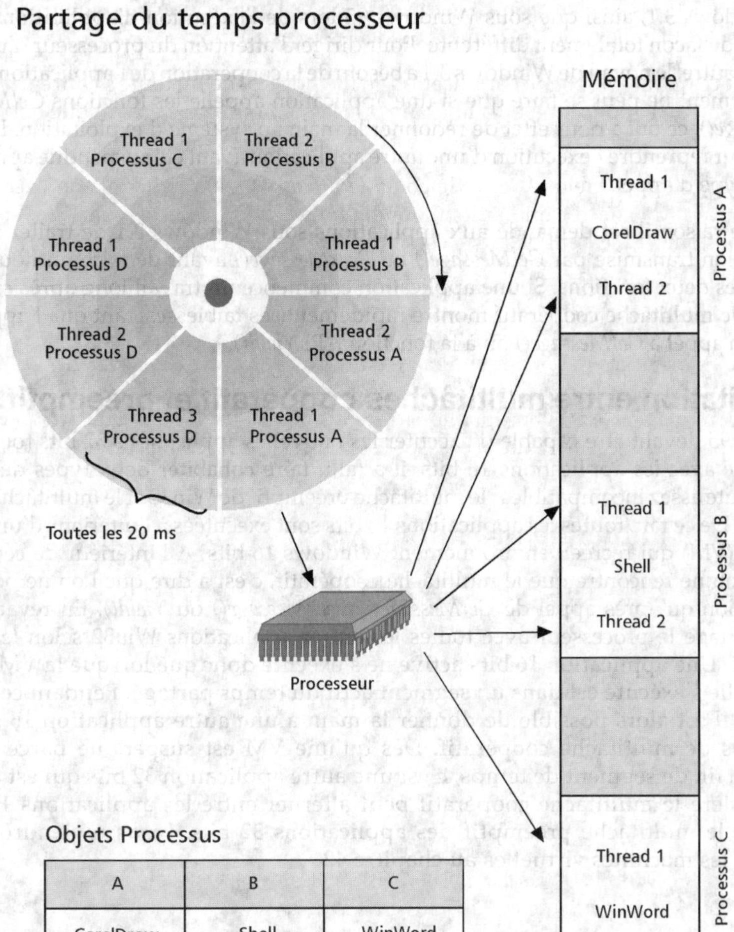

Partage du temps processeur

Thread 1
Processus C

Thread 2
Processus B

Thread 1
Processus D

Thread 1
Processus B

Thread 2
Processus D

Thread 2
Processus A

Thread 3
Processus D

Thread 1
Processus A

Toutes les 20 ms

Processeur

Mémoire

Thread 1

CorelDraw

Thread 2

Processus A

Thread 1

Shell

Thread 2

Processus B

Thread 1

WinWord

Processus C

Objets Processus

A	B	C
CorelDraw	Shell	WinWord
Thread 1	Thread 1	Thread 1
Thread 2	Thread 2	

Multitâche en temps partagé

Sous Windows 95, le temps alloué à chaque tâche est de 20 millisecondes, ce qui correspond tout de même à 50 changements de tâche par seconde. Ceci est assez rapide pour donner une impression de simultanéité et assez long pour que chaque tâche ait le temps de travailler pendant la période active. Si l'on suppose une durée moyenne d'exécution de 5 cycles d'horloge par instruction à une cadence de 100 MHz, la période de 20 millisecondes permet l'exécution de 400.000 instructions (sans tenir compte des délais d'accès mémoire), ce qui est tout à fait honorable.

Différences avec le multitâche coopératif

C'est parce que les tâches peuvent être suspendues sans aucune intervention de leur part que l'on parle de multitâche préemptif. En revanche le multitâche coopératif, tel qu'on le conçoit sous Windows 3.1, ainsi que sous Windows 95 lors de l'exécution d'applications 16 bits, se comporte de façon totalement différente. Pour diriger l'attention du processeur d'une application à une autre, le noyau de Windows 3.1 a besoin de la coopération de l'application elle-même. Le changement ne peut se faire que si une application appelle les fonctions *GetMessage()* ou *PeekMessage()*, ce qui a pour effet de redonner la main au système d'exploitation. Le noyau en profite pour reprendre l'exécution d'une autre application ayant été suspendue après avoir fait le même type d'appel.

Pour cette raison il est demandé aux applications sous Windows 3.1 de traiter rapidement l'information transmise par *GetMessage()* ou *PeekMessage()* avant de faire un nouvel appel à l'une de ces deux fonctions. Si une application commence un travail long après réception du message, le multitâche coopératif montre rapidement ses faiblesses, tant que l'application ne fait pas un appel à *GetMessage()* ou à la fonction API *Yield()*.

Cohabitation entre multitâches coopératif et préemptif

Windows 95 devant être capable d'exécuter les nouvelles applications 32 bits tout en restant compatible avec les applications 16 bits, il a fallu faire cohabiter deux types de multitâche somme toute assez incompatibles : le multitâche préemptif de Win32 et le multitâche coopératif de Win16. De ce fait, toutes les applications 16 bits sont exécutées à l'intérieur d'une "machine virtuelle" (VM) qui recrée l'environnement Windows 16 bits. A l'intérieur de cette machine virtuelle, on ne rencontre que le multitâche coopératif, c'est à dire que l'on ne peut changer d'application qu'après appel de *GetMessage()*, *PeekMessage()* ou *Yield()*. En revanche la VM Win16 partage le processeur avec toutes les autres applications Win32 selon le multitâche préemptif. Une application 16 bits active ne s'exécute donc que lorsque la VM au sein de laquelle elle s'exécute est dans un segment actif du temps partagé. Pendant cet intervalle de temps il est alors possible de donner la main à une autre application 16 bits via les techniques de multitâche coopératif. Dès qu'une VM est suspendue parce qu'elle est arrivée en fin de segment de temps, c'est une autre application 32 bits qui est activée. De cette manière le multitâche coopératif peut alterner entre les applications 16 bits sans perturber le multitâche préemptif des applications 32 bits. Nous reviendrons plus en détail sur les machines virtuelles au chapitre 42.

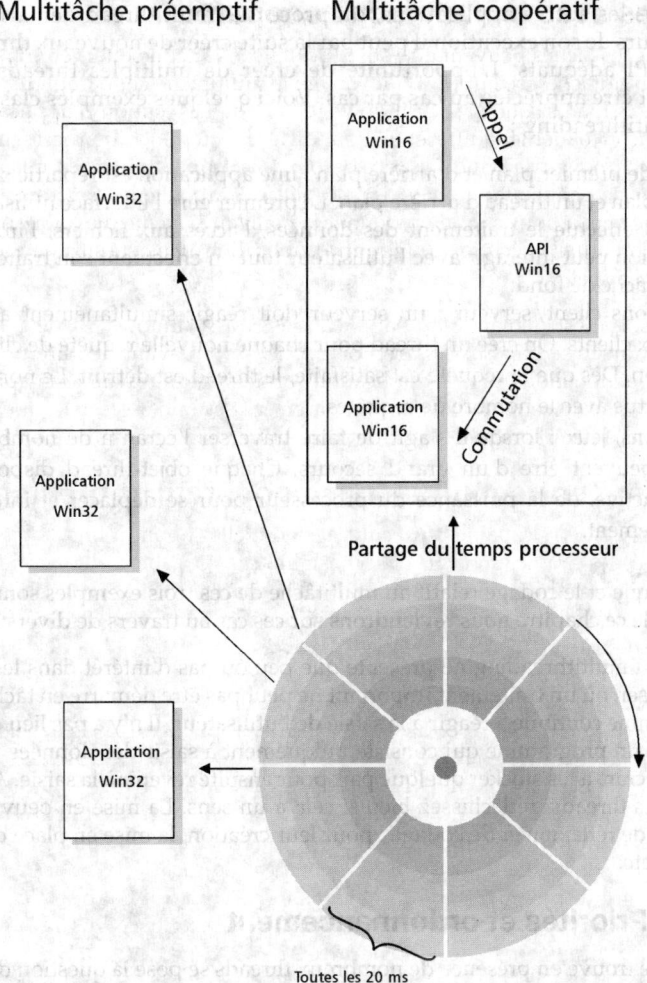

Multitâche préemptif   Multitâche coopératif

Application
Win32

Application
Win32

Application
Win32

Application
Win16

Appel

API
Win16

Application
Win16

Commutation

Partage du temps processeur

Toutes les 20 ms

Fonctionnement concurrent du multitâche préemptif et coopératif.

Plusieurs threads par processus

Le modèle de multitâche préemptif de Windows 95 ne se limite pas à un seul thread par processus. C'est le multithreading, la possibilité de faire cohabiter plusieurs threads au sein d'un processus, qui révèle véritablement toute la puissance multitâche de ce système d'exploitation. Ainsi une application peut être structurée en plusieurs modules s'exécutant simultanément. Le multitâche s'étend au delà des processus aux différents threads. Une application peut maintenant accomplir en parallèle plusieurs opérations.

Les threads se partagent les ressources de leur processus : ils accèdent aux mêmes variables ainsi qu'à l'espace mémoire, aux fichiers, aux canaux de communication, etc. acquis par le processus. Toutefois un thread ne peut accéder à l'environnement des threads d'autres processus. Les processus et leurs threads sont strictement protégés entre eux. Mêmes les threads d'un même processus disposent chacun de leur propre pile pour y ranger des variables locales.

Comme toutes les autres applications, un processus multithread démarre avec un seul thread. Au cours de son exécution il peut par la suite créer de nouveaux threads au moyen d'appels d'API adéquats. L'opportunité de créer de multiples threads au sein d'un processus doit être appréciée au cas par cas. Voici quelques exemples classiques d'application du multithreading :

O Threads de premier plan et d'arrière plan : une application est répartie sur un thread de premier plan et un thread d'arrière plan. Le premier gère l'interface utilisateur tandis que le second effectue le traitement des données, l'accès aux fichiers, l'impression. Ainsi l'application peut interagir avec l'utilisateur tout en effectuant son traitement parallèlement en tâche de fond.

O Applications client/serveur : un serveur doit réagir simultanément aux requêtes de nombreux clients. On crée un thread pour chaque nouvelle requête de client, il en assure l'exécution. Dès que la requête est satisfaite, le thread est détruit. Le nombre de threads actifs fluctue avec le nombre de requêtes.

O Simulations, jeux : lorsqu'il s'agit de faire traverser l'écran à de nombreux objets, les threads peuvent être d'un grand secours. Chaque objet-thread dispose, pendant sa période active, de la puissance du processeur pour se déplacer et interagir avec son environnement.

La problématique et le codage relatif au multitâche de ces trois exemples sont très différents. Dans la suite de ce chapitre nous reviendrons sur ces cas au travers de divers exemples.

L'utilisation du multithreading ne présente que peu ou pas d'intérêt dans les cas où il n'y a rien à paralléliser, où un traitement important ne peut pas être démarré en tâche de fond alors que le programme continue à réagir à la saisie de l'utilisateur. Il n'y a pas lieu d'en faire usage non plus dans un programme qui consiste uniquement à saisir des données utilisateur dans un masque d'écran, à les stocker quelque part pour ensuite revenir à la saisie. Avant de penser à employer des threads, réfléchissez bien si cela a un sens. La mise en oeuvre demande un certain travail de réflexion et de codage : pour leur création, la mise en place des mécanismes d'interaction, etc.

41.1.2.   Priorités et ordonnancement

Lorsque l'on se trouve en présence de nombreux threads se pose la question de la manière de distribuer le temps du processeur entre eux. Vaut-il mieux répartir le temps équitablement entre tous les threads ou bien faut-il en privilégier certains ?

Si l'on considère l'exemple du thread de premier plan et du thread de fond, la réponse est évidente. La tâche d'interaction avec l'utilisateur a pour vocation de réagir rapidement à la saisie de celui-ci. Si au moment où l'utilisateur appuie sur une touche du clavier c'est la tâche de fond qui est active, on souhaitera basculer immédiatement vers le thread de premier plan, même si le thread de fond venait de commencer son segment actif. Il s'ensuit une "prioritarisation" des threads. Le thread de fond est interrompu si le thread principal devient prêt. La décision de l'activation des threads incombe à l'ordonnanceur, une des composantes les plus importantes du noyau de Windows 95 ; c'est lui qui répartit le temps processeur entre les différents threads.

On se doute bien que la notion de thread de premier plan et de thread de fond est bien trop succincte pour répondre aux différents besoins qui peuvent se présenter lors de la programmation multitâche. Tout d'abord on a besoin d'une différentiation plus fine des priorités, et pour cela il existe des classes de threads aux vitesses de réaction plus ou moins élevées. Par ailleurs une priorité basée uniquement sur un modèle statique ne convient pas à un système

basé sur l'interactivité utilisateur. Par exemple, un thread exécuté jusque là en basse priorité peut être amené à passer soudainement en priorité supérieure parce que l'utilisateur a activé la fenêtre de l'application correspondante qui devient par conséquent l'application active.

Classes de priorités

La distinction des priorités d'exécution repose sur 4 classes de priorité sous Windows 95. Un processus se voit toujours attribuer exactement une de ces classes. Les threads créés dans le processus reçoivent initialement cette même priorité. Les 4 classes sont : *Realtime* (temps réel), *High* (haute), *Normal* et *Idle* (au repos) :

Classe	Utilisation
REALTIME_PRIORITY_CLASS	Cette classe n'est pas prévue pour les applications, mais plutôt pour les pilotes et autres programmes proches du matériel.
HIGH_PRIORITY_CLASS	Ce sont essentiellement les programmes qui gèrent les touches de commande qui utilisent cette classe : programmes qui doivent réagir rapidement à une combinaison de touches de type raccourci clavier. Le gestionnaire de tâches de Windows 95 (Alt+Tab) est un exemple d'une telle application.
NORMAL_PRIORITY_CLASS	Cette classe est utilisée par toutes les applications n'ayant pas de besoins particuliers en ordonnancement de threads.
IDLE_PRIORITY_CLASS	Les threads de cette classe ne sont activés que si aucun thread des autres classes n'est prêt. Cette classe est utilisée exclusivement par des threads ayant pour fonctions de basses besognes de nettoyage comme le garbage collector ou encore le chargement ou vidage anticipé de la mémoire.

On peut être tenté d'attribuer la classe de priorité temps réel à un processus, afin de lui réserver un maximum de temps CPU et donc de le rendre particulièrement rapide. Mais l'effet obtenu peut ne pas être celui escompté. En effet les threads système responsables de la gestion du clavier et de la souris ne s'exécutent eux-mêmes qu'en classe de priorité haute. Tant que les threads de classe temps réel ne sont pas suspendus pour des raisons extérieures, le système ne peut plus réagir aux sollicitations de la souris et du clavier à cause de la priorité inférieure de ses threads. Voilà qui ne présente pas bien pour un programme sensé être particulièrement rapide.

En fait la grande majorité des processus tourneront en priorité normale. Pour un programme interagissant avec l'utilisateur au moyen de menus et de fenêtres de dialogue, traitant ensuite ces données et dirigeant le résultat sur un quelconque périphérique, cette classe convient admirablement.

Dans le sous-chapitre suivant nous allons voir concrètement comment définir les priorités d'un processus à l'aide de l'API Windows.

Priorités des threads

A l'intérieur d'une classe de priorité, héritée du processus, un autre niveau de priorité peut être attribué aux threads. En quelque sorte un réglage plus fin. On dispose pour cela de cinq sous-classes : *Lowest* (la plus basse), *Below Normal* (inférieure à normale), *Normal*, *Above Normal* (supérieure à normale) et *Highest* (la plus haute). Un thread est toujours créé avec la priorité Normal qui peut ensuite être modifiée à l'aide de fonctions API.

Pour décider de la répartition du temps CPU entre les différents threads, l'ordonnanceur ne se base pas uniquement sur les priorités statiques héritées des processus, mais également sur des priorités dynamiques qu'il gère en interne pour chaque thread. Celles-ci sont tout d'abord

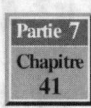

initialisées avec les priorités statiques mais évoluent ensuite en fonction des besoins du système. Durant cette évolution un thread reste toujours dans la classe de son processus, mais il peut très bien par exemple être promu de priorité normale à haute parce que l'on se trouve en présence d'un événement du système nécessitant une réaction rapide. Toutefois à chaque nouvelle réactivation dans un segment de temps, sa priorité est descendue d'une sous-classe jusqu'à ce qu'il retrouve sa priorité initiale.

Détail de l'ordonnancement

Les quatre classes de priorité des processus avec leurs cinq sous-classes respectives sont représentées dans le noyau du système à l'aide d'une échelle de valeurs comprises entre 0 et 31. Plus la valeur est haute, plus la priorité correspondante est forte.

Le tableau suivant donne la correspondance entre les priorités de base de chaque classe et les valeurs de l'échelle.

Classe de priorité	Priorité de base
Idle	4
Normal	9 si fenêtre active, 7 sinon
High	13
Realtime	24

La priorité de base peut ensuite être augmentée ou diminuée des valeurs suivantes :

Priorité de thread	Décalage correspondant
Lowest	-2
Below Normal	-1
Normal	0
Above Normal	+1
Highest	+2

Vous constaterez en additionnant les valeurs des deux tableaux que l'on n'atteint jamais les valeurs minimale 0 et maximale 31. Ces niveaux de priorités existent bien, mais sont uniquement utilisés par des threads système auxquels l'utilisateur n'a pas accès.

Le mode d'attribution du temps CPU aux threads est impitoyable : seuls les threads avec la priorité la plus haute sont activés. Si trois threads de priorités 16 sont prêts, ils seront activés cycliquement, à l'exclusion de tout autre thread de priorité inférieure.

Ceci peut paraître absurde de premier abord ; comment se fait-il que les applications arrivent à s'exécuter alors que les threads système responsables de la gestion de la souris et du clavier ont une priorité supérieure ? La réponse est toute simple : les threads de la souris et du clavier sont exclus de l'ordonnancement tant qu'ils n'ont rien à faire. Ceci donne la possibilité aux threads de priorités inférieures d'être activés.

Comment le système sait-il qu'un thread se trouve dans un état suspendu et que donc il ne faut pas en tenir compte dans l'ordonnancement ? Il y a pour cela plusieurs possibilités. Tout d'abord un thread peut signaler au système qu'il attend un événement particulier, à l'aide de fonctions API. Il peut s'agir par exemple de la frappe d'une touche, de la réponse à une demande d'accès au disque ou de la fin d'un autre processus. Par ailleurs un thread peut volontairement se suspendre pour une durée déterminée, là aussi il existe des fonctions API.

Enfin un thread peut être suspendu lors d'une opération tout à fait banale sous Windows : lors de l'appel de la fonction *GetMessage()*. Si aucun message pour le thread ne se trouve dans la file d'attente des messages, il est suspendu au profit d'un autre thread de priorité égale ou inférieure.

Lorsque plus tard le système placera un message dans la file d'attente du thread, celui-ci sera à nouveau prêt à être exécuté. Si à cet instant un autre thread de priorité inférieure est actif, celui-ci sera immédiatement interrompu pour laisser le processeur au thread prêt. Ainsi pendant que ce dernier thread attendait la réponse à *GetMessage()*, le processeur a utilement exécuté d'autres threads. Ce thread peut lui-même être interrompu par un thread de priorité supérieure, par exemple un thread système qui attendait la réponse à une requête au disque dur.

De cette façon, il est garanti que :

○ les threads de priorités supérieures obtiennent le processeur dès qu'ils en ont besoin,
○ les threads de priorités inférieures disposent de temps CPU lorsque les plus prioritaires n'en ont pas besoin.

Tout ceci peut paraître un peu complexe, mais le programmeur peut dans une large mesure ignorer tous ces détails. Il apparaît néanmoins que le noyau du système consacre un effort non négligeable pour assurer une exploitation efficace du processeur et pour garantir à tout instant une capacité de réaction rapide du système.

41.2. Les processus

Sous Windows 95, l'API Win32 propose une bonne douzaine de fonctions pour la gestion et le contrôle des processus. On y trouve des fonctions pour démarrer et terminer un processus, accéder à un autre processus ainsi que des fonctions pour définir la priorité et pour obtenir les propriétés d'un processus, comme par exemple le code de sortie, la priorité courante ou la fenêtre dans laquelle le processus a été démarré.

Fonction	Description
CreateProcess()	Crée un processus
OpenProcess()	Fournit un handle sur un processus existant
ExitProcess()	Termine le processus courant ainsi que tous ses threads
TerminateProcess()	Termine un processus externe
SetPriorityClass()	Définit la classe de priorité d'un processus donné
GetCurrentProcess()	Fournit un pseudo-handle sur le processus courant
GetCurrentProcessId()	Fournit l'ID du processus courant
GetExitCodeProcess()	Fournit le code de sortie d'un processus donné
GetPriorityClass()	Fournit la classe de priorité d'un processus donné
GetStartupInfo()	Fournit les données de la structure STARTUPINFO avec lesquelles le processus courant a été démarré
WaitForInputIdle()	Attend qu'un processus donné soit au repos

41.2.1.   Démarrer un processus

La vie d'un processus commence avec l'appel de la fonction API CreateProcess()*CreateProcess()*. En règle générale c'est le shell Windows, ou un substitut de shell, qui fait cet appel pour démarrer une application demandée par l'utilisateur. Cette fonction remplace les fonctions 16 bits *WinExec()* et *LoadModule()* qui, bien que toujours supportées, sont maintenant traduites en appels à *CreateProcess()*. En dehors du shell, n'importe quelle application est libre de créer un processus au moyen de la fonction *CreateProcess()* qui sera ensuite exécuté en parallèle avec les autres processus présents. De toutes les fonctions de gestion de processus, c'est *CreateProcess()* qui demande le plus grand nombre de paramètres et d'options.

```
BOOL CreateProcess(
    LPCSTR            lpApplicationName,          //pointeur vers le nom du fichier EXE
    LPSTR             lpCommandLine,              //pointeur vers la ligne de commande
    LPSECURITY_ATTRIBUTES lpProcessAttributes,    //Win95: NULL
                      lpThreadAttributes,         //Win95: NULL
    BOOL              bInheritHandles,            //handle transmissible ?
    DWORD             dwCreationFlags,            //priorité et type du processus
    LPVOID            lpEnvironment,              //pointeur vers les variables d'environnement
    LPCSTR            lpCurrentDirectory,         //répertoire courant
    LPSTARTUPINFO     lpStartupInfo,              //infos d'amorce
    LPPROCESS_INFORMATION lpProcessInformation    //infos sur nouveau processus
);
```

lpApplicationName, lpCommandLine

Le premier argument de la fonction est un pointeur vers une chaîne de caractères qui contient le nom du fichier à exécuter, le cas échéant avec le chemin et l'unité de disque. Si ce paramètre vaut NULL, alors le nom doit se trouver dans la ligne de commande, transmise via le paramètre lpCommandLine. Comme cela se passait déjà sous DOS, une application peut de cette manière recevoir des paramètres de l'appelant. Elle reçoit les arguments de la ligne de commande en appelant la fonction API *GetCommandLine()* ou bien via les variables *argc* et *argv* dans la mesure où il s'agit d'une application écrite en langage C.

lpProcessAttributes, lpThreadAttributes

Ces deux paramètres peuvent être ignorés lors de la programmation sous Windows 95 et recevoir la valeur NULL. Ils servent au système de sécurité de Windows NT qui n'est pas implémenté sous Windows 95.

Attributs de protection sous Windows 95

Les attributs de protection qui figurent dans certaines fonctions API de gestion de processus et de thread proviennent de la version Windows NT de l'interface 32 bits. Ils ne sont pas utilisés sous Windows 95 parce que ce système n'implémente pas l'importante architecture de sûreté de NT. Sous NT le système de sûreté sert à contrôler l'autorisation de toutes les actions de l'utilisateur, ce qui revient à attribuer tout appel à une fonction à un utilisateur donné. Selon l'état des attributs de l'utilisateur, le système autorise l'appel de la fonction API ou bien la refuse pour cause de droits d'accès insuffisants. Ainsi les fonctions de gestion de fichiers peuvent déterminer si un utilisateur donné a le droit de modifier des fichiers dans un répertoire donné.

Comme cette vérification permanente des droits d'accès demande une quantité importante de ressources processeur et mémoire, elle n'a pas été implémentée sous Windows 95. Bien que Windows 95 dispose de certains mécanismes de protection, comme par exemple lors de l'accès à des disques distants, il n'est pas nécessaire de valider chaque appel à une fonction API.

Pour ne pas compliquer inutilement le portage des applications entre Windows 95 et Windows NT, les paramètres de protection dans les fonctions telles que *CreateProcess()* ont été maintenus sous Windows 95. Il faut simplement leur donner la valeur du pointeur NULL à la place d'un pointeur vers une structure de données de protection. La compatibilité lors d'un portage vers Windows NT est ainsi assurée, car un pointeur NULL dans un attribut de protection y représente les attributs de l'utilisateur courant.

bInheritHandles

Poursuivons avec le flag *bInheritHandles*. C'est lui qui détermine si les handles du processus père (celui qui fait l'appel à *CreateProcess()*) sont transmis au processus fils. Dans l'affirmative (*bInheritHandles* = TRUE), le processus fils peut, par l'intermédiaire des handles du processus père, accéder aux objets de ce dernier. Par exemple un fichier ouvert par le père ou encore un port de communication. Le père doit toutefois communiquer la valeur du handle au fils, ce qui peut par exemple être réalisé au moyen d'un paramètre de la ligne de commande ou via une variable d'environnement.

Tous les objets référençables au moyen de handles ne peuvent pas être mis à disposition d'un processus fils. Le tableau suivant détaille les deux catégories de handles.

Handles transmissibles	Handles non transmissibles
Threads et processus	Espace mémoire alloué
Fichiers	Objets GDI (pinceaux, crayons, etc.)
Fichiers mappés en mémoire	Objets USER (fenêtres, onglets, etc.)
Mailslots	Objets de synchronisation (événements, mutex, sémaphores)
Ports de communication	Console du processus père (dans la mesure où il s'agit d'une application de type console)

dwCreationFlag

Le paramètre *dwCreationFlag* détermine le type et la priorité du processus à créer. Il existe toute une série de flags prédéfinis que l'on peut combiner. Certains sont réservés aux débogueurs, d'autres aux programmes console ou encore aux modes d'exécution spécifiques des applications 16 bits. On n'en aura normalement pas besoin pour le démarrage d'applications Windows ou DOS. Le plus intéressant dans le domaine du multitâche et de la coopération de deux processus est certainement CREATE_SUSPENDED. Grâce à lui un processus est initialement suspendu. Pour redémarrer le processus il suffit ensuite d'appeler la fonction *ResumeThread()*.

Flag	Description
CREATE_SUSPENDED	L'exécution du thread initial dans le nouveau processus est suspendue jusqu'à l'appel de la fonction *ResumeThread()*.

Dans la mesure où le nouveau processus doit s'exécuter dans une classe de priorité autre que la classe normale, on peut sélectionner cette classe au moyen des constantes suivantes pour le paramètre *dwCreationFlag* :

Flag de priorité	Classe de priorité
REALTIME_PRIORITY_CLASS	Réservé aux pilotes de périphériques.
HIGH_PRIORITY_CLASS	Réaction rapide aux interactions de type clavier.
NORMAL_PRIORITY_CLASS	Applications ordinaires.
IDLE_PRIORITY_CLASS	Ne s'exécute que si le système est au repos.

lpEnvironment

Tout processus est également caractérisé par un répertoire courant et une série de variables d'environnement. Les variables d'environnement sont transmises lors de l'appel de *CreateProcess()* au moyen du paramètre *lpEnvironment*. Si ce paramètre vaut NULL alors le processus fils reçoit les mêmes variables d'environnement que le processus père. Pour en transmettre de nouvelles, le processus père doit construire un bloc avec les variables d'environnement considérées et passer un pointeur vers ce bloc au paramètre *lpEnvironment*.

Variables d'environnement :

Les variables d'environnement constituent un moyen simple de transmettre des informations à une application. Par exemple le chemin d'accès et le nom d'un fichier ou un mot de passe. Une variable bien connue déjà sous DOS est PATH qui sert à indiquer le chemin de recherche des fichiers exécutables. Les variables d'environnement sont spécifiées sous la forme suivante :

```
Nom = valeur
```

Elles sont codées en mémoire sous forme de chaînes de caractères (sans oublier le caractère nul à la fin) et arrangées en bloc de plusieurs variables d'environnement, sans autre séparateur que le caractère nul.

La fin du bloc est matérialisée par une chaîne vide, identifiable ainsi par la présence d'un deuxième caractère nul.

```
"PATH=C:\WINDOWS\0",
"DATA=BilanDuMois\0",
"\0"
```

Après un appel réussi de *CreateProcess()*, le processus père peut écraser le bloc construit pour les paramètres car la fonction crée un nouvel espace pour les variables d'environnement du processus fils.

lpCurrentDirectory

Ce paramètre est également du type pointeur de caractères. La chaîne contient le nom du répertoire de travail de l'application à démarrer. Dès que celle-ci désire lire ou écrire dans un fichier sans préciser un chemin d'accès, c'est le chemin spécifié ici qui sera utilisé.

Si on affecte à ce pointeur la valeur NULL, le processus hérite alors du même chemin que le processus père.

Le répertoire courant détermine automatiquement aussi le lecteur courant, ce qui peut ne pas suffire pour toutes les applications. Si une application travaille avec plusieurs unités, elle nécessite effectivement un répertoire de travail par unité. Le système d'E/S de Windows 95 supporte la gestion de multiples répertoires courants via des variables d'environnement spécifiques qu'une application peut transmettre à ses fils. Chacune de ces variables d'environnement spécifie le répertoire de travail d'une unité, selon le format suivant :

```
=[unité:]=[chemin d'accès avec unité]
```

Pour spécifier les répertoires de travail pour les deux unités D: et F: on peut par exemple créer les deux variables d'environnement suivantes :

```
=D:=D:\DATA\FACTURES
=F:=F:\BIN2\BUILD363\DEBUG
```

Ces variables sont utilisées lorsqu'un accès à un fichier depuis l'API Win32 ne comporte que la spécification d'unité, par exemple "F:". Dans ce cas le système d'E/S recherche parmi les variables d'environnement une entrée de la forme "=F:=" et en extrait le répertoire de travail. Si une telle entrée n'existe pas, alors c'est le répertoire principal de l'unité en question qui est pris pour répertoire de travail.

lpStartupInfo

Si le processus créé doit manipuler la fenêtre de travail, alors on utilise le paramètre *lpStartupInfo*, un pointeur vers une structure de type STARTUPINFO. Si on ne désire pas faire usage de ces options, alors il suffit de passer le pointeur nul.

```
typedef struct _STARTUPINFO {
    DWORD   cb;                 //à initialiser avec sizeof(STARTUPINFO)
    LPSTR   lpReserved;         //NULL
    LPSTR   lpDesktop;          //NULL
    LPSTR   lpTitle;            //console uniquement: titre de la fenêtre
    DWORD   dwX;                //abscisse X du coin supérieur gauche de la fenêtre
    DWORD   dwY;                //idem ordonnée Y
    DWORD   dwXSize;            //largeur de la fenêtre
    DWORD   dwYSize;            //hauteur de la fenêtre
    DWORD   dwXCountChars;      //console uniquement: nbre de colonnes
    DWORD   dwYCountChars;      //console uniquement: nbre de lignes
    DWORD   dwFillAttribute;    //console uniquement: couleur du fond
    DWORD   dwFlags;            //champs à prendre en compte
    WORD    wShowWindow;
    WORD    cbReserved2;        //0
    LPBYTE  lpReserved2;        //NULL
    HANDLE  hStdInput;          //console uniquement: handle du périphérique d'entrée standard
    HANDLE  hStdOutput;         //console uniquement: handle du périphérique de sortie standard
    HANDLE  hStdError;          //console uniquement: handle de l'erreur standard
} STARTUPINFO;
```

La plupart des champs de la structure STARTUPINFO concernent les applications de type console, ils seront détaillés dans le chapitre dédié à ce type d'applications. Pour les applications classiques nous nous intéresserons plus particulièrement aux champs *dwX*, *dwY*, *dwXSize* et *dwYSize*. Ils permettent de définir la position et la taille de la fenêtre principale du nouveau processus. Noter toutefois que pour que ces paramètres soient pris en compte, le nouveau processus doit utiliser la constante *CW_USEDEFAULT* pour la position et/ou la taille de la fenêtre lors de l'appel de *CreateWindow()*.

Le mode de représentation de la fenêtre (plein écran, normal, icône, etc.) peut également être précisé; là encore on a besoin de la coopération du processus créé pour la prise en compte de ce paramètre. La valeur du paramètre *STARTUPINFO.wShowWindow* lui est communiquée comme dernier paramètre (*nCmdShow*) de la fonction d'amorce *WinMain()*. Le champ *STARTUPINFO.wShowWindow* peut recevoir l'une des constantes de la famille *SW_...* utilisées également par *ShowWindow()*. Par exemple *SW_SHOWMAXIMIZED* (plein écran), *SW_SHOWMINIMIZED* (icône), etc.

Si *STARTUPINFO* doit être utilisé pour le passage des paramètres cités plus haut, alors le champ *dwFlags* doit être initialisé avec une valeur construite à partir des constantes de type *STARTF_...*. C'est ainsi que l'on précise à *CreateProcess()* quels sont les champs de *STARTUPIN-FO* qui contiennent des informations à transmettre au processus fils.

Flag	Description
STARTF_USESHOWWINDOW	Prendre en compte le champ wShowWindow
STARTF_USESIZE	Prendre en compte les champs dwXSize et dwYSize
STARTF_USEPOSITION	Prendre en compte les champs dwX et dwY
STARTF_FORCEONFEEDBACK	Afficher le curseur StartGlass
STARTF_FORCEOFFFEEDBACK	Ne pas afficher le curseur StartGlass

Les deux derniers flags se rapportent à un nouveau type de pointeurs de souris apparu sous Windows 95 et appelé pointeur StartGlass, lequel peut être affiché pendant le démarrage d'une application. Il signale à l'utilisateur que le démarrage de l'application est en route et qu'il peut pendant ce temps continuer à travailler avec les autres applications. C'est pourquoi ce pointeur combine la flèche et le sablier.

Pointeur StartGlass par défaut

Ce pointeur est activé lorsque la valeur *STARTF_FORCEONFEEDBACK* est affectée au champ STARTUPINFO.dwFlags. Le système surveille alors l'activité de l'application concernée et fait repasser le pointeur en forme de flèche si elle n'effectue pas un appel GDI durant les 2 premières secondes. Sinon la forme StartGlass est maintenue jusqu'au premier appel de *GetMessage()* par l'application, pour revenir alors à la forme de flèche. L'affichage du pointeur StartGlass peut être empêché en donnant la valeur *STARTF_FORCEOFFFEEDBACK* au paramètre *STARTU-PINFO.dwFlags*.

lpProcessInformation

Ce n'est pas la valeur retournée par la fonction *CreateProcess()* qui fournit des informations sur le processus créé, mais une structure de données de type *PROCESS_INFORMATION*. *Create-Process()* attend un pointeur vers cette structure dans le paramètre *lpProcessInformation*. La structure se présente comme suit :

```
typedef struct _PROCESS_INFORMATION {
    HANDLE  hProcess;       //handle du processus créé
    HANDLE  hThread;        //handle du thread initial
    DWORD   dwProcessId;    //ID du processus créé
    DWORD   dwThreadId;     //ID du thread initial
} PROCESS_INFORMATION;
```

La raison pour laquelle il y a deux références (handle et ID) au processus et au thread est la suivante : l'ID est une information globale à tout le système qui caractérise chaque processus ou thread. A tout instant il existe un seul processus ou thread ayant un ID donné. Toutes les API de communication entre processus référencent les processus par leur identifiant.

En revanche la grande majorité des API du domaine des processus et des threads utilisent des handles. Au contraire des identifiants, les handles sont locaux aux processus et aux threads. Ils ne sont pas uniques, de sorte que deux processus peuvent très bien avoir des handles identiques pour des objets qui n'ont rien à voir. Le système privilégie les handles car ils peuvent être distribués sans nécessiter une gestion globale à travers tout le système.

Valeur retournée

Si le processus a pu être créé avec succès, la fonction *CreateProcess()* retourne la valeur TRUE, sinon elle retourne FALSE. Un code donnant des informations sur le type d'erreur peut être obtenu via la fonction *GetLastError()*.

L'exemple suivant effectue un appel à *CreateProcess()*, la structure *STARTUPINFO* étant utilisée pour définir la taille, la position et le mode de représentation de la fenêtre principale du processus créé :

```
STARTUPINFO         StartInfo;
PROCESS_INFORMATION ProcInfo;
//— Commencer par définir la startup-info ————
StartInfo.cb             = sizeof(STARTUPINFO);
StartInfo.lpReserved     = NULL;
StartInfo.lpDesktop      = NULL;
StartInfo.lpTitle        = NULL;              // console uniquement
StartInfo.dwX            = 100;               // coin supérieur gauche
StartInfo.dwY            = 100;               // de la fenêtre
StartInfo.dwXSize        = 300;               // largeur
StartInfo.dwYSize        = 300;               // hauteur
StartInfo.dwXCountChars  = 0;                 // console uniquement
StartInfo.dwYCountChars  = 0;                 // console uniquement
StartInfo.dwFillAttribute = 0;                // console uniquement
StartInfo.dwFlags        = STARTF_USESHOWWINDOW |// déterminer les paramètres
                           STARTF_USEPOSITION | // dont il faut
                           STARTF_USESIZE;      // tenir compte
StartInfo.wShowWindow    = SW_SHOWMAXIMIZED;   // mode d'affichage
StartInfo.cbReserved2    = 0;
StartInfo.lpReserved2    = NULL;
StartInfo.hStdInput      = NULL;              // console uniquement
StartInfo.hStdOutput     = NULL;              // console uniquement
StartInfo.hStdError      = NULL;              // console uniquement
//— Démarrer le processus et afficher les infos grâce
                                              // au handle obtenu
if(!CreateProcess("APPLICATION.EXE",         // lpApplicationName
            "CommandLineParams",              // lpCommandLine
            NULL,                             // lpProcessAttributes
            NULL,                             // lpThreadAttributes
            FALSE,                            // bInheritHandles
            0L,                               // dwCreationFlags
            NULL,                             // lpEnvironment
            "C:\\TEMP",                       // lpCurrentDirectory
            &StartInfo,                       // lpStartupInfo
            &ProcInfo))                       // lpProcessInformation
   MessageBox(NULL, "Impossible de créer le processus", "Erreur", 0);
else
  {
//— Afficher les informations sur processus et thread
   printf("hProcess: %ld, hThread: &ld\n",
        ProcInfo.hProcess,
```

```
        ProcInfo.hThread);
   printf("dwProcessId: %ld, dwThreadId: %ld\n",
        ProcInfo.dwProcessId,
        ProcInfo.dwThreadId);
   }
```

Pour que les paramètres de *STARTUPINFO* soient pris en compte, il faut que lors de la création du processus on appelle la fonction *CreateWindow()* en donnant aux paramètres souhaités la valeur *CW_USEDEFAULT,* comme on peut le voir dans l'extrait de code suivant :

```
int WINAPI WinMain(HINSTANCE hInstance,
                   HINSTANCE hPrevInstance,
                   LPSTR lpszCmdLine,
                   int nCmdShow)
{
HWND hMainWnd;
MSG  msg;
//— Créer la fenêtre principale ——————————
hMainWnd = CreateWindow("CLASS",
                   "CAPTION",
                   WS_OVERLAPPEDWINDOW,      // style
                   CW_USEDEFAULT,            // prendre les paramètres
                   CW_USEDEFAULT,            // dans StartupInfo
                   CW_USEDEFAULT,            //
                   CW_USEDEFAULT,            //
                   NULL,                     // hparent
                   NULL,                     // hmenu
                   NULL,                     // hinst
                   NULL);                    // lpvParam
ShowWindow(hMainWnd, nCmdShow);             // afficher la fenêtre
...
...
...
}
```

Fonction d'amorce d'un processus

Mis à part le cas particulier des applications de type console, l'appel à *CreateProcess()* démarre le processus avec la traditionnelle fonction *WinMain()*. Cette fonction n'est pourtant pas directement appelée par le noyau puisque celui-ci commence par appeler une fonction de la bibliothèque runtime du compilateur C : *_WinMainCRTStartup()*. Celle-ci initialise les variables globales ainsi que toutes les structures de données utilisées par la bibliothèque runtime, comme par exemple le heap nécessaire à la fonction *malloc()*. Elle analyse également la ligne de commande et crée un pointeur vers les variables d'environnement du processus créé. Ensuite la fonction *WinMain()* de l'application est appelée ce qui a pour effet de passer la main au nouveau processus. Les paramètres de *WinMain()* sont :

```
int WINAPI WinMain(
    HINSTANCE    hInstance,        //handle sur instance du processus
    HINSTANCE    hPrevInstance,    //handle sur instance du processus précédent
    LPSTR        lpCmdLine,        //pointeur vers la ligne de commande
    int          nShowCmd          //mode de représentation de la fenêtre
);
```

hInstance

Handle sur l'instance du processus, pour son identification. Sous Win32 celui-ci est identique au handle de module requis par certaines fonctions API. Partout où le handle de module du processus courant est demandé, la valeur de *hInstance* peut être utilisée.

hPrevInstance

Sous Win16, ce paramètre référence une éventuelle instance précédente du même processus. De nombreuses applications l'utilisent pour accéder à l'instance précédente. Ceci n'est plus possible sous Win32 étant donné que les processus sont exécutés dans des espaces d'adressages distincts et sont donc isolés entre eux. Sous Win32 ce paramètre prendra toujours la valeur NULL.

lpCmdLine

Pointeur vers la chaîne de caractères de la ligne de commande ayant servi au moment de la création du processus.

nShowCmd

Idem au paramètre *nCmdShow* de *ShowWindow()*, prenant une valeur de type *SW_HIDE*, *SW_MINIMIZE*, etc. Il est conseillé pour un processus de faire usage de ce paramètre pour l'affichage de sa fenêtre principale de sorte que le processus père puisse en définir l'état initial.

Variables prédéfinies de la bibliothèque runtime

Lors de son initialisation, la bibliothèque runtime met à jour un certain nombre de variables globales qui permettent à un processus de déterminer la version du système d'exploitation, les arguments de la ligne de commande et les variables d'environnement.

- ○ *unsigned int _winmajor* : numéro de version principal du système d'exploitation, 4 dans le cas de Windows 95.
- ○ *unsigned int _winminor* : numéro de version secondaire du système d'exploitation; il s'agit d'un numéro à deux chiffres : la version 2 de Windows 95 correspondrait à la valeur 20.
- ○ *unsigned int _winver* : combinaison de *_winmajor* (placé dans l'octet de poids fort) et *_winminor* (octet de poids faible).
- ○ *unsigned int _osver* : numéro de pré-version du système d'exploitation. Ainsi la dernière pré-version avant la sortie officielle de Windows 95 par Microsoft portait le numéro 950.
- ○ *unsigned int __argc* : nombre d'arguments de la ligne de commande.
- ○ char ** __argv : pointeur vers un tableau des arguments de la ligne de commande, les arguments étant représentés sous forme de chaînes de caractères.
- ○ char ** _environ : pointeur vers un tableau de pointeurs des variables d'environnement du processus.

41.2.2. Accès aux variables d'environnement

L'API Win32 propose 4 fonctions pour la gestion des variables d'environnement d'un processus. Celles-ci permettent la définition et la relecture individualisée de variables, ainsi que la manipulation des blocs mémoire contenant les variables.

Fonction	Description
FreeEnvironmentStrings()	Libère un bloc de données contenant des variables d'environnement.
GetEnvironmentStrings()	Retourne un pointeur vers un bloc contenant des variables d'environnement du processus courant.
GetEnvironementVariable()	Retourne la valeur d'une variable d'environnement du processus courant.
SetEnvironementVariable()	Affecte une valeur à une variable d'environnement du processus courant.

S'il souhaite manipuler ses variables d'environnement ou créer une copie de la structure qui les englobe, un processus pourra utiliser un pointeur vers cette structure obtenu au moyen de la fonction *GetEnvironmentStrings()* :

```
LPVOID GetEnvironmentStrings(VOID);
```

A l'aide de ce pointeur, il sera possible de déterminer le nombre et la taille des variables d'environnement, ainsi que la taille du bloc entier. Comme il n'existe pas d'API Win32 qui réalise ce travail, il devra être fait "à la main" par le programme. Mais la construction très simple de cette structure, sous forme d'une suite de chaîne de caractères, rend cette tâche très aisée.

Pour la manipulation de variables d'environnement individuelles, il est recommandé d'utiliser les API *GetEnvironmentVariable()* et *SetEnvironmentVariable()*.

```
DWORD GetEnvironmentVariable(
    LPCTSTR  lpName,        //pointeur vers le nom de la variable
    LPTSTR   lpBuffer,      //pointeur vers tampon qui recevra la valeur de la variable
    DWORD    nSize          //taille du tampon
  );
```

On passe en paramètre à *GetEnvironmentVariable()* un pointeur vers la chaîne de caractères contenant le nom de la variable désirée. Par ailleurs la fonction requiert également un tampon dans lequel elle placera la valeur de la variable, tampon pour lequel le programme appelant fournit un pointeur et la taille.

La fonction *GetEnvironmentVariable()* retourne la longueur de la variable (à l'exclusion du \0 de fin de chaîne de caractères). Une valeur 0 indique que la variable demandée n'a pu être trouvée. Si le résultat ne tient pas dans le tampon passé en paramètre, la fonction retourne alors la taille du tampon nécessaire, y compris le \0 final.

Le pendant de cette fonction pour affecter une valeur à une variable est la fonction *SetEnvironmentVariable()*. On lui passe en paramètre deux pointeurs de caractères, le premier pour le nom de la variable et le second pour la nouvelle valeur. Si la variable n'existait pas, elle est créée.

```
BOOL SetEnvironmentVariable(
    LPCTSTR  lpszName,      //pointeur vers nom de la variable
    LPCTSTR  lpszValue      //pointeur vers chaîne avec nouvelle valeur
  );
```

Cette fonction permet également de détruire une variable d'environnement, il suffit pour cela de fournir en deuxième paramètre un pointeur nul.

Enfin il est possible de libérer tout un bloc de variables d'environnement via l'API *FreeEnvironmentStrings()*. A la suite de l'appel réussi de cette fonction, le processus courant ne possède plus de variable d'environnement.

```
BOOL FreeEnvironmentStrings(
    LPTSTR  lpszEnvironmentBlock      //pointeur vers le bloc à libérer
  );
```

Les deux exemples suivants illustrent les possibilités de manipulation des variables d'environnement.

```
LPSTR lpEnviron;                        //pointeur vers bloc des variables d'environnement
int   iLen;                             //compteur pour la longueur
iLen = 0;                               //initialiser la longueur
lpEnviron = GetEnvironmentStrings();    //charger le pointeur de bloc
if(lpEnviron)                           //y a-t-il un bloc?
  while(*lpEnviron)                     //reste-t-il une variable?
  {                                     //oui, pointeur valide
    int iSize;                          //longueur de la variable courante

    iSize = lstrlen(lpEnviron);         //déterminer longueur de la variable courante
    iLen += iSize;                      //ajouter à longueur totale
  //pointeur vers chaîne suivante (lstrlen() ne compte pas le \0)
    lpEnviron += iSize + 1;
  }
printf("Longueur du bloc d'environnement: %ld ", iLen);
```

Dans l'exemple suivant, un processus crée un processus fils après avoir construit un bloc de variables d'environnement duquel a été ôté la variable contenant le mot de passe. Celui-ci est restauré par la suite.

```
char szMotDePasse[50];                  //mémorise le mot de passe
GetEnvironmentVariable("MotDePasse",    //sauvegarder mot de passe courant
                   szMotDePasse,
                   sizeof(szMotDePasse));
                                        //effacer la variable MotDePasse pour qu'elle ne puisse pas
                                        //être héritée
SetEnvironmentVariable("MotDePasse", NULL);
CreateProcess(...);                     //créer le processus fils
                                        //restaurer MotDePasse
SetEnvironmentVariable("MotDePasse", szMotDePasse);
```

41.2.3.   Terminer un processus

Il existe deux API Win32 pour terminer un processus autrement qu'avec la fin de la fonction *WinMain()*.

Fonction	Description
ExitProcess()	Termine le processus courant et tous les threads associés.
TerminateProcess()	Termine un processus donné.
GetExitCodeProcess()	Fournit le code de retour d'un processus.

ExitProcess() constitue la méthode recommandée par le système pour terminer un processus. Le code de retour est déterminé par le paramètre *uExitCode*. *ExitProcess()* ne redonne pas la main au programme appelant. Tous les threads sont immédiatement arrêtés. Par contre les éventuels processus créés par le processus courant ne sont pas touchés, ils poursuivent leurs vies de façon indépendante. Toutes les DLL auxquelles le processus ou ses threads ont accédés sont informées de la fin de ceux-ci. Elles ont ainsi la possibilité de libérer toutes les ressources allouées pour ce processus.

```
VOID ExitProcess(
  UINT   uExitCode   //code de retour du processus
  );
```

1053

Bien que, le cas échéant, le système se charge de faire le ménage, il est recommandé au processus qui se termine de libérer lui-même toutes les ressources qu'il s'était allouées (mémoire, fichiers, etc.). La fonction *ExitProcess()* est automatiquement appelée lorsque l'on quitte la fonction *WinMain()*. L'appel est effectué dans le code d'amorce de la bibliothèque runtime, le résultat de la fonction *WinMain()* étant transmis comme code de retour à la fonction *ExitProcess()*. Tout thread d'un programme peut à tout moment appeler *ExitProcess()* pour terminer l'application.

Alors qu'*ExitProcess()* permet à un processus de terminer sa propre exécution, la fonction *TerminateProcess()* permet d'arrêter d'autres processus. Le système en fait par exemple usage lors du déclenchement d'une exception pour arrêter un processus fautif. *TerminateProcess()* n'est à utiliser qu'en cas d'urgence et on lui préférera toujours *ExitProcess()*. En effet les DLL d'un processus arrêté avec *TerminateProcess()* n'en sont pas prévenues, de sorte qu'elles ne peuvent pas achever correctement leur travail. Certes, les ressources allouées par les DLL sont automatiquement libérées, mais si celles-ci contenaient par exemple des données destinées au disque dur, elles seront perdues.

```
BOOL TerminateProcess(
    HANDLE   hProcess,       //handle du processus
    UINT     uExitCode       //code de retour
    );
```

Un processus peut déterminer le code de retour d'un autre processus via la fonction *GetExit-CodeProcess()*. Pour cela il a besoin de connaître le handle de l'autre processus, passé en premier paramètre de la fonction. Le second paramètre est un pointeur vers une variable de type DWORD ou LONG qui recevra le code de retour du processus. La fonction retourne TRUE en cas de succès. Si le processus est actif au moment de l'appel, le code de retour fourni est *STILL_ACTIVE*.

```
BOOL GetExitCodeProcess(
    HANDLE   hProcess,       //handle du processus
    LPDWORD  lpExitCode      //pointeur vers code de retour
    );
```

41.2.4. Définir et déterminer la priorité

Une classe de priorité, définie à la création d'un processus et de son thread initial par la fonction *CreateProcess()*, peut être modifiée pendant son exécution avec l'API *SetPriority-Class()*. De même il est possible de déterminer à tout instant la classe de priorité d'un processus avec *GetPriorityClass()*.

Fonction	Description
SetPriorityClass()	Définit la classe de priorité d'un processus.
GetPriorityClass()	Détermine la classe de priorité d'un processus.

Pour déterminer la classe de priorité d'un processus il faut appeler *GetPriorityClass()* avec comme paramètre le handle du processus. Pour déterminer sa propre classe de priorité, un processus doit d'abord appeler un pseudo-handle sur lui-même au moyen de *GetCurrent-Process()*.

```
DWORD GetPriorityClass(
    HANDLE   hProcess        //handle du processus
    );
```

La valeur de retour de *GetPriorityClass()* peut être *REALTIME_PRIORITY_CLASS*, *HIGH_PRIORITY_CLASS*, *NORMAL_PRIORITY_CLASS* ou *IDLE_PRIORITY_CLASS*. Ces constantes servent également à définir une classe de priorité lors de l'appel de *SetPriorityClass()*. Nous ne saurions que trop vous mettre en garde contre une utilisation abusive des priorités élevées que permet cette fonction. Voir à ce sujet les remarques faites au début de ce chapitre.

```
BOOL SetPriorityClass(
    HANDLE   hProcess,        //handle du processus
    DWORD    fdwPriority      //classe de priorité
);
```

41.2.5.   Accès à la ligne de commande

Aux cotés des variables d'environnement, la ligne de commande est un autre moyen pour le processus père de passer des informations au processus fils. Celui-ci peut obtenir un pointeur vers la ligne de commande, une chaîne de caractères se terminant comme à l'habitude par l'octet \0, avec la fonction *GetCommandLine()*.

```
LPTSTR   GetCommandLine(VOID);
```

Le premier argument de la ligne de commande est le nom du programme, puis ce sont les différents paramètres passés lors de l'appel. Leur interprétation est à la charge du programme, il n'existe pas d'API spécifique pour cela.

41.2.6.   Déterminer l'état d'un processus

Il arrive souvent qu'un processus doive déterminer sa propre identité car cette information (handle et/ou identifiant) est requise par une fonction API. Pour cela on dispose des fonctions *GetCurrentProcess()* et *GetCurrentProcessId()*. La première retourne le handle du processus, la seconde son ID.

```
HANDLE   GetCurrentProcess(VOID);
DWORD    GetCurrentProcessId(VOID);
```

La fonction *GetStartupInfo()* permet d'obtenir une copie de la structure de type *STARTUPINFO* ayant servie à la création du processus.

```
VOID GetStartupInfo(
    LPSTARTUPINFO  lpStartupInfo   //pointeur vers structure pour STARTUPINFO
);
```

GetStartupInfo() requiert en paramètre un pointeur vers une structure de type *STARTUPINFO* dans laquelle sont copiées les valeurs. Le paramètre *STARTUPINFO.dwFlags* permet de déterminer les champs qui contiennent des valeurs significatives.

41.2.7.   Accès à d'autres processus

Si un processus désire manipuler un autre processus, par exemple pour en modifier la priorité, pour le terminer ou pour lire son environnement, il nécessite un handle sur ce processus. Connaissant l'identifiant du processus il est possible obtenir un handle avec la fonction *OpenProcess()*.

```
HANDLE OpenProcess(
    DWORD    fdwAccess,      //définit les droits d'accès au processus
    BOOL     fInherit,       //détermine si le nouveau handle est partageable
    DWORD    IDProcess       //identifiant du processus à ouvrir
);
```

Aux cotés de l'identifiant du processus cible (pas le processus courant !), la fonction attend deux autres paramètres. *fdwAccess* détermine les modes d'accès au handle obtenu. Il existe un certain nombre de constantes de type *PROCESS_...* prédéfinies dans WINBASE.H représentant chacune une ou deux fonctions. Par exemple si on combine *PROCESS_TERMINATE* et *PRO-CESS_SET_INFORMATION*, le handle pourra être utilisé dans les appels des fonctions *TerminateProcess()* et *SetPriorityClass()*. Toutes les autres fonctions telles que *DuplicateHandle()* ou *ReadProcessMemory()* retourneront un code d'échec si elles sont utilisées avec ce handle. La constante *PROCESS_ALL_ACCESS* donne l'accès à toutes les fonctions.

Le paramètre *fInherit* détermine si le handle peut être transmis aux processus fils (*fInherit* = TRUE). Comme pour d'autres objets alloués, il est fortement recommandé de libérer un handle avant de terminer un processus, au moyen de la fonction *CloseHandle()*.

41.2.8. Communication entre processus

Lorsqu'un processus crée un processus fils avec lequel il souhaite coopérer dans l'environnement multitâche, une nécessaire communication entre processus va devoir s'instaurer. Le système propose une profusion de mécanismes sophistiqués comme les fichiers mappés en mémoire, les canaux de communication (pipes) ou les mailslots. La forme la plus simple de communication repose sur l'échange de messages : un processus envoie des informations vers la fenêtre principale d'un autre processus en utilisant la fonction *SendMessage()*. Cette forme de communication nécessite un déploiement d'efforts de programmation relativement limité.

Pour envoyer un message à son destinataire, un processus a besoin d'un handle sur la fenêtre principale du processus fils. Il peut obtenir ce handle avec la fonction *FindWindow()*, à la condition que le processus fils ait déjà ouvert sa fenêtre principale.

On se trouve ici en présence d'une difficulté car la fonction *CreateProcess()* rend la main immédiatement, alors que le processus créé est toujours en train de se mettre en place. Si on fait immédiatement suivre *CreateProcess()* de *FindWindow()*, on risque de rencontrer une erreur parce que la fenêtre principale n'a pas encore été ouverte par le processus fils. On pourrait bien sûr répéter l'appel à *FindWindow()* jusqu'au succès mais il existe une solution plus simple, plus élégante et plus respectueuse des ressources.

La solution s'appelle *WaitForInputIdle()*. Cette fonction suspend le processus père jusqu'à ce que le processus fils ait consommé tous les messages de la file de messages, ce qui ne sera le cas qu'après qu'il ait lu le message initial *WM_PAINT*. A ce moment la fenêtre principale aura été à coup sûr affichée et la fonction *FindWindow()* retournera le handle désiré.

```
DWORD WaitForInputIdle(
    HANDLE    hProcess,    //handle du processus sur lequel on attend
    DWORD     dwTimeout    //limite en milliseconde d'attente
);
```

La fonction *WaitForInputIdle()* requiert comme paramètres le handle du processus fils et une valeur de temporisation au delà de laquelle la fonction retourne avec un code d'erreur. Une attente sans limite peut être obtenue avec la valeur *INFINITE*.

La fonction *WaitForInputIdle()* retourne une des valeurs suivantes :

- ○ 0 si le processus a consommé tous ses messages.
- ○ *WAIT_TIMEOUT* si durant le temps autorisé le processus n'a pas consommé tous ses messages.
- ○ -1 pour signaler une erreur.

Voici un exemple d'utilisation de *WaitForInputIdle()*. Un processus crée un processus fils avec lequel il veut communiquer via la file des messages. Avec *WaitForInputIdle()* il attend que l'autre processus ait construit sa fenêtre principale et consommé tous les messages initiaux. Ensuite il obtient un handle sur la fenêtre au moyen de *FindWindow()* et lui envoie un message avec *SendMessage()*.

```
#define WM_DO_SOMETHING_USEFUL WM_USER + 1    //message pour le fils
HANDLE hChildProcess;                         //handle du processus fils
HWND hChildProcessWindow;                     //handle de fenêtre du processus fils
                                              //Créer le processus fils et attendre que celui-ci
                                              //a mis en place
                                              //sa fenêtre principale et traité tous les messages
                                              //initiaux

hChildProcess = CreateProcess(...);
WaitForInputIdle(hChildProcess, INFINITE);

                                              //La file des messages du processus est maintenant
                                              //vide, de sorte
                                              //que l'on peut déterminer le handle de fenêtre
hChildProcessWindow = FindWindow("ChildProcessWindowClass",
                                 "ChildProcessCaption");
                                              //Envoyer un message au processus fils lorsque sa
                                              //fenêtre //principale a été trouvée
if(hChildProcessWindow)
    SendMessage(hChildProcessWindow, WM_DO_SOMETHING_USEFUL, 0, 0);
```

Echange de données

Le simple échange de commandes véhiculées par les messages ne suffit pas toujours lorsque deux processus veulent communiquer. Pour transférer des quantités plus importantes de données, on peut être tenté d'utiliser le paramètre *lParam* de *SendMessage()* ou de *Postmessage()* pour passer un pointeur vers un bloc de données plus important. Malheureusement cette tentative est vouée à l'échec à cause de la gestion par Windows 95 d'espaces d'adressages strictement séparés et protégés entre les différents processus. Le processus destinataire reçoit bien le pointeur transmis, mais il lui est impossible d'adresser l'espace mémoire de l'autre processus.

Pour permettre l'échange de données entre différents processus, un nouveau message du nom de *WM_COPYDATA* a été introduit sous Windows 95. *WM_COPYDATA* n'est pas un message ordinaire que le système transmet simplement à un autre processus. Il est fait appel à un mécanisme de recopie de données entre les espaces mémoire des deux processus. Les détails de la structure de données à copier sont transmis par le paramètre *lParam* qui doit pointer sur une structure de type *COPYDATASTRUCT*.

```
typedef struct tagCOPYDATASTRUCT {
    DWORD    dwData;      //code
    DWORD    cbData;      //nombre d'octets à copier
    PVOID    lpData;      //pointeur vers données
} COPYDATASTRUCT;
```

Pour distinguer différents blocs de données susceptibles d'être échangés par deux processus utilisant *WM_COPYDATA*, le champ *dwData* permet de spécifier un code ou une commande décrivant le contenu du bloc de données. Les deux autres paramètres servent à spécifier la taille (*cbData*) et l'adresse (*lpdata*) du bloc. Il est clair que le bloc ne doit pas contenir de pointeurs sur d'autres objets de l'espace d'adressage puisqu'ils ne seraient plus accessibles aux processus destinataires.

Après l'envoi du message, le système recopie les données dans l'espace du destinataire et remplace le contenu de *lpData* par un pointeur vers le nouveau bloc dans l'espace du destinataire. Après l'appel de *GetMessage()* et *DispatchMessage()* par le destinataire, les données arrivent à la procédure de fenêtre de la fenêtre spécifiée par l'émetteur au moyen du handle. La procédure de fenêtre récupère dans *lParam* un pointeur vers la structure *COPYDATASTRUCT* reçue. C'est là qu'elle trouve les données qu'elle peut alors traiter. La séquence de code suivante illustre la transmission de données via *WM_COPYDATA*, coté émetteur et récepteur.

```
#include <WINDOWS.H>
//— Constantes ————————————————
#define ID_DONNEES 1                        //type paquet de données
//— Types ————————————————
typedef struct tagDONNEES                   //données à transmettre à un
{                                           //autre processus
  char szTexte[256];
  int iChiffre;                             //pas de pointeur ici
  long lValeur;                             //ni ici
} DONNEES;
typedef DONNEES *PDONNEES;
//**********************************************************
//    Processus émetteur
//**********************************************************
void Emet(HWND hWndSrc,                     //handle de ma fenêtre
          HWND hWndDst)                     //handle de la fenêtre du récepteur
{
  DONNEES Donnees;                          //données à émettre
  COPYDATASTRUCT cds;                       //pour WM_COPYDATA

  ...
  //Démarrer d'abord le processus fils puis émettre les données via
  //WM_COPYDATA
  ...
  //Initialiser les données
  lstrcpy(Donnees.szTexte, "J'envoie des données et j'aime ça");
  Donnees.iChiffre = 0;
  Donnees.lValeur = 9999;
  //Envoyer les données via WM_COPYDATA à la fenêtre de l'autre
  //processus
  cds.dwData = ID_DONNEES;      //code du paquet
  cds.cbData = sizeof(DONNEES); //taille du paquet
  cds.lpData = &Donnees;        //pointeur vers la structure
  SendMessage(hWndDst,          //fenêtre du récepteur
              WM_COPYDATA,      //code message
              (WPARAM)hWndSrc,  //fenêtre source
              (LPARAM)&cds);    //pointeur vers COPYDATASTRUCT

  //Le récepteur a reçu les données, on peut détruire
  //COPYDATASTRUCT
}
//**********************************************************
//    Procédure de fenêtre du processus récepteur
//**********************************************************
LRESULT WINAPI WndProc(HWND hWnd, UINT uMsg, WPARAM wP, LPARAM lP)
{
  static DONNEES Donnees;                   //rangement pour les données reçues
  switch(uMsg)
```

```
{
  case WM_COPYDATA:
  {
    PCOPYDATASTRUCT pcds = (PCOPYDATASTRUCT) lP;
    switch(pcds-dwData)                //déterminer type de paquet
    {
      case ID_DONNEES:
        //Test de la taille de la structure
        if(pcds-cbData == sizeof(DONNEES))
        {
          //taille OK, copie locale des données reçues
          Donnees = *(PDONNEES)pcds-lpData;
          return TRUE;
        }
        break;
      case ID_NIMPORTEQUOI:             //cas où on autorise la transmission de
        break;                          //paquets de types différents
    }
    return FALSE;                       //type de paquet inconnu
  }
}
//Si message autre que WM_COPYDATA - traitement standard
  return DefWindowProc(hWnd, uMsg, wP, lP);
}
```

Le message peut être envoyé soit par *SendMessage()* soit par *PostMessage()*. On préférera très nettement *SendMessage()* car cette fonction est bloquante : elle ne rend la main qu'une fois que les données sont effectivement copiées par le système et que le message est reçu par le destinataire. En revanche *PostMessage()* rend tout de suite la main, de sorte que l'émetteur ne sait pas quand les données sont effectivement copiées. Si il désalloue trop rapidement la mémoire il peut y avoir une situation incohérente.

Notez également que le destinataire ne doit pas modifier ou désallouer les données reçues. Si il souhaite les manipuler après le retour de *SendMessage()* (c.à.d. une fois que la procédure de fenêtre ait exécuté return), alors il doit en faire au préalable une copie dans un tampon local.

Enfin signalons qu'il est possible au moyen de *WM_COPYDATA* d'échanger des données entre applications Win16 et Win32, ce qui reste relativement complexe par d'autres moyens. Cette méthode est donc conseillée lorsque l'on veut échanger des données entre d'anciennes applications 16 bits avec de nouvelles applications 32 bits.

41.3. Les threads

La création d'un nouveau processus au moyen de *CreateProcess()* est toujours accompagnée de la création d'un thread initial qui matérialise l'exécution du processus. On parle également de thread primaire (primary thread) à partir duquel un nombre arbitraire d'autres threads peuvent être créés. Voici tout d'abord un aperçu des principaux API Win32 se rapportant aux threads.

Fonction	Description
CreateThread()	Crée un thread.
SetThreadPriority()	Définit la priorité d'un thread.
SuspendThread()	Suspend un thread et incrémente le compteur d'attente du thread courant.
ResumeThread()	Décrémente le compteur d'attente du thread courant et le cas échéant le réactive.
Sleep()	Suspend l'exécution du thread courant pour une durée déterminée.
SleepEx()	Version spéciale de Sleep() à utiliser en présence d'E/S asynchrones.
ExitThread()	Termine le thread courant.
TerminateThread()	Termine un thread donné du processus courant.
GetCurrentThread()	Fournit un pseudo-handle du thread courant.
GetCurrentThreadId()	Fournit l'ID du thread courant.
GetExitCodeThread()	Fournit le code de retour d'un thread donné.
GetThreadPriority()	Fournit la priorité d'un thread donné.
AttachThreadInput()	Redirige les messages d'un thread vers un autre thread.

41.3.1. Créer et terminer un thread

Le thread initial créé automatiquement à la création du processus peut à tout instant créer lui-même d'autres threads. Il n'y a pas de limite imposée par le système sur le nombre de threads pouvant cohabiter dans un processus, mais il est évident que l'on a intérêt à ne pas dépasser le nombre strictement nécessaire. La fonction qui permet de créer un nouveau thread est *CreateThread()*, elle retourne un handle sur le nouveau thread. C'est ce handle qui servira aux autres API pour désigner le thread. Une valeur de retour nulle indique un échec de la création de thread. Dans ce cas la fonction *GetLastError()* permet de déterminer le code d'erreur.

```
HANDLE CreateThread(
    LPSECURITY_ATTRIBUTES  lpThreadAttributes,    //NULL sous Win95
    DWORD    dwStackSize,                          //taille de la pile
    LPTHREAD_START_ROUTINE lpStartAddress,         //adr. de la routine d'amorce
    LPVOID   lpParameter,                          //argument
    DWORD    dwCreationFlag,                       //type et état du nouveau thread
    LPDWORD  lpThreadId                            //pointeur vers identifiant
);
```

lpThreadAttributes

Paramètre réservé à Windows NT pour définir des attributs de sécurité. Windows 95 n'implémente pas l'architecture avancée de sécurité présente dans Windows NT, ce paramètre vaut donc toujours NULL.

dwStackSize

Tout thread dispose de sa propre pile. Elle sert à ranger les adresses de retour des fonctions, les variables locales et automatiques. Le paramètre *dwStackSize* permet de définir la taille initiale de la pile. En règle générale on donnera la valeur 0 à ce paramètre, ce qui a pour effet d'attribuer à la pile une taille identique à la pile du thread primaire du même processus. Si la pile du thread menace de déborder, le système se charge de rajouter des pages mémoire, jusqu'à concurrence de 1 Mo. L'utilisateur n'a donc pas à se soucier de ce problème.

lpStartAddress

Cette adresse constitue le point d'entrée du code du nouveau thread. Il doit s'agir d'une fonction avec l'attribut WINAPI, avec un argument sur 32 bits et qui retourne un résultat sur 32 bits. N'importe quel prototype peut être utilisé pour coder ces deux entités, du moment qu'il génère à la compilation un mot de 32 bits : par exemple LONG, DWORD ou LPVOID. Voici deux exemples de déclarations valides :

```
DWORD WINAPI FonctionDeDemarrage(LONG lThreadParam);
LONG  WINAPI CestParti(LPTSTR lptstrNomFichier);
```

lpParameter

Valeur sur 32 bits passée à la fonction d'amorce du thread.

dwCreationFlags

Si ce paramètre vaut *CREATE_SUSPENDED*, alors le thread créé attend l'appel de la fonction *ResumeThread()* pour commencer son exécution. S'il vaut 0, le thread démarre immédiatement.

lpThreadId

Ce paramètre est un pointeur vers une variable de type LONG qui reçoit l'identifiant du nouveau thread. Le morceau de code suivant montre une fonction *CreateAllThreads()* qui crée 20 threads. Tous ces threads démarrent avec la fonction *threadPainterFunction()* dont l'argument est un handle de fenêtre, à savoir la fenêtre créée dans le programme principal vers laquelle le thread dirige ses actions.

```
//— Types et constantes ——————————————
#define NUM_THREADS 20
//— Prototypes ——————————————
DWORD WINAPI threadPainterFunction(LPVOID lpStart);
void DoPaint(HWND hWnd);
//— Variables globales ——————————————
HWND hwndArray[NUM_THREADS];                    //tableau des handles de fenêtre
HANDLE hPainterThreads[NUM_THREADS];            //tableau des handles de thread
DWORD dwThreadIDs[NUM_THREADS];                 //tableau des ID de thread
//— Ici on crée les threads ——————————————
void CreateAllThreads(void)
{
  int i;
  for(i = 0; i NUM_THREADS; i++)
    hPainterThreads[i] =
      CreateThread(NULL,                         //lpsa
                   NULL,                         //cbStack
                   threadPainterFunction,        //lpStartAddr
                   hwndArray[i],                 //lpvThreadParm
                   0,                            //fdwCreate
                   &dwThreadIDs[i]);             //lpIDThread
}
//— Fonctions des threads ——————————————
DWORD WINAPI threadPainterFunction(LPVOID lpStart)
{
  DoPaint((HWND)lpStart);                        //diriger sortie sur fenêtre
  return 0;                                      //code de retour
}
```

Terminer un thread

Comme pour les processus il existe deux fonctions API pour terminer un thread: *ExitThread()* qui termine le thread courant et *TerminateThread()* pour "détruire" un thread créé au sein du même processus. Il est impossible de terminer un thread d'un autre processus.

```
VOID ExitThread(
    DWORD    dwExitCode                        //code de retour
    );
```

Lorsqu'un thread est terminé, sa pile est automatiquement libérée. Par contre les handles acquis par le thread au cours de son exécution ne sont pas détruits automatiquement. Ceux-ci sont en effet gérés par le processus et non par ses threads, de sorte qu'ils ne sont désalloués qu'à la destruction du processus. Le handle du thread lui-même reste actif jusqu'à ce que le processus se termine ou que le processus le libère explicitement via *CloseHandle()*.

Un thread se termine également lors de la sortie normale de la fonction qui le constitue. Le résultat de la fonction constitue alors le code de retour du thread. Avec *ExitThread()*, celui-ci est passé en paramètre de type DWORD.

Quelle que soit la façon dont un thread se termine, son code de retour peut être obtenu avec la fonction *GetExitCodeThread()*, à condition bien sûr de disposer d'un handle.

```
BOOL GetExitCodeThread(
    HANDLE   hThread,                          //handle du thread
    LPDWORD  lpExitCode                        //pointeur vers code de retour
    );
```

La fonction retourne FALSE en cas d'échec, TRUE sinon. Le code de retour est retourné dans la variable DWORD pointée par *lpExitCode*. Si le thread est toujours actif, on y trouvera la constante *STILL_ACTIVE*.

Pour terminer un autre thread, on utilisera la fonction *TerminateThread()* à condition encore une fois de disposer d'un handle. Le code de retour du thread est passé à la fonction via le paramètre *dwExitCode*. La fonction retourne TRUE en cas de succès, FALSE sinon.

```
BOOL TerminateThread(
    HANDLE   hThread,                          //handle du thread
    DWORD    dwExitCode                        //code de retour
    );
```

Dans la mesure du possible on préférera *ExitThread()*, qui est la méthode recommandée par le système pour terminer explicitement un thread. En effet *ExitThread()* informe toutes les DLL utilisées par le thread de sa disparition, alors que ce n'est pas le cas avec *TerminateThread()*. Cela peut avoir des conséquences graves si la DLL attend un message pour pouvoir terminer correctement son travail.

Quelle que soit la méthode choisie pour terminer un thread, si celui-ci était le dernier thread actif du processus, alors le processus est également terminé.

41.3.2.   Priorités des threads

Dès qu'un nouveau thread est créé avec *CreateThread()*, il reçoit la priorité *THREAD_PRIORI-TY_NORMAL*, soit la priorité de base de son processus. Si l'application le juge nécessaire, elle peut décaler cette priorité d'un maximum de 2 valeurs vers le haut ou vers le bas.

Ceci est réalisé avec l'API *SetThreadPriority()* prenant pour arguments le handle du thread et le décalage de priorité. Cette fonction peut être appliquée au thread courant ainsi qu'aux autres threads du même processus.

```
BOOL SetThreadPriority(
    HANDLE  hThread,               //handle du thread
    int     nPriority              //priorité
  );
```

Le décalage par rapport à la priorité de base est défini par *nPriority*. La tableau suivant présente les constantes définies pour ce paramètre.

Priorité de thread	Décalage correspondant
THREAD_PRIORITY_LOWEST	-2
THREAD_PRIORITY_BELOW_NORMAL	-1
THREAD_PRIORITY_NORMAL	+0
THREAD_PRIORITY_ABOVE_NORMAL	+1
THREAD_PRIORITY_HIGHEST	+2
THREAD_PRIORITY_IDLE	= 1 (voir ci-dessous)
THREAD_PRIORITY_TIME_CRITICAL	= 15 (voir ci-dessous)

Les constantes *THREAD_PRIORITY_IDLE* et *THREAD_PRIORITY_TIME_CRITICAL* constituent une exception dans leur effet dans la mesure où elles ne représentent pas un décalage mais une valeur absolue, 1 pour la première, 15 pour la seconde. De cette manière un processus peut créer un thread qui n'entre en action que lorsque le système est au repos (*THREAD_PRIORITY_IDLE*) ou au contraire un thread dont la priorité est située juste sous les threads de type *REALTIME* (*THREAD_PRIORITY_TIME_CRITICAL*).

La fonction retourne TRUE en cas de succès, FALSE en cas d'échec.

Pour déterminer la priorité courante d'un thread on dispose de l'API *GetThreadPriority()* dont l'argument est un handle. La fonction retourne un décalage selon le tableau ci-dessus ou bien *THREAD_PRIORITY_ERROR_RETURN* si le handle était erroné. Il n'existe pas de moyen de déterminer une priorité absolue, comprise entre 0 et 31.

```
int GetThreadPriority(
    HANDLE  hThread                //handle du thread
  );
```

Répartition des priorités

Si l'on tient compte des classes de priorité des processus, des sous-classes de leurs threads et des possibilités d'amplification dynamique des priorités, voici comment se répartissent les différentes valeurs de priorités.

Priorité de thread				
Priorité processus	Idle	Lowest	Below Normal	Normal
Idle	1	2	3	4
Application normale en arrière plan	1	5	6	7
Application normale en premier plan	1	7	8	9
High	1	11	12	13
Time-Critical	16	22	23	24

Notez que les priorités des threads système de gestion de souris, clavier, etc commencent à 12. Tout thread utilisateur de priorité supérieure à 11 se met donc à perturber le fonctionnement du système.

Tant que l'on reste dans la classe de processus *NORMAL* et que l'on n'utilise pas la priorité de thread *TIME CRITICAL* il n'y a pas de risque.

41.3.3.   Synchronisation des threads

Un thread peut se suspendre ou suspendre un autre thread avec la fonction *SuspendThread()*. Le thread n'est alors plus pris en compte par l'ordonnanceur jusqu'à l'appel de *ResumeThread()*.

```
DWORD SuspendThread(
    HANDLE hThread      //handle du thread à suspendre
  );
```

Pour chaque thread le système gère un compteur spécial (suspend-count) initialisé à 0 lors de la création du thread. A chaque appel de *SuspendThread()* ce compteur est incrémenté ; le thread est suspendu dès que le compteur est supérieur à 0. La fonction *SuspendThread()* renvoie la valeur du compteur avant l'incrémentation. De façon symétrique le compteur est décrémenté à chaque appel de *ResumeThread()* et le thread est effectivement réactivé lorsque le compteur revient à 0. Pour réactiver un thread il faut donc appeler autant de fois *ResumeThread()* qu'il y a eu d'appels à *SuspendThread()*.

```
DWORD ResumeThread(
    HANDLE hThread      //handle du thread à réveiller
  );
```

La fonction retourne la valeur du compteur avant la décrémentation. Celle-ci permet de déterminer le nombre d'appels nécessaires pour réveiller un thread sans connaître combien de fois il a été suspendu. Attention : dès que la fonction renvoie 1 le thread est redémarré.

La fonction *Sleep()* permet du suspendre un thread pour une durée déterminée. Un exemple d'application serait un programme qui doit scruter un répertoire à intervalles réguliers, mettons toutes les deux minutes, pour voir si de nouveaux fichiers y sont apparus.

Threads en hibernation

Contrairement à *SuspendThread()*, la fonction *Sleep()* ne peut suspendre que le thread appelant. C'est pourquoi l'argument de cette fonction n'est pas un handle mais une durée en millisecondes. La valeur 0 a pour effet de suspendre le thread pour le temps restant dans le segment temporel courant. *Sleep(0)* est donc comparable à la fonction 16 bits *Yield()* qui n'est plus supportée dans l'API Win32.

```
VOID Sleep(
    DWORD   cMilliseconds   //durée de mise en veille en ms
  );
```

La fonction *SleepEx()* est équivalente avec des fonctionnalités étendues. Elle concerne les threads qui, une fois suspendus, doivent pouvoir être réveillés par un événement : la fin d'une opération d'E/S asynchrone démarrée avec *ReadFileEx()* ou *WriteFileEx()*.

ReadFileEx() et *WriteFileEx()* rendent immédiatement la main après avoir initiés l'opération d'E/S. La fin de l'opération est signalée par ce que l'on appelle une fonction de rappel (callback). L'adresse de cette fonction a été fournie à la fonction d'E/S par l'appelant. La fonction de rappel ne peut être appelée qui si le thread n'a pas été suspendu au moyen de *Sleep()*.

```
DWORD SleepEx(
   DWORD   dwTimeout,     //durée de mise en veille en ms
   BOOL    fAlertable     //réveil anticipé possible
   );
```

Le paramètre *fAlertable* détermine si on autorise le réveil anticipé par le mécanisme de rappel (TRUE). La fonction *SleepEx()* renvoie *WAIT_IO_COMPLETION* si ce type d'événement a eu lieu, elle renvoie 0 si la période de suspension est arrivée à terme sans réveil anticipé.

41.3.4. Déterminer l'état d'un thread

Tout comme pour les processus, il existe deux fonctions API pour déterminer le handle et l'identifiant d'un thread : *GetCurrentThread()* et *GetCurrentThreadId()*. La première fournit un handle, la seconde un identifiant de thread; on utilisera l'une ou l'autre lorsque l'on aura besoin d'une référence à un thread pour une fonction.

```
HANDLE   GetCurrentThread(VOID);     //renvoie un handle sur le thread
DWORD    GetCurrentThreadId(VOID);   //renvoie l'identifiant du thread
```

41.3.5. Gestion des messages

L'un des grands problèmes de Win16, c.à.d. des systèmes Windows 3.x, tient au fait qu'il n'existe qu'une unique file de messages dont se servent toutes les applications. Si une application venait à s'immobiliser et donc n'était plus capable d'aller chercher ses messages dans la file, toutes les autres applications et tout le système en étaient paralysés. En général la seule solution dans ce cas était de redémarrer le système complet.

Pour résoudre ce problème, chaque thread sous Windows 95 dispose de sa file privée. Si une application se fige, elle n'empêche pas les autres de continuer à lire leurs messages avec *GetMessage()* dans leur propre file. Un thread qui ouvre une fenêtre va lire les messages de cette fenêtre via *GetMessage()* ou *PeekMessage()*. Les autres threads ne sont pas concernés car ces fonctions s'adressent spécifiquement au thread de fenêtre.

Il existe pourtant des situations où un message devra être lu par un autre thread que le créateur de la fenêtre. Pour cela il existe un moyen de rediriger les messages en attachant la file de messages à un autre thread avec la fonction *AttachThreadInput()*.

```
BOOL AttachThreadInput(
   DWORD   idAttach,      //ID du thread dont la file sera redirigée
   DWORD   idAttachTo,    //ID du thread destinataire
   BOOL    fAttach        //attacher ou détacher
   );
```

Le premier argument de la fonction est l'identifiant du thread dont on veut rediriger la file de messages. Le deuxième argument est l'identifiant du thread vers lequel on redirige les messages, enfin le dernier paramètre détermine le sens de l'opération : TRUE pour la redirection, FALSE pour annuler la redirection.

41.4. Exemples de programmation

Avant d'attaquer le thème de la synchronisation, nous vous proposons deux programmes pour illustrer ce qui a été vu jusqu'à présent. Le programme PYTHAGO.C comporte un thread de premier plan d'interaction avec l'utilisateur et un thread de traitement placé en arrière plan. Le second exemple illustre le multitâche entre deux processus : MASTER32.C et SLAVE32.C.

41.4.1. Multitâche avec threads de premier plan et d'arrière plan

Vous vous souvenez certainement du théorème de Pythagore qui établit une relation entre les longueurs des trois cotés d'un triangle rectangle (a2 + b2 = c2). Ce théorème est illustré de façon intéressante dans le programme PYTHAGO.C où l'on dessine ce que l'on appelle l'arbre de Pythagore. On commence par dessiner sur chaque coté d'un triangle rectangle un carré dont les cotés ont la même longueur que le coté du triangle correspondant. Partant de l'hypoténuse et d'un angle défini, on obtient sur chacun des deux autres cotés deux carrés servant de point de départ (hypoténuse) à un nouveau triangle rectangle. A partir d'un triangle rectangle on en obtient deux, puis quatre, et ainsi de suite.

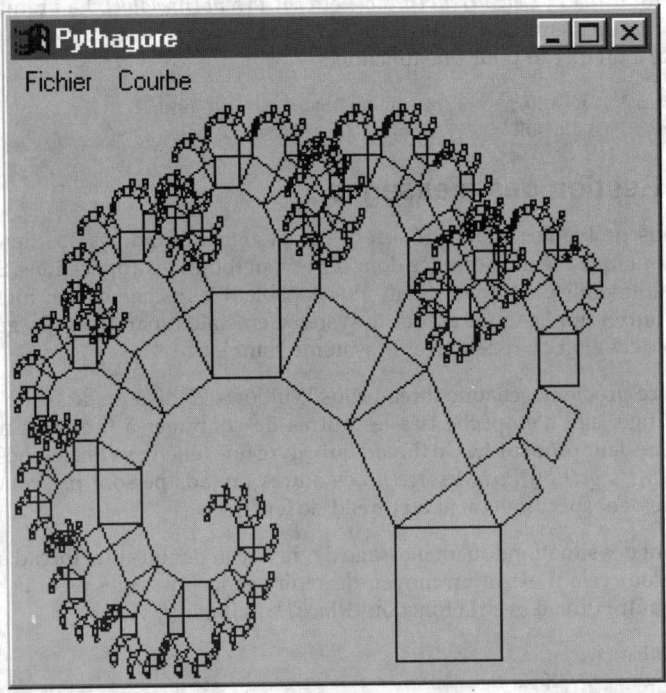

Arbre de Pythagore dessiné par le programme PHYTAGO.C

L'arbre de Pythagore ne sert ici que de prétexte pour illustrer les agissements d'un thread de premier plan, chargé de l'interaction avec l'utilisateur, et d'un thread d'arrière plan qui trace l'arbre de Pythagore.

Dans la fonction d'amorce *WinMain()*, on commence par créer une classe de fenêtre du nom de "Pythagore" que l'on lie à un menu du fichier ressource PYTHAGO.RC. Ensuite on crée et affiche une fenêtre de cette classe, que l'on redirige vers la file des messages véhiculés par *GetMessage()* et *DispatchMessage()*. Les messages reçus arrivent ainsi à la procédure de fenêtre du nom de *WndProc()*.

A l'obtention du message *WM_CREATE*, on commence par initialiser certaines variables globales. Parmi celles-ci il y a tout d'abord *PP*, de type *PYTHOPARMS*, qui contient les paramètres de l'arbre à tracer : essentiellement *fAlpha*, l'angle caractéristique du triangle rectangle et *crColor*, la couleur de traçage. Ensuite on se met à nouveau en attente jusqu'à ce qu'un message *WM_COMMAND* signale que l'utilisateur a cliqué sur le menu. On affiche alors une boîte de dialogue dans laquelle l'utilisateur peut entrer l'angle et la couleur du nouvel arbre de Pythagore. Le pilotage de la boîte de dialogue a lieu via la fonction *DialogProc()* sur laquelle nous ne nous étendrons pas car il s'agit d'une fonction de dialogue tout à fait classique.

Une fois la boîte de dialogue refermée, le programme vérifie dans *WndProc()* si elle a été quittée via le bouton OK. Si oui on commence le traçage de l'arbre. On souhaite confier cette tâche à un thread d'arrière plan dont le handle est rangé dans la variable globale *hThread*. Le programme regarde d'abord si cette variable vaut toujours NULL comme à l'initialisation par *WM_CREATE*. Dans le cas contraire cela signifie que l'utilisateur a déjà lancé un traçage auparavant. Le thread doit alors être arrêté, on passe pour cela la variable globale *bTerminateThread* à TRUE. Elle constitue avec la variable globale *bStartAgain* le moyen de communication entre les deux threads.

Lorsque le thread d'arrière plan constate que *bTerminateThread* vaut TRUE il termine son exécution. Le code de *WndProc()* attend ceci en appelant l'API *WaitForSingleObject()* (cette fonction sera étudiée en détail dans les sections consacrées à la synchronisation). On passe en paramètre à la fonction le handle du thread trouvé dans *hThread*. Cette fonction attend la destruction du thread avant de rendre la main à l'appelant.

Après le retour de la fonction dans *WndProc()*, on est certain qu'il n'existe plus de thread d'arrière plan. Ceci est très important car la présence simultanée de deux threads d'arrière plan aurait des conséquences fâcheuses, le programme n'étant pas prévu pour cette situation.

On commence par annuler *hThread*, puis on initialise le champ *hwnd* de la variable globale *PP* avec le handle de la fenêtre programme. Au moment du traçage le programme saura ainsi dans quelle fenêtre il doit envoyer ses sorties. Le contenu de la fenêtre est effacé pour commencer le dessin sur une page blanche.

Par ailleurs les deux variables globales *bTerminateThread* et *bStartAgain* sont mises à FALSE pour autoriser le travail du thread de fond. Le thread de fond est alors créé avec *CreateThread()*, son handle étant placé dans *hThread*. A partir de maintenant le programme est constitué de deux threads : le thread de premier plan toujours matérialisé par *WndProc()* et le thread d'arrière plan venant d'être créé et qui commence son existence dans la fonction *threadPainterFunction()*.

La fonction *threadPainterFunction()* commence par abaisser sa propre priorité d'un point (priorité *THREAD_PRIORITY_BELOW_NORMAL*) pour en faire un thread d'arrière plan. Puis elle appelle diverses fonctions du module TURTLE32.C utilisées pour le traçage de l'arbre. Ces fonctions sont incluses dans le programme Pythagore par le makefile. Les fonctions turtle sont inspirées du langage de programmation LOGO, le nom turtle (mot anglais signifiant tortue) provient du curseur graphique en forme de tortue utilisé pour le traçage des lignes. Les différentes fonctions contenues dans TURTLE32.C servent à tracer des lignes à l'écran. Pour tracer une ligne dans une certaine direction on fait tourner sur elle-même la tortue de l'angle voulu puis on la fait avancer de la distance requise.

L'implémentation qui est faite dans TURTLE32.C ne permet pas de voir la tortue à l'écran, par contre, et c'est le but, on voit les traces qu'elle laisse. Sans entrer dans le détail des fonctions de TURTLE32.C, intéressons nous à une possibilité intéressante, d'ailleurs utilisée par *threadPainterFunction()* : la possibilité de modifier l'échelle de traçage.

L'arbre est tracé une première fois dans *threadPainterFunction()* à l'aide de *Pythagore()* sans être affiché à l'écran. Après avoir déterminé les dimensions de l'objet final, *Pythagore()* est appelé une deuxième fois, le traçage ayant cette fois lieu à l'écran, l'échelle étant choisie pour faire tenir l'arbre exactement dans les limites de la fenêtre.

Le programme de traçage s'exécute en boucle et l'écran est effacé entre deux traçages. On ne sort de la boucle que lorsque la variable *bTerminateThread* a été mise à TRUE par le thread de premier plan. On voit ici comment une variable globale peut être un moyen de communication simple et efficace entre deux threads.

Le test des deux variables globales *bTerminateThread* et *bStartAgain* est aussi effectué dans la fonction de dessin *Pythagore()*. Si celle-ci constate que l'une des deux passe à TRUE alors elle retourne immédiatement à l'appelant.

La fonction *Pythagore()* est récursive. Elle commence par tracer le carré de l'hypoténuse qui lui a été transmise, puis effectue une récursion sur le coté gauche, puis une récursion sur le coté droit. C'est pourquoi on voit toujours d'abord apparaître les parties gauches de l'arbre, puis les parties droites. Pour éviter que la récursion ne se poursuive à l'infini, on a introduit un test d'arrêt sur une longueur de coté minimale (la constante *LONG_COTE_MINI*). Bien sûr si l'une des variables *bTerminateThread* ou *bStartAgain* est mise à TRUE par le thread de premier plan la récursion s'arrête immédiatement.

Contrairement à *bTerminateThread*, *bStartAgain* ne sert qu'au contrôle de *Pythagore()*. Après le retour dans *threadPainterFunction()*, cette fonction n'est pas interrompue, on continue avec la boucle : effaçage de l'écran, puis tracé du dessin. Le but du positionnement de *bStartAgain* par la fonction de dialogue n'est pas d'arrêter le programme, il s'agit plutôt d'une réaction à la réception d'un message *WM_SIZE* : l'utilisateur a modifié la taille de la fenêtre et l'on souhaite que le thread d'arrière plan redessine un nouvel arbre en tenant compte de la nouvelle dimension de fenêtre.

Vous trouverez des indications supplémentaires sur le fonctionnement du programme en examinant les listings joints sur CD-ROM (PYTHAGO.C, RESOURCE.H, PYTHAGO.RC, TURTLE.H et TURTLE32.C). Ce programme illustre d'ailleurs aussi très bien l'amplification dynamique de priorité opérée par le système. Pour cela démarrez plusieurs instances du programme et observez la vitesse de traçage des différents arbres. Vous constaterez que l'arbre de la fenêtre active va toujours un peu plus vite que les autres. Observez également ce qui se passe lorsque l'on déplace la fenêtre ou lorsque l'on démarre d'autres applications. Ceci permettra de se faire une idée du fonctionnement de l'ordonnanceur et des priorités, peut-être mieux encore qu'avec de longues explications.

| PYTHAGO.C | RESOURCE.H | PYTHAGO.RC |
| TURTLE32.C | TURTLE32.H | |

41.4.2. Multitâche avec plusieurs processus

Le deuxième exemple de ce chapitre aborde l'aspect du multitâche entre plusieurs processus. Nous allons à nouveau tracer des arbres de Pythagore, mais cette fois plusieurs simultanément. C'est le rôle du programme SLAVE32.C dérivé du programme PYTHAGO.C dont il ne se distingue qu'en quelques rares points, mais ceux-ci sont fondamentaux. Contrairement à PYTHAGO, SLAVE32 ne propose pas de menu grâce auquel l'utilisateur peut définir les caractéristiques de l'arbre. SLAVE32 est piloté par le programme MASTER32 qui est chargé de l'interaction avec l'utilisateur. Pour chaque nouvel arbre que l'utilisateur souhaite tracer, MASTER32 crée une nouvelle instance de SLAVE32 au moyen de *CreateProcess()*.

Intéressons nous à la manière dont MASTER32 et SLAVE32 communiquent entre eux. Dans le sens maître vers esclave circulent des informations définissant les caractéristiques de l'arbre, c.à.d. l'angle caractéristique et la couleur de traçage. Dans le sens esclave vers maître circule le message de fin de programme lorsque l'utilisateur a cliqué sur le bouton *Fermerture* de la fenêtre esclave.

Entre les deux processus, les informations sont véhiculées sous forme de messages adressés à la fenêtre principale du destinataire. Pour cela les processus doivent disposer du handle de leur partenaire. Le processus maître commence par créer le processus esclave avec l'API *CreateProcess()*. Avant cet appel, il dépose dans le bloc des variables d'environnement destinées au processus esclave une variable du nom de "Fenetre" qui contient le handle du processus maître, sous forme de chaîne ANSI. Une fois démarré, le processus esclave recherche dans son environnement une variable du nom de "Fenetre" et obtient ainsi le handle de la fenêtre du processus maître. A cette fenêtre il envoie alors via *SendMessage()* un message *PM_PRO-CESSCREATED* dont le paramètre *LPARAM* contient le handle de sa propre fenêtre. Ainsi une communication bidirectionnelle est établie.

PM_PROCESSCREATED fait partie de 6 messages privés pouvant circuler entre le maître et l'esclave, ceux-ci sont définis dans le fichier d'en-tête *PRIVATE.H*. Ce fichier est inclus dans les deux programmes pour qu'ils parlent bien la même "langue".

Après réception de *PM_PROCESSCREATED*, le processus maître envoie à l'esclave les deux messages *PM_ANGLE* et *PM_COLOR* dont les *LPARAM* contiennent respectivement l'angle et la couleur de traçage définis par l'utilisateur. Avant de démarrer effectivement, le processus esclave attend encore le message *PM_CREATETHREAD*. Jusqu'à ce point l'esclave est constitué de l'unique thread automatiquement créé à la création du processus. A réception du message indiqué, l'esclave crée le véritable thread de traçage. Le code de traçage de l'arbre contenu dans SLAVE32.C est sensiblement le même que celui du programme PYTHAGO.C vu dans l'exemple précédent. On y retrouve les fonctions *threadPainterFunction()* et *Pythagore()*. Pour chaque esclave il y a donc deux threads, le premier pour gérer les messages et le second pour le traçage de l'arbre de Pythagore.

Tant que l'utilisateur ne ferme pas la fenêtre esclave au moyen du bouton Fermeture, on y trace continuellement des arbres de Pythagore. Dans le cas où le processus est interrompu, il envoie un dernier message *PM_PROCESSHASEXIT* avant de se saborder, le paramètre *LPARAM* contenant le handle de sa fenêtre. Ainsi le processus maître sait lequel des esclaves s'est terminé et peut ainsi supprimer l'entrée correspondante dans sa liste de handles de fenêtres esclaves actives.

Symétriquement un processus maître peut aussi terminer un esclave. Il en fait usage lorsque lui-même se termine, ou lorsque l'utilisateur sélectionne un esclave dans la liste et clique sur Quitter. Dans ce cas le maître envoie au processus concerné un message *PM_EXITPROCESS*. Son contenu instruit l'esclave de détruire d'abord le thread de traçage puis le thread primaire, ce qu'il fait juste après avoir renvoyé le message *PM_PROCESSHASEXIT*.

On se trouve ici en présence d'une méthode simple d'échange bidirectionnel de messages entre processus.

PRIVATE.H	MASTER32.C
SLAVE32.C	RESOURCE.H

41.5.   Synchronisation

A chaque fois que plusieurs processus ou threads doivent coopérer à un même objectif, il y a nécessité de synchronisation. Pensez à l'exemple classique du thread de premier plan chargé de l'interaction avec l'utilisateur tandis qu'un thread d'arrière plan imprime les données saisies. Que se passe-t-il s'il n'y a pas de données à imprimer, si l'utilisateur signale brusquement au thread de premier plan qu'il faut interrompre l'impression ? Il faut nécessairement mettre en place un mécanisme de communication entre les threads. Dans les exemples de programmes du chapitre précédent il a été fait usage de variables globales pour la communication entre threads, mais cette technique ne convient pas à tous les cas de figure.

En particulier elle ne convient pas lorsque plusieurs threads concourent pour accéder à une même ressource protégée, on risque alors ce que l'on appelle la contention. Les ressources en question peuvent être des variables globales ou statiques, des fichiers, des handles ou tout objet protégé accessible à plusieurs intervenants.

41.5.1.   Contention

Prenons l'exemple d'un fichier accédé simultanément par deux threads, ce qui est illustré par l'extrait de programme suivant :

```c
#include <Windows.H>
typedef struct tagARTICLE                          //articles du fichier
{
  int i;
  long l;
} ARTICLE;
//— Variables globales ————————————————
HANDLE g_hFichier;                                 //handle du fichier
HANDLE g_hThread[2];                               //handles des 2 threads
//— Prototypes ————————————————
DWORD WINAPI lireThread(LPVOID lpParms);           //prototype
int WINAPI WinMain(HINSTANCE hInstance,
             HINSTANCE hPrevInstance,
             LPSTR     lpszCmdLine,
             int       nCmdShow)
{
  g_hFichier = CreateFile("donnees.dat",           //ouvrir le fichier
                GENERIC_READ,
                FILE_SHARE_READ,
                NULL,
                OPEN_EXISTING,
                OL,
                NULL);
  //Créer le premier thread et lire le 100ième enregistrement
  g_hThread[0] = CreateThread(NULL, OL, lireThread, (LPVOID)100, OL, NULL);
  //Créer le deuxième thread et lire le 200ième enregistrement
  g_hThread[1] = CreateThread(NULL, OL, lireThread, (LPVOID)200, OL, NULL);
  ...
  ...
  ...
  CloseHandle(g_hThread[0]);                        //détruire les deux objets thread
  CloseHandle(g_hThread[1]);
  CloseHandle(g_hFichier);                          //fermer le fichier
return 0;
```

```
}
//— lireThread() lit un article dans le fichier ————
DWORD WINAPI lireThread(LPVOID lpParms)
{
  ARTICLE article;
  DWORD dwRead;
  LONG lRecord = (LONG)lpParms;
  //Déplacer le pointeur de fichier sur l'article recherché ——
  SetFilePointer(g_hFichier, lRecord *sizeof(ARTICLE), NULL, FILE_BEGIN);
  //Si a cet instant se produit une préemption entre les deux threads alors
  //il y aura des étincelles
  //Lire un article ————————
  ReadFile(g_hFichier, &article, sizeof(ARTICLE), &dwRead, NULL);
  return 0;
}
```

Dans le programme principal ci-dessus, on ouvre un fichier puis on crée deux threads utilisant la fonction *lireThread()*. Le numéro de l'enregistrement à lire est passé en paramètre : 100 pour le premier thread et 200 pour le second. Puisque le programme s'exécute sur un PC équipé d'un seul processeur, il faut basculer régulièrement entre les deux threads, et c'est précisément là que le bas blesse. Imaginons que le premier thread soit suspendu juste après avoir positionné le pointeur de fichier sur le 100ème enregistrement, la main étant alors donnée au second thread. Celui-ci positionne le pointeur sur le 200ème enregistrement et effectue la lecture. Ensuite l'ordonnanceur redonne la main au premier thread qui s'apprête à lire le 100ème enregistrement. Malheureusement le pointeur de fichier a été déplacé à son insu par le thread numéro 2, de sorte que le thread numéro 1 va lire l'enregistrement 200 tout en croyant lire l'enregistrement 100.

Cet exemple peut paraître artificiel mais ce genre de problèmes se pose fréquemment lorsque plusieurs acteurs accèdent simultanément à une même ressource. Voici un autre exemple :

Un programme gère un tampon circulaire, tout comme le système en implémente en interne pour les files de messages. Un ou plusieurs threads peuvent écrire dans le tampon, tandis que d'autres le lisent. Ils utilisent pour cela les fonctions *RpPutMessage()* et *RpGetMessage()* qui se servent d'un tableau et de deux pointeurs ayant pour noms *iRpFirst* et *iRpLast* pour implémenter le tampon circulaire. *iRpLast* pointe sur le prochain élément à lire dans le tableau tandis que *g_iRpFirst* pointe sur l'élément dans lequel sera rangé le prochain message arrivant.

```
//— Types et constantes ————————
typedef LONG MES;                //éléments du tampon
#define TAILLE_TAMPON 512        //taille du tampon
//— Variables globales ————————
MES Tampon[TAILLE_TAMPON];       //tampon circulaire
int iRpFirst, iRpLast;           //index pour PUT et GET
//— RpPutMessage() dépose un message dans le tampon ————
void RpPutMessage(MES m)
{
  Tampon[iRpLast] = m;           //écriture dans le tampon
  //Si à cet endroit se produit un basculement entre les deux threads alors
  //il y aura des étincelles, parce que g_iRpLast n'a pas été mis à jour
  //Reboucler en début de tampon
  if(++iRpLast == TAILLE_TAMPON)
    iRpLast = 0;
}
```

Tout comme dans l'exemple précédent, le changement de tâche au sein de *RpPutMessage()* ou de *RpGetMessage()* peut avoir des conséquences graves. Prenons l'exemple de *RpPutMessage()* appelé par un thread T1, lequel veut ajouter un message à la fin de la queue. *RpPutMessage()* commence par écrire le message à l'emplacement pointé par *iRpFirst*. Si l'ordonnanceur suspend T1 avant que *RpPutMessage()* n'ait eu le temps d'incrémenter le pointeur, et active un autre thread T2 qui va également écrire dans le tampon, alors celui-ci écrasera le message que venait d'écrire T1 au même endroit. Une grave erreur.

Mais ce n'est pas fini. Si T2 poursuit normalement son exécution, la fonction *RpPutMessage()* va incrémenter comme il se doit le pointeur *iRpLast*. Ensuite l'ordonnanceur va redonner la main à T1 qui poursuit là où il était suspendu : dans la fonction *RpPutMessage()* en incrémentant l'index *iRpLast*. On vient de sauter un élément du tampon sans rien y inscrire. On vient donc non seulement de perdre un message (celui de T1 écrasé par celui de T2), mais le prochain appel de *RpGetMessage()* retournera une donnée erronée. Il y a donc lieu ici de synchroniser les threads pour éviter de tels effets de bord.

De tels problèmes de contention ne sont pas nouveaux, et encore moins le privilège de Windows. Ils se manifestent dans tout système d'exploitation multitâche. Déjà dans les années 60 on a planché sur ce problème et les solutions de l'époque sont encore valables aujourd'hui. La réponse au problème de contention est l'emploi de mécanismes de synchronisation grâce auxquels on sérialise l'accès par plusieurs threads à des ressources communes. Il s'agit de garantir que pour la durée de certains fragments de code, les sections critiques, un thread se voit attribuer un droit exclusif à une ressource.

41.5.2. Mécanismes de synchronisation dans Win32

On trouve dans Win32 un certain nombre de mécanismes de synchronisation pour les threads ainsi que les fonctions API correspondantes. Certaines ne sont utilisables qu'à l'intérieur d'un même processus, d'autres peuvent synchroniser des threads appartenant à des processus différents. Nous y reviendrons plus loin.

Le tableau suivant présente les différents objets servant à la synchronisation des threads, ainsi que les fonctions API qui les créent.

Objet	Fonction(s) de création
Mutex	CreateMutex() ou OpenMutex()
Sémaphore	CreateSemaphore() ou OpenSemaphore()
Section critique	InitializeCriticalSection()
Evénement	CreateEvent() ou OpenEvent()
Processus	CreateProcess() ou OpenProcess()
Thread	CreateThread() ou OpenThread()
Notification de changement	FindFirstChangeNotification()
Entrée console	CreateFile("CONIN$") ou GetStdHandle()

Les primitives de synchronisation listées ci-dessus ont des domaines d'application variés, on ne les emploiera donc pas dans les mêmes situations.

Mutex, sémaphores et sections critiques

Servent à empêcher des situations de contention comme on en a vu quelques exemples précédemment.

Evénements

Seront mis en oeuvre lorsqu'un ou plusieurs threads sont en attente d'un événement, par exemple le résultat d'un calcul par un autre thread.

Processus et threads

Bien qu'il ne s'agissent pas véritablement d'objets de synchronisation, ils peuvent être mis à contribution pour ce genre de travail. Par exemple lorsqu'un thread attend la fin d'un autre thread ou d'un processus pour poursuivre son exécution.

Notifications de changement et entrées console

Représentent une certaine forme d'événements à l'aide desquels un thread peut être informé de changements dans un répertoire ou de la présence de données en entrée.

Tous ces objets ne forcent pas une synchronisation de par leur simple existence. Lorsqu'un thread cherche à se synchroniser avec un autre, il appelle une fonction API lui permettant d'attendre un des objets cités plus haut. Parmi les cinq fonctions d'attente, *WaitForSingleObject()* est la plus simple. L'appelant lui transmet le handle d'un objet de synchronisation, et elle ne rend la main que lorsque l'objet spécifié passe dans un état "signalé". En attendant, le thread appelant est suspendu pour n'être réveillé que lorsqu'un autre thread, non bloqué, émette un signal sur l'objet en question.

Tout objet de synchronisation se trouve ainsi dans l'un des états suivants : signalé ou non-signalé. Nous allons voir de quoi il en retourne à l'aide d'un exemple, appliqué à l'un des principaux objets de synchronisation, le mutex.

41.5.3.   Les mutex

Les mutex sont utilisés pour éviter une contention. Ils tirent leur nom de la technique employée : l'exclusion mutuelle. Un mutex ne connaît que deux états possibles : l'état non signalé lorsqu'il est détenu par un thread, et l'état signalé lorsqu'il est "libre". On peut comparer un mutex à un drapeau. Si le drapeau est hissé, alors le mutex est libre, s'il est en berne, le mutex est occupé.

On commence par créer un mutex au moyen de l'API Win32 *CreateMutex()*. La fonction retourne un handle sur le mutex créé. En règle général on rangera le handle dans une variable globale pour que tous les threads d'un processus y aient accès.

Pour acquérir le contrôle d'un mutex on utilise une fonction d'attente, par exemple *WaitForSingleObject()*, à laquelle on transmet le handle du mutex. Cette fonction regarde si le mutex se trouve déjà en possession d'un autre thread. Si ce n'est pas le cas (le mutex est signalé), l'appelant obtient le mutex qui passe à l'état non signalé, et la fonction rend immédiatement la main de sorte que le thread peut poursuivre son exécution.

Lorsque l'ordonnanceur active un autre thread demandant également le mutex par l'intermédiaire d'une fonction d'attente, le thread sera suspendu tant que le mutex restera détenu par l'autre thread. Celui-ci rend le contrôle du mutex en appelant *ReleaseMutex()*.

Fonction	Description
CreateMutex()	Crée un nouveau mutex ou ouvre un mutex existant.
OpenMutex()	Fournit le handle d'un mutex existant.
ReleaseMutex()	Rend le contrôle du mutex.
Wait...	Demande l'obtention d'un mutex.
CloseHandle()	Détruit le mutex.

Quels sont les domaines d'application des mutex ? Revenons à notre exemple du tampon circulaire avec ses fonctions *RpPutMessage()* et *RpGetMessage()*. Nous avons vu que *RpPutMessage()* ne doit pas se faire interrompre dans son exécution sinon l'on risque des problèmes lors de la mise à jour du tableau. Nous utiliserons donc un mutex, idéalement au tout début de la fonction.

```
#include <Windows.H>
//— Types et constantes ————————————
typedef LONG MES;                       //éléments du tampon
#define TAILLE_TAMPON 512               //taille du tampon
//— Types et constantes ————————————
HANDLE g_hMutexRpPut;                   //mutex pour RpPutMessage
HANDLE g_hMutexRpGet;                   //mutex pour RpGetMessage
MES g_Tampon[TAILLE_TAMPON];            //tampon circulaire
int g_iRpFirst, g_iRpLast;              //index pour PUT et GET
//— Fonction d'amorce ————————————
int WINAPI WinMain(HINSTANCE hInstance,
                   HINSTANCE hPrevInstance,
                   LPSTR     lpszCmdLine,
                   int       nCmdShow)

{
  g_iRpFirst = g_iRpLast = 0;           //tampon initialement vide
  //Créer des mutex non signalés pour Put et Get
  g_hMutexRpPut = CreateMutex(NULL, FALSE, NULL);
  g_hMutexRpGet = CreateMutex(NULL, FALSE, NULL);
  ...
  //Ici on crée des threads dont certains écrivent dans le tampon via
  //RpPutMessage() et d'autres y lisent via RpGetMessage()
  ...
  CloseHandle(g_hMutexRpPut);           //détruire les mutex
  CloseHandle(g_hMutexRpGet);
  return 0;
}
//— RpPutMessage() dépose un message dans le tampon ————————
BOOL RpPutMessage(MES m)
{
  BOOL bRetVal;
  CRITICAL_SECTION csRpLast;
  //Attendre le mutex au cas où il se trouve en possession d'un
  //autre thread
  WaitForSingleObject(g_hMutexRpPut, INFINITE);
  //En arrivant ici on est sûr de détenir de façon exclusive le mutex
  if(g_iRpFirst != (g_iRpLast + 1) % TAILLE_TAMPON)
  {
    //il reste de la place dans le tampon
    g_Tampon[g_iRpLast] = m;
    EnterCriticalSection(&csRpLast);      //pour éviter la contention
```

```
    if(++g_iRpLast == TAILLE_TAMPON)    //un changement de tâche ici
        g_iRpLast = 0;                   //serait catastrophique
    LeaveCriticalSection(&csRpLast);
    bRetVal = TRUE;
}
else bRetVal = FALSE;
//Maintenant on libère le mutex pour donner une chance aux autres
//threads d'exécuter la fonction
ReleaseMutex(g_hMutexRpPut);
return bRetVal;
}
```

Lorsqu'un thread appelle cette fonction, elle commence par essayer d'obtenir le mutex *g_hMutexRpPut*. Si au même instant un autre thread est en train d'exécuter la même fonction, le mutex est occupé et notre thread est suspendu. Il est réveillé lorsque le thread possédant le mutex atteind la fin de la fonction *RpPutMessage()*, là où il relâche le mutex via *ReleaseMutex()*. Le thread en attente peut alors exécuter la fonction sans risque d'être interrompu. On garantit ainsi qu'il n'y a jamais qu'un seul thread qui exécute la fonction *RpPutMessage()* et que la mise à jour des structures internes se passe correctement. Ceci suppose bien sûr que le mutex ait été créé en début de programme et que son handle ait été déposé dans la variable *g_hMutexRpPut*.

Il faut protéger la fonction *RpGetMessage()* selon le même principe. On aurait pu lui faire utiliser le même mutex que *RpPutMessage()* et ainsi empêcher toute exécution simultanée des deux fonctions. Il est plus intéressant de réserver à *RpPutMessage()* et *RpGetMessage()* deux mutex distincts, car aucun problème de contention ne risque de troubler leur fonctionnement : les fonctions gèrent chacune leur propre index (et bien que *RpPutMessage()* vienne lire *g_iRpFirst*, elle ne le modifie pas, c'est cela qui est déterminant). A trop vouloir sérialiser on risque de casser l'effet bénéfique du multitâche.

Dans le cas extrême où tous les threads fonctionnent en exclusion mutuelle, le programme résultant risque de s'exécuter moins vite qu'un programme monotâche équivalent, à cause du surcoût introduit par les changements de contexte, etc.

A première vue, les deux fonctions ne peuvent pas se nuire lors d'une exécution simultanée. En y regardant de plus près, on s'aperçoit toutefois que toutes deux contiennent une instruction pour laquelle un concours de circonstances peut semer la panique dans la gestion du tampon circulaire.

Le problème se situe au niveau de l'instruction *if* et *then*, aussi bien dans Put après ajout, que dans Get après lecture d'un caractère. A la suite de l'une des deux opérations, les pointeurs *g_iRpFirst* et *g_iRpLast* doivent être actualisés. Dans *RpPutMessage()* cela donne par exemple :

```
if(++g_iRpLast == TAILLE_TAMPON)    //un changement de tâche ici
    g_iRpLast = 0;                   //serait catastrophique
```

On commence par incrémenter *g_iRpLast* pour pointer sur le prochain emplacement vide du tampon. Ensuite on teste si l'on a dépassé le dernier élément du tampon, auquel cas le pointeur est remis à zéro. Si l'instant précis entre l'incrémentation et la décision de reboucler à 0, survient un nouvel ordonnancement qui active un autre *RpPutMessage()*, il y a problème. La fonction lit dans g_iRpLast une valeur incorrecte puisqu'elle n'a pas eu le temps d'être réinitialisée.

Il convient d'éviter à tout pris ce genre de situations. A chaque fois qu'une tâche lit une ressource, il faut s'assurer qu'aucune autre tâche écrivant dans cette ressource, ne l'ait laisser dans un état indéfini. On pourrait dans notre cas, utiliser un mutex commun pour garantir cette

exclusion mutuelle entre les deux fonctions. Nous avons choisi une autre solution. Dans le listing ci-dessus de *RpPutMessage()*, on s'aperçoit que l'instruction *if* est inscrite dans une section critique. La portée de cette dernière se limite à l'instruction *if* et au *then* correspondant. De cette manière, on garantit qu'au moment critique aucun reordonnancement de tâche ne peut survenir. On procède de même dans *RpGetMessage()*.

```
//— RpGetMessage() lit le prochain message dans le tampon
MES RpGetMessage(void)
{
  MES m;
  CRITICAL_SECTION csRpFirst;
  //Attendre le mutex au cas où il se trouve en possession d'un
  //autre thread
  WaitForSingleObject(g_hMutexRpGet, INFINITE);
  //En arrivant ici on est sûr de détenir de façon exclusive le mutex
  if(g_iRpFirst != g_iRpLast)            //y a-t-il quelque chose à lire ?
  {
    m = g_Tampon[g_iRpFirst];            //lecture du message
    EnterCriticalSection(&csRpFirst);    //éviter la contention
    if(++g_iRpFirst == TAILLE_TAMPON)    //un changement de tâche ici
        g_iRpFirst = 0;                  //serait catastrophique
  }
  else m = -1L;                          //le tampon est vide
  //Maintenant on libère le mutex pour donner une chance aux autres
  //threads d'exécuter la fonction
  ReleaseMutex(g_hMutexRpGet);
  return m;
}
```

Signalons au passage une question intéressante pouvant se poser au vu de cette fonction : le mutex est libéré avant d'exécuter l'instruction return (il ne peut d'ailleurs pas en être autrement puisque c'est nécessairement la dernière instruction de la fonction à être exécutée). Si une préemption par un autre thread exécutant la même fonction surgit juste avant l'exécution de return, la valeur de retour *m* ne risque-t-elle pas d'être écrasée ? La réponse est non car *m* est une variable locale qui est sauvée sur la pile privée du thread lors d'un changement de contexte.

Fonctions se rapportant aux mutex

Un mutex est créé au moyen de l'API *CreateMutex()*. Si ce mutex est destiné à être utilisé exclusivement dans le processus courant, on peut ignorer le premier et le dernier argument en leur donnant la valeur NULL. Le paramètre *bInitialOwner* décide si le mutex est placé immédiatement sous contrôle du thread appelant (TRUE) ou non (FALSE).

```
HANDLE CreateMutex(
  LPSECURITY_ATTRIBUTES lpMutexAttributes,    //Win95: NULL
  BOOL                  bInitialOwner,        //confier immédiatement à l'appelant ?
  LPCTSTR               lpName                //nom du mutex
  );
```

En cas de succès la fonction retourne un handle sur le nouveau mutex, en cas d'échec celui-ci vaut NULL. Dans ce cas la fonction *GetLastError()* renseigne sur le type d'erreur.

Un mutex existant peut être ouvert avec *OpenMutex()*. Ceci n'a de sens que lorsque le mutex est utilisé pour une synchronisation inter-processus (voir la section intitulée "Synchronisation entre processus").

```
HANDLE OpenMutex(
    DWORD    fdwAccess,        //type d'accès à l'objet mutex
    BOOL     fInherit,         //TRUE pour autoriser l'héritage du handle
    LPCTSTR  lpszMutexName     //pointeur vers le nom du mutex
    );
```

On acquiert un mutex en appelant une fonction *Wait*. Un mutex est libéré avec l'API *ReleaseMutex()*.

Lorsqu'un thread appelle consécutivement plusieurs fonctions Wait, seule la première est bloquante (et encore, seulement si le mutex est détenu par un autre thread). Le mutex gère un compteur interne incrémenté par la fonction Wait. Symétriquement ce compteur est décrémenté à chaque appel de *ReleaseMutex()*. Le mutex n'est donc effectivement libéré que lorsque le nombre d'appels à *ReleaseMutex()* égale le nombre d'appels aux fonctions *Wait*.

```
BOOL ReleaseMutex(
    HANDLE hMutex      //handle du mutex à libérer
    );
```

Comme tout objet système créé par appel d'API Win32 lors de l'exécution d'un processus, il est recommandé de détruire un mutex avant de quitter le processus. Bien que ceci ait lieu de façon automatique lors de la destruction du processus, c'est une bonne habitude à prendre que de désallouer de façon explicite les objets n'ayant plus d'utilité. Il existe pour cela une API générale pour détruire tous les types d'objets : *CloseHandle()*. Elle prend pour unique argument le handle de l'objet à détruire et retourne TRUE en cas de désallocation réussie.

```
BOOL CloseHandle(
    HANDLE hObject      //handle de l'objet
    );
```

Attention, interblocage !

Les mutex constituent un moyen simple et agréable de résoudre les situations de contention. Mais leur utilisation n'est pas sans danger, en particulier lorsque l'on gère plusieurs mutex dans une application et que plusieurs threads tentent à tour de rôle d'entrer en leur possession.

Imaginons le scénario suivant: votre programme est constitué de deux threads T1 et T2. Pour coordonner l'accès aux différentes ressources on implémente deux mutex M1 et M2. T1 commence par acquérir M1 et T2 acquiert M2. Avant même de relâcher M1, T1 tente de s'approprier M2, T2 tentant de faire de même avec M1. De cette situation à première vue inoffensive surgit un cas classique de blocage; une situation dans laquelle chacun des deux threads attend l'autre et se trouve bloqué. Si l'un des threads libérait son mutex, par exemple T1 libère M1, alors tout rentrerait dans l'ordre.

Cet exemple peut paraître un cas d'école mais le problème de l'interblocage se pose régulièrement lorsque l'on programme avec des threads. Et cela concerne aussi bien l'utilisation des mutex que des sémaphores ou des sections critiques.

Une telle situation de blocage résulte toujours d'une erreur de conception et peut en général, lorsqu'elle est révélée lors des premiers essais d'un programme, être rapidement résolue.

41.5.4.   Sections critiques

Le domaine d'application des sections critiques est proche de celui des mutex. Une section critique n'est pas un objet, n'est pas référencée par un handle et ne peut pas être utilisée avec les fonctions Wait. Elle constitue néanmoins un mécanisme rapide et efficace lorsque l'on veut éviter qu'un fragment de code ne soit parcouru simultanément par plusieurs threads. Contrairement aux mutex qui peuvent agir entre plusieurs processus, la portée d'une section critique est limitée au processus courant.

Un thread voulant exécuter du code situé dans une section critique est bloqué jusqu'à ce que tous les autres threads aient quitté cette séquence de code. Il peut y avoir un nombre arbitraire de sections critiques au sein d'un programme. Si cela est jugé nécessaire, il est possible de protéger des segments de codes situés à différents endroits du programme avec une même section critique, réservant par là même leur accès à un seul thread. Ceci n'est donc intéressant que lorsque ces fragments de programme forment un tout logique et accèdent à des ressources communes qui doivent être protégées contre les accès multiples. En revanche il est préférable d'attribuer des sections critiques distinctes à des fragments de programme utilisant des ressources distinctes. Les fonctions API de gestion des sections critiques sont les suivantes :

Fonction	Description
InitializeCriticalSection()	Initialise la variable CRITICAL_SECTION.
EnterCriticalSection()	Donne l'accès exclusif au fragment de code de la section critique.
LeaveCriticalSection()	Libère l'accès à la section critique.
DeleteCriticalSection()	Détruit la section critique.

Une section critique n'est pas créée au moyen d'une fonction API, elle doit être mise en place par l'application sous la forme d'une variable globale de type *CRITICAL_SECTION*. Avant la première exécution de la section critique, celle-ci doit être initialisée au moyen de la fonction *InitializeCriticalSection()*. Cette opération est effectuée une seule fois, idéalement en tout début de programme. La fonction attend en paramètre un pointeur vers la variable CRITICAL_SECTION.

```
VOID InitializeCriticalSection(
    LPCRITICAL_SECTION  lpCriticalSection          //pointeur vers la variable de section critique
  );
```

Le fragment de code en section critique est délimité par les fonctions *EnterCriticalSection()*, qui en signale le début et *LeaveCriticalSection()* qui en signale la fin.

```
VOID EnterCriticalSection(
    LPCRITICAL_SECTION  lpCriticalSection          //pointeur vers la variable de section critique
  );
```

```
VOID LeaveCriticalSection(
    LPCRITICAL_SECTION  lpCriticalSection          //pointeur vers la variable de section critique
  );
```

Les deux fonctions attendent en paramètre un pointeur vers la variable de section critique concernée.

L'exemple suivant reprend les fonctions *RpGetMessage()* et *RpPutMessage()*, la protection étant cette fois assurée par des sections critiques à la place des mutex.

```
#include <windows.h>
//— Variables globales ————————————
CRITICAL_SECTION g_CritSecRpPut;      //section critique pour RpPutMessage
CRITICAL_SECTION g_CritSecRpGet;      //section critique pour RpGetMessage
typedef LONG MES;                     //éléments du tampon
#define TAILLE_TAMPON 512             //taille du tampon
MES g_Tampon[TAILLE_TAMPON];          //tampon circulaire
int g_iRpFirst, g_iRpLast;            //index pour PUT et GET
//— Fonction d'amorce ————————————
int WINAPI WinMain(HINSTANCE hInstance,
                   HINSTANCE hPrevInstance,
                   LPSTR     lpszCmdLine,
                   int       nCmdShow)
{
  //Initialiser les sections critiques
  InitializeCriticalSection(&g_CritSecRpPut);
  InitializeCriticalSection(&g_CritSecRpGet);
  g_iRpFirst = g_iRpLast = 0;         //tampon initialement vide
  ...
  //Ici on crée des threads dont certains écrivent dans le tampon via
  //RpPutMessage() et d'autres y lisent via RpGetMessage()
  ...
  DeleteCriticalSection(&g_CritSecRpPut);  //détruire les sections critiques
  DeleteCriticalSection(&g_CritSecRpGet);
  return 0;
}
//— RpPutMessage() dépose un message dans le tampon ————————
BOOL RpPutMessage(MES m)
{
  BOOL bRetVal;
  EnterCriticalSection(&g_CritSecRpPut);   //début de la section critique
  if(g_iRpFirst != (g_iRpLast + 1) % TAILLE_TAMPON)
  {
    //il reste de la place dans le tampon
    g_Tampon[g_iRpLast] = m;
    if(++g_iRpLast == TAILLE_TAMPON) g_iRpLast = 0;
    bRetVal = TRUE;
  }
  else bRetVal = FALSE;
  LeaveCriticalSection(&g_CritSecRpPut);   //fin de la section critique
  return bRetVal;
}
//— RpGetMessage() lit le prochain message dans le tampon ————————
MES RpGetMessage(void)
{
  MES m;

  EnterCriticalSection(&g_CritSecRpGet);   //début de la section critique
  if(g_iRpFirst != g_iRpLast)
  {
    //il y a au moins un élément à lire
    m = g_Tampon[g_iRpFirst];
```

```
    if(++g_iRpFirst == TAILLE_TAMPON) g_iRpFirst = 0;
  }
  else
    // si le tampon est vide retourner -1
    m = -1L;
  LeaveCriticalSection(&g_CritSecRpGet);          //fin de la section critique
  return m;
}
```

Lorsqu'une section critique n'est plus utilisée on peut la détruire en appelant *DeleteCriticalSection()*, ainsi que la variable *CRITICAL_SECTION* associée.

```
VOID DeleteCriticalSection(
    LPCRITICAL_SECTION  lpCriticalSection          //pointeur vers la variable de section critique
  );
```

Et comme une section critique ne correspond pas à un objet système, mais est juste référencée par une variable globale, il n'y a pas lieu d'y appliquer la fonction *CloseHandle()* avant de quitter l'application. La variable disparaît simplement comme toutes les autres variables globales.

41.5.5. Les sémaphores

Le sémaphore est une extension du mutex. Tout comme le mutex, le sémaphore sert à restreindre l'accès à une ressource mais il ne limite pas l'accès à un seul thread. Le nombre de threads ayant accès simultanément à un sémaphore est défini à la création de celui-ci. Prenons l'exemple d'un serveur de communication au sein d'un réseau, capable de piloter 5 modems. Pour empêcher qu'il n'y ait plus de 5 threads en train de tenter de communiquer avec les modems on peut employer un sémaphore limité à 5 accès.

Tant que tous les 5 modems ne sont pas alloués, toute demande sera satisfaite. Au delà, les threads demandeurs sont bloqués jusqu'à ce qu'un des threads en possession du sémaphore ne le relâche.

Chaque sémaphore implémente un compteur qui suit le nombre d'utilisateurs. En fonction de la valeur de ce compteur la fonction de Wait décide ou non d'accorder l'accès au demandeur. Les API Win32 disponibles à ce propos sont :

Fonction	Description
CreateSemaphore()	Crée un nouveau sémaphore ou ouvre un sémaphore existant.
OpenSemaphore()	Fournit le handle d'un sémaphore existant.
ReleaseSemaphore()	Rend le contrôle du sémaphore.
Wait...	Demande l'obtention d'un sémaphore.
CloseHandle()	Détruit un sémaphore.

Un sémaphore est créé via l'API *CreateSemaphore()*. Comme pour les mutex, si le sémaphore est destiné à être utilisé exclusivement dans le processus courant on peut ignorer le premier et le dernier argument en leur donnant la valeur NULL.

```
HANDLE CreateSemaphore(
    LPSECURITY_ATTRIBUTES  lpSemaphoreAttributes,   //Win95: NULL
    LONG                   lInitialCount,           //valeur initiale du compteur
    LONG                   lMaximumCount,           //valeur maximale du compteur
    LPCTSTR                lpName                   //pointe vers le nom du sémaphore
  );
```

Les deux paramètres *lInitialCount* et *lMaximumCount* déterminent les valeurs initiales et maximales du compteur du sémaphore. On définit ainsi le nombre maximal d'utilisateurs du sémaphore et la valeur avec laquelle ce compteur est initialisé à la création du sémaphore.

Le compteur démarre avec la valeur *lInitialCount*. A chaque fois qu'un appelant d'une fonction Wait s'approprie le sémaphore, le compteur est décrémenté de 1. Lorsqu'il arrive à 0 le nombre maximum d'utilisateurs est atteint et les prochains threads à faire une demande au sémaphore sont bloqués. Lorsqu'un thread en possession du sémaphore le libère en appelant l'API *ReleaseSemaphore()*, le compteur est incrémenté de 1. Si le compteur devient alors supérieur à 0, le thread demandeur obtient le sémaphore et peut poursuivre son exécution. On retiendra donc :

Un sémaphore est signalé lorsque son compteur est supérieur à 0. Il est non signalé lorsque le compteur atteint la valeur 0.

Si on souhaite autoriser 10 appelants à prendre simultanément possession d'un sémaphore, alors on affecte la valeur 10 au paramètre *lMaximumCount* au moment de sa création avec *CreateSemaphore()*. Pour que le sémaphore ne se trouve initialement en possession d'aucun appelant, on initialise le paramètre *lInitialCount* avec la valeur 10. Inversement si on initialise *lInitialCount* avec 0, le sémaphore sera complètement réservé et aucun intervenant ne peut l'acquérir tant que la fonction *ReleaseSemaphore()* n'est pas appelée.

Les sémaphores constituent la généralisation des mutex : un mutex est simplement un sémaphore avec une valeur maximale de 1. Il existe toutefois une petite différence : alors qu'un mutex ne peut être libéré que par le thread qui l'a créé, le sémaphore quant-à lui peut être libéré par n'importe quel thread, il suffit d'appeler l'API *ReleaseSemaphore()* avec comme paramètre le handle du sémaphore.

A la fin de ce chapitre nous verrons un exemple où cette subtilité est déterminante dans le choix du sémaphore.

```
BOOL ReleaseSemaphore(
    HANDLE  hSemaphore,         //handle du sémaphore à libérer
    LONG    cReleaseCount,      //valeur à ajouter au compteur
    LPLONG  lplPreviousCount    //pointeur vers compteur courant
);
```

Le premier argument de cette fonction est le handle du sémaphore à libérer. Le deuxième paramètre définit la valeur utilisée pour incrémenter le compteur. En général cette valeur est 1 mais il peut y avoir des cas où l'on souhaite libérer plusieurs fois le sémaphore en un seul appel. Il importe que le compteur ne dépasse pas la valeur maximale définie lors de sa création. Une tentative allant dans ce sens se solderait par un échec et la fonction *ReleaseSemaphore()* retournerait la valeur FALSE.

Le troisième paramètre permet de déterminer la valeur du compteur avant l'appel. Il s'agit d'un pointeur vers une variable de type LONG dans laquelle la fonction dépose la valeur. Si on ne souhaite pas en faire usage il suffit de passer un pointeur nul.

Grâce à ce paramètre, la fonction *ReleaseSemaphore()* peut servir à déterminer l'état du sémaphore : en indiquant 0 pour le paramètre *cReleaseCount* la fonction retourne la valeur du compteur sans toucher au sémaphore.

Le fragment de code suivant présente une macro permettant de déterminer l'état d'un sémaphore.

```
#define GET_SEMAPHORE_COUNT(s,v) ReleaseSemaphore(s, 0, &(v))
HANDLE h;
LONG   ComptCour;
h = CreateSemaphore(NULL, 10, 10, NULL);
GET_SEMAPHORE_COUNT(h, ComptCour);
printf("Valeur courante du compteur: %ld\n", ComptCour);
```

Un sémaphore existant peut être ouvert depuis un autre processus via la fonction *OpenSemaphore()*. Le domaine d'application de cette fonction est discuté dans la section "Synchronisation entre processus".

```
HANDLE OpenSemaphore(
    DWORD    fdwAccess,       //type d'accès
    BOOL     fInherit,        //si TRUE alors le handle est héritable
    LPCTSTR  lpszSemName      //pointeur vers le nom du sémaphore
    );
```

La fonction *CloseHandle()* permet de détruire un sémaphore (ainsi qu'un mutex, etc...).

```
BOOL CloseHandle(
    HANDLE hObject            //handle de l'objet
    );
```

Les sémaphores pour la protection contre le débordement

Revenons une dernière fois à notre exemple du tampon circulaire. Les sémaphores peuvent être utilisés pour contrôler l'exécution des fonctions *RpPutMessage()* et *RpGetMessage()* en en bloquant l'exécution lorsque :

○ le tampon est plein lors de l'appel de *RpPutMessage()*,
○ le tampon est vide lors de l'appel de *RpGetMessage()*.

On ne s'était pas préoccupé de ces problèmes dans les exemples précédents car le but de la démonstration était ailleurs. En pratique il faut pourtant prévoir ces situations et réagir en conséquence. On pourrait faire des vérifications dans le code au moyen de structures de type *if* et retourner le cas échéant un code d'erreur. Par contre, si on souhaite suspendre l'exécution de la fonction jusqu'à ce qu'il y ait à nouveau de la place dans le tampon (fonction *RpPutMessage()*), ou jusqu'à ce qu'il y ait à nouveau un message à lire (fonction *RpGetMessage()*), alors on se servira avantageusement de sémaphores.

Nous allons donc implémenter un sémaphore pour chacune des fonctions *RpPutMessage()* et *RpGetMessage()*. *g_hSemRpPut* matérialise le nombre d'éléments libres dans le tampon, on l'initialise donc avec la taille du tampon. *g_hSemRpGet* représente le nombre d'éléments restant à lire, on l'initialise donc avec 0.

```
#include <Windows.H>
//— Types et constantes —————————
typedef LONG MES;                    //éléments du tampon
#define TAILLE_TAMPON 512            //taille du tampon
//— Variables globales ————————————
CRITICAL_SECTION g_CritSecRpPut;     //section critique pour RpPutMessage
CRITICAL_SECTION g_CritSecRpGet;     //section critique pour RpGetMessage
HANDLE g_hSemRpPut;                  //sémaphore pour RpPutMessage
```

```
HANDLE g_hSemRpGet;                     //sémaphore pour RpGetMessage
LONG lTimeOut = 10000L;                 //timeout après 10 secondes
MES g_Tampon[TAILLE_TAMPON];            //tampon circulaire
int g_iRpFirst, g_iRpLast;              //index pour PUT et GET
//— fonction d'amorce ——————————————
int WINAPI WinMain(HINSTANCE hInstance,
                   HINSTANCE hPrevInstance,
                   LPSTR     lpszCmdLine,
                   int       nCmdShow)
{
  int i;
  //Initialiser les sections critiques
  InitializeCriticalSection(&g_CritSecRpPut);
  InitializeCriticalSection(&g_CritSecRpGet);
  //Créer le sémaphore pour l'écriture
  g_hSemRpPut = CreateSemaphore(NULL, TAILLE_TAMPON, TAILLE_TAMPON, NULL);
  //Créer le sémaphore pour la lecture
  g_hSemRpGet = CreateSemaphore(NULL, 0, TAILLE_TAMPON, NULL);
  g_iRpFirst = g_iRpLast = 0;           //tampon initialement vide
  ...
  //Ici on crée des threads dont certains écrivent dans le tampon via
  //RpPutMessage() et d'autres y lisent via RpGetMessage()
  ...
  CloseHandle(g_hSemRpPut);             //détruire les sémaphores
  CloseHandle(g_hSemRpGet);
  DeleteCriticalSection(&g_CritSecRpPut);   //libérer les deux
  DeleteCriticalSection(&g_CritSecRpGet);   //sections critiques
  return 0;
}
//— RpPutMessage() dépose un message dans le tampon ——————————
void RpPutMessage(MES m)
{
  //Attendre qu'il y ait de la place dans le tampon
  WaitForSingleObject(g_hSemRpPut, INFINITE);
  //Il reste de la place, début de la section critique
  EnterCriticalSection(&g_CritSecRpPut);
  //écrire dans le tampon
  g_Tampon[g_iRpLast] = m;
  if(++g_iRpLast == TAILLE_TAMPON) g_iRpLast = 0;
  //Incrémenter le sémaphore (nouvel élément disponible)
  ReleaseSemaphore(g_hSemRpGet, 1, NULL);
  //Fin de la section critique
  LeaveCriticalSection(&g_CritSecRpPut);
}
//— RpGetMessage() lit le prochain message dans le tampon ————————
MES RpGetMessage(void)
{
  MES m;
  //Attendre qu'il y ait un message dans le tampon
  WaitForSingleObject(g_hSemRpGet, INFINITE);
  //Il y a un message, début de la section critique
  EnterCriticalSection(&g_CritSecRpGet);
  //Lecture dans le tampon
  m = g_Tampon[g_iRpFirst];
  if(++g_iRpFirst == TAILLE_TAMPON) g_iRpNext = 0;
```

```
//Incrémenter le sémaphore
ReleaseSemaphore(g_hSemRpPut, 1, NULL);
//Fin de la section critique
LeaveCriticalSection(&g_CritSecRpGet);
return m;
}
```

La première instruction de *RpPutMessage()*, à savoir :

```
RpPutMessage():
//Attendre qu'il y ait de la place dans le tampon
WaitForSingleObject(g_hSemRpPut, INFINTE);
```

garantit que l'appelant ne pourra exécuter la fonction que lorsque *g_hSemRpPut* est supérieur à 0, c.à.d. qu'il reste au moins une place libre dans le tampon. Après le retour de la fonction Wait, le compteur interne est décrémenté et l'on constate par la valeur retournée qu'il reste une place de moins dans le sémaphore.

A l'inverse, le compteur de *g_hSemRpPut* est incrémenté à chaque fois qu'un message est lu dans le tampon. Ceci a lieu dans l'avant-dernière ligne de *RpGetMessage()* :

```
RpGetMessage():
//Incrémenter le sémaphore
ReleaseSemaphore(g_hSemRpPut, 1, NULL);
```

Le sémaphore *g_hSemRpGet* fonctionne exactement à l'inverse. La fonction *RpGetMessage()* commence par tenter de s'approprier le sémaphore.

```
RpGetMessage():
//Attendre qu'il y ait un message dans le tampon
WaitForSingleObject(g_hSemRpGet, INIFINTE);
```

Si le tampon est vide alors le compteur du sémaphore *g_hSemRpGet* vaut 0 et le thread appelant est bloqué jusqu'à ce qu'un autre intervenant inscrive un message dans le tampon. C'est pourquoi on relâche ce sémaphore à la fin de la fonction *RpPutMessage()*.

```
RpPutMessage():
//Incrémenter le sémaphore
ReleaseSemaphore(g_hSemRpGet, 1, NULL);
```

Il est important que l'appel à *ReleaseSemaphore()* soit effectué seulement une fois que *RpPutMessage()* a effectivement écrit la donné dans le tampon et mis à jour l'index.

On constate que malgré la présence des sémaphores dans les deux fonctions de lecture et d'écriture, celles-ci comportent toujours des sections critiques pour garantir l'exclusion mutuelle de l'accès au code critique, nos sémaphores n'ayant pas été destinés à cet usage.

Nous avons là une méthode élégante pour surveiller le débordement du tampon, puisqu'elle économise les ressources du processeur en évitant un bouclage sur un test en cas de tampon vide ou plein. En plus, elle ne demande en tout que 4 lignes de code.

41.5.6. Les événements

Un événement permet de réveiller un où plusieurs threads. Un événement permet à un thread de piloter l'exécution d'un autre thread, par exemple un thread d'arrière plan qui ne doit démarrer le calcul sur les données qu'une fois que le thread de premier plan les ait rangés en mémoire.

Pour ce faire le thread de premier plan commence par créer un objet événement avec l'API *CreateEvent()* et range le handle obtenu dans une variable globale. Il démarre ensuite le thread d'arrière plan. Celui-ci se met en attente sur l'événement grâce à une fonction Wait et au handle trouvé dans la variable globale. Cet événement peut être déclenché au moyen des API *SetEvent()* ou *PulseEvent()*.

L'avantage de cette méthode sur la technique de boucle illustrée par le programme suivant est qu'elle ne consomme pas de temps processeur.

```
#include <Windows.H>
//— Variables globales ──────────────────
BOOL bGo;           //communique au thread de fond qu'il peut démarrer
//— Thread d'arrière plan ──────────────
DWORD WINAPI Calcul(LPVOID lpParms)
{
  while(!bGo);      //attendre que bGO passe à TRUE
  ...
  //C'est parti
  ...
  return 0;
}
//— Fonction d'amorce ──────────────────
int WINAPI WinMain(HINSTANCE hInstance,
                   HINSTANCE hPrevInstance,
                   LPSTR     lpszCmdLine,
                   int       nCmdShow)
{
  HANDLE hThread;
  DWORD dwThreadId;
  bGo = FALSE;      //empêcher le démarrage du thread d'arrière plan
  hThread = CreateThread(NULL, OL, Calcul, NULL, OL, &dwThreadId);
  ...
  //saisie des données que le thread de fond doit traiter
  ...

  bGo = TRUE;       //autoriser le thread de fond à traiter les données
  ...
  ...
  ...
  WaitForSingleObject(hThread, INFINITE);  //attendre la fin du thread
  CloseHandle(hThread);                    //détruire le thread
  return 0;
}
```

Si en revanche on se sert d'un objet événement sur lequel le thread d'arrière plan attend un signal, alors ce thread est ignoré par l'ordonnanceur pendant l'attente et ne consomme plus du tout de cycles processeur.

```
#include <Windows.H>
//— Variables globales ──────────────────
HANDLE g_hEventGo;  //handle de l'événement GO
//— Thread d'arrière plan ──────────────
DWORD WINAPI Calcul(LPVOID lpParms)
{
  //Attendre le signal de l'occurence de l'événement GO
  WaitForSingleObject(g_hEventGo, INFINITE);
```

```
...
//C'est parti
...
    return 0;
}
//- Fonction d'amorce ─────────────────────
int WINAPI WinMain(HINSTANCE hInstance,
                   HINSTANCE hPrevInstance,
                   LPSTR     lpszCmdLine,
                   int       nCmdShow)
{
    HANDLE hThread;
    DWORD  dwThreadId;
    //Créer un évènement Go auto-reset en non signalé
    g_hEventGo = CreateEvent(NULL,
                             FALSE,   //évènement auto-reset
                             FALSE,   //non signalé
                             NULL);

    hThread = CreateThread(NULL, OL, Calcul, NULL, OL, &dwThreadId);
    ...
    //Saisie des données que le thread de fond doit traiter
    ...

    //Signaler l'évènement pour démarrer le thread d'arrière plan
    SetEvent(g_hEventGo);
    WaitForSingleObject(hThread, INFINITE);  //attendre la fin du thread
    CloseHandle(hThread);                    //détruire les objets
    CloseHandle(g_hEventGo);
    return 0;
}
```

Voici un aperçu des API que Win32 propose pour la manipulation des événements :

Fonction	Description
CreateEvent()	Crée un nouvel événement ou ouvre un événement existant.
OpenEvent()	Fournit le handle d'un événement existant.
SetEvent()	Signale l'occurence de l'événement (état signalé).
ResetEvent()	Place l'événement dans l'état non signalé.
PulseEvent()	Génère un signal de courte durée sur l'événement.
Wait...	Attend le signal d'un événement.
CloseHandle()	Détruit l'événement.

On crée un événement avec la fonction *CreateEvent()* dont les premier et dernier arguments peuvent être ignorés (NULL) si l'utilisation de l'événement reste confinée dans le processus courant.

```
HANDLE CreateEvent(
    LPSECURITY_ATTRIBUTES lpEventAttributes,   //Win95: NULL
    BOOL                  bManualReset,        //reset automatique ou manuel ?
    BOOL                  bInitialState,       //état initial de l'évènement
    LPCTSTR               lpName               //pointeur vers le nom de l'évènement
    );
```

Le paramètre *bManualReset* définit le type de l'événement. Il en existe deux sortes dans l'API Win32 : les événements à reset automatique (*bManualReset* = FALSE) et les événements à reset manuel (*bManualReset* = TRUE). La différence se manifeste lorsqu'un thread appelle la fonction *SetEvent()* sur un événement non signalé. Un événement à reset manuel reste dans l'état signalé jusqu'à une mise au repos explicite par la fonction *ResetEvent()* et tous les threads en attente de ce signal sont débloqués. Un événement à reset automatique repasse dans l'état non signalé dès que le signal est intercepté par un thread au moyen d'une fonction Wait.

Le paramètre *bInitialState* définit l'état de l'événement à sa création (signalé si TRUE, non signalé si FALSE).

OpenEvent() permet d'obtenir un handle sur un événement existant déjà.

```
HANDLE OpenEvent(
    DWORD   fdwAccess,       //type d'accès
    BOOL    fInherit,        //si TRUE alors le handle est héritable
    LPCTSTR lpszEventName     //pointeur vers le nom de l'événement
    );
```

Les fonctions *SetEvent()* et *ResetEvent()* permettent de signaler et d'annuler une occurence de l'événement. Ces fonctions retournent FALSE en cas d'échec, le type d'erreur pouvant être déterminé à l'aide de la fonction *GetLastError()*. En général cela signifie que le handle transmis est invalide.

```
BOOL SetEvent(
    HANDLE hEvent        //handle de l'objet événement
    );
```

```
BOOL ResetEvent(
    HANDLE hEvent        //handle de l'objet événement
    );
```

La fonction *PulseEvent()* est une combinaison de *SetEvent()* et *ResetEvent()*. Le signal de l'événement est activé pour être désactivé immédiatement après. Dans le cas d'un événement à reset manuel, tous les threads en attente sur une fonction Wait sont débloqués. Dans le cas d'un événement à reset automatique un seul thread est débloqué avant que le signal ne repasse au repos.

```
BOOL PulseEvent(
    HANDLE hEvent        //handle de l'objet événement
    );
```

La fonction *CloseHandle()* permet de détruire un événement (ainsi qu'un mutex, un sémaphore, etc...). Si le handle passé en paramètre est invalide alors la fonction retourne FALSE.

```
BOOL CloseHandle(
    HANDLE hObject       //handle de l'objet événement
    );
```

41.5.7. Accès verrouillé à une variable

Il est possible de se servir d'un mot de 32 bits manipulé par plusieurs threads selon une séquence atomique ou verrouillée (interlocked) pour la synchronisation d'un programme. Nombre d'algorithmes de synchronisation sont basés sur la gestion commune d'une variable que les threads peuvent mettre à jour. La mise à jour consiste à lire la variable, en déduire sa nouvelle valeur et écrire cette valeur dans la variable. Si le thread est préempté entre la lecture et l'écriture par un thread écrivant également dans cette variable, alors tout le principe se casse la figure. Il faut donc que la lecture suivie de l'écriture soient effectuées dans une séquence indivisible de code. Pour éviter d'avoir à créer explicitement une section critique autour de la mise à jour de ce genre de variables, l'API Win32 propose trois fonctions pour la manipulation atomique de variables. Des fonctions similaires sont utilisées en interne par le noyau pour la manipulation des mutex et des sémaphores.

Fonction	Description
InterlockedDecrement()	Décrémente un mot de 32 bits utilisé par plusieurs threads.
InterlockedIncrement()	Incrémente un mot de 32 bits utilisé par plusieurs threads.
InterlockedExchange()	Affecte une nouvelle valeur à un mot de 32 bits utilisé par plusieurs threads.

Les deux premières fonctions ajoutent ou retirent 1 au mot de 32 bits puis comparent le résultat à 0. Elles attendent en argument un pointeur vers le mot à modifier. Selon la valeur résultante, elles retournent 0 (le résultat est 0), une valeur négative (le résultat est négatif) ou une valeur positive (le résultat est positif).

```
LONG InterlockedDecrement(
    LPLONG  lpAddend           //pointeur vers la variable à décrémenter
  );
```

```
LONG InterlockedIncrement(
    LPLONG  lpAddend           //pointeur vers la variable à incrémenter
  );
```

Il est également possible d'affecter directement une valeur à la variable en appelant l'API *InterlockedExchange()*. On lui passe en paramètre l'adresse de la variable à modifier ainsi que la nouvelle valeur. La fonction retourne la valeur précédente de la variable.

```
LONG InterlockedExchange(
    LPLONG  Target,            //pointeur de la variable à modifier
    LONG    Value              //nouvelle valeur
  );
```

41.5.8.   Processus et threads utilisés comme objets de synchronisation

Il est tout à fait possible de se servir de processus et de threads à des fins de synchronisation en conjonction avec les fonctions Wait : lorsqu'un thread attend qu'un autre thread ou processus ait terminé son exécution, à la manière d'un événement ayant la signification "j'ai fini mon travail".

On considère qu'un thread ou processus est signalé lorsqu'il a terminé son exécution et qu'il est non signalé en cours d'exécution (y compris lorsqu'il est suspendu ou bloqué en attente d'un signal). Ainsi l'appel à...

```
WaitForSingleObject(hThread, INFINITE);
```

... bloque l'appelant jusqu'à ce que le thread dont on a passé le handle termine son exécution. De la même manière il est possible de passer en paramètre un handle de processus. Le rôle du second paramètre (*INFINITE*) sera expliqué un peu plus loin.

41.5.9. Les fonctions de synchronisation

Dans ce qui a précédé nous avons beaucoup parlé des fonctions Wait, mais n'avons vu pour l'instant que l'API *WaitForSingleObject()*. Cette fonction, qui prend en paramètre un handle d'objet de synchronisation, est l'une des nombreuses fonctions de synchronisation. Avant de les examiner de plus près, voici une liste de tous les objets pouvant servir à alimenter ce type de fonctions.

Objet	Signal de synchronisation
Notification de changement	Est signalée lorsqu'un changement apparaît dans un répertoire ou ses sous répertoires.
Entrée console	Est signalée lorsque le tampon d'entrée contient des données non traitées.
Evénement	Est signalé par les fonctions *SetEvent()* et *PulseEvent()*.
Mutex	Est signalé lorsqu'il n'est pas détenu par un autre thread.
Sémaphore	Est signalé tant que son compteur n'est pas descendu à 0, c.à.d. que le sémaphore peut encore être attribué à d'autre(s) appelant(s).
Processus	Est signalé lorsqu'il se termine.
Thread	Est signalé lorsqu'il se termine.

On distingue deux types de fonctions Wait : celles qui attendent sur un seul objet et celles qui attendent sur plusieurs objets. Pour chaque type il existe deux variantes de l'API Win32 : une version standard et une version étendue pour les E/S asynchrones.

Fonction	Description
WaitForSingleObject()	Attend que l'objet déterminé passe à l'état signalé où qu'il y ait dépassement de temps limite.
WaitForSingleObjectEx()	Idem, mais peut également réagir à la fin d'une opération d'E/S asynchrone.
WaitForMultipleObjects()	Suspend l'exécution du thread courant jusqu'à ce qu'un ou plusieurs objets de synchronisation passent à l'état signalé.
WaitForMultipleObjectsEx()	Idem, mais peut également réagir à la fin d'une opération d'E/S asynchrone.
MsgWaitForMultipleObjects()	Attend la disponibilité d'un ou plusieurs objets de synchronisation, la présence de données en entrée ou le dépassement du temps limite.

La fonction *WaitForSingleObject()* constitue la forme la plus simple de fonction de synchronisation. Elle place l'appelant en attente jusqu'à ce que l'objet spécifié soit signalé où qu'une limite de temps (time-out) soit dépassée. Si au moment de l'appel l'objet est déjà signalé, le retour se fait alors immédiatement.

```
DWORD WaitForSingleObject(
    HANDLE  hObject,            //handle de l'objet
    DWORD   dwTimeout           //délai maximal d'attente en millisecondes
    );
```

Le paramètre *dwTimeout* définit un délai d'attente. Si durant cette période l'objet n'est pas signalé alors la fonction rend la main à l'appelant. Il est possible de spécifier une attente sans limite de temps en donnant à ce paramètre la valeur *INFINITE*.

L'utilisation de délais d'attente permet d'assouplir une application pour ne pas faire attendre trop longtemps l'utilisateur. Si nous reprenons l'exemple du serveur de modem avec ses sémaphores, il se peut que selon le type de transfert en cours, le délai de libération d'un modem puisse être assez long. Pour améliorer la convivialité du programme, il est conseillé de rendre la main à l'utilisateur au bout de quelques secondes, ne serait-ce que pour afficher un message à l'écran expliquant la situation, quitte à relancer régulièrement l'attente sur le sémaphore.

La valeur renvoyée par la fonction *WaitForSingleObject()* permet de déterminer si l'objet a été signalé (la fonction renvoie *WAIT_OBJECT_0*) ou si l'on se trouve en présence d'un dépassement de délai d'attente (la fonction renvoie *WAIT_TIMEOUT*).

Dans le cas d'une attente sur un mutex la fonction peut également retourner *WAIT_ABANDONNED*, ce qui se produit lorsque le thread détenant le mutex a terminé son exécution sans le libérer. Le mutex passe alors sous le contrôle de l'appelant mais la présence de cette valeur de retour peut laisser supposer un fonctionnement erratique du programme (un thread est sensé libérer explicitement un mutex avant de quitter).

```
DWORD WaitForSingleObjectEx(
    HANDLE  hObject,            //handle de l'objet
    DWORD   dwTimeout           //délai maximal d'attente en millisecondes
    BOOL    fAlertable          //si TRUE alors retourner immédiatement
    );                          //après la fin d'une opération d'E/S asynchrone
```

La fonction *WaitForSingleObjectEx()* fonctionne exactement comme *WaitForSingleObject()* avec la différence qu'elle attend un paramètre supplémentaire, *fAlertable*. Cette fonction s'applique au thread ayant lancé une requête d'E/S asynchrone avec l'une des fonctions *ReadFileEx()* ou *WriteFileEx()*. En règle générale, un tel thread veut être informé de l'achèvement de l'opération d'E/S, même si à ce moment il se trouve en attente sur un objet de synchronisation. En donnant la valeur TRUE à *fAlertable*, on autorise un retour prématuré de la fonction d'attente en cas de réponse à une requête d'E/S. Dans ce cas la valeur retournée par la fonction est *WAIT_IO_COMPLETION*. On se reportera également au chapitre concernant le système de fichiers.

Un thread peut également faire une attente simultanée sur plusieurs objets de synchronisation, grâce aux fonctions *WaitForMultipleObjects()* et *WaitForMultipleObjectsEx()*. On peut par exemple s'en servir pour attendre la terminaison de plusieurs threads. Au paramètre *fAlertable* près, les deux fonctions sont identiques.

```
DWORD WaitForMultipleObjects(
    DWORD   cObjects,           //nombre d'objets dans le tableau
    CONST   HANDLE *lphObjects, //adresse du tableau de handles
    BOOL    fWaitAll,           //si TRUE alors attendre que tous les objets soient signalés
    DWORD   dwTimeout           //délai maximal d'attente en millisecondes
    );
```

```
DWORD WaitForMultipleObjectsEx(
    DWORD   cObjects,           //nombre d'objets dans le tableau
    CONST   HANDLE *lphObjects, //adresse du tableau de handles
    BOOL    fWaitAll,           //si TRUE alors attendre que tous les objets soient signalés
    DWORD   dwTimeout           //délai maximal d'attente en millisecondes
    BOOL    fAlertable          //si TRUE alors retourner immédiatement
    );                          //après la fin d'une opération d'E/S asynchrone
```

Le paramètre *cObjects* définit le nombre d'objets de synchronisation sur lesquels se porte l'attente. Les handles de ces objets sont placés dans un tableau par l'appelant, lequel fournit un pointeur vers ce tableau via le paramètre *lphObjects*. Lorsque le paramètre *fWaitAll* vaut TRUE, la fonction effectue un ET logique entre les signaux des objets et ne retourne que lorsque tous sont signalés. En y indiquant une valeur différente, la fonction rendra la main dès que un des objets référencés est signalé. Il est intéressant de préciser le comportement de la fonction en présence de mutex et de *fWaitAll*=TRUE. Les mutex spécifiés ne passent sous contrôle de l'appelant que lorsqu'ils sont tous signalés (relâchés) par leurs détenteurs. Ainsi même si un mutex est libéré, il peut être repris par un autre thread en attendant que tous les threads soient libérés. Le paramètre *dwTimeout* fonctionne comme pour les fonctions précédentes.

Le code de retour de la fonction dépend du mode d'attente. Si *fWaitAll* vaut TRUE, on obtient les mêmes résultats que pour les fonctions Wait sur objet unique :

WAIT_OBJECT_0	Tous les objets sont signalés.
WAIT_ABANDONNED_0	Tous les objets sont signalés, avec au moins un mutex signalé par la terminaison de son thread.
WAIT_TIMEOUT	Un objet n'a pas été signalé avant l'expiration du délai d'attente. Dans ce cas les mutex demandés ne passent pas sous contrôle de l'appelant.

Dans le cas où le paramètre *fWaitAll* vaut FALSE, la valeur retournée par la fonction renseigne sur le numéro de l'objet ayant été signalé et qui a donc provoqué le retour de la fonction. Mis à part le dépassement de délai d'attente (valeur renvoyée = *WAIT_TIMEOUT*), la valeur renvoyée est comprise entre *WAIT_OBJECT_0* et (*WAIT_OBJECT_0* + *cObjects* - 1). On obtient donc l'indice de l'objet dans le tableau de handles en soustrayant *WAIT_OBJECT_0* à la valeur renvoyée.

Réciproquement si l'objet signalé est un mutex, la valeur renvoyée est alors comprise entre *WAIT_ABANDONNED_0* et (*WAIT_ABANDONNED_0* + cObjects - 1). On obtient l'indice de l'objet dans le tableau de handles en soustrayant *WAIT_ABANDONNED_0* à la valeur renvoyée.

```
DWORD MsgWaitForMultipleObjects(
    DWORD      nCount,           //nombre de handles dans le tableau
    LPHANDLE   pHandles,         //adresse du tableau de handles
    BOOL       fWaitAll,         //si TRUE alors attendre que tous les objets soient signalés
    DWORD      dwTimeout,        //délai maximal d'attente en millisecondes
    DWORD      dwWakeMask        //type de message dans la file
);
```

Cette fonction est une variante de *WaitForMultipleObjects()* dont elle se distingue par la présence du paramètre *dwWakeMask*. Un peu à la manière des opérations d'E/S asynchrones pour la fonction *WaitForMultipleObjectsEx()*, ce sont ici des données en entrée qui peuvent provoquer un retour prématuré de la fonction. On l'utilise lorsqu'on souhaite réagir à la saisie de données par l'utilisateur pendant une attente sur un ou plusieurs objets de synchronisation. Le type de données qui vont provoquer le retour de la fonction est déterminé par le paramètre *dwWake-Mask*, il peut être construit à l'aide de combinaisons des constantes suivantes :

Constante	Type de messages dans la file d'attente
QS_ALLINPUT	Tout type de message.
QS_HOTKEY	Un message de type WM_HOTKEY.
QS_INPUT	Un message de type INPUT.
QS_KEY	Un des messages clavier WM_KEYUP, WM_KEYDOWN, WM_SYSKEYUP ou WM_SYSKEYDOWN.
QS_MOUSEBUTTON	Un des messages souris WM_LBUTTONUP, WM_LBUTTONDOWN, etc.
QS_MOUSEMOVE	Un message de type WM_MOUSEMOVE.
QS_PAINT	Un message de type WM_PAINT.
QS_POSTMESSAGE	Un message posté par un autre thread ou processus.
QS_SENDMESSAGE	Un message envoyé par un autre thread ou processus.
QS_TIMER	Un message de type WM_TIMER.

La valeur retournée par la fonction permet de déterminer si c'est l'arrivée d'un message qui a provoqué le retour, elle vaut dans ce cas (*WAIT_OBJECT_0* + nCount). Les autres valeurs possibles sont les mêmes que pour *WaitForMultipleObjects()*.

41.5.10. **Synchronisation entre processus**

La synchronisation de threads au sein d'un même processus est relativement simple à mettre en oeuvre. On crée l'objet de synchronisation souhaité avec une fonction *Create...()*, puis l'on range le handle obtenu dans une variable globale pour que tous les threads du processus y aient accès. Les choses se compliquent un peu lorsque la synchronisation doit franchir les limites du processus. Il existe deux moyens pour permettre à plusieurs processus d'accéder à un même objet de synchronisation :

○ la transmission par héritage entre processus père et processus fils du handle de l'objet de synchronisation, ou bien

○ une utilisation commune à l'aide d'un identifiant global à tout le système.

Ces deux méthodes sont supportées par les fonctions de création d'objets de synchronisation (*CreateMutex()*, *CreateSemaphore()* et *CreateEvent()*). Pour ces trois fonctions c'est le premier paramètre qui décide de l'héritage du handle et le dernier paramètre qui permet l'attribution d'un nom global à l'ensemble du système.

```
HANDLE CreateEvent(
    LPSECURITY_ATTRIBUTES  lpEventAttributes,    //contrôle l'héritage
    BOOL                   bManualReset,
    BOOL                   bInitialState,
    LPCTSTR                lpName                 //attribue un nom global
    );                                            //à tout le système
```

```
HANDLE CreateMutex(
    LPSECURITY_ATTRIBUTES  lpMutexAttributes,    //contrôle l'héritage
    BOOL                   bInitialOwner,
    LPCTSTR                lpName                 //attribue un nom global
    );                                            //à tout le système
```

```
HANDLE CreateSemaphore(
    LPSECURITY_ATTRIBUTES  lpSemaphoreAttributes,  //contrôle l'héritage
    LONG                   lInitialCount,
    LONG                   lMaximumCount,
    LPCTSTR                lpName                 //attribue un nom global
    );                                            //à tout le système
```

Partage d'objet par héritage

Tout comme *CreateProcess()* et *CreateThread()*, ces trois fonctions attendent comme premier paramètre un descripteur de droit d'accès. Pour limiter l'accès de l'objet au processus courant il suffit d'y affecter la valeur NULL. En revanche, pour utiliser ce paramètre il faut commencer par créer une structure de données de type *SECURITY_ATTRIBUTES* défini dans *WINBASE.H*.

```
typedef struct _SECURITY_ATTRIBUTES {
    DWORD    nLength;                    //longueur de la structure
    LPVOID   lpSecurityDescriptor;      //descripteur de droits d'accès
    BOOL     bInheritHandle;            //autoriser l'héritage ?
} SECURITY_ATTRIBUTES;
```

Le paramètre *nLength* reçoit la taille de la structure, soit *sizeof(SECURITY_ATTRIBUTES)*. Le champ *lpSecurityDescriptor* peut recevoir dans notre cas le pointeur NULL car il s'agit du descripteur de droits d'accès qui n'est pas utilisé ici. Enfin on initialisera le paramètre *bInheritHandle* avec la valeur TRUE pour en autoriser la transmission par héritage.

Notez bien que l'on ne délivre ici que l'autorisation d'héritage. La transmission du handle depuis le processus père vers le processus fils est une autre histoire. On se reportera pour cela à ce qui a été dit sur l'héritage lors de la description de la fonction *CreateProcess()*.

Partage d'objet par nom global

Si ce procédé vous paraît trop compliqué, on peut toujours se rabattre sur l'utilisation d'un nom global, connu à travers tout le système. Ce nom est créé avec l'argument *lpName*, un pointeur vers une chaîne pouvant comporter au maximum 64 caractères (tous les caractères imprimables sauf '\').

L'utilisation commune commence lorsqu'un autre processus appelle la fonction de création en spécifiant exactement le même nom (en respectant les majuscules et minuscules). Si dans ce cas l'objet référencé existe déjà, il n'y a pas de nouvelle création et la fonction renvoie un handle sur l'objet existant. A l'aide de ce handle on peut alors utiliser les fonctions de synchronisation.

Il est très important de choisir un nom d'objet univoque pour éviter tout risque de conflit avec des processus "parasités" par erreur. Les noms du genre "A", "B" ou "C" sont à proscrire, on leur préférera des désignations claires et sans équivoque du style "EvénementPourImpression-DeFichiers01" ou "MonMerveilleuxMutex".

Veillez également à ne pas répéter des noms entre les différents groupes d'objets de synchronisation. Une tentative de création d'un mutex avec le même nom qu'un sémaphore existant se soldera par un échec.

Ouverture d'un objet de synchronisation existant

Il existe un autre moyen d'acquérir le handle d'un objet existant : les API d'ouverture d'objet *Open...()*. Elle s'appliquent à un objet déjà créé par une fonction *Create...()*.

```
HANDLE OpenMutex(
    DWORD    fdwAccess,                  //type d'accès à l'objet mutex
                                         //MUTEX_ALL_ACCESS = tous les droits
    BOOL     fInherit,                   //TRUE pour autoriser l'héritage du handle
    LPCTSTR  lpszMutexName               //pointeur vers le nom du mutex
    );
```

```
HANDLE OpenSemaphore(
    DWORD     fdwAccess,              //type d'accès
                                      //SEMAPHORE_ALL_ACCESS = tous les droits
    BOOL      fInherit,               //si TRUE alors le handle est héritable
    LPCTSTR   lpszSemName             //pointeur vers le nom du sémaphore
    );
```

```
HANDLE OpenEvent(
    DWORD     fdwAccess,              //type d'accès
                                      //EVENT_ALL_ACCESS = tous les droits
    BOOL      fInherit,               //si TRUE alors le handle est héritable
    LPCTSTR   lpszEventName           //pointeur vers le nom de l'événement
    );
```

Le premier argument détermine les droits d'accès au handle obtenu. Pour pouvoir utiliser tous les mécanismes de synchronisation, on utilise les valeurs *MUTEX_ALL_ACCESS*, *SEMA-PHORE_ALL_ACCESS* ou *EVENT_ALL_ACCESS*. Le deuxième paramètre, *fInherit*, permet, lorsqu'il vaut TRUE, d'autoriser la transmission par héritage du handle à un processus fils. Le dernier argument est un pointeur vers le nom de l'objet à ouvrir.

En cas d'échec, la fonction retourne NULL, sinon elle retourne un handle sur l'objet souhaité. Ne pas oublier de libérer le handle avant de quitter le processus au moyen de *CloseHandle()*.

41.6. Exemples de programmation

41.6.1. Synchronisation entre philosophes

En guise d'illustration d'un cas d'utilisation intensive d'objets de synchronisation, nous présentons un problème décrit par E.W. Dijkstra dans les années soixante sous le titre "le dîner des philosophes" et devenu un standard dans tout ouvrage sur la programmation de systèmes d'exploitation qui se respecte. Il s'agit d'une simulation se déroulant dans la cantine d'une université imaginaire. Les professeurs de philosophie de l'université se sont assis autour d'une table ronde, au menu il y a des spaghettis. A coté de chaque assiette se trouve une fourchette. Seulement voilà, pour pouvoir manger correctement les spaghettis il faudrait une deuxième fourchette. La solution pour les convives : piquer la fourchette du voisin. C'est ainsi que les philosophes se précipitent sur les deux fourchettes : la leur et celle du voisin. Les plus rapides, donc ceux qui ont pu se saisir de deux fourchettes, commencent à manger tandis que les autres attendent que leur(s) voisin(s) se décide(nt) à reposer leur fourchette. Ce qui ne manquera pas d'arriver puisque un philosophe aura tôt fait de marquer une pose pour ce pencher sur ses pensées profondes.

Il en résulte un va et vient permanent entre les professeurs qui mangent des spaghettis avec les fourchettes des voisins et les professeurs qui attendent de pouvoir se saisir des fourchettes. Le programme DINER.C simule à l'écran un dîner de philosophes dont le nombre peut être choisi entre 2 et 20.

Les philosophes à table

Chaque professeur reçoit 100 spaghettis qu'il mange les uns après les autres. Le chemin jusqu'à l'absorption complète des spaghettis est une succession de passages par les trois actions suivantes : il mange, il pense, il est affamé.

O Il **mange** lorsqu'il a deux fourchettes en mains.
O Régulièrement le philosophe s'interrompt, il **pense**. Il pose alors sa fourchette pour s'adonner à son passe-temps favori.
O Après un certain temps de réflexion, le philosophe sort de sa léthargie et s'aperçoit qu'il n'a pas fini de manger. En attendant que ses voisins posent leur fourchette il est **affamé**.

A l'écran, l'état dans lequel se trouvent les philosophes est indiqué par un symbole au dessus de leur tête. Un point d'exclamation représente un philosophe affamé, lorsqu'il pense il a un point d'interrogation au dessus de sa tête et lorsqu'il mange c'est un "X". Près de l'assiette on aperçoit les fourchettes en possession du philosophe ainsi que le nombre de spaghettis restants.

Avant de s'intéresser à la description du programme, je vous conseille de vous exercer à le faire tourner pour en étudier le comportement. Un fichier exécutable du programme se trouve sous le nom DINER.EXE dans le CD-Rom. Le menu permet de sélectionner une table de 2 à 20 philosophes. La progression peut à tout instant être suspendue à l'aide du bouton de pause situé dans le coin supérieur gauche de la fenêtre.

Fonctionnement du programme DINER

Le fichier de projet DINER.MAK englobe les fichiers DINER.C, DINER.RC, RESOURCE.H, TURTLE32.C ainsi que TURTLE32.H. Le programme à proprement parler se trouve dans DINER.C. Au début de DINER.C on commence par définir les constantes *PENSIF*, *AFFAME* et *MANGE* pour les trois états, ainsi que deux macros *VOISIN_GAUCHE* et *VOISIN_DROITE*. Pour un professeur donné ces macros fournissent respectivement le numéro du voisin de gauche et celui du voisin de droite. Elles se servent de la variable globale *iNbrPhilosophes* dans laquelle est rangée le nombre de philosophes tel que spécifié par l'utilisateur. L'état des philosophes est stocké dans le tableau global *nEtat* et le nombre de spaghettis restants dans le tableau *nSpaghettis*. Le dessin des philosophes est assuré par les fonctions de TURTLE32.C déjà vues par le passé. La variable globale *TC* contient le contexte tortue courant. La fenêtre des philosophes est gérée sous forme de dialogue, le handle est stocké dans le variable *hMainDialog*.

Chaque philosophe est matérialisé par un thread. Les handles de ces threads sont rangés dans un tableau global *hThreadPhilosophes*. Chaque philosophe dispose d'un sémaphore dont le compteur peut prendre les valeurs 0 (le philosophe mange, donc le sémaphore est non signalé) ou 1 (le philosophe ne mange pas, le sémaphore est signalé). Les handles de ces sémaphores sont rangés dans le tableau *hSemIlMange*.

Durant leur exécution, les threads-philosophes modifient les états du tableau *nEtat*. Pour éviter des problèmes de contention lors de l'accès à ce tableau on a fait appel à un mutex dont le handle est rangé dans la variable globale *hMutexModifierEtat* pour que tous les threads y aient accès.

Pour terminer, deux variables globales supplémentaires sont utilisées pour gérer le bouton de pause dans le coin de la fenêtre : *bStopped* et *hMutexStartStop*. Le premier passe à TRUE lorsque l'utilisateur a activé le bouton de pause. *hMutexStartStop* contient le handle d'un mutex utilisé pour endormir tout le monde durant la pause.

La fonction d'amorce *WinMain()* met en place le dialogue (et non pas une fenêtre) d'affichage des philosophes pour ensuite se placer en attente sur la file des messages alimentant la procédure de dialogue *DialogProc()*.

A réception du message *WM_INITDIALOG*, on commence par créer le mutex de mise en veille des philosophes, puis son handle est rangé dans la variable globale *hMutexStartStop*. Ensuite on initialise le module tortue. A réception du message *WM_PAINT* on dessine tous les philosophes, pour cela chaque philosophe utilise la fonction *TracePhilosophe()*.

Lorsque la fonction de dialogue reçoit un message *WM_COMMAND* provenant d'une sélection du nombre de philosophes dans le menu, ce nombre est rangé dans la variable globale *iNbrPhilosophes*. Ensuite on élabore un nouveau tracé de la fenêtre et on poste le message *WM_DEBUTDINER*. Lorsque ce message arrive à destination les philosophes commencent par passer dans l'état *PENSIF*, ensuite ils sont tracés à l'aide de *TracePhilosophe()* et le festin peut commencer. Ensuite on crée le mutex pour le changement d'état et l'on stocke son handle dans la variable globale *hMutexModifierEtat*.

C'est maintenant seulement que l'on crée les différents philosophes, à commencer par des sémaphores avec compteur de valeur maximum 1 et initialisé à 0. Les handles de ces sémaphores sont rangés dans le tableau *global hSemIlMange*. Ensuite on crée un thread par philosophe, ayant pour fonction d'amorce *fnPhilosophe()*. Les handles de ces threads sont rangés dans le tableau *global hThreadPhilosophes*. Chaque thread reçoit son numéro en argument de la fonction *fnPhilosophe()*. Ce numéro correspond également à sa position dans les différents tableaux (*hThreadPhilosophes, nSpaghettis* et *hSemIlMange*).

Pour terminer on crée un thread via la fonction *fnMenuWakeUp()* dont nous allons voir un peu plus loin l'utilité. Regardons tout d'abord la fonction d'amorce du thread, *fnPhilosophe()*. C'est elle qui matérialise véritablement l'existence du philosophe, initialement à l'état *PENSIF*. Au cœur de la fonction *fnPhilosophe()* il y a une boucle dont on ne sort que lorsque le philosophe a mangé tous ses spaghettis, c'est à dire que l'élément du tableau *nSpaghettis* correspondant au philosophe soit arrivé à 0. A l'intérieur de cette boucle le thread commence par se suspendre avec la fonction *Sleep()*, la durée du sommeil étant déterminée aléatoirement. Pendant que le thread est suspendu, le philosophe reste dans l'état *PENSIF*. A son réveil il appelle la fonction *SaisitFourchettes()* qui essaie de lui procurer les deux fourchettes nécessaires pour manger. Au retour de la fonction, le philosophe dispose des deux fourchettes, c'est pourquoi on peut appeler la fonction *Mange()*. Au retour de *Mange()* le philosophe a mangé une partie de ses spaghettis. Il repose ses fourchettes avec la fonction *PoseFourchettes()* pour entamer une nouvelle itération de boucle s'il reste des spaghettis à manger.

Les fonctions *SaisitFourchettes()*, *Mange()* et *PoseFourchettes()* sont déterminantes, nous allons y regarder de plus près. Comme ces fonctions sont appelées par chacun des threads-philosophes, on leur passe en argument pour les distinguer le numéro du philosophe, c'est à dire un indice pour les différents tableaux.

SaisitFourchettes() veut placer son philosophe dans l'état *AFFAME* mais avant cela elle doit attendre le mutex *hMutexModifierEtat* avec la fonction *WaitForSingleObject()*. Ceci permet d'éviter les contentions entre tous les threads tentant d'accéder au tableau d'états. Une fois obtenu le contrôle du thread on place le philosophe dans l'état *AFFAME*, on appelle la fonction *TracePhilosophe()* pour le dessiner dans son nouvel état et enfin on appelle la fonction *Test()* avant de rendre le mutex à d'autres intervenants.

La fonction *Test()*, qui joue un rôle déterminant dans le va et vient des fourchettes, est appelée depuis *SaisitFourchettes()* ainsi que depuis *PoseFourchettes()*. Cette fonction regarde si le philosophe est *AFFAME* et si ses voisins n'utilisent pas leur fourchette. Si toutes ces conditions sont réunies alors le philosophe peut commencer à manger. On passe alors l'état du philosophe à *MANGE* tout en libérant son sémaphore *hSemIlMange* au moyen de la fonction *ReleaseSemaphore()*. Le sémaphore est alors signalé.

Les conséquences sur le déroulement du programme se manifestent après le retour de la fonction *SaisitFourchettes()*. Après l'obtention du mutex *hMutexModifierEtat* on redessine le philosophe via *TracePhilosophe()*, soit toujours dans l'état *AFFAME*, soit dans le nouvel état *MANGE*.

Un pas décisif est franchi à la fin de la fonction lors de l'appel de *WaitForSingleObject()* avec le handle du philosophe pris dans le tableau *hSemIlMange*. Si la fonction *Test()* a réussi à le placer dans l'état *MANGE* alors le sémaphore correspondant est libéré et donc placé dans l'état signalé. Dans ce cas la fonction *WaitForSingleObject()* rend immédiatement la main à la fonction *SaisitFourchettes()* de sorte que celle-ci peut se terminer et retourner à l'appelant. Dans le cas contraire on reste bloqué dans la fonction *SaisitFourchettes()*. Mais alors comment sortir de *SaisitFourchettes()*, comment le sémaphore du philosophe est-il signalé ?

On trouve la réponse en examinant la suite du programme, après que *SaisitFourchettes()* ait placé avec succès le philosophe dans l'état *MANGE*. La fonction retourne alors à l'appelant, la fonction *fnPhilosophe()*. Là on appelle la fonction *Mange()* qui commence par déterminer aléatoirement le nombre de spaghettis à consommer. Pour chaque nouveau spaghetti on parcourt une boucle dans laquelle on décrémente le nombre de spaghettis restants, on redessine le philosophe et on marque une courte pause (nos philosophes savent apprécier les bonnes choses de la vie). Après avoir consommé son lot de nouilles, la fonction *Mange()* retourne à son appelant, *fnPhilosophe()*. Là on appelle *PoseFourchettes()* car il est temps pour le philosophe de marquer une pause de réflexion avant de s'attaquer à une nouvelle fournée de spaghettis.

PoseFourchettes() commence par acquérir le mutex *hMutexModifierEtat* avant de changer l'état du philosophe en *PENSIF* et de le redessiner avec *TracePhilosophe()*. Ensuite on franchit le pas décisif qui répond à la question posée plus haut: comment sortir de *SaisitFourchettes()* lorsque la fonction *Test()* n'a pas obtenu les fourchettes. *PoseFourchettes()* appelle deux fois la fonction *Test()*, une fois pour le voisin de gauche et une fois pour le voisin de droite. Si le voisin de gauche (ou de droite) est affamé et si ses deux voisins ne sont pas en train de manger alors le voisin en question est placé dans l'état *MANGE* et son sémaphore est libéré (signalé).

Un thread-philosophe bloqué dans la fonction *SaisitFourchettes()* peut ainsi se voir relancé par un de ses voisins qui a appelé la fonction *Test()* dans *PoseFourchettes()*.

C'est là l'astuce du programme, car sans elle un philosophe bloqué serait incapable par lui même d'acquérir une fourchette pour recommencer à manger. Comme c'est un autre thread-philosophe qui débloque le thread en attente, il faut utiliser un sémaphore et non un mutex. En effet un mutex ne peut être libéré que par celui qui le détient, ce qui ne correspond pas à notre cas.

Ainsi, tôt ou tard tous les philosophes arrivent à manger leurs spaghettis. Lorsqu'un philosophe a fini ses spaghettis la fonction *fnPhilosophe()* se termine, terminant par là-même le thread correspondant. Ainsi peu à peu tous les threads-philosophes mettent fin à leur existence.

Ceci réveille un autre thread, créé au début de la simulation et constitué de la fonction *fnWakeUp()*. Cette fonction commence par rendre inaccessible le menu de sélection pour éviter que l'utilisateur ne s'en serve pendant la simulation. Ensuite elle attend avec *WaitForMultipleObjects()* que tous les threads-philosophes aient fini leur exécution. Pour cela elle transmet à la fonction d'attente le nombre de philosophes et un pointeur vers le tableau *hThreadPhilosophes* qui contient les handles des threads-philosophes.

Le retour de *WaitForMultipleObjects()* veut dire que tous les philosophes ont vidé leur assiette jusqu'au dernier spaghetti. On détruit alors tous les handles de threads et on libère le menu de sélection. Tout peut alors recommencer à 0...

DINER.C   **DINER.RC**   **RESOURCE.H**

42. Gestion de la mémoire virtuelle

L'espace des adresses : des perspectives infinies... Nous sommes en l'an 2 puissance 32. Le vaisseau Enterprise est toujours prisonnier dans un secteur d'adresse inconnu. Impuissants nous voyons s'évanouir peu à peu notre mémoire.

Les allocateurs arrière sont déjà détruits, ceux situés à l'avant peuvent s'effondrer à tout moment. Nous sommes entraînés dans le tourbillon d'un système d'exploitation gigantesque. L'équipage n'arrive plus à garder le contrôle des unités d'exécution. Une suspicion me vient à l'esprit: serait-ce encore un coup de HAL ?

Si Windows mérite vraiment le qualificatif de "système 32 bits", c'est surtout grâce à l'un de ses composants : la mémoire virtuelle. Sa gestion a été complètement refondue par rapport aux anciennes versions de Windows, et elle tire enfin parti des capacités des derniers processeurs d'Intel. En mettant à part les fenêtres DOS, on peut considérer maintenant que le mode réel et ses reliques sont bien morts.

La distinction ingrate entre segments et offsets, la salade de pointeurs FAR, la manipulation de segments mémoire et de registres de segments, tous ces tracas sont oubliés dans les applications Win32. Fini aussi le temps où chaque application Windows pouvait accéder à toute la mémoire, mettant en péril permanent le système d'exploitation.

Sous Windows 95 une application ne voit jamais qu'un extrait limité de la mémoire, son espace personnel. Son univers s'arrête aux frontières de cet espace de 4 Go (!) et elle ne peut accéder à aucune autre mémoire : ni par des pointeurs, ni par les commandes CALL ou INT du processeur.

Il est clair que la sécurité et la stabilité du système s'en trouvent accrues. Une application peut encore se planter elle-même mais elle ne peut plus planter les autres applications. Le noyau du système d'exploitation lui-même se trouve à l'abri des agressions.

Ce filet aux mailles serrées présente cependant quelques lacunes, la suite de cet ouvrage le montrera. Mais il s'agit de passages à ouvrir avec un pied-de-biche : un programme normal ne peut plus quitter son espace d'adressage. C'est bien là l'essentiel. Impliquer un pointeur nul, gaspiller 10 Mo en manipulant maladroitement un buffer, ce genre de fantaisies ne conduit plus au crash le nouveau système Windows.

42.1. Les principes

La gestion de la mémoire virtuelle s'articule autour de deux notions clés : le modèle de mémoire plat, et le mode protégé. Chaque application (processus) en collaboration avec le processeur et le noyau du système d'exploitation reçoit un espace d'adressage individuel de 4 Go. Ce nombre correspond exactement au nombre d'adresses que permettent de définir les registres d'adresses 32 bits des processeurs Intel 80386 et supérieurs.

Il n'est plus nécessaire de gérer un segment et un offset séparés, l'adresse s'écrit simplement sous forme d'un nombre unique de 32 bits. En toute rigueur il s'agit d'un offset dans l'espace de l'application.

Mais comme il n'existe plus de segment, on ne parle plus d'offset mais d'adresse.

Les pointeurs C sous Win32

Au niveau de C, les pointeurs 32 bits sont stockés dans des variables de type *long*. La distinction antérieure entre pointeurs FAR, pointeurs NEAR et pointeurs BASED est abolie.

Il n'existe plus qu'un seul type de pointeurs représentant des offsets dans l'espace d'adressage de l'application. Les macros comme MK_FP qui fabriquaient des pointeurs sont à ranger au rayon des vieux accessoires. Les manipulations fastidieuses de segments et d'offsets pour parcourir les grands tableaux (de plus de 64 Ko) appartiennent désormais au passé.

Dès qu'on possède un pointeur sur un tableau, on peut l'utiliser pour se promener librement dans la mémoire sans autre complication.

Peu importe à cet égard que le tableau n'occupe que quelques octets ou qu'il s'étende sur plusieurs centaines de Mo (nous verrons cependant dans la section 42.2.3 qu'il faut prévoir un certain temps d'exécution).

En notation hongroise les noms des pointeurs FAR commençaient par lp. Désormais le préfixe est un simple p, ainsi lpBuffer devient pBuffer.

Il est vrai que beaucoup de fichiers d'inclusion et d'aide utiliseront encore la notation lp jusqu'à ce que quelqu'un s'occupe du problème. Il ne faut pas se laisser troubler: vous pouvez être sûr qu'il s'agit de pointeurs 32 bits tout à fait ordinaires.

Au lancement d'une application, le noyau système crée un espace d'adressage de 4 Go, les registres de base pour le code et les données référençant alors le début de cette zone.

Un pointeur ne possède plus de composante segment, il n'existe plus qu'un segment de code et un segment de données. La seule adresse d'offset de 32 bits est suffisante. Que le pointeur référence le code ou les données découle du contexte de son utilisation.

Accès par pointeur à l'espace d'adressage d'une application

La traduction du langage évolué en langage machine est rendue plus facile pour les compilateurs qui peuvent produire un code plus efficace. C'est là une des raisons pour lesquelles les applications 32 bits sont généralement plus rapides que leurs homologues 16 bits.

Code système et code utilisateur

Les registres de segment d'une application ne peuvent plus désormais abuser de leur pouvoir car ils sont sous le contrôle du système d'exploitation.

Le mode protégé sépare strictement le code système du code utilisateur. Les processeurs Intel à partir du 80386 ordonnent les modules de programmes selon quatre niveaux de priorités, appelés "cercles" (rings) ou couches.

La couche 0 est réservé au noyau du système d'exploitation, la couche 3 aux programmes d'application, et les couches situées entre les deux aux composants système qui servent d'intermédiaires entre le noyau du système et les applications. Plus on s'éloigne de la couche 0, plus il y a de restrictions d'accès à certains registres du processeur et à l'utilisation de certaines instructions machine.

L'idée est de réserver au noyau du système la manipulation des éléments de base du système, ce qui est essentiel pour la stabilité et la sécurité de l'exploitation. Ainsi seul le code de couche 0 peut accéder aux registres du processeur qui interviennent dans la définition de l'espace d'adressage d'une application. De même pour l'accès au matériel par les ports d'entrée-sortie que le noyau de la couche 0 peut interdire à une application s'il le juge utile.

Bien que par le jeu des quatre couches le processeur autorise une différenciation assez fine entre les différents éléments du système d'exploitation et des programmes d'application, on n'utilise sous Windows 95 que les deux couches extrêmes. La plus grande partie du système d'exploitation s'exécute en couche 0, alors qu'on trouve en couche 3 quelques composants système et surtout les applications. L'exécution d'une application est ainsi contrôlée par le système qui lui interdit de modifier son espace d'adressage, ce qui l'isole des autres applications et du noyau du système. Le processeur veille en quelque sorte à ce que le code système en couche 0 garde la maîtrise des opérations.

Gestion de la mémoire virtuelle

Une application ne sait pas que les 4 Go d'adresses qui lui sont réservées ne correspondent pas à autant de mémoire physique. La plupart des PC ne possèdent d'ailleurs que 8 ou 16 Mo. Le système d'exploitation ne reproduit en mémoire physique que les parties de l'espace mémoire où sont chargés le code programme et les données associées. Si au cours de l'exécution, l'application réclame davantage de mémoire, le système lui attribue la mémoire physique correspondante, mais pas plus.

Un programme peut ainsi occuper plus de mémoire qu'il n'y en a de disponible grâce à la gestion de la mémoire virtuelle. Celle-ci est commandée par le noyau de Windows 95 mais exploite en fait un mécanisme de base implémenté au niveau des processeurs de type Intel 80386. Depuis l'apparition de la génération 386 il a donc fallu plus de dix ans pour que le système d'exploitation le plus répandu au monde tire profit de ces capacités ! Est-ce dû à l'avance d'Intel ou au retard de Microsoft ? Mais tel n'est pas notre propos.

La gestion de la mémoire virtuelle suppose que l'intégralité de la mémoire revendiquée par une application n'a pas besoin d'être présente physiquement. Les études montrent qu'une application n'accède pas en permanence à la totalité de sa mémoire, mais qu'elle séjourne dans des zones plus ou moins circonscrites de son code et de ses données. Les profileurs de code mettent bien en évidence ce phénomène. On utilise alors le disque dur pour remiser le contenu de la mémoire physique dans un fichier d'échange et le recharger en cas de besoin, c'est-à-dire lorsqu'une application y accède. Pour cette dernière, l'ensemble de la mémoire semble toujours présente puisqu'elle ne remarque pas que le processeur intercepte l'accès et recharge en cachette la mémoire. On peut ainsi attribuer aux applications en exécution simultanée beaucoup plus de mémoire que la RAM effectivement disponible dans la machine. Le disque dur devient en quelque sorte une extension de la mémoire vive.

Pour accélérer les mouvements entre la mémoire et le disque, le processeur divise la mémoire virtuelle en blocs de 4 Ko appelés pages. Lorsque le code machine d'une application souhaite accéder à son espace d'adressage, il effectue d'abord un calcul sur l'adresse pour déterminer le numéro de la page concernée.

Il se sert à cet effet de tables appelées "Page Directories". Ces tables divisent l'espace mémoire d'une application en pages de mémoire physique. Le processeur impose leur format mais c'est le système d'exploitation qui les gère.

En consultant l'entrée correspondante de la table des pages, le processeur peut savoir si une page donnée se trouve actuellement en mémoire physique ou non. Il existe des indicateurs spéciaux qui donnent ce renseignement. Si la page est présente, le processeur peut déclencher l'accès. Si ce n'est pas le cas, il le signale au système. Ce dernier charge alors la page à partir du fichier d'échange et la met à la disposition du programme. Si toute la mémoire physique est déjà occupée, il faut stocker sur disque dur au moins une page (ou mieux plusieurs). Seule la taille maximale du fichier d'échange limite la mémoire disponible pour l'ensemble des processus actifs.

Concept de la gestion de mémoire virtuelle

Matériel et logiciel, niveaux supérieurs et inférieurs marchent ici la main dans la main. Le processeur teste les accès au niveau le plus bas mais ne s'occupe pas du stockage temporaire. Comment le ferait-il d'ailleurs puisqu'il ne sait pas comment et à quel endroit les pages sont enregistrées sur le disque ? C'est là l'affaire exclusive du système d'exploitation.

Le chargement et l'enregistrement dynamiques des pages suscite un effet secondaire intéressant. Ce que le programme voit sous forme d'espace mémoire continu s'étend en réalité sur de nombreuses pages occupant des adresses physiques très différentes. La mémoire d'une application peut être fragmentée au point de devenir méconnaissable, mais l'application n'en saura rien puisqu'elle ne peut accéder à la mémoire sans que le processeur en soit informé et dirige la pagination. L'application ne voit qu'une sorte d'espace mémoire virtuel qui ne pourrait être réalisée sans la participation étroite du processeur.

Tous les microprocesseurs modernes, du PowerPC à l'Alpha en passant par les MIPS, gèrent la mémoire virtuelle par pagination. C'est grâce à cette caractéristique commune que Microsoft est ainsi parvenu à porter Windows/NT sur toutes ces plates-formes.

Seule la réalisation diffère compte tenu des registres, des opérations gérant les tables de pages, et de la taille des pages dépendant du processeur. Pour le processeur Alpha, les pages font 8 Ko, tandis que pour le MIPS et le PowerPC elles disposent de 4 Ko comme chez Intel.

Bien entendu les mouvements entre la mémoire et le disque sont pénalisants en termes de performances. D'abord un accès disque prend infiniment plus de temps qu'un accès mémoire. Ensuite le système est passablement affairé pour toujours tenir à disposition la mémoire nécessaire à une application. Ainsi par exemple les pages qui n'ont pas été utilisées depuis un certain temps sont automatiquement transférées dans le fichier d'échange en tâche de fond, tandis que d'autres sont à nouveau rappelées lorsque le système pressent un accès. Le système multitâche de Windows 95 permet d'exécuter ces opérations en tâche de fond sans que l'utilisateur ne soit gêné dans son travail.

42.1.1. Structure de l'espace d'adressage

Si un processus reste toujours enfermé dans son espace mémoire propre, comment peut-il accéder aux fonctions du système d'exploitation qui se trouvent au-delà de cet espace ? Et comment peut-il appeler des fonctions situées dans des fichiers DLL, que ce soient les siennes ou celles du système ? Pour répondre à ces questions, il faut jeter un coup d'oeil sur la carte de l'espace d'adressage d'une application 32 bits.

Nouvelle arithmétique

La fréquentation des grands nombres demande une certaine habitude. A l'époque du mode réel, on ne connaissait pas les adresses à huit chiffres hexadécimaux. Les comptages se terminaient à 0xFFFF. Il n'était d'ailleurs pas nécessaire de connaître beaucoup plus de nombres hexadécimaux. Mais maintenant, dites-moi où se trouve 0xCFFFFFFF ?

0x00000000-0x00000FFF

Les 4 Ko inférieurs de l'espace mémoire d'un processus sont réservés. Ils servent à intercepter les opérations avec des pointeurs NULL, une erreur commune dans les programmes écrits en C. Dès qu'une application accède à la mémoire par un pointeur NULL, elle entre dans cette zone et déclenche une réaction du système appelée exception (voir plus loin pour en savoir davantage sur les exceptions).

Naturellement il suffirait de mettre sous surveillance le premier octet ou DWORD mais la protection étant effectuée par l'intermédiaire des tables de pages du processeur, il faut au moins mettre de côté une page, soit 4 Ko pour un processeur Intel.

```
void test(long l)
{
  long *pl;

  pl = malloc(sizeof(long));

  //Si malloc a donné un résultat NULL, patatras !

  *pl = 1;
}
```

0x00000FFF-0x003FFFFF

Cette zone va jusqu'à la limite des 4 Mo et est réservée à l'exécution du DOS et des applications Win16. Un programme Win32 ne devrait pas y accéder mais peut en lire le contenu.

0x00400000-0x7FFFFFFF

C'est dans cette zone, comprise entre 4 Mo et 2 Go, que se place l'application proprement dite ou tout processus qui en est issu. Ce sera également là que sera allouée toute la mémoire dynamique réclamée par l'application ou l'une de ses DLLs durant l'exécution.

0x80000000-BFFFFFFF

La zone de 2 Go à 3 Go est réservée aux DLLs et à leurs données que se partagent les différentes applications.

Il faut que les DLLs aient été projetées au préalable dans l'espace d'adressage d'une application pour que le code du programme puisse y faire appel. Une application peut lire le contenu de cette zone mais ne devrait pas y apporter de modifications en écriture.

0xC0000000-FFFFFFFF

Le dernier giga-octet de l'espace d'adressage est utilisé pour la projection du code et des données partagées par les processus du système. Il s'agit essentiellement des drivers de périphériques, des composants de la gestion mémoire ainsi que du code du système de fichiers.

Adresse (Hexa)	Zone	Contenu
FFFFFFFFH	4 Go-1	Zone système utilisée en commun
		Logiciels de couche 0
C00000000H	3 Go	DLLs système
BFFFFFFFH		Zone partagée par toutes les applications
		Applications 16 bits
		DLLs d'application
800000000H	2 Go	Objets
7FFFFFFFH		Zone privée d'un processus
004000000H	4 Mo	Applications Windows 32 bits
003FFFFFFH		Zone le plus souvent inutilisée
0010000000H	1 Mo	
000FFFFFFH		Zone MS - DOS
0000000000H	0	

Une page dans plusieurs espaces d'adressage

La pagination apporte des avantages secondaires qui n'apparaissent pas au premier abord. Ainsi grâce aux tables de pages, le noyau du système est libre de projeter une même page dans plusieurs espaces d'adressage. Conséquence : plusieurs processus accéderont sans le savoir à la même page, tout en la voyant à des endroits différents. C'est surtout le code de programme qui en tire bénéfice car la zone de mémoire qu'il occupe est uniquement exécutée (en lecture seule) et ne donne lieu à aucune écriture. Cette possibilité n'est pas ouverte aux pages qui contiennent des données modifiables, comme par exemple celles qui contiennent le heap. Car on favoriserait exactement ce qu'on souhaitait éviter : des programmes qui écrivent dans la mémoire des autres. Et tout cela avec les meilleures intentions du monde.

Exceptions

Les exceptions sont déclenchées par le processeur dès qu'il est amené à exécuter un séquence de code qui contient des opérations illicites, comme par exemple l'accès à une mémoire interdite ou une division par zéro. Le système d'exploitation est à même d'intercepter une exception et de mettre fin à l'application responsable, mais en général on cherche à éviter cette extrémité. Les applications disposent de gestionnaires d'exception propres qui sont appelés au cas où... Ils permettent de remédier aux causes de l'erreur (par exemple en accroissant la mémoire disponible) et de poursuivre l'exécution du programme après rectification. Il s'agit donc d'une sorte de "On Error Go To" en C. Une section du présent chapitre explique comment installer des gestionnaires d'exceptions dans ses programmes.

Le code de programme, utilisé en lecture seule, ne pose pas de problème. Aucun accès en écriture ne vient le modifier. On utilise donc la technique décrite partout où le même code est partagé par plusieurs processus simultanés. Les situations suivantes sont les plus fréquentes :

Plusieurs instances d'une même application

Lorsqu'une application est lancée plusieurs fois, le même code doit être exécuté par plusieurs processus concurrents. Pourquoi charger plusieurs fois le code ? Un seul exemplaire mis à la disposition de toutes les instances est suffisant. Les données globales des différentes instances ainsi que la mémoire allouée dynamiquement doivent cependant être gérées séparément. Sinon il n'y aura plus d'individualité.

DLLs et code système

Si plusieurs processus s'exécutent en parallèle, on peut toujours supposer que certaines DLLs sont utilisées simultanément par plusieurs processus. Par exemple la DLL système KERNEL32, de même que bien d'autres encore. Leur code pourra n'être chargé qu'une seule fois si on s'y prend habilement. Mais ceci n'est pas valable pour les pages contenant des données variables, ce qu'on appelait autrefois le segment de données. Elles confèrent en effet leur individualité aux DLLs, leur contenu résultant de la communication particulière entre tel processus et la DLL. Les processus appellent les fonctions de la DLL dans un ordre et avec des paramètres spécifiques, il est donc clair que les données des différentes instances d'une DLL ne seront pas les mêmes. Il faut veiller à préserver cette diversité.

WRITECOPY pour NT

Dès que Windows 95 reconnaît qu'une page risque d'être modifiée par plusieurs sources (parce qu'elle contient par exemple les variables globales d'une DLL utilisée en commun), le noyau du système crée une instance de page pour chaque instance de DLL. Cette opération n'est pas immédiate mais s'effectue à chaque lancement d'un nouveau processus utilisant la DLL. Voilà qui est plein de prévention, peut-être même à l'excès. Car dans certains cas il faudra attendre fort longtemps avant qu'un premier processus n'écrive des données dans la page en question et ne se désolidarise ainsi de la communauté des utilisateurs. Ce n'est qu'à ce moment-là que la gestion d'une copie privée de la page s'impose.

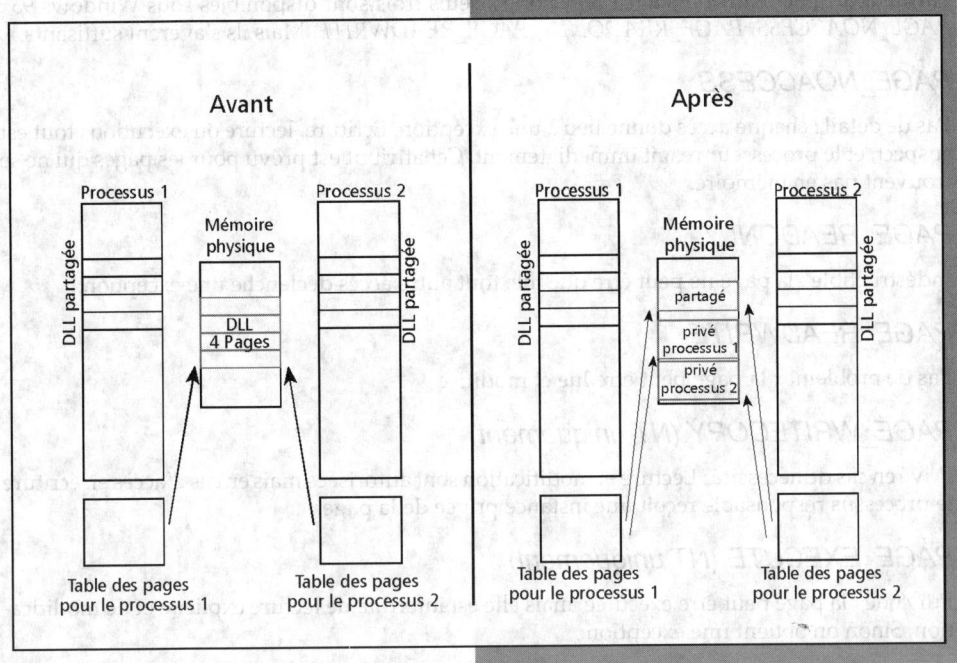

Write On Copy économise de la mémoire

Le processeur apporte son soutien à cette technique appelée "write on copy". Dès qu'un processus écrit des données dans une page munie de l'attribut *PAGE_WRITECOPY*, une instance privée de cette page est créée et la page est exclue de l'exploitation en commun avec d'autres processus. Chaque processus qui modifie cette zone de mémoire reçoit aussitôt sa propre copie des pages modifiées tout en continuant de partager les autres pages avec ses collègues.

Alors que Windows NT exploite parfaitement cette technique, Windows 95 se montre plus conservateur en la matière. A partir du moment où une page risque d'être modifiée par plusieurs instances de code, elle donne lieu dès la génération du code à la création d'une instance séparée de page initialisée avec le contenu de la page. A partir de là les différentes instances de la page poursuivent des itinéraires séparés. La technique de *PAGE_WRITECOPY* a-t-elle paru trop complexe ou trop lente à l'équipe de développement de Windows 95, ou a-t-elle été victime d'une démarcation forcée pour préserver la supériorité de NT ? Nous ne le savons pas. Ce qui est sûr, c'est que Windows 95 ne supporte pas non plus d'autres attributs de page parfaitement compris par Windows NT. Remarquons cependant que dans la pratique les développeurs ne souffriront pas de ces limitations.

Attributs de page

Les pages comportent différents attributs en fonction de leur domaine d'intervention. Certaines sont réservées aux données, et doivent pouvoir être lues et modifiées. D'autres contiennent du code et ne sont destinées qu'à être exécutées. Tous les processeurs supportant la gestion de la mémoire virtuelle prévoient d'associer à chaque page des attributs signalant les accès possibles. Windows NT et les fonctions de l'API Win32 étendent quelque peu la gamme des attributs introduits par le processeur.

Parmi la dizaine d'attributs ainsi répertoriés, seuls trois sont disponibles sous Windows 95 : *PAGE_NOACCESS, PAGE_READONLY, PAGE_READWRITE*. Mais ils s'avèrent suffisants.

PAGE_NOACCESS

Pas de détail : chaque accès donne lieu à une exception. Ecriture, lecture ou exécution : tout est suspect, et le processeur réagit immédiatement. Cet attribut est prévu pour les pages qui ne se trouvent pas en mémoire.

PAGE_READONLY

Indestructible : la page ne peut être que lue, tout autre accès déclenche une exception.

PAGE_READWRITE

Pas de problème : la page peut être lue et modifiée.

PAGE_WRITECOPY (NT uniquement)

Privé en cas de nécessité : Lecture et modification sont autorisées mais en cas d'accès en écriture le processus responsable reçoit une instance privée de la page.

PAGE_EXECUTE (NT uniquement)

Pur code : la page peut être exécutée, mais elle est interdite de lecture explicite et de modification. Sinon on obtient une exception.

PAGE_EXECUTE_READ (NT uniquement)

Pour généticiens : La page peut être exécutée et lue mais pas modifiée. Utile pour un code qui souhaite se reproduire lui-même ou en copier un autre. Il doit alors lire des instructions pour les écrire dans une autre page.

PAGE_EXECUTE_READWRITE (NT uniquement)

Menu complet : Lecture, modification et exécution sont possibles.

PAGE_EXECUTE_WRITECOPY (NT uniquement)

Privatisation renforcée : la page peut être lue, modifiée et exécutée. Mais en cas d'accès en écriture, une copie privée est créée à l'intention du processus.

PAGE_GUARD (NT uniquement)

Contre la folie des grandeurs : les pages de garde (Guard Pages) servent à surveiller des objets susceptibles de s'étendre dynamiquement, par exemple les piles (stacks) et les heaps. Elles forment une sorte de clôture électrique : à leur contact l'application reçoit un signal sous forme d'exception. La gestion de la pile exploite cette technique pour agrandir la pile lorsqu'à la suite d'une opération PUSH elle franchit une limite de page. Après déclenchement de l'exception, l'attribut Page_Guard est automatiquement repris, de sorte que les accès ultérieurs ne provoquent plus d'exception.

PAGE_EXECUTE_NOCACHE (NT uniquement)

Très fugitif : attribut conçu surtout pour les drivers de périphériques qui accèdent à de la mémoire projetée en RAM par une extension matérielle (par exemple une carte graphique). Ces pages ne font jamais l'objet d'un stockage temporaire sur disque, elles restent telles quelles.

Fichiers projetés en mémoire (Memory Mapped Files)

Le placement de codes de programme et de DLLs dans l'espace d'adressage d'une application fait appel à un autre principe de base de la gestion de mémoire virtuelle : la projection en mémoire des fichiers. Prenons par exemple les pages d'une DLL. Comme elles ne peuvent pas être modifiées, elle correspondent toujours au contenu du fichier DLL qui se trouve sur le disque. A quoi bon stocker une nouvelle fois ces pages dans un fichier d'échange, ne suffirait-il pas de les appeler en cas de besoin depuis leur fichier d'origine ? On éviterait ainsi des enregistrements longs et fastidieux et on économiserait de la place sur le disque.

C'est là qu'intervient la projection en mémoire des fichiers. A l'aide de fonctions spécialisées de l'API Win32, on reproduit un fichier dans une zone de la mémoire virtuelle. On fait ensuite comme si tout le fichier était déjà en mémoire. Mais seules seront chargées à partir du fichier les pages absentes effectivement concernées par un accès. Ainsi le loader ne sera pas obligé de charger un programme que l'on lance, il se contentera de le projeter en mémoire. Lorsqu'au moment de l'exécution le processeur parcourt le code, il déclenchera des exceptions en passant dans les pages non encore chargées, provoquant ainsi leur chargement (avec quelques autres).

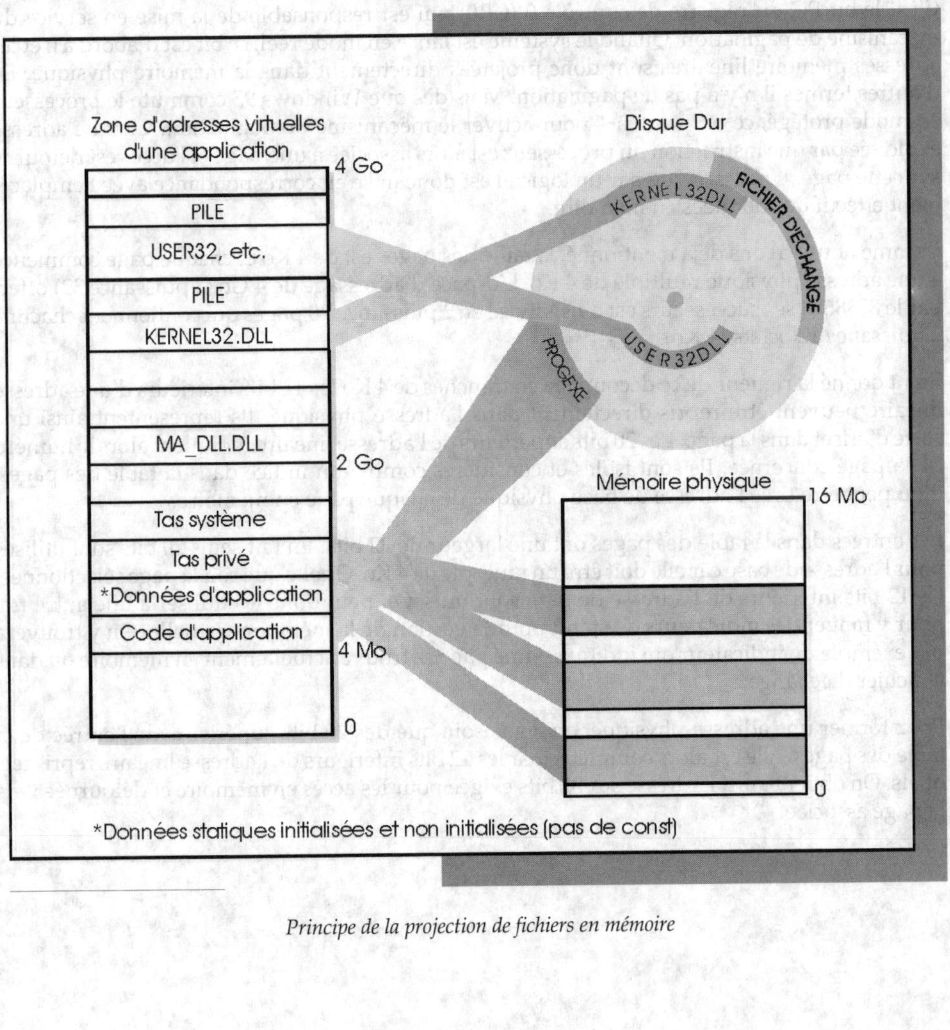

Zone d'adresses virtuelles
d'une application

4 Go

PILE
USER32, etc.
PILE
KERNEL32.DLL
MA_DLL.DLL

2 Go

Tas système
Tas privé
*Données d'application
Code d'application

4 Mo

0

Disque Dur

KERNEL32.DLL

FICHIER D'ÉCHANGE

PROGEXE

USER32.DLL

Mémoire physique

16 Mo

0

*Données statiques initialisées et non initialisées (pas de const)

Principe de la projection de fichiers en mémoire

Les parties de programme qui ne sont jamais utilisées ne seront pas chargées, ce qui accélère entre autre le démarrage de l'application. Les programmes d'application peuvent également tirer profit de la projection en mémoire pour simplifier le traitement de fichiers. Ce point sera examiné plus loin.

42.2. Contribution du processeur

Le présent section examine en détail comment le processeur contribue à la gestion de la mémoire virtuelle. Pour les programmes d'application cette gestion est transparente mais il est très intéressant d'observer comment le processeur et le système d'exploitation collaborent à cette fin. Il est remarquable de constater que les caractéristiques qui interviennent dans la technologie qui va être présentée n'ont pas été introduites avec le Pentium mais sont demeurées inchangées depuis le 80386. Elles font partie intégrante du mode protégé, un mode de fonctionnement du processeur décrit au chapitre 36.

Tables de pages

C'est le bit PG du registre de contrôle 0 (CR0) qui est responsable de la mise en service du mécanisme de pagination. Quand le système est lancé en mode réel, ce bit est d'abord à 0 et les adresses mémoire linéaires sont donc projetées directement dans la mémoire physique. En d'autres termes il n'y a pas de pagination. Mais dès que Windows 95 commute le processeur en mode protégé, ce bit passe à 1 pour activer le mécanisme de pagination. Chaque adresse exploitée par une instruction du processeur est alors associée à une page et l'accès est détourné sur cette page. L'adresse vue par un logiciel est donc mise en correspondance avec l'emplacement effectif des données en mémoire.

Comme nous l'avons déjà mentionné, la taille des pages est de 4 Ko et chaque page commence à une adresse physique multiple de 4 Ko. L'espace d'adressage de 4 Go (2 puissance 32) offert par le 80386 et ses successeurs est ainsi divisé en 2 puissance 20 pages qui contiennent chacune 2 puissance 12 octets (4 Ko).

Etant donné la rigueur de ce découpage en tranches de 4 Ko les 12 bits inférieurs d'une adresse linéaire peuvent être repris directement dans l'adresse physique. Ils représentent ainsi une sorte d'offset dans la page. Les 20 bits supérieurs de l'adresse linéaire indiquent alors le numéro de la page concernée. Ils sont isolés et considérés comme un indice dans la table des pages, d'où peut être tirée l'adresse de base physique de chaque page en mémoire.

Les entrées dans la table des pages ont une largeur de 32 bits. En fait seuls 20 bits sont utilisés pour l'adresse de base car elle doit être un multiple de 4 Ko. Quelle que soit la page sélectionnée, les 12 bits inférieurs de l'adresse de base sont nuls. On peut donc les utiliser à une autre fin, pour y ranger des indicateurs de statut pour la gestion de la mémoire virtuelle. On y trouvera par exemple un indicateur qui indique si une page se trouve actuellement en mémoire ou dans le fichier d'échange.

Pour former une adresse physique, on n'a besoin que des 20 bits supérieurs de l'entrée de la table des pages. Elle est alors complétée par les 12 bits inférieurs de l'adresse linéaire repris tels quels. On obtient ainsi l'adresse sur 32 bits exigée pour les accès en mémoire et détournée vers la page associée.

Programme d'économie pour les tables de pages

Le mécanisme des tables de pages présente malheureusement un inconvénient de taille : il est trop gourmand en mémoire. Avec ses 2 puissance 20 entrée à 4 Ko la table des pages engloutit 4 Mo, ce qui représente souvent la totalité de la mémoire disponible. Une mauvaise plaisanterie qui n'a pas fait rire longtemps les développeurs de chez Intel. Ils ont donc raffiné le mécanisme sur un point décisif.

A la place d'une grande table de pages gérant l'ensemble de l'espace d'adressage 32 bits, ils ont introduit une organisation à deux niveaux avec plusieurs tables de pages. Malgré l'économie de mémoire réalisée, le processeur reste en situation de pouvoir projeter sans ambiguïté n'importe quelle adresse virtuelle. Le point de départ est un répertoire de pages (Page Directory) qui gère plusieurs petites tables de pages. Comme le montre le schéma suivant, les 10 bits supérieurs de l'adresse linéaire sont interprétés comme un indice de renvoi dans le répertoire des pages. Ce dernier comporte donc 1024 entrées. Comme chaque entrée occupe 32 bits, le répertoire des pages prend lui-même au total 4 Ko. Son adresse est déterminée par le registre CR3 qui joue donc un rôle fondamental dans le bon fonctionnement du système. Si on modifie n'importe comment ce registre, on est assuré de voir le système s'effondrer dans les microsecondes qui suivent. C'est pourquoi l'accès à CR3 est réservé au code système.

Les différentes entrées d'un répertoire de pages représentent des pointeurs avec les adresses des différentes tables de pages dans l'espace d'adressage physique. C'est à partir de ces pointeurs que le processeur détermine l'adresse physique d'une page. Le numéro de l'entrée utilisé dans la table de pages pour calculer l'adresse provient des bits 10 à 21 de l'adresse linéaire. En pratique celle-ci sera donc découpée en deux grandes parties : un indice de 10 bits pour le répertoire de pages et un deuxième indice de 10 bits pour la table de pages concernée. Tout comme le répertoire des pages, chaque table de pages consomme 1024 pages d'adresses et occupe ainsi 4 Ko.

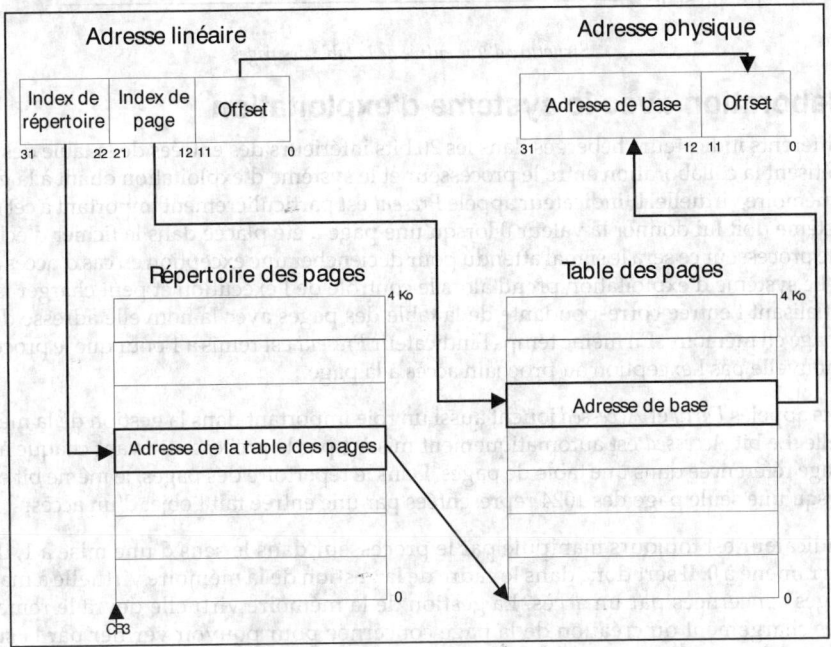

Transformation d'une adresse linéaire par les tables de pages

Par le moyen de cette structure, chaque entrée du répertoire des pages couvre une zone de 4 Mo dans l'espace d'adressage linéaire. L'avantage de ce procédé est évident : le système peut créer des tables de pages en fonction des besoins. Tant que la quantité de mémoire virtuelle attribuée aux demandeurs ne dépasse pas 4 Mo, une table de pages unique suffit. Les 4 Mo suivants requièrent la création d'une deuxième table.

Au début une seule entrée est initialisée dans le répertoire des pages. Toutes les autres sont marquées comme non valides au moyen d'un indicateur approprié. Si le processeur tombe dessus, il déclenchera une exception. Grâce à ce mécanisme, 4 Ko suffiront pour établir la table de pages unique qui introduit 4 Mo de mémoire gérée. Voilà qui est bien loin des 4 Mo requis par une table complète gérant toutes les pages de l'espace d'adressage linéaire.

31		12 11	9	8	7	6	5	4	3	2	1	0
Adresse physique (Bits 12-31)		AVL	0	0	D	A	0	0		US	RW	P

Dirty (1 = a été écrit) ◄

Accédé (1 = a été adressé) ◄

0 = utilisateur & superviseur ◄
1 = superviseur seulement

Pour l'utilisateur uniquement ◄
(0 = lire & exécuter
 1 = lire, exécuter et écrire)

1 = présent ◄

Structure d'une entrée de la table des pages

Collaboration avec le système d'exploitation

Les différents indicateurs hébergés dans les 20 bits inférieurs des entrées de la table des pages concrétisent la collaboration entre le processeur et le système d'exploitation quant à la gestion de la mémoire virtuelle. L'indicateur appelé *Present* est particulièrement important à cet égard. Le système doit lui donner la valeur 0 lorsqu'une page a été placée dans le fichier d'échange. Pour le processeur ce sera le signal attendu pour déclencher une exception en cas d'accès à cette page. Le système d'exploitation prend alors le contrôle de l'exécution et peut charger la page en initialisant l'entrée correspondante de la table des pages avec la nouvelle adresse de base de la page en mémoire. En même temps l'indicateur *Present* est remis à 1 pour que le processeur ne renouvelle pas l'exception au prochain accès à la page.

Les bits appelés *Dirty* et *Accessed* jouent aussi un rôle important dans la gestion de la mémoire virtuelle. Le bit *Accessed* est automatiquement mis à 1 par le processeur avant chaque accès à une page référencée dans une table de pages. Dans le répertoire des pages, le même bit est mis à 1 lorsqu'une seule page des 1024 représentées par une entrée fait l'objet d'un accès.

Cet indicateur est toujours manipulé par le processeur dans le sens d'une mise à 1, il n'est jamais ramené à 0. Il sert donc dans le cadre de la gestion de la mémoire virtuelle à marquer les pages concernées par un accès. La gestion de la mémoire virtuelle devra le remettre à 0 après chargement ou création de la page concernée pour pouvoir vérifier par la suite si la page a été utilisée.

Cette information est précieuse lorsque la place se fait rare en mémoire physique et qu'il faut transférer des pages dans le fichier d'échange. On pourra alors privilégier les pages qui n'ont fait l'objet d'aucun accès dans les derniers temps et dont on estime qu'elles ne seront pas utiles dans l'immédiat.

Pour prendre la bonne décision dans ce domaine, on peut encore s'aider de l'indicateur *Dirty* qui est mis à 1 en cas d'accès en écriture. En le testant on peut distinguer les pages qui ont fait l'objet d'une écriture c'est-à-dire qui ont été modifiées de celles qui ont été simplement lues. Ce sont les pages inchangées qui seront de préférence renvoyées dans le fichier d'échange car, comme elles s'y trouvent encore sous leur forme d'origine, il ne sera même pas nécessaire de procéder à un enregistrement sur disque, ce qui fait gagner du temps. Le processeur contribue ainsi à économiser les ressources dans la gestion de la mémoire virtuelle.

Mécanismes de protection

Les autres indicateurs présents dans les éléments de la table des pages servent à mettre en oeuvre un mécanisme de protection en distinguant le code système (appelé ici "superviseur" du code utilisateur). La qualification de code superviseur est attribuée à toutes les tâches qui exploitent les niveaux de privilège 0, 1 ou 2 du processeur, autrement dit qui peuvent être assimilées au système d'exploitation. Les tâches dont le niveau de privilège est 3 sont par contre étiquetées comme code utilisateur. Sous Windows 95 on constate donc que seul le noyau du système est considéré comme code superviseur. Les programmes d'application, les gestionnaires de périphériques et les utilitaires système sont considérés comme code utilisateur.

Une page peut être qualifiée de page superviseur si on met à 1 l'indicateur *User/Supervisor*. Dans ce cas les tâches utilisateur ne pourront généralement pas y accéder et déclencheront une exception. Mais si l'indicateur est à 0, les tâches utilisateur tout comme les tâches superviseur pourront y accéder en toute légalité.

L'indicateur *Read/Write* n'est exploité qu'à l'occasion d'un accès par une tâche utilisateur. S'il est à 0, la page concernée peut être lue et exécutée mais non modifiée. S'il est à 1, l'accès n'est soumis à aucune contrainte. Si on enfreint les interdits, on déclenche une exception. On peut ainsi projeter des parties du système d'exploitation dans l'espace d'adressage d'une application sans que le code utilisateur ne puisse y accéder. Certains buffers gérés par le système tout en appartenant à un processus précis devront de la sorte être stockés dans l'espace d'adressage du processus. Il en est de même pour certaines séquences de code système qui devront apparaître dans l'espace de l'application pour pouvoir être appelées, sans pour autant risquer d'être modifiées.

42.3.   Accès mémoire par l'API Win32

Sous Win32 le développeur dispose de cinq manières différentes d'allouer de la mémoire dynamique pendant l'exécution de son application. A chacune de ces méthodes est associé un jeu de fonctions API dotées plus ou moins des mêmes noms et ayant des rôles très semblables. A quoi bon cette multiplication des fonctions serait-on tenté de demander...

Deux interfaces prévues pour la mémoire globale et la mémoire locale correspondent aux fonctions 16 bits du type *GlobalAlloc()* et *LocalAlloc()*, *GlobalLock()* et *LocalLock()*, etc. Ces fonctions suivent une philosophie dépassée sous Windows 95 mais ont été quand même implémentées dans l'API Win32 pour faciliter la conversion des anciennes applications 16 bits. L'API Win32 ne fait pas de différence entre mémoire locale et mémoire globale.

Elle satisfait les besoins en mémoire en faisant uniquement appel à la mémoire virtuelle ordinaire. Les fonctions *Local...* et *Global...* sont donc reproduites au niveau interne par les nouvelles fonctions *Virtual...* de l'API Win32. Mais elles peuvent toujours être invoquées. De l'extérieur le changement de gestion de la mémoire ne sera pas visible.

Les applications existantes devraient donc se compiler et s'exécuter sans problème sous Win32, il n'est pas nécessaire de modifier le code qui gère la mémoire. Mais le nouveau mode de gestion est plus souple et n'exige plus de l'application qu'elle verrouille la mémoire avant tout accès (*LocalLock()*, *GlobalLock()*). De ce fait les nouvelles fonctions n'ont plus besoin d'un handle qui identifie un bloc mémoire pendant qu'on ne sait pas exactement où il se trouve. Le pointeur est la seule chose dont on ait besoin. Il est donc souvent avantageux d'adapter les appels 16 bits au nouvel environnement de la mémoire virtuelle pour obtenir plus de latitude de jeu.

Après les questions de mémoire locale et de mémoire globale, examinons la troisième interface de gestion de la mémoire virtuelle. Elle comprend des fonctions *Virtual...* telles *VirtualAlloc()* et *VirtualQuery()* qui constituent les moyens privilégiés pour allouer de la mémoire sous Win32. Nous les présenterons en section 42.2.1.

Mais les fonctions *Virtual...* sont en fait conçues pour des zones de mémoire relativement étendues, comme on en utilise pour traiter en mémoire des fichiers complets ou des tableaux de grande taille. La mémoire virtuelle est systématiquement allouée par pages, de sorte qu'aucun bloc ne peut être inférieur à 4 Ko. Pour la gestion dynamique de nombreux petits objets (arbres, listes) cette interface n'est pas forcément appropriée. On utilise alors les différentes fonctions *Heap...* qui gèrent des allocation à l'octet près. Elles constituent la quatrième interface de gestion de la mémoire.

Une cinquième est également prévue pour les petits objets mais elle ne provient pas de l'API Win32. Elle est issue de la bibliothèque d'exécution du compilateur C : il s'agit de *malloc()* et de ses associés *realloc()* et *free()*. Sous Win32, les problèmes que soulevait l'usage de *malloc()* sous Win16 appartiennent au passé. On dispose d'une méthode simple et directe pour allouer, agrandir ou libérer de la mémoire dynamique jusqu'à une taille de plusieurs Mo.

Les sections qui suivent traitent de la manipulation de la mémoire virtuelle ainsi que de la gestion des heaps. Voici d'abord une récapitulation des fonctions de l'API Win32 en charge de la gestion de la mémoire.

Traitement des blocs	
CopyMemory()	Copie un bloc de mémoire
FillMemory()	Remplit un bloc de mémoire avec un octet constant
MoveMemory()	Déplace un bloc de mémoire
ZeroMemory()	Remplit un bloc de mémoire avec des zéros
Fonctions Win16 de gestion de la mémoire globale (toujours supportées)	
GlobalAlloc()	Alloue de la mémoire globale et renvoie un handle sur le bloc alloué
GlobalDiscard()	Détruit le contenu d'un bloc de mémoire
GlobalFlags()	Renvoie des informations sur un bloc de mémoire globale alloué précédemment
GlobalFree()	Libère un bloc précédemment alloué par GlobalAlloc()
GlobalHandle()	Renvoie un handle pour un bloc de mémoire globale alloué précédemment
GlobalLock()	Verrouille un bloc alloué
GlobalMemoryStatus()	Renvoie des informations sur la mémoire disponible
GlobalReAlloc()	Agrandit ou diminue un bloc alloué précédemment
GlobalSize()	Renvoie la taille d'un bloc alloué précédemment
GlobalUnlock()	Déverrouille un bloc, de façon qu'il puisse être déplacé

Traitement des blocs	
Fonctions Win16 de gestion de la mémoire locale (toujours supportées)	
LocalAlloc()	Alloue un bloc de mémoire locale
LocalHandle()	Renvoie un handle sur un bloc de mémoire locale
LocalLock()	Verrouille un bloc de mémoire alloué précédemment par LocalAlloc() (ne peut plus être déplacé)
LocalReAlloc()	Agrandit ou diminue un bloc de mémoire locale
LocalSize()	Renvoie la taille d'un bloc de mémoire locale
LocalUnlock()	Déverrouille un bloc de mémoire locale de façon qu'il puisse à nouveau être déplacé
Fonctions de gestion des heaps	
GetProcessHeap()	Renvoie un handle sur le heap du processus courant
GetProcessHeaps()	Remplit un tableau avec les handles de tous les heaps du processus courant
HeapAlloc()	Alloue de la mémoire sur un heap.
HeapCreate()	Crée un nouveau heap
HeapDestroy()	Détruit un heap créé précédemment
HeapFree()	Libère un bloc de heap alloué précédemment
HeapReAlloc()	Agrandit ou diminue un bloc de heap alloué précédemment.
HeapSize()	Renvoie la taille d'un bloc de heap alloué précédemment
Fonctions de gestion de la mémoire virtuelle	
VirtualAlloc()	Alloue ou engage une région de mémoire virtuelle
VirtualFree()	Libère une région de mémoire virtuelle
VirtualProtect()	Fixe les attributs de page dans la mémoire virtuelle
VirtualProtextEx()	Comme VirtualProtect(), mais étendu aux pages d'autres processus
VirtualQuery()	Renvoie des informations sur les attributs de page dans une région de mémoire
VirtualQueryEx()	Comme VirtualQuery(), mais étendu aux pages d'autres processus

42.3.1. Gestion de la mémoire virtuelle

Il existe toute une série de fonctions qui commencent par *Virtual* et qui permettent à une application d'accéder à la mémoire virtuelle. Il ne s'agit pas seulement d'allouer quelques octets et d'y engranger une structure. Il faut se réserver des sections de l'espace d'adressage pour qu'elles ne soient pas attribuées à d'autres. Il restera à décider du moment et du mode de leur utilisation mais on disposera alors d'une sorte de droit de préemption.

Le système exploite cette possibilité pour se réserver de l'espace d'adressage, pour lui et le processus chargé. Mais le code utilisateur peut aussi en profiter, la technique sera utile partout où des données ou des structures de données sont destinées à s'accroître dynamiquement pendant l'exécution du programme. Sans gestion de mémoire virtuelle, l'opération peut être pénible car lorsqu'on agrandit une structure il ne suffit pas toujours d'accrocher de la mémoire supplémentaire pour la contenir. La complexité s'accroît très vite quand il faut faire usage d'une pléthore de pointeurs et de listes chaînées ou quand il faut déplacer la mémoire pour l'agrandir.

Avec la mémoire virtuelle, tout est plus simple. On commence par évaluer la place occupée par les différentes structures de données dynamiques à l'intérieur de son programme. Il est préférable de faire un décompte individuel car on pourra allouer la mémoire individuellement. Quelle est la taille de chaque structure, combien pourra-t-il y en avoir au maximum ? Le plus beau dans cette affaire, c'est qu'on peut compter large. Vous savez que votre fichier de cassettes vidéo ne comportera jamais cent vingt-trois millions d'enregistrements mais la mémoire virtuelle n'a pas besoin de le savoir. Vous pouvez vous approprier sans problème plusieurs centaines de Mo. Cela n'a pas beaucoup de sens et semble contraire à toute estimation réaliste mais la mémoire virtuelle ne fera pas défaut. Elle sera prélevée dans la zone comprise entre 4 Mo et 2 Go et laissée libre par le processus. A côté d'un programme de quelques Ko il reste suffisamment de place pour un tableau de quelques centaines de Mo.

Mais prendre et exploiter sont ici deux choses différentes. Les zones allouées sont souvent trop grandes pour que le système d'exploitation leur associe vraiment de la mémoire physique. Il faudrait par ailleurs ménager l'espace correspondant dans le fichier d'échange. Les pages du tableau devraient être recopiées sur disque si la mémoire qu'elles occupent est réclamée. La plupart du temps, une zone réservée ne tiendrait même pas entièrement dans la mémoire physique disponible : il n'y aurait donc point de salut hors du fichier d'échange.

Il faudrait même le cas échéant initialiser les nouvelles pages dans le fichier d'échange. C'est à ce moment-là au plus tard que ce type de gestion de la mémoire virtuelle apparaîtrait comme une farce. On aurait le système d'exploitation 32 bits le plus lent du monde. Il faut donc envisager d'autres solutions.

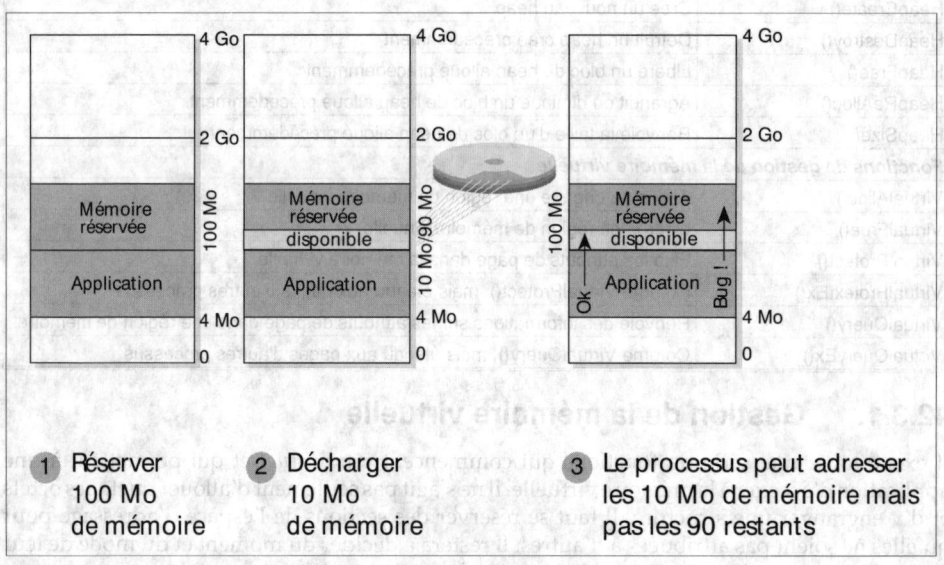

① Réserver 100 Mo de mémoire   ② Décharger 10 Mo de mémoire   ③ Le processus peut adresser les 10 Mo de mémoire mais pas les 90 restants

Allocation de mémoire à l'aide des fonctions Virtual

Pour pouvoir utiliser de la mémoire, il ne faut pas seulement la réserver mais aussi l'engager (*commit* en anglais) : le processus doit indiquer qu'il souhaite en prendre réellement possession. Ce n'est qu'à partir de ce moment que la gestion de la mémoire virtuelle prépare de la place dans le fichier d'échange pour les pages situées dans la zone et non encore enregistrées. Dès que l'on souhaite agrandir un tableau ou une autre structure de données dynamique pendant l'exécution d'un programme, on indiquera à la gestion de la mémoire la quantité réellement requise à ce moment, et l'affaire est réglée. Les problèmes se posent si on se trompe dans les calculs et si en transférant les données dans le fichier d'échange on parvient à une zone de mémoire qui n'a pas encore été engagée. Peu importe que cette zone se trouve à l'intérieur de notre tableau, dans un autre ou dans l'espace vide entre les zones réservées. Dans tous les cas le processeur déclenchera une exception qui conduirait à la clôture du programme s'il n'existait pas de gestionnaire d'exception.

Les fonctions Virtual

La fonction *VirtualAlloc()* constitue le point de départ de tout travail avec la mémoire virtuelle. Elle sert à réserver des zones de mémoire à l'intérieur de l'espace d'adressage. Ces zones seront libérées plus tard par *VirtualFree()*. Lorsqu'on appelle *VirtualAlloc()*, on lui communique les parties de la zone réservée que l'on a véritablement l'intention d'utiliser. Les fonctions *VirtualProtect()* et *VirtualQuery()* servent à fixer et à lire les attributs des pages, ce qui est surtout utile pour les applications proches du système.

Fonctions de gestion de la mémoire virtuelle	
VirtualAlloc()	Alloue ou engage une région de mémoire virtuelle
VirtualFree()	Libère une région de mémoire virtuelle
VirtualProtect()	Fixe les attributs de page dans la mémoire virtuelle
VirtualProtextEx()	Comme *VirtualProtect()*, mais étendu aux pages d'autres processus
VirtualQuery()	Renvoie des informations sur les attributs de page dans une région de mémoire
VirtualQueryEx()	Comme *VirtualQuery()*, mais étendu aux pages d'autres processus

Dans l'espace d'adressage d'un processus les pages peuvent passer par trois états :

LIBRE

La page n'est ni réservée ni engagée, elle est interdite d'accès. Avec d'autres pages elle peut être réservée par une application qui a besoin de mémoire.

RESERVE

La page a été réservée par un appelant comme partie d'une région de mémoire. Elle ne sera plus attribuée à d'autres appelants et est interdite d'accès.

ENGAGE (committed)

La page a été réservée comme partie d'une région de mémoire. Elle est engagée car elle a fait l'objet d'une création physique dans le fichier d'échange. L'accès y est autorisé à tout moment.

VirtualAlloc()

Dans l'état d'origine d'un processus, toutes les pages sont libres. Pendant la constitution du processus de plus en plus de pages sont réservées et parfois engagées, pour le code système projeté, pour les DLLs requises et finalement pour l'application lancée elle-même. Une fois livré à lui-même, le processus peut s'approprier de la mémoire dans le cadre de son exécution en faisant appel à *VirtualAlloc()*.

```
LPVOID VirtualAlloc(
    LPVOID  lpAddress,         //Adresse de début de la région souhaitée
    DWORD   dwSize,            //Taille de la région
    DWORD   flAllocationType,  //Type d'allocation
    DWORD   flProtect          //Attribut de page
);
```

Le premier argument de *VirtualAlloc()* se retrouvera aussi dans d'autres fonctions *Virtual* : il s'agit de l'adresse où commence la région à allouer. Ici cet argument sert à imposer une adresse précise. Cette possibilité a été surtout prévue pour le système lorsqu'il doit réserver des régions situées à un emplacement déterminé, par exemple au-delà de 4 Mo.

Le code utilisateur peut également indiquer une adresse mais il n'est pas sûr qu'elle soit disponible. Si la région est déjà réservée, la réservation échoue. Le plus simple est de donner à cet argument la valeur NULL, ce qui laisse le soin à la fonction de choisir elle-même l'adresse.

Le deuxième argument est la taille de la région souhaitée, le troisième est un indicateur sous forme de constante qui spécifie le type d'allocation.

MEM_RESERVE

La mémoire est à réserver, mais ne doit pas encore être engagée.

MEM_COMMIT

La mémoire est à engager, ce qui veut dire que la place correspondante doit être préparée dans le fichier d'échange.

Les deux indicateurs peuvent être combinés lorsqu'on souhaite à la fois réserver et engager une région. Mais selon la taille de cette dernière, il faut s'attendre à un délai d'attente au cours duquel le disque dur s'active fébrilement.

Le dernier argument est constitué par les attributs de page que l'on souhaite associer à la région. Sous Windows 95 on dispose des attributs suivantes :

PAGE_NOACCESS

Même si la page est disponible, elle est interdite d'accès. Cette disposition se justifie lorsque dans un premier temps on souhaite réserver une région pour la mettre à l'abri de tout accès. Par la suite, on pourra changer l'attribut de page par *VirtualProtect()* et libérer à nouveau la région.

PAGE_READ_ONLY

Cet attribut caractérise la mémoire réservée à la lecture seule. Si la région est chargée avec du code, ce dernier peut être exécuté.

PAGE_READ_WRITE

Les pages peuvent être lues et modifiées à tout moment.

Si la mémoire demandée a pu être allouée, *VirtualAlloc()* retourne l'adresse de début de la région sous la forme d'un pointeur *VOID*. En cas d'erreur on obtient le pointeur NULL. Il y a erreur lorsque la région demandée est trop importante ou lorsqu'un processus a déjà rempli son espace d'adressage. Il se peut aussi que l'adresse de début spécifiée ne convienne pas, parce que la région demandée est déjà réservée en partie ou en totalité. Dans ce cas la fonction renvoie aussi la valeur NULL.

Si on examine l'adresse renvoyée en cas de succès, on constate que *VirtualAlloc()* place toujours les régions à une adresse multiple de 64 Ko. Ceci est dû à la gestion interne du noyau système. Elle se simplifie la tâche en ne prenant en considération que les multiples de 64 Ko, ce qui veut dire que les 16 bits inférieurs de l'adresse de début d'une région sont toujours nuls. L'adresse tient donc dans un WORD au lieu d'accaparer un DWORD : une économie parfois digne d'intérêt.

Par ailleurs la taille de la région réservée est toujours arrondie à un nombre entier de pages puisque ce sont en fin de compte des pages qui hébergent les régions. Même si on n'utilise qu'un seul octet dans la dernière page, celle-ci sera entièrement réservée et pourra être utilisée intégralement une fois engagée.

Après avoir réservé une région, on pourra l'engager partiellement ou en totalité en faisant à nouveau appel à *VirtualAlloc()*. Il n'est pas nécessaire de réutiliser à cet effet le pointeur qui a été renvoyé par *VirtualAlloc()* comme marquant le début de la région. Toute sous-région située à l'intérieur d'une région peut être engagée. Cette démarche se justifie uniquement si vous n'utilisez pas la mémoire de façon continue, c'est-à-dire si vous n'ajoutez pas simplement des données nouvelles aux précédentes.

Mais en général vous serez amené à étendre la mémoire de façon continue. Si on veut engager de la mémoire à la suite d'une région déjà engagée, on peut appeler *VirtualAlloc()* en lui communiquant l'adresse de base de la région. On indique alors la totalité de la taille souhaitée. Toutes les pages contenant un seul octet de la nouvelle région seront influencées. Les pages situées au début de la nouvelle région seront incluses dans l'appel alors qu'elles sont déjà engagées. Mais ceci n'a pas d'importance, sauf en termes de performances. Vous trouverez plus loin un exemple concret de programme appliquant cette méthode.

VirtualFree()

La mémoire virtuelle réservée ou engagée par *VirtualAlloc()* devra être libérée par *VirtualFree()*. On peut libérer toute une région ou une partie de région :

```
BOOL VirtualFree(
    LPVOID  lpAddress,      //Adresse de début de la région à libérer
    DWORD   dwSize,         //Taille de la région
    DWORD   dwFreeType      //Type de libération
    );
```

Le premier argument est l'adresse de début de la région telle qu'elle a été communiquée lors de l'appel à *VirtualAlloc()*. Le deuxième argument doit être égal à 0 et le troisième à la constante *MEM_RELEASE*. On constate avec un certain étonnement que seuls peuvent être ainsi libérés des régions entières. De fait il est impossible de libérer une sous-région ou une zone située à la fin d'une région.

La libération échoue lorsque toutes les pages d'une région ne se trouvent pas dans le même état, c'est-à-dire lorsqu'elles ne sont pas toutes à la fois engagées ou non engagées. Si seule une partie de la région est engagée, il faut d'abord la désengager. On appelle à cet effet *VirtualFree()* avec l'argument *MEM_DECOMMIT* à la place de *MEM_RELEASE*, en spécifiant également l'adresse du début et la taille de la région en octets. *MEM_DECOMMIT* enlève du fichier d'échange les pages associées à la région.

Le résultat de la fonction indique si l'appel a été couronné de succès. Si tel est le cas, on obtient le résultat TRUE. Dans les autres cas, une information sur l'erreur survenue peut être tirée de *GetLastError()*.

Si on ne sait plus quelles ont été les pages engagées, on invoque par précaution *VirtualFree()* avec *MEM_DECOMMIT* sur la totalité de la région. Lorsqu'on appellera par la suite la même fonction avec *MEM_RELEASE* tout se passera forcément bien.

Fixation et lecture des attributs de page

Les fonctions *VirtualProtect()*, *VirtualProtectEx()*, *VirtualQuery()*, *VirtualQueryEx()* permettent de fixer ou de lire les attributs des pages. Les applications ordinaires n'ont pas besoin de recourir à ces fonctions. Mais elles peuvent s'avérer importantes pour des applications intervenant au coeur du système. Nous vous en présentons un exemple ultérieurement dans la construction d'un espion d'API.

Alors que les fonctions *VirtualProtect()* servent à fixer les valeurs des attributs de page, les fonctions *VirtualQuery()* sont destinées à en prendre connaissance. A côté de la fonction simple il existe à chaque fois une fonction étendue dont le nom se termine par *Ex()* et qui permet d'accéder à la mémoire d'un autre processus que le sien. Sous cette forme, il faudra utiliser les fonctions avec précaution car elles offrent le moyen de planter en toute beauté un autre processus. Le processus concerné est toujours identifié par son handle.

```
DWORD VirtualQuery(
    LPCVOID    lpAddress,                          //Adresse de début de la région
    PMEMORY_BASIC_INFORMATION lpBuffer,            //Pointeur sur informations
    DWORD      dwLength                            //Taille de la structure d'informations
  );
```

```
DWORD VirtualQueryEx(
    HANDLE     hProcess,                           //Processus concerné
    LPCVOID    lpAddress,                          //Adresse de début de la région
    PMEMORY_BASIC_INFORMATION lpBuffer,            //Pointeur sur informations
    DWORD      dwLength                            //Taille de la structure d'informations
  );
```

VirtualQuery() et *VirtualQueryEx()* attendent comme premier argument l'adresse où commence la région dont les attributs de page doivent être lus. Les informations demandées sont stockées dans une structure de données de type *MEMORY_BASIC_INFORMATION*. L'appelant doit fournir comme deuxième argument un pointeur sur une structure de ce type. Le troisième argument est la taille de la structure qu'il faut initialiser par *sizeof(MEMORY_BASIC_INFORMATION)* pour que la fonction puisse tester s'il y a assez de place pour mémoriser les informations.

```
typedef struct _MEMORY_BASIC_INFORMATION {
    PVOID BaseAddress;                            //Adresse de début de la région
    PVOID AllocationBase;                         //Adresse de début de la 1re page
    DWORD AllocationProtect;                      //Attribut de page initial
    DWORD RegionSize;                             //Taille de la région
    DWORD State;                                  //Etat (libre, réservé, engagé)
    DWORD Protect;                                //Attribut de page courant
    DWORD Type;                                   //Origine, Win95: MEM_PRIVATE
} MEMORY_BASIC_INFORMATION;
```

Dans cette structure la fonction fournit des informations sur les attributs de pages. Les pages concernées sont celles qui, partant de l'adresse de début, possèdent le même attribut et sont dans le même état. Elles seront toutes libres, réservées ou engagées, avec l'un des attributs *PAGE_NOACCESS*, *PAGE_READWRITE* ou *PAGE_READONLY*. Dès que la fonction *VirtualQuery()* trouve une page différente, elle met fin à la recherche et dépose les informations sur le bloc de pages semblables dans la structure *MEMORY_BASIC_INFORMATION* qui lui a été transmise. Le résultat de la fonction est le nombre d'octets chargés dans la structure *MEMORY_BASIC_INFORMATION*.

On trouve alors dans les deux premiers champs de la structure l'adresse de base de la région examinée (*BaseAddress*) ainsi que l'adresse de début de la page (*AllocationBase*) où se situe *BaseAddress*. Si *BaseAddress* référence un début de page, son contenu sera identique à celui de *AllocationBase*.

Le champ *AllocationProtect* contient l'attribut de protection des pages de la région examinée. Sous Windows 95 ce sera l'une des constantes *PAGE_NOACCESS*, *PAGE_READWRITE*, *PAGE_READONLY*. Le champ *RegionSize* donne la taille de la région et permet ainsi de calculer le nombre de pages qui présentent le même attribut et sont dans le même état. Le champ *State* indique si les pages sont libres, réservées ou engagées par le moyen de l'une des constantes *MEM_FREE*, *MEM_RESERVE* et *MEM_COMMIT*.

Le dernier champ donne l'origine de la page, c'est-à-dire qu'il indique :

O si les pages ont été chargées à partir d'un fichier EXE ou DLL,
O si elles proviennent d'un fichier de données projeté en mémoire,
O ou si elles sont maintenues dans le fichier d'échange.

Malheureusement Windows 95, contrairement à NT, ne fait pas de distinction ici et renvoie toujours la valeur *MEM_PRIVATE* qui indique normalement que l'origine est dans le fichier d'échange.

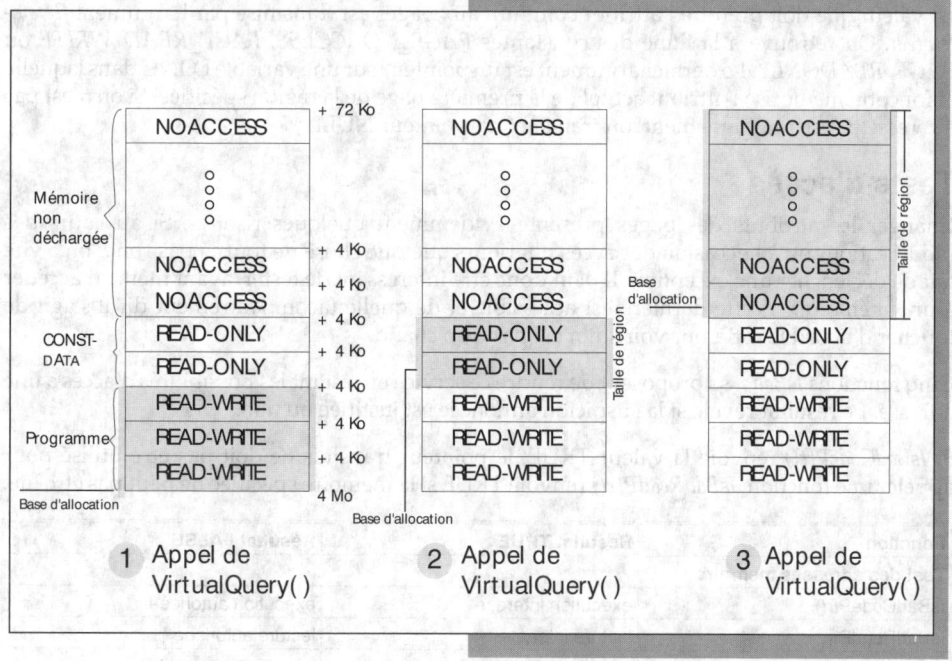

Appels répétés à VirtualQuery()

Si on ne s'intéresse pas seulement aux caractéristiques des pages de la région examinée, mais aussi à celles des pages suivantes, on met en oeuvre une petite astuce. On appelle la fonction plusieurs fois de suite en indiquant à chaque fois comme adresse de début la première page située après la dernière de l'appel précédent. Pour cela on ajoute à l'adresse de base (*BaseAddress*) renvoyée dans *MEMORY_BASIC_INFORMATION* la taille de la région (*RegionSize*), ce qui conduit au premier octet de la page suivante.

Fixation des attributs de page

Pour fixer les attributs d'un groupe de pages consécutives, on se sert des fonctions *VirtualProtect()* et *VirtualProtectEx()*. Les arguments sont l'adresse de début de la région (*lpAddress*) et sa taille (*dwSize*). Toutes les pages qui contiennent au moins un octet de la région ainsi spécifiée seront concernées par l'appel.

```
BOOL VirtualProtect(
    LPVOID  lpAddress,                 //Adresse de début de la région
    DWORD   dwSize,                    //Taille de la région
    DWORD   flNewProtect,              //Nouvel attribut de page
    PDWORD  lpflOldProtect             //Pointeur sur variable qui mémorise l'ancien attribut
);
```

```
BOOL VirtualProtectEx(
    HANDLE  hProcess,                  //Processus concerné
    LPVOID  lpAddress,                 //Adresse de début de la région
    DWORD   dwSize,                    //Taille de la région
    DWORD   flNewProtect,              //Nouvel attribut de page
    PDWORD  lpflOldProtect             //Pointeur sur variable qui mémorise l'ancien attribut
);
```

La valeur que doit prendre l'attribut commun aux pages est transmise par l'argument *flNew-Protect*. On retrouvera là l'une des constantes *PAGE_NOACCESS*, *PAGE_READ_WRITE* ou *PAGE_READONLY*. Le dernier argument est un pointeur sur une variable LONG dans laquelle la fonction mémorise l'attribut actuel de la première page de la région spécifiée. Si on n'est pas intéressé par ce renseignement, on transmet un pointeur NULL.

Tests d'accès

Changer les attributs des pages présente évidemment quelques risques. Si au cours des modifications ou à l'occasion des accès ultérieurs quelque chose ne tourne pas rond, on a vite fait de déclencher une exception. Il peut donc être intéressant de tester, avant même d'accéder à une mémoire, si cette dernière est accessible et de quelle façon. Autrement dit il s'agit de toucher d'abord le rôti pour voir s'il n'est pas trop chaud.

Cinq fonctions *IsBad...* se proposent de rendre ce service en testant les possibilités d'accès à une adresse. Le résultat révèle si la suspicion annoncée est justifiée ou non.

Si *IsBadCodePtr()* renvoie la valeur TRUE, le pointeur transmis ne doit pas être utilisé pour appeler une fonction. *IsBadReadPtr()* renvoie TRUE si la mémoire spécifiée ne peut pas être lue.

Fonction	Résultat TRUE	Résultat FALSE
Test des adresses mémoire		
IsBadCodePtr()	exécution interdite	exécution autorisée
IsBadReadPtr()	lecture interdite	lecture autorisée
IsBadWritePtr()	modification interdite	modification autorisée
IsBadHugeReadPtr()	identique à IsBadReadPtr()	
IsBadHugeWritePtr()	identique à IsBadWritePtr()	
IsBadStringPtr()	lecture de chaîne de caractères interdite	lecture de chaîne de caractères autorisée

Les arguments de *IsBadReadPtr()* et *IsBadWritePtr()* sont l'adresse de début du bloc à tester ainsi que sa longueur. Les fonctions *IsBadHugeReadPtr()* et *IsBadUgeWritePtr()* sont identiques aux précédentes mais datent de l'époque 16 bits et ont été conservées pour faciliter les conversions.

```
BOOL IsBadReadPtr(          //Retourne FALSE si lecture autorisée
    CONST VOID *lp,         //Adresse de début du bloc
    UINT ucb               //Nombre d'octets du bloc
    );
```

```
BOOL IsBadWritePtr(        //Retourne FALSE si modification autorisée
    LPVOID lp,             //Adresse de début du bloc
    UINT ucb               //Nombre d'octets du bloc
    );
```

```
BOOL IsBadHugeReadPtr(     //Identique à IsBadReadPtr()
    CONST VOID *lp,        //Adresse de début du bloc
    UINT ucb              //Nombre d'octets du bloc
    );
```

```
BOOL IsBadHugeWritePtr(    //Identique à IsBadWritePtr()
    LPVOID lp,            //Adresse de début du bloc
    UINT ucb             //Nombre d'octets du bloc
    );
```

Avec *IsBadCodePtr()* on peut tester si un pointeur donné référence une fonction. Si tel est le cas, on obtient comme résultat FALSE.

```
BOOL IsBadCodePtr(         //Retourne FALSE si la fonction référencée peut être appelée
    FARPROC lpfn          //Pointeur de fonction
    );
```

La fonction *IsBadStringPtr()* sert à tester l'accès à une chaîne de caractères C. Elle parcourt la mémoire à partir de l'adresse spécifiée jusqu'à ce qu'elle trouve le caractère NUL ou jusqu'à ce que le nombre maximal de caractères indiqué soit dépassé. Dans les deux cas, la valeur de retour est FALSE si les tous les caractères peuvent être lus.

```
BOOL IsBadStringPtr(       //Retourne FALSE si la chaîne peut être lue
    LPCSTR lpsz,          //Adresse de début de la chaîne
    UINT ucchMax         //Nombre maximal de caractères
    );
```

Bad Boys

Nous avons baptisé Bad Boys une petite application console qui montre comment utiliser les fonctions *IsBad...* en C. Le programme principal *main()* entre dans une boucle sans fin qui ne se termine qu'à la frappe d'une touche. A l'intérieur de cette boucle une adresse est choisie au hasard dans la zone de mémoire du processus. Les différentes fonctions *IsBad...* testent comment pourrait être utilisé le pointeur qui référence cette adresse. Les résultats de ces tests sont affichés sur l'écran avec l'adresse correspondante.

```
/***************************************************************/
/*                  B A D B O Y S . C                        */
/*_____*/
/* Fonction : Génère des adresses aléatoires, pour en tester les */
/*            droits d'accès                                   */
/*            (lecture, écriture, chaîne de caractères).       */
/*         Application console                                 */
/*_____*/
/* Auteurs  : Michael Tischer et Bruno Jennrich               */
/* Développé le : 06.09.1995                                   */
/* Dernière MAJ : 06.09.1995                                   */
```

```
/****************************************************************/
#include <windows.h>
#include <stdlib.h>
#include <stdio.h>
#include <conio.h>


/****************************************************************/
/* main : C'est ici que ça commence                            */
/*-------------------------------------------------------------*/
/* Info : Le programme se termine lorsqu'on tape une touche    */
/****************************************************************/
void main(void)
{
  srand(GetTickCount());    //Initialise le générateur de nombres aléatoires

  while(!_kbhit())          //La boucle s'arrête si touche pressée
  {
    BOOL bBadRead, bBadWrite, bBadString;    //Résultat de l'accès
    WORD wRand;                              //Nombre aléatoire
    PVOID pAddress;          //Adresse calculée à partir du nombre aléatoire


    wRand = rand();          //Entre 0x0000 - 0x7FFF

    //Adresse si possible dans l'espace IMAGE du processus ——
    pAddress = (PVOID)((DWORD)0x400000 + (DWORD)wRand);

    //A-t-on le droit de lire, d'écrire ou s'agit-il d'une chaîne ?
    bBadRead   = IsBadReadPtr(pAddress, 20);
    bBadWrite  = IsBadWritePtr(pAddress, 20);
    bBadString = IsBadStringPtr(pAddress, 20);

    //Affiche les droits d'accès ——————————
    printf("Accessibilité: 0x%08lx:  %s %s %s\n",
           pAddress,
           bBadRead   ? "BadRead"   : "GoodRead",
           bBadWrite  ? "BadWrite"  : "GoodWrite",
           bBadString ? "BadString" : "GoodString");
  }
}
```

BADBOYS.C

42.3.2.   Lecture de l'état de la mémoire

Beaucoup de paramètres de la gestion de la mémoire virtuelle ont une valeur fixe sous Windows 95 : par exemple la taille de la page (4 Ko) et la granularité de *VirtualAlloc()* (64 Ko). Le comportement de ces fonctions est différent sous Windows NT. Si l'application n'est pas compilée pour un processeur, la taille de la page et la granularité peuvent être différentes.

C'est pourquoi l'API Win32 introduit la fonction *GetSystemInfo()* qui permet d'obtenir les paramètres de base de la gestion mémoire. Une autre fonction appelée *GlobalMemoryStatus()* indique l'occupation actuelle de la mémoire virtuelle et du fichier d'échange.

Etat actuel de la mémoire

GlobalMemoryStatus() possède un seul argument qui est un pointeur sur une structure de type *MEMORYSTATUS*. C'est dans cette structure que seront mémorisées les informations retournées.

```
VOID GlobalMemoryStatus(
    LPMEMORYSTATUS lpBuffer    //Pointeur sur structure MEMORYSTATUS
    );
```

Le premier champ de la structure s'appelle *dwLength* et doit être initialisé par l'appelant avant qu'il n'invoque *GlobalMemoryStatus()*. Il doit contenir la taille de la structure pour que la fonction sache si elle a assez de place pour y transférer les informations, ce qui pourrait être utile lors des extensions ultérieures.

```
typedef struct {
    DWORD dwLength;        //Taille de la structure en octets
    DWORD dwMemoryLoad;    //Taux d'occupation courant (entre 0 et 100)
    DWORD dwTotalPhys;     //Taille de la mémoire physique en octets
    DWORD dwAvailPhys;     //Taille de la mémoire physique disponible
    DWORD dwTotalPageFile; //Taille maximale du fichier d'échange (en octets)
    DWORD dwAvailPageFile; //Place disponible dans le fichier d'échange
    DWORD dwTotalVirtual;  //Taille totale de la mémoire virtuelle
                           //du processus courant
    DWORD dwAvailVirtual;  //Mémoire virtuelle disponible
} MEMORYSTATUS, *LPMEMORYSTATUS;
```

Cette structure contient toute une série d'informations intéressantes, notamment la quantité de RAM de l'ordinateur, la taille du fichier d'échange, la place disponible dans ce fichier... Par taille de la mémoire virtuelle il faut entendre ici l'espace mémoire accordé au processus courant dans son espace d'adressage. Il s'agit des fameux 4 Go dont il faut retirer l'espace occupé par les DLLs et le code système, ainsi que les 4 Mo inférieurs. Pour donner une idée sommaire de l'occupation de la mémoire du système, le champ *dwMemoryLoad* l'évalue sous forme d'un pourcentage. La valeur 100 veut alors dire "plein à ras bord", tandis que zéro signifie la tranquillité absolue.

Paramètres de base de la gestion mémoire

C'est la fonction *GetSystemInfo()* qui donne les paramètres de base de la gestion mémoire. Elle fonctionne comme *GlobalMemoryStatus()* avec comme unique argument un pointeur sur une structure où seront mémorisées les informations retournées. Il s'agit ici d'une structure de type *SYSTEM_INFO*.

```
VOID GetSystemInfo(
    LPSYSTEM_INFO lpSystemInfo    //Pointeur sur structure SYSTEM_INFO
    );
```

Contrairement à *GlobalMemoryStatus()*, la fonction ne réclame pas l'initialisation de la taille de la structure. Elle suppose discrètement que la place disponible est suffisante.

```
typedef struct _SYSTEM_INFO {
   DWORD dwOemId;          //NULL
   DWORD dwPageSize;       //Octets par page (4096)
   LPVOID lpMinimumApplicationAddress;    //Plus petite mémoire adressable
   LPVOID lpMaximumApplicationAddress;    //Plus grande mémoire adressable
   DWORD dwActiveProcessorMask;   //Pour NT uniquement
   DWORD dwNumberOfProcessors;    //Nombre de processeurs présents (Win95: 1)
   DWORD dwProcessorType;    //Type de processeur(s)
                             //Constante PROCESSOR_INTEL_386
                             //Constante PROCESSOR_INTEL_486
                             //Constante PROCESSOR_INTEL_PENTIUM
   DWORD dwAllocationGranularity;   //Granularité pour VirtualAlloc()
   WORD wProcessorLevel;    //Puissance du processeur
                            //3 = 80386
                            //4 = 80486
                            //5 = Pentium
   WORD wProcessorRevision;    //inconnu
} SYSTEM_INFO, *LPSYSTEM_INFO;
```

De la mémoire en abondance ?

A l'aide des deux fonctions décrites ci-dessus, on peut jeter un coup d'oeil fort instructif dans la mémoire de son système. Comme le montre le petit programme suivant, appelé *MEMSTAT.C*, on peut appeler l'une après l'autre les deux fonctions et afficher ensuite à l'écran les différents champs des structures renseignées.

```
/******************************************************************/
/*                    M E M S T A T . C                         */
/*--------------------------------------------------------------*/
/* Fonction : Affiche les informations sur l'état de la mémoire  */
/*                                                              */
/*--------------------------------------------------------------*/
/* Auteurs : Michael Tischer et Bruno Jennrich                  */
/* Développé le : 06.09.1995                                    */
/* Dernière MAJ : 06.09.1995                                    */
/******************************************************************/
#include <windows.h>
#include <stdlib.h>
#include <stdio.h>
#include <conio.h>


/******************************************************************/
/* main : C'est ici que ça commence                             */
/******************************************************************/
void main(void)
{
  MEMORYSTATUS ms;
  SYSTEM_INFO  si;

  //MEMORYSTATUS ─────────────
  printf("GlobalMemoryStatus:\n");
  printf("===================\n");

  ms.dwLength = sizeof(MEMORYSTATUS);   //Initialisation obligatoire
  GlobalMemoryStatus(&ms);
```

```
//Pourcentage de mémoire utilisé
printf("MemoryLoad     :  %ld%%\n", ms.dwMemoryLoad);
//Taille la mémoire physique
printf("TotalPhys      : 0x%08lx\n", ms.dwTotalPhys);
//Mémoire physique disponible
printf( "AvailPhys      : 0x%08lx\n", ms.dwAvailPhys);
//Taille du fichier d'échange des pages
printf( "TotalPageFile : 0x%08lx\n", ms.dwTotalPageFile);
//Place disponible dans le fichier d'échange
printf( "AvailPageFile : 0x%08lx\n", ms.dwAvailPageFile);
//Taille de la mémoire virtuelle
printf( "TotalVirtual  : 0x%08lx\n", ms.dwTotalVirtual);
//Mémoire virtuelle disponible
printf( "AvailVirtual  : 0x%08lx\n", ms.dwAvailVirtual);


//SYSTEM_INFO ————————————————
printf("\nGetSystemInfo:\n");
printf("=============\n");


GetSystemInfo(&si);


//Taille d'une page
printf("PageSize        : 0x%04lx\n", si.dwPageSize);
//Plus petite adresse pour une application
printf("Min-App-Address  : 0x%08lx\n", si.lpMinimumApplicationAddress);
//Plus grande adresse pour une application
printf("Max-App-Address  : 0x%08lx\n", si.lpMaximumApplicationAddress);
//Type de processeur ?
printf("Processor Type    : ");
switch(si.dwProcessorType)
{
  case PROCESSOR_INTEL_386:     printf("i386\n");    break;
  case PROCESSOR_INTEL_486:     printf("i486\n");    break;
  case PROCESSOR_INTEL_PENTIUM: printf("Pentium\n"); break;
  default:                      printf("?\n");       break;
}
//Granularité de l'allocation mémoire
printf("Alloc-Granularity : 0x%08lx\n", si.dwAllocationGranularity);


printf("<Touche>");
_getch();
}
```

MEMSTAT.C

42.3.3. Question de performance

Dans la section précédente nous nous sommes déjà demandés comment la stratégie d'engagement de la mémoire réservée se répercutait sur les performances d'une application. Nous allons étudier de plus près cette question. Le programme suivant appelé *VIRALLOC.C* apporte une réponse concrète en implémentant plusieurs stratégies différentes.

Il s'agit d'une application console qui simule le fonctionnement d'un programme mémorisant de plus en plus d'éléments dans un tableau s'agrandissant sans cesse. Le tableau est initialement réservé par *VirtualAlloc()* dans sa taille finale. A ce moment, aucune mémoire n'est encore engagée à son intention. L'engagement n'est effectué qu'au moment où on ajoute des éléments au tableau, selon trois stratégies différentes dont on mesure l'efficacité.

Le nombre d'éléments du tableau, leur taille et la stratégie adoptée sont définis à l'appel du programme au niveau de la ligne de commande. La syntaxe de cet appel s'écrit :

```
VIRALLOC Mode Nombre Taille[NbAnt]
```

Le paramètre Mode décrit la stratégie d'engagement et peut être égal à l'une des constantes : *COMPLET, NOUVEAU* ou *ANTICIPE*. Le deuxième paramètre est le nombre d'éléments à créer dans le tableau, il peut être réduit à quelques unités ou atteindre plusieurs millions. La taille de chaque élément est spécifiée par le troisième paramètre.

Selon les valeurs que vous donnerez à ces paramètres, le remplissage du tableau peut durer un certain temps. Si l'attente vous paraît excessive, vous pouvez mettre fin au programme par <Ctrl+Break>.

Si la stratégie choisie est *ANTICIPE*, un quatrième paramètre peut être spécifié dans la ligne de commande qui donne le nombre d'éléments à engager à l'avance. La signification de cette option vous apparaîtra clairement quand vous aurez examiné le code source.

Code du programme VIRALLOC.C

Le programme principal *main()* commence par évaluer les paramètres de la ligne de commande, lesquels sont mémorisées dans des variables globales. Ainsi *g_lMode* représente l'une des constantes *ALLOC_COMPLETE, ALLOC_ONLYNEW* et *ALLOC_LOOKAHEAD* c'est-à-dire la stratégie adoptée. Dans *g_lRecordSize* on stocke la taille des éléments du tableau et dans *g_lMaxRecords* leur nombre. Ces indications permettent de réserver un tableau de la taille appropriée par *VirtualAlloc()*. Le pointeur qui référence le tableau est mémorisé dans la variable globale *g_pRecords*. Au début aucune mémoire n'est engagée pour le tableau.

Les engagements n'ont lieu que dans le cadre de la boucle qui crée les éléments du tableau. La boucle appelle la fonction *PutRecord()* pour ajouter un nouvel élément au tableau. C'est dans cette fonction que se décide la vitesse du programme car elle met en jeu les diverses stratégies.

En ajoutant un nouvel élément au tableau, *PutRecord()* doit s'assurer que la mémoire correspondante est engagée. La manière dont se réalise cet engagement dépend de la stratégie en vigueur. Celle-ci est en conséquence testée par une instruction *switch*. Dans le cas le plus simple, correspondant à la constante *ALLOC_COMPLETE* (paramètre *COMPLET*), la fonction *VirtualAlloc()* est appelée avec l'argument *MEM_COMMIT* de façon que la totalité de la mémoire soit engagée, depuis le début du tableau jusqu'à l'emplacement du nouvel élément. On engage donc pour la plus grande partie de la mémoire qui est déjà engagée. C'est là une méthode à la hache.

Dans la deuxième méthode (*ALLOC_ONLYNEW*, paramètre *NOUVEAU*), on opère déjà de façon un peu plus raffinée.

1128

En appelant *VirtualAlloc()* avec l'argument *MEM_COMMIT*, on ne spécifie à chaque fois que la seule mémoire prévue pour le nouvel élément du tableau. On tient donc compte de l'engagement de la mémoire précédente en n'engageant que la mémoire supplémentaire.

La troisième solution est encore plus habile. Elle engage par anticipation un forfait de mémoire prévu pour un certain nombre d'éléments du tableau. Si l'utilisateur a spécifié le paramètre *NbAnt* dans la ligne de commande, il représente le nombre d'éléments engagés par anticipation, sinon le programme prend 100 comme valeur par défaut. Cette stratégie présente un avantage notable. Il n'est pas nécessaire d'invoquer *VirtualAlloc()* à chaque appel de *PutRecord()*, mais uniquement lorsque la mémoire engagée à l'avance a été consommée. A partir de ce moment, on a de nouveau la paix pour un certain temps.

Evidemment on est conduit par cette méthode à gaspiller un peu de mémoire. On risque d'engager à la fin du tableau de la mémoire qui ne sera pas utilisée, mais cet inconvénient est mineur. On peut rester modeste en fixant à un niveau raisonnable le nombre d'éléments qui donnent lieu à l'engagement forfaitaire anticipé: il n'est pas nécessaire d'engloutir à chaque fois des centaines de Mo.

VIRALLOC.C

Laquelle des stratégies est la plus rapide ? C'est la troisième, la méthode d'engagement par anticipation, comme le montre le tableau ci-dessous. Les mesures ont été effectuée sur un Pentium 90 avec 16 Mo de RAM, le tableau testé occupant 2 Mo. Ce tableau contenait successivement 1000 éléments de 2000 octets, puis 10000 éléments de 200 octets, et enfin 100000 éléments de 20 octets.

Nbre d'éléments	Taille d'un élément (octets)	COMPLET (en s)	NOUVEAU (en s)	ANTICIPE (en s)
1000	2000	0,,550	0,207	0,149
10000	200	2,,937	0,808	0,406
100000	20	20,,940	7,317	0,546

Il apparaît clairement que la durée d'exécution augmente avec le nombre d'éléments, ce qui n'étonnera personne. Mais il est intéressant de constater que la méthode d'engagement par anticipation est systématiquement la plus rapide, et la méthode d'engagement complet la plus lente. Plus on augmente le nombre d'éléments du tableau, plus la différence entre les stratégies s'accroît. Si avec 1000 éléments la méthode d'engagement par anticipation est trois fois plus rapide que la méthode d'engagement complet, elle le devient 40 fois plus avec 100000 éléments.

Le programme démontre ainsi qu'il vaut la peine de se pencher sur les méthodes d'engagement de la mémoire au sein d'une application. Le cas échéant une anticipation habile conduira à un accroissement de vitesse notable.

42.3.4.   Un moniteur de mémoire

Si vous voulez avoir une idée concrète de la carte de la mémoire d'un processus et des régions de mémoire allouées, vous pouvez vous servir du programme *MemWalker* que vous trouverez sur le CD. Il a été écrit pour la plus grande partie en Visual Basic 4.0 (version 32 bits). Pour le mettre en service, il vous faudra donc disposer de Visual Basic 4.0 ou au moins de ses Run Time DLLs. Les modules VB font appel à une DLL écrite en C et appelée *MEMDUMP.DLL*. Elle a pour rôle de lire concrètement la mémoire. Nous la décrirons plus loin.

Mise en service de MemWalker

La figure suivante montre *MemWalker* en action. Dans le coin supérieur gauche de la fenêtre d'application apparaît un contrôle TreeView, l'un des nouveaux Common Controls de Windows 95. Il est utilisé pour l'affichage de tous les processus en cours. Vous pouvez ainsi voir quels sont les "programmes" actifs.

Les différentes entrées du TreeView peuvent être développées pour afficher plus d'informations sur un processus. On peut alors lire les noms des modules qui ont été chargés à l'intérieur du processus et leurs adresses de base. Il peut s'agir de fichiers DLL ou EXE chargés par le loader au lancement du processus parce que le fichier présentait les références correspondantes (voir à ce sujet la partie consacrée au format PE). Par ailleurs une application peut aussi charger ces modules au cours de l'exécution par le moyen des fonctions API *LoadLibrary()* et *LoadModule()*. Le programme n'indique pas comment les modules sont parvenus en mémoire. Les seuls renseignements obtenus sont le nombre de modules et les fichiers d'où ils sont issus. Parfois leur nombre est considérable, comme le montre la figure suivante où on explore le fichier EXE 32 bits de VB4. Ce que l'on voit ici n'est qu'un petit extrait des modules chargés, la liste complète est bien plus longue comme vous pouvez vous en rendre compte vous-même avec MemWalker.

Dès qu'on clique sur un nouveau processus dans le contrôle TreeView, la carte de la mémoire est réaffichée dans la fenêtre située au-dessous. Elle utilise une autre nouveauté parmi les Common Controls à savoir le contrôle ListView en affichage Report. La carte de la mémoire affiche la vue fournie par *VirtualQueryEx()* lorsqu'on parcourt l'espace d'adressage d'un processus à la recherche de pages de même attribut. Dans la première colonne on voit l'adresse de base de chaque région en mémoire, à droite sa taille en octets. On constate que les trois chiffres hexadécimaux inférieurs de la taille sont toujours nuls. Ce n'est pas étonnant car la mémoire est gérée par pages de 4 Ko. Or en hexadécimal 4 Ko s'écrit 0x1000, les multiples de 4 Ko se terminent donc toujours par trois zéros.

En fait MemWalker ne parcourt la mémoire que dans une zone comprise entre 0 et 3 Go. Le dernier giga-octet de l'espace d'adressage d'un processus est réservé au système et n'est pas accessible. Pour observer le contenu d'une région de mémoire, il suffit de cliquer sur la région correspondante dans la colonne "base". Dans la zone de liste du côté droit de la fenêtre on voit alors apparaître le contenu courant de la région avec 8 octets par ligne. D'abord l'adresse de base de la ligne, puis les huit octets en hexadécimal, suivis de leur représentation ANSI si elle est possible. On repère ainsi facilement les régions qui contiennent des chaînes ANSI.

Si la région choisie s'étend sur plus d'une page, les deux boutons situés au-dessous de la zone de liste sont alors activés. Ils permettent de se déplacer de page en page dans toute la mémoire. Mais toutes les régions indiquées dans la liste ne sont pas obligatoirement affichées. Il faut que les différents indicateurs situés dans le contrôle ListView à droite de la colonne avec la taille aient des valeurs appropriées. Les abréviations suivantes sont utilisées :

CM : Mémoire engagée (committed)
FR : Mémoire libre (free)
NA : Mémoire non disponible
RW : Lecture et écriture autorisées
RO : Mémoire en lecture seule

Pour pouvoir afficher le contenu d'une mémoire de la zone de liste, la mémoire correspondante doit au moins être engagée, sinon l'accès n'y est pas possible. Pour classer l'affichage en fonction de l'un des attributs, il suffit de cliquer sur l'en-tête correspondant. En cliquant par exemple sur "CM" vous verrez d'abord toutes les régions engagées. De la même façon vous pouvez classer les régions affichées par taille, si vous voulez voir les plus importantes en premier.

Last but not least, il ne faut pas oublier la colonne "Allocation". Bien que *MemWalker* ne puisse pas révéler qui a alloué telle région de mémoire, cette colonne indique au moins quelles sont les régions qui ont été réservées par un même appelant au moyen de la fonction *VirtualAlloc()*. Ces régions sont en effet associées à la même adresse dans la colonne *Allocation*. La plupart du temps l'adresse indiquée dans *Allocation* commence à un multiple de 64 Ko comme nous l'avons expliqué à propos de *VirtualAlloc()*. En fait *Allocation* ne représente rien d'autre que l'adresse renvoyée par *VirtualAlloc()*. Mais de temps en temps *MemWalker* permet de découvrir des bases d'allocation qui ne sont pas situées à une adresse multiple de 64 Ko. Dans tous les cas, il s'agit toujours d'adresses situées au-delà de 0x80000000 dans la mémoire gérée par le système. Selon toute apparence il règne en ces lieux une granularité plus fine que celle qui est destinée aux processus.

Code du programme MemWalker

Bien que *MemWalker* constitue en lui-même une aide appréciable et un outil intéressant, vous serez peut-être amené à l'étendre ou à l'adapter à vos besoins particuliers. Avec le code source fourni et les fichiers de projet du CD, cette entreprise ne posera pas de problème. Le programme est basé sur le fichier Make, *MemWal.vdp*, représenté ci-dessous.

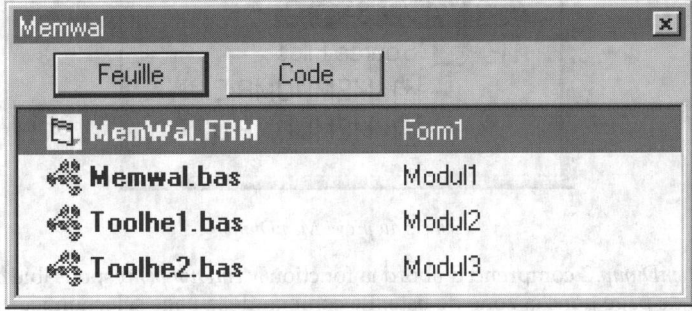

Fichiers du projet MemWal

Vous voyez d'abord le formulaire *MemWal.Frm* contenant les différents contrôles du programme ainsi que le code associé. Il est uniquement responsable de l'interaction avec l'utilisateur et ne se préoccupe pas de connaître le noms des processus exécutés, les différentes régions de mémoire ou leur contenu. Ces renseignements sont pris en charge par les trois modules VB appelés *MemWal.bas*, *Toolhe1.bas* et *Toolhe2.bas*.

**MEMWAL.FRM   MEMWAL.BAS
TOOLHE1.BAS   TOOLHE2.BAS**

Le plus difficile pour le programme est de déterminer les processus courants et les modules chargés par ces processus. Il s'agit en effet d'informations internes au système qui a priori ne peuvent pas être retrouvées d'une manière simple. Heureusement que *KERNEL32.DLL* contient un jeu de fonctions API connues sous le nom de "ToolHelp". Elles ont été spécialement conçues pour cet usage et sont appelées à l'intérieur de *MemWalker* par le module *Toolhe2.bas*. Les déclarations nécessitées par les appels sont regroupés dans le fichier *Toolhe1.bas*. En conséquence, les deux fichiers *Toolhe1.bas* et *Toolhe2.bas* du CD-ROM montrent comment on se sert des fonctions Toolhelp sous Visual Basic.

Il faut cependant encore parler du fichier *MemWal.bas*, lequel est responsable de la traversée des régions de mémoire d'un processus par *VirtualQueryEx()*. Cette tâche est prise en charge par la procédure *MemWalk* à laquelle on transmet le handle du processus et un contrôle ListView. Elle remplit ce contrôle avec les données en provenance des différentes régions de mémoire, en supposant que les colonnes ont été correctement initialisées quant à leur ordre, leur largeur et leurs intitulés.

Ce module contient également une procédure appelée *ShowMem()*. Celle-ci sert à afficher à l'écran le contenu d'une page. Elle fait appel à *MEMDUMP.DLL* qui charge la zone de liste du programme avec le contenu de la page souhaitée.

Comme le montre la figure suivante, *MEMDUMP.DLL* est composé d'un seul module C appelé *MemDump.C*, abstraction faite du fichier DEF obligatoire.

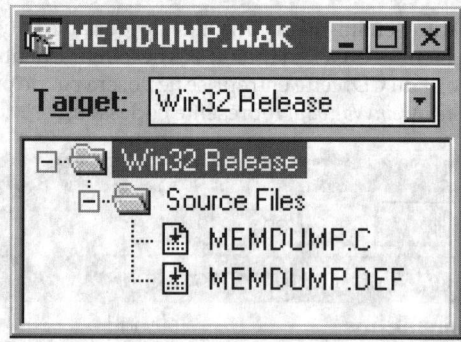

Fichiers du projet MemDump

Le module *MemDump.C* comprend d'abord la fonction *MemDump()* responsable de l'affichage des contenus de page dans la zone de liste. Le contenu de la page sélectionnée est d'abord lu par la fonction *ReadProcessMemory()* de l'API Win32. Avec ces informations *wsprintf()* élabore ligne par ligne une chaîne de caractères qui est ajoutée à la fin de la zone de liste à l'aide de *SendMessage()* et du code de message *LB_ADDSTRING*.

Le listing de MEMDUMP.C contient une autre fonction inhabituelle appelée *uAdd()*. Elle est chargée d'additionner deux entiers longs, ce qui suscite des difficultés imprévues en Visual Basic... VB considère en effet que les entiers longs sont signés, et au-delà de la valeur 0x80000000 on glisse inévitablement dans le domaine des nombres négatifs. Les adresses mémoire (des entiers longs non signés) ne peuvent évidemment supporter ce genre de fantaisie, sinon à partir de 2 Go elles deviendraient brusquement négatives. Les modules VB ont donc recours à la fonction mentionnée qui élimine le problème.

MEMDUMP.C

42.3.5. Heaps

Pour gérer de petits blocs mémoire plutôt que de grandes régions, si on ne veut pas se poser des questions quant à leur engagement, on peut se servir des différentes fonctions du heap. Elles permettent de réaliser des "tas" classiques comme le font les fonctions C standard *malloc()*, *realloc()* et *free()*.

Ces dernières reposent en effet sur les fonctions du heap de l'API Win32. Si on est déjà familiarisé avec ces fonctions et si on n'est pas obligé de passer par l'API pour gérer plusieurs heaps séparés, on pourra renoncer aux fonctions de l'API.

Il est par contre avantageux de créer plusieurs heaps via l'API chaque fois que des objets de taille hétérogène doivent être mémorisés dans le tas.

Selon le rapport de taille des objets et leur fréquence de création/destruction, leur mise en commun peut créer davantage de problèmes de fragmentation que leur répartition dans des heaps séparés.

La mémoire des heaps est prélevée sur la mémoire virtuelle de l'application et allouée à titre interne par *VirtualAlloc()*. On peut ainsi installer des petits ou des grands heaps.

Fonction	Rôle
HeapCreate()	Crée un nouveau heap
HeapAlloc()	Alloue de la mémoire à un heap
HeapFree()	Libère un bloc de heap alloué précédemment
HeapReAlloc()	Agrandit ou diminue un bloc de heap alloué précédemment
HeapDestroy()	Détruit un heap créé précédemment
HeapSize()	Renvoie la taille d'un bloc de heap alloué précédemment
GetProcessHeap()	Renvoie un handle sur le heap du processus courant
GetProcessHeaps()	Remplit un tableau avec les handles de tous les heaps du processus courant

Pour créer un heap on appelle *HeapCreate()*. La valeur de retour est un handle à utiliser par la suite dans les autres fonctions pour désigner le nouveau heap. *HeapAlloc()* permet d'allouer des blocs de heap, *HeapRealloc()* de modifier leur taille et *HeapFree()* de les libérer. La sémantique rappelle bien la bibliothèque C standard.

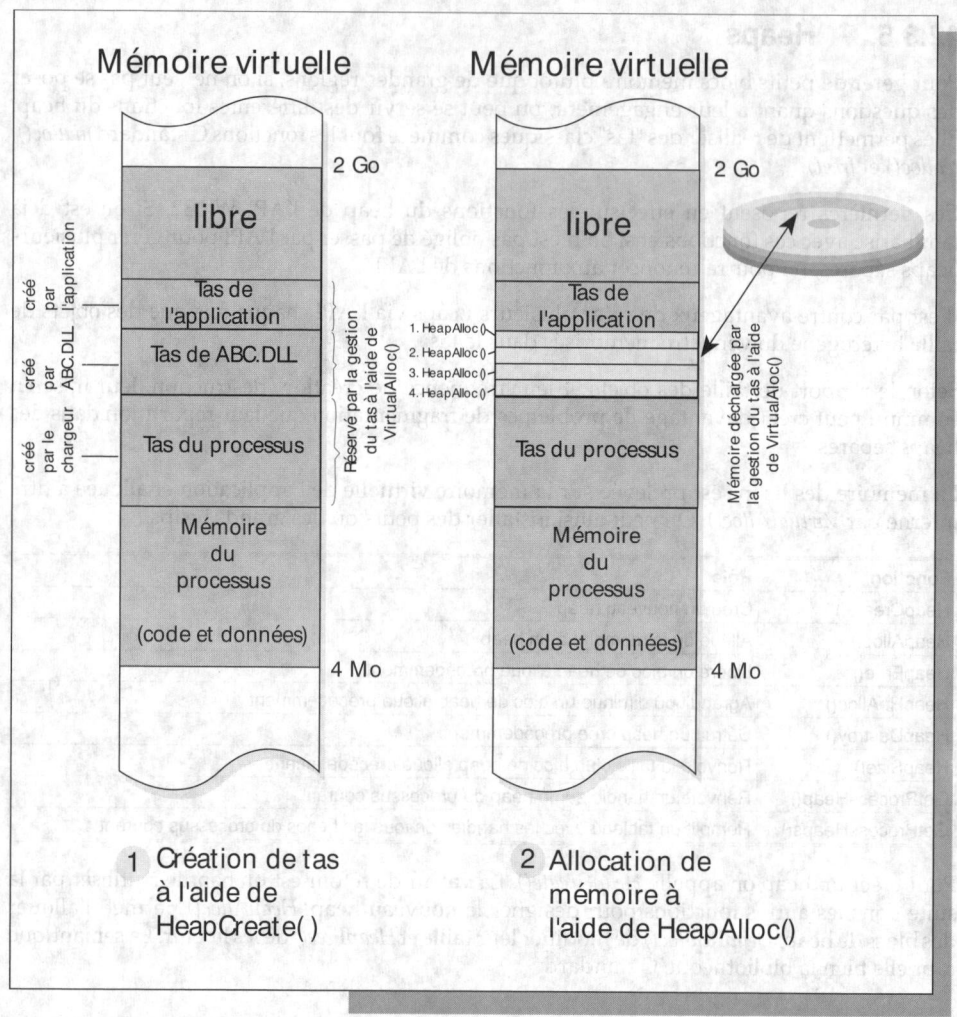

Mise en oeuvre des heaps Win32

Le heap de processus

Le heap de processus existe dès le lancement d'un processus. Le loader le crée au chargement du processus, et l'utilise pour stocker des informations que le noyau du système doit gérer à l'intérieur de la mémoire du processus. Rien n'empêche le processus d'y allouer de la mémoire pour son propre compte. Il suffit de disposer à cet effet du handle correspondant. Ce dernier est renvoyé comme résultat de la fonction *GetProcessHeap()* :

```
HANDLE GetProcessHeap(VOID);
```

Pour obtenir tous les handles des heaps établis dans un processus, on se sert de la fonction *GetProcessHeaps()*. On lui communique un pointeur PHANDLE sur un tableau d'éléments de type DWORD ou LONG où seront écrits les handles obtenus. Pour ne pas risquer de débordement, on indique aussi le nombre d'éléments attendus dans le tableau :

```
DWORD GetProcessHeaps(
    DWORD    NumberOfHeaps,    //Nombre d'éléments du tableau
    PHANDLE ProcessHeaps       //Pointeur sur tableau
    );
```

Le nombre de heaps détectés est indiqué par le DWORD renvoyé comme résultat. S'ils sont plus nombreux que ne le laissait prévoir le premier argument transmis, le tableau ne reçoit aucun élément. Il faut alors agrandir le tableau en conséquence et rappeler la fonction avec le nombre d'éléments rectifié.

Création d'un nouveau heap

Si on ne souhaite pas recourir aux heaps existants, on peut en créer un nouveau en appelant *HeapCreate()*.

```
HANDLE HeapCreate(
    DWORD flOptions,        //Indicateur de mode
    DWORD dwInitialSize,    //Taille initiale
    DWORD dwMaximumSize     //Taille maximale
    );
```

Le principal argument de *HeapCreate()* est la taille initiale du heap, c'est-à-dire le nombre d'octets qui doivent être disponibles immédiatement. La spécification est arrondie à un nombre entier de pages engagées sans délais.

Pour la taille maximale, il convient d'indiquer NULL si on ne désire pas limiter sciemment ses besoins. Le heap croîtra automatiquement en fonction de la mémoire nécessaire. Il est cependant possible de limiter a priori la taille du heap en mettant le nombre d'octets désiré. Dans ce cas, toute tentative d'allouer de la mémoire au-delà de la taille annoncée est vouée à l'échec.

Le premier argument, *flOptions*, permet quant à lui de régler le comportement du heap dans certaines situations. Il existe deux options différentes caractérisées par des constantes peuvant être combinées :

HEAP_GENERATE_EXCEPTIONS

Avec cet indicateur, lorsqu'on appelle *HeapAlloc()* et qu'il ne reste plus de mémoire disponible, la valeur renvoyée n'est pas NULL mais il se déclenche une exception. Cette disposition est essentiellement prévue pour les applications système.

HEAP_NO_SERIALIZE

Lorsque plusieurs threads d'un même processus accèdent simultanément aux différentes fonctions de gestion d'un heap, l'accès est normalement sérialisé. Un seul thread à la fois peut accéder à un heap donné avec une fonction de heap. Les autres threads devront attendre. Si un processus ne travaille pas avec plusieurs threads, on peut se passer de la sérialisation ce qui fait gagner un temps très minime. Si vous voulez en profiter, vous pouvez recourir à cette valeur d'argument.

Allouer de la mémoire

Si *HeapCreate()* n'a pas renvoyé NULL (pour signaler une erreur), le résultat de la fonction est un handle associé au nouveau heap. On peut alors allouer de la mémoire par *HeapAlloc()*.

1135

```
LPVOID HeapAlloc(
    HANDLE hHeap,       //Handle du heap concerné
    DWORD  dwFlags,     //Indicateur de mode
    DWORD  dwBytes      //Nombre d'octets à réserver
   );
```

La plupart des fonctions de heap attendent comme premier argument le handle du heap concerné : il en est bien ainsi de *HeapAlloc()*. Le deuxième argument permet de transmettre un indicateur du type *HEAP_GENERATE_EXCEPTIONS* ou *HEAP_NO_SERIALIZE*. Ceci ne se justifie que si on désire remettre en question le paramétrage affecté au moment de l'appel à *HeapCreate()*. L'indicateur *HEA_ZERO_MEMORY* est plus intéressant étant donné qu'il met à zéro le contenu de la mémoire réservée. On peut ainsi initialiser sans ambiguïté une structure de données. Le troisième argument est la taille du buffer souhaité décomptée en nombre d'octets.

Si la fonction renvoie NULL, la quantité de mémoire demandée n'a pas pu être allouée, ce qui devrait être rare. En général on obtiendra comme résultat un pointeur référençant le début du bloc de mémoire alloué. Ce bloc n'est pas seulement réservé, il se trouve aussi engagé (committed), de sorte qu'on peut y accéder directement à l'aide du pointeur de heap.

Pour agrandir ou réduire un bloc déjà alloué, on se sert de la fonction *HeapRealloc()* :

```
LPVOID HeapReAlloc(
    HANDLE hHeap,       //Handle du heap concerné
    DWORD  dwFlags,     //Indicateur de mode
    LPVOID lpMem,       //Pointeur sur le bloc
    DWORD  dwBytes      //Nouvelle taille en octets
   );
```

A côté du handle du heap concerné, on indique l'adresse de début du bloc et sa nouvelle taille. Les indicateurs possibles pour *dwFlags* sont *HEAP_GENERATE_EXCEPTIONS*, *HEAP_NO_SERIALIZE* et *HEAP_ZERO_MEMORY*. Lorsqu'on agrandit un bloc, *HEAP_ZERO_MEMORY* a pour effet de remplir de zéros la partie ajoutée.

Enfin la fonction reconnaît aussi la constante *HEAP_REALLOC_IN_PLACE_ONLY*. Quiconque s'y connaît un peu en gestion de heap devine certainement de quoi il s'agit. Il se peut qu'un bloc de mémoire doive être déplacé pour être agrandi parce qu'il est coincé à l'endroit où il se trouve. Il faut alors rechercher sur le heap une zone libre suffisamment étendue pour accueillir le bloc dans sa nouvelle dimension. Si la zone est trouvée, le bloc est copié et la fonction renvoie un pointeur sur le nouveau bloc. L'ancien bloc est libéré et peut être à nouveau alloué ultérieurement.

Si on spécifie *HEAP_REALLOC_IN_PLACE_MEMORY*, le bloc n'est pas déplacé s'il peut être agrandi sur place. La fonction renvoie alors NULL. Dans les autres cas, elle renvoie la nouvelle adresse du bloc qui peut être très différente de l'ancienne. Dans le cadre d'une application il faut veiller à mettre à jour tous les pointeurs qui référençaient ce bloc.

Pour prendre connaissance de la taille d'un bloc du heap, on utilise *HeapSize()*. Les indicateurs ne jouent pas de rôle notable ici et les autres arguments vous sont déjà connus.

```
DWORD HeapSize(
    HANDLE  hHeap,       //Handle du heap concerné
    DWORD   dwFlags,              //Indicateur de mode, ici NULL
    LPCVOID lpMem        //Pointeur sur le début du bloc
   );
```

La valeur renvoyée est la taille du bloc en octets ou 0xFFFFFFFF si un heap erroné ou une adresse de bloc inconnue ont été spécifiés.

Si on se décide à relâcher un bloc, on appelle *HeapFree()* :

```
BOOL HeapFree(
    HANDLE  hHeap,      //Handle du heap concerné
    DWORD   dwFlags,    //Indicateur de mode, ici NULL
    LPVOID  lpMem       //Pointeur sur le début du bloc à libérer
    );
```

Si la libération a réussi, on obtient comme résultat TRUE. Le pointeur qui référençait le bloc est désormais interdit d'utilisation. Pour se débarrasser brutalement de tous les blocs d'un heap, on peut le détruire à l'aide de *HeapDestroy()*. Le handle du heap devient alors invalide mais rien n'empêche l'application d'appeler aussitôt *HeapCreate()* pour créer un autre heap.

```
BOOL HeapDestroy(
    HANDLE  hHeap       //Handle du heap à révoquer
    );
```

42.3.6. Les anciennes fonctions 16 bits sous Win32

La gestion de la mémoire sous Win16 est un sujet que l'on peut désormais déposer aux oubliettes. Soyons honnêtes : sur ce point Windows 3.0 et ses successeurs ont mené la vie dure aux programmeurs. Il existait deux jeux complets de fonctions API, pour la mémoire locale et la mémoire globale, et il fallait verrouiller les segments en mémoire avant de disposer d'un pointeur autorisant les accès.

Si votre gestion de mémoire fonctionne de manière stable sur un système Win16 et si vous suivez le principe "Never touch a running system", vous pourrez continuer d'utiliser les anciennes fonctions sous Win32.

Personne ne vous oblige à réviser de fond en comble l'allocation de la mémoire lors de la conversion 32 bits. Les anciennes fonctions WIn16 sous disponibles sous Win32 même si les fichiers d'inclusion les transforment en fonctions de l'API Win32.

42.3.7. Opérations sur la mémoire

L'API Windows contient quatre fonctions destinées à effectuer des opérations élémentaires sur des blocs de mémoire : copie, remplissage, déplacement et mise à zéro.

Fonction	Rôle
CopyMemory()	Copie un bloc de mémoire
FillMemory()	Remplit un bloc de mémoire avec un octet constant
MoveMemory()	Déplace un bloc de mémoire
ZeroMemory()	Remplit un bloc de mémoire avec des zéros

Si vous partez à la recherche de la définition de ces fonctions et des DLL qui les contiennent, une surprise vous attend.

Ces fonctions ne sont pas vraiment issues de l'API, elles sont converties en appels à la bibliothèque d'exécution du compilateur C grâce à diverses macros. On trouve d'abord des changements de noms dans *WINBASE.H* :

```
// WINBASE.H

// ...
// ...
// ...

#define  MoveMemory  RtlMoveMemory
#define  CopyMemory  RtlCopyMemory
#define  FillMemory  RtlFillMemory
#define  ZeroMemory  RtlZeroMemory
```

Les nouveaux noms sont finalement transformés en références à la bibliothèque d'exécution dans le fichier *WINNT.H*. On pourrait donc directement appeler les fonctions issues de cette bibliothèque.

```
// WINNT.H

// ...
// ...
// ...

#if defined(_M_IX86) || defined(_M_MRX000) || defined(_M_ALPHA)

#define RtlMoveMemory(Destination,Source,Length) memmove((Destination),(Source),(Length))

#define RtlCopyMemory(Destination,Source,Length) memcpy((Destination),(Source),(Length))

#define RtlFillMemory(Destination,Length,Fill) memset((Destination),(Fill),(Length))

#define RtlZeroMemory(Destination,Length) memset((Destination),0,(Length))

// ...
// ...
// ...

#endif
```

42.4. Fichiers projetés en mémoire (Memory mapped files)

Les fichiers projetés en mémoire (MMF) ont déjà été présentés comme offrant un moyen d'économiser de la place au sein du fichier d'échange, ceci en accédant directement aux fichiers EXE et DLLs. Les pages correspondantes ne sont plus stockées dans le fichier d'échange, mais tirées du fichier d'origine se trouvant sur le disque. Lorsqu'une page doit être chargée, elle est recherchée dans le fichier programme. Voilà qui économise non seulement de la mémoire mais aussi du temps. Car il n'est plus nécessaire de recopier dans un premier temps les programmes dans le fichier d'échange avant que les pages n'y soient recherchées. Les performances de l'application ne peuvent qu'en être améliorées.

Plus jamais de Seek(), Read() ou Write()

Le potentiel des fichiers projetés en mémoire n'est pas réservé au code système. Il est aussi à la disposition du code de l'utilisateur sous forme de quelques fonctions de l'API Win32. On trouve ici une facette particulièrement brillante du principe des MMF. Le traitement des fichiers par les programmes en est véritablement révolutionné. Il n'est plus besoin de faire appel aux fonctions *Seek()*, *Read()* ou *Write()*. A la place on projette le fichier en mémoire à l'aide de l'API puis on y accède avec un pointeur, comme s'il se trouvait entièrement en mémoire. Les manipulations complexes auxquelles on était astreint pour transférer simultanément en mémoire plusieurs sections d'un même fichier ne sont plus nécessaires. Si vous avez goûté au plaisir de développer un jour des routines pour traiter des formats de fichiers pas tout à fait triviaux, vous apprécierez à sa juste valeur la philosophie MMF. Une grande partie de la charge de développement disparaît, et le reste est plus clair et plus facile à maintenir.

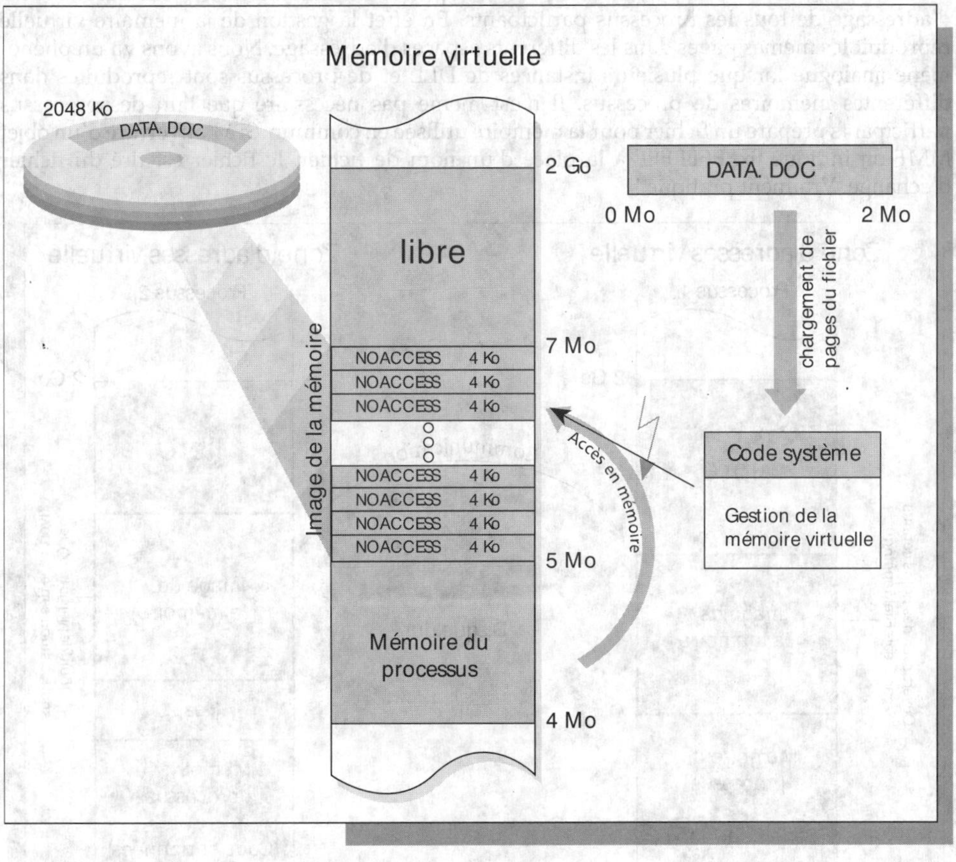

Accès aux fichiers projetés en mémoire

Chaque fois qu'on accède à une zone de la mémoire où se trouve projeté le fichier, la gestion virtuelle charge automatiquement en mémoire les pages correspondantes, à moins qu'elles n'y soient déjà. Le système évite de réenregistrer immédiatement dans le fichier les pages modifiées après chaque accès en écriture. Il commence par attendre d'autres accès avant de procéder à une écriture tardive (en anglais : lazy write).Une fois familiarisé avec le petit nombre d'API gérant ces opérations, on se demande vraiment pourquoi les accès aux fichiers n'ont pas toujours été aussi simples.

Communication inter-processus

La philosophie MMF révèle un autre talent lorsqu'on se rend compte que sous Win32 la projection en mémoire est pour un processus la seule possibilité de gérer de grandes quantités de données concurremment à d'autres processus. Il s'agit là d'une entreprise audacieuse compte tenu de l'isolement des espaces d'adressage de processus sous Windows 95. Il est effectivement possible de sortir de la cage dorée par l'intermédiaire d'un fichier projeté simultanément dans plusieurs espaces d'adressage. Plusieurs processus participent à un même objet MMF en lui donnant un nom connu de tous les participants. Pour y avoir accès ensuite, chacun d'eux n'aura plus qu'à ouvrir l'objet MMF au moyen de ce nom. Chaque accès en écriture à la mémoire de projection du fichier apparaîtra immédiatement dans les espaces d'adressage de tous les processus participants. En effet la gestion de la mémoire virtuelle reproduit les mêmes pages dans les différents espaces d'adressage. Nous avons vu un phénomène analogue lorsque plusieurs instances de DLL et de processus sont reproduites dans différentes mémoires de processus. Il n'est même pas nécessaire que l'un des processus participants prépare un fichier pour la mémoire utilisée en commun. Si à l'ouverture d'un objet MMF on indique 0xFFFFFFFF à la place d'un nom de fichier, le fichier est tiré du fichier d'échange. Vraiment pratique !

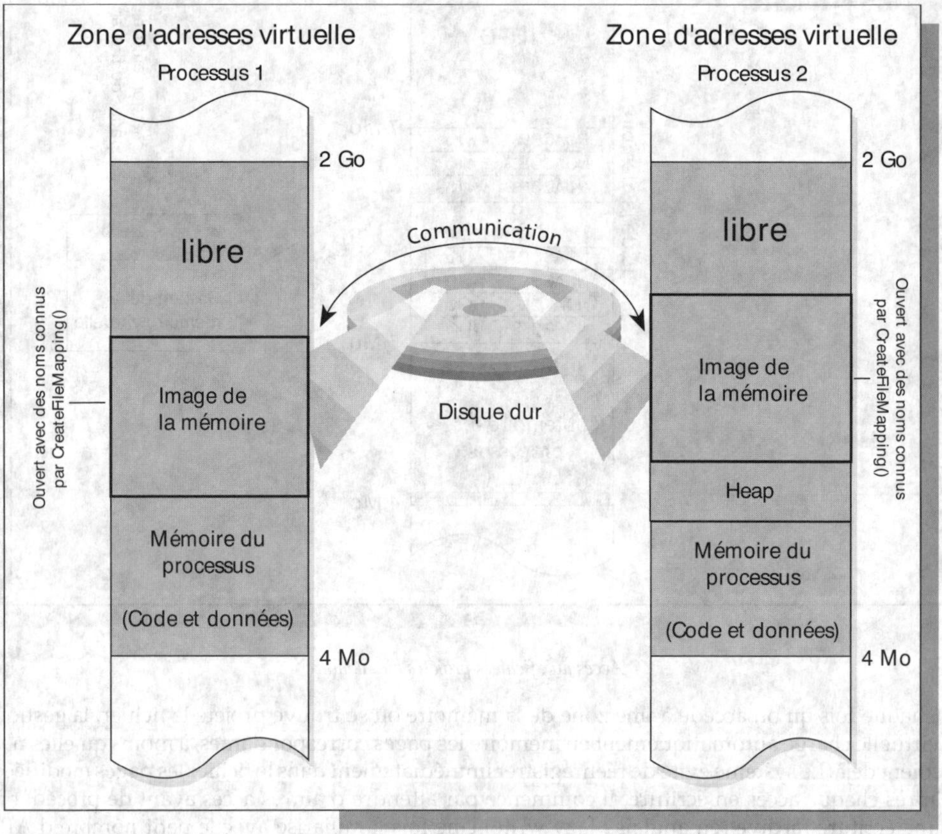

Communication inter-processus à l'aide des MMF

Fonction	Rôle
CreateFileMapping()	Crée un objet Memory Mapped File (MMF) pour un fichier donné
OpenFileMapping()	Ouvre un objet MMF
MapViewOfFile()	Projette une partie du fichier en mémoire
MapViewOfFileEx()	Variante étendue de MapViewOfFile() avec indication de l'adresse de début de la projection
UnMapViewOfFile()	Met fin à une projection en mémoire
FlushViewOfFile()	Force l'enregistrement dans le fichier des pages modifiées non encore sauvées

42.4.1. Création d'une projection

La construction de la projection est la première des opérations. On commence d'abord par ouvrir le fichier à projeter en appelant d'une façon tout à fait ordinaire la fonction *CreateFile()* de l'API Win32. On obtient ainsi le handle de fichier que nécessite la création d'un objet MMF. En même temps, le fichier ne peut plus être ouvert par d'autres processus ce qui pendant l'accès poserait des problèmes (mot d'ordre : race conditions).

L'appel à *CreateFile()* nécessite des indicateurs pour définir les droits d'accès au fichier. Si le fichier peut être lu et modifié, on spécifie *GENERIC_READ+GENERIC_WRITE*. Si on souhaite se limiter à l'accès en lecture seule, il faut renoncer à *GENERIC_WRITE*. Armé du handle de fichier obtenu, on peut créer l'objet MMF par *CreateFileMapping()*.

```
HANDLE CreateFileMapping(
    HANDLE hFile,              //Handle du fichier
    LPSECURITY_ATTRIBUTES lpFileMappingAttributes,   //Win95: NULL
    DWORD  flProtect,          //Attribut de page
    DWORD  dwMaximumSizeHigh,  //Taille maximale du fichier, Lo-DWORD du QWORD
    DWORD  dwMaximumSizeLow,   //idem, Hi-DWORD du QWORD
    LPCSTR lpName              //Pointeur sur nom de l'objet MMF
    );
```

Le premier argument est le handle du fichier concerné. Si la mémoire doit se référer au fichier d'échange, on indique comme nous l'avons déjà mentionné 0xFFFFFFFF. Le deuxième argument sert à munir l'objet MMF d'attributs de sécurité qui l'accompagneront tout au long de sa vie, ceci uniquement pour ce qui concerne NT. Sous Windows 95, on précisera simplement NULL. L'argument *flProtect* sert à fixer les attributs des pages destinées à accueillir le contenu du fichier et à le projeter dans les espaces d'adressage des différents processus. En général on spécifiera *PAGE_READWRITE* pour que les pages en question puissent à la fois être lues et modifiées. Ce n'est qu'en présence de code de programme ou de fichiers en lecture seule que l'on sera amené à choisir *PAGE_READON-LY*. Dans ce cas un accès en écriture provoque une exception.

Ce qui suit laisse penser que l'époque du 32 bits ne durera pas éternellement. On trouve en effet dans la liste des arguments un mot quadruple (QuadWord) c'est-à-dire un entier de 4*16=64 bits. En C il n'existe pas encore de désignation standardisée pour ce type de variable. On utilise donc deux DWORDs séparés pour indiquer la taille maximale du fichier. Mais le double mot de poids fort (Hi-WORD) appelé *dwMaximumSizeHigh* est superflu pour le moment. Le contenu de *dwMaximumSizeLow* est suffisant pour décrire des fichiers de 4 Go. Votre gestionnaire de disque dur vous en sera reconnaissant.

Si un fichier existant ne doit être exploité qu'en lecture seule, on peut se contenter d'indiquer 0 quant à sa taille maximale. L'objet MMF créé représente dans ce cas un fichier qui ne peut pas augmenter. Quoiqu'il en soit, la taille spécifiée est à considérer comme une taille maximale, la limite jusqu'à laquelle un fichier préexistant peut être étendu.

Le dernier argument est un pointeur qui référence une chaîne de caractères C, laquelle fournit le nom du nouvel objet MMF. Si l'objet ne doit être mis en service que dans le cadre d'un seul processus, il n'est pas nécessaire de lui attribuer un nom. On met alors simplement NULL. Le noms attribué est soumis aux mêmes règles que les noms de mutex, de sémaphores et d'événements. Il peut comporter jusqu'à 64 caractères. Tous les caractères sont permis sauf le backslash (\). Le nom doit être un identifiant unique de façon à ne pas créer d'embarras pour les autres processus qui utiliseraient le même.

Si l'objet MMF souhaité a pu être créé, la fonction *CreateFileMapping()* ne renvoie pas NULL mais un handle qui référence l'objet. Tel sera aussi le cas si on a indiqué le nom d'un objet MMF existant déjà. Si plusieurs processus sont amenés à communiquer par un même objet MMF, chacun l'ouvre par *CreateFileMapping()* en indiquant son nom. Si l'objet n'existe pas encore, il est créé. S'il existe déjà, on obtient un handle qui le référence. L'appel est donc toujours efficace.

Accès à des objets MMF existants

Pour savoir exactement si un objet existe ou non, il vaut mieux appeler la fonction *OpenFileMapping()*. L'appel ne réussit que si l'objet MMF spécifié existe déjà. On pourra donc lancer un ballon d'essai en invoquant *OpenFileMapping()* uniquement pour savoir si un objet donné existe déjà ou s'il faut le créer.

```
HANDLE OpenFileMapping(
    DWORD   dwDesiredAccess,    //Type d'accès
    BOOL    bInheritHandle,     //Indicateur d'héritage
    LPCSTR  lpName              //Pointeur sur le nom
    );
```

L'argument *dwDesiredAccess* sert à spécifier le type d'accès souhaité. Selon qu'on autorise la lecture seule, l'écriture ou les deux, on choisit l'une des constantes *FILE_MAP_READ*, *FILE_MAP_WRITE* ou *FILE_MAP_ALL_ACCESS*. Le deuxième argument indique si le handle retourné pourra être hérité par les processus fils. Si au cours de son exécution votre processus n'en engendre pas d'autres avec lesquels ils pourrait communiquer par l'intermédiaire de l'objet MMF, vous mettrez la valeur FALSE.

Le dernier argument est un pointeur qui référence une chaîne de caractères C désignant le nom attribué à l'objet MMF dans le cadre d'un appel précédent à *CreateFileMapping()*.

La fonction regarde dans la table des noms si un tel objet existe. Si ce n'est pas le cas, elle renvoie NULL, sinon elle renvoie un handle qui servira à accéder à l'objet au cours des appels futurs à d'autres fonctions de l'API. A partir de ce moment le processus appelant participe au fichier sous-jacent et peut le projeter dans sa mémoire pour y accéder.

Projection en mémoire

Pour réaliser effectivement la projection, on se sert de la fonction *MapViewOfFile()*. Le premier argument est le handle MMF et le second le mode d'accès souhaité. Comme pour *OpenFileMapping()* on indique dans ce dernier cas *FILE_MAP_READ*, *FILE_MAP_WRITE* ou *FILE_MAP_ALL_ACCESS*.

```
LPVOID MapViewOfFile(
    HANDLE hFileMappingObject,    //Handle de l'objet MMF
    DWORD dwDesiredAccess,        //Type d'accès souhaité
    DWORD dwFileOffsetHigh,       //Offset de début, Lo-DWORD de QWORD
    DWORD dwFileOffsetLow,        //idem, Hi-DWORD de QWORD
    DWORD dwNumberOfBytesToMap    //Taille de la zone à projeter en octets
    );
```

L'argument qui suit est l'offset au sein du fichier où doit débuter la projection. On retrouve un entier de 64 bits répartis sur deux DWORDs appelé *dwFileOffsetHigh* et *dwFileOffsetLow*. Le dernier argument est le nombre d'octets à projeter.

L'adresse de début et le nombre d'octets définissent la zone de projection du fichier. Par là même se trouve fixée la taille de la mémoire virtuelle que la fonction doit réserver pour y faire apparaître le contenu du fichier.

Il faut cependant signaler une restriction importante dans la définition de l'adresse de début. Elle doit correspondre à un multiple de la granularité d'allocation.

Sous Windows 95, il s'agit de 64 Ko, un paramètre déjà mentionné dans l'étude de *VirtualAlloc()*. Comme offset on peut donc indiquer dans la variable *dwFileOffsetLow* : 0x0, 0x00010000 (64Ko), 0x00020000 (128 Ko), etc., toute adresse intermédiaire étant prohibée.

Autrement dit le mot de poids faible de *dwFileOffsetLow* doit toujours être 0. Cette limitation est due à l'utilisation de *VirtualAlloc()* par la fonction *MapViewOfFile()*. Cette restriction a des conséquences intéressantes sur la projection des fichiers EXE et DLL décrite à la section 42.4 à propos du format PE de Windows.

Le pointeur renvoyé par *MapViewOffFile()* représente l'adresse de la zone de l'espace mémoire du processus appelant où commence le fichier projeté.

Une fois que la fonction a été appelée avec succès, il permet d'accéder au fichier. Mais il faut toujours vérifier s'il n'est pas NULL, ce qui signalerait une erreur. La faute peut en revenir à des arguments mal spécifiés, mais aussi sous Windows 95 au manque de place dans un fichier d'échange qui ne peut plus être agrandi.

Lorsque plusieurs processus projettent en mémoire la même zone d'un fichier par l'intermédiaire d'un objet MMF, ils obtiennent un accès commun à la zone.

Par ailleurs un processus pourra appeler plusieurs fois *MapViewOfFile()* pour projeter différents extraits d'un fichier dans autant d'emplacements de la mémoire. Le plus simple est toutefois d'invoquer *MapViewOfFile()* pour projeter en mémoire la totalité du fichier.

Projections multiples en mémoire d'un même fichier

Il est important que le dernier octet de la zone de fichier projetée ne sorte pas de la limite constituée par la taille maximale indiquée dans *CreateFileMapping()*. S'il se situe en effet au-delà de la fin initiale du fichier, ce dernier est agrandi en conséquence.

MapViewOfFileEx() est une version étendue de *MapViewOfFile()*. Les premiers arguments sont les mêmes mais on dispose en plus de la faculté de fixer le point de départ de la projection dans l'espace mémoire de l'appelant. Ceci intéresse généralement assez peu le code de l'utilisateur mais le loader en fera usage pour faire débuter à un emplacement précis le code d'un fichier EXE. Pour Windows 95 il s'agit de l'adresse 0x0400000 (4 Mo).

```
LPVOID MapViewOfFileEx(
    HANDLE hFileMappingObject,
    DWORD  dwDesiredAccess,
    DWORD  dwFileOffsetHigh,
    DWORD  dwFileOffsetLow,
    DWORD  dwNumberOfBytesToMap,
    LPVOID lpBaseAddress    // <-- seul argument différent,
    );                      //Contient l'adresse de base souhaitée
```

Lorsqu'on écrit dans la zone de projection d'un fichier, les modifications ne sont pas immédiatement enregistrées sur disque pour éviter que chaque accès ne dégénère en une coûteuse opération d'entrée/sortie. Il peut cependant exister des situations où l'on souhaite forcer l'enregistrement pour prévenir des pertes de données et être sûr de disposer des dernières mises à jour sur le disque. C'est la fonction *FlushViewOfFile()* qui règle ce problème :

```
BOOL FlushViewOfFile(
    LPCVOID lpBaseAddress,        //Adresse de début de la zone
    DWORD   dwNumberOfBytesToFlush //Nombre d'octets à enregistrer
    );
```

L'adresse de début communiquée à la fonction n'est pas forcément celle où commence la projection en mémoire. La fonction calcule elle-même la page où commence la zone et enregistre les modifications. Le nombre de pages à enregistrer dépend de la taille de la zone, fixée par *dwNumberOfBytesToFlush*. Si on indique 0, la mémoire est enregistrée intégralement jusqu'à la fin de la projection. Si on indique une valeur non nulle, la fonction calcule la dernière page concernée et toutes les pages du début de la zone jusqu'à celle-ci sont enregistrées.

Suppression d'une projection

Pour mettre fin à une projection, on fait appel à la fonction *UnmapViewOfFile()*. Si l'appel réussit, tout accès ultérieur à la mémoire précédemment réservée à la projection déclenche une exception.

```
BOOL UnmapViewOfFile(
    LPCVOID lpBaseAddress     //Adresse de début de la projection à supprimer
    );
```

L'objet MMF lui-même est restitué par la fonction bien connue *CloseHandle()* qui le supprime. On peut ensuite procéder à la clôture du fichier associé par *FileClose()*.

Le moniteur PE montre bien comment fonctionnent les fichiers projetés en mémoire. Il effectue la projection d'un fichier EXE ou DLL quelconque et examine son contenu par rapport aux fonctions exportée et importées.

42.5.   Le format PE

Nous avons déjà vu que le format des fichiers exécutables devait remplir différentes conditions pour ne pas gêner le fonctionnement de la mémoire virtuelle sur le disque dur. Il faut notamment que le code du programme et ses données puissent être projetées en mémoire le plus simplement possible pour que les fichiers EXE et DLL puissent être utilisés en commun par plusieurs processus. Le format "portable exécutable", en abrégé PE, constitue une réponse à cette exigence. Lorsque le loader de Windows 95 reçoit l'ordre de charger une application, il interprète le contenu d'un fichier PE et en déduit l'image en mémoire du programme, comme le linker l'a prévu lorsqu'il a créé le fichier PE.

Ce chapitre traite de la structure de base d'un fichier PE et de la philosophie qui a présidé à sa conception. Il est clair que les fichiers PE ne contiennent pas seulement le code d'une application et les données associées mais toute une série d'éléments supplémentaires nécessaires à l'exécution. Nous nous intéresserons particulièrement aux informations concernant les fonctions importées et exportées. Un programme livré comme exemple sur le CD-ROM et présenté a la fin du présent chapitre montre comment ces informations peuvent être lues et visualisées.

Structure des fichiers PE

Le format PE des fichiers EXE et DLL n'est pas officiellement documenté dans le kit SDK de Win32. Mais sur les CD du SDK Win32 pour Windows NT, on trouve - ou du moins on trouvait pendant un certain temps - un fichier appelé *PE.TXT*, situé dans le répertoire \ *DOC* \ *FORMAT* et dans lequel Michael J. O'Leary de Microsoft décrit le format PE à l'attention des développeurs intéressés. Il en parle en termes quelque peu généraux, laissant de côté des détails pour le moins essentiels si l'on désire implémenter concrètement un fichier PE sous Windows 95. On peut toutefois s'aider de toute une série de types et de structures contenus dans le fichier d'inclusion *WINNT.H*. Ceux-ci reproduisent les éléments de la structure d'un fichier PE. Malheureusement l'interaction de ces éléments n'apparaît pas toujours clairement, ce qui nécessite quelques expériences sur des exemples réels. On reconnaît alors assez vite le schéma général de base sur lequel reposent les fichiers PE.

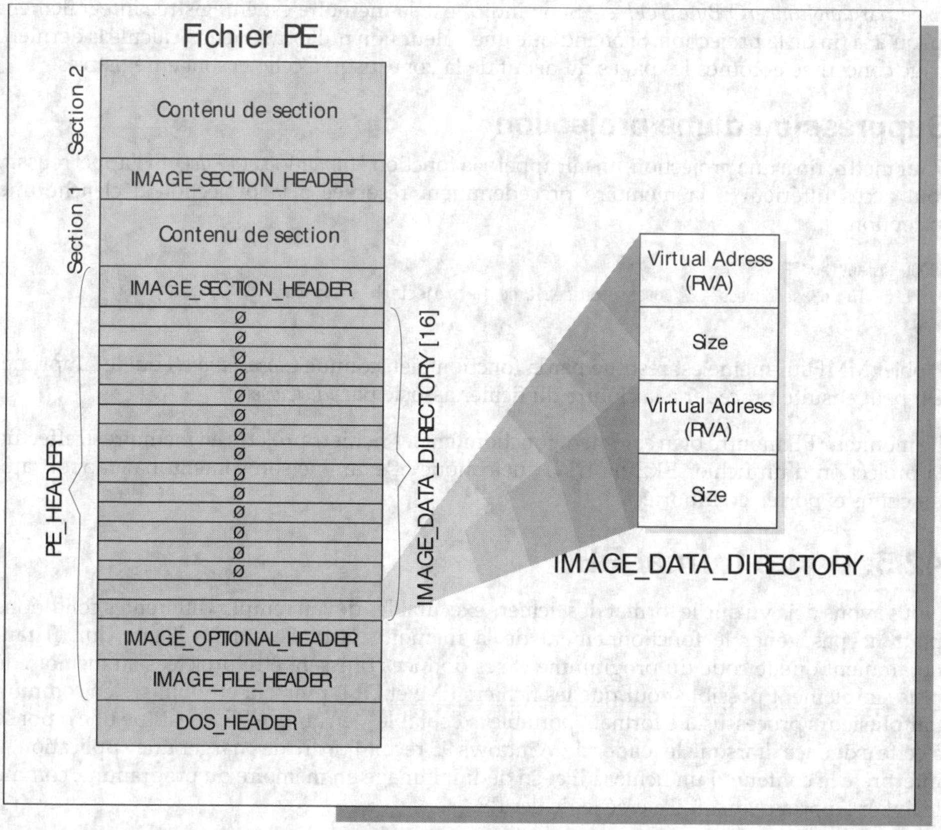

Structure d'un fichier PE

La figure ci-dessus montre qu'un fichier PE se compose de plusieurs sections préposées à des fonctions différentes. Au début se trouve l'ancien en-tête DOS puis le nouvel en-tête PE. Vient ensuite une série de sections diverses, gérées par une table des sections. Ces sections correspondent aux anciens segments de l'époque DOS.

Elles portent des noms de huit caractères au plus (comme les segments) dans lesquels on reconnaît des chaînes comme ".txt", ".data" ou ".bss". Quelques-unes sont créées par le compilateur, d'autres par le linker. C'est dans l'une ou l'autre de ces sections que se trouvent le code complet de l'application, toutes les données, toutes les fonctions importées, toutes les fonctions exportées ainsi que toutes les informations de "relocation". Plus d'autres encore...

Les champs des nombreuses structures d'un fichier PE ne seront pas tous décrits en détail dans les pages qui suivent. Leur contenu en effet n'est pas toujours très clair. Parfois les noms des variables ne sont pas très évocateurs et s'il est question sous une forme ou une autre de "flags" on ne sait pas toujours desquels il s'agit. Les informations disponibles sont toutefois suffisantes pour aborder les points essentiels concernant l'exécution d'une application, par exemple ce qui a trait aux fonctions importées et exportées.

Projection en mémoire

Avant de commencer l'exploration du format PE il faut bien se rappeler un des aspects essentiels du sujet : la projection en mémoire des fichiers PE. Dès le départ, le format PE a été conçu de sorte qu'il suffise de projeter en mémoire les fichiers correspondants pour que le code qui y soit contenu puisse être exécuté. Pour obtenir ce résultat il faut bénéficier de la collaboration du compilateur lors de la génération du code comme nous le verrons plus loin. Il doit veiller notamment à ce que le code du programme ne contienne pas trop d'adresses fixes, car l'adresse de début d'un fichier PE au niveau de sa projection mémoire n'est pas forcément connue. Sous Windows 95, le linker la fixe généralement à 0x400000 (4Mo) pour les fichiers EXE. Mais avec les DLLs on ne sait jamais où aura lieu l'atterrissage en mémoire.

La plupart des pointeurs qui dans les structures de données du format PE référencent d'autres éléments du fichier ne sont pas à interpréter comme des adresses de mémoire absolues. Elles se rapportent en fait au début du fichier ce qui fait qu'on les désigne sous le nom d'adresses virtuelles relatives (RVA = Relative Virtual Address). Si un pointeur de ce type contient la valeur 0x100 (256), l'adresse référencée se situe à 256 octets du début du fichier. Pour calculer l'adresse de l'emplacement mémoire correspondant dans la projection d'un fichier sur un espace d'adressage, il faut ajouter à l'adresse RVA l'adresse de début de la projection. Ainsi si la projection commence en 0x400000, l'élément référencé par le pointeur RVA 0x100 se situe à l'adresse 0x400100 de la mémoire. On peut ainsi écrire :

```
Adresse virtuelle d'accès à la mémoire = RVA + adresse de base
```

Mais comment obtenir l'adresse de base d'un processus ? La réponse est toute simple : par son handle d'instance, lui-même obtenu au lancement de l'application. Sous Windows 95 le handle d'instance représente l'adresse de base d'un processus en mémoire, et non plus comme autrefois un identifiant uniquement destiné à distinguer entre elles les différentes instances d'une application. Cette distinction n'est plus indispensable de cette manière car le noyau du système sait toujours parfaitement à qui il a affaire. C'est lui en effet qui commande la commutation entre les différents processus. La formule précédente peut donc s'écrire en fin de compte :

```
Adresse virtuelle d'accès à la mémoire = RVA + hInstance
```

Il est intéressant de noter à ce sujet que les fichiers PE sont toujours projetés en mémoire dans leur intégralité. Non seulement les sections de code et de données, mais aussi la totalité de l'en-tête et tout ce qui se trouve dans le fichier. Un fichier PE commence toujours par un en-tête DOS, c'est pourquoi on observe d'abord un en-tête DOS à l'adresse de base d'un fichier PE projeté en mémoire.

Ce qui est génial dans cette affaire : bien que toutes les informations du fichier PE soient disponibles pendant l'exécution, aucune place n'est gaspillée en mémoire. Car les zones qui ne font l'objet d'aucun accès pendant l'exécution du processus doivent peu à peu céder la place à d'autres pages. Dans le cadre de la gestion usuelle de la mémoire virtuelle, elles sont transférées dans le fichier d'échange puis laissées là où elles sont puisqu'on n'a plus besoin d'elles. D'ailleurs il n'y a pas de transfert réel dans le fichier d'échange car la projection mémoire est tirée directement du fichier PE. Un principe vraiment intelligent.

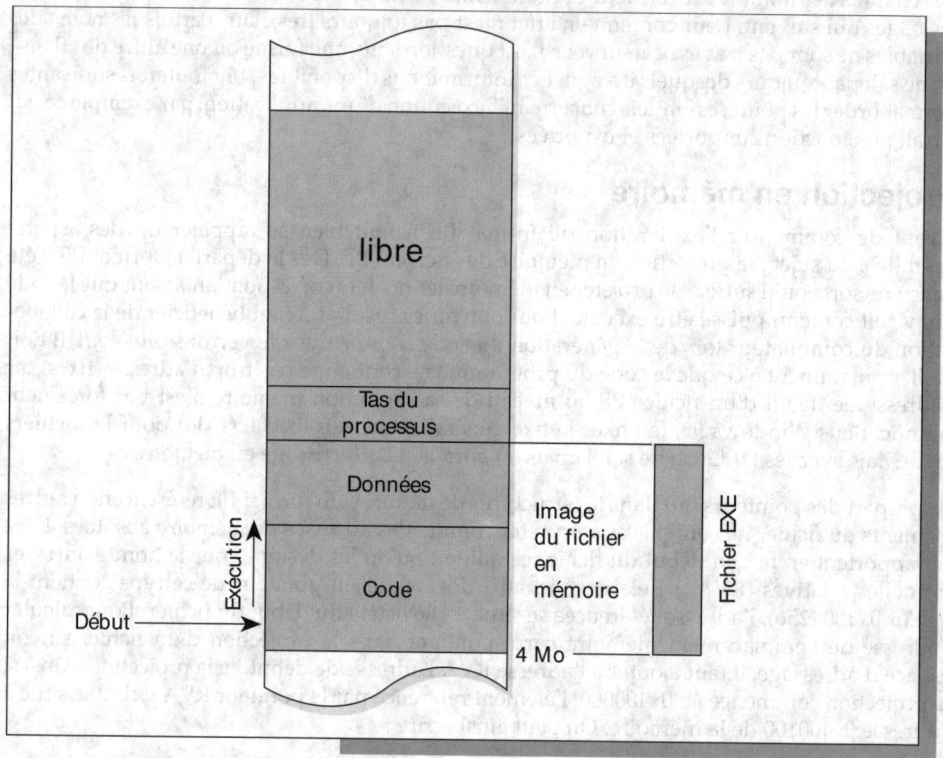

Projection et exécution en mémoire d'un fichier PE

42.5.1.   L'en-tête DOS

A début d'un fichier PE on trouve d'abord une vieille connaissance, l'en-tête DOS avec la marque d'introduction "MZ". Cet en-tête est nécessaire pour qu'un fichier PE puisse également être lancé sous DOS. A côté de l'en-tête se trouvent quelques instructions de code destinée à afficher un message indiquant que l'application ne fonctionne que sous Windows avant de mettre fin à l'exécution. Sans cet en-tête, DOS refuserait de lancer le programme et on ne comprendrait pas bien ce qui se passe.

```
//Au début d'un fichier PE on trouve l'en-tête DOS ordinaire

typedef struct {
    WORD e_magic;       //Initiales magiques "MZ"
    WORD e_cblp;        //Taille du fichier MOD 512
    WORD e_cp;          //Taille du fichier DIV 512
    WORD e_crlc;        //Nombre d'adresses de segments à ajuster
    WORD e_cparhdr;     //Taille de l'en-tête en paragraphes
    WORD e_minalloc;    //Nombre min. de paragraphes supplémentaires
    WORD e_maxalloc;    //Nombre max. de paragraphes supplémentaires
```

```
     WORD e_ss;          //Contenu du registre SS au démarrage du programme
     WORD e_sp;          //Contenu du registre SP au démarrage du programme
     WORD e_csum;        //Somme de contrôle sur l'en-tête du fichier EXE
     WORD e_ip;          //Offset initial pour IP
     WORD e_cs;          //Contenu du registre CS au démarrage du programme
     WORD e_lfarlc;      //Adresse de la table de relocation à l'intérieur du fichier
     WORD e_ovno;        //Numéro d'overlay
     WORD e_res[4];      //Réservé
     WORD e_oemid;       //ID d'OEM
     WORD e_oeminfo;     //Réservé OEM
     WORD e_res2[10];    //Réservé
     LONG e_lfanew;      //Offset de l'en-tête PE proprement dit
} IMAGE_DOS_HEADER, *PIMAGE_DOS_HEADER;
```

L'en-tête DOS est suivie du code DOS chargé d'afficher le message d'avertissement. C'est ensuite que l'on trouve l'en-tête PE proprement dit, de sorte que pour y parvenir il semblerait qu'il soit nécessaire de connaître la longueur du code précité. Malheureusement cette information n'est pas directement présente dans l'en-tête DOS. On dispose par contre de l'offset de l'en-tête PE par rapport au début du fichier. Il est constitué par le champ *IMAGE_DOS_HEADER.e_lfanew*.

42.5.2.   L'en-tête PE

L'en-tête PE est constituée par une structure de type *IMAGE_NT_HEADERS*. A côté de la signature "PE", on remarque la présence de deux champs constituant eux-mêmes des structures de données : *FileHeader* et *OptionalHeader* qui n'est pas optionnel du tout mais parfaitement obligatoire. Pour que le loader de Windows 95 reconnaisse le fichier, la signature doit être écrite sous la forme d'une chaîne ASCII "PE\0\0", autrement dit "PE" dans le mot de poids faible et 0x0000 dans le mot de poids fort.

```
// L'en-tête PE rassemble deux grandes structures de données

typedef struct {
    DWORD Signature;                       //Toujours "PE\0\0"
    IMAGE_FILE_HEADER FileHeader;          //Informations de base de l'en-tête
    IMAGE_OPTIONAL_HEADER OptionalHeader;  //Informations supplémentaires
} IMAGE_NT_HEADERS, *PIMAGE_NT_HEADERS;
```

Le champ *FileHeader* contient une structure de type *IMAGE_FILE_HEADER* remplie de toutes sortes d'informations intéressantes. Parmi elles on relève notamment le type de processeur qui a servi à compiler le code du fichier, le nombre de sections du fichier, ainsi que des indicateurs caractérisant le type du fichier.

```
//Première partie de l'en-tête PE

typedef struct {
    WORD    Machine; //Processeur capable d'exécuter le code
                     //0x0000 = inconnu
                     //0x014C = 80386 et au-delà
                     //0x014D = 80486 et au-delà
                     //0x014E = Pentium et au-delà
                     //0x0162 = MIPS R3000
                     //0x0166 = MIPS R4000
                     //0x0x16 = MIPS R10000
                     //0x0184 = DEC Alpha
```

```
                    //0x01F0 = PowerPC
    WORD   NumberOfSections;        //Nombre de sections du fichier
    DWORD  TimeDateStamp;           //Date-heure de création
    DWORD  PointerToSymbolTable;    //Pointeur sur table des symboles
                                    //pour débogage
    DWORD  NumberOfSymbols;         //Nombre d'éléments de la table des symboles
    WORD   SizeOfOptionalHeader;    //sizeof(IMAGE_OPTIONAL_HEADER)
    WORD   Characteristics;         //Indicateur de caractéristiques
} IMAGE_FILE_HEADER, *PIMAGE_FILE_HEADER;
```

L'indicateur de caractéristiques est un champ binaire dont les différents bits peuvent être combinés. Le plus intéressant est certainement le bit 13 qui permet de savoir si le fichier représente un programme exécutable ou une DLL, indépendamment de son nom.

Bit	Signification si valeur = 1
0	Les informations de relocation ont été retirées du fichier
1	Le fichier peut être exécuté, le linker n'a pas détecté d'erreur
2	Pas de numéros de ligne dans les informations de débogage
3	Pas de symboles dans les informations de débogage
4...11	Signification inconnue
12	C'est un fichier système
13	Le fichier n'est pas un programme mais une DLL
14...15	Réservé

La deuxième structure imbriquée dans l'en-tête PE est le champ *IMAGE_NT_HEADERS.OptionalHeader* qui contient une structure de type *IMAGE_OPTIONAL_HEADER*. Pour les fichiers EXE et DLL cette structure n'a rien d'optionnel mais elle est bourrée d'informations importantes et intéressantes. Grâce à elle on apprend ainsi :

O à quel endroit un fichier doit être chargé en mémoire, autrement dit quelle est l'adresse recommandée pour le début de la projection en mémoire,
O où doit commencer l'exécution de l'application, ce qui correspond à l'adresse de début du code,
O quelle est la version minimale du système d'exploitation requis,
O quelle est la taille maximale de la pile et combien de mémoire il faut réserver au processus au lancement du programme,
O quelle est la quantité de mémoire à réserver et à engager initialement pour le heap de processus,
O s'il s'agit d'une application de console ou d'une application GUI.

Voyez vous-même :

```
//Deuxième partie de l'en-tête PE

typedef struct {
    WORD  Magic;                    //Identificateur
    BYTE  MajorLinkerVersion;       //Numéro de version majeur du linker (décimal)
    BYTE  MinorLinkerVersion;       //Numéro de version mineur du linker (décimal)
    DWORD SizeOfCode;               //Taille de la section .text
    DWORD SizeOfInitializedData;    //Taille de la section .data
    DWORD SizeOfUninitializedData;  //Taille de la section .bss
    DWORD AddressOfEntryPoint;      //Adresse RVA du point d'entrée de l'application
```

```
      DWORD BaseOfCode;      //Adresse RVA de début du code
      DWORD BaseOfData;      //Adresse RVA des données
      DWORD ImageBase;       //Adresse de chargement par défaut (0x400000 pour fichiers EXE)
      DWORD SectionAlignment;   //Granularité d'alignement des sections (16KB)
      DWORD FileAlignment;      //Granularité d'alignement du fichier (256Byte)
      WORD  MajorOperatingSystemVersion;  //Numéro de version majeur du système
                                          //d'exploitation (décimal)
      WORD  MinorOperatingSystemVersion;  //idem, mineur (décimal)
      WORD  MajorImageVersion;      //Numéro de révision particulier
      WORD  MinorImageVersion;      //fixé par LINK /VERSION:x.y
      WORD  MajorSubsystemVersion;  //Numéro de version majeur du sous-système (décimal)
      WORD  MinorSubsystemVersion;  //idem, mineur (décimal)
      DWORD Reserved1;         //Réservé
      DWORD SizeOfImage;       //Taille de l'image, mais laquelle ?
      DWORD SizeOfHeaders;     //RVA: Début de la première section
      DWORD CheckSum;          //Somme de contrôle, de quoi ?
      WORD  Subsystem;      //Interface d'affichage de l'application:
                            //1 = aucune (driver de périph. etc.)
                            //2 = Fenêtre GUI
                            //3 = Console
      WORD  DllCharacteristics;   //Détermine l'appel de DllMain()
      DWORD SizeOfStackReserve;   //Mémoire à réserver pour la pile
      DWORD SizeOfStackCommit;    //Mémoire à engager initialement pour la pile
      DWORD SizeOfHeapReserve;    //Mémoire à réserver pour le heap du processus
      DWORD SizeOfHeapCommit;     //Mémoire à engager initialement pour le heap
                                  //du processus
      DWORD LoaderFlags;          //Informations pour le loader
      DWORD NumberOfRvaAndSizes;  //Nombre de sections qui suivent
      IMAGE_DATA_DIRECTORY DataDirectory[16];   //Descripteur de sections
} IMAGE_OPTIONAL_HEADER, *PIMAGE_OPTIONAL_HEADER;
```

Le dernier champ de la structure, appelé *DataDirectory*, représente un tableau de 16 éléments du type *IMAGE_DATA_DIRECTORY*. Il s'agit là d'une petite structure qui indique l'adresse RVA de début d'une section et sa taille. En général un fichier PE contient moins de 16 sections et certains éléments indiqueront une taille de section nulle. Le nombre des sections présentes est donné par le champ situé juste avant et appelé *NumberOfRvaAndSizes*.

```
//Format des éléments du tableau IMAGE_OPTIONAL_HEADER.DataDirectory

typedef struct {
    DWORD VirtualAddress;   //Adresse RVA de début de la section
    DWORD Size;             //Taille de la section en octets
} IMAGE_DATA_DIRECTORY, *PIMAGE_DATA_DIRECTORY;
```

42.5.3.   La table des sections

L'en-tête PE est suivie de la table des sections qui décrit les sections contenues dans le fichier. Elle se présente comme un tableau de 16 éléments *IMAGE_OPTIONAL_HEADER.DataDirectory*. Seuls les premiers éléments sont exploités, les autres sont remplis de zéros.

Chaque élément de la table contient d'abord le nom de la section, lequel est toujours complété par des espaces jusqu'à une longueur de huit caractères. Le nom est suivi de diverses indications de taille et d'adresse qui se rapportent, d'une part à la situation de la section dans le fichier, d'autre part à sa situation future dans la mémoire, ce qui n'est évidemment pas la même chose. Pendant la génération du programme, le linker a eu la vision de l'espace d'adressage virtuel futur et a fixé en conséquence les adresses relativement à cet espace. Dans le fichier, l'ordre des choses est cependant différent car les sections n'ont pas besoin d'y être enregistrées dans leur plein développement ultérieur. Prenons par exemple la section *.bss* qui est destinée à héberger au moment de l'exécution toutes les variables globales non initialisées et toutes les variables statiques. Le fichier n'a pas besoin de prévoir de place pour elles dans la section correspondante. Ces variables auraient de toute façon une valeur initiale nulle. Le descripteur de la section est alors suffisant.

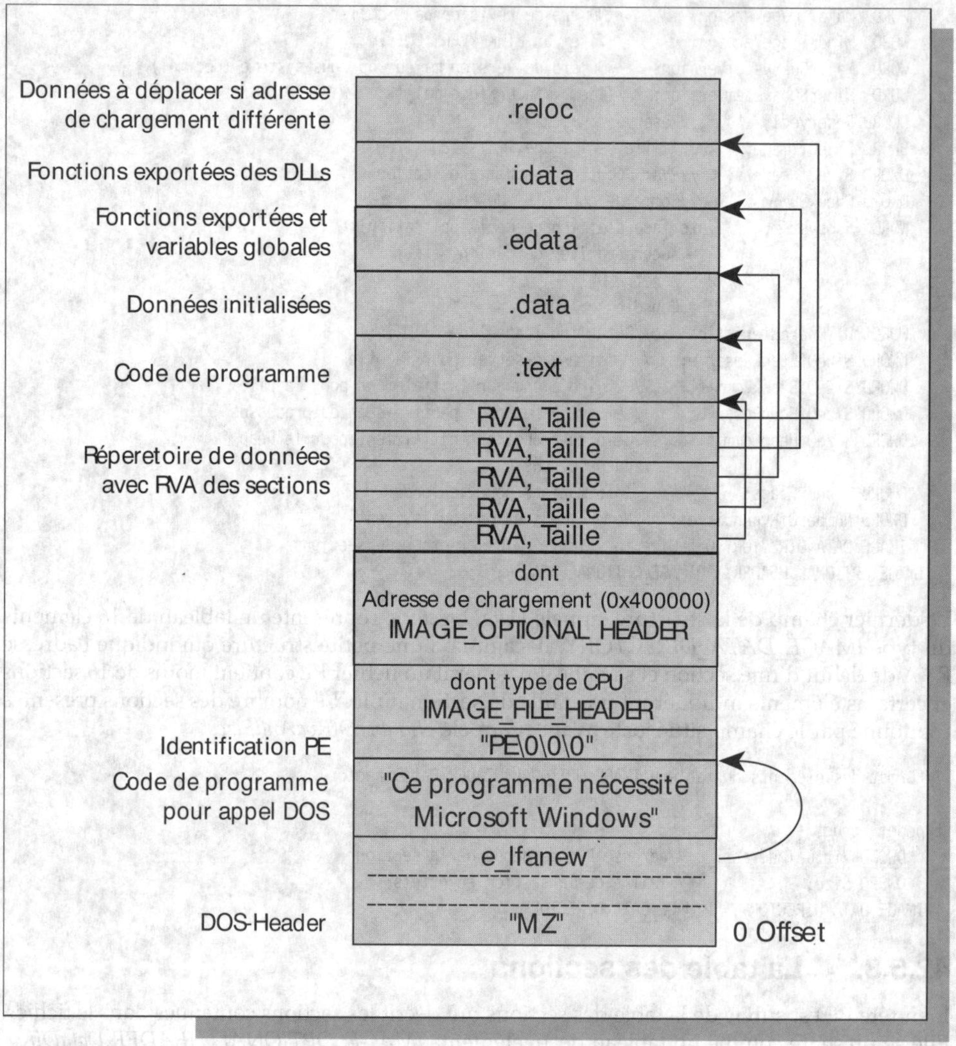

Données à déplacer si adresse de chargement différente	.reloc
Fonctions exportées des DLLs	.idata
Fonctions exportées et variables globales	.edata
Données initialisées	.data
Code de programme	.text
Réperetoire de données avec RVA des sections	RVA, Taille
	RVA, Taille
	RVA, Taille
	RVA, Taille
	RVA, Taille
	dont Adresse de chargement (0x400000) IMAGE_OPTIONAL_HEADER
	dont type de CPU IMAGE_FILE_HEADER
Identification PE	"PE\0\0\0"
Code de programme pour appel DOS	"Ce programme nécessite Microsoft Windows"
	e_lfanew
DOS-Header	"MZ" 0 Offset

Organisation de la table des sections PE et structures C associées

Vues multiples

Ceci a des implications importantes sur le processus de chargement, du fait que le loader ne peut plus projeter en mémoire le fichier complet en appelant une seule et unique fois la fonction *MapViewOfFile()*. Il va d'abord projeter en mémoire l'en-tête complet, avec la partie DOS, la partie PE et la table des sections, en partant de l'adresse de chargement imposée. Puis il parcourt la table des sections et en fonction des indications du linker, il projette chaque section en invoquant *MapViewOfFile()*.

```
//A chaque section contenue dans le fichier
//correspond une structure du type IMAGE_SECTION_HEADER

typedef struct {
    BYTE  Name[8];              //Nom de la section complété par des espaces
    DWORD VirtualSize;          //Taille de la section en octets
    DWORD VirtualAddress;       //Adresse RVA de début de la section
    DWORD SizeOfRawData;        //Taille du fichier arrondie
                                //à un multiple de 512 octets
    DWORD PointerToRawData;     //RVA de début de la section dans le fichier
    DWORD PointerToRelocations; //Sans signification dans les fichiers EXE et DLL
    DWORD PointerToLinenumbers; //Sans signification dans les fichiers EXE et DLL
    WORD  NumberOfRelocations;  //Sans signification dans les fichiers EXE et DLL
    WORD  NumberOfLinenumbers;  //Sans signification dans les fichiers EXE et DLL
    DWORD Characteristics;      //Contenu de la section
} IMAGE_SECTION_HEADER, *PIMAGE_SECTION_HEADER;
```

Pour pouvoir effectuer la projection avec *MapViewOfFile()*, le loader doit connaître la taille et l'adresse de début de la zone dans la mémoire, ainsi que la situation et la taille de la section à l'intérieur du fichier. Il trouve ces informations dans les champs suivants :

Champ	Signification
VirtualSize	Taille de la section en mémoire, à arrondir au moment de la projection à un multiple de la granularité d'allocation (64 Ko)
VirtualAddress	Adresse virtuelle future relative (RVA). La projection de la section débutera donc à l'adresse RVA + hInstance.
SizeOfRawData	Taille du contenu de la section dans le fichier PE. Est déjà arrondie à un multiple de secteur (512 octets)
PointerToRawData	Offset du contenu de la section dans le fichier PE

Le linker a défini les éléments de la table des sections dans l'ordre de la projection des sections en mémoire virtuelle. Les sections se succèdent donc dans cet ordre mais seront stockées à des adresses multiples de 64 Ko. Cette restriction est due aux allocations effectuées par *VirtualAlloc()* dont la gestion de mémoire doit respecter la granularité.

Il ne revient donc pas au même de faire projeter un fichier PE par le loader et de le projeter soi-même dans son intégralité. Les en-têtes DOS et PE ainsi que la table des sections se retrouvent certes au même emplacement mais pas les sections qui suivent. Pour accéder à une section, il faut se procurer le pointeur approprié par l'élément *PointerToRawData* et ne pas faire appel à *VirtualAdress*.

Avant d'utiliser les pointeurs indiqués à l'intérieur des sections il faut d'abord les convertir. Ils représentent en effet des adresses virtuelles relatives (RVA) à l'intérieur de la future projection en mémoire du fichier et non des offsets à l'intérieur du fichier brut et de sa projection directe 1:1.

Pour passer d'une adresse RVA à l'offset dans le fichier, il faut soustraire de cette adresse la différence entre le début de la section en mémoire virtuelle et son début dans le fichier. La formule s'écrit :

```
OffsetFichier = PointeurRVA - (IMAGE_SECTION_HEADER.VirtualAddress -
IMAGE_SECTION_HEADER.PointerToRawData)
```

Pour trouver une adresse réelle en mémoire en partant du fichier brut, il faut ajouter l'adresse de début de la projection à l'offset dans le fichier.

```
Adresse_virtuelle_en_mémoire = Offset_Fichier + Adresse_de_début_de_la_projection
```

A la fin de ce chapitre il vous sera présenté un programme de lecture d'un fichier PE directement projeté en mémoire. Vous verrez que c'est plus facile que ne le laissent penser les explications.

Mais revenons à *IMAGE_SECTION_HEADER*. L'information la plus importante quand on est à la recherche d'une section se trouve tout à la fin de la structure dans le champ *Characteristics*. Elle décrit le contenu de la section et le loader en a besoin pour reconnaître les sections de code et de données d'un fichier. Contrairement à ce qu'on pourrait supposer, le nom de la section n'est pas déterminant à cet égard. Chaque compilateur peut utiliser les noms qu'il veut. Chez Microsoft les sections qui contiennent le code proprement dit s'intitulent toujours ".text" mais elles pourraient porter un autre nom. Le loader ne se fie qu'au champ *Characteristics*. Voici les principaux indicateurs avec leur signification :

Constante	Valeur	Signification
IMAGE_SCN_TYPE_NO_PAD	0x00000008	Réservé
IMAGE_SCN_CNT_CODE	0x00000020	La section contient du code de programme
IMAGE_SCN_CNT_INITIALIZED_DATA	0x00000040	La section contient des données initialisées
IMAGE_SCN_CNT_UNINITIALIZED_DATA	0x00000080	La section contient des données non initialisées
IMAGE_SCN_LNK_OTHER	0x00000100	Réservé
IMAGE_SCN_LNK_INFO	0x00000200	La section contient des informations supplémentaires, par exemple pour le débogueur
IMAGE_SCN_LNK_REMOVE	0x00000800	La section ne doit pas être reproduite en mémoire
IMAGE_SCN_LNK_NRELOC_OVFL	0x01000000	La section contient des données de relocation étendues
IMAGE_SCN_MEM_DISCARDABLE	0x02000000	Le contenu de la section n'a pas besoin d'être conservé
IMAGE_SCN_MEM_NOT_CACHED	0x04000000	Ne pas mettre en mémoire cache le contenu de la section
IMAGE_SCN_MEM_NOT_PAGED	0x08000000	Ne pas mettre dans le fichier d'échange le contenu de la section
IMAGE_SCN_MEM_SHARED	0x10000000	La section ne peut pas être utilisée en même temps par plusieurs processus
IMAGE_SCN_MEM_EXECUTE	0x20000000	La section est exécutable
IMAGE_SCN_MEM_READ	0x40000000	La section peut être lue
IMAGE_SCN_MEM_WRITE	0x80000000	La section peut être modifiée

Sections d'un fichier PE

Si on examine avec le programme *DUMPBIN* (cf. package Visual C++) des fichiers exécutables sous Windows 95, on trouve toujours les mêmes noms de sections associés aux contenus suivants :

Nom de la section	Contenu
.text	Code d'une application
.data	Variables globales et statiques initialisées
.bss	Variables statiques et globales non initialisées
.rdata	Chaîne de description issue d'un fichier DEF
.idata	Définitions d'importation
.edata	Définitions d'exportation
.reloc	Adresse à reloger
.debug	Informations de débogage
.tls	Variables locales de thread
.rsrc	Ressources

Certaines de ces sections n'ont guère besoin d'explication : *.text* contient la totalité du code de l'application, *.data* l'ensemble des variables initialisées globales et statiques, par exemple les constantes de type chaîne. Les variables globales et statiques non initialisées se trouvent dans la section *.bss*. Comme ces données n'ont pas de valeur initiale, il n'est pas nécessaire de les enregistrer dans le fichier. La section n'est donc pas vraiment présente, ce que confirme la valeur 0 de *SizeOfRawData*.

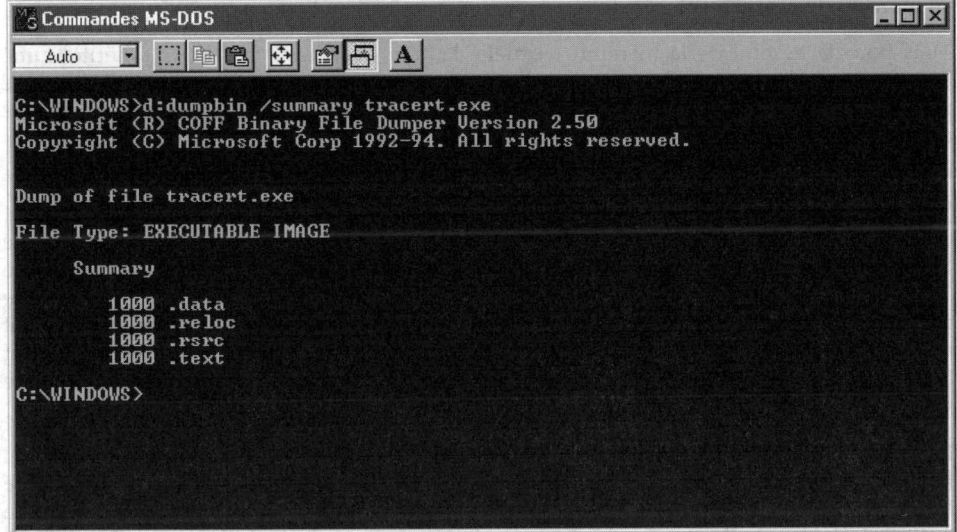

Comment DUMPBIN voit les sections d'un fichier PE

Quelques-unes des sections ne sont pas documentées officiellement et n'ont donc pas pu être étudiées avec précision. Ainsi en est-il de la section *.debug* avec les informations de débogage, de la section *.tls* où sont mémorisées les variables locales de thread déclarées par __declspec(thread), et de la section *.rsrc* qui contient les ressources de l'application.

La section *.rdata* ne contient qu'une seule chose : le nom du programme ou de la DLL tel qu'il a été indiqué dans le fichier DEF à l'aide de la commande *DESCRIPTION*.

42.5.4. Adresses relogeables

Avec la section des adresses relogeables, nous sommes conduits à nous demander dans quelle mesure ces opérations ne concernent pas le compilateur. N'est-ce pas lui qui devra générer du code qui puisse être facilement projeté depuis le fichier PE dans différents processus ? Il sera effectivement contraint à cet effort, car des processus différents signifient aussi des adresses de code et de données différentes dans les espaces mémoire concernés.

C'est là que commence en quelque sort le dilemme du processeur. Le problème concerne tous les accès de données et tous les appels de fonctions qui sont codés avec des adresses directes. Il ne s'agit en aucun cas d'instructions inhabituelles, mais d'instructions ordinaires de base dont les programmes sont remplis.

```
PUSHD[0x0004073C2]        ;Empile le DWORD d'adresse[0x0004073C2]
CALL  0x00080FF24         ;Appelle la procédure située à l'adresse 0x00080FF24
MOV   [0x000401234], EAX  ;Stocke la valeur de retour
                          ;dans la mémoire[0x000401234]
```

Si dans l'espace d'adressage le code "monte" ou "descend" de quelques Mo, les indications d'adresses absolues qui figurent dans ces instructions devront être ajustées car leur "destination" se déplace en même temps qu'elles. Cet ajustement est appelé relocation. Dans la section *.reloc* le linker dépose ainsi les adresses de toutes les mémoires à déplacer. On y trouve des adresses associées à des instructions machine, mais aussi des pointeurs initialisés par exemple sur des constantes chaînes. Le loader modifie le code et certaines parties des données initialisées au moment du chargement, et le tour est joué.

Mais pour la gestion de la mémoire virtuelle l'affaire n'en reste pas là. Elle hérite d'une importante charge de travail car toutes les pages dans lesquelles il y a eu des modifications ne peuvent plus être utilisées en commun par différentes instances de processus. Ces pages diffèrent à présent d'une instance à l'autre. Là où il est écrit MOV AX,0x00001234 pour l'un des processus, l'autre devra lire MOV AX,0x00005678 pour donner un exemple simplifié.

Si un grand nombre de pages sont touchées par la relocation, l'efficacité du mécanisme PE peut en souffrir notablement. Le compilateur devra donc s'efforcer de générer le moins de code relogeable possible. Cet objectif est tout à fait à sa portée comme le montre rapidement le débogueur. Une énorme quantité d'adresses absolues passent déjà à la trappe lorsque le compilateur utilise des offsets dans les appels de fonctions et les branchements (respectivement instructions CAL et JMP). Les adresses absolues y sont remplacées par des distances par rapport à la destination. Ces distances ne sont pas modifiées lorsque l'adresse du début du programme varie en mémoire. C'est déjà donc une sorte de RVA.

Par contre pour les pointeurs initialisés et l'accès aux variables globales on ne peut rien faire. La relocation est obligatoire. En fait pour les fichiers EXE le linker met en oeuvre une petite astuce pour éviter la relocation dans la plupart des cas. Il calcule les adresses en partant de 0x400000 (4 Mo), l'adresse de chargement standard des fichiers EXE sous Windows 95. Lorsqu'un fichier EXE est vraiment projeté à cette adresse, il n'est alors plus nécessaire de procéder à des relocations.

42.5.5.   Imports

Pour savoir quelles sont les fonctions DLL dont se sert un programme ou un fichier DLL, il faut jeter un coup d'oeil dans la section *.idata*. *Elle recense toutes les fonctions DLL importées ainsi que les variables globales importées. Après chargement d'un programme, la section ne contient pas seulement les noms mais aussi les adresses mémoire effectives des fonctions impliquées. Elle est donc très précieuse pour le débogage et l'étude approfondie d'une application. A la fin de ce chapitre nous vous présenterons un programme qui s'appuie sur la connaissance de la structure de cette section pour lire les adresses des fonctions DLL appelées par le processus courant.*

Table des DLL

La section *.idata* est introduite par une table des DLLs qui contient une entrée du type *IMAGE_IMPORT_DESCRIPTOR* pour chaque DLL à importer. Le nombre d'entrées n'est pas mémorisé mais la fin de la table est signalée par une entrée entièrement formée de zéros.

```
typedef struct {
    PIMAGE_THUNK_DATA Characteristics;    //RVA du 1er tableau IMAGE_IMPORT_BY_NAME
    DWORD TimeDateStamp;                  //Date-heure, en général 0
    DWORD ForwarderChain;                 //Pour le chaînage des appels
    DWORD Name;                           //RVA du nom de la DLL (chaîne C)
    PIMAGE_THUNK_DATA FirstThunk;         //RVA du 2me tableau IMAGE_IMPORT_BY_NAME
} IMAGE_IMPORT_DESCRIPTOR;
```

Intéressons-nous d'abord à l'élément *Name* qui contient une RVA référençant le nom de la DLL. Ce nom se trouve dans la projection à l'adresse indiquée, sous la forme d'une chaîne de caractères C. Les fonctions à importer de chaque DLL sont décrites par deux tableaux d'éléments de type *IMAGE_THUNK_DATA*.

L'endroit où débutent ces tableaux est représenté par les pointeurs *Characteristics* et *FirstThunk*. Bien qu'il s'agisse de deux tableaux séparés, leur contenu initial est identique.

Chacun contient un élément du type *IMAGE_THUNK_DATA* pour chaque fonction importée. Dans l'un des tableaux, le loader stocke au moment du chargement les adresses des fonctions DLL qu'il doit connaître pour les mettre à la disposition du processus appelant.

Plus concrètement, le loader parcourt d'abord les entrées du tableau référencé par *Characteristics* et y lit les noms des fonctions DLL cherchées. Ensuite il détermine l'adresse de chaque fonction DLL conformément à sa projection dans la mémoire du processus concerné. Cette adresse est alors recopiée dans l'entrée correspondante du tableau *FirstThunk*.

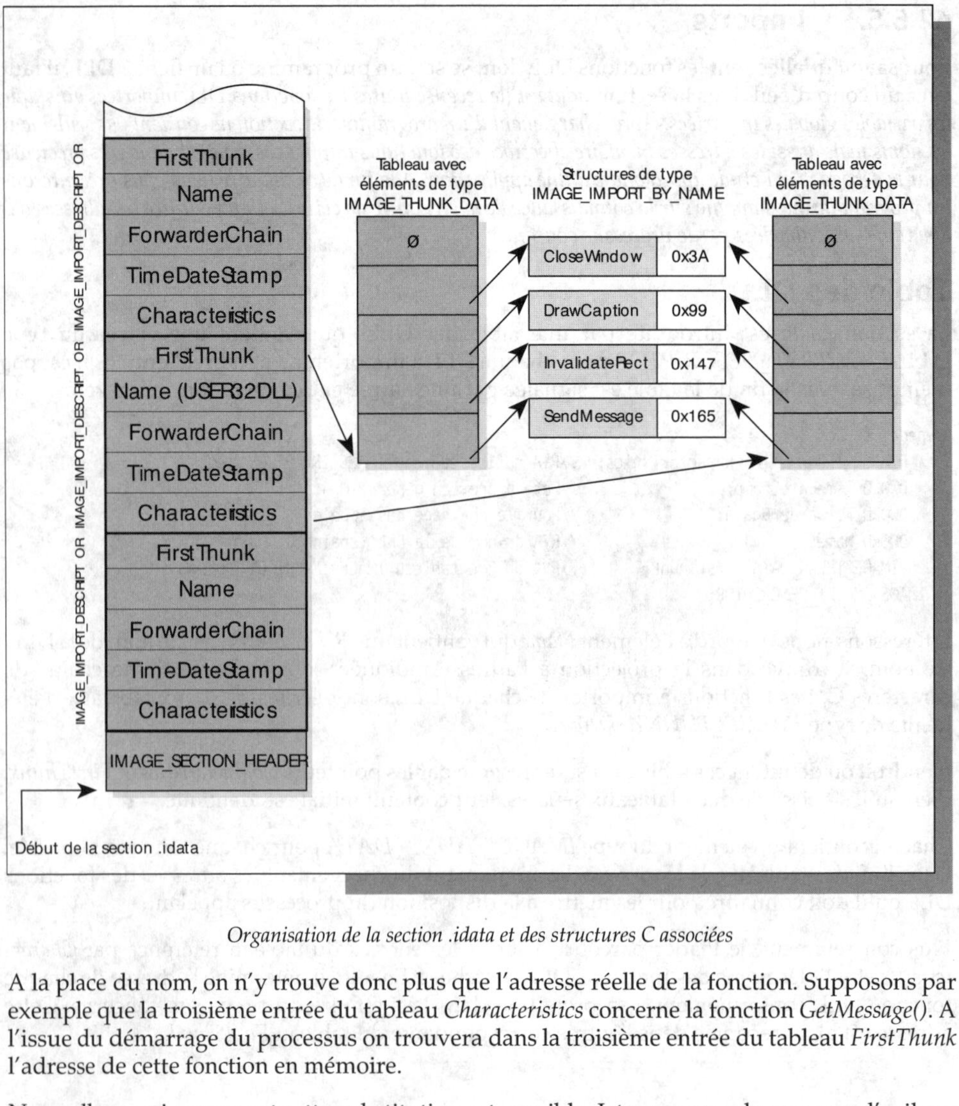

Organisation de la section .idata et des structures C associées

A la place du nom, on n'y trouve donc plus que l'adresse réelle de la fonction. Supposons par exemple que la troisième entrée du tableau *Characteristics* concerne la fonction *GetMessage()*. A l'issue du démarrage du processus on trouvera dans la troisième entrée du tableau *FirstThunk* l'adresse de cette fonction en mémoire.

Nous allons voir comment cette substitution est possible. Jetons pour cela un coup d'oeil sur la structure de données *IMAGE_THUNK_DATA* utilisée pour le contenu des deux tableaux.

```
//Eléments des tableaux référencés par Characteristics et FirstThunk

typedef struct {
  union {
        PBYTE  ForwarderString;  //inconnu
        PDWORD Function;              //Adresse de fonction réelle
        DWORD  Ordinal;               //Numéro de fonction
        PIMAGE_IMPORT_BY_NAME AddressOfData;   //RVA du nom de la fonction
      } u1;
} IMAGE_THUNK_DATA;
```

Elle consiste simplement en une union, appelée *u1*, dans laquelle quatre champs différents représentent la même mémoire. Le code du programme devra décider en fonction du contexte à quel champ il souhaite accéder. La signification de *ForwarderString* n'est pas connue mais on sait à quoi correspondent *Ordinal*, *AddressOfData* et *Function*.

Ordinal et *AddressOfData* permettent de savoir quelle est la fonction recherchée. Avec *Ordinal* la fonction est identifiée par son numéro, avec *AddressOfData* elle l'est par son nom. Seule l'une des deux informations est utilisée dans la recherche. C'est le bit le plus élevé de *Ordinal* (bit 31) qui l'indique. Si ce bit est à 1, la recherche porte sur le numéro exprimé par les bits 0 à 30 du champ. Si le bit 31 est à 0, le nom de la fonction à chercher est tiré de *AddressOfData*.

A l'intérieur du fichier PE, l'élément *AddressOfData* représente initialement la RVA d'une structure *IMAGE_IMPORT_BY_NAME*, où l'on peut lire le nom de la fonction DLL. Dans le tableau *FirstThunk*, le loader écrase l'élément *AdressOfData* en lui substituant l'adresse réelle de la fonction qui peut ensuite être lue par l'intermédiaire de l'élément *Function*.

```
//Les structure IMAGE_IMPORT_BY_NAME contiennent
//le nom d'un fichier DLL à incorporer

typedef struct {
    WORD  Hint;         //Numéro potentiel
    BYTE  Name[1];      //Nom sous forme de chaîne C
} IMAGE_IMPORT_BY_NAME, *PIMAGE_IMPORT_BY_NAME;
```

La taille de la structure *IMAGE_IMPORT_BY_NAME* est variable car elle dépend du nom de la fonction DLL. Le premier octet est le numéro de la fonction qui sert de point de départ pour la recherche. Il n'est donc pas à interpréter comme une indication définitive. Ce qui est définitif par contre, c'est le nom de la fonction qui succède à *Hint* sous la forme de chaîne de caractères C. Bien que la longueur de cette chaîne paraisse limitée à 1 caractère, elle peut accueillir en fait un nom de n'importe quelle longueur. Le champ *Name* ne fait qu'introduire la chaîne. Les autres caractères suivent, y compris le caractère nul terminal.

Si on connaît la structure de la section *.idata*, on peut, au moment de l'exécution d'une application, détecter les DLLs liées au chargement de même que leurs fonctions et connaître les adresses de ces dernières en mémoire. Cette démarche rend l'examen de programmes existants particulièrement instructif.

42.5.6.   Exportations

La liste des exportations dans la section *.edata* est plus simple que celle des importations. On ne communique que ses propres exportations, et on n'est pas obligé de consigner les importations de diverses DLL. Les fichiers EXE ne contiennent généralement pas d'exportations car les programmes n'ont rien à exporter. Ce sont des utilisateurs, pas des serveurs. A l'inverse les DLLs ont toujours une section d'exportations. Si une DLL ne contient pas d'exportation, on ne peut appeler aucune de ses fonctions, c'est aussi simple que cela.

La section des exportations se compose uniquement d'un en-tête et de trois tableaux consécutifs. Les tableaux contiennent respectivement le nom, le numéro et l'adresse de chaque fonction. Normalement chez Microsoft on compacte tout cela dans une structure et on construit un tableau de structures, mais ici c'est différent. Si le troisième élément du tableau des noms est constitué par le nom de la fonction *GetMessage()*, le troisième élément du tableau des adresses contient l'adresse de ladite fonction et le troisième élément du tableau des numéros son numéro. Vraiment très simple.

```
typedef struct {
    DWORD   Characteristics;        //inconnu
    DWORD   TimeDateStamp;          //Date & heure de création
    WORD    MajorVersion;           //Numéro de version majeur (mais de quoi ?)
    WORD    MinorVersion;           //idem, numéro de version mineur
    DWORD   Name;                   //RVA du nom de la DLL (chaîne C)
    DWORD   Base;                   //Premier numéro à attribuer
    DWORD   NumberOfFunctions;      //Nombre de fonctions exportées
    DWORD   NumberOfNames;          //Nombre de noms de fonctions exportées
    PDWORD  *AddressOfFunctions;    //Pointeur RVA sur tableau des adresses
    PDWORD  *AddressOfNames;        //Pointeur RVA sur tableau des noms
    PWORD   *AddressOfNameOrdinals; //Pointeur RVA sur tableau des numéros
} IMAGE_EXPORT_DIRECTORY, *PIMAGE_EXPORT_DIRECTORY;
```

Dans le champ *Name* on trouve l'adresse virtuelle relative d'un chaîne de caractères C qui contient le nom de la DLL, en fait le nom recherché par le loader lorsqu'il parcourt la section des exportations. *NumberOfFunctions* donne le nombre de fonctions exportées qui correspond au nombre des éléments des trois tableaux.

Les variables globales exportées sont traitées à ce niveau exactement comme les fonctions. On ne voit donc pas en examinant un élément isolé de l'un des tableaux s'il concerne une variable globale ou une fonction. C'est le contexte de l'appel qui décidera.

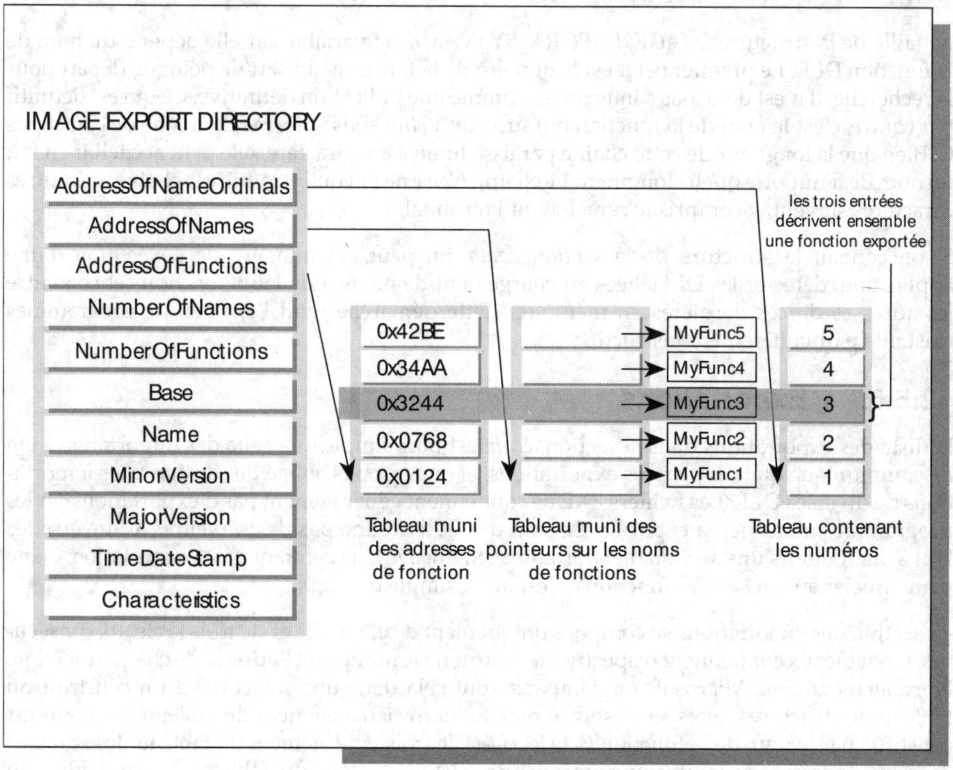

IMAGE EXPORT DIRECTORY

AddressOfNameOrdinals	
AddressOfNames	
AddressOfFunctions	
NumberOfNames	
NumberOfFunctions	
Base	
Name	
MinorVersion	
MajorVersion	
TimeDateStamp	
Characteristics	

les trois entrées décrivent ensemble une fonction exportée

0x42BE	→ MyFunc5	5
0x34AA	→ MyFunc4	4
0x3244	→ MyFunc3	3
0x0768	→ MyFunc2	2
0x0124	→ MyFunc1	1

Tableau muni des adresses de fonction

Tableau muni des pointeurs sur les noms de fonctions

Tableau contenant les numéros

Organisation de la section .edata et des structures C associées

Les trois tableaux se trouvent aux adresses référencées par les trois éléments *AddressOfFunctions*, *AddressOfNames* et *AddressOfNameOrdinals*, qui constituent autant de pointeurs RVA. Lorsqu'on a parcouru ces tableaux, on connaît toutes les fonctions exportées d'une DLL, leurs noms et leurs adresses.

42.5.7. Moniteur PE

Moniteur PE est une application de console destinée à démontrer comment on peut exploiter confortablement des fichiers projetés en mémoire. Ce programme affiche deux composantes choisies du fichier PE : les tableaux des importations et des exportations.

Bien que le programme *PeImEx.C* (PE-Import-Export) ait à exploiter les structures complexes d'un fichier PE, il se présente sous une forme étonnamment simple et se compose uniquement d'une fonction principale *main()*. On ouvre d'abord le fichier dont le nom a été indiqué comme paramètre de ligne de commande. Ce fichier sert ensuite à créer un objet MMF (*CreateFileMapping()*) avant d'être intégralement projeté en mémoire par *MapViewOfFile()*. L'adresse de début renvoyée est mémorisée dans la variable *pByte*. Ce pointeur peut ensuite être utilisé pour se déplacer sans problème à travers la mémoire, c'est-à-dire à travers les données du fichier.

Le pointeur *pByte* est affecté à *pDH* (avec transtypage), du type *PIMAGE_DOS_HEADER* et qui est donc reconnu comme référençant une structure de type *IMAGE_DOS_HEADER*. Il permet d'atteindre le champ *e_lfanew* de l'en-tête DOS, auquel on ajoute l'adresse de base tirée de *pByte*. Le tout est mémorisé dans le pointeur *pNTH* qui est du type *PIMAGE_NT_HEADERS* et référence ainsi une structure *IMAGE_NT_HEADERS*. On arrive ainsi jusqu'à l'en-tête PE du fichier. On y recherche le début des tables de sections *IMAGE_SECTION_HEADER* ainsi que leur nombre. On parcourt les *IMAGE_SECTION_HEADER* à la recherche des sections *.idata* et *.edata*. Le tout se passe en mémoire tout en concernant le fichier.

Dès qu'on a trouvé l'une des deux sections, on la traverse de la même façon que les tables de sections. On interprète les structures de données rencontrées et on passe de l'une à l'autre à l'aide des pointeurs qu'elles contiennent. Mais il faut respecter un détail important : tous les pointeurs de structures des sections *.idata* et *.edata* du fichier PE contiennent des adresses relatives à la projection en mémoire du fichier, à l'usage du loader. Or ici on travaille sur le fichier brut, tel qu'il se trouve sur le disque. Il faut donc tenir compte de la différence entre la situation effective de la section dans le fichier et sa situation à l'intérieur d'un processus actif. Les pointeurs sont à ajuster en conséquence. La différence est calculée avec les données présentes à l'intérieur de l'*IMAGE_SECTION_HEADER* de la section concernée. Cette différence est simplement à retrancher des pointeurs issus des différentes structures de données de la section. On parvient ainsi à l'adresse exacte de chaque structure dans sa projection en mémoire.

PEIMEX.C

43.   Bibliothèques de liens dynamiques

Les Bibliothèques de liens dynamiques sont la réponse de Windows aux "liens statiques" également connus sous le nom de "static binding". Il s'agit de savoir quand et comment le code machine d'un programme en langage de haut niveau sera lié aux fonctions qu'il appelle dans une bibliothèque de routines. Dans le cas des liens statiques, cela se produit pendant la création du fichier EXE correspondant, lorsque le Linker du code objet assemble le programme compilé avec le code objet de la bibliothèque de routines et les écrit dans un fichier EXE commun. Il se crée ainsi une paire indissociable. Il devient ensuite très difficile de déterminer ce qui était issu du code programme proprement dit et de la bibliothèque de routines.

La liaison statique fonctionne à merveille, mais présente cependant quelques inconvénients dans certains environnements. Premièrement, les fonctions intégrées en provenance de la bibliothèque de routines ne peuvent plus être modifiées ultérieurement. Si l'on constate une erreur ou que l'on souhaite modifier ou étendre l'action d'une fonction, il faut entièrement recréer un fichier EXE et le transmettre à l'utilisateur. Deuxièmement, le même code des fonctions de routine est intégré dans de nombreux programmes et sera ainsi chargé plusieurs fois en mémoire si on lance simultanément plusieurs programmes. Ceci n'a aucune raison d'être dans un système multitâches et en plus on gaspille un précieux espace RAM.

On procède donc différemment dans le cas des liens dynamiques (dynamic binding). Le code programme n'est pas intégré dès la liaison avec le code programme de la bibliothèque de routines, mais seulement à l'exécution. La bibliothèque de routines est ainsi disponible dans un fichier séparé, à savoir la Bibliothèque de liens dynamiques. Lors de l'exécution, le programme accède à la DLL, ce qui lui permet d'appeler les fonction qu'elle contient par le biais d'un mécanisme prédéfini.

En cas de modification de la bibliothèque de routines, il n'est donc pas nécessaire de recompiler tout le programme, le remplacement du fichier DLL est suffisant. Le programme utilise automatiquement les fonctions modifiées au prochain lancement. Les fonctions issues de la DLL ne alors sont plus chargées plusieurs fois, car plusieurs programmes peuvent se référer simultanément à une instance de la DLL présente en mémoire.

Mais le domaine d'application de cette technique s'étend bien plus loin que les bibliothèques de routines du compilateur. Chaque fonctionnalité qui doit être mise à la disposition de plusieurs programmes est intégrée dans une DLL. Et du fait qu'un programme peut facilement faire appel à un nombre quelconque de DLL, les fonctionnalités DLL nécessaires sont réparties selon leur nature dans plusieurs DLL ayant des domaines d'application différents. Windows lui-même utilise le même principe en intégrant tout son système API composé de plus d'un millier de fonctions sous la forme de nombreuses fonctions DLL. Voici quelques exemples connus :

○ KERNEL32.DLL qui contient les fonctions de gestion de la mémoire, de traitement des processus et des tâches indépendantes (Threads), etc.
○ USER32.DLL qui contient les routines d'interaction avec l'utilisateur, par exemple pour afficher des fenêtres, des menus et des boîtes de dialogue, ainsi que
○ GDI32.DLL qui contient toutes les fonctions de dessin et d'impression.

Les paragraphes suivants illustrent de quelle façon créer ses propres DLL, comment utiliser les DLL existantes, et tout ceci sans perdre un instant des yeux toutes les subtilités du multitâches.

43.1. Principes des DLL

Windows ne connaît qu'un seul type de DLL, mais offre deux possibilité à un programme pour accéder à une DLL : pendant la procédure de chargement par le biais du Shell ou pendant l'exécution en appelant lui-même les fonctions API correspondantes. Dans le premier cas, on parle de "load time dynamic linking" (lien dynamique au chargement), dans le deuxième de "run time dynamic linking" (lien dynamique pendant l'exécution).

Avant d'examiner les deux concept en détail, voici tout d'abord un aperçu des fonctions les plus importantes de Win32-API en liaison avec les DLL.

Fonction	Tâche
LoadLibrary	Charge une DLL ou un EXE dans l'espace d'adressage d'une application
GetProcAddress	Fournit l'adresse d'une fonction à l'intérieur d'une DLL
FreeLibrary	Libère à nouveau une DLL préalablement chargée dans l'espace adressable d'une application
FreeLibraryAndExitThread	Libère une DLL et termine simultanément le *Thread* actuel
DLLEntryPoint	Le point d'entrée d'une DLL qui est exécutée après son chargement
DisableThreadLibraryCalls	Supprime l'information d'une DLL lors de l'appel et de la séparation d'un Thread
GetModuleFileName	Fournit le nom de fichier d'une DLL ou d'un EXE chargé
GetModuleHandle	Fournit le Handle du module à un nom de fichier donné
LoadLibraryEx	Extension de LoadLibrary()

Fonctions Win32 pour utiliser les DLL

43.1.1. Load Time Dynamic Linking comparé à Run Time Dynamic Linking

Avec "load time dynamic linking", on indique déjà dans le code source d'un programme que l'on souhaite accéder à une DLL et à toutes les fonctions qui la composent en intégrant le fichier Include approprié et en appelant tout simplement la fonction. Les fonctions DLL sont traitées dans le code programme exactement de la même façon que les fonctions externes en provenance d'autres modules. Les informations correspondantes sur les fonctions et les DLL nécessaires sont enregistrées dans le fichier EXE du programme. Lorsque le programme est lancé, les DLL nécessaires sont automatiquement chargées en mémoire et le lien est établi.

Pour que le compilateur puisse prendre les dispositions nécessaires à appeler les fonctions DLL dès la compilation du code source, il lui faut disposer de ce que l'on appelle le fichier LIB qui contient des informations sur les fonctions contenues dans la DLL (vous trouverez plus d'informations à ce sujet dans le sous-chapitre 1.5). Du fait que la liaison entre l'application et la DLL est statique et qu'elle n'est plus modifiée pour l'exécution, on parle également ici de "load time static linking" (lien statique au chargement).

Load-Time-Linking est la méthode préférentielle qui est utilisée pour appeler la majorité des fonctions du Win32-API car elle ne présente pas de difficulté particulière et que le programmeur ne doit s'occuper de rien. Il faut utiliser cette méthode quand on connaît les fonctions DLL auxquelles on veut faire appel ainsi que les fichiers DLL dans lesquels elles se trouvent.

Run-Time-Linking, par contre, n'est justifié que lorsque le nom de la DLL nécessaire et éventuellement les noms des fonctions à y appeler ne peuvent être déterminés que pendant l'exécution du programme. Windows utilise ce concept, par exemple, pour communiquer avec les gestionnaires d'imprimante et les gestionnaires multimédia. C'est la base de données de registration qui indiquent aux services du système les gestionnaires qui sont installés et les DLL qui doivent ainsi être chargées pour pouvoir accéder aux fonctions nécessaires.

Run-Time-Linking nécessite en conséquence la collaboration active de l'application concernée, car les fonctions à exécuter ne peuvent pas être déclarées à l'intérieur du code source. Pour son exécution, une telle application appelle tout d'abord la fonction API *LoadLibrary()* afin de charger un fichier DLL quelconque et d'y accéder. Les adresses des fonctions requises à l'intérieur de la DLL sont ensuite déterminées à l'aide de la fonction API *GetProcAddress()*.

```
HMODULE WINAPI LoadLibrary
    (
    LPCSTR lpLibFileName    // Nom du fichier DLL ou EXE à charger
    );
```

Le seul paramètre attendu par *LoadLibrary()* est le nom du fichier DLL ou EXE qui doit être chargé dans l'espace adressable de l'application courante. On indique ici généralement le nom d'un fichier DLL - vous trouverez les informations correspondant aux fichiers EXE dans le paragraphe "Les DLL comme réserves de ressources".

L'extension "DLL" est indiquée par défaut si aucune extension n'est indiquée au nom du fichier. Si l'indication ne contient pas non plus de chemin, le système recherche alors le fichier dans différents répertoires selon l'ordre suivant :

Le répertoire à partir duquel a été chargée l'application courante.

Le répertoire courant du lecteur courant.

Le répertoire système de Windows (généralement WINDOWS\SYSTEM).

Le répertoire de Windows (généralement WINDOWS)

Les répertoires indiqués dans la variable d'environnement PATH.

Si la DLL souhaitée reste introuvable, la fonction renvoie NULL. Si la DLL a été trouvée, la fonction vérifie tout d'abord si une DLL du même nom a déjà été chargée par l'application à partir du répertoire concerné. Si c'est le cas, il n'est plus nécessaire de charger la DLL indiquée et la fonction se contente d'incrémenter le compteur utilisateur de la DLL déjà chargée. Si ce n'est pas le cas, la DLL est chargée dans l'espace adressable de l'application. Ceci a également lieu lorsqu'une DLL du même nom a déjà été chargée, mais que celle-ci provenait d'un autre répertoire. La valeur retournée dans ce cas est un Handle de module qui pourra être sollicité par le biais de la DLL pendant la suite de l'exécution. Les Handle de module sont du type HMODULE, ce qui correspond à un LONG sous Win32-API.

Veuillez tenir compte du fait que, contrairement à beaucoup d'autres Handle, ceux-ci ne sont pas transmissibles. Les autres applications ne peuvent donc pas les utiliser ces Handle car la DLL qu'ils désignent ne se trouve pas dans leur espace adressable.

Le Handle de module renvoyé peut finalement être utilisé pour déterminer la fonction souhaitée à l'intérieur de la DLL. On utilise pour ce faire la fonction API *GetProcAddress()*.

```
FARPROC WINAPI GetProcAddress(
    HMODULE hModule,      // Handle du module
    LPCSTR  lpProcName    // Nom de la fonction souhaitée
    );
```

En plus du Handle de module de la DLL concernée, *GetProcAddress()* attend dans le paramètre *lpProcName* un pointeur vers une chaîne C contenant le nom de la fonction souhaitée. L'écriture et les lettres majuscules/minuscules doivent ici parfaitement correspondre à celles du fichier DEF de la DLL. Les fichiers DEF sont utilisés lors de la création des DLL pour préciser au Linker les fonctions à exporter (voir à ce sujet le paragraphe 1.4, "De l'idée à la DLL"). Mais en plus du nom, une fonction peut également être référencée par le biais d'un code (en anglais : ordinal number). Celui-ci est attribué automatiquement par le Linker si on ne l'indique pas explicitement dans le fichier DEF. Si on souhaite rechercher une fonction DLL non pas par son nom, mais par son code, le code en question doit être indiqué dans le mot de poids faible du paramètre *lpProcName*, alors que le mot de poids fort doit être à 0.

GetProcAddress() peut différencier les deux types d'information, car les codes des fonctions sont en principe inférieurs à l'adresse d'une chaîne C. Les codes sont en fait compris entre 1 et N (N = nombre de fonctions dans la DLL), alors que la mémoire de traitement d'une application ne commence qu'à 4 Mo et que le pointeur doit donc être supérieur à 4 Mo. Et Win32-API en contiendra jamais plus de quatre millions de fonctions API. De toute façon, rien que du fait que les codes sont gérés comme des valeurs de 16 bits, il n'est possible d'exporter qu'un maximum de 65536 fonctions par DLL.

Lorsque la fonction souhaitée a pu être identifiée, *GetProcAddress()* renvoie un pointeur vers celle-ci, le cas contraire NULL. La fonction API *GetLastError()* permet dans ce cas d'obtenir une information d'erreur supplémentaire. Le pointeur renvoyé permet ensuite d'appeler facilement la fonction, comme l'illustre l'extrait de code suivant.

```c
#include <windows.h>

void main()
{
  HINSTANCE hDLL;                                        // Handle de module DLL
  BOOL (FAR PASCAL *lpGetClientRect)(HWND, LPRECT );     // Pointeur vers FKT

  hDLL = LoadLibrary( "USER32.DLL" );
  if( hDLL )
  {

                                                         // Rechercher le pointeur de fonction
                                                         // d'après le nom
    lpGetClientRect = GetProcAddress( hDLL, "GetClientRect");

                                                         // Rechercher le pointeur de fonction
                                                         // d'après le code
    lpGetClientRect = GetProcAddress( hDLL, ( LPCSTR )MAKELONG( wOrdNumber, 0 ) );

    lpGetClientRect( hWnd, &r );                         // Appeler la fonction par le pointeur
  }
}
```

La fonction *FreeLibrary()* sert à supprimer de l'application une DLL préalablement chargée par le biais de *LoadLibrary()*. Elle décrémente le compteur utilisateur de la DLL en question et la supprime de l'application dès que le compteur est à 0.

```c
BOOL WINAPI FreeLibrary(
  HMODULE hLibModule                  // Handle du module à décharger
  );
```

Le seul argument attendu par *FreeLibrary()* est le Handle de module de la DLL concernée tel qu'il a été fourni lors d'un appel préalable de *LoadLibrary()*. Si le Handle de module est valide, le résultat de la fonction *FreeLibrary()* est TRUE, le cas contraire FALSE.

FreeLibrary() peut non seulement être appelée par une application, mais aussi par une DLL désirant se décharger. En réponse, par exemple, à une fonction appelée par l'application qui dit à la DLL : "je n'ai plus besoin de toi". Si, pendant son exécution, la DLL a créé plusieurs *Thread* qui commandent son exécution, il se produit alors, dans certaines circonstances, un petit problème logistique lors de l'utilisation de *FreeLibrary()*. Avant d'appeler *FreeLibrary()*, la DLL devrait tout d'abord terminer tous les *Thread* créés. Mais sans Thread, la DLL est incapable d'appeler *FreeLibrary()*. Il est donc nécessaire de conserver au moins un *Thread* qui appellera *FreeLibrary()*. Mais du fait que la DLL sera ainsi effacée de la mémoire, le *Thread* disparaîtra lui aussi et ne pourra donc plus se terminer correctement. L'inverse n'est pas non plus possible, car si le *Thread* s'efface d'abord lui-même par le biais de *ExitThread()*, il n'est ensuite plus en mesure d'appeler *FreeLibrary()*.

La fonction *FreeLibraryAndExitThread()*, qui réalise les deux tâches, offre une solution à ce problème. Elle décharge tout d'abord la DLL et termine ensuite le *Thread* appelant.

```
VOID WINAPI FreeLibraryAndExitThread(
    HMODULE  hLibModule,              // Handle de module
    DWORD    dwExitCode               // Code Exit du Thread
    );
```

Les paramètres attendus par la fonction sont donc le Handle de module de la DLL à décharger ainsi que le code *Exit* du *Thread* courant. Celui-ci doit être le dernier dans la DLL, sinon les *Thread* restants seront terminés sans avoir été refermés et ne pourront plus libérer les *Mutex*, par exemple, qu'ils renferment.

43.1.2. Initialisation et terminaison d'une DLL

Dans certains circonstances, selon la structure interne d'une DLL, il est nécessaire de faire connaître à la DLL l'accès à de nouvelles applications ou *Thread* afin de disposer des ressources prévisionnelles ou d'effectuer des initialisations. L'API Win32 offre cette possibilité par le biais de ce que l'on appelle une fonction DLL *Entry*. Chaque DLL peut définir une telle fonction, mais ceci n'est pas nécessaire. Si on utilise cette possibilité, le système appelle la fonction *Entry* à chaque fois qu'une nouvelle application accède à la DLL puis s'en sépare à nouveau. La même chose se produit lorsque l'application en question crée un nouveau *Thread* ou en termine un. Le nom de la fonction *Entry* n'est ici pas indiqué par le système, mais par sa syntaxe :

```
BOOL WINAPI DllEntryPoint (
    HINSTANCE  hinstDLL,              // Handle de module de la DLL
    DWORD      fdwReason,             // Raison de l'appel
    LPVOID     lpReserved             // Réservé
    );
```

Il faut indiquer au *Linker* l'existence d'une fonction DLL *Entry* et le nom qu'elle porte lors de la création du fichier DLL à partir des différents fichiers objet. Il dispose à cet effet d'un commutateur spécial appelé *-entry:* qui est rajouté après le nom de la fonction *Entry*.

```
link testdll.obj -out:testdll.dll testdll.exp -
    entry:MaFonctionDémarrage Dll
```

Dans l'environnement de développement Visual C++, une fonction *Entry* souhaitée est déterminée par le biais de la définition du projet. Il faut pour ce faire choisir l'option *Settings* dans le menu du projet et sélectionner ensuite le registre *Link* dans la boîte de dialogue qui apparaît. La catégorie *Output* contient un champ de saisie appelé *Entry Point Symbol*. Tant que ce champ est vide, le nom de la fonction *Entry* indiqué par le *Linker* est *DllMain()*. Si on précise un autre nom, il choisi la fonction indiquée.

Lorsque la fonction *Entry* est appelée, le premier paramètre qu'elle reçoit qu'elle reçoit est le Handle de module qui identifie "sa" DLL. Ce Handle peut être utilisé lors des appels ultérieurs de l'une des fonctions de API Win32, par exemple lors de l'appel de *GetModuleFileName()*. La deuxième information obtenue par la fonction *Entry* est la raison de l'appel qui est contenue dans le paramètre *fdwReason*.

DLL_PROCESS_ATTACH

Indique l'accès d'une application à la DLL lors du chargement ou pendant l'exécution en conséquence d'un appel *LoadLibrary()*. Les DLL qui sont indirectement concernées par l'application par le biais d'autres DLL reçoivent également cet appel. Il s'effectue suivant le contexte de l'application concernée. La DLL peut prendre cette appel comme une raison pour procéder à une initialisation de son utilisation dans l'application en question.

DLL_PROCESS_DETACH

Signale la séparation de la DLL de l'application concernée. La cause peut être la fin de l'application ou un appel explicite de *FreeLibrary()*. Les DLL ont ici la possibilité de libérer les ressources préalablement affectées à l'application.

DLL_THREAD_ATTACH

Est indiqué dès que l'application concernée crée un nouveau *Thread*. Ceci ne s'applique pas au *Thread* initial d'une application, dont l'accès à une DLL est sollicité une seule fois par la fonction Entry DLL avec la fonction DLL_PROCESS_ATTACH. Il y a donc eu au moins un appel de DLL_PROCESS_ATTACH avant le premier appel de DLL_THREAD_ATTACH.

DLL_THREAD_DETACH

Signale la fin d'un *Thread* dont la création a préalablement été indiquée par DLL_THREAD_ATTACH. L'appel d'une fonction Entry DLL avec DLL_THREAD_DETACH a également lieu pour le *Thread* initial d'une application dont la création a été indiqué non pas par DLL_THREAD_ATTACH, mais par DLL_PROCESS_ATTACH, avant d'effectuer finalement un appel avec DLL_PROCESS_DETACH.

Le troisième paramètre de la fonction, *lpReserved*, n'a de signification que lors de la réception de DLL_PROCESS_ATTACH et de DLL_PROCESS_DETACH. Il précise dans ce cas si la DLL a été chargée ou déchargée de façon statique ou dynamique. Dynamique signifie ici que l'application en question a explicitement appelé *LoadLibrary()* ou *FreeLibrary()* afin de charger puis de décharger la DLL. lpReserved contient alors toujours NULL. La valeur contenue dans *lpReserved*, par contre, est différente de NULL lorsque la DLL a été chargée ou déchargée de façon statique, c'est à dire chargée en mémoire par le Shell lors du lancement de l'application concernée puis déchargée en la quittant.

```
/*********************************************************************/
/* DllMain: Point d'entrée principal de la DLL                       */
/*_____*/
/* Paramètre:    aucun                                               */
/* Valeur retournée : TRUE  - tout est correct                       */
/*                    FALSE - une erreur est survenue                */
/*********************************************************************/
BOOL WINAPI DllMain(HANDLE hModule, DWORD fdwReason, LPVOID lpReserved)
{
  switch (fdwReason)    /* Pourquoi la fonction a-t-elle été appelée ? */
  {
  case DLL_PROCESS_ATTACH:
                              //
                              // Une nouvelle application a accédé à la DLL
                              //
    break;

  case DLL_THREAD_ATTACH:
                              //
                              // L'application courante a créé un nouveau Thread
                              //
    break;

  case DLL_THREAD_DETACH:
                              //
                              // Un Thread de l'application courante a été terminé
                              //
    break;

  case DLL_PROCESS_DETACH:
                              //
                              // L'application courante se sépare de la DLL
                              //
    break;
  }
  return TRUE;
}
```

Les informations concernant la création et la terminaison des *Thread* peuvent généralement être désactivées, ce qui peut s'avérer très judicieux lorsqu'une application crée de nombreux *Thread* pendant son exécution, les efface ensuite à nouveau et veut gagner du temps. Ceci suppose cependant qu'une DLL ne doit pas être informée de ces opération. La fonction correspondante a pour nom *DisableThreadLibraryCalls()* et le seul paramètre qu'elle attend est le Handle de module de la DLL qui ne doit plus être informée de la création et de la terminaison des *Thread* au sein de son application parent. Elle continue cependant d'obtenir les informations sur l'accès d'une application ou sur sa fin.

```
BOOL WINAPI DisableThreadLibraryCalls(
    HMODULE  hLibModule                   // Handle du module sollicité
    );
```

1169

43.1.3. Fonctions API nouvelles et anciennes

Vous connaissez déjà les fonctions API les plus importantes comme *LoadLibrary()* et *GetProcAddress()*. Il existe encore quelques autres fonctions comme *LoadLibraryEx()* ou *GetModuleHandle()* ainsi que d'autres qui, bien qu'elles n'existent plus, méritent cependant d'être connues.

LoadLibraryEx() est une variante renforcée de *LoadLibrary()*. Tout comme *LoadLibrary()*, le premier paramètre attendu par *LoadLibraryEx()* est le nom du fichier DLL ou EXE qui doit être chargé. Il faut, en plus de cela, indiquer deux paramètres supplémentaires dont le premier ne joue apparemment aucun rôle et doit contenir NULL.

```
HMODULE WINAPI LoadLibraryEx(
    LPCSTR  lpLibFileName,      // Nom du fichier DLL ou EXE à charger
    HANDLE  hFile,              // NULL
    DWORD   dwFlags             // Définit l'exécution
    );
```

Le troisième paramètre, *dwFlags*, permet de définir la façon de manipuler les DLL. Deux constantes peuvent ici être indiquées sous Windows 95 :

LOAD_LIBRARY_AS_DATAFILE

Le fichier DLL ou EXE est chargé tel quel en mémoire sans effectuer de manipulation quelconque pour l'exécution du code qu'il contient. Cette option est en réalité surtout utilisée pour charger les ressources propres de la DLL en mémoire, ce qui est plus rapide avec cette méthode que par le biais de *LoadLibrary()*. Aucune tentative n'est ici faite pour appeler la fonction Entry DLL.

LOAD_WITH_ALTERED_SEARCH_PATH

Cet index permet de légèrement modifier la chronologie des répertoires à examiner pour charger la DLL. Alors que la recherche débute normalement par le répertoire de l'application, elle commence ici par le répertoire d'où est issu le module appelant. Ceci est surtout justifié pour les DLL qui sont chargées dans un programme et qui veulent à leur tour charger d'autres DLL. Dans certaines circonstances, ces DLL ne se trouveront pas dans le répertoire de l'application, mais dans le répertoire de la DLL qui a initié l'appel. L'indication de LOAD_WITH_AL-TERED_SEARCH_PATH est donc parfaitement justifiée.

GetModuleFileName() et *GetModuleHandle()* sont deux fonctions qui permettent de rechercher des informations sur un module chargé (fichier DLL ou EXE). Si on souhaite connaître le nom de fichier d'un module chargé, on fait alors appel à *GetModuleFileName()*. Elle charge, d'une part, le nom du fichier par le biais du Handle du module concerné dans un buffer qui doit être défini par l'utilisateur.

```
DWORD WINAPI GetModuleFileName(
    HMODULE  hModule,           // Handle du module
    LPSTR    lpFilename,        // Pointeur vers buffer recevant le nom de fichier
    DWORD    nSize              // Taille du buffer en octets
    );
```

Le deuxième paramètre attendu lors de l'appel de la fonction est un pointeur vers ce buffer, le troisième sa taille en octets. L'indication de la taille permet à la fonction de reconnaître si le buffer dispose d'une place suffisante pour contenir le nom du fichier. Le buffer doit disposer de 260 octets, car les fichiers EXE et DLL peuvent comporter des noms longs sous Windows 95.

Si le buffer était trop petit ou si le Handle indiqué pour le module n'était pas valide, le résultat renvoyé par la fonction est 0. Le cas contraire, c'est la longueur du nom de fichier contenu dans le buffer.

GetModuleHandle() a un effet parfaitement opposé. Si l'on sait (ou même si l'on suppose seulement) qu'une DLL bien précise est chargée, mais que l'on ne connaît pas son Handle de module, celui-ci peut être déterminé à l'aide de cette fonction.

```
HMODULE WINAPI GetModuleHandle(
    LPCSTR lpModuleName                     // Nom du fichier DLL ou EXE chargé
    );
```

L'argument attendu par la fonction est un pointeur vers une chaîne C dans laquelle on a indiqué le nom du module recherché. Les majuscules/minuscules sont ici sans importance et il est inutile d'indiquer un chemin. Si la fonction renvoie NULL, c'est que le module indiqué n'est pas chargé.

Plus vraiment d'actualité - les fonctions DLL 16 bits

Il existe toute une série d'anciennes fonctions faisant partie de l'API 16 bits qui ne sont plus totalement supportées, ou même plus du tout, sous Win32, car elles ne peuvent pas s'intégrer dans le nouveau concept DLL de gestion virtuelle de la mémoire. En jetant un coup d'oeil dans le fichier WINBASE.H, on peut constater que les trois fonctions suivantes n'existent en fait plus du tout, mais que cela ne pose aucun problème lors de la programmation car il existe des macros correspondantes :

```
#define FreeModule(hLibModule) FreeLibrary((hLibModule))
#define MakeProcInstance(lpProc,hInstance) (lpProc)
#define FreeProcInstance(lpProc) (lpProc)
```

FreeLibrary() est ainsi appelée automatiquement à la place de *FreeModule()*, alors que *MakeProcInstance()* et *FreeProcInstance()* ne retournent que le résultat habituel de la fonction sans provoquer réellement l'appel d'une fonction API.

Les trois fonctions suivantes de l'API 16 bits ne sont par contre plus supportées sous Win32 et génèrent tout au plus une erreur lors de l'établissement du lien, car le *Linker* ne les retrouve plus dans les fichiers LIB du système.

```
GetCodeHandle()     // n'existe plus
GetInstanceData()   // n'existe plus
GetModuleUsage()    // n'existe plus
```

GetCodeHandle() était utilisée pour déterminer le segment de code se trouvant dans une fonction DLL précise. Sous Win32-API, cette fonction n'est plus nécessaire, car toutes les DLL se trouvent dans un segment de code qui forme l'espace adressable d'une application Win32.

GetInstanceData() permettait, sous WIN16-API, de copier les données globales d'une autre instance DLL dans celle de sa propre instance. Ceci n'est désormais plus possible, car les instances gèrent en principe séparément leurs variables globales tant que l'on ne crée pas spécialement un segment de données supplémentaire contenant toutes les variables globales utilisées.

Et *GetModuleUsage()* permettait de connaître le nombre d'instances d'un fichier DLL ou EXE présentes en mémoire. Ceci ne fonctionne plus sous Win32-API.

43.1.4.   De l'idée jusqu'à la DLL

Les fichiers DLL sont issus de modules C dans lesquels on a regroupé les codes programme des fonctions DLL à exporter. Les fonctions doivent ainsi être rendues accessibles à d'autres programmes. En fait, dans leur principe, les DLL représentent des programmes tout à fait ordinaires. La différence essentielle réside seulement dans le fait qu'elles ne possèdent pas de mécanisme d'exécution propre et que leurs fonctions sont alors appelées depuis l'extérieur selon une chronologie plus ou moins respectée. Il est vrai que l'on peut intégrer des DLL dans une fonction de démarrage, mais elles ne sont pas conçues pour être exécutées ne permanence. Elles sont plutôt destinées à initialiser les variables globales les plus importantes qui, tout comme dans une application C normale, servent de "kit" entre les différentes fonctions à l'intérieur de la DLL. On revient alors de préférence immédiatement à l'appelant, car plus la DLL consacre de temps à cette routine, plus la procédure de chargement est longue.

Plus la fonctionnalité d'une DLL est volumineuse, plus le nombre de fonctions auxiliaires qui interviennent sur les fonctions DLL proprement dites est généralement important. Une DLL ne devra donc pas exporter toutes les fonctions, mais seulement certaines fonctions choisies. Il est en conséquence nécessaire d'identifier les fonctions correspondantes. Il existe deux méthodes : une traditionnelle et une autre un peu plus moderne, mais non conforme à ANSI. Avec la méthode traditionnelle, on constitue ce que l'on appelle un "fichier de définition", à savoir un simple fichier ASCII ayant l'extension "DEF".

Lorsque le module C est entièrement terminé, on génère alors un fichier texte, on y insère quelques commandes et on enregistre l'ensemble sous la forme d'un fichier DEF. Comme on peut s'y attendre, ce sont les commandes indiquées qui définissent ici si l'un des Linker doit encore intervenir ou s'il peut créer le fichier DLL souhaité. C'est finalement ce Linker qui regroupe les modules C compilés (les fichiers OBJ) et qui les inscrit en même temps que les informations d'exportation nécessaires dans le fichier DLL à créer. Le module doit donc être alimenté avec le fichier DEF correspondant lors de l'établissement du lien.

Avec fichier DEF ...

Les fichiers DEF doivent être écrits dans une syntaxe relativement simple, laquelle dispose tout de même de toute une série d'option sous la forme de différentes commandes. Voici l'exemple d'un fichier DEF typique :

```
LIBRARY „DllName.dll"
DESCRIPTION „ma DLL"
EXPORTS
    Bonjour1
    Bonjour2
    Bonjour3
    Bonjour 4      pas d'espace SVP, cela crée des problèmes
    Bonjour5 @5
    Bonjour6 @6 NONAME
```

On indique tout d'abord le nom du fichier DLL à créer avec l'instruction *library*. L'instruction *description* précise ensuite une chaîne quelconque qui peut contenir, par exemple, un Copyright ou des informations sur la version. Cette chaîne est intégrée dans le fichier et peut être affichée à l'aide de l'outil DUMPBIN. L'instruction la plus importante est en fait *exports*. Elle est suivie des noms des fonctions à exporter, l'un après l'autre, ligne par ligne.

Six fonctions *Bonjour* sont exportées dans le cas présentée ci-dessus. *Bonjour5* et *Bonjour6* font appel à deux commutateurs optionnels qui définissent la façon d'utiliser la fonction. Le symbole @ permet à une application de déterminer le code de la fonction DLL, encore appelé "ordinal number". On retrouve ici une nouvelle fois le code que l'on peut indiquer avec *GetProcAddress()*. Il offre une deuxième possibilité de référencer une fonction DLL externe, en plus du nom de la fonction API. Mais cela n'apporte pas grand chose, et le *Linker* est très rigide avec les codes - ils doivent au moins être clairs. Les codes ne sont donc généralement pas indiqués pour éviter de surcharger le *Linker*.

Mais si on veut absolument travailler avec des nombres ordinaux, l'indication du nom réel de la fonction concernée ne présente pas grand intérêt. Ceci ne pose aucun problème en précisant *nonname*. Dans ce cas, seul le code d'une fonction est inscrit dans le fichier DLL. Il sera alors impossible de déduire le nom de la fonction.

Mais il est également possible d'exporter des variables globales en précisant leur nom en même temps que les fonctions derrière *exports*. Il faut ici toujours rajouter *data* derrière le nom de la variable afin que le Linker ne pense pas avoir à faire à une fonction. On dispose en plus de cela de quelques commutateurs, par exemple pour définir la pile, mais qui ne nous apportent ici rien de plus.

```
LIBRARY „DllName.dll"
DESCRIPTION „Ma DLL"
EXPORTS

    ... Fonctions, encore et toujours

    g_Bonjour DATA
```

... et sans fichier DEF

Mais il est également possible de renoncer au fichier DEF si on est familiarisé avec les instructions spécifiques du compilateur et que l'on veut s'attaquer à la compatibilité ASCII pure : __declspec(dllexport)_ permet ici de repérer les fonctions et la variables globales directement dans le code C en vue de l'exportation.

```
__declspec(dllexport) int Bonjour1( void ) {}        // dites bonjour

/**** en clair *****/

#define DLLEXPORT __declspec(dllexport)
DLLEXPORT HMODULE Bonjour2( lpstr mes ) {}            // vous aussi
```

Et cela se passe exactement de la même façon avec les variables globales :

```
__declspec(dllexport) lpvoid lpvCopyBuf;             // Pointeur vers buffer de copie
```

Un fichier DEF devient alors inutile. Le compilateur dépose déjà l'information d'exportation correspondante dans le fichier objet afin que le Linker puisse y accéder. Le nom du fichier DLL doit être indiqué dans ce cas lors de l'appel du Linker, ainsi que tous les autres paramètres dont les indications ne doivent pas correspondre à celles du Linker.

DLLMSGBO.C

Le module DLLMSGBO.C suivant contient deux fonctions qui sont exportées avec cette méthode, elles affichent un message. *MessageBoxQuestion()* et MessageBoxExclamation() sont exportées automatiquement en indiquant __declspec(dllexport. Un fichier DEF est ici inutile.

```
/*— DLLMSGBOX.C —-*/

#include <windows.h>

__declspec(dllexport) int MessageBoxQuestion( LPSTR lpText )
{
  return MessageBox( NULL, lpText, "Question", MB_ICONQUESTION | MB_YESNO );
}

__declspec(dllexport) void MessageBoxExclamation( LPSTR lpText )
{
  MessageBox( NULL, lpText, "Attention", MB_ICONEXCLAMATION | MB_OK );
}
```

Coup d'oeil dans une DLL avec DUMPBIN

On constate très rapidement si les fonctions à exporter se trouvent bien dans le fichier DLL. Il est seulement nécessaire de consulter le contenu du fichier à l'aide de l'outil DUMPBIN que Microsoft fournit avec ses compilateurs C. DUMPBIN représente le successeur de l'ancien EXEHDR et fournit toute une série d'informations intéressantes sur le contenu d'un fichier EXE ou DLL. Le chapitre consacré au format de fichier PE de Windows 95 contient des explications supplémentaires. On traite ici essentiellement des informations sur les données et les fonctions exportées. DUMPBIN amène les informations souhaitées dans une console à l'écran en appelant

```
DUMPBIN madll.dll /EXPORTS
```

Ici l'exemple du fichier DLLMSGBO.DLL.

```
Microsoft (R) COFF Binary File Dumper Version 2.55
Copyright (C) Microsoft Corp 1992-94. All rights reserved.


Dump of file dllmsgbox.dll

File Type: DLL

        Section contains the following Exports for DLLMsgBox.dll

                  0 characteristics
           30444688 time date stamp Wed Aug 30 13:07:52 1995
               0.0 version
                 1 base
                 2 # functions
                 2 # names

          ordinal hint   name

                1    0    MessageBoxExclamation  (00001000)
                2    1    MessageBoxQuestion   (00001005)


    Summary
        1000 .bss
```

```
2000 .data
1000 .edata
1000 .idata
1000 .rdata
1000 .reloc
2000 .text
```

Si tout s'est bien passé, on retrouve ici ses fonctions et ses variables. La DLL est ainsi prête à être sollicitée par d'autres programmes.

Si un jour vous voulez vous étonner de la "multitude des fonctions" de Windows 95, examinez les fichiers système KERNEL32.DLL, SYSTEM32.DLL et GDI32.DLL avec DUMPBIN. Et celles-ci ne sont que 3 parmi la centaine de DLL qui se trouvent parfois dans le répertoire SYSTEM.

Des DLL bien organisées

Le mécanisme et le concept des DLL représente une partie, la conversion par le développeur l'autre. La question de savoir comment distribuer la fonctionnalité souhaitée sur les fonctions de la DLL, comment nommer les fonctions et les variables, comment configurer le fichier Header, etc. mérite également une certaine attention. Et ceci surtout lorsqu'une DLL n'est pas destinée à son propre usage, mais doit servir à des tiers.

La première chose qui semble tout à fait évidente est que les DLL doivent toujours contenir des groupes de fonctions logiquement associées entre elles. Ceci permet de garder une certaine maîtrise de la situation lorsque la complexité de fonctions, de constantes et des types augmente. Ceci facilite également l'accès à l'utilisateur d'une DLL. Mais les DLL peuvent contenir des centaines de fonctions, comme le prouvent les DLL système KERNEL32.DLL, GDI32.DLL et USER32.DLL. Il n'est en fait pas impérativement nécessaire que de tels bolides proviennent tous du même fichier source C, mais ils peuvent s'assembler à partir de douzaines de modules différents. Si la DLL n'a été créée qu'une seule fois, ceci n'a plus d'importance.

Le nom doit être significatif, cela aussi est important. Lorsque le fichier est ensuite enregistré avec d'autres DLL dans un grand répertoire comme \WINDOWS ou \WINDOWS\SYSTEM, il est préférable que son nom ne puisse pas entrer en conflit avec celui d'une DLL existante.

Il faut faire quelques efforts lors de la définition du nom du fichier *Include* que l'on mettra à la disposition d'autres développeurs pour l'intégration de la DLL et l'appel des fonctions de la DLL. Le mieux est d'utiliser soi-même ce fichier pour le développement de la DLL afin d'être obligé de définir tous les types, les constantes et les prototypes nécessaires à la compilation des fichiers. Si ces éléments ne seront pas tous transmis à l'appelant, il est alors préférable de regrouper les définitions correspondantes dans une section spécifique du fichier *Include* que l'on efface tout simplement dans le fichier à transmettre.

Un commentaire complet de la signification des différents éléments peut ici s'avérer très utile. Et ce non seulement pour sa propre maintenance de la bibliothèque, mais également pour l'utilisateur qui a de toute façon besoin des informations correspondantes pour pouvoir donner un sens à l'ensemble à partir des désignations.

Celui qui n'aime pas documenter trouvera ici non seulement très peu de plaisir, mais aussi très peu d'amis, car le travail avec des bibliothèques mal documentées représente une tâche on ne peut plus laborieuse pour le développeur.

Même l'appellation de chacune des fonctions, des types et des constantes doit être cohérente. En faisant abstraction du fait que l'utilisation de la notation hongroise est recommandée dans tous les cas, il est conseillé d'identifier les DLL exportées avec des préfixes constants qui donnent une indication du domaine d'application et parfois même du nom d'une DLL. Par exemple *net* pour les fonctions du réseau ou *mail* pour les routines de messagerie.

43.1.5. Intégration de DLL

La création du fichier DLL est une chose, l'appel des fonctions qu'il contient en est une autre. Il est nécessaire à cet effet de disposer du fichier DLL, du fichier *Include* correspondant (celui-ci pouvant s'avérer inutile dans certains cas, lorsque l'on connaît le nom des fonctions ou leurs codes), ainsi que d'un fichier qui n'a jusqu'à présent été cité que de façon marginale : un fichier LIB. Les fichiers LIB contiennent des informations d'exportation qui sont nécessaires au *Linker* pour initier les appels des fonctions DLL à l'intérieur du code programme. Sans fichier LIB, impossible d'exécuter un programme et impossible d'accéder aux fichiers DLL.

Mais ceci ne s'applique que pour le lien dynamique au chargement, c'est à dire l'appel direct de la DLL dans le code programme, qui doit être initié par le Linker ou par la routine de chargement. Le comportement est tout autre avec le lien dynamique à l'exécution, c'est à dire avec l'appel de *LoadLibrary()* et de *GetProcAddress()*. Ces instructions ne sont pas informées de la présence d'un fichier LIB, mais accèdent directement aux fonctions souhaitées par le biais du fichier DLL.

Les fichiers LIB pour les DLL les plus connues comme KERNEL32.DLL sont fournis avec les compilateurs C et enregistrés dans leur répertoire LIB. Dans le cas de Visual C++, par exemple, le répertoire standard est "\MSVC20\LIB".

EXEMSGBO.C

Voici comme exemple le programme EXEMSGBO.C qui appelle les deux fonctions *Message-BoxQuestion()* et *MessageBoxExclamation()* dans le fichier DLLMSGBO .DLL qui a été décrit dans le paragraphe précédent.

```
/*— EXEMSGBO.C ——*/

#include <windows.h>

// Prototypes des fonctions exportées par DLLMsgBox
int MessageBoxQuestion( LPSTR lpText );
void MessageBoxExclamation( LPSTR lpText );

int WINAPI WinMain( HINSTANCE hInstance,
                    HINSTANCE hPrevInstance,
                    LPSTR lpszCmdLine,
                    int nCmdShow )
{
  if( MessageBoxQuestion( "Voulez-vous vraiment voir le deuxième message ?") == IDYES )
    MessageBoxExclamation( "D'accord ! Le voilà !");
  return 0;
}
```

En jetant un coup d'oeil au fichier EXEMSGBO.EXE résultant, à l'aide DUMPBIN, on peut voir les fonctions importées par le programme. Il y en a bien plus que les deux contenues dans le fichier DLLMSGBO.DLL. Toute une série de fonctions système sont venues se rajouter, celles-ci étant appelées à l'intérieur du code de démarrage de la bibliothèque d'exécution. En plus du nom des fonctions, le fichier contient également leurs codes et le fichier DLL à partir duquel elles sont chargées. L'affichage des fonctions importées est réalisé par le biais du commutateur */imports*, par exemple en saisissant

```
dumpbin exemsg.exe /imports
```

Le résultat est alors le suivant :

```
Microsoft (R) COFF Binary File Dumper Version 2.55
Copyright (C) Microsoft Corp 1992-94. All rights reserved.


Dump of file EXEMsgBox.EXE

File Type: EXECUTABLE IMAGE

        Section contains the following Imports

            DLLMsgBox.dll
                  1    MessageBoxQuestion
                  0    MessageBoxExclamation
            KERNEL32.dll
                114    GetStartupInfoA
                 D0    GetEnvironmentStrings
                 EB    GetModuleHandleA
                 9F    GetCommandLineA
                136    GetVersion
                 62    ExitProcess
                1C6    RtlUnwind
                225    UnhandledExceptionFilter
                 E9    GetModuleFileNameA
                 92    GetACP
                 F6    GetOEMCP
                 98    GetCPInfo
                116    GetStdHandle
                 DC    GetFileType
                232    VirtualFree
                230    VirtualAlloc
                24E    WriteFile
                 E1    GetLastError

            USER32.dll
                188    MessageBoxA

        Summary

           1000 .bss
           1000 .data
           1000 .idata
           1000 .rdata
           1000 .reloc
           2000 .text
```

1177

43.1.6. DLL dans l'espace adressable d'une application

La DLL chargée est toujours intégrée dans l'espace adressable de l'application concernée, et ce de façon totalement indépendante du fait qu'un programme accède à une DLL avec la méthode du lien dynamique au chargement ou à l'exécution. Comme cela a été vu dans le chapitre 42 traitant de la gestion de la mémoire virtuelle, la zone comprise entre 2GB (0x80000000) et 3 GB-1 (0xBFFFFFFF) dans l'espace adressable d'une application est maintenue libre pour l'intégration des DLL. La DLL doit être présente dans l'espace adressable d'une application, sinon il serait impossible au code d'appeler les fonctions dans la DLL. En définitive, une application en *Flat-Memory-Model* est toujours limitée à son espace adressable de 32-Bit et ne voit absolument pas ce qui se passe à l'extérieur.

En fait, la DLL est uniquement représentée dans l'espace adressable de l'application à l'aide de la gestion virtuelle de la mémoire. Il est vrai qu'elle y apparaît, mais se trouve en réalité en un endroit tout à fait différent de la mémoire. Cet état de fait reste cependant transparent pour l'application qui n'a donc pas besoin d'en tenir compte. En définitive, la DLL semble se trouver là où elle doit être. La représentation de la DLL dans l'espace adressable permet au système de rendre cette DLL disponible simultanément pour plusieurs applications sans qu'il soit nécessaire de la charger plusieurs fois. Une configuration en conséquence des tableaux de pagination est suffisante pour les différentes applications.

Cette représentation est supprimée dès que l'application est terminée ou qu'elle appelle explicitement la fonction API *FreeLibrary()* afin de supprimer la DLL de la mémoire. Un appel ultérieur de l'une des fonctions de la DLL provoque alors une erreur.

En s'intégrant dans l'espace adressable d'une application, une DLL devient une partie intégrante de cette application, ce qui se répercute également dans sa relation avec les ressources de l'application. Les fonctions DLL utilisent ainsi, par exemple, la pile des *Thread* appelants et peuvent utiliser tous les Handle générés par l'application (fichiers, traitements, objets GDI etc.) dans la mesure où ceux-ci lui sont transmis sous la forme d'un paramètre d'une fonction. Dans le sens inverse, l'application a accès à toutes les variables globales exportées qui ont été déclarées à l'intérieur de la DLL. Si la DLL attribut de la mémoire dans l'une de ses fonctions, celle-ci est automatiquement rajoutée à l'espace adressable de l'application. Ceci permet de garantir que l'application peut accéder à cette mémoire.

Gestion des variables globales

Alors que le code programme est identique pour toutes les instances de la DLL en mémoire, ce n'est pas le cas pour les variables. Les "variables" correspondent ici aux variables globales et aux variables statiques à l'intérieur des fonctions, les "statiques".

Du fait que chaque instance de la DLL dans les différentes applications représente une unité fermée avec son application et les autres DLL qui y sont représentées, elle doit comprendre son propre jeu de variables globales. En définitive, ces variables sont généralement définies comme étant une partie de la réaction aux appels des fonctions DLL. Le meilleur exemple est un Handle de fenêtre qui est transmis à la DLL par l'application appelante afin qu'elle mène ses tâches lors des autres appels dans la fenêtre correspondante.

Supposons maintenant que plusieurs applications appellent la fonction correspondante, chacune avec un autre Handle de fenêtre (celui de l'application en question). Si la variable globale correspondante est utilisée en commun par toutes les instances de la DLL, les Handle de fenêtre des différentes applications apparaîtront alors l'un après l'autre car les applications appelleront la fonction correspondante l'une après l'autre et y laisseront leur Handle de fenêtre. Le dernier appelant sera alors coincé, car son Handle de fenêtre restera dans la variable globale et la DLL transmettra ainsi également les tâches d'autres applications à sa fenêtre (ceci ne se produira cependant pas dans la réalité, car le système ne permet pas à une DLL d'accéder à une fenêtre faisant partie d'une autre application, dans le cadre de son exécution).

C'est la raison pour laquelle un jeu de variables globales propre est attribué automatiquement à chaque instance d'une DLL. Lors de la commutation entre deux applications, les variables globales sont commutées automatiquement sur la nouvelle instance de DLL de l'application concernée. Ceci est réalisé de façon entièrement transparente à l'aide de la gestion virtuelle de la mémoire, et une instance ne verra jamais les variables globales d'une autre instance.

Il existe cependant la possibilité d'utiliser en commun chacun, et parfois même l'ensemble des variables globales avec toutes les applications. La routine de chargement ne crée alors pas d'instances propres pour ces variables, ce qui permet aux différentes instances (codes) de la DLL contenues dans chacune des applications de communiquer entre elles par le biais des variables globales utilisées en commun.

Alors que les variables globales affectées à des instances sont stockées dans le segment de données normale .data, les variables globales utilisées en commun doivent être enregistrées dans une autre segment dont le nom peut être attribué au choix. Ce nouveau segment est intégré dans le code source par le biais du "pragma" data_seg. Il faut ici indiquer le nom du segment, celui-ci devant comporter au maximum huit caractères :

```
/***— DLLQUELC.C —*/

#include <windows.h>

/* Ces variables globales sont stockées dans le segment .data et ainsi affectées à des instances */
int g_intanziiert;
long g_irgendwas;

/* Les variables globales suivantes sont enregistrées dans un segment appelé „.shar_gv" */
#pragma data_seg( „.shar_gv")
int g_shared;
long g_auch_shared;
#pragma data_seg( „.data")

/* Les données suivantes reviennent dans le segment .data normal */
```

Mais un fichier DEF ne suffit pas si l'on veut utiliser cette possibilité. En plus des informations courantes, il faut ici rajouter un élément correspondant au segment choisi. Il faut indiquer au Linker la nature des données qui se trouvent dans le segment qui lui est inconnu en précisant si elles sont utilisées en commun par plusieurs instances. On rajoute pour ce faire un élément *sections* dans le fichier DEF, celui-ci indiquant le nom du segment ainsi que quelques attributs.

```
LIBRARY „DllName.dll"
DESCRIPTION „ma DLL"
EXPORTS

    ... Les différentes fonctions exportées Bonjour2

SECTIONS
    .SHAR_GV DATA READ WRITE SHARED
```

Le segment *Shar_gv* est ici déclaré comme segment utilisé en commun (attribut SHARED) dont le contenu peut être lu (attribut READ) et écrit (attribut WRITE).

Les segments *.data* avec les attributs READ WRITE et *.text* avec les attributs SHARED EXECUTE s'y trouvent généralement aussi sans qu'on les voit. Il contiennent le code programme ainsi que les données à affecter à des instances.

43.1.7. Les DLL utilisées comme réserves de ressources

Les DLL, tout comme les autres programmes, peuvent contenir des ressources comme des bitmap, des menus, des boîtes de dialogue ou un curseur. Elles sont parfois même utilisées comme réserves de ressources et ne contiennent alors aucun code à côté des ressources. Ceci est par exemple le cas en prévision de la localisation d'un logiciel : on regroupe toutes les ressources à localiser dans une DLL, c'est à dire que l'on ne les intègre pas dans le programme proprement dit. La DLL est chargée par le biais de *LoadLibrary()* pendant l'exécution du programme et le Handle d'instance renvoyé est utilisé pour appeler *LoadString()*, *LoadBitmap()*, *LoadAccelerator()*, *LoadCursor()* etc. Si on remplace la DLL par une autre DLL du même nom mais contenant les ressources dans une autre langue, l'application se présentera alors sous une langue différente lors de son prochain démarrage. On a tendance à penser qu'il n'existe pas plus simple, mais on oublie trop vite que tout ceci exige de la part du développeur beaucoup de patience et de discipline pour ne charger réellement toutes les ressources de son programme que pendant l'exécution.

Bien que l'on veuille créer une DLL composée de ressources pures, il est tout de même nécessaire de disposer d'un module C qui peut très bien être vide ou uniquement contenir des commentaires. Il contient au moins la gestion Make en Visual C++, rien d'autre n'est nécessaire. Les ressources sont regroupées comme d'habitude dans un fichier RC, sont rajoutées au projet, sont ainsi compilées automatiquement par le compilateur de ressources et sont intégrées dans la DLL.

43.2. DLL Multithreaded

Après avoir vu que les DLL sont capables de servir simultanément plusieurs applications, il ne semble pas très compliquer de les faire travailler pour plusieurs *Thread*. En définitive, chaque application contient au moins un *Thread*. Une extension à plusieurs *Thread* par application, dans son principe, équivaut en fait simplement à enregistrer d'autres applications dans la liste des utilisateurs d'une DLL. Il existe cependant une différence selon qu'un seul ou plusieurs *Thread* de l'application utilisent en même temps la DLL en question. La différence ne se manifeste pas au niveau du code des fonctions concernées de la DLL, mais au niveau des variables globales de la DLL.

Sauf indication différente dans le fichier DEF, une DLL attend un jeu propre de variables globales pour chaque application dans laquelle elle est intégrée. La routine de chargement, en collaboration avec la gestion virtuelle de la mémoire, y contribue dès le chargement de la DLL. Le contenu courant des variables globales de la DLL change lors de la commutation sur une autre application. Le contenu des variables globales d'une même DLL varie ainsi dans les différentes applications sans que les différents utilisateurs de la DLL (les applications) n'aient à intervenir.

Mais selon la structure d'une DLL, non seulement chaque application, mais également chaque *Thread* à l'intérieur d'une application nécessite son instance propre de ces variables globales. La DLL *Turtle*, dans le chapitre 41 qui traite des applications et des *Thread*, en est un bon exemple. Si elle est appelée par plusieurs *Thread* d'une application, elle doit entretenir et dessiner une fenêtre propre à chacun de ces *Thread*. Elle nécessite pour ce faire le Handle de la fenêtre initiale, la position courante de la tortue, la couleur du dessin etc.

Tant qu'elle ne doit utiliser qu'une seule application avec une seule fenêtre initiale, ces informations peuvent être enregistrées sans problème dans des variables globales. Des fonctions de dessin différentes peuvent alors facilement se référer au point d'origine de l'opération de dessin à partir de chacune des variables globales où elles enregistreront à nouveau le point final. En appelant la prochaine fonction de dessin, celle-ci saura immédiatement à partir de quel point elle doit continuer le dessin. Si l'application change, le contenu des variables globales change également et il ne se produit pas de conflit entre les différentes applications par rapport au point de dessin suivant.

Ceci doit également pouvoir s'appliquer à plusieurs *Thread*, au moins lorsque la DLL Turtle doit être capable de servir simultanément plusieurs *Thread* d'une application. On parle ici de "DLL multi threaded".

Le problème posé par les variables globales lors de leur appel par plusieurs *Thread* peut être contourné de différentes manières. Le plus simple, bien évidemment, est de renoncer aux variables globales. Ceci signifie cependant que les différentes fonctions à l'intérieur de la DLL ne peuvent pas fournir des informations communes, ou alors qu'il faut charger l'appelant des fonctions DLL de la gestion de ces variables globales. Dans le cas de la DLL Turtle, par exemple, il est possible de définir une fonction *InitThread()* qui doit tout d'abord appeler chaque *Thread* avant de pouvoir utiliser une autre fonction de la DLL. Il est également possible d'attribuer une zone de mémoire à l'intérieur de cette fonction et d'y stocker les informations nécessaires comme, par exemple, la position courante de la tortue, etc. En fait tout ce qui devrait normalement être géré sous la forme de variables globales.

La fonction renverrait à son appelant un pointeur vers ce jeu de données à son appelant et l'obligerait à indiquer ensuite ce pointeur lors de chaque appel des autres fonctions Turtle. Ce pointeur permettrait alors à la fonction d'avoir accès aux différentes "variables globales" de son appelant et pourrait ainsi séparer les différents *Thread*. Il s'agit en fait du même principe que celui utilisé par les API Windows lorsqu'elles demandent à l'appelant de transmettre un Handle quelconque dans de nombreuses fonctions.

Mais il est également possible de procéder différemment. L'API Win32 connaît un concept appelé "Thread Local Storage" (TLS) qui produit des variables globales à partir des *Thread*. Mais ceci nécessite l'intervention de la DLL dont les fonctions doivent servir à accéder et à définir les variables TLS des différentes fonctions API - en tout quatre.

43.2.1. Le concept TLS

Le concept TLS repose sur une mémoire indexée qui contient 64 DWORD pour chaque application qui utilise la mémoire TLS. A l'intérieur de cette mémoire, l'application ou les DLL qui y sont chargées peuvent solliciter un ou plusieurs "emplacements" et y déposer des informations quelconques. La capacité de chaque emplacement est cependant toujours limitée à 4 octets, car les emplacements sont gérés comme des DWORD. Dès que l'on passe d'un *Thread* à l'autre, le contenu des emplacements concernés change également, celui-ci étant géré automatiquement à part pour chaque emplacement par la gestion TLS. Tout comme les variables globales d'une DLL sont changées lors de la commutation entre les différentes applications, chaque commutation de *Thread* provoque ici le changement des différents contenus de chacun des emplacements TLS.

Une fonction DLL doit simplement encore savoir que l'information nécessaire se trouve dans l'emplacement x et peut être sûre qu'elle trouvera une valeur propre pour chaque *Thread* qu'elle appellera. Les fonctions TLS permettent ici l'accès aux différents emplacements et leur attribution.

Ce sont les suivantes :

Fonction	Tâche
TlsAlloc	Créer un emplacement pour un DWORD local d'un *Thread*.
TlsSetValue	Définir la valeur d'un TLS-DWORD.
TlsGetValue	Interroger la valeur d'un TLS-DWORD.
TlsFree	Libérer un DWORD local d'un *Thread*.

Fonctions Win32 pour travailler avec les TLS

Une DLL demande tout d'abord la création d'emplacement TLS par le biais *TlsAlloc()*, à savoir un pour chaque DWORD qu'elle doit réserver à chaque *Thread*. S'il faut mémoriser des informations sous la forme d'octets ou de mots, il est possible de regrouper plusieurs d'entre elles dans une seul emplacement, mais le code d'écriture et de lecture de l'emplacement a alors la responsabilité d'éviter les conflits entre les différentes valeurs ou d'éviter tout simplement qu'un élément ne soit remplacé. Mais du fait que le nombre d'emplacements est suffisant et que l'on n'a pratiquement à faire qu'à des DWORD lors de la programmation sous Win32-API, cette opération est généralement inutile.

TlsAlloc() est appelée une fois pour chaque DWORD à mémoriser et on note la valeur renvoyée. Elle contient le numéro de l'emplacement dans lequel se trouve l'information souhaitée. Celui-ci n'est donc pas défini dès la codage de la fonction C correspondante, mais doit être déterminé pendant l'exécution du programme par le biais de *TlsAlloc()*.

```
DWORD WINAPI TlsAlloc(
    VOID
    );
```

Pour des raisons de sécurité, il faut toujours comparer le numéro d'emplacement renvoyé avec la constante TLS_OUT_OF_INDEXES qui est utilisée par *TlsAlloc()* pour signaler une erreur. Ceci peut se produire lorsque tous les emplacements disponibles sont déjà attribués, mais cela est très rare.

A partir du moment où *TlsAlloc()* s'est bien déroulé, le mécanisme TLS modifie également le contenu de chacun des emplacement lors de chaque commutation de *Thread*. La fonction *TlsSetValue()* permet de modifier le contenu d'un emplacement. Le premier argument qu'elle attend est le numéro d'emplacement et le deuxième un pointeur LPVOID. Il est cependant possible ici de stocker tout autre type de donnée après une vérification correspondante, celui-ci étant dissocié en DWORD au niveau du compilateur.

```
BOOL WINAPI TlsSetValue(
    DWORD dwTlsIndex,
    LPVOID lpTlsValue
    );
```

Si la fonction renvoie TRUE, la valeur souhaitée pour l'emplacement du *Thread* courant a alors été définie. Le contenu de l'emplacement concernant d'autres *Thread* n'a pas été modifié. Si une autre fonction DLL veut lire le contenu de l'emplacement, elle utilise la fonction *TlsGetValue()*. L'argument attendu par cette fonction est le numéro de l'emplacement concerné et elle renvoie alors le DWORD qu'il contient. Ceci, bien évidemment, en référence au *Thread* courant.

```
LPVOID WINAPI TlsGetValue(
    DWORD dwTlsIndex
    );
```

Si faut à nouveau libérer un emplacement préalablement affecté avec *TlsAlloc()*, il faut faire appel à la fonction *TlsFree()* et lui indiquer le numéro de l'emplacement. Si l'emplacement a été libéré (résultat renvoyé TRUE), il n'est alors plus disponible pour les appels de *TlsGetValue()* et de *TlsSetValue()*

```
BOOL WINAPI TlsFree(
   DWORD dwTlsIndex
   );
```

43.2.2.   TLS dans TURTLE.DLL

Du fait de leurs différences de caractéristiques, les quatre fonctions TLS doivent être utilisées en des endroits différents au sein de la DLL. Ceci est mis en évidence par la version "Multi-Threaded" de la DLL *Turtle* appelée TURTLE.C. L'attribution des emplacements TLS est ici réalisé dans la fonction *DllMain()* qui est appelée comme fonction de démarrage de la DLL. L'attribution des emplacements est déclenchée dès que cette fonction reçoit la constante DLL_PROCESS_ATTACH comme raison de son appel (paramètre *fdwReason*). C'est le signal indiquant qu'une nouvelle application a accédé à la DLL et celui-ci est pris comme point de départ pour l'attribution des emplacements qui doivent être mis à la disposition de différents *Thread* de l'application. Bien que l'on ne connaisse initialement pas le nombre de *Thread*, ceci n'a aucune importance pour la configuration de la mémoire TLS. Si de nouveaux *Thread* sont créés pendant l'exécution du programme par le biais de *CreateThread()*, ils recevront dans tous les cas une copie des différents emplacements.

```
/*********************************************************************/
/* DllMain: Point d'entrée principal de la DLL                      */
/*-------------------------------*/
/* Paramètre :    aucun                                             */
/* Valeur retournée : TRUE - Le contexte a pu être défini           */
/*                 FALSE - Dépassement inférieur de la pile         */
/*********************************************************************/
BOOL WINAPI DllMain(HANDLE hModule, DWORD fdwReason, LPVOID lpReserved)
{
  switch (fdwReason)                /* Pourquoi DllMain a été appelé ? */
  {
  case DLL_PROCESS_ATTACH:
    /* Une nouvelle application sollicitera les services de la DLL.  */
    /* L'application doit donc attribuer les indices TLS pour tous les*/
    /* Thread qui seront exécutés par elle.                         */

    if( !(tlsidxX            = TlsAlloc()) ||
        !(tlsidxY            = TlsAlloc()) ||
        !(tlsidxAngle        = TlsAlloc()) ||
        !(tlsidxLineWidth    = TlsAlloc()) ||
        !(tlsidxColor        = TlsAlloc()) ||
        !(tlsidxPen          = TlsAlloc()) ||
        !(tlsidxWnd          = TlsAlloc()) ||
        !(tlsidxStackPtr     = TlsAlloc()) ||
        !(tlsidxStackMem     = TlsAlloc()) ||
        !(tlsidxBoundingLeft = TlsAlloc()) ||
        !(tlsidxBoundingTop  = TlsAlloc()) ||
        !(tlsidxBoundingRight = TlsAlloc()) ||
        !(tlsidxBoundingBottom = TlsAlloc()) ||
        !(tlsidxUseBounding  = TlsAlloc()))
        return FALSE;
```

```
      return TRUE;
   break;

   case DLL_THREAD_ATTACH:
      /* Turtle doit être initialisée pour chaque nouveau Thread    —*/
      turtleInit();
   break;

   case DLL_THREAD_DETACH:
      /* Les variables de la Turtle (pile, GDI, objets) doivent être */
      /* initialisées après la fin du Thread.                        */
      turtleExit();
   break;

   case DLL_PROCESS_DETACH:
      /* Les emplacements TLS deviennent inutiles lorsque            */
      /* l'application est terminée.                                 */
      TlsFree( tlsidxX );
      TlsFree( tlsidxY );
      TlsFree( tlsidxAngle );
      TlsFree( tlsidxLineWidth );
      TlsFree( tlsidxColor );
      TlsFree( tlsidxPen );
      TlsFree( tlsidxWnd );
      TlsFree( tlsidxStackMem );
      TlsFree( tlsidxStackPtr );
      TlsFree( tlsidxBoundingLeft );
      TlsFree( tlsidxBoundingTop );
      TlsFree( tlsidxBoundingRight );
      TlsFree( tlsidxBoundingBottom );
      TlsFree( tlsidxUseBounding );
   break;
   }
   return FALSE;
}
```

On peut constater que la fonction appelle plus d'une douzaine de fois TlsAlloc() et crée ainsi à chaque fois un emplacement pour l'une des variables qui doivent être gérées comme des *Thread* locaux. Les numéros d'emplacement sont mémorisés dans des variables telles que *tlsidX*, *tlsidY*, *tlsAngle* etc, celles-ci correspondant à chaque fois à l'une des informations nécessaires comme, par exemple, les coordonnées actuelles de la tortue ou son sens de rotation. Il s'agit ici de variables globales qui sont définies au début du fichier C.

Vous risquez d'être effrayé par le nombre de variables globales, alors que c'est justement celles-ci qu'on voulait éviter. L'utilisation commune de ces variables par différents *Thread* ne représente cependant ici aucune difficulté particulière. Au contraire, elle est même souhaitée. En effet, le contenu de ces variables permet à chacune des fonctions DLL de connaître le numéro de l'emplacement dans lequel elles peuvent chercher une information bien particulière comme, par exemple, le sens de rotation courant. Et ce numéro d'emplacement est le même pour tous les *Thread*, seul le contenu des différents emplacements change.

```
/** Début de TURTLE.C **/

#include <windows.h>
#include th.h
#include ssert.h

#include "turtle.h"

DWORD tlsidxX;                  /* Coordonnées X courantes            */
DWORD tlsidxY;                  /* Coordonnées Y courantes            */
DWORD tlsidxAngle;             /* Angle courant                      */
DWORD tlsidxLineWidth;         /* Epaisseur de la ligne              */
DWORD tlsidxColor;             /* Couleur de la ligne                */
DWORD tlsidxPen;               /* Crayon courant                     */
DWORD tlsidxWnd;               /* Fenêtre d'édition actuelle         */
DWORD tlsidxStackMem;          /* Pile contextuelle                  */
DWORD tlsidxStackPtr;          /* Pointeur de la pile contextuelle   */
DWORD tlsidxBoundingLeft;      /* Rectangle de détourage, bord gauche*/
DWORD tlsidxBoundingTop;       /* Rectangle de détourage, bord sup   */
DWORD tlsidxBoundingRight;     /* Rectangle de détourage, bord droit */
DWORD tlsidxBoundingBottom;    /* Rectangle de détourage, bord inf   */
DWORD tlsidxUseBounding;       /* Adapter édition au rec détourage   */
```

Une fois que les différents emplacement ont été attribués, chacune des fonctions DLL peut accéder à l'emplacement concerné à l'aide de *GetTlsValue()* et de *SetTlsValue()*.*GetTlsValue(tlsidxX)*, par exemple, indique l'ordonnée X courante de la tortue pour le *Thread* concerné et *SetTlsValue(tlsidxAngle)* définit le sens de rotation courant. Pour faciliter la lecture du code programme, ces instructions ont été regroupées dans des macros qui sont également définies au début de TURTLE.C :

```
/*== Macros pour faciliter l'accès aux TLS =======================*/
#define GetX()           ((int)TlsGetValue(tlsidxX))
#define GetY()           ((int)TlsGetValue(tlsidxY))
#define GetAngle()       ((float)(LONG)TlsGetValue(tlsidxAngle))
#define GetLineWidth()   ((int)TlsGetValue(tlsidxLineWidth))
#define GetColor()       ((COLORREF)TlsGetValue(tlsidxColor))
#define GetPen()         ((HPEN)TlsGetValue(tlsidxPen))
#define GetWnd()         ((HWND)TlsGetValue(tlsidxWnd))

// etc.

#define SetX(v)          assert(TlsSetValue(tlsidxX,(LPVOID)(v)))
#define SetY(v)          assert(TlsSetValue(tlsidxY,(LPVOID)(v)))
#define SetAngle(v)      assert(TlsSetValue(tlsidxAngle,(LPVOID)(LONG)(v)))
#define SetLineWidth(v)  assert(TlsSetValue(tlsidxLineWidth,(LPVOID)(v)))
#define SetColor(v)      assert(TlsSetValue(tlsidxColor,(LPVOID)(v)))
#define SetPen(v)        assert(TlsSetValue(tlsidxPen,(LPVOID)(v)))
#define SetWnd(v)        assert(TlsSetValue(tlsidxWnd,(LPVOID)(v)))

// etc.
```

Dans le cas des macros *Set*, la fonction *TlsSetValue()* devra toujours faire appel à un *Assert* afin que le programme soit interrompu et affiche un message d'avertissement si l'enregistrement de la valeur concernée devait échouer. Les fonctions Turtle comme *turtleSetPen()* font très couvent appel à ces macros afin de définir les informations comme le stylo courant, la couleur et l'épaisseur de la ligne seulement en référence au *Thread* courant par lequel elles sont appelées.

```
/*************************************************************************/
/* turtleSetPen : Crée un nouveau crayon courant.                       */
/*_____*/
/* Paramètre :    crCol    : Couleur du nouveau crayon                  */
/*                lLineWidth: Largeur du crayon                         */
/* Valeur retournée : aucune                                           */
/*************************************************************************/
void WINAPI turtleSetPen( COLORREF crCol, LONG lLineWidth )
{
                       /* supprimer un crayon éventuellement existant */
  if( GetPen() ) DeleteObject( GetPen() );
                                 /* Enregistrer crayon dans TLS */
  SetPen( CreatePen( PS_SOLID, lLineWidth, crCol ) );
  SetColor( crCol );       /* Enregistrer couleur et largeur dans TLS */
  SetLineWidth( lLineWidth );
}
```

Les emplacements sont à nouveau libérés à l'endroit où ils ont été créés : dans la fonction Entry DLL, ici dans *DllMain()*. Dès que cette fonction reçoit la constante DLL_PROCESS_DETACH dans *fdwReason* et qu'elle est ainsi informée de sa séparation de l'application courante, tous les emplacement préalablement attribués par le biais de *TlsFree()* sont à nouveau libérés. Les numéros des emplacements sont là aussi extraits des variables globales.

Lors de la création d'un nouveau *Thread* et de l'appel conséquent de la fonction Entry DLL avec DLL_THREAD_ATTACH, celle-ci n'a plus qu'à initialiser le contenu des différents emplacements. Ceci est réalisé en appelant *turtleInit()*.

TURTLE.DLL comme partie de l'exemple Multiple

TURTLE.DLL est utilisée dans le cadre d'un programme appelé MULTICOURBE32. MULTI-PLE.C représente la variation la plus complexe du théorème de Pythagore décrit dans le chapitre 41 traitant du multitâches. Un programme VB appelé MULTIPLE crée ici un nombre quelconque de fenêtres à l'aide de la MULTIPLE.DLL développée en C, chacune d'entre elles contenant le dessin d'un arbre de Pythagore. Pour dessiner les arbres, MULTIPLE.DLL utilise ici les fonctions de TURTLE.DLL. La capacité de TURTLE.DLL à utiliser simultanément plusieurs *Thread* d'une application est ici intensément utilisée, car MULTIPLE.DLL génère deux *Thread* pour chaque fenêtre de Pythagore à afficher : l'un qui se charge du dessin et l'autre qui est responsable de la gestion de la fenêtre dans le cadre du traitement des informations.

MULTIPLE.DLL démontre ainsi qu'une DLL peut non seulement être appelée simultanément par plusieurs *Thread* d'une même application, mais qu'elle est également en mesure de créer elle-même des *Thread*.

Ceci supprime l'idée préconçue selon laquelle toutes les DLL ne peuvent être exécutées que depuis l'extérieur et ne peuvent pas devenir elles-mêmes actives. Mais si l'on crée tout de même un *Thread* dans la fonction DLL *Entry* par exemple, celui-ci est alors exécuté simultanément en plus des autres *Thread* de l'application concernée.

Mais à côté de tous les appels de la DLL par les *Thread* de l'application, la DLL elle-même peut également rester active, par exemple pour effectuer des travaux de rangement en arrière-plan ou pour attendre certains produits du système.

MULTIPLE.DLL	MULTIPLE.C	TURTLE.DLL
MULTIPLE.VBP	MULTIPLE.DEF	TURTLE.C
MULTIPLE.FRM	TURTLE.LIB	TURTLE.H
		TURTLE.DEF

Les différents fichiers pour MULTIPLE

MULTIPLE.C   MULTIPLE.DEF   TURTLE.C
TURTLE.H   TURTLE.DEF

43.2.3. Mémoire TLS à la façon Microsoft

En tant que composantes normales de Win32-API, les quatre fonctions TLS peuvent être utilisées en liaison avec tous les compilateurs et tous les langages qui permettent d'appeler des fonctions DLL. Microsoft, avec sa propre extension de langage, démontre cependant que les variables TLS peuvent être intégrées beaucoup plus facilement sans être obligé de faire appel aux différentes fonctions TLS. Mais cette extension du langage ne fonctionne qu'en combinaison avec le compilateur VC++ (depuis la Version 2.0) pour qui elle a été développée exclusivement.

Le point essentiel est ici le nouvel indicateur *thread* qui doit toujours être indiqué en liaison avec la directive __*declspec*. __*declspec()* signale au compilateur la présence d'une extension de langage spécifique à Microsoft qui n'est pas conforme à la norme ANSI. En liaison avec la structure __*declspec(thread)*, il est possible de déclarer des variables globales spécifiques aux *Thread* à l'intérieur d'un programme ainsi que des variables statiques à l'intérieur de fonctions:

```
__declspec(thread) int g_idX; // Le Thread est local
__declspec(thread) int __declspec(thread) g_idX;  // Ne fonctionne pas comme Type-Modifier

void func()
{
 __declspec(thread) static long cBits;  // Fonctionne comme variable statique
 __declspec(thread) char chTaste;        // Mais non comme locale automatique
}
/*— C'est plus simple avec des macros ——*/

#define THREADLOKAL __declspec(thread)

THREADLOKAL int g_idX;        // thread local

void func()
{
 THREADLOKAL static long cBits;        // thread local
}
```

__*declspec(thread)* ne peut pas être rajouté aux variables locales d'une fonction, mais celles-ci sont dans tous les cas des *Thread* locaux car chaque *Thread* possède sa propre pile qui est affectée à ces variables.

Seul __*declspec(thread)* a permis d'éliminer tous les efforts liés à la mémoire TLS. Il n'est plus nécessaire d'attribuer des emplacements avec *TlsAlloc()*, ni d'appeler *TlsGetValue()* ou *TlsSet-Value()* pour chaque accès à l'instance des *Thread* locaux de la variable globale *g_idX* et de libérer à nouveau l'emplacement avec *TlsFree()*. C'est le compilateur qui se charge de tout ça en présentant automatiquement le code correspondant. L'accès aux variables à l'intérieur du code programme s'effectue comme pour toute autre variable, le compilateur y insère un code invisible qui garantit que l'on utilise toujours l'instance spécifique du *Thread* courant.

Il existe cependant une petite exception : si on intègre la structure __*declspec(thread)* dans les DLL, celles-ci doivent être chargées par lien au chargement. Une application qui accède à ces DLL ne doit donc pas attendre l'exécution pour les charger avec LoadLibrary() et les enregistrer ensuite dans les adresses des fonctions DLL souhaitées avec *GetProcAddress()*. En effet, le code interne créé par le compilateur doit pouvoir définir les emplacements nécessaires à chacune des DLL de l'application dès le chargement de celle-ci. C'est également la raison pour laquelle cette méthode ne peut pas être utilisée pour les DLL qui sont appelées directement à partir de VB ou qui sont appelées indirectement par une DLL qui est appelée dans VB. En effet, VB charge toujours les DLL pendant l'exécution par le biais de *LoadLibrary()*. C'est pour cette raison également qu'il a fallu faire appel aux méthode conventionnelles de la gestion TLS dans l'exemple Multi-Pythagoras.

Si vous accédez à la structure __*declspec(thread)* dans vos DLL, avertissez l'utilisateur à l'aide d'en-têtes dans les fichiers que la DLL ne doit pas être chargée pendant l'exécution par le biais de *LoadLibrary()*. Si ceci est inévitable, il faut revenir à la méthode traditionnelle de l'accès TLS par le biais des quatre fonctions TLS.

44.   Contrôles système

Depuis longtemps déjà, l'industrie du logiciel est poussée par un élan qui conduit non seulement à améliorer la technique et la fonctionnalité, mais à concevoir un modèle toujours nouveau dont le design doit être irréprochable. Dans ce contexte, Windows 95 a franchi un grand pas en avant - du point de vue de l'utilisateur et par rapport au regard porté par le développeur. Ce qui s'affiche sous nos yeux sous forme d'arborescences, de listes et d'icônes sur le Bureau doit produire un effet certes attrayant dans les applications système mais aussi dans le cercle de la clientèle privée. Expliquons-nous : tout doit être parfait dans les programmes personnalisés. C'est ainsi que Microsoft aspirerait à ce que le logo "Conçu pour Windows 95", plus ou moins convoité, ne soit attribué qu'aux programmes soutenant les nouvelles caractéristiques de l'interface utilisateur de Windows 95. Mais il ne faudrait pas que cette recherche de la perfection soit un frein au développement d'applications en tous genres sous Windows 95.

Peu importe votre attitude, ce chapitre fait de toute façon un tour complet de tous les aspects relatifs aux éléments rencontrés dans l'interface utilisateur de Windows 95, les fameux contrôles système ou Common Controls. Controls parce qu'ils sont gérés exactement comme les anciens Edit Controls, Buttons et Listboxes auxquels vous êtes familiarisés et sont commandés par des messages. Common parce qu'ils sont disponibles dans toutes les applications sans être limités au système.

Parmi les douze contrôles système, nous nous intéresserons dans ce chapitre aux trois plus gros et plus complexes : TreeView Control, ListView Control et Image Lists. Ce sont des contrôles que vous rencontrez notamment dans l'Explorateur. Il s'agit de l'arborescence, dont les éléments peuvent être développés et réduits, et de la zone de liste moderne qui peut être visualisée sous diverses formes.

Qu'est-ce qui fait la complexité des contrôles système ? Il faut définir à leur dessein de nombreux messages, et tout au moins des structures de données assurant la communication entre un programme et le contrôle. La plupart des contrôles système en possèdent au moins 10 sinon 20. Le contrôle ListView décrit ici en renferme près de 100. Il faut juste rester attentif pour ne pas perdre la vue d'ensemble, car en fin de compte plus le nombre de messages est important, plus la fonctionnalité du contrôle est prépondérante. Par exemple, Il ne faut pas se plaindre de la quantité excessive des messages gérés par ListView, car ce contrôle accomplit effectivement de nombreuses prouesses.

Lorsque vous serez amené à manipuler des contrôles système, vous ne tarderez pas à constater qu'il est plus facile d'agir avec un nouveau contrôle. Contrairement aux autres interfaces logicielles développées par Microsoft, on s'est efforcé ici de préserver une sémantique relativement cohérente en ce qui concerne la désignation des constantes et des structures d'éléments similaires. Par exemple, vous avez eu l'occasion de manipuler une structure *TVM_ITEM* et un message *TVM_SETITEM* dans le contexte du contrôle TreeView. Vous savez alors que la structure *LV_ITEM* d'un contrôle ListView et le message approprié *LVM_SETITEM* recèle une valeur précise, ce qui diminue considérablement le temps du traitement.

Mis à part le maniement pur et simple des contrôles et la méthodologie de remplissage du contrôle avec des entrées, les trois sections suivantes soulèvent un autre aspect de l'interface utilisateur. Il s'agit du Drag&Drop qui revêt une importance toujours croissante. A l'aide de la souris, il faut que l'utilisateur soit en mesure de déplacer aussi intuitivement que possible les éléments affichés dans un contrôle. L'opération doit être conviviale quel que soit l'endroit d'où intervient l'utilisateur, que ça soit dans le contrôle en cours ou depuis une boîte de dialogue.

La question essentielle est de déterminer en fin de compte l'endroit qui convient au mieux, là où l'utilisateur doit disposer des moyens pour réorganiser à sa guise les éléments. Les contrôles système fournissent dans tous les cas les bases nécessaires pour réaliser cette action.

Accès aux contrôles système depuis le code de programme

La clé ouvrant l'accès aux contrôles système dans le code du programme est représentée par le fichier *COMMCTRL.H*. Il est stocké en principe dans le répertoire *MSTOOLS**INCLUDE*. Il contient toutes les déclarations nécessaires à l'emploi des *contrôles système*, c'est-à-dire les types, messages, fonctions API et macros. Ce fichier doit être intégré dans le module C si vous désirez accéder aux contrôles système. Un autre fichier *COMCTL32.LIB* s'avère nécessaire. Il renferme la définition de l'interface assurant le lien avec le fichier système *COMCTL32.DLL*. Ce fichier détient le code des fonctions API et surtout celui des classes de fenêtres représentant les divers contrôles système.

Classes de fenêtres, c'est là la clé de tous les mystères. La création d'un Common Control se fait par l'appel de la fonction API *CreateWindowEx()* où l'une des chaînes prédéfinies dans le fichier *COMMCTRL.H* est déclarée en tant que classe de fenêtre, comme par exemple "SysTree-View32" pour un contrôle TreeView. L'accès au Common Control se déroule exactement comme un contrôle ordinaire : construire un message avec les paramètres *uMsg*, *wParam* et *lParam* et l'envoyer au contrôle par *SendMessage()*.

Mais avant l'appel à *CreateWindowEx()*, attention de ne pas oublier celui de la fonction *InitCommonControls()* provenant de *COMCTL32.DLL*. C'est à cette condition que les classes de fenêtre des contrôles système seront initialisées sans que l'appel de *CreateWindowEx()* se termine par un échec. Ce sujet est décrit plus en détail dans les sections suivantes.

Création depuis Dialog Editor

Pour intégrer des contrôles système dans un dialogue, le mieux est de recourir à l'utilitaire Dialog Editor plutôt que de les créer au fur et à mesure par *CreateWindowEx()*. C'est une méthode inélégante qui comporte un autre inconvénient : les contrôles ainsi créés n'accèdent pas aux caractères de Dialog Editor mais au jeu standard de Windows. Le jeu de caractères Dialog Editor n'est incrusté dans le Common Control que par l'envoi d'un message *WM_SET-FONT* au contrôle. Voilà une procédure fort inconfortable.

Dans les versions 2.0 et 2.2 (il y en a tellement !) du compilateur Visual C++, la configuration de nouveaux contrôles système est impossible à réaliser par le biais de Dialog Editor. Nul besoin ici de vous agiter ni de rechercher un bouton d'options caché quelque part.

La clé menant à ces contrôles réside en fait dans la base de registre (cf. *Regedit.exe*). Il convient ici de créer le cas échéant et d'attribuer la valeur 1 à la clé *ChicagoControls* figurant sous *HKEY_CURRENT_USER**Software**Microsoft**Visual C++ 2.0**Dialog Editor*. Les contrôles système deviennent alors disponibles dans Dialog Editor au prochain démarrage de Visual C++.

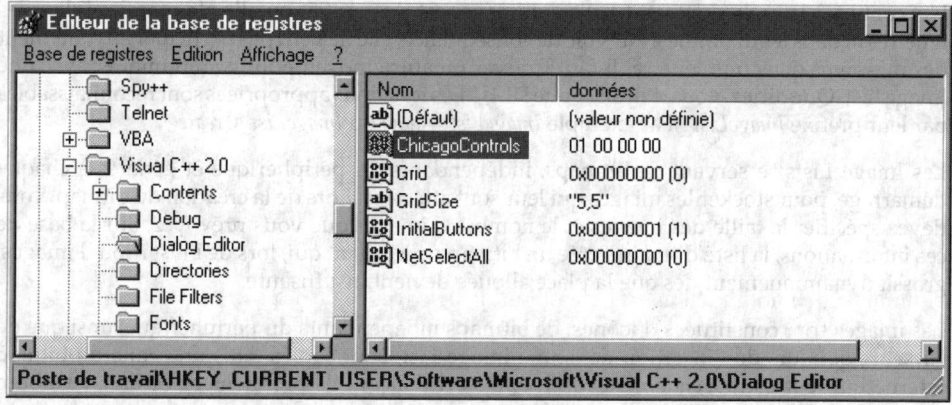

Clé d'accès aux contrôles système de Windows 95 depuis VC++

Il se peut toutefois que Microsoft ait résolu le problème entre-temps. Faites un essai avec ce commutateur au cas où les contrôles système refusent d'apparaître dans Dialog Editor.

44.1. Image Lists

La gestion d'images devient vite contraignante dès lors que le nombre d'images qu'un programme doit afficher dans des boutons ou autres contrôles est important. Que ce soit des bitmaps, des icônes ou des curseurs, il en résulte un handle par-ci, un handle par-là. Où stocker tous ces éléments ? Windows 95 répond à cette interrogation par un nouveau contrôle dénommé Image List. Il est mis à la disposition de toutes les applications sous forme d'un "Common Control". Contrairement aux autres contrôles, Image List est invisible. Ce contrôle qui n'apparaît pas sur l'écran s'avère cependant d'une grande aide. Les Image Lists servent en fait à stocker toutes sortes d'images utilisées dans une application. Il peut s'agir entre autres de petites images bitmaps agrémentant des boutons ou des icônes représentant des fichiers. Ces types d'images peuvent être extraites sans difficulté d'une Image List pour être reproduites à l'écran et adressées par un numéro continu. Tout cela facilite grandement la tâche.

L'insertion d'images dans une Image List impose toutefois une restriction : toutes les images doivent avoir la même taille. C'est la caractéristique essentielle d'une Image List. Vous devez créer une Image List distincte pour chaque format si vous utilisez des tailles diverses et variées. Ce n'est guère un problème.

Les Image Lists ne sont pas seulement utilisées par les programmes. Elles servent également aux contrôles système pour y stocker les images qui les décorent. Les contrôles TreeView et ListView n'hésitent ainsi pas à y accéder pour afficher des images à côté du texte des entrées proprement dites. Il faut joindre le contrôle avec une Image List quelconque et définir pour chaque nœud l'index de l'image concernée dans la liste d'images, et non pas l'image elle-même. Cela fait économiser de l'espace et naturellement beaucoup de temps.

44.1.1. Spécificités d'une Image List

A la différence des autres contrôles système qui sont gérés par des messages, les Image Lists possèdent une API propre, composée d'une trentaine de fonctions. L'une des raisons en est que les Image Lists ne font pas corps avec des fenêtres comme c'est le cas des autres contrôles système. Les fonctions en question sont définies dans le fichier *COMMCTRL.H.* Elles peuvent être appelées par un programme ayant intégré *COMCTL32.LIB.*

L'exception à la règle dont jouit la liste d'images est due au fait qu'elle n'apparaît ni dans les fenêtres ni dans les dialogues. Par voie de conséquence, elle ne peut pas participer au traitement des messages dans une fenêtre. Il faut trouver un autre moyen pour communiquer avec une Image List. Que diriez-vous d'utiliser une DLL ? Les fonctions appropriées sont reconnaissables par leur préfixe *ImageList_* Par exemple *ImageList_Add()* ou *ImageList_Create()*.

Les Image Lists se servent de bitmaps, indépendants du périphérique et générés à chaque démarrage, pour stocker les images qui leur sont affectées. Lors de la création du bitmap, vous devez spécifier la taille des images et le nombre d'images que vous prévoyez. Sur la base de ces informations, la liste d'images crée un bitmap concordant qui, lors de l'insertion d'images, grossit dynamiquement dès que la place allouée devient insuffisante.

Les images sont constituées d'icônes, de bitmaps indépendants du périphérique ainsi que de curseurs qui, lors de l'insertion dans une Image List, sont copiés dans une zone du bitmap interne qui leur est spécialement réservé. De cette façon, ils prennent place dans "l'album photo" de la liste d'images.

En plus des images RVB à proprement parler, les Image Lists peuvent stocker un bitmap monochrome pour chaque image. Ce bitmap joue le rôle d'un masque. Lors de l'affichage d'une image avec la fonction *ImageList_Draw()*, ce masque permet de préserver un fond transparent lorsque l'image ne couvre pas l'arrière-plan tout entier. C'est le même principe que celui adopté pour la définition d'un curseur. C'est l'arrière-plan qui est montré à tous les endroits où un point blanc est défini dans le bitmap monochrome.

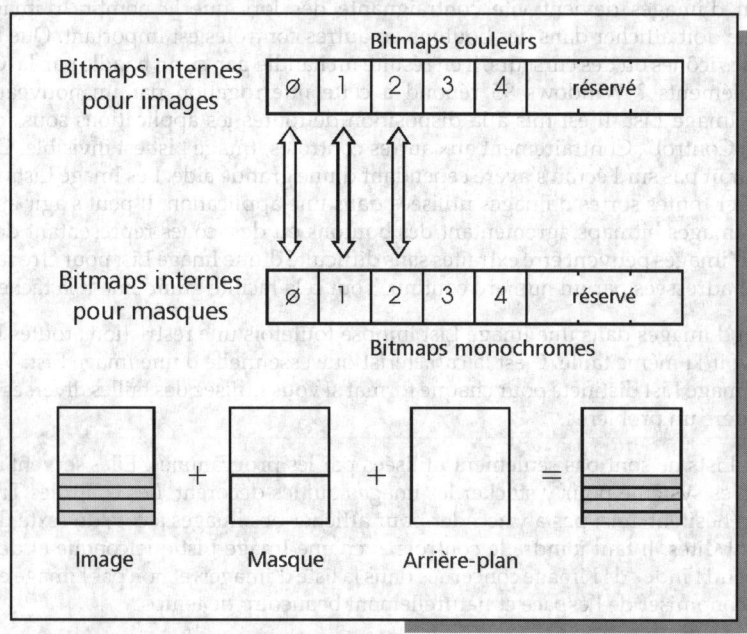

Une Image List renferme des images de taille invariable et permet de définir
des masques pour un affichage transparent au-dessus de l'arrière-plan

La capacité d'enregistrement et de chargement à partir de ce qu'on appelle des streams marque un autre point fort des Image Lists. Par cette méthode, le contenu d'une Image List devient permanent de sorte qu'il redevient disponible lors d'un démarrage ultérieur du programme.

Encore un atout et non des moindres : les images que renferment les Image Lists peuvent être affichées aisément sous forme d'icônes pour le déplacement d'objets à travers l'écran.

Vous constatez ainsi que les talents des Image Lists sont multiples et qu'elles conviennent parfaitement à d'innombrables tâches. Voici un récapitulatif des fonctions *ImageList_* classées par domaine d'intervention.

Fonction	Rôle
Création et suppression d'une Image List	
ImageList_Create()	Crée une nouvelle Image List vierge.
ImageList_Destroy()	Supprime une Image List.
Déplacement d'images provenant d'une Image List	
ImageList_BeginDrag()	Démarre un Glisser-Déplacer sur une image extraite d'une Image List.
ImageList_DragEnter()	Bloque une fenêtre pour la saisie de l'utilisateur et montre l'image tirée.
ImageList_DragLeave()	Libère une fenêtre pour la saisie de l'utilisateur et masque l'image tirée.
ImageList_DragMove()	Déplace l'image pendant un Glisser-Déplacer.
ImageList_DragShowNoLock()	Montre ou masque l'image tirée.
ImageList_EndDrag()	Termine un Glisser-Déplacer sur une image tirée de la liste.
ImageList_GetDragImage()	Renvoie l'image en cours et sa position sur l'écran.
ImageList_SetDragCursorImage()	Configure une nouvelle image à tirer.
Ajout, suppression et édition d'images	
ImageList_Add()	Ajoute des bitmaps sous forme d'images dans une Image List existante.
ImageList_AddIcon()	Ajoute une icône sous forme d'image dans une Image List existante.
ImageList_AddMasked()	Ajoute des bitmaps sous forme d'images dans une Image List existante et crée les masques appropriés.
ImageList_LoadBitmap()	Crée une nouvelle Image List à partir d'une ressource bitmap (macro pour l'appel de *ImageList_LoadImage()*)
ImageList_LoadImage()	Crée une nouvelle Image List à partir d'une ressource Bitmap, Icon ou Cursor.
ImageList_Remove()	Enlève une image de l'Image List.
ImageList_Replace()	Remplace une image dans l'Image List par une autre image (sous forme d'un bitmap).
ImageList_ReplaceIcon()	Remplace une image de l'Image List par une icône ou un curseur.
ImageList_Merge()	Crée une nouvelle Image List en combinant deux images provenant de deux Image Lists.
ImageList_SetOverlayImage()	Définit une image à partir de 4 overlay.
ImageList_SetBkColor()	Définit la couleur de fond de l'Image List.
ImageList_SetIconSize()	Définit la taille des images de l'Image List et supprime les images existantes.
Dessin d'images	
ImageList_Draw()	Dessine une image provenant de l'Image List dans un DC.
ImageList_DrawEx()	Version étendue de *ImageList_Draw()*.

Fonction	Rôle
Lecture d'informations et d'images contenues dans des Image Lists	
ImageList_ExtractIcon()	Renvoie sous forme d'icône indépendante une image extraite d'une Image List.
ImageList_GetIcon()	Version étendue de *ImageList_ExtractIcon()*.
ImageList_GetBkColor()	Lit la couleur de fond définie pour une Image List.
ImageList_GetIconSize()	Renvoie la hauteur et la largeur des images d'une Image List.
ImageList_GetImageCount()	Renvoie le nombre d'images contenues dans une Image List.
ImageList_GetImageInfo()	Renvoie les informations sur une image située dans une Image List.
Lecture et écriture d'images dans un Stream	
ImageList_Read()	Lit une Image List à partir d'un Stream.
ImageList_Write()	Ecrit une Image List dans un Stream.

44.1.2. Création et suppression d'Image Lists

Comme on peut le supposer, c'est avec la fonction *InitCommonControls()* et non pas *Image-List_Create()* que commence le travail relatif à une Image List. Cette fonction n'attend pas de paramètre et n'en renvoie aucun. Pourtant, aucun des nouveaux contrôles système (dont les Image Lists) ne peuvent être adressés sans elle. L'appel de *ImageList_Create()* ne peut avoir lieu qu'à la suite de l'appel de cette fonction. Il convient alors de spécifier la taille des images et quelques paramètres supplémentaires sans lesquels il est impossible de créer une nouvelle Image List.

```
HIMAGELIST ImageList_Create(        // Crée une Image List
    int    cx,                      // Largeur des images en points
    int    cy,                      // Hauteur des images en points
    UINT   flags,                   // Combinaison des flags ILC
    int    cInitial,                // Nombre initial d'images dans la liste
    int    cGrow                    // Incrément pour l'accroissement de la liste
    );
```

La taille initiale de l'Image List, définie dans le paramètre *cInitial*, est requise pour dimensionner le bitmap réservé en interne. Le paramètre *cGrow* décide lui de ce qui va se passer si la liste est pleine et si le propriétaire ajoute une image. Il convient ici de réserver de la place pour plusieurs images et non pas une seule, ceci pour rendre aussi efficace que possible l'agrandissement et éventuellement le déplacement du bitmap interne dans la mémoire. Il ne faut pas non plus que le processus tout entier soit répété immédiatement lors du passage à l'image suivante. Par conséquent, quelques instants s'écoulent avant que le bitmap interne soit rempli de nouveau avec les images nécessaires. C'est le paramètre *cGrow* que vous avez spécifié qui détermine le nombre d'images à ajouter au bitmap. Choisissez ici une valeur élevée si vous voulez ajouter rapidement une grande quantité d'images largement supérieure à la taille initiale, ou une valeur faible si les images à ajouter sont peu nombreuses.

Par le biais du paramètre *fFlags*, définissez le type du futur bitmap interne et notamment le niveau de couleurs des images. La seule exception à la règle est formée par le flag *ILC_MASK*. Ajoutez ce flag à un autre s'il est nécessaire de gérer un masque pour l'affichage transparent au-dessus du fond en plus de l'image proprement dite.

Constante	Rôle
ILC_MASK	Définit un second bitmap nécessaire aux masques.
ILC_COLORDDB	Enregistre des bitmaps dépendants du périphérique.
ILC_COLOR4	Niveau de couleurs 4 Bits (16 couleurs), indépendant du périphérique
ILC_COLOR8	Niveau de couleurs 8 Bits (256 couleurs), indépendant du périphérique
ILC_COLOR16	Niveau de couleurs 16 Bits (65536 couleurs), indépendant du périphérique
ILC_COLOR24	Niveau de couleurs 24 Bits (16 millions de couleurs) , indépendant du périphérique
ILC_PALETTE	Niveau de couleurs 8 Bits avec palette, indépendant du périphérique

La fonction renvoie *HIMAGELIST*, un handle sur la nouvelle Image List, lequel doit être connu pour identifier la liste concernée lors des appels ultérieurs émanant des fonctions *ImageList_*. La fonction renvoie NULL si l'appel échoue.

Le handle d'Image List est le seul paramètre que vous devez préciser pour supprimer une liste existante. Toutes les images qui y sont stockées sont irrémédiablement perdues. Il devient impossible d'appeler d'autres fonctions *ImageList_* avec ce handle par la suite.

```
BOOL ImageList_Destroy(          // Détruit une Image List
    HIMAGELIST himl              // Handle de Image List
    );
```

Ici la fonction renvoie TRUE si la suppression de la Image List a eu effectivement lieu, sinon FALSE.

44.1.3.   Chargement de bitmaps complets

Utilisez les fonctions *ImageList_LoadBitmap()* et *ImageList_LoadImage()* si vous ne voulez pas créer manuellement une Image List pour la remplir ensuite avec des images. Ces deux fonctions font appel à une ressource provenant d'un fichier DLL ou EXE et génèrent une Image List avec les images contenues dans la ressource. Voici pour commencer la présentation de *ImageList_LoadImage()*.

```
HIMAGELIST ImageList_LoadImage(  // Crée une Image List à partir d'une ressource
    HINSTANCE  hi,               // Handle du fichier EXE ou DLL muni de la ressource
    LPCSTR     lpbmp,            // Pointeur sur chaîne avec nom ou ID de la ressource
    int        cx,               // Largeur des images
    int        cGrow,            // Facteur d'accroissement
    COLORREF   crMask,           // Couleur de pixel pour création automatique de masque
    UINT       uType,            // Type de ressource (constante IMAGE)
    UINT       uFlags            // Une combinaison de constantes LR
    );
```

En premier paramètre, la fonction attend le handle d'instance du fichier DLL ou EXE contenant la ressource nécessaire. Le fichier doit représenter une partie du processus en mémoire. Le second paramètre désigne la ressource à partir de laquelle il s'agit d'extraire les images.

Vous pouvez indiquer ici un pointeur sur une chaîne C renfermant le nom ou l'identification de la ressource que vous intégrez ensuite dans un pointeur String à l'aide de la macro *MAKEINTRESOURCE*.

La fonction attend ensuite la largeur d'une image en points. Dans ce contexte, sachez que la ressource peut renfermer un nombre quelconque d'images, disposées côte à côte, ayant la même largeur et la même hauteur. Dans la mesure où vous transmettez la largeur d'une image à la fonction, vous pouvez déterminer le nombre d'images stockées à partir de la largeur totale et la transférer dans la liste nouvellement créée. Les images sont indexées ici de 0 à N-1 (N étant le nombre). La fonction calcule leur hauteur à partir de la hauteur de la ressource.

En *cGrow*, indiquez le facteur d'accroissement comme pour *ImageList_Create()* dans le cas où la liste est pleine et s'il faut ajouter une autre image. *uType* attend le type de la ressource à choisir entre l'une des constantes suivantes :

Constante	Type de ressource
IMAGE_BITMAP	Bitmap
IMAGE_CURSOR	Curseur
IAMGE_ICON	Icône

En *uFlags*, spécifiez une combinaison de constantes LR agissant sur le chargement des images. En règle générale, il n'est pas nécessaire d'utiliser un flag. *uFlags* peut donc prendre la valeur 0.

Constante	Caractéristique de la ressource
LR_LOADFROMFILE	*lpbmp* renvoie vers une chaîne renfermant le nom du fichier à partir duquel l'image doit être chargée.
LR_MONOCHROME	Charge une image noir et blanc.
LR_LOADTRANSPARENT	Prend la couleur du premier point de l'image et remplace tous les points avec la même couleur dans l'image dont la couleur de fond est standard pour la zone client d'une fenêtre (*COLOR_WINDOW*)
LR_LOADMAP3DCOLORS	Les niveaux de gris utilisés pour l'affichage 3D RGB(128,,128,,128) ainsi que RGB(192,,192,,192) et RGB(223,,223,,223) sont calqués sur les couleurs système *COLOR_3DSHADOW*, *COLOR_3DFACE* et *COLOR_3DLIGHT*. Cela signifie que chaque point image de l'un de ces trois niveaux de gris est remplacé par la couleur appliquée actuellement à la constante *COLOR*.

Si la liste d'images demandée peut être créée, la fonction renvoie son handle sinon NULL.

Dans la majorité des cas, vous utiliserez cette fonction pour générer une nouvelle Image List à partir d'un bitmap stocké dans un fichier ou une ressource. Vous pouvez faciliter quelque peu l'appel de cette fonction en recourant à la macro *ImageList_LoadBitmap()* située dans le fichier *COMMCTRL.H*.

```
#define ImageList_LoadBitmap(hi, lpbmp, cx, cGrow, crMask) \
        ImageList_LoadImage(hi, lpbmp, cx, cGrow, crMask, IMAGE_BITMAP, 0)
```

Il suffit de spécifier ici les cinq premiers paramètres, *uType* et *uFlags* étant définis automatiquement.

44.1.4. Insertion d'images

Il est normal de vouloir insérer des images dans une Image List fraîchement élaborée. Rien de plus simple que cela ! Vous disposez des trois fonctions *ImageList_Add()*, *ImageList_AddIcon()* et *ImageList_AddMasked()*. Laquelle choisir ? Tout dépend de ce que vous envisagez de faire. *ImageList_Add()* permet d'ajouter dans une Image List un bitmap à l'aide de son handle. La couleur de l'image est recalculée si elle ne correspond pas à celle définie pour la liste d'images. De plus l'image est refusée et n'est pas intégrée dans la liste si sa taille ne concorde pas avec celle définie dans l'Image List.

```
int ImageList_Add(              // Ajoute une nouvelle image
    HIMAGELIST himl,            // Handle d'Image List
    HBITMAP    hbmImage,        // Handle du bitmap de l'image
    HBITMAP    hbmMask          // Handle du bitmap de masque (Masked Image List seulement)
    );
```

Mis à part le handle d'Image List, le premier handle bitmap incorpore le bitmap qui doit être inclus dans l'Image List en tant qu'image. Le deuxième handle bitmap ne s'avère nécessaire que si vous spécifiez le flag *ILC_MASK* lors de la création de l'Image List. Il doit représenter un bitmap monochrome agissant comme un masque pour reproduire la nouvelle image. Sinon, vous pouvez attribuer la valeur NULL à ce paramètre. En résultat, vous obtenez l'index de la nouvelle image, c'est-à-dire son numéro courant au sein de l'Image List. Cette valeur est constante et sert d'identificateur lors de tous les accès à l'image. La fonction renvoie -1 si l'appel échoue.

Les deux bitmaps qui ont été spécifiés ci-dessus peuvent ensuite être libérés sans que le fonctionnement de l'Image List en soit perturbé. A vrai dire, l'Image List se contente de copier les bitmaps dans l'album photo qui lui est propre.

La fonction *ListImage_AddMasked()* opère quasiment de la même façon, sauf qu'elle n'attend pas de handle bitmap pour le masque de l'image. Elle requiert à la place un *COLORREF*, c'est-à-dire d'une couleur.

```
int ImageList_AddMasked(        // Ajoute un bitmap sous forme d'image et crée un masque
    HIMAGELIST  himl,           // Handle d'Image-List
    HBITMAP     hbmImage,       // Handle du bitmap
    COLORREF    crMask          // COLORREF muni de la couleur du masque
    );
```

A l'aide de cette indication de couleur, la fonction construit automatiquement le masque de l'image en mettant sur transparent tous les points du masque intervenant dans la couleur choisie. Vous obtenez ici une sorte d'effet bleuâtre, sauf que la couleur n'est pas bleue par définition mais déterminée par *COLORREF*. Il convient d'utiliser une couleur inexistante dans l'image pour marquer tous les points dont le fond doit être transparent. Vous pouvez ignorer le paramètre *crMask* et indiquer la valeur 0 si Image List ne gère pas de masque. Sinon, vous pouvez construire *COLORREF* à l'aide de la macro *RGB*, laquelle fusionne les trois composantes rouge, vert et bleu (valeurs comprises entre 0 et 255) en un *COLORREF*. Cette fonction renvoie elle aussi l'index de la nouvelle image ou -1 en cas d'erreur.

Utilisez la fonction *ImageList_AddIcon()* si vous voulez inclure une icône au lieu d'un bitmap. Cette fonction attend l'icône par l'intermédiaire de son handle. Il n'est pas nécessaire de définir un masque, comme c'est le cas de *ImageList_Add()*, car les icônes représentent en soi un masque. Si l'Image List est générée par le biais du paramètre *ILC_MASK*, le masque de l'icône est stocké automatiquement, sinon il est ignoré et l'icône est transférée dans l'Image List comme une image sans son masque.

Comme le montre le fichier *COMMCTRL.H*, la fonction n'existe pas réellement mais est détournée par une macro vers la fonction *ImageList_ReplaceIcon()* que nous étudierons plus loin en détail :

```
#define ImageList_AddIcon(himl, hicon) \
        ImageList_ReplaceIcon(himl, -1, hicon)
```

Il n'empêche que vous recevez une fois de plus l'index de la nouvelle image ou -1 si l'appel échoue. L'icône, dès qu'elle devient inutile, peut être libérée à tout moment.

44.1.5. Conception d'images

Après l'ajout, il faut s'intéresser à la conception des images - un processus sans lequel elles ne seraient jamais visibles par l'utilisateur. Vous disposez ici des deux fonctions *ImageList_Draw()* et *ImageList_DrawEx()* où cette dernière fournit comme d'habitude des options complémentaires. Mais la version de base de la fonction s'avère amplement suffisante dans la plupart des cas.

```
BOOL ImageList_Draw(                // Dessine une image
    HIMAGELIST himl,                // Handle de l'Image List
    int        i,                   // Numéro de l'image à dessiner
    HDC        hdcDst,              // Device Context du dessin
    int        x,                   // Coordonnée X, point de départ du dessin
    int        y,                   // idem, coordonnée Y
    UINT       fStyle               // Combinaison des flags ILD
);
```

Les deux premiers paramètres identifient l'image à dessiner par le biais du handle de l'Image List et l'index de l'image concernée dans cette liste. Vient ensuite le handle du Display Context dans lequel il s'agit de dessiner le bitmap. Les paramètres X et Y déterminent le point de départ du dessin correspondant au coin supérieur gauche, là où l'image sera dessinée dans le DC concerné. Enfin, le paramètre *fStyle* spécifie la manière dont l'image sera dessinée : avec ou sans masque, et si l'image sera mise en évidence de façon particulière. Cela est toujours utile lorsque l'image fait corps avec un symbole d'écran détenant le focus ou pourvu de la marque de sélection.

Constante	Fonction
ILD_TRANSPARENT	Rend le fond transparent à l'aide d'un masque.
ILD_NORMAL	Dessine l'image avec la couleur de fond choisie pour tous les points définis dans le masque.
ILD_MASK	Dessine le masque de l'image.
ILD_IMAGE	Dessine l'image au lieu du masque.
ILD_BLEND25	Inverse la couleur en sautant à chaque fois 4 points écran (trame à 25 %).
ILD_BLEND50	Inverse la couleur en sautant à chaque fois 2 points écran (trame à 50 %).
ILD_FOCUS	Identique à ILD_BLEND25
ILD_SELECTED	Identique à ILD_BLEND50

Les deux premières constantes se rapportent à une Image List qui renferme l'image, son masque et spécifiant l'affichage du fond. *ILD_TRANSPARENT* utilise le masque pour laisser le fond tel quel partout où le point correspondant est réglé sur 1. Il faut lire auparavant le fond et le joindre ensuite au masque et à l'image proprement dite. Le résultat est réinscrit. Cette méthode convient pour la conception d'un fond qui n'est pas rempli avec une couleur constante.

Si vous savez en revanche que le fond possède une couleur invariable, vous pouvez accélérer le processus du dessin par *ILD_NORMAL* au lieu de *ILD_TRANSPARENT*. Dans ce cas, la fonction ne lit pas le fond mais remplit tous les points définis dans le masque avec une couleur constante. Celle-ci doit concorder avec la couleur de l'arrière-plan pour rendre l'image transparente. Définissez la couleur de votre choix par la fonction *ImageList_SetBkColor()* (voir plus loin). Si vous avez choisi *CLR_NONE* en tant que couleur de fond, le pourtour de l'image sera transparent malgré l'emploi de *ILD_NORMAL*.

La fonction ignore les deux flags si la liste d'images ne renferme pas de masque. La fonction copie l'image dans le Display Context telle qu'elle apparaît dans la liste. Le fond est entièrement masqué. Le flag *ILD_MASK* permet de dessiner le masque au lieu de l'image, mais c'est une pratique rarement utilisée.

Les deux constantes *ILD_BLEND25* et *ILD_BLEND50* permettent d'agir sur le comportement du système lors de la sélection de contrôles ou de l'attribution du focus. Le système applique à l'icône une trame à 25 ou 50 %, de sorte que chaque point est mis en vidéo inverse à intervalle de deux ou quatre pixels.

La fonction *ImageList_DrawEx()* ouvre de nouveaux horizons. Les paramètres *dx* et *dy* permettent à l'appelant de restreindre la zone de traçage dans l'image. L'image entière est dessinée si vous affectez 0 à ces deux paramètres. Sinon la fonction limite le traçage au niveau du coin supérieur gauche de l'image dont les dimensions sont données en *dx* et *dy*.

```
BOOL ImageList_DrawEx(          // Extension de la fonction de dessin
    HIMAGELIST  himl,           // Handle d'Image-List
    int         i,              // Index de l'image à dessiner
    HDC         hdcDst,         // Display Context dans lequel il faut dessiner
    int         x,              // Coordonnée X du point de départ du dessin
    int         y,              // idem, coordonnée Y
    int         dx,             // Largeur de la zone de traçage en pixels
    int         dy,             // idem, hauteur
    COLORREF    rgbBk,          // Couleur de fond du dessin
    COLORREF    rgbFg,          // Couleur de premier plan du dessin
    UINT        fStyle          // Combinaison de flags ILD
    );
```

Par ailleurs, la fonction permet à l'appelant de garder un meilleur contrôle sur la couleur de premier plan et de fond lors du tracé. Le paramètre *rgbBk* détermine la couleur de fond. En spécifiant une couleur générée par la macro *RGB*, vous remplacez la couleur de fond qui a été définie par la fonction *ImageList_SetBkColor()*. Vous pouvez utiliser ici *CLR_NONE* si l'image doit être dessinée en transparent (un masque étant indispensable) ou *CLR_DEFAULT* si la couleur définie par *ImageList_SetBkColor()* doit servir comme couleur de fond.

Le paramètre *rgbFg* n'entre en jeu qu'avec les constantes *ILD_BLEND25* et *ILD_BLEND50* (paramètre *fStyle* de la fonction *ImageList_Draw()*). Par le biais de ce paramètre, la couleur de fond prise en compte sera celle avec laquelle l'image sera tramée. En principe, la couleur se contente de mettre les points écran en vidéo inverse, d'où d'ailleurs la présence de la constante *CLR_DEFAULT*. Si vous choisissez en revanche une couleur définie par la macro *RGB*, c'est cette couleur qui sera utilisée pour tramer l'image.

Après avoir évoqué la couleur standard de fond d'une Image List, voici maintenant les deux fonctions *ImageList_SetBkColor()* et *ImageList_GetBkColor()* permettant de définir et d'interroger cette couleur.

```
COLORREF ImageList_SetBkColor(   // Définit la couleur de fond
    HIMAGELIST  himl,            // Handle d'Image List
    COLORREF    clrBk            // Couleur de fond (CLR_NONE pour transparent)
    );
```

```
COLORREF ImageList_GetBkColor(   // Renvoie la couleur de fond en cours
    HIMAGELIST  himl             // Handle d'Image List
    );
```

44.1.6.   Suppression et remplacement d'images

Vous disposez d'un large éventail de fonctions permettant de remplacer, d'effacer ou de modifier les images contenues dans une Image List. Voici tout d'abord la fonction *ImageList_Replace()* qui remplace une image par une autre.

```
BOOL ImageList_Replace(          // Remplace une image par une autre
   HIMAGELIST  himl,             // Handle d'Image List
   int         i,                // Index de l'image
   HBITMAP     hbmImage,         // Handle du bitmap ayant la nouvelle image
   HBITMAP     hbmMask           // Handle du bitmap pourvu du masque
   );
```

De même qu'avec *ImageList_Add()*, vous ne devez spécifier le second handle bitmap du masque que si l'Image List opère avec un masque (*ILC_MASK*). La fonction renvoie TRUE si la modification de l'image s'effectue correctement.

De la même façon, la fonction *ImageList_ReplaceIcon()* propose de remplacer l'image spécifiée par une icône et non par un bitmap.

```
int ImageList_ReplaceIcon(       // Remplace une image par une icône
   HIMAGELIST  himl,             // Handle d'Image List
   int         i,                // Index de l'image à remplacer
   HICON       hicon             // Handle de l'icône représentant la nouvelle image
   );
```

La fonction renvoie l'index déclaré dans le paramètre *i* ou -1 si une erreur se produit lors de la permutation.

Utilisez la fonction *ImageList_Remove()* pour enlever une image de la liste. Hormis le handle de l'Image List, la fonction attend le numéro de l'image à supprimer. Si vous attribuez la valeur -1 au paramètre *i*, la fonction supprime toutes les images sans pour autant éliminer l'Image List.

```
BOOL ImageList_Remove(           // Enlève une image d'Image List
   HIMAGELIST  himl,             // Handle de l'Image List
   int         i                 // Index de l'image à supprimer, -1 pour toutes les images
   );
```

Si l'image spécifiée n'est pas la dernière de la liste, toutes les images qui lui font suite dans le bitmap interne lié à la liste vont être déplacées. Cela empêche la fragmentation du bitmap interne lors de chaque suppression. Ainsi, les index de toutes les images diminuent automatiquement de 1. Un programme qui supprime des images doit tenir compte de ce fait.

Il existe une autre méthode permettant de supprimer toutes les images d'une Image List : changer la taille de l'image par l'intermédiaire de la fonction *ImageList_SetIconSize()*. Même si la nouvelle taille est identique à l'ancienne, cette fonction supprime les images dans tous les cas. La liste redevient vide après l'appel de la fonction.

```
BOOL ImageList_SetIconSize(      // Définit la taille de l'image
                                 // et supprime toutes les images
   HIMAGELIST himl,              // Handle d'Image List
   int cx,                       // Nouvelle largeur d'image en points
   int cy                        // idem, hauteur de l'image
   );
```

44.1.7.   Fusion de deux images

La fonction *ImageList_Merge()* réunit deux images pour n'en former plus qu'une seule, entièrement indépendante. Les deux images natives peuvent provenir de deux listes différentes car chaque image est identifiée par un handle d'Image List spécifique ainsi qu'un index qui lui est propre.

```
HIMAGELIST ImageList_Merge(          // Fusionne deux images pour former une IL
   HIMAGELIST  himl1,                // Handle de la première Image List
   int         i1,                   // Numéro de l'image dans la premiere IL
   HIMAGELIST  himl2,                // Handle de la seconde Image List
   int         i2,                   // Numéro de l'image dans la seconde IL
   int         dx,                   // Coordonnée X du début de la seconde image
                                     // par rapport à la première
   int         dy                    // idem, Y
);
```

La deuxième image sera dessinée par dessus la première sachant que l'image ne commencera pas obligatoirement au coin supérieur gauche de l'image 1. Par le biais des paramètres *dx* et *dy*, vous pouvez définir un offset pour amener l'image 2 au-dessus de l'image 1. Ce procédé convient dans les cas où l'image 2 étant plus petite que l'image 1, elle doit être centrée sur cette dernière.

L'image de départ possède les dimensions du rectangle entourant l'image 1 et l'image 2. C'est pour cela qu'elle n'est pas insérée dans l'une des deux Image Lists mais placée en première position dans une nouvelle Image List. L'appelant de la fonction obtient son handle en retour. La valeur NULL signale une erreur.

Compte tenu de son masque, l'image 2 est copiée sur l'image 1 de sorte que le contenu de l'image 1 reste apparent partout où il n'y a pas de point défini dans le masque de l'image 2.

44.1.8.   Overlays

ImageList_Merge() ne représente qu'une des deux méthodes permettant de fusionner des images. C'est une méthode qui est implémentée par exemple par le shell lorsqu'il affiche la flèche d'overlay au-dessus des icônes de raccourcis du Bureau. Lors de l'appel de *Image-List_Draw()* et *ImageList_DrawEx()*, utilisez une macro spéciale nommée *INDEXTOOVERLAY-MASK* pour superposer deux images lors de l'affichage sans pour autant en générer une nouvelle à chaque fois. Affectez à la macro un numéro compris entre 1 et 4, lequel représente les quatre images overlay que vous pouvez définir par Image List. Ajoutez le résultat de cette macro à l'index de l'image à afficher que vous spécifiez dans le paramètre *i*.

Un regard sur la macro révèle que le numéro de l'image overlay est inscrit dans l'octet de poids fort de l'index spécifié. Cela limite à 256 le nombre maximal d'images par Image List.

```
#define INDEXTOOVERLAYMASK(i)   ((i) < 8)
```

En pratique, voici à quoi peut ressembler un appel de *ImageList_Draw()* incluant un *overlay* :

```
ImageList_Draw(hIL,                  // Dessiner une image dans DC
               iIndex + INDEXTOOVERLAY(2),
               hdc,
               0,
               0,
               ILD_NORMAL);
```

Il va sans dire qu'une méthode doit exister pour déterminer les quatre images overlay mises à votre disposition. C'est la fonction *ImageList_SetOverlayImage()* qui permet de choisir les quatre images d'une Image List, ces dernières devant représenter les overlays 1 à 4.

```
BOOL ImageList_SetOverlayImage(       // Définit l'un des quatre masques overlay
    HIMAGELIST  himl,                 // Handle d'Image List
    int         iImage,               // Index de l'image à utiliser comme masque overlay
    int         iOverlay              // Numéro overlay à définir (1-4)
);
```

Le recours à des overlays ne s'avère judicieux que si vous implémentez une Image List dotée de masques, où l'image et son overlay doivent avoir la même taille, et où l'image sans masque doit être remplacée impérativement par un overlay.

44.1.9. Lecture d'informations sur les images

Il est utile de pouvoir définir des Image Lists mais encore faut-il pouvoir les lire. C'est ainsi que vous pouvez lire les différentes images, connaître leur nombre ou obtenir des informations particulières sur les bitmaps assurant la gestion interne des images. Toutes ces tâches sont accomplies par des fonctions appropriées.

La fonction *ImageList_GetImageCount()* renvoie par exemple le nombre d'images contenues dans une Image List.

```
int ImageList_GetImageCount(       // Renvoie le nombre d'images
    HIMAGELIST himl                // Handle de l'Image List
);
```

La taille des images est communiquée quant à elle par la fonction *ImageList_GetIconSize()*. En plus de l'inévitable handle d'Image List, cette fonction attend les adresses de deux variables *int* dans lesquelles la fonction inscrit la dimension des images exprimée en points.

```
BOOL ImageList_GetIconSize(       // Renvoie la taille des images d'une IL
    HIMAGELIST himl,              // Handle de l'Image List
    int  *cx,                     // Pointeur sur int stockant la largeur en points
    int  *cy                      // idem pour la hauteur des images
);
```

Utilisez la fonction *ImageList_GetImageInfo()* si vous souhaitez en connaître davantage sur le bitmap d'une image. Les informations sont renvoyées à l'aide d'une variable de type *IMAGEINFO*, dont l'adresse doit être spécifiée par l'appelant dans le paramètre *pImageInfo*.

```
BOOL ImageList_GetImageInfo(       // Renvoie des informations sur IL
    HIMAGELIST  himl,             // Handle d'Image List
    int         i,                // Index de l'image dont les informations sont demandées
    IMAGEINFO   *pImageInfo       // Pointeur sur variable IMAGEINFO
);
```

Les deux premiers champs de *IMAGEINFO* renvoient un handle de bitmap formant un accès direct vers le bitmap et le masque correspondant où sont stockées les images de la liste. Le champ *IMAGEINFO.rcImage* indique l'endroit occupé par l'image et son masque à l'intérieur des bitmaps. La structure *RECT* avec ses champs *top*, *left*, *bottom* et *right* désigne respectivement les coordonnées du coin supérieur gauche et du coin inférieur droit du cadre de l'image dans les deux bitmaps.

```
typedef struct {
    HBITMAP hbmImage;                // Handle du bitmap de l'image
    HBITMAP hbmMask;                 // Handle du bitmap monochrome du masque
    int     Unused1;                 // Réservé
    int     Unused2;                 // Réservé
    RECT    rcImage;                 // Rectangle entourant les deux bitmaps
} IMAGEINFO;
```

Vous pouvez vous servir du handle de l'album photo interne (si vous le connaissez) pour lire sans difficulté toutes les images.

Mais rien ne vous interdit d'utiliser la fonction *ImageList_GetIcon()* pour lire une image. Cette fonction renvoie une image icônisée et transfère le masque dans l'icône.

```
HICON ImageList_GetIcon(              // Crée une icône à partir d'une image d'Image List
    HIMAGELIST  himl,                 // Handle de l'Image List
    int         i,                    // Numéro de l'image
    UINT        flags                 // Combinaison des constantes ILD
    );
```

Les constantes ILD peuvent être spécifiées en flags, exactement comme la méthode décrite dans le contexte des deux fonctions *Draw*. Exemple : *ILD_FOCUS* pour reproduire l'image comme si l'objet concerné était sélectionné.

44.1.10.   Drag&Drop et Image List

Par sa fonctionnalité à afficher une icône lors d'un déplacement, une Image List convient parfaitement à l'implémentation des opérations Glisser-Déplacer (Drag&Drop). Un programme fait usage de ce procédé lorsqu'il veut réaliser des opérations de type Glisser-Déplacer entre les contrôles de sa fenêtre de programme ou d'une boîte de dialogue. Malgré l'existence des fonctions Image List, l'application doit assumer quant à elle une grande partie du travail. Elle se doit de déterminer le démarrage d'un tel procédé, de définir la capture de la souris et d'activer l'icône adéquate à l'écran à l'aide de la fonction Image List appropriée, ceci lors de l'arrivée d'un message *WM_MOUSEMOVE*. La mise en pratique de ce procédé est démontrée dans les sections consacrées aux nouveaux contrôles TreeView et ListView.

Voici pour commencer un aperçu théorique sur les fonctions fournies par Image List pour exécuter des opérations Glisser-Déplacer.

Tirer l'élément voulu à travers l'écran, c'est le point essentiel d'une opération Glisser-Déplacer. Il s'agit de définir une image spécifique à cette action, ce qu'on appelle Drag Image. Celle-ci doit suivre le mouvement du curseur de manière à ce que l'utilisateur puisse amener l'élément vers l'endroit qui lui convient. Les fonctions de déplacement de l'API Image List s'avèrent d'une grande aide par le fait qu'elles déchargent l'appelant d'une grande partie du labeur lors du déplacement d'une image Drag sur l'écran. Une fois la définition effectuée, il est très facile d'amener l'image Drag vers la position actuelle du curseur sans avoir à se préoccuper de l'arrière-plan de l'image Drag. Ce dernier doit en effet être recalculé à chaque déplacement de l'image Drag. Le contenu initial de l'écran doit être réaffiché à sa position en cours. Fort heureusement, les fonctions Image List vous enlèvent ce souci.

Mise en oeuvre d'une opération Glisser-Déplacer

Compte tenu de l'API ImageList, le déclenchement d'une opération Drag se fait par l'appel de *ImageList_BeginDrag()*, ce qui provoque la définition de l'image Drag. Celle-ci doit être chargée auparavant dans une Image List quelconque dont le handle est inscrit dans le premier paramètre de la fonction. Immédiatement après, le numéro de l'image jouant le rôle d'image Drag est attendu, précisément dans le paramètre *iTrack*. La taille des images dans la liste détermine celle de l'image Drag qui n'est soumise à aucune limitation dans ce contexte.

```
BOOL ImageList_BeginDrag(          // Démarre un dragging avec une image issue d'une IL
    HIMAGELIST  himl,              // Handle d'Image List
    int         iTrack,            // Numéro de l'image
    int         dxHotspot,         // Distance X du point de déplacement par rapport
                                   // au coin supérieur gauche de l'image
    int         dyHotspot          // idem Y (les deux valeurs en points)
);
```

Les deux paramètres *dxHotspot* et *dyHotspot* déterminent la distance entre le hotspot du curseur et le coin supérieur gauche de l'image Drag. Les coordonnées (0, 0) font apparaître le coin supérieur gauche de l'image Drag exactement sous la pointe du pointeur. Cela n'est pas absolument utile car au début d'une opération Drag, l'utilisateur ne clique pas toujours sur le coin supérieur gauche de l'élément mais en son milieu. On essaye généralement de conserver cette distance lors du déplacement de l'image sur l'écran pour que l'image Drag effectue un déplacement strictement parallèle au pointeur.

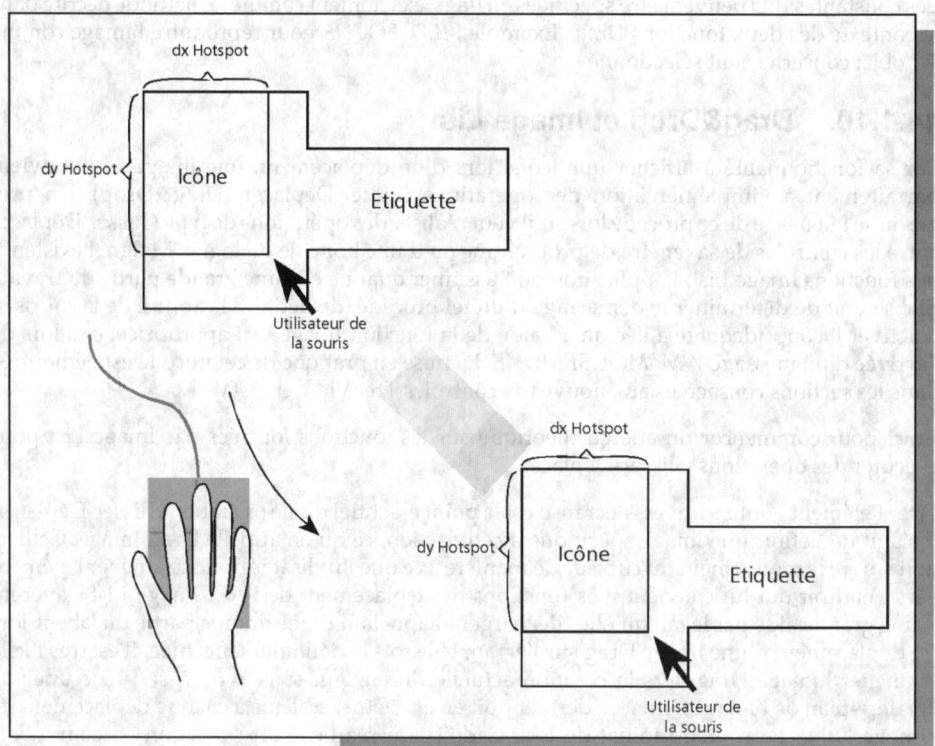

La définition de la distance hotspot veille à ce que la position
de l'image Drag par rapport au pointeur soit conservée

Avant d'appeler *ImageList_BeginDrag()*, calculez par conséquent la distance entre le hotspot du pointeur et le coin supérieur gauche de l'image Drag en pixels. Indiquez les valeurs nécessaires dans les deux paramètres *dxHotspot* et *dyHotspot*.

L'image Drag ne devient pas visible immédiatement à la suite d'un appel *ImageList_Begin-Drag()*. Vous devez appeler au préalable la fonction *ImageList_DragEnter()*. Elle a pour rôle de restreindre le traçage de l'image Drag à une fenêtre donnée. Il convient ici de spécifier le handle de la fenêtre concernée, selon que le déplacement d'un élément doit avoir lieu à l'intérieur du contrôle courant, dans un dialogue ou sur l'écran entier. L'affichage de l'image Drag est réduit automatiquement aux bornes de la fenêtre. Le tracé ne pourra plus être effectué hors de ces limites pour bien montrer à l'utilisateur qu'il franchit la zone Drag autorisée. Indiquez ici 0 si le Bureau entier doit représenter la zone de déplacement.

```
BOOL ImageList_DragEnter(        // Délimite l'affichage de l'image Drag à une fenêtre
    HWND  hwndLock,              // Handle de la fenêtre ou 0 pour le Bureau
    int   x,                     // Position de début d'affichage de la coordonnée X
    int   y                      // idem Y
);
```

Dans les paramètres *x* et *y*, la fonction renvoie les coordonnées de l'affichage initial de l'image Drag et ce, relativement au coin supérieur gauche de la fenêtre spécifiée.

Mouvement de l'image Drag

Lorsque l'utilisateur déplace le pointeur souris, l'image Drag doit suivre ce mouvement. Il faut recourir à cet effet à la fonction *ImageList_DragMove()* qui attend les coordonnées X et Y en guise d'argument, de même qu'elles sont renvoyées dans le cadre d'un message *WM_MOUSEMOVE*. Si les coordonnées de la fenêtre recevant le message de la souris sont différentes de celles définies en *ImageList_DragEnter()*, l'appelant doit d'abord convertir ces valeurs suivant celles de la fenêtre *ImageList_DragEnter()*. Les coordonnées spécifiées en *ImageList_DragMove()* sont interprétées en fait par rapport à cette fenêtre.

Le déplacement de l'image Drag d'après le hotspot de la souris, tel qu'il a été défini lors de l'appel de *ImageList_BeginDrag()*, se déroule automatiquement.

```
BOOL ImageList_DragMove(         // Déplace l'image Drag vers la nouvelle position
    int  x,                      // Nouvelles coordonnées X et Y de l'image Drag par rapport
    int  y                       // à la fenêtre définie par le biais de DragEnter
);
```

Si vous voulez que les éléments écran, sur lesquels se déplacent l'image Drag ainsi que la souris, soient choisis comme destination potentielle du mouvement, vous devez masquer puis réafficher l'image Drag. Pour cette opération, vous disposez de la fonction *ImageList_DragShowNoLock()* qui active et désactive à tout moment une image Drag.

```
BOOL ImageList_DragShowNolock(   // Affiche ou masque une image Drag
    BOOL fShow                   // TRUE = afficher, FALSE = masquer
);
```

Utilisez la fonction *ImageList_GetDragImage()* pour déterminer la position en cours de l'image Drag ou de son hotspot lors d'une opération Glisser-Déplacer. Cette fonction attend deux pointeurs sur des structures *POINT* qu'elle remplit d'une part avec les coordonnées en cours du coin supérieur gauche de l'image Drag et d'autre part avec les coordonnées du hotspot. Ces deux coordonnées sont formulées par rapport au coin supérieur gauche de la fenêtre définie par *ImageList_DragEnter()*.

La fonction renvoie le handle Image List spécifiée.

```
HIMAGELIST ImageList_GetDragImage(      // Renvoie la position en cours de l'image Drag
    POINT *ppt,                         // Pointeur sur variable POINT stockant la
                                        // position de l'image Drag
    POINT *pptHotspot                   // Pointeur sur variable POINT stockant la
                                        // position du hotspot
);
```

Fermeture d'une fenêtre

En contrepartie de *ImageList_DragEnter()*, vous devez appeler *ImageList_DragLeave()* lorsque vous terminez une opération Drag ou la poursuivez sur une autre fenêtre. La seule information requise par cette fonction est le handle de fenêtre spécifiée auparavant par *ImageList_DragEnter()*. L'appel de cette fonction provoque le masquage de l'image Drag.

```
BOOL ImageList_DragLeave(        // Signale la fermeture d'une fenêtre
    HWND  hwndLock               // Handle de fenêtre
);
```

Fin de l'opération Drag

La terminaison d'une opération Drag se fait par l'intermédiaire de la fonction *Image-List_EndDrag()* qui est le pendant de la fonction *ImageList_BeginDrag()*. La fonction n'attend pas de paramètre.

```
void ImageList_EndDrag();        // Termine l'opération Drag
```

44.1.11.   Lecture et écriture dans un stream

Au fur et à mesure que vous créez des Image Lists, vous aspirez sans conteste à les enregistrer afin de pouvoir les réutiliser ultérieurement. C'est là une opération typique que vous effectuez sur des objets destinés à demeurer permanents. Il faut que leur contenu reste disponible au-delà de la fermeture d'un programme. OLE définit et implémente un concept nommé "structure storage", par lequel un fichier peut être décomposé en sous-sections, notamment les storages. Par storages, il faut comprendre une sorte de sous-répertoires aidant à subdiviser davantage le contenu d'un fichier.

Chaque storage peut renfermer un nombre infini de streams, dans lesquels les objets OLE conservent les données qui devant rester durables. Il convient de définir à cet effet des interfaces OLE dénommées *IStream* et *IStorage*. Ces dernières doivent être reconnues par un objet OLE pour qu'il puisse être quitté de l'extérieur selon une méthode standardisée, pour que son contenu soit préservé dans un fichier et réactivé à partir de là.

ImageList_Read() permet de lire une Image List à partir d'un stream dans lequel elle a été inscrite auparavant par *ImageList_Write()*. Pour être exécutée, *ImageList_Read()* a besoin d'un pointeur sur une interface *IStream* qui incorpore le stream à lire dans un fichier.

```
HIMAGELIST ImageList_Read(        // Lecture d'une Image List depuis un stream
    LPSTREAM  pstm                // Pointeur sur interface IStream
);
```

Si la lecture de l'Image List se déroule correctement, la fonction renvoie le handle de la liste chargée. Celui-ci peut alors être implémenté dans toutes les fonctions *ImageList*. La fonction suivante dénommée *LoadImageList()* est extraite de l'exemple *IMAGEDIT* présenté à la fin du chapitre. Elle contient tous les appels OLE nécessaires pour atteindre une interface stream et lire, par un appel de *ImageList_Read()*, l'Image List qui y est stockée.

En guise d'arguments, cette fonction n'attend que deux pointeurs chaînes. Le premier désigne une chaîne renfermant le nom du storage, ici une chaîne ayant le nom du fichier dans lequel a été stockée préalablement l'Image List. Chaque storage pouvant contenir plusieurs streams, le second pointeur est interprété comme un renvoi sur la chaîne renfermant le nom du stream. Cette chaîne peut être composée de 31 caractères.

```
/*********************************************************************/
/* LoadImageList - Lecture ImageList à partir d'un stream OLE        */
/*-------------------------*/
/* Paramètres : lpszStorage - Nom du storage OLE                     */
/*              lpszStream  - Nom du stream OLE                      */
/* Valeur de retour : Handle de ImageList (0=Erreur)                 */
/*********************************************************************/
HIMAGELIST LoadImageList(LPSTR lpszStorage, LPSTR lpszStream)
{
  LPSTORAGE  pStorage;                   // Pointeur interface storage
  LPSTREAM   pStream;                    // Pointeur interface stream
  HRESULT    hrCoInit, hr;               // HRESULTS
  WORD       wsz[MAX_PATH];              // ANSI - WideChar buffer
  HIMAGELIST hIL;                        // ImageListe lue

  hrCoInit = CoInitialize(NULL);         // Initialisation OLE

  hIL = NULL;                            // Réception Worst-Case

  // Conversion ANSI en WideChar ─────────
  MultiByteToWideChar(CP_ACP, 0, lpszStorage, -1, wsz, sizeof(wsz));

  hr = StgOpenStorage(wsz,               // Ouverture storage OLE
                      NULL,
                      STGM_DIRECT|
                      STGM_READWRITE|
                      STGM_SHARE_EXCLUSIVE,
                      NULL,
                      0,
                      &pStorage);
  if(SUCCEEDED(hr))
  {
    //Conversion ANSI en WideChar ─────────
    MultiByteToWideChar(CP_ACP, 0, lpszStream, -1, wsz, sizeof(wsz));

  // Ouverture stream OLE ─────────
    hr = pStorage-lpVtbl-OpenStream(pStorage,
                                    wsz,
                                    NULL,
                                    STGM_DIRECT|
                                    STGM_READWRITE|
                                    STGM_SHARE_EXCLUSIVE,
                                    0,
                                    &pStream);
    if(SUCCEEDED(hr))
    {
```

```
    hIL = ImageList_Read(pStream);              // Lecture ImageList
    pStream-lpVtbl-Release(pStream);            // Libération interface
  }
  pStorage-lpVtbl-Release(pStorage);            // Libération interface
}

if(SUCCEEDED(hrCoInit)) CoUninitialize();       // Désinstallation OLE

return hIL;                                     // Renvoi de l'ImageList lue
}
```

Une Image List peut être inscrite dans un stream à l'aide de *ImageList_Write()* qui est le pendant de *ImageList_Read()*. A son tour, cette fonction nécessite le handle de l'Image List et un pointeur sur une interface *IStream*. Cela identifie le stream dans lequel se fera l'inscription de Image List. La fonction renvoie TRUE (si tout va bien) ou FALSE (en cas d'erreur).

```
BOOL ImageList_Write(                           // Ecriture de Image List dans un stream
    HIMAGELIST himl,                            // Handle d'Image List
    LPSTREAM   pstm                             // Pointeur sur interface IStream
    );
```

Pour illustrer l'emploi de *ImageList_Write()*, nous avons préparé également une fonction s'occupant de toutes les opérations afférentes à l'interface *IStream*. Elle s'appelle *SaveImageList()* et attend deux pointeurs chaînes en plus du handle sur l'Image List à stocker. L'un des pointeurs est requis pour le nom du storage (fichier dédié à l'enregistrement) et l'autre pour le nom du stream devant renfermer l'Image List. La spécification de noms différents permet de stocker dans un storage (un fichier) plusieurs streams pourvus d'une variété de listes. Les noms distincts aident par la suite à les charger individuellement par l'intermédiaire de *LoadImageList()*.

```
/******************************************************************/
/* SaveImageList - Enregistrement d'une ImageList dans stream OLE */
/*_____*/
/* Paramètres : hIL         - Handle d'ImageList à stocker        */
/*              lpszStorage - Nom du storage OLE                  */
/*              lpszStream  - Nom du stream OLE                   */
/* Valeur de retour : TRUE - Enregistrer OK, FALSE - Erreur       */
/******************************************************************/
BOOL SaveImageList(HIMAGELIST hIL,
                   LPSTR      lpszStorage,
                   LPSTR      lpszStream)
{
  LPSTORAGE pStorage;                // Pointeur interface storage
  LPSTREAM  pStream;                 // Pointeur interface stream
  HRESULT   hrCoInit, hr;            // HRESULTS
  BOOL      bRetVal;                 // Variable temporaire pour valeur de retour
  WORD      wsz[MAX_PATH];           // ANSI - WideChar buffer

  hrCoInit = CoInitialize(NULL);     // Initialisation OLE

  bRetVal = FALSE;                   // Réception Worst-Case

  //Conversion ANSI en WideChar ─────────────
  MultiByteToWideChar(CP_ACP, 0, lpszStorage, -1, wsz, sizeof(wsz));
```

```
// Création storage
hr = StgCreateDocfile(wsz,
                      STGM_DIRECT|
                      STGM_READWRITE|
                      STGM_CREATE|
                      STGM_SHARE_EXCLUSIVE,
                      0,
                      &pStorage);
if(SUCCEEDED(hr))
{
  // Conversion ANSI en WideChar ──────────────
  MultiByteToWideChar(CP_ACP, 0, lpszStream, -1, wsz, sizeof(wsz));

  // Création stream ──────────
  hr = pStorage-lpVtbl-CreateStream(pStorage,
                                    wsz,
                                    STGM_DIRECT|
                                    STGM_READWRITE|
                                    STGM_CREATE|
                                    STGM_SHARE_EXCLUSIVE,
                                    0,
                                    0,
                                    &pStream);
  if(SUCCEEDED(hr))
  {
  // Enregistrement ImageList ──────────────
    bRetVal = ImageList_Write(hIL, pStream);
    pStream-lpVtbl-Release(pStream);        // Libération interface
  }
  pStorage-lpVtbl-Release(pStorage);        // Libération interface
}

if(SUCCEEDED(hrCoInit)) CoUninitialize();   // Désinstallation OLE

return bRetVal;                             // Message de bonne exécution
}
```

44.1.12. Image List système

Bien que vous n'ayez pas défini d'Image List, il existe deux spécimens de cette liste dans le système. Elles sont accessibles à tout moment et s'appellent System Image Lists. Ce sont deux Image Lists dans lesquelles le Bureau stocke les icônes de tous les fichiers et dossiers qu'il a affichés. L'une des listes est destinée aux grandes icônes, l'autre aux petites icônes. Dès lors que vous détenez le handle de ces Image Lists, vous obtenez les pleins pouvoirs pour les manipuler à votre guise avec les fonctions *ImageList_*. Bien entendu, vous devez agir avec une extrême prudence au risque de produire un affichage totalement surprenant sur le Bureau.

L'extrait suivant montre un appel de la fonction *SHGetFileInfo()*, provenant de l'API Shell, permettant de déterminer les handles des deux Image Lists. Il s'agit ici d'interroger l'Image List renfermant les grandes icônes. Elle est représentée par la constante *SHGFI_ICON*. Si vous utilisez en revanche *SHGFI_SMALLICON*, vous obtiendrez le handle de l'Image List ayant les petites icônes.

```
g_hImagesNormal= (HIMAGELIST)SHGetFileInfo("",
                                           0,
                                           &sfi,
                                           sizeof(sfi),
                                           SHGFI_SYSICONINDEX |
                                           SHGFI_ICON);
```

Lisez le chapitre 46 sur le Shell pour de plus amples informations à ce propos.

44.1.13. Mise en pratique d'une Image List

Notre exemple *IMAGEDIT* démontre l'implémentation des fonctions *ImageList_* dans un contexte plus large. Ce programme gère une Image List pourvue d'images en 32*32 pixels. Celles-ci sont rendues visibles dans un contrôle ListBox. Il existe deux méthodes pour remplir la liste avec des images. La première méthode se sert du bouton Ajouter conçu à cet effet. Lorsqu'il est activé, le programme parcourt toutes les images de la System Image List dotée des icônes standard, lit l'image concernée et l'ajoute à la fin de la Image List propre au programme. C'est une méthode pratique convenant à tous ceux qui souhaitent consulter rapidement l'intégralité de la liste des images système. Les images peuvent être reprises en l'état car elles sont déjà au format 32*32.

Cela ne fonctionne pas avec des images insérées selon la seconde méthode. Il s'agit ici de fichiers bitmap (.BMP) affichés sur le Bureau ou dans l'Explorateur et tirés par Glisser-Déplacer en passant par la zone de liste du programme. A l'aide d'un mécanisme standard (décrit dans le chapitre 46 sur le Shell), le contrôle ListBox demande le nom du fichier de destination. Si c'est un fichier bitmap (il peut s'agir également d'un fichier DIB), l'image qu'il renferme est ramenée à 32*32 et ajoutée sous forme d'une nouvelle image à la fin de l'Image List propre au programme. Celle-ci apparaît ensuite dans la zone de liste.

De cette façon, il a été facile de construire le programme en tant que petit observateur des fichiers bitmap stockés sur disque. Dans la mesure où le fichier concerné est lu comme une image et son nom mémorisé, on pourrait diriger l'utilisateur vers le fichier d'origine d'une image qu'il vient de cliquer.

Dans ce contexte, il est souhaitable que le programme soit doté des deux fonctions *SaveImageList()* et *LoadImageList()* - décrites précédemment - pour un mécanisme d'enregistrement et d'ouverture de la liste composée par l'utilisateur. Le programme enregistre automatiquement l'Image List en fin de session dans le fichier *IMAGE.DAT* situé dans le répertoire de travail courant. Au prochain démarrage, le programme ouvre ce fichier à partir du même emplacement.

Par ailleurs, le programme montre comment vous pouvez dessiner une image de plusieurs manières différentes à l'aide de la fonction *ImageList_Draw()*. Dès que vous cliquez sur l'une des images dans la zone de liste, vous obtenez en bas quatre reproductions différentes de cette image : l'image standard, les deux variantes tramées par *ILD_BLEND25* et *ILD_BLEND50* ainsi que le masque de l'image.

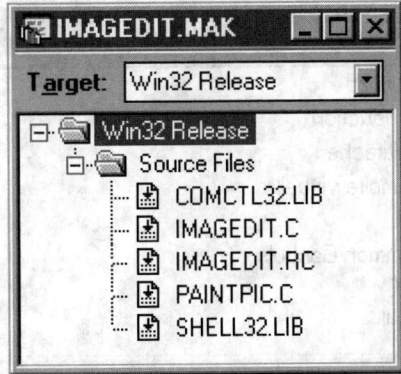

Projet de l'exemple IMAGEDIT

Pour couronner le tout, un procédé Glisser-Déplacer est implémenté dans le dialogue. A partir de la zone de liste, vous pouvez ainsi tirer une image pour la déposer dans la Poubelle. L'image est ainsi enlevée de la liste. Le listing livré sur CD-ROM met en évidence le fonctionnement pratique de ces opérations.

IMAGEDIT.C

44.2.   Le contrôle TreeView

Le Common Control Windows 95 le plus attendu est probablement le contrôle TreeView qui avec son compagnon ListView donne à l'Explorateur son aspect caractéristique. Les contrôles TreeView sont le moyen idéal pour représenter des structures hiérarchiques de tout genre. Qu'il s'agisse de lister les chapitres d'un livre ou d'un catalogue, les groupes de produits d'un fabricant de détergents ou l'arborescence des répertoires d'un disque dur, chaque fois qu'un élément parent est associé à plusieurs éléments fils les contrôles TreeView sont là pour résoudre le problème. Il est évidemment possible de construire soi-même ce type de contrôle ou de les acquérir auprès d'un tiers, mais en accueillant ce contrôle au panthéon des contrôles système de Windows 95, Microsoft l'élève au rang d'un standard que les développeurs utiliseront bien volontiers. Car le contrôle d'arborescence TreeView est bien pensé. Il offre un grand nombre de possibilités et laisse quelques portes ouvertes afin que le programmeur puisse garder la maîtrise des actions de l'utilisateur et de la représentation de l'arbre.

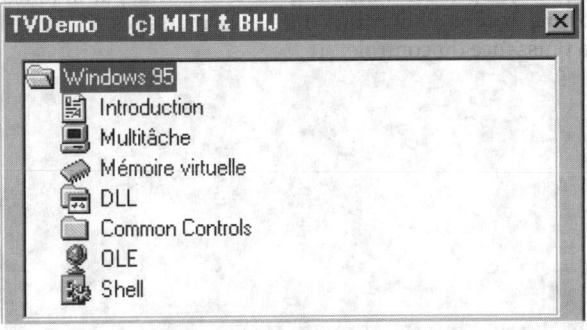

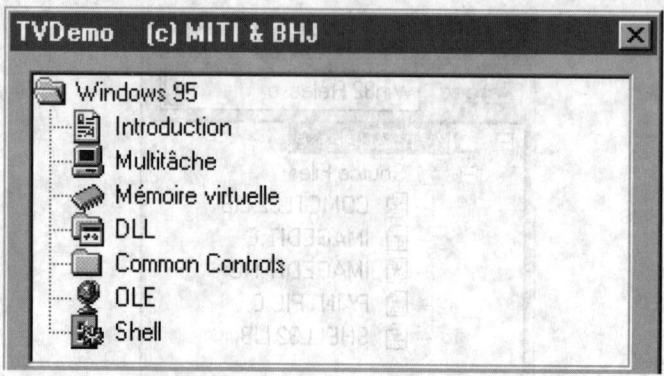

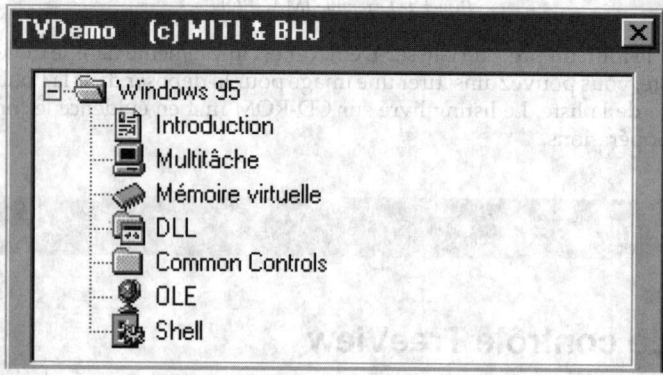

Différents affichages d'un contrôle TreeView

44.2.1.   Communication avec les contrôles TreeView

Comme la plupart des autres contrôles système, les contrôles TreeView incarnent des fenêtres ayant leur propre classe et leurs propres messages de commande. La classe considérée porte le nom de la constante *WC_TREEVIEW*, que la compilation pour Windows 95 transforme en chaîne "*SysTreeView32*" dans le fichier d'inclusion associé *COMMCTRLS.H*. On trouve dans ce fichier tous les types, constantes et déclarations nécessaires à la commande d'un contrôle TreeView.

Les messages envoyés par l'application à un contrôle TreeView portent le préfixe *TVW* (TreeView Message) et sont pris en charge comme d'habitude par la fonction *SendMessage()*. Voici tout d'abord une récapitulation des différents messages *TVM*, ce qui donnent une première idée de la puissance du contrôle.

Message	Macro associée	Fonction
TVM_INSERTITEM	TreeView_InsertItem()	Insère un nouvel élément
TVM_DELETEITEM	TreeView_DeleteItem()	Efface un élément
TVM_SETITEM	TreeView_SetItem()	Fixe les attributs d'un élément
TVM_GETITEM	TreeView_GetItem()	Lit les attributs d'un élément
TVM_SETIMAGELIST	TreeView_SetImageList()	Relie le contrôle à une liste d'images
TVM_GETIMAGELIST	TreeView_GetImageList()	Renvoie le handle d'une liste d'images associée
TVM_EXPAND	TreeView_Expand()	Développe ou réduit un élément parent
TVM_SETINDENT	TreeView_SetIndent()	Fixe l'indentation des niveaux subordonnés
TVM_GETINDENT	TreeView_GetIndent()	Indique l'indentation des niveaux subordonnés
TVM_GETCOUNT	TreeView_GetCount()	Lit le nombre d'éléments du contrôle
TVM_GETNEXTITEM	diverse Macros	Pour parcourir les éléments d'un contrôle TreeView
TVM_SELECTITEM	TreeView_SelectItem()	Sélectionne un élément
TVM_ENSUREVISIBLE	TreeView_EnsureVisible()	Assure la visibilité d'un élément donné dans l'aire client du contrôle
TVM_GETVISIBLECOUNT	TreeView_GetVisibleCount()	Indique le nombre d'éléments visibles dans l'aire client
TVM_GETITEMRECT	TreeView_GetItemRect()	Renvoie le rectangle de tracé d'un élément
TVM_HITTEST	TreeView_HitTest()	Détermine l'élément occupant des coordonnées données
TVM_EDITLABEL	TreeView_EditLabel()	Lance l'édition de l'étiquette d'un élément
TVM_GETEDITCONTROL	TreeView_GetEditControl()	Renvoie le handle de fenêtre du contrôle d'édition
TVM_ENDEDITLABELNOW	TreeView_EndEditLabelNow()	Met fin à l'édition
TVM_SORTCHILDREN	TreeView_SortChildren()	Classe les enfants dans l'ordre alphanumérique croissant
TVM_SORTCHILDRENCB	TreeView_SortChildrenCB()	Classe les enfants avec une fonction de classement définie par l'utilisateur

Ce tableau montre que pour faciliter l'accès à un contrôle TreeView en évitant le recours perpétuel à *SendMessage()*, le fichier d'inclusion *COMMCTRL.H* définit pour chaque message *TVM* une macro associée permettant de l'émettre sous la forme d'un appel à une fonction spécialisée. Pour trouver le nom de la macro à partir du nom du message *TVM*, il suffit d'enlever le préfixe *TVM* et de le remplacer par "*TreeView_*" tout en ajustant les majuscules et minuscules.

Prenons par exemple le message *TVM_GETCOUNT* qui permet de déterminer le nombre d'éléments d'un contrôle TreeView. La macro associée s'appellera *TreeView_GetCount*. Le premier argument de cette macro sera le handle de fenêtre du contrôle TreeView sans lequel aucun message ne peut être émis. *TreeView_GetCount()* n'a pas besoin d'autre argument et renverra le nombre d'éléments obtenu comme résultat de la fonction *SendMessage()*. Voici la définition de la macro dans *COMMCTRL.H* :

```
#define TreeView_GetCount(hwnd) \
    (UINT)SendMessage((hwnd), TVM_GETCOUNT, 0, 0)
```

Il existe des macros plus complexes dont les messages associés attendent plusieurs paramètres. Elles sont faciles à manier si on connaît la signification des paramètres *wparam* et *lparam* du message.

Voici par exemple *TreeView_SortChildrenCB()* qui fonctionne avec deux arguments supplémentaires viennant s'ajouter à *hwnd* :

```
#define TreeView_SortChildrenCB(hwnd, psort, recurse) \
    (BOOL)SendMessage((hwnd), TVM_SORTCHILDRENCB, \
                        (WPARAM)recurse, (LPARAM)(LPTV_SORTCB)(psort))
```

Dans ce chapitre nous prendrons soin de présenter non seulement les messages, mais aussi les macros associées qui facilitent un peu le rôle du facteur. Utiliser les macros ou les appels directs à *SendMessage()* est finalement une affaire de goût. Au niveau le plus bas, le code généré sera de toute façon le même.

Notifications TreeView

Les notifications TreeView sont les réponses du contrôle à l'action de l'utilisateur ou aux messages *TVM* envoyés par un programme. Elles sont acheminées à la fenêtre qualifiée de parente à la création du contrôle. Ce sera par exemple la procédure de messages d'un masque de dialogue. La fenêtre a ainsi la possibilité de réagir. Examinons d'abord la liste de ces notifications commençant par le préfixe *TVN*.

Constante TVN	Signification
TVN_DELETEITEM	Elément en cours de suppression. La fenêtre parente peut refuser.
TVN_ITEMEXPANDING	Elément en cours de développement ou de réduction. La fenêtre parente peut refuser.
TVN_ITEMEXPANDED	Développement ou réduction d'un élément effectué.
TVN_SELCHANING	Nouvel élément en cours de sélection, la fenêtre parente peut refuser.
TVN_SELCHANGED	Nouvel élément sélectionné.
TVN_BEGINLABELEDIT	Début d'édition de l'étiquette d'un élément, la fenêtre parente peut refuser.
TVN_ENDLABELEDIT	Edition d'une étiquette d'élément terminée
TVN_GETDISPINFO	Lecture d'étiquette en cours
TVN_SETDISPINFO	Modification d'étiquette effectuée

Le parent reçoit toujours les notifications TreeView dans le cadre d'un message *WM_NOTIFY* dont il faut analyser au préalable la teneur pour l'identifier en tant que tel. Dans le paramètre *wParam* du message, on trouve l'identificateur ID du contrôle TreeView, dans *lParam* un pointeur sur une structure de données avec des informations complémentaires sur l'événement qui a conduit à la notification. Selon la notification, *lparam* pointe sur différents types de structures de données qui ont cependant toutes un point commun : elles commencent systématiquement par une structure de type *NMHDR* qui contient encore une fois l'origine du message et avant tout le code de notification proprement dit :

```
typedef struct {
    HWND  hwndFrom;              // Handle de fenêtre de l'émetteur
    UINT  idFrom;               // ID du contrôle de l'émetteur
    UINT  code;                 // Code TVN du message
} NMHDR;
```

Cette règle s'applique aussi à la structure *NM_TREEVIEW* qui intervient dans la plupart des notifications. Sous le nom *hdr* elle contient une entrée de type *NMHDR* comme premier champ de la structure :

```
typedef struct {                // Décrit un élément d'un contrôle TreeView ds. 1 notification
    NMHDR   hdr;                // En-tête avec code de la notification
    UINT    action;            // Action sous-jacente
```

```
   TV_ITEM  itemOld;                  // Structure TV_ITEM avec ancien élément
   TV_ITEM  itemNew;                  // Structure TV_ITEM avec nouvel élément
   POINT    ptDrag;                   // Coordonnées de la souris pour opération Drag
} NM_TREEVIEW;
```

Nous reviendrons en détail sur la signification des autres champs dans la suite de ce chapitre. Commençons tout de suite par un exemple de procédure de traitement des messages d'une fenêtre parente (boîte de dialogue), laquelle reçoit les messages *WM_NOTIFY* et teste s'ils proviennent du contrôle TreeView situé à l'intérieur de la boîte de dialogue. Dans le cas présent elle réagit au message *TVN_ENDLABELEDIT* qu'un contrôle TreeView émet à l'issue de l'édition d'une étiquette. Le code du programme ci-dessous répond en envoyant un message *TVM_SETITEM* qui est émis à l'aide de la macro *TreeView_SetItem()*. Ce message fixe l'étiquette de l'élément concerné.

```
switch(wMsg)
{
  case WM_NOTIFY:
    switch(LOWORD(wp))
    {
      case IDC_TREEVIEW:                  // Message en provenance du contrôle TreeView
      {
        LPNM_TREEVIEW pnmtv = (LPNM_TREEVIEW)lp;
        switch(pnmtv->hdr.code)
        {
          case TVN_ENDLABELEDIT:          // Fin de la saisie d'une étiquette
          {
            TV_DISPINFO *ptvdi = (TV_DISPINFO *) lp;

                                          // Saisie clôturée par Return ? —————————
            if(ptvdi->item.pszText)
            {
                                          // Oui fixe la nouvelle étiquette de l'élément——
              ptvdi->item.mask = TVIF_TEXT;
              TreeView_SetItem(hTreeView, &ptvdi->item);
            }
          }
          break;
        }
      }
      break;
    }
  break;
}
```

44.2.2.   Création dynamique d'un contrôle TreeView

Pour créer un contrôle TreeView lors de l'exécution d'un programme, on se sert de l'API *CreateWindowsEx()* en indiquant la classe de fenêtre TreeView. On suit ainsi le schéma habituel de création des contrôles. Auparavant il faudra appeler la fonction *InitCommonControls()* de *COMCTL32.DLL* qui implémente les contrôles système. Cet appel installe la classe de fenêtre TreeView sans laquelle aucun affichage du contrôle n'est possible.

1215

Dans l'argument *dwStyle* de la fonction *CreateWindowsEx()*, on indique en plus des constantes WS habituelles (ws= Window Style) les attributs d'affichage du contrôle TreeView. Ceux-ci sont définis par six constantes *TVS* qui commandent l'aspect et le comportement du contrôle TreeView créé.

Constituants d'un élément d'une arborescence TreeView

Chaque élément d'un contrôle TreeView comporte en plus de son étiquette une icône qui provient d'une liste d'images associée. On n'est pas obligé de travailler avec des icônes mais cette possibilité est offerte dans tous les cas. En indiquant par ailleurs *TVS_HASBUTTONS* dans l'argument *dwStyle*, on peut provoquer l'affichage à côté de chaque élément qui possède des descendants, d'un petit bouton portant un signe "+" ou un signe "-". Le signe "+" apparaît si l'élément n'est pas développé, il suffit alors de cliquer dessus pour afficher les éléments enfants. Le "+" se tranforme aussitôt en un signe "-", lequel permet de réduire à nouveau l'élément parent.

Si les différents éléments sont à relier par une ligne, on ajoute *TVS_HASLINES*. Si on n'indique pas en plus *TVS_LINESATROOT*, l'élément supérieur du contrôle TreeView, c'est-à-dire la racine, n'est pas relié au "monde inférieur". On peut alors l'utiliser comme une sorte de titre de l'arborescence. Mais avec *TVS_LINESATROOT*, la racine est traitée comme n'importe quel autre élément. Les constantes *TVS* (TreeView Styles) ci-dessous définissent l'aspect et le fonctionnement d'un contrôle TreeView.

Constante TVN	Signification
TVS_HASBUTTONS	Chaque élément reçoit un bouton +/- s'il a des descendants
TVS_HASLINES	Les éléments sont reliés par une ligne
TVS_LINESATROOT	La racine est également jointe par une ligne.
TVS_EDITLABELS	L'utilisateur peut éditer l'étiquette d'un élément
TVS_SHOWSELALWAYS	Affiche la sélection même si le contrôle n'a pas le focus
TVS_DISABLEDRAGDROP	Pas de support Glisser/Déplacer

Le contrôle TreeView permet de changer l'étiquette d'un élément comme vous le savez si vous avez manié l'Explorateur. Si l'utilisateur clique sur un élément un peu plus longtemps qu'à l'ordinaire, le contrôle TreeView ouvre au-dessus de l'élément sélectionné un contrôle d'édition contenant le texte de l'étiquette associée. Ceci ne fonctionne que si on a indiqué *TVS_EDITLA-BELS* dans le style de fenêtre.

Si la plupart des constantes *TVS* offrent des possibilités supplémentaires, il n'en est pas de même de *TVS_DISABLEDRAGDROP*. Lorsqu'on y fait appel, l'opération "Glisser" (Drag) n'est plus reconnue par le contrôle, si bien que l'utilisateur ne peut plus faire sortir un élément de l'arborescence.

Les différents styles ont évidemment des implications sur les messages que le contrôle Tree-View peut traiter à l'exécution, et les notifications envoyées au parent sont également concernées. Nous examinerons en détail ces points dans les sections suivantes de ce chapitre.

Commutation entre les différents styles

Comme c'est le cas pour les autres contrôles, la création d'un contrôle TreeView ne fixe pas définitivement son aspect. Les paramètres peuvent être modifiés a posteriori pour adapter l'aspect du contrôle à une situation nouvelle. Les fonctions API bien connues *GetWindowLong()* et *SetWindowLong()* renvoient ou fixent le style courant du contrôle.

La fonction *SetWindowLong()* de *USER32.DLL* permet de modifier toute une série de paramètres que Windows gère pour chaque fenêtre. Par exemple l'adresse de la procédure de traitement des messages ou le style de fenêtre courant. Ce dernier est représenté par la constante *GWL_STYLE* qui constitue le deuxième argument de *SetWindowLong()*.

```
LONG SetWindowLong(
    HWND hWnd,              // Handle de la fenêtre concernée
    int  nIndex,           // Offset de l'entier LONG, une des constantes GWL
    LONG dwNewLong         // Nouvelle valeur
    );
```

Le premier argument est le handle de la fenêtre du contrôle et le dernier la nouvelle valeur du style imposé. Pour modifier un indicateur de style unique tout en laissant les autres intacts, il est recommandé de lire d'abord le style de fenêtre courant, d'activer ou de désactiver les indicateurs souhaités puis d'ancrer le nouveau style dans la fenêtre en appelant *SetWindowLong()*.

Pour lire un style de fenêtre, on utilise la fonction API *GetWindowLong()* qui prend comme arguments le handle de la fenêtre du contrôle et l'offset de l'entier long souhaité sous la forme d'une constante GWL. Dans notre cas il s'agira de *GWL_STYLE*. Le résultat renvoyé par la fonction est le style de fenêtre courant.

```
LONG GetWindowLong(
    HWND hWnd,              // Handle de fenêtre
    int  nIndex            // Constante GWL
    );
```

La séquence de code suivante montre comment après avoir créé un contrôle TreeView, on change a posteriori la possibilité d'édition de ses étiquettes à l'aide des fonctions *SetWindow-Long()* et *GetWindowLong()*.

```
STYLESTRUCT st;

                                    // Lecture l'ancien style ──────────
st.styleOld = GetWindowLong(hTreeView, GWL_STYLE);
st.styleNew = st.styleOld;
if(st.styleNew &TVS_EDITLABELS)
  st.styleNew &= ~TVS_EDITLABELS;      // Désactive l'édition
else
  st.styleNew |= TVS_EDITLABELS;       // Active l'édition

                                    // Fixe le nouveau style ───────────
SetWindowLong(hTreeView, GWL_STYLE, st.styleNew);

                                    // Informe le contrôle du changement ──────
SendMessage(hTreeView,
            WM_STYLECHANGED,
            (WPARAM ) GWL_STYLE,
            (LPARAM ) &st);
```

Insertion et suppression d'éléments

Pour ajouter un nouvel élément à un contrôle TreeView, on se sert du message *TVM_INSER-TITEM* qui est représenté par la macro *TreeView_InsertItem()*. *wParam* est mis à 0, tandis que *lParam* doit indiquer l'adresse d'une structure de type *TV_INSERTSTRUCT* décrivant l'élément à insérer.

1217

```
HTREEITEM TreeView_InsertItem(        // Macro pour TVM_INSERTITEM, insère un élément
    HWND            hwnd,             // Handle du contrôle TreeView
    LPTV_INSERTSTRUCT lpis            // Pointeur sur structure TV_INSERTSTRUCT
    );
```

On voit déjà poindre le type *HTREEITEM* qui apparaît chaque fois que l'on accède à des
contrôles TreeView. *HTREEITEM* représente en effet le handle d'un élément de l'arborescence,
un "Tree-Item" comme on dit en anglais. Lorsqu'il est inséré dans un contrôle TreeView,
chaque élément reçoit un handle caractéristique qu'il conservera pendant toute sa vie et qui
l'identifiera de façon unique. Tous les messages *TVM* qui agissent sur un élément déterminé
attendent comme paramètre le handle de cet élément.

Dans le fichier d'inclusion *COMMCTRL.H*, le type *HTREEITEM* est défini comme un pointeur
sur une structure de type *_TREEITEM* dont la structure précise n'est pas connue mais qui
incarne les éléments d'un contrôle TreeView.

```
typedef struct _TREEITEM FAR* HTREEITEM;
```

On sait que le contrôle TreeView alloue sur le heap la mémoire dynamique demandée par
le nouvel élément. Le nombre maximal d'éléments est donc uniquement limité par la
mémoire disponible sur le heap. Chaque élément de type *_TREEITEM* occupe ainsi 64
octets (Pour stocker efficacement ses données en mémoire centrale, l'élément veille à ce
que leur taille soit un multiple de quatre octets, ainsi les différentes structures commenceront à une limite de DWORD ce qui facilite l'accès du processeur et pourront être regroupées dans une page physique exactement égale à 4 Ko. Avec 64 octets, les éléments d'un
TreeView ont la bonne taille).

La structure *TV_INSERTSTRUCT* qui intervient obligatoirement pour l'insertion d'un élément
contient également deux handles TreeItem

```
typedef struct {
    HTREEITEM hParent;          // Handle de l'élément parent
    HTREEITEM hInsertAfter;     // Handle de l'enfant prédécesseur
    TV_ITEM   item;             // Le nouvel élément
} TV_INSERTSTRUCT, FAR *LPTV_INSERTSTRUCT;
```

Ces deux handles déterminent l'endroit où le nouvel élément va être inséré car une arborescence TreeView ne se construit pas nécessairement de bas en haut. A tout moment des éléments
nouveaux peuvent être ajoutés à n'importe quel noeud de la hiérarchie. La structure *TV_IN-
SERTSTRUCT* a besoin dans son champ *hParent* du handle de l'élément parent, c'est-à-dire de
niveau immédiatement supérieur. Si on indique *TVI_ROOT* ou NULL, l'élément devient la
nouvelle racine de l'arborescence TreeView et se place avant tous les autres.

Le deuxième *HTREEITEM*, correspondant au champ *hInsertAfter*, décrit l'emplacement de
l'élément parmi ses frères de même niveau. Chaque parent possède déjà a priori une série
d'éléments fils, de sorte qu'il faut décider si le nouvel arrivant doit être mis en tête, en queue
de liste, ou quelque part au milieu. Si la position visée se trouve juste après un élément bien
précis, il faut affecter le handle de cet élément à *TV_INSERTSTRUCT.hInsertAfter*. Si vous ne
disposez pas du handle du prédécesseur, vous pouvez utiliser l'une des trois constantes TVI
(TreeView Insertstruct) suivantes :

Constante TVN	Signification
TVI_FIRST	Le nouvel élément se place en tête de la liste des enfants
TVI_LAST	Le nouvel élément se place à la fin de la liste des enfants
TVI_SORT	Le nouvel élément est à insérer dans le cadre d'un classement alphabétique

C'est ainsi que l'on fixe l'emplacement du nouvel élément dans la hiérarchie. Son contenu sera décrit par le champ *item* de type *TV_ITEM* faisant partie de la structure *TV_INSERTSTRUCT*. On y trouvera par exemple l'étiquette et l'icône de l'élément ainsi que ses attributs.

Structure de données TV_ITEM

La structure *TV_ITEM* n'est pas seulement utilisée en liaison avec le message *TVM_INSERTITEM*. De nombreux autres messages font appel à ses services, non seulement pour recevoir des informations mais aussi pour en communiquer. Prenons par exemple le message *TVM_GETITEM* qui sera étudié un peu plus loin. Il fournit à l'appelant des informations sur un certain élément, grâce à un argument constitué par une structure *TV_ITEM*

```
typedef struct {                        // Description de l'élément à insérer
    UINT      mask;                     // Combinaison de constantes TVIF
    HTREEITEM hItem;                    // Handle de l'élément décrit
    UINT      state;                    // Etat courant, combinaison de constantes TVIS
    UINT      stateMask;                // Etats possibles, combinaison de constantes TVIS
    LPSTR     pszText;                  // Pointeur sur texte de l'étiquette (chaîne C)
    int       cchTextMax;               // Taille du buffer de l'étiquette
    int       iImage;                   // Numéro de l'icône standard de la liste des images
    int       iSelectedImage;           // Numéro de l'icône en état de sélection
    int       cChildren;                // 1, si l'élément a des enfants, sinon 0
    LPARAM    lParam;                   // DWORD, lié à l'élément
} TV_ITEM, FAR *LPTV_ITEM;
```

Cette structure étant utilisée dans des contextes tout-à-fait différents, il n'est pas toujours nécessaire d'en initialiser tous les champs. Le champ *mask* est prévu pour une combinaison de constantes *TVIF*, lesquelles indiquent quels sont les champs significatifs. L'appelant remplit ce masque pour signaler quels sont les champs initialisés. Si la structure est exploitée par un contrôle TreeView pour retourner des informations dans le cadre d'une notification, on pourra connaître par ce masque quels sont les champs qui contiennent des informations valides.

Constante TVN	Signification
TVIF_TEXT	*pszText* et le cas échéant *cchTextMax*
TVIF_STATE	*state* et *stateMask*
TVIF_IMAGE	*iImage*
TVIF_SELECTEDIMAGE	*iSelectedImage*
TVIF_PARAM	*lParam*
TVIF_CHILDREN	*cChildren*

hItem

Le champ *hItem* désigne l'élément décrit par son handle. Seule exception : lorsque l'élément est créé par *TVM_INSERTITEM*, il n'existe pas encore de handle, ce dernier étant renvoyé par la suite comme résultat de l'appel à *SendMessage()*. Dans ce cas, ce champ n'est pas utilisé.

state et stateMask

Le champ *state* décrit l'état courant d'un élément sous la forme d'une combinaison de constantes *TVIS*. Le champs *stateMask* permet de désigner les indicateurs à modifier ou à fixer. Les constantes *TVIS* utilisées sont les mêmes que dans *state*. Si on veut par exemple faire apparaître un élément en gras, il faudra donner à la constante *state* la valeur *TVIS_BOLD*. Pour qu'elle soit prise en compte, il faut en même temps l'activer dans *stateMask*.

On peut aussi faire fonctionner le mécanisme dans l'autre sens : si dans *stateMask* on active l'indicateur *TVIS_BOLD*, le contrôle suppose que *state* contient le nouvel état de cet attribut à savoir gras ou non. Si l'indicateur *TVIS_BOLD* n'a pas été activé dans *state*, l'élément n'apparaîtra plus en gras. C'est ainsi que les deux champs *state* et *stateMask* sont amenés à collaborer étroitement. Les constantes *TVIS* (TreeView Item Style) décrivant le style d'un élément de contrôle TreeView sont les suivantes :

Constante TVN	Signification
TVIS_SELECTED	L'élément est actuellement sélectionné
TVIS_DISABLED	L'élément ne peut pas être sélectionné
TVIS_EXPANDED	L'élément est développé, ses enfants sont visibles
TVIS_BOLD	L'étiquette de l'élément est en caractères gras
TVIS_CUT	L'élément est marqué pour une opération Couper-Coller
TVIS_DROPHILITED	L'élément est mis en valeur comme destination d'une opération Glisser/Déplacer
TVIS_OVERLAYMASK	Une icône de recouvrement peut être disposée par-dessus l'icône associée à l'élément
TVIS_STATEIMAGEMASK	Il faut afficher une icône d'état à côté de l'icône d'un élément
TVIS_EXPANDEDONCE	En cas de développement ou de réduction de l'élément, ne pas envoyer de notification TVN à la fenêtre de niveau supérieur

La signification des différentes constantes apparaîtra plus clairement dans la suite du chapitre. Notons déjà qu'il n'est malheureusement pas possible d'appliquer un autre style d'écriture que le gras, ni de fixer le style d'écriture de tout un groupe d'éléments ou de l'ensemble des éléments.

Lorsqu'on insère de nouveaux éléments, on peut généralement se contenter de mettre les deux champs à 0 pour ne pas influencer ces indicateurs dans un premier temps.

pszText et cchTextMax

Ces deux champs servent à transmettre le texte de l'étiquette de l'élément. Si le texte est fourni par une application, elle n'est pas obligée d'initialiser *cchTextMax* et peut se contenter d'indiquer en *pszText* un pointeur sur une chaîne de caractères C contenant le texte souhaité. Le contrôle TreeView déterminera automatiquement la longueur de la chaîne de caractères. Mais si *pszText* est utilisé pour recueillir des informations du contrôle TreeView, le champ *cchTextmax* doit être initialisé avec la taille du buffer de réception référencé par *psztext* préalablement à l'émission du message. Avant que le contrôle TreeView ne dépose une chaîne de caractères dans ce buffer, il devra en effet s'assurer que la taille du buffer est suffisante pour ne pas écraser les zones voisines.

iImage et iSelectedImage

Ces champs déterminent les icônes affichées pour chaque élément. Ils se rapportent à la liste d'images qui a été associée au contrôle TreeView par le message *TVM_SETIMAGELIST*, comme cela sera expliqué plus bas. *iImage* représente l'indice de l'icône dans l'état normal, tandis que *iSelectedImage* représente l'indice de l'icône en état de sélection. Bien entendu les deux valeurs peuvent être identiques si l'élément doit présenter la même icône qu'il soit sélectionné ou non.

cChildren

Cet indicateur signale si un élément possède des éléments subordonnés, c'est-à-dire des enfants. 0 veut dire "sans enfants", tout autre nombre traduit la qualité de père.

lParam

Cet entier long permet à une application d'associer à un élément des informations personnalisées, par exemple un pointeur sur une structure de données interne au programme qui décrit de façon plus précise le contenu et la signification de l'élément. Si les éléments incarnent des objets de l'application, on peut ainsi instituer un lien entre une instance d'objet et son expression visuelle dans le contrôle TreeView.

Insertion d'éléments en pratique

A premier coup d'oeil il semble que les structures, champs et constantes à initialiser pour créer un contrôle TreeView soient très nombreuses mais après avoir étudié le code correspondant deux ou trois fois, on y voit beaucoup plus clair. La séquence de code suivante crée d'abord un nouveau contrôle TreeView et y insère ensuite, au-dessous de la racine, deux éléments appelés "Alphabet ascendant" et "Alphabet descendant". Sous ces deux éléments viennent alors se greffer les 26 lettres de l'alphabet, de A à Z, formant autant d'éléments enfants, tantôt dans l'ordre ascendant, tantôt dans l'ordre descendant.

```
TV_INSERTSTRUCT tvis;                            // Structure d'insertion d'un élément
HTREEITEM       hAsc,                            // Handles pour alphabet ascendant et descendant
                hDesc;
char            Lettre[2];                       // Buffer de texte
int             i;

tvis.hInsertAfter = TVI_LAST;                    // Ajoute le nouvel élément à la fin
tvis.item.mask = TVIF_TEXT;                      // Fixe les indicateurs du nouvel élément

                                                 // Crée les éléments de base ──────────
tvis.item.pszText    = "Alphabet ascendant"      // Fixe l'étiquette
tvis.item.cchTextMax = lstrlen(tvis.item.pszText);
tvis.hParent         = TVI_ROOT;
hAsc = TreeView_InsertItem(hTreeView, &tvis);    // Déclenche l'insertion

tvis.item.pszText    = "Alphabet descendant"     // Fixe l'étiquette
tvis.item.cchTextMax = lstrlen(tvis.item.pszText);
tvis.hParent         = TVI_ROOT;
hDesc = TreeView_InsertItem(hTreeView, &tvis);   // Déclenche l'insertion

Lettre[1] = '\0';

                                                 // Insère les lettres de l'alphabet
                                                 // comme autant d'éléments ────────
for(i = 0; i < 26; i++)
{
  Lettre[0] = 'A' + i;
  tvis.item.pszText    = Lettre;                 // Fixe l'étiquette
  tvis.item.cchTextMax = 1
```

```
tvis.hParent          = hAsc;              // Sous Alphabet ascendant
TreeView_InsertItem(hTreeView, &tvis);     // Déclenche l'insertion

Lettre[0] = 'Z' - i;
tvis.item.pszText     = Lettre;            // Fixe l'étiquette
tvis.item.cchTextMax = 1
tvis.hParent          = hDesc;             // Sous Alphabet descendant
TreeView_InsertItem(hTreeView, &tvis);     // Fixe l'étiquette
}
```

Suppression d'éléments

Un élément qui vient d'être créé peut être facilement supprimé à l'aide du message *TVM_DE-LETEITEM*. On met *wParam* à 0 et on affecte à *lParam* le handle de l'élément visé. Le résultat est TRUE si l'élément a pu être supprimé, sinon on obtient FALSE. La macro corrrespondante s'appelle *TreeView_DeleteItem()* et prend simplement comme arguments le handle de la fenêtre du contrôle TreeView et le handle de l'élément à supprimer.

```
#define Header_DeleteItem(hwndHD, i) \
    (BOOL)SendMessage((hwndHD), HDM_DELETEITEM, (WPARAM)(int)(i), 0L)
```

Il existe une autre macro appelée *TreeView_DeleteAllItems()* qui se charge de supprimer tous les éléments d'une arborescence TreeView. Comme le montre l'extrait suivant du fichier d'inclusion *COMMCTRL.H*, le contrôle TreeView reçoit à cet effet un message *TVM_DELETEITEM* où le handle de l'élément à supprimer est égal à la constante *TVI_ROOT*, qui désigne la racine de l'arboresecence. Il suffit en effet de supprimer la racine pour supprimer le contenu intégral d'un contrôle TreeView.

```
#define TreeView_DeleteAllItems(hwnd) \
    (BOOL)SendMessage((hwnd), TVM_DELETEITEM, 0, (LPARAM)TVI_ROOT)
```

On observe ainsi que d'une façon générale le message *TVM_DELETEITEM* supprime également tous les éléments descendant de l'élément qu'on lui demande de supprimer. Pour supprimer une branche de l'arborescence, il n'est donc pas nécessaire de la parcourir en envoyant un message *TVM_DELETEITEM* à chaque noeud. Il suffit de supprimer l'élément à la base de la branche.

Pas de suppresssion sans notification

C'est en supprimant des éléments qu'on entre en contact pour la première fois avec les notifications que le contrôle TreeView envoie à sa fenêtre parente pour l'informer de ce qui se passe. Ici la notification s'appelle *TVN_DELETEITEM* et elle signale à la fenêtre parente qu'un élément du contrôle TreeView vient d'être supprimé. Le parent n'est pas obligé de s'en soucier et peut ignorer le message si pour lui la suppression de l'élément n'a pas d'autre conséquence.

Mais il réagira par exemple si la création de l'élément concerné a eu pour corollaire une allocation de mémoire sur le heap pour une structure de données personnalisée, liée à l'élément par le paramètre *TV_ITEM.lParam*. La mémoire correspondante devra être libérée, sinon on perd toute référence qui permettrait de la retrouver et elle constituera une zone stérile dans le heap.

Si on supprime un seul élément en émettant un message *TVM_DELETEITEM*, on le connaît en général, de sorte que l'on peut libérer la mémoire au préalable. Mais que se passe-t-il si on coupe l'arbre en entier ou du moins une grosse branche ? Faut-il alors parcourir manuellement tous les éléments descendants avant d'envoyer le message *TV_DELETEITEM*, ceci pour lire au préalable le paramètre *lParam* dans la structure *TV_ITEM* de chaque élément et libérer ainsi à temps la mémoire allouée ? Non, ce n'est pas nécessaire car on dispose justement à cet effet de la notification *DELETEITEM*.

Le contrôle TreeView génère à l'adresse de sa fenêtre parente une notification *TVN_DELETEITEM* pour chaque élément supprimé. Peu importe à cet égard qu'un message *TVM_DELETEITEM* détruise un élément ou plusieurs centaines. Chaque élément supprimé donne lieu à une notification *TVN_DELETEITEM* à l'adresse de la fenêtre parente, accompagnée de la structure *TV_ITEM* de cet élément. Le parent peut donc prélever dans cette structure le paramètre *lParam* de l'élément et libérer la mémoire qu'il référence.

Concrètement le paramètre *lParam* reçu par *TVN_DELETEITEM* pointe sur une structure de type *NM_TREEVIEW* qui intervient dans toute une série de notifications.

```
typedef struct {              // Décrit un élément d'un contrôle TreeView dans une notification
    NMHDR   hdr;              // En-tête avec origine et code TVN
    UINT    action;          // Signification dépendant de la notification
    TV_ITEM itemOld;         // Structure TV_ITEM avec ancien élément
    TV_ITEM itemNew;         // Structure TV_ITEM avec nouvel élément
    POINT   ptDrag;          // Coordonnées de la souris pour opération Glisser/Déplacer
} NM_TREEVIEW, FAR *LPNM_TREEVIEW;
```

Lorsqu'on reçoit une notification *TVN_DELETEITEM*, seul le champ *itemOld* de cette structure est rempli. Il contient une structure *TV_ITEM* décrivant l'élément supprimé avec toutes ses informations.

Le code suivant montre comment on supprime l'élément actuellement sélectionné et comment on libère à la réception de la notification *TVN_DELETEITEM* la mémoire dynamique allouée au moment de la création de cet élément. Comme on a mémorisé le pointeur correspondant dans le paramètre *lParam* de la structure *TV_ITEM*, l'opération ne pose pas de problème.

```
HTREEITEM hItem;

                                    // Lit l'élément en cours de sélection ──────────
hItem = TreeView_GetSelection(hTreeView);
if(hItem)                           // S'il existe, on le supprime
  TreeView_DeleteItem(hTreeView, hItem);

...
...
...

                                    // Procédure de traitement des messages de la fenêtre parente
switch(wMsg)
{
  case WM_NOTIFY:
    switch(LOWORD(wp))
    {
      case IDC_TREEVIEW:            // Notification du contrôle TreeView
      {
        LPNM_TREEVIEW pnmtv = (LPNM_TREEVIEW)lp;
        switch(pnmtv->hdr.code)
        {
          case TVN_DELETEITEM:      // Notification de suppression

                                    // Libère la mémoire allouée par malloc()
            if(pnmtv->itemOld.lParam)
```

```
            free((LPVOID)pnmtv->itemOld.lParam);
        break;
      }
    }
    break;
  }
  break;
}
```

44.2.3.   Consultation et paramétrage des éléments

Si des éléments existants doivent subir une modification dynamique de leurs attributs, on se sert du message *TVM_SETITEM* ou de la macro associée *TreeView_SetItem()*. Le contrôle TreeView s'attend alors à trouver dans le paramètre *wParam* du message la valeur 0, et dans *lParam* l'adresse d'une structure *TV_ITEM* avec les données de l'élément.

```
#define TreeView_SetItem(hwnd, pitem) \
    (BOOL)SendMessage((hwnd), TVM_SETITEM, 0, \
                        (LPARAM)(const TV_ITEM FAR*)(pitem))
```

Avant d'appeler la fonction, il faut charger dans le champ *TV_ITEM.hitem* le handle de l'élément à modifier. Les attributs concernés sont déterminés par le champ *mask* : chacun d'eux correspond à une des constantes *TVIF* présentées plus haut. Indiquez par exemple *TVIF_TEXT | TVIF_IMAGE* pour modifier l'étiquette de l'élément et le numéro de l'icône associée en état de non-sélection.

Le contrôle TreeView charge les nouvelles valeurs à partir des champs correspondants de *TV_ITEM*, dans cet exemple ce seront *TV_ITEM.pszText* (texte de l'étiquette) et *TV_ITEM.iImage* (numéro de l'icône).

Pour modifier l'un des états définis par *state*, il faut également activer l'indicateur *TVIF_STATE* dans *mask*. Comme nous l'avons déjà signalé, il faut activer dans *stateMask* les différents indicateurs *TVIS* à définir. Si un attribut d'état doit être activé, on active la constante appropriée dans *state*. Si on ne l'active pas, l'attribut d'état correspondant est désactivé. L'extrait de code suivant modifie par exemple le texte de l'étiquette d'un certain élément :

```
TV_ITEM tvi;

tvi.hITem = (élément à modifier)
tvi.mask = TVIF_TEXT;
tvi.pszText = "Bonjour";
TreeView_SetItem(hTreeView, &tvi);
```

On procède de la même façon pour consulter les attributs courants d'un élément. Le message utilisé est *TVM_GETITEM* avec la macro *TreeView_GetItem()*, et on met en *lParm* l'adresse d'une structure *TV_ITEM* dans laquelle on a chargé en *hItem* le handle de l'élément interrogé. Avant de procéder à l'appel, il faut aussi activer dans le champ *mask* les indicateurs *TVIF* des champs à interroger.

```
#define TreeView_GetItem(hwnd, pitem) \
    (BOOL)SendMessage((hwnd), TVM_GETITEM, 0, (LPARAM)(TV_ITEM FAR*)(pitem))
```

Si dans *mask* on indique par exemple *TVIF_TEXT*, le champ *TV_ITEM.pszText* doit être initialisé avec l'adresse d'un buffer prêt à l'emploi. Sa taille devant être signalée dans *TV_ITEM.cchTextMax*.

En spécifiant *TVIF_STATE* dans *mask*, on obtient dans le champ *state* les attributs d'état courants de l'élément. En testant les indicateurs *TVIS*, on peut alors savoir quels sont les attributs d'état présentement actifs. Si par exemple l'attribut *TVIS_SELECTED* est activé, on est tombé sur l'élément sélectionné.

L'exemple suivant montre comment on peut tester à l'aide de cet indicateur si un élément donné est en cours de sélection :

```
TVI_ITEM tvi;

tvi.mask = TVIF_STATE;                          // Interroge l'état courant
tvi.hItem = (élément à analyser)                // de quel élément ?
if(TreeView_GetItem(hTreeView, &tvi))
  if(tvi.state & TVIS_SELECTED)
  {
    ...                                         // L'élément est sélectionné
  }
```

44.2.4. Paramétrage des icônes

Le contrôle TreeView possède la propriété remarquable de pouvoir afficher avec chaque élément une icône définie librement par l'utilisateur. Nous avons déjà évoqué les champs *TV_ITEM.iImage* et *TV_ITEM.iSelectedImage* lors de la présentation de l'insertion de nouveaux éléments dans un contrôle TreeView. Ces champs interviennent dès qu'on lie un contrôle TreeView à une liste d'images d'où il retire les représentations graphiques associées. La taille des icônes n'est pas imposée,elle dépendra du contenu de la liste des images.

Chaque élément peut en outre être muni d'une icône d'état qui apparaît à côté de l'icône de base et qui sert à mieux visualiser l'état courant de chaque élément. Les icônes d'état sont également introduites par une liste d'images quelconque, qui n'est pas forcément la même que la précédente. Les icônes d'état peuvent donc être plus grandes ou plus petites que les icônes de base.

Pour mettre en service l'une des deux listes d'images, le contrôle TreeView dispose du message *TVM_SETIMAGELIST* qui est équivalent à la macro *TreeView_SetImageList()*. Le paramètre *wParam* doit contenir le handle de la liste d'images, *iImage* l'une des constantes *TVSIL_NOR-MAL* (pour une liste d'images représentant les icônes de base) ou *TVSIL_STATE* (pour une liste d'images représentant les icônes d'état).

```
#define TreeView_SetImageList(hwnd, himl, iImage) \
    (HIMAGELIST)SendMessage((hwnd), TVM_SETIMAGELIST, iImage,\
(LPARAM)(UINT)(HIMAGELIST)(himl))
```

Le même message sert aussi à rompre le lien entre une liste d'images et un contrôle TreeView qui perd alors ses icônes. Il suffit de mettre NULL dans *himl* et dans *iImage* l'une des deux constantes *TVSIL* précitées. Aussitôt les icônes disparaissent des éléments.

Pour connaître le handle de la liste d'images en service, utilisez le message *TVM_GETIMAGE-LIST* ou la macro *TreeView_GetImageList()*. Le seul argument nécessaire est l'une des deux constantes *TVSIL* qui définit la liste à interroger.

```
#define TreeView_GetImageList(hwnd, iImage) \
    (HIMAGELIST)SendMessage((hwnd), TVM_GETIMAGELIST, iImage, 0)
```

Le résultat de la fonction est le handle de la liste d'images en service, ou NULL si le handle du contrôle TreeView est erroné ou si aucune liste d'images ne lui est présentement associée.

Icônes de recouvrement et d'état

Avec les icônes de recouvrement et d'état on ajoute deux icônes supplémentaires à l'icône de base associée à un élément. L'icône de recouvrement vient se superposer à l'icône de base. Pour utiliser une icône de recouvrement il faut d'abord la définir dans la liste des images représentant les icônes de base, car les icônes de recouvrement proviennent de cette même liste. Une liste d'images peut comprendre jusqu'à quatre icônes de recouvrement numérotées de 1 à 4. Elles sont gérées par la fonction *ImageList_SetOverlayImage()*.

L'une des quatre icônes de recouvrement peut recouvrir l'icône de base d'un élément. Ce sont les champs *state* et *stateMask* d'un élément *TV_ITEM* qui indiquent laquelle vous choisissez et si vous exploitez cette caractéristique. Lorsqu'on insère (*TVM_INSERTITEM*) ou modifie (*TVM_SETITEM*) un élément, il faut activer l'indicateur *TVIS_OVERLAYMASK* dans le champ *stateMask*. On indique alors dans le champ *state* l'icône de recouvrement souhaitée en mentionnant son numéro. On ajoute aux indicateurs *TVIS* désirés la macro prédéfinie *INDEXTOOVER-LAYMASK()* à laquelle on transmet le numéro de l'icône compris entre 1 et 4. La séquence de code suivante montre comment procéder :

```
TV_ITEM tvi;

tvi.mask = TVIF_STATE;
tvi.hItem          = (Elément à modifier);
tvi.stateMask      = TVIS_OVERLAYMASK;          // Masque de recouvrement valide
tvi.state          = INDEXTOOVERLAYMASK(1);     // Première icône de recouvrement
TreeView_SetItem(hTreeView, &tvi);              // Fixe l'élément
...
...
tvi.mask = TVIF_STATE;
tvi.hItem          = (Elément à modifier);
tvi.stateMask      = TVIS_OVERLAYMASK;          // Masque de recouvrement valide
tvi.state          = INDEXTOOVERLAYMASK(0);     // Pas d'icône de recouvrement
TreeView_SetItem(hTreeView, &tvi);              // Fixe l'élément
```

Paramétrage des icônes d'état

Un élément peut non seulement être associé à une icône de recouvrement mais également à une icône dite d'état (state image) qui décrit son statut courant. Ce sera par exemple une coche qui indique si l'élément est activé ou non. Les icônes d'état ne sont pas issues de la même liste que les icônes de base auxquelles elles apparaissent juxtaposées. Elles proviennent d'une liste séparée qui est installée par *TVM_SETIMAGELIST*. Pour qu'une icône d'état soit affichée, il faut activer l'indicateur *TVIS_STATEIMAGEMASK* dans *stateMask* et ajouter aux indicateurs souhaités dans *state* la macro prédéfinie *INDEXTOSTATEIMAGEMASK()*. On indique à la macro l'icône désirée en transmettant son numéro dans la liste des icônes d'état. La séquence de code suivante montre comment on active une icône d'état avant de l'enlever à nouveau :

```
TV_ITEM tvi;

tvi.mask = TVIF_STATE;
tvi.hItem    = (élément à modifier);
tvi.stateMask = TVIS_STATIEIMAGEMASK;           // Masque State Image valide
tvi.state    = INDEXTOSTATEIMAGE(5);            // Numéro de l'icône d'état
TreeView_SetItem(hTreeView, &tvi);              // Fixe l'élément
...
...
tvi.mask = TVIF_STATE;
```

```
tvi.hItem     = (élément à modifier);
tvi.stateMask = TVIS_STATIEIMAGEMASK;           // Masque State Image valide
tvi.state     = INDEXTOSTATEIMAGE(0);           // Pas d'icône d'état
TreeView_SetItem(hTreeView, &tvi);              // Fixe l'élément
```

Changement d'affichage

Lorsqu'on crée ou modifie un élément, on indique toujours les indices des deux icônes en mode sélectionné et non sélectionné. Mais que se passe-t-il lorsqu'un parent est déployé ? Faut-il alors afficher une autre icône pour représenter l'élément dans son état développé ? Il faudrait pouvoir réagir au développement et à la réduction d'un élément. C'est précisément le sujet de la section suivante.

44.2.5.   Développement et réduction

Le contrôle TreeView prend en charge la majeure partie du travail de développement-réduction des éléments parents ainsi que le tracé de la nouvelle forme de l'arborescence.Si on clique deux fois sur l'étiquette d'un élément ou sur le bouton +/- placé à côté (Style *TVS_HASBUTTONS*), le contrôle passe automatiquement de l'état développé à l'état réduit et vice-versa.

Mais la notification *TVN_ITEMEXPANDING* offre à la fenêtre de niveau supérieur la possibilité de contester le changement d'état. Une application peut ainsi éviter que l'utilisateur ne touche à certains domaines. Comme pour d'autres notifications, on obtient dans la partie *lParam* du message un pointeur sur une structure du type *NM_TREEVIEW* (voir suppression des éléments).

```
typedef struct {              // Décrit un élément d'un contrôle TreeView dans une notification
    NMHDR   hdr;              // En-tête habituel des notifications
    UINT    action;           // Constante TVE
    TV_ITEM itemOld;          // Sans signification
    TV_ITEM itemNew;          // Structure TV_ITEM avec l'élément concerné
    POINT   ptDrag;           // Sans signification
} NM_TREEVIEW, FAR *LPNM_TREEVIEW;
```

Dans le champ *itemNew* qui représente une structure *TV_ITEM*, on trouve différentes informations sur l'élément, à savoir son handle (*hItem*), son état actuel (*state*), ainsi que le paramètre *lParam*. Le sort prévu pour l'élément est révélé par le champ *NM_TREEVIEW.action* qui peut prendre l'une des valeurs suivantes :

Constante TVE	Signification
TVE_COLLAPSE	Réduit l'élément parent et fait disparaître les enfants
TVE_EXPAND	Développe l'élément parent et affiche les enfants
TVE_TOGGLE	Fait passer le parent de l'état développé à l'état réduit et vice-versa
TVE_COLLAPSERESET	Réduit l'élément parent et supprime en même temps tous les éléments enfants

Par sa valeur de retour la fenêtre parente indique sa décision d'autoriser ou non l'action souhaitée. Si le retour est FALSE, l'action est confirmée. TRUE signifie un strict refus qui est accepté dans tous les cas. Si l'action est autorisée, on obtient automatiquement une notification *TVN_ITEMEXPANDED* qui contient les mêmes informations que la notification *TVN_ITEMEXPANDING* précédente. Si l'appelant doit suivre l'état de certains éléments, cette notification lui en donne la possibilité.

Les deux notifications citées sont aussi l'endroit où l'on peut changer les champs *iImage* et *iImageSelected* dans la structure *TV_ITEM* lorsque l'élément doit changer d'aspect,

autrementditd'icône.Onsesertàceteffetdumessage*TVM_SETITEM* dont nous avons déjà parlé. Le mieux est de le faire juste après la réception de *TVN_ITEMEXPANDING* si on suit la proposition. Car lorsqu'on reçoit *TVN_ITEMEXPANDED* l'élément a déjà été changé et l'arbre a été retracé, de sorte que le nouveau changement introduit une nouvelle modification d'écran inutile.

Développement ou réduction par programme

Il ne faut pas croire que le contrôle TreeView développe ou réduit les éléments parents uniquement en réponse à une action de l'utilisateur. Le logiciel peut lui-même déclencher le développement ou la réduction en se servant du message *TVM_EXPAND*. La macro associée s'appelle *TreeView_Expand()*.

```
#define TreeView_Expand(hwnd, hitem, code) \
    (BOOL)SendMessage((hwnd), TVM_EXPAND, (WPARAM)code, \
                      (LPARAM)(HTREEITEM)(hitem))
```

On voit que dans *wParam* il faut mettre un code qui n'est rien d'autre que l'une des constantes *TVE* présentées plus haut. Elle a pour but d'indiquer au contrôle TreeView ce qu'il doit faire. *lParam* doit contenir le handle de l'élément concerné. La valeur de retour booléenne indique si l'action a pu être exécutée ou non. Il se pourrait notamment que la fenêtre parente y oppose son refus. L'extrait de code suivant montre comment l'affichage de l'élément couramment sélectionné passe de l'état développé à l'état réduit.

```
HTREEITEM hItem;
TV_ITEM tvi;

                                            // Détermine l'élément sélectionné────────
hItem = TreeView_GetSelection(hTreeView);

if(hItem)                                   // Y a-t-il seulement un élément sélectionné ? ──
{
                                            // La séquence suivante émule la fonction ─
                                            // TreeView_Expand(hTreeView, hItem, TVE_TOGGLE); ─
  tvi.hItem = hItem;
  tvi.mask  = TVIF_STATE;                   // Lit l'état de l'élément
  TreeView_GetItem(hTreeView, &tvi);
  if(tvi.state & TVIS_EXPANDED)
    TreeView_Expand(hTreeView, hItem, TVE_COLLAPSE);
  else
    TreeView_Expand(hTreeView, hItem, TVE_EXPAND);
}
```

44.2.6. Indentation des éléments enfants

Un contrôle TreeView gère de manière uniforme pour tous les éléments l'indentation qui matérialise le lien entre parents et enfants. Mesurée en pixels, elle peut être lue par *TVM_GETINDENT* ou fixée par *TVM_SETINDENT*. Les macros associées s'appellent *TreeView_GetIndent()* et *TreeView_SetIndent()*.

```
#define TreeView_GetIndent(hwnd) \
    (UINT)SendMessage((hwnd), TVM_GETINDENT, 0, 0)
#define TreeView_SetIndent(hwnd, indent) \
    (BOOL)SendMessage((hwnd), TVM_SETINDENT, (WPARAM)indent, 0)
```

Dans les deux cas le paramètre *lParam* est à 0, il en est de même de *wParam* pour *TVM_GETIN-DENT*. Mais *TVM_SETINDENT* attend ici la valeur de la nouvelle indentation en pixels. Si elle est inférieure à la valeur limite imposée par le système, la valeur limite est prise par défaut.

44.2.7. Parcours d'un contrôle TreeView

Il est parfois nécessaire de parcourir une arborescence TreeView pour prendre connaissance de ses élements ou rechercher un élément particulier. Le message *TVM_GETNEXTITEM* offre cette possibilité. Dans *wParam* on indique l'une des dix constantes *TVGN* possibles, et dans *lParam*, selon la constante *TVGN*, le handle de l'élément de départ. Le résultat renvoyé par *SendMessage()* est le handle de l'élément trouvé ou NULL si la recherche a été infructueuse.

Constante TVGN	wParam	lParam
TVGN_CARET	Elément sélectionné	Sans importance
TVGN_DROPHILITE	Elément considéré comme destination d'une opération Drag	Sans importance
TVGN_PARENT	Elément parent	Elément enfant dont on recherche le parent
TVGN_CHILD	Premier élément subordonné	Elément parent dont on recherche l'enfant
TVGN_PREVIOUS	Elément précédent de même niveau	Elément dont on recherche le prédécesseur
TVGN_NEXT	Elément suivant de même niveau	Elément dont on recherche le successeur
TVGN_FIRSTVISIBLE	Premier élément visible dans l'aire client du contrôle TreeView	Sans importance
TVGN_NEXTVISIBLE	Elément suivant visible dans l'aire client du contrôle TreeView (ligne suivante)	Elément visible précédant l'élément recherché
TVGN_PREVIOUSVISIBLE	Elément précédent visible dans l'aire client du contrôle TreeView (ligne précédente)	Elément visible situé après l'élément recherché
TVGN_ROOT	Premier élément de l'arborescence	Sans importance

Les différentes constantes se classent en plusieurs groupes qui n'ont pas la même signification. *TVGN_CARET* et *TVGN_DROPHILITE* fournissent un élément unique dans le contrôle Tree-View. *TVGN_CARET* indique l'élément sélectionné et *TVGN_DROPHILITE* l'élément marqué comme destination d'un déplacement dans le cadre d'une opération Glisser/Déplacer. Dans ces deux cas le paramètre *lParam* du message *TVM_GETNEXTITEM* ne joue aucun rôle.

Pour se promener de branche en branche dans la hiérarchie du contrôle TreeView, on se sert de *TVGN_PARENT* et *TVGN_CHILD*. Cette dernière constante provoque le renvoi du premier élément enfant de celui indiqué dans *lParam*, s'il existe. On descend donc d'un niveau dans la hiérarchie.

Inversement avec *TVGN_PARENT* on remonte d'un élément à son parent, ce qui veut die qu'on se dirige vers la racine de l'arbre. Pour accéder directement à la racine, on emploie *TVGN_ROOT* qui permet d'obtenir le handle de l'élément racine.

Une fois parvenu dans une branche, on parcourt les éléments de même niveau (frères) en utilisant *TVGN_PREVIOUS* et *TVGN_NEXT*. On obtient le prédécesseur ou le successeur de même niveau en partant de l'élément spécifié dans *lParam*.

Alors qu'avec les constantes évoquées jusqu'ici on se déplaçait sur l'arbre dans sa totalité, les constantes *TVGN_FIRSTVISIBLE*, *TVGN_NEXTVISIBLE* et *TVGN_PREVIOUSVISIBLE* ne concernent que les éléments visibles dans l'aire client du contrôle. Avec *TVGN_FIRSTVISIBLE* on parvient au handle de l'élément visible situé en première position dans l'aire client. On peut ensuite utiliser ce handle pour obtenir celui de l'élément visible suivant, situé en-dessous, à la ligne suivante. Peu importe que cet élément se trouve sur la même branche ou sur une autre. Inversement *TVGN_PREVIOUSVISIBLE* permet de remonter d'une ligne dans la série des éléments visibles. Toutes ces constantes sont associées à des macros dont le nom et la définition rappellent le rôle :

```
#define TreeView_GetChild(hwnd, hitem) \
        TreeView_GetNextItem(hwnd, hitem, TVGN_CHILD)

#define TreeView_GetNextSibling(hwnd, hitem) \
        TreeView_GetNextItem(hwnd, hitem, TVGN_NEXT)

#define TreeView_GetPrevSibling(hwnd, hitem) \
        TreeView_GetNextItem(hwnd, hitem, TVGN_PREVIOUS)

#define TreeView_GetParent(hwnd, hitem) \
        TreeView_GetNextItem(hwnd, hitem, TVGN_PARENT)

#define TreeView_GetFirstVisible(hwnd) \
        TreeView_GetNextItem(hwnd, NULL, TVGN_FIRSTVISIBLE)

#define TreeView_GetNextVisible(hwnd, hitem) \
        TreeView_GetNextItem(hwnd, hitem, TVGN_NEXTVISIBLE)

#define TreeView_GetPrevVisible(hwnd, hitem) \
        TreeView_GetNextItem(hwnd, hitem, TVGN_PREVIOUSVISIBLE)

#define TreeView_GetSelection(hwnd) \
        TreeView_GetNextItem(hwnd, NULL, TVGN_CARET)

#define TreeView_GetDropHilight(hwnd) \
        TreeView_GetNextItem(hwnd, NULL, TVGN_DROPHILITE)
```

La séquence de code suivante avec les deux fonctions *TraverseTree()* et *TraverseTreeEngine()* montre comment parcourir une arborescence de manière récursive en s'aidant de *TVM_GET-NEXTITEM* et en affichant les étiquettes des éléments avec *printf()*. Le point de départ est constitué par la fonction *TraverseTree()* qui recueille le handle du contrôle TreeView et se sert de *TraverseTreeEngine()* pour parcourir l'arbre à partir de sa racine.

```
void TraverseTreeEngine(HWND      hTreeView,
                        HTREEITEM hParent,
                        int       iLevel)
{
  while(hParent)                                  // Parcourt tous les éléments frères
  {
    TV_ITEM tvi;
    char szText[MAX_PATH];

                                                  // Lit les données associées à un élément ————
    tvi.mask = TVIF_TEXT |
               TVIF_IMAGE |
```

```
                TVIF_SELECTEDIMAGE |
                TVIF_PARAM |
                TVIF_STATE |
                TVIF_HANDLE;
    tvi.hItem = hParent;
    tvi.pszText = szText;
    tvi.cchTextMax = sizeof(szText);

    if(TreeView_GetItem(hTreeView, &tvi))
    {
      printf("%s\n", szText);

                                            // Parcourt les enfants ────────────
      TraverseTreeEngine(hTreeView,
                    TreeView_GetChild(hTreeView, hParent),
                    iLevel + 1);
    }
                                            // Recherche le frère suivant ───────
    hParent = TreeView_GetNextSibling(hTreeView, hParent);
  }
}

void TraverseTree(HWND hTreeView)
{
  TraverseTreeEngine(hTreeView, TreeView_GetRoot(hTreeView), 0);
}
```

Consulter le nombre d'éléments

Avant de parcourir tous les éléments d'un contrôle TreeView, il peut être intéressant de connaître leur nombre. Par exemple pour allouer un tableau sur le heap destiné à recueillir des informations sur chaque élément. Le message *TVM_GETCOUNT* et la macro associée *Tree-View_GetCount()* vous rendent bien volontiers ce service. Le nombre total des éléments présents est renvoyé comme résultat de la fonction *SendMessage()* correspondante.

44.2.8.   Changement de sélection

Si le contrôle TreeView commande et surveille la sélection des éléments par l'utilisateur, il permet aussi à l'application de suivre le processus. Chaque fois qu'un nouvel élément va être sélectionné, le contrôle envoie une notification *TVN_SELCHANGING* à la fenêtre parente. Le propriétaire de la fenêtre peut alors confirmer la sélection ou l'inhiber. Un programme peut donc interdire certaines sélections en cas de besoin. La procédure de traitement des messages doit alors renvoyer TRUE comme réaction à la notification *TVN_SELCHANGING*. Le paramètre *lParam* du message *WM_NOTIFY* qui abrite la notification *TVN_SELCHANGING* pointe sur une structure de type *NM_TREEVIEW*. On y trouve deux entrées *TV_ITEM* qui se rapportent respectivement à l'élément sélectionné jusqu'ici et à l'élément nouvellement sélectionné.

```
typedef struct {              // Pour TVN_SELCHANGING et TVN_SELCHANGED
  NMHDR   hdr;                // En-tête de notification habituel
  UINT    action;            // Constante TVC
  TV_ITEM itemOld;           // Ancienne sélection
  TV_ITEM itemNew;           // Nouvelle sélection
  POINT   ptDrag;            // Sans signification
} NM_TREEVIEW, FAR *LPNM_TREEVIEW;
```

Dans les variables *TV_ITEM itemOld* et *itemNew* les champs *hItem*, *state* et *lParam* sont remplis de façon que l'on puisse identifier sans problème l'ancien et le nouvel élément sélectionné. Pour ce qui est de l'origine du changement de sélection, elle est révélée par *NM_TREE.action* qui peut prendre l'une des trois valeurs suivantes :

Constante TVC	Signification
TVC_BYKEYBOARD	Origine clavier
TVC_BYMOUSE	Origine souris
TVC_UNKNOWN	Origine indéterminée

Si on autorise le changement de sélection, on obtient immédiatement après une notification *TVN_SELCHANGED* avec les mêmes paramètres que *TVN_SELCHANGING*. Le propriétaire peut ainsi tenir compte de la nouvelle sélection si c'est encore nécessaire.

Changement de sélection par programme

Une application peut parfaitement provoquer elle-même le changement de sélection en envoyant au contrôle TreeView un message *TVM_SELECTITEM*. Ce message s'avère particulièrement riche puisqu'en l'examinant de près on constate qu'il permet d'effectuer deux opérations supplémentaires. L'action souhaitée est à spécifier dans le paramètre *wParam* du message qui peut prendre une des valeurs suivantes :

Constante TVGN	Signification
TVGN_CARET	L'élément indiqué devient l'élément sélectionné
TVGN_FIRSTVISIBLE	L'élément indiqué devient le premier élément visible dans le contrôle TreeView
TVGN_DROPHILITE	L'élément indiqué est affiché de manière à apparaître comme la destination potentielle d'une opération Glisser/Déplacer

En même temps on met dans *lParam* le handle de l'élément concerné. Le résultat de la fonction *SendMessage()* indique si l'action a pu être menée à bien : si tel est le cas, il vaut TRUE.

Le fichier d'inclusion *COMMCTRL.H* reproduit sous forme de macros les trois formes que peut ainsi prendre le message *TVM_SELECTITEM* :

```
#define TreeView_SelectItem(hwnd, hitem) \
        TreeView_Select(hwnd, hitem, TVGN_CARET)

#define TreeView_SelectDropTarget(hwnd, hitem) \
        TreeView_Select(hwnd, hitem, TVGN_DROPHILITE)

#define TreeView_SelectSetFirstVisible(hwnd, hitem) \
        TreeView_Select(hwnd, hitem, TVGN_FIRSTVISIBLE)
```

Affichage des éléments

Dans certaines circonstances, il peut être nécessaire de s'assurer qu'un élément donné est bien visible à l'écran, par exemple lorsqu'une opération de recherche a conduit à la détection d'un élément. Le message *TVM_ENSUREVISIBLE* a pour fonction de rendre visible s'il ne l'est pas, l'élément spécifié par son handle dans *lParam*. Visible veut dire ici que l'élément parent est développé et que l'élément visé est affiché à l'intérieur du contrôle TreeView qui apparaît à l'écran. Le paramètre *wParam* ne joue aucun rôle ici. La macro associée s'appelle *TreeView_En-sureVisible()*.

```
#define TreeView_EnsureVisible(hwnd, hitem) \
    (BOOL)SendMessage((hwnd), TVM_ENSUREVISIBLE,
                      0, (LPARAM)(HTREEITEM)(hitem))
```

Si pour afficher l'élément en question il faut développer des ascendants, le contrôle en demande l'autorisation en émettant les messages *TVN_ITEMEXPANDING* correspondants.

S'il n'y a pas d'opposition, l'élément désiré peut être affiché et on obtient comme résultat de la fonction la valeur TRUE. Si le résultat est FALSE, l'élément n'a pas pu être affiché pour une raison ou une autre.

Pour savoir combien d'éléments sont visibles dans l'aire client du contrôle TreeView, on envoie le message *TVM_GETVISIBLECOUNT*. Les paramètres *wParam* et *lParam* n'ont pas besoin d'être chargés. En réponse on obtient comme valeur de retour de la fonction le nombre d'éléments recherché.

```
#define TreeView_GetVisibleCount(hwnd) \
    (UINT)SendMessage((hwnd), TVM_GETVISIBLECOUNT, 0, 0)
```

Test de visibilité

On peut être amené à s'interroger sur la visibilité d'un élément sans pour autant provoquer son affichage. Le message *TVM_GETITEMRECT* est prévu à cette fin. Dans *lParam* on met l'adresse d'une structure *RECT* où la fonction placera les coordonnées du rectangle d'encadrement (bounding rectangle) de l'élément concerné, si celui-ci est visible. Les coordonnées obtenues se rapportent au coin supérieur gauche de l'aire client du contrôle.

Le paramètre *wParam* sert à spécifier si le rectangle doit encadrer l'étiquette de l'élément ou l'élément tout entier, icônes comprises. L'indication TRUE veut dire "étiquette uniquement", tandis que FALSE signifie la totalité de l'élément. Le résultat retourné est TRUE si l'élément indiqué est effectivement visible.

La macro associée *TreeView_GetItemRect()* se présente sous forme de deux instructions C séparées par une virgule, une disposition exceptionnelle assez rarement utilisée.

```
#define TreeView_GetItemRect(hwnd, hitem, prc, code) \
    (*(HTREEITEM FAR *)prc = (hitem), \
      (BOOL)SendMessage((hwnd), TVM_GETITEMRECT, \
                        (WPARAM)(code), (LPARAM)(RECT FAR*)(prc)))
```

Association des événements de la souris aux éléments de l'arborescence

Si votre programme doit réagir quand on clique sur un élément, vous serez obligé d'associer un événement de la souris à l'un des éléments visibles du contrôle TreeView. Dans ce cas vous vous servirez du message *TVM_HITTEST*. Il indique quel est l'élément situé en un point donné de l'écran.

Des informations complémentaires sont mémorisées dans la structure *TV_HITTESTINFO* que l'on prépare avant d'émettre le message et que l'on référence par le paramètre *lParam*. C'est dans le champ *pt* que l'on spécifie les coordonnées du point par rapport au coin supérieur gauche de l'aire client du contrôle.

```
typedef struct _TV_HITTESTINFO {
    POINT    pt;                    // Point spécifié par l'appelant
    UINT     flags;                 // Retour: constante TVHT
    HTREEITEM hItem;                // Retour: handle de l'élément touché
} TV_HITTESTINFO, FAR *LPTV_HITTESTINFO;
```

En cas de succès le champ *hItem* contient encore une fois le handle de l'élément (identique au résultat de la fonction). Le champ *flags* révèle la situation du point spécifié sous la forme de l'une des constantes TVHT (TreeView Hit Test) suivantes :

Constante TVHT	Signification
Succès	
TVHT_ONITEMICON	Le point est sur l'icône de base de l'élément
TVHT_ONITEMLABEL	Le point est sur l'étiquette de l'élément
TVHT_ONITEMINDENT	Le point est sur l'indentation de l'élément
TVHT_ONITEMBUTTON	Le point est sur le bouton +/- de l'élément
TVHT_ONITEMRIGHT	Le point est à droite de l'élément
TVHT_ONITEMSTATEICON	Le point est sur l'icône d'état de l'élément
TVHT_ONITEM	Combinaison des trois indicateurs TVHT_ONITEMICON, TVHT_ONITEMLABEL et TVHT_ONITEMSTATEICON
Echec	
TVHT_ABOVE	Le point est au-dessus de l'aire client du contrôle
TVHT_BELOW	idem, au-dessous
TVHT_TORIGHT	idem, à droite
TVHT_TOLEFT	idem, à gauche

La macro *TreeView_HitTest()* évite le recours à la fonction *SendMessage()* :

```
#define TreeView_HitTest(hwnd, lpht) \
    (HTREEITEM)SendMessage((hwnd), TVM_HITTEST, \
                        0, (LPARAM)(LPTV_HITTESTINFO)(lpht))
```

44.2.9.   Edition d'une étiquette

Si dans le style de fenêtre du contrôle TreeView on a activé l'indicateur *TVS_EDITLABELS*, le contrôle offre à l'utilisateur la possibilité d'éditer l'étiquette d'un élément. Mais avant que le contrôle ne fasse apparaître une zone d'édition au-dessus de l'élément, il s'assure que le propriétaire autorise bien la modification de l'étiquette. Il envoie à cet effet une notification *TVN_BEGINLABELEDIT* à la fenêtre parente. Le paramètre *lParam* représente alors un pointeur sur une structure de type *TV_DISPINFO* qui donne toutes les informations nécessaires sur l'élément à éditer.

```
typedef struct {
    NMHDR   hdr;                    // En-tête habituel, avec le code TVN_BEGINLABELEDIT
    TV_ITEM item;                   // Elément concerné
} TV_DISPINFO;
```

Dans la structure *TV_ITEM* les champs *hItem*, *state*, *pszText* et *lParam* sont dûment remplis, de sorte qu'on peut identifier sans ambiguïté l'élément concerné. Pour interdire l'édition, on fait renvoyer TRUE par la fonction, FALSE indique que l'action peut commencer. On peut ainsi exclure certaines étiquettes de toute possibilité d'édition, tout en la laissant ouverte à d'autres.

A la fin de l'édition, on reçoit de TreeView une notification *TVN_ENDLABELEDIT*. Dans *lParam* on recueille encore une fois une structure *TV_DISPINFO* dont le champ de type *TV_ITEM* indique l'élément concerné. *hItem*, *state* et *lParam* ont la même valeur que précédemment, et *pszText* permet de savoir si l'étiquette a effectivement un nouveau contenu ou si l'édition a été interrompue. Si *pszText* contient NULL, l'utilisateur a interrompu l'édition, l'étiquette restant alors la même. Autrement *pszText* référence un buffer avec le nouveau texte de l'étiquette.

Ce texte n'est cependant pas encore ancré à l'élément, le programme devra donc envoyer un message *TVM_SETITEM* pour l'associer définitivement à l'élément.

Edition par programme

Une application peut également inviter l'utilisateur à changer une étiquette en lui affichant directement la zone d'édition correspondante. Il suffit d'envoyer à cet effet le message *TVM_E-DITLABEL* au contrôle ou, ce qui revient au même, appeler la macro *TreeViewEditLabel()*. Il faut cependant que le contrôle TreeView ait déjà le focus sinon le mécanisme ne fonctionne pas.

```
#define TreeView_EditLabel(hwnd, hitem) \
    (HWND)SendMessage((hwnd), TVM_EDITLABEL, 0, (LPARAM)(HTREEITEM)(hitem))
```

En accompagnement au message *TVM_EDITLABEL*, on met 0 dans *wParam* et le handle de l'élément dans *lParam*. Il est alors automatiquement sélectionné et rendu visible s'il ne l'est pas encore. Le programme doit cependant approuver l'édition ou du moins ne pas la refuser. Car à la suite de *TVM_EDITLABEL*, le contrôle TreeView émet la notification *TVN_BEGINLABE-LEDIT* qui permet encore d'arrêter l'opération (ce qui normalement ne se fera pas).

Intervention sur le contrôle d'édition

L'application peut même influencer la saisie à l'intérieur du contrôle d'édition, en lui envoyant des messages ou en installant une dérivation pour prendre en charge elle-même l'édition. Dans les deux cas il faut posséder le handle du contrôle d'édition que l'on obtient par le message *TVM_GETEDITCONTROL*. L'appel à *SendMessage()* nécessite comme d'habitude le remplissage des arguments *wParam* et *lParam*. En contrepartie la fonction retourne le handle convoité. Si le résultat est NULL, il n'a pas pu être obtenu, en raison par exemple de l'absence de toute opération d'édition. A titre d'alternative on peut aussi faire appel à la macro *TreeView_GetEditControl()*.

```
#define TreeView_GetEditControl(hwnd) \
    (HWND)SendMessage((hwnd), TVM_GETEDITCONTROL, 0, 0)
```

Si on pilote la saisie sous sa propre régie, il faut indiquer sa clôture au contrôle TreeView par le message *TVM_ENDEDITLABLNOW*. Dans *lParam* on met 0 et dans *wParam* TRUE si la saisie n'a pu être menée à son terme en raison d'une interruption. Dans ce cas, le contrôle TreeView ne lit pas le contenu courant de la zone d'édition, il se contente de la fermer en conservant le texte de l'ancienne étiquette.

```
#define TreeView_EndEditLabelNow(hwnd, fCancel) \
    (BOOL)SendMessage((hwnd), TVM_ENDEDITLABELNOW, (WPARAM)fCancel, 0)
```

Dérivation du contrôle d'édition

Le fonctionnement du contrôle d'édition pose problème lorsque le contrôle TreeView constitue un élément d'une boîte de dialogue et que l'utilisateur appuie sur <RETURN> ou <ESCAPE> pour clôturer l'opération d'édition d'une étiquette. Les messages *WM_KEYDOWN* correspondants sont envoyés immédiatement à la procédure de traitement des messages de la boîte de dialogue qui les interprète comme si on avait actionné les boutons par défaut associés à ces touches (en général OK pour <RETURN> et Annuler pour <ESCAPE>).

Conséquence : la boîte de dialogue se ferme alors que l'utilisateur voulait simplement terminer l'édition d'une étiquette du contrôle TreeView.

Pour empêcher cet inconvénient, il faut dériver le contrôle d'édition pour intercepter les messages adressés au contrôle avant qu'il n'y réagisse lui-même. En fait il suffit de détourner un seul message pour le traiter autrement que ne le prévoit le contrôle d'édition : il s'agit du message *WM_GETDLGCCODE*. Nous allons en reparler dans un moment.

La séquence de code suivante montre un extrait de la procédure de traitement des messages d'une boîte de dialogue tirée de notre programme de démonstration *TVDEMO. Vous y voyez la réaction du programme à la notification TVN_BEGINLABELEDIT* qui marque le début d'une édition d'étiquette. En envoyant le message *TVM_GETEDITCONTROL* par la macro *TreeView_GetEditControl()*, on obtient d'abord le handle du contrôle d'édition. Ensuite on fait appel à la fonction API *SetWindowLong()* qui a été présentée plus haut. Mais cette fois-ci on ne cherche pas à modifier le style de fenêtre du contrôle mais l'adresse de la procédure de traitement des messages du contrôle. En indiquant la constante *GWL_WNDPROC* on accède à ce paramètre de la structure de la fenêtre du contrôle et on peut remplacer sa valeur par l'adresse de la fonction *EditSubClass()*.

```
BOOL WINAPI DlgProc(HWND hWnd, UINT wMsg, WPARAM wp, LPARAM lp)
{
  switch(wMsg)
  {
    case WM_NOTIFY:
      switch(LOWORD(wp))
      {
        case IDC_TREEVIEW:
        {
          LPNM_TREEVIEW pnmtv = (LPNM_TREEVIEW)lp;
          switch(pnmtv->hdr.code)
          {
            case TVN_BEGINLABELEDIT:     // Saisie d'une nouvelle étiquette
            {
              HWND hEdit;

                                         // Recherche du handle du contrôle d'édition ———
              hEdit = TreeView_GetEditControl(hTreeView);

                                         // ...et prépare la réception de n'importe quelle touche ——
              g_lpOldEditProc = (FARPROC)SetWindowLong(hEdit,
                                                GWL_WNDPROC,
                                                (LONG)EditSubclass);
            }
            return FALSE;               // Autorise l'édition
          }
        }
        break;
      }
      break;
  }
  return FALSE;
}
```

Jusqu'ici tous les messages arrivaient à la procédure de traitement par défaut associée à la classe de fenêtre du contrôle d'édition. Maintenant ils vont être acheminés vers la fonction *EditSub-Class()*, interne au programme, comme le montre l'extrait de code ci-après. Mais cette fonction se contente en fait de réagir au message *WM_GETDLGCODE*. Tous les autres messages sont transmis tels quels à la procédure de traitement des messages par défaut, dont on a mémorisé l'adresse dans la variable globale *g_lpOldEditProc* au moment de l'appel à *SetWindowLong()*. Ainsi notre procédure de traitement des messages personnalisée ne fera que le travail strictement indispensable.

```
/*********************************************************************/
/* EditSubclass - Fonction de dérivation d'un contrôle d'édition    */
/*                associé à un contrôle TreeView                    */
/*_____*/
/* Arguments      : standard                                       */
/* Valeur de retour : standard                                     */
/*_____*/
/* Info: Le contrôle d'édition doit traiter toutes les touches tapées */
/*       sinon ESC et RETURN sont interprétés comme si on annulait le */
/*       dialogue ou si on actionnait le bouton par défaut          */
/*********************************************************************/
LRESULT WINAPI EditSubclass(HWND hWnd,
                            UINT wMsg,
                            WPARAM wp,
                            LPARAM lp)
{
                                // Je veux toutes les frappes de touches ─────
   if(wMsg == WM_GETDLGCODE) return DLGC_WANTALLKEYS;

                                // Appelle la fonction EditBox d'origine ─────
   return CallWindowProc(g_lpOldEditProc, hWnd, wMsg, wp, lp);
}
```

WM_GETDLGCODE est un message qu'un contrôle reçoit d'une boîte de dialogue lorsque cette dernière doit déterminer quelles sont les touches auxquelles le contrôle a l'intention de réagir et quelles sont celles de son ressort. Normalement un contrôle d'édition répond en renvoyant une valeur qui résulte de la combinaison des constantes *DLGC_WANTAR-ROW* et *DLGC_WANTCHARS*. Il attire ainsi à lui les messages clavier dûs aux maniement des touches de direction et des caractères ordinaires. Mais <Escape> et <Return> ne sont pas compris dans cet ensemble : leur frappe est transmise à la boîte de dialogue, déclenchant un comportement gênant.

Comme le montre le code ci-dessus, on envoie à la réception de *WM_GETDLGCODE* une autre constante appelée *DLGC_WANTALLKEYS*. Elle permet au contrôle de réceptionner toutes les touches tant qu'il possède le focus : non seulement les caractères et les touches de direction mais aussi les touches *Return* et *Escape*. On évite ainsi que la boîte de dialogue y réagisse malencontreusement.

Il faut normalement veiller à démonter la dérivation lorsqu'on n'en a plus besoin. En rappelant *SetWindowLong()* on rétablira la procédure de traitement des messages d'origine. Dans le cas présent on pourra s'en passer car le contrôle d'édition est automatiquement détruit par le contrôle TreeView lorsque la saisie est terminée.

44.2.10. Classement

Pour classer les éléments d'une arborescence dans un certain ordre, on peut à nouveau se servir de deux messages *TVM* émis vers le contrôle TreeView. *TVM_SORTCHILDREN* délenche un classement alphanumérique. *TVM_SORTCHILDRENCB* implique davantage l'application en se servant d'une fonction de rappel librement programmée pour comparer deux éléments. On peut ainsi modifier l'ordre de classement alphanumérique (par exemple dans le sens descendant) ou faire intervenir des critères de tri complètement différents qui ne reposent pas sur les étiquettes mais sur des données référencées par le paramètre *lParam* d'une structure TV_ITEM.

Voici d'abord la macro *TreeView_SortChildren()* pour le classement automatique avec

TVM_SORTCHILDREN :

```
#define TreeView_SortChildren(hwnd, hitem, recurse) \
    (BOOL)SendMessage((hwnd), TVM_SORTCHILDREN, \
                    (WPARAM)recurse, (LPARAM)(HTREEITEM)(hitem))
```

Le paramètre *lParam* transmet le handle d'un élément du contrôle TreeView, lequel marque le point de départ du classement. Il doit s'agir d'un élément qui a des enfants. Ils seront classés par l'émission du message. Si le classement doit s'étendre à tous les descendants, il faut donner la valeur TRUE à l'argument recurse.

Le classement a pour effet de changer l'ordre des éléments mais il laisse intacts leurs handles.

Dans la version étendue, il faut mettre dans *lParam* l'adresse d'une structure de type *TV_SORTCB* qui aura été remplie au préalable. *wParam* contient comme précédemment l'indicateur de récursion.

```
#define TreeView_SortChildrenCB(hwnd, psort, recurse) \
    (BOOL)SendMessage((hwnd), TVM_SORTCHILDRENCB,
                    (WPARAM)recurse, (LPARAM)(LPTV_SORTCB)(psort))
```

Le point de départ du classement est à spécifier dans le champ *hParent* de la structure *TV_SORTCB*. Dans *lpfnCompare* on dépose l'adresse de la fonction de rappel et dans *lParam* une valeur quelconque qui est mentionnée à chaque invocation de la fonction de rappel pour établir un lien entre le rappel et l'initiateur de l'opération de classement.

```
typedef struct {
    HTREEITEM       hParent;        // Handle de l'élément de départ
    PFNTVCOMPARE    lpfnCompare;    // Adresse de la fonction de rappel
                                    // qui détermine l'ordre
    LPARAM          lParam;         // Entier long pour la fonction de rappel
} TV_SORTCB, FAR *LPTV_SORTCB;
```

La déclaration du type de pointeur de fonction *PFNTVCOMPARE* éclaire la syntaxe de la fonction de rappel.

```
typedef int (CALLBACK *PFNTVCOMPARE)(
    LPARAM lParam1,         // lParam du TV_ITEM du 1er élément de comparaison
    LPARAM lParam2,         // lParam du TV_ITEM du second élément
    LPARAM lParamSort       // lParam de TVM_SORTCHILDRENCB
    );
```

Les deux premiers paramètres du type *lParam* représentent les deux éléments à comparer. Contrairement à ce qui se passe d'habitude, les deux éléments ne sont pas référencés par leur handle, mais par la valeur du champ *lParam* que l'on a indiquée à la création de chacun d'eux dans la structure *TV_ITEM*. On part donc du principe que les informations requises pour le classement peuvent être atteintes par ce paramètre.

Elles peuvent s'y trouver directement mais *lParam* peut aussi pointer sur une structure de données qui les contient.

On pourrait par exemple utiliser *lParam* pour y stocker son propre ordre de classement en y mémorisant des numéros de 1 à n. En comparant leurs deux numéros, la fonction de rappel aura vite fait de trouver lequel des deux éléments précède l'autre.

Indépendamment de la manière dont la fonction de rappel détermine l'ordre de classement de deux éléments, elle doit communiquer son appréciation à l'appelant. Le résultat renvoyé sera :

O   Une valeur inférieure à 0 ... si l'élément cité en premier se place avant le deuxième,
O   La valeur 0 ... si les deux éléments sont équivalents,
O   Une valeur supérieure à 0 si l'élément cité en dernier se place avant le premier.

L'exemple de code suivant montre comment utiliser *TVM_SORTCHILDRENCB* pour effectuer un classement alphanumérique descendant.

Il faut évidemment disposer de l'étiquette de chaque élément à laquelle on doit pouvoir accéder par *lParam*. C'est pourquoi à chaque création d'un élément on a initialisé *lParam* en y mémorisant le handle de cet élément, grâce à un appel à *TVM_SETITEM*.

Comme *lParam* contient à présent le handle de chaque élément, la fonction de classement peut faire appel à *TVM_GETITEM* pour lire les étiquettes des deux éléments à comparer.

```
TV_SORTCB tvs;

tvs.hParent = hItem;                          // Elément dont il faut classer les enfants
tvs.lpfnCompare = CompareFunc;                // Fonction de comparaison
tvs.lParam = (LPARAM)hTreeView;               // Handle du contrôle TreeView comme paramètre utilisateur


TreeView_SortChildrenCB(hTreeView, &tvs, FALSE);   //On classe


...

                                   // Le paramètre lParam de chaque élément a été rempli via
                                   // TreeView_SetItem() avec le handle de cet élément !!!


int CALLBACK CompareFunc(LPARAM lParam1,      // Handle du 1er élément
                         LPARAM lParam2,      // Handle du 2me élément
                         LPARAM lParamSort)   // Handle du contrôle TreeView
{
  TV_ITEM tvi1, tvi2;
  char Text1[MAX_PATH],
       Text2[MAX_PATH];

  tvi1.mask      = TVIF_TEXT;
  tvi1.pszText   = Text1;
  tvi1.cchTextMax = sizeof(Text1);
  tvi1.hItem     = (HTREEITEM)lParam1;
  TreeView_GetItem((HWND)lParamSort, &tvi1);     // Etiquette du 1er élément

  tvi2.mask      = TVIF_TEXT;
  tvi2.pszText   = Text2;
```

```
    tvi2.cchTextMax = sizeof(Text2);
    tvi2.hItem      = (HTREEITEM)lParam2;
    TreeView_GetItem((HWND)lParamSort, &tvi2);        // Etiquette du 2me élément

    return lstrcmp(Text1, Text2);                     // On compare
}
```

44.2.11. Tracé propriétaire

Le contrôle TreeView ne connaît pas de tracé propriétaire (owner draw) au sens propre du terme, ce qui permettrait à une application de dessiner elle-même les différents éléments d'une arborescence. Une application peut cependant influencer l'étiquette d'un élément pendant son affichage pour la déterminer individuellement caractère par caractère. Ce mécanisme ne se justifie pas seulement si on souhaite influencer dynamiquement les étiquettes affichées mais également si on doit préserver les différents textes des étiquettes dans des structures de données propres.

Le contrôle TreeView offre cette possibilité grâce à une notification appelée *TVN_GETDISPIN-FO*. Elle est envoyée à la fenêtre parente chaque fois que le texte d'une étiquette doit être lu au cours de son affichage. Ce n'est pas là une circonstance habituelle, car à la création d'un élément par *TV_INSERTITEM* on indique d'ordinaire dans le champ *TV_ITEM.pszText* le texte de l'étiquette, de sorte qu'il n'est pas nécessaire par la suite de relire ce texte pendant son affichage. A la place d'une véritable référence sur une chaîne de caractères une application peut à la création d'un élément mettre dans *TV_ITEM.pszText* la constante prédéfinie *LPSTR_TEXTCALLBACK*. A partir de ce moment le texte d'une étiquette sera renseigné à chaque affichage par la notification *TVN_GETDISPINFO*.

En fait une application n'a pas besoin de déterminer une fois pour toutes si l'ensemble des étiquettes sera renseigné ou non au moment de l'affichage. Elle peut décider élément par élément de la manière dont les étiquettes seront disponibles. A l'arrivée d'une notification *TVN_GETDISPINFO*, le paramètre *lParam* contient un pointeur sur une structure *TV_DISPIN-FO*. Le champ *item* présente une structure *TV_ITEM* dans laquelle les champs *hItem*, *state* et *lParam* décrivent l'élément concerné. Seul *pszText* n'est pas encore initialisé, ce qui doit être rattrapé à présent pour que le contrôle puisse afficher l'étiquette.

```
typedef struct {
    NMHDR    hdr;                     // En-tête habituel d'une notification
    TV_ITEM  item;                    // Elément concerné
} TV_DISPINFO;
```

Il est évident que ce message doit être traité le plus rapidement possible, il ne s'agit pas de farfouiller à ce moment sur son disque dur. Toute négligence à ce sujet se traduit par une perte de vitesse nettement perceptible à l'affichage.

Si on utilise ce mécanisme, on entrera aussi en contact avec la notification *TVN_SETDISPINFO*. Le moment précis est celui où l'utilisateur a édité une étiquette dont le texte a été fixé par *LPSTR_CALLBACK*. Ce dernier n'étant pas mémorisé dans l'élément lui-même, le propriétaire devra être mis en situation de transférer les modifications opérées dans la mémoire qu'il a réservée pour l'étiquette. Si cette précaution n'est pas prise, la prochaine notification *TVN_GETDISPINFO* renverra l'ancienne étiquette et l'utilisateur s'étonnera de ne pas voir ses changements pris en compte.

Le paramètre *lParam* de *TVN_SETDISPINFO* contient à nouveau l'adresse d'une structure *TV_DISPINFO* avec l'élément concerné dans le champ *item*. Les champs *hItem*, *state* et *lParam* de la structure *TV_ITEM* sont initialisés, de sorte qu'on peut identifier l'élément sans ambiguïté.

Dans *pszText*, on trouve un pointeur sur la nouvelle chaîne de caractères qui correspond à la nouvelle version de l'étiquette tapée par l'utilisateur.

44.2.12. Réactions aux événements de la souris et du clavier

Bien que le contrôle reconnaisse et commande lui-même le développement et la réduction des éléments, une application peut désirer réagir elle-même aux événements de la souris et du clavier liés à un contrôle TreeView, par exemple pour déclencher telle ou telle action lorsqu'on clique une ou deux fois sur un élément. On est alors dépendant de la notification associée. Tout comme pour les notifications TreeView (*TVN_*), le contrôle recourt à un message *WM_NOTIFY* qu'il envoie à son parent. Le paramètre *lParam* référence alors comme d'habitude une structure *NMHDR* qui donne l'origine du message (champ *hwndFrom*) et son code proprement dit (champ *code*).

```
typedef struct {
    HWND hwndFrom;          // Handle de fenêtre de l'émetteur
    UINT idFrom;            // ID du contrôle de l'émetteur
    UINT code;              // Code du message
} NMHDR;
```

Ce procédé étant standardisé pour toute une série de contrôles, les événements de la souris ne donnent pas lieu à des notifications *TVN* spécialisées, mais à des notifications *NM* ordinaires. Le tableau suivant montre qu'elles informent également la fenêtre parente de la réception ou de la perte du focus.

NM_CLICK	Clic gauche sur l'aire client
NM_DBLCLICK	Double clic gauche sur l'aire client
NM_RCLICK	Clic droit sur l'aire client
NM_RDBLCLICK	Double clic droit sur l'aire client
NM_RETURN	Frappe de la touche <Return> pendant que le contrôle avait le focus
NM_SETFOCUS	Le contrôle a reçu le focus
NM_KILLFOCUS	Le contrôle a perdu le focus

Il est vrai que les informations de la structure *NMHDR* sont un peu maigres. Ce sont surtout les événements de la souris qui pourraient fournir davantage d'informations, notamment la position du pointeur et le handle de l'élément situé au-dessous. Mais on peut rechercher soi-même ces données en commençant par appeler la fonction API *GetCursorPos()* qui mémorise la position du pointeur dans un argument de structure *POINT*. En retour on obtient des coordonnées d'écran à mettre en relation avec l'aire client du contrôle. On appelle à cet effet la fonction API *ScreenToClient()* avec la structure *POINT* obtenue précédemment et le handle du contrôle *TreeView*. Les coordonnées sont alors rapportées à une nouvelle origine représentée par le coin supérieur gauche de l'aire client du contrôle. Les déclarations des deux fonctions API exploitées figurent dans le fichier d'inclusion *WINUSER.H*.

Après cette conversion il faut déterminer à quel élément se rapporte l'événement de souris enregistré. C'est le message *TVM_HITTEST* ou la macro associée *TreeView_HitTest()* qui va s'en charger, comme on l'a vu en section 44.2.8. Si à l'émission du message par *SendMessage()* on obtient une valeur différente de NULL, le point indiqué a pu être mis en relation avec un élément du contrôle. La valeur de retour correspond dans ce cas au handle de l'élément, également mentionné dans le champ *hItem* de la structure *TV_HITTESTINFO*. La séquence de programme ci-après montre comment le parent d'un contrôle TreeView réagit dans sa procédure de traitement des messages à la notification *NM_DBLCLICK* en indiquant l'élément cliqué et son étiquette. Les renseignements sont affichés dans une boîte *MessageBox()*.

```
/**********************************************************************/
/* DlgProc - Procédure de dialogue                                    */
/*--------------------------------------------------------------------*/
/* Arguments       : standard                                         */
/* Valeur de retour : standard                                        */
/**********************************************************************/
BOOL WINAPI DlgProc(HWND hWnd, UINT wMsg, WPARAM wp, LPARAM lp)
{
                                           // Variables statiques pour simplifier l'accès ——
  static HWND hTreeView;                   // Handle du contrôle TreeView

  switch(wMsg)
  {
    case WM_NOTIFY:
      switch(LOWORD(wp))
      {
        case IDC_TREEVIEW:
        {
          LPNM_TREEVIEW pnmtv = (LPNM_TREEVIEW)lp;
          switch(pnmtv->hdr.code)
          {
            case NM_DBLCLK:                    // Double clic
            {
              TV_HITTESTINFO tvhtst;
              HTREEITEM hItem;

              GetCursorPos(&tvhtst.pt);        // Lit les coordonnées souris
                                               // Conversion en coordonnées TV
              ScreenToClient(hTreeView, &tvhtst.pt);

                                               // Quel est l'élément situé au-dessous du pointeur ?
              hItem = TreeView_HitTest(hTreeView, &tvhtst);
              if(hItem)                        // Y a-t-il seulement un élément ?
              {
                TV_ITEM tvi;
                char szText[MAX_PATH];

                tvi.mask = TVIF_TEXT;          // Pour lire l'étiquette
                tvi.hItem = hItem;
                tvi.pszText = szText;
                tvi.cchTextMax = sizeof(szText);
                TreeView_GetItem(hTreeView, &tvi);

                MessageBox(hWnd, szText, "Double clic", 0);
              }
              else MessageBox(hWnd, "Raté!", "Double clic", 0);
            }
            break;
          }
        }
      }
      break;
  }
  return FALSE;
}
```

Réaction aux événements du clavier

Mis à part la notification *NM_RETURN* qui répond à la frappe de la touche <Return>, le parent reçoit les codes des touches tapées par une notification spécialisée du contrôle TreeView. Cette notification appelée *TVN_KEYDOWN* apparaît dans le cadre d'un message *WM_NOTIFY*. Elle intervient quand le contrôle TreeView possède le focus et que l'utilisateur tape un touche quelconque. Dans le paramètre *lParam* du message on trouve l'adresse d'une structure *TV_KEYDOWN* qui donne des informations plus précises sur l'événement.

```
typedef struct {
    NMHDR  hdr;                  // Structure NMHDR habituelle avec des informations
                                 // sur l'origine et le message
    WORD   wVKey;                // Code virtuel de la touche tapée
    UINT   flags;                // 0
} TV_KEYDOWN;
```

A côté de la structure *NMDHR* usuelle qui dans le champ *code* contient le code *TVN_KEY-DOWN*, on lit dans le champ *wVKey* le code virtuel de la touche tapée. En fonction de la logique désirée, on sera amené à exploiter ce code pour réagir de façon appropriée. Le champ *flags* n'est pas utilisé ici et contient par conséquent la valeur 0.

44.2.13. Glisser/Déplacer

Si on ne veut pas afficher statiquement une arborescence TreeView mais offrir à l'utilisateur la possibilité de déplacer les éléments et les branches de façon dynamique, on sera amené à introduire une implémentation du mécanisme Glisser/Déplacer. Le contrôle TreeView accorde un certain support à cette technologie, mais il reste beaucoup de travail au développeur pour la faire fonctionner. Il ne suffit pas d'appeler une simple fonction ou d'émettre un message *TVM*. C'est la procédure de traitement des messages de la fenêtre parente qui doit fournir le code de programme supplémentaire pour répondre aux messages impliqués. L'ensemble paraît quelque peu fastidieux et complexe au premier abord, mais une fois qu'on en a pris l'habitude, le code coule presque de source. Il est vrai que les traitements, les messages et les structures de données concernés peuvent s'appliquer plus ou moins de la même façon aux autres contrôles système.

Le code présenté ci-après concerne l'exemple *TVDEMO* exposé à la fin du chapitre. Il permet à l'utilisateur de configurer l'arborescence d'une manière très souple, en effectuant une opération Glisser/Déplacer sur des éléments isolés ou des branches complètes.

Lancement d'une opération Glisser

Le contrôle TreeView détecte lui-même le début d'une opération Glisser : il envoie aussitôt une notification *TVN_BEGINDRAG* ou *TVN_BEGINRDRAG* à la fenêtre parente du contrôle. La première de ces notifications correspond à l'enfoncement du bouton gauche de la souris (*TVN_BEGINDRAG*), la seconde à l'enfoncement du bouton droit (*TVN_BEGINRDRAG*).

Celà ne fonctionne que si dans le style de fenêtre du contrôle vous n'avez pas activé explicitement l'indicateur *TVS_DISABLEDRAGDROP*. Dans ce cas toute opération Glisser/Déplacer est étouffée dans l'oeuf, le contrôle n'y réagissant pas et n'envoyant aucune notification correspondante à la fenêtre parente. Mais si on obtient une des deux notifications, le paramètre *lParam* contient dans les deux cas un pointeur sur une structure *NM_TREEVIEW*.

```
typedef struct {
    NMHDR    hdr;                // En-tête de message avec code de la notification
    UINT     action;            // Sans signification
    TV_ITEM  itemOld;           // Non initialisé
    TV_ITEM  itemNew;           // Structure TV_ITEM avec le nouvel élément
    POINT    ptDrag;            // Position du pointeur de la souris
} NM_TREEVIEW;
```

C'est par le champ *hdr* que la notification qui voyage dans les bagages du message *WM_NO-TIFY* se révèle être du type *TVN_BEGINDRAG*, identifiant de même le contrôle émetteur. L'élément *TV_ITEM* du champ *itemOld* n'est pas initialisé mais *itemNew* décrit l'élément que l'utilisateur a fait glisser. Les champs *hItem*, *state* et *lParam* de cette structure sont remplis de façon à identifier l'entrée sans ambiguïté.

Le champ *ptDrag* de la structure *NM_TREEVIEW* est initialisé avec les coordonnées du point sur lequel l'utilisateur a cliqué au début de l'opération Glisser. Ce point est dans le domaine de l'élément *itemNew*, sinon le contrôle n'aurait pas déclenché la notification. Il est évalué par rapport au coin supérieur gauche de l'aire client du contrôle et sera exploité un peu plus tard.

Les données de l'élément *itemNew* sont généralement à transférer dans une variable statique car d'autres informations vont encore survenir dans la procédure de fenêtre du parent avant qu'on puisse les reprendre au moment où l'utilisateur relâche l'élément.

Réglage de l'icône glissante

L'étape suivante consiste à dessiner une icône qui dans le cadre de l'opération Glisser va se déplacer à travers l'écran en même temps que le pointeur de la souris. Le contrôle TreeView propose à cet effet le message appelé *TVM_CREATEDRAGIMAGE* qui correspond à la macro *TreeView_CreateDragImage()*.

```
#define TreeView_CreateDragImage(hwnd, hitem) \
    (HIMAGELIST)SendMessage((hwnd), TVM_CREATEDRAGIMAGE, \
                            0, (LPARAM)(HTREEITEM)(hitem))
```

En envoyant ce message, on met à 0 le paramètre *wParam* et dans *lParam* on indique le handle de l'élément tel qu'il a été trouvé dans *NM_TREEVIEW.newItem.hItem*. Le résultat de l'envoi est le handle d'une liste d'images créée par le contrôle pour l'exécution de l'opération Glisser. Cette liste d'images contient en fait une seule icône qui regroupe le dessin de l'élément et son étiquette. Pendant l'opération Glisser elle accompagne le pointeur de la souris pour donner une indication visuelle à l'utilisateur. Mais il faut que le programme s'en occupe comme on va le voir.

Auparavant l'icône glissante doit d'abord être définie comme telle par la fonction *ImageList_BeginDrag()*. Il s'agit pour elle d'acquérir une sorte de statut officiel. La fonction attend comme arguments le handle de la liste d'images, l'indice de l'icône (toujours 0 ici), ainsi que la distance entre le foyer du pointeur (hotspot) et le coin supérieur gauche de l'icône.

```
BOOL ImageList_BeginDrag(     // Démarre le glissement avec une icône de la liste d'images
    HIMAGELIST himl,          // Handle de la liste d'images
    int iTrack,               // Numéro de l'icône
    int dxHotspot,            // Dist. X entre point glissant et coin sup. gauche de l'icône
    int dyHotspot             // idem Y (les deux indications en pixels)
    );
```

Les paramètres *dxHotspot* et *dyHotspot* représentent la distance entre le foyer du pointeur de la souris au début de l'opération et le coin supérieur gauche de l'élément sous-jacent de l'arborescence. Pendant qu'on déplace l'icône à travers l'écran, cette distance doit demeurer constante sinon l'utilisateur aura l'impression désagréable de voir flotter l'image située sous le pointeur. Le déplacement de l'icône doit accompagner rigoureusement celui du pointeur, la distance entre les deux étant maintenue en fonction du paramètre ad hoc communiqué à *ImageList_BeginDrag()*. Malheureusement le contrôle TreeView ne permet pas de déterminer exactement la distance entre la position de la souris au point de glissement et le coin supérieur gauche de l'élément sous-jacent. Même l'Explorateur s'arrange pour donner aux coordonnées hotspot la valeur 0, ce qui clôture le débat.

Dans l'étape suivante on s'enquiert de la position courante du pointeur de souris par le moyen de la fonction API *GetCursorPos()*. Les coordonnées renvoyées sont communiquées à la fonction *ImageList_DragEnter()* qui prend également le handle d'une fenêtre. Ce handle définit la fenêtre de délimitation du glissement. L'icône glissante est coupée lorsqu'elle en atteint les bords et disparaît au-delà.

```
BOOL ImageList_DragEnter(
    HWND  hwndLock,            // Fenêtre de délimitation du glissement
    int   x,                  // Abscisse X du premier affichage de l'icône glissante
    int   y                   // dans la fenêtre. Idem, ordonnée Y
    );
```

Si on indique NULL pour l'argument *hwndLock*, l'intégralité du bureau est considérée comme fenêtre d'exécution du glissement. Les coordonnées qui constituent les autres arguments se réfèrent au coin supérieur gauche de la fenêtre indiquée et définissent la position de la première apparition de l'icône glissante. Si le bureau constitue la fenêtre de délimitation, les coordonnées sont des coordonnées absolues d'écran.

Opération suivante : les événements de la souris doivent être capturés par la fenêtre parente du contrôle TreeView (dans le cas présent la boîte de dialogue), ce qui s'effectue à l'aide de la fonction API *SetCapture()*. On s'assure ainsi que l'utilisateur peut promener le pointeur de la souris à travers l'écran sans que les contrôles traversés reçoivent des messages de la souris. Pendant le glissement, les autres contrôles doivent en effet se comporter en spectateurs silencieux et passifs. Après l'invocation de *SetCapture()*, tous les messages de la souris sont directement envoyés à la procédure de la fenêtre indiquée au moment de l'appel, même si le pointeur de la souris se trouve en dehors de son domaine.

La séquence de code qui suit montre les étapes qui viennent d'être expliquées. Il s'agit du début de la procédure de traitement des messages de la boîte de dialogue issue du programme *TVDEMO*, livré sur le CD-ROM d'accompagnement et présenté à la fin de ce chapitre. A la réception d'un message *WM_NOTIFY*, on détecte la notification *TVN_BEGINDRAG* et en supplément des actions décrites on active un indicateur de glissement interne appelé *bDragging*. Il va rappeler à la procédure lors de l'arrivée du prochain message qu'elle se trouve encore dans un contexte de glissement. Par ailleurs le handle de l'élément glissé est mémorisé dans la variable *hDragItem* pour qu'on puisse de nouveau y accéder au moment où il est relâché.

```
BOOL WINAPI DlgProc(HWND hWnd, UINT wMsg, WPARAM wp, LPARAM lp)
{
                                // Variables statiques pour simplifier l'accès ———————
    static HWND        hTreeView;     // Handle du contrôle TreeView
    static BOOL        bDragging;     // Glissement en cours ?
    static HTREEITEM   hDragItem;     // Elément déplacé
    static HTREEITEM   hDropTarget;   // Elément de destination
    static HIMAGELIST  hDragImage;    // Icône glissante
```

```
switch(wMsg)
{
  case WM_NOTIFY:
    switch(LOWORD(wp))
    {
      case IDC_TREEVIEW:
      {
        LPNM_TREEVIEW pnmtv = (LPNM_TREEVIEW)lp;
        switch(pnmtv->hdr.code)
        {
          case TVN_BEGINDRAG:              // Initialise l'opération Glisser
          {
            POINT pt;
                                           // Détermine l'icône glissante ───────────
            hDragImage = TreeView_CreateDragImage(hTreeView,
                                                  pnmtv->itemNew.hItem);

                                           // Fixe la distance de l'icône ───────────
            if(!ImageList_BeginDrag(hDragImage, 0, 0, 0))
              return FALSE;

                                           // Introduit un pointeur personnalisé ─────────
            ImageList_SetDragCursorImage(g_hDragCursors,
                                         0,
                                         -CRSR_HOTX,
                                         -CRSR_HOTY);

            ShowCursor(FALSE);   //Désactive le pointeur système

            pt.x = pnmtv->ptDrag.x;
            pt.y = pnmtv->ptDrag.y;

            ClientToScreen(hTreeView, &pt);

                                           // Introduit le glissement et prépare le buffer ───────
            ImageList_DragEnter(NULL, pt.x, pt.y);

            SetCapture(hWnd);        // Capture les événements souris

            bDragging = TRUE;        // Glissement lancé
            hDropTarget = 0;         //          Pas encore de destination

                                           // Mémorise l'élément glissant ───────────
            hDragItem = pnmtv->itemNew.hItem;
          }
          break;
        }
      }
      break;
    }
  break;
}
}
```

Gestion du déplacement de l'icône glissante

Après le lancement de l'opération Glisser, on se trouve en mode de glissement jusqu'à ce que l'utilisateur relâche le bouton de la souris, et que la procédure de traitement des messages reçoive un message *WM_LBUTTONUP* ou *WM_RBUTTONUP*. Aussi à chaque déplacement de la souris et réception d'un message *WM_MOUSEMOVE*, il faut faire suivre l'élément glissé. En même temps il faudra le cas échéant marquer les éléments d'écran situés sous le pointeur de la souris comme destinations candidates au relâchement. Le contrôle TreeView prévoit à cet effet un indicateur de style spécialisé appelé *TVIS_DROPHILITED* que l'on peut ancrer dans le champ *state* de la structure *TV_ITEM* d'un élément au moyen de *TVM_SETITEM*.

Il faut du code de programme supplémentaire pour identifier l'élément situé sous l'icône glissante avant de pouvoir répondre à la question de savoir s'il convient comme destination du déplacement. La complexité des procédures dépend de l'effet recherché. Les éléments du même contrôle TreeView sont-ils les seuls destinations possibles ou faut-il inclure d'autres éléments de l'écran ?

Ici nous nous contenterons de prendre en considération des destinations situées à l'intérieur de la même arborescence : l'élément déplacé ne pourra être relâché qu'au-dessus d'un autre élément du même contrôle TreeView. Pendant qu'un élément glisse par-dessus un autre, ce dernier devra être marqué par *TVIS_DROPHILITED* comme destination potentielle de l'opération.

Tant qu'il s'agit simplement de pousser l'icône glissante parallèlement aux déplacements du pointeur de souris, la tâche serait relativement facile car la fonction *ImageList_DragMove()* rassemble toutes les opérations à exécuter. D'abord elle efface l'icône glissante de son ancienne position, elle restaure l'écran sous-jacent puis redessine l'icône à sa nouvelle position. Si on a débuté une opération Glisser en appelant *ImageList_BeginDrag()*, il suffit à chaque réception d'un message *WM_MOUSEMOVE* d'appeler *ImageList_DragMove()* pour synchroniser le déplacement de l'icône glissante. Les arguments à fournir sont les coordonnées obtenues en *lParam* dans le cadre du message *WM_MOUSEMOVE*.

Il est vrai qu'auparavant il faut les rapporter à la fenêtre indiquée dans *ImageList_DragEnter()*, ce qui veut dire ici au coin supérieur gauche de l'écran. La fonction API *ClientToScreen()* à laquelle on communique le handle de fenêtre de la boîte de dialogue et les coordonnées s'acquitte facilement de cette mission.

Voici la fonction *ImageList_DragMove()* qui reçoit comme arguments les coordonnées ainsi traitées :

```
BOOL ImageList_DragMove(
    int x,                      // Nouvelle abscisse X (par rapport au Bureau)
    int y                       // Nouvelle ordonnée Y (par rapport au Bureau))
);
```

Il faut veiller ici à ne pas tomber dans le piège tendu par le marquage de la destination potentielle au moyen du style *TVIS_DROPHILITED*. Si l'utilisateur bouge le pointeur de souris, il peut quitter le domaine de l'élément marqué jusqu'ici qu'il faut donc rétablir dans son état initial. En même temps le pointeur passe dans la zone d'influence d'un autre élément qui doit être marqué à la place de l'ancien comme nouvelle destination.

Pour savoir si le pointeur de la souris se trouve à l'issue de son déplacement au-dessus d'un autre élément de l'arborescence, on se sert tout simplement du message *TVM_HITTEST*. Seule difficulté, les coordonnées indiquées doivent se référer au coin supérieur gauche du contrôle alors que les coordonnées recueillies dans le cadre de *WM_MOUSEMOVE* ont pour origine le coin supérieur gauche de la fenêtre communiquée à *SetCapture()*.

Le code doit donc effectuer une conversion. Les coordonnées issues de *WM_MOUSEMOVE* sont à transmettre à la fonction API *ClientToScreen()* qui les recalcule par rapport au coin supérieur gauche de l'écran. Cette fonction attend comme arguments le handle de fenêtre de la boîte de dialogue ainsi que les anciennes coordonnées. On appelle ensuite *ScreenToClient()* en indiquant en plus des coordonnées obtenues précédemment le handle du contrôle Tree-View. Le point renvoyé mesure la distance du pointeur de souris par rapport au coin supérieur gauche de l'aire client du contrôle TreeView. Telles sont alors les coordonnées dont on a besoin pour émettre correctement le message *TVM_HITTEST*. On apprend ainsi si le pointeur de la souris et l'icône glissante se trouvent au-dessus d'une destination potentielle de déplacement.

Marquage des destinations de déplacement

Lorsque l'état d'un élément situé sous le pointeur de la souris est amené à changer, il ne faut pas oublier auparavant de rendre invisible l'icône glissante. Sinon à l'issue de l'appel à *ImageList_DragMove()*, il y a aura restauration de l'écran sous-jacent à l'endroit où se situait l'icône glissante. Or l'ancien contenu de l'écran ne correspond plus à l'affichage de l'élément tel qu'il vient d'être modifié. Avant de changer l'état d'un élément situé sous l'icône glissante, on commence donc par invoquer la fonction *ImageList_DragShowNoLock()* pour faire disparaître l'icône glissante. On peut alors modifier tranquillement l'élément en question (en le redessinant). Ensuite on ramène l'icône glissante en rappelant une nouvelle fois la même fonction.

```
BOOL ImageList_DragShowNolock(
    BOOL fShow                         // Afficher l'icône glissante (TRUE ou FALSE) ?
  );
```

Le seul argument requis par cette fonction est TRUE si l'icône est à afficher et FALSE si on veut la faire disparaître.

L'extrait de code suivant montre comment réagir à la réception d'un message *WM_MOUSE-MOVE* pendant un glissement :

```
case WM_MOUSEMOVE:
    {
        if(bDragging)                      // Opération Glisser en cours ?
        {
            HTREEITEM hItem;
            TV_HITTESTINFO tvhtst;

                                           // Nouvelle position de la souris ────────
            tvhtst.pt.x = LOWORD(lp);
            tvhtst.pt.y = HIWORD(lp);

                                           // Quel est l'élément situé au-dessous du pointeur ? ─────
            hItem = TreeView_HitTest(hTreeView, &tvhtst);

            if(hItem != hDropTarget)
            {
                                           // Fait disparaître l'icône glissante ───────────
                ImageList_DragShowNolock(FALSE);
```

```
                                    // L'élément sous le pointeur est
        SetDropHighlight(hTreeView,  // une nouvelle destination de déplacement
                     hItem,
                     hDropTarget);
        hDropTarget = hItem;         // Mémorise la destination

                                    // Rétablit l'icône glissante ──────────
        ImageList_DragShowNolock(TRUE);
    }
    ClientToScreen(hTreeView, &tvhtst.pt);
                                    // Déplace l'icône glissante
                                    // jusqu'à la pos.du pointeur de la souris
    ImageList_DragMove(tvhtst.pt.x,
                     tvhtst.pt.y);
                                    // La forme du pointeur indique si le déplacement
                                    // sur la destination est autorisé
    ImageList_SetDragCursorImage(g_hDragCursors,
                         IsChildOf(hTreeView,
                             hDragItem,
                             hDropTarget)?1:0,
                         -CRSR_HOTX,
                         -CRSR_HOTY);
    }
}
break;
```

Conclusion d'une opération Glisser

L'opération Glisser se termine par le relâchement du bouton de la souris, ce qui se répercute dans la procédure de traitement des messages par la réception de *WM_LBUTTONUP* (ou *WM_RBUTTONUP*). Les messages *WM_MOUSEMOVE* reçus précédemment permettent au programme de reconnaître la destination du déplacement au-dessus de laquelle se trouve à présent le pointeur de la souris. En fonction de la logique implémentée, l'objet qu'on a fait glisser doit être lié à la destination mais les modalités précises de cette opération dépendent de chaque cas.

Le code suivant montre tout ce qu'il faut faire pour conclure formellement une opération Glisser. Il se raccorde aux extraits précédents et correspond à la fin de la procédure de traitement des messages de l'exemple *TVDEMO*. On y traite le message *WM_LBUTTONUP* qui marque la fin de l'opération Glisser.

D'une part on appelle *ImageList_DragLeave()* qui constitue la contrepartie de *ImageList_DragEnter()*, la fonction qui déclarait le bureau comme domaine du glissement. Cet appel a notamment pour effet d'effacer de l'écran l'icône glissante.

```
BOOL ImageList_DragLeave(
    HWND  hwndLock  //Handle de la fenêtre où avait lieu l'opération Glisser
    );
```

Le deuxième appel concerne *ImageList_EndDrag()* qui met officiellement fin à l'opération et ne nécessite aucun argument.

```
void ImageList_EndDrag();  //Met fin à l'opération Glisser en cours
```

Enfin on exploite *ImageList_Destroy()* pour libérer l'icône glissante qui avait été créée au début de l'opération par *TVM_CREATEDRAGIMAGE*.

Le dernier acte consiste à mettre fin à la capture de la souris en invoquant la fonction API *ReleaseCapture()* : les autres fenêtre pourront alors recevoir à nouveau des messages en provenance de la souris.

Déplacement d'un sous-arbre

Comme résultat concret d'une opération Glisser, nous allons programmer le déplacement au point destination de l'élément qu'on a fait glisser, avec tous ses descendants. Il faudra faire appel à différentes fonctions internes au programme que vous verrez dans le programme *TVDEMO* présenté à la fin du chapitre : par exemple *CopyTree()* ou *IsChildOf()*. Cette dernière est utilisée pour vérifier si la destination n'est pas un descendant de l'élément qu'on a fait glisser. Dans ce cas il est impossible de procéder au déplacement, en raison d'une contradiction logique.

```
case WM_LBUTTONUP:
    if(bDragging)                                // Fin de l'opération Glisser ?
    {
        ImageList_EndDrag();                     // Initialise la conclusion
        ImageList_DragLeave(NULL);               // Efface l'icône glissante
        ImageList_Destroy(hDragImage);           // Libère la mémoire de l'icône
        SetDropHighlight(hTreeView,              // Affiche la destination normalement
                    NULL,
                    hDropTarget);
        if(hDropTarget)
        {                                        // Le sous-arbre peut-il être transféré
                                                 // jusqu'à la destination ?
            if(!IsChildOf(hTreeView, hDragItem, hDropTarget))
            {
                                                 // Copie le sous-arbre ──────────
                CopyTree(hTreeView, hDropTarget, hDragItem);
                                                 // Efface l'original ──────────
                TreeView_DeleteItem(hTreeView, hDragItem);
            }
        }
        bDragging = FALSE;                       // Plus d'opération Glisser
        ReleaseCapture();                        // Met fin à la capture de la souris
        ShowCursor(TRUE);
    }
break;
```

44.2.14. Programme d'exemple

Le programme qui illustre ce chapitre s'appelle *TVDEMO* et constitue un petit éditeur d'arborescence. Vous trouverez les listings correspondant sur le CD-ROM d'accompagnement.

Il permet de construire un nouvelle arborescence par addition et déplacement d'éléments et de branches, en y associant étiquettes et icônes. A la fin du programme l'ensemble est sauvegardé dans le fichier *TREEVIEW.DAT* situé dans le répertoire de travail courant. Au prochain lancement du programme, l'arborescence est automatiquement rechargée.

Au-dessous du contrôle TreeView, la boîte de dialogue présente plusieurs cases à cocher, lesquelles correspondent à autant de styles de fenêtres que l'on peut attribuer via les constantes *TVIS*. Elles permettent de tester les différents styles et de voir leurs effets sur l'arborescence. Ainsi pour pouvoir éditer a posteriori l'étiquette d'un élément vous devrez activer le style Edit Label.

Sous les cases à cocher, on trouve de petits boutons servant à fixer les icônes de chaque élément. Ces icônes proviennent en principe de la liste des images système. Leur aspect dépend du contenu courant de la liste d'images au moment de l'exécution du programme, ce qui confère une certaine dynamique à l'ensemble. C'est vous-même qui décidez quelle est l'icône qui correspond à tel élément. Dans la structure *TV_ITEM* d'un élément, les champs *iImage* et *iSelectedImage* limitent l'association à deux icônes. Mais dans *TVDEMO* on peut sélectionner deux paires d'icônes. Chaque paire correspond à une icône à l'état normal et une icône à l'état sélectionné. La première paire intervient pour les éléments réduits, la seconde pour les éléments développés. Pour changer automatiquement d'icône quand on développe ou réduit des éléments, le programme modifie l'indice mémorisé dans les champs *iImage* et *iSelectedImage* du contrôle TreeView.

Les quatre informations graphiques sont maintenues dans le paramètre *lParam* d'un élément *TV_ITEM* qui peut toutes les contenir à raison d'un octet par icône. Certes le nombre d'icônes paramétrables est alors limité à 256 mais ce nombre est ici suffisant.

Chaque icône est par ailleurs associée à une icône de recouvrement et une icône d'état qui doit s'afficher à côté de l'icône de base. Les icônes d'état sont également tirées de la liste d'images système. Si on indique 0 pour les deux icônes, elles sont désactivées. Les icônes de recouvrement sont celles issues de la liste d'images système.

Le programme peut être compilé avec le fichier de projet *TVDEMO.MAK*.

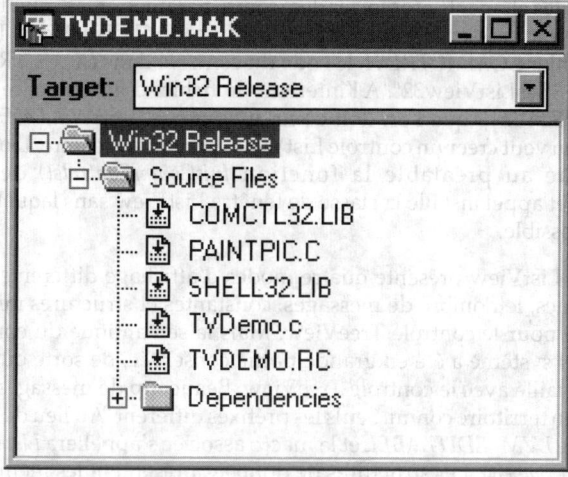

Fichiers du projet TVDEMO

TVDEMO.C

44.3. Le contrôle ListView

Tout comme le contrôle TreeView, le contrôle fait partie des plus éminents représentants de la nouvelle génération des contrôles système. Mais contrairement au contrôle TreeView, le contrôle ListView est un véritable caméléon qui peut se présenter sous quatre formes différentes, librement commutables au moment de l'exécution. Si vous connaissez Windows 95, vous savez déjà ce que cela veut dire car le système exploite souvent ce contrôle, par exemple dans l'Explorateur. Les quatre modes d'affichage du contenu d'un dossier (avec grandes ou petites icônes, comme liste ou avec détails) correspondent aux différents aspects que peut revêtir un contrôle ListView.

Il ne faut cependant pas confondre le contrôle ListView proprement dit avec l'Explorateur. Ce dernier l'exploite pour afficher les fichiers, mais il doit y charger lui-même les icônes et les noms. La fonctionnalité en question n'est pas gérée automatiquement par le contrôle qui ne se sent responsable que de l'affichage des éléments qu'on lui communique. La provenance et la signification de ces derniers constituent le cadet de ses soucis. De même le déplacement des fichiers par glissement de la souris résulte d'une fonctionnalité de l'Explorateur. Le contrôle n'offre à cet égard que quelques fonctions de base, de lui-même il ne sait que faire des documents, programmes ou raccourcis.

Le contrôle ListView est ainsi conçu pour une utilisation plus générale que le seul affichage du contenus de dossiers. Chaque fois qu'un programme désire proposer à l'utilisateur un choix d'informations sous la forme d'une liste tabulaire ou d'un ensemble d'icônes, il pourra recourir avantageusement à ce contrôle.

44.3.1. Communication avec les contrôles ListView

Cette section montre comment mettre en service des contrôles ListView dans vos programmes, comment y charger des éléments, y associer des icônes, paramétrer les colonnes, etc.. Au niveau du langage C, l'interface ressemble souvent à celle du contrôle TreeView. Les déclarations se trouvent dans le fichier *COMMCTRL.H*, le code du contrôle dans *COMCTR32.DLL* et la classe de fenêtre s'appelle "SysListView32". A l'intérieur du fichier d'inclusion, ce nom est repris par la constante *WC_LISTVIEW* que l'on doit communiquer à *CreateWindowEx()* au moment de l'exécution lorsqu'on veut créer un contrôle ListView en tant que fenêtre. L'opération ne réussit que si on invoque au préalable la fonction *InitCommControls()* de la bibliothèque *COMCTL32.DLL*. Cet appel installe la classe de fenêtre ListView sans laquelle aucun affichage du contrôle n'est possible.

Comme le contrôle ListView présente quatre modes d'affichage différents et de nombreuses autres caractéristiques, le nombre de messages, constantes et structures mis en jeu est encore plus important que pour le contrôle TreeView. Mais la sémantique du contrôle TreeView et des autres contrôles système a été en grande partie conservée, de sorte qu'on progresse plus vite si on a déjà travaillé avec le contrôle TreeView. Beaucoup de messages et de mécanismes apparaissent alors en territoire connu. Seuls les préfixes diffèrent. Au lieu de *TVM_EDITLABEL* on aura par exemple *LVM_EDITLABEL* et la macro associée s'appellera *ListView_EditLabel()* au lieu de *TreeView_EditLabel()*. Les structures de données présentent les mêmes analogies. Lorsque pour un contrôle TreeView on indiquait dans le paramètre *lParam* d'un message l'adresse d'une structure *TV_ITEM*, pour un contrôle ListView on indiquera l'adresse d'une structure *LV_ITEM* qui décrit un élément du contrôle.

Avant d'étudier tout cela en détail, voici d'abord une récapitulation des différents messages LVM qui permettent à une application d'accéder à un contrôle ListView. Vous aurez ainsi déjà une première idée de la puissance du contrôle ListView.

Message	Macro associée	Fonction
LVM_ARRANGE	ListView_Arrange()	Classe les icônes en affichage Icônes
LVM_CREATEDRAGIMAGE	ListView_CreateDragImage()	Crée une icône glissante pour l'élément
LVM_DELETEALLITEMS	ListView_DeleteAllItems()	Supprime tous les éléments d'un contrôle ListView
LVM_DELETECOLUMN	ListView_DeleteColumn()	Supprime une colonne du contrôle ListView
LVM_DELETEITEM	ListView_DeleteItem()	Supprime un élément du contrôle
LVM_EDITLABEL	ListView_EditLabel()	Lance l'édition de l'étiquette d'un élément
LVM_ENSUREVISIBLE	ListeView_EnsureVisible()	Assure la visibilité d'un élément donné dans l'aire client du contrôle
LVM_FINDITEM	ListeView_FindItem()	Recherche un élément
LVM_GETBKCOLOR	ListView_GetBkColor()	Renvoie la couleur de fond du contrôle
LVM_GETCOLUMN	ListView_GetColumn()	Renvoie des informations sur une colonne
LVM_GETCOLUMNWIDTH	ListView_GetColumnWidth()	Renvoie la largeur d'une colonne en pixels
LVM_GETCOUNTPERPAGE	ListView_GetCountPerPage()	Indique le nombre de lignes visibles en totalité dans l'aire client du contrôle
LVM_GETEDITCONTROL	ListView_GetEditControl()	Renvoie le handle de fenêtre du contrôle d'édition associé à un élément
LVM_GETIMAGELIST	ListView_GetImageList()	Renvoie le handle d'une liste d'images associée
LVM_GETISEARCHSTRING	ListView_GetISearchString()	Renvoie la chaîne de caractères tapée par l'utilisateur pour la recherche incrémentale
LVM_GETITEM	ListView_GetItem()	Renvoie différents attributs d'un élément
LVM_GETITEMCOUNT	ListView_GetItemCount()	Renvoie le nombre d'éléments du contrôle
LVM_GETITEMPOSITION	ListView_GetItemPosition()	Renvoie la position d'un élément dans les deux vues Icônes
LVM_GETITEMRECT	ListView_GetItemRect()	Dans l'affichage en icônes renvoie la zone d'affichage d'un élément
LVM_GETITEMSPACING	ListView_GetItemSpacing()	Fixe la distance qui sépare les éléments du contrôle ListView
LVM_GETITEMSTATE	ListView_GetItemState()	Renvoie l'état actuel d'un élément
LVM_GETITEMTEXT	ListView_GetItemText()	Renvoie l'étiquette d'un élément
LVM_GETNEXTITEM	ListView_GetNextItem()	Renvoie l'élément suivant qui remplit un critère donné
LVM_GETVIEWORIGIN	ListView_GetViewOrigin()	Renvoie l'origine de la "vue" située dans l'aire client du contrôle
LVM_GETSELECTEDCOUNT	ListView_GetSelectedCount()	Renvoie le nombre d'éléments actuellement sélectionnés
LVM_GETSTRINGWIDTH	ListView_GetStringWidth()	Renvoie la longueur d'une chaîne en pixels, en fonction de la police en vigueur dans le contrôle
LVM_GETTEXTBKCOLOR	ListView_GetTextBkColor()	Renvoie la couleur de fond du texte affiché dans le contrôle ListView
LVM_GETTEXTCOLOR	ListView_GetTextColor()	Renvoie la couleur des caractères affichés dans le contrôle ListView
LVM_GETTOPINDEX	ListView_GetTopIndex()	Dans les affiches Liste et Détaillé renvoie l'indice du premiet élément visible tout en haut de l'aire client du contrôle

Message	Macro associée	Fonction
LVM_GETVIEWRECT	ListView_GetViewRect()	Renvoie le rectangle qui entoure tous les éléments affichés dans l'aire client du contrôle
LVM_HITTEST	ListView_HitTest()	Essaie d'associer un élément à un point de l'écran
LVM_INSERTCOLUMN	ListView_InsertColumn()	Ajoute une colonne au contrôle ListView
LVM_INSERTITEM	ListView_InsertItem()	Ajoute un élément au contrôle ListView
LVM_REDRAWITEMS	ListView_RedrawItems()	Demande au contrôle de réafficher un groupe d'éléments donnés
LVM_SCROLL	ListView_Scroll()	Provoque un défilement horizontal ou vertical des éléments visibles du contrôle ListView
LVM_SETBKCOLOR	ListView_SetBkColor()	Fixe la couleur de fond du contrôle
LVM_SETCOLUMN	ListView_SetColumn()	Fixe les attributs d'une colonne
LVM_SETCOLUMNWIDTH	ListView_SetColumnWidth()	Fixe la largeur d'une colonne
LVM_SETIMAGELIST	ListView_SetImageList()	Met en service l'une des trois listes d'images
LVM_SETITEM	ListView_SetItem()	Fixe différents attributs liés à un élément
LVM_SETITEMCOUNT	ListView_SetItemCount()	Prépare le contrôle pour la mémorisation d'un grand nombre d'éléments
LVM_SETITEMPOSITION	ListView_SetItemPosition()	Dans l'affichage en icônes, déplace un élément à une position donnée
LVM_SETITEMPOSITION32	ListView_SetItemPosition32()	Version étendue de LVM_SETITEMPOSITION avec coordonnées 32 bits
LVM_SETITEMSTATE	ListView_SetItemState()	Fixe l'état courant d'un élément
LVM_SETITEMTEXT	ListView_SetItemText()	Fixe l'étiquette d'un élément
LVM_SETTEXTBKCOLOR	ListeView_SetTextBkColor()	Fixe la couleur de fond du texte
LVM_SETTEXTCOLOR	ListView_SetTextColor()	Fixe la couleur des caractères
TVM_SORTITEMS	ListView_SortItems()	Classe les éléments selon une fonction indiquée par l'utilisateur
LVM_UPDATE	ListView_Update()	Met à jour l'affichage

Notifications ListView

La fenêtre parente du contrôle reçoit toujours les notifications ListView dans le cadre d'un message *WM_NOTIFY*. Le paramètre *wParam* contient l'identificateur ID du contrôle ListView, ce qui permet de connaître l'origine du message. Les notifications elles-même ne sont identifiables que par la structure de type *NMHDR* référencée par *lParam*. Certaines notifications ListView définissent leurs propres structures référencées par *lParam* à l'arrivée du message *WM_NOTIFY*. Mais le premier champ est toujours du type *NMDHR* qui indique l'origine et la destination du message :

```
typedef struct {
    HWND hwndFrom;              // Handle de fenêtre de l'émetteur
    UINT idFrom;               // ID du contrôle de l'émetteur
    UINT code;                 // Code du message
} NMHDR;
```

Le premier champ donne le handle de fenêtre du contrôle émetteur, le deuxième champ précise son identificateur ID que l'on trouve également dans le paramètre *wParam* du message *WM_NOTIFY*. Le champ *code* contient le code de la notification, ce qui donne la signification du message et définit la réaction du parent. Le tableau suivant montre les notifications envoyées par un contrôle ListView. On y trouve également une série de notifications standard liés aux événements de la souris.

Notification ListView	Signification
LVN_BEGINDRAG	Indique le début d'une opération Glisser avec le bouton primaire (gauche) de la souris
LVM_BEGINRDRAG	Indique le début d'une opération Glisser avec le bouton secondaire (droit) de la souris
LVN_BEGINLABELEDIT	Indique le début de l'édition d'une étiquette, la fenêtre parente peut refuser
LVN_COLUMNCLICK	Signale qu'on a cliqué sur la colonne indiquée
LVN_DELETEALLITEMS	Indique à la fenêtre parente que tous les éléments du contrôle ListView ont été supprimés
LVN_DELETEITEM	Indique à la fenêtre parente qu'un élément a été supprimé
LVN_ENDLABELEDIT	Signale la fin de l'édition d'une étiquette
LVN_GETDISPINFO	Demande à la fenêtre parente de fournir les attributs d'un élément pour qu'il puisse être affiché dans le contrôle ListView
LVM_INSERTITEM	Informe la fenêtre parente qu'un élément a été inséré
LVN_ITEMCHANGED	Indique à la fenêtre parente qu'un élément a été modifié
LVN_ITEMCHANGING	Indique à la fenêtre parente qu'un élément va être modifié. La fenêtre parente peut refuser
LVN_KEYDOWN	Signale une frappe de touche
LVN_SETDISPINFO	Signale à la fenêtre parente qu'une étiquette a été éditée et qu'il faut sauvegarder son nouveau contenu

44.3.2. Création dynamique d'un contrôle ListView

Comme la plupart des autres contrôles système, les contrôles ListView peuvent être créés au moment de l'exécution d'un programme par la fonction *CreateWindowEx()*. On obtient alors le handle de fenêtre qui permet d'accéder ensuite au contrôle. Mais cet appel définit avant tout le style de fenêtre du contrôle. L'argument *dwStyle* combinera différentes constantes *LVS* qui commandent l'aspect et le comportement du contrôle ListView créé. Ainsi la séquence de code suivante crée un nouveau contrôle ListView qui s'affiche sous forme d'icônes. Les icônes seront automatiquement alignées par rapport au bord supérieur du contrôle. Ce sont les constantes LVS qui définissent cet aspect.

```
HWND hListView;

InitCommonControls();                          // Initialise les contrôles système

hListView = CreateWindowEx(0,                   // Crée la fenêtre ListView
                    WC_LISTVIEW,                // Classe de fenêtre
                    "",                         // Nom
                    WS_CHILD |                  // Fenêtre enfant
                    WS_VISIBLE |                // Immédiatement visible
                    LVS_ICON |                  // Affichage en icônes
                    LVS_ALIGNLEFT |             // Fixe l'alignement
                    LVS_ALIGNTOP,
                    x,                          // Position
                    y,
                    cx,                         // Dimensions
                    cy,
```

```
                      hParent,                    // Fenêtre parente
                      (HMENU)IDC_LISTVIEW,         // ID de la commande ListView
                      g_hInstance,                 // Instance
                      NULL);                       // Données utilisateur
if (!hListView)                                    // Création réussie ?
{
                                                   // Erreur !
}
```

Les types d'affichage

Le type d'affichage est d'abord indiqué au moment de la création du contrôle, mais il peut être modifié par la suite. On dispose de quatre modes qui présentent parfois des caractéristiques très différentes : l'affichage en icônes standard s'effectue avec de grandes images, l'affichage en petites icônes exploite de petites images, les autres modes étant un affichage en liste et un affichage détaillé sous forme de rapport avec plusieurs colonnes.

Mode d'affichage détaillé

Mode d'affichage liste

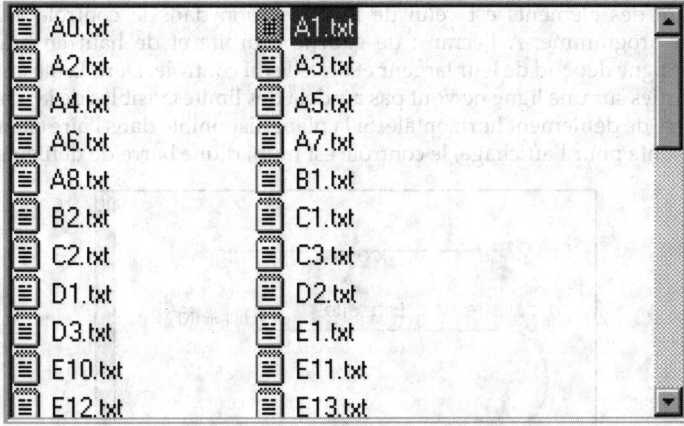

Affichage des petites icônes

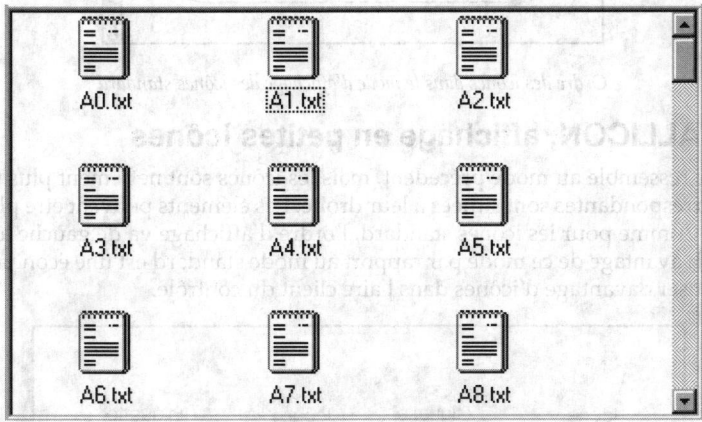

Affichage des icônes standard

Comme le montre les figures ci-dessus, les affichages en grandes et en petites icônes ainsi que l'affichage liste ont un air de ressemblance, alors que l'affichage détaillé s'en distingue assez nettement. Bien entendu chacun de ces modes à son domaine de prédilection. Les trois premiers seront surtout utilisés lorsqu'il s'agira de représenter graphiquement un conteneur quelconque, les différentes éléments étant alors constitués d'une icône munie d'une étiquette assez brève. Les services en ligne du type MSN ou CompuServe exploitent ce contrôle dans leurs browsers, par exemple pour afficher le contenu des forums. On fera plutôt appel à l'affichage détaillé pour présenter des tableaux qui contiennent plus d'informations qu'une simple étiquette.

LVS_ICON, affichage en icônes (standard)

Cet affichage n'est pas véritablement une liste car l'utilisateur voit des icônes sous lesquelles apparaît une étiquette d'une ou plusieurs lignes. Les éléments peuvent être disposés librement par le programme. Avec le support du contrôle, une logique peut être implémentée pour permettre à l'utilisateur d'effectuer des opérations Glisser/Déplacer sur ces éléments. Mais si on indique les constantes LVS appropriées on peut demander au contrôle de maintenir les icônes dans un certain ordre.

A priori l'ordre des éléments est celui de leur insertion dans le contrôle au moment de l'exécution du programme. A l'écran : de gauche à droite et de haut en bas. Le nombre d'éléments par ligne dépend de leur largeur et de celle du contrôle. Dans la mesure du possible les icônes réparties sur une ligne ne vont pas au-delà des limites visibles de la fenêtre, rendant inutile une barre de défilement horizontale. Si la place disponible dans l'aire client du contrôle n'est pas suffisante pour l'affichage, le contrôle est muni d'une barre de défilement verticale.

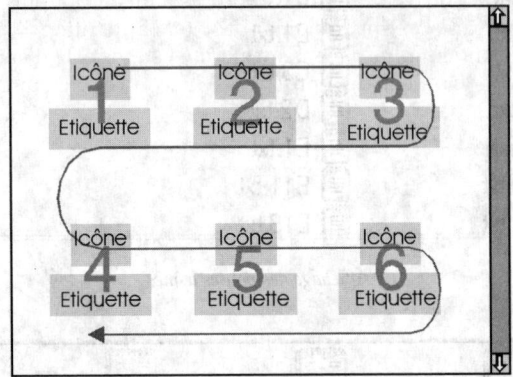

Ordre des icônes dans le mode d'affichage des icônes standard

LVS_SMALLICON, affichage en petites icônes

Cet affichage ressemble au mode précédent, mais les icônes sont nettement plus petites et les étiquettes correspondantes sont situées à leur droite. Les éléments peuvent être placés comme on le désire. Comme pour les icônes standard, l'ordre d'affichage va de gauche à droite et de haut en bas. L'avantage de ce mode par rapport au mode standard est une économie de place: on peut disposer davantage d'icônes dans l'aire client du contrôle.

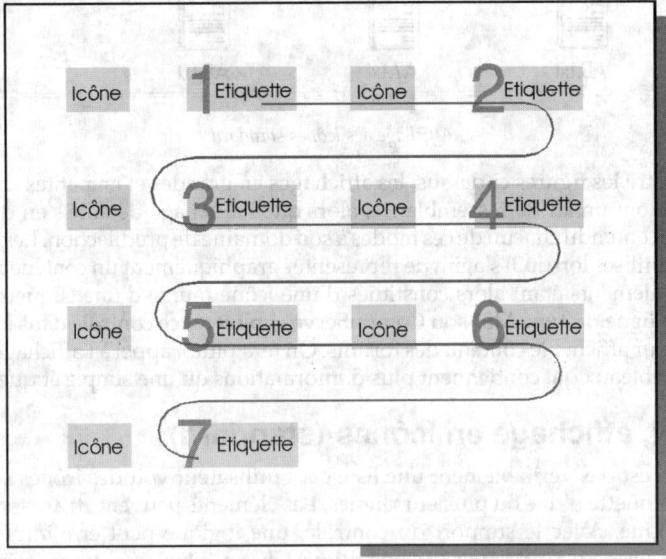

Ordre des icônes dans le mode d'affichage des petites icônes

LVS_LIST, affichage en liste

L'affichage en liste ressemble à l'affichage en petites icônes car l'étiquette est également représentée à droite de la petite icône.

Il existe pourant deux différences importantes : d'abord c'est le contrôle qui définit le placement des éléments en imposant une distance de séparation constante. Par ailleurs l'ordre d'affichage est différent. Les éléments sont représentés d'abord de haut en bas, puis de gauche à droite. Le nombre d'éléments vertical est défini de manière à éviter l'apparition d'une barre de défilement vertical. Si le contrôle contient plus d'éléments qu'il n'est possible d'en afficher dans son aire client, ils vont se placer au-delà du bord droit du contrôle, et une barre de défilement horizontale est installée.

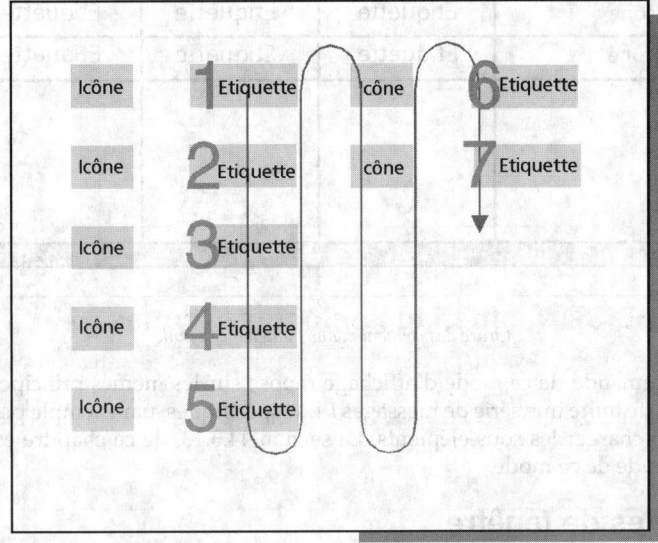

Ordre des éléments dans l'affichage en liste

LVS_REPORT, affichage détaillé

Dans l'affichage détaillé tout est différent. Ce n'est pas l'icône d'un élément qui se trouve au premier plan mais les colonnes qui contiennent les diverses informations associées à l'élément. Les colonnes peuvent comporter un titre si on le désire. Par ailleurs en cliquant sur une colonne on peut déclencher un classement selon le critère correspondant. Mais dans ce cas le programme doit apporter son support à l'opération.

En principe la première colonne contient les (mini) icônes avec les étiquettes des éléments. Les textes des autres colonnes sont considérés comme des sous-éléments et devront être chargés en supplément par le programme. Chaque élément occupe une ligne. Les éléments apparaissent de haut en bas dans l'ordre où ils ont été ajoutés au contrôle.

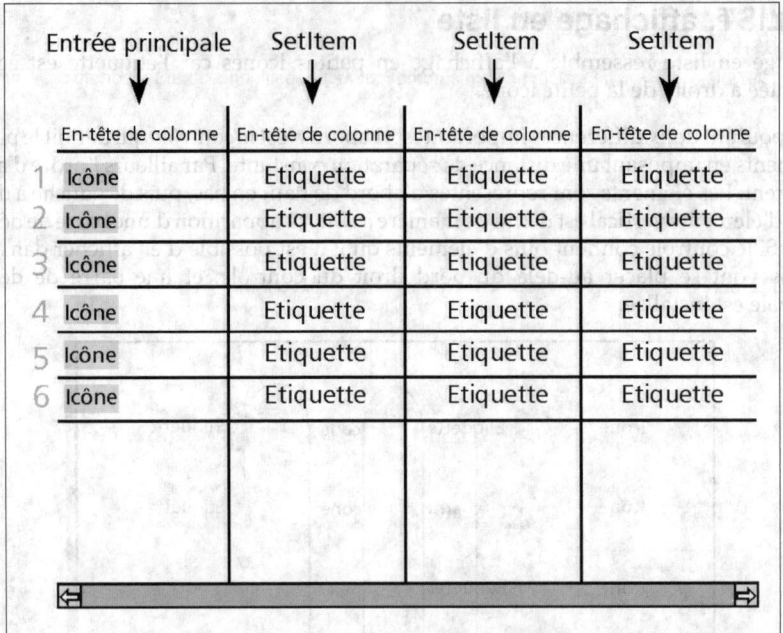

	Entrée principale	SetItem	SetItem	SetItem
	↓	↓	↓	↓
	En-tête de colonne	En-tête de colonne	En-tête de colonne	En-tête de colonne
1	Icône	Etiquette	Etiquette	Etiquette
2	Icône	Etiquette	Etiquette	Etiquette
3	Icône	Etiquette	Etiquette	Etiquette
4	Icône	Etiquette	Etiquette	Etiquette
5	Icône	Etiquette	Etiquette	Etiquette
6	Icône	Etiquette	Etiquette	Etiquette

Ordre des éléments dans l'affichage détaillé

Bien que la commande de ce mode d'affichage repose sur les mêmes principes que les trois autres, il supporte toute une série de messages *LVM* spécifiques, par exemple pour paramétrer les colonnes ou charger les sous-éléments. La section 44.3.13. de ce chapitre est entièrement consacrée à l'étude de ce mode.

Autres styles de fenêtre

En plus des différentes constantes servant à spécifier le mode d'affichage, il existe d'autres styles qui influencent l'aspect et le fonctionnement d'un contrôle ListView. Nous allons les décrire dans les sections suivantes. Voici déjà une récapitulation des constantes LVS (List View Styles) :

Constante LVS	Fonction
LVS_ICON	Affichage en grandes icônes
LVS_SMALLICON	Affichage en petites icônes
LVS_REPORT	Affichage détaillé
LVS_LIST	Affichage en liste (avec éventuellement des sous-éléments)
LVS_SINGLESEL	Sélection limitée à un seul élément
LVS_SHOWSELALWAYS	Affiche la sélection même si le contrôle n'a pas le focus
LVS_SORTASCENDING	Maintient un classement ascendant
LVS_SORTDESCENDING	Maintient un classement descendant
LVS_SHAREIMAGELISTS	Le contrôle partage la liste d'images avec d'autres contrôles
LVS_NOLABELWRAP	Dans l'affichage en icônes affiche les étiquettes sur une seule ligne
LVS_AUTOARRANGE	Les icônes sont arrangées automatiquement dans les deux modes d'affichage en icônes
LVS_EDITLABELS	L'utilisateur peut éditer l'étiquette d'un élément

Constante LVS	Fonction
LVS_NOSCROLL	Défilement inhibé
LVS_ALIGNTOP	Les icônes sont automatiquement positionnées par rapport au bord supérieur de l'aire client
LVS_ALIGNLEFT	Les icônes sont automatiquement alignées à gauche
LVS_NOCOLUMNHEADER	Pas d'affichage des titres de colonne
LVS_NOSORTHEADER	Les titres des colonnes ne déclenchent pas de classement quand on clique dessus

Commutation entre les différents styles

Pour modifier a posteriori le type d'affichage ou l'un des autres indicateurs *LVS*, on se sert de la fonction API *SetWindowLong()* de la bibliothèque *USER32.DLL*. Grâce à cette fonction on peut changer toute une série de paramètres gérés par Windows pour chaque fenêtre. Par exemple l'adresse de la procédure de traitement des messages et le style de fenêtre courant. Ce dernier est représenté par la constante GWL_STYLE qui constitue le deuxième arguement de la fonction SetWindowLong().

```
LONG SetWindowLong(
    HWND  hWnd,           // Handle de la fenêtre concernée
    int   nIndex,         // Offset de l'entier LONG, une des constantes GWL
    LONG  dwNewLong       // Nouvelle valeur
);
```

Le premier argument est le handle de fenêtre du contrôle et le dernier la nouvelle valeur du style imposé. Pour modifier un indicateur de style unique tout en laissant les autres intacts, il est recommandé de lire d'abord le style de fenêtre courant, d'activer ou de désactiver les indicateurs souhaités, puis d'ancrer le nouveau style dans la fenêtre en appelant *SetWindowLong()*.

Pour lire un style de fenêtre, on utilise la fonction API *GetWindowLong()* qui prend comme arguments le handle de la fenêtre et l'offset de l'entier long souhaité sous forme d'une constante GWL. Dans notre cas il s'agira de *GWL_STYLE*. Le résultat renvoyé par la fonction est le style de fenêtre courant.

```
LONG GetWindowLong(
    HWND  hWnd,           // Handle de fenêtre
    int   nIndex          // Constante GWL
);
```

La séquence de code suivante montre comment opéer concrètement un changement de style. On commence par prendre connaissance du style de fenêtre courant du contrôle ListView dont le handle est *hListView*. Ensuite on inverse l'indicateur *LVS_EDITLABELS* qui autorise l'édition des étiquettes. Pour finir, on enregistre le nouveau style dans la structure de la fenêtre en appelant *SetWindowLong()*.

```
//Lit l'ancien style et inverse l'indicateur d'édition ————
st.styleOld = GetWindowLong(hListView, GWL_STYLE);
st.styleNew = st.styleOld;

if(st.styleNew & LVS_EDITLABELS)
st.styleNew &= ~LVS_EDITLABELS;
else
st.styleNew |= LVS_EDITLABELS;
```

1261

```
                                    // Fixe le nouveau style ─────────────────
SetWindowLong(hListView, GWL_STYLE, st.styleNew);

                                    // Informe le contrôle du changement ──────
SendMessage(hListView,
            WM_STYLECHANGED,
            (WPARAM) GWL_STYLE,
            (LPARAM) &st);
```

Par souci de sécurité on envoie encore un message *WM_STYLECHANGED* au contrôle qui est ainsi averti du changement effectué et peut réagir de façon appropriée. La documentation de Microsoft prétend que *SetWindowLong()* se charge d'envoyer spontanément le message correspondant au contrôle mais l'expérience montre qu'il n'en est pas toujours ainsi. Nous veillerons nous-même au bon ordre des choses en envoyant explicitement le message de notre propre initiative.

44.3.3.   Insertion et suppression d'éléments

Avant de faire apparaître de nouveaux éléments dans un contrôle ListView, il faut d'abord les insérer au moyen d'un message *LVM_INSERTITEM*. Le paramètre *wParam* est mis à 0, tandis que *lParam* doit indiquer l'adresse d'une structure de type *LV_ITEM*. De la même manière que la structure *TV_ITEM* d'une arborescence TreeView, la structure LV_ITEM représente un élément d'un contrôle ListView. Elle entre en service dans un grand nombre de messages qui influencent les éléments du contrôle ListView.

```
#define ListView_InsertItem(hwnd, pitem) \
    (int)SendMessage((hwnd), LVM_INSERTITEM, \
                     0, (LPARAM)(const LV_ITEM FAR*)(pitem))
```

Comme retour du message on obtient l'indice du nouvel élément ou -1 s'il n'a pas pu être inséré. Cet indice doit être manipulé avec certaines précautions si vous voulez le mémoriser pour usage ultérieur. Il reflète la position courante de l'élément qui peut changer au cours du temps. Par exemple lorsque l'utilisateur modifie l'ordre des éléments dans l'affichage en icônes ou lorsqu'un classement est déclenché. L'indice d'un objet est hautement volatil, contrairement à son handle qu'il garde toute sa vie. Il ne faut ainsi jamais supposer qu'il conserve la même valeur d'indice. En fait la structure *LV_ITEM* permet de garder le contact avec un élément sans recourir à son indice initial.

L'indice d'un élément peut changer dès l'insertion d'un élément supplémentaire si dans le style de fenêtre du contrôle vous avez activé *LVS_SORTASCENDING* ou *LVS_SORTDESCENDING*. Dans ce cas, l'insertion ne se fait pas en fin de liste mais l'élément est classé en fonction de son étiquette. Le contrôle maintient un classement alphabétique ascendant (*LVS_SORTASCEN-DING*) ou descendant (*LVS_SORTDESCENDING*).

Structure de données LV_ITEM

La structure *LV_ITEM* définit l'aspect et les attributs d'un élément. Elle doit être spécifiée dans le paramètre *lParam* du message *LVM_INSERTITEM*.

```
typedef struct {
    UINT    mask;               // Combinaison de constantes LVIF
    int     iItem;              // Numéro de l'élément décrit
    int     iSubItem;           // Numéro du sous-élément
    UINT    state;              // Combinaison de constantes LVIS pour paramétrage
    UINT    stateMask;          // Combinaison de constantes LVIS pour masquage
```

```
    LPSTR  pszText;              // Pointeur sur texte de l'étiquette (chaîne C)
    int    cchTextMax;           // Taille du buffer de l'étiquette
    int    iImage;               // Numéro de l'icône
    LPARAM lParam;               // Valeur arbitraire pour l'appelant
} LV_ITEM;
```

mask

Tout comme *TV_ITEM*, *LV_ITEM* caractérise les champs initialisés de l'élément par des indicateurs activés dans le champ *mask*. Lorsqu'on crée un nouvel élément, il faut combiner les quatre constantes *LVIF*, *LVIF_TEXT*, *LVIF_IMAGE*, *LVIF_PARAM* et *LVIF_STATE*, et mettre au moins 0 dans les champs associés pour les initialiser.

Constante LVIF	Champ LV_ITEM associé
LVIF_TEXT	Le champ LV_ITEM.pszText est initialisé
LVIF_IMAGE	Le champ LV_ITEM.iImage est initialisé
LVIF_PARAM	Le champ LV_ITEM.lParam est initialisé
LVIF_STATE	Le champ LV_ITEM.state est initialisé

iItem et iSubItem

Les champs *iItem* et *iSubItem* représentent des numéros associés à un élément. Il faut savoir que les éléments d'un contrôle ListView ne sont pas identifiés par un handle mais par un indice obtenu au moment de l'insertion. Aucun des deux champs ne nécessite une initialisation spécifique préalablement à l'émission du message *LVM_INSERTITEM*. Mais il faudra les remplir plus tard, lorsqu'on souhaitera influencer un élément préexistant (par exemple au moyen du message *LVM_SETITEM*). Le champ *iItem* représente l'indice de l'élément, *iSubItem* celui du sous-élément associé. Les sous-éléments n'interviennent que dans le mode d'affichage détaillé que nous analyserons en détail plus loin. Pour le moment nous nous concentrerons sur le seul champ *iItem* en laissant de côté *iSubItem* (auquel on donnera la valeur 0).

state et stateMask

Ces deux champs implémentent un mécanisme que nous avons déjà étudié pour *TV_ITEM*. Les bits de *state* représentent les différents états d'un élément sous la forme de constantes *LVIS*. Si dans le cadre d'un message *LVM* un indicateur doit être activé ou désactivé, on utilise *stateMask* pour désigner l'indicateur concerné. Pour fixer un attribut, on active son indicateur dans *stateMask*. S'il n'apparaît pas dans *state*, l'attribut est désactivé. S'il figure dans *state*, l'attribut est activé. Ces différents indicateurs reflètent l'état courant d'un élément, indiquant notamment s'il possède le focus ou s'il est sélectionné. Ils définissent aussi si l'élément est marqué comme cible potentielle d'une opération Glisser/Déplacer et si l'icône de l'élément reçoit une icône de recouvrement et/ou une icône d'état. Nous allons examiner ces deux options à la loupe un peu plus loin.

Constante LVIS	Etat correspondant
LVIS_FOCUSED	L'élément possède le focus
LVIS_SELECTED	L'élément est sélectionné
LVIS_CUT	L'élément est sélectionné pour être coupé
LVIS_DROPHILITED	L'élément est mis en valeur omme cible d'une opération Glisser/Déplacer
LVIS_OVERLAYMASK	L'élément supporte une icône de recouvrement
LVIS_STATEIMAGEMASK	Une icône d'état s'affiche à côté de l'élément

pszText et cchTextMax

Ces deux champs permettent de gérer l'étiquette d'un élément. Lorsqu'on crée ou modifie un élément on initialise *pszText* avec l'adresse de la chaîne C dans laquelle on a mis le texte de l'étiquette. Dans ce cas la champ *cchTextMax* ne joue aucun rôle. Il est utilisé lorsqu'on prend connaissance de l'étiquette par le moyen du message *LVM_GETITEM*. Avant l'appel, *pszText* doit alors référencer un buffer préparé à cette intention, et *cchTextMax* doit indiquer la taille de ce buffer en octets. Le contrôle s'assure ainsi qu'il ne fera pas déborder le buffer en y déposant un texte trop long.

iImage

Ce champ indique l'icône associée à un élément, sous la forme de l'indice qui la référence dans la liste d'images mise en correspondance avec le contrôle. Il peut être ignoré si on n'a pas installé de liste d'images parce qu'on souhaite afficher des étiquettes dépourvues d'icônes. La section suivante donne plus de détails sur les icônes d'un contrôle ListView.

lParam

Ce champ permet au propriétaire d'un contrôle ListView de stocker des informations person-nalisées liées à un élément. Il crée un lien entre le code du programme et l'élément en question. On peut ainsi utiliser la valeur indiquée ici pour rechercher des éléments à l'aide du message *LVM_FINDITEM*. Le même valeur est également présente dans les notifications du contrôle (messages *LVN*). Un programme pourra par exemple exploiter ce champ pour y mémoriser un pointeur sur une structure de données interne ou l'utiliser comme un indice personnalisé qui contrairement à l'indice retourné par le contrôle restera constant.

Insertion d'éléments en pratique

Comme c'était le cas pour le contrôle TreeView, il faut pour créer un contrôle ListView manier toute une kyrielle de constantes et de champ. L'extrait de code suivant clarifie le débat en montrant comment on construit un contrôle ListView en y insérant des éléments. On choisit de créer un contrôle ListView en mode liste et de remplir 26 étiquettes avec les lettres de l'alphabet de A à Z. Le résultat retourné par *SendMessage()* permet de savoir si les éléments ont pu être correctement insérés. Si le résultat vaut -1, une erreur s'est produite, sinon il représente l'indice du nouvel élément ajouté au contrôle.

```
HWND     hListView;                              // Handle du contrôle ListView
LV_ITEM  lvi;                                    // Structure pour l'insertion d'un élément
char     szAlphabet[2];                          // Buffer de texte
int      iItem;                                  // Indice de l'élément inséré
int      i;                                      // Compteur

InitCommonControls();                            // Initialise les contrôles système

hListView = CreateWindowEx(0,                    // Crée la fenêtre ListView
                WC_LISTVIEW,                     // Classe de fenêtre
                "",                              // Nom
                WS_CHILD |                       // Fenêtre enfant
                WS_VISIBLE |                     // Immédiatement visible
                LVS_LIST,                        // Affichage liste
                x,                               // Position
                y,
                cx,                              // Dimensions
                cy,
```

```
                        hParent,                    // Fenêtre parente
                        (HMENU)IDC_LISTVIEW,        // ID de la commande ListView
                        g_hInstance,                // Instance
                        NULL);                      // Données utilisateur

if (hListView)                                      // Création réussie ?
{
  ListView_SetItemCount(hListView, 26);            // De la place pour 26 éléments

  szAlphabet[1] = '\0';

                                                    // Prépare une structure LV_ITEM. A n'effectuer
                                                    // qu'une seule fois car
                                                    // les éléments insérés ne se distinguent
                                                    // que par leur étiquette
  lvi.mask       = LVIF_TEXT;                       // pszText et cchTextMax valides
  lvi.iSubItem   = 0;                               // Elément principal(SubItem = 0)
  lvi.pszText    = szAlphabet;                      // Adresse du buffer de l'étiquette
  lvi.cchTextMax = sizeof(szAlphabet);             // Taille du buffer

  for(i = 0; i < 26; i++)                           // Parcourt les lettres de l'alphabet
  {
    szAlphabet[0] = 'A' + i;                        // Ne modifie que le buffer de l'étiquette
    iItem = ListView_InsertItem(hListView, &lvi); // Crée un nouvel élément

    if(iItem == -1)                                 // Création réussie ?
    {
                                                    // Erreur !
    }
  }
}
```

Vous avez sans doute remarqué la fonction *ListView_SetItemCount()* qui est invoquée avant l'insertion du premier élément. Il s'agit d'une macro qui utilise *SendMessage()* pour envoyer au contrôle le message *LVM_SETITEMCOUNT*.

```
#define ListView_SetItemCount(hwndLV, cItems) \
    SendMessage((hwndLV), LVM_SETITEMCOUNT, (WPARAM)cItems, 0)
```

L'usage de ce message est facultatif mais il est recommandé lorsqu'on ajoute un grand nombre d'éléments en succession rapide. A lieu d'être obligé d'agrandir sa mémoire interne à chaque insertion, le contrôle réserve toute de suite la quantité de mémoire nécessaire qui lui est communiquée. Les opérations d'insertion ultérieures s'en trouvent notablement accélérées. Le contrôle n'est pas très pointilleux à ce sujet et vous pouvez dépasser le nombre d'éléments indiqué ou rester en-deçà. L'information ne fixe qu'un ordre de grandeur. Si la mémoire ainsi préparée ne suffit pas, le message *LVM_INSERTI-TEM* provoque de toute façon une nouvelle allocation.

Notification de la fenêtre parente

A chaque insertion d'un élément, la fenêtre parente du contrôle reçoit une notification *LVN_IN-SERTITEM* qui arrive dans le cadre d'un message *WM_NOTIFY* et qui l'informe de l'opération. Il n'est pas indispensable de traiter ce message car il ne contient aucune possibilité d'accès : il est simplement destiné à l'information de la fenêtre parente.

```
typedef struct {
    NMHDR   hdr;                 // En-tête usuel d'un message WM_NOTIFY
    int     iItem;               // Numéro de l'élément inséré
    int     iSubItem;            // 0
    UINT    uNewState;           // 0
    UINT    uOldState;           // 0
    UINT    uChanged;            // 0
    POINT   ptAction;            // 0
    LPARAM  lParam;              // 0
} NM_LISTVIEW, FAR *LPNM_LISTVIEW;
```

Les seuls champs significatifs sont ici *hdr* avec l'en-tête de notification et *iItem* avec le numéro de l'élément inséré. Si la fenêtre parente souhaite disposer de plus d'informations sur cet élément, elle peut se servir du message *LVM_GETITEM*.

Suppression d'éléments

Pour supprimer un élément on fait appel au message *LVM_DELETEITEM* qui est émulé par la macro *ListView_DeleteItem()*.

```
#define ListView_DeleteItem(hwnd, i) \
    (BOOL)SendMessage((hwnd), LVM_DELETEITEM, (WPARAM)(int)(i), OL)
```

On indique dans *wParam* l'indice de l'élément à supprimer, c'est tout ce qu'il faut ici. Si l'élément a pu être supprimé comme souhaité, la valeur de retour est TRUE. Si l'élément supprimé était visible dans l'aire client du contrôle, cette dernière est réaffichée.

La fenêtre parente peut tenir compte de la suppression en réagissant à la notification *LVN_DE-LETEITEM*, qui est envoyée par le contrôle dans le cadre d'un message *WM_NOTIFY*. L'élément supprimé est alors représenté par une structure de type *NM_LISTVIEW* dont l'adresse se trouve dans le paramètre *lParam* du message. On y trouve d'abord un en-tête de structure *NMHDR* qui contient l'origine et le code de notification - ici *LVN_DELETEITEM*.

```
typedef struct {
    NMHDR   hdr;                 // En-tête classique d'un message WM_NOTIFY
    int     iItem;               // Numéro de l'élément concerné, -1 si non spécifié
    int     iSubItem;            // Numéro du sous-élément (affichage détaillé), sinon 0
    UINT    uNewState;           // Ancien état, combinaison de constantes LVIS
    UINT    uOldState;           // Nouvel état, constantes LVIS
    UINT    uChanged;            // Constantes LVIS modifiées
    POINT   ptAction;            // Coordonnées pour opération Glisser
    LPARAM  lParam;              // lParam de la structure LV_ITEM
} NM_LISTVIEW, FAR *LPNM_LISTVIEW;
```

Le champ *iItem* donne l'indice de l'élément concerné. Lorsqu'on est dans un affichage détaillé, l'indice du sous-élément se trouve dans *iSubItem*. Le remplissage des autres champs dépend de la notification car cette structure n'est pas réservée à l'usage exclusif de *LVN_DELETEITEM*. Ici le champ *lParam* est également significatif, il a la valeur que lui a donnée le propriétaire à la création de l'élément.

Si on besoin de recourir à une suppression globale, on utilise de préférence le message *LVM_DELETEALLITEMS* ou la macro associée *ListView_DeleteAllItems()*. L'un et l'autre sont très efficaces pour faire table rase.

```
#define ListView_DeleteAllItems(hwnd) \
    (BOOL)SendMessage((hwnd), LVM_DELETEALLITEMS, 0, OL)
```

Aucune information n'est à spécifier dans *wParam* ou *lParam*. La fenêtre parente reçoit en retour une notification *LVN_DELETEALLITEMS* et déjà aussitôt les éléments sont envolés. Dans le paramètre *lParam* de la notification on obtient un pointeur sur une structure *NM_LISTVIEW*. Le champ *iItem* y est égal à -1 pour attester de la suppression de la totalité des éléments.

44.3.4. Icônes d'un contrôle ListView

Plus que les étiquettes, ce sont les icônes qui sont au premier plan d'un contrôle ListView. Comme c'était le cas pour le contrôle TreeView, les différents éléments ne stockent pas eux-mêmes leurs icônes mais se servent d'une liste d'images associée au contrôle. Les icônes apparaissent par-dessus le fond ambiant. Lorsqu'on insère un élément, on ne mémorise pas l'icône proprement dite dans la structure *LV_ITEM* mais son indice dans la liste d'images. Plusieurs éléments peuvent ainsi utiliser la même icône sans gaspiller de mémoire.

La liste d'images définit aussi la taille des icônes, laquelle qui ne se limite pas forcément à celle adoptée par l'Explorateur. Les icônes peuvent être sensiblement plus grandes. Dans tous les cas, l'affichage doit être préparé en introduisant une liste d'images à l'aide du message *LVM_SETIMAGELIST* ou de la macro *ListView_SETImageList()*

```
#define ListView_SetImageList(hwnd, himl, iImageList) \
    (HIMAGELIST)(UINT)SendMessage((hwnd), LVM_SETIMAGELIST, \
                                (WPARAM)(iImageList), \
                                (LPARAM)(UINT)(HIMAGELIST)(himl))
```

Le paramètre *lParam* doit contenir le handle de la liste d'images souhaitée. *wParam* sert quant à lui à spécifier l'une des trois constantes LVSIL représentant les trois listes d'images que l'on peut relier à un contrôle ListView. Chacune de ces listes a une fonction bien précise.

La liste d'images désignée par *LVSIL_NORMAL* intervient dans l'affichage des icônes standard. Celle désignée par *LVSIL_SMALL* sert à dessiner les petites icônes. Selon le type d'affichage sélectionné, le contrôle ListView passe automatiquement de l'une à l'autre liste. Personne ne vous impose a priori une quelconque taille d'images, ce qui veut dire que les icônes de la liste *LVSIL_SMALL* peuvent être plus grandes que celles de la liste *LVSIL_NORMAL*. C'est à vous de choisir si tel est votre intérêt. Il faut simplement veiller à ce que la succession des icônes et leurs motifs soient identiques car l'indice de chaque icône en *LV_ITEM.iImage* n'est pas modifié avec l'affichage. Les constantes VLSIL (List View Set Image List) disponibles pour l'installation d'une liste d'images sont les suivantes :

Constante LVSIL	Liste d'images correspondante
LVSIL_NORMAL	Liste d'images pour affichage des icônes standard
LVSIL_SMALL	Liste d'images pour affichages en petites icônes, en liste ou détaillé
LVSIL_STATE	Liste d'images pour les icônes d'état

Vous n'êtes pas obligé d'installer deux listes d'images différentes. Cela dépendra de l'affichage que vous soumettrez à l'utilisateur et si vous lui accordez la faculté de changer de mode d'affichage. Si l'affichage se limite à un seul mode, une seule liste d'images suffit.

La troisième liste d'images contient des icônes d'état. Elle intervient si vous désirez affichez à côté des icônes de base des icônes dites d'état, comme nous l'avons vu pour le contrôle TreeView. Ces icônes d'état sont généralement exploitées pour afficher un indication graphique de statut à côté de l'icône de base : par exemple si l'élément est activé (coché) ou non, ou s'il appartient à une catégorie spéciale d'éléments. La taille des icônes de la liste d'images définit ici encore la taille des icônes d'état. Nous allons voir dans un moment comment on fixe l'icône d'état d'un élément donné en spécifiant son indice dans la liste d'images associées.

Le résultat du message *LVM_SETITEMLIST* est le handle de la liste d'images précédemment installée, s'il y en avait déjà une. Sinon on obtient NULL.

Pour afficher les icônes dans la taille de celles de l'explorateur, il faut faire intervenir la fonction API *GetSystemMetrics()*. Elle donne la taille des icônes standard et des petites icônes, ce qui permet de mettre les siennes à l'échelle avant de les transmettre au contrôle ListView.

Icônes d'état et de recouvrement

Les icônes de base peuvent être recouvertes par des icônes dites de recouvrement définies à l'intérieur d'une liste d'images par *ImageList_SetOverlayImage()*. Elles doivent provenir de la même liste d'images que les icônes de base. Cahque icône de base (autrement dit chaque élément) peut se voir associer au maximum une icône de recouvrement et une icône d'état.

Le point de départ n'est pas le champ *LV_ITEM.ilmage* avec l'indice de l'icône de base, mais le champ *state*. Il faut lui additionner le résultat de la macro *INDEXTOOVERLAY()*, à laquelle on transmet un nombre de 1 à 4 qui désigne l'une des quatre icônes de recouvrement possibles. Si on donne la valeur 0 à cet arguement, l'icône de recouvrement précédente est désactivée.

On continue dans le même registre avec *INDEXTOOVERLAYMASK()*, une macro dont le résultat est également à ajouter au contenu du champ *state*. Elle prend comme argument le numéro de l'icône d'état qui doit être ompris entre 1 et 15. Si on indique 0, l'icône d'état précédente est désactivée.

Si on examine de plus près ces macros, on constate qu'elles décalent simplement les numéros qu'on leur communique de quelques bits vers la gauche, pour masquer ensuite des positions de *state* qui ne sont pas utilisées par les indicateurs d'état attitrés (*LVIS_SELECTED*,etc.). Les numéros passent ainsi respectivement dans les bits 8 à 10 (OVERLAY), et 12 à 15 (OVERLAYMASK).

L'extrait de code ci-dessous montre commen on insère un nouvel élément en lui associant l'icône d'état n°2 et l'icône de recouvrement n°5 :

```
LV_ITEM lvi;
int     iTem;
lvi.mask      = LVIF_TEXT | LVIF_STATE;        // Etiquette et état valides
lvi.iSubItem  = 0;                              // Pas de sous-élément

lvi.state     = INDEXTOSTATEIMAGEMASK(5) |      // Icône d'état n°5
                INDEXTOOVERLAYMASK(2);          // Icône de recouvrement n°2
lvi.stateMask = LVIS_STATEIMAGEMASK |           // Prend en compte l'icône d'état
                LVIS_OVERLAYMASK;               // Prend en compte l'icône de recouvrement

lvi.pszText    = lpText;                         // Fixe l'étiquette
lvi.cchTextMax = lstrlen(lpText);

iItem = ListView_InsertItem(hListView, &lvi);  // Insère l'élément
```

Vous pouvez ajouter les icônes de recouvrement et d'état au moment de la création d'un élément ou plus tard en vous servant de *LVM_SETITEM*. Ce message permet de modifier tous les attributs d'un élément, y compris son étiquette, ses icônes et son état. La section suivante fournit des explications détaillées à ce sujet.

Détermination des listes d'images associées

Pour prendre connaissance des listes d'images associées à un contrôle ListView, vous pouvez vous servir du message *LVM_GETIMAGELIST* ou de la macro associée *ListView_GetImageList()*. Dans le paramètre *wParam* il faut mettre une constante *LVSIL* spécifiant le type de liste recherché.

```
#define ListView_GetImageList(hwnd, iImageList) \
    (HIMAGELIST)SendMessage((hwnd), LVM_getimagelist, \
                        (WPARAM)(INT)(iImageList), OL)
```

La fonction *SendMessage()* retourne le handle de la liste recherchée.

Attention : Service de destruction !

Lors de la fermeture d'un contrôle ListView en réaction à un message *WM_DESTROY*, les listes d'images associées sont désactivées par l'intermédiaire de la fonction *ImageList_Destroy()*. Il peut arriver que cet effet soit indésirable, notamment parce que les listes sont encore utilisées dans d'autres contrôles ou sont destinées à être remises en service par la suite.

Il est possible d'inhiber la désactivation automatique des listes d'images en intervenant à un endroit pour le moins inattendu. Un indicateur spécialisé appelé *LVS_SHAREIMAGELISTS* doit être activé dans l'attribut de fenêtre du contrôle. Ainsi le contrôle manifestera davantage de courtoisie en quittant la scène.

44.3.5. Consultation et paramétrage des éléments

Pour modifier a posteriori les attributs d'un élément, vous avez à votre disposition le message *LVM_SETITEM* ou la macro équivalente *ListView_SetItem()*. Dans *lParam* vous devez mettre l'adresse d'une structure *LV_ITEM* contenant les nouveaux attributs. Le paramètre *wParam* ne joue lui aucun rôle dans le message.

```
#define ListView_SetItem(hwnd, pitem) \
    (BOOL)SendMessage((hwnd), LVM_SETITEM, \
                    0, (LPARAM)(const LV_ITEM FAR*)(pitem))
```

Les attributs que l'on souhaite modifier sont précisés dans le champs *mask* de la structure *LV_ITEM*, sous la forme d'une combinaison des constantes *LVIF* prévues à cet effet :

Constante LVIF	Domaine d'application
LVIF_TEXT	Le champ *pszText* est un pointeur sur une chaîne de caractères qui contient l'étiquette de l'élément
LVIF_IMAGE	Le champ *iImage* contient un nouvel indice pour la liste d'images
LVIF_PARAM	Le champ *lParam* contient une nouvelle valeur à mémoriser
LVIF_STATE	Un nouvel état est à fixer par les champs *state* et *stateMask*

Si vous projetez de changer l'un des attributs mémorisés dans *state*, vous devez tenir compte du fonctionnement associé du champ *stateMask*. Dans *stateMask* activez les indicateurs des attributs à modifier, et dans *state* n'activez que les attributs à mettre en service. Ainsi pour changer l'affectation de l'icône de recouvrement ou de l'icône d'état, mettez les macros associées avec les numéros des deux icônes tant dans *stateMask* que dans *state*.

L'extrait de code ci-dessous montre comment on parcourt les éléments d'un contrôle ListView en les sélectionnant par activation de l'indicateur correspondant du champ *state*.

```
    int iCnt;
    int i;

    iCnt = ListView_GetItemCount(hListView);         // Lit le nombre d'éléments

    for(i = 0; i < iCnt; i++)                          // Parcourt l'intégralité des éléments
    {
      LV_ITEM lvi;
      lvi.mask = LVIF_STATE;                           // C'est l'état de l'élément qui nous intéresse
      lvi.iItem = i;                                   // Indice de l'élément courant
      lvi.iSubItem = 0;                                // Egal à 0 pour lire un élément
      if(ListView_GetItem(hListView, &lvi))           // Lit les données de l'élément
      {
        lvi.state |= LVIS_SELECTED;                    // Sélection
        lvi.stateMask |= LVIS_SELECTED;                // Pour prendre en compte l'état de sélection
                                                       // spécifié dans state
        ListView_SetItem(hListView, &lvi);            // Modifie l'élément
      }
    }.FPROG.
```

Notification de changement

Lorsqu'on modifie un élément, la fenêtre parente du contrôle ListView reçoit deux notifications *LVN* qui l'avertissent du changement et lui permettent même de s'y opposer. Dans les deux cas la structure *WM_NOTIFY*, dans *lParam*, est accompagnée de l'adresse d'une structure *NM_LISTVIEW* qui d'une part donne l'origine et le code du message, mais qui décrit également l'élément avec ses nouveaux attributs.

```
typedef struct {
    NMHDR    hdr;                          // En-tête habituel d'un message WM_NOTIFY
    int      iItem;                        // Num. de l'élément concerné
    int      iSubItem;                     // Num. du sous-élément (affichage détaillé), sinon 0
    UINT     uNewState;                    // Ancien état, combinaison de constantes LVIS
    UINT     uOldState;                    // Nouvel état, constantes LVIS
    UINT     uChanged;                     // Constantes LVIS modifiées
    POINT    ptAction;                     // 0 ici
    LPARAM   lParam;                       // lParam de la structure LV_ITEM
} NM_LISTVIEW, FAR *LPNM_LISTVIEW;
```

Avant que la modification ne prenne effet, la fenêtre parente reçoit une notification *LVN_ITEMCHANGING*. Elle peut donc accepter ou refuser la modification. On pourra ainsi éviter que certains éléments ne soient sélectionnés.

Il suffit à la procédure de traitement des messages de la fenêtre parente de renvoyer la valeur TRUE pour interdire tout changement. Si la notification n'est pas prise en compte par la fenêtre ou si le résultat retourné est FALSE, la modification est menée à bien. Une autre notification survient peu après avec le code *LVN_ITEMCHANGED* et dans *lParam* la même structure *NM_LISTVIEW*.

Consultation par LVM_GETITEM

Le message symétrique de *LVM_SETITEM* est *LVM_GETITEM*. Dans *lParam* il faut encore mentionner l'adresse d'une structure *LV_ITEM*. Cette fois-ci l'appelant ne remplit que les champs *iItem* et *iSubItem*, ainsi que le champ *mask*, en utilisant des constantes *LVIF* pour spécifier les attributs auxquels on s'intéresse. Par exemple *LVIF_IMAGE* si on souhaite connaître le numéro de l'icône de base qui sera retourné dans *LV_ITEM.iImage*. Les autres constantes *LVIF* sont les suivantes :

Indicateur LVIF	Fonction
LVIF_TEXT	Mémorise le contenu de l'étiquette dans le buffer référencé par *pszText*
LVIF_IMAGE	Restitue le numéro de l'icône dans *iImage*
LVIF_PARAM	Renvoie le paramètre *lParam* de l'élément
LVIF_STATE	Indique l'état courant dans le champ *state*

Pour connaître l'étiquette d'un élément, il faut commencer par préparer un buffer qui accueillera le texte renvoyé par le contrôle. Avant émission du message, le champ *TV_ITEM.pszText* devra être initialisé avec l'adresse de ce buffer, et on mettra dans *cchTextMax* le nombre de caractères qu'il peut contenir.

La macro équivalente au message *LVM_GETITEM* s'appelle *ListView_GetItem()* :

```
#define ListView_GetItem(hwnd, pitem) \
    (BOOL)SendMessage((hwnd), LVM_GETITEM, \
                0, (LPARAM)(LV_ITEM FAR*)(pitem))
```

Cas particulier de l'étiquette

On peut s'économiser un peu de travail si on désire simplement lire ou spécifier l'étiquette d'un élément. Il existe à cette fin deux messages spéciaux appelés *LVM_SETITEMTEXT* et *LVM_GETITEMTEXT*. Dans les deux cas on met dans *wParam* le numéro de l'élément concerné, mais on n'est pas obligé de le répéter dans le champ *iItem* de la structure *LV_ITEM* dont on communique l'adresse dans *lParam*. Le champ *iSubItem* n'est utilisé que dans l'affichage détaillé pour indiquer le numéro du sous-élément concerné.

Les messages s'occupent de la gestion du champ *mask* mais le champ *pszText* doit être initialisé avant l'appel. Avec *LVM_SETITEMTEXT* on met l'adresse de la chaîne C qui contient le texte de la nouvelle étiquette. Avec *LVM_GETITEMTEXT* on met l'adresse du buffer dans lequel le texte de l'étiquette doit être copié. Dans ce cas il faut en plus initialiser de façon appropriée la taille du buffer *cchTextMax*. On constate finalement que le gain de temps par rapport à l'usage du message ordinaire *LVM_GETITEM* n'est plus très important.

Les macros sont complexes parce qu'on a pris le parti pour une fois de se passer de structure *LV_ITEM*. Mais en fait, comme l'appel la réclame, la macro crée un bloc de code qui la crée comme variable locale et l'initialise avec les arguments transmis comme numéro de sous-élément et comme adresse de la chaîne C.

```
#define ListView_SetItemText(hwndLV, i, iSubItem_, pszText_) \
{ LV_ITEM _ms_lvi;\
  _ms_lvi.iSubItem = iSubItem_;\
  _ms_lvi.pszText = pszText_;\
  SendMessage((hwndLV), LVM_SETITEMTEXT, \
            (WPARAM)i, (LPARAM)(LV_ITEM FAR *)&_ms_lvi);\
}
```

En voyant de telles constructions, on peut évidemment se demander si le jeu en vaut la chandelle : n'y a-t-il pas ici trop de cachotterie ? Avec *ListView_GetItem()*, on n'est pas mieux loti puisqu'il faut même ajouter *cchTextMax* comme argument supplémentaire. Au moins lorsqu'on élabore soi-même manuellement sa propre structure *LV_ITEM*, les choses sont plus transparentes.

```
#define ListView_GetItemText(hwndLV, i, iSubItem_, pszText_, cchTextMax_) \
{ LV_ITEM _ms_lvi;\
  _ms_lvi.iSubItem = iSubItem_;\
  _ms_lvi.cchTextMax = cchTextMax_;\
  _ms_lvi.pszText = pszText_;\
  SendMessage((hwndLV), LVM_GETITEMTEXT, \
           (WPARAM)i, (LPARAM)(LV_ITEM FAR *)&_ms_lvi);\
}
```

Les messages *LVM_SETITEMSTATE* et *LVM_GETITEMSTATE* présentent les mêmes faiblesses. Ils permettent d'accéder directement à l'état d'un élément. En fait *LVM_GETITEMSTATE* et la macro équivalente sont plutôt pratiques parce qu'il suffit d'indiquer dans *wParam* le numéro de l'élément et dans *lParam* le masque des indicateurs désirés sous la forme d'une combinaison de constantes *LVIS*. L'état courant est alors obtenu comme résultat de la fonction *SendMessage()*. Seuls les indicateurs signalés dans *lParam* sont analysés et peuvent être exploités par la suite.

```
#define ListView_GetItemState(hwndLV, i, mask) \
   (UINT)SendMessage((hwndLV), LVM_GETITEMSTATE, \
                 (WPARAM)i, (LPARAM)mask)
```

Avec *LVM_SETITEM* on retombe dans la complication. En plus du numéro de l'élément il faut donner deux valeurs pour *state* et *stateMask* qu'il n'est pas possible de réunir dans *lParam*. On a donc besoin d'une nouvelle structure *LV_ITEM* dans laquelle on initialise les deux champs mentionnés. Seul l'initialisation du champ *mask* est prise en charge automatiquement. La macro s'efforce d'éviter à l'appelant de créer et d'initialiser la structure *LV_ITEM*, mais l'opération n'y gagne pas en clarté.

```
#define ListView_SetItemState(hwndLV, i, data, mask) \
{ LV_ITEM _ms_lvi;\
  _ms_lvi.stateMask = mask;\
  _ms_lvi.state = data;\
  SendMessage((hwndLV), LVM_SETITEMSTATE, \
           (WPARAM)i, (LPARAM)(LV_ITEM FAR *)&_ms_lvi);\
}
```

44.3.6. Paramétrage des couleurs et de la police de caractères

Le contrôle ListView permet à son propriétaire de définir la couleur de fond de l'aire client, ainsi que les couleurs de caractère et de fond du texte. On dispose à cet effet de six messages différents qu'on exploite par le mécanisme WM traditionnel. *LVM_SETBKCOLOR* et *LVM_GETBKCOLOR* interviennent sur la couleur de fond de l'aire client, tandis que *LVM_SET-TEXTCOLOR* et *LVM_GETTEXTCOLOR* ainsi que *LVM_SETTEXTBKCOLOR* et *LVM_GET-TEXTBKCOLOR* interviennent respectivement sur la couleur des caractères et du fond de texte. Les couleurs sont échangées sous la forme d'un type *COLORREF* (valeur RGB en entier long) qui constitue le paramètre *lParam* ou le résultat de la fonction *SendMessage()*. Le paramètre *wParam* ne joue aucun rôle ici.

```
#define ListView_GetBkColor(hwnd)  \
    (COLORREF)SendMessage((hwnd), LVM_GETBKCOLOR, 0, 0L)

#define ListView_SetBkColor(hwnd, clrBk) \
    (BOOL)SendMessage((hwnd), LVM_SETBKCOLOR, \
                  0, (LPARAM)(COLORREF)(clrBk))
```

```
#define ListView_GetTextColor(hwnd) \
    (COLORREF)SendMessage((hwnd), LVM_GETTEXTCOLOR, 0, OL)

#define ListView_SetTextColor(hwnd, clrText) \
    (BOOL)SendMessage((hwnd), LVM_SETTEXTCOLOR, \
                        0, (LPARAM)(COLORREF)(clrText))

define ListView_GetTextBkColor(hwnd) \
    (COLORREF)SendMessage((hwnd), LVM_GETTEXTBKCOLOR, 0, OL)

#define ListView_SetTextBkColor(hwnd, clrTextBk) \
    (BOOL)SendMessage((hwnd), LVM_SETTEXTBKCOLOR, \
                        0, (LPARAM)(COLORREF)(clrTextBk))
```

Paramétrage de la police

Comme les autres contrôles système, le contrôle ListView ne fournit aucun message spécial
pour sélectionner une police d'écriture. Il faut se contenter à cet égard du message standard
WM_SETFONT. A l'émission du message, le paramètre *wParam* doit contenir le handle de la
police désirée. Dans le mot de poids faible du paramètre *lParam*, il faut mettre TRUE si le
contrôle doit immédiatement se redessiner pour mettre à jour la police, FALSE si cette mise à
jour ne doit concerner que les nouveaux affichages.

La séquence de code proposée ci-dessous montre comment on sélectionne la police de dialogue
standard de Windows 95 dans le contrôle de handle hListView :

```
//Etablit la police de dialogue par défaut de Win95 ————
SendMessage(hListView,
            WM_SETFONT,
            (WPARAM)GetStockObject(DEFAULT_GUI_FONT),
            MAKELONG(TRUE, 0));
```

44.3.7. Parcours des éléments sélectionnés et recherche d'éléments

Il est fréquent que l'on doive parcourir les éléments d'un contrôle ListView, par exemple pour
les sauvegarder sur disque ou pour savoir lesquels sont sélectionnés. On utilise à cet effet les
messages *LVM_GETNEXTITEM* et *LVM_FINDITEM*. *LVM_GETNEXTITEM* est plutôt conçu
pour balayer les éléments (par exemple les fichiers d'un répertoire) tandis que *LVM_FINDI-
TEM* a pour vocation de se lancer à la recherche d'un élément caractérisé par son étiquette ou
son paramètre *lParam*.

```
#define ListView_GetNextItem(hwnd, i, flags) \
    (int)SendMessage((hwnd), LVM_GETNEXTITEM, \
                        (WPARAM)(int)(i), MAKELPARAM((flags), 0))
```

Pour parcourir les éléments l'un après l'autre, on dispose de la macro *ListView_GetNextItem()*.
Il faut lui communiquer en *wParam* le numéro de l'élément de départ et en *lParam* un indicateur
spécifique, qui fixe le sens du parcours et le type d'élément concerné. Il existe cinq constantes
LVNI pour fixer le sens du parcours :

Constante LVN	Sens de parcours
LVNI_ALL	Parcourt les éléments dans l'ordre de leurs indices
LVNI_ABOVE	Prochain élément situé au-dessus
LVNI_BELOW	Prochain élément situé au-dessous
LVNI_TOLEFT	Prochain élément situé à gauche
LVNI_TORIGHT	Prochain élément situé à droite

Les quatre dernières constantes sont surtout prévues pour les affichages en icônes et en liste, où on peut considérer que les différents éléments forment une sorte de matrice que l'on peut explorer dans les quatre directions. Si vous avez par contre l'intention de parcourir les éléments en fonction de leurs indices et indépendamment de leur position sur l'écran, choisissez LVNI_ALL.

Le point de départ de la recherche de l'élément suivant est toujours l'élément dont le numéro a été transmis au message comme argument *wParam*. Pour commencer au début de la liste, on indique simplement -1.

En plus des constantes citées, le paramètre *lParam* peut en accueillir d'autres qui filtrent les éléments parcourus en imposant certains critères. On pourra ainsi parcourir uniquement les éléments sélectionnés. Les constantes en question sont les constantes LVNI présentées ci-dessous :

Constante LVNI	Filtre associé
LVNI_FOCUSED	Doit posséder le focus
LVNI_SELECTED	Doit être sélectionné
LVNI_CUT	Doit être marqué pour être coupé
LVNI_DROPHILITED	Doit être marqué comme cible potentielle d'une opération Glisser/Déplacer

Si la recherche est couronnée de succès, *SendMessage()* renvoie comme résultat l'indice de l'élément trouvé. On obtient -1 s'il n'existe plus d'élément approprié dans la direction spécifiée.

L'extrait de code présenté ci-après montre comment on parcourt les éléments d'un contrôle ListView dans l'ordre de leurs indices pour prendre connaissance de ceux qui sont sélectionnés. En mettant dans *wParam* la valeur -1, on fixe comme point de départ le premier élément de la liste. On répète ensuite l'émission de *LVM_GETNEXTITEM* jusqu'à obtenir -1 comme résultat de la fonction. On charge systématiquement dans *wParam* le résultat de l'appel précédent, ce qui permet de se raccorder à l'élément qui vient d'être trouvé. Chaque fois qu'un élément est trouvé, son étiquette est lue par *ListView_GetItemText()* et affichée sur la console par *printf()*.

Notez bien la mise en oeuvre du message *LVM_GETSELECTEDCOUNT*. Il fournit le nombre d'éléments présentement sélectionnés sans nécessiter de paramètres *wParam* ou *lParam*.

```
#define ListView_GetSelectedCount(hwndLV) \
   (UINT)SendMessage((hwndLV), LVM_GETSELECTEDCOUNT, 0, 0L)
```

Cette information est exploitée pour allouer sur le heap un tableau de la bonne taille, destiné à accueillir pendant le parcours de la liste les indices des éléments sélectionnés.

```
int *pSelectedEntries;              // Tableau dynamique des indices trouvés
int iSelectedCnt;                   // Nombre d'éléments sélectionnés

                                    // Prend connaissance du nombre d'éléments sélectionnés
iSelectedCnt = ListView_GetSelectedCount(hListView);
if(iSelectedCnt)
```

```
{
                                          // Alloue le tableau
    pSelectedEntries = malloc(iSelectedCnt * sizeof(int));
    if(pSelectedEntries)                  // Reste-t-il assez de mémoire ?
    {
        int i;                            // Indice du tableau
        int iItem;                        // Numéro d'élément

        i = 0;                            // Début du tableau
        iItem = -1;                       // Définit le premier élément
        while(i < iSelectedCnt)           // A-t-on trouvé tous les éléments sélectionnés ?
        {
            char szBuffer[MAX_PATH];
                                          // Cherche l'élément sélectionné suivant en partant
                                          // de l'élément actuel
            iItem = ListView_GetNextItem(hListView, iItem, LVNI_ALL | LVNI_SELECTED);
            pSelectedEntries[i++] = iItem;    // Mémorise l'indice de l'élément
            ListView_GetItemText(hListView, iItem, 0, szBuffer, sizeof(szBuffer ));
            printf(szBuffer);
        }
        ...
        free(pSelectedEntries);           // Libère la mémoire du tableau
    }
}
```

Recherche d'éléments

Si vous voulez repérer un élément sans parcourir la liste, vous avez à votre disposition le message *LVM_FINDITEM* ou la macro associée *ListView_FindItem()*. Le critère de recherche peut être l'étiquette de l'élément ou son paramètre *lParam*.

```
#define ListView_FindItem(hwnd, iStart, plvfi) \
    (int)SendMessage((hwnd), LVM_FINDITEM, \
                     (WPARAM)(int)(iStart), \
                     (LPARAM)(const LV_FINDINFO FAR*)(plvfi))
```

Comme précédemment on spécifie en *wParam* le point de départ de la recherche mais cette fois-ci *lParam* doit contenir à la place d'un indicateur, l'adresse d'une structure de type *LV_FINDINFO*. C'est là que l'appelant devra décrire les critères de recherche.

```
typedef struct {
    UINT    flags;          // Combinaison de constantes LVFI
    LPCSTR  psz;            // Pointeur sur texte recherché
    LPARAM  lParam;         // Paramètre lParam recherché
    POINT   pt;            // Coordonnées d'écran du point de départ de la recherche
    UINT    vkDirection;    // Code de touche virtuelle pour la direction de la recherche
} LV_FINDINFO;
```

La composition de la structure montre déjà que *LVM_FINDITEM* servira aussi à gérer des commandes de l'utilisateur, sinon la présence de coordonnées d'écran en *pt* et d'un sens de recherche sous la forme d'un code de touche (de direction) en *vkDirection* ne se justifierait pas. C'est le contenu du champ *flags* qui décide si le contrôle tient compte de ces champs. Il peut se voir par conséquent affecter une combinaison des constantes LVFI suivantes :

Constante LVFI	Domaine de recherche
LVFI_PARAM	La recherche porte sur l'élément dont le paramètre *lParam* est égal à *LV_FINDINFO.lParam*
LVFI_STRING	La recherche porte sur l'élément d'étiquette *LV_FINDINFO.pszText*
LVFI_PARTIAL	Même recherche que précédemment, mais l'étiquette doit simplement commencer par *LV_FINDINFO.pszText*, les caractères suivants étant indifférents
LVFI_WRAP	Parvenue à la fin de la liste, la recherche recommence automatiquement au début
LVFI_NEARESTXY	La recherche commence à l'élément de coordonnées *LV_FINDITEM.pt* et s'effectue dans la direction définie par le code de touche *LV_FINDITEM.vkDirection*

Les différents champs de *LV_FINDINFO* sont exploités ou non en fonction de la valeur des indicateurs spécifiés dans *flags*. Ainsi on ne remplit *LV_FINDINFO.pt* et *LV_FINDINFO.vkDirection* que si l'indicateur *LVFI_NEARESTXY* est activé pour réagir à une saisie de l'utlisateur.

Si vous activez *LVFI_PARAM*, le critère de recherche est le paramètre *lParam* de l'élément qui doit être égal à *LV_FINDINFO.lParam*. Si vous activez *LVFI_SRING*, ce sera l'étiquette qui devra être égale à *LV_FINDINFO.psz*. La recherche n'est que partielle sur la chaîne de caractères si on active en plus *LVFI_PARTIAL*.

Le résultat retourné par *SendMessage()* indique si un élément a été trouvé. Sauf à obtenir -1, vous aurez entre les mains l'indice de l'élément.

L'extrait de code suivant montre comment on recherche un élément muni d'une certaine étiquette :

```
LV_FINDINFO lfi;                              // Structure de recherche
int iItem;                                    // Indice de l'élément trouvé

lfi.flags = LVFI_STRING | LVFI_PARTIAL;       // Recherche partielle
lfi.psz = "Micro";                            // L'étiquette doit commencer par "Micro"
                                              // (par exemple Micro Application)

iItem = -1;                                   // On commence par rechercher le premier élément
do
{
  iItem = ListView_FindItem(hListView, iItem, &lfi);// Cherche !
  if(iItem >= 0)
  {
    ...                                       // Elément trouvé
  }
}
while(iItem >= 0);                            // Tant que la recherche aboutit, on continue
```

Chaîne de recherche incrémentale

En plus de la recherche commandée par programme, l'utilisateur peut aussi lancer une recherche en tapant les premières lettres d'une étiquette pendant que le contrôle possède le focus. Le contrôle gère alors à cet effet une chaîne de recherche incrémentale (*incremental search string*). Le qualificatif "incrémental" veut dire que chaque caractère supplémentaire tapé par l'utilisateur s'ajoute à la chaîne recherchée pour le rapprocher peu à peu de l'objectif. Un chronomètre est déclenché en tâche de fond et lorsque le temps imparti est écoulé, la chaîne incrémentale est effacée. On suppose en effet que dans ces conditions l'utilisateur ne tapera plus de caractère destiné à ce contexte d'interaction.

Le contenu courant de la chaîne de recherche incrémentale peut être consulté par le message *LVM_GETISEARCCHSTRING*. On indique en *lParam* l'adresse d'un buffer destiné à accueillir la chaîne recherchée. Par précaution il est sage de réserver *MAX_PATH* caractères à cet effet, car il n'y a pas moyen de communiquer au contrôle la taille du buffer. Mieux vaut alors miser sur une sécurité maximale.

```
#define ListView_GetISearchString(hwndLV, lpsz) \
        (int)SendMessage((hwndLV), LVM_GETISEARCHSTRING, \
                         0, (LPARAM)(LPTSTR)lpsz)
```

Comme résultat de la fonction *SendMessage()*, on obtient le nombre de caractères transmis au buffer. Une valeur nulle indique qu'aucune recherche incrémentale n'est actuellement en cours.

44.3.8. Paramétrage de la zone d'affichage

Le contrôle ListView gère tout un ensemble de messages *LVN* qui permettent d'influencer la zone d'affichage des éléments. Vous pouvez vous en servir notamment pour vous assurer qu'un élément donné est bien visible sur l'écran ou pour commander un défilement par programme. Vous pouvez aussi prendre connaissance de la zone actuellement visible ou de la zone occupée par un élément. Le présent chapitre va vous montrer comment on procède.

Visibilité garantie

Si on veut s'assurer qu'un élément donné est bien visible - parce qu'il représente par exemple le résultat d'une requête de l'utilisateur - on pourra mettre en service le message *LVM_ENSU-REVISIBLE* ou la macro équivalente *ListView_EnsureVisible()*.

```
#define ListView_EnsureVisible(hwndLV, i, fPartialOK) \
    (BOOL)SendMessage((hwndLV), LVM_ENSUREVISIBLE, \
                      (WPARAM)(int)(i), MAKELPARAM((fPartialOK), 0))
```

La seule chose à connaître est l'indice de l'élément interrogé, qu'il faut mettre dans *wParam*. Par ailleurs le paramètre *lParam* doit contenir TRUE ou FALSE. On indique TRUE si on peut se contenter d'une visibilité partielle, l'élément étant susceptible d'apparaître coupé au bord de l'aire client. Pour exiger une pleine visibilité, on indique FALSE.

Nombre d'éléments visibles

Pour connaître le nombre d'éléments affichés intégralement dans l'aire client du contrôle, lorsque l'affichage est en icônes ou détaillé, on dispose du message *LVM_GETCOUNTPER-PAGE* ou de la macro équivalente *ListView_GetCountPerPage()*.

```
#define ListView_GetCountPerPage(hwndLV) \
    (int)SendMessage((hwndLV), LVM_GETCOUNTPERPAGE, 0, 0)
```

Il n'y pas d'argument à communiquer par *wParam* ou *lParam*. Le résultat de la fonction est le nombre demandé.

Avec la même facilité on peut prendre connaissance du nombre total des éléments du contrôle. Le message a pour code *LVM_GETITEMCOUNT*, le résultat est un entier *int*. Il n'y a pas non plus d'argument à transmettre par *wParam* ou *lParam*.

```
#define ListView_GetItemCount(hwnd) \
    (int)SendMessage((hwnd), LVM_GETITEMCOUNT, 0, 0L)
```

Origine de la zone d'affichage

Le message *LVM_GETTOPINDEX* permet de connaître l'indice de l'élément situé tout en haut de la zone présentement visible, lorsque l'affichage est détaillé ou en liste. Il n'y a aucun argument à transmettre par *wParam* ou *lParam*.

```
#define ListView_GetTopIndex(hwndLV) \
    (int)SendMessage((hwndLV), LVM_GETTOPINDEX, 0, 0)
```

Le résultat renvoyé est l'indice de l'élément ou 0 si le contrôle n'est pas dans l'un des modes d'affichage approprié.

Le complément de *LVM_GETTOPINDEX* est constitué par le message *LVM_GETORIGIN* qui ne fonctionne qu'avec l'affichage en icônes. La macro associée s'appelle *ListView_GetOrigin()*. Elle attend comme argument unique l'adresse d'une structure *POINT* qu'elle transmet à *SendMessage()* via *wParam*.

```
#define ListView_GetOrigin(hwndLV, ppt) \
    (BOOL)SendMessage((hwndLV), LVM_GETORIGIN, \
                      (WPARAM) 0, (LPARAM)(POINT FAR*)(ppt))
```

Si le message a été émis avec succès (résultat de la fonction = TRUE), on trouve dans la structure *POINT* spécifiée les coordonnées du coin supérieur gauche de la "vue" dans l'aire client. Comme les éléments peuvent être arrangés librement dans l'affichage en icônes, sans distance de séparation fixe, on considère sous le nom de "vue" la zone de l'aire client qui les englobe. A l'intérieur de cette vue, les points ont des coordonnées allant de (0, 0) pour l'origine ou coin supérieur gauche jusqu'aux coordonnées du coin inférieur droit du dernier élément. Au retour du message *LVM_GETORIGIN* on obtient les coordonnées de vue du coin supérieur gauche de l'aire client du contrôle ListView.

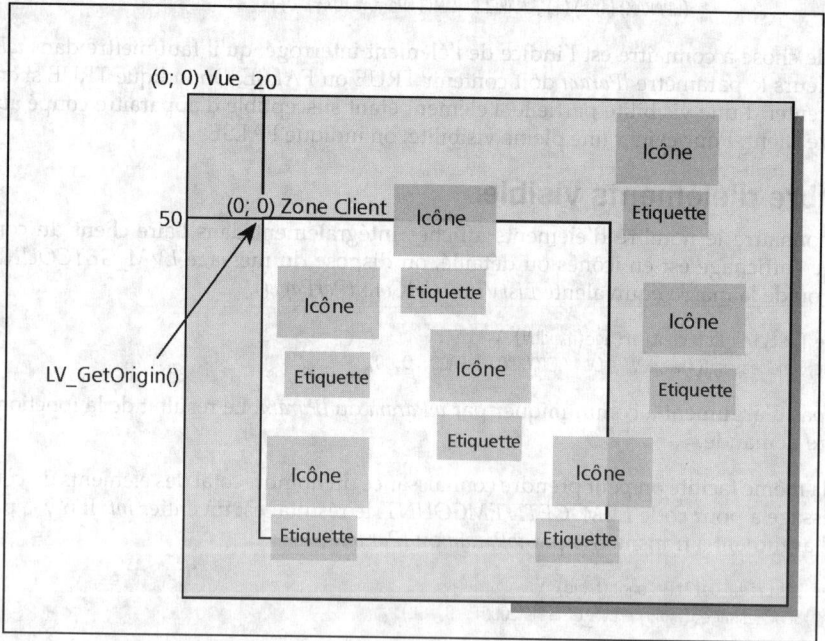

Vue d'un contrôle ListView dans les deux types d'affichage en icônes

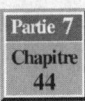
Interrogation de la zone d'affichage

Dans les deux types d'affichage en icônes, le rectangle qui entoure l'ensemble des éléments visibles peut être déterminé à l'aide du message *LVM_GETVIEWRECT*, équivalent de la macro *ListView_GetViewRect()*. En *lParam* il faut indiquer l'adresse d'une structure *RECT* destinée à accueillir les cordonnées de la vue.

```
#define ListView_GetViewRect(hwnd, prc) \
  (BOOL)SendMessage((hwnd), LVM_GETVIEWRECT,\
                   0, (LPARAM)(RECT FAR*)(prc))
```

Zone d'affichage d'un élément

Alors que *LVM_GETVIEWRECT* fournit la zone d'affichage de l'ensemble des éléments visibles, on peut aussi chercher à connaître la zone occupée à l'écran par un élément donné. Il existe deux approches possibles. S'il s'agit simplement de lire les coordonnées de vue du coin supérieur gauche d'un élément, le mieux est d'invoquer le message *LVM_GETITEMPOSITION* ou la macro équivalente *ListView_GetItemPosition()*.

```
#define ListView_GetItemPosition(hwndLV, i, ppt) \
  (BOOL)SendMessage((hwndLV), LVM_GETITEMPOSITION, \
                   (WPARAM)(int)(i), (LPARAM)(POINT FAR*)(ppt))
```

On spécifie en *wParam* l'indice de l'élément visé, en *lParam* l'adresse d'une structure *POINT* dans laquelle le contrôle mémorisera les coordonnées de vue du coin supérieur gauche de l'élément. On apprend ainsi où se trouve l'élément par rapport à la "vue" de l'ensemble des éléments affichés, mais sa position par rapport à l'aire client du contrôle n'est pas connue. Si on a besoin de cette information, il faut retrancher des coordonnées renvoyées ici le point obtenu par le message *LVM_GETORIGIN*.

Si on veut connaître avec plus de précision la zone occupée par un élément, on se servira du message *LVM_GETITEMRECT* ou de la macro équivalente *ListView_GetItemRect()*. Il faut transmettre en *wParam* l'indice de l'élément interrogé, et en *lParam* l'adresse d'une struture *RECT*. Le contrôle y stockera les coordonnées de vue du rectangle qui entoure l'élément, ce qui définit la zone d'affichage.

```
#define ListView_GetItemRect(hwnd, i, prc, code) \
  (BOOL)SendMessage((hwnd), LVM_GETITEMRECT, \
                   (WPARAM)(int)(i), \
                   ((prc) ? (((RECT FAR *)(prc))->left = (code),\
                            (LPARAM)(RECT FAR*)(prc)) \
                         : (LPARAM)(RECT FAR*)NULL))
```

En examinant cette macro, on constate qu'elle introduit un paramètre supplémentaire appelé *code* et qui est transféré dans le champ *POINT.left*. Ce code définit la partie de l'élément que le rectangle doit entourer. Il peut prendre l'une des constantes LVIR suivantes :

Constante LVN	Région à prendre en compte pour déterminer la zone d'affichage
LVIR_BOUNDS	Elément complet, avec étiquette et icône. En affichage détaillé, la zone englobe aussi les sous-éléments en colonnes
LVIR_ICON	Icône de l'élément
LVIR_LABEL	Etiquette de l'élément
LVIR_SELECTBOUNDS	Icône et étiquette, sans les colonnes en affichage détaillé

SendMessage() renvoie TRUE si l'élément indiqué existe et est actuellement visible. Ce n'est que dans ce cas que la structure *RECT* transmise est remplie avec les coordonnées souhaitées.

Dans le fragment de code ci-après on parcourt les éléments d'un contrôle ListView, on détermine la zone d'affichage de chaque icône pour en conclure si l'élément est actuellement visible dans l'aire client. Si tel est le cas, le rectangle d'affichage de l'icône est peint en noir. Si ce n'est pas de la censure...

```
int iItem;                          // Indice de l'élément courant
POINT ptOrigin;                     // Origine de la vue
RECT rClient;                       // Aire client du contrôle ListView

iItem = -1;                         // Le parcours commence avec le premier élément

        // Par précaution on fixe l'origine à 0 car ListView_GetOrigin() ne renvoie
        // une origine valide qu'en mode ICON et SMALLICON
ptOrigin.x = ptOrigin.y = 0;
ListView_GetOrigin(hListView, &ptOrigin);

GetClientRect(hListView, &rClient);     // Détermine l'aire client
OffsetRect(&rClient, ptOrigin.x, ptOrigin.y);   //en déplace l'origine
do
{
        // Lit l'élément suivant
  iItem = ListView_GetNextItem(hListView, iItem, LVNI_ALL);
  if(iItem >= 0)                            // Reste-t-il des entrées ?
  {
    RECT rItem, rUnion;
        // Lit la zone d'affichage d'une icône
    ListView_GetItemRect(hListView, iItem, &rItem, LVIR_ICON);

        // Forme l'intersection de l'aire client décalée et de la zone d'affichage de l'élément
    IntersectRect(&rUnion, &rItem, &rClient);

        // Existe-t-il un rectangle d'intersection ?
    if((rUnion.right - rUnion.left > 0) &&
       (rUnion.bottom - rUnion.top > 0))
    {
      HDC hDC = GetDC(hListView);       // Forme un DC pour le contrôle ListView

        // Dessine un rectangle noir dans le DC du contrôle
      HBRUSH hBR = SelectObject(hDC, GetStockObject(BLACK_BRUSH));
      Rectangle(hDC, rItem.left, rItem.top, rItem.right, rItem.bottom);
      SelectObject(hDC, hBR);           // Reprend l'ancien pinceau
      ReleaseDC(hListView, hDC);        // Libère le contexte
    }
  }
} while(iItem >= 0);                     // Parcourt les autres éléments
```

Paramétrage de la zone d'affichage

Si *LVM_ENSUREVISIBLE* permet de s'assurer qu'un élément donné apparaît bien dans l'aire client du contrôle, on ne peut pas contrôler par ce moyen son lieu d'affichage ni son voisinage. Pourtant il est souvent nécessaire d'avoir la maîtrise complète de ce qui est présenté à

l'utilisateur. Il existe donc différents mécanisme soit pour connaître la situation exacte de la zone d'affichage soit pour la fixer par programme.

Au centre du dispositif se trouve le message *LVM_SCROLL* qui a pour tâche de faire défiler la fenêtre d'affichage d'un nombre de pixels donné. Le hic dans cette affaire, c'est que le déplacement est relatif. Il faut par conséquent mettre en relation la zone d'affichage souhaitée ou zone de destination avec la zone actuellement visible, puis calculer la différence en pixels qui correspond au défilement le long des deux axes X et Y. La zone de destination a généralement été déterminée par *LVM_GETITEMRECT*, l'origine de la zone d'affichage actuelle par *LVM_GETORIGIN*. L'émission d'un message *LVM_SCROLL* ou l'appel de la macro correspondante est déclenchée par le glissement du curseur dans les deux barres de défilement. L'amplitude du déplacement est décrite par les arguments *wParam* et *lParam*.

```
#define ListView_Scroll(hwndLV, dx, dy) \
    (BOOL)SendMessage((hwndLV), LVM_SCROLL, \
                    (WPARAM)(int)dx, (LPARAM)(int)dy)
```

Quel que soit le mode d'affichage, le paramètre *lParam* spécifie le déplacement en pixels le long de l'axe Y (barre de défilement verticale). De la même façon, *wParam* définit le déplacement le long de l'axe X (barre de défilement horizontale). Seule exception : dans l'affichage détaillé, le paramètre *wParam* n'est pas interprété comme un nombre de pixels mais comme le nombre de colonnes dont il faut déplacer la zone d'affichage.

Détermination de la longueur en pixels d'une chaîne de caractères

Pour connaître l'encombrement en pixels d'une chaîne de caractères à l'intérieur du contrôle ListView, on peut se servir du message *LVM_GETSTRINGWIDTH* ou de la macro associée ListView_GetStringWidth. Comme argument on met dans *lParam* l'adresse de la chaîne de caractères concernée. La valeur renvoyée par *SendMessage()* est la longueur de la chaîne en pixels, compte tenu de la police de caractères présentement en service dans le contrôle.

```
#define ListView_GetStringWidth(hwndLV, psz) \
    (int)SendMessage((hwndLV), LVM_GETSTRINGWIDTH, \
                    0, (LPARAM)(LPCTSTR)(psz))
```

Pour connaître la distance de séparation horizontale des éléments dans l'affichage en icônes, on dispose du message *LVM_GETITEMSPACING* ou de la macro associée *ListView_GetItemSpacing()*. Le type d'affichage est à spécifier dans *wParam* : TRUE pour les petites icônes, FALSE pour les icônes standard.

```
#define ListView_GetItemSpacing(hwndLV, fSmall) \
        (DWORD)SendMessage((hwndLV), LVM_GETITEMSPACING, fSmall, 0L)
```

Le résultat est la distance de séparation horizontale entre les éléments décomptée en pixels.

Mise à jour manuelle

Lorsqu'on a modifié un élément, il est aussitôt affiché avec ses nouveaux attributs, par exemple une nouvelle étiquette ou une nouvelle icône. Dans certaines circonstances, on est amené à forcer ce processus, par exemple lorsqu'on a effectué un affichage dans l'aire client du contrôle. On utilise alors le message *LVM_UPDATE* ou la macro équivalente *ListView_UpDate()*. Le seul argument nécessaire est l'indice de l'élément à réafficher qu'il faut préciser dans *wParam*.

```
#define ListView_Update(hwndLV, i) \
    (BOOL)SendMessage((hwndLV), LVM_UPDATE, (WPARAM)i, 0L)
```

Si le contrôle a adopté le style *LVS_AUTOARRANGE*, l'émission de ce message a pour effet de réordonner automatiquement les éléments dans les deux affichages en icônes.

44.3.9. Positionnement et alignement des éléments

Dans les affichages en icônes, un programme peut influencer l'endroit où s'afficheront les éléments. Il peut d'une part aligner les éléments le long d'un bord du contrôle ou selon une grille. Il peut aussi les déplacer explicitement à un endroit bien précis de la zone d'affichage.

L'alignement est commandé par le message *LVM_ARRANGE*. Le seul paramètre d'accompagnement est une constante *LVA* que l'on met dans *wParam*. la macro équivalente s'appelle *ListView_Arrange()*.

```
#define ListView_Arrange(hwndLV, code) \
    (BOOL)SendMessage((hwndLV), LVM_ARRANGE, (WPARAM)(UINT)(code), OL)
```

Les constantes *LVA* définissent l'alignement souhaité :

Constante LVA	Type d'alignement
LVA_DEFAULT	Alignement selon les indications du style de fenêtre (*LVS_ALIGNLEFT* ou *LVS_ALIGN_TOP*)
LVA_ALIGNLEFT	Alignement par rapport au bord gauche de la fenêtre
LVA_ALIGNTOP	Alignement par rapport au bord supérieur de la fenêtre
LVA_SNAPTOGRID	Alignement selon une grille

Positionnement manuel

Pour positionner manuellement les différents éléments, on se servira des deux messages *LVM_SETITEMPOSITION* et *LVM_SETITEMPOSITION32*. On leur transmet en *wParam* l'indice de l'élément à positionner, en *lParam* les coordonnées souhaitées. Mais *LVM_SEITEMPO-SITION* fonctionne avec des coordonnées 16 bits, alors que *LVM_SETITEMPOSITION32* est prévu pour des coordonnées 32 bits, ce qui explique sa dénomination. Les coordonnées se réfèrent à la "vue" qui représente la zone d'affichage des différents éléments du contrôle. L'origine en est le point de coordonnées (0, 0) qui est le coin supérieur gauche de la vue et qui apparaît initialement au coin supérieur gauche de l'aire client du contrôle.

La taille de la vue n'est limitée que par les coordonnées indiquées. Si un élément est déplacé au-delà de la vue, elle s'agrandit en conséquence. Si on utilise *LVM_SETITEMPOSITION32*, la taille peut devenir bien plus importante, après tout on dispose de coordonnées 32 bits. Mais c'est là la seule différence, c'est pourquoi on se contente généralement de *LVM_SETITEMPO-SITION* ou de la macro équivalente *ListView_SetItemPosition()*. Dans ce cas les deux coordonnées X et Y évaluées sur 16 bits peuvent être rassemblées par la macro *MAKELPARAM* pour former le paramètre *lParam* du message.

```
#define ListView_SetItemPosition(hwndLV, i, x, y) \
    (BOOL)SendMessage((hwndLV), LVM_SETITEMPOSITION, \
                      (WPARAM)(int)(i), MAKELPARAM((x), (y)))
```

Avec *LVM_SETITEMPOSTION32* et la macro *ListView_SetItemposition32()*, les choses ne se passent pas de la même façon car les coordonnées sont de type *long* et ne peuvent être regroupées en un seul paramètre *lParam*. Il faut donc référencer une structure du type *POINT* dont l'adresse est à indiquer dans *lParam*.

Lorsqu'on utilise la macro, il n'est pas nécessaire de s'en soucier car elle crée un nouveau bloc de code avec une variable locale de type *POINT* appelée *ptNewPos*. Elle reçoit les deux coordonnées X et Y avant d'être transmise comme argument à *SendMessage()*.

```
#define ListView_SetItemPosition32(hwndLV, i, x, y) \
{ POINT ptNewPos = {x, y}; \
  SendMessage((hwndLV), LVM_SETITEMPOSITION32, \
            (WPARAM)(int)(i), (LPARAM)&ptNewPos); \
}
```

Vous trouverez des exemples d'application de ces messages dans la section 44.3.16. consacrée aux opérations *Glisser/Déplacer* ainsi que dans le programme d'exemple *LVDEMO*.

44.3.10. Réaffichage d'éléments

Pour obliger le contrôle à redessiner certains éléments, vous pouvez faire appel au message *LVM_REDRAWITEMS* ou à la macro équivalente *ListView_RedrawItems()*. Le paramètre *wParam* doit contenir l'index du premier élément à redessiner, *lParam* l'indice du dernier. La réussite de l'opération ne sera visible que si les éléments en question sont effectivement affichés dans l'aire client du contrôle.

```
#define ListView_RedrawItems(hwndLV, iFirst, iLast) \
    (BOOL)SendMessage((hwndLV), LVM_REDRAWITEMS, \
                (WPARAM)(int)iFirst, (LPARAM)(int)iLast)
```

En fait les éléments ne sont pas redessinés immédiatement, mais seulement marqués à cette fin. Le réaffichage ne s'effectue réellement qu'à la réception d'un message *WM_PAINT*, comme en émet par exemple la fonction API *UpdateWindow()*. Vous n'avez pas besoin de recourir à ce message si vous modifiez les éléments par les messages de type *LVM*, comme *LVM_SETITEM* ou *LVM_SETITEMPOSITION*. Dans ce cas en effet le contrôle prend lui-même en charge le réaffichage des éléments modifiés présents dans son aire client.

44.3.11. Communication par rappel des étiquettes et des icônes

Normalement le contrôle ListView tire le texte et les icônes des éléments des différentes structures *LV_ITEM* indiquées au moment de l'insertion des éléments. Mais on peut aussi demander au contrôle de lire ces informations de manière dynamique, à chaque affichage d'un élément. Il envoie alors une notification *LVN_DISPINFO* à la fenêtre parente pour demander qu'elle lui fasse part de l'étiquette ou de l'icône d'un élément. On peut ainsi réaliser une sorte de tracé propriétaire (Owner Draw). Cette technique se justifie par exemple lorsqu'un programme maintient images et étiquettes dans ses propres structures. Il serait alors antiéconomique de restocker ces données avec chaque élément. On suppose évidemment que le nombre d'éléments est très important sinon le travail supplémentaire n'est pas en rapport avec l'économie de mémoire réalisée.

Pour mettre en service ce mécanisme, il faut au moment de l'insertion ou de la modification d'un élément (*LVM_INSERTITEM* ou *LVM_SETITEM*) charger deux constantes spéciales. S'il faut communiquer explicitement l'étiquette d'un élément à chaque affichage, on met dans le champ *LV_ITEM.pszText* la constante *LPSTR_TEXTCALLBACK* qui correspond à l'adresse 0xFFFFFFFF ou à la valeur -1. On procède de même avec le champ *LV_ITEM.iImage* auquel on affecte la constante *I_IMAGECALLBACK* si le numéro de l'icône doit être communiqué. Cette constante vaut également -1.

Demande de renseignement par LVN_GETDISPINFO

Si un élément préparé comme il vient d'être expliqué est en voie d'affichage, le contrôle envoie à sa fenêtre parente un message *WM_NOTIFY* dont le paramètre *lParam* contient l'adresse d'une structure *LV_DISPINFO*. Cette structure commence par un en-tête de type *NMHDR* qui permet déjà d'identifier le code LVN_GETDISPINFO de la notification.

```
typedef struct {
    NMHDR    hdr;                     // En-tête de notification
    LV_ITEM  item;                    // Elément ListView
} LV_DISPINFO;
```

Le deuxième champ appelé *item* est constitué par une structure *LV_ITEM* qui décrit l'élément concerné et offre de la place pour accueillir les informations à communiquer. L'élément concerné est identifié par son indice présent dans *LV_ITEM.iItem* ou son paramètre associé *lParam* qui se trouve dans *LV_ITEM.lParam*.

Les informations requises sont précisées par le champ *LV_ITEM.mask*. Si c'est l'étiquette qui est demandée, l'indicateur *LVIF_TEXT* est activé. Si c'est l'icône, ce sera *LVIF_IMAGE*. Bien entendu les deux indicateurs peuvent être combinés si les deux attributs sont demandés en même temps. Le texte de l'étiquette doit être déposé dans le champ *LV_ITEM.pszText*, le numéro de l'icône en tant qu'indice de la liste d'images dans le champ *LV_ITEM.iImage*.

Si l'icône ou l'étiquette ne doivent plus varier par la suite, ce qui évitera toute nouvelle communication, on active l'indicateur *LVIF_DI_SETITEM* dans le champ *LV_ITEM.mask*. Le contrôle n'enverra plus de notification *LVN_GETDISPO* pour cet élément.

Affichage d'une modification d'étiquette

Il se pose un problème lorsque l'étiquette d'un contrôle est sous la dépendance d'une notification *LVN_GETDISPINFO* et que l'utilisateur édite cette étiquette. La fenêtre parente doit alors en être avertie sinon l'étiquette réapparaîtra dans son ancienne version à la prochaine consultation. C'est pourquoi le contrôle lui envoie une notification *LVN_SETDISPINFO* dont le paramètre *lParam* référence également une structure du type *LV_DISPINFO*. Elle contient à son tour une structure *LV_ITEM* qui identifie l'élément concerné et dont le champ *pszText* pointe sur un buffer avec le nouveau texte de l'étiquette. Il faut en prendre note pour le renvoyer à la prochaine réception d'une notification *LVN_GETDISPINFO* pour cet élément.

44.3.12. Edition d'une étiquette

Si dans son style de fenêtre l'indicateur *LVS_EDITLABELS* est activé, le contrôle permet à l'utilisateur d'éditer l'étiquette d'un élément après avoir cliqué dessus. Un programme peut lui même déclencher ce mécanisme en mettant à profit le message *LVM_EDITLABEL* ou la macro correspondante *ListView_EditLabel()*. L'indice de l'élément à éditer est à communiquer en *wParam*. Comme résultat on obtient le handle de fenêtre du contrôle d'édition ou la valeur NULL si l'édition n'a pas pu être lancée.

```
#define ListView_EditLabel(hwndLV, i) \
    (HWND)SendMessage((hwndLV), LVM_EDITLABEL, (WPARAM)(int)(i), OL)
```

Pour interrompre une édition en cours, on réémet le message mais au lieu d'indiquer dans *wParam* l'indice d'un élément, on met -1.

Notez bien que l'appel ne fonctionne que si le contrôle ListView possède déjà le focus. Si tel n'est pas le cas, il faut l'activer par la fonction API *SetFocus()*. Si au moment de l'émission du message *LVM_EDITLABEL* l'élément à éditer n'est pas visible, le contrôle déplace la zone d'affichage de façon appropriée.

Interdiction de l'édition

Que l'édition d'une étiquette ait été demandée par l'utilisateur ou déclenchée par programme, elle est toujours précédée par un message de notification *LVN_BEGINLABELEDIT* dont le paramètre *lParam* référence une structure de type *LV_DISPINFO*. Ce message contient d'abord la structure habituelle de type *NMHR* qui le caractérise et indique son origine. On y trouve ensuite une structure de type *LV_ITEM* dont les champs *lParam* et *iItem* identifient l'élément dont l'étiquette va être éditée.

```
typedef struct {
    NMHDR    hdr;                          // En-tête de notification
    LV_ITEM  item;                         // Elément ListView
} LV_DISPINFO;.FPROG.
```

La fenêtre parente a la possibilité d'empêcher l'édition en retournant TRUE dans sa procédure de traitement des messages. Une réponse FALSE, qui est la réponse par défaut lorsque le message n'est pas traité, signifie que l'édition est autorisée.

Clôture de la saisie

Une fois la saisie achevée, la fenêtre parente reçoit encore une notification, de code *LVN_EN-DLABELEDIT*. Le paramètre *lParam* pointe alors sur une information *LV_DISPO* dont le champ *item* contient une structure *LV_ITEM* avec le nouveau texte en *pszText*. Si on y trouve un pointeur NULL, c'est que l'utilisateur a interrompu la saisie en tapant <Escape>, il n'a donc pas de nouvelle étiquette. Le contrôle n'installant pas de lui-même le nouveau texte dans la structure *LV_ITEM* de l'élément., il faut appeler *LVM_SETITEM* en spécifiant le nouveau contenu de l'étiquette si la mémorisation doit rester permanente.

Accès au contrôle d'édition pendant la saisie

Pour pouvoir influencer le contrôle d'édition où l'utilisateur tape son texte, on peut obtenir son handle de fenêtre par le message *LVM_GETEDITCONTROL* ou la macro associée *ListView_GetEditControl()*. Les paramètres *wParam* et *lParam* ne sont pas exploités. En retour, on obtient le handle de fenêtre recherché. Si aucune étiquette n'est en cours d'édition, le résultat est NULL.

```
#define ListView_GetEditControl(hwndLV) \
    (HWND)SendMessage((hwndLV), LVM_GETEDITCONTROL, 0, 0L)
```

Dérivation du contrôle d'édition

Le fonctionnement du contrôle d'édition pose problème lorsque le contrôle ListView constitue un élément d'une boîte de dialogue et que l'utilisateur appuie sur <RETURN> ou <ESCAPE> pour clôturer l'opération d'édition d'une étiquette. Les messages *WM_KEYDOWN* correspondants sont envoyés immédiatement à la procédure de traitement des messages de la boîte de dialogue qui les interprète comme si on avait actionné les boutons par défaut associés à ces touches (en général OK pour <RETURN> et Annuler pour <ESCAPE>). Conséquence : la boîte de dialogue se referme alors que l'utilisateur voulait simplement terminer l'édition d'une étiquette du contrôle TreeView.

Pour empêcher cet inconvénient, il faut dériver le contrôle d'édition pour intercepter les messages qui lui sont adressés. Ce mécanisme a été présenté précédemment dans ce même chapitre dans le cas du contrôle TreeView. Le problème de l'édition des étiquettes s'y pose en effet dans les mêmes termes et se résout de la même façon.

44.3.13. Fonctionnement de l'affichage détaillé

Dans l'affichage détaillé il ne suffit pas de préparer les listes d'images et d'insérer quelques éléments. Pour pouvoir afficher des sous-éléments, il faut d'abord installer des colonnes avec divers attributs: largeur, titre, alignement. On charge ensuite les différents sous-éléments, c'est-à-dire le texte qui doit apparaître dans les colonnes.

La première colonne est toujours constituée par les étiquettes des éléments telles qu'on les a insérées par *LVM_INSERTITEM* dans le champ *LV_ITEM.pszText*. A gauche vient se placer la petite icône de l'élément pour peu qu'une liste d'images se trouve associée. Les différents sous-éléments ne peuvent être ni sélectionnés individuellement ni édités. La sélection porte toujours sur une ligne entière.

Dans l'affichage détaillé, le champ *LV_ITEM.iSubItem* prend toute son importance alors que dans les autres modes d'affichage on l'initialisait systématiquement avec la valeur 0. Ce zéro veut dire "élément de base", toute autre valeur à partir de 1 représentant un sous-élément. Pour appliquer un message *LVM* à un sous-élément, la procédure reste pratiquement la même que précédemment. Il suffit de s'assurer que le champ *LV_ITEM.iSubItem* contient le bon indice pour le sous-élément. Le nombre de colonnes installées définit le nombre de sous-éléments que l'on peut ajouter à un élément. L'indice d'un sous-élément va donc de 1 à n.

On peut installer des colonnes et des sous-éléments dans un contrôle même s'il n'est pas affiché en mode détaillé. Mais le résultat ne sera visible que si en changeant le style de fenêtre du contrôle on l'affiche sous forme détaillé.

Création dynamique d'un contrôle ListView en mode détaillé

Une fois le contrôle créé par *CreateWindowEx()*, on commence par ajouter les éléments de base. Car sans élément de base il ne peut pas y avoir de sous-éléments. De fait le message *LVM_INSERTITEM* demande en *LV_ITEM.iItem* qu'on lui indique l'élément de base auquel le sous-élément va être associé. Une fois les éléments de base ajoutés, on installe les colonnes.

Le message nécessaire à cette fin s'appelle *LVM_INSERTCOLUMN*, la macro correspondante étant intitulée *ListView_InsertColumn()*. Lors de l'émission du message, il faut mettre dans *wParam* le numéro de la nouvelle colonne et en *lParam* l'adresse d'une structure du type *LV_COLUMN* qui décrit les attributs de la nouvelle colonne. Le résultat renvoyé par *SendMessage()* est le numéro de la colonne indiquée si elle a pu être créée comme prévu, sinon -1 en cas d'erreur.

```
#define ListView_InsertColumn(hwnd, iCol, pcol) \
    (int)SendMessage((hwnd), LVM_INSERTCOLUMN, \
                    (WPARAM)(int)(iCol), \
                    (LPARAM)(const LV_COLUMN FAR*)(pcol))
```

La structure *LV_COLUMN* contient des champs pour tous les attributs d'une colonne : largeur, titre, alignement, indice du sous-élément représenté.

```
typedef struct {
    UINT    mask;          // Combinaison d'indicateurs LVCF
    int     fmt;           // Alignement de la colonne, constante LVCFMT
    int     cx;            // Largeur de la colonne en pixels
    LPSTR   pszText;       // Pointeur sur le buffer du titre de la colonne
    int     cchTextMax;    // Taille du buffer référencé par pszText
    int     iSubItem;      // Indice du sous-élément affiché dans la colonne
} LV_COLUMN;
```

Les champs initialisés dans la structure sont signalés par le champ *mask* qui est destiné à contenir une combinaison des indicateurs *LVCF* suivants :

Constante LVCF	Champ correspondant
LVCF_FMT	Le champ *fmt*
LVCF_WIDTH	Le champ *cx*
LVCF_TEXT	Le champ *pszText*
LVCF_SUBITEM	Le champ *iSubItem*

Le champ *LV_COLUMN.fmt* permet de spécifier l'alignement du texte dans la colonne (le titre quant à lui est toujours centré). On indique l'une des constantes *LVCFMT* suivantes :

Constante LVCFMT	Alignement
LVCFMT_LEFT	A gauche
LVCFMT_RIGHT	A droite
LVCFMT_CENTER	Centré
LVCFMT_JUSTIFYMASK	Justifié

Le champ *LV_COLUMN.cx* permet de spécifier la largeur d'une colonne en pixels, tandis que *LV_COLUMN.pszText* doit pointer sur la chaîne de caractères qui constitue le titre de la colonne, s'il doit être affiché. On suppose dans ce cas que dans le style de fenêtre du contrôle l'indicateur *LVS_COLUMNHEADER* n'est pas activé. Sinon les titres seraient inhibés.

Le champ *LV_COLUMN.cchTextMax* n'a pas besoin d'être initialisé lorsqu'on insère une nouvelle colonne. Il ne sert que lorsque la struture *LV_COLUMN* est exploitée en liaison avec le message *LVM_GETCOLUMN* pour prendre connaissance des attributs d'une colonne. ce point sera abordé plus loin.

Last but not least, le champ *LV_COLUMN.iSubItem* permet de fixer l'indice du sous-élément qui doit apparaître dans la colonne en question. Vous n'êtes pas obligé de numéroter les sous-éléments dans l'ordre où ils doivent apparaître dans les colonnes. La succession des colonnes est librement définissable et peut être modifiée par la suite.

Paramétrage des attributs de colonne

Pour cette opération on met en oeuvre le message *LVM_SETCOLUMN* ou la macro associée *ListView_SetColumn()*. Dans *wParam* il faut mettre le numéro de la colonne concernée et dans *lParam* l'adresse d'une structure *LV_COLUMN*.

```
#define ListView_SetColumn(hwnd, iCol, pcol) \
    (BOOL)SendMessage((hwnd), LVM_SETCOLUMN, \
                      (WPARAM)(int)(iCol), \
                      (LPARAM)(const LV_COLUMN FAR*)(pcol))
```

Les attributs à modifier doivent être précisés dans le champ *LV_COLUMN.mask* au moyen des constantes *LVCF*. Les champs correspondants sont à initialiser dans *LV_COLUMN*, par exemple *pszText* ou *cx*. Si les modifications ont pu être menées à bien comme prévu, le résultat renvoyé par *SendMessage()* est TRUE, sinon FALSE.

Consultation des attributs d'une colonne

Dans l'autre sens, on peut consulter les attributs d'une colonne en exploitant le message *LVM_GETCOLUMN* ou la macro associée *ListView_GetColumn()*. Le paramètre *wParam* doit contenir le numéro de la colonne concernée et *lParam* l'adresse d'une struture *LV_COLUMN* qui accueillera les attributs consultés.

```
#define ListView_GetColumn(hwnd, iCol, pcol) \
    (BOOL)SendMessage((hwnd), LVM_GETCOLUMN, \
                      (WPARAM)(int)(iCol), (LPARAM)(LV_COLUMN FAR*)(pcol))
```

Le champ *mask* sert comme précédemment à spécifier les attributs auxquels on s'intéresse. Si on veut onnaître le titre d'une colonne, il faut préparer en *LV_COLUMN.pszText* l'adresse d'un buffer qui recevra la chaîne de caractères correspondante. Sa taille doit être communiquée au contrôle par le moyen du champ *LV_COLUMN.cchTextMax*, pour éviter que la chaîne n'écrase des zones de mémoire voisines. Le résultat de la fonction est TRUE si les attributs de la colonne spécifiée ont pu être consultés comme prévu, sinon on recueille FALSE.

Accès à la largeur des colonnes

S'il s'agit simplement de fixer ou de consulter la largeur des colonnes, on dispose de deux messages spécialisés dans ce rôle et qui ne font pas appel à une structure *LV_COLUMN*. Avec *LVM_SETCOLUMNWIDTH* ou la macro équivalente *ListView_SetColumnWidth()*, on met dans *wParam* le numéro de la colonne concernée et dans *lParam* la nouvelle largeur en pixels.

```
#define ListView_SetColumnWidth(hwnd, iCol, cx) \
    (BOOL)SendMessage((hwnd), LVM_SETCOLUMNWIDTH, \
                      (WPARAM)(int)(iCol), MAKELPARAM((cx), 0))
```

Pour connaître la largeur d'une colonne, on se sert du message *LVM_GETCOLUMNWIDTH* ou de la macro équivalente *ListView_GetColumnWidth()*. Lorsqu'on émet ce message, il faut indiquer en *wParam* le numéro de la colonne concernée. Le résultat de la fonction *SendMessage()* est la largeur de la colonne en pixels.

```
#define ListView_GetColumnWidth(hwnd, iCol) \
    (int)SendMessage((hwnd), LVM_GETCOLUMNWIDTH, \
                     (WPARAM)(int)(iCol), 0)
```

Suppression d'une colonne

La suppression d'une colonne s'effectue au moyen du message *LVM_DELETECOLUMN* ou de la macro associée *ListView_DeleteColumn()*. Il suffit d'indiquer en *wParam* le numéro de la colonne vouée à disparaître.

```
#define ListView_DeleteColumn(hwnd, iCol) \
    (BOOL)SendMessage((hwnd), LVM_DELETECOLUMN, \
                      (WPARAM)(int)(iCol), 0)
```

Le succès de l'opération est attesté par le résultat de la fonction qui doit être TRUE.

Classement par les titres de colonnes

Pour vous être servi de l'Explorateur, vous connaissez sûrement la possibilité de classer les fichiers en cliquant simplement sur les intitulés des colonnes lorsque l'affichage est en mode détaillé. Le critère de classement est tantôt le nom du fichier, tantôt sa taille. Il suffit de cliquer sur le titre de la colonne pour déclencher le classement correspondant. Un deuxième clic inverse même le sens du classement. Cette souplesse est très appréciée des utilisateurs, c'est pourquoi vous souhaitez peut-être la proposer vous aussi dans vos boîtes de dialogue.

Le contrôle ListView soutient l'implémentation de ce mécanisme de classement mais il ne vous évite pas un supplément de programmation. D'abord la fenêtre parente doit réagir dans sa procédure de traitement des messages à la notification *LVN_COLUMNCLICK* qu'elle reçoit de la part du contrôle ListView dans le cadre d'un message *WM_NOTIFY*. Comme son nom l'indique, elle signale que l'utilisateur a cliqué sur l'en-tête d'une colonne. Mais le message n'existe que si l'indicateur *LVS_NOSORTHEADER* n'a pas été activé dans le style de fenêtre du contrôle. Dans ce cas, le contrôle ignorerait les clics dont il est question ici.

A la réception d'un message *WM_NOTIFY*, le paramètre *lParam* pointe sur une struture du type *NM_LISTVIEW* qui d'une part identifie la notification *LVN_COLUMNCLICK* et d'autre part fournit des informations sur la colonne sur laquelle on a cliqué. La plupart des champs de cette structure ne sont cependant pas initialisés.

```
typedef struct {
    NMHDR   hdr;            // En-tête habituel d'un message WM_NOTIFY
    int     iItem;          // -1 (pour tous)
    int     iSubItem;       // Indice du sous-élément dont on a cliqué sur la colonne
    UINT    uNewState;      // 0
    UINT    uOldState;      // 0
    UINT    uChanged;       // 0
    POINT   ptAction;       // 0
    LPARAM  lParam;         // 0
} NM_LISTVIEW;
```

Le champ *iSubItem* donne l'indice du sous-élément qui remplit la colonne sur le titre de laquelle on a cliqué, et qui doit donc servir de critère de classement. Le classement est à déclencher par vos propres soins, vous recourrez à cet effet au message *LVM_SORTITEMS*. Celui-ci vous facilite certes la tâche mais il faut lui fournir une fonction de classement pour que la macro correspondante puisse procéder à la mise en ordre des éléments. La section suivante vous montre comment on commande ces opérations.

44.3.14.   Classement des éléments

Pour classer les éléments selon un critère personnalisé librement défini, on dispose du mesage *LVM_SORTITEMS* ou de la macro équivalente *ListView_SOrtItems()*. Le classement s'effectue alors selon une fonction fournie par l'appelant et que le contrôle invoque pour comparer les éléments par paires. L'adresse de cette fonction, qui doit être du type *PFNLVCOMPARE*, doit acompagner le message en *lParam*. Dans *wParam* on peut mettre un nombre quelconque qui sera communiqué à la fonction de classement pour établir un lien entre cette fonction et l'initiateur du classement.

```
#define ListView_SortItems(hwndLV, _pfnCompare, _lPrm) \
    (BOOL)SendMessage((hwndLV), LVM_SORTITEMS, \
                      (WPARAM)(LPARAM)_lPrm, \
                      (LPARAM)(PFNLVCOMPARE)_pfnCompare)

typedef int (CALLBACK *PFNLVCOMPARE)(LPARAM item1, LPARAM item2, LPARAM lPrm);
```

Dans ses deux premiers arguments, la fonction de classement reprend pour l'un et l'autre élément la valeur de son champ *LV_ITEM.lParam* tel qu'elle a été définie lors de son insertion par *LVM_INSERTITEM*. Le troisième argument est le nombre indiqué dans *wParam* à l'émission du message *LVM_SORTITEMS*. Sur la base des deux premiers arguments, la fonction doit décider lequel des deux éléments doit se placer avant l'autre. Le résultat de la fonction signale au contrôle la décision prise. Une valeur inférieure à 0 veut dire que l'élément cité en premier se place avant le deuxième. Une valeur supérieure à 0 indique l'ordre inverse. Si le résultat est nul, c'est que les deux éléments sont ex aequo par rapport au critère de classement.

Notez bien que par la force des choses les indices des éléments sont modifiés par le classement. Si votre programme a mémorisé les numéros de certains éléments, il faudra les mettre à jour, en invoquant par exemple *LVM_FINDITEM*.

44.3.15. Réaction aux événements de la souris et du clavier

Pour pouvoir réagir lorsque l'utilisateur clique sur un élément, il faut disposer du message correspondant. Le contrôle émet une notification classique qu'il envoie sous la forme d'un message *WM_NOTIFY* à la fenêtre parente. Le paramètre *lParam* référence comme d'habitude une structure *NMHDR* contenant l'origine du message (champ *hwndFrom*) et le code proprement dit du message (champ *code*).

```
typedef struct {
    HWND  hwndFrom;          // Handle de fenêtre de l'émetteur
    UINT  idFrom;            // ID du contrôle de l'émetteur
    UINT  code;              // Code du message
} NMHDR;
```

Ce procédé étant standardisé pour toute une série de contrôles, les événements de la souris ne donnent pas lieu à des notifications *TVN* spécialisées mais à des notifications *NM* ordinaires, comme le montre le tableau suivant. Elles informent également la fenêtre parente de la réception ou de la perte du focus.

Notification	Evénement correspondant
NM_CLICK	Clic gauche sur l'aire client
NM_DBLCLICK	Double clic gauche sur l'aire client
NM_RCLICK	Clic droit sur l'aire client
NM_RDBLCLICK	Double clic droit sur l'aire client
NM_RETURN	Frappe de la touche <Return> pendant que le contrôle avait le focus
NM_SETFOCUS	Le contrôle a reçu le focus
NM_KILLFOCUS	Le contrôle a perdu le focus

A l'usage les informations de la structure *NMHDR* se révèlent un peu sommaires. Ce sont surtout les événements de la souris qui pourraient fournir davantage d'informations, notamment la position du pointeur et le handle de l'élément situé au-dessous. Mais on peut rechercher soi-même ces données en commençant par appeler la fonction API *GetCursorPos()* qui mémorise la position du pointeur dans un argument de structure *POINT*. En retour on obtient des coordonnées d'écran à mettre en relation avec l'aire client du contrôle. On appelle à cet effet la fonction API *ScreenToClient()* avec la structure *POINT* obtenue précédemment et le handle du contrôle ListView. Les coordonnées sont alors rapportées à une nouvelle origine représentée par le coin supérieur gauche de l'aire client du contrôle. Les deux fonctions API exploitées proviennent de la bibliothèque *USER32.DLL* et sont déclarées dans le fichier d'inclusion *WINUSER.H*.

On a bien alors en main les coordonnées souhaitées mais le but est de les associer à un élément donné pour réagir à la sélection de l'utilisateur. Le contrôle ListView supporte à cet effet un message appelé *LVM_HITTEST* qui peut aussi être appelé sous la forme de la macro *ListView_HitTest()*. Dans *lParam* il faut transmettre l'adresse d'une structure du type *LV_HIT-TESTINFO*.

```
#define ListView_HitTest(hwndLV, pinfo) \
    (int)SendMessage((hwndLV), LVM_HITTEST, \
                    0, (LPARAM)(LV_HITTESTINFO FAR*)(pinfo))
```

Avant de procéder à l'appel il faut mémoriser les coordonnées du point concerné dans le champ *pt* de la structure *POINT* qui fait partie de *LV_HITTESTINFO*. Pour se simplifier la tâche, on peut communiquer directement l'adresse de la structure *POINT* de la variable *LV_HITTESTIN-FO* aux fonctions *GetCursorPos()* et *ScreenToClient()* appelées précédemment. Il est alors inutile de charger par la suite les coordonnées dans la structure *LV_HITTESTINFO*.

```
typedef struct {
    POINT   pt;             // Coordonnées du point
    UINT    flags;          // Indication de position, une combinaison de constantes LVHT
    int     iItem;          // C'est ici que le contrôle mémorise l'indice de l'élément
} LV_HITTESTINFO;
```

Si *SendMessage()* renvoie une valeur différente de -1, les coordonnées indiquées ont pu être mises en relation avec un élément du contrôle. Le résultat correspond alors à l'indice de l'élément en question, qui au demeurant apparaît également dans le champ *iItem* de la structure *LV_HITTESTINFO*.

Même si le point de l'écran indiqué n'a pas pu être associé à un élément, on trouve dans le champ *LV_HITTESTINFO.flags* un ou plusieurs indicateurs *LVHT* qui décrivent la position du point :

Indicateur LVHT	Position du curseur souris
LVHT_ABOVE	Au-dessus de l'aire client du contrôle
LVHT_BELOW	Au-dessous de l'aire client du contrôle
LVHT_TORIGHT	A droite de l'aire client du contrôle
LVHT_TOLEFT	A gauche de l'aire client du contrôle
LVHT_NOWHERE	Dans l'aire client, mais pas au-dessus d'un élement
LVHT_ONITEMICON	Sur l'icône de base d'un élément
LVHT_ONITEMLABEL	Sur l'étiquette d'un élément
LVHT_ONITEMSTATEICON	Sur l'icône d'état d'un élément

L'extrait de programme suivant montre comment la fenêtre parente d'un contrôle ListView réagit à une notification *NM_DBLCLICK* dans sa procédure de traitement des messages, recherchant aussitôt l'élément concerné pour consulter son étiquette. Cette dernière est alors affichée dans une boîte *MessageBox()*.

```
case WM_NOTIFY:                          // Décode les notifications
  switch(LOWORD(wp))                     // Quel est le contrôle émetteur ?
  {
    case IDC_LISTVIEW:                   // C'est le contrôle ListView
    {
      LPNM_LISTVIEW pnmlv = (LPNM_LISTVIEW)lp;
      switch(pnmlv->hdr.code)            // Exploite le code de notification
      {
        case NM_DBLCLK:                  // Double clic
        {
          LV_HITTESTINFO hi;             // Pour la recherche de l'élément cliqué
          int            iItem;          // Elément trouvé

                                         // Détermine la position du pointeur de la souris
                                         // (coordonnées d'écran)
          GetCursorPos(&hi.pt);
                                         // Les convertit en coordonnées client ListView
          ScreenToClient(hListView, &hi.pt);

                                         // Quel est l'élément situé au-dessous du pointeur ?
          iItem = ListView_HitTest(hListView, &hi);

          if(iItem >= 0)                 // Y a-t-il un élément ?
          {
            char szBuffer[MAX_PATH];     // Buffer pour l'étiquette

                                         // Recherche et affichage du texte de l'étiquette
            ListView_GetItemText(hListView,
                                 iItem,
                                 0,
                                 szBuffer,
                                 sizeof(szBuffer))
            MessageBox(hWnd, szBuffer, "Etiquette", 0);
          }
        }
        break;
      }
    }
  }
break;
```

Réaction aux événements du clavier

Si la notification *NM_RETURN* signale la frappe de la touche <Return>, la fenêtre parente reçoit généralement les codes des touches frappées par une autre notification appelée *LVN_KEY-DOWN* qui voyage également dans les bagages d'un message *WM_NOTIFY*. Pour être plus précis, cette notification est émise lorsque le contrôle ListView possède le focus et que l'utilisateur appuie sur une touche quelconque du clavier.

Peu importe à cet égard que la touche déclenche une action sur le contrôle (par sélection d'un autre élément) ou non.

Dans le paramètre *lParam* du message on obtient l'adresse d'une structure *LV_KEYDOWN* qui contient des informations plus précises sur l'événement.

```
typedef struct {
    NMHDR hdr;              // Structure NMHDR habituelle avec infos sur origine et message
    WORD  wVKey;            // Code virtuel de la touche frappée
    UINT  flags;           // 0
} LV_KEYDOWN;
```

En plus de l'habituelle structure *NMHDR* dans le champ *code* de laquelle on trouve le code de notification *LVN_KEYDOWN*, on observe la présence du champ *wVKey* qui donne le code virtuel de la touche frappée. Le champ *flags* ne sert à rien ici et est toujours nul.

44.3.16. Glisser/Déplacer

Partout où il se justifie, il est de bon ton de prévoir le support des opérations Glisser/Déplacer dans une application. Le contrôle ListView apporte son soutien à cette technologie en apportant les bases nécessaires pour permettre à l'utilisateur de déplacer les éléments dans les différents affichages. Il faut bien se rendre compte que le contrôle ne gère pas tout seul cette opération, mais lui offre son support.

Une opération Glisser/Déplacer est une aventure complexe qui implique toute une série de mécanismes. Il ne suffit pas d'invoquer simplement une fonction ou d'émettre un message *LVM*. Il faut écrire pas mal de code supplémentaire, surtout dans la procédure de traitement des messges de la fenêtre parente. Dans notre cas il s'agira de la procédure de traitement des messages de la boîte de dialogue du programme *LVDEMO*, présenté en fin de chapitre.

Lancement d'une opération Glisser

A début du processus, la fenêtre parente reçoit du contrôle ListView un message *WM_NOTIFY* contenant une notification *LVN_BEGINDRAG* ou *LVN_BEGINRDRAG*. La première de ces notifications correspond à l'enfoncement du bouton gauche de la souris (*LVN_BEGINDRAG*), la seconde à l'enfoncement du bouton droit (*LVN_BEGINRDRAG*). Dans les deux cas on trouve dans le paramètre *lParam* du message un pointeur sur une structure *NM_LISTVIEW*.

```
typedef struct {
    NMHDR   hdr;           // En-tête habituel d'un message WM_NOTIFY
    int     iItem;         // Indice de l'élément glissé
    int     iSubItem;      // 0
    UINT    uNewState;     // 0
    UINT    uOldState;     // 0
    UINT    uChanged;      // 0
    POINT   ptAction;      // Position du pointeur de souris au début de l'opération
    LPARAM  lParam;        // 0
} NM_LISTVIEW;
```

Mis à part le champ *hdr* habituel, la structure ne comporte que deux champs initialisés : *iItem* avec l'indice de l'élément que l'on fait glisser et *ptAction* qui contient les coordonnées du pointeur de la souris au début du glissement. Ces coordonnées vont être exploitées dans un moment.

L'étape suivante consiste à dessiner une icône qui dans le cadre de l'opération Glisser va se déplacer à travers l'écran en même temps que le pointeur de la souris. Le contrôle ListView propose à cet effet le message *LM_CREATEDRAGIMAGE* qui correspond à la macro *ListView_CreateDragImage()*.

```
#define ListView_CreateDragImage(hwnd, i, lpptUpLeft) \
    (HIMAGELIST)SendMessage((hwnd), LVM_CREATEDRAGIMAGE, \
                            (WPARAM)(int)(i), \
                            (LPARAM)(LPPOINT)(lpptUpLeft))
```

En envoyant ce message on met dans *wParam* l'indice de l'élément, tel qu'il a été trouvé dans la structure *NM_LISTVIEW*. Dans *lParam* on indique l'adresse d'une structure *POINT*. Le contrôle y mémorisera les coordonnées de vue du point où devra s'afficher l'image glissante déclenchée par l'appel. Cette tâche devra être prise en charge par votre programme, mais nous en reparlerons dans un instant.

Le résultat de l'envoi du message *LVM_CREATEDRAGIMAGE* par *SendMessage()* est le handle d'une liste d'images créée par le contrôle pour l'exécution de l'opération Glisser. Cette liste d'images contient en fait une seule icône qui regroupe le dessin de l'élément et son étiquette. Pendant l'opération Glisser elle devra accompagner le pointeur de la souris.

Paramétrage de l'image glissante

Auparavant l'icône glissante doit d'abord être définie comme telle par la fonction *ImageList_BeginDrag()*. La fonction attend comme arguments le handle de la liste d'images, l'indice de l'icône (toujours 0 ici) ainsi que la distance entre le foyer du pointeur (hotspot) et le coin supérieur gauche de l'icône.

```
BOOL ImageList_BeginDrag(     // Démarre le glissement avec une icône de la liste d'images
    HIMAGELIST himl,          // Handle de la liste d'images
    int iTrack,               // Numéro de l'icône
    int dxHotspot,            // Distance X entre point glissant et coin sup. gauche d'icône
    int dyHotspot             // idem Y (les deux indications en pixels)
);
```

Les paramètres *dxHotspot* et *dyHotspot* représentent la distance entre le foyer du pointeur de la souris au début de l'opération et le coin supérieur gauche de l'icône associée. Pendant qu'on déplace l'icône à travers l'écran, cette distance doit demeurer constante sinon l'utilisateur aura l'impression désagréable de voir flotter l'image située sous le pointeur. Le déplacement de l'icône doit accompagner rigoureusement celui du pointeur, la distance entre les deux étant maintenue en fonction du paramètre ad hoc communiqué à *ImageList_BeginDrag()*.

On la calcule en retranchant les coordonnées renvoyées par *ListView_CreateDragImage()* de celles données par *NM_LISTVIEW.ptAction*.

L'extrait de programme présenté ci-après montre comment on opère en pratique.

Désactivation du défilement

On manipule à présent le style de fenêtre du contrôle ListView à l'aide de *SetWindowLong()*. Il s'agit d'activer l'indicateur *LVS_NOSCROLL* pour que la zone d'affichage du contrôle ne puisse pas être soumise à un défilement pendant le glissement. La restriction est certes peu pratique car la destination du glissement devra être située dans la zone d'affichage. Mais il n'est pas possible de faire autrement (l'Explorateur ne le peut pas non plus). Sinon l'affichage de l'image glissante s'emmêlerait avec les icônes des éléments. A la fin de l'opération on pourra à nouveau désactiver l'indicateur *LVS_NOSCROLL*, mais ce n'est pas encore le moment.

Dans l'étape suivante on s'enquiert de la position courante du pointeur de souris par le moyen de la fonction API *GetCursorPos()*. Les coordonnées renvoyées sont communiquées à la fonction *ImageList_DragEnter()* qui prend également le handle d'une fenêtre. Ce handle définit la fenêtre de délimitation du glissement. L'icône glissante est coupée lorsqu'elle en atteint les bords et elle disparaît au-delà.

```
BOOL ImageList_DragEnter(
    HWND hwndLock,          // Fenêtre de délimitation du glissement
    int x,                  // Abscisse X du premier affichage de l'icône glissante dans la fenêtre
    int y                   // idem Ordonnée Y
);
```

Si on indique NULL pour l'argument *hwndLock*, l'intégralité du Bureau est considérée comme fenêtre d'exécution du glissement et les coordonnées indiquées seront interprétées par rapport au coin supérieur gauche de l'écran. ImageList_DragEnter() affiche l'icône glissante à la position indiquée par rapport au coin supérieur gauche de la fenêtre spécifiée, ainsi se termine la réaction à la notification *LVN_BEGINDRAG* proprement dite.

Il ne manque qu'une chose : les événements de la souris doivent être capturés par la fenêtre parente du contrôle ListView (dans le cas présent la boîte de dialogue), ce qui s'effectue à l'aide de la fonction API *SetCapture()*. On s'assure ainsi que l'utilisateur peut promener le pointeur de la souris à travers l'écran sans que les contrôles traversés ne reçoivent de messages de la souris. Pendant le glissement, les autres contrôles doivent en effet se comporter en spectateurs silencieux et passifs. Après l'invocation de *SetCapture()*, tous les messages de la souris sont directement envoyés à la procédure de la fenêtre indiquée au moment de l'appel, même si le pointeur de la souris se trouve en dehors de son domaine.

Pour illustrer toutes ces étapes, voici un extrait du code du programme d'exemple *LVDEMO* présenté à la fin du chapitre. Il s'agit du début de la procédure de traitement des messages de la boîte de dialogue. A la réception d'un message *WM_NOTIFY*, on détecte la notification *LVN_BEGINDRAG*. En supplément des actions décrites plus haut, on active un indicateur de glissement interne appelé *bDragging*. Il va rappeler à la procédure lors de l'arrivée du prochain message qu'elle se trouve encore dans un contexte de glissement. Par ailleurs l'indice de l'élément glissé est mémorisé dans la variable *iDragItem* pour qu'on puisse de nouveau y accéder au moment où il sera relâché.

```
BOOL WINAPI DlgProc(HWND hWnd, UINT wMsg, WPARAM wp, LPARAM lp)
{
                                    // Variables statiques pour simplifier l'accès
    static HWND       hListView;    // Handle du contrôle ListView

    static BOOL       bDragging;    // Glissement en cours ?
    static int        iDragItem;    // Indice de l'élément déplacé
    static int        iDropTarget;  // Indice de l'élément de destination
    static HIMAGELIST hDragImage;   // Icône glissante
    static POINT      ptHotSpot;

    switch(wMsg)
    {
    case WM_NOTIFY:
        switch(LOWORD(wp))
        {
        case IDC_LISTVIEW:
        {
            LPNM_LISTVIEW pnmlv = (LPNM_LISTVIEW)lp;
            switch(pnmlv->hdr.code)
            {
            case LVN_BEGINDRAG:         // Initialise l'opération Glisser
```

```
        {
            POINT pt,              // Coordonnées de la souris
                 ptItem;          // Coordonnées du point glissant

                                  // Détermine l'icône glissante————————
            hDragImage = ListView_CreateDragImage(hListView,
                                        pnmlv->iItem,
                                        &ptItem);
                                  // Calcule la position du pointeur de la souris dans
                                  // l'icône glissante
            ptHotSpot.x = pnmlv->ptAction.x - ptItem.x;
            ptHotSpot.y = pnmlv->ptAction.y - ptItem.y;

                                  // Prépare le glissement de l'icône ————————
            if (!ImageList_BeginDrag(hDragImage,
                            0,
                            ptHotSpot.x,
                            ptHotSpot.y))
              return FALSE;

                                  // Pas de défilement dans le contrôle pendant l'opération—
            SetWindowLong(hListView,
                    GWL_STYLE,
                    GetWindowLong( hListView, GWL_STYLE) |
                    LVS_NOSCROLL);

            GetCursorPos(&pt);

                                  // Lance le glissement
            ImageList_DragEnter(NULL, pt.x, pt.y);

            SetCapture(hWnd);      // Capture les événements souris
            bDragging = TRUE;
            iDropTarget = -1;      // Pas encore de destination
            iDragItem = pnmlv->iItem; //Mémorise l'élément déplacé
          }
          break;
        }
      }
      break;
    }
   break;
  }
}
```

Gestion du déplacement de l'icône glissante

Après le lancement de l'opération Glisser, on se trouve en mode de glissement tant que que l'utilisateur ne relâche pas le bouton de la souris et que la procédure de traitement des messages ne reçoit aucun message *WM_LBUTTONUP* (ou *WM_RBUTTONUP*). A chaque déplacement de la souris et réception d'un message *WM_MOUSEMOVE*, il faut faire suivre l'élément glissé. En même temps il faudra le cas échéant marquer les éléments d'écran situés sous le pointeur de la souris comme destinations candidates au relâchement.

Il faut du code de programme supplémentaire pour identifier l'élément situé sous l'icône glissante avant de pouvoir répondre à la question de savoir s'il convient comme destination du déplacement (et lieu de dépôt). L'Explorateur contient ainsi des procédures très complexes pour que les dossiers et les fichiers puissent être glissés au-delà du contrôle, jusque sur le Bureau, où ils peuvent être déposés (déclenchant le cas échéant des opérations d'envergure comme des copies de fichiers).

Dans notre exemple nous nous contenterons de laisser les destinations à l'intérieur du contrôle ListView de départ. Ainsi l'élément déplacé ne pourra être relâché qu'au-dessus d'un autre élément ou dans l'espace vide qui sépare les éléments. Lorsqu'un élément glisse par-dessus un autre, ce dernier doit être caractérisé comme destination potentielle. Le contrôle ListView prévoit à cet effet un indicateur de style spécialisé appelé *LVS_DROPHILITED* que l'on peut activer ou désactiver par le champ *state* de la structure *LV_ITEM* d'un élément au moyen du message *LVM_SETITEM*.

Tant qu'il s'agit simplement de pousser l'icône glissante parallèlement aux déplacements du pointeur de souris, la tâche serait relativement facile, car la fonction *ImageList_DragMove()* rassemble toutes les opérations à exécuter. D'abord elle efface l'icône glissante dans son ancienne position, elle restaure l'écran sous-jacent puis elle redessine l'icône dans sa nouvelle position. Si on a débuté une opération Glisser en appelant *ImageList_BeginDrag()*, il suffit à chaque réception d'un message *WM_MOUSEMOVE* d'appeler *ImageList_DragMove()* pour synchroniser le déplacement de l'icône glissante. Les arguments à fournir sont les coordonnées obtenues en *lParam* dans le cadre du message *WM_MOUSEMOVE*.

Il est vrai qu'auparavant il faut les rapporter à la fenêtre indiquée dans *ImageList_DragEnter()*, ce qui veut dire ici au coin supérieur gauche de l'écran. La fonction API *ClientToScreen()*, à laquelle on communique le handle de fenêtre de la boîte de dialogue et les coordonnées, s'acquitte facilement de cette mission.

Voici la fonction *ImageList_DragMove()* qui reçoit comme arguments les coordonnées ainsi traitées :

```
BOOL ImageList_DragMove(
    int x,          // Nouvelle abscisse X (par rapport au Bureau)
    int y           // Nouvelle ordonnée Y (par rapport au Bureau))
);
```

Il faut veiller ici à ne pas tomber dans le piège tendu par le marquage de la cible potentielle au moyen du style *TVIS_DROPHILITED*. Si l'utilisateur bouge le pointeur de la souris, il peut quitter le domaine de l'élément marqué jusqu'ici qu'il faut donc rétablir dans son état initial. En même temps le pointeur passe dans la zone d'influence d'un autre élément qui doit être marqué à la place de l'ancien comme nouvelle destination.

Le repérage et le marquage des éléments qui constituent des destinations potentielles est un problème général assez complexe. Mais dans le cas du contrôle ListView sa résolution est relativement simple. Les éléments sont marqués à l'aide de l'attribut *LVS_DROPHILI-TED*. Si on retire cet attribut de l'élément, il se présente à nouveau sous sa forme d'origine. Pour savoir si le pointeur de la souris se trouve au-dessus d'un autre élément du contrôle, on se sert tout simplement du message *LVM_HITTEST*. Seule difficulté, les coordonnées indiquées, qui se réfèrent au coin supérieur gauche de la fenêtre parente, doivent d'abord être mises en relation avec le coin supérieur gauche de l'aire client avant qu'on puisse les communiquer à *LVM_HITTEST*.

Conversion des coordonnées

Il faut donc effectuer une conversion. On appelle d'abord la fonction API *ClientToScreen()* pour obtenir des coordonnées d'écran relatives au coin supérieur gauche de l'écran. La fonction reçoit à cet effet le handle de fenêtre de la boîte de dialogue ainsi que les coordonnées de départ. On appelle ensuite *ScreenToClient()*, en indiquant en plus des coordonnées obtenues précédemment, le handle du contrôle ListView. Le point renvoyé mesure la distance du pointeur de souris par rapport au coin supérieur gauche de l'aire client du contrôle ListView. Telles sont alors les coordonnées dont on a besoin pour émettre correctement le message *TVM_HITTEST*. On apprend ainsi si le pointeur de la souris et l'icône glissante se trouvent au-dessus d'une destination potentielle de déplacement.

Lorsque l'état d'un élément situé sous le pointeur de la souris est amené à changer, il ne faut pas oublier auparavant de rendre invisible l'icône glissante. Sinon à l'issue de l'appel à *ImageList_DragMove()*, il y a aura restauration de l'écran sous-jacent à l'endroit où se situait l'icône glissante. Or l'ancien contenu de l'écran ne correspond plus à l'affichage de l'élément tel qu'il vient d'être modifié. Avant de changer l'état d'un élément situé sous l'icône glissante, on commence donc par invoquer la fonction *ImageList_DragShowNoLock()* pour faire disparaître l'icône glissante. On peut alors modifier tranquillement l'élément en question (en le redessinant). Ensuite on ramène l'icône glissante en rappelant une nouvelle fois la même fonction.

```
BOOL ImageList_DragShowNolock(
    BOOL  fShow                        // Afficher l'icône glissante (TRUE ou FALSE) ?
    );
```

Le seul argument requis par cette fonction est TRUE si l'icône est à afficher et FALSE si on veut la faire disparaître.

L'extrait de code suivant montre comment réagir à la réception d'un message *WM_MOUSE-MOVE* pendant un glissement :

```
case WM_MOUSEMOVE:                      // Traite les déplacements de la souris
{                                        // pendant une opération Glisser
  if(bDragging)
  {
    int iItem;
    POINT pt;
    LV_HITTESTINFO lvhtst;

                                         // Position courante de la souris pour le HitTest ———
    pt.x = lvhtst.pt.x = LOWORD(lp);
    pt.y = lvhtst.pt.y = HIWORD(lp);
                                         // Convertit les coordonnées du dialogue en
                                         // coordonnées ListView ——
    ClientToScreen(hWnd, &lvhtst.pt);
    ScreenToClient(hListView, &lvhtst.pt);

                                         // Lit l'indice de l'élément touché ———
    iItem = ListView_HitTest(hListView, &lvhtst);

    if(iItem != iDropTarget)
    {
                                         // Dissimule l'icône glissante ———
      ImageList_DragShowNolock(FALSE);
                                         // Marque l'élément touché , redessine normalement
```

```
                            // l'élément abandonné
    SetDropHighlight(hListView,
                iItem,
                iDropTarget);

    iDropTarget = iItem;                  // Mémorise la destination
    ImageList_DragShowNolock(TRUE);       // Rétablit l'icône glissante
  }
  ClientToScreen(hWnd, &pt);              // et la déplace
  ImageList_DragMove(pt.x, pt.y);
 }
}
break;
```

Conclusion d'une opération Glisser

L'opération Glisser se termine par le relâchement du bouton de la souris, ce qui se répercute dans la procédure de traitement des messages par la réception de *WM_LBUTTONUP* (ou *WM_RBUTTONUP*). Les messages *WM_MOUSEMOVE* reçus précédemment permettent au programme de reconnaître la destination du déplacement au-dessus de laquelle se trouve à présent le pointeur de la souris. En fonction de la logique implémentée, l'objet qu'on a fait glisser doit être lié à la destination de destination mais les modalités précises de cette opération dépendent de chaque cas particulier.

Le code suivant montre tout ce qu'il faut faire pour conclure formellement une opération Glisser. Il se raccorde aux extraits précédents et correspond à la fin de la procédure de traitement des messages de notre exemple *LVDEMO*. On y traite le message *WM_LBUTTONUP* qui marque la fin de l'opération Glisser.

D'une part on appelle *ImageList_DragLeave()* qui constitue la contrepartie de *ImageList_DragEnter()*, la fonction qui déclarait le Bureau comme domaine du glissement. Cet appel a notamment pour effet d'effacer de l'écran l'icône glissante.

```
BOOL ImageList_DragLeave(
    HWND   hwndLock                       // Handle de la fenêtre où avait
                                          // lieu l'opération Glisser
    );
```

Le deuxième appel concerne *ImageList_EndDrag()* qui met officiellement fin à l'opération et ne nécessite aucun argument.

```
void ImageList_EndDrag( );               // Met fin à l'opération Glisser en cours
```

Enfin on exploite *ImageList_Destroy()* pour libérer l'icône glissante qui avait été créée au début de l'opération par *TVM_CREATEDRAGIMAGE*.

Le dernier acte consiste à mettre fin à la capture de la souris en invoquant la fonction API *ReleaseCapture()* : les autres fenêtre pourront alors recevoir à nouveau des messages en provenance de la souris. Il ne faut pas non plus oublier de désactiver l'indicateur *LVS_NOSCROLL* qui influençait le style de fenêtre du contrôle ListView. Le défilement de la zone d'affichage est alors à nouveau possible. L'opération Glisser est alors terminée et le programme peut réagir comme d'habitude aux événements de la souris et du clavier.

Déplacement au point de destination

Comme résultat concret de l'opération Glisser, l'élément dont l'indice a été mémorisé tout au début dans *iDragItem* est transféré à la position où l'utilisateur l'a relâché, par le moyen du message *LVM_SETPOSITION*. Les coordonnées exactes qui doivent se rapporter à la zone de "vue" du contrôle ListView ne sont pas très faciles à calculer. Il faut d'abord tirer du paramètre *lParam* du message les deux coordonnées 16 bits, en extrayant le mot de poids faible (X) et le mot de poids fort (Y). Les coordonnées se rapportent à ce moment au coin supérieur gauche de la boîte de dialogue (qui gère ainsi la capture). Un appel à la fonction API *ClientToScreen()* permet de les convertir en coordonnées absolues d'écran. La fonction reçoit à cet effet le handle de fenêtre de la boîte de dialogue ainsi que les coordonnées de départ.

Mais tel n'est pas encore le format recherché puisque les coordonnées doivent être fournies par rapport au coin supérieur gauche de l'aire client du contrôle ListView. On invoque alors la fonction *ScreenToClient()* à laquelle on communique en plus des coordonnées précédemment calculées le handle du contrôle ListView. Comme résultat on obtient des coordonnées décomptées à partir du coin supérieur gauche de l'aire client du contrôle ListView. Mais ce ne sont pas encore les coordonnées qu'il faut indiquer à l'émission du message *LVM_SETITEMPOSITION* : ces dernières sont en effet des coordonnées de vue qui doivent se référer à la zone d'affichage des éléments du contrôle ListView. On est ainsi amené à évaluer les coordonnées de vue du coin supérieur gauche de l'aire client. On dispose à cet effet du message *LVM_GETORIGIN* ou de la macro équivalente *ListView_GetOrigin()*. Les coordonnées retournées doivent encore être ajoutées à celles qui se référaient au coin supérieur gauche de l'aire client. Est-on arrivé au bout du chemin ? Pas tout à fait, il faut encore retrancher la distance qui sépare le foyer du pointeur du coin supérieur gauche de l'icône glissante, telle qu'on l'a fixée au début de l'opération Glisser. Après toutes ces péripéties on dispose enfin des coordonnées de vue de l'élément qui peut être installé par *ListView_SetItemPosition()* à la position choisie par l'utilisateur.

```
case WM_LBUTTONUP:
  if(bDragging)                      // Opération Glisser ?
  {
    POINT pt, ptOrg;

    pt.x = LOWORD(lp);               // Mémorise les coordonnées souris
    pt.y = HIWORD(lp);

                                     // Convertit les coordonnées de dialogue
                                     // en coordonnées ListView ————
    ClientToScreen(hWnd, &pt);
    ScreenToClient(hListView, &pt);

    ImageList_DragLeave(NULL);
    ImageList_EndDrag();             // Met fin au glissement
    ImageList_Destroy(hDragImage);

    SetDropHighlight(hListView,      // Affiche la destination
                     -1,            // en élément ordinaire
                     iDropTarget);

                                     // Détermine les coordonnées de vue du coin sup.
                                     // gauche du contrôle ListView
    ListView_GetOrigin(hListView, &ptOrg);

                                     // ...et dépose l'élément déplacé au point
                                     // défini par le pointeur de la souris plus l'origine ————
    ListView_SetItemPosition(hListView,
```

```
                        iDragItem,
                        pt.x + ptOrg.x - ptHotSpot.x,
                        pt.y + ptOrg.y - ptHotSpot.y);

    bDragging = FALSE;                      // Fin de l'opération Glisser
    ReleaseCapture();                       // Libère la souris

                                            // Rétablit le défilement à l'intérieur du contrôle ListView
    SetWindowLong(hListView,
                  GWL_STYLE,
                  GetWindowLong(hListView, GWL_STYLE) &
                  ~LVS_NOSCROLL);
    }
break;
```

44.3.17.   Exemple de programme

Le programme *LVDEMO* montre encore une fois comment fonctionnent les différents messages *LVM* commandant un contrôle ListView. Comme vous le voyez ci-dessous, le programme présente un boîte de dialogue au centre de laquelle se trouve un contrôle ListView *IDC_LIS-VIEW*. Ce contrôle est utilisé pour afficher les cours des actions de divers fabricants de matériels et de logiciels. Dans les affichages en icônes et en liste apparaissent une icône, qui est toujours la même, et le nom de la société. Dans l'affichage détaillé, on peut lire en plus le cours précédent, le cours du jour ainsi que la tendance, ces informations étant disposées dans des colonnes supplémentaires. La tendance est également visible dans les autres modes d'affichage qui exploitent à cet effet une icône d'état qui apparaît à côté de l'icône de base. Elle présente une flèche orientée en fonction de la tendance, à la hausse, à la baisse ou constante.

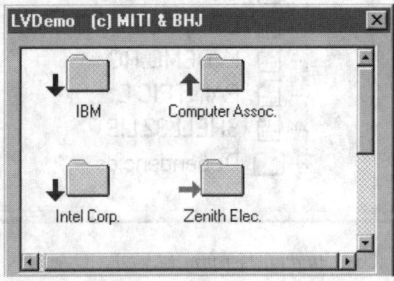

Affichage de LVDEMO en icônes standard

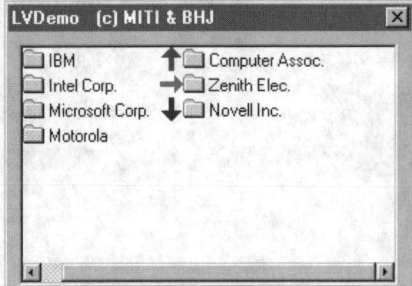

Affichage de LVDEMO en petites icônes

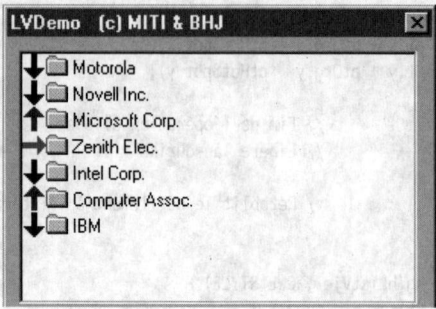

Affichage de LVDEMO en liste

Le programme réagit lorsqu'on effectue un double clic sur un élément, et contient une implémentation complète de l'opération Glisser/Déplacer, permettant de repositionner les éléments lorsque l'affichage est en icônes. Dans l'affichage détaillé, les éléments peuvent être classés selon le critère d'une colonne par simple clic sur son titre. D'autre part le classement peut être ascendant ou descendant.

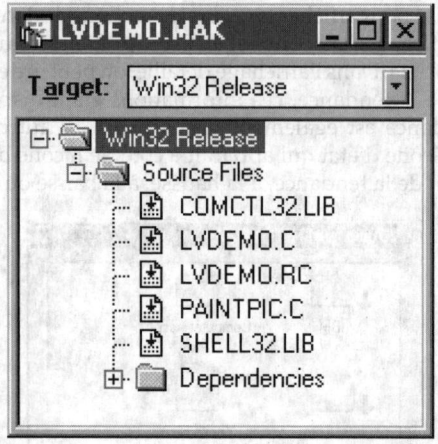

Contenu du fichier projet LVDEMO.MAK

LVDEMO.C

45.   OLE

L'équipe de Microsoft qui a développé le Shell a pris soin d'éviter que la vie de programmeur ne sombre dans l'ennui. A peine s'est-on familiarisé avec l'API Win32 que voici déjà la génération suivante des interfaces logicielles : les objets OLE. Les interfaces pour accéder aux dossiers du bureau et pour générer des raccourcis montrent les voies de l'avenir. C'est l'orientation objet selon les vues de Microsoft.

Les fonctionnalités système ne sont plus uniquement mises à la disposition du programmeur par le moyen des fonctions API, de plus en plus ce sont les objets et les technologies OLE qui les prennent en charge. C'est là une raison suffisante pour étudier la technologie OLE, car, à titre d'exemple, sans appels OLE, l'accès programmé au bureau est très limité : les rares fonctions API disponibles dans ce domaine n'implémentent qu'une fraction des fonctionnalités que l'on trouve dans les objets OLE du Shell. Les raccourcis ne peuvent carrément pas être générés sans que l'on fasse appel à l'objet OLE du Shell prévu à cet effet. En guise d'introduction au chapitre suivant sur le Shell de Windows 95 et le bureau, le présent chapitre sera consacré à la technologie OLE comme fondement des extensions système futures, orientées objet.

Le lecteur qui souhaiterait se plonger dans la documentation OLE de Microsoft se trouve aussitôt assommé par plus de 1000 pages bourrées de concepts souvent difficilement pénétrables. Beaucoup de développeurs en prennent peur, c'est ainsi que la technologie OLE a acquis la réputation d'être complexe et d'un maniement fort délicat. Il est vrai que pris dans son ensemble, OLE est une chose complexe pour ne pas dire quelque peu démesurée. Mais contrairement à l'opinion courante, OLE n'est pas un bloc monolithique. C'est plutôt un conglomérat d'objets et de concepts qu'il n'est pas nécessaire de connaître dans leur intégralité. Une fois que la philosophie de base et sa concrétisation en langage C ou C++ ont été assimilées, bien des mystères se trouvent éclaircis. Il suffit en fait de se bagarrer avec une partie des spécifications OLE pour pouvoir exploiter cette technologie comme client. Notre souci sera donc d'aller rapidement à l'essentiel en matière d'OLE.

OLE compact : Sept étapes pour accéder aux objets OLE

○   Les objets OLE sont situés dans des fichiers EXE ou DLL et sont reconnaissables grâce à un identificateur de classe unique (CLSID) qui sert un peu de plaque d'immatriculation.

○   On distingue les clients et les serveurs. Les serveurs sont des objets OLE qui offrent certaines fonctionnalités. Les clients sont les utilisateurs de ces objets. Les clients peuvent être des applications ou d'autres objets OLE.

○   Les fonctionnalités d'un objet ne sont disponibles qu'à travers son interface. Au-delà de l'interface, l'objet ne dispose d'aucune fonctionnalité supplémentaire.

○   Chaque interface contient un groupe de fonctions reliées par une logique commune et présente un identificateur d'interface unique (IID).

○   Chaque interface contient en plus de ses méthodes propres l'interface appelée *IUnknown* avec trois méthodes. Par son intermédiaire le client peut se relier à d'autres interfaces à l'intérieur de l'objet et appeler leurs méthodes.

○   Un objet n'existe que par ses instances. La plupart des objets disposent d'une fonction API qui génère leur instanciation et qui renvoie un pointeur sur l'une des interfaces contenues dans l'objet.

○   Chaque instance d'objet contient en plus de ses données privées un pointeur sur la table *vtable*, une table de pointeurs de fonctions avec les adresses des différentes méthodes d'interface. Ces méthodes peuvent être appelées comme des fonctions ordinaires en C ou C++.

45.1.   Origines et évolution

La technologie OLE de Microsoft montre bien à quelle vitesse une technologie peut évoluer dans le domaine informatique tout en conservant le même nom. Quiconque évoque OLE de nos jours pense presque inévitablement à un document Excel ou WinWord dans lequel on incorpore un graphique, une formule ou quelque chose de ce genre, autrement dit un objet. Il est vrai que OLE veut bien dire "Object Linking and Embedding" (Liaison et incorporation d'objet). Tel était le refrain entendu dans le début des années quatre-vingt dix.

Ce n'est évidemment pas complètement faux, mais un tel regard ne tient pas compte de ce qui se cache véritablement derrière OLE et qui devrait figurer au premier plan : l'idée d'implémenter des objets avec des fonctionnalités en codifiant leur accès. Il s'agit de mettre en place le "Common Object Model" (COM en abrégé) soit un "modèle commun d'objet" . La capacité d'inclure dans un document WinWord des graphiques et d'autres éléments n'est que la mise en application d'un principe très général qui est ici au coeur du débat.

Le "Common Object Model" décrit un standard binaire qui permet de regrouper des modules de code en objets qui transmettent leurs fonctionnalités vers l'extérieur par des voies standardisées.Les objets qui se trouvent dans un fichier avec le format COM peuvent être invoqués directement à partir de programmes en C ou C++.

Ce que l'on entend communément par OLE n'est qu'une pièce de puzzle parmi d'autres, qu'il ne faut pas confondre avec l'ensemble du puzzle. Il existe d'autres pièces qui acquerront davantage de signification dans l'avenir que le classique "Linking and Embedding". Par exemple les objets d'automation nécessaires pour accéder à des objets OLE à partir de Visual Basic, Delphi, Excel ou Access de Microsoft. Mais même là il ne s'agit que de pièces isolées dans le grand ensemble qui porte le nom d'OLE.

Le successeur des bibliothèques de liens dynamiques

Les objets COM peuvent être considérés un peu comme les DLL du siècle à venir (à moins que Microsoft n'introduise une autre notion entretemps). Ils constituent une nouvelle étape dans l'évolution qui mène de l'appel d'interruption à l'objet superdynamique qui scintille quelque part dans les confins du Cyberespace, offrant ses services à quiconque serait muni des droits d'accès appropriés. Nous n'en sommes pas encore là mais la direction est fléchée. Après les interruptions, on a vu apparaître la liaison statique aux bibliothèques d'exécution au moment de la compilation, puis l'arrimage dynamique aux DLL au moment de l'exécution, puis les objets OLE au standard COM. Avec C++ et les bibliothèques de classe à la MFC, les objets se répandent partout, ils ne pouvaient donc être absents du système d'exploitation. S'agit-il de gadgets ? Que non ! Le concept est très puissant et doit être considéré comme le fondement même des systèmes d'exploitation et applications orientés objets.

A moyen terme, les DLL ne vont pas disparaître. Mais les nouvelles fonctionnalités du système seront de plus en plus mises à la disposition des programmes par le moyen des objets OLE. C et C++ peuvent accéder directement à ces objets, tandis que Visual Basic et les environnements VBA passeront par des objets OCX associés. Ceux-ci enrobent les objets OLE pour leur donner l'aspect que nécessite leur incorporation dans les environnements VBA.

Le but fondamental de la spécification COM est de rendre les objets universellement réutilisables et interchangeables. A la limite, un programme sur PC peut accéder à un objet qui lui est proposé sans remarquer que ce dernier s'exécute ailleurs sur un autre ordinateur du réseau. Mais ce n'est pas encore tout. La machine sur laquelle s'exécute l'objet n'est même pas forcément un PC à base d'Intel.

Il pourrait s'agir d'un ordinateur MIPS sous Windows NT ou (à l'avenir) d'un Apple, pour peu que le système d'exploitation Apple supporte le standard COM. C'est là exactement ce que l'on entend par système client-serveur.

Le client est incarné par l'appelant à savoir l'utilisateur de l'objet COM. Le serveur est l'objet COM lui-même. Savoir si ce type d'application client-serveur se justifie à l'heure actuelle dans les logiciels de bureau traditionnels et s'il est efficace d'appeler un objet à travers un réseau est certes une autre affaire. Mais il est certain que l'interface COM constitue un mécanisme de base pour délocaliser des fonctionnalités de l'ordinateur vers un serveur du réseau, que ce dernier se trouve dans la pièce voisine ou aux antipodes. Pour l'instant les objets sont situés dans la même machine que le client et exécutés au même moment. Mais la direction des développements futurs est clairement balisée.

Le sous-système OLE sous Windows 95

Au niveau système, on rencontre OLE sous la forme du sous-système représenté par le fichier OLE32.DLL. Ce dernier contient environ 150 fonctions API qui permettent de travailler avec les objets OLE et d'y accéder. Car avant de passer aux actes en orientation objet, il est indispensable de faire appel à quelques fonctions API pour obtenir un objet avec lequel on puisse travailler.

Pour appeler les fonctions OLE à partir du langage C, on dispose de plusieurs fichiers d'inclusion qui doivent être insérés dans les applications OLE. Le premier est le fichier OLE2.H qui fait lui-même appel aux fichiers OBJERROR.H, OBJBASE.H et OLEAUTO.H. Les déclarations de base sont situées dans OBJBASE.H. Si vous vous donnez la peine de jeter un coup d'oeil dans ces fichiers, ne soyez pas effrayés par le grand nombre de définitions et d'appels aux commandes du préprocesseur. La plupart de ces lignes ne sont pas utiles au développeur et les autres ont une finalité plus simple que leur écriture le laisse croire. Pour appeler les fonctions OLE dans un programme en C, on dispose en plus de la bibliothèque OLE32.LIB.

Les interfaces et leur implémentation

Peu importe que les objets résident sur un serveur du réseau ou sur une machine locale : pour qu'ils soient utilisables de manière transparente, il faut clairement définir l'interface visible depuis l'appelant. Un objet doit présenter les possibilités qu'il offre à son client et la façon d'y accéder.

Par contre un objet ne cherchera pas à savoir qui est l'utilisateur (client) et ce qui se passe au-delà de la frontière de l'interface du côté du client. Vu de l'extérieur il constituera une boîte noire. Les événements qui se déroulent à l'intérieur de la boîte ne sont pas visibles, seules comptent les données d'entrée et de sortie. Et de la même façon le monde extérieur est pour l'objet une sorte de trou noir, son petit univers s'arrête à l'endroit de sa frontière.

On peut bien entendu projeter progressivement le monde extérieur dans l'objet : il suffit que ce dernier prépare des méthodes aptes à recueillir auprès du client des paramètres sur le monde extérieur. Par exemple une information sous forme de handle de fenêtre qui permettrait à l'objet d'émettre des résultats dans la fenêtre du client.

L'interface aux normes COM forme la frontière étroite entre le dehors et le dedans par laquelle passe toute communication entre le monde extérieur et l'objet.

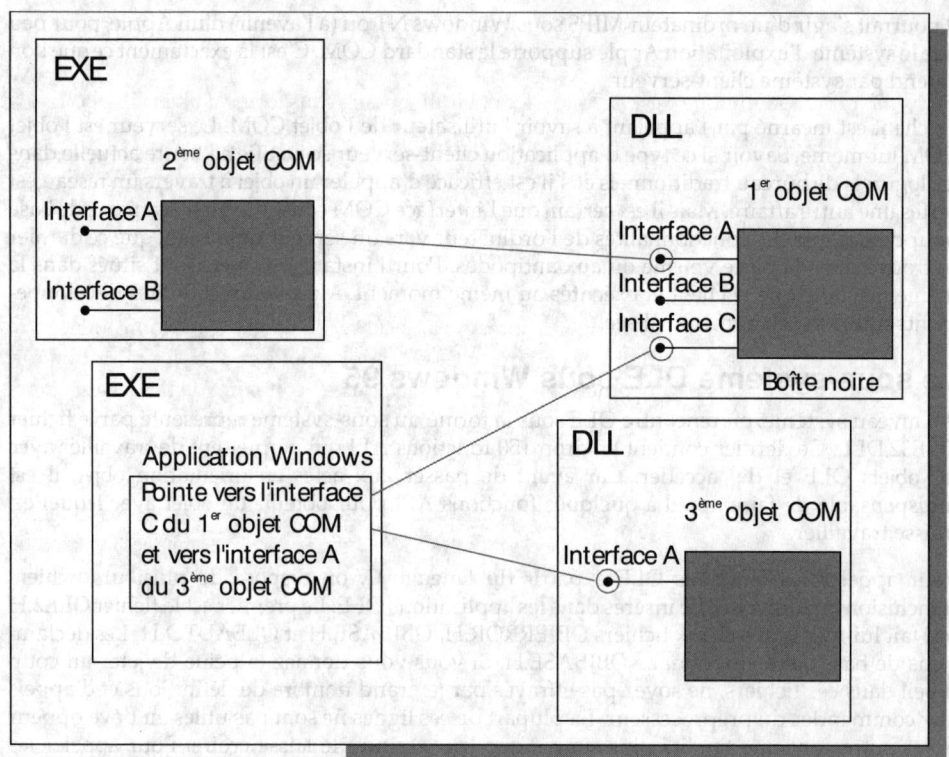

Les différentes interfaces à l'intérieur d'un objet.

D'après la définition COM, ce sont des interfaces qu'un objet COM (on pourrait aussi dire un objet OLE) transmet à l'extérieur. Si une fonction API constitue la plus petite unité exportée par une DLL, ce rôle est tenu dans le cas des objets OLE par l'interface : c'est un ensemble de fonctions participant à une logique commune et pouvant être invoquées par un appelant extérieur.

La spécification COM précise comment on définit exactement les interfaces, quelles sont les possibilités qu'elles offrent et comment elles apparaissent au niveau binaire. C'est dans le cadre de ces définitions abstraites que viendront s'insérer toutes les interfaces avec leurs fonctionnalités. Mais tant que ce cadre n'est pas rempli de vie, tant que l'on n'implémente pas les méthodes d'une interface par du véritable code de programme, tout cela n'est qu'une construction théorique dénuée de signification réelle.

C'est ici que se place l'un des nombreux malentendus suscités par OLE. La question se pose en effet de savoir qui va définir concrètement les interfaces OLE, qui va les implémenter et qui va les exploiter comme client. La réponse à cette interrogation est quelque peu déroutante : tout le monde. Tout le monde en effet peut définir des interfaces OLE selon la spécification COM. Le système, n'importe quelle application Windows, Visual Basic, Corel Draw etc... Tous ces logiciels peuvent définir des interfaces OLE. Le problème est de savoir qui va traduire ces interfaces en programmes concrets et qui va s'en servir, autrement dit qui va être le serveur et qui va être le client.

En pratique on observe deux cas de figure différents, valables tant pour le code système que pour les applications et les objets OLE :

O Quelqu'un définit une certaine interface et l'implémente sous forme d'objet OLE pour que d'autres applications puissent y avoir recours. Le système OLE définit par exemple quelques interfaces pour stocker des objets OLE dans des fichiers. Les interfaces sont documentées de sorte qu'un appelant puisse s'en servir selon le modèle COM. L'appelant (client) peut être une application, le système ou des objets OLE indépendants. Il en est de même avec les fonctions d'accès au bureau. Elles sont définies par le *Shell* comme objets OLE et ainsi livrées aux appels.

O Quelqu'un définit une interface mais laisse le soin de leur implémentation à d'autres objets OLE. Il s'agit alors généralement d'interfaces nécessitées par la communication entre objets. Par exemple les interfaces qu'un objet OLE doit apporter avec lui pour pouvoir être incorporé dans un document Word ou pour se faire reconnaître dans un environnement VBA. L'interface permet à l'objet de communiquer avec son conteneur, dans ce cas précis WinWord ou Visual Basic. Comme l'interface pour l'incorporation de l'objet est clairement définie, n'importe qui peut créer un tel objet et il existera de nombreuses implémentations de l'interface au sein de divers objets. Dès que l'utilisateur prévoit un objet à incorporer, le serveur vérifie qu'il dispose des interfaces nécessaires et les appelle. Vues de l'extérieur, toutes les interfaces se ressemblent mais à l'intérieur elles contiennent du code individualisé en fonction de leur finalité. On retrouve là l'un des principes de base de la philosophie orientée objet : le polymorphisme.

Dans la programmation du Shell sous Windows 95, c'est le premier scénario qui se joue. On utilise des interfaces déjà disponibles, sans être obligé de développer des objets OLE personnalisés ou d'implémenter des interfaces prédéfinies. On intervient donc uniquement comme client, pas comme serveur. 90 % des problèmes OLE se trouvent ainsi éliminés. Toute interrogation sur la génération d'un objet, la dérivation, l'héritage, l'agrégation ou la définition de l'interface est hors de propos. Ces questions ne se posent que si on désire intervenir comme serveur, mais c'est alors une toute autre histoire !

Interfaces OLE prédéfinies

éVoici un aperçu sommaire et arbitraire de quelques-unes des 50 interfaces que définit le sous-système OLE. Dans la pratique il ne faut heureusement en connaître que très peu, par exemple deux seulement pour la programmation du bureau.

Interface	Rôle
IUnknown	Interface standard
IClassFactory	Crée de nouvelles instances d'objets
IOLEClientSite	Informe les objets incorporés sur leur conteneur
IMalloc	Alloue de la mémoire dynamique
ILockBytes	Gère un tableau d'octets pour la réception d'un objet
IPersistFile	Enregistre ou charge un objet dans un fichier
IDispatch	Pour les contrôles d'automation (par ex OCX).
IStorage	Commande l'accès au "Structured Storage" et aux "Compound Files"

Dans le chapitre qui suit et qui est consacré au Shell et au bureau, OLE est exclusivement utilisé comme prolongement du concept DLL pour appeler une fonctionnalité préparée à l'avance.

Mais les fonctions DLL ne disparaissent pas complètement. C'est ainsi que le Shell exporte quelques fonctions API qui s'avèrent indispensables en complément des interfaces OLE : par exemple pour obtenir un objet Shell, grâce auquel on peut exploiter les fonctionnalités de l'interface OLE du Shell.

Mais avec les interfaces OLE, les choses se passent autrement qu'avec les appels API et les DLL. C'est pourquoi les sections qui suivent vont récapituler les notions et les conventions essentielles qu'il faut connaître pour appeler les objets (Shell) à partir de C.

L'arrimage dynamique

Ce qui distingue le concept OLE des DLL n'est pas seulement la plus petite unité d'accès atomique - d'un côté la fonction DLL, de l'autre l'interface OLE. C'est aussi l'art et la manière de parvenir jusqu'à ces objets et à leurs interfaces, la façon dont l'application prend contact avec l'objet et appelle ses services.

Le concept OLE ressemble à l'arrimage dynamique d'une DLL au moment de l'exécution d'un programme, par le moyen de *LoadModule()* et *GetProcAdress()*. Dans la technique OLE, la liaison entre client et serveur est elle aussi établie au moment de l'exécution. C'est d'ailleurs la raison pour laquelle le linker n'a pas besoin d'informations sur la situation des objets OLE que l'on souhaite utiliser.

Ces détails sont réglés au moment de l'exécution. Les composants système qui offrent des objets OLE exportent généralement aussi quelques rares fonctions API. L'une d'elles est celle qui crée un objet du type souhaité. Comme appelant on reçoit en retour un pointeur sur la nouvelle instance de l'objet qui servira par la suite à tous les accès sur l'objet.

Les objets sont représentés par leurs interfaces qui regroupent des fonctions participant à une logique commune. Par exemple toutes les opérations qui traitent un certain type d'objet, l'effacent, font des recherches, etc.En règle générale les interfaces ne rassemblent pas des centaines de fonctions mais plutôt une dizaine ou une vingtaine, et parfois beaucoup moins.

Il existe toute une série d'interfaces définies et implémentées par le système OLE et d'autres composants système comme le Shell, d'autres peuvent être ajoutées à tout moment. Quiconque veut développer un nouvel objet OLE compose sa propre interface et l'implémente. Selon les fonctionnalités désirées, un objet pourra contenir plusieurs interfaces, certaines prédéfinies, d'autres personnelles, exactement le cocktail qui conviendra pour les tâches envisagées. La nature et le nombre des interfaces dépendent de l'objet, mais il faut tenir compte de la règle impitoyable qui veut que toutes les fonctions qui y sont définies doivent être implémentées. On ne peut faire les choses à moitié. Un client doit pouvoir compter là-dessus.

Compte tenu de la variété des interfaces, les concepteurs ont imaginé un mécanisme d'arrimage dynamique qui se sert lui-même du concept d'interface. Indépendamment de son rôle, tout objet COM doit commencer par offrir au moins une interface prédéfinie : l'interface appelée *IUnknown*. Elle permet à un client potentiel de disposer d'un premier repère en l'aidant à savoir si l'objet en question dispose de l'interface souhaitée. La fonction correspondante s'appelle *QueryInterface()*. Dès que l'on obtient un pointeur sur un objet, on dispose d'un pointeur sur une interface *IUnknown*. On invoque ensuite *QueryInterface()* pour déterminer si l'interface recherchée est implémentée.

Si cet appel est couronné de succès, on dispose d'un pointeur sur l'interface en question. Grâce à lui on peut à tout moment appeler les fonctions de l'interface tout comme des fonctions API ordinaires. Si l'appel à *QueryInterface()* échoue, l'interface de l'objet recherchée n'est pas disponible.

Appel de fonctions d'interface

Dans la suite de ce chapitre nous allons encore voir comment les interfaces sont définies au niveau du langage C et comment on déclenche leurs fonctions. Mais commençons par jeter un bref coup d'oeil sur la réalisation des interfaces pour en concrétiser la notion.

Au niveau le plus bas une interface n'est finalement rien d'autre qu'une table de pointeurs de fonctions. Chaque élément de la table correspond à une fonction de l'interface, autrement dit à une des méthodes de l'objet. Il suffit que l'appelant dispose d'un pointeur sur cette table et de l'indice de la fonction souhaitée pour pouvoir l'invoquer directement sans autre détour, comme toute autre fonction C.

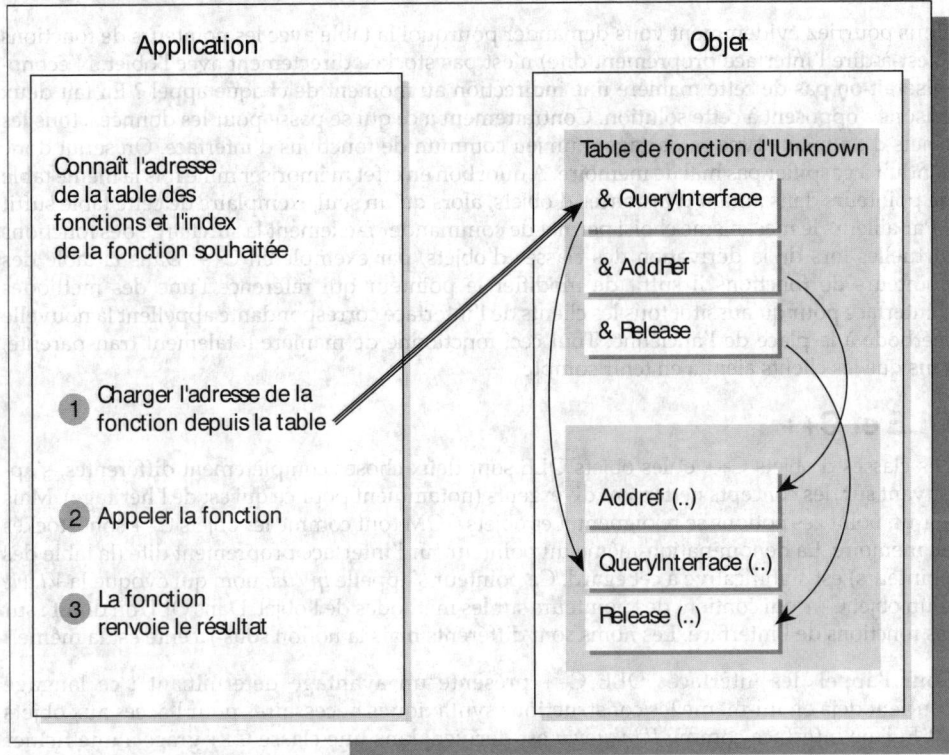

Appel des fonctions de l'interface avec l'exemple de la fonction "IUnknown"

Le résultat retourné par *QueryInterface()* ou l'une des nombreuses fonctions de l'API OLE n'est pas la table de fonctions proprement dite mais un pointeur sur une instance d'objet. Il s'agit en quelque sorte d'une référence sur l'objet vivant. Elle pointe sur les données situées au coeur de chaque instance de classe. En Visual Basic on les appellerait les propriétés de l'objet, en C++ les variables membres.

Leurs emplacements individuels et leurs structures précises demeurent néanmoins inconnus. Mais c'est là le tribut à payer à la programmation orientée objet (le maître mot en la matière est "encapsulation").

D'autres faits par contre sont connus avec précision : le pointeur d'objet renvoyé pointe sur le début de la structure de l'objet en mémoire et à cet endroit précis se trouve un pointeur sur la table de fonctions qui incarne l'interface de l'objet. Avant ou après pourraient se trouver d'autres pointeurs d'interface car les objets peuvent contenir plusieurs interfaces, mais cela on ne le sait pas.

L'interface renvoyée peut être adressée sans problème si on interprète le pointeur retourné comme un pointeur sur un pointeur qui référence la table des fonctions avec les adresses des différentes méthodes de l'interface. Une double indirection permet d'accéder à chacune des fonctions de l'interface pour l'appeler à la manière d'une fonction C ordinaire. En C l'instruction a la forme suivante :

```
x = InterfacePtr->TableFonctions->MethodeDansTableFonctions ( paramètre );
```

Vous pourriez évidemment vous demander pourquoi la table avec les pointeurs de fonctions (c'est-à-dire l'interface proprement dite) n'est pas stockée directement avec l'objet. N'économiserait-on pas de cette manière une indirection au moment de chaque appel ? En fait deux raisons s'opposent à cette solution. Contrairement à ce qui se passe pour les données, tous les objets d'un même type se partagent un jeu commun de fonctions d'interface. On serait donc conduit à gaspiller pas mal de mémoire. A quoi bon en effet mémoriser mille fois la même table de pointeurs dans autant d'instances d'objets, alors qu'un seul exemplaire de cette table suffit ? Par ailleurs le mécanisme choisi permet de commander facilement la surcharge des fonctions virtuelles lors de la dérivation des classes d'objets, par exemple en C++. Dans la table des pointeurs de fonctions il suffit de modifier le pointeur qui référence l'une des méthodes d'interface pour qu'aussitôt tous les clients de l'interface correspondante appellent la nouvelle méthode à la place de l'ancienne. Tout ceci fonctionne de manière totalement transparente, sans que les clients aient à en tenir compte.

OLE et C++

Les classes d'objets C++ et les objets OLE sont deux choses complètement différentes, s'appuyant sur des concepts nettement divergents (notamment pour ce qui est de l'héritage). Mais sur un point ces notions se rejoignent. Les objets COM tout comme les objets C++ sont stockés en mémoire. La dénomination-même du pointeur sur l'interface proprement dite (la table des pointeurs) est significative à cet égard. Ce pointeur s'appelle *lpVtbl*, nom qui évoque la *Vtable* d'un objet C++ qui contient des pointeurs sur les méthodes de l'objet. Dans OLE on dirait : sur les fonctions de l'interface. Les noms sont différents mais la notion sous-jacente est la même.

Pour l'appel des interfaces OLE C++ présente un avantage déterminant : ce langage contient déjà en lui-même les constructions syntaxiques nécessaires pour l'accès aux objets OLE. Une interface comme *IUnknown* est dérivée dans une classe C++ grâce à une fichier d'inclusion approprié :

```
class IUnknown
        {
        public:
        virtual HRESULT QueryInterface( const IID &riid, void **ppvObject );
        virtual ULONG AddRef( void );
        virtual ULONG Release( void );
        };
```

L'appel s'effectue ensuite au moyen de la syntaxe habituelle de C++ :

```
class IUnknown ciu;              // Objet de type IUnknown
HRESULT hr;
ULONG ul;
hr = ciu.QueryInterface( paramètre );   // Appelle la méthode QueryInterface
ul = ciu.Release();              // Apelle la méthode Release
```

Avec C++ on évite le recours au pointeur *this* qu'il faut transmettre comme premier paramètre lorsqu'on appelle une fonction d'interface en C. Un fonction d'interface ou fonction membre a besoin de ce pointeur pour pouvoir accéder aux données situées à l'intérieur d'une instance d'objet. En C++, ce pointeur est incorporé automatiquement comme premier paramètre lorsqu'on appelle une méthode ; il n'est pas nécessaire de le mentionner explicitement. Dans le code d'une méthode il est malgré tout parfaitement possible de l'invoquer pour référencer l'objet : il s'appelle *this*, c'est le même que celui qui apparaît en C pour lire l'adresse de la table des pointeurs de fonction, autrement dit l'adresse des variables *lpVtbl*. Mais cette dernière étant située au début de l'objet en mémoire, elle incarne l'objet lui-même. Par rapport à l'appel d'une fonction d'interface en C++, l'appel en C nécessite un paramètre supplémentaire, qui est cependant toujours le même : celui par lequel on accède à *lpVtbl* au début de l'objet.

En C++ :

```
MyObject.QueryInterface(riid,ppvObject)
```

En C :

```
MyObject-lpVtbl-QueryInterface(MyObject,&riid,&ppvObject)
```

Même si la différence est essentiellement typographique, il reste que les avantages de C++ en matière d'objets OLE ne sont pas contestables. Mais dans ce chapitre nous utiliserons malgré tout le langage C pour plusieurs raisons. D'abord il met mieux en évidence le mécanisme de base de l'appel OLE. Quiconque l'a assimilé en C pourra sans problème écrire les instructions en C++. Mais si vous ne connaissez pas C++ vous ne pourrez pas, à partir de ce langage, déduire l'écriture en C. Par ailleurs la mise en oeuvre de C++ pour les techniques OLE conduit plus ou moins irrésistiblement à l'utilisation de la bibilothèque de classes MFC. Les choses se compliquent alors inutilement et le code se dilate artificiellement. En faisant appel à MFC, nous sommes arrivés à créer un objet OLE sans aucune fonctionnalité qui occupait pourtant 180 ko. Ce n'est pas une plaisanterie ! A partir de cette constatation, le choix du C s'impose de lui-même.

Identification d'une interface

Revenons à *IUnknown*. Vous rencontrerez souvent ce type de nom dans OLE car toutes les interfaces portent un nom qui commence par *I*. Il en est ainsi des interfaces OLE prédéfinies qui sont plus d'une cinquantaine et qui s'appellent par exemple *IMoniker*, *IOLEInPlaceFrame* ou *IDispatch*.

Ces noms ont leur importance car pour qu'une interface puisse être interrogée par *QueryInterface()* elle doit porter un nom ou un identificateur qui la distingue de toutes les autres. Tant qu'on privilégie les objets de sa propre machine, les identificateurs d'interface ne sont obligés de rester uniques qu'à l'intérieur de cette machine. Mais si comme nous y invite le concept COM, nous pensons déjà à des réseaux interplanétaires, les identificateurs d'interface doivent être uniques au niveau global, dans l'absolu. C'est pourquoi ces identificateurs ont été appelés en anglais *GUID* pour *Globally Unique Identifier*.

Ce n'est pas un nom symbolique comme *IUnknown* qui représente un objet au niveau le plus élémentaire, mais son identificateur GUID. Les GUID sont des structures de données qui s'étendent sur 128 bits (4 DWORD) et qui caractérisent de façon unique chaque interface. Grâce à un outil du SDK WIN32 appelé GUIDGEN.EXE, chaque développeur qui crée une nouvelle interface va générer un GUID personnalisé qui représentera désormais l'interface sous forme d'identificateur unique dans le monde entier. Voilà qui est déjà en soi remarquable. En effet chaque fois qu'un demandeur a besoin d'un identificateur, n'importe où, à n'importe quel moment, ce programme lui attribue un numéro unique, sous forme d'un nombre de 128 bits, différent de tous les millions d'autres attribués précédemment. Et tout ceci sans qu'aucune instance centralisée n'intervienne pour coordonner la répartition des numéros.

Bien que Microsoft n'ait pas rendu public le fonctionnement du programme qui attribue les GUID, le principe en est connu. Pour créer un GUID il suffit de rassembler sur une machine un grand nombre de données d'origine aléatoire ou en évolution constante. Par exemple : les contenus de divers emplacements mémoire en RAM, l'heure système, le nombre d'octets libres sur le disque dur, le nom de l'utilisateur, le temps écoulé depuis le dernier passage du programmeur aux toilettes ou depuis la cotation de l'action Microsoft à son dernier maximum. On recherche ainsi toutes sortes de données aléatoires sur la machine qui exécute le programme. A ce titre la présence au sein de l'ordinateur d'un composant doté d'un identificateur unique est très précieuse. Tel sera le cas pour les cartes réseaux car leurs constructeurs gèrent depuis de longues années des contingents d'immatriculations uniques, attribués de manière centralisée. Les identificateurs correspondants sont gravés dans les cartes. On est donc sûr que chaque carte réseau se distingue clairement de sa voisine, ce qui a pour effet secondaire de faciliter la création de GUID uniques.

Les nombres aléatoires recueillis sont reliés par une formule mathématique ou un algorithme itératif qui disperse fortement les numéros résultants. Ceci veut dire que si on modifie un seul bit dans les nombreux paramètres aléatoires qui servent de base à la génération, le GUID obtenu est complètement différent. On recherche en fin de compte ce que l'on appelle une fonction de chaos. Un numéro donné n'est pas reproductible car les paramètres d'entrée qui ont servi à le créer ne se retrouveront plus jamais dans la même configuration.

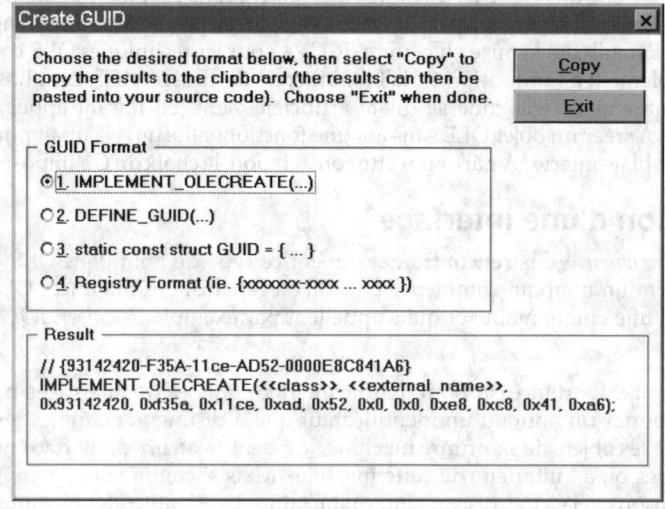

Le programme GUIDGEN.EXE

Dans cet exemple on a créé le GUID {93142420-F35A-11ce-AD52-0000E8C841A6}. La représentation hexadécimale entre accolades est définie dans la spécification COM et reflète la structure interne d'un GUID : DWORD, WORD, WORD, 8 octets.

Structure d'un GUID

Le type de données GUID est défini dans le fichier OBJBASE.H comme une suite constituée d'un double DWORD, de deux mots WORD et de huit octets BYTE. La signification des différents champs n'est pas connue. De la structure GUID sont dérivés d'autres types de données qui sont également des "globaly unique identifier" mais qui sont utilisés à des fins particulières. CLSID est un identificateur de classe pour distinguer les objets OLE, IID sert à distinguer les interfaces. RIID est aussi un GUID.

Par ailleurs LPIID et LPCLSID sont des pointeurs sur les CLSID et IID. Il existe aussi IID_NULL et CLSID_NULL qui représentent des identificateurs de classe ou d'interface non valides.

```
                                    // extrait commenté de OBJBASE.H
typedef struct  _GUID               // l'unique et merveilleux GUID
  {
    DWORD Data1;                    // 4 octets
    WORD  Data2;                    // 2 octets
    WORD  Data3;                    // 2 octets
    BYTE  Data4[ 8 ];               // 8 octets
  } GUID;                           // en tout 16 octets = 128 Bit
typedef GUID IID;                   // IID est un ID d'interface
typedef GUID CLSID;                 // CLSID est un ID de classe
typedef GUID RIID;                  // RIID est un ID de référence général
typedef IID __RPC_FAR *LPIID;       // pointeur FAR sur IID
#define IID_NULL GUID_NULL          // ID d'interface non valide
typedef CLSID __RPC_FAR *LPCLSID;   // pointeur FAR sur CLSID
#define CLSID_NULL GUID_NULL        // ID de classe non valide
```

Mise en oeuvre d'identificateurs GUID

Les GUID ne servent pas seulement à identifier des interfaces, mais aussi des objets. De même que chaque interface comporte un ID (identificateur) d'interface, de la même façon chaque objet comporte un ID de classe.

Les ID de classe et d'interface sont gérés séparément, car les objets peuvent contenir plusieurs interfaces et en même temps implémenter une seule interface unique. Les ID de classe et d'interface sont en fait exploités dans des circonstances différentes.

○ D'abord à l'intérieur des programmes qui désirent accéder comme clients à une interface dans une instance d'un objet particulier. Le développeur rangera les informations sur l'objet qu'il a créé et sur son interface dans un fichier d'inclusion. Ce fichier sera indispensable lorsqu'on souhaitera en tant que client accéder à l'objet par un module de bas niveau écrit en C ou C++. Pour mettre en service des fonctions DLL, on a besoin de fichiers d'inclusion avec des prototypes, des structures de données, des types et des constantes. De la même façon, l'auteur d'une interface fournira aux développeur des ID de classe et d'interface sous la forme de fichiers d'inclusion. Le même fichier comportera aussi la structure des interfaces implémentées. Lorsqu'un client potentiel appelle la fonction *QueryInterface()* dans l'interface *IUnknown*, il se servira des ID d'interface fournies pour obtenir l'interface souhaitée.

○ Par ailleurs l'ID de classe et d'interface sera naturellement indispensable à l'intérieur du code de programme qui implémente l'objet en question avec son interface, c'est-à-dire dans le code source du serveur. A l'intérieur de la fonction *QueryInterface()* qui doit être disponible, on teste l'ID d'interface transmis par le client en le comparant au sien propre. S'il n'y pas accord, le client est "mal relié" et il n'est renvoyé aucun pointeur d'interface.

○ De plus, la classe ID est nécessaire lorsqu'un contrôle OLE se place dans le registre. Les contrôles OLE sont stockés dans des fichiers EXE ou DLL, il faut donc que le système crée un lien entre un ID de classe et le fichier qui contient le code de programme de l'objet concerné. Telle est la raison d'être des sections correspondantes dans le registre (HKEY_CLASSES_ROOT).

Structure de IUnknown

Il est nécessaire de disposer d'un *ID* d'interface lorsqu'on appelle *QueryInterface()* pour désigner l'interface souhaitée. Mais *QueryInterface()* n'est pas la seule fonction offerte par l'interface *IUnknown*. Deux autres fonctions appelées *Addref* et *Release()* sont également implémentées. Elles servent à la gestion des objets.

Méthode	Rôle
QueryInterface	Interroge les interfaces et renvoie des pointeurs sur les interfaces
AddRef	Informe l'objet de la présence d'un nouvel utilisateur
Release	Informe l'objet de la suppression d'une référence et détruit l'objet s'il n'a plus d'autre utilisateur

Tableau des méthodes de IUnknown

Pour gérer les objets il faut leur donner la possibilité d'enregistrer le nombre de leurs utilisateurs. C'est important si on ne souhaite pas que l'objet reste indéfiniment en mémoire et accapare des ressources. Si les utilisateurs se déconnectent explicitement de l'objet, ce dernier saura repérer le dernier d'entre eux et ne se sentira pas obligé de rester en mémoire. Les objets gèrent ainsi des compteurs d'utilisateurs qui sont commandés par les fonctions *AddRef()* et *Release()*. Chaque nouvel utilisateur se manifestera en appelant *AddRef()* et il se déconnectera à nouveau au moyen de *Release()* avant de mettre fin à son exécution.

Si on utilise une fonction API prédéfinie pour créer une nouvelle instance d'objet (par exemple la fonction API OLE *CoGetMalloc()*), elle renverra un pointeur sur une interface prédéfinie de l'objet et aura déjà invoqué *AddRef()*. Il ne restera à l'appelant qu'à exécuter la fonction *Release()* avant de se terminer ou s'il n'a plus besoin de l'objet. Lors la description des différentes interfaces du *Shell*, nous reviendrons là-dessus en détail.

Il est important de retenir que chaque interface d'un objet doit disposer d'une interface *IUnknown* propre. Si un objet contient dix interfaces, l'appelant disposera en plus de dix interfaces *IUnknown*. Chacune de ces interfaces *IUnknown* peut être invoquée pour accéder à toutes les autres interfaces d'un objet. Il n'est donc pas nécessaire de retenir le pointeur d'origine pour remonter à une fonction *QueryInterface()* permettant d'accéder à une autre interface. Tout pointeur qui référence une interface peut aussi être utilisé pour appeler *QueryInterface()*. Donc tout pointeur d'interface permet d'accéder à l'ensemble des interfaces d'un objet.

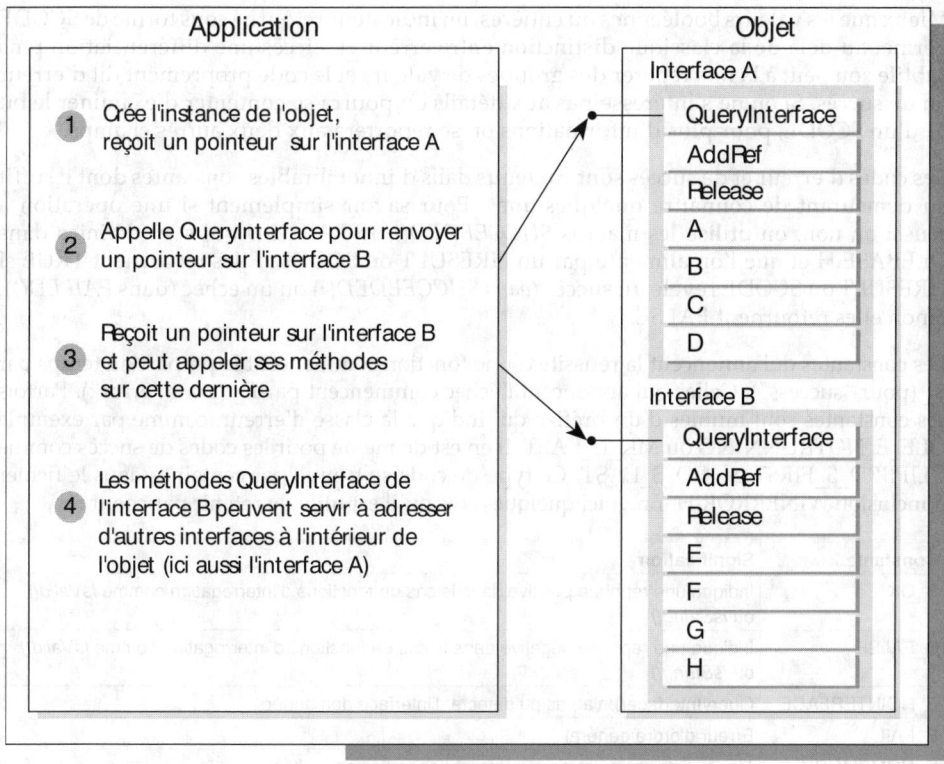

Mise en oeuvre de "QueryInterface()", "AddRef()" et "Release()"

Examinons en détail les trois méthodes *IUnknown* :

```
HRESULT QueryInterface(
    void *this                  // pointeur sur l'objet
    IID  *iid,                  // ID de l'interface souhaité
    void **ppvObject            // Pointe sur une variable qui
);                              // contient les pointeurs d'interface
```

En plus de l'indispensable pointeur *this* la fonction *QueryInterface()* attend l'adresse d'une variable avec l'ID de l'interface à laquelle on désire accéder. Comme troisième paramètre on indique l'adresse d'une variable dans laquelle *QueryInterface* dépose, en cas de succès, un pointeur sur l'interface souhaitée. En cas d'erreur on y trouvera la valeur NULL. La valeur retournée indique déjà si l'interface est disponible. Elle est du type HRESULT comme dans beaucoup de méthodes d'interface. Il est vrai que parfois le type HRESULT est remplacé par SCODE mais sous Win32 les deux types sont identiques et interchangeables. L'un et l'autre constituent un indicateur d'état de 32 bits avec la structure suivante :

Bit	Signification
31	1 = erreur, 0 =succès
16-30	Groupe d'erreurs
0-15	Code d'erreur ou de succès dans le cadre du groupe précédent
Structure d'un indicateur HRESULT ou SCODE	

Mieux que les valeurs booléennes ou entières, un indicateur retourné sous forme de SCODE permet au-delà de la classique distinction entre erreur et succès une différenciation plus subtile : on peut à la fois repérer des groupes de valeurs et le code proprement dit d'erreur ou de succès. Si on ne s'intéresse pas aux détails on pourra se contenter d'examiner le bit 31 d'un SCODE, pour plus d'informations on se reportera aux deux autres champs.

Les codes d'erreur et de succès sont contenus dans d'innombrables constantes dont il suffit au demeurant de connaître quelques-unes. Pour savoir simplement si une opération a réussi ou non, on utilise les macros *SUCCEEDED()* ou *FAILED()* qui sont définies dans OLEBASE.H et que l'on alimente par un HRESULT ou SCODE. Elles retournent TRUE si HRESULT ou SCODE révèle un succès *(dans SUCCEEDED())* ou un échec (dans *FAILED()*). Sinon elles retournent FALSE.

Les constantes qui annoncent la réussite d'une fonction commencent la plupart du temps par *S_* (pour "success"). Celles qui annoncent l'échec commencent par *E_* (pour "error"). Parfois ces constantes sont munies d'un préfixe qui indique la classe d'erreur, comme par exemple OLE_E_NOTRUNNING ou MK_E_LAST. Il en est de même pour les codes de succès comme CLIPBRD_S_FIRST ou CO_S_LAST. Ce type de code se trouve par centaines dans le fichier d'inclusion WINERROR.H. En voici quelques-uns qu'il est utile de retenir par coeur :

Constante	Signification
S_OK	Indique une réponse positive dans le cas de fonctions d'interrogation comme *IsValid()* ou *IsString()*
S_FALSE	Indique une réponse négative dans le cas de fonctions d'interrogation comme *IsValid()* ou *IsString()*
E_NOINTERFACE	QueryInterface() n'a pas pu détecter l'interface demandée
E_FAIL	Erreur d'ordre général
E_NOMEMORY	Manque de mémoire pour exécuter l'opération souhaitée
E_NOTIMP	La méthode d'interface appelée n'est pas implémentée.

L'extrait de code suivant montre comment on essaye par un pointeur donné d'obtenir l'interface *ISHellLink* pour accéder entre autres à la méthode *Release* contenue dans l'interface obligatoire *IUnknown*

```
LPUNKNOWN ppunk;                          // Pointeur sur l'interface IUnknown
LPSHELLINK pshl;                          // Pointeur sur ISHellLink


                                          // ppunk pointe sur l'interface IUnknown d'un objet
                                          // dont l'interface IShellLink est à rechercher
                                          // et à appeler
if ( SUCCEEDED( ppunk-lpVtbl-QueryInterface(ppunk, &IID_ShellLink, &pshl)))
  {
    HRESULT hr;

    printf( „Nous avons un pointeur sur IShellLink \n" );

    hr = pshl-lpVtbl-SetPath( parameter );    // Appelle une méthode de l'interface
    hr = pshl-lpVtbl-SetHotKey( parameter );  // Appelle une méthode de l'interface

    // autres appels de méthodes de IShellLink

    pshl-lpVtbl-Release( pshl );              // Libère l'interface
  }
```

AddRef() et Release()

Les méthodes complémentaires *AddRef()* et *Release()* sont définies comme suit:

```
ULONG AddRef(
void *this                          // Pointeur sur l'objet
   );
ULONG Release(
   void *this                       // Pointeur sur l'objet
   );
```

Ces méthodes ne prennent d'autre paramètre que le pointeur *this*. Elles renvoient la valeur courante du compteur d'utilisateurs, un nombre dont il ne faut pas surestimer la signification. Il sert surtout à des fins de débogage et de test et ne joue pas un rôle important dans le travail habituel avec un objet.

Les déclarations d'interfaces dans la pratique

Dans le chapitre consacré au bureau, nnous présenterons les différentes interfaces du Shell. Avec une description aussi précise, il n'est pas difficile d'appeler des interfaces OLE, c'est à peine plus compliqué que de se servir des fonctions API ordinaires. Parfois cependant on ne dispose que d'un fichier d'inclusion qui effectue une déclaration d'interface et contient les constantes, types et fonctions associés pour accéder à l'interface. Lorsque ce fichier provient notamment de Microsoft, on risque d'avoir quelque peine à interpréter la déclaration d'interface. Car elle est constituée pour la plus grande partie de macros dont il faut connaître la signification pour comprendre le sens de l'ensemble. L'idée est de faire appel à un seul fichier d'inclusion avec les déclarations d'interfaces pour les programmes en C ou C++. La syntaxe des déclarations variera en fonction du langage. C'est ainsi que dans la définition des interfaces, les mêmes macros sont reprises sous d'autres dénominations pour s'adapter au langage utilisé.

Voici à titre d'exemple l'interface *IShellLink* telle qu'elle est déclarée dans le fichier d'inclusion SLOBJ.H. Dans le chapitre consacré au *Shell*, l'interface *IShellLink* joue un rôle important car elle offre les fonctionnalités de création et d'exploitation des raccourcis.

```
#undef  INTERFACE
#define INTERFACE   IShellLink

DECLARE_INTERFACE_(IShellLink, IUnknown)
{
                                    // *** IUnknown methods ***
    STDMETHOD(QueryInterface) (THIS_ REFIID riid, LPVOID * ppvObj) PURE;
    STDMETHOD_(ULONG,AddRef) (THIS)  PURE;
    STDMETHOD_(ULONG,Release) (THIS) PURE;
    STDMETHOD(GetPath)(THIS_ LPSTR pszFile, int cchMaxPath, \
                    WIN32_FIND_DATA *pfd, DWORD fFlags) PURE;

    STDMETHOD(GetIDList)(THIS_ LPITEMIDLIST * ppidl) PURE;
    STDMETHOD(SetIDList)(THIS_ LPCITEMIDLIST pidl) PURE;

                        // ici s'insère encore toute une série
                        // de méthodes d'interface dans le même style

    STDMETHOD(Resolve)(THIS_ HWND hwnd, DWORD fFlags) PURE;
    STDMETHOD(SetPath)(THIS_ LPCSTR pszFile) PURE;
};
};
```

DECLARE_INTERFACE, STDMETHOD, THIS_ et PURE sont de macros pour le préprocesseur, qui sont converties au moment de la compilation. Elles sont définies comme suit
pour C et C++ :

Pour C :

```
#define interface struct
#define STDMETHOD(method)         HRESULT (STDMETHODCALLTYPE * method)
#define STDMETHOD_(type,method) type (STDMETHODCALLTYPE * method)
#define PURE
#define THIS_                     INTERFACE FAR* This,
#define THIS                      INTERFACE FAR* This
#define CONST_VTBL const
#define DECLARE_INTERFACE(iface) typedef interface iface { \
                    const struct iface##Vtbl FAR* lpVtbl;\
                    } iface; \
                    typedef const struct iface##Vtbl iface##Vtbl; \
                    const struct iface##Vtbl
```

Pour C++ :

```
#define interface struct
#define STDMETHOD(method)         virtual HRESULT STDMETHODCALLTYPE method
#define STDMETHOD_(type,method) virtual type STDMETHODCALLTYPE method
#define PURE                      = 0
#define THIS_
#define THIS                      void
#define DECLARE_INTERFACE(iface) interface iface
#define DECLARE_INTERFACE_(iface, baseiface) \
                    interface iface : public baseiface
```

Les déclarations suivantes concernent *IShellLink* pour le langage C. *IShellLinkVtbl* est un
pointeur sur la *Vtable* de l'interface *IShellLink* qui contient les pointeurs de fonctions sur
les différentes méthodes d'interface. *IShellLink* incarne un objet du type *ShellLink* avec le
pointeur *lpVtbl* du type *IShellLinkVtbl*. Notez bien que toutes les méthodes attendent
comme premier paramètre un pointeur *this* qui doit référencer l'objet concerné et sera donc
ici du type *IShellLink **. Pour les objets prédéfinis par OLE on définit généralement aussi
un type de pointeur approprié. Il porte le nom de l'interface duquel on retire la lettre *I* du
début mais auquel on ajoute le préfixe *LP* pour *Long Pointer*. Dans notre exemple ce sera
LPSHELLLINK.

```
typedef struct IShellLink              // Objet du type IShellLink
   {
   struct IShellLinkVtbl * lpVtbl;    // Pointeur sur VTable
   } IShellLink;

typedef struct IShellLinkVtbl IShellLinkVtbl;

struct IShellLinkVtbl                  // la VTable de IShellLink
      {
      HRESULT (* QueryInterface) (IShellLink * This, const IID * const riid,\
                * ppvObj) ;
      ULONG (* AddRef) (IShellLink * This);
      ULONG (* Release) (IShellLink * This);
      HRESULT (* GetPath)(IShellLink * This,
              LPSTR pszFile, int cchMaxPath,\
```

```
                    _FIND_DATA *pfd, DWORD fFlags) ;
        HRESULT (* GetIDList)(IShellLink * This, LPITEMIDLIST * ppidl) ;
        HRESULT (* SetIDList)(IShellLink * This, LPCITEMIDLIST pidl) ;


                                // ici s'insère encore toute une série
                                // de fonctions d'interface dans le même style


        HRESULT (* Resolve)(IShellLink * This,
                HWND hwnd, DWORD fFlags) ;
        HRESULT (* SetPath)(IShellLink * This,
                LPCSTR pszFile) ;
};
```

A supposer que l'on dispose d'une fonction applée *CoGetIShellLink()* qui renvoie un pointeur sur un objet *IShellLink*, ses méthodes devront être invoquées de la façon suivante :

```
IShellLink *MyShellLink;

MyShellLink = CoGetIShellLink();        // Forme un pointeur sur l'objet
if ( MyShellLink != NULL )              // Le pointeur est-il o.k.?
        {                               // Appelle la méthode d'interface Resolve
        if (SUCCEEDED( MyShellLink-lpVtbl-Resolve
                ( MyShellLink, hwnd, flags)))
        printf( „Appel de IShellLink::Resolve réussi\n");

                                        // Avec une macro c'est plus simple
        #define IShellLinkResolve( me, h, f ) (me)-lpVtbl-Resolve(me, h, f)

        if (SUCCEEDED( IShellLinkResolve(MyShellLink, hwnd, flags)))
        printf( „Appel de IShellLink::Resolve réussi\n");
        }
```

A l'intérieur de l'instruction *printf()* on trouve déjà le mode de référence d'une méthode d'interface appelée en C++ en dehors de sa portée. On écrit alors :

```
 : Object::Methode
```

Bien qu'ici nous donnions la priorité au langage C, nous utiliserons cette notation dans le texte des explications. C'est en effet la manière la plus efficace pour désigner avec précision une méthode d'interface.

Et puisque nous parlons de C++, voici à quoi ressemblent les déclarations de *IShellLink* dans ce langage :

```
class IShellLink : public IUnknown
{
public:
        virtual HRESULT QueryInterface
                ( const IID & riid, LPVOID * ppvObj) = 0;
        virtual ULONG AddRef (void) = 0;
        virtual ULONG  Release (void) = 0;

        virtual HRESULT  GetPath(LPSTR pszFile, int cchMaxPath, \
                WIN32_FIND_DATA *pfd, DWORD fFlags) = 0;

        virtual HRESULT  GetIDList( LPITEMIDLIST * ppidl) = 0;
```

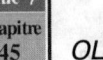

```
        virtual HRESULT  SetIDList( LPCITEMIDLIST pidl) = 0;


                          // ici s'insère encore toute une série
                          // de fonctions d'interfaces dans le même style

        virtual HRESULT  Resolve( HWND hwnd, DWORD fFlags) = 0;
        virtual HRESULT  SetPath( LPCSTR pszFile) = 0;
};
```

Les fonctions membres sont déclarées sans être implémentées. Comme le compilateur ne tolère pas cette pratique, on ajoute la mention supplémentaire " = 0" spécifique à Microsoft. De la sorte le compilateur se contentera des déclarations, tout en nous laissant libres d'utiliser des classes du type concerné. Plus précisément le compilateur construit comme souhaité la *Vtable* sans laquelle aucune méthode d'interface ne peut être invoquée par le moyen d'un pointeur d'interface. Le pointeur *this* n'a pas besoin d'être explicitement mentionné car le compilateur C++ l'introduit automatiquement.

Voici un exemple d'accès à un objet *IShellLink* écrit en C++ :

```
class IShellLink *MyShellLink;

MyShellLink = CoGetIShellLink();          // Forme un pointeur sur l'objet
if ( MyShellLink != NULL )                // Le pointeur est-il o.k.?
  {                                       // Appelle la méthode d'interface Resolve
  if (SUCCEEDED( MyShellLink-Resolve(hwnd, flags)))
    printf( „Appel de IShellLink:Resolve réussi\n");
  }
```

45.2.   Fonctions et classes OLE importantes

Nous avons déjà présenté dans ce chapitre quelques rares fonctions de l'API OLE. Vous aurez besoin d'en connaître d'autres si, dans vos applications, vous souhaitez recourir à des interfaces OLE.

Méthode	Rôle
CoInitiliaze	Active le sous-système OLE pour permettre son utilisation
CoUninitialize	Désactive à nouveau le sous-système OLE
CoCreateInstance	Crée une nouvelle instance d'un objet OLE
MultiByteToWideChar	Convertit une chaîne ANSI en UNICODE
WideCharToMultiByte	Convertit une chaîne UNICODE en ASCII
Quelques fonctions importantes de l'API OLE pour accéder à des objets OLE	

CoInitialize() et *CoUninitialize()* sont faciles à manier. Avant le premier accès à une fonction OLE on appelle *CoInitialize()*, après le dernier accès ou au plus tard à la fin du programme on appelle *CoUninitialize()*. *CoInitialize()* retourne un type HRESULT de sorte qu'on peut tester avec les macros FAILED ou SUCCEEDED si le sous-système OLE a bien été initialisé comme on le souhaitait.

```
HRESULT CoInitialize(           // Initialise le sous-système OLE
        LPVOID pvReserved       // reservé: NULL
        );
void CoUninitialize(void);      // Désactive OLE
```

L'appel à *CoCreateInstance()* qui renvoie également un type HRESULT est quant à lui un peu plus lourd. Alors que les fonctions API comme *CoGetMalloc()* que nous avons déjà mentionné créent des instances d'objets tout-à-fait spécifiques, la fonction *CoCreateInstance()* permet de créer n'importe quelle instance d'objet au choix. Les seules indications nécessaires sont l'ID de classe de l'objet concerné ainsi que l'ID d'interface de l'interface souhaitée. On transmet à cet effet par le paramètre *ppv* l'adresse d'une variable d'interface qui a pour mission de charger dans la fonction un pointeur sur la nouvelle instance d'objet. Si l'appel réussit, la variable indiquée pointe sur l'interface souhaitée. Etant donné que cette interface - comme toutes les autres - contient les méthodes de l'interface *IUnknown*, elle permet de s'amarrer à toutes les autres interfaces de l'objet, pour peu évidemment qu'il en existe.

```
HRESULT CoCreateInstance(          // Crée un instance d'objet avec interface
         REFCLSID    rclsid,        // ID de classe
         LPUNKNOWN   pUnkOuter,     // NULL
         DWORD       dwClsContext,  // Définit le lieu d'exécution
                                    //de l'Objet
         REFIID      riid,          // ID d'interface
         LPVOID FAR* ppv            // Pointe sur une variable qui va
                                    // recevoir un pointeur d'interface
         );
```

Le paramètre *dwClsContext* indique si l'objet OLE doit être exécuté dans le cadre d'un processus externe ou doit être fondu dans la mémoire du client tout comme une DLL. Cette dernière méthode est nettement plus rapide et devrait être préférée par le moyen de la constante CLSCTX_INPROC_SERVER.

Il reste à se demander d'où l'on peut tirer les ID de classe et d'interface nécessitées par la fonction. Dans les fichiers d'inclusion des interfaces on trouve généralement des déclarations de variables externes du genre :

```
extern const GUID CLSID_ShellDesktop;   // pour l'objet ShellDesktop
extern const GUID CLSID_ShellLink;      // pour l'objet ShellLink
extern const IID  IID_IPersistFile;     // pour l'interface IPersistFile
extern const GUID IID_IShellFolder;     // pour l'interface IShellFolder
```

Le client peut ainsi accéder à des variables que le serveur OLE concerné met à sa disposition dans son fichier DLL ou EXE et qui sont initialisées avec les ID de classe et d'interface. L'adresse de la variable est transmise à *CoCreateInstance()*. A chaque classe est associée une telle variable dont le nom commence toujours par CLSID_. Dans l'exemple précédent on a les ID de classe pour les deux objets que le Shell exporte pour l'accès au bureau : *ShellDesktop* et *ShellLink*. Le même schéma s'applique aux ID d'interface qui commencent toujours par le préfixe IID_ : par exemple *IID_IShellFolder* pour l'interface la plus importante de *ShellDesktop*.

L'extrait de code suivant montre comment s'effectue l'appel de *CoCreateInstance()* dans un contexte un peu plus large, avec des notions qui seront vues dans les chapitres suivants. Plus concrètement il s'agit de créer un objet *ShellLink* et de le mettre à contribution pour introduire un raccourci d'accès au fichier AUTOEXEC.BAT du bureau.

On ne s'intéressera pas ici aux détails de l'opération mais simplement à la technique de base pour accéder aux objets OLE.

```
#include <WINDOWS.H>
#include <shlobj.h>

int WINAPI WinMain( HINSTANCE  hInstance,
                    HINSTANCE  hPrevInstance,
                    LPSTR      lpszCmdLine,
                    int        nCmdShow )
{
        typedef IShellLink *LPSHELLLINK;
        typedef IPersistFile *LPPERSISTFILE;
        LPSHELLLINK pShellLink;


        CoInitialize( NULL );          // Initialise OLE

                                       // Crée un objet ShellLink avec
                                       // un pointeur sur l'interface IShellLink
        if( SUCCEEDED( CoCreateInstance( &CLSID_ShellLink, NULL,
                CLSCTX_INPROC_SERVER, &IID_IShellLink, &pShellLink ) ) )
        {
        LPPERSISTFILE pPersistFile;

                                       // Crée un pointeur sur l'interface
                                       // IPersistFile dans l'objet ShellLink
        if( SUCCEEDED( pShellLink-lpVtbl-QueryInterface( pShellLink,
                &IID_IPersistFile, &pPersistFile ) ) )
        {
        WORD wsz[ MAX_PATH ];
        HRESULT hr;

                                             // ShellLink doit référencer AUTOEXEC.BAT
        hr = pShellLink-lpVtbl-SetPath(
                pShellLink,"c:\\AutoExec.Bat");
        hr = pShellLink-lpVtbl-SetDescription
                (pShellLink,"Autoexec");

                                       // Désalloue l'objet ShellLink et
                                       // libère à nouveau IPersistFile
        MultiByteToWideChar( CP_ACP, 0,
                "c:\\win95\\desktop\\autoexec.lnk",
                -1, wsz, MAX_PATH );
        hr = pPersistFile-lpVtbl-Save(
                 pPersistFile, wsz, TRUE );
        hr = pPersistFile-lpVtbl-
                Release( pPersistFile);
        }
        pShellLink-lpVtbl-Release( pShellLink );
        }
        CoUninitialize();    // Désactive OLE pour cette application
        return 0;
}
```

Conversion UNICODE

Le jeu de caractères utilisé est un paramètre crucial qui régit la compatibilité entre deux systèmes informatiques. Si l'un des systèmes tient pour un "U" ce que l'autre prend pour un "X", la communication ne sera pas facile. Les fonctions de conversion sont utiles lorsque les différences entre les jeux de caractères sont connues mais elles demandent au développeur un supplément de travail notable et fastidieux.

Bien que Windows 95 fonctionne largement avec les caractères ANSI, tous les domaines ne sont pas épargnés par les problèmes de conversion. Prenons pour exemple le Shell. Il sert aussi à accéder à des objets qui peuvent être issus d'autres ordinateurs, pourvus d'autres jeux de caractères. Ainsi Windows NT fonctionne avec le jeu UNICODE qui représente tous les langages existant à la surface du globe. Par rapport au code ANSI, chaque caractère d'une chaîne ne se compose plus d'un octet mais de deux. Voilà qui est sympathique pour l'amitié entre les peuples mais fatal à vos routines de traitement de chaînes de caractères qui vont se planter rapidement. Ne parlons même pas de l'affichage sur écran.

Windows 95 a renoncé à la mise en service spontanée d'UNICODE, ce qui à défaut de favoriser l'amitié des peuples, permet son utilisation sur des systèmes de 4 ou 8 Mo. Le calcul est en effet facile à faire : une chaîne prend deux fois plus de place en UNICODE, la mémoire disponible en prend donc un sacré coup.

A la frontière qui sépare votre code de programme de l'interface logicielle du bureau, vous ne pouvez pas toujours éviter UNICODE. De temps à autre il faudra effectuer des conversions de chaînes entre les codes ANSI et Unicode. Il y aura forcément des pertes de caractères (comment faire autrement si on remplace deux octets par un seul). Mais toutes les chaînes UNICODE en caractères romains seront impeccablement transformées. Seul le sumérien tardif donne lieu à quelques difficultés, mais vous ne vous en apercevrez que le jour où vous recevrez un courrier électronique dans cette langue.

Les deux fonctions de conversion d'ANSI en Unicode et vice-versa s'appellent *MultiByteToWideChar()* et *WideCharToMultiByte()*. Elles sont contenues dans KERNEL32.DLL et définies dans le fichier d'inclusion WINNLS.H. Les noms de ces fonctions prêtent quelque peu à confusion car on n'y reconnaît pas les termes UNICODE ou ANSI. En fait *WideChar* signifie UNICODE et .drem.MultiByt.frem.

ANSI, ou à peu près. Car à la place du code ANSI, comme source ou destination de la conversion, on peut aussi trouver deux autres jeux de caractères à un seul octet, à savoir les caractères standard de DOS (jeu OEM) et les caractères du Mac. A la place de *AnsiToWideChar()* on a donc choisi le nom plus général : *MultiByteToWideChar()*.

Voici d'abord le prototype de la fonction *WideCharToMultiByte()* qui convertit les chaînes UNICODE en chaînes ANSI :

```
int WideCharToMultiByte(     // Convertit une chaîne UNICODE en ANSI
    UINT      CodePage,      // Jeu de caractère MultiByte (ANSI, DOS, Mac)
    DWORD     dwFlags,       // 0
    LPCWSTR   lpWideCharStr, // Adresse de la chaîne UNICODE en mémoire
    int       cchWideChar,   // Longueur de la chaîne UNICODE, -1 pour détection automatique
    LPSTR     lpMultiByteStr, // Adr. du buffer de réception de la chaîne convertie
    int       cchMultiByte,  // Longueur du buffer MultiByte en octets
    LPCSTR    lpDefaultChar,  // Caractère de remplacement pour les codes UNICODE non convertis
    LPBOOL    lpUsedDefaultChar // Pointeur sur un indicateur
                             qui signale des codes UNICODE non convertis
);
```

Le premier paramètre doit être une constante prédéfinie indiquant le code dans lequel il faut convertir la chaîne UNICODE: CP_ACP indique le code ANSI, CP_MACCP le jeu du Mac et CP_OEMCP le jeu ASCII de DOS avec ses splendides caractères d'encadrement. Le préfixe *CP* provient de "CodePage" qui ne signifie rien d'autre que page de code ou jeu de caractères en anglais. Le deuxième paramètre de la fonction est un indicateur qui fixe la manière dont seront convertis les caractères UNICODE sans équivalent. Dans le contexte de nos exemples nous donnerons toujours à ce paramètre la valeur 0.

Les deux paramètres suivants, *lpWideCharStr* et *cchWideChar* décrivent la chaîne UNICODE à convertir. *lpWideCharStr* est son adresse mémoire *cchWideChar* le nombre de caractères présents. Si on ignore ce dernier nombre et en supposant que la chaîne UNICODE est terminée par zéro (plus précisément par le caractère UNICODE NUL), on peut indiquer la valeur -1. La fonction détermine alors elle-même la longueur de la chaîne UNICODE.

Les paramètres *lpMultiByteStr* et *cchMultiByte* servent à préparer la réception de la chaîne convertie. On indique dans *lpMultiByteStr* l'adresse de réception de la chaîne, et en *cchMultiByte* le nombre de caractères prévus pour elle. La fonction s'assure ainsi de disposer de suffisamment de place dans le buffer pour effectuer la conversion.

Finalement la fonction a encore besoin de deux paramètres *lpDefaultCher* et lpUsedDefaultChar qui fixent son comportement lorsqu'elle tombe sur des caractères non convertibles, c'est-à-dire qui n'ont pas d'équivalent dans le jeu de caractères à 1 octet. Par *lpDefaultChar* on indique un emplacement mémoire CHAR qui contient un caractère de substitution pour les caractères non convertibles. Si on indique NULL, la fonction prend comme caractère de substitution un caractère par défaut préconisé par le système.

Pour savoir si un caractère au moins n'a pas pu être converti, on mettra dans le dernier paramètre, *lpUsedDefaultChar*, non pas NULL mais l'adresse d'une variable BOOL. Cette dernière recevra la valeur TRUE s'il s'est posé un problème de conversion, sinon elle sera mise à FALSE.

Il faut encore mentionner une particularité liée à l'emploi du paramètre *cchMultiByte* qui rappelons-le indique la longueur du buffer de réception. Si on ne connaît pas la taille de ce buffer parce qu'on ignore le nombre exact de caractères de la chaîne UNICODE, on peut transmettre la valeur 0 au moment de l'appel de *WideCharToMultiByte()*. Dans ce cas la fonction n'effectue pas réellement la conversion mais elle retourne le nombre de caractères de la chaîne qui résulterait de la conversion. On donnera alors à *lpMultiByteStr* la valeur NULL puisqu'aucune conversion n'est vraiment menée à bien.

Par la suite on alloue de la mémoire dynamique à l'attention de la chaîne à réceptionner, le pointeur qui la référence est transmis lors d'un nouvel appel de la fonction, cette fois-ci avec le nombre exact de caractères attendus, pour que la conversion s'effectue pour de bon. Notez bien que le buffer doit avoir un octet de plus que le nombre de caractères retournés car il doit aussi héberger l'octet NUL terminal.

Dans ce cas (cchMultiByte<>0) le résultat de la fonction indique le nombre de caractères convertis dans le buffer. Si on trouve 0, c'est que la chaîne UNICODE était vide ou qu'une erreur s'est produite.

La séquence de code suivante explique encore une fois comment on convertit des chaînes UNICODE de longueur inconnue.

```
/**********************************************************************/
/* UnicodeToAnsi : Convertit une chaîne Unicode en une chaîne Ansi        */
/*_____*/
/* Paramètres :    lpUnicode - Adresse de la chaîne Unicode */
/* Retour: Adresse de la chaîne ANSI ou NULL en cas d'erreur */
/*_____*/
/* Info : La chaîne renvoyée est à désallouer par l'appelant*/
/*        au moyen de free()                                      */
/**********************************************************************/
LPSTR UnicodeToAnsi( LPWSTR lpUnicode )
{
  LPSTR lpAnsi;
  int cch;

  // Détermine le nombre de caractères de la chaîne Unicode ----------
  cch = WideCharToMultiByte( CP_ACP,
                             0,
                             lpUnicode,
                             -1,
                             NULL,
                             0,
                             NULL,
                             NULL ) + 1;

  // Alloue de la mémoire pour la réception -----------
  lpAnsi = malloc( cch );
  if( lpAnsi )  // Copie des Wide-Characters en lpAnsi ----------
    WideCharToMultiByte( CP_ACP,
                         0,
                         lpUnicode,
                         -1,
                         lpAnsi,
                         cch,
                         NULL,
                         NULL );
  return lpAnsi;
}
```

Dans l'autre, sens la conversion s'effectue par la fonction *MultiByteToWideChar()* qui transforme les chaînes ANSI, PC ou MAC en chaînes UNICODE.

```
int MultiByteToWideChar(              // Convertit une chaîne ANSI en UNICODE
    UINT    CodePage,                 // CP_ACP, CP_MACCP ou CP_OEMCP
    DWORD   dwFlags,                  // 0
    LPCSTR  lpMultiByteStr,           // Adresse de la chaîne à convertir
    int     cchMultiByte,             // Longueur de la chaîne ou -1 pour détection automatique
    LPWSTR  lpWideCharStr,            // Pointeur sur buffer de réception UNICODE
    int     cchWideChar               // Taille du buffer
);
```

Pour ce qui est de ses paramètres, la fonction est semblable à son pendant mais il n'est pas nécessaire de fournir des informations pour le cas où des caractères ne pourraient être convertis en UNICODE. Cette hypothèse est en effet exclue étant donné que le jeu UNICODE est un surensemble qui englobe les trois jeux qui peuvent donner lieu à conversion.

Si à *cchMultiByte* on n'affecte pas la longueur de la chaîne mais la valeur -1, la longueur est calculée automatiquement, à supposer qu'il s'agisse d'une chaîne ordinaire du langage C, terminée par NUL. Avec *cchWideChar* on peut mettre en oeuvre la même astuce que dans *WideCharToMultiByte()*. Si on met cette variable à 0 lors de l'appel, la fonction indique le nombre de caractères de la chaîne UNICODE obtenue à l'issue de la conversion (sans le caractère NUL final).

```
/*************************************************************************/
/* AnsiToUnicode : Convertit une chaîne Ansi en Unicode */
/*_____*/
/* Paramètre :    lpAnsi - Adresse de la chaîne ANSI */
/* Retour : Adresse de la chaîne Unicode ou NULL en cas d'erreur */
/*_____*/
/* Info : La chaîne renvoyée est à désallouer par l'appelant */
/*        au moyen de free() */
*/
/*************************************************************************/
LPWSTR AnsiToUnicode( LPSTR lpAnsi )
{
  LPWSTR lpUnicode;
  int cch;

  // Détermine le nombre de caractères de la chaîne Ansi ———————
  cch = MultiByteToWideChar( CP_ACP,
                             0,
                             lpAnsi,
                             -1,
                             NULL,
                             0 ) + 1;


  // Alloue de la mémoire pour la réception ————————————
  lpUnicode = malloc( cch * 2 );
  if( lpUnicode )  // Copie des Wide-Characters en lpsz ———————
    MultiByteToWideChar( CP_ACP, // d'Ansi en Unicode ———
                         0,
                         lpAnsi,
                         -1,
                         lpUnicode,
                         cch * 2 );
  return lpUnicode;
}
```

L'interface IMalloc

IMalloc est une interface qui ne fait pas partie du *Shell* mais que vous rencontrerez tout le temps dans la programmation OLE. Son nom laisse penser qu'elle sert à gérer de la mémoire dynamique pendant l'exécution des programmes. Toutes les interfaces OLE exploitent en effet cette interface à titre interne pour allouer de la mémoire dynamique sans avoir recours aux fonctions ordinaires du *heap*. Quand une fonction d'interface vous fournit un objet mémoire, il est certain que sa mémoire a été allouée par *IMalloc* et il faudra en conséquence la libérer à nouveau par le moyen de cette interface. Voilà pourquoi une application de bureau aura besoin de *IMalloc*. L'interface ne reprend pas d'elle-même la mémoire concédée, il faut procéder soi-même à sa libération en faisant appel à elle.

Les zones mémoire que l'on met soi-même en service peuvent par contre, comme avant, être gérées par *malloc()* et *free()*, même celles qui sont transmises par pointeur à une méthode d'interface.

En plus des méthodes de l'interface *IUnknown*, *MIalloc* contient les méthodes suivantes :

IMalloc::	Rôle
Alloc	Alloue de la mémoire
Free	Libère de la mémoire allouée
Realloc	Modifie la taille d'une zone de mémoire allouée
GetSize	Retourne la taille d'une zone de mémoire allouée
DidAlloc	Teste si un certain bloc mémoire a été alloué par la présente instance de IMalloc
HeapMinimize	Libère la mémoire inutilisée dans le heap de IMalloc

Les méthodes de IMalloc

Pour obtenir un pointeur sur un objet *IMalloc* on peut utiliser la fonction API OLE *CoGetMalloc()*, ce qui permet par la suite d'appeler des méthodes comme *Alloc()* et *Free()*

```
HRESULT CoGetMalloc(
    DWORD           dwMemContext,   // réservé, mettre toujours 1
    LPMALLOC FAR* ppMalloc)         // Pointeur sur une variable qui va recueillir
                                    // le pointeur d'interface
);
```

Comme les clients OLE doivent souvent recourir à *IMAlloc()* pour la seule raison que le serveur OLE a alloué de la mémoire à leur intention par ce moyen, les principales méthodes de *IMalloc* ont été reproduites par trois fonctions API de l'API OLE : *CoTaskMemAlloc()*, *CoTaskMemFree()* et *CoTaskMemRealloc()*. Elles facilitent la tâche de l'appelant car il n'est pas nécessaire au préalable de former un pointeur sur un objet *IMalloc* par *CoGetMalloc()*. Dans les exemples de programmes du chapitre consacré au bureau, on fait précisément appel à ces fonctions. La plupart du temps on met en service *CoTaskMemFree()* parce qu'on a besoin de libérer de la mémoire qui a été allouée par un objet OLE au moyen d'un appel à *IMalloc::Alloc()*.

```
LPVOID CoTaskMemAlloc(          // Alloue de la mémoire par IMalloc::Alloc
    ULONG  cb                   // Taille en octets du buffer souhaité
    );                          // Retourne un pointeur sur le buffer ou NULL
LPVOID CoTaskMemRealloc(        // Réajuste la mémoire allouée par IMalloc::Realloc
    LPVOID pv,                  // Pointeur sur le bloc alloué
    ULONG  cb                   // Nouvelle taille requise en octets
    );                          // Retourne un pointeur sur un bloc ou NULL
void CoTaskMemFree(             // Libère de la mémoire par IMalloc:Free
    LPVOID pv                   // Pointeur sur le buffer alloué
    );
```

L'interface IPersistFile

L'interface *IPersistFile* constitue une autre interface avec laquelle on entre en contact lorsqu'on programme le bureau. Il s'agit d'une interface définie par OLE pour charger et enregistrer des objets dans des fichiers.

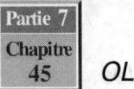

Elle n'est pas implémentée par le sous-système OLE qui se contente de la définir. Elle est implémentée par de nombreux objets qui offrent ainsi mécanisme standardisé pour se faire charger ou enregistrer à la demande du client.

Quiconque dispose d'une instance d'objet, quel que soit son type, peut déterminer par son interface *IUnknown* si l'objet présente une interface *IPersistFile*. Beaucoup d'objets, y compris ceux du bureau, ne contiennent dans leur interface propre et individuelle aucune méthode à même de procéder à des chargements ou des enregistrements mais ils offrent cette fonctionnalité en implémentant l'interface *IPersistFile*.

Si *IPersistFile* est disponible, l'objet permet au client de le charger à partir d'un fichier ou de l'y enregistrer. Le client n'a pas besoin de connaître les détails de l'opération comme par exemple la taille et la structure de l'objet, il se servira de l'interface standardisée avec ses simples méthodes *Load* et *Save*. Un appel à *QueryInterface()* suffit pour savoir si l'opération est possible. Tout ce dont on a besoin est la définition de type de *IPersistFile* qui fait partie de OLE2.H. On trouve également dans ce fichier la variable externe *IID_IPersistFile* qui permet d'obtenir l'ID d'interface de *IPersistFile* et dont on transmet l'adresse à *QueryInterface()*.

Malloc::	Rôle
GetClassID	Renvoie l'ID de classe de l'objet dont on utilise l'interface IPersistFile
IsDirty	Test si un objet doit être enregistré
Load	Charge un objet depuis un fichier
Save	Enregistre un objet dans un fichier
SaveCompleted	Signale la conclusion d'une opération Save
GetCurFile	Renvoie le chemin d'accès complet à l'objet courant

IPersistFile comporte six méthodes. Mais deux seulement sont d'utilisation courante : *Load* et *Save*. Ce sont elles qui apparaîtront dans notre exemple et seront au centre de nos préoccupations.

Load sert à charger en mémoire un objet stocké dans un fichier. On suppose qu'une instance d'objet existe déjà en mémoire, prête à recevoir les données : sans elle on ne pourrait d'ailleurs pas appeler l'interface.

En plus de l'indispensable pointeur *this* la fonction attend l'adresse d'une chaîne C avec le chemin d'accès et le nom du fichier complets. En général le fichier aura été enregistré par un précédent client au moyen de la méthode *Save* de l'interface *IPerstFile*.

```
HRESULT Load (                        // Charge un objet depuis un fichier
    IPersistFile   *This,
    LPCOLESTR      pszFileName,        // Pointeur sur la chaîne du nom du fichier
    DWORD          dwMode              // Mode d'accès, STGM_...
    );
```

Le paramètre *dwMode* détermine le mode d'accès. Si on ne souhaite pas se battre avec les constantes STGM_, on peut se contenter d'indiquer 0, ça marche ! Sinon les constantes disponibles sont les suivantes :

Constante	Signification
STGM_READ	Le fichier peut être lu
STGM_WRITE	On peut écrire dans le fichier
STGM_READWRITE	Lecture et écriture autorisées
STGM_SHARE_DENY_NONE	Aucun autre appelant n'a le droit d'accéder au fichier en même temps
STGM_SHARE_DENY_READ	Aucun autre appelant n'a le droit de lire le fichier en même temps
STGM_SHARE_DENY_WRITE	Aucun autre appelant n'a le droit d'écrire dans le fichier
STGM_SHARE_DENY_EXCLUSIVE	Avis à tous les autres appelants : pas touche !

Les constantes STGM pour IPersistFile::Load

La fonction renvoie S_OK si le fichier a pu être chargé comme prévu, E_NOMEMORY si l'appel a échoué faute de mémoire suffisante, et E_FAIL si l'échec est dû à une autre cause. Il se peut par exemple que le fichier désigné soit introuvable, que l'objet chargé ne soit pas du type attendu ou que le fichier ait été enregistré avec une autre version de l'objet.

La méthode *Save* attend comme paramètre, à la suite de l'inévitable pointeur *this*, un pointeur qui référence une chaîne UNICODE contenant le chemin d'accès et le nom du fichier dans lequel doit se faire la sauvegarde. Si on indique NULL, le fichier est enregistré sous son nom de chargement ou sous le même nom que précédemment.

```
HRESULT Save (                          // enregistre un objet dans un fichier
    IPersistFile  *This,
    LPCOLESTR     pszFileName,          // Pointeur sur la chaîne du nom du fichier
    BOOL          fRemember             // Save ou Save As
    );
```

Le paramètre *fremember* permet de définir si l'objet doit retenir le nouveau nom de fichier ou si l'opération est simplement du type "Enregistrer sous" pour créer une copie sous un autre nom. Si on spécifie TRUE, le nouveau nom remplace l'ancien. Avec FALSE, le fichier est sauvé sous un autre nom mais on continue de traiter le fichier d'origine.

Le nom du fichier courant et son emplacement sont donnés par la méthode *GetCurFile*. On lui transmet l'adresse d'une variable qui reçoit un pointeur sur un buffer alloué par ses soins. Dans ce buffer se trouvera le chemin d'accès et le nom du fichier courant sous forme de chaîne C. Avant de terminer sa procédure, le client devra à nouveau libérer ce buffer, à l'aide de *IMAlloc::Free* ou *CoTaskMemFree()*.

```
HRESULT GetCurFile (                     // Retourne le nom du fichier courant
    IPersistFile  *This,
    LPOLESTR      *ppszFileName          // Pointeur sur une variable qui recueille un ptr sur chaîne
    );
```

Voici un aperçu des autres méthodes de IPersistFile mais elles ne sont pas indispensables pour le maniement usuel du bureau.

```
HRESULT GetClassID (                    // Renvoie l'identification de l'objet
    IPersistFile  *This,
    CLSID         *pClassID             // Pointeur sur une variable qui recueille l'ID de classe
    );
HRESULT IsDirty (                       // Indique si les dernières modifications ont été enregistrées
    IPersistFile  *This
    );
HRESULT SaveCompleted (                 // Signale la conclusion d'une sauvegarde
    IPersistFile  *This,
    LPCOLESTR     pszFileName           // Pointeur sur chaîne avec chemin et nom de fichier
    );
```

Vous trouverez un exemple d'application concret des méthodes de *IPersistFile* au chapitre 46 dans la partie consacrée à la création des raccourcis.

46.   Le Shell

Ce chapitre concerne essentiellement le Shell de Windows 95 et ses éléments représentatifs à l'extérieur : avant tout le *Bureau* avec ses dossiers, ses programmes, ses raccourcis et, bien évidemment, l'Explorateur. Assurément deux points capitaux du nouveau Windows 95 qui, du fait de leur présence permanente à l'écran, sont l'image représentative du système.

L'objectif principal d'un Shell est toujours de permettre à l'utilisateur d'avoir accès aux ressources d'un ordinateur, aux disques durs et aux CD-ROM ainsi qu'au Voisinage réseau et au Panneau de configuration. Les Shell servent de médiateur entre l'utilisateur et la fonctionnalité proprement dite du système telle qu'elle est représentée par le système d'exploitation avec ses extensions. Le Shell ne fait donc pas partie du système d'exploitation, mais est un programme autonome, bien que privilégié. Tant que l'auteur du système d'exploitation ne dresse pas d'obstacle particulier, il est donc possible de remplacer entièrement un Shell, opération courante dans l'environnement UNIX où l'on rencontre de nombreuses variantes de Shell plus ou moins réussies.

Le Shell de Windows 95 introduit également ce concept, et ce à un niveau très avancé. Si l'on supprime tous les composants évolués de l'interface utilisateur, toutes ces petites images symboliques, ces arborescences, ces listes et ces menus contextuels, il reste ce qui caractérisait déjà le Shell du DOS et ses lignes de commande : la possibilité de créer, de copier, de déplacer, etc. des fichiers et des répertoires et, avant tout : d'exécuter des programmes. Et toute la question est là, car sans Shell les choses ne sont pas aussi aisées. Quiconque a déjà fait quelques expériences de programmation connaît ce phénomène : s'il n'y a pas de Shell, l'exécution d'un programme est impossible.

Ce chapitre traite des différentes opérations possibles sur un programme par le biais du Shell et du Bureau. Il ne s'agit pas simplement des opérations classiques de tout Shell comme copier, déplacer, supprimer et renommer des fichiers et lancer des programmes, mais également de la gestion des groupes de programmes, la création de raccourcis, la configuration de l'impression, l'enregistrement du dernier document examiné, l'association entre les extensions de fichier, les types de documents et les serveurs, l'affichage de boîtes de dialogue pour ouvrir et enregistrer des fichiers.

Il existe deux méthodes pour réaliser les différentes opérations : d'une part par le biais des API du Shell contenu dans le fichier SHELL32.DLL. Le fichier *Include* SHELLAPI.H est intégré au niveau C, ce qui permet de disposer de la déclaration des fonctions, des types, des constantes et des structures nécessaires. Certaines fonctions qui permettent l'accès au Bureau et aux éléments qui y sont contenus en font également partie. La majeure partie de la fonctionnalité du Bureau est cependant exportée par le biais de deux interfaces OLE : *IShellFolder* et *IShellLink*. Leurs déclarations se trouvent dans le fichier SHLOBJ.H.

Il semble en réalité que la fonctionnalité de l'ensemble a simplement été mise en oeuvre sous la forme d'objets OLE jusqu'à ce que quelqu'un en soit venu à l'idée que tout ceci pourrait être quelque peu contraignant pour les développeurs qui ne sont pas encore familiarisés avec le concept OLE. On a donc rajouté quelques fonctions API qui servent uniquement de liens internes pour les instructions OLE. Mais ceci ne permet pas de réaliser toutes les opérations qui sont rendues possibles par le biais de l'interface OLE, l'ensemble a donc une apparence quelque peu désordonnée au niveau du système.

A cela vient se rajouter le fait que des objets totalement différents sont regroupés sur le Bureau. Fichiers, dossiers, groupes de programmes, le voisinage réseau, le panneau de configuration, la corbeille - tout ceci existe d'une part sous la forme de fichiers ou de programmes sur le disque dur, et d'autre part est construit sous une forme virtuelle et n'existe que dans l'interface graphique du Shell. Et ceci représente deux notions totalement différentes que nous allons traiter par thème.

L'interface graphique du Shell

L'interface graphique du Shell est certainement l'élément le plus passionnant de ce chapitre, bien que ça ne soit pas par son intermédiaire que l'on se retrouve le plus souvent confronté à la programmation proprement dite. Celui qui veut se contenter de copier des fichiers et de lancer des programmes, celui qui n'est concerné que par l'affichage des boîtes de dialogue pour ouvrir et pour enregistrer des fichiers, sera très bien guidé par les API du Shell, même sans les interfaces OLE.

Mais le plus intéressant au niveau du Bureau est la façon dont il gère en interne, selon un schéma homogène, des éléments totalement différents tout en les faisant cohabiter de façon harmonieuse. Et ce n'est pas par hasard que l'on utilise ici des interfaces OLE, car l'orientation objet - OLE n'en est qu'un exemple - est la clé de cette technique.

Le terme décisif est la polymorphie, la possibilité de pouvoir manipuler différents types d'éléments (vulgairement : objets) selon une méthode identique, avec un seul élément de code, sans avoir à intervenir sur leurs caractères différents.

L'objet *ShellFolder* représente ce concept avec son interface *IShellFolder*, laquelle permet d'accéder à l'interface graphique du Shell. En conséquence, celui qui veut jeter un coup d'oeil dans les coulisses du Bureau sous le Shell doit au moins se familiariser avec les principes de base de la technique OLE pour pouvoir comprendre le déroulement et les services proposés. Le chapitre 45 propose cette approche.

A propos des noms de fichiers

Avant de commencer, encore quelques mots à propos des noms de fichiers longs. Bien que le Bureau, à première vue, semble tout à fait capable d'afficher les noms de fichiers longs, il n'y aura pratiquement aucune intervention à ce niveau lors des modifications de la programmation du Shell et du Bureau. Les noms de fichiers, en effet, peuvent désormais être beaucoup plus longs, à savoir jusqu'à 255 caractères, et les buffers correspondants ne doivent plus, comme jusqu'à présent, se contenter de 64 caractères, mais de MAX_PATH caractères. MAX_PATH est le nom d'une constante C définie à cet effet.

Du fait que les noms des fichiers sont généralement seulement réutilisés, qu'ils sont reçus de l'utilisateur et qu'ils sont associés à une fonction du système (ou inversement), il n'est pas nécessaire de se poser de questions à propos des noms de fichiers longs et courts. Ceci s'applique également aux noms UNC (convention d'appellation universelle) qui commencent par un double "slash" inversé et qui indiquent en premier le nom d'un serveur. (\\SuperServer\MITI1\Bonjour)

Aperçu du chapitre

Du fait des nombreuses fonctions du Shell et du Bureau, ce chapitre traite de toute une série de thèmes différents. En voici un aperçu :

O Le chapitre 46.1 décrit l'interface graphique du Shell dans lequel sont représentés tous les éléments qui apparaissent sur le Bureau. Il s'agit ici d'expliquer de quelle façon ces éléments sont nommés en interne afin que l'on puisse les différencier et dans quel ordre ils sont disposés l'un par rapport à l'autre. On définit ici les bases de certains des chapitres suivants.

O Les raccourcis sont commandés par le biais d'une interface OLE appelée IShellLink. Cette interface vous permet de créer tous les raccourcis possibles à partir d'un programme et de les placer dans des dossiers ou directement sur le bureau.

O Les raccourcis internes sont une variante des raccourcis standard dont l'utilisation suppose cependant la création d'un accès Internet par le biais de TCP/IP. Ils permettent la création de raccourcis à l'aide des commandes du programme, lesquels guident l'utilisateur au sein d'Internet jusqu'à un URL précis, par exemple une page HTML dans le Web. Le chapitre 46.11 indique de quelle façon créer des raccourcis Internet.

O Les imprimantes disponibles sont, elles aussi, gérées par le biais de l'interface graphique du Shell. Même si la configuration de l'imprimante par défaut dresse des obstacles inattendus, cela est tout même possible !

O Le Panneau de configuration fait également partie de l'interface graphique du Shell. Une application qui offre la possibilité de sélectionner et de démarrer les différents groupes de commande.

O Copier, déplacer, renommer et supprimer des fichiers : ce sont des opérations de base du système de gestion des fichiers qui ne doivent pas être codées à la main.

O Bien qu'un programme n'a que très peu d'influence sur l'apparence du Bureau, il peut trouver une place à la fin de la Barre des tâches, dans ce que l'on appelle la zone de définition de la barre des tâches, pour y être appelé par l'utilisateur.

O Et bien sûr, dans vos programmes, vous voulez également pouvoir présenter à l'utilisateur des boîtes de dialogue qui n'ont rien à envier à celles de l'Explorateur.

O La création de programmes et de groupes de programmes fait également partie de la zone d'influence du Shell, car c'est par le biais de la Barre des tâches qu'on les commande et qu'on y accède.

Exemples de programmes

Pour vous éviter un maximum de travail, nous avons préparé dans ce chapitre toute une série d'exemples de programmes qui illustrent les différents aspects de la programmation du Shell. Une grande partie de ces programmes font appel à deux modules d'aide, EnumFold.C et Shortcut.C. Pour simplifier le plus possible les fichiers du projet et pour pouvoir y accéder dans un seul répertoire, nous avons enregistré les deux modules dans tous les répertoires du CD-ROM qui contiennent des programmes faisant appel à ces modules.

46.1. L'interface graphique du Shell

Tout ce que l'utilisateur aperçoit sur le Bureau fait partie de l'interface graphique du Shell et est organisé selon une hiérarchie d'objets qui renferment au moins un dossier (en anglais : folder). Au sein de cette interface graphique, chaque objet, qu'il s'agisse d'un fichier, d'un dossier ou d'un groupe de programmes, possède une désignation propre différente pour chaque objet. C'est la condition pour que l'on puisse distinguer les éléments les uns par rapport aux autres.

46.1.1. Structure de l'interface graphique

La structure de cette interface graphique ressemble à la structure d'un disque avec son concept de répertoire racine, de répertoires, de sous-répertoires, etc. Avec la différence, dans le cas de l'interface graphique du Shell, qu'il ne s'agit pas de répertoires réels, mais d'objets de différentes natures. Bien que l'analogie au système de gestion des fichiers soit évidente, il ne faut pas outrepasser cette image. La disposition hiérarchique est similaire, mais tout ce qui apparaît dans l'interface graphique du Shell ne représente pas dans tous les cas un sous-répertoire ou un fichier sur un support de données.

L'interface graphique apparaît à l'écran en démarrant l'Explorateur. La racine de l'interface graphique contient le Bureau qui est représenté en interne, comme tous les autres dossiers, par un objet *ShellFolder*. Il représente bien le répertoire principal de l'interface graphique. Tous les éléments à l'intérieur de l'interface graphique qui contiennent d'autres objets représentent des objets *ShellFolder*. Les dossiers que l'on crée sur le Bureau, le menu *Démarrer* avec ses éléments et, bien évidemment, les répertoires qui sont représentés dans l'Explorateur comme des lecteurs. En interne, ce sont tous des objets *ShellFolder*, et ce indépendamment de leurs propriétés caractéristiques.

Bien évidemment, une telle interface graphique ne dépend pas uniquement des objets *ShellFolder*, lesquels ne représentent en fait que des *containers* pour d'autres objets. Le contenu proprement dit doit bien se trouver quelque part. Celui-ci est représenté par les fichiers et les programmes qui se retrouvent dans les différents objets *ShellFolder* et qui sont identifiés par des *File-Objects* ou objets fichier. Ce sont ces éléments qui sont réellement importants, car les contenants ne peuvent pas être exécutés ; seul leur contenu le peut.

L'interface graphique du Shell est créée lors du démarrage de Windows 95, puis étendue et maintenue au fil de l'utilisation. Lors du démarrage, le Shell découvrira par exemple que l'ordinateur est raccordé à plusieurs serveurs, mais qu'il ne doit pas interroger et afficher leurs contenus sur l'interface graphique tant que l'utilisateur ne souhaite pas accéder au serveur. Si, en parcourant l'interface graphique, l'utilisateur arrive jusqu'à un objet *ShellFolder* dont le contenu n'a pas encore été lu, l'invite est alors rajoutée et l'interface graphique du Shell est étendue en conséquence sous l'objet *ShellFolder*. S'il s'agit ici d'un lecteur du réseau, le chargement de l'arborescence correspondante peut prendre un certain temps, ce qui est parfois signalé par un bref blocage de l'Explorateur.

Une partie essentielle de l'interface graphique est composée de l'affichage des lecteurs, de leurs répertoires et des fichiers qu'ils contiennent. Un objet *ShellFolder* associé à chaque lecteur et à chaque serveur se trouve quelque part dans l'interface graphique, celui-ci étant considéré par le Shell comme point de départ pour l'insertion du lecteur dans l'interface graphique. Il correspond pratiquement au répertoire racine. Des objets correspondants sont créés à l'intérieur de cet objet *ShellFolder* pour tous les fichiers et les répertoires qu'il contient. Les sous-répertoires sont des objets *ShellFolder*, les fichiers sont des objets *FileObjects*. Et ça se passe de la même façon pour tous les sous-répertoires, leurs propres sous-répertoires et pour les fichiers qu'ils contiennent. Chaque sous-répertoire est associé à son propre dossier dans l'interface graphique, celui-ci se trouvant à l'intérieur de l'objet *ShellFolder* qui représente le répertoire de niveau supérieur.

Si l'on connaît le point de départ d'un lecteur à l'intérieur de l'interface graphique, il est possible de parcourir les objets qui s'y trouvent et de se faire ainsi une image de la structure du lecteur et de son contenu. Ceci est également possible avec les fonctions API normales de recherche de fichiers et de répertoires, mais il existe cependant une différence fondamentale : l'interface OLE du Shell permet de parcourir de la même façon non seulement les lecteurs et leur contenu, mais également les autres éléments de l'interface graphique du Shell comme, par exemple, les éléments du menu *Démarrer* ou le contenu du Panneau de configuration. Et c'est là toute la raison d'être de l'harmonisation de la gestion du Bureau par le Shell. Les fonctions API, en effet, ne permettent que d'examiner les fichiers et rien d'autre.

Contrairement aux objets *ShellFolder* qui représentent les répertoires et les fichiers d'un lecteur, il existe toute une série d'objets *ShellFolder* dans l'interface graphique du Shell qui ne correspondent pas à des éléments réels ou existant réellement, mais à des éléments virtuels que le Shell a inséré dans l'interface graphique pour son propre usage. Nous pouvons citer en exemple la corbeille ou le regroupement des polices installées. Nous reviendrons plus loin en détail sur leurs différences et leurs implications.

46.1.2.   Désignation des objets ShellFolder

Si l'on veut traiter un élément se trouvant à l'intérieur de l'interface graphique à l'aide des fonctions API ou avec l'une des instructions de l'interface *IShellFolder*, il faut pouvoir lui donner une désignation afin que la fonction puisse savoir de quel élément il s'agit. Il faut bien donner un nom à son enfant pour le distinguer de la masse.

A ce niveau, le Shell utilise le même principe que le système de gestion des fichiers. Les éléments à l'intérieur de l'interface graphique sont nommés en indiquant leur chemin depuis la racine du système (le Bureau) jusqu'à l'élément souhaité en passant par tous les objets *ShellFolder* qui doivent être ouverts. Les noms des différents objets *ShellFolder* sont indiqués l'un à la suite de l'autre, de la même façon que pour indiquer un chemin complet pour un nom de fichier. En variante, il est également possible d'indiquer un chemin relatif si l'on définit en même temps le point de départ. On commence, par exemple, par l'objet *ShellFolder* qui désigne le répertoire principal C:, et il reste ensuite à désigner le chemin contenant les objets *ShellFolder* qui commence à partir de ce point.

Toutes les fonctions API du Shell qui doivent agir sur un élément de l'interface graphique nécessitent un chemin absolu qui commence par le Bureau. Les instructions de l'interface *IShellFolder*, par contre, relativisent les indications par rapport à un objet *ShellFolder* précédent. La mise en pratique de tout cela sera détaillée dans la suite de ce chapitre.

Une différence fondamentale dans l'appellation des fichiers et répertoires dans le cadre du système de gestion des fichiers réside dans le fait que les objets *ShellFolder* ne sont pas désignés par des chaînes ASCII, mais par des identificateurs d'élément. Des structures binaire que l'on ne connaît pas et que l'on a pas besoin de connaître, car on les manipule toujours par le biais de l'interface *IShellLink* ou d'une fonction API. Les identificateurs d'élément sont une contribution au concept de l'orientation objet, car il est évident qu'une telle interface graphique contient des éléments qui ne peuvent pas simplement être décrits à l'aide de leur désignation. En conséquence, un identificateur d'élément contient, il est vrai, un nom, mais celui-ci cache des informations supplémentaires qui décrivent de façon précise l'objet en question.

Si l'on souhaite créer un chemin à l'aide des identificateurs d'élément pour, par exemple, désigner la position d'un objet par rapport à la racine de l'interface graphique (un chemin absolu, pour ainsi dire), il faut alors mémoriser les identificateurs d'élément correspondants l'un à la suite de l'autre. Si l'on souhaite, par exemple, appeler le groupe de programmes *Accessoires*, le chemin correspondant contient alors quatre identificateurs d'élément, en abrégé Item-ID. Le premier est celui de l'objet Bureau, la racine de l'interface graphique. Vient ensuite l'identificateur d'élément du menu *Démarrer*, puis du menu *Programmes* et ensuite celui du menu *Accessoires*.

En pratique, l'identificateur d'élément du Bureau n'est cependant pas indiqué, car celui-ci est implicitement défini comme point de départ dans le cas d'un chemin absolu. La liste des identificateurs d'élément nécessaire pour l'accès au dossier *Accessoires* est donc composée de trois identificateurs d'élément, et non pas de quatre. Si l'on voulait appeler un élément des *Accessoires*, il suffirait de rajouter l'identificateur d'élément correspondant à l'objet à cette chaîne.

En résumé, on parle ici d'une liste d'identificateurs d'éléments, en abrégé IDL. Contrairement aux instructions utilisées pour l'interface *IShellLink* et pour les API du Shell, une telle liste est référencée par ses propres pointeurs appelés PIDL et prononcés "piddel". Lorsqu'un PIDL sera cité par la suite, il y aura toujours une liste associée d'identificateurs d'élément renvoyant au PIDL.

Bien que l'on ne connaisse pas la structure exacte de chacun des identificateurs d'élément, il est possible de passer d'un niveau à l'autre pour accéder à chacun des identificateurs d'élément. En effet, le début de chaque identificateur comporte sa longueur sous la forme d'un *USHORT*, c'est à dire d'un mot. Il suffit alors d'additionner le contenu de ce mot à son adresse pour obtenir le pointeur vers le prochain identificateur d'élément à l'intérieur d'une IDL. La fin d'une telle liste est repérée par un identificateur d'élément de longueur 0. Il n'y a plus d'autres données derrière cette indicateur de longueur.

Au sein du fichier *Include* SHJLOBJ.H, un identificateur d'élément est représenté par le type SHITEMID et son pointeur par LPSHITEMID. La longueur est indiquée par le champ *cb* qui veut dire "count byte" (compter les octets).

```
typedef struct {                    // un identificateur d'élément (MKID)
    USHORT cb;                      // taille de l'identificateur d'élément y compris ce champ
    BYTEabID[1];                    // la représentation binaire de longueur variable
    } SHITEMID, * LPSHITEMID;
typedef const SHITEMID  * LPCSHITEMID;
```

Le pointeur d'une liste d'identificateurs binaires est défini par le type LPITEMIDLIST qui renvoie à une structure composée d'éléments individuels du type SHITEMID. Il porte ici le nom *mkid*, l'abréviation d'un identificateur d'élément (mkid = make item identifier).

```
typedef struct {                    // liste d'identificateurs d'élément (IDL)
    SHITEMID mkid;                  // l'identificateur d'élément proprement dit
    } ITEMIDLIST, * LPITEMIDLIST;   // LPITEMIDLIST est un PIDL
typedef const ITEMIDLIST * LPCITEMIDLIST;
```

Lorsque l'on obtient un PIDL d'une fonction du Shell-API ou par l'une des instructions *IShellFolder*, la mémoire nécessaire à cet effet a généralement été générée par l'interface *IMalloc*. Il faut donc à nouveau libérer cette mémoire avant la fin du programme en utilisant soit l'instruction *Free* de l'interface *Imalloc*, soit la fonction API OLE *CoTaskMemFree()*.

Du fait que les identificateurs d'élément représentent des structures binaires qui n'ont absolument aucune signification pour l'utilisateur, chaque objet *ShellFolder* contient ce que l'on appelle le "nom affiché". Il s'agit du nom qui est présenté à l'utilisateur lorsqu'il aperçoit l'objet dans l'Explorateur ou sur le Bureau. Dans le cas des objets qui représentent un élément concret dans une mémoire de masse, ce nom est identique à celui du fichier ou du répertoire. Dans le cas des objets *ShellFolder* virtuels, il est choisi de façon artificielle. Les paragraphes suivants montrent de quelle façon définir ou interroger le nom affiché à partir d'un programme.

Fonctions d'aide pour travailler avec les PIDL

Tout comme certaines fonctions de base qui sont nécessaires pour traiter les chaînes, il existe également des opérations répétitives associées aux PIDL. Par exemple, pour regrouper plusieurs identificateurs d'élément en une seule liste d'identificateurs d'élément ou pour parcourir une telle liste.

46.2.   Le Shell-API

La façon la plus simple d'entrer en contact avec le Shell est d'utiliser les fonctions API du fichier SHELL32.DLL. Mais il ne faut cependant pas trop en attendre de ces fonctions. Elles ne permettent pas d'accéder à l'interface graphique du Shell, et les fonctions semblent regroupées de façon quelque peu aléatoire. Certaines d'entre elles sont nécessaires dans tous les cas pour pouvoir travailler avec le Shell et ses interfaces OLE. Voici tout d'abord un aperçu.

Fonction	Tâche
SHGetSpecialFolderLocation	Délivre une liste d'identificateurs d'élément pour l'un des dossiers virtuels du bureau.
SHGetPathFormIDList	Convertit une liste d'identificateurs d'élément en noms de chemin et de fichier.
SHGetDesktopFolder	Fournit l'interface sur l'objet du Shell qui est représenté par le Bureau comme racine de l'interface graphique.
SHAddToRecentDocs	Rajoute un document à la liste des derniers documents ouverts dans le menu **Démarrer**.
SHBrowseForFolder	Affiche une boîte de dialogue qui permet à l'utilisateur de naviguer dans l'interface graphique du Shell et de sélectionner des dossiers.
SHChangeNotify	Informe le Shell des modifications intervenues dans le système de gestion des fichiers qui ont un effet sur l'interface graphique du Shell.
SHFileOperation	Exécute une opération sur un fichier (copier, déplacer, renommer ou supprimer des fichiers).
SHGetFileInfo	Fournit des informations sur un objet du Shell
SHGetMalloc	Fournit l'interface *Imalloc* du Shell.

Fonctions API du Shell.

46.2.1.   Origine des éléments du Bureau

Même si l'interface graphique du Shell ne permet pas d'accéder directement aux fonctions API, elles ont tout de même en partie un rôle de liaison entre l'interface OLE et le reste du système API. Le point central est ici représenté par les PIDL, lesquels désignent un objet dans l'interface graphique du Shell. *SHGetSpecialFolderLocation()* représente une fonction qui permet de déterminer le PIDL sur un objet dans l'interface graphique. Il peut ensuite être mis en place avec *SHBrowseForFolder()*, par exemple, une fonction très pratique qui présente à l'utilisateur une boîte de dialogue à partir d'un programme, celle-ci lui permettant de naviguer dans l'interface graphique du Shell et d'y sélectionner un dossier. Voici tout d'abord *SHGetSpecialFolderLocation()*.

```
HRESULT SHGetSpecialFolderLocation(    // fournit le PIDL d'un dossier virtuel
    HWND        hwndOwner,             // Handle de la fenêtre du parent
    int         nFolder,              // constante CSIDL pour le dossier souhaité
    LPITEMIDLIST *ppidl               // pointeur de la Var, qui contient le PIDL
    );
```

Dans tous les cas, s'il faut afficher des boîtes de dialogue, le premier argument attendu par la fonction est le Handle de la fenêtre de l'appelant. Si l'on ne dispose pas de Handle de la fenêtre, il faut indiquer NULL. Le deuxième paramètre détermine le dossier concerné par l'appel de la fonction. Les constantes CSIDL du tableau suivant correspondent aux différents éléments du Bureau dont le PIDL peut être déterminé à l'aide de cette fonction.

Constante	Correspond à ...
CSIDL_DESKTOP	le dossier Bureau, la racine de l'interface graphique.
CSIDL_PROGRAMS	le répertoire système qui contient chacun des groupes de programmes sous forme de sous-répertoires.
CSIDL_CONTROLS	le dossier qui contient les programmes du panneau de configuration.
CSIDL_PRINTERS	le dossier qui contient les imprimantes installées.
CSIDL_STARTUP	le répertoire système qui contient les fichiers du groupe de programme *Démarrage*.
CSIDL_RECENT	le répertoire système qui contient les raccourcis du dernier document traité.
CSIDL_SENDTO	le répertoire système qui contient les fichiers à envoyer
CSIDL_BITBUCKET	le répertoire système dans lequel sont copiés les fichiers de la corbeille
CSIDL_STARTMENU	le répertoire système du menu *Démarrer*
CSIDL_DESKTOPDIRECTORY	le répertoire système dans lequel sont enregistrés les éléments du Bureau.
CSIDL_DRIVES	le dossier contenant les éléments du Poste de travail.
CSIDL_NETWORK	le dossier à la racine de la hiérarchie du réseau.
CSIDL_NETHOOD	le répertoire système contenant les éléments du voisinage réseau.
CSIDL_FONTS	le dossier qui contient les polices installées.
CSIDL_TEMPLATES	le répertoire système pour les documents réutilisables sous forme de fichiers quelconques.

Constantes CSIDL pour SHGetSpecialFolderLocation()

Il s'agit ici essentiellement des dossiers virtuels créés artificiellement par le Shell pour regrouper toutes les ressources de l'ordinateur dans un espace visible dans toute son étendue. Remarquez que nous parlons ici alternativement de dossiers et de répertoires système, une différence sur laquelle nous allons tout de suite revenir.

En plus de ces constantes, *SHGetSpecialFolderLocation()* attend, en dernier paramètre, l'adresse d'une variable du type LPITEMIDLIST. Elle est chargée par la fonction avec le PIDL, c'est à dire avec l'adresse de la liste des identificateurs d'élément de l'objet souhaité. La bonne exécution de la fonction est signalée par une valeur retournée du type HRESULT. HRESULT est un type de donnée qui est surtout utilisé par les fonctions OLE. On contrôle une telle valeur à l'aide de deux macros prédéfinies appelées ERROR et SUCCEEDED. Vous trouverez un exemple de l'appel et de l'utilisation de cette fonction dans le paragraphe traitant de la fonction SHBrowseForFolder().

Dossier ou répertoire

Encore quelques mots à propos des constantes CSIDL. On y parle parfois de dossier et parfois de répertoires. Ceci permet d'apporter un élément d'explication supplémentaire sur la relation existante entre les dossiers et les répertoires. D'un côté, il est devenu évident que le Shell représente directement la structure d'un lecteur avec ses fichiers et ses répertoires sur une partie de l'arborescence de l'interface graphique. Mais le Shell utilise en plus de cela des parties du système de gestion des fichiers pour y enregistrer en permanence ses objets virtuels, à savoir les groupes de programmes et leurs sous-groupes ainsi que le contenu du Bureau.

Ce qui apparaît ici dans l'interface graphique du Shell ne représente rien d'autre que l'illustration de certains répertoires dans lesquels le Shell enregistre les groupes de programmes et le contenu du Bureau.

Il est en effet évident que les dossier et les raccourcis, par exemple, qui se trouvent sur le Bureau, doivent être enregistré quelque part sur le disque dur avec leur contenu. Sinon ils seraient perdus en éteignant l'ordinateur. Le Bureau nécessite son propre emplacement physique, celui-ci étant bien évidemment proposé par le système de gestion des fichiers selon les possibilités dont il dispose. Ce que l'on aperçoit sur le bureau n'est donc généralement rien d'autre que le contenu d'un répertoire spécial. Si l'on déplace un fichier d'un répertoire vers le Bureau, le fichier est tout simplement déplacé de son répertoire précédent vers le répertoire qui est utilisé par le bureau pour y déposer son contenu. Ce qui apparaît à l'utilisateur sur le bureau n'est donc en réalité rien de plus que le contenu d'un répertoire du disque dur qui est réservé au Shell.

L'illustration suivante montre un Bureau et l'aperçu correspondant de l'Explorateur sur ce Bureau. On y aperçoit l'icône du Poste de travail, du Panneau de configuration, du Voisinage réseau, de l'Explorateur, de la Boîte de réception, de la Corbeille, ainsi qu'une série de dossiers.

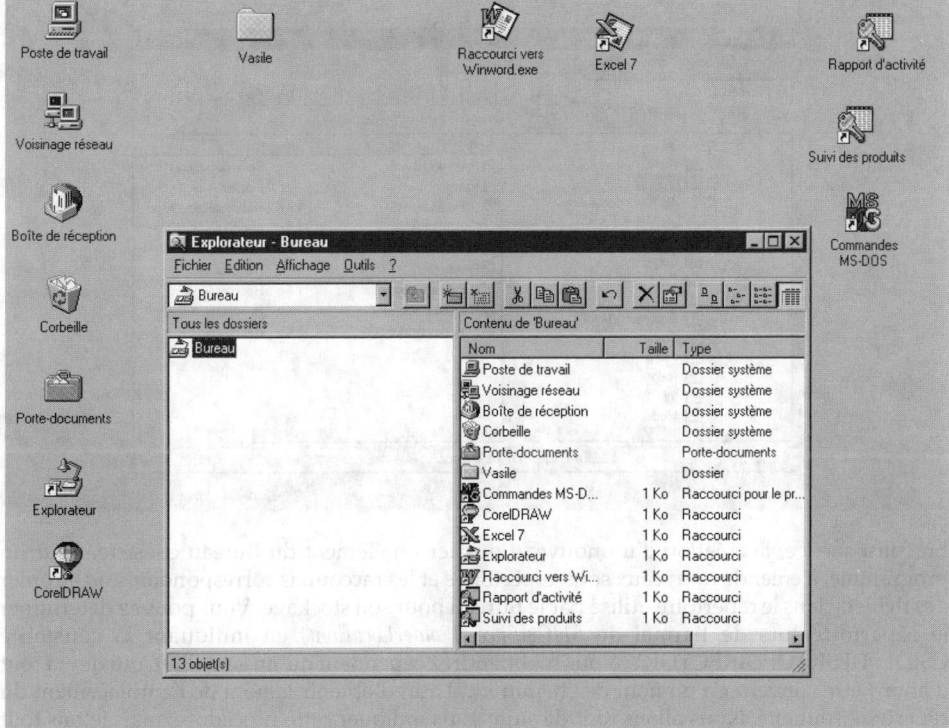

L'illustration suivante semble à première vue identique, il existe cependant une légère différence : l'Explorateur n'affiche plus le contenu du Bureau, mais le contenu du répertoire C:\WIN95\BUREAU sur le disque dur. A deux exceptions près, celui-ci est cependant le même que celui du Bureau, car ce répertoire est le Bureau ! On a de la peine à le croire, et pourtant c'est vrai. Tous les objets présents sur le Bureau sont en principe enregistrés par le Shell dans le sous-répertoire Bureau du répertoire Windows.

Le dossier Bureau en tant que sous-répertoires (ou de raccourcis des sous-répertoires dans une autre zone du système de gestion des fichiers) et les icônes apparaissant sur le Bureau en tant que programmes ou que raccourcis de ces programmes.

Vous pouvez le vérifier de façon très simple en créant quelques nouveaux répertoires ou fichiers dans le sous-répertoire Bureau de votre répertoire Windows 95 (qui devrait toujours s'appeler ainsi) avec l'Explorateur. Ces éléments apparaissent presque instantanément sur le Bureau. La même opération est possible en utilisant l'invite DOS pour créer des répertoires correspondants ou pour copier des fichiers dans ce répertoire. Le nom du fichier ou du répertoire apparaît toujours sous la forme d'un nom d'objet sur le Bureau. C'est aussi simple que ça.

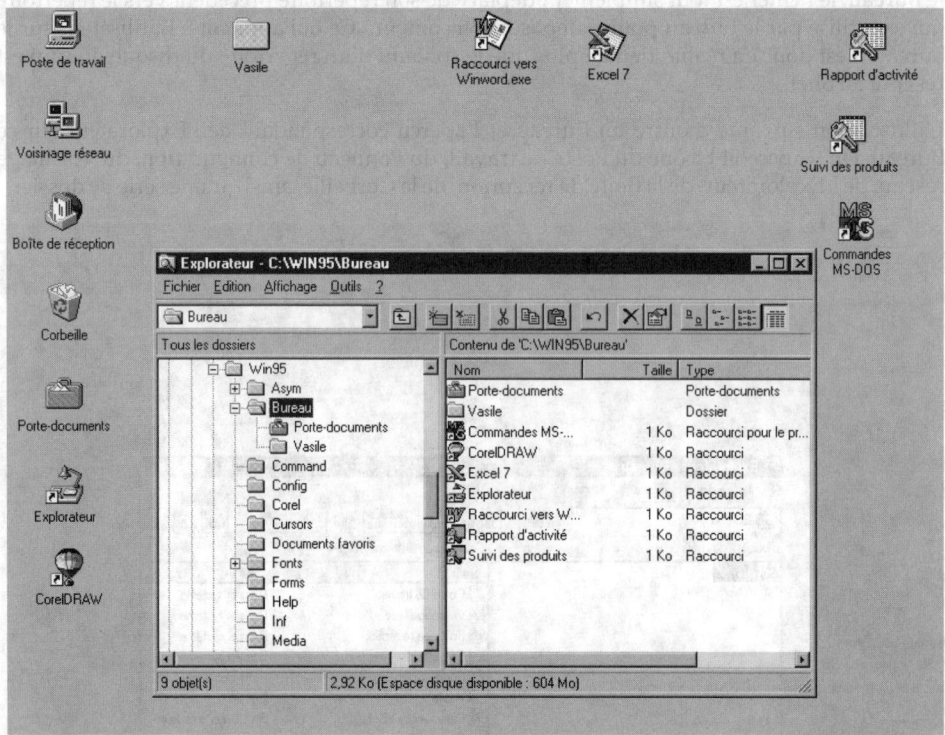

En conséquence, la création d'un nouveau dossier un élément du Bureau consiste, pour un programme, à créer de nouveaux sous-répertoires et les raccourcis correspondants ou à copier des fichiers dans le répertoire utilisé par le Bureau pour son stockage. Vous pouvez déterminer le répertoire lors de l'appel de *SHGetSpecialFolderLocation()* en indiquant la constante CSIDL_DESKTOPDIRECTORY. Vous n'obtiendrez cependant qu'un seul PIDL qui devra tout d'abord être converti en un nom de chemin local afin d'obtenir le nom de l'emplacement du répertoire souhaité. Nous allons tout de suite vous indiquer cette procédure, mais jetons tout d'abord encore un coup d'oeil aux autres éléments virtuels du Bureau et sur la façon dont ils sont créés sur le disque dur.

Comme pour le Bureau, il s'agit généralement ici de sous-répertoires du répertoire Windows 95. Par exemple *Démarrer* pour le menu *Démarrer*, *Démarrer \ Programmes* pour les programmes du menu *Démarrer* ou *Polices* pour les polices disponibles sur le système. Si l'élément concerné contient des sous-dossiers, ceux-ci sont tout simplement créés dans le répertoire du disque dur sous la forme de sous-répertoires.

Les deux illustrations suivantes montrent de quelle façon sont enregistrés les groupes de programmes et les programmes qu'ils contiennent. La première illustration montre tout d'abord le menu *Démarrage* ouvert avec le menu *Programmes* et les groupes de programmes qu'il contient. Le groupe de programmes *Télécopieur* est ouvert et contient trois programmes.

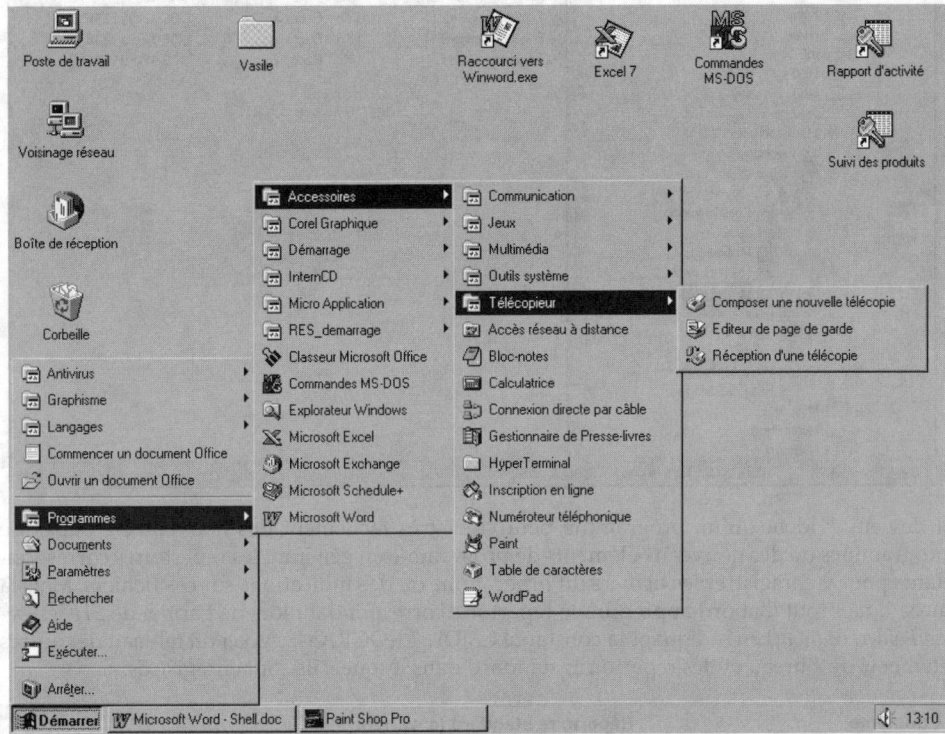

Un coup d'oeil au répertoire Windows 95 permet d'illustrer la façon dont les groupes de programmes arrivent sur le Bureau. Le répertoire Windows 95 comporte un sous-répertoire appelé *Menu Démarrer* qui contient les éléments du menu *Démarrer* sous la forme de fichiers ou de répertoires, notamment le répertoire *Programmes* qui contient les groupes de programmes et certains fichiers qui sont affichés et exécutés par le biais de ce menu. Certains de ces groupes de programmes contiennent des sous-groupes comme ici, par exemple, le groupe *Accessoires* qui contient le sous-répertoire *Télécopieur*. Celui-ci contient les raccourcis de trois programmes qui peuvent ainsi être exécutés à partir du Bureau.

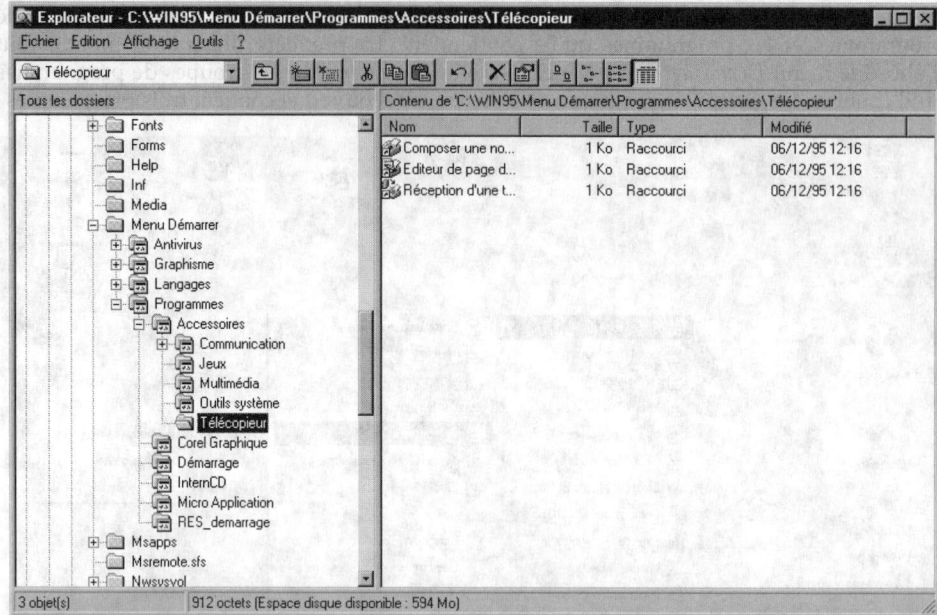

Il devient évident qu'un programme peut créer très facilement des nouveaux groupes de programmes ou des nouveaux éléments de programme en générant les répertoires correspondants pour y enregistrer les fichiers du programme ou des indications sur ces fichiers. Mais là aussi il faut tout d'abord apprendre le répertoire correspondant lors de l'appel de *SHGetSpecialFolderLocation()* en indiquant la constante CSIDL_PROGRAMS. Voici un tableau des autres éléments du Bureau et des répertoires standard dans lesquels ils sont enregistrés.

Constante	Répertoire standard (c:\windows95...)\
CSIDL_DESKTOPDIRECTORY	Bureau
CSIDL_STARTMENU	Menu Démarrer
CSIDL_PROGRAMS	Menu Démarrer\Programmes
CSIDL_STARTUP	Menu Démarrer\Programmes\Démarrage
CSIDL_FONTS	Fonts
CSIDL_NETHOOD	Voisinnage réseau
CSIDL_RECENT	Recent
CSIDL_SENDTO	SendTo
CSIDL_TEMPLATES	ShellNew
Éléments du Bureau et répertoires standard dans lesquels ils sont enregistrés sur le disque dur.	

La liste des répertoires indiqués ici n'est cependant pas exhaustive. Il existe certaines situations dans lesquelles le Shell choisit également d'autres répertoires pour certains éléments, par exemple lorsque le Bureau a été configuré pour plusieurs utilisateurs différents. Il existe alors différents répertoires Bureau, car chaque utilisateur de ses propres dossiers et programmes sur son bureau personnel. *SHGetSpecialFolderLocation()* permet dans ce cas d'examiner les répertoires associés à chacun des utilisateurs. On arrive toujours à l'endroit où l'on veut tant que l'on s'en tient à cette information.

Les autres éléments, par exemple le Panneau de configuration ou le dossier des imprimantes installées, n'associent par leur contenu à un répertoire dédié du système, mais à la registration. Pour les imprimantes, le Shell y inscrit par exemple le nom de celles qui sont installées ainsi que les gestionnaires correspondants et pour le Panneau de configuration, les programmes qui représentent ses différents composants. Le Shell, à l'aide de ces informations, crée à chaque fois un dossier virtuel dans l'interface graphique, celui-ci contenant les éléments correspondants sans toutefois les enregistrer dans un répertoire précis du disque dur.

Ceci nous amène une dernière fois à la question de savoir de quelle façon le PIDL fourni par *SHGetSpecialFolderLocation()* peut être converti en un nom de chemin. Voici la réponse :

SHGetPathFromIDList

Si l'on travaille toujours avec des systèmes d'appellation différents pour le même objet, il est nécessaire de disposer de fonctions de conversion. *SHGetPathFromIDList()* est l'une de ces fonctions. Elle est alimentée avec un PIDL et fournit alors le chemin et le nom des fichiers de l'objet désigné dans le PIDL sous la forme d'une chaîne C. Ceci, bien évidement, en supposant que la liste des identificateurs d'élément indiquée par le PIDL renvoie à un objet du système de gestion des fichiers. C'est généralement le cas avec l'une des constantes CSIDL mentionnées dans le paragraphe précédent qui permet d'obtenir le répertoire du disque dur correspondant à l'objet.

```
BOOL SHGetPathFromIDList(
    LPCITEMIDLIST  pidl,      // pointeur vers la liste des identificateurs d'éléments de l'objet
    LPSTR          pszPath    // pointeur vers le buffer du nom du chemin et du fichier
);
```

L'existence réelle d'une correspondance aux différents objets du Shell sur le disque dur est constatée ultérieurement lors du résultat de la fonction qui est FALSE en cas d'erreur. Si, par contre, on obtient TRUE, on retrouve le chemin correspondant dans le buffer dont on a indiqué l'adresse en appelant *pszPath*. Il doit disposer d'un espace de MAX_PATH caractères:

46.2.2.   Sélection d'un dossier

Si, à l'intérieur d'une application, on veut offrir à l'utilisateur la possibilité de sélectionner un dossier existant dans l'interface graphique du Shell, il faut utiliser le fonction *SHBrowseForFolder()*. Cette fonction affiche une boîte de dialogue similaire à l'Explorateur qui permet à l'utilisateur de sélectionner un dossier (mais pas un fichier). L'appelant définit ici le point de départ de l'affichage à l'intérieur de l'interface graphique afin de limiter la partie visible de l'interface graphique à un certain lecteur ou au voisinage réseau, par exemple. En effet, l'utilisateur de l'interface graphique du Shell ne voit à aucun moment ce qu'il y a avant le point de départ. Seuls les dossiers situés sous le point de départ peuvent être examinés.

```
LPITEMIDLIST SHBrowseForFolder(
    LPBROWSEINFO  lpbi       // pointeur vers BrowseInfo avec les paramètres de la fonction
);
```

Le point de départ de l'affichage et quelques paramètres supplémentaires sont transmis à la fonction avec une structure du type *BrowseInfo*. Elle construit la boîte de dialogue, permet à l'utilisateur de sélectionner un dossier et retransmet ensuite la saisie à l'appelant. Le résultat de la fonction est un PIDL, c'est à dire un pointeur vers la liste des identificateurs d'élément de l'objet du Shell sélectionné par l'utilisateur. Si la saisie a été interrompue avec *Annuler*, le résultat est NULL.

Les buffers de la liste des identificateurs d'élément ont été attribués au Shell par le biais de l'interface *IMalloc* et doivent à nouveau être libérés. Il n'est cependant pas nécessaire d'activer directement l'interface à cet effet, car il est également possible d'utiliser la fonction OLE-API *CoTaskMemFree()*.

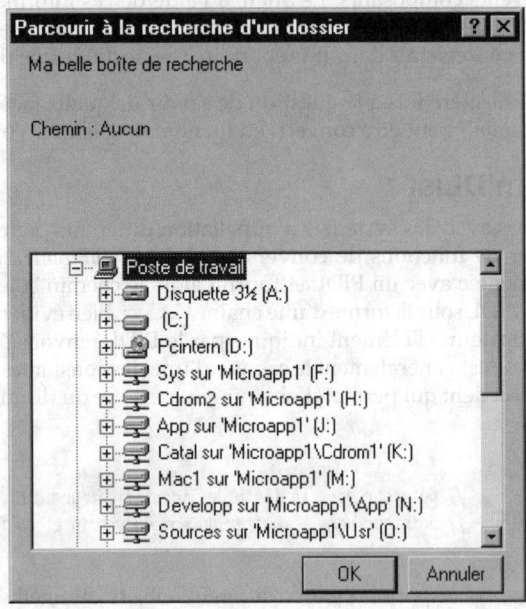

La boîte de dialogue **Rechercher**

La structure de BrowseInfo détermine l'apparence de la boîte de dialogue et l'exécution de la fonction. Voici sa structure :

```
typedef struct {
    HWND          hwndOwner;        // Handle de fenêtre du parent
    LPCITEMIDLIST pidlRoot;         // PIDL sur l'objet du Shell point de départ
    LPSTR         pszDisplayName;   // pointeur vers le buffer qui contient le nom de la boîte
    LPCSTR        lpszTitle;        // pointeur vers la chaîne C qui contient
                                    // le titre de la boîte de dialogue
    UINT          ulFlags;          // constantes BIF avec la nature des dossiers à afficher
    BFFCALLBACK   lpfn;             // pointeur vers la fonction Callback de l'appelant
    LPARAM        lParam;           // lparam pour la fonction Callback de l'appelant
    int           *iImage;          // adresse d'une int qui contient le pointeur pour l'icône
} BROWSEINFO, *PBROWSEINFO, *LPBROWSEINFO;// pointeur vers BrowseInfo
```

Le premier paramètre enregistre le Handle de la fenêtre du parent et permet au système de refuser toute autre saisie dans la fenêtre concernée avant que la boîte de dialogue ait été refermée. *pidlRoot* est un PIDL qui pointe sur la liste des identificateurs d'élément du dossier avec lequel doit commencer l'affichage. L'identificateur d'élément doit ici être défini par rapport au Bureau, la racine de l'interface graphique. Le PIDL peut prendre différentes valeurs :

○ *SHGetDesktopFolder()*, lorsque l'utilisateur est autorisé à parcourir tout le Bureau.
○ Si l'on veut commencer par l'un des dossiers virtuels, par exemple le voisinage réseau, le PIDL correspondant est réservé avec *SHGetSpecialFolderLocation()*.

○ Si l'affichage doit commencer par un autre emplacement de l'interface utilisateur, il faut élaborer le PIDL en faisant appel aux différentes instructions des interfaces *IShellFolder*. Ceci, il est vrai, demande beaucoup de travail, mais offre également la plus grande souplesse (le bon vieux refrain).

Dans le paramètre suivant, *pszDisplayName*, on transfert l'adresse d'un buffer dans lequel la fonction, si elle réussit, écrit le nom affiché du dossier sélectionné sous la forme d'une chaîne C. Elle suppose que le buffer contient au moins MAX_PATH caractères, il est donc également possible, pour des raisons de sécurité, d'indiquer une taille de buffer plus petite. *lpszTitle* représente également un pointeur vers une chaîne C, ici cependant avec le titre de la boîte de dialogue qui est modifiable par l'appelant.

Une combinaison de différents index BIF est attendue dans *ulFlags*, ceux-ci définissant la nature du contenu des dossiers présentés à l'utilisateur :

Constante	Signification
BIF_RETURNFSANCESTORS	L'utilisateur peut seulement sélectionner des lecteurs et des serveurs, le bouton OK est désactivé pour tous les autres éléments.
BIF_RETURNONLYFSDIRS	L'utilisateur ne peut sélectionner que les lecteurs qui font partie du système de gestion des fichiers, le bouton OK est désactivé pour tous les autres éléments.
BIF_DONTGOBELOWDOMAIN	Aucun dossier n'est affiché à un niveau inférieur au Domaine. On ne voit que la carte du réseau.
BIF_BROWSEFORCOMPUTER	L'utilisateur ne peut sélectionner qu'un ordinateur, le bouton OK est désactivé pour tous les autres éléments.
BIF_BROWSEFORPRINTER	L'utilisateur ne peut sélectionner que des imprimantes, le bouton OK est désactivé pour tous les autres éléments.
BIF_STATUSTEXT	Assure la prise en compte d'une ligne d'état dans la boîte de dialogue, celle-ci pouvant être complétée par l'appelant lors d'un rappel.

Constantes BIF pour SHBrowseForFolder ()

Il est ici déjà question de la fonction de rappel qui peut être précisée lors de l'utilisation de *SHBrowseForFolder()*, à savoir dans le paramètre *lpfn*. Cette fonction permet à l'appelant de prendre connaissance des différentes actions de l'utilisateur à l'intérieur de la boîte de dialogue et d'agir sur les éléments de commande de la boîte de dialogue encore pendant la saisie. Nous allons tout de suite expliquer ce principe, mais parlons tout d'abord dernier paramètre de la fonction, *ilmage*.

L'appelant doit charger une variable *int* avec l'adresse, celle-ci chargeant la fonction avec une valeur d'index lorsque son exécution a réussi. Il s'agit de l'index de l'icône du dossier sélectionné par l'utilisateur. L'index se réfère ici à la liste des images du système dans laquelle le Shell conserve toutes les icônes des fichiers et des dossiers qui seront affichées sur le Bureau. Vous trouverez plus d'informations sur la liste des images dans le paragraphe traitant de la fonction API *SHGetFileInfo()*.

Revenons maintenant au rappel. Grâce à lui, l'utilisateur peut réagir en fonction des saisies de l'utilisateur encore pendant l'affichage de la boîte de dialogue. Pour désactiver le bouton OK lors de la sélection d'un dossier non souhaité, par exemple, pour afficher un dossier tout à fait particulier ou pour laisser un message dans la ligne d'état de la boîte de dialogue.

Mais il faut tout d'abord définir une fonction de rappel du type BFFCALLBACK telle qu'elle est déclarée dans l'extrait de code suivant :

```
typedef int (CALLBACK* BFFCALLBACK)(      // BFFCALLBACK et le pointeur de la fonction
   HWND   hwnd,    // Handle de la fenêtre de la boîte de dialogue Rechercher
   UINT   uMsg,    // message
   LPARAM lParam,  // paramètre supplémentaire du message selon uMsg
   LPARAM lpData   // le champ lParam de BrowseInfo :-(
   );
```

La fonction de rappel est appelée par la boîte de dialogue dans deux cas. Une première fois pendant l'initialisation de la boîte de dialogue, et ensuite à chaque fois que l'utilisateur sélectionne un autre dossier. La raison de l'appel est indiquée par *uMSG : BFFM_INITIALIZED* pendant l'initialisation et BFFM_SELCHANGED après un changement de dossier. Une information supplémentaire est transmise par *lParam* en fonction du message. *lpData* représente le paramètre *BROWSEINFO.lParam* tel qu'il a été indiqué lors de l'appel de *SHBrowseForFolder()*. Il est ainsi possible d'établir une liaison entre l'appelant de *SHBrowseForFolder()* et la fonction de rappel. On est alors en mesure de maintenir une espèce de contexte global sans devoir utiliser des variables globales.

Le paramètre *lParam* n'a aucune signification lors de l'appel de la fonction de rappel avec le message BFFM_INITIALIZED. Contrairement à BFFM_SELCHANGED où il représente un PIDL et renvoie ainsi à la liste des identificateurs d'élément du nouvel objet sélectionné. La fonction de rappel ne doit pas modifier cette liste, elle effectuera cependant des copies et les retransmettra aux fonctions du Shell ou aux instructions de *IShellFolder*.

Quelle que soit la raison pour laquelle la fonction de rappel a été sollicitée - elle a toujours la possibilité d'envoyer un message à la boîte de dialogue par le biais de *SendMessage()*. Le Handle correspondant de la fenêtre lui est ici transmis dans le paramètre *hWnd* . Il est possible d'envoyer trois messages qui offrent à l'appelant d'intéressantes possibilités d'intervention.

Constante	Signification	Contexte
BFFM_ENABLEOK	Active le bouton OK lorsque *wParam* est TRUE, le désactive avec FALSE.	Offre à une application la possibilité de décider par elle-même si l'utilisateur est autorisé à sélectionner un certain dossier.
BFFM_SETSELECTION	Crée un nouveau dossier. S'il est nécessaire de créer un chemin dans le système de gestion des fichiers, le pointeur vers le chemin est indiqué dans *lParam* et *wParam* est TRUE. Le cas contraire, un PIDL dans *lParam* et *wParam* est FALSE.	L'application a la possibilité de créer elle-même un autre dossier pendant l'installation et aussi pendant la sélection ultérieure d'un dossier par l'utilisateur.
BFFM_SETSTATUSTEXT	Affiche une chaîne C dans la ligne d'état. *lParam* doit pointer sur une chaîne C correspondante.	L'application peut communiquer à tout moment avec l'utilisateur par le biais de ce message et peut formuler un commentaire en fonction des différents choix de l'utilisateur.

Messages sur une boîte de dialogue "Rechercher"

Utilisation de la boîte de dialogue Rechercher

Notre exemple de programme Browse.mak illustre concrètement l'utilisation de la boîte de dialogue *Rechercher* et l'appel de la fonction *SHBrowseForFolder()*. Son élément central est le fichier BROWSE.C.

Fichiers dans le projet BROWSE.MAK

Le programme vous permet de vous déplacer en toute simplicité dans les différentes zones de l'interface graphique du Shell à l'aide de *SHBrowseForFolder()*. Comme le montre la figure suivante, la boîte de dialogue *Browser-Root* permet de définir de nombreux points de départ qui correspondent chacun à l'une des différentes constantes CSIDL. En cliquant sur le bouton *Parcourir...*, l'application déterminera tout d'abord un PIDL en rapport avec la constante CSIDL sélectionnée en appelant *SHGetSpecialFolderLocation()*. Le PIDL retourné permet ensuite d'appeler *SHBrowseForFolder()*, ce qui affiche à l'écran la zone souhaitée de l'interface graphique du Shell.

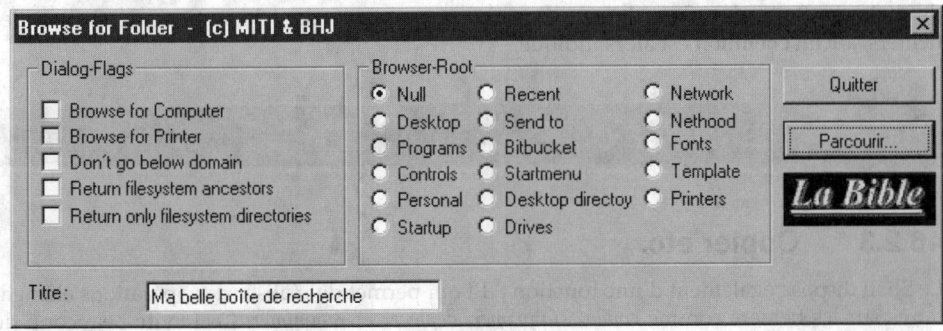

Le programme BROWSE.C

En plus de cela, le champ *Dialog-Flags* permet de sélectionner les différents index BIF qui sont retransmis à *SHBrowseForFolder()* lors de son appel dans le champ *uFlags* de la structure BROWSEINFO. Vous comprendrez ainsi facilement les effets de ces index sur l'affichage des différents dossiers.

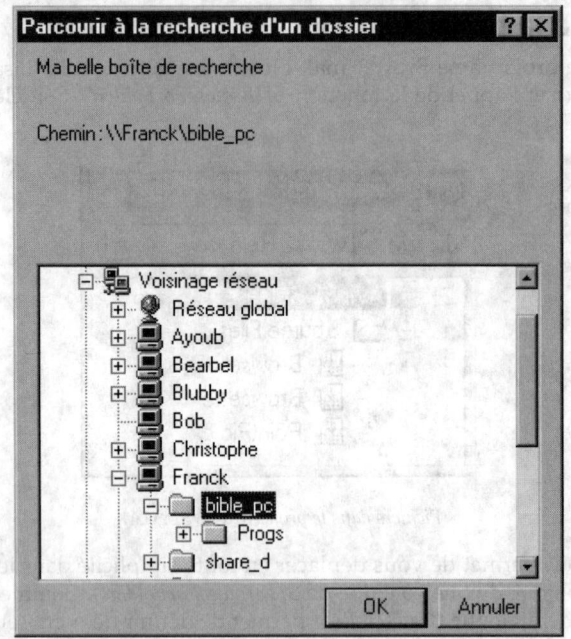

Un coup d'oeil dans le réseau global...

Comme cela apparaît dans le programme BROWSE.C, on utilise la possibilité de définir une fonction de rappel dans BROWSEINFO. *BrowseCallbackProc()* est le nom de la fonction qui est utilisée ici pour représenter le nom du chemin du dossier sélectionné sur le disque dans la boîte de dialogue *Rechercher*. Si le dossier a une correspondance dans le système de gestion des fichiers, aucun chemin n'est alors indiqué.

BROWSE.C

46.2.3. Copier etc.

Le Shell dispose également d'une fonction API qui permet de réaliser des opérations élémentaires sur les fichiers comme *copier, supprimer, déplacer* et *renommer*. Ceci évite beaucoup de travail à l'appelant, surtout du fait que le Shell utilise lui-même cette fonction et qu'on peut ainsi supposer qu'elle a été exécutée. En plus de cela, la boîte de dialogue habituelle des fichiers apparaît à l'écran pendant son exécution et indique l'état d'avancement de l'opération.

```
int SHFileOperation(
    LPSHFILEOPSTRUCT  lpFileOp          // pointeur vers SHFILEOPSTRUCT
    );
```

L'exécution de la fonction est définie par le pointeur sur une structure du type *SHFILEOPSTRUCT* qui doit être initialisée par l'appelant avant l'appel de la fonction avec l'opération souhaitée et les fichiers concernés.

Voici cette structure :

```
typedef struct {
    HWND            hwnd;              // Handle de la fenêtre du parent
    UINT            wFunc;             // Opération à effectuer (FO_COPY, FO_MOVE etc.)
    LPCSTR          pFrom;             // Pointeur sur chaîne C avec nom fichier source
    LPCSTR          pTo;               // Pointeur sur chaîne C avec nom fichier cible
    FILEOP_FLAGS    fFlags;            // Index FOF
    BOOL            fAnyOperationsAborted;          // affiche Annul. par ut. après appel
    LPVOID          hNameMappings;     // enr. après appel Handle noms
    LPCSTR          lpszProgressTitle; // Chaîne C à afficher (FOF_SIMPLEPROGRESS)
} SHFILEOPSTRUCT, *LPSHFILEOPSTRUCT;
```

Un Handle de fenêtre est attendu dans le premier paramètre qui doit servir de parent pour l'affichage de la boîte de dialogue, ensuite l'une des constantes FO, qui décrivent les opérations à effectuer, dans *wFunc*.

Constante	Correspond à ...
FO_MOVE	Déplacer des fichiers
FO_COPY	Copier des fichiers
FO_DELETE	Supprimer des fichiers
FO_RENAME	Renommer des fichiers

Constantes FO pour SHFileOperation()

pFrom et *pTo* représentent les pointeurs vers les chaînes C qui contiennent les noms des fichiers source et cible de l'opération souhaitée. Les deux chaînes peuvent nommer plusieurs fichiers l'un à la suite de l'autre, chaque fichier devant être indiqué sous la forme d'une chaîne indépendante se terminant par un caractère NUL. Le nom du fichier suivant vient immédiatement à la suite. Le dernier nom de fichier doit être suivi d'une chaîne composée uniquement d'octets nuls. La fonction reconnaît ainsi la fin de la liste. Si les noms ne comportent pas de chemin, c'est le chemin du lecteur courant qui est pris comme point de départ. Si aucun lecteur n'est indiqué, c'est le lecteur courant qui est pris en compte.

L'appelant fournit les informations supplémentaires sur la façon dont doit être effectuée l'opération sur les fichiers par le biais du champ *fFlags* dans SHFILEOPSTRUCT. Il est ici possible d'indiquer une combinaison des constantes FOF suivantes.

Constante	Correspond à ...
FOF_SIMPLEPROGRESS	La boîte de dialogue affichée n'est qu'un simple indicateur d'évolution. Contrairement à une boîte de dialogue d'avancement normale qui affiche les noms des fichiers traités, celle-ci ne contient que la chaîne indiquée dans *SHFILEOPSTRUCT.lpszProgressTitle*.
FOF_SILENT	Aucune boîte de dialogue indiquant l'évolution ne doit être affichée pendant l'exécution.
FOF_NOCONFIRMATION	"OUI dans tous les cas" est sélectionné automatiquement pour chaque accès qui nécessite une confirmation de l'utilisateur.
FOF_NOCONFIRMMKDIR	Aucune confirmation n'est demandée à l'utilisateur s'il faut créer un nouveau répertoire.
FOF_MULTIDESTFILES	Si plusieurs fichiers sont nommés dans *pFrom*, cet index précise que la première chaîne dans *pTo* ne doit pas être interprétée comme étant le répertoire dans lequel doivent être copiés les fichiers. Au contraire, *pTo* contient pour chaque fichier un élément dans *pFrom* indiquant le nom cible du fichier concerné.

Constante	Correspond à ...
FOF_RENAMEONCOLLISION	S'il est nécessaire de créer un fichier qui existe déjà, on crée un nom dérivé qui renvoi au nom d'origine du fichier.
FOF_WANTMAPPINGHANDLE	Avec cet index, la fonction remplit le champ *SHFILEOPSTRUCT.hNameMappings* pendant l'appel de la fonction. L'appelant a alors un aperçu sur le traitement des fichiers et sur ce qu'ils sont devenus.

Constantes FOF pour SHFileOperation()

Certains de ces index définissent uniquement l'affichage à l'écran pendant les opérations effectuées sur les fichiers, c'est à dire l'affichage ou non des boîtes de dialogue et leur sélection. Dans l'aperçu standard sans indication de FOF_SILENT ou de FOF_SIMPLEPROGRESS, la boîte de dialogue qui apparaît est la même que celle qui est affichée par le Shell lors d'une opération manuelle. Les autres index FOF répondent à la question de savoir si l'utilisateur doit confirmer la création de nouveaux répertoires ou le remplacement de fichiers.

FOF_WANTMAPPINGHANDLE représente un cas particulier. En indiquant cet index, l'appelant oblige la fonction de générer un compte-rendu sur les opérations effectuées sur les fichiers. Elle fournit à cet effet un Handle dans *SHFILEOPSTRUCT.hNameMappings* sur ce que l'on appelle un objet *Name-Mapping*. Pour chaque fichier traité, l'objet contient une structure du type SHNAMEMAPPING qui décrit l'ancien et le nouveau chemin d'un fichier.

```
typedef struct {
    LPSTR    pszOldPath;    // pointeur vers l'ancien nom du fichier
    LPSTR    pszNewPath;    // pointeur vers le nouveau nom du fichier
    int      cchOldPath;    // caractères dans l'ancien nom du fichier
    int      cchNewPath;    // caractères dans le nouveau nom du fichier
} SHNAMEMAPPING, FAR *LPSHNAMEMAPPING;
```

Il n'est cependant pas possible d'accéder directement à chacun des éléments SHNAMEMAPPING dans l'objet renvoyé, mais il faut utiliser pour cela deux macros définies dans SHELLAPI.H : *SHGetNameMappingCount()* et *SHGetNameMappingPtr()*. La première indique le nombre de structures SHNAMEMAPPING présente, la deuxième fournit un pointeur vers une structure SHNAMEMAPPING donnée par son index. L'index doit ici être compris entre 0 et le résultat de SHGetNameMappingCount() -1.

```
#define SHGetNameMappingCount(_hnm)  DSA_GetItemCount(_hnm)
#define SHGetNameMappingPtr(_hnm, _iItem) (LPSHNAMEMAPPING)DSA_GetItemPtr(_hnm, _iItem)
```

En plus de cela, dans les deux cas, le Handle de l'objet issu de *SHFILEOPSTRUCT.hNameMappings* doit être indiqué comme premier paramètre. Il devient ainsi possible de suivre avec précision l'évolution de chacun des fichiers. Si l'information n'est plus nécessaire, il faut de nouveau libérer l'objet *Name-Mapping*. La fonction appelée *SHFreeNameMappings()* est prévue à cet effet, celle-ci attendant à nouveau la valeur issue de *SHFILEOPSTRUCT.hNameMappings* sous la forme d'un paramètre.

```
void SHFreeNameMappings(
    HANDLE hNameMappings      // Handle de l'objet Name-Mapping à libérer
);
```

Exemple de programme

Bien évidemment, c'est la fonction SHFileOperation(), en liaison avec les nouvelles commandes courantes, qui est appropriée pour reprendre toute la fonctionnalité de l'Explorateur à l'intérieur d'une application. En plus de cela, cette fonction se révèle très utile à chaque fois qu'il est nécessaire de copier,

de déplacer ou de renommer automatiquement des fichiers à partir d'un programme, par exemple dans le cas des programmes d'installation ou dans le cadre des opérations de sauvegarde automatique. Le petit programme suivant appelé SHFile.c illustre un tel cas. Tous les fichiers .C, .H et .MAK du répertoire courant sont copiés automatiquement dans le répertoire C:\Backup BIBLE6. Si ce répertoire n'existe pas encore, il est créé automatiquement après demande de confirmation.

SHFile.C

46.2.4. Obtenir des informations sur les fichiers et les objets du Shell

SHGetFileInfo() est une fonction des API du Shell qui vous permet de déterminer tous les attributs possibles des objets du système de gestion de fichier ou de l'interface graphique du Shell. Et tout ceci sans objets OLE. Vous pouvez ainsi vérifier, dans le cas d'un fichier exécutable par exemple, s'il s'agit d'une application DOS, ou d'une application Windows 16 ou 32 bits. Ou encore le type de fichier tel qu'il est indiqué par son extension, par exemple "fichier texte". En plus de cela, cette fonction représente la meilleure possibilité de déterminer l'icône d'un objet.

Le premier paramètre attendu par *SHGetFileInfo()* est le nom de l'objet sur lequel vous voulez obtenir des informations. Si vous voulez accéder à un fichier ou à un répertoire du système de gestion des fichiers, il faut indiquer ici un pointeur vers une chaîne C avec un chemin et éventuellement un nom de fichier. Les chemins absolus et relatifs sont tous deux autorisés. Les chemins relatifs sont interprétés par rapport au répertoire actuel et au lecteur sollicité.

Si, par contre, on veut s'informer sur un objet de l'interface graphique du Shell, il faut alors indiquer un PIDL dans *pszPath*. Il doit pointer vers une liste d'identificateurs d'élément qui décrit l'objet souhaité par rapport à la racine de l'interface graphique. C'est donc toujours un chemin absolu qui est attendu avec les PIDL.

```
DWORD SHGetFileInfo(
    LPCSTR      pszPath,          // pointeur vers chaîne C avec chemin ou PIDL
    DWORD       dwFileAttributes,     // réservé, 0
    SHFILEINFO  *psfi,            // pointeur vers SHFILEINFO
    UINT        cbFileInfo,       // nombre d'octets dans SHFILEINFO
    UINT        uFlags            // attributs souhaités de l'objet
    );
```

Les attributs à prendre en compte

Le paramètre *uFlags* définit la nature des attributs qui doivent être pris en compte par la fonction. Toute une série de constantes SHGFI servent à la définition. Elles sont organisées de façon quelque peu désordonnée car la fonction doit exécuter des tâches totalement différentes et que l'on a essayé de réunir tout cela par le biais des constantes SHGFI. Des constantes différentes sont donc également interprétées comme des instructions et déclenchent une action supplémentaire.

SHGFI_PIDL, par exemple, a un rôle particulier. Vous devez insérer cet index lorsque vous indiquez non pas un nom de chemin et de fichier dans *pszPath*, mais un PIDL.

Il existe, en plus de cela, toute une série d'index qui permettent d'examiner les icônes des différents objets avec différentes présentations. Et deux index supplémentaires qui permettent de connaître le nom affiché et la désignation d'un objet. Et, pour terminer, il est également possible de déterminer la nature d'un fichier lorsque celui-ci est exécutable. Il est ainsi possible de savoir si l'on a à faire à une application DOS ou à une application Win16 ou Win32. Nous allons examiner en détail les différents domaines d'application.

Mais jetons tout d'abord un coup d'oeil aux autres paramètres de *SHGetFileInfo()*. *dwFileAttributs* est inutile et vous pouvez le mettre à 0. *psfi* et *cbFileInfo* font référence à une structure de données du type SHFILEINFO qui doit être transmise à l'appelant de la fonction afin qu'il puisse y retourner des informations. En conséquence, il ne faut pas initialiser cette structure avant d'appeler la fonction.

SHGetFileInfo() ne remplit cependant pas tous les champs de la structure, mais seulement ceux dont le contenu a été demandé par les index SHGFI. Les deux premiers paramètres servent à renvoyer une icône. Le premier enregistre le Handle de cette icône, le deuxième un index dans un fichier ou dans une liste d'images. Dans le troisième paramètre, *dwAttributes*, sont retournées les constantes SHGFI_ATTRIBUTES SFGAO (celles de *IShellFolder::GetAttributesOf*) de l'index SHGFI qui décrivent les attributs de l'objet concerné. *szDisplayName* est finalement utilisé pour enregistrer l'adresse d'une chaîne C qui contient le nom affiché de l'objet concerné, et *szTypeName* la nature de l'objet.

```
typedef struct {
    HICON   hIcon;   Handle de l'icône renvoyée
    int     iIcon;                      // index de l'icône renvoyée
    DWORD   dwAttributes;              // attribut de l'objet (constantes SFGAO)
    CHAR    szDisplayName[260];        // buffer des noms affichés de longueur MAX_PATH
    CHAR    szTypeName[80];            // buffer de 80 octets pour le nom du type
} SHFILEINFO;
```

L'adresse de la structure SHFILEINFO présentée est transmise par l'appelant par *SHGetFileInfo()* dans *psfi* et sa taille dans *cbFileInfo*. En prenant en compte cette information, la fonction essaie de s'assurer que la place nécessaire pour l'enregistrement des différentes informations est réellement disponible. *cbFileInfo* est généralement initialisé avec *sizeof(SHFILEINFO)*.

Parlons maintenant des différentes constantes SHGFI et des possibilités qu'elles offrent. L'opération la plus simple consiste à interroger le nom affiché et le nom du type en utilisant les deux index SHGFI_DISPLAYNAME ou SHGFI_TYPENAME. Il est également possible de les combiner pour obtenir les deux informations en même temps. Après l'appel de la fonction, le nom affiché se trouve dans le champ *SHFILEINFO.szDisplayName*, le type dans le champ *SHFILEINFO.szTypeName*.

Interrogation du type EXE

Index suivant : SHGFI_EXETYPE. Celui-ci permet de connaître le type de fichier exécutable, dans la mesure où l'objet indiqué correspond à un tel fichier. Si c'est le cas, ce n'est pas la structure SHFILEINFO qui vous fournira l'information, mais une valeur renvoyée. La valeur du pointeur *psfi* dans ce cas peut être NULL.

Si le fichier indiqué n'est pas un exécutable, le résultat de la fonction est 0. Le cas contraire, elle délivre un identifiant dans le mot de poids faible et le mot de poids fort du DWORD retourné. Le mot de poids faible contient alors deux caractères ASCII qui définissent la nature du fichier EXE et le mot de poids fort contient des informations supplémentaires.

Mot faible	Mot fort	Signification
MZ	0	Il s'agit d'une application DOS, un fichier EXE, COM ou BAT.
NE	Le numéro de version principal dans l'octet de poids fort et, dans l'octet de poids faible, le numéro de version secondaire de la version minimale de Windows qui est nécessaire à l'exécution.	Il s'agit d'une application Windows 16 bits.
PE	Le numéro de version principal dans l'octet de poids fort et, dans l'octet de poids faible, le numéro de version secondaire de la version minimale de Windows qui est nécessaire à l'exécution.	Il s'agit d'une application Windows 32 bits.
PE	0	Il s'agit ici d'une application console Win32.
Résultat lors de l'interrogation du type d'un fichier exécutable		

Le petit programme suivant appelé *GetExe.c* illustre l'interrogation du type EXE dans une application. Il s'agit ici d'une application console avec laquelle on indique le nom du fichier dont on veut connaître le type EXE.

GETEXE.C

Attributs et icônes

Si vous souhaitez déterminer les attributs des différents objets tels qu'ils sont délivrés par l'instruction *GetAttributesOf* de l'interface *IShellFolder*, précisez l'index SHGFI_ATTRIBUTES.

Après le retour de *SHGetFileInfo()*, vous trouverez les attributs de l'objet dans *SHFILEINFO.dwAttributes* tels qu'ils sont délivrés dans *IShellFolder::GetAttributesOf*.

En testant des index comme SFGAO_LINK ou SFGAO_HASSUBFOLDER, vous pouvez, par exemple, déterminer si l'objet concerné (ou le fichier) est un raccourci ou un dossier, lequel possède à son tour des sous-dossiers. Mais toutes les autres constantes SFGAO peuvent également être examinés avec des opérations binaires AND simples.

Et enfin : les icônes. Vous pouvez déterminer l'icône de l'objet indiqué en précisant l'un des trois index SHGFI_ICON, SHGFI_ICONLOCATION ou SHGFI_SYSICONINDEX. Les trois index ne se différencient que par la nature des informations qu'ils délivrent sur l'icône et par les champs de la structure SHFILEINFO dans lesquels on les trouve après l'exécution de la fonction :

SHGFI_ICON	Cet index retourne trois informations : le Handle de l'icône de l'objet concerné dans *SHFILEINFO.hIcon*, l'index de l'icône dans la liste des images du système dans *SHFILEINFO.iIcon*, et le Handle de la liste des images du système en résultat de la fonction *SHGetFileInfo()*. Dans le cas de la liste des images du système, il s'agit d'une commande courante du type liste d'images dans laquelle le Shell regroupe toutes les icônes affichées sur le Bureau. Il est ainsi possible, d'une part, d'accéder à l'icône souhaitée par le biais du Handle d'icône fourni, ou de la charger directement à partir de la liste des images du système en combinant le Handle de la liste des images du système et l'index correspondant.
SHGFI_SYSICONINDEX	Identique à SFGI_ICON, à la différence près que l'on n'obtient ici non pas le Handle de l'icône, mais seulement l'index de l'icône concernée à l'intérieur de la liste des images du système dans *SHFILEINFO.iIcon* et le Handle de la liste des images du système comme résultat de la fonction.
SHGFI_ICONLOCATION	Détermination du chemin et du nom du fichier dans lequel se trouve l'icône. Ces informations sont fournies dans *SHFILEINFO.szDisplayName*.

En plus de ces trois index, il est également possible de préciser des index supplémentaires qui définissent la nature de l'icône à fournir :

SHGFI_LARGEICON	Fourniture de l'icône standard 32 x 32 points.
SHGFI_SMALLICON	Fourniture de la petite icône de 16 x 16 points à la place de l'icône standard.
SHGFI_LINKOVERLAY	Incruste la flèche superposée qui identifie les raccourcis dans l'icône fournie.
SHGFI_SELECTED	Fournit l'icône de l'objet en état sélectionné.
SHGFI_OPENICON	Fournit l'icône de l'objet en état ouvert (seulement pour les dossiers).

La valeur retournée est traitée différemment en fonction des informations demandées. 0 indique normalement une erreur, alors que toutes les autres valeurs indiquent une exécution réussie. Comme indiqué, ce n'est pas le cas pour SHGFI_EXETYPE et SHGFI_ICON.

Le petit aspirateur d'icônes

Nous vous avons également élaboré un petit programme pour le recherche des icônes. Il s'appelle *GetIcons.C* et après son lancement ouvre tout d'abord une boîte de dialogue standard pour sélectionner un fichier.

Après la sélection par l'utilisateur, les icônes du fichier sont interrogées par le programme et copiées dans le Presse-papiers. Et ce, qu'il s'agisse d'une petite icône, d'une icône standard ou d'une icône standard avec la flèche superposée pour les raccourcis.

Les trois icônes sont alors regroupées dans une image Bitmap qui peut être récupérée avec n'importe quel programme de dessin. Dans *Paint*, par exemple, comme illustré par la capture d'écran suivante.

On choisi tout d'abord un fichier dans *GetIcons*. Ici Capilyser, vu dans le chapitre sur ISDN :

Lorsque la sélection est terminée, *GetIcon* copie les trois icônes dans le Presse-papiers et se referme. Vous pouvez ensuite récupérer les icônes dans le Presse-papiers avec Paint :

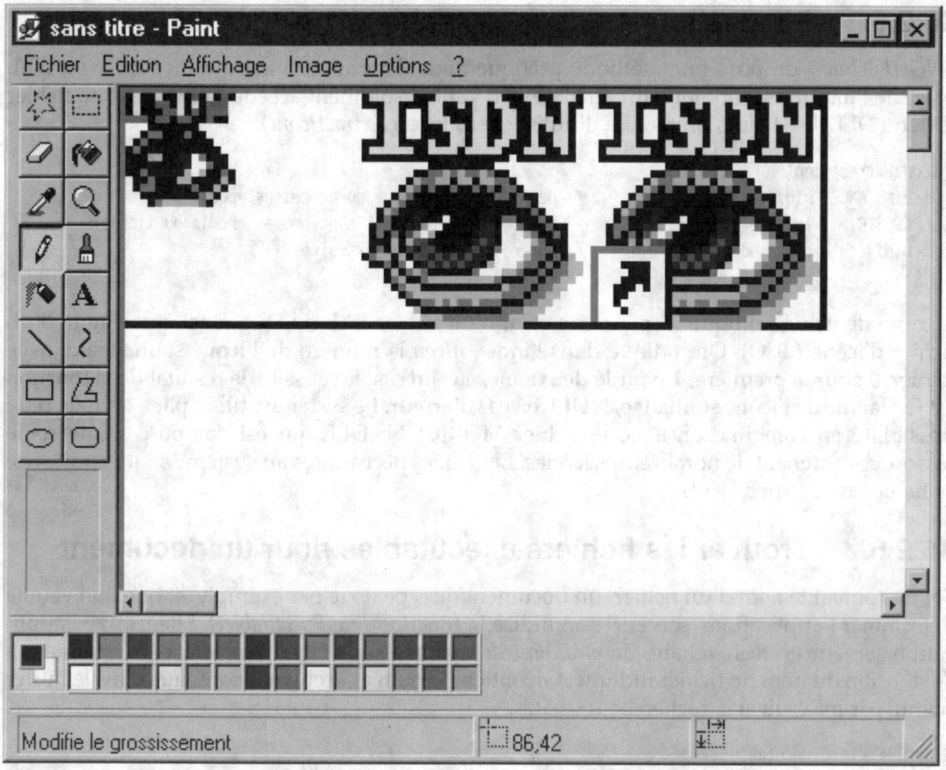

![sans titre - Paint — capture d'écran montrant un zoom sur les icônes ISDN]

Zoom sur les icônes de Capilyzer

.Mais la boîte de sélection de GetIcon permet également de sélectionner un groupe d'icônes, lesquelles icônes sont ensuite regroupées par le programme en une image *Bitmap*. Il est ainsi possible de disposer d'une douzaine d'icônes à la fois. Essayez, ça marche !

Le programme ouvre tout d'abord une boîte de dialogue standard par le biais de *GetOpen-FileName()* pour sélectionner des fichiers. Les fichiers sélectionnés (ou leurs noms) sont ensuite transférés à la fonction *CopyIconsToClipboard()*. Le nombre de fichier est ensuite déterminé à l'aide de la fonction *CountFileNames()* et le programme génère ensuite une image *Bitmap* en mémoire. Les dimensions de celles-ci au moment de sa création sont définies de telle façon qu'elle peut accepter trois icônes pour chaque fichier avec une largeur totale de 96 points et une hauteur de 32 points. L'image Bitmap est remplie de blanc et chacun des fichiers est ensuite examiné.

Les trois icônes de chaque fichier sont déterminées par le biais de *SHGetFileInfo()*, l'icône est intégrée dans l'image *Bitmap* générée par le biais du Handle d'icône fourni et de la fonction GDI *DrawIconEx()*. A la fin de la fonction, cette image *Bitmap* passe dans le Presse-papiers et le programme se termine. L'aspirateur d'icônes a alors accompli sa tâche.

GETICONS.C

46.2.5. Lire les icônes dans les fichiers

SHGetFileInfo() propose une méthode pratique pour déterminer l'icône d'un fichier ou d'un objet de l'interface graphique du Shell. Si l'on veut absolument accéder à l'icône d'un fichier EXE ou DLL, il est alors préférable d'utiliser la fonction *ExtractIcon()*.

```
HICON ExtractIcon(
    HINSTANCE  hInst,             // Handle de l'instance du processus appelé
    LPCSTR     lpszExeFileName,   // pointeur sur chaîne C avec nom et chemin du fichier
    UINT       nIconIndex         // numéro de l'icône à extraire
    );
```

Le nom de fichier indiqué ici peut être celui d'un fichier EXE ou DLL ainsi que le nom d'un fichier d'icône (.ICO). On indique dans l'index *nIcon* le numéro de l'icône souhaitée dans le fichier. 0 pour la première, 1 pour le deuxième, etc. En cas de réussite, le résultat de la fonction est le Handle de l'icône souhaitée, NULL en cas d'erreur. Le système utilise, par exemple, cette possibilité en combinaison avec le fichier MORICONS.DLL qui est composé d'une seule ressource contenant de nombreuses icônes. Les icônes nécessaires au système sont extraites de ce fichier avec *ExtractIcon()*.

46.2.6. Trouver les fichiers exécutables pour un document

Si l'on connaît le nom d'un fichier, un document de type texte par exemple, et que l'on veuille déterminer l'application "serveur", on utilise la fonction *FindExecutable()*. Elle trouve l'application serveur en recherchant, dans la *Base de registres*, un élément serveur correspondant à l'extension du nom de fichier indiqué. On obtient le nom et le chemin contenus dans le buffer pointé par lpResult si la recherche réussit.

```
HINSTANCE FindExecutable(
    LPCSTR  lpFile,        // pointeur vers chaîne C avec fichier dont serveur recherché
    LPCSTR  lpReserved,    // NULL
    LPSTR   lpResult       // pointeur vers buffer recevant le nom du programme
    );
```

Le premier paramètre qui doit fournir la fonction est l'adresse d'une chaîne C qui a été chargée par l'appelant avec le chemin et le nom du fichier dont on recherche un serveur. Si aucun chemin n'est indiqué, c'est le répertoire courant qui est utilisé pour la recherche du fichier concerné.

Le troisième paramètre, *lpResult*, doit pointer vers un buffer qui a été attribué par l'appelant et qui dispose au moins de MAX_PATH caractères. Si la recherche a réussi, la fonction y dépose le nom et le chemin du fichier EXE au moyen duquel le document indiqué peut être traité. Le résultat de la fonction indique si celle-ci a réussi par le fait que - contrairement à l'affirmation du prototype - il ne représente pas un Handle d'instance mais il restitue une valeur numérique comme code d'erreur. Chaque valeur égale ou inférieure à 32 est ici considérée comme une erreur. Toutes les autres valeurs indiquent un résultat positif.

Veuillez accorder une attention particulière au code d'erreur 31. Il indique que le fichier indiqué a bien pu être trouvé, mais qu'aucun serveur n'est enregistré dans le fichier des registrations pour son extension.

A la recherche du serveur

Le programme *FindExec.c* illustre l'utilisation de la fonction *FindExecutable()*. Il s'agit d'une application de type console qui attend, lors de son lancement, le nom du fichier dont il faut rechercher l'application serveur correspondante. Si celle-ci est trouvée, le nom du fichier ainsi que le chemin sont affichés sur la console. Le programme, à sa base, ne sert que de support pour la fonction *FindExecutable()* et ne présente donc rien de particulier.

FindExec.c

46.2.7. Exécution de programmes et de raccourcis

Pour lancer un programme ou exécuter un raccourci, il faut utiliser la fonction *ShellExecute()* qui peut également servir à imprimer des documents.

```
HINSTANCE ShellExecute(
    HWND    hwnd,           // Handle de fenêtre du parent
    LPCSTR  lpOperation,    // pointeur vers chaîne C avec opération à effectuer
    LPCSTR  lpFile,         // pointeur vers chaîne C avec nom de fichier
    LPSTR   lpParameters,   // pointeur vers chaîne C avec arguments de la ligne de commande
    LPCSTR  lpDirectory,    // pointeur vers chaîne C avec répertoire de travail
    INT     nShowCmd        // une des constantes SW pour l'affichage de la fenêtre
);
```

ShellExecute() attend tout d'abord le Handle de la fenêtre de l'appelant afin de pouvoir s'y reporter lorsqu'il faut afficher une boîte de dialogue quelconque dans le cadre de l'exécution de la fonction. Elle attend ensuite un pointeur vers une chaîne C qui indique l'opération à effectuer en clair. Soit on indique cette chaîne *open* lorsque e programme en question doit être lancé, soit on y met *print* lorsqu'on veut utiliser son imprimante. Au lieu de *open*, il est également possible d'indiquer NULL pour *lpOperation*, ceci produit le même effet.

lpFile pointe sur une chaîne C qui indique le chemin et le nom du fichier concerné. S'il s'agit ici d'un fichier exécutable, la fonction recherche alors le serveur correspondant au type document, celui-ci étant déterminé par l'extension du fichier. Le serveur est lancé en indiquant les divers noms de fichiers afin de charger le fichier souhaité. S'il s'agit d'un raccourci, le fichier sur lequel pointe le raccourci est ouvert ou imprimé.

Si, en plus de cela, on veut saisir des paramètres pour la ligne de commande, il faut les placer dans une chaîne C dont on indique l'adresse dans le paramètre *lpParameters*. Il est également possible de définir le répertoire de travail de l'application en question - par le biais du paramètre *lpDirectory*.

La façon dont doit apparaître la fenêtre de l'application à lancer est déterminée par la valeur donnée pour *nShowCmd*. Il est ici possible d'indiquer l'une des constantes *SW* comme *SW_SHOWMINIMIZED*, *SW_SHOWNORMAL* etc.

Si le programme souhaité peut être lancé, on obtient le Handle du traitement de l'application en tant que résultat de la fonction. La valeur Handle doit être supérieure à 32, car toutes les valeurs inférieures signalent un défaut d'exécution et indiquent que l'application souhaitée n'a pas été lancée.

46.2.8. Mise à jour de l'interface graphique

Les fonctions des API du Shell et les instructions de l'interface Shell offrent à un appelant la possibilité de modifier la structure de base de l'interface graphique du Shell. Il s'agit ici généralement d'opérations que l'on exécute sur des fichiers, des répertoires et des lecteurs. Si, par exemple, on veut créer un nouveau répertoire sur le disque dur qui représente les groupes de programmes du menu *Démarrer/Programmes*. Non pas que le Shell ignore ces modifications pendant un certain temps, mais il peut attendre le prochain accès à l'objet concerné avant d'accepter à nouveau l'objet dans le Shell et enregistrer ainsi les modifications. Entre-temps, pour que l'utilisateur ne s'étonne pas d'avoir exécuté une opération qui est apparemment invisible sur le Bureau, il existe un programme qui peut venir en aide au Shell avec *SHChangeNotify()*. SHChangeNotify() force le Shell à reconstruire certaines parties de l'interface graphique pour les adapter automatiquement aux nouvelles données.

```
void SHChangeNotify(
    LONG    wEventId,        // que s'est-il passé ? (constantes SHCNE)
    UINT    uFlags,          // signification de dwItem1 et de dwItem2
    LPCVOID dwItem1,         // signification différente selon uFlags
    LPCVOID dwItem2
    );
```

wEventID indique au Shell ce qui s'est passé, de quelle façon il peut limiter sa remise à jour à certaines parties de l'interface graphique. Une longue liste de constantes SHCNE est présentée, celles-ci décrivant les différents événements. On sera confronté à bon nombre d'entre elles, notamment l'installation et la suppression de lecteurs du réseau.

Constante	Signification
SHCNE_RENAMEITEM	Un élément dans un dossier a été renommé
SHCNE_CREATE	Un fichier a été créé.
SHCNE_DELETE	Un fichier a été supprimé.
SHCNE_MKDIR	Un nouveau répertoire a été créé.
SHCNE_RMDIR	Un répertoire a été supprimé.
SHCNE_MEDIAINSERTED	Nouveau support sur lecteur amovible
SHCNE_MEDIAREMOVED	Support retiré du lecteur amovible
SHCNE_DRIVEREMOVED	Disque réseau retiré
SHCNE_DRIVEADD	Disque réseau rajouté
SHCNE_NETSHARE	Une ressource du réseau a été libérée pour un usage commun
SHCNE_NETUNSHARE	Une ressource du réseau a été fermée à l'usage commun
SHCNE_ATTRIBUTES	Les attributs d'un fichier ont été modifiés
SHCNE_UPDATEDIR	Le contenu d'un répertoire a été modifié
SHCNE_SERVERDISCONNECT	Un serveur de réseau a été raccordé
SHCNE_UPDATEIMAGE	Une icône de la liste des images du système a été modifiée
SHCNE_RENAMEFOLDER	Un dossier a été renommé

Constantes pour SHChangeNotify().

Les informations indiquant une modification ne satisfont cependant pas le Shell. Il nécessite, en plus de cela, une information sur ce qui a été modifié ou de quelle façon les modifications ont eu lieu. On a donc la possibilité de décrire l'objet modifié avec précision dans les paramètres *dwItem1* et *dwItem2*.

Toutefois, en pratique, seul *dwItem1* est nécessaire pour transférer un pointeur sur une chaîne C contenant un lecteur, un chemin et éventuellement un fichier, ou un PIDL. Celui-ci doit pointer vers une liste d'identificateurs d'élément qui décrit l'objet concerné par rapport à la racine de l'interface graphique.

L'option choisie doit être indiquée à la fonction par le paramètre *uFlags*. On dispose à cet effet des deux constantes SHCNF_IDLIST (PIDL) et SHCNF_PATH (pointeur sur la chaîne C). L'utilisateur ne sait malheureusement pas si le Shell peut exploiter ces informations, car la fonction ne délivre aucune valeur en retour.

46.2.9. SHAddToRecentDocs

Il est très facile de rajouter de nouveaux éléments dans le groupe du dernier document ouvert tel qu'il apparaît dans le menu *Démarrer* sous *Documents*. Il suffit de connaître le nom et le chemin d'un fichier ou alors un PIDL pointé sur une liste d'identificateurs d'élément. Il doit décrire l'objet dans l'espace Shell, c'est à dire par rapport à l'objet Bureau à la racine de l'interface graphique.

```
void SHAddToRecentDocs(
    UINT     uFlags,        // SHARD_PATH pour fichier ou SHARD_PIDL pour objet du Shell
    LPCVOID  pv             // pointeur sur chaîne C avec chemin ou fichier ou liste d'ID élément
    );
```

Il est intéressant de constater ici qu'à titre exceptionnel, aucune valeur n'est retournée. On ne sait donc pas si la fonction a bien été exécutée. Mais si vous n'êtes pas un fervent partissent du contrôle des erreurs, vous ne vous en rendrez même pas compte.

uFlags permet d'indiquer, lors de l'appel de la fonction, si l'élément (un raccourci sur l'objet) doit être créé à partir d'un nom de chemin et de fichier ou à partir d'un PIDL. SHARD_PATH correspond à fichier, SHARD_PIDL au PIDL. Le pointeur choisi doit alors être transféré dans *pv*.

46.3. Objets ShellFolder et interface IShellFolder

Le PIDL est indispensable lorsqu'il faut traiter les éléments du Bureau avec un programme. Sans PIDL, en effet, il est impossible de définir clairement les objets et on ne peut informer personne qu'il est en mesure de l'utiliser. Certaines fonctions API du Shell ainsi que l'objet *ShellFolder* avec son interface *IShellFolder* servent de jonction entre l'application et l'interface graphique du Shell. Globalement, elles offrent à une application la plus grande partie de la fonctionnalité dont dispose l'utilisateur dans le cadre du Bureau. Tous les éléments à l'intérieur de l'interface graphique du Shell peuvent être parcourus, examinés et même, dans une certaine mesure, modifiés. Par exemple leur nom. En plus de cela, il est possible de créer de nouveaux éléments à l'aide d'un programme, par exemple des dossiers, des raccourcis ou des groupes de programmes avec les éléments qu'ils contiennent. Même la sélection de l'imprimante courante, l'appel de l'une des applications du système ou l'affichage d'une boîte de dialogue *Rechercher* avec un point de départ prédéfini sont possibles. En fait, toutes les opérations qui sont généralement effectuées à la main.

IShellFolder::	Tâche
EnumObjects	Parcourt l'intérieur d'un dossier.
BindToObjects	Ouvre un dossier.
GetAttributesOf	Détermine les attributs et la nature d'un objet ShellFolder.
GetDisplayNameOf	Fournit le nom affiché d'un objet ShellFolder.
SetNameOf	Définit le nom affiché d'un objet ShellFolder.

Instructions de IShellFolder.

46.3.1. Accès aux objets dans l'interface graphique

Pour pouvoir accéder à l'un des objets de l'interface graphique du Shell, il faut tout d'abord tracer le chemin vers cet objet. On commence ici par la racine de l'interface graphique, puis on avance progressivement jusqu'à l'objet en question. Pour ce faire, il est indispensable de disposer au départ d'un objet *ShellFolder*, car sans lui, il nous serait totalement impossible d'accéder à l'interface *IShellFolder*. Le début est donc, en principe, l'appel de la fonction API *SHGetDesktopFolder()*. Elle fournit un objet *ShellFolder* qui représente le Bureau comme racine de toute l'interface graphique. Les instructions de l'interface *IShellFolder* permettent ensuite de parcourir les dossiers et les objets fichier à l'intérieur du Bureau. Si la recherche doit se poursuivre à l'intérieur d'un dossier précis, on crée un nouvel objet *ShellFolder* sur ce dossier et on commencer à parcourir les objets qu'il contient. Il est ainsi possible d'avancer progressivement jusqu'à l'objet recherché, en passant d'un niveau à l'autre. Voici tout d'abord la fonction *SHGetDesktopFolder()*.

```
HRESULT SHGetDesktopFolder(       // fournit l'objet ShellFolder du Bureau
    LPSHELLFOLDER  *ppshf         // Var. qui contient le pointeur vers IShellFolder
    );
```

Si la fonction est bien exécutée, le pointeur d'interface doit à nouveau être libéré avant la fin du travail en utilisant, comme d'habitude, l'instruction *Release*.

Examen du contenu d'un dossier

La fonction la plus élémentaire que l'on réalise avec cet objet est l'appel de l'instruction *EnumObjects* qui permet d'examiner le contenu d'un objet *ShellFolder*.

```
HRESULT EnumObjects(             // génère un énumérateur pour accéder à l'intérieur du dossier
    IShellFolder  *This,
    HWND          hwndOwner,      // Handle de la fenêtre du parent
    DWORD         grfFlags,       // constantes SHCONTF...
    LPENUMIDLIST  *ppenumIDList   // adresse de la Var qui contient le pointeur interface
    );
```

Comme la plupart des instructions de l'interface *IShellFolder*, *EnumObjects* attend tout d'abord un Handle de la fenêtre après le pointeur obligatoire. Ceci est nécessaire dans le cas où il faut afficher une boîte de dialogue dans le cadre d'une opération du Bureau. S'il faut demander un mot de passe pour pouvoir accéder à un lecteur du réseau, par exemple, ou s'il faut demander à l'utilisateur d'introduire une disquette.

Le paramètre *grfFlags* qui contient les constantes SHCONTF, lesquelles peuvent être combinées à volonté, détermine les éléments du dossier qui doivent être examinés.

Constante	Éléments à examiner
SHCONTF_FOLDERS	tous les dossiers contenus.
SHCONTF_NONFOLDER	tout le contenu non dossier, c'est à dire les fichiers et les autres objets fichier.
SHCONTF_INCLUDEHIDDEN	également les éléments cachés et les objets système.

Constantes pour la définition du contenu du dossier à examiner

Le dernier paramètre doit représenter l'adresse d'une variable qui doit contenir un pointeur vers une interface *IEnumIDList*. L'instruction *EnumObjects*, en effet, permet de disposer des objets retournés par le biais d'un objet OLE du type *EnumIDList*. Un pointeur vers l'interface *IEnumIDList* de l'objet généré le retourne à l'appelant dans la variable indiquée. Cette interface offre alors la possibilité de déterminer les objets retournés.

46.3.2. L'interface IEnumIDList

L'interface *IEnumIDList* suit la structure de toute une série d'interfaces énumérateur qui définissent l'OLE pour l'examen d'autres séries d'objets. Elle contient les instructions élémentaires qui permettent d'agir sur une quantité d'objets prédéfinie :

IEnumdIDList::	Tâche
Clone	Crée la copie d'un objet.
Next	Intègre les n éléments suivants.
Reset	Revient au début de la liste.
Skip	Passe n éléments de la liste.

Instructions de IEnumIDList.

L'interface proprement dite doit à nouveau être libérée avant la fin du programme avec son instruction *Release*. Ceci s'applique également à l'interface élaborée à l'aide de l'instruction *Clone*. *Clone* crée une copie de l'objet en question et des objets qu'il contient et retourne un pointeur vers l'interface *IEnumIDList* du nouvel objet.

Le contenu du nouvel objet est indépendant de celui de l'ancien. L'utilisation de cette méthode est justifiée, par exemple, lorsqu'on examine un chemin à l'intérieur de l'interface graphique du Shell et qu'on veut repérer certains endroits pour y revenir ultérieurement.

```
HRESULT Clone(                      // crée une copie identique mais indépendante
    IEnumIDList *This,
    IEnumIDList **ppenum            // pointeur sur la Var contenant le nouveau Ptr interface
  ) ;
```

Les éléments de la liste sont sélectionnés avec l'instruction *Next*. Il est possible, au choix, de renvoyer un ou même plusieurs éléments pour chaque appel. L'instruction commence ici toujours derrière l'élément où elle s'est arrêtée lors de son dernier appel. Des appels successifs de *IEnumIDList::Next* permettent donc de sélectionner l'un après l'autre les différents éléments. Si on veut recommencer au début, on fait appel à l'instruction *Reset*. C'est alors le premier élément qui est à nouveau obtenu lors du prochain appel de l'instruction *Next*.

```
HRESULT Next(                       // fournit les n prochains éléments de la liste
    IEnumIDList   *This,
    ULONG         celt,             // nombre d'éléments souhaités
    LPITEMIDLIST  *rgelt,           // pointeur sur la zone que le PIDL doit prendre en compte
    ULONG         *pceltFetched     // pointeur sur la Var pour le nombre d'éléments fournis
  ) ;
```

En plus du nombre d'éléments souhaités, il faut préciser à *Next* un pointeur vers une zone dans laquelle l'instruction dépose un PIDL pour chaque élément. Celui-ci indique le chemin de chaque objet par rapport à l'objet parent. Il ne contient donc pas le chemin complet depuis la racine de l'interface graphique, mais seulement les identificateurs d'élément qui caractérisent l'objet à l'intérieur de son dossier parent. Le dossier parent défini ici est l'objet *ShellFolder* à partir duquel on a appelé l'instruction *EnumObjects* et duquel on a obtenu l'interface *IEnumI-DList* dont on appelle maintenant l'instruction *Next*. Cette différenciation est importante, car dans certaines circonstances, en progressant vers un objet, on veut relever tout le chemin parcouru jusqu'à lui. Pour ce faire, il faut regrouper tous les identificateurs d'élément obtenus aux différents niveaux par le biais de *Next*. Le code programme correspondant sera présenté ultérieurement dans ce chapitre.

Pour connaître le nombre d'éléments retournés, il faut également indiquer l'adresse d'une variable ULONG. La fonction y enregistre le nombre d'éléments retournés et ainsi le nombre d'éléments de la zone occupés par des PIDL. Il ne doit pas toujours correspondre au nombre demandé, surtout si l'on demande plus d'un élément alors que l'on se trouve déjà à proximité de la fin de la liste. Si cette variable contient 0, c'est que l'on a déjà atteint la fin de la liste.

Reset permet alors de revenir au début. En effet, comme cela a déjà été indiqué, *Reset* remet à zéro le compteur interne de l'interface *IEnumIDList* de façon à ce le prochain appel de *Next* retourne le premier élément de la liste.

```
HRESULT Reset(                        // Next recommence au premier élément
    IEnumIDList  *This
  ) ;.FPROG.
```

Mais il existe également l'instruction *Skip*. Elle permet de passer un nombre quelconque d'éléments. Le prochain appel de Next retourne alors l'objet se trouvant immédiatement après le dernier saut. Ceci est très pratique lorsque l'on veut rechercher un élément précis de la liste. Il faut alors tout d'abord appeler *Reset* pour être sûr de bien se trouver au début de la liste. Ensuite *Skip* avec le numéro de l'élément recherché, et finalement *Next* pour sélectionner l'élément.

```
HRESULT Skip(                         // passe N éléments de la liste
    IEnumIDList  *This,
    ULONG        celt                 // nombre d'éléments à passer
  ) ;
```

Revenons maintenant à *IShellFolder*. *IShellFolder::EnumObjects* et l'interface *EnumIDList* en résultant offre donc la possibilité d'examiner le contenu d'un objet *ShellFolder*. Il reste juste la question de savoir quoi faire de ces objets si on est en mesure de les manipuler et lorsqu'il faut les considérer comme des "boîtes noires". La réponse est facile à trouver dans le sens "orienté objet". Il faut leur appliquer les instructions correspondantes de l'interface *IShellFolder*. Deux opérations sautent immédiatement aux yeux : l'édition du nom affiché qui est significatif pour les utilisateurs et l'ouverture de l'objet en question pour passer au niveau hiérarchique inférieur de l'interface graphique.

46.3.3.   Détermination du nom affiché

Le nom affiché d'un identificateur d'objet est obtenu par le biais de l'instruction *GetDisplay-NameOf* de l'interface *IShellFolder*. Les noms affiché sont, par exemple, "Bureau", "Démarrer", "(c:)" ou "Corbeille".

Pour ce faire, il faut transmettre à l'instruction *GetDisplayNameOf* un PIDL qui pointe sur la liste des identificateurs d'élément contenant l'objet en question. L'objet doit ici être défini par rapport à l'objet Dossier avec l'interface duquel on appelle l'instruction *GetDisplayNameOf*. Si l'interface est issue de l'objet du Bureau que l'on a déterminé par le biais de *SHGetDesktopFolder()*, il est possible d'indiquer un chemin absolu. Mais si l'interface est issue de l'objet parent de l'objet sollicité ici, la liste des identificateurs d'élément ne doit alors contenir que l'identificateur d'élément qui décrit l'objet par rapport à son parent (plus l'identificateur d'élément NUL final). Cette méthode peut ainsi très facilement être utilisée sur les objets qui ont été obtenus dans le cadre de *IShellFolder::EnumObjects*.

```
HRESULT GetDisplayNameOf(                  // fournit le nom affiché du sous-dossier ou du fichier
    IShellFolder    *This,
    LPCITEMIDLIST   pidl,                   // pointeur vers la liste Item-ID de l'objet
    DWORD           uFlags,                 // combinaison des constantes SHGDN
    LPSTRRET        lpName                  // pointeur vers variable STRRET qui contient le nom affiché
    ) ;
```

Le paramètre *uFlags* permet de définir la nature des noms affichés retournés. On dispose à cet effet des constantes SHGDN suivantes.

Constante	Signification
SHGDN_NORMAL	Le nom affiché normal tel qu'il apparaît sur le Bureau.
SHGDN_INFOLDER	Le nom affiché en référence au dossier parent. Il est généralement identique au nom affiché "normal".
Constantes pour IShellFolder::GetDisplayNameOf	

Le dernier paramètre indique finalement l'adresse d'une variable du type STRRET qui doit être chargée par l'instruction *GetDisplayNameOf* avec le nom affiché de l'objet en question. STRRET n'est pas simplement un type supplémentaire de pointeur de chaîne, mais une structure de données qui permet de configurer les chaînes selon différents formats. Le champ *uType*, qui représente l'une des trois constantes STRRET_WSTR, STRRET_OFFSET et STRRET_CSTR, indique de quelle façon est présenté le nom affiché renvoyé. Et tout ceci est ainsi défini dans SHLOBJ.H.

```
                        // Constantes pour STRRET.uType ───────────────

#define STRRET_WSTR    0x0000  // chaîne UNICODE (STRRET.pOleStr)
#define STRRET_OFFSET  0x0001  // chaîne C ANSI sur (STRRET.uOffset)
#define STRRET_CSTR    0x0002  // STRRET est cStr est chaîne C ANSI

                        // le type de STRRET ───────────────

typedef struct _STRRET
  {
  UINT     uType;            // une des constantes STRRET
  union
    {
    LPWSTR pOleStr;          // chaîne UNICODE
    UINT   uOffset;          // décalage dans PIDL
    char   cStr[MAX_PATH];   // la chaîne est ici la même
    } DUMMYUNIONNAME;
  } STRRET, *LPSTRRET;
```

Le plus simple serait que *uType* contienne la valeur de STRRET_CSTR. On trouverait alors le nom affiché dans le champ *cStr* sous la forme d'une chaîne C au format ANSI.

Mais cela devient un peu plus compliqué avec STRRET_OFFSET. Le champ *uOffset* donne dans ce cas l'écart (l'Offset) de la chaîne par rapport au PIDL que l'on a indiqué en appelant *IShellFolder::GetDisplayNameOf*. Ceci est généralement utilisé lorsque le nom affiché voulu dans l'identificateur d'objet existe déjà sous la forme d'une chaîne C au format ANSI. Voici ce que ça donne en pratique :

```
char * DisplayName = ((char * ) PIDL + strret.uOffset)
```

Le fin du fin serait d'afficher *uType STRRET_WSTR*. On aurait alors à faire à une chaîne Unicode qui devrait tout d'abord être convertie en une chaîne C ANSI normale à l'aide de la fonction API *WideCharToMultiByte()*.

La fonction suivante supprime tous vos ennuis lors de la manipulation de STRRET et retourne une chaîne ANSI à partir d'un STRRET, sa mémoire étant attribuée automatiquement et doit donc à nouveau être libérée par le biais de *CoTaskMemFree()*. La fonction a été extraite du module auxiliaire *EnumFolder.c* auquel se reportent plusieurs exemples de programme de ce chapitre :

```c
/**********************************************************************/
/* ExtractStrRet : Détermine la chaîne ANSI contenu dans un STRRET   */
/*-------------------------------*/
/* Paramètre :     pIDL      - Adresse du PIDL appartenant à la chaîne */
/*                             STRRET                                 */
/*                 lpStr     - Adresse de la chaîne STRRET            */
/* Valeur retournée : Adresse de la chaîne ANSI ou NULL, si erreur    */
/*-------------------------------*/
/* Info : La mémoire attribuée doit à nouveau être libérée par        */
/*        l'appelant via CoTaskMemFree().                             */
/**********************************************************************/
LPSTR ExtractStrRet( LPITEMIDLIST pIDL,
                     LPSTRRET     lpStr )
{
  LPSTR lpsz = NULL;
  int cch;

  switch( lpStr-uType )                  // Détermination du type de chaîne STRRET
  {
    case STRRET_WSTR:                    // caractères larges
                                         // Détermination du nombre de caractères ─────
      cch = WideCharToMultiByte( CP_OEMCP,
                                 0,
                                 lpStr-pOleStr,
                                 -1,
                                 NULL,
                                 0,
                                 NULL,
                                 NULL ) + 1;

                                         // Attribution de la mémoire ───────────
      lpsz = CoTaskMemAlloc( cch * 2 ); // caractère WORD
      if( lpsz )                         // Copier les caractères larges après lpsz ─────
        WideCharToMultiByte( CP_OEMCP,
                             0,
                             lpStr-pOleStr,
                             -1,
```

```
                         lpsz,
                         cch,
                         NULL,
                         NULL );
    break;
    case STRRET_OFFSET:                  // Texte contenu dans PIDL
                                         // lpStr contient le début du premier caractères dans le PIDL
      cch = lstrlen( ( ( char* ) pIDL ) + lpStr-uOffset ) + 1;
                                         // Attribution de la mémoire ──────────────
      lpsz = CoTaskMemAlloc( cch );
      if( lpsz )
        strcpy( lpsz, ((char*)pIDL) +lpStr-uOffset);    // Copier texte
    break;
    case STRRET_CSTR:                    // chaîne C ordinaire (lassant !)
      cch = lstrlen( lpStr-cStr ) + 1;   // Déterminer la longueur
                                         // Attribution de la mémoire ──────────────
      lpsz = CoTaskMemAlloc( cch );
      if( lpsz )
        strcpy( lpsz, lpStr-cStr );      // Copier texte
    break;
  }
  return lpsz;                           // Adresse de la chaîne ANSI
}
```

En exploitant le nom affiché renvoyé à l'aide d'une fonction de ce type, il devient possible d'accéder sans problème au nom affiché des objets se trouvant à l'intérieur d'un dossier. On peut les éditer, les proposer à l'utilisateur pour qu'il fasse un choix dans un élément de commande ou les envoyer à sa grand-mère pour son anniversaire. Aucun problème.

46.3.4. Un peu plus en profondeur

La deuxième opération importante réalisée sur un PIDL est *IShellFolder::BindToObject*. Lorsque le PIDL en question correspond à un dossier, il permet d'accéder à un objet *ShellFolder* qui représente le dossier souhaité. Il est alors possible d'utiliser sur lui toutes les instructions de l'interface *IShellFolder*, ce qui permet alors d'examiner tous les objets qu'il contient, de déterminer leur nom affiché ou de passer à un niveau inférieur par le biais de *BindToObject*.

```
HRESULT BindToObject(                    // fournit l'interface d'accès à un objet
    IShellFolder  * This,
    LPCITEMIDLIST pidl,                  // pointeur vers la liste Item-ID Liste qui contient l'objet
    LPBC          pbcReserved,           // réservé, NULL
    const IID     *const riid,           // pointeur vers Interface-ID
    LPVOID        *ppvOut                // pointeur vers Var qui contient le pointeur d'interface
  ) ;
```

Dans le paramètre *pidl*, l'instruction attend un pointeur vers la liste des identificateurs d'élément qui décrit l'objet *ShellFolder* à ouvrir. Là aussi, l'identificateur d'élément ne doit être composé que d'un seul élément qui décrit l'objet par rapport à son dossier parent. L'identificateur d'élément suivant doit ensuite terminer la liste en indiquant une longueur 0.

riid doit fournir l'adresse d'une variable contenant l'identifiant de l'interface qui permet d'accéder ou nouvel objet. Du fait que l'objet est un objet du type *ShellFolder*, on aura généralement accès à l'interface *IShellFolder* de l'objet. Dans ce cas, l'adresse indiquée dans *riid* est celle de la variable externe déclarée *IID_IShellFolder*. Elle contient le code d'interface nécessaire. Le dernier paramètre de la fonction, *ppvout*, détermine de quelle façon le pointeur est appliqué sur l'interface. Il doit pointer vers une variable correspondante qui permet d'accéder à l'interface *IShellFolder* du dossier nouvellement ouvert lorsque l'exécution de la fonction a réussi. Mais du fait qu'un nouvel objet a été élaboré ici, il ne faut pas oublier d'effectuer l'instruction *Release* de l'objet dès que celui-ci est devenu inutile. Il est également possible de supprimer l'objet parent à partir duquel on a appelé *BindToObject*. L'objet qui en a été extrait, en effet, ne dépend plus du tout de son objet parent.

Le code concret de cette procédure est illustré par le programme DD.C qui est présenté à la fin du chapitre suivant. Il exécute une sorte de commande DIR pour le Bureau, laquelle vous permet d'examiner le niveau console du Bureau exactement de la même façon que le contenu du répertoire d'un disque dur avec la commande DIR.

46.3.5.   Interrogation des attributs d'un objet

Il est évident, lorsque l'on examine le contenu d'un dossier par le biais de l'interface *IEnumI-DList* retournée par *EnumObjects*, que l'on ne peut pas toujours être sûr de se trouver en présence d'un autre objet Dossier. A un moment ou à un autre, on doit forcément trouver des fichiers, des programmes ou des raccourcis. En conséquence, avant de vouloir s'empresser d'utiliser *BindToObject* pour un objet qui ne correspond nullement à un dossier (et qui ne peut donc pas être ouvert de cette manière), il faut connaître la nature de l'objet.

On utilise pour ce faire l'instruction *GetAttributesOf* qui peut déterminer simultanément les attributs d'un nombre quelconque d'identificateurs d'élément. Dans le paramètre *apidl*, l'instruction attend à cet effet un pointeur vers une zone composée de PIDL, chaque élément de cette zone pointant ainsi sur une liste d'identificateurs d'élément et ainsi sur in objets. Comme avec les instructions précédentes, les objets voulus doivent là aussi être définis par rapport aux objets qui leurs sont supérieurs. En conséquence, la liste d'identificateurs d'éléments des objets ne doit être composée que des identificateurs d'élément des objets en question, plus un identificateur d'élément vide à la fin. Le nombre d'objet à interroger et le nombre d'élément de la zone qui seront ainsi affectés sont indiqués à l'instruction dans le paramètre *cidl*.

```
HRESULT GetAttributesOf(                  // fournit l'attribut des dossiers ou des fichiers
    IShellFolder    *This,
    UINT            cidl,                 // nombre de pointeurs dans la zone
    LPCITEMIDLIST   *apidl,               // pointeur vers zone contenant pointeurs vers Item-ID
    ULONG           *rgfInOut             // pointeur vers zone contenant attributs souhaités
    ) ;
```

GetAttributesOf s'avère ici être le partenaire idéal de *EnumObjects* et de l'interface *IEnumIDList* qu'il retourne. Son instruction *Next* retourne un nombre voulu d'objets par le biais d'une zone et on peut ensuite le transférer à *IShellFolder::GetAttributesOf*.

Il est cependant nécessaire de disposer d'une zone supplémentaire dont l'adresse est attendue dans *rgfInOut*. Elle doit être créée par l'appelant et présenter un élément correspondant à chaque élément de la zone PIDL. L'indication de l'adresse d'une variable *ULONG* suffit si on veut se référer à un seul objet.

Cette variable, ou chacun des éléments de la zone de *rgfInOut*, doit être initialisée avant l'appel de *GetAttributesOf* avec les attributs que l'on souhaite obtenir de l'objet en question. Si l'on dispose de dix objets et que l'on veuille connaître les mêmes informations sur chacun d'entre eux, on indique les mêmes valeurs d'attribut dans les dix éléments *rgfInOut* correspondants. Mais il est également possible de les varier.

Le tableau suivant indique les attributs disponibles et les constantes par lesquelles ils sont représentés. Selon les attributs que vous souhaitez examiner, vous pouvez combiner les différentes constantes lors de l'initialisation des éléments de la zone à l'aide d'un lien OR. L'instruction connaît ainsi les attributs sur lesquels elle doit se concentrer. Et elle retourne les informations exactement comme elle les obtient. Après son appel, chaque élément dans *rgfInOut* est tout d'abord mis à 0 et tous les index sont ainsi effacés. Les attributs demandés sont ensuite contrôlés et chaque constante et à nouveau intégrée par *OR* lorsque l'attribut est réellement concordant. Chaque attribut défini représente donc une question avant l'appel, et une réponse après l'appel. Au début, on l'intègre avec *OR* et on vérifie ensuite avec *AND* si l'index correspondant a été mis en place. Si la réponse est positive, l'attribut concorde.

Au vu de l'abondance des attributs, cette méthode permet de répondre à la majorité des questions sur la nature d'un objet dans l'interface graphique du Shell. Par exemple, s'agit-il d'un dossier, d'un fichier normal ou d'un raccourci, l'objet peut-il être copié, déplacé ou renommé, ou encore l'objet existe-t-il physiquement dans le système de gestion des fichiers ou a-t-il été construit virtuellement par le Bureau.

Constante	Signification
SFGAO_CANCOPY	L'objet peut être copié.
SFGAO_CANMOVE	L'objet peut être déplacé.
SFGAO_CANLINK	Des raccourcis peuvent être créés sur l'objet.
SFGAO_CANRENAME	L'objet peut être renommé.
SFGAO_CANDELETE	L'objet peut être supprimé.
SFGAO_HASPROPSHEET	L'objet possède une fiche de propriétés.
SFGAO_DROPTARGET	D'autres objets peuvent y être déposés.
SFGAO_CAPABILITYMASK	Regroupe tous les index mentionnés ci-dessus.
SFGAO_LINK	L'objet est un raccourci.
SFGAO_SHARE	L'objet est utilisé en commun par plusieurs ordinateurs dans le cadre du réseau.
SFGAO_READONLY	L'objet peut seulement être lu.
SFGAO_GHOSTED	L'objet est affiché avec une icône fantôme car il n'est pas disponible et ne peut donc pas être sélectionné.
SFGAO_DISPLAYATTRMASK	Regroupe _LINK, _SHARE, _READONLY et _GHOSTED.
SFGAO_FILESYSANCESTOR	L'objet correspond à la racine d'un système de gestion de fichiers (A:, B:, C: etc., ainsi que les noms UNC pour les serveurs).
SFGAO_FOLDER	L'objet est un dossier.
SFGAO_FILESYSTEM	L'objet représente un élément physique existant du système de gestion de fichiers, un fichier ou un répertoire sur un lecteur.
SFGAO_HASSUBFOLDER	L'objet possède des sous-dossiers.
SFGAO_CONTENTSMASK	Regroupe _FILESYSANCESTOR, _FOLDER et _FILESYSTEM (voir remarque).
SFGAO_VALIDATE	Valider les informations déjà recueillies sur l'objet.
SFGAO_REMOVABLE	L'objet se trouve-t-il sur un support amovible ?

La combine utilisant *AND* et *OR* ne fonctionne, bien évidemment, que dans la mesure où chacune des constantes est représentée sur l'une des 32 positions binaires d'un *ULONG* et ne peut ainsi remplacer aucune autre.

Les trois constantes SFGAO_CAPABILITYMASK, SFGAO_DISPLAYATTRMASK et SFGAO_CONTENTSMASK permettent d'économiser quelques frappes car elles réunissent les différents attributs de chacun des trois groupes. SFGAO_CONTENTSMASK comporte une

petite erreur qui semble avoir échappé aux gens de Microsoft, en tout cas dans la version de SHLOBJ.H que nous possédons avec Visual C++ 2.2. SFGAO_CONTENTSMASK, qui devrait regrouper les quatre constantes SFGAO_FILESYSANCESTOR, SFGAO_FOLDER, SFGAO_FILESYSTEM et SFGAO_HASSUBFOLDER, devrait en réalité être défini par 0xF0000000L, et non pas par 0x80000000L comme cela se produit ici. Ce n'est pas réellement grave, mais il vaut mieux en être informé si on tombe dessus.

```
                                    // Extrait de SHLOBJ.H


#define SFGAO_FILESYSANCESTOR   0x10000000L
#define SFGAO_FOLDER            0x20000000L
#define SFGAO_FILESYSTEM        0x40000000L
#define SFGAO_HASSUBFOLDER      0x80000000L
#define SFGAO_CONTENTSMASK      0x80000000L      // devrait être 0xF0000000L
```

SFGAO_VALIDATE joue un rôle particulier parmi les différents index. Il n'interroge pas un attribut, mais demande à l'objet *ShellFolder*, lors de l'interrogation des attributs souhaités, de ne pas intervenir dans son cache interne. Ceci prend tout son sens quand on soupçonne que les attributs ont changé depuis la dernière interrogation de l'objet. Cet index demande donc à l'objet *ShellFolder* de toujours déterminer les attributs souhaités directement à partir de l'objet.

Un dernier index qui ne doit pas être oublié à ce point est SFGAO_FILESYSTEM. Lors des premiers essais de programmation du Bureau, on se demande souvent comment savoir si on a à faire à des objets réels, c'est à dire physiquement présents, ou à des objets virtuels construits par le Bureau. SFGAO_FILESYSTEM apporte ici la solution en indiquant si un objet représente un élément réel dans le système de gestion des fichiers, c'est à dire un répertoire ou un fichier.

DD - une commande DIR pour le Bureau

Voici le programme *DD.C* qui a déjà été mentionné dans les chapitres précédents. Il permet d'examiner le contenu du Bureau et de ses dossier à partir de la console. Le programme exécute une sorte de commande *DIR* pour l'interface graphique. Les dossiers et leurs sous-dossiers sont examinés puis affichés à l'écran avec leur nom affiché et leur emplacement sur le disque dur. Il est également possible d'interroger les attributs des éléments, par exemple *CANCOPY*, *LINK* ou *HASSUBFOLDER*. Vous en apprendrez ainsi davantage sur les caractéristiques de chacun des éléments et vous serez en mesure, par exemple, de faire la différence entre les fichiers raccourcis et les dossiers.

Le point de départ de l'affichage peut être tout dossier qui est représenté par l'une des constantes *CSIDL* pour l'appel de *SHGetSpecialFolderLocation()*. *DD* considère toujours le point de départ souhaité sans le "CSIDL_", et il n'est pas non plus nécessaire de différencier les majuscules des minuscules. CSIDL_DESKTOP devient ainsi *bureau* et CSIDL_FONTS devient simplement *fonts*.

La ligne de commande permet de préciser s'il faut seulement examiner le contenu du dossier indiqué ou également celui des sous-dossiers. Ajoutez le commutateur "-r" si le programme doit également examiner tous les sous-dossiers.

Les dossiers et les objets fichier examinés sont chacun affichés sur une ligne de la console. En premier le nom affiché, et ensuite l'emplacement de l'élément en question sur le disque dur entre crochets. Les crochets sont vides si l'élément n'a aucune correspondance dans le système de gestion des fichiers.

Si vous voulez visualiser les attributs du dossier et des éléments qu'il contient, indiquez alors un ou plusieurs commutateurs *-aAttribut*. Par exemple *-acancopy -ahassubfolder*. Les constantes *SFGAO* sont utilisées pour les noms des attributs, le préfixe pouvant ici être ignoré et les caractères majuscules/minuscules étant sans importance, exactement de la même façon que pour les constantes *CSIDL*.

Les attributs souhaités sont toujours indiqués sous la ligne contenant le nom affiché, les seuls attributs apparaissant étant ceux qui sont réellement définis. Le commutateur *-d* vous permet de préciser si vous voulez afficher tous les dossiers examinés ou seulement ceux qui présentent les attributs souhaités. Il offre les possibilités suivantes :

Commutateur	Signification
-dx	Affichage de tous les dossiers et objets fichier examinés, indifféremment du fait qu'ils présentent ou non les attributs souhaités. Paramètre par défaut.
-d-	Afficher uniquement les dossiers et les fichiers objet qui possèdent au moins l'un des attributs demandés.
-d+	Afficher uniquement les dossiers et les objets fichier qui présentent tous les attributs demandés.

Le commutateur -d pour le programme DD

Mais il n'est pas indispensable de connaître parfaitement la syntaxe de *DD*. Si on lance *DD* sans indiquer de paramètres, le programme indique sa syntaxe dans la console :

Si vous lancez *DD* sur le Bureau ou sur le voisinage réseau en indiquant le commutateur *-r*, le programme peut prendre un certain temps pour effectuer son travail. Des milliers de lignes peuvent apparaître entre-temps sur l'écran, depuis le bureau jusqu'au dernier fichier du dernier répertoire de votre disque dur. La combinaison de touches <Ctrl>+<Fin> permet cependant d'interrompre cette tâche prématurément. Si vous voulez examiner calmement les résultats du programme, enregistrez-les tout simplement dans un fichier pour les consulter ultérieurement à tête reposée avec un éditeur de texte. Il vous suffit de rajouter *fichier* derrière les paramètres en lançant le programme. *Fichier* correspondant ici à un nom de fichier quelconque.

On appréciera vraiment tous les avantages de *DD* le jour où on voudra savoir ce que contient réellement l'interface graphique du Shell. Voici un exemple du résultat que l'on obtient en lançant *DD* pour examiner le contenu du dossier *fonts* :

```
DesktopDir - (c) MITI & BHJ
C:\Win95\Fonts[C:\WIN95\FONTS]
  Vga850[C:\WIN95\FONTS\VGA850.FON]
  Desktop[C:\WIN95\FONTS\DESKTOP.INI]
  Arial[C:\WIN95\FONTS\ARIAL.TTF]
  Arialbd[C:\WIN95\FONTS\ARIALBD.TTF]
  Arialbi[C:\WIN95\FONTS\ARIALBI.TTF]
  Ariali[C:\WIN95\FONTS\ARIALI.TTF]
  Cour[C:\WIN95\FONTS\COUR.TTF]
  Courbd[C:\WIN95\FONTS\COURBD.TTF]
  Courbi[C:\WIN95\FONTS\COURBI.TTF]
  Couri[C:\WIN95\FONTS\COURI.TTF]
  Times[C:\WIN95\FONTS\TIMES.TTF]
  Timesbd[C:\WIN95\FONTS\TIMESBD.TTF]
  Timesbi[C:\WIN95\FONTS\TIMESBI.TTF]
  Timesi[C:\WIN95\FONTS\TIMESI.TTF]
  Wingding[C:\WIN95\FONTS\WINGDING.TTF]
  8514fix[C:\WIN95\FONTS\8514FIX.FON]
```

```
8514oem[C:\WIN95\FONTS\8514OEM.FON]
8514sys[C:\WIN95\FONTS\8514SYS.FON]
App850[C:\WIN95\FONTS\APP850.FON]
Coure[C:\WIN95\FONTS\COURE.FON]
Courf[C:\WIN95\FONTS\COURF.FON]
Modern[C:\WIN95\FONTS\MODERN.FON]
Serife[C:\WIN95\FONTS\SERIFE.FON]
Seriff[C:\WIN95\FONTS\SERIFF.FON]
Smalle[C:\WIN95\FONTS\SMALLE.FON]
Smallf[C:\WIN95\FONTS\SMALLF.FON]
Sserife[C:\WIN95\FONTS\SSERIFE.FON]
Sseriff[C:\WIN95\FONTS\SSERIFF.FON]
Symbole[C:\WIN95\FONTS\SYMBOLE.FON]
Symbolf[C:\WIN95\FONTS\SYMBOLF.FON]
Vgafix[C:\WIN95\FONTS\VGAFIX.FON]
Vgaoem[C:\WIN95\FONTS\VGAOEM.FON]
Vgasys[C:\WIN95\FONTS\VGASYS.FON]
Marlett[C:\WIN95\FONTS\MARLETT.TTF]
Symbol[C:\WIN95\FONTS\SYMBOL.TTF]
Linedraw[C:\WIN95\FONTS\LINEDRAW.TTF]
Alger[C:\WIN95\FONTS\ALGER.TTF]
Arlrdbd[C:\WIN95\FONTS\ARLRDBD.TTF]
Bookosb[C:\WIN95\FONTS\BOOKOSB.TTF]
Bragga[C:\WIN95\FONTS\BRAGGA.TTF]
Britanic[C:\WIN95\FONTS\BRITANIC.TTF]
Brushsci[C:\WIN95\FONTS\BRUSHSCI.TTF]
Colonna[C:\WIN95\FONTS\COLONNA.TTF]
Desdemon[C:\WIN95\FONTS\DESDEMON.TTF]
Ftltlt[C:\WIN95\FONTS\FTLTLT.TTF]
Gothic[C:\WIN95\FONTS\GOTHIC.TTF]
Impact[C:\WIN95\FONTS\IMPACT.TTF]
Kino[C:\WIN95\FONTS\KINO.TTF]
Latinwd[C:\WIN95\FONTS\LATINWD.TTF]
Maturasc[C:\WIN95\FONTS\MATURASC.TTF]
Playbill[C:\WIN95\FONTS\PLAYBILL.TTF]
Chklist.ms[C:\WIN95\FONTS\CHKLIST.MS]
Comic[C:\WIN95\FONTS\COMIC.TTF]
```

Le listing de *DD.C* est bien plus court que ce que l'on pourrait supposer, car une grande partie de sa fonctionnalité est extraite du module auxiliaire *EnumFolders.c*. Vous trouverez les deux fichiers source ainsi que le fichier MAK correspondant dans le CD-ROM.

DD.C

46.3.6. Définition du nom affiché

Alors que les attributs des objets *ShellFolder* ne peuvent par être définis par le biais de l'interface *IShellFolder*, il n'en est pas de même pour le nom affiché. Il peut être modifié avec l'instruction *SetNameOf*, ce qui offre également la possibilité de modifier les noms des fichiers et des répertoires sur le disque dur, et même les noms de serveur et la désignation des éléments virtuels comme le Bureau par exemple. La condition est toutefois que l'attribut SFGAO_CAN-

RENAME de l'objet soit défini (voir *IShellFolder::GetAttributesOf*). C'est alors seulement qu'il est possible de renommer le nom affiché avec *SetNameOf*.

L'instruction attend bien plus de paramètres que l'on pourrait le supposer, car il est également nécessaire de générer un nouveau PIDL à partir de l'ancien. Finalement, le nouveau nom affiché doit également être classé dans un identificateur d'élément en tant que représentant d'un objet.

```
HRESULT SetNameOf(                        // définit le nom d'un objet
    IShellFolder  *This,
    HWND          hwndOwner,              // Handle de la fenêtre du parent
    LPCITEMIDLIST pidl,                   // adresse de la liste Item-ID de l'objet
    LPCOLESTR     lpszName,               // pointeur vers chaîne C UNICODE avec nouveau nom
    DWORD         dwReserved,             // 0
    LPITEMIDLIST  *ppidlOut               // adresse de var. pour nouveau point. liste Item-ID
);
```

En plus du PIDL de l'objet à renommer dans le paramètre *pidl*, il faut donc également indiquer dans *ppidlOut* l'adresse d'une variable PIDL dans laquelle l'instruction viendra écrire le nouveau PIDL. La mémoire nécessaire à la liste correspondante des identificateurs d'élément a été attribuée comme d'habitude par le biais de l'interface *iMalloc* et doit donc être libérée ultérieurement par l'appelant. L'instruction effectue généralement cette opération automatiquement pour le PIDL introduit en lui attribuant la même valeur. Si l'on ne souhaite pas obtenir de nouveau PIDL, il faut indiquer la valeur NULL pour *ppidlOut*.

N'oubliez pas que le nouveau nom attendu doit être un UNICODE. Il est donc nécessaire de convertir initialement les chaînes ANSI en chaînes UNICODE à l'aide de la fonction API *MultiByteToWideChar()* avant de pouvoir les transférer à l'instruction *SetNameOf*.

46.4.   Les références et l'interface IShellLink

Les raccourcis représentent une innovation majeure de Windows 95. Ils sont des références qui permettent de créer des icônes pour un seul et même fichier dans un nombre quelconque de dossiers et qui peuvent toutes faire référence à un seul et même fichier. Le programme auquel fait référence le raccourci est lancé en cliquant sur le raccourci correspondant. En conséquence, les raccourcis sont similaires aux éléments dans les groupes du Gestionnaire de programmes de Windows 3. Mais les raccourcis peuvent en faire bien plus. Ils peuvent faire référence à tous les éléments qui apparaissent sur le Bureau de Windows 95. A des dossiers, des lecteurs du réseau, au Panneau de configuration aux imprimantes et bien plus. Si un raccourci fait référence à un fichier (de données), l'application serveur correspondante est recherchée à l'aide de l'extension du fichier, est lancée et charge ensuite le fichier correspondant comme document.

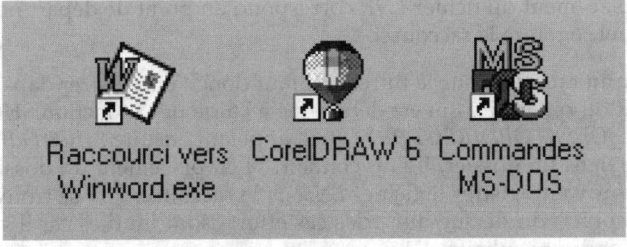

Les raccourcis sont identifiés par leurs icônes.

Les raccourcis sont identifiés par la petite flèche dans le coin inférieur gauche de leur icône. Il se révèlent rapidement très pratiques dans le travail quotidien, par exemple si plusieurs personnes travaillent avec des documents issus du même serveur. Il leur suffit alors de créer des raccourcis correspondant à chacun des documents et de les placer sur le Bureau pour pouvoir ensuite accéder facilement et rapidement au document sans être obligé de connaître à chaque fois le nom UNC du serveur et le répertoire correspondant.

Les raccourcis ne sont cependant pas une invention de Microsoft, mais sont utilisés depuis longtemps sur d'autres systèmes d'exploitation. Sous UNIX ou sur Macintosh par exemple, ils sont appelés des alias, ce qui veut dire en fait la même chose. La nouveauté, toutefois, réside dans la façon dont ces références sont intégrées dans le système et peuvent ainsi être transmises, par exemple, sans problème. Les raccourcis sous Windows 95 sont utilisés en tant qu'objets OLE indépendants de la catégorie *ShellLink* et supportent en plus de cela certaines interfaces OLE permettant de les intégrer dans un container OLE. Les raccourcis peuvent ainsi même être envoyée sous la forme d'un message E-Mail.

Revenons encore une fois à l'image d'un groupe de travail : le chef de groupe a terminé la description d'un nouveau projet et l'a enregistré sur le serveur. Il envoie un message E-Mail correspondant à chacun des membres du groupe et y joint un raccourci du document sous la forme d'un objet intégré. Chaque membre du groupe n'a ensuite qu'à amener celui-ci sur son Bureau par *glisser/déplacer* pour pouvoir ensuite accéder à tout moment au document souhaité. Il n'y a pas plus simple.

Vue depuis l'extérieur, l'utilisateur dispose de la commande *Nouveau/Raccourci* en de nombreux endroits du Bureau pour créer son propre raccourci vers un objet. Vue depuis l'intérieur, cette fonctionnalité est disponible par le biais de l'objet *ShellLink* et de son interface *IShellLink*. Une application peut utiliser cette interface pour créer de nouveaux raccourcis et pour définir leur objectif ainsi que toutes les autres caractéristiques propres aux raccourcis.

46.4.1. Caractéristiques d'un raccourci

En parlant de raccourci, il faut bien distinguer deux notions, sinon on se perd très rapidement : la première est le fichier ou l'objet auquel renvoi le raccourci. La cible du raccourci, pour ainsi dire, l'élément qui est représenté par le raccourci lui-même L'autre est le fichier dans lequel est enregistré un raccourci. En effet, il est évident que les raccourcis doivent bien être stockés quelque part, sinon ils seraient perdus en éteignant l'ordinateur. Les raccourcis sont enregistrés dans des fichiers ayant l'extension *.LNK* qui font généralement moins de 300 octets. Ils sont utilisés pour enregistrer la cible des raccourcis et quelques attributs supplémentaires. L'endroit où se trouve un tel fichier détermine l'endroit où l'utilisateur le voit. Finalement, un raccourci n'est utile que si l'on connaît son début. Et l'emplacement du fichier *LNK* correspond au point de départ pour l'abréviation du fichier auquel se réfère le raccourci.

Pour visualiser un raccourci sur le Bureau, il faut donc l'enregistrer dans le répertoire du bureau. Il s'agit du répertoire qui est déterminé à l'aide de la fonction *SHGetSpecialFolder-Location(CSIDL_DESKTOPDIRECTORY)* et en appelant ensuite *SHGetPathFromIDist()*. S'il doit apparaître dans un dossier, il faut connaître l'emplacement du dossier sur le disque dur pour pouvoir y enregistrer le fichier *LNK*. Si le raccourci doit se trouver dans un seul répertoire bien précis du disque dur, tous ces efforts sont inutiles car il suffit de déposer le raccourci à l'endroit souhaité.

En plus de leur cible et de leur emplacement, les raccourcis possèdent d'autres attributs :

O Description du raccourci
O L'icône sous laquelle apparaît le raccourci
O Les arguments de la ligne de commande pour l'appel
O Répertoire de travail de l'objet
O Mode d'affichage de la fenêtre de l'application
O Une touche de raccourci (Hotkey) pour le lancement direct

46.4.2. Accès aux raccourcis par le biais de l'interface IShellLink

Toutes ces propriétés peuvent être définies et consultées avec les instructions de l'interface *IShellLink*. *IShellLink* est l'interface d'accès centrale aux raccourcis, mais pas la seule. La catégorie *ShellLink* fait également appel à l'interface *IPersistFile* qui permet l'écriture et le chargement des fichiers de raccourci (fichiers *LNK*).

La majorité des instructions de *IShellLink* servent à accéder aux différentes propriétés des raccourcis, disposant à chaque fois de quelques instructions *Get...* et *Set...*. Seul *Resolve*, qui maintient le lien entre un raccourci et sa cible, représente une exception.

IShellLink::	Tâche
GetArguments	Enregistre les paramètres de la ligne de commande.
SetArguments	Définit la ligne de commande.
GetDescription	Interprète la description.
SetDescription	Définit la description.
GetHotKey	Fournit la touche de raccourci définie.
SetHotkey	Désactive la touche de raccourci.
GetIconLocation	Nomme l'origine de l'icône définie.
SetIconLocation	Détermine l'icône sous laquelle le raccourci apparaît à l'écran.
GetIDList	Fournit une liste des identificateurs d'élément
SetIDList	Définit la liste des identificateurs d'élément.
GetPath	Fournit le chemin et le nom de fichier de la cible du raccourci.
SetPath	Définit le chemin et le nom de fichier de la cible du raccourci.
GetShowCmd	Fournit les paramètres d'affichage de la fenêtre de l'application.
SetShowCmd	Définit l'affichage de la fenêtre de l'application.
GetWorkingDirectory	Enregistre les paramètres du répertoire de travail.
SetWorkingDirectory	Définit le répertoire de travail.
Resolve	Active le lien avec le fichier auquel se réfère le raccourci.
SetRelativePath	Définit le chemin relatif entre le raccourci et son objectif.

Instructions de IShellLink.

46.4.3. Cycle de vie d'un raccourci

Un raccourci, comme tous les autres objets OLE génériques, est créé par le biais de la fonction API OLE *CoCreateInstance()*. Il faut donc connaître l'ID de la catégorie et de l'interface de *ShellLink* ou de *IShellLink*. On se réfère à deux variables qui sont mises à disposition à cet effet par SHELL32.DLL : *CLSID_ShellLink* pour l'ID de catégorie et *IID_IShellLink* pour l'ID de l'interface. Si la fonction est bien exécutée, on dispose alors d'un pointeur vers un nouvel objet raccourci en appelant des variables d'interface données. La nouvelle instance objet n'est pas encore initialisée et n'existe que dans la mémoire, mais le pointeur d'interface permet d'appeler les différentes instructions pour définir les propriétés du raccourci, etc.

```
IShellLink *isl;

if (SUCCEEDED(CoCreateInstance(&CLSID_ShellLink,
                               NULL,
                               CLSCTX_INPROC_SERVER,
                               &IID_IShellLink,
                               &isl))
{
  printf("Objet ShellLink obtenu\n");

                                // vous pouvez maintenant appeler les instructions IShellLink
  isl-vtable-SetDescription/( isl, „Mon premier raccourci\n");
  isl-vtable-SetPath( isl, „C:\\DOS\\START.BAT");

                                // autres appels d'instructions de l'interface

                                // ne pas oublier de libérer à nouveau l'interface
  isl->vtable->release(isl);
}
```

Tout ceci a initialement lieu dans la mémoire, et non pas dans un fichier. Pour que le raccourci soit visible à l'utilisateur, il faut encore le stocker dans un fichier. Il peut être enregistré directement sur le Bureau, dans un dossier du bureau, ou dans un répertoire quelconque du disque dur.

Mais on recherchera vainement l'opération de sauvegarde nécessaire dans l'interface *IShellLink*. Elle fait partie de l'interface standardisée *IPersistFile* qui est également mise en oeuvre par l'objet *ShellLink*. La préférence est ici accordée à l'interface *IPersistFile*, car elle représente l'interface standard pour l'ouverture et l'enregistrement des objets dans des fichiers. Chaque objet proposé par un client de cette interface facilite considérablement la manipulation de différents types d'objets par une instance objet supérieure selon un schéma identique. C'est ici que l'on retrouve le concept de base de la programmation orientée objet, la polymorphie. Il n'est pas nécessaire de connaître le contenu et la structure d'un objet, il suffit de savoir qu'il possède une fonction *Load* et *Save* et de quelle façon y faire appel. L'objet s'occupe du reste. Ce qui signifie pour l'appelant : à plus tard dans la FAT !

On accède à l'interface *IPersistFile* à l'intérieur d'un objet *ShellLink* en appelant l'instruction *QueryInterface* et en indiquant l'ID de l'interface issue de la variable externe *IID_IPersistFile*. Le pointeur d'interface retourné permet de faire appel aux deux instructions *Load* et *Save* de l'interface pour enregistrer ou pour ouvrir l'objet ShellLink.

Une instance de *ShellLink*, préalablement créée mais non initialisée, peut ainsi être initialisée en chargeant un raccourci existant. Dans l'autre sens, il est également possible d'initialiser une nouvelle instance par le biais des différentes instructions *Set...* pour ensuite l'enregistrer sur le disque dur et rendre ainsi le nouveau raccourci permanent. Vous trouverez le programme proprement dit dans le paragraphe suivant.

Ouvrir et enregistrer : après sa naissance au printemps, l'été et l'automne font partie de la vie d'un raccourci. En hiver, les choses décroissent rapidement. Dernier acte : la suppression d'un raccourci... n'a absolument rien d'héroïque, contrairement à ce que pourrait laisser supposer le suspens, mais est on ne peut plus simple. On efface le fichier qui contient le raccourci avec *DeleteFile()*. Pas d'interface OLE, pas de fonction API OLE : rien. On efface tout simplement le fichier avec cette fonction standard de l'API Win32. Si l'objet se trouvait sur le Bureau ou était visible dans un dossier, il est immédiatement effacé.

46.4.4.   Définition et consultation des attributs d'un raccourci

La cible la plus simple à laquelle se réfère un raccourci est un fichier qui se trouve quelque part sur le disque dur, sur le réseau local, ou en n'importe quel endroit désigné par un nom de fichier UNC. Après avoir ouvert ou créé un objet *ShellLink*, il faut définir le chemin et le nom du fichier auquel se réfère le raccourci par le biais de l'instruction *SetPath*.

```
HRESULT SetPath (            // définit le nom et le chemin de la cible du raccourci
    ShellLink  *This,
    LPCSTR     pszFile        // pointeur vers chaîne contenant nouveau chemin et fichier
    )
```

Dans le sens inverse, il est possible de déterminer la cible d'un raccourci, c'est à dire le fichier vers lequel il pointe, par le biais de l'instruction *GetPath*. Elle attend à cet effet un buffer dans lequel elle enregistre le chemin et le nom du fichier. Elle attend également l'adresse d'une structure du type WIN32_FIND_DATA. L'instruction y fournit des informations sur le fichier du raccourci proprement dit, par exemple ses attributs et la date de sa dernière modification. Cette structure de données est définie dans WINBASE.H et est normalement utilisée par les deux fonctions API *FindFirstFile()* et *FindNextFile()* pour examiner les répertoires. *IShellLink::GetPath* est pour ainsi dire dérivé de cette structure.

```
HRESULT GetPath(             // fournit le chemin de la cible du raccourci
    ShellLink  *This,
    LPSTR      pszFile,       // pointeur vers buffer pour l'enregistrement
                             //de la cible du raccourci
    int        cchMaxPath,    // taille du buffer disponible en octets
    WIN32_FIND_DATA *pfd,     // pointeur vers une variable
                             // du type WIN32_FIND_DATA
    DWORD      fFlags         // UNC ou 8.3 (une des constantes SLGP)
    ) ;
```

Le paramètre *fFlags* permet de définir le type de nom de fichier qui sera retourné, à savoir le nom de fichier long (UNC) (Constante SLGP_UNCPRIORITY) ou le nom court 8.3 (Constante SLGP_SHORTPATH).

En utilisant cette instruction, n'oubliez pas que l'interrogation de la cible du raccourci ne garantit pas que cette cible se trouve toujours à la position indiquée sur le lecteur en question. Le fichier correspondant peut, entre temps, avoir été effacé, déplacé ou renommé. En conséquence, avant de faire appel à *IShellLink::GetPath*, utilisez l'instruction *Resolve* si vous voulez vous assurer que la cible du raccourci se trouve réellement à l'endroit indiqué par le raccourci.

1375

Arguments de la ligne de commande

Si la cible du raccourci est un fichier exécutable, vous souhaiterez peut-être rajouter des arguments à la ligne de commande pour influencer l'exécution du programme. Là aussi, les avantages du principe du raccourci prennent tout leur sens. Ils permettent, en effet, de créer sans grandes difficultés plusieurs icônes qui permettent de lancer différentes configuration d'un programme.

L'argument de la ligne de commande est défini avec *SetArguments()* et lu avec GetArguments().Deux instructions d'interface on ne peut plus simples.

```
HRESULT SetArguments (          // définit l'argument de la ligne de commande
                                // pour la cible du raccourci
    ShellLink   *This,
    LPCSTR      pszArgs         // pointeur vers la chaîne C avec ligne de commande
    ) ;
HRESULT GetArguments (          // enregistre les arguments de la ligne
                                // de commande. pour la cible du raccourci
    ShellLink   *This,
    LPSTR       pszArgs,        // pointeur vers le buffer contenant la ligne de commande.
    int         cchMaxPath      // longueur du buffer
    ) ;
```

Description

Il est également possible d'attribuer à un raccourci une description familière. Mais cette information n'est pas affichée à l'utilisateur, pas même sur la page des propriétés. Elle ne peut donc servir qu'à des programmes qui traitent les raccourcis et qui échangent de cette façon des informations sur leur contenu ou une autre caractéristique. Les instructions d'interface *SetDescription()* et *GetDescription()* permettent cela :

```
HRESULT SetDescription(         // Définit la description
    ShellLink   *This,
    LPCSTR      pszName          // Pointeur vers chaîne C avec nouvelle description
    ) ;
HRESULT GetDescription(         // Enregistre la description
    ShellLink   *This,
    LPSTR       pszName,         // Pointeur vers buffer pour description
    int         cchMaxName       // Longueur du buffer
    ) ;
```

Répertoire de travail

Le répertoire de travail définit le répertoire qui devient le répertoire courant après le lancement de l'application concernée (la cible du raccourci). Si le programme charge des fichiers sans chemin spécifique, il les recherche automatiquement dans le répertoire de travail d'où il les charge.

```
HRESULT SetWorkingDirectory)(   // Définit le répertoire de travail
    ShellLink   *This,
    LPCSTR      pszDir           // Pointeur vers chaîne C avec nouveau répertoire de travail
    ) ;
HRESULT GetWorkingDirectory (   // Enregistre le rép. de travail de la cible
    ShellLink   *This,
    LPSTR       pszDir,          // Pointeur vers le buffer contenant le répertoire de travail
    int         cchMaxPath       // Longueur du buffer
    ) ;
```

Raccourcis clavier pour les raccourcis

Les raccourcis acceptent les raccourcis clavier qui permettent de lancer directement une application par une combinaison de touches. Mais cela est seulement possible si le raccourci se trouve directement sur le Bureau. Les raccourcis clavier sont identifiés par un MOT dont l'octet de poids faible contient le code de la touche virtuelle sous la forme d'une constante *VK_...* (comme VK_F2 ou VK_HOME, par exemple). Les touches associées à la touche virtuelle qui doivent être actionnées pour exécuter le raccourci (ou sa cible) sont définies en conséquence dans l'octet de poids fort. La définition est réalisée au moyen des constantes suivantes qui peuvent être combinées entre elles à volonté :

Constante	Signification
HOTKEYF_ALT	Touche \<Alt\>
HOTKEYF_CONTROL	Touche \<Ctrl\>
HOTKEYF_EXT	Touche Windows (seulement sur les nouveaux claviers)
HOTKEYF_SHIFT	Touche \<Maj\>
Constantes pour la définition des raccourcis clavier d'un raccourci	

Le raccourci clavier sélectionné est transféré directement sous la forme d'un MOT en appelant SetHotkey() et avec GetHotkey() sous la forme d'une variable MOT qui complète l'instruction avec le raccourci clavier courant.

```
HRESULT SetHotkey (          // Défini le raccourci clavier pour le raccourci
    ShellLink  *This,
    WORD       wHotkey        // Nouveau raccourci clavier
) ;
HRESULT GetHotkey (          // Enregistre le raccourci clavier du raccourci
    ShellLink  *This,
    WORD       *pwHotkey      // Pointeur vers la variable qui doit contenir le raccourci. clavier
) ;
```

Affichage de la fenêtre de l'application

Lorsque l'exécution d'un raccourci provoque l'affichage d'une fenêtre d'application, l'instruction *SetShowCmd* permet de définir la présentation initiale de cette fenêtre. On y précise si la fenêtre doit apparaître réduite, agrandie, à sa taille normale ou en arrière-plan. Il s'agit ici en fait du paramètre qui est donné par le raccourci dans le paramètre *STARTUPINFO.wShowWindow* lors du lancement interne de la cible concernée du raccourci par le biais de *CreateProcess()*. Et l'application à lancer s'y réfère à nouveau dans son instruction *ShowWindow()*, les deux méthodes utilisant donc les index de *ShowWindow()*. Ce sont, par exemple, SW_NORMAL, SW_MINIMIZE, SW_MAXIMIZE etc.

Cette index est transmis directement en appelant l'instruction *SetShowCmd* ; avec *GetShowCmd* il faut indiquer l'adresse d'une variable *int* dans laquelle la fonction renvoie l'index défini à ce moment.

```
HRESULT SetShowCmd (          // Définit l'affichage de la fenêtre d'application
    ShellLink  *This,
    int        iShowCmd        // Nouvelle valeur pour ShowWindow()
) ;
HRESULT GetShowCmd (          // Enregistre l'affichage de la fenêtre
    ShellLink  *This,
    int        *piShowCmd      // Pointeur vers INT qui doit contenir l'index
) ;
```

L'icône du raccourci

Le créateur d'un raccourci a la possibilité de définir l'image d'un raccourci sous la forme d'une icône. L'icône peut se référer à un fichier EXE ou DLL dont le nom et le chemin doivent être précisés. Il faut également indiquer un numéro d'index afin de ne pas afficher seulement la première icône du fichier. L'index se réfère ici à l'ordre chronologique des icônes dans le fichier. La "flèche superposée" qui apparaît dans le coin inférieur gauche de l'icône pour attirer l'attention sur la nature de l'icône ne peut ici pas être supprimée. Le Shell l'incruste automatiquement.

En appelant *SetIconLocation* pour définir l'icône, le chemin est indiqué directement sous la forme d'un pointeur de chaîne et l'index directement. Avec *GetIconLocation*, il faut indiquer la taille d'un buffer ainsi que son adresse afin que l'instruction puisse retourner le chemin courant de l'icône. Le buffer doit contenir MAX_PATH octets et doit également pouvoir contenir des noms de fichiers longs.

```
HRESULT SetIconLocation (        // Définit le chemin pour l'icône du raccourci
    ShellLink   *This,
    LPCSTR      pszIconPath,     // Pointeur vers chaîne C avec chemin et nom fichier
    int         iIcon            // Index de l'icône
) ;
HRESULT GetIconLocation (        // Enregistre le chemin de l'icône du raccourci
    ShellLink   *This,
    LPSTR       pszIconPath,     // Pointeur vers buffer contenant le chemin et le nom de fichier
    int         cchIconPath,     // Longueur du buffer
    int         *piIcon          // Pointeur vers INT qui doit recevoir l'index
) ;
```

Le chemin relatif

Le chemin relatif entre le fichier du raccourci et sa cible est représenté par l'unique propriété *ShellLink*, celle-ci ne pouvant pas être lue mais seulement définie Le chemin relatif est une information optionnelle qui doit aider à retrouver la cible d'un raccourci lorsqu'elle a été déplacée. Si le fichier a été déplacé avec l'arborescence complète d'un répertoire, le raccourci est alors lui aussi souvent déplacé en même temps, car le raccourci et le fichier se trouvent dans la même branche de l'arborescence. La conséquence : le chemin relatif entre le fichier raccourci (le fichier *.LNK*) et sa cible reste identique, même si les deux fichiers se retrouvent ailleurs. Si le nom d'un fichier raccourci est, par exemple, "*Lettre Dupont.LNK*" dans le répertoire *lettres* et que la cible du raccourci est le fichier "*dupont01.doc*" dans le répertoire *lettre**privé*, le chemin relatif entre la cible du raccourci et le fichier raccourci est alors *privé**dupont01.doc*. Si tout le répertoire *lettres* ainsi que tous ses sous-répertoires est déplacé vers *BigServer**JeanPierre*, le fichier raccourci "*Lettre à Dupont.LNK*" se retrouve alors dans le répertoire *BigServer**Jean-Pierre**lettres*, sa cible dans *BigServer**JeanPierre**lettres**privé**dupont01.doc*. Le chemin relatif est resté le même.

En plus du pointeur *this* obligatoire, la fonction attend seulement un pointeur vers une chaîne C contenant le chemin relatif entre le fichier raccourci et sa cible. Le résultat, comme d'habitude, est retourné dans *HRESULT*.

```
HRESULT SetRelativePath (        // Définit le chemin relatif entre le raccourci et la cible
    ShellLink   *This,
    LPCSTR      pszPathRel,      // Pointeur vers la chaîne C contenant le chemin relatif
    DWORD       dwReserved       // réservé, 0
) ;
```

46.4.5. Mise à jour de la liaison entre un raccourci et sa cible

Il faut donc, pour l'instant, toujours garder à l'esprit qu'un fichier vers lequel pointe un raccourci ne se trouve plus à l'endroit ou pense le trouver le raccourci. Mais il ne s'est pas évaporé spontanément. Il y a forcément quelqu'un qui l'a déplacé, supprimé ou renommé. Avant d'enregistrer un raccourci avec un programme pour accéder à la cible par le biais du chemin indiqué, il faut donc s'assurer que cette cible se trouve bien à l'endroit escompté. Cette tâche est réalisée dans l'interface *IShellLink* par l'instruction *Resolve*.

Si *Resolve* ne trouve pas la cible du raccourci à l'endroit attendu, elle essaie de rechercher le fichier et de rétablir l'intégrité du raccourci. Elle utilise, entre autres, le chemin relatif qui représente toujours la méthode la plus simple pour retrouver la cible. Si le fichier reste introuvable, elle recherche un fichier présentant les mêmes attributs que le fichier précédent dans le répertoire de la cible initiale. Même date, même taille et index - ceci signifie alors que le fichier est bien resté là où il se trouvait, mais qu'il a été renommé. Ci cette recherche est également infructueuse, la procédure est répétée de la même façon pour tous les sous-répertoires de la cible du raccourci pour le cas où le fichier en question a simplement été déplacé à un niveau inférieur de la hiérarchie des répertoires.

Et si cela ne donne toujours rien, une boîte de dialogue demande à l'utilisateur d'indiquer l'endroit où se trouve le fichier. Si la liaison ne peut toujours pas être rétablie, l'instruction *Resolve* a alors échoué. Le fichier est alors inaccessible par le biais du raccourci.

```
HRESULT Resolve (          // Mise à jour de la liaison entre raccourci et cible
    ShellLink  *This,
    HWND       hwnd,       // Handle de la fenêtre si affichage de boîte de dialogue
    DWORD      fFlags      // Index SLR_...
) ;
```

En plus du pointeur *This* obligatoire, le premier paramètre attendu est le Handle Windows d'une fenêtre faisant office de parent pour la boîte de dialogue qui doit éventuellement être affichée lorsque le raccourci ne peut pas être déclenché. Si l'appelant ne dispose pas de fenêtre, il retourne tout simplement NULL. Les index du paramètre peuvent en plus de cela contenir une combinaison de différentes constantes *SLR* qui définissent l'exécution de l'instruction.

Constante	Signification
SLR_UPDATE	En précisant cet index, l'instruction ne se contente pas d'examiner le fichier, mais enregistre aussi immédiatement le nouveau chemin dans le fichier raccourci.
SLR_ANY_MATCH	Si la cible du raccourci reste introuvable, l'utilisateur a la possibilité, par le biais d'une boîte de dialogue, d'indiquer le nouvel emplacement du fichier.
SLR_NO_UI	En indiquant cet index, l'instruction n'affiche pas une boîte de dialogue lorsque la cible du raccourci est introuvable, mais renvoie une erreur.

Constantes pour l'appel de l'instruction Resolve

SLR_NO_UI permet de définir la durée maximale pour la recherche de la cible du raccourci si celle-ci n'a pas encore été retrouvée. Cette durée doit être indiquée en millisecondes dans le mot de poids fort des *index* du paramètre DWORD. Si la valeur est 0 (seulement la constante *SLR_NO_UI*), cette durée maximale est alors de trois secondes.

Une telle indication prend tout son sens lorsqu'on parcourt de grands réseaux et que l'on souhaite limiter le temps passé par l'instruction *Resolve* à examiner les lecteurs du voisinage réseau. Si l'instruction *Resolve* retourne un code de réussite S_OK, le chemin et le nom de fichier valides de la cible du raccourci se trouvent alors dans la fiche de propriétés du chemin (instruction *GetPath*).

46.4.6. Cibles autres que des fichiers

Les raccourcis peuvent pointer non seulement vers des fichiers, mais également vers tous les éléments de l'interface graphique du Shell. Le Panneau de configuration et les groupes de programmes en font partie, tout comme le Voisinage réseau. Ces objets ne sont plus référencés sous la forme de chaînes contenant leur chemin et leur nom de fichier, mais par le biais de la liste d'identificateurs d'élément déjà mentionnée. Si on connaît le PIDL d'un objet, que ça soit en appelant *SHGetSpecialFolderLocation()* ou par le biais de l'interface *IShellFolder*, l'objet peut alors être défini comme cible du raccourci avec l'instruction *SetIDList*. Seul le PIDL qui est indiqué à l'instruction à côté du pointeur *this* est nécessaire à cet effet.

```
HRESULT SetIDList(               // Définit la cible du raccourci par la liste des Item-ID
    ShellLink    *This,
    LPCITEMIDLIST pidl           // Pointeur vers liste Item-ID avec nouvelle cible
  ) ;
```

Il existe une instruction similaire appelée *GetIDListe* qui permet de déterminer le PIDL d'un raccourci chargé. Pour interroger la liste courante des identificateurs d'élément, il faut disposer d'une variable du type *LPTITEMIDLIST* et indiquer son adresse. L'instruction y dépose alors l'adresse de la liste courante des identificateurs d'élément. Celle-ci ne doit cependant pas être modifiée. Si on veut ensuite l'utiliser dans un autre but dans le code du programme, il faut se créer une copie.

```
HRESULT GetIDList(               // Fournit cible raccourci comme pointeur vers liste Item-ID
    ShellLink    *This,
    LPITEMIDLIST *ppidl          // Pointeur vers pointeur PIDL qui enr. l'adresse
  ) ;
```

46.4.7. Exemple

Comme exemple des opérations possibles avec les raccourcis, nous avons préparé un programme appelé *Desktop.c* que vous trouverez, en même temps que les fichiers correspondants *Desktop.mak* et *Shortcut.c. Desktop* permet à l'utilisateur de sélectionner un ou plusieurs fichiers dans une boîte de dialogue standard d'ouverture de fichier. Le programme génère ensuite des raccourcis vers les fichiers sélectionnés et les enregistre dans le répertoire Bureau du disque dur. Ils apparaissent immédiatement après sur le bureau de l'utilisateur.

Pour créer les raccourcis et les enregistrer sur le disque dur, le programme utilise la fonction *CreateShortcut()* du module auxiliaire *Shortcut.c*. Le rôle de *DesktopLink* est alors essentiellement d'afficher une boîte de dialogue courante, de lire les fichiers créés par l'utilisateur et de créer les raccourcis avec *CreateShortcut()*. Mais il détermine avant tout l'emplacement du répertoire Bureau avec *SHGetSpecialFolderLocation()* pour ensuite le convertir en chemin avec *SHGetPathFromIDList()*, ce afin que les raccourcis soient tous enregistrés dans le répertoire Bureau.

Desktop.c

46.5. Création de programmes et de groupes de programmes

En liaison avec la fonction Shell *SHGetSpecialFolderLocation()*, il a été montré que les groupes de programme du Bureau sont enregistrés comme des répertoires dans le répertoire Windows, à savoir dans le répertoire *Win95\Menu Démarrer\Programmes*. Tous les répertoires représentent ici des groupes de programmes, les répertoires qu'ils contiennent des sous-groupes, et ainsi de suite. Le nom du répertoire correspond ici au nom du groupe de programme. Chaque répertoire de groupe de programmes, en plus des sous-groupes qui apparaissent sous la forme de sous-répertoires, peut également contenir des fichiers et des raccourcis qui apparaissent à l'écran en tant qu'éléments du groupe de programmes concerné.

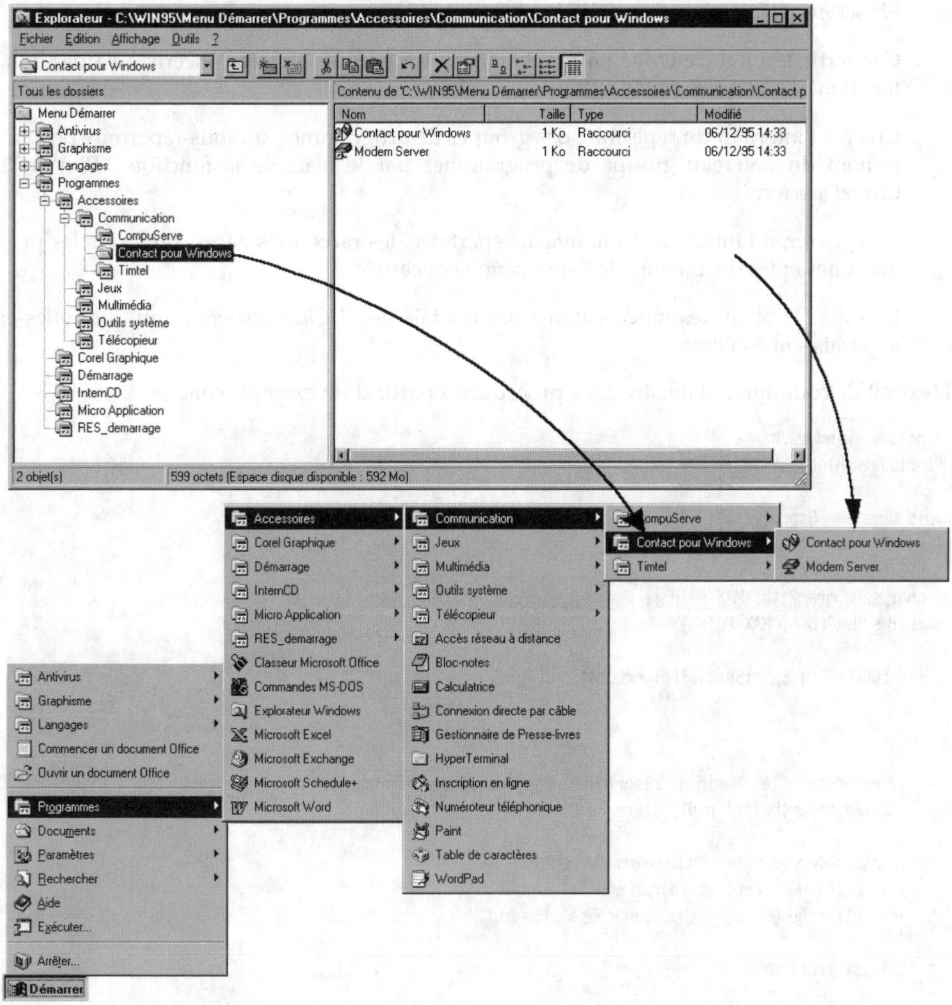

Groupes et programmes tels qu'ils sont enregistrés sur le disque dur

On travaille ici généralement avec des raccourcis, car il est préférable de copier les programmes avec leurs fichiers correspondants dans leur propre répertoire lors de l'installation. Les fichiers contenus dans les répertoires du disque dur correspondant aux groupes de programmes ne sont donc pas les fichiers EXE proprement dits, mais leurs raccourcis. Lorsque l'utilisateur clique sur un élément quelconque de l'écran, le fichier EXE qu'il contient est démarré par le biais du raccourci.

46.5.1. Création de nouveaux groupes de programmes

Pour créer de nouveaux groupes de programmes et y enregistrer les éléments souhaités, un programme doit donc :

> Déterminer le PIDL du répertoire du disque dur pour les groupes de programmes avec *SHGetSpecialFolderLocation(CSIDL_PROGRAMS)*.

> Convertir le PIDL renvoyé en un chemin et un nom de fichier concerts à l'aide de la fonction *SHGetPathFromIDList()*.

> Créer, à l'intérieur du répertoire des groupes de programmes, un sous-répertoire portant le nom du nouveau groupe de programmes par le biais de la fonction API Win32 *CreateDirectory()*.

> Enregistrer, à l'intérieur du nouveau répertoire, les raccourcis nécessaires vers les programmes et les documents de l'application concernés.

> Informer le Shell des modifications par le biais de *SHChangeNotify()* afin que celles-ci apparaissent à l'écran.

L'extrait de code suivant illustre cette procédure à partir d'un exemple concret.

```c
#include <windows.h>
#include <shlobj.h>

void CreateNewGroup(void)
{
  LPITEMIDLIST pidl;
  char szProgramPath[ MAX_PATH ];
  char szNewGroup[ MAX_PATH ];

  if( SUCCEEDED( SHGetSpecialFolderLocation( NULL,
                                    CSIDL_PROGRAMS, &
                                    pidl ) ) )
  {
    // Rechercher le chemin du répertoire des groupes de programmes. ─
    SHGetPathFromIDList( pidl, szProgramPath );

    // Assembler le chemin du nouveau groupe ─────────
    lstrcpy( szNewGroup, szProgramPath );
    lstrcat( szNewGroup, "\\NouveauGroupe" );

    SetLastError( 0 );

    // Création du nouveau groupe ou répertoire ─────────
    CreateDirectory( szNewGroup, NULL );

    if( ( GetLastError() == 0 ) ||
```

```
        ( GetLastError() == ERROR_ALREADY_EXISTS ) )
    {
        // Les raccourcis sont ici enregistrés de la façon connue
        // .
        // .
        // .

        // Signaler les modifications au répertoire du programme principal
        SHChangeNotify( SHCNE_UPDATEDIR,
                        SHCNF_FLUSH | SHCNF_PATH,
                        (LPVOID)szProgramPath,
                        0 );
    }
    CoTaskMemFree( (LPVOID)pidl );
    }
}
```

L'ancienne interface DDE du Gestionnaire de programmes

Si vous avez déjà créé des groupes de programmes sous Windows 3 avec un logiciel, vous connaissez l'interface DDE du Gestionnaire de programmes. Elle est toujours acceptée sous Windows 95 et peut être utilisée sans problème. Pour les nouveaux développements, il est tout de même recommandé de s'en remettre aux interfaces présentées ici, car DDE est maintenant considérée comme une technique qui a fait son temps et qui ne sera plus supportée activement dans les futures versions de Windows.

Bien évidemment, il ne faut pas enregistrer les nouveaux groupes de programmes directement dans *Démarrage/Programmes*, mais vous pouvez parcourir l'interface graphique se trouvant sous les programmes à l'aide de l'interface *IShellFolder* afin de rechercher un sous-groupe dans lequel vous enregistrerez le nouveau groupe de programmes. Lors de l'examen, il est nécessaire de rattacher l'un à l'autre les identificateurs d'élément des différents dossiers afin de construire une liste d'identificateurs d'élément représentant un chemin absolu du Bureau vers le dossier souhaité. Vous pourrez ensuite convertir cette liste d'identificateurs d'élément en nom du répertoire correspondant sur le disque dur avec *SHGetPathFromIDList()* et y enregistrer le groupe de programmes souhaité.

46.5.2. Exemple de programme

L'exemple de programme suivant appelé *Programm* illustre la création de groupes de programmes et des raccourcis qu'ils contiennent dans une cadre plus large. Le programme pourrait faire partie d'un programme d'installation lorsqu'à la fin de l'installation, l'utilisateur doit pouvoir choisir un groupe de programme voulu pour y afficher les fichiers du programme. A cette effet, on affiche une boîte de dialogue qui représente une vue en arborescence de la structure actuelle des groupes de programmes et de leurs sous-groupes. Après que l'utilisateur ait sélectionné l'un des groupes de programmes affichés, il peut saisir le nom du nouveau groupe de programmes à créer dans le champ de saisie se trouvant sous la vue en arborescence. Le groupe de programmes est ensuite créé et contient, en tant que démonstration, trois raccourcis qui pointent sur le fichier EXE du programme *Programm*. La commande *Propriétés* du menu *Contexte* permet de personnaliser son contenu.

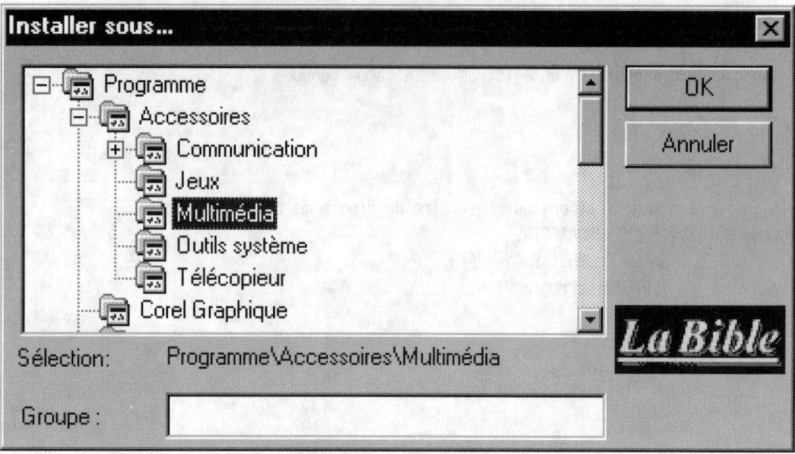

Programm illustre la sélection et la création de nouveaux groupes de programmes

Le programme est représenté par le fichier *Programm.mak*. Il fait appel aux deux modules d'aide *EnumFolders.C* et *Shortcut.C*. D'une part pour examiner l'interface graphique du Shell et notamment les groupes de programmes qu'elle contient. Ceci est réalisé avec le fonction *FillTreeWithGroups()* qui utilise pour ce faire la fonction *EnumFolders()*. L'énumération commence ici avec CSIDL_PROGRAMS pour que seuls les groupes de programmes et leur contenu soient examinés. La fonction *CallBack* utilisée est *EnumShellCallback()*. Elle prend en compte les différents objets dans la partie examinée de l'interface graphique et les affiche dans la vue en arborescence de la boîte de dialogue. Mais seulement s'il s'agit de dossiers, c'est à dire dans le cas où il s'agit d'autres groupes. Les raccourcis et les objets fichier se trouvant dans les différents groupes de programmes ne sont pas pris en compte dans la vue en arborescence. Les icônes destinés à afficher les groupes de programmes sont définies par la fonction *SHGetFileInfo()*.

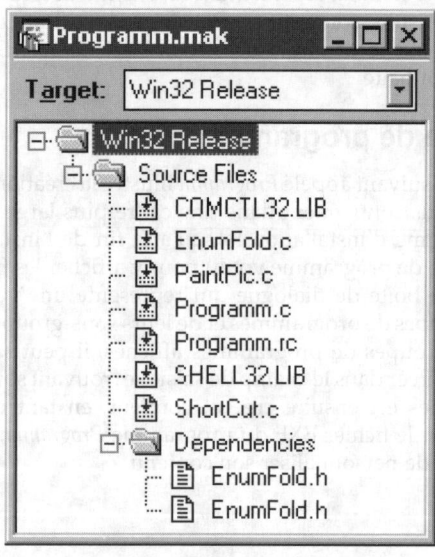

Fichiers du projet Programm.mak

Programm.C

46.6.   Configuration de l'imprimante

Les imprimantes présentes sont, elles aussi, représentées sur l'interface graphique du Shell, dans le dossier Imprimantes tel qu'il apparaît également sur le Bureau. La constante CSIDL_PRINTER représente ce dossier auquel on peut accéder par le biais de *SHGetSpecialFolderLocation()*. Ceci, en effet, permet à un programme de lire les noms et les fichiers pilotes des imprimantes présentes, mais l'insertion d'une imprimante supplémentaire et la configuration de l'imprimante par défaut est une opération tout à fait différente. Ce chapitre le traite en détail. Nous voulons réaliser un programme qui permet de passer de façon rapide et conviviale d'une imprimante par défaut à l'autre et qui évite d'avoir à y accéder par le Panneau de configuration ou par une boîte de dialogue spécifique à l'imprimante.

Le programme appelé *Impriman* rend ceci possible et illustre en même temps l'utilisation de la zone d'information de la barre des tâches. On y accroche une petite icône qui fait apparaître une sympathique boîte de dialogue permettant de sélectionner l'imprimante courante. Un simple clic de la souris suffit pour passer de l'imprimante laser à l'imprimante couleur à jet d'encre.

Le programme Impriman

Après son lancement, le programme s'intègre dans la zone d'information de la barre des tâches, àdroite de celle-ci et ouvre une boîte de dialogue permettant de configurer l'imprimante par défaut.

Mais le programme ne se contente pas de la configuration de l'imprimante, il prend également en charge la gestion de la zone d'information de la barre des tâches et de la fenêtre de sélection de l'imprimante. En conséquence, le "listing" est légèrement plus long que ce qui était prévu au départ. Toutefois, il existe maintenant un utilitaire complet pour Windows 95 qui est parfaitement bien adapté à des projets similaires.

La plus grande partie de la fonctionnalité est contenue dans le module *Impriman.C.* Le module *Taskbar.C,* destiné à commander la Zone d'information de la barre des tâches, est également utilisé. Et enfin le module *EnumFold.C* pour l'examen de l'interface graphique. Mais jetons tout d'abord un coup d'oeil aux fonctions qui servent à déterminer les imprimantes présentes, à interroger l'imprimante par défaut actuelle et à configurer une nouvelle imprimante par défaut.

46.6.1. Interrogation et configuration des imprimantes présentes

Si l'on sait que la *Base de registres,* qui sera vue en détails au chapitre 47, est l'élément de stockage central pour tous les types et éléments de configurations, on peut supposer que les imprimantes présentes, ainsi que leurs pilotes y sont également stockés et qu'il devrait également être possible de configurer l'imprimante par défaut en modifiant l'élément correspondant de la *Base de registres.* Seule la première supposition est vraie.

Comme le montrent les trois illustrations suivantes, les éléments correspondant aux imprimantes présentes et à leurs pilotes se trouvent en différents endroits de la *Base de registres.* Il n'est pas possible de configurer l'imprimante de cette façon.

En réalité, il est tout à fait possible de la configurer, mais le système n'en tient pas compte. A la prochaine impression, si l'autre imprimante n'a pas été expressément définie, l'édition se fera à nouveau sur l'ancienne imprimante par défaut.

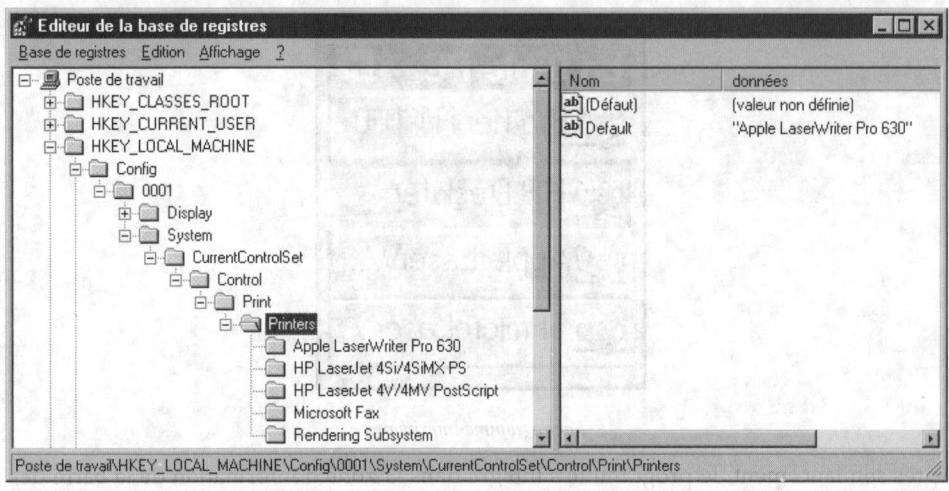

Les imprimantes présentes se trouvent bien dans la Base de registres,
ainsi que l'imprimante par défaut, mais il est impossible de les configurer ici.

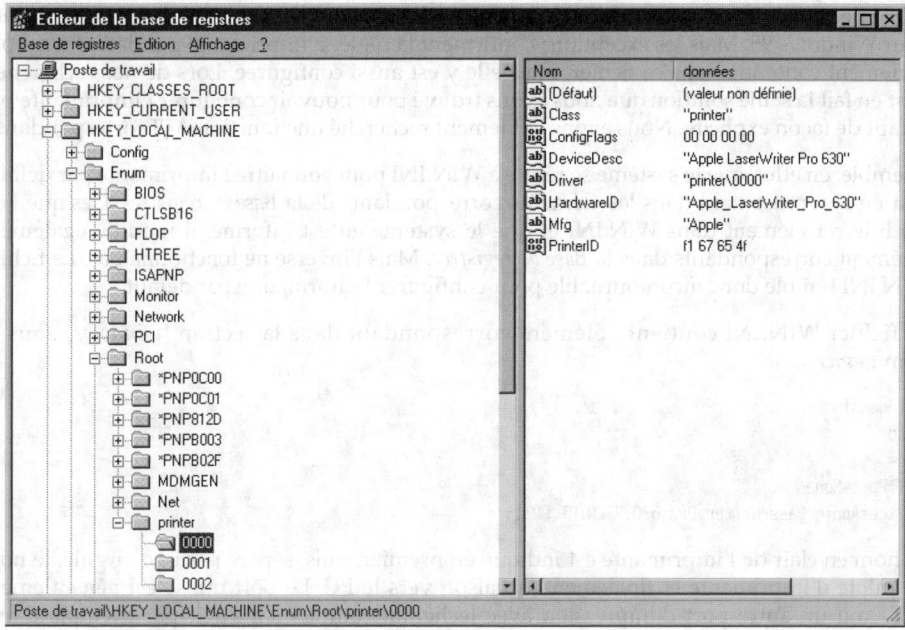

L'imprimante courante est-elle représentée ici ?

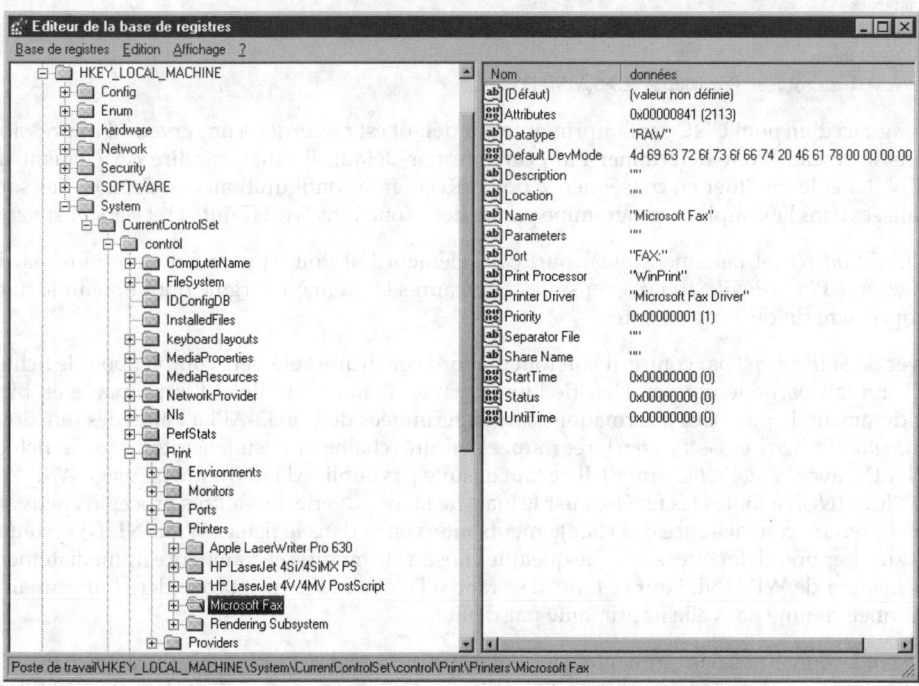

Là peut-être ?

La clé de cette énigme se trouve dans le fichier WIN.INI qui n'est en fait plus très significatif pour Windows 95. Mais les exceptions confirment la règle. L'imprimante par défaut n'est pas seulement contenue dans ce fichier, mais elle y est aussi configurée. Lors de nos recherches, c'est en fait la seule solution que nous ayons trouvé pour pouvoir configurer l'imprimante par défaut de façon explicite. Nous avons vainement recherché une fonction API correspondante.

Il semble, en effet, que le système se réfère à WIN.INI pour connaître l'imprimante par défaut, tout en la représentant dans les éléments correspondants de la *Base de registres*. Dès que l'on modifie cet élément dans WIN.INI et que le système en est informé, il modifie également l'élément correspondants dans la *Base de registres*. Mais l'inverse ne fonctionne pas. Le fichier WIN.INI semble donc incontournable pour configurer l'imprimante par défaut.

Le fichier WIN.INI contient l'élément correspondant dans la section *[windows]* sous le nom *device=*.

```
[windows]
load=
run=
NullPort=None
device=Apple LaserWriter Pro 630,PSCRIPT,LPT1:
```

Le nom en clair de l'imprimante est indiqué en premier, puis, séparé par une virgule, le nom du pilote d'imprimante et finalement la liaison vers le PC. Le port utilisé est généralement LPT1: ou un autre port d'impression avec lechemin complet s'il s'agit par exemple d'une imprimante partagée en réseau :

```
[windows]
load=
run=
NullPort=None
device=TI microLaser Pro 600,HPPCL5MS,\\Mitil\tips
```

Il s'agit ici d'un nom UNC car l'imprimante par défaut est raccordée à un serveur d'impression dans le réseau. Pour déterminer l'imprimante par défaut, il faut donc lire cet élément de WIN.INI et le modifier en conséquence pour effectuer la configuration. Ces deux tâches sont réalisées dans l'exemple de programme par les deux fonctions *SetStdPrinter()* et *GetStdPrinter()*.

GetStdPrinter() est nettement plus court car l'élément INI doit ici uniquement être lu par la fonction API *GetProfileString()* et ensuite coupé après la première virgule pour obtenir le nom proprement dit de l'imprimante.

Avec *SetStdPrinter()* par contre, il faut tout d'abord construire l'élément complet pour le fichier INI. En fait partie le nom en clair de l'imprimante, le nom du pilote d'imprimante et, bien évidemment, le port. Ces informations sont déterminées de Win32-API à l'aide des fonctions *GetPrinterDriver()* et *GetPrinter()*, regroupées en une chaîne et ensuite écrites dans le fichier WIN.INI avec *WriteProfileString()*. Il ne faut ensuite pas oublier d'envoyer le message *WM_WININICHANGE* à toutes les fenêtres par le biais de la messagerie. Les autres processus peuvent ainsi prendre connaissance des changements intervenus dans le fichier WIN.INI. Le système, lui aussi, apprend de cette façon que quelque chose a été modifié et commence immédiatement à s'inspirer de WIN.INI. Pour ce faire, il se rend à l'élément *device=* et considère l'imprimante indiquée comme nouvelle imprimante par défaut.

Il reste à connaître les imprimantes présentes. Ceci est réalisé par le biais du dossier *IMPRIMANTES* dans l'interface graphique du Shell à l'aide de la fonction *EnumFolders()* déjà utilisée plusieurs fois issue du module du même nom. *EnumFolders()* est appelée dans la fonction *FillWindowsWithPrinters()*. Elle a pour tâche de créer un bouton pour chaque imprimante présente dans la fenêtre de sélection de l'imprimante. La plus grande partie du travail est ici réalisé par la fonction *Callback* qui est appelée par *EnumFolders()* pour chaque élément examiné dans le dossier IMPRIMANTES. Il s'agit ici de la fonction *EnumShellCallback()* du module *Druckerauswahl.c* qui réalise cette tâche.

46.6.2. Construction de la fenêtre de sélection de l'imprimante

En plus de la recherche et de la configuration de l'imprimante par défaut, le programme est essentiellement composé d'appels GDI et USER. Ça commence par *EnumShellCallback()* qui crée un nouveau bouton propriétaire pour chaque imprimante dans la fenêtre de sélection de l'imprimante. L'ID de contrôle transmise au bouton est toujours la valeur des constantes ID_PRINTERBUTTONS plus le numéro courant de l'imprimante. Les données de chaque imprimante sont mémorisées dans les variables globales *g_Printers*, une zone contenant des éléments du type PRINTERBUTTONS. Celle-ci est définie au début de *Druckerauswahl.C*. Chaque élément enregistre le Handle de la fenêtre des différents boutons, la position actuelle et la taille à l'intérieur de la fenêtre ainsi que le Handle de l'icône correspondante et d'autres informations. Mais non pas le texte du bouton qui est défini lors de sa création avec *SetWindowText()*. Les boutons sont dessinés à l'intérieur de la procédure de dialogue de leur fenêtre parent par la fonction *PrinterWndProc()*. Les autres activités du programme y sont également coordonnées, de même que la création initiale de la fenêtre et l'action de cliquer sur le bouton d'une imprimante avec le choix associé de l'imprimante par défaut qui est défini en appelant *SetStdPrinter()*. Le message WM_SIZE est également traité lorsque l'utilisateur a essayé de modifier la taille de la fenêtre. Lorsque cela est possible, les boutons sont redistribués et la fenêtre est adaptée à la taille souhaitée.

La fenêtre de changement d'imprimante est créée par la fonction *CreateStdPrinterWindow()*, on se rapproche alors de la fin du listing. Il ne reste plus que les fonctions *TaskbarWndProc()* et la fonction de démarrage *winmain()*.

Commande par la Zone d'information de la barre des tâches (TNA)

Une fenêtre invisible est tout d'abord créée dans *WinMain()*, celle-ci étant ensuite indiquée comme parent en cliquant sur l'icône de la zone d'information de la barre des tâches. On appelle ainsi sa procédure d'information, *TaskbarWndProc()*, s'il existe toutefois une information pour l'icône TNA de l'application.

En obtenant l'information WM_CREATE, on appelle tout d'abord *CreateStdPrinterWindow()* afin de créer la fenêtre de sélection de l'imprimante avec les boutons de chacune des imprimantes. Le Handle de cette fenêtre est mémorisé dans le cadre de la procédure d'information dans la variable locale statique *hPrinter* afin d'être disponible lors de la réception d'autres informations. Cette fenêtre est affichée en double-cliquant sur l'icône qui se trouve dans la TNA. En cliquant sur l'icône avec le bouton droit de la souris, la fonction crée tout d'abord l'information WM_CONTEXTMENU pour elle-même. Dès qu'elle arrive, la fonction crée un menu uniquement composé de l'élément *Supprimer* et affiché sous la forme d'un menu contextuel.

Lorsque l'utilisateur clique sur *Supprimer*, il indique au programme de refermer sa fenêtre et de quitter. La vie du programme se termine ainsi.

Impriman.C

46.7. Appel du Panneau de configuration

Le Panneau de configuration apparaît lui aussi comme un dossier virtuel dans l'interface graphique du Shell, ce qui permet aux "Control-Applets" existants, c'est à dire les programmes de commande des différentes ressources du système, d'être lus et directement lancés à partir d'un programme. Si l'utilisateur souhaite, par exemple, configurer le modem à partir de son application, il lui suffit d'appeler l'Applet correspondant. Il obtient ainsi toutes les informations nécessaires de l'interface graphique du Shell: Le nom affiché comme "Affichage" ou "Système" ainsi qu'un chemin et un nom de fichier que l'on peut déterminer des différents PIDL avec *SHGetPathFromItemID()*. Il représente le nom d'un fichier CPL qui contient le code de l'Applet concerné. Les fichiers CPL représentent en fait des fichiers DLL tout à fait normaux qui exportent les fonctions prédéfinies, lesquelles permettent au Control-Applet d'être identifié par rapport au Panneau de configuration et lancé.

Pour lancer un tel Applet, il faut appeler le Panneau de configuration, c'est à dire le programme CONTROL.EXE, par le biais de *ShellExecute()* ou de *CreateProcess()* en indiquant dans la ligne de commande le nom et le chemin du fichier CPL et ensuite le nom affiché de l'Applet souhaité. Celui-ci est nécessaire car certains fichiers CPL contiennent plusieurs Control-Applet. On identifie ainsi l'Applet voulu.

46.7.1. Exemple de programme

Vous trouverez le code programme permettant d'appeler un *Control-Applet* dans l'exemple de programme suivant appelé *Control.c*. A son lancement, *Control* affiche une boîte de dialogue contenant en son centre une zone de commande *List-View*. Le programme charge les icônes et les noms des *Control-Applet* existants dans cette zone de commande. Si l'utilisateur double-clique sur une icône, l'Applet est alors lancé de la façon décrite ci-dessus.

*Le programme Control.C affiche les différents Control-Applets
dans une List-View et permet de les lancer par double-clic.*

Comme certains autres programmes de ce chapitre, *Control.c* utilise également le module auxiliaire *EnumFold.C* avec sa fonction *EnumFolders()* pour examiner l'interface graphique. Ici le contenu des dossiers virtuels qui sont représentés par la constante *CSIDL_CONTROLS*. L'appel de EnumFolders() s'effectue dans la fonction *FillListWithControlApplets()* qui est appelée après le lancement du programme afin de charger la *List-View* dans la boîte de dialogue avec les noms des Panneaux de configuration et leurs icônes.

Les icônes sont ici extraites de la liste des images du système dans laquelle le Shell conserve les icônes des éléments apparaissant sur le bureau. En conséquence, au début de *FillListWithControlApplets()*, on détermine tout d'abord les Handle de la liste des images du système pour les petites icônes (16x16) et des icônes normales (32x32). Les Handle sont ensuite attachés dans la *List-View* afin qu'elle tire les icônes à afficher des deux listes d'images.

L'appel de *EnumFolders()* n'a lieu qu'après en indiquant *EnumShellCallback()* comme fonction *Callback*, une fonction du même module qui est responsable du transfert de chacun des *Control-Applet* dans la *List-View* de la boîte de dialogue. Pour ce faire, l'index d'icône de chacun des *Applet* est déterminé en référence à la liste des images du système puis inséré avec le nom affiché en tant que nouvel élément dans la *List-View*. Le nouvel élément devient également un pointeur pointant sur un buffer attribué à l'intérieur de la fonction. Il enregistre l'ancien chemin qui sera nécessaire plus tard pour l'appel de CONTROL.EXE.

Cette mémoire sera libérée ultérieurement au sein de la procédure d'information ayant pour nom *DialogProc()* lorsque le programme sera terminé. Mais avant d'en arriver à ce niveau, la fonction veille à ce que l'utilisateur puisse lancer les Control-Applet à partir de la boîte de dialogue en y double-cliquant ou en appuyant sur le bouton *Lancer*.

La fonction *StartControlApplet()* qui assemble la ligne de commande pour appeler *CONTROL.EXE* à partir de l'élément sélectionné de la List-View et qui lance ensuite le programme avec *ShellExecute()*. Votre programme peut procéder exactement de la même façon sans qu'il soit nécessaire que l'utilisateur voit les différents *Control-Applet*. Mais peut-être voulez-vous appeler un *Applet* bien précis après que l'utilisateur ait choisi un menu ou lancé une autre action. Le programme *Control* vous fournit dans tous les cas l'accès adéquat.

Control.C

46.8. Boîte de dialogue pour ouvrir et enregistrer des fichiers

Depuis sa version 3, Windows dispose des fonctions *GetOpenFileName()* et *GetSaveFileName()* qui évitent au programmeur un travail inutile lors du codage des boîtes de dialogue destinées à ouvrir et à enregistrer des fichiers tout en standardisant leur aspect. La majorité des boîtes de dialogue pour l'ouverture et l'enregistrement des fichiers que l'on trouve dans les programmes commerciaux sont affichées à l'aide de ces fonctions.

Les anciennes fonctions Win16 existent également sous Windows 95 dans leur DLL originale appelée *COMMDLG.DLL*. Les versions Win32 du même nom qui ont été adaptées au modèle 32 bits et à quelques caractéristiques étendues de Windows 95 se trouvent dans le fichier *COMMDLG32.DLL*. L'utilisation des fonctions *GetOpenFileName()* et *GetSaveFileName()*, lesquelles sont traitées dans ce chapitre, est recommandée à tout ceux qui veulent éviter un travail superflu pour afficher les boîtes de dialogue correspondantes.

46.8.1. GetOpenFileName() et GetSaveFileName()

Comme le montrent les prototypes, les deux fonctions sont construites de la même façon et sont essentiellement commandées par une structure du type *OPENFILENAME* qui est initialisée par l'appelant et qui doit être transféré sur la fonction concernée par le biais d'un pointeur.

```
BOOL GetOpenFileName(      // Affichage de la boîte de dialogue Fichier Ouvrir
   LPOPENFILENAME lpofn    // Pointeur vers variable du type OPENFILENAME
   );
BOOL GetSaveFileName(      // Affichage de la boîte de dialogue Fichier Enregistrer
   LPOPENFILENAME lpsfn    // Pointeur vers variable du type OPENFILENAME
   );
```

Le résultat de la fonction, dans les deux cas, est TRUE si l'utilisateur quitte la boîte de dialogue avec *Ouvrir*, et FALSE s'il la referme avec *Annuler*.

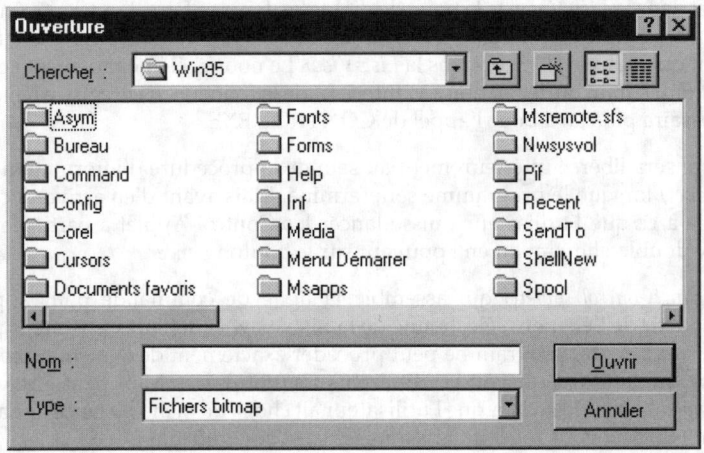

Aspect à l'écran des boîtes de dialogue communes pour ouvrir et enregistrer des fichiers

La structure *OPENFILENAME* détermine précisément la façon d'agir de chacune des fonctions. Nous allons aborder en détail chacun des champs, mais voyons tout d'abord quelques remarques fondamentales sur les possibilités des deux fonctions telles qu'elles se reflètent dans l'élaboration de la structure des données.

On attend toute une série de pointeurs vers des buffers qui ont été créés par l'appelant. Pour y recevoir les noms des fichiers sélectionnés, par exemple. Dès que la fonction doit enregistrer des données dans ces buffers, on attend un autre paramètre qui indique la taille du buffer pour que la fonction ne déborde pas dans la mémoire. Le champ *nMaxCustFilter* est ainsi adapté à *lpstrCustomFilter* et le champ *nMaxFile* à *lpstrFile*.

Lors de la description de chacun des champs, on parle généralement de "filtres". On entend par là les types de fichier prédéfinis apparaissant dans la ligne combinée du coin inférieur gauche de la boîte de dialogue. Leur contenu peut être précisé par l'appelant, ce qui permet à l'utilisateur de sélectionner des types de fichiers prédéfinis à l'aide de leur extension.

On parle également de *Callbacks* et de *Templates*, toutes deux des options avancées des deux fonctions que l'on utilise plutôt rarement, car elles servent à intervenir dans le déroulement interne de la boîte de dialogue. Les deux aspects seront examinés en détail au cours de ce chapitre.

```
typedef struct {
    DWORD           lStructSize;        // Taille de la structure en octets
    HWND            hwndOwner;          // Handle de la fenêtre du parent
    HINSTANCE       hInstance;          // Handle d'instances, seulement pour Templates
    LPCSTR          lpstrFilter;        // Pointeur vers chaîne avec filtre d'affichage
    LPSTR           lpstrCustomFilter;  // Pointeur vers filtre avec buffer sélectionné
    DWORD           nMaxCustFilter;     // Taille de ce buffer en octets
    DWORD           nFilterIndex;       // Indique ou interroge le filtre sélectionné
                                        // par l'utilisateur
    LPSTR           lpstrFile;          // Pointeur vers le buffer recevant le nom de
                                        // fichier sélectionné.
    DWORD           nMaxFile;           // Taille du buffer qui pointe sur lpstrFile
    LPSTR           lpstrFileTitle;     // Buffer qui reçoit en plus fichier&ext.
    DWORD           nMaxFileTitle;      // Taille du buffer dans lpstrFileTitle
    LPCSTR          lpstrInitialDir;    // Pointeur sur chaîne C avec répertoire de départ affiché
    LPCSTR          lpstrTitle;         // Pointeur sur chaîne C avec titre de la boîte de dialogue
    DWORD           Flags;              // Combinaison de constantes OFN
    WORD            nFileOffset;        // Offset sur nom de fichier dans lpstrFile
    WORD            nFileExtension;     // Offset sur extension lpstrFile
    LPCSTR          lpstrDefExt;        // Pointeur vers chaîne C avec extension par défaut
    LPARAM          lCustData;          // Valeur de LPARAM pour la fonction Callback
    LPOFNHOOKPROC   lpfnHook;           // Pointeur sur fonctions Callback
    LPCSTR          lpTemplateName;     // Pointeur vers nom Template sous forme de chaîne C
} OPENFILENAME, *LPOPENFILENAME;
```

Les index

La façon de travailler de la fonction est essentiellement définie par le champ Flags dans lequel l'appelant peut déposer une combinaison quelconque de constantes OFN disponibles à cet effet. Elles déterminent, par exemple, si l'utilisateur peut indiquer un chemin et un nom de fichier qui n'existent pas, s'il faut préparer un *Callback* ou s'il faut interdire la sélection des fichiers en lecture seule. Les deux fonctions disposaient déjà de la majorité de ces index dans les versions Win16. Des index supplémentaires ont été rajoutés dans la version Win32, ceux-ci tenant compte des fonctionnalités supplémentaires de Windows 95 et de son Shell.

Constante	Signification
OFN_EXPLORER	Convertit l'affichage de la boîte de dialogue de l'aspect courant sous Windows 3 en celui de l'explorateur sous Windows 95.
OFN_LONGNAMES	Si cet index n'est pas précisé, seuls les anciens noms de fichier au format 8.3 sont affichés. Les nouveaux noms de fichier longs ne sont pas affichés. Ceci ne s'applique que lorsque l'affichage ne prend pas l'aspect de l'Explorateur. Ce sont toujours les noms longs qui y sont affichés.
OFN_NOLONGNAMES	Opposé de OFN_LONGNAMES.
OFN_NODEREFERENCELINKS	Si l'utilisateur sélectionne un raccourci, la fonction retourne la cible du raccourci. Ceci signifie que le raccourci est lu automatiquement afin de déterminer sa cible. En indiquant cet index, on indique à la fonction de ne pas évaluer la cible du raccourci, mais de retourner à la place le nom et le chemin du fichier raccourci (le fichier LNK).

Constantes pour le champ OPENFILENAME.Flags en liaison avec les nouvelles caractéristiques de Win95.

La constante *OFN_EXPLORER* est ici très intéressante, celle-ci permettant aux deux boîtes de dialogue d'adopter l'apparence de l'Explorateur et d'avoir ainsi un aspect moderne.

Les versions 32 bits de **GetOpenFileName()** *et de*
GetSaveFileName() *permettent de prendre l'aspect de l'explorateur*

Voici un aperçu des autres index, et avant tout de l'index OFN_ALLOWMULTISELECT qui permet à l'utilisateur de sélectionner plusieurs fichiers dans un répertoire. Vous trouverez plus d'informations à ce sujet dans les paragraphes suivantes. Les différents index illustrent les possibilités que la fonction offre à l'utilisateur pour agir sur la sélection des fichiers et l'affichage des lecteurs et des répertoires.

Constante	Signification
OFN_ALLOWMULTISELECT	Permet à l'utilisateur de sélectionner plusieurs fichiers dans un répertoire. Voir paragraphe "Sélection multiple".
OFN_PATHMUSTEXIST	Le chemin indiqué doit exister sur le lecteur sélectionné, sinon l'utilisateur ne peut quitter la boîte de dialogue que par *Annuler*.
OFN_FILEMUSTEXIST	Le fichier indiqué doit exister, sinon l'utilisateur ne peut quitter la boîte de dialogue que par *Annuler*. Se réfère automatiquement à OFN_PATHMUSTEXIST.
OFN_CREATEPROMPT	Demande à l'utilisateur si le nouveau fichier doit être créé lorsqu'il indique le nom d'un fichier qui n'existe pas. Un nouveau fichier vide est créé avec le nom correspondant si l'utilisateur confirme la question. Cet index fait en même temps appel aux index OFN_PATHMUSTEXIST et OFN_FILEMUSTEXIST.
OFN_HIDEREADONLY	Incruste la case à cocher qui permet à l'utilisateur d'activer ou de désactiver l'affichage des fichiers à lecture seule.
OFN_NOCHANGEDIR	En passant d'un répertoire à l'autre, l'utilisateur ne sélectionne pas simplement le répertoire affiché dans la boîte de dialogue, mais le transforme en répertoire courant sur le lecteur correspondant. Lorsque cet index est indiqué, la fonction revient automatiquement sur le lecteur courant à la fin de la sélection.
OFN_NONETWORKBUTTON	Cet index incruste le bouton Réseau qui permet à l'utilisateur d'accéder à d'autres lecteurs du réseau.
OFN_NOREADONLYRETURN	L'utilisateur ne peut quitter la boîte de dialogue que par *Annuler* lorsqu'il indique un fichier qui est en lecture seule ou qui se trouve dans un répertoire protégé en écriture.

Constante	Signification
OFN_OVERWRITEPROMPT	Cet index ne joue un rôle que lors de l'appel de *GetSaveFileName()* et doit éviter que l'utilisateur remplace un fichier existant. S'il indique le nom d'un fichier existant, la fonction lui demande, avant de quitter la boîte de dialogue, s'il veut réellement remplacer le fichier. C'est seulement lorsque l'utilisateur répond par l'affirmative que la fonction revient à l'appelant. Sans cet index, elle se termine.
OFN_SHAREAWARE	En indiquant cet index, un appel de *GetOpenFileName()* retourne bien le nom du fichier, même si le fichier se trouve sur un lecteur du réseau et qu'il a été constaté lors d'une tentative d'accès que le fichier est protégé en lecture.
OFN_SHOWHELP	Affiche un bouton d'aide dans la boîte de dialogue. La condition est cependant que l'appelant ait indiqué son Handle de fenêtre dans OPENFILENAME.hWnd et non pas NULL.
OFN_ENABLEHOOK	Condition pour que la fonction appelle la fonction *Callback* de l'appelant à partir du champ *OPENFILENAME.lpfnHook* pendant l'affichage de la boîte de dialogue.
OFN_ENABLETEMPLATE	Permet d'insérer ses propres commandes dans la boîte de dialogue du dialogue courant. (voir section "Extension du dialogue courant")

Index standard pour le champ OPENFILENAME.Flags

Les autres paramètres de la structure OPENFILENAME

Mais les index ne sont pas les seuls champs dans OPENFILENAME qui déterminent l'exécution de la fonction. Voici les autres paramètres.

lStructSize

Taille de la structure ; doit être initialisée avec *sizeof(OPENFILENAME)*.

hwndOwner

Handle de la fenêtre du parent, afin que celle-ci ne puisse pas être activée par l'utilisateur pendant l'affichage de la boîte de dialogue.

hInstance

Le Handle de l'instance de l'application ou la DLL dans laquelle se trouve le Template pour l'extension du dialogue courant. N'est nécessaire que si OFN_ENABLETEMPLATE est indiqué dans *Flags*.

lpstrFilter

Pointeur vers plusieurs chaînes C rattachées les unes aux autres qui se terminent à chaque fois par l'octet NUL à la fin d'une chaîne et qui définissent ainsi le filtre. Il s'agit des éléments qui apparaissent dans la ligne *Types de fichier* dans le coin inférieur gauche de la boîte de dialogue. Par exemple "Fichier texte *.txt" ou "Document Word *.doc". L'utilisateur s'en sert pour sélectionner les fichiers qui doivent être affichés dans le répertoire courant. L'appelant peut ainsi fournir à l'utilisateur des indications sur les fichiers qui peuvent être traités par le programme en question.

A l'intérieur du buffer, pointé vers *pstrFilter*, chaque filtre doit être décrit par deux chaînes C. La première indique le type de fichier, par exemple "Fichier texte", "Fichier make" ou similaire. La deuxième chaîne contient le masque (le filtre proprement dit) du nom de fichier : "*.mak",

"*.doc", etc. Il est possible de combiner plusieurs de ces extensions dans une même chaîne en les séparant par un point-virgule ("*.A;*.B;*.C").

On peut indiquer plusieurs de ces associations. Pour signaler la fin de la liste, la dernière association valide doit être suivie de deux chaînes vides, c'est à dire deux octets NUL.

lpstrCustomFilter

Ce paramètre pointe sur un buffer dans lequel la fonction *CommonDialog* dépose la saisie effectuée par l'utilisateur par rapport au filtre lors de la fermeture de la boîte de dialogue. En plus d'un filtre prédéfini dans la ligne inférieure gauche, l'utilisateur a aussi la possibilité d'effectuer une saisie manuelle. Si on veut conserver cette saisie pour la réutiliser au prochain affichage de la boîte de dialogue, il faut indiquer pour *lpstrCustomFilter* un pointeur vers le buffer prévu à cet effet. Celui-ci doit disposer au moins de 40 caractères.

nMaxCustFilter

Indique la taille du buffer sur lequel pointe *lpstrCustomFilter*. 0 si on indique NULL pour *lpstrCustomFilter*.

nFilterIndex

Avant d'appeler la fonction, l'appelant peut ici indiquer le filtre avec lequel doit commencer l'affichage. Le champ de saisie "Nom du fichier" contient alors le filtre correspondant et seuls seront affichés les fichiers du répertoire qui correspondent à ce filtre. Les filtres sont ici comptées à partir de 1, la valeur 1 activant ainsi le premier filtre, 2 le deuxième, etc. Si l'on indique ici 0, aucun filtre n'est alors défini et l'exécution de la fonction dépend alors de la valeur contenue dans *lpstrCustomFilter*. Si *lpstrCustomFilter* contient une chaîne (lpstrCustomFilter <> NULL), le filtre initial se réfère à cette chaîne et les noms de fichier correspondants sont affichés dans le ligne de sélection des fichiers. Mais si *lpstrCustomFilter* a la valeur NULL, la fonction consulte alors *lpstrFilter*. Si ce champ est également NULL, aucun nom de fichier n'est alors prédéfini et la ligne de sélection des fichier reste vide. Mais si *lpstrFilter* contient une chaîne, le premier filtre qui y est rencontré est alors automatiquement pris comme nom de fichier.

Après l'appel de la fonction, ce champ contient le numéro du filtre choisi par l'utilisateur, dans la mesure où il en sélectionné un. Le cas contraire, la valeur dans ce champ est 0.

lpstrFile

Ce pointeur pointe sur le buffer dans lequel la fonction dépose le nom de fichier sélectionné par l'utilisateur, y compris la désignation du lecteur et du chemin, sous la forme d'une chaîne C. La taille minimale du buffer doit être de MAX_PATH caractères. Avant l'appel, il doit être chargé soit par une chaîne vide (premier octet NUL), soit par une chaîne qui sera présentée à l'utilisateur comme présélection.

nMaxFile

Le nombre de caractères que peut contenir le buffer sur lequel pointe *lpstrFile*.

lpstrFileTitle

La fonction enregistre ici, sur demande, le nom de fichier sélectionné avec son extension, mais sans la désignation du lecteur et du chemin. Ceci seulement si on n'indique pas ici NULL.

nMaxFileTitle

Le nombre de caractères que peut contenir le buffer sur lequel pointe *lpstrFileTitle*. Si on y indique NULL, le nombre de caractères sera également 0.

lpstrInitialDir

Si l'affichage doit commencer par un répertoire précis, on indique ici un pointeur vers une chaîne C qui contient, avant l'appel de la fonction, le chemin et éventuellement le lecteur du répertoire souhaité. Si le répertoire courant doit être affiché avec le chemin courant, il faut ici indiquer NULL.

lpstrTitle

On peut ici indiquer un pointeur vers la chaîne C qui sera affichée comme titre de la boîte de dialogue. Il ne se passe rien si on indique NULL. C'est alors le titre correspondant à la version de pays de COMMDLG32.DLL qui apparaît, *Enregistrer sous* ou *Ouvrir* en France.

Flags

Une combinaison des constantes *OFN* mentionnées ci-dessus.

nFileOffset

Après l'appel de la fonction, on retrouve ici un *Offset* sur le début du nom de fichier à l'intérieur des chaînes indiquant le lecteur, le chemin et le nom du fichier retournée dans *lpstrFile*. Si on y trouve, par exemple, "d:\cdrom\docs\fichier.doc", *nFileOffset* contient alors la valeur 14, la position *Offset* de "fichier.doc" au sein de la chaîne globale. Ce champ permet ainsi de déterminer très facilement le nom de fichier sélectionné à partir de la chaîne globale.

nFileExtension

nFileExtension utilise le même schéma que *nFileOffset*. Il permet de filtrer l'extension du nom de fichier dans la chaîne.

lpstrDefExt

Ce pointeur permet à l'appelant de définir une extension de fichier par défaut avant l'appel, celle-ci sera alors rattaché au nom de fichier indiqué par l'utilisateur lorsque celui-ci n'indique pas d'extension de fichier explicite.

lCustData

Ce paramètre peut s'avérer utile lorsqu'on indique dans *lpfnHook* une fonction *Callback* qui doit permettre d'intervenir sur les événement à l'intérieur de la boîte de dialogue. Il représente un paramètre long (*LPARAM*) qui sera transféré par la fonction *Callback* dans son *lparam* lors de l'émission d'un message WM_INITDIALOG. Il est ainsi possible d'établir une liaison entre l'appelant de la fonction et le code de la fonction *Callback* appelée.

lpfnHook

Le pointeur *Callback* proprement dit qui pointe vers la fonction par le biais de laquelle l'appelant veut accéder au traitement des messages du dialogue standard. La définition détaillée d'une telle fonction *Callback* se trouve dans le paragraphe "Extension du dialogue courant". La fonction ne tient compte de ce champ que lorsque la constante OFN_ENABLEHOOK est définie dans *Flags*. Le cas contraire, le contenu de ce champ est ignoré.

lpTemplateName

Vous pouvez ici indiquer un pointeur vers une chaîne C contenant le nom d'une boîte de dialogue ou son ID. Voir à ce sujet le paragraphe "Extension du dialogue courant".

46.8.2.   Sélection de plusieurs fichiers

Si vous indiquez l'index OFN_MULTISELECT pour permettre à l'utilisateur la sélection simultanée de plusieurs fichiers, les fichiers sélectionnés sont retournés dans un format particulier dans le buffer indiqué par *OPENFILENAME.lpstrFile*. Du fait que tous les fichiers sélectionnés doivent provenir d'un seul et même répertoire, c'est le répertoire sélectionné avec son lecteur correspondant qui est mentionné en premier. Le buffer contient ensuite un espace, puis le nom du premier fichier sélectionné avec son extension, ensuite à nouveau un espace, le nom du fichier suivant etc. Le nom du dernier fichier sélectionné n'est plus suivi d'un espace, mais par un octet NUL qui termine la chaîne. La condition à un retour correct de tous les noms de fichier est, bien évidemment, que le buffer indiqué dans *OPENFILENAME.lpstrFile* ait une taille en conséquence. Et ce, surtout si l'on indique *OFN_EXPLORER* ou *OFN_LONGNAMES*, et que ce sont des noms de fichier longs qui sont retournés.

La structure du buffer, il est vrai, reste identique en indiquant *OFN_EXPLORER*, mais les noms de fichier et leur chemin ne sont pas séparés par des espaces, mais par un octet NUL. En effet, les noms de fichier longs peuvent également contenir des espaces, ce qui perturberait fortement l'interprétation de la chaîne. En conséquence, les noms de fichier sont chacun contenus dans leur propre chaîne. Le dernier nom de fichier est alors suivi par une chaîne vide composée d'un octet NUL. La fin du buffer est donc composée de deux octets NUL successifs. L'un d'entre eux qui termine le dernier nom de fichier et l'autre qui correspond à une chaîne vide qui marque la fin de la liste.

46.8.3.   Extension du dialogue courant

Lors de l'affichage des boîtes de dialogue du type Explorateur (index *OFN_EXPLORER*), il existe la possibilité d'étendre la boîte de dialogue courante avec ses propres champs qui sont en principe fixés sous les éléments du dialogue courant et qui ne doivent pas dépasser la largeur de la boîte de dialogue. Un appelant a ainsi la possibilité d'insérer d'autres commandes dans une telle boîte de dialogue. Il peut s'agir de boutons, par exemple, qui permettent à l'utilisateur de déclencher d'autres actions à l'intérieur de la boîte de dialogue en fonction des fichiers sélectionnés. Ou une case à cocher qui permet à l'utilisateur de définir des options de traitement du fichier sélectionné par son programme.

Pour ce faire, il faut impérativement mettre la constante OFN_ENABLETEMPLATE dans *OPENFILENAME.Flags* avant d'appeler la fonction. En plus de cela, il faut charger les deux champs *OPENFILENAME.hInstance* et *OPENFILENAME.lpTemplateName* afin que la fonction charge les ressources de dialogue souhaitées et puisse insérer les commandes qui s'y trouvent dans le dialogue courant. *hInstance* indique tout d'abord à la fonction le module dans lequel se trouvent les ressources du dialogue. Dans le programme courant ou dans des DLL qu'elle aura chargé. On indique ensuite, par le biais de *lpTemplateName*, un pointeur approprié vers une chaîne C qui contient le nom de la ressource du dialogue. La dénomination des ressources par une chaîne est cependant une option qui est rarement utilisée. En conséquence, vous préférerez certainement indiquer l'ID du dialogue de la ressource de dialogue à la place de la chaîne. Vous pouvez utiliser à cet effet les macros *MAKEINTRESSOURCE* (dans *WINUSER.H*) qui prennent en compte l'ID du dialogue et qui la case dans le pointeur de chaîne nécessaire. La fonction de dialogue courant peut différencier les deux types d'information, car les ID ne sont jamais supérieurs à 64 Ko alors que la position d'une chaîne dans la mémoire ne commence jamais avant 4 Mo (l'adresse de chargement pour le programme).

Il est vrai qu'en indiquant la ressource du dialogue, le champ qu'elle contient est incrusté dans la boîte de dialogue courante, mais cela ne nous apporte pas grand chose car son contenu - et donc le choix de l'utilisateur - est perdu lors de la fermeture de la boîte de dialogue. En conséquence, il faut avoir la possibilité de réagir aux sélections de l'utilisateur directement à l'intérieur de la boîte de dialogue. Le *Callback* indiqué dans le champ *OPENFILENAME.lpfnHook* est prévu à cet effet. Il offre à l'appelant la possibilité de participer au flux des informations à l'intérieur de la boîte de dialogue, et donc de réagir aux événements provoqués par l'utilisateur. En cliquant sur une case à cocher, par exemple, pour conserver son contenu actuel dans une variable globale et pour pouvoir ensuite en disposer après la fermeture de la boîte de dialogue et le retour de *GetOpenFileName()* ou *GetSaveFileName()*.

Mais pour que la fonction *Callback* soit appelée, il faut toujours mettre la constante *OFN_ENA-BLEHOOK* dans *OPENFILENAME.flags*. Sans cet index, le paramétrage de *OPENFILE-NAME.lpfnHook* est inutile. Le pointeur de fonction indiqué dans *OPENFILENAME.lpfnHook* doit être du type *LPOFNHOOKPROC* qui est défini ci-après.

```
UINT (APIENTRY *LPOFNHOOKPROC) (HWND, UINT, WPARAM, LPARAM);
```

Les arguments obtenus par la fonction sont les paramètres courants d'une procédure d'information, c'est à dire tout d'abord le Handle de la fenêtre concernée, ensuite le code d'information proprement dit et finalement les fameux *wParam* et *lParam* contenant les informations supplémentaires. La fonction *Callback* joue ici le rôle d'un crochet avec lequel on surveille le trafic des informations sans être obligé de traiter chacune des informations. Il est toutefois possible de supprimer des informations du flux des informations pour qu'elles ne soient pas traitées par la boîte de dialogue. Ceci est déterminé par la valeur retournée de la fonction *Callback*. Si celle-ci est 0, l'information est traitée de la façon habituelle, elle sera par contre ignorée si la valeur retournée est différente de 0.

Une liaison peut être établie entre l'appelant de *GetOpenFileName()* ou de GetSaveFileName() et la fonction Callback par le biais des paramètres *OPENFILENAME.lCustData* comme le montre l'exemple de programme suivant.

46.8.4. Exemple de programme

Nous vous avons préparé le programme *OpenSave.C* qui est un exemple d'utilisation et d'extension du dialogue courant destiné à ouvrir et à enregistrer des fichiers. Vous le trouverez avec les fichiers MAK correspondants.

Pour donner à l'appel du dialogue courant un cadre significatif, le programme contient un petit éditeur de texte qui comporte en son centre une zone de texte *Multiline* destinée à charger et à éditer les fichiers chargés.

Le menu *Fichier* donne à l'utilisateur accès aux commandes *Ouvrir*, *Enregistrer* et *Enregistrer sous*. Elles utilisent les deux fonctions *GetOpenFileName()* et *GetSaveFileName()* qui permettent à l'utilisateur de sélectionner les fichiers souhaités.

Les boîtes de dialogue sont ici affichées avec l'aspect de l'Explorateur. Avec *Enregistrer* et *Enregistrer sous*, la boîte de dialogue courante est étendue avec un *Template* propre qui est issu du fichier de ressources du projet (*OpenSave.rc*) dans lequel il se trouve sous l'ID *IDD_SAVEEXTENSION*. Vous trouverez le code correspondant pour afficher cette boîte de dialogue dans le module *OpenSave.C* de la fonction *SaveEditToFile()*. La fonction *Callback* qui y est utilisée est *SaveDlgExtension()*.

SaveDlgExtension() a pour tâche de surveiller les saisies de l'utilisateur dans le champ *ajouter aux documents*, lequel est rajouté au dialogue courant dans le cadre du *Template*. Ce champ offre à l'utilisateur la possibilité d'insérer le fichier enregistré dans la liste des derniers documents utilisés du menu *Démarrer* du Bureau, et ce pendant qu'il se trouve encore dans la boîte de dialogue. Pour ce faire, *OpenSave.C* doit appeler la fonction API du Shell *SHAddToRecentDocs()* qui crée un raccourci vers le document concerné et l'enregistre à l'endroit correspondant du disque dur afin qu'il apparaisse dans le menu *Démarrer* du Bureau.

L'appel de *SHAddToRecentDocs()* n'a cependant pas lieu à l'intérieur du *Callback* lui-même, mais après avoir refermé la boîte de dialogue et le retour à l'appelant, dans la fonction *SaveEditoTo-File()*. En conséquence, la fonction doit travailler en étroite collaboration avec la fonction *Callback* afin que la sélection de l'utilisateur dans le champ *ajouter aux documents* ne soit pas perdue lors de la fermeture du dialogue courant. Il est, bien évidemment, possible d'utiliser ici une variable globale, mais une solution plus souple a été choisie à des fins de démonstration.

SaveEditoToFile() déclare une variable globale appelée *bAddToRecentDocs*, laquelle doit être chargée avec True ou False selon la sélection de l'utilisateur.

Mais pour ce faire, cette fonction doit tout d'abord connaître l'adresse de cette variable. Celle-ci est donc transmise à la fonction *GetSaveFileName()* dans le paramètre *OPENFILENAME.lCust-Data*. La fonction *Callback*, en obtenant une information *WM_INITDIALOG*, reçoit ainsi ce paramètre comme *lParam* de l'information.

Elle le mémorise dans la variable locale statique *pbAddToRecentDocs* pour pouvoir en disposer lorsqu'elle reçoit d'autres informations. La fonction *Callback* dispose ainsi d'un accès permanent à la variable *bAddToRecentDocs* de la fonction *SaveEditoToFile()*. Ceci, bien évidemment, jusqu'à ce que cette fonction soit terminée et que ses variables locales soient à nouveau effacées.

La fonction *Callback* elle non plus ne sera alors plus sollicitée, car il faudra tout d'abord refermer le dialogue courant avant que la fonction API *GetSaveFileName()* ne revienne dans la fonction *SaveEditoToFile()*.

Le champ *ajouter aux documents* est initialisé directement par le biais du pointeur vers la variable avec l'ID *IDC_ADDTORECENTDOCS* lors de l'obtention de l'information *WM_INITDIALOG*, et ce avec la valeur que *SaveEditToFile()* a placé dans sa variable locale.

Après l'initialisation de la fonction *Callback*, la suite des opérations concerne avant tout les informations *WM_COMMAND* par rapport à la commande *IDC_ADDTORECENTDOCS*. Dès que l'utilisateur modifie le paramètre de la case à cocher, la nouvelle sélection apparaît dans la variable locale de *SaveEditToFile()*. Le dernier paramètre valide est ainsi conservé après la fermeture du dialogue courant est peut être utilisé par *SaveEditToFile()* pour décider si SHAddToRecentDocs() doit être appelé ou non pour le fichier.

OpenSave.c

46.9. Glisser/déplacer à partir du Bureau

A proximité du Bureau, il y a toujours un risque pour que l'utilisateur vienne déposer involontairement des fichiers en provenance du Bureau ou de ses dossiers dans la fenêtre d'une application par le biais d'un *glisser/déplacer (Drag and Drop)*. De nombreuses applications n'en ont aucune utilité et le Shell interdit donc formellement que l'utilisateur puisse venir déposer un fichier sur une telle application. Les applications compatibles, par contre, doivent explicitement signaler leur aptitude au Shell. C'est alors seulement que l'utilisateur sera en mesure d'y glisser et d'y déposer des fichiers.

Ce chapitre traite des différentes fonctions API qui interviennent dans le concept *Drag and Drop* et montre de quelle façon une application peut prendre en compte des fichiers de cette façon pour, par exemple, afficher les données qui y sont contenues, effectuer certaines opérations sur ces fichiers ou tout simplement les enregistrer dans le cadre du document courant.

Nous allons ici nous concentrer sur l'une des deux manières de mettre en oeuvre le *glisser./déplacer*, à savoir celle qui fait appel aux informations Windows telle qu'elle existait déjà dans les versions précédentes de Windows. A la différence près que sous Windows 3, c'était du Gestionnaire de fichiers qu'étaient extraits les fichiers, alors qu'il s'agit ici du *Bureau* avec ses icônes et ses dossiers ou de l'*Explorateur* qui représente le point de départ pour l'opération Drag and Drop. En plus de cette méthode qui fait appel aux API Win32, la spécification OLE comporte elle aussi une interface *Drag and Drop* spéciale pour les objets OLE, laquelle demande cependant une manipulation totalement différente et qui est beaucoup plus laborieuse à mettre en oeuvre. Nous allons donc nous concentrer sur le mécanisme traditionnel qui vous permet, avec quelques manipulations, de rendre vos applications compatibles *Drag and Drop*.

46.9.1. Travailler avec les fonctions Drag

Tout travail commence par l'appel de la fonction *DragAccept()* qui doit avoir lieu dès l'initialisation d'une application. Le Shell est ainsi formellement informé que l'application peut contenir la cible d'une opération *Drag and Drop*. Cette fonction doit à nouveau être appelée avant de quitter l'application afin d'annuler la disponibilité à la réception de fichiers. Les différentes fonctions *Drag* sont contenues dans le fichier *SHELL32.DLL* et sont définies dans le fichier Include *SHELLAPI.H*.

Fonction	Tâche
DragAccept	Indique qu'une application est une cible Drop ou évite de déposer des fichiers supplémentaires dans la fenêtre d'une application.
DragQueryFiles	Fournit le nom du fichier déposé.
DragQueryPoint	Fournit les coordonnées de la fenêtre dans laquelle ont été déposés les fichiers.
DragFinish	Indique au Shell que tous les fichiers déposés ont été pris en compte et que l'opération Drop est ainsi terminée.

Les fonctions Drag dans Win32-API

En plus de l'index *fAccept* qui indique la disponibilité à recevoir des fichiers, le premier paramètre attendu par la fonction *DragAcceptFiles()* est le Handle de la fenêtre de l'application concernée.

```
VOID DragAcceptFiles(        // Activer/désactiver réception fichiers par Drag&Drop
    HWND hWnd,               // Handle de la fenêtre d'application concernée
    BOOL fAccept             // TRUE = Drag&Drop autorisé, FALSE = non
);
```

Le fait que l'on n'attend pas ici le Handle de traitement ou d'instance de l'application concernée montre bien que *Drag and Drop* n'agit pas au niveau du traitement, mais au niveau de la fenêtre. En réalité, une application est informée du dépôt de fichiers dans sa fenêtre avec *Drag and Drop* par une information correspondante dans la procédure d'information de la fenêtre en question. L'information s'appelle *WM_DROPFILES*.

Lors de la réception de cette information, le paramètre d'information *wparam* contient une valeur du type *HDROP* qui représente un Handle pour l'interrogation des fichiers déposés. Cette valeur est indiquée à la fonction *DragQueryFile()* lors d'un appel afin de déterminer les noms des fichiers déposés.

```
UINT DragQueryFile (         // Lire les noms des fichiers déposés
   HDROP  hdrop  ,           // Handle Drop de WM_DROPFILES.wparam
   UNIT   iFile,             // Numéro du fichier déposé qui est ici interrogé
   LPTSTR lpszFile           // Pointeur vers buffer nom de fichier sous forme de chaîne C
  );
```

Un seul nom de fichier peut être déterminé à chaque appel de cette fonction, celle-ci devant donc être appelée plusieurs fois si l'on dépose plusieurs fichiers. Le nombre d'appels nécessaire est connu en faisant appel à *DragQueryFile()* où on indique la valeur 0xFFFFFFFF pour le paramètre *iFile*. Ceci demande à la fonction de ne pas déterminer le nom d'un fichier, mais de fournir le nombre de fichiers déposés. On sait ainsi combien de fois il est nécessaire d'appeler *DragQueryFile()* pour connaître les noms des fichiers déposés.

On commence ici en donnant à *iFile* la valeur 0 afin de déterminer le nom du premier fichier et on incrémente ensuite *iFile* au prochain appel jusqu'à ce que tous les noms de fichier aient été déterminés. Dans *lpszFile*, il faut toujours indiquer le nom d'un buffer qui doit avoir une taille minimale de *MAX_PATH* caractères afin de pouvoir également accepter les noms de fichier longs. Il est ici recommandé d'agir avec prudence, car la fonction ne conserve pas la taille du buffer par le biais d'un paramètre dédié.

Il est tout de même possible de déterminer la taille du buffer à l'avance en appelant effectivement la fonction avec la valeur souhaitée dans *iFile*, mais en indiquant NULL dans *lpszFile*. Dans ce cas, la fonction ne retourne que la longueur du nom de fichier.

Si le buffer dispose de la longueur correspondante (plus un octet pour l'octet NUL final), il ne peut plus y avoir de problème lors de l'appel d'une adresse réelle du buffer. Dans ce cas, le résultat de la fonction est le nombre de caractères qui ont été copiés par la fonction dans le buffer et donc la longueur du nom de fichier.

On n'obtient donc pas le contenu du fichier, mais seulement son nom. Si on veut accéder à son contenu, il faut ouvrir les fichiers de la façon habituelle pour ensuite les lire.

Si, en plus de cela, on veut définir la position à laquelle l'utilisateur a déposé les fichiers pour déterminer, par exemple, s'il les a déposé dans une zone précise ou sur un élément de dialogue particulier, on peut utiliser la fonction *DragQueryPopint()*. Contrairement à *DragQueryPoint()*, celle-ci ne doit être appelée qu'une seule fois indépendamment du nombre de fichiers, car tous les fichiers ont été déposés en un seul et même point.

```
BOOL DragQueryPoint (        // Interroger les coordonnées du point de dépôt
   HDROP  hdrop,             // Handle Drop de WM_DROPFILES.wparam
   LPPOINT lppt              // Adresse d'une structure LPPOINT qui doit recevoir les coordonnnées.
  );
```

Le point précis est déterminé par le biais d'une structure du type *POINT* dont l'adresse doit être indiquée par l'appelant dans le paramètre *lppt*. Le résultat retourné par la fonction est TRUE lorsque le dépôt a effectivement eu lieu dans la zone client de l'appelant concerné.

Finalement, après la prise en compte de tous les fichiers, il faut appeler la fonction *DragFinish()* qui indique à l'application la fin de l'opération *Drag*. Le Shell a alors la possibilité de libérer à nouveau les ressources internes réservées à l'opération *Drop*, notamment la mémoire dans laquelle étaient inscrits les noms des différents fichiers. C'est la raison pour laquelle le *Handle Drop* issu de l'information *WM_DROPFILES* originelle doit à nouveau être transmis à la fonction.

```
BOOL DragFinish (              // Ferme l'opération Drop du point de vue d'une application
    HDROP   hdrop,            // Handle Drop de WM_DROPFILES.wparam
);
```

46.9.2.   Exemple de programme

Le programme *DragDrop.C* illustre de quelle façon vous pouvez prendre en compte des fichiers dans vos programmes par le biais de *Drag and Drop*. *DragDrop* est un petit programme qui affiche une boîte de dialogue lorsqu'il est lancé (*IDD_DIALOG*). La zone de liste *IDC_DRAGLIST* se trouve au centre de celle-ci. Le programme y inscrit le nom de tous les fichiers qu'il peut recevoir de l'Explorateur, du Bureau ou d'une autre application par le biais de *Drag and Drop*.

Le programme DragDrop illustre la prise en compte de fichiers avec Drag and Drop.

Ceci est possible car, lors de l'obtention de l'information *WM_INITDIALOG*, c'est *Drag and Drop* qui a été activé en premier par la fonction *DragAcceptFiles()* dans *DlgProc()*, la procédure d'information de la boîte de dialogue. Lors des prochaines réceptions d'une information *WM_DROPFILES*, les fichiers déposés sont identifiés par le biais de *DragQueryFile()* et leur nom est inséré dans la zone de liste. Le programme démontre que l'intégration des opérations de glisser/déplacer dans vos propres programmes demande peu de travail, mais qu'elle apporte beaucoup à l'utilisateur.

DRAGDROP.C

46.10. Zone d'information de la barre des tâches

La Barre des tâches fait elle aussi partie du Bureau et est créée et gérée par lui. En conséquence, l'accès à la Barre des tâches par d'autres programmes est le plus souvent interdit. A une exception près : ce que l'on appelle la *Zone d'information* de la Barre des tâches (TNA pour *Taskbar Notification Area*). Il s'agit de la zone qui se trouve sur le bord droit ou inférieur de la Barre des tâches, à côté de l'horloge, dans laquelle apparaissent de petites icônes, celle de l'imprimante par exemple. On peut y insérer une application que l'on utilisera en cliquant sur l'icône. Une possibilité très intéressante qui sera très certainement utilisée par de nombreux programmes. Celui qui veut rester actif en arrière plan pour afficher son état en permanence ou qui recherche la possibilité d'être appelé par l'utilisateur sur le bureau sans effort important et, surtout, sans icône de programme, sera parfaitement à son aise dans la Zone d'information de la Barre des tâches.

🏁 Démarrer	📰 Microsoft Word - Shel...		📢 💾 🖨 18:33

La TNA se trouve à l'extrémité droite de la Barre des tâches

46.10.1. Accès à la TNA

Après les laborieuses manipulations OLE avec les raccourcis et les dossiers du Shell, l'accès à la TNA semble on ne peut plus simple. Le seul travail consiste à envoyer à la Barre des tâches une information parmi trois à l'aide de la fonction *Shell_NotifyIcon()* déclarée dans *SHELLA-PI.H*. Les informations sont représentées par des constantes *NIM* et correspondent chacune à une opération de base parmi trois. Dans le sens inverse, la Barre des tâches fournit à une application toutes les informations sur les actions de la souris qui ont été initiées par l'utilisateur dans la zone de l'icône, et ce, qu'il s'agisse du déplacement de la souris (*WM_MOUSEMOVE*) ou de l'action de cliquer sur l'icône (*WM_LBUTTONDOWN* ou *WM_RBUTTONDOWN*). Il s'agit du canal de retour par le biais duquel l'application peut réagir aux actions de l'utilisateur. Nous y reviendrons dans le paragraphe suivant. Jetons tout d'abord un coup d'oeil aux informations qu'une application envoie à la Barre des tâches par le biais de *Shell_NotifyIcon()*.

Constante	Signification
NIM_ADD	Accepter une nouvelle icône dans la TNA.
NIM_MODIFY	Modifier les attributs d'une icône déjà affichée.
NIM_DELETE	Supprimer une icône.

Informations à la Zone d'information de la barre des tâches

Mais l'information seule ne suffit pas à transmettre à la fonction toutes les indications nécessaires. En conséquence, en appelant *Shell_NotifyIcon()*, l'information *NIM* accompagne toujours une structure du type *NOTIFYICONDATA*. Elle fournit à la Barre des tâches les informations nécessaires à l'exécution de l'opération souhaitée.

```
BOOL Shell_NotifyIcon(
    DWORD          dwMessage,    // Une des constantes NIM
    PNOTIFYICONDATA lpData        // Pointeur vers variable NOTIFYICONDATA
    );
```

Le premier champ de la structure, *cbSize*, doit être initialisé immédiatement lors de la création de la structure avec *sizeof(NOTIFYICONDATA)*. La fonction utilise ce champ de façon habituelle pour s'assurer de la présence de tous les champs avant d'y accéder.

```
typedef struct {
    DWORD  cbSize;              // taille de(NOTIFYICONDATA)
    HWND   hWnd;                // Handle de fenêtre pour informations en retour
    UINT   uID;                 // ID quelconque choisi par l'appelant
    UINT   uFlags;              // Constantes NIF, indiquent les champs occupés
    UINT   uCallbackMessage;    // Un autre ID quelconque choisi par l'appelant
    HICON  hIcon;               // Handle de l'icône concernée
    CHAR   szTip[64];           // Chaîne C de max 64 c. pour Tooltip
} NOTIFYICONDATA, *PNOTIFYICONDATA;
```

Avec *hWnd* vous définissez la fenêtre qui doit recevoir l'information en retour de la Barre des tâches. Indiquez ici le Handle de la fenêtre de votre application ou d'une autre fenêtre dont la procédure d'information permet d'accéder aux informations correspondantes.

uID vient en aide à la Barre des tâches pour différencier plusieurs icônes d'un programme. Si l'on fait plusieurs fois appel à la fonction pour différentes icônes, on y insère d'abord des valeurs *uID* différentes dans leurs structures *NOTIFYICONDATA* pour les séparer les unes des autres.

uFlags sert à indiquer, par une combinaison de différentes constantes *NIF*, les champs de la structure qui ont été complétés avec des informations destinées à la Barre des tâches. La fonction reconnaît ainsi les attributs qu'elle doit relever dans la structure et définir pour chacune des icônes.

Constante	Signification
NIF_ICON	hIcon contient un Handle d'icône valide.
NIF_TIP	szTip contient le Tooltip à afficher.
NIF_MESSAGE	uCallBackMessage contient une information.

Informations vers la Zone d'information de la barre des tâches

Nous connaissons ainsi déjà la signification des trois champs restants : *hIcon* sert à transmettre le Handle de l'icône concernée qui doit avoir une taille de 16x16 point, *szTip* peut contenir une chaîne C d'une longueur maximale de 63 caractères (plus l'octet NUL final). Ce texte est affiché lorsque l'utilisateur laisse le pointeur de la souris sur l'icône pendant quelques instants, mais sans cliquer sur l'icône. Et *uCallBackMessage* sert enfin à transmettre l'information qui est envoyée à la fenêtre de l'appelant lorsque des actions sont menées sur l'icône par la souris. Il est donc possible de définir automatiquement le code d'information sur lequel doit ensuite réagir la procédure d'information proprement dite. Ce qui est, bien évidemment, très pratique.

Cycle de vie d'une icône dans la Zone d'information de la Barre des tâches

Pour créer une nouvelle icône, il faut tout d'abord appeler *Shell_NotifyIcon()* avec une information *NIM_ADD*. Le résultat de la fonction permet de reconnaître si cela a fonctionné. Si l'un des différents attributs doit être modifié ultérieurement, il faut utiliser une nouvelle fois la structure préalablement initialisée *NOTIFYICONDATA* en combinaison avec l'information *NIM_MODI-*

FY. Il est ainsi possible de modifier l'icône, le texte *Tooltip* ainsi que l'information obtenue de la part des tâches en cas d'action de la souris. Il n'est pas nécessaire de modifier simultanément les trois attributs. Si l'on ne combine pas toutes les constantes *NIF* dans le champ *uFlags*, tous les attributs ne seront alors pas modifiés par la fonction.

La fin d'un cycle est marqué par l'émission d'une information *NIM_DELETE*, à nouveau en liaison avec la structure *NOTIFYICONDATA* déjà utilisée précédemment. L'icône est supprimée de la TNA est plus aucune information n'est alors envoyée à la fenêtre de l'appelant.

46.10.2. Le module auxiliaire Taskbar.c

Pour vous supprimer un maximum de travail lors de la manipulation de la TNA, nous vous avons élaboré un module auxiliaire appelé *Taskbar.C*. Il contient les routines nécessaires à la création d'une nouvelle icône dans la TNA, à la définition de ses propriétés et, finalement, à l'effacement de l'icône.

Taskbar.C

46.11. Raccourcis Internet sur le Bureau

Microsoft fournit un exemple de la puissance du concept des raccourcis dans une petite DLL appelée *URL.DLL*. Cette DLL permet de créer des raccourcis vers des pages HTML du WEB, des serveurs FTP et tous les autres éléments de Internet auxquels on peut accéder par le biais des URL (Uniform Resource Locator). En cliquant sur le raccourci, la liaison avec Internet est établie et l'élément correspondant est affiché, par exemple une page du *World Wide Web*. Du fait que ce type de raccourci peut être intégré sans problème sur le Bureau, ceci représente une possibilité fantastique pour tous les types de programmes que l'utilisateur veut emmener jusqu'à un site précis dans Internet.

Mais tout ceci ne fonctionne que si l'accès à Internet est déjà configuré sur la machine concernée. En plus de cela, le protocole Internet en question (FTP, HTTP etc.) doit être rattaché à un protocole serveur correspondant dans la *Base de registres*.

Les raccourcis Internet disposent d'une boîte de dialogue qui permet de configurer leurs propriétés (ce que l'on appelle la fiche de propriétés). Celle-ci permet de définir non seulement l'URL, mais également tous les autres paramètres qui définissent l'affichage de l'URL concernée.

46.11.1. Accès aux raccourcis Internet

Les raccourcis Internet représentent des objets possédant leur propre ID de catégorie et une interface OLE appelée *IUniformResourceLocator* qui permet de créer et de configurer les raccourcis Internet. En plus de cela, les raccourcis Internet font appel à l'interface *IPersistFile* qui permet de les enregistrer dans des fichiers et les y récupérer. L'interface standard des raccourcis, *IShellLink*, est également utilisée. En fait toutes les instructions de l'interface ne sont pas toutes utilisées, mais seulement celles qui sont justifiées en rapport avec un raccourci Internet.

L'interface C pour les objets *InternetShortcut* est définie dans le fichier Include *INTSHCUT.H*. On y trouve également la déclaration de leux variables externes contenant l'ID de catégorie et l'ID d'interface de l'objet *InternetShortcut*.

Les adresses de ces variables sont communiquées à la fonction OLE-API *CoCreateInstance()* afin d'obtenir un nouvel objet *InternetShortcut* et un pointeur d'interface vers son interface *IUniformResourceLocator*.

Ce pointeur d'interface permet non seulement d'accéder aux instructions de l'interface *IUniformResourceLocator*, mais l'instruction *QueryInterface()* qu'elle contient permet également de récupérer les pointeurs vers les interfaces supportées *IShellLink* et *IPersistFile*. Ces interfaces sont ensuite à nouveau libérées, tout comme le pointeur d'interface originel vers l'interface *IUniformResourceLocator*, par le biais de l'instruction *Release* contenue dans chaque interface. Mais restons-en pour l'instant à l'interface *IUniformResourceLocator* et à ses instructions.

IUniformResourceLocator::	Tâche
SetURL	Définit l'URL souhaité (cible du raccourci)..
GetURL	Supprime l'URL défini.
InvokeCommand	Affiche l'URL ou exécute une autre action.

Les instructions de IUniformResourceLocator

Les deux premières instructions interviennent sur l'attribut le plus important d'un raccourcis Internet, l'URL, sur lequel pointe le raccourci Internet. Comme toutes les instructions OLE, elles retournent un *HRESULT* qui peut être interrogé avec les macros *SUCCEEDED* et *ERROR*.

```
HRESULT SetURL(
    IUniformResourceLocator * This,
    PCSTR  pcszURL,          // Pointeur vers chaîne C contenant URL
    DWORD  dwInFlags         // Index IURL
    );
```

Pour définir un URL par le biais de l'instruction *SetURL*, il faut, en plus du pointeur *this* obligatoire, disposer de l'adresse d'une chaîne C contenant l'URL (*pcszUrl*), ainsi que d'un index. Celui-ci intervient toujours lorsque l'URL ne contient aucune indication de protocole, c'est à dire lorsqu'il ne commence pas par "HTTP" ou par "FTP". Il existe pour ce faire deux constantes dont le nom est on ne peut plus évocateur :

IURL_SETURL_FL_GUESS_PROTOCOL

Si aucun protocole Internet n'est indiqué dans l'URL, on essaie de déterminer le protocole correspondant à partir de l'URL. Si une page HTML y apparaît par exemple, on sait alors qu'il doit s'agir du protocole HTTP du World Wide Web. Si cet index n'est pas indiqué, la fonction n'essaie pas de retrouver le protocole manquant.

IURL_SETURL_FL_USE_DEFAULT_PROTOCOL

Le protocole standard HTTP est utilisé si aucun protocole Internet n'est indiqué.

ALL_IURL_SETURL_FLAGS

Regroupe les deux index ci-dessus.

Il n'est pas nécessaire d'utiliser autant de paramètres pour retrouver l'URL d'un raccourci Internet. En plus de *this*, il suffit d'indiquer ici l'adresse d'une variable dans laquelle la fonction dépose un pointeur vers une chaîne C contenant l'URL souhaité. La mémoire de ce buffer doit à nouveau être libérée par l'appelant lorsqu'elle est devenue inutile. La fonction *CoTaskMemFree()* issue de OLE-API peut servir à ça.

```
HRESULT GetURL(
    IUniformResourceLocator * This,
    PSTR *ppszURL                    // Adresse d'une variable contenant le pointeur vers buffer
    );
```

Si on veut exécuter un raccourci Internet à partir d'un programme, c'est à dire établir une liaison avec Internet et amener l'élément Internet correspondant à l'écran, il faut utiliser l'instruction *InvokeCommand*. Elle a le même effet qu'un double-clic de l'utilisateur sur le raccourci.

```
HRESULT InvokeCommand(
    IUniformResourceLocator   *This,
    PURLINVOKECOMMANDINFO    purlici   // Pointeur vers URLCOMMANDINFO
    );
```

L'exécution est essentiellement définie par une variable du type *URLCOMMANDINFO* dont l'adresse doit être indiquée par l'appelant dans le paramètre *purlici*. La structure est définie dans *INTSHCUT.H* et se présente de la façon suivante :

```
typedef struct {
    DWORD dwcbSize;                 // taille de(URLINVOKECOMMANDINFO )
    DWORD dwFlags;                  // un des index IURL
    HWND  hwndParent;               // Handle de la fenêtre du parent
    PCSTR pcszVerb;                 // Pointeur vers chaîne avec nom d'action
} URLINVOKECOMMANDINFO;
```

Le champ *dwcbSize* doit en principe être initialisé par l'appelant avec la taille de la structure, c'est à dire avec *sizeof(URLINVOKECOMMANDINFO)*. *dwFlags* peut contenir une combinaison des index suivants :

IURL_INVOKECOMMAND_FL_ALLOW_UI

Si cet index est absent, aucune boîte de dialogue n'est affichée en cas de problème lors de l'établissement d'une liaison (par exemple aucun serveur défini pour le protocole indiqué ou accès Internet provisoirement occupé), mais une erreur est immédiatement retournée. Si cet index est tout de même utilisé, une telle situation est signalée à l'utilisateur par l'affichage d'une boîte de dialogue correspondante qui permet d'éliminer le problème. L'instruction renvoie un erreur si ce n'est pas possible.

IURL_INVOKECOMMAND_FL_USE_DEFAULT_VERB

L'action standard (*open*) est appelée dans tous les cas si cet index est indiqué.

ALL_IURL_INVOKECOMMAND_FLAGS

Regroupe les deux index ci-dessus.

Les index sont suivis du paramètre *hwndParent* qui doit être chargé par l'appelant avec le Handle de sa fenêtre d'application. En fait seulement si on indique l'index *IURL_INVOKE-COMMAND_FL_ALLOW_UI*, car il sera alors éventuellement nécessaire de disposer d'une fenêtre parent pour l'affichage de boîtes de dialogue. SI cet index n'est pas utilisé, on peut indiquer 0 pour *hwndParent*.

pcszVerb ne devient nécessaire que si l'index *IURL_INVOKECOMMAND_FL_USE_DE-FAULT_VERB* n'est pas indiqué. Dans ce cas, l'appelant détermine l'action à effectuer sur le raccourci Internet par le biais d'une chaîne C contenant la commande souhaitée. L'adresse de cette chaîne est transmise dans *pcszVerb*. Elle peut contenir "ouvrir" ou une autre action qui sera effectuée dans le menu contextuel d'un raccourci Internet, par exemple "imprimer".

Ouvrir et enregistrer les raccourcis Internet

L'ouverture et l'enregistrement des raccourcis Internet sont réalisés par le biais des instructions de l'interface *IPersistFile* présentées précédemment. Si on n'indique aucune extension de fichier lors de l'appel de l'instruction *Load* et *Save* correspondante, le raccourci reçoit automatiquement l'extension *.URL*. C'est la condition à satisfaire pour que le système reconnaisse le raccourci Internet en tant que tel et que celui-ci puisse être traité par l'application serveur correspondante (URL.DLL).

46.11.2. Création automatique de raccourcis Internet

L'exemple de programme *URL.C* montre de quelle façon créer des raccourcis à partir d'un programme et comment les déposer sur le Bureau. Nous n'avons pas pris la peine ici de permettre à l'utilisateur de saisir ses propres URL, mais nous avons défini cinq URL fixes. Cinq raccourcis Internet apparaissent sur votre Bureau dès que vous lancez le programme. Sous réserve, bien sûr, que les fichiers système Internet sont bien installés. Si ce n'est pas le cas, une boîte de dialogue correspondante apparaît à l'écran.

La fonction *CreateInternetShortcut()* est au centre du listing suivant. Elle est appelée à partir du programme principal pour chaque raccourci Internet à créer. Elle attend comme argument, entre autres, la cible du raccourci (l'URL), ainsi que le nom et le chemin du fichier dans lequel doit être enregistré le raccourci Internet.

Pour que les raccourcis apparaissent sur le Bureau, la fonction de démarrage détermine tout d'abord l'emplacement du répertoire du Bureau par le biais de *SHGetSpecialFolderLocation()* et de *SHGetPathFromIDList()*

URL.C

46.11.3. L'interface IShellLink d'un objet InternetShortcut

Comme déjà indiqué, l'objet *InternetShortcut* fait également appel à l'interface *IShellLink*, bien qu'il n'utilise pas toutes les instructions. Seules sont utilisées celles qui permettent de définir et d'interroger les attributs, qui partagent les *InternetShortcuts* avec des raccourcis courants. Mais il est également possible de faire appel aux fonctions non utilisées, car l'élément concerné de *vTable* est entièrement initialisé avec un pointeur de code significatif. Il pointe cependant seulement sur une fonction de base qui ne fournit que le code d'erreur *E_NOTIMP*.

Les instructions mises en oeuvre se réfèrent en partie aux propriétés de la cible du raccourci (l'URL), mais aussi en partie sur le serveur de protocole concerné, c'est à dire l'application qui doit être lancée pour afficher les différents URL.

IShellLink::	Tâche
SetPath/GetPath	Fournit ou définit l'URL comme cible du raccourci. Correspond à l'appel de *IUniformResourceLocator::SetUrl* ou *::GetUrl()*.
SetDescription/GetDescription	Crée ou définit le chemin du fichier du raccourci Internet (*.URL*) sur le disque.
SetIconLocation/GetIconLocation	Définit ou crée l'origine de l'icône pour le raccourci Internet.
SetShowCmd/GetShowCmd	Fournit ou définit l'attribut qui détermine l'affichage de la fenêtre d'application du protocole concerné. Il est possible d'indiquer ici une constante standard *SW_NORMAL* etc.
SetWorkingDirectory /GetWorkingDirectory	Définit / crée le répertoire de travail du protocole concerné. Le répertoire d'enregistrement par défaut des fichiers.
SetArgument/ GetArguments	non utilisé
SetIDList /GetIDList	non utilisé
SetHotkey/GetHotKey	non utilisé
Resolve	non utilisé
SetRelativePath	non utilisé
Les instructions de **IShellLink** *faisant partie d'un objet* **InternetShortcut**.	

Ce qui est intéressant ici, c'est sans nul doute la possibilité d'attribuer une autre icône au raccourci Internet, ce qui est impossible par le biais de l'interface *IUniformResourceLocator*. C'est, en effet, la seule façon de donner à chaque raccourci Internet un aspect caractéristique et de le différencier de la masse des autres raccourcis Internet. Dans le programme *URL.C* précédent, vous trouverez une fonction appelée *SetInternetShortcutIcon()* qui réalise cette tâche.

46.12.   Le module auxiliaire ENUMFOLD.C

Toute une série d'exemples de programme de ce chapitre font appel au module *ENUMFOLD.C* lorsqu'ils doivent travailler avec des *PIDL* et examiner l'interface graphique. *ENUMFOLD* dispose à cet effet de quelques fonctions qui évitent bien du travail à l'appelant.

Fonction	Tâche
pidlNext	Fournit le pointeur vers l'identificateur d'élément suivant dans une liste d'identificateurs d'élément.
pidlGetSize	Fournit la taille d'une liste d'identificateurs d'élément complète.
pidlGetNumOfItems	Fournit le nombre d'identificateurs d'éléments dans une liste d'identificateurs d'élément.
pidlCreate	Crée un buffer destiné à recevoir une liste d'identificateurs d'éléments et l'initialise afin qu'il ne soit composé que d'une liste d'identificateurs d'élément vide.
pidlConcat	Accroche une liste d'identificateurs d'élément à une autre.
pidlClone	Crée une copie indépendante d'une liste d'identificateurs d'élément donnée.
Fonctions auxiliaires PIDL dans le module **ENUMFOLD.C**	

Les fonctions *PIDL* mentionnées viennent en aide lors de la manipulation des *PIDL*, par exemple lorsque l'on établit une liste d'identificateurs d'élément à partir d'éléments individuels ou lorsque l'on veut scinder une liste existante en parties individuelles. Il s'agit donc d'une espèce de "fonction de chaîne", mais seulement pour les PIDL.

Le module contient en plus de cela deux fonctions supplémentaires très utiles : *ExtractStrRet()* et *EnumFolders()*. La première évite la laborieuse conversion de la chaîne du nom de fichier telle qu'elle est fournie dans une structure *STRRET* par l'instruction *GetDisplayNameOf*. Il est inutile de se demander si la chaîne est fournie sous forme d'Offset, en Unicode ou quelque part dans le *PIDL*, car le nom de fichier indiqué dans *STRRET* est déjà converti et est fourni dans un buffer dédié sous la forme d'une chaîne C ANSI.

Fonction	Tâche
ExtractStrRet	Fournit une chaîne ANSI à partir de STRRET.
EnumFolders	Examine tous les objets dans un dossier et appelle à cet effet la fonction *Callback* de l'appelant.

Autres fonctions dans le module **ENUMFOLD.C**.

Une fonction qui est toujours nécessaire pour examiner l'interface graphique du Shell ou les dossier qu'elle contient est *EnumFolders()* à laquelle le module doit son nom. Cette fonction permet d'examiner un dossier dont les *PIDL* peuvent être déterminés avec la fonction *SHGetSpecialFolderLocation()*, c'est à dire tout le spectre du dossier ou de l'élément du bureau pour lequel il existe une constante *CSIDL*. Par exemple *CSIDL_DESKTOP* pour le bureau qui est la racine de tout le système, ou *CSIDL_FONTS* pour le dossier contenant les polices installées.

```
void EnumFolders(
    DWORD           dwFolderID,     // Constante CSIDL du dossier à examiner
    ENUMSHELLCALLBACK pESC,         // Pointeur vers fonction Callback
    DWORD           dwUser          // ID de l'appelant de Callback
    );
```

Le premier argument attendu par la fonction est l'une des constantes *CSIDL* qui identifie le dossier concerné. Vient ensuite un pointeur vers une fonction *Callback* du type *ENUMSHELLCALLBACK*. Ce pointeur représente son interface vers les dossiers et les objets fichier trouvés, car *EnumFolders()* transmet les objets trouvés en appelant cette fonction Callback.

Le fichier Include *ENUMFOLD.H* est déclaré dans le prototype. Vous devez l'intégrer dans votre programme pour accéder à la fonction *EnumFolders()*. La déclaration est la suivante :

```
typedef BOOL (* ENUMSHELLCALLBACK)(
    LPSHELLFOLDER lpFolder,         // Pointeur vers l'interface IShellFolder du parent
    PSTR          pszPath,          // Pointeur sur chemin et nom de fichier (si partie du système)
    PSTR          pszDisplayName,   // Pointeur vers nom affiché de l'objet
    DWORD         ulAttrib,         // Attribut SFGAO de l'objet
    DWORD         dwUser,           // Indiqué par l'appelant avec EnumFolders()
    LPITEMIDLIST  pidlPath,         // Liste d'Item-ID absolue
    LPITEMIDLIST  pidl,             // Identificateur d'élément de l'objet courant
    int           iLevel            // Niveau de recherche
    );
```

Le premier paramètre reçu par la fonction appelée est un pointeur vers l'interface *IShellFolder* de l'objet *ShellFolder* qui contient l'objet retourné. S'il s'agit ici d'un élément issu du système de gestion des fichiers qui est représenté sur l'interface graphique du Shell, le paramètre *pszPath* contient alors un pointeur vers le chemin et le nom de fichier complet sous la forme d'une chaîne C.

Vient ensuite le nom affiché de l'objet sur lequel pointe le paramètre *pszDisplayName*. *ulAttribut* contient les différents attributs de l'objet tels qu'ils peuvent être déterminés par le biais de *IShellFolder::GetAttributesOf*. Tous les attributs sont interrogés, il est ainsi possible de tester la valeur contenue dans *ulAttrib* avec toutes les constantes *SFGAO*. L'élément suivant est *dwUser* qui contient la valeur indiquée lors de l'appel initiale de *EnumFolders()*. Il est ainsi possible d'établir, si nécessaire, une liaison entre l'appelant et le code du programme dans la fonction *Callback*.

Les paramètres *pidlPath* et *pidl* fournissent deux listes d'identificateurs d'élément. *pidlPath* pointe sur une liste d'identificateurs d'élément qui contient le chemin *Item-ID* complet depuis le bureau jusqu'à l'objet concerné. *pidl* par contre, pointe vers une liste d'identificateurs d'élément qui n'est composée que de l'identificateur d'élément de l'objet courant (plus l'identificateur NUL à la fin).

Le dernier paramètre *Callback*, *iLevel*, indique finalement le niveau de recherche courant à l'intérieur de l'interface graphique. Il faut ici savoir que *EnumFolders()* ne se contente pas d'examiner le contenu du dossier de départ indiqué, mais également les sous-dossiers qui s'y trouvent afin d'examiner entièrement l'interface graphique sous le dossier de départ indiqué. La fonction agit ici de façon récurrente et retourne toujours le niveau actuel dans *iLevel*. Le premier appel de la fonction *Callback* sert toujours à transmettre l'objet de départ, 0 étant alors indiqué pour *iLevel*.

Au sein de la fonction *Callback*, il est toujours possible d'influencer la suite de l'examen de l'interface graphique dans le cadre de *EnumFolders()* à l'aide du résultat de la fonction. Si la fonction *Callback* renvoie TRUE, *EnumFolders()* continue l'examen de l'interface graphique. Le renvoi de FALSE amène cependant la fonction à interrompre sa récurrence et elle n'examine alors plus les autres sous-dossiers dans cette branche.

Ce chapitre contient donc de nombreux programmes d'exemple illustrant l'utilisation de *EnumFolders()* et du codage concret de la fonction *Callback* associée.

ENUMFOLD.C

46.13. Le module auxiliaire SHORTCUT.C

Le module *SHORTCUT.C* est utilisé dans tous les exemples de programme de ce chapitre qui manipulent des raccourcis. Il ne contient que deux fonctions, lesquelles sont cependant indispensables. En commençant par *CreateShortcut()* qui vous évite de faire appel à l'interface OLE *IShellLink* et qui crée un raccourci vers un fichier quelconque. Le fichier raccourci peut être enregistré en un endroit quelconque du système de gestion des fichiers et peut ainsi apparaître sur le Bureau ou dans l'un des dossiers du Bureau. Voici la fonction dont les paramètres correspondent essentiellement aux différents attributs d'un raccourci tels qu'ils peuvent être définis par le biais des instructions de l'interface *IShellLink*. La fonction ne permet pas de définir les touches de raccourci ni la description d'un raccourci, mais elle peut facilement être étendue en conséquence.

```
BOOL CreateShortcut(
    LPSTR  pszPath,        // Cible du raccourci (lecteur, chemin, fichier)
    LPSTR  pszArguments,   // Arguments pour la ligne de commande
    LPSTR  pszLocation,    // Chemin et nom de fichier où est enr. le raccourci
    LPSTR  pszWorkingDir,  // Répertoire de travail
    int    nCmdShow        // Une des constantes SW pour l'affichage
);
```

Le résultat de la fonction est TRUE lorsque le raccourci a été créé de la façon souhaité. Le cas contraire, le résultat est FALSE.

Le listing du module montre que la fonction *CreateShortcut()* ne renferme aucune astuce particulière, mais qu'elle évite à l'appelant de nombreuses tâches grâce à la grande quantité d'opérations effectuées. On initialise ici tout d'abord l'accès OLE par le biais de *CoInitialize()* au cas où ceci n'aurait pas encore été effectué. Un objet *ShellLink* est ensuite créé et les propriétés souhaitées du nouveau raccourci sont définies par le biais des instructions de l'interface *IShellLink*. Le nouveau raccourci est finalement enregistré par le biais de son interface *IPersist-File* et l'accès OLE est à nouveau désactivé. C'est tout.

Le module contient également la fonction *SetShortcutIcon()* qui permet de définir l'icône d'un raccourci. Tout ce qui est nécessaire à cet effet est le nom et le chemin du fichier raccourci concerné, le nom et le chemin d'un fichier DLL ou EXE contenant l'icône en question et un index qui donne le numéro de l'icône dans le fichier d'icône.

SHORTCUT.C

47.   La base de registres

Jusqu'ici les applications Windows et les composants système enregistraient dans une multitude de fichiers INI individuels, les paramètres de configuration qui devaient être maintenus
d'une session de travail à l'autre. Windows 95 utilise à cette fin un dispositif d'enregistrement
centralisé appelé base de registres. Les applications désireuses de se conformer aux normes de
compatibilité Windows 95 doivent se résoudre à abandonner leurs vieux fichiers INI et accéder
désormais aux registres. Windows 95 lui-même utilise la base de registres pour mémoriser tous
les paramètres permanents d'une session. Peu importe que ces informations concernent
l'équipement matériel, les drivers installés, la configuration du Bureau ou les objets OLE
disponibles, elles doivent toutes figurer exclusivement dans la base de registres centralisée du
système.

L'ancien concept des fichiers INI n'est plus supporté activement par le système, mais pour des
raisons de compatibilité il ne passe pas tout-à-fait à la trappe. Les anciennes fonctions de l'API
Win16 comme *GetPrivateProfileString()* et *WritePrivateProfileString()* demeurent disponibles et
peuvent être exploitées par les applications.

La base de registres met fin à quelques limitations imposées par les fichiers INI, comme par
exemple les 64 Ko de taille maximale par fichier, l'incapacité d'enregistrer des paramètres de
configuration binaires (ni chaînes, ni entiers) ou la limitation à deux niveaux de la hiérarchie
des sections et des entrées. Seul une base de registres centrale pouvait autoriser l'implémentation de toute une série de notions avancées comme par exemple la gestion transparente
d'informations de configuration pour plusieurs utilisateurs d'une même machine.

Compte tenu du développement prévisible du système, il est donc recommandé désormais de
stocker dans la seule base de registres l'ensemble des paramètres de configuration spécifiques
aux applications. Windows 95 soutient cette démarche en offrant une API avec des fonctions
spécialisées dans la gestion des registres. Ces fonctions s'avèrent d'ailleurs indispensables étant
donné que la base de registres est constitué non pas par un fichier ASCII, mais par un fichier
binaire qu'il n'est a priori pas facile d'étendre ou de lire. Avant de nous pencher dans la suite
de ce chapitre sur les différentes fonctions de l'API de la base de registres, voici d'abord un
aperçu de la structure et des notions qui gouvernent les registres.

47.1.   Structure de la base de registres

La base de registres étend le principe des fichiers INI où les informations étaient regroupées
en sections sans possibilité de structuration supplémentaire. Tout comme les fichiers, les
entrées de la base de registres sont désormais réparties dans des répertoires, sous-répertoires,
sous-sous-répertoires, etc...Cette approche s'est avérée indispensable pour maîtriser le grand
nombre des entrées prises en considération.

47.1.1.   Hiérarchie de la base de registres

Quand on évoque la hiérarchie des éléments de la base de registres, on ne parle pas de
répertoires et de sous-répertoires mais de "clés". Chaque entrée de la base de registres constitue
une clé et peut contenir des sous-clés. Ces dernières peuvent à leur tour contenir des sous-clés
et ainsi de suite. Il se constitue ainsi une hiérarchie arborescente plus ou moins complexe, dont
la profondeur n'est pas limitée par le système.

Chaque clé peut recevoir une ou plusieurs valeurs. Les valeurs des clés doivent porter des noms
mais l'une d'elle peut rester sans nom (anonyme), elle représente en quelque sorte la valeur
par défaut de la clé.

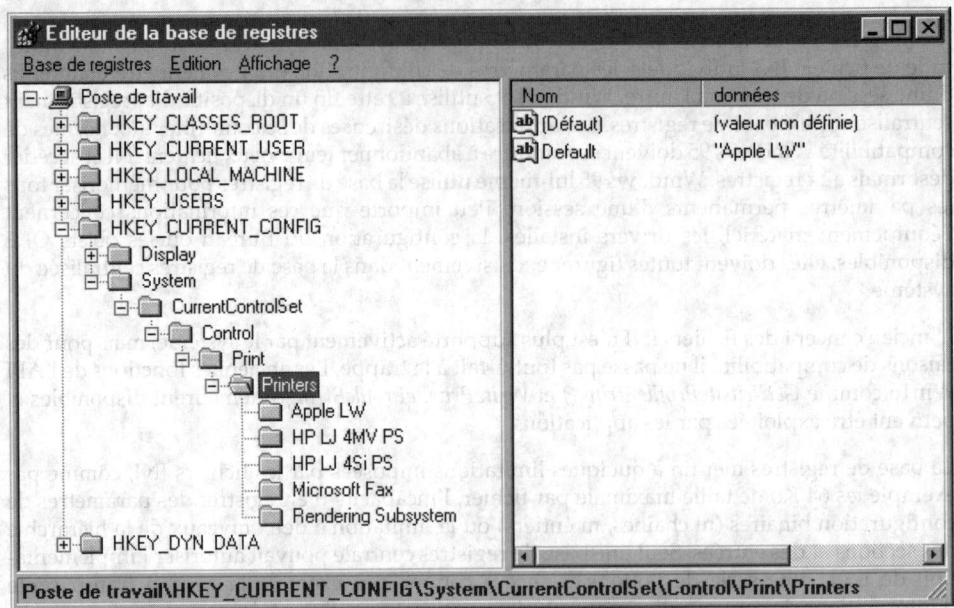

La base de registres affichée avec REGEDIT

Coup d'oeil à l'intérieur de la base de registres

La structure courante de la base de registres peut être visualisée à tout moment par le programme *REGEDIT.EXE*, fourni avec Windows 95.

Dès le premier coup d'oeil, on est frappé par la multitude des clés déjà présentes. Le nombre de clés enregistrées par le système au moment de l'installation approche initialement les dix mille ! Mais il ne faut pas se laisser impressionner. Ce qui compte, c'est de trouver la bonne place pour ses propres clés. Il existe à cet égard des prescriptions claires. Ce qui se trouve ailleurs dans la base de registres n'intéresse pas forcément une application.

La figure précédente montre la clé *HKEY_CURRENT_CONFIG\System\CurrentControl-Set\Controls\Print\Printers*. Elle a été créée par le système et dispose dans ce cas précis de cinq sous-clés. Comme dans les chemins d'accès, des barres obliques inverses (backslashs) séparent les clés et les sous-clés à l'intérieur de la dénomination complète. A la base on trouve *HKEY_CURRENT_CONFIG* qui contient entre autres la sous-clé appelée *System*. Celle-ci à son tour contient la sous-clé *CurrentControlSet*, qui contient elle-même la sous-clé *Control*. Cette dernière contient la sous-clé *Print* qui contient finalement *Printers*.

Dans la partie droite de la figure précédente on aperçoit les valeurs de la clé *Printers*. Il s'agit d'abord de la valeur anonyme qui est toujours représentée par REGEDIT avec la mention "(Default)" qui n'est pas son véritable nom. Dans notre cas la valeur de cette clé est indéterminée. On voit encore que le système a créé une valeur de clé appelée explicitement *Default* pour y stocker le nom de l'imprimante standard courante. Le système aurait pu créer d'autres valeurs de clé en nombre illimité, mais apparemment aucune valeur supplémentaire ne s'est avérée nécessaire.

Lorsqu'on est confronté à la programmation de la base de registres, *REGEDIT* devient rapidement un auxiliaire indispensable. Si on manipule la base par programme, on dispose là d'une sorte de débogueur permettant de vérifier si telle ou telle modification a bien été effectuée.

Dénomination des clés et de leurs valeurs

A l'instar des fichiers et des répertoires, les clés et les sous-clés doivent obéir à des règles de dénomination. Ainsi les noms des clés et des sous-clés ne peuvent dépasser 64 caractères choisis parmi les codes ASCII compris entre 32 et 127, à l'exception du backslash et des caractères génériques (* et ?). L'espace est autorisé. Mais aucun nom ne doit commencer par un point (comme ".software"), car les clés introduites par un point sont réservées au système.

Types de valeurs

Les valeurs ne sont pas limitées au seul type chaîne de caractères comme dans les anciens fichiers INI. On peut aussi utiliser des valeurs entières sous la forme DWORD ou de structures binaires quelconques. Une application peut donc rassembler tous les paramètres persistants dans une structure de données et les sauvegarder dans une seule clé. C'est évidemment plus facile que de disposer chaque information dans une clé séparée, car au démarrage du programme il suffit de charger une seule et unique clé. Par ailleurs on peut ainsi dissimuler aux yeux des curieux les informations stockées, en encryptant la structure des données avant leur sauvegarde et en les décryptant au moment de leur chargement.

Cependant, la base de registres n'a pas été conçu comme un lieu de stockage pour des documents complets. Les éléments qui prennent plus de 1 ou 2 Ko devraient être comme c'était le cas jusqu'ici enregistrés dans des fichiers séparés. Les paramètres de configuration ne sont habituellement pas aussi volumineux, aussi trouvent-ils tout naturellement leur place dans la base de registres.

Séparation des données utilisateur et données machine

L'un des principes de base de la philosophie de la base de registres est la séparation des données selon qu'elles concernent l'utilisateur ou la machine. Alors que l'ordinateur reste toujours le même, les utilisateurs peuvent changer d'une session à l'autre. Windows 95 prévoit donc de mettre à la disposition de chaque utilisateur un environnement de travail personnel qui pourra se distinguer des autres par les couleurs de l'écran, l'arrière-plan, les dossiers et les programmes du Bureau, les ressources réseau disponibles, etc. Quand un utilisateur se connectera à un réseau local à partir d'un ordinateur quelconque, il trouvera le Bureau Windows 95 dans le même état que sur son propre poste de travail. La même observation sera valable lorsque plusieurs utilisateurs se partagent un même PC.

Ce confort est rendu possible parce que le système utilise la base de registres pour y stocker des paramètres de configuration individuels, spécifiques pour chaque utilisateur. Ainsi au moment de la connexion, le système choisit un jeu de paramètres fonction du nom et du mot de passe de l'utilisateur. On parle alors de "profils d'utilisateurs" (user profiles en anglais).

Structure de clés préinstallée

Pour parcourir la base de registres et créer de nouvelles clés, on part des clés situées à la racine et imposées par le système. Si on examine la base à l'aide de *REGEDIT*, on trouve à la racine six clés créées à l'installation de Windows 95 et ne pouvant plus être retirées par la suite. De la même façon on ne peut plus ajouter de nouvelles clés à la racine. Toute nouvelle clé doit trouver sa place dans le prolongement de l'une des clés préinstallées dont la liste est la suivante :

Clé	Signification
HKEY_USERS	Contient le profils des utilisateurs enregistrés dans l'ordinateur
HKEY_LOCAL_MACHINE	Contient la configuration de la machine : le matériel, les drivers de périphériques et les logiciels installés
HKEY_CURRENT_USER	Contient le profil de l'utilisateur courant c'est-à-dire : les groupes de programmes, l'aspect du Bureau, les paramètres des logiciels, les variables d'environnement
HKEY_CLASSES_ROOT	Clé utilisée principalement par le Shell et les applications OLE pour enregistrer les classes et les documents OLE. Les contrôles OCX doivent aussi être enregistrés à ce niveau pour être opérationnels
HKEY_CURRENT_CONFIG	Paramètres de la configuration courante par exemple pour l'imprimante ou les polices d'écran
HKEY_DYN_DATA	Exclusivement à l'usage du système et des drivers de périphériques pour le stockage temporaire d'informations

Si on inspecte la base de registres avec un débogueur, on fait une découverte intéressante : contrairement à ce que laisse supposer l'affichage de *REGEDIT*, la base de registres ne dispose en fait que de deux clés racines : *HKEY_LOCAL_MACHINE* et *HKEY_USERS*. Les quatre autres ne sont en fait que des sous-clés. *HKEY_CURRENT_CONFIG*, *HKEY_CLASSES_ROOT* et *HKEY_DYN_DATA* sont des sous-clés de *HKEY_LOCAL_MACHINE*, tandis que *HKEY_CUR-RENT_USER* se trouve sous la dépendance de *HKEY_USERS*. Mais au niveau de l'utilisateur cette observation demeure invisible.

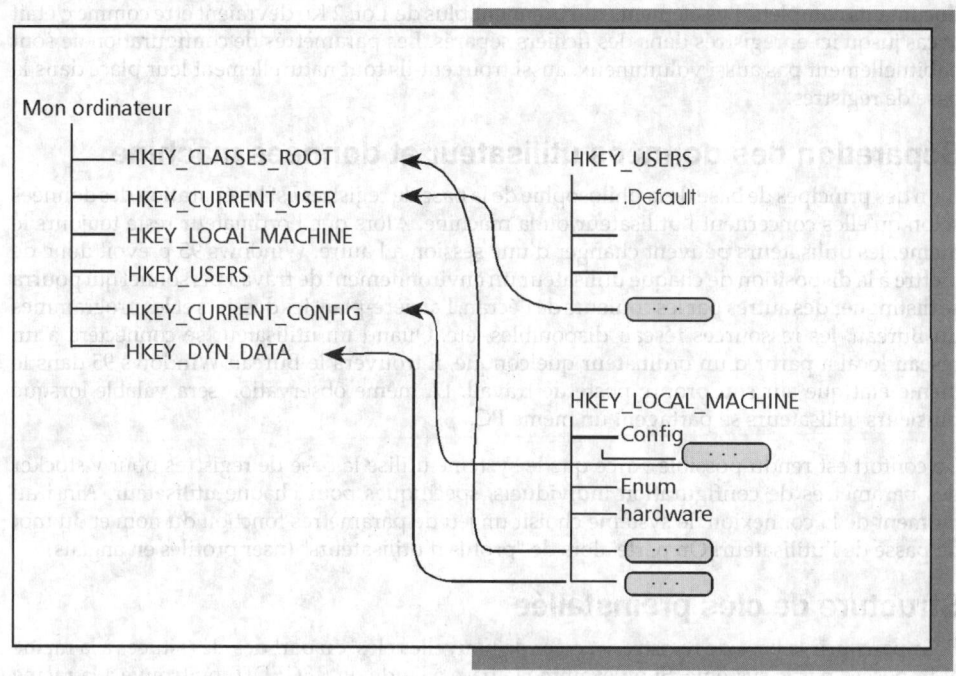

Clés sous la dépendance des clés de base HKEY_LOCAL_MACHINE et HKEY_USERS

47.1.2. Stockage de données d'applications

Les conséquences de la projection de la pseudo clé racine *HKEY_CURRENT_USER* comme sous-clé de *HKEY_USER* apparaissent clairement lorsqu'on se demande à quel endroit de la base une application doit déposer ses paramètres spécifiques. Compte tenu de la séparation des données selon qu'elles se rapportent à la machine ou à l'utilisateur, il existe deux réponses possibles :

Toutes les données spécifiques à la machine doivent être enregistrées sous *HKEY_LOCAL_MA-CHINE*, toutes les données spécifiques à l'application sous *HKEY_CURRENT_USER*. Dans la première catégorie on trouvera les paramètres définis par l'ordinateur lui-même, son équipement et ses ressources, et qui ne dépendent pas de l'utilisateur. Il en sera ainsi du répertoire dans lequel est installée une application, du nom de l'ordinateur, éventuellement du numéro de série du logiciel.

Parmi les données spécifiques à l'utilisateur figureront tous les paramètres que l'utilisateur peut configurer au moment de l'exécution de programmes par le moyen des menus et boîtes de dialogue. Ce sera par exemple le nom de l'utilisateur, le répertoire à partir duquel ont été chargés les derniers documents, ou le mot de passe par lequel l'utilisateur protège les données traitées. En fait le système crée une clé sous *HKEY_USERS* pour chaque utilisateur enregistré et *HKEY_CURRET_USER* renvoie toujours à la clé de l'utilisateur présentement actif. Une application qui charge des informations à partir de la clé *HKEY_CURRENT_USER* accédera sans le savoir tantôt à la clé *HKEY_USER\.Default* (paramétrage standard), tantôt à *HKEY_USER\RenéLegrand*, tantôt à *HKEY_USER\LucDupuis*, etc. Le système donne ainsi à l'application la faculté de prendre en compte les paramètres de l'utilisateur courant sans être obligé de savoir de qui il s'agit, ni où se trouvent ces paramètres sous *HKEY_USERS*.

Une application veillera toutefois à ne pas enregistrer directement ses données sous *HKEY_LO-CAL_MACHINE* ou *HKEY_CURRENT_USER*. Vu le nombre croissant de programmes installés, la situation risque d'y devenir rapidement chaotique. Il est préférable qu'une nouvelle application crée d'abord juste au-dessous du niveau des deux clés la sous-clé *SOFTWARE*.

```
HKEY_LOCAL_MACHINE\Software
HKEY_CURRENT_USER\Software
```

Dans le prolongement de cette clé, on crée ensuite une clé avec le nom de sa société, par exemple "SuperSoft". On a alors :

```
HKEY_LOCAL_MACHINE\Software\SuperSoft
HKEY_CURRENT_USER\Software\SuperSoft
```

On continue avec le nom du logiciel concerné, car on souhaite évidemment vendre au client plusieurs produits qu'il faut pouvoir distinguer. Ici le produit s'appelle "SuperCompta" :

```
HKEY_LOCAL_MACHINE\Software\SuperSoft\SuperCompta
HKEY_CURRENT_USER\Software\SuperSoft\SuperCompta
```

Pour finir, il faut rajouter le numéro de la version actuelle, un critère important pour l'application pour peu que l'on craigne que l'utilisateur en installe plusieurs sur son disque dur. Pour que les différentes versions ne se mélangent pas, on ajoute donc une clé supplémentaire :

```
HKEY_LOCAL_MACHINE\Software\SuperSoft\SuperCompta\V1.0
HKEY_CURRENT_USER\Software\SuperSoft\SuperCompta\V1.0
```

C'est à l'extrémité de ces arborescences que l'on peut enfin enregistrer les paramètres. Mais plusieurs possibilités s'offrent aux développeurs. Sous chacune des clés précédemment mises en place, on peut créer une sous-clé individuelle dont la valeur anonyme va contenir le paramètre souhaité, par exemple :

```
HKEY_LOCAL_MACHINE\Software\SuperSoft\SuperCompta\V1.0\HelpFile = "d:\superCompta\sf.hlp"
HKEY_LOCAL_MACHINE\Software\SuperSoft\SuperCompta\V1.0\Numero de serie = "Ox-12345-abcd"
HKEY_CURRENT_USER\Software\SuperSoft\SuperCompta\V1.0\FondFenetre = 2
HKEY_CURRENT_USER\Software\SuperSoft\SuperCompta\V1.0\FenetreX = 128
HKEY_CURRENT_USER\Software\SuperSoft\SuperCompta\V1.0\FenetreY = 64
HKEY_CURRENT_USER\Software\SuperSoft\SuperCompta\V1.0\DernierFichier = "c:\courrier\Anniversaire
                                                                        de Grand-Maman.ggk"
etc...
```

Mais il est plus simple de regrouper les paramètres pour en faire des valeurs de clé situées sous le numéro de version, comme le montre la copie d'écran suivante :

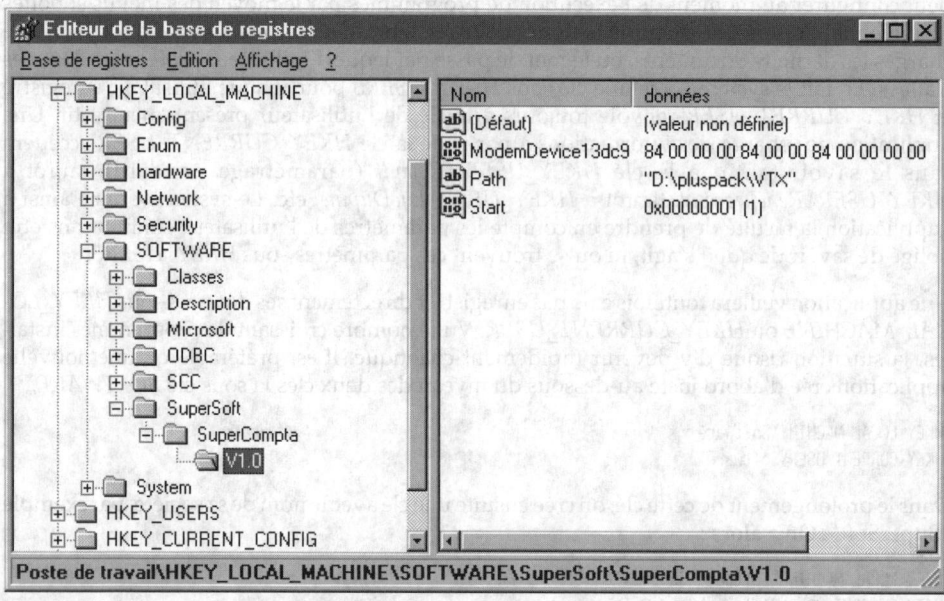

Valeurs de clé regroupées au sein de la base de registres

En procédant de la sorte, on économise de l'espace mémoire et on augmente la vitesse d'accès à la base. Par rapport à une clé unique accompagnée de plusieurs valeurs, les sous-clés multiples prennent en effet plus de place et compliquent la gestion de l'accès.

Précisons une fois de plus que la hiérarchie de clés présentée ici n'est pas à respecter à tout prix. Avec le code de programme adéquat, c'est votre application qui crée les clés désirées, qui fixe les paramètres et qui les relit au moment de son chargement ultérieur.

Le système n'a aucune influence sur ce processus. A partir de là, vous êtes libre de prendre le chemin indiqué mais vous pouvez tout aussi bien par exemple disposer directement au-dessous de *HKEY_CURRENT_USER* une clé avec le nom de votre application et y stocker tous les paramètres persistants.

Comme la plupart des programmes suivent le schéma décrit plus haut, il est recommandé de s'y tenir. Il est alors plus facile de s'y retrouver le jour où on est amené à effectuer un paramétrage manuel.

Appel de programme simple

Si une application paramètre habituellement la base de registres pour son propre compte, elle peut également intervenir sur le système à partir de quelques clés prédéfinies.

Ainsi lorsqu'il s'agit par exemple de lancer un programme par la commande *Run* (*Exécuter* en français) du menu Démarrer de la barre des tâches. Normalement l'utilisateur doit indiquer en plus du nom du fichier EXE le chemin d'accès qui permet au système de retrouver ledit fichier..

On peut éviter à l'utilisateur d'avoir à saisir le chemin d'accès au programme en le stockant dans la base. Dans ce cas l'utilisateur n'a plus qu'à saisir le nom du programme et le système recherche spontanément le chemin d'accès. Cette information n'est pas tirée d'une clé quelconque mais d'une clé qui doit être enregistrée au-dessous de la clé :

```
HKEY_LOCAL_MACHINE\Software\Microsoft\Windows\CurrentVersion\App Paths
```

La clé doit porter le nom du fichier programme concerné, par exemple *SuperCompta.EXE*. Comme valeur anonyme elle doit contenir la ligne de commande qui invoque le programme concerné, avec le chemin d'accès complet et tous les paramètres d'appel :

```
HKEY_LOCAL_MACHINE\Software\Microsoft\Windows\CurrentVersion\App Paths\
                         Supercompta.EXE = "c:\supercompta\supercompta.exe /d"
```

En plus de la valeur anonyme, une autre valeur de clé peut être indiquée avec le nom "Path" : elle déterminera le répertoire de travail de l'application.

Si des DLL ou d'autres fichiers sont chargés par la suite, il suffit de mémoriser leur chemin d'accès dans la valeur de clé *Path*. A partir de ce moment il ne sera plus nécessaire de préciser le chemin d'accès lorsqu'on demande à l'application de charger un fichier. Pour épargner du travail à l'utilisateur, le mieux est de créer les clés correspondantes au moment de l'installation de l'application. Sur la figure après, voici par exemple le paramétrage de la version 32 bits de Visual Basic :

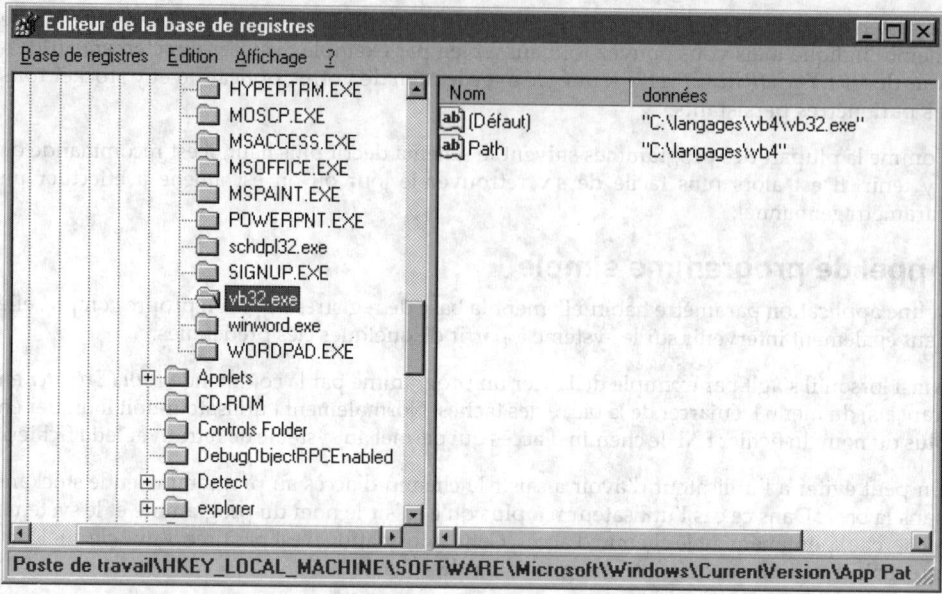

Paramètres pour l'appel de programmes

Démarrage automatique

Le démarrage automatique d'applications au moment du lancement du système est également commandé par la base de registres. Voici la clé qui sert de point de départ pour le stockage de l'information appropriée :

```
HKEY_LOCAL_MACHINE\Software\Microsoft\Windows\CurrentVersion\Run
```

La clé *Run* est déjà installée, il suffit de lui associer une valeur pour chaque programme à lancer automatiquement. Le nom peut être librement choisi mais ne doit pas entrer en collision avec les noms d'autres valeurs de clé déjà installée. La valeur à affecter est la ligne de commande qui appelle le programme souhaité.

En voici un exemple :

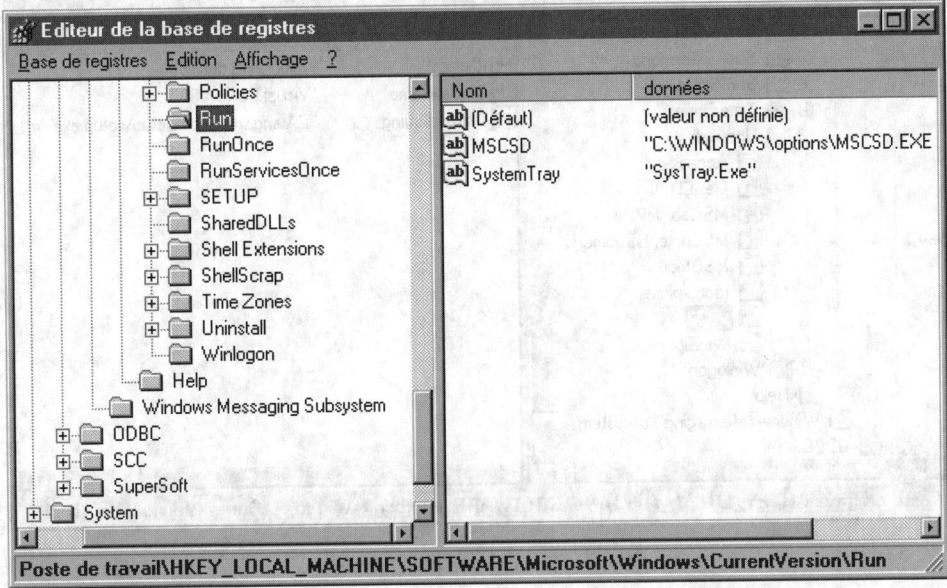

Démarrage automatique à partir de la base de registres

Préparation de la désinstallation

La suppression d'une application installée peut également être facilitée par l'usage d'une clé appropriée. En fait Windows 95 dispose d'un programme spécialisé dans le Panneau de configuration qui gère l'ajout et la suppression des programmes. Si une application dispose de son propre programme de désinstallation, elle doit collaborer avec le Panneau de configuration en mémorisant une clé appropriée.

Comme le montre l'illustration suivante, la clé concernée est à mémoriser au-dessous de :

```
HKEY_LOCAL_MACHINE\Software\Microsoft\Windows\CurrentVersion\Uninstall
```

La clé doit porter le nom de l'application et contenir deux valeurs : *DisplayName* et *Uninstall-String*. A *DisplayName* on affecte le nom complet du programme, comme il doit apparaître dans le Panneau de configuration. *UninstallString* reçoit la ligne de commande qui appelle le programme de désinstallation personnalisé, y compris le chemin d'accès et les paramètres s'il en existe.

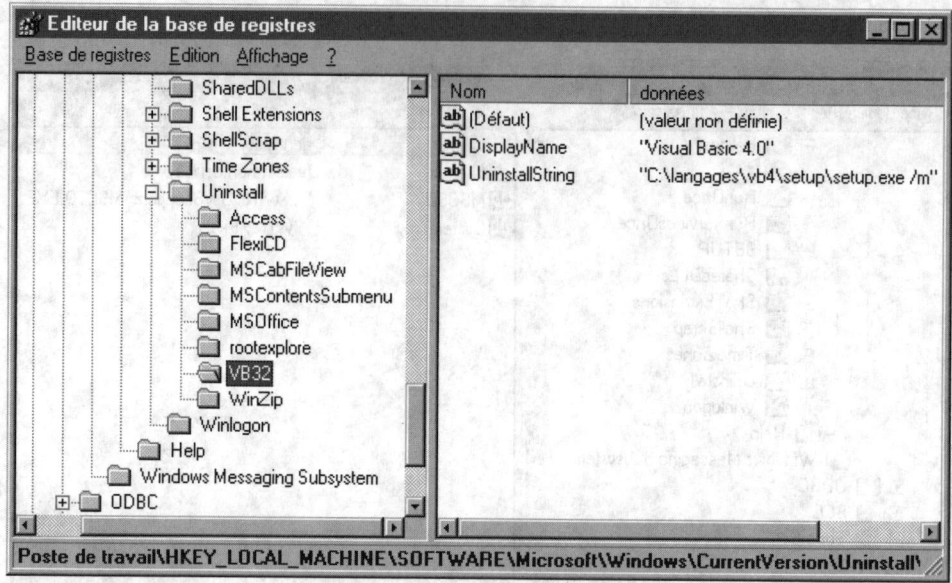

Désinstaller avec la base de registres

Eléments de base

La séparation des paramètres relatifs à la machine et à l'utilisateur se reflète également dans la structure physique de la base de registres. En effet cette dernière n'est pas constituée d'un fichier unique, mais par deux fichiers distincts appelés *USER.DAT* et *SYSTEM.DAT*. *USER.DAT* recueille les paramètres spécifiques à l'utilisateur (*HKEY_USER*), tandis que les paramètres spécifiques à la machine (*HKEY_CURRENT_MACHINE*) sont rangés dans le fichier *SYSTEM.DAT*.

Le fin du fin, c'est que le fichier *USER.DAT* n'est pas obligé de résider sur l'ordinateur local. Il peut très bien être géré par un serveur commun dans un réseau local. A l'intérieur du réseau les utilisateurs pourront passer d'un poste à un autre sans être obligé de reparamétrer leur profil personnel sur chacun d'eux. Le fichier *USER.DAT*, s'il est utilisé en commun, connaît déjà effectivement les différents profils.

Comme la perte de la base de registres aurait des conséquences plus graves que celle de quelques fichiers INI sous Windows 3.1, Windows 95 crée de lui-même une copie de sécurité de la base de registres à chaque lancement. Pour *USER.DAT* un fichier appelé *USER.DA0*, et de même pour *SYSTEM.DAT* un fichier appelé *SYSTEM.DA0*. Si la base de registres est détruite ou endommagée, Windows 95 est capable de restaurer les entrées perdues au moyen de la copie de sécurité. Mais il faut à cet effet relancer le système.

47.2.   Accès au registre par l'API WIN32

Les sections précédentes ont montré qu'une application a besoin de toutes sortes de services pour être à même d'exploiter la base de registres. Elle doit pouvoir créer et effacer des clés, fixer ou lire leurs valeurs, et mener à bien d'autres opérations encore. Tous ces services sont offerts par une partie de Win32 constituée de l'API de la base de registres.

Fonction	Rôle
RegOpenKey()	Ouvre une clé, fonction ancienne
RegOpenKeyEx()	Version étendue de RegOpenKey(), fonction nouvelle
RegQueryValue()	Renvoie une valeur de clé, fonction ancienne
RegQueryValueEx()	Renvoie une valeur de clé, fonction nouvelle
RegSetValue()	Fixe une valeur de clé, fonction ancienne
RegSetValueEx()	Fixe une valeur de clé, fonction nouvelle
RegFlushKey()	Enregistre immédiatement les clés et valeurs de clé modifiées dans le fichier de la base de registres
RegEnumKey()	Enumère les sous-clés d'une clé donnée
RegEnumKeyEx()	Version étendue de RegEnumKey()
RegEnumValue()	Enumère les valeurs d'une clé donnée
RegQueryInfoKey()	Renvoie des informations sur une clé donnée
RegCloseKey()	Clôture l'accès à une clé ouverte précédemment
RegCreateKey()	Crée une nouvelle clé, fonction ancienne
RegCreateKeyEx()	Version étendue de RegCreateKey(), fonction nouvelle
RegDeleteKey()	Efface une clé et ses sous-clés
RegDeleteValue()	Efface une valeur de clé
RegLoadKey()	Charge des clés depuis un fichier et les ajoute à la base de registres
RegSaveKey()	Enregistre dans un fichier une clé donnée avec ses sous-clés
RegReplaceKey()	Remplace un sous-arbre de la base de registres par un sous-arbre enregistré dans un fichier
RegUnloadKey()	Décharge un sous-arbre chargé par RegLoadKey()

Une grande partie de ces fonctions existaient déjà sous Windows 3.1 au temps de l'API 16 bits. Mais sous Windows 3.1 la base de registres n'était utilisé que pour la gestion des classes OLE. Il a donc fallu gonfler quelque peu ces fonctions pour qu'elles puissent jouer un rôle dans l'API 32 bits. La base de registres de Windows 3.1 ne savait affecter que des chaînes de caractères aux valeurs de clés. Ni les DWORD, ni les structures binaires ne pouvaient être enregistrés. Par ailleurs chaque clé ne possédait qu'une valeur anonyme et ne pouvait pas héberger d'autre valeur.

Pour assurer la compatibilité avec les logiciels existants, on a laissé inchangées les fonctions anciennes tout en les doublant par des fonctions étendues, par exemple *RegQueryValueEx()* prolonge *RegQueryValue()*. A moins de manipuler du code de programme ancien, servez-vous systématiquement des nouvelles fonctions Win32. La description des fonctions vous éclaire sur ce point.

Incorporation des fonctions de la base de registres

Les fonctions de l'API de la base de registres sont définies dans le fichier d'inclusion *WIN-REG.H*. On trouve également dans ce fichier la définition de deux types de base apparaissant sans cesse dans les appels aux fonctions de la base de registres : *HKEY* et *PHKEY*. *HKEY* représente un handle de clé qui permet de référencer une clé de la base. Comme tous les handles Win32, il s'agit d'une valeur sur 32 bits. *PHKEY* est le type du pointeur associé, qui pointe donc sur une variable de type *HKEY*. Beaucoup de fonctions qui doivent retourner un handle de clé attendent comme argument un paramètre de type *PHKEY* référençant un handle *HKEY*. Cette variable recueille à l'issue de l'appel le handle de clé désiré.

```
DECLARE_HANDLE(HKEY);
typedef HKEY *PHKEY;
```

L'accès aux clés du registre commence toujours à partir de la racine, par l'une des clés préinstallées telle *HKEY_CURRENT_USER* ou *HKEY_LOCAL_MACHINE*. Les constantes correspondantes sont définies dans le fichier *WINREG.H* :

```
#define HKEY_CLASSES_ROOT      ((HKEY) 0x80000000)
#define HKEY_CURRENT_USER      ((HKEY) 0x80000001)
#define HKEY_LOCAL_MACHINE     ((HKEY) 0x80000002)
#define HKEY_USERS             ((HKEY) 0x80000003)
#define HKEY_CURRENT_CONFIG    ((HKEY) 0x80000005)
#define HKEY_DYN_DATA          ((HKEY) 0x80000006)
```

Contrairement à ce qui se passe pour les autres API, les fonctions de l'API de la base de registres retournent toujours des entiers de type *long* reflétant le statut de leur exécution. Si une fonction n'a pas pu être exécutée convenablement, on obtient *ERROR_SUCCESS*, sinon un code d'erreur. La fonction *GetLastError()* permet alors de rechercher une information précise sur la nature de l'erreur.

Il existe toute une série de fonctions pour une tâche apparemment simple. Mais les mécanismes et les arguments des fonctions se ressemblent de sorte qu'on se trouve assez vite en territoire connu.

Différences entre Windows 95 et NT

Bien que les bases de registres de Windows 95 et Windows NT reposent sur la même philosophie et les mêmes fonctions API, on note de légères et subtiles différences. Quelques-unes des fonctions de l'API de la base de registres attendent comme argument des descripteurs de sécurité pour que les droits d'accès aux clés puissent être fixés ou contrôlés. Mais le système de sécurité de Windows NT n'a pas été implémenté sous Windows 95. De ce fait les arguments correspondants des fonctions n'ont pas de signification sous Windows 95. On leur donne simplement la valeur NULL.

La même observation est valable pour les quelques fonctions qui attendent ou renvoient un nom de classe. Les noms de classe font partie du concept OLE et rattachent une clé à son propriétaire, autrement dit à son créateur. Windows 95 n'en fait pas usage. Les arguments correspondants peuvent être remplis par 0 ou NULL, selon qu'il s'agit d'un entier *int* ou d'un pointeur.

47.2.1.   Accès aux clés et à leurs valeurs

Pour tester l'existence d'une clé ou d'une valeur de clé, il faut d'abord se frayer un chemin depuis la racine du registre jusqu'à la clé concernée. On utilise à cet effet les fonctions *RegOpenKey()* et *RegOpenKeyEx()*. En les invoquant on avance d'un ou plusieurs niveaux dans l'arborescence du registre. Il faut toujours partir d'une clé déjà ouverte et dont on possède déjà le handle.

RegOpenKey() et *RegOpenKeyEx()* donnent lieu au même appel si l'on fait abstraction des deux arguments supplémentaires de *RegOpenKeyEx()*, l'un d'eux étant d'ailleurs réservé et ne jouant aucun rôle dans la présente version de Windows 95.

```
LONG RegOpenKey (            // Win16
  HKEY    hKey,              // Handle de la clé de départ
  LPCSTR  lpSubKey,          // Pointeur sur chaîne C avec le nom de la sous-clé
  PHKEY   phkResult          // Pointeur sur variable HKEY qui recueille le handle de la clé
  );
```

```
LONG RegOpenKeyEx (        // Win32
    HKEY    hKey,          // Handle de la clé de départ
    LPCSTR  lpSubKey,      // Pointeur sur chaîne C avec le nom de la sous-clé
    DWORD   ulOptions,     // réservé, 0
    REGSAM  samDesired,    // Droits d'accès accordé au handle de clé
    PHKEY   phkResult      // Pointeur sur variable HKEY qui recueille le handle de la clé
    );
```

La seule différence marquante tient à l'argument *samDesired* qui permet de spécifier à *RegOpen-KeyEx()* quelles seront les opérations autorisées sur le handle de clé retourné. Mais prenons les choses dans l'ordre.

Le premier argument des deux fonctions est le handle de la clé située immédiatement au-dessus de la clé à ouvrir. Si on commence le parcours à la racine de la base de registres, on utilisera lors du premier appel à la fonction l'une des constantes préinstallées *HKEY_LOCAL_MA-CHINE*, *HKEY_CLASSES_ROOT*, *HKEY_CURRENT_USER*, *HKEY_CURRENT_CONFIG*, *HKEY_DYN_DATA* ou *HKEY_USERS*

Pour savoir quelle clé doit être ouverte au-dessous de la clé déjà disponible, l'API exploite l'argument *lpSubKey*. C'est un pointeur qui doit pointer sur une chaîne C qui contient le nom de la clé subordonnée. Il peut s'agir d'un nom simple (par exemple "*Software*") ou d'un chemin complet comme "*Software\Microsoft\WIndows\CurrentVersion\App Paths*". Comme dans toutes les fonctions qui attendent un nom de clé de la part de l'appelant, aucune distinction n'est faite entre majuscules et minuscules.

Si la clé recherchée a été trouvée, son handle est transféré dans la variable référencée par l'argument *phkResult*. Ce sera naturellement une variable de type *HKEY*. Pour savoir si la clé a été trouvée et la variable indiquée correctement remplie, on teste le résultat de la fonction. S'il n'est pas égal à la constante *ERROR_SUCCESS*, quelque chose n'a pas bien marché et la clé n'a pas pu être trouvée.

Avec le handle de clé retourné, on peut à nouveau invoquer *RegOpenKey()* et *RegOpenKeyEx()* pour ouvrir des sous-clés. Pour parvenir ainsi à une clé du type "*Software\Microsoft\Win-dows\CurrentVersion\App Paths*", il faudrait normalement appeler cinq fois *RegOpenKey()* ou *RegOpenKeyEx()* pour avancer pas à pas dans la hiérarchie. A chaque appel on indiquerait une sous-clé (d'abord "*Software*", puis "*Microsoft*", ensuite "*Windows*", etc.) en s'appuyant sur le handle précédemment recueilli. Mais on peut s'épargner cette peine en précisant en une seule fois le chemin complet d'accès à la clé recherchée.

Avec *RegOpenKey()*, le handle de clé obtenu peut être utilisé dans toutes les fonctions *Reg*. Mais il n'en est pas de même avec *RegOpenKeyEx()* qui permet de fixer le domaine d'application du handle à l'aide de l'argument *samDesired*. Le préfixe *sam* provient de l'expression "security admission" qui recouvre la notion de droit d'accès. Les constantes suivantes ou leur combinaison peuvent être utilisées :

Constante	Signification
KEY_ALL_ACCESS	Tous les droits énumérés ci-dessous sont accordés
KEY_CREATE_LINK	Autorise la création de liens symboliques
KEY_CREATE_SUB_KEY	Autorise la création de sous-clés
KEY_ENUMERATE_SUB_KEYS	Autorise l'énumération de sous-clés
KEY_EXECUTE	Autorise l'accès en lecture
KEY_NOTIFY	Autorise la notification de changement
KEY_QUERY_VALUE	Autorise la lecture des valeurs de clé
KEY_READ	Combinaison de KEY_QUERY_VALUES, KEY_ENUMERATE_SUB_KEYS et KEY_NOTIFY
KEY_SET_VALUE	Autorise la modification des valeurs de clé
KEY_WRITE	Combinaison de KEY_SET_VALUE et KEY_CREATE_SUB_KEY

RegOpenKeyEx() est également exploitable pour obtenir un handle de clé supplémentaire, si on en possède déjà un. Cette démarche sera notamment utile si on désire appeler un processus enfant qui doit hériter d'un handle sur une clé sans disposer des mêmes droits d'accès. Dans ce cas on affecte à *hKey* la clé à hériter et on indique NULL à la place du pointeur *lpSubKey* qui référence la sous-clé.

Dans la séquence de code qui suit on a ainsi ouvert la clé qui réglemente le démarrage automatique des applications au lancement de Windows 95.

```
#define AUTORUN_KEY       HKEY_LOCAL_MACHINE
#define AUTORUN_SUBKEY    "Software\Microsoft\Windows\CurrentVersion\Run"
HKEY hAutoRun;
                                        // Ouvre la clé Autorun
if(RegOpenKeyEx(AUTORUN_KEY,            // Point de départ
                AUTORUN_SUBKEY,         // Chemin d'accès à la clé
                0,                      // Reservé
                KEY_ALL_ACCESS,         // Tous droits d'accès accordés
                &hAutoRun) == ERROR_SUCCESS)  // Pointeur sur handle de clé
    printf("Handle de clé: 0x%lx\n", hAutoRun);
```

Libération d'un handle de clé

Comme tous les autres handles, les handles de clés doivent être remis à la disposition du système dès qu'on n'en a plus besoin. Cette opération peut être effectuée à la fin du programme ou dès la traversée de la hiérarchie de la base de registres. A partir du moment où une clé subordonnée a été ouverte par *RegOpenKeyEx()*, la clé parente peut être libérée sans délai pour peu qu'elle n'intervienne plus dans d'autres fonctions *Reg*. Car une fois la clé recherchée obtenue, le système ne demande pas que l'on conserve les clés hiérarchiquement supérieures. L'important est d'avoir recueilli le handle de la clé que l'on visait.

Un handle de clé ouvert est libéré par la fonction *RegCloseKey()* dont le seul argument est le handle en question. Sont évidemment exclus de cette opération les handles de clés préinstallées comme *HKEY_CURRENT_USER*, etc., lesquels n'ont jamais besoin d'être refermés.

```
LONG RegCloseKey (
    HKEY  hKey                          // Handle de la clé à libérer
    );
```

Si le handle communiqué à la fonction est valide et ouvert, cette dernière renvoie comme résultat ERROR_SUCCESS. Par la suite le handle concerné ne pourra plus être utilisé dans les fonctions *Reg*.

Lecture d'une valeur de clé

Une fois qu'on est parvenu à une clé en passant à travers la hiérarchie de la base de registres, on souhaitera généralement lire sa valeur. On invoque à cet effet la fonction *RegQueryValueEx()* dont le premier argument est le handle de la clé concernée :

```
LONG RegQueryValueEx (
    HKEY     hKey,          // Handle de la clé concernée
    LPCSTR   lpValueName,   // Pointeur sur chaîne C avec le nom de la valeur
    LPDWORD  lpReserved,    // réservé, NULL
    LPDWORD  lpType,        // Pointeur sur variable qui recueille le type de la valeur
    LPBYTE   lpData,        // Pointeur sur variable qui recueille le contenu de la valeur
    LPDWORD  lpcbData       // Pointeur sur variable qui donne la taille du buffer de la valeur
);
```

Le deuxième argument est un pointeur sur une chaîne C devant contenir le nom de la valeur de clé recherchée. N'oublions pas en effet qu'une clé peut comporter un nombre indéfini de valeurs, il faut donc préciser ce que l'on cherche. A côté des valeurs explicitement pourvues d'un nom, il existe aussi une valeur anonyme : pour en lire le contenu il faudra donner à *lpValueName* la valeur NULL.

Dans *lpType* on met l'adresse d'un DWORD qui va recevoir à l'issue de l'appel le type de la valeur de clé lue sous la forme de l'un des indicateurs donnés plus loin. L'endroit où va être mémorisée la valeur de clé est défini par l'argument *lpData* qui est interprété comme un pointeur sur un buffer préparé par l'appelant. Pour que *RegQueryValueEx()* ne fasse pas déborder ce buffer, on précise sa taille au moyen de l'argument *lpcbData* qui est un pointeur sur un DWORD. Il revient à l'appelant de remplir ce DWORD avec la valeur adéquate préalablement au déclenchement de la fonction. Une fois la fonction exécutée avec succès, il trouvera dans cette variable le nombre d'octets effectivement occupés dans le buffer par la valeur de clé retournée. Ce n'est que l'extrait correspondant du buffer qu'il faudra copier dans une autre variable si on désire transférer ailleurs la valeur de clé renvoyée.

Pour savoir si la valeur de clé souhaitée a pu être lue, on consulte le résultat de la fonction qui doit être ERROR_SUCCESS. Si la valeur de clé a été trouvée mais n'a pas pu être transférée dans le buffer proposé en raison de son exiguïté, on obtient comme résultat *ERROR_MORE_DATA*. Dans ce cas il ne reste plus qu'à agrandir le buffer de réception aux dimensions de la valeur retournée (en se basant sur la variable référencée par l'argument *lpcbData*) avant de rappeler la fonction.

Il peut arriver que la taille de la valeur de clé soit difficile à prévoir a priori et qu'on craigne par avance de faire déborder le buffer de réception. On peut alors mettre en oeuvre une astuce toute simple. On donne à la variable qui indique la taille du buffer un valeur quelconque supérieure à 0, et à l'argument *lpData* la valeur NULL. La fonction comprend alors qu'elle est chargée de rechercher la valeur de clé désignée et d'indiquer sa taille en octets sans la communiquer explicitement. En cas de succès, elle renvoie comme résultat *ERROR_SUCCESS* sans même essayer de transférer la valeur trouvée dans un buffer. Ainsi le premier appel à *RegQueryValueEx()* servira à prendre connaissance de la taille nécessitée par le buffer. On alloue ce buffer sur le heap local et on exécute ensuite une deuxième fois la fonction en lui communiquant le pointeur retourné par *malloc()*.

La séquence de code suivante précise cette démarche en prenant pour exemple les textes d'aide de l'Explorateur indiqués sous la clé *HKEY_LOCAL_MACHINE \ SOFTWARE \ Microsoft \ Windows \ CurrentVersion \ Explorer \ Tips* Les différents conseils (tips) constituent autant de valeurs de clé désignées par des numéros croissants. Le programme essaie de lire les valeurs numérotées de 0 à 99 et les affiche si elles existent. Par le moyen d'un premier appel à *RegQueryValueEx()* on se renseigne sur la taille du conseil, on alloue l'espace correspondant sur le heap, et le conseil est finalement lu grâce à un deuxième appel à *RegQueryValueEx()* :

```c
#include <windows.h>
#include <stdio.h>
#define TIP_KEY    HKEY_LOCAL_MACHINE
#define TIP_SUBKEY "SOFTWARE\Microsoft\Windows\CurrentVersion\Explorer\Tips"
void main(void)
{
  HKEY hTipKey;
  if(RegOpenKeyEx(TIP_KEY,
                  TIP_SUBKEY,
                  0,
                  KEY_ALL_ACCESS,
                  &hTipKey) == ERROR_SUCCESS)
  {
    char chValueName[3];
    int i;
    for(i = 0; i < 99; i++)
    {
      DWORD dwType, cbData;
      wsprintf(chValueName, "%ld", i);
      if(RegQueryValueEx(hTipKey,
                         chValueName,
                         NULL,
                         &dwType,
                         NULL,    //Pas encore de lecture de données
                         &cbData) == ERROR_SUCCESS)
      {
        LPBYTE lpData;
        lpData = malloc(cbData + 1);
        if(lpData)
        {
          if(RegQueryValueEx(hTipKey,
                             chValueName,
                             NULL,
                             &dwType,
                             lpData,  //Lecture demandée
                             &cbData) == ERROR_SUCCESS)
          printf("Conseil %s: %s\n", chValueName, lpData);
          free(lpData);
        }
      }
    }
    RegCloseKey(hTipKey);
  }
}
```

Le contenu du buffer qui contient la valeur de clé retournée est à interpréter en fonction du contenu de la variable DWORD dont l'adresse a été communiquée à *RegQueryValueEx()* par le biais de l'argument *lpType*. En cas de succès, la fonction mémorise dans cette variable l'une des constantes suivantes :

Indicateur	Type de données correspondant
REG_BINARY	Structure binaire non définie
REG_DWORD	DWORD (32 bits)
REG_DWORD_LITTLE_ENDIAN	DWORD au format Little Endian
REG_DWORD_BIG_ENDIAN	DWORD au format Big Endian
REG_SZ	Chaîne C
REG_MULTI_SZ	Tableau de chaînes C
REG_EXPAND_SZ	Chaîne avec valeurs des variables d'environnement
REG_NONE	Pas de valeur

Quelques commentaires au sujet de ces formats : avec *REG_BINARY*, il faut connaître le format des données pour pouvoir les interpréter. Aucun problème si on les a enregistrées soi-même.

Les deux types DWORD appelés *REG_DWORD* et *REG_DWORD_LITTLE_ENDIAN* sont identiques car les processeurs Intel sur lesquels fonctionne Windows 95 stockent les informations en mémoire dans le format Little Endian. Dans ce format le mot de poids faible occupe l'adresse N tandis que le mot de poids fort occupe l'adresse N+2. De la même façon l'octet de poids faible se trouve avant l'octet de poids fort dans chacun des deux mots.

Dans le type *REG_DWORD_BIG_ENDIAN*, l'ordre des WORDS et des BYTES dans un DWORD est inversé, comme l'exigent les processeurs Motorola et de nombreux processeurs RISC. Tant que l'on travaille sous Windows 95, on ne peut pas rencontrer ce dernier format. Sous Windows NT, ce n'est possible que si on n'utilise pas une machine à base d'Intel.

Les types *REG_SZ*, *REG_MULTI_SZ* et *REG_EXPAND_SZ* renvoient à des chaînes du langage C se terminant par un caractère nul. *REG_SZ* et *REG_EXPAND_SZ* représentent une chaîne unique, tandis que *REG_MULTI_SZ* représente tout un tableau de chaînes juxtaposées. La fin du tableau est signalée par une chaîne vide constituée par le seul caractère nul.

REG_SZ et *REG_EXPAND_SZ* ne se distinguent que sur un plan qui apparaîtra souvent secondaire : dans ce dernier cas il s'agit du statut des variables d'environnement. Parmi ces variables on compte par exemple le fameux %PATH%. Dans une chaîne de type *REG_EXPAND_SZ*, une variable d'environnement est automatiquement remplacée par sa valeur courante. Supposons par exemple qu'une valeur de clé contienne la chaîne: "Hello;%PATH%;Hello". Avec le type *REG_EXPAND_SZ*, on obtiendrait en lecture quelque chose comme : "Hello;C:\DOS;C:\WINDOWS95....;Hello". Avec *REG_SZ*, les variables d'environnement resteraient telles quelles et on obtiendrait "Hello;%PATH%;Hello".

A côté de la fonction étendue *RegQueryValueEx()* que nous venons de décrire, Win32 conserve encore l'ancienne fonction *RegQueryValue()* qu'il faut désormais éviter au bénéfice de la nouvelle.

```
LONG RegQueryValue (        // Ancienne version 16 bits, à éviter sous Win32
    HKEY    hKey,           // Handle de la clé concernée
    LPCSTR  lpSubKey,       // Pointeur sur chaîne C avec le nom de la valeur
    LPSTR   lpValue,        // Pointeur sur buffer de réception du contenu de la valeur
    PLONG   lpcbValue       // Pointeur sur variable qui donne la taille du buffer de réception
);
```

1431

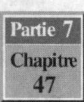

Fixation d'une valeur de clé

Les fonctions symétriques de *RegQueryValue()* et *RegQueryValueEx()* s'appellent *RegSetValue()* et *RegSetValueEx()*. Là aussi il faudra privilégier la fonction étendue *Ex* par rapport à l'ancienne issue du standard Win16. Si on examine les arguments et les possibilités des deux fonctions, on s'aperçoit que la principale différence qui les sépare est la suivante : avec *RegSetValue()* on ne peut remplir les valeurs de clé qu'avec des chaînes C, alors qu'avec *RegSetValueEx()* on peut leur affecter toutes sortes de types.

```
LONG RegSetValue (              // Win16
    HKEY      hKey,             // Handle de la clé concernée
    LPCSTR    lpValueName,      // Pointeur sur chaîne C avec le nom de la valeur
    DWORD     dwType,           // Type de la valeur, toujours REG_SZ
    LPCSTR    lpData,           // Pointeur sur buffer de réception du contenu de la valeur
    DWORD     cbData            // Taille du buffer en octets
);
```

```
LONG RegSetValueEx (  //Win32
    HKEY      hKey,             // Handle de la clé concernée
    LPCSTR    lpValueName,      // Pointeur sur chaîne C avec le nom de la valeur
    DWORD     Reserved,         // réservé, 0
    DWORD     dwType,           // Type de la valeur (REG_BINARY etc.)
    LPCBYTE   lpData,           // Pointeur sur buffer de réception du contenu de la valeur
    DWORD     cbData            // Taille du buffer en octets
);
```

Outre l'inévitable handle de la clé, il faut transmettre aux fonctions un pointeur *lpValueName* sur une chaîne C contenant le nom de la valeur à fixer. Si on s'occupe de fixer la valeur anonyme, on indique NULL en lieu et place d'un pointeur réel. L'argument *dwType* sert à préciser le type de la valeur qu'on manipule. Avec *RegSetValue()*, seul le type *REG_SZ* est admis. Mais avec *RegSetValueEx()* l'ensemble des constantes *REG_.* étudiées à propos de *RegQueryValueEx()* peuvent être mises en service. On pourra par exemple utiliser *REG_DWORD* ou *REG_BINARY*. Dans ce cas le pointeur *lpData* devra référencer un DWORD ou le début d'une structure de données. La taille de la valeur fixée est à préciser par l'argument *cbData*, en octets.

Si le paramétrage souhaité a pu être enregistré, on obtient comme résultat *ERROR_SUCCESS*, sinon la fonction retourne un code d'erreur.

Dans l'exemple suivant on exploite la fonction *RegSetValueEx()* pour changer les valeurs de deux clés système de Windows : le nom de l'utilisateur enregistré ainsi que celui de sa société. Ces deux informations se trouvent sous les clés : *HKEY_LOCAL_MACHINE\Software\Microsoft\Windows\CurrentVersion\RegisteredOwner* et *HKEY_LOCAL_MACHINE\Software\Microsoft\Windows\CurrentVersion\RegisteredOrganization*. Elles peuvent être modifiées sans problème. Les modifications deviennent immédiatement visibles si dans le menu d'aide de l'Explorateur on déclenche par la suite la commande "A propos de Windows 95".

```
#include <windows.h>
#define LICENSE_KEY       HKEY_LOCAL_MACHINE
#define LICENSE_SUBKEY    "Software\Microsoft\Windows\CurrentVersion"
void main(void)
{
  HKEY hLicenseKey;
  if(RegOpenKeyEx(LICENSE_KEY,
                  LICENSE_SUBKEY,
                  0,
                  KEY_ALL_ACCESS,
```

```
                    &hLicenseKey) == ERROR_SUCCESS)
{
   #define NEW_OWNER "MITI & BHJ"
   #define NEW_ORG   "Logiciels pour Tous!"
   RegSetValueEx(hLicenseKey,
            "RegisteredOwner",
            0,
            REG_SZ,
            NEW_OWNER,
            lstrlen(NEW_OWNER));
   RegSetValueEx(hLicenseKey,
            "RegisteredOrganization",
            0,
            REG_SZ,
            NEW_ORG,
            lstrlen(NEW_ORG));
   RegCloseKey(hLicenseKey);
}
}
```

Enregistrement d'une clé modifiée

Quand on modifie une clé ou une valeur de clé, les modifications ne sont pas tout de suite reportées sur le disque qui contient le fichier de la base de registres. Le gestionnaire de la base de registres comporte effectivement un thread d'arrière-plan responsable de l'écriture sur disque des clés modifiées. Ce thread est muni d'une priorité relativement basse, de sorte qu'il s'exécute surtout quand il ne se passe rien dans le système. Tout cela fonctionne très bien mais en cas de plantage on risque de perdre les modifications qui n'ont pas été enregistrées.

Si on craint que le système ne soit à même d'enregistrer effectivement les clés modifiées, on peut forcer explicitement l'opération. La fonction correspondante s'appelle *RegFlushKey()* et ne devrait être utilisée qu'à bon escient.

```
LONG RegFlushKey (
   HKEY  hKey      //Handle de la clé à enregistrer
   );
```

Enumération de toutes les sous-clés

Avec les fonctions du type *RegOpenKey()*, *RegQueryValueEx()* ou *RegSetValueEx()* on est toujours amené à accéder à des clés ou des valeurs de clé bien définies. D'autres fonctions sont disponibles pour parcourir toutes les clés ou valeurs de clés situées hiérarchiquement au-dessous d'une clé donnée. Elles sont très utiles lorsqu'on cherche une clé non localisée ou lorsque la structure de l'arborescence de la base de registres est mal connue. Ainsi *RegEnumKey()* et *RegEnumKeyEx()* servent à parcourir les sous-clés et *RegEnumValue()* les valeurs de clé associées à une clé donnée.

Examinons d'abord *RegEnumKey()* et *RegEnumKeyEx()*. Ce sont encore deux fonctions semblables dont l'une, ancienne, provient de Win16 alors que l'autre, nouvelle, est du domaine de Win32 et sera à privilégier. Avec *RegEnumKey()* on obtient simplement les noms des sous-clés. Avec *RegEnumKeyEx()* on apprend en plus les noms de classe des clés ainsi que la date et l'heure de leur création ou dernière modification.

```
LONG RegEnumKey (                // Win16
    HKEY    hKey,                // Handle de la clé de départ
    DWORD   dwIndex,             // Indice de la sous-clé interrogée
    LPSTR   lpName,              // Pointeur sur buffer de réception du nom
    DWORD   cbName               // Taille du buffer en nombre de caractères
);
```

```
LONG RegEnumKeyEx ( //Win32
    HKEY       hKey,             // Handle de la clé de départ
    DWORD      dwIndex,          // Indice de la sous-clé interrogée
    LPSTR      lpName,           // Pointeur sur buffer de réception du nom
    LPDWORD    lpcbName,         // Pointeur sur variable indiquant la taille
                                 // du buffer de réception
    LPDWORD    lpReserved,       // réservé, NULL
    LPSTR      lpClass,          // Win95: NULL
    LPDWORD    lpcbClass,        // Win95: NULL
    PFILETIME  lpftLastWriteTime // Pointeur sur variable FILETIME qui recueille la date
);
```

Le premier argument est comme d'habitude le handle de la clé qui constitue le point de départ. Si on commence l'exploration à partir du début de la base de registres, on prendra l'une des constantes bien connues *HKEY_USERS*, etc. L'argument suivant est le numéro de la sous-clé interrogée. L'astuce consiste à indiquer 0 au premier appel, 1 au second, 2 au troisième et ainsi de suite. On obtient ainsi successivement les noms des différentes sous-clés.

Ces noms sont recueillis dans un buffer spécialement préparé à cet effet et qui est signalé à la fonction par le biais du pointeur *lpName*. Dans *cbName* on spécifie un pointeur sur la variable qui indique le nombre maximal de caractères admis dans le buffer. Après l'appel, s'il réussit, on y trouvera la longueur du nom de clé déposé en **lpName*.

Les pointeurs *lpClass* et *lpcbClass* constituent un autre couple de description d'un buffer. Le buffer concerné est destiné cette fois à recueillir le nom de classe de la clé détectée par la fonction. Mais les noms de classe n'étant pas supportés par Windows 95, on indiquera simplement NULL.

C'est le résultat de la fonction qui permet de savoir si une sous-clé a été trouvée. S'il est égal à la constante *ERROR_SUCCESS*, la fonction a bien marché et a déposé dans le buffer transmis une chaîne C contenant le nom de la clé. Dans ce cas il vaut la peine de réitérer l'appel à la fonction en incrémentant l'indice précédemment spécifié. Si cet indice ne correspond plus à aucune sous-clé, on obtient comme résultat *ERROR_NO_MORE_ITEMS* ce qui clôture la recherche (à supposer qu'on ait appelé auparavant la fonction avec tous les numéros d'indice inférieurs).

La séquence de code suivante montre comment utiliser *RegEnumKeyEx()* dans le cadre d'une fonction récursive *RegEnum()* pour partir à la recherche de toutes les sous-clés d'une clé donnée et afficher leurs noms à l'écran. Le nom de chaque sous-clé est indenté en fonction de son niveau hiérarchique pour montrer l'arborescence des clés. La fonction *main()* se sert ainsi de *RegEnum()* pour afficher le noms de toutes les clés situées au-dessous de *HKEY_CURRENT_USER*.

```
#include <windows.h>
#include <stdio.h>
void RegEnum(HKEY hKey, int iLevel)
{
  int iSubKey;
  char chSubKey[256];
  DWORD cbSubKey;
  FILETIME ft;
  iSubKey = 0;
  cbSubKey = sizeof(chSubKey);
                                                // Enumère les sous-clés jusqu'à l'erreur
  while(RegEnumKeyEx(hKey,
                     iSubKey,
                     chSubKey,
                     &cbSubKey,
                     NULL,
                     NULL,
                     NULL,
                     &ft) == ERROR_SUCCESS)
  {
    int j;
    HKEY hSubKey;
                                                // Affiche le nom de la sous-clé
    for(j = 0; j < iLevel; j++) printf("  ");   // Indentation
    printf("%s\n", chSubKey);

                                                // Ouvre la sous-clé
    if(RegOpenKeyEx(hKey,
                    chSubKey,
                    0,
                    KEY_ALL_ACCESS,
                    &hSubKey) == ERROR_SUCCESS)
    {
      RegEnum(hSubKey, iLevel + 1);             // Récursion
      RegCloseKey(hSubKey);                     // On ferme proprement
    }
    iSubKey++;                                  // Sous-clé suivante
    cbSubKey = sizeof(chSubKey);
  }
}
void main(void)
{
  RegEnum(HKEY_CURRENT_USER, 0);
}
```

Enumération des valeurs associées à une clé

De la même façon on peut parcourir les valeurs associées à une clé dont le handle est connu.
La fonction correspondante s'appelle *RegEnumValue()* et pour une fois elle n'est pas accompagnée d'une version étendue. En fait cette fonction n'a été introduite qu'avec Win32. *RegEnumValue()* est aussi prévue pour être invoquée plusieurs fois de suite et révéler ainsi le nom et le contenu des différentes valeurs associées à une clé donnée. On attribue à l'indice *dwIndex* des valeurs croissantes en partant de 0 jusqu'à ce que la fonction renvoie *ERROR_NO_MORE_ITEMS* à la place de *ERROR_SUCCESS*.

```
LONG RegEnumValue (
    HKEY      hKey,                  // Handle de la clé explorée
    DWORD     dwIndex,               // Numéro de la valeur de clé à lire
    LPSTR     lpValueName,           // Pointeur sur le buffer qui recueille le nom de la valeur
    LPDWORD   lpcbValueName,         // Pointeur sur la variable qui indique la taille du buffer
                                     // précédent
    LPDWORD   lpReserved,            // réservé, NULL
    LPDWORD   lpType,                // Pointeur sur la variable qui recueille le type du contenu
    LPBYTE    lpData,                // Pointeur sur le buffer qui recueille le
                                     // contenu de la valeur
    LPDWORD   lpcbData               // Pointeur sur la variable qui donne la longueur
                                     // du buffer précédent
);
```

Après l'indice d'énumération on trouve les deux arguments *lpValueName* et *lpcbValueName*. Ils définissent le buffer de l'appelant destiné à recevoir sous forme de chaîne C le nom de la valeur de clé trouvée par la fonction. Il faut auparavant mettre à l'adresse *lpcbValueName* la taille du buffer pour que la fonction soit assurée de ne pas aller au-delà de la place disponible. En cas de place insuffisante, la fonction retourne à l'appelant un code d'erreur approprié. Si l'appel réussit on trouve dans la variable correspondante le nombre d'octets qu'occupe effectivement le nom de la valeur de clé dans le buffer.

Si ce nombre est égal à 1, seul le premier octet du buffer a été utilisé ce qui ne signifie rien d'autre que la présence d'une chaîne vide (caractère NUL) renvoyée par la fonction. On aura ainsi détecté la valeur de clé anonyme.

Tout comme *lpcbValueName* l'argument *lpType* représente un pointeur sur un double mot DWORD. Il doit être initialisé par l'appelant avec l'adresse de la variable *int* prévue pour recueillir le type du contenu de la valeur de clé. La fonction *RegEnumValue()* se charge de mettre dans cette variable l'une des constantes *REG_*. présentées plus haut, par exemple *REG_DWORD* ou *REG_SZ*.

L'endroit où est mémorisé le contenu de la valeur de clé est fixé par les arguments *lpData* et *lpcbData*. Selon un schéma maintenant bien connu, *lpData* est un pointeur sur le buffer de réception préparé par l'appelant, et *lpcbData* un pointeur sur une variable DWORD qui contient la longueur du buffer précédent décomptée en octets. Si tout se passe bien, on trouve ensuite dans cette variable le nombre d'octets pris dans le buffer par le contenu de la valeur de clé.

Pas d'octet inutile

Avec des fonctions du genre *RegEnumValue()* ou *RegEnumKey()*, il est quelque peu désagréable de devoir allouer des buffers pour recueillir des noms de clé ou des contenus de valeurs sans savoir à l'avance combien d'octets seront nécessaires. Tantôt l'allocation est trop étriquée de sorte que la fonction signale une erreur, tantôt on gaspille de la mémoire parce qu'on a voulu jouer la sécurité, et voilà qu'au lieu des 4 Ko de données *REG_BINARY* attendus on recueille quelques misérables octets.

Heureusement la fonction *RegQueryInfoKey()* apporte quelque soulagement en la matière. Destinée à donner des informations sur une clé et ses sous-clés directes, elle indique notamment la longueur maximale d'un nom de clé ou du contenu d'une valeur de clé. En l'interrogeant on peut donc connaître le nombre d'octets nécessaires avant de traverser les sous-clés par *RegEnumKeyEx()* ou *RegEnumValue()*, dans ce cas aucun appel ne conduira plus à un débordement du buffer.

```
LONG RegQueryInfoKey (
    HKEY        hKey,                   // Handle de la clé concernée
    LPSTR       lpClass,                // Windows 95: NULL
// Les arguments qui suivent représentent des pointeurs sur des variables DWORD (int)
// qui contiendront à l'issue de l'appel, en cas de réussite, les informations suivantes :
    LPDWORD     lpcbClass,              // Windows 95: NULL
    LPDWORD     lpReserved,             // réservé, NULL
    LPDWORD     lpcSubKeys,             // Nombre de sous-clés
    LPDWORD     lpcbMaxSubKeyLen,       // Longueur maximale d'un nom de sous-clé
    LPDWORD     lpcbMaxClassLen,        // Longueur maximale d'un nom de classe
    LPDWORD     lpcValues,              // Nombre de valeurs de clé associées à HKEY
    LPDWORD     lpcbMaxValueNameLen,    // Longueur maximale d'un nom de valeur de clé
    LPDWORD     lpcbMaxValueLen,        // Longueur maximale du contenu d'une valeur de clé
    LPDWORD     lpcbSecurityDescriptor, // Win95: 0
    PFILETIME   lpftLastWriteTime       // Pointeur sur une variable FILETIME avec
                                        // date de dernière modification
);
```

Le prototype commenté montre que la fonction renvoie la plupart des informations dans des variables *unsigned int* (DWORDs) dont les adresses sont fournies par l'appelant.

Le point de départ de la fonction est comme à l'accoutumée le handle d'une clé ouverte précédemment. La fonction renvoie d'une part des informations sur cette clé (par exemple le nom de classe et sa longueur), le nombre de valeurs associées et la taille maximale du nom et du contenu d'une valeur de clé. Ces informations facilitent les appels ultérieurs à *RegEnumValue()* qui concerneraient ladite clé.

Mais on obtient également des informations sur les sous-clés de la clé mentionnée : leur nombre, la longueur maximale d'un nom de sous-clé et du nom de classe associé. A chaque fois les valeurs renvoyées représentent la longueur apparente d'une chaîne de caractères sans tenir compte du caractère NUL qui clôture obligatoirement une chaîne C. Si on veut préparer un buffer de réception sur la base de ces informations, il faudra lui donner une longueur de N+1 (N étant la longueur maximale renvoyée par la fonction).

Création de nouvelles clés

Les fonctions *Reg_* présentées jusqu'ici opéraient sur des clés préexistantes. Mais au cours de son exécution une application est tout à fait libre de créer de nouvelles clés, de leur associer des sous-clés et des valeurs. Le point de départ est fourni par les fonctions *RegCreateKey()* et *RegCreateKeyEx()* qui permettent de créer des clés nouvelles sous la dépendance hiérarchique d'une clé déjà ouverte. Sous Win32 il est déconseillé d'utiliser la fonction *RegCreateKey()* car elle est prévue pour la base de registres de Windows 3.1. A la place il faut désormais mettre en service *RegCreateKeyEx()*.

```
LONG RegCreateKey (              // Win16
    HKEY        hKey,            // Handle de la clé située au-dessus de la nouvelle
    LPCSTR      lpSubKey,        // Pointeur sur une chaîne C avec le nom de la nouvelle clé
    PHKEY       phkResult        // Pointeur sur une variable qui recueille le handle de la nouvelle clé
);
LONG RegCreateKeyEx (           // Win32
    HKEY        hKey,            // Handle de la clé située au-dessus de la nouvelle
    LPCSTR      lpSubKey,        // Pointeur sur une chaîne C avec le nom de la nouvelle clé
    DWORD       Reserved,        // réservé, 0
    LPSTR       lpClass,         // Win95: NULL
    DWORD       dwOptions,       // Win95: REG_OPTON_NON_VOLATILE
```

```
REGSAM     samDesired,                      // Droits d'accès (KEY_ALL_ACCESS etc.)
LPSECURITY_ATTRIBUTES lpSecurityAttributes, // Win95: NULL
PHKEY      phkResult,                       // Pointeur sur une variable qui recueille le
                                            // handle de la clé
LPDWORD    lpdwDisposition                  // Pointeur sur un variable qui recueille le statut
);
```

Pour créer une nouvelle clé, on part toujours d'une clé préexistante déjà ouverte par *RegOpen-Key()* ou *RegOpenKeyEx()*. Il peut s'agir par exemple de l'une des clés prédéfinies situées à la racine de la base de registres (*HKEY_CURRENT_USER*, ...). Seule exception : il est interdit d'ajouter des sous-clés à *HKEY_USERS*, c'est là une prérogative réservée au système.

Le handle de la clé parente sert de premier argument à *RegCreateKeyEx()*, on trouve ensuite dans *lpSubKey* un pointeur sur une chaîne C contenant le nom de la sous-clé à créer. Ce nom peut être simple ("*Software*") ou composé ("*Software \ Microsoft \ Windows \ CurrentVersion \ App Paths*"). Dans ce cas la fonction crée toutes les clés situées le long du chemin mentionné. Il lui importe peu qu'une partie du chemin ou même sa totalité existe déjà. Dans ce cas, le chemin existant est prolongé jusqu'à ce que le chemin indiqué par l'appelant existe dans son intégralité.

L'argument suivant est réservé et doit être mis à 0. On a ensuite un autre pointeur sur une chaîne C permettant de fixer le nom de classe de la clé générée. Mais comme toujours quand il est question de noms de classe sous Windows 95, on indique NULL.

L'argument suivant s'appelle *dwOptions* et n'intervient réellement que sous Windows NT : sous Windows 95 on lui donne la valeur 0. Avec *samDesired* on peut fixer les droits d'accès que l'appelant peut exercer sur la nouvelle clé. Il est possible de spécifier une combinaison des indicateurs *KEY_ALL_ACCESS*, *KEY_READ*, *KEY_WRITE*, etc. comme nous l'avons vu dans l'étude de *RegOpenKeyEx()*. Le plus simple est de mettre *KEY_ALL_ACCESS*. Le handle de clé retourné peut alors être mis en service dans toutes les fonctions *Reg_*.

L'argument suivant est également prévu pour le système Windows NT. Dans ce contexte il incarne un descripteur de sécurité. Sous Windows 95 on lui donne la valeur NULL.

L'endroit où est mémorisé le handle de la clé créée est déterminé par l'argument *phkResult*. Il doit représenter l'adresse d'une variable de type *HKEY* destinée à recueillir le nouveau handle. Le dernier argument, *lpdwDisposition* fonctionne de façon analogue. Il doit être initialisé par l'appelant avec l'adresse d'une variable *unsigned int* (DWORD) qui va recevoir l'une des deux constantes suivantes pour signaler si la fonction a pu créer la clé ou si elle existait déjà.

REG_CREADTED_NEW_KEY	La clé souhaitée n'existait pas et a été créée
REG_OPENED_EXISTING_KEY	La clé souhaitée existait déjà et a été ouverte

Si on obtient *REG_OPENED_EXISTING_KEY*, la clé souhaitée a été identifiée comme existant déjà dans la base de registres. Elle est alors ouverte comme par *RegOpenKeyEx()*. Bien que la clé n'ait pas été créée, on peut y accéder sans problème avec le handle retourné.

Mais avant d'inspecter le contenu de la variable référencée, il faut d'abord examiner le résultat de la fonction. Car s'il n'est pas égal à *ERROR_SUCCESS*, une erreur s'est produite et on peut s'épargner l'exploitation de ladite variable.

L'extrait de code suivant montre comment on crée concrètement des clés et des valeurs de clé, lesquelles configurent le programme MyProg.exe de façon qu'il puisse être simplement lancé par la commande *Démarrer/Exécuter*.

```
#define APPPATH_KEY      HKEY_LOCAL_MACHINE
#define APPPATH_SUBKEY  "Software\Microsoft\Windows\CurrentVersion\App Paths\MYPROG.EXE"
#define APPPATH_CALL    "MYPATH\MYPROG.EXE"
#define APPWORKDIR      "MYPATH"
HKEY hAppPath;
DWORD dwDisposition;
                                                        // Crée une clé Quickstart

if(RegCreateKeyEx(APPPATH_KEY,
                  APPPATH_SUBKEY,
                  0,
                  "",
                  REG_OPTION_NON_VOLATILE,
                  KEY_ALL_ACCESS,
                  NULL,
                  &hAppPath,
                  &dwDisposition) == ERROR_SUCCESS)
   {
                                                        // Valeur par défaut de la clé =
                                                        // chemin d'accès et nom du fichier EXE

   if(RegSetValueEx(hAppPath,
                    NULL,
                    0,
                    REG_SZ,
                    APPPATH_CALL,
                    lstrlen(APPPATH_CALL)) == ERROR_SUCCESS);
                                                        // Met dans la valeur de clé PATH
                                                        // le répertoire de travail
   if(RegSetValueEx(hAppPath,
                    "Path",
                    0,
                    REG_SZ,
                    APPWORKDIR,
                    lstrlen(APPWORKDIR)) == ERROR_SUCCESS);
```

Suppression de clés

Il est évidemment possible de supprimer une clé une fois qu'elle a été créée, à condition qu'il ne s'agisse pas d'une clé préinstallée du type *HKEY_CURRENT_USER*, etc. C'est la fonction *RegDeleteKey()* qui rend ce service.

```
LONG RegDeleteKey (
   HKEY    hKey,                          //Handle de la clé située au-dessus
   LPCSTR  lpSubKey
   );
```

Pour procéder à une destruction, on part d'une clé préalablement ouverte connue par son handle, transmis par l'argument *hKey*. Pour pouvoir supprimer une clé, il faut donc connaître le handle de la clé située immédiatement au-dessus. Bien entendu il est possible de prendre pour *hKey* l'un des handles préinstallés *HKEY_CURRENT_USER*, etc. si la clé à effacer en est une sous-clé directe.

Le nom de la clé à supprimer est référencé par l'argument *lpSubKey* qui doit pointer sur une chaîne C. Notez bien que toutes les sous-clés disparaissent en même temps que la clé dont elles descendent. Pour effacer un sous-arbre, il suffit donc de supprimer la clé de premier niveau, tout le reste est pris en charge par la gestion de la base de registres. Si aucun problème ne survient, on obtient *ERROR_SUCCESS* comme résultat de la fonction.

Le code suivant montre un exemple d'appel à *RegDeleteKey()*. Il efface la clé qui régit le lancement simplifié du programme *MYPROG.EXE* par la commande *Démarrer/Exécuter*. Cette clé est située sous : *HKEY_LOCAL_MACHINE\Software\Microsoft\Windows\CurrentVersion\App Paths*.

```
#define APPPATH_KEY     HKEY_LOCAL_MACHINE
#define APPPATH_SUBKEY  "Software\Microsoft\Windows\CurrentVersion\App Paths\MYPROG.EXE"
if (RegDeleteKey(APPATH_KEY, APPPATH_SUBKEY) == ERROR_SUCCESS)
  printf("La clé a été supprimée \n");
```

Suppression de valeurs de clé

Tout comme les clés on peut supprimer des valeurs de clé. Il faut d'abord connaître le handle de la clé associée. Ce dernier est transmis comme premier argument à la fonction *RegDeleteValue()* qui est responsable de la suppression des valeurs.

```
LONG RegDeleteValue (
    HKEY    hKey,            //Handle de la clé dont dépend la valeur à supprimer
    LPCSTR  lpValueName      //Pointeur sur chaîne C avec le nom de la valeur de clé
    );
```

Le second argument est un pointeur sur une chaîne C qui doit contenir le nom de la valeur à supprimer. Pour supprimer la valeur anonyme, on indiquera NULL à la place du pointeur.

Si la valeur spécifiée a pu être supprimée, le résultat de la fonction est comme à l'accoutumée la constante *ERROR_SUCCESS*.

47.2.2.   Chargement et enregistrement de sous-arbres

Les fonctions présentées précédemment sont faites pour accéder à des clés ou des valeurs de clés individuelles. Mais l'API de la base de registres contient aussi quatre fonctions qui permettent d'enregistrer dans des fichiers extérieurs des sous-arbres complets, puis de les charger à nouveau. L'utilisation de ces fonctions se justifie chaque fois que l'on souhaite sauvegarder un sous-ensemble de la base de registres ou lui ajouter une partie sans être obligé de manipuler individuellement chaque clé ou valeur de clé concernée. On peut construire un sous-arbre à la main, l'enregistrer dans un fichier puis le charger entièrement à l'exécution (ou à l'installation), ce qui économise beaucoup de travail.

Enregistrement d'un sous-arbre

La base de ces fonctions est l'API *RegSaveKey()* qui permet d'enregistrer dans un fichier extérieur un sous-arbre de clés. Seuls les fichiers créés par *RegSaveKey()* pourront être par la suite rechargés dans la base de registres.

```
LONG RegSaveKey (
    HKEY    hKey,                         // Handle de la clé de base
    LPCSTR  lpFile,                       // Pointeur sur chaîne C avec le nom du fichier
    LPSECURITY_ATTRIBUTES lpSecurityAttributes  // Win 95: NULL
    );
```

Il faut d'abord communiquer à la fonction *RegSaveKey()* le handle de la clé constituant la base du sous-arbre à enregistrer. Il peut s'agir d'un handle de clé prédéfinie ou d'un handle créé par *RegOpenKey()* ou *RegCreateKey()*. Le fichier de destination est spécifié par l'argument *lpFile* qui doit pointer sur une chaîne C contenant un nom de fichier. Ladite chaîne peut comporter en plus du nom proprement dit le chemin d'accès complet ou une désignation de lecteur mais elle ne doit pas indiquer d'extension pour le nom du fichier. Sinon la fonction *RegLoadKey()* refusera par la suite de recharger les clés sauvegardées.

Par ailleurs le fichier indiqué ne doit pas encore exister sinon la fonction signale une erreur.

Si le sous-arbre spécifié a pu être enregistré comme prévu, la fonction renvoie comme résultat *ERROR_SUCCESS*. Un coup d'oeil dans le fichier créé montrerait que la base de registres n'a pas sauvegardé les clés au format ASCII mais sous une forme binaire. On ne peut donc ni lire ni modifier directement les clés dans ce fichier (à moins que l'on se donne la peine de décrypter le format).

Chargement d'un sous-arbre

Si la fonction *RegSaveKey()* permet de sauvegarder n'importe quel sous-arbre de la base de registres, ce principe n'est plus valable au chargement par *RegLoadKey()*. Les clés contenues dans le fichier indiqué sont placées immédiatement à la suite de *HKEY_LOCAL_MACHINE* ou *HKEY_USERS* ou un niveau plus bas. Il n'est pas possible de descendre au-delà.

```
LONG RegLoadKey (
    HKEY    hKey,              // HKEY_USER ou HKEY_LOCAL_MACHINE
    LPCSTR  lpSubKey,          // Pointeur sur chaîne C avec un nom de sous-clé
    LPCSTR  lpFile             // Pointeur sur chaîne C avec le nom du fichier
  );
```

Ainsi le premier des arguments doit obligatoirement correspondre à l'une des constantes *HKEY_LOCAL_MACHINE* ou *HKEY_USERS*. Si entre cette clé et les clés chargées il faut prévoir un niveau supplémentaire, le pointeur *lpSubKey* ne référencera pas une chaîne vide mais une chaîne C avec le nom de ce niveau supplémentaire (c'est-à-dire de la sous-clé). Si la sous-clé indiquée n'existe pas elle sera créée. Dans *lpFile* on met l'adresse d'une chaîne C avec le nom du fichier de clés à charger. Si la base de registres a bien pu être étendue avec les clés du fichier indiqué, la fonction renvoie comme résultat *ERROR_SUCCESS*.

Remplacement de sous-arbres

La fonction *RegReplaceKey()* constitue une sorte de combinaison de *RegSaveKey()* et *RegLoad-Key()*. Elle ne charge pas seulement un sous-arbre enregistré par *RegSaveKey()*, mais elle sauvegarde en plus les clés et valeurs de clé écrasées dans une sorte de fichier de sécurité. Les anciennes clés ne sont donc pas perdues et peuvent être rechargées ultérieurement par *RegLoadKey()* ou par un nouvel appel à *RegReplaceKey()*.

```
LONG RegReplaceKey (
    HKEY    hKey,              // HKEY_USERS ou HKEY_LOCAL_MACHINE
    LPCSTR  lpSubKey,          // Pointeur sur chaîne C avec un nom de sous-clé
    LPCSTR  lpNewFile,         // Pointeur sur chaîne C avec le nom du fichier à charger
    LPCSTR  lpOldFile          // Pointeur sur chaîne C avec le nom du fichier de sauvegarde
  );
```

La base du sous-arbre à remplacer est déterminée par l'argument *hKey*. Il s'agit forcément de l'un des handles préinstallés *HKEY_USERS* ou *HKEY_LOCAL_MACHINE*. Pour introduire un niveau supplémentaire entre ces clés et le sous-arbre à charger, on utilise *lpSubKey* qui référence une chaîne avec le nom de la sous-clé supplémentaire. Le fichier d'où vont être tirées les clés nouvelles est spécifié par le pointeur *lpNewFile*.

Il doit pointer sur une chaîne C qui représente un nom de fichier, avec éventuellement le chemin d'accès complet ou une désignation de lecteur mais sans extension. Même principe pour *lpOldFile* qui doit spécifier le nom du fichier de sauvegarde. Si l'ensemble de l'opération a pu être menée à bien sans accroc, le résultat renvoyé par la fonction est *ERROR_SUCCESS*.

Déchargement de sous-arbres

Si on a chargé un sous-arbre par *RegLoadKey()* ou *RegReplaceKey()*, on peut à nouveau le retirer via *RegUnloadKey()*.

```
LONG RegUnLoadKey (
    HKEY    hKey,                    // HKEY_LOCAL_MACHINE ou HKEY_USERS
    LPCSTR  lpSubKey                 // Pointeur sur chaîne C avec un nom de sous-clé
    );
```

Par *hKey* on indique la base du sous-arbre concerné qui peut être l'un des handles *HKEY_LO-CAL_MACHINE* ou *HKEY_USERS*. Si le sous-arbre ne commence pas immédiatement au niveau de l'une des deux clés, le pointeur *lpSubKey* permet de spécifier le nom d'une sous-clé intermédiaire qui constitue la base effective du sous-arbre et doit être immédiatement située au-dessous de *HKEY_LOCAL_MACHINE* ou *HKEY_USERS*.

47.3. Programmes d'exemple

Pour montrer comment on manie concrètement la base de registres et les fonctions de son API, voici deux programmes spécialement conçus à cet effet et appelés respectivement *PERSIST* et *REGSTAT*.

PERSIST montre différents domaines d'utilisation de la base de registres dans les applications. La base de registres y est exploitée pour :

○ rendre persistants les paramétrages de l'utilisateur,
○ préparer les programme à l'autodémarrage,
○ rendre possible la désinstallation du programme par le Panneau de configuration,
○ permettre le lancement simplifié du programme par la commande *Démarrer/Exécuter*.

Le programme *REGSTAT* poursuit un tout autre but. Il parcourt clé par clé l'ensemble de la base de registres pour rassembler différentes informations statistiques, comme par exemple le nombre de clés, la hauteur de l'arbre (nombre de niveaux de profondeur), la longueur maximale d'un nom de clé, etc. S'il est vrai que le recueil de ces informations n'est pas de première importance dans un programme d'application, il constitue un exemple intéressant d'utilitaire système pour contrôler la structure de la base de registres.

47.3.1. Persist

PERSIST montre comment les applications peuvent exploiter la base de registres à leur bénéfice. Le programme se présente à l'appelant comme une boîte de dialogue avec une série de contrôles (champ de saisie, boutons radio, liste déroulante, ...). Ce sont les contenus de ces contrôles que le programme enregistre à titre persistant par l'intermédiaire de la base de registres. Lorsqu'on rappelle le programme ultérieurement, la boîte de dialogue présente ainsi les contrôles dans l'état où on les a laissés précédemment.

En exploitant les entrées de la base de registres dans le domaine *HKEY_CURRENT_USER*, le programme prend même soin de se remémorer les saisies de différents utilisateurs enregistrés sur la machine. Comme le montre l'écran suivant, le programme suit le schéma préétabli et place ses clés sous *HKEY_CURRENT_USER\Software\Bible_PC\Persist\Version1.0*.

C'est l'utilisateur lui-même qui décide comment les informations seront stockées en cochant ou non la case *Enregistrement binaire* de la boîte de dialogue. Si cette case est cochée, les informations sont rassemblées dans une structure binaire, sommairement encryptées et mémorisées sous la valeur de clé *BinaryRepresentation*. Dans ce cas le programme met à 1 le contenu de la valeur de clé *BinarySave* pour montrer que les données ont été sauvées sous forme de structure.

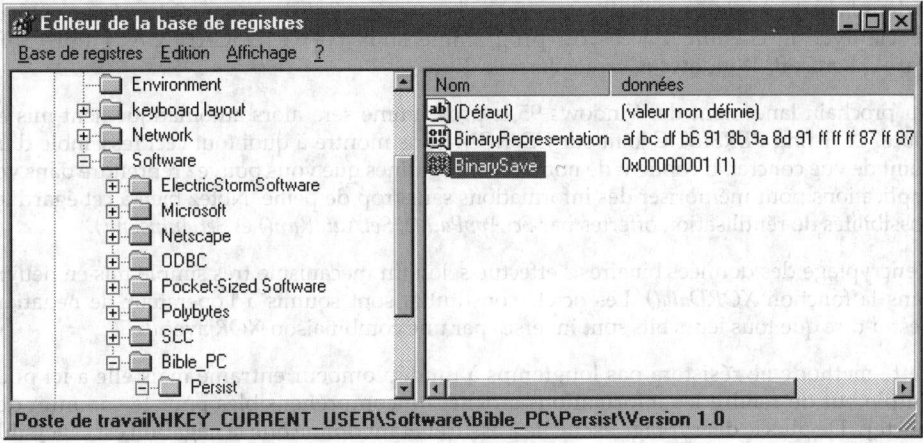

Enregistrement des paramètres persistants sous forme de structure binaire.

Si l'utilisateur ne coche pas la case *Enregistrement binaire*, les choses se passent tout autrement. Le contenu de la valeur de clé *BinarySave* passe à 0, et à la place de la valeur unique *BinaryRepresentation* on trouve toute une série de valeurs séparées qui mémorisent chacune le contenu d'un contrôle de la boîte de dialogue.

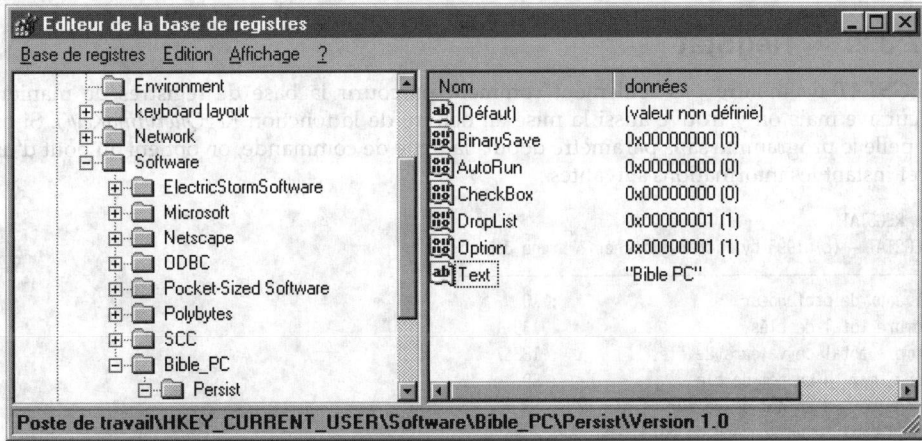

Enregistrement des paramètres persistants sous forme de valeurs de clé séparées

1443

Pour être en mesure de lire au démarrage les valeurs de clés appropriées, le programme inspecte d'abord le contenu de *BinarySave*. Selon le résultat, il accédera à la valeur de clé *BinaryRepresentation* ou aux valeurs éparpillées.

PERSIST prépare également sa désinstallation en créant un clé correspondante avec des valeurs associées sous *HKEY_LOCAL_MACHINE\Software\Microsoft\Windows\Current-Version\Uninstall*, de sorte que le programme est désormais mentionné dans le Panneau de configuration dans *Ajout/Suppression de programmes*. Si l'utilisateur y sélectionne le programme à fin de désinstallation, il sera appelé avec le paramètre */u*. En fait ceci ne provoque pas la désinstallation du programme mais fournit des informations à l'utilisateur par un message approprié.

Si dans la boîte de dialogue l'utilisateur coche la case *AutoRun*, le programme crée une valeur de clé avec le chemin d'accès du programme sous HKEY_LOCAL_MACHINE\Soft-ware\Microsoft\Windows\CurrentVersion\Run.

Au prochain lancement de Windows 95 le programme sera alors automatiquement mis en route. Le listing *PERSIST.C* joint sur CD-ROM vous montre à quoi tout ceci ressemble d'un point de vue concret. Il contient de nombreuses routines que vous pouvez reprendre dans vos applications pour mémoriser des informations sans trop de peine. Notez bien à cet égard les possibilités de réutilisation offertes par *SetAppPath()*, *SetAutoRun()* et *SetUninstall()*.

L'encryptage des données binaires s'effectue selon un mécanisme très simple mis en oeuvre dans la fonction *XORData()*. Les octets constitutifs sont soumis à l'opérateur de négation, c'est-à-dire que tous leurs bits sont inversés par une combinaison *XOR* avec *0xFF*.

Cette méthode ne résistera pas longtemps à un déplombeur entraîné mais elle a ici pour simple but de rendre les informations affichées incompréhensibles pour le commun des mortels. De plus le décryptage est facile à assurer étant donné que la négation est réversible et qu'il suffit pour retrouver les données d'origine de repasser la forme encryptée dans la fonction *XORData()*.

PERSIST.C

47.3.2. **RegStat**

REGSTAT ne montre pas seulement comment parcourir la base de registres de manière récursive mais on y trouve aussi la mise en oeuvre de la fonction *RegQueryInfoKey()*. Si on appelle le programme sans paramètre depuis la ligne de commande, on obtient au bout d'un bref instant les informations suivantes :

```
c:>REGSTAT
REGSTAT - (c) 1995 by Michael Tischer & Bruno Jennrich
                                             *
Niveaux de profondeur                  : 10
Nombre total de clés                   : 13911
Nombre total de valeurs de clés        : 18857
Long. max. d'un nom de clé             : 59
Long. max. d'un nom de valeur de clé   : 68
Taille max. d'un contenu de valeur de clé: 2093
Nombre total des valeurs de clés classées par type
                                             *
```

```
Données binaires            : 2456
DWORD                       : 896
Big-Endian DWORD            : 0
Chaînes de caractères       : 15478
Tableaux de chaînes de car. : 15
Chaînes avec variables d'env. : 12
```

Bien sûr *REGSTAT* renverra un nombre de clés différent sur votre machine mais les ordres de grandeur devraient être les mêmes : presque vingt mille valeurs de clés - on ne peut ainsi pas prétendre que Windows 95 ne prend pas soin de mémoriser ses paramétres.

Si on appelle *REGSTAT* en spécifiant un paramètre sur la ligne de commande, ce dernier est interprété comme le nom d'une clé à rechercher. La base de registres est alors traversée de fond en comble mais au lieu d'établir des statistiques générales le programme compte toutes les occurrences de la clé spécifiée. La liste suivante montre le résultat obtenu avec une recherche sur la clé "fonts".

```
C:>REGSTAT fonts
REGSTAT - (c) 1995 by Michael Tischer & Bruno Jennrich
────────────────────────────────────── *
Clé: HKEY_CURRENT_USER\Software\Microsoft\Visual C++ 2.0\Fonts
Clé: HKEY_LOCAL_MACHINE\SOFTWARE\Microsoft\Windows\CurrentVersion\Fonts
Clé: HKEY_LOCAL_MACHINE\Config\0001\Display\Fonts
Clé: HKEY_USERS\.Default\Software\Microsoft\Visual C++ 2.0\Fonts
Clé: HKEY_CURRENT_CONFIG\Display\Fonts
```

Etes-vous curieux de voir fonctionner *REGSTAT* ? Pas de problème ! Vous trouverez le programme et tous les fichiers associés sur le CD-ROM...

REGSTAT.C

Partie 8

ANNEXES

A. Description des fonctions des interruptions du BIOS

Les interruptions 10h à 1Ah permettent d'accéder aux diverses fonctions qui rendent le BIOS en ROM disponible pour assurer la communication entre un programme et le matériel. Il s'agit non seulement des fonctions autorisant l'accès au matériel vidéo, au clavier, aux disques durs et unités de disquettes, mais aussi pour le contrôle des données de configuration ainsi que la programmation des interfaces série et parallèle et l'horloge alimentée par piles. Voici d'abord la liste des différentes interruptions et leurs utilisations. Notez que les fonctions de l'interruption 13h sont citées deux fois selon qu'elles interviennent sur des unités de disquettes ou disques durs. Ainsi, choisissez le paragraphe qui vous intéresse sachant que vous souhaiter utiliser ces fonctions pour accéder à des disquettes ou des disques durs. Sauf indication supplémentaire, les diverses fonctions conviennent à tous les types de PC.

Mais il existe toute une série de fonctions ne concernant que les XT, d'autres les AT. Nous avons omis d'énumérer les innombrables extensions du BIOS développées par des sociétés telles que Compaq à l'origine du BIOS en ROM pour la bonne raison qu'elles ne sont pas reconnues comme des standards. Il en est de même des fonctions étendues du PS/2 d'IBM, mais elles sont cependant entièrement compatibles avec les fonctions présentées dans ce contexte.

Interruption 10h, Fonction 00h	BIOS
Fixer le mode vidéo	

Cette fonction permet de sélectionner et initialiser un mode vidéo. L'écran est alors entièrement effacé. De ce fait, cette fonction peut aussi être appelée pour vider l'écran d'une façon très simple même lorsqu'on ne souhaite pas changer le mode vidéo.

Entrée :	AH	= 00h	
	AL	= mode vidéo	
	0	40*25 car., noir et blanc	(Carte couleur)
	1	40*25 car., couleur	(Carte couleur)
	2	80*25 car., noir et blanc	(Carte couleur)
	3	80*25 car., couleur	(Carte couleur)
	4	320*200 points graph., 4 coul.	(Carte couleur)
	5	320*200 points graph., 4 coul.	(Carte couleur)
		(Couleurs affichées en noir et blanc)	
	6	640*200 points graph., 2 coul.	(Carte couleur)
	7	Mode interne de la carte mono	(Carte mono)
	8	Graphique 160*200, 16 couleurs	(seulement PC-Junior)
	9	Graphique 320*200, 16 couleurs	(seulement PC-Junior)
	0Ah	Graphique 640*200, 4 couleurs	(seulement PC-Junior)
	0Dh	Graphique 320*200, 16 couleurs	(à partir de EGA)
	0Eh	Graphique 640*200, 16 couleurs	(à partir de EGA)
	0Fh	Graphique 640*350, monochrome	(à partir de EGA)
	10h	Graphique 640*350, 16 couleurs	(à partir de EGA)
	11h	Graphique 640*480, 2 couleurs	(à partir de MCGA)
	12h	Graphique 640*480, 16 couleurs	(VGA)
	12h	Graphique 640*480, 256 couleurs	(8514)
	13h	Graphique 320*200, 256 couleurs	(à partir de MCGA)
Sortie :	aucune sortie		

Remarques : Les couleurs pour les modes 4, 5 et 6 peuvent être fixées à l'aide de la fonction 11.
Le contenu des registres BX, CX, DX et des registres SS, CS et DS n'est pas modifié.
Le contenu de tous les autres registres, et notamment celui des registres SI et DI,
peut avoir été modifié.

Interruption 10h, Fonction 01h   *BIOS*
Ecran : Définition de l'apparence du curseur

Les lignes de départ et de fin du curseur de l'écran sont fixées en appelant cette fonction. Cette
fonction ne dépend pas de la page écran actuellement affichée sur l'écran.

Entrée :   AH = 01h
CH = Ligne de départ du curseur
CL = Ligne de fin du curseur

Sortie :   aucune sortie

Remarques : Les valeurs autorisées pour les lignes de départ et de fin dépendent de la carte
vidéo installée. Les valeurs suivantes sont autorisées :
Cartes écran monochromes : 0 - 13
Cartes écran couleur :   0 - 7

Le BIOS fixe au départ les valeurs suivantes :
Cartes écran monochromes : lignes 11 et 12
Cartes écran couleur :   lignes 6 et 7

Il ne faut pas fixer des valeurs non autorisées à l'aide de cette fonction car cela peut
avoir des conséquences imprévisibles (en général, une disparition du curseur).
Le contenu des registres BX, CX, DX et des registres de segment SS, CS et DS n'est
pas modifié par cette fonction. Le contenu de tous les autres registres, et notamment
des registres SI et DI, peut avoir été modifié.

Interruption 10h, Fonction 02h   *BIOS*
Ecran : Positionnement du curseur

Cette fonction permet de déplacer le curseur qui fixe la position de la sortie de caractères sur
l'écran, à l'aide d'une des fonctions de sortie de caractères du BIOS.

Entrée :   AH = 02h
BH = Numéro de la page écran
DH = Ligne de l'écran
DL = Colonne de l'écran

Sortie :   aucune sortie

Remarques : Le curseur clignotant de l'écran n'est déplacé par cette fonction qu'à condition
que la page écran appelée soit la page actuelle de l'écran.
La ligne de l'écran est une valeur entre 0 et 24.
La colonne de l'écran est une valeur comprise entre 0 et 79 (en 80 colonnes) ou
entre 0 et 39 (en 40 colonnes), suivant le mode vidéo fixé. Une méthode pour
faire disparaître le curseur clignotant consiste à le placer dans une position hors
du champ de l'écran (par exemple colonne 0, ligne 25).
Le numéro de la page écran dépend aussi du nombre de pages écran disponibles
sur la carte vidéo utilisée.

Le contenu des registres BX, CX, DX et des registres de segment SS, CS et DS n'est pas modifié par cette fonction. Le contenu de tous les autres registres, et notamment des registres SI et DI, peut avoir été modifié.

Interruption 10h, Fonction 03h *BIOS*
Ecran : *Lecture de la position du curseur*

Lecture de la position du curseur de texte dans une page écran et lecture des lignes de départ et de fin du curseur clignotant de l'écran.

Entrée :   AH = 03h
             BH = Numéro de la page écran

Sortie :   DH = Ligne de l'écran dans laquelle figure le curseur
            DL = Colonne de l'écran dans laquelle figure le curseur
            CH = Ligne de départ du curseur clignotant de l'écran
            CL = Ligne de fin du curseur clignotant de l'écran

Remarques :   Le numéro de la page écran dépend aussi du nombre de pages écran disponibles sur la carte vidéo utilisée.
            Les ligne et colonne de l'écran se réfèrent au système de coordonnées de texte.
            Le contenu du registre BX et des registres de segment SS, CS et DS n'est pas modifié par cette fonction. Le contenu de tous les autres registres, et notamment des registres SI et DI, peut avoir été modifié.

Interruption 10h, Fonction 04h *BIOS*
Ecran : *Lecture de la position du crayon optique*

Si possible, la position du crayon optique sur l'écran est lue.

Entrée :   AH = 04h

Sortie :   AH = 0 : position du crayon optique ne peut être testée pour
                   le moment.
            AH = 1 : position du crayon optique a pu être obtenue, auquel cas
                DH = Ligne écran du crayon optique (mode texte)
                DL = Colonne écran du crayon optique (mode texte)
                CH = Ligne écran du crayon optique (mode graphique)
                BX = Colonne écran du crayon optique (mode graphique)

Remarques :   L'appel de cette fonction doit être répété jusqu'à ce qu'un 1 soit renvoyé dans le registre AH car ce n'est que dans ce cas que les coordonnées peuvent être lues dans les autres registres.
            Les coordonnées indiquées se réfèrent naturellement au mode vidéo actuel et à sa résolution horizontale et verticale.
            Les coordonnées du crayon optique ne peuvent pas être déterminées très précisément, surtout en mode graphique. La coordonnée Y (ligne) est toujours une valeur paire de sorte qu'il n'est pas possible de distinguer si le crayon optique se trouve sur la ligne 8 ou 9. En mode graphique 320*200 points, la coordonnée X (colonne) est toujours un multiple entier de 4 et en mode graphique 640*200 points toujours un multiple entier de 8.
            Le contenu du registre CL et des registres de segment SS, CS et DS n'est pas modifié par cette fonction. Le contenu de tous les autres registres, et notamment des registres SI et DI, peut avoir été modifié.

Interruption 10h, Fonction 05h   *BIOS*
Ecran : Sélection de la page actuelle de l'écran

Sélection de la page écran actuelle, c'est-à-dire de celle qui doit être affichée sur l'écran (mode texte uniquement).

Entrée :   AH = 05h
                  AL = Numéro de la page écran

Sortie :   aucune sortie

Remarques :   Le numéro de la page écran dépend aussi du nombre de pages écran disponibles sur la carte vidéo.
                  Lorsqu'une nouvelle page écran est activée le curseur clignotant de l'écran est toujours fixé sur la position du curseur de texte sur cette page.
                  Le fait de passer d'une page écran à l'autre n'affecte pas le contenu de ces pages. Il n'est pas nécessaire qu'une page écran soit activée pour pouvoir y écrire.
                  Le contenu des registres BX, CX, DX et des registres de segment SS, CS et DS n'est pas modifié par cette fonction. Le contenu de tous les autres registres, et notamment des registres SI et DI, peut avoir été modifié.

Interruption 10h, Fonction 06h   *BIOS*
Ecran : Faire défiler des lignes de texte vers le haut (scrolling)

Faire défiler d'une ou plusieurs lignes vers le haut ou effacer une partie de la page écran actuelle

Entrée :   AH = 06h
                  AL = Nombre de lignes dont la fenêtre doit être décalée vers le haut
                       (0 signifie effacer la fenêtre)
                  CH = Ligne écran du coin supérieur gauche de la fenêtre
                  CL = Colonne écran du coin supérieur gauche de la fenêtre
                  DH = Ligne écran du coin inférieur droit de la fenêtre
                  DL = Colonne écran du coin inférieur droit de la fenêtre
                  BH = Couleur (attribut) pour les lignes vides

Sortie :   aucune sortie

Remarques :   Seule la page écran actuelle peut être modifiée par cette fonction
                  Le fait d'effacer la zone de l'écran (nombre de lignes = 0) revient à la remplir d'espaces (code ASCII 32).
                  Le contenu des lignes expulsées de l'écran lors du défilement est définitivement perdu et ne peut être récupéré.
                  Pour vider l'écran tout entier, il est préférable d'employer la fonction 0 de cette interruption.
                  Le contenu des registres BX, CX, DX et des registres de segment SS, CS et DS n'est pas modifié par cette fonction. Le contenu de tous les autres registres, et notamment des registres SI et DI, peut avoir été modifié.

Faire défiler d'une ou plusieurs lignes vers le haut ou effacer une partie de la page écran actuelle

Entrée :   AH = 07h
                    AL = Nombre de lignes dont la fenêtre doit être décalée vers le bas
                         (0 signifie effacer la fenêtre)
                    CH = Ligne écran du coin supérieur gauche de la fenêtre
                    CL = Colonne écran du coin supérieur gauche de la fenêtre
                    DH = Ligne écran du coin inférieur droit de la fenêtre
                    DL = Colonne écran du coin inférieur droit de la fenêtre
                    BH = Couleur (attribut) pour les lignes vides

Sortie :   aucune sortie

Remarques :   Seule la page écran actuelle peut être modifiée par cette fonction
                    Le fait d'effacer la zone de l'écran (nombre de lignes = 0) revient à la remplir
                    d'espaces (code ASCII 32).
                    Le contenu des lignes expulsées de l'écran lors du défilement est définitivement
                    perdu et ne peut être récupéré.
                    Pour vider l'écran tout entier, il est préférable d'employer la fonction 0 de
                    cette interruption.
                    Le contenu des registres BX, CX, DX et des registres de segment SS, CS et DS
                    n'est pas modifié par cette fonction. Le contenu de tous les autres registres, et
                    notamment des registres SI et DI, peut avoir été modifié.

Lecture du code ASCII et de la couleur (attribut) du caractère figurant dans la position actuelle
du curseur.

Entrée :   AH = 08h
                    BH = Numéro de la page écran

Sortie :   AL = Code ASCII du caractère
                    AH = Couleur (attribut)

Remarques :   Le numéro de la page écran dépend aussi du nombre de pages écran disponibles
                    sur la carte vidéo
                    Cette fonction peut également être appelée en mode graphique. Dans ce cas, le
                    modèle de bits du caractère sur l'écran sera comparé avec les modèles de bits
                    des caractères définis dans la ROM de caractères de la carte vidéo et avec les
                    caractères qui ont été stockés dans une table en RAM dont l'adresse figure à
                    l'interruption 1Fh. Si le caractère ne peut être identifié, le registre AL contiendra
                    la valeur 0 après appel de la fonction.
                    Le contenu des registres BX, CX, DX et des registres de segment SS, CS et DS
                    n'est pas modifié par cette fonction. Le contenu de tous les autres registres, et
                    notamment des registres SI et DI, peut avoir été modifié.

Interruption 10h, Fonction 09h *BIOS*
Ecran : Ecriture d'un caractère/d'une couleur

Ecrire un caractère dans une couleur déterminée dans la position actuelle du curseur (dans la page écran spécifiée).

Entrée : AH = 09h
BH = Numéro de la page écran
CX = Nombre d'écritures successives du caractère
AL = Code ASCII du caractère
BL = Attribut

Sortie : aucune sortie

Remarques : Si le caractère indiqué doit être sorti plusieurs fois (auquel cas la valeur du registre CX est supérieure à 1), il faut, en mode graphique, que tous les caractères rentrent dans la page écran actuelle.

Les codes de commande "bell", "carriage return", etc..., ne sont pas identifiés comme tels mais sortis comme des codes ASCII normaux.

Cette fonction permet également de sortir des caractères en mode graphique. Dans ce cas, les modèles des caractères portant les codes 0 à 127 sont tirés dans une table en ROM et les modèles des caractères portant les codes 128 à 255 sont tirés d'une table en RAM qui doit avoir été installée préalablement avec l'instruction GRAFTABL du DOS.

En mode de texte, le contenu du registre BL définit l'octet d'attribut du caractère. En mode graphique, il détermine la couleur du caractère. En mode graphique 640*200 points, les valeurs 0 et 1, en mode graphique 320*200 points, les valeurs 0 à 3 sont possibles pour définir les différentes couleurs de la palette de couleurs sélectionnée.

Si le mode graphique est activé lors de la sortie de caractères et si le bit 7 du registre BL est fixé, le modèle de caractère est combiné par un 'ou exclusif' avec les points graphiques figurant sous ce caractère.

Cette fonction ne fait pas avancer le curseur vers la prochaine position de l'écran. Le contenu des registres BX, CX, DX et des registres de segment SS, CS et DS n'est pas modifié par cette fonction. Le contenu de tous les autres registres, et notamment des registres SI et DI, peut avoir été modifié.

Interruption 10h, Fonction 0Ah
Ecran : Ecriture d'un caractère

BIOS

Un caractère est écrit dans la position actuelle du curseur dans la page écran spécifiée. La couleur de l'ancien caractère dans cette position de l'écran est maintenue.

Entrée :   AH = 0Ah
              BH = Numéro de la page écran
              CX = Nombre d'écritures successives du caractère
              AL = Code ASCII du caractère

Sortie :   aucune sortie

Remarques : Si le caractère indiqué doit être sorti plusieurs fois (auquel cas la valeur du registre CX est supérieure à 1), il faut, en mode graphique, que tous les caractères rentrent dans la page écran actuelle.

Les codes de commande "bell", "carriage return", etc..., ne sont pas identifiés comme tels mais sortis comme des codes ASCII normaux.

Cette fonction permet également de sortir des caractères en mode graphique. Dans ce cas, les modèles des caractères portant les codes 0 à 127 sont tirés dans une table en ROM et les modèles des caractères portant les codes 128 à 255 sont tirés d'une table en RAM qui doit avoir été installée préalablement avec l'instruction GRAFTABL du DOS.

En mode de texte, le contenu du registre BL définit l'octet d'attribut du caractère. En mode graphique, il détermine la couleur du caractère. En mode graphique 640*200 points, les valeurs 0 et 1, en mode graphique 320*200 points, les valeurs 0 à 3 sont possibles pour définir les différentes couleurs de la palette de couleurs sélectionnée.

Si le mode graphique est activé lors de la sortie de caractères et si le bit 7 du registre BL est fixé, le modèle de caractère est combiné par un 'ou exclusif' avec les points graphiques figurant sous ce caractère.

Cette fonction ne fait pas avancer le curseur vers la prochaine position de l'écran.

Le contenu des registres BX, CX, DX et des registres de segment SS, CS et DS n'est pas modifié par cette fonction. Le contenu de tous les autres registres, et notamment des registres SI et DI, peut avoir été modifié.

Interruption 10h, Fonction 0Bh, Sous-fonction 0   *BIOS*
Ecran : Sélection des couleurs de cadre et de fond

Cette fonction sert à sélectionner les couleurs de cadre et de fond pour les modes graphique et de texte.

Entrée :   AH = 0Bh
                    BH = 0
                    BL = Couleurs de cadre/de fond

Sortie :   aucune sortie

Remarques :   En mode graphique, la valeur de couleur transmise définit aussi bien la couleur du cadre de l'écran que celle du fond de l'écran. En mode de texte, la couleur du fond est définie séparément pour chaque caractère, de sorte que la valeur de couleur transmise définit uniquement la couleur du cadre de l'écran.

                    La valeur de couleur transmise peut être comprise entre 0 et 15 et peut donc représenter les 16 couleurs possibles.

                    Le contenu des registres BX, CX, DX et des registres de segment SS, CS et DS n'est pas modifié par cette fonction. Le contenu de tous les autres registres, et notamment des registres SI et DI, peut avoir été modifié.

Interruption 10h, Fonction 0Bh, Sous-fonction 1   *BIOS*
Ecran : Sélection de la palette de couleurs

Sélection d'une des deux palettes de couleurs pour le mode graphique 320*200 points.

Entrée :   AH = 0Bh
                    BH = 1
                    BL = Numéro de la palette de couleurs

Sortie :   aucune sortie

Remarques :   Deux palettes de couleurs sont disponibles. Elles portent les numéros 0 et 1 et contiennent les couleurs suivantes :

                    Palette 0 : vert, rouge, jaune
                    Palette 1 : turquoise, magenta, blanc

                    Le contenu des registres BX, CX, DX et des registres de segment SS, CS et DS n'est pas modifié par cette fonction. Le contenu de tous les autres registres, et notamment des registres SI et DI, peut avoir été modifié.

Interruption 10h, Fonction 0Ch
Ecran : Ecrire un point graphique

BIOS

Fixer la valeur de couleur pour un point écran en mode graphique.

Entrée :   AH = 0Ch
          DX = Ligne de l'écran
          CX = Colonne de l'écran
          AL = Valeur de couleur

Sortie :   aucune sortie

Remarques : La valeur de couleur se réfère au mode graphique actuel.
          En mode 640*200 points, seules les valeurs 0 et 1 sont autorisées.
          En mode 320*200 points, les valeurs 0 à 3 sont autorisées. Elles génèrent une couleur en fonction de la palette de couleurs sélectionnée. La valeur 0 correspond à la couleur sélectionnée pour le fond, 1 à la première couleur de la palette sélectionnée, 2 à la seconde, etc...
          Le contenu des registres BX, CX, DX et des registres de segment SS, CS et DS n'est pas modifié par cette fonction. Le contenu de tous les autres registres, et notamment des registres SI et DI, peut avoir été modifié.

Interruption 10h, Fonction 0Dh
Ecran : Lire un point graphique

BIOS

Lire la couleur d'un point écran en mode graphique.

Entrée :   AH = 0Dh
          DX = Ligne de l'écran
          CX = Colonne de l'écran

Sortie :   AL = Valeur de couleur

Remarques : La valeur de couleur se réfère au mode graphique actuel.
          En mode 640*200 points, seules les valeurs 0 et 1 sont possibles.
          En mode 320*200 points, les valeurs 0 à 3 sont autorisées. Elles génèrent une couleur en fonction de la palette de couleurs sélectionnée. La valeur 0 correspond à la couleur sélectionnée pour le fond, 1 à la première couleur de la palette sélectionnée, 2 à la seconde, etc...
          Le contenu des registres BX, CX, DX et des registres de segment SS, CS et DS n'est pas modifié par cette fonction. Le contenu de tous les autres registres, et notamment des registres SI et DI, peut avoir été modifié.

Interruption 10h, Fonction 0Eh   *BIOS*
Ecran : Ecrire un caractère

Un caractère est écrit dans la position actuelle du curseur dans la page écran actuelle. La couleur de l'ancien caractère dans cette position de l'écran est maintenue.

Entrée :   AH = 0Eh
                AL = Code ASCII du caractère
                BL = Couleur de premier plan du caractère (en mode graphique uniquement)

Sortie :   aucune sortie

Remarques :   Cette fonction n'interprète pas les différents codes de commande tels que "bell" et "carriage return" comme des codes ASCII normaux mais comme des codes de commande particuliers. La sortie du caractère "bell" produira par exemple un bip.

Après sortie d'un caractère à l'aide de cette fonction, la position du curseur est incrémentée de sorte que le caractère suivant sera sorti dans la position suivante de l'écran. Lorsque la dernière position de l'écran est atteinte, l'écran défile d'une ligne vers le haut et la sortie se poursuit dans la première colonne de la dernière ligne de l'écran.

La couleur de premier plan se réfère au mode graphique actuel.

En mode 640*200 points, seules les valeurs 0 et 1 sont possibles.

En mode 320*200 points, les valeurs 0 à 3 sont autorisées. Elles génèrent une couleur en fonction de la palette de couleurs sélectionnée. La valeur 0 correspond à la couleur sélectionnée pour le fond, 1 à la première couleur de la palette sélectionnée, 2 à la seconde, etc...

Le contenu des registres BX, CX, DX et des registres de segment SS, CS et DS n'est pas modifié par cette fonction. Le contenu de tous les autres registres, et notamment des registres SI et DI, peut avoir été modifié.

Interruption 10h, Fonction 0Fh   *BIOS*
Ecran : Lecture du mode vidéo

Lire le numéro du mode vidéo actuel, le nombre de caractères par ligne et le numéro de la page écran actuelle.

Entrée :   AH = 0Fh

Sortie :   AL = Mode vidéo (voir fonction 00h)
                AH = Nombre de caractères par ligne
                BH = Numéro de la page écran actuelle

Remarques :   Le contenu des registres BL, CX, DX et des registres de segment SS, CS et DS n'est pas modifié par cette fonction. Le contenu de tous les autres registres, et notamment des registres SI et DI, peut avoir été modifié.

Une chaîne de caractères est sortie sur l'écran, dans une page écran déterminée, à partir d'une position spécifiée de l'écran. Les caractères sont retirés d'un buffer dont l'adresse doit être transmise à la fonction.

Entrée :   AH = 13h
            AL = Mode de sortie (0 - 3)
                 0 = Attribut dans BL, conserver position du curseur
                 1 = Attribut dans BL, actualiser position du curseur
                 2 = Attribut dans le buffer, conserver position du curseur
                 3 = Attribut dans le buffer, actualiser position du curseur
            BL = Octet d'attribut des caractères (modes 0 et 1 seulement)
            CX = Nombre de caractères à sortir
            DH = Ligne de l'écran
            DL = Colonne de l'écran
            BH = Page écran
            ES = Adresse de segment du buffer
            BP = Adresse d'offset du buffer

Sortie :   aucune sortie

Remarques :   En modes 1 et 3, la position du curseur est fixée à la suite du dernier caractère de la chaîne de caractères sortie, de sorte que, lors des appels ultérieurs d'une fonction BIOS de sortie de caractères, les caractères seront sortis à la suite de la chaîne de caractères. Ce n'est pas le cas en modes 0 et 2.

En modes 0 et 1, le buffer contient uniquement les codes ASCII des caractères à sortir. La couleur de tous les caractères de la chaîne de caractères est dans ce cas fixée par le registre BL. En modes 2 et 3, par contre, chaque caractère est suivi, dans le buffer, de l'octet d'attribut correspondant de sorte que chaque caractère est doté d'un attribut individuel. Bien que la taille en octets de la chaîne de caractères soit deux fois supérieure au nombre de caractères à sortir, c'est bien ce nombre de caractères ASCII qui doit être spécifié dans le registre CX et non la longueur effective de la chaîne.

Les codes de commande spéciaux tels que "bell" et "carriage return" sont interprétés comme des codes de commande et non comme des codes ASCII normaux.

Lorsqu'est atteinte la dernière position de l'écran, l'écran défile d'une ligne vers le haut et la sortie se poursuit sur la première colonne de la dernière ligne de l'écran.

Le contenu des registres BX, CX, DX et des registres de segment SS, CS et DS n'est pas modifié par cette fonction. Le contenu de tous les autres registres, et notamment des registres SI et DI, peut avoir été modifié.

Déterminer quelle est la configuration du système telle qu'elle a été constatée lors de l'opération de lancement du système.

Entrée :   aucune entrée

Sortie :   AX   = la configuration

Pour le PC et le XT :

Bit 0	vaut 1 si le système dispose d'un ou plusieurs lecteurs de disquette
Bit 1	inutilisé
Bits 2 et 3	Mémoire RAM sur la carte mère
	00 = 16 Ko
	01 = 32 Ko
	10 = 48 Ko
	11 = 64 Ko
Bits 4 et 5	Mode vidéo lors du lancement du système
	00 : inutilisé
	01 : 40*25 car. sur carte couleur
	02 : 80*25 car. sur carte couleur
	03 : 80*25 car. sur carte mono
Bits 6 et 7	indiquent le nombre de lecteurs de disquette si le bit 0 vaut 1
	00 = 1 lecteur de disquette
	01 = 2 lecteurs de disquette
	10 = 3 lecteurs de disquette
	11 = 4 lecteurs de disquette
Bit 8	vaut 0 s'il y a un circuit DMA
Bits 9 à 11	Nombre de cartes RS232 connectées
Bit 12	vaut 1 si l'adaptateur de jeux est connecté
Bit 13	inutilisé
Bits 14 et 15	indiquent le nombre d'imprimantes

Pour l'AT :

Bit 0	vaut 1 si le système dispose d'un ou plusieurs lecteurs de disquette
Bit 1	vaut 1 si un coprocesseur mathématique est implanté sur le système
Bits 2 et 3	inutilisés
Bits 4 et 5	Mode vidéo lors du lancement du système
	00 : inutilisé
	01 : 40*25 car. sur carte couleur
	02 : 80*25 car. sur carte couleur
	03 : 80*25 car. sur carte mono

Bits 6 et 7	indiquent le nombre de lecteurs de disquette si le bit 0 vaut 1

	00 = 1 lecteur de disquette
	01 = 2 lecteurs de disquette
	10 = 3 lecteurs de disquette
	11 = 4 lecteurs de disquette
Bit 8	sans signification
Bits 9 à 11	Nombre de cartes RS232 connectées
Bits 12 et 13	inutilisés
Bits 14 et 15	indiquent le nombre d'imprimantes

Remarques : Pour pouvoir interpréter la signification des différents bits du mot de configuration, il faut connaître le type du PC (PC/XT ou AT).

La taille de la mémoire indiquée dans les bits 2 et 3 du mot de configuration du
PC/XT se réfère uniquement à la carte mère. L'interruption 12h permet de
connaître la taille totale de la mémoire.

Le mode vidéo indiqué dans les bits 4 et 5 correspond au mode vidéo qui était
activé lors de la mise en marche du système. Pour connaître le mode vidéo actuel,
c'est d'une autre fonction, la fonction 15 de l'interruption 10h qu'il convient donc
de se servir.

Seul le contenu du registre AX est modifié à la suite de l'appel de cette fonction.

Interruption 12h   *BIOS*
Déterminer la taille de la mémoire

Entrée : aucune entrée

Sortie : AX = Taille de la mémoire en Ko

Remarques : Le PC et le XT ne peuvent recevoir plus de 640 Ko de RAM alors que l'AT peut
encore recevoir jusqu'à 14 Mo de mémoire RAM au-delà de la limite de 1 Mo.
La taille de cette mémoire supplémentaire n'est pas prise en compte dans la taille
de mémoire indiquée par cette fonction. Pour connaître le volume de la mémoire
au-delà de la limite de 1 Mo, vous pouvez utiliser la fonction 88h de l'interruption 15h. Cette fonction n'existe d'ailleurs que sur l'AT.

Seul le contenu du registre AX est modifié par l'appel de cette fonction.

L'appel de cette fonction déclenche une réinitialisation du contrôleur de disquette ainsi que des lecteurs de disquette connectés. Il convient d'effectuer une réinitialisation (Reset) après toute opération disquette à la suite de laquelle une erreur a été signalée.

Entrée :   AH = 00h
     DL = 0 ou 1

Sortie :   Flag Carry = 0 : Opération exécutée, dans ce cas AH=0
     Flag Carry = 1 : Erreur, dans ce cas AH=Code d'erreur

Remarques : La valeur dans le registre DL ne sert à rien en fait car la réinitialisation est effectuée sur tous les lecteurs de disquette. Elle est cependant utilisée sur le XT et l'AT pour signaler si la réinitialisation doit concerner les lecteurs de disquette ou le disque dur.

    Les codes d'erreur suivants peuvent se présenter :

       01h : Numéro de fonction non autorisé
       02h : Marque d'adresse non trouvée
       03h : Tentative d'écriture sur disquette protégée contre l'écriture
       04h : Secteur appelé non trouvé
       08h : Débordement DMA
       09h : Transfert de données par-delà la limite de segment
       10h : Erreur de lecture
       20h : Erreur sur le contrôleur de disque
       40h : Piste non trouvée
       80h : Erreur de Time Out, le lecteur ne réagit pas

    Le contenu des registres BX, CX, DX, SI, DI, BP et des registres de segment SS, CS et DS n'est pas modifié par cette fonction. Le contenu de tous les autres registres peut avoir été modifié.

Cette fonction permet de consulter l'état de la dernière opération disquette.

Entrée :   AH = 01h
     DL = 0 ou 1

Sortie :   Flag Carry =0 : Opération exécutée, dans ce cas AH=0
     Flag Carry =1 : Erreur, dans ce cas AH=Code d'erreur

Remarques : La valeur dans le registre DL ne sert à rien en fait car l'état est toujours renvoyé pour le lecteur de disquette auquel il avait été accédé en dernier. Il est cependant utilisé sur le XT et l'AT pour distinguer si c'est l'état du lecteur de disquette ou du disque dur qui doit être consulté.
    Codes d'erreur, cf. fontion 00h
    Le contenu des registres BX, CX, DX, SI, DI, BP et des registres de segment n'est pas modifié par cette fonction. Le contenu de tous les autres registres peut avoir été modifié.

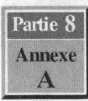

Interruption 13h, Fonction 02h
Disquette : Lecture

BIOS

Cette fonction permet de lire un ou plusieurs secteurs sur la disquette pour les transférer dans un buffer.

Entrée :   AH = 02h
DL = Numéro du lecteur de disquette
DH = Numéro de la face de disquette (0 ou 1)
CH = Numéro de piste
CL = Numéro de secteur
AL = Nombre de secteurs à lire
ES = Adresse de segment du buffer
BX = Adresse d'offset du buffer

Sortie :   Flag Carry =0 : Opération exécutée, dans ce cas AH=0
Flag Carry =1 : Erreur, dans ce cas AH=Code d'erreur

Remarques :   Le nombre de secteurs à lire, qui est spécifié dans le registre AL, est limité par le fait qu'un seul appel de fonction ne permet de lire que des secteurs consécutifs sur une même piste d'une même face de disquette.
Codes d'erreur, cf.. Fonction 00h.
Le contenu des registres BX, CX, DX, SI, DI, BP et des registres de segment n'est pas modifié par cette fonction. Le contenu de tous les autres registres peut avoir été modifié.

Interruption 13h, Fonction 03h
Disquette : Ecriture

BIOS

Cette fonction permet d'écrire un ou plusieurs secteurs sur la disquette. Les données à transférer sont tirées d'un buffer.

Entrée :   AH = 03h
DL = Numéro du lecteur de disquette
DH = Numéro de la face de disquette (0 ou 1)
CH = Numéro de piste
CL = Numéro de secteur
AL = Nombre de secteurs à écrire
ES = Adresse de segment du buffer
BX = Adresse d'offset du buffer

Sortie :   Flag Carry =0 : Opération exécutée, dans ce cas AH=0
Flag Carry =1 : Erreur, dans ce cas AH=Code d'erreur

Remarques :   Le nombre de secteurs à écrire, qui est spécifié dans le registre AL, est limité par le fait qu'un seul appel de fonction ne permet d'écrire que sur des secteurs consécutifs sur une même piste d'une même face de disquette.
Codes d'erreur, cf.. Fonction 00h.
Le contenu des registres BX, CX, DX, SI, DI, BP et des registres de segment n'est pas modifié par cette fonction. Le contenu de tous les autres registres peut avoir été modifié.

Interruption 13h, Fonction 04h
Disquette : Vérification

BIOS

Cette fonction permet de comparer un ou plusieurs secteurs de la disquette avec les données d'un buffer en mémoire. Cela permet par exemple, à la suite d'une instruction d'écriture, de vérifier si les données ont été correctement transférées sur la disquette.

Entrée :   AH = 04h
            DL = Numéro du lecteur de disquette
            DH = Numéro de la face de disquette (0 ou 1)
            CH = Numéro de piste
            CL = Numéro de secteur
            AL = Nombre de secteurs à vérifier
            ES = Adresse de segment du buffer
            BX = Adresse d'offset du buffer

Sortie :   Flag Carry = 0 : Opération exécutée, dans ce cas AH=0
            Flag Carry = 1 : Erreur, dans ce cas AH=Code d'erreur

Remarques :   Le nombre de secteurs à vérifier, qui est spécifié dans le registre AL, est limité par le fait qu'un seul appel de fonction ne permet de vérifier que des secteurs consécutifs sur une même piste d'une même face de disquette.
            Codes d'erreur, cf.. Fonction 00h.
            Le contenu des registres BX, CX, DX, SI, DI, BP et des registres de segment n'est pas modifié par cette fonction. Le contenu de tous les autres registres peut avoir été modifié.

Interruption 13h, Fonction 05h
Disquette : Formatage

BIOS

En appelant cette fonction, vous pouvez formater une piste complète d'une face de la disquette. Il faut communiquer à la fonction, à cet effet, l'adresse d'un buffer contenant certaines informations sur les secteurs à formater.

Entrée :   AH = 05h
            DL = Numéro du lecteur de disquette
            DH = Numéro de la face de disquette (0 ou 1)
            CH = Numéro de piste
            AL = Nombre de secteurs à vérifier
            ES = Adresse de segment du buffer
            BX = Adresse d'offset du buffer

Sortie :   Flag Carry = 0 : Opération exécutée, dans ce cas AH=0
            Flag Carry = 1 : Erreur, dans ce cas AH=Code d'erreur

Remarques :   Le nombre de secteurs à formater, qui est spécifié dans le registre AL, est limité par le fait qu'un seul appel de fonction ne permet de formater que des secteurs consécutifs sur une même piste d'une même face de disquette.
            En ce qui concerne les AT et les systèmes équipés d'un processeur 80386 ou 80486, il faut appeler la fonction 17h avant d'appeler cette fonction pour déterminer le type de la disquette à formater.
            Le buffer dont l'adresse est fournie dans ES:BX contient pour chaque secteur à formater une entrée composée de 4 octets consécutifs :

1. Numéro de piste
2. Numéro de face
3. Numéro logique du secteur
4. Nombre d'octets dans ce secteur
   0 : 128 octets
   1 : 256 octets
   2 : 512 octets (Standard PC)
   3 : 1024 octets

Les numéros de piste et de face doivent être identiques pour tous les secteurs alors que le numéro de secteur doit être au contraire différent pour chacun. Ce numéro de secteur peut être décalé par rapport au numéro de secteur physique.
Codes d'erreur, cf.. Fonction 00h.
Le contenu des registres BX, CX, DX, SI, DI, BP et des registres de segment n'est pas modifié par cette fonction. Le contenu de tous les autres registres peut avoir été modifié.

Interruption 13h, Fonction 06h   *BIOS*
Disque dur

Cette fonction sert à accéder aux disques durs et non aux unités de disquettes.

Interruption 13h, Fonction 07h   *BIOS*
Disque dur

Cette fonction sert à accéder aux disques durs et non aux unités de disquettes.

Interruption 13h, Fonction 08h   *BIOS (à partir de AT)*
Disquette : Déterminer le format

Cette fonction permet de déterminer la capacité d'une unité de disquettes et le format des disquettes. On se réfère ici aux capacités physiques de l'unité et non au format de la disquette qui y est insérée.

Entrée :   AH = 08h
              DL = Numéro de l'unité de disquettes

Sortie :   Flag Carry = 0 : Opération exécutée, dans ce cas

              AH = 0
              BL = Type de l'unité
              01h = 5,25", 360 Ko
              02h = 5,25", 1,2 Mo
              03h = 3,5", 720 Ko
              04h = 3,5", 1,44 Mo
              DH = Numéro de page supérieur (toujours 1)
              CH = Numéro de piste supérieur
              CL = Numéros de secteurs supérieurs

              Flag Carry = 1 : Erreur, dans ce cas AH = Code d'erreur

Remarques : Le contenu des registres SI, BP et des registres de segment CS, DS et SS n'est pas modifié par cette fonction. Le contenu de tous les autres registres peut avoir été modifié.

Interruption 13h, Fonctions de 09h à 14h   *BIOS*
Disque dur

Ces fonctions servent à accéder aux disques durs et non aux unités de disquettes.

Interruption 13h, Fonction 15h   *BIOS (A partir de AT)*
Disquette : Déterminer le type de lecteur

L'AT soutient non seulement les anciens lecteurs 320/360 Ko mais aussi les nouveaux lecteurs 1,2 Mo. Ces nouveaux lecteurs disposent, contrairement aux précédents, de la possibilité de détecter un changement de disquette. Cette fonction vous permet de tester si le lecteur utilisé dispose de cette possibilité.

Entrée :   AH = 15h
            DL = Numéro du lecteur de disquette (0 ou 1)

Sortie :   Flag Carry = 0 : Operation exécutée, dans ce cas
            AH = type du lecteur
                 0 : Périphérique absent
                 1 : Lecteur ne détecte pas les changements de disquette
                 2 : Lecteur détecte les changements de disquette
                 3 : Disque dur (voir remarques)
                 1 : Erreur

Remarques :   Il se peut que l'unité testée soit un disque dur car l'AT comporte un contrôleur qui peut gérer, au choix, 2 lecteurs de disquette et un disque dur ou bien un lecteur de disquette et 2 disques durs. Dans ce dernier cas, le premier disque dur porte le numéro 1 et peut donc être testé à l'aide de cette fonction.
             Le contenu des registres BX, CX, DX, SI, DI, BP et des registres de segment n'est pas modifié par cette fonction. Le contenu de tous les autres registres peut avoir été modifié.

Interruption 13h, Fonction 16h   *BIOS (A partir de AT)*
Disquette : Détecter un changement de disquette

L'AT soutient non seulement les anciens lecteurs 320/360 Ko mais aussi les nouveaux lecteurs 1,2 Mo. Ces nouveaux lecteurs disposent, contrairement aux précédents, de la possibilité de détecter un changement de disquette. Si vous disposez d'un lecteur de disquette de ce type, cette fonction vous permet de tester si un changement de disquette est intervenu depuis le dernier accès à la disquette.

Entrée :   AH = 16h
            DL = Numéro du lecteur de disquette (0 ou 1)

Sortie :   AH = 0 : Pas de changement de disquette
            AH = 6 : Disquette changée depuis le dernier accès disquette

Remarques :   Le contenu des registres BX, CX, DX, SI, DI, BP et des registres de segment n'est pas modifié par cette fonction. Le contenu de tous les autres registres peut avoir été modifié.

Interruption 13h, Fonction 17h *BIOS (A partir de AT)*
Disquette : Fixer format de disquette

Cette fonction permet de configurer un lecteur par rapport à un format de disquette précis. Cette fonction est déjà utilisée dans les versions 3.0 et 3.1 de DOS, mais à partir de la version 3.2, cette tâche est remplie par la fonction 18h. Les programmes doivent également éviter cette fonction d'autant qu'elle ne convient pas aux lecteurs 3,5" qui se sont largement répandus dans le monde PC.

Entrée :   AH = 17h
AL = Format
1: formater en 320/360 Ko sur un lecteur 320/360 Ko
2: formater en 320/360 Ko sur un lecteur 1,2 Mo
3: formater en 1,2 Mo sur un lecteur 1,2 Mo
4: formater en 720 Ko sur un lecteur 720 Ko

Sortie :   Flag Carry = 0 : Opération exécutée
Flag Carry = 1 : Erreur

Remarques :   Codes d'erreur, cf.. Fonction 00h.

Le contenu des registres BX, CX, DX, SI, DI, BP et des registres de segment n'est pas modifié par cette fonction. Le contenu de tous les autres registres peut avoir été modifié.

Interruption 13h, Fonction 18h *BIOS (à partir de AT)*
Disquette : Fixer format de disquette

Cette fonction remplace la fonction 17h. Elle doit être appelée pour fixer le format des disquettes. Mais elle ne doit être appelée qu'après avoir inséré une disquette dans le lecteur spécifié, sinon elle signale une erreur.

Entrée :   AH = 18h
CH = Numéro de piste
CL = Numéro de secteur
DL = Numéro du lecteur (0 ou 1)

Sortie :   Flag Carry = 0 : Opération exécutée
Flag Carry = 1 : Erreur

Remarques :   Dans ce cas, cette fonction doit être appelée avant le premier appel de la fonction de formatage 05h pour que le BIOS puisse être configuré au format de disquette souhaité.
Codes d'erreur, cf.. Fonction 00h.
Le contenu des registres BX, CX, DX, SI, DI, BP et des registres de segment n'est pas modifié par cette fonction. Le contenu de tous les autres registres peut avoir été modifié.

Interruption 13h, Fonction 00h   *BIOS*
Disque dur : Reset

Si vous appelez cette fonction, un Reset est effectué aussi bien sur le contrôleur de disque dur que sur les lecteurs de disque dur connectés. Il convient d'effectuer une réinitialisation après toute opération disque dur à la suite de laquelle une erreur a été signalée.

Entrée :   AH = 00h
                  DL = 80h ou 81h

Sortie :   Flag Carry =0 : Opération exécutée
                  Flag Carry =1 : Erreur, dans ce cas AH=Code d'erreur

Remarques :   Le premier lecteur de disque dur porte le numéro 80h, le second le numéro 81h. La valeur dans le registre DL ne sert à rien en fait car une réinitialisation est effectuée sur tous les lecteurs de disque dur. Elle est utilisée sur le XT et sur l'AT pour distinguer si la réinitialisation doit concerner les lecteurs de disquette ou de disque dur.
             Les codes d'erreur suivants peuvent apparaître :

                       01h :   Numéro de fonction non autorisé ou lecteur appelé absent
                       02h :   Marque d'adresse non trouvée
                       04h :   Secteur non trouvé
                       05h :   Erreur lors de réinitialisation contrôleur
                       07h :   Erreur lors d'initialisation du contrôleur
                       09h :   Erreur de transmission DMA : transfert de données
                                 par-delà la limite de segment
                       0Ah :   Secteur défectueux
                       10h :   Erreur de lecture
                       11h :   Erreur de lecture corrigée par ECC
                       20h :   Contrôleur défectueux
                       40h :   Opération de recherche infructueuse
                       80h :   Lecteur ne répond pas (Time Out)
                       AAh :   Lecteur n'est pas prêt
                       CCh :   Erreur en écriture

             Le contenu des registres BX, CX, DX, SI, DI, BP et des registres de segment n'est pas modifié par cette fonction. Le contenu de tous les autres registres peut avoir été modifié.

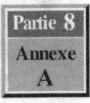

Interruption 13h, Fonction 01h
Disque dur : Consulter état du disque dur

BIOS

Cette fonction permet de connaître l'état de la dernière opération sur disque dur.

Entrée : AH = 01h
     DL = 80h ou 81h

Sortie : Flag Carry =0 : Opération exécutée
     Flag Carry =1 : Erreur, dans ce cas AH=Code d'erreur

Remarques : Le premier lecteur de disque dur porte le numéro 80h, le second le numéro 81h.
     La valeur dans le registre DL ne sert à rien en fait car l'état est toujours
     renvoyé pour le disque dur auquel il a été accédé en dernier lieu. Elle est
     utilisée sur le XT et sur l'AT pour distinguer si c'est l'état d'un lecteur de
     disquette ou de disque dur qui doit être obtenu.
     Codes d'erreur, cf.: Fonction 00h.
     Le contenu des registres BX, CX, DX, SI, DI, BP et des registres de segment n'est
     pas modifié par cette fonction. Le contenu de tous les autres registres peut avoir
     été modifié.

Interruption 13h, Fonction 02h
Disque dur : Lecture

BIOS

Cette fonction permet de lire un ou plusieurs secteurs sur le disque dur, pour les transférer
dans un buffer.

Entrée : AH = 02h
     DL = Numéro de disque dur (80h ou 81h)
     DH = Numéro de tête de lecture/écriture
     CH = Numéro de cylindre
     CL = Numéro de secteur
     AL = Nombre de secteurs à lire (1 - 128)
     ES = Adresse de segment du buffer
     BX = Adresse d'offset du buffer

Sortie : Flag Carry =0 : Opération exécutée
     Flag Carry =1 : Erreur, dans ce cas AH=Code d'erreur

Remarques : Le premier lecteur de disque dur porte le numéro 80h, le second le numéro 81h.
     Les 8 bits du registre CH ne permettant d'adresser que 256 cylindres, les bits 6
     et 7 du numéro de secteur (registre CL) représentent les bits 8 et 9 du numéro
     de cylindre et permettent ainsi d'adresser jusqu'à 1023 cylindres.
     Si plusieurs secteurs sont lus et que le dernier secteur d'un cylindre est atteint,
     la lecture se poursuit sur le premier secteur du même cylindre sur la prochaine
     tête de lecture/écriture. Une fois la dernière tête de lecture/écriture atteinte, la
     lecture se poursuit sur le premier secteur du cylindre suivant sur la première
     tête de lecture/écriture.
     Codes d'erreur, cf.. Fonction 00h.
     Le contenu des registres BX, CX, DX, SI, DI, BP et des registres de segment n'est
     pas modifié par cette fonction. Le contenu de tous les autres registres peut avoir
     été modifié.

Interruption 13h, Fonction 03h
Disque dur : Ecriture

BIOS

Cette fonction permet d'écrire sur un ou plusieurs secteurs du disque dur. Les données à transférer sont tirées d'un buffer mis en place dans le programme d'appel.

Entrée : AH = 03h
DL = Numéro de disque dur (80h ou 81h)
DH = Numéro de tête de lecture/écriture
CH = Numéro de cylindre
CL = Numéro de secteur
AL = Nombre de secteurs à écrire (1 - 128)
ES = Adresse de segment du buffer
BX = Adresse d'offset du buffer

Sortie : Flag Carry =0 : Opération exécutée
Flag Carry =1 : Erreur, dans ce cas AH=Code d'erreur

Remarques : Le premier lecteur de disque dur porte le numéro 80h, le second le numéro 81h. Les 8 bits du registre CH ne permettant d'adresser que 256 cylindres, les bits 6 et 7 du numéro de secteur (registre CL) représentent les bits 8 et 9 du numéro de cylindre et permettent ainsi d'adresser jusqu'à 1023 cylindres.

Si on écrit sur plusieurs secteurs et que le dernier secteur d'un cylindre est atteint, l'écriture se poursuit sur le premier secteur du même cylindre sur la prochaine tête de lecture/écriture. Une fois la dernière tête de lecture/écriture atteinte, l'écriture se poursuit sur le premier secteur du cylindre suivant sur la première tête de lecture/écriture.

Codes d'erreur, cf.. Fonction 00h.

Le contenu des registres BX, CX, DX, SI, DI, BP et des registres de segment n'est pas modifié par cette fonction. Le contenu de tous les autres registres peut avoir été modifié.

Interruption 13h, Fonction 04h
Disque dur : Vérification

BIOS

Cette fonction permet de vérifier un ou plusieurs secteurs du disque dur. Contrairement à la fonction disquette équivalente, cette fonction ne compare cependant pas les données du disque dur avec des données en mémoire. 4 octets de contrôle sont en effet systématiquement sauvegardés avec chaque secteur. Ils permettent ainsi de vérifier le contenu d'un secteur, même bien après qu'il ait été sauvegardé.

Entrée : AH = 04h
DL = Numéro de disque dur (80h ou 81h)
DH = Numéro de tête de lecture/écriture
CH = Numéro de cylindre
CL = Numéro de secteur
AL = Nombre de secteurs à vérifier (1 - 128)
ES = Adresse de segment du buffer
BX = Adresse d'offset du buffer

Sortie : Flag Carry =0 : Opération exécutée
Flag Carry =1 : Erreur, dans ce cas AH=Code d'erreur

Remarques : Le premier lecteur de disque dur porte le numéro 80h, le second le numéro 81h. Les 8 bits du registre CH ne permettant d'adresser que 256 cylindres, les bits 6 et 7 du numéro de secteur (registre CL) représentent les bits 8 et 9 du numéro de cylindre et permettent ainsi d'adresser jusqu'à 1023 cylindres.

Si on vérifie plusieurs secteurs et que le dernier secteur d'un cylindre est atteint, la vérification se poursuit sur le premier secteur du même cylindre sur la prochaine tête de lecture/écriture. Une fois la dernière tête de lecture/écriture atteinte, la vérification se poursuit sur le premier secteur du cylindre suivant sur la première tête de lecture/écriture.

Codes d'erreur, cf.. Fonction 00h.

Le contenu des registres BX, CX, DX, SI, DI, BP et des registres de segment n'est pas modifié par cette fonction. Le contenu de tous les autres registres peut avoir été modifié.

Interruption 13h, Fonction 05h
Disque dur : Formatage

BIOS

Cette fonction permet de formater un cylindre complet, c'est-à-dire 17 secteurs du disque dur. La fonction a cependant besoin pour cela que le programme d'appel lui communique dans un buffer un certain nombre d'informations supplémentaires.

Entrée : AH = 05h
DL = Numéro de disque dur (80h ou 81h)
DH = Numéro de tête de lecture/écriture
CH = Numéro de cylindre
CL = 1
AL = 17
ES = Adresse de segment du buffer
BX = Adresse d'offset du buffer

Sortie : Flag Carry =0 : Opération exécutée
Flag Carry =1 : Erreur, dans ce cas AH=Code d'erreur

Remarques : Le premier lecteur de disque dur porte le numéro 80h, le second le numéro 81h. Les 8 bits du registre CH ne permettant d'adresser que 256 cylindres, les bits 6 et 7 du numéro de secteur (registre CL) représentent les bits 8 et 9 du numéro de cylindre et permettent ainsi d'adresser jusqu'à 1023 cylindres.

Comme c'est toujours un cylindre complet qui est formaté à la fois, le premier secteur à formater, dans le registre CL, est toujours le secteur 1. Pour la même raison, le nombre de secteurs à formater, dans le registre AL, est toujours 17 car les disques durs standard travaillent avec 17 secteurs par cylindre.

Le buffer dont l'adresse est fournie en ES:BX doit avoir une taille de 512 octets au moins. Les 17 secteurs à formater d'un cylindre n'occupent toutefois que les 34 premiers octets de ce buffer. Les informations correspondant à chaque secteur physique sont chaque fois stockées dans deux octets consécutifs. Le premier octet n'a aucune signification avant appel de la fonction mais indique après l'appel de fonction si le secteur a pu être formaté (00h) ou non (80h). Le second octet spécifie le numéro de secteur logique. Il doit être inscrit dans le buffer par le programme d'appel avant appel de la fonction.

Codes d'erreur, cf.. Fonction 00h.

Le contenu des registres BX, CX, DX, SI, DI, BP et des registres de segment n'est pas modifié par cette fonction. Le contenu de tous les autres registres peut avoir été modifié.

Interruption 13h, Fonction 06h
Disque dur : Formatage XT

BIOS

Auparavant, cette fonction servait à formater les disques durs XT. A l'heure actuelle, elle ne joue aucun rôle dans la programmation.

Interruption 13h, Fonction 07h

BIOS

Auparavant, cette fonction servait à formater les disques durs XT. A l'heure actuelle, elle ne joue aucun rôle dans la programmation.

Interruption 13h, Fonction 08h
Disque dur : Déterminer format

BIOS (XT AT)

En appelant cette fonction, un programme peut connaître le format ou les caractéristiques du disque dur.

Entrée :   AH = 08h
             DL = Numéro de disque dur (80h ou 81h)

Sortie :   Flag Carry =0 : Opération exécutée, dans ce cas
             DL = Nombre de disques durs connectés
             DH = Nombre de têtes de lecture/écriture (0=première tête)
             CH = Numéro de cylindre
             CL = Numéro de secteur
             Flag Carry =1 : Erreur, dans ce cas AH=Code d'erreur

Remarques :   Le premier lecteur de disque dur porte le numéro 80h, le second le numéro 81h.
             Les 8 bits du registre CH ne permettant d'adresser que 256 cylindres, les bits 6 et 7 du numéro de secteur (registre CL) représentent les bits 8 et 9 du numéro de cylindre et permettent ainsi d'adresser jusqu'à 1023 cylindres.
             La formule suivante permet de calculer la capacité totale du disque dur en octets :

$$\text{Capacité} = \text{Têtes} * \text{Cylindres} * \text{Secteurs} * 512$$

             Codes d'erreur, cf.. Fonction 00h.
             Le contenu des registres BX, CX, DX, SI, DI, BP et des registres de segment n'est pas modifié par cette fonction. Le contenu de tous les autres registres peut avoir été modifié.

Interruption 13h, Fonction 09h
Disque dur : Adaptation de disques durs étrangers

BIOS

Cette fonction permet d'adapter des lecteurs étrangers de façon à ce que les fonctions du BIOS puissent y accéder.

Entrée :   AH = 09h
             DL = Numéro de disque dur (80h ou 81h)

Sortie :   Flag Carry =0 : Opération exécutée
             Flag Carry =1 : Erreur, dans ce cas AH=Code d'erreur

Remarques :   Le premier lecteur de disque dur porte le numéro 80h, le second le numéro 81h. Le BIOS tire les informations nécessaires sur le disque dur à adapter (nombre de têtes de lecture/écriture, etc...) d'une table. L'adresse de cette table figure dans le vecteur d'interruption 41h pour le disque dur numéro 80h et dans le vecteur 46h pour le disque dur numéro 81h. C'est sous ces vecteurs que vous trouverez de plus amples renseignements sur cette table.
Codes d'erreur, cf.. Fonction 00h.
Le contenu des registres BX, CX, DX, SI, DI, BP et des registres de segment n'est pas modifié par cette fonction. Le contenu de tous les autres registres peut avoir été modifié.

Interruption 13h, Fonction 0Ah   *BIOS*
Disque dur : Lecture étendue

Cette fonction permet de lire un ou plusieurs secteurs sur le disque dur pour les transférer dans un buffer. Outre les 512 octets que comporte le secteur, seront également lus les 4 octets de contrôle (ECC) qui sont stockés à la fin de chaque secteur.

Entrée :   AH = 0Ah
DL = Numéro de disque dur (80h ou 81h)
DH = Numéro de tête de lecture/écriture
CH = Numéro de cylindre
CL = Numéro de secteur
AL = Nombre de secteurs à lire (1 - 127)
ES = Adresse de segment du buffer
BX = Adresse d'offset du buffer

Sortie :   Flag Carry =0 : Opération exécutée
Flag Carry =1 : Erreur, dans ce cas AH=Code d'erreur

Remarques :   Le premier lecteur de disque dur porte le numéro 80h, le second le numéro 81h. Les 4 octets de contrôle sont normalement calculés par le contrôleur mais ici il les tire directement du buffer.
Les 8 bits du registre CH ne permettant d'adresser que 256 cylindres, les bits 6 et 7 du numéro de secteur (registre CL) représentent les bits 8 et 9 du numéro de cylindre et permettent ainsi d'adresser jusqu'à 1023 cylindres.
Si on lit plusieurs secteurs et que le dernier secteur d'un cylindre est atteint, la lecture se poursuit sur le premier secteur du même cylindre sur la prochaine tête de lecture/écriture. Une fois la dernière tête de lecture/écriture atteinte, la lecture se poursuit sur le premier secteur du cylindre suivant sur la première tête de lecture/écriture.
Codes d'erreur, cf.. Fonction 00h.
Le contenu des registres BX, CX, DX, SI, DI, BP et des registres de segment n'est pas modifié par cette fonction. Le contenu de tous les autres registres peut avoir été modifié.

Interruption 13h, Fonction 0Bh
Disque dur : Ecriture étendue

BIOS

Cette fonction permet d'écrire un ou plusieurs secteurs sur le disque dur provenant d'un buffer. Outre les 512 octets que comporte le secteur, seront également écrits les 4 octets de contrôle (ECC), tirés du buffer, qui sont stockés à la fin de chaque secteur.

Entrée :
    AH = 0Bh
    DL = Numéro de disque dur (80h ou 81h)
    DH = Numéro de tête de lecture/écriture
    CH = Numéro de cylindre
    CL = Numéro de secteur
    AL = Nombre de secteurs à écrire (1 - 127)
    ES = Adresse de segment du buffer
    BX = Adresse d'offset du buffer

Sortie :
    Flag Carry =0 : Opération exécutée
    Flag Carry =1 : Erreur, dans ce cas AH=Code d'erreur

Remarques :
    Le premier lecteur de disque dur porte le numéro 80h, le second le numéro 81h. Les 4 octets de contrôle sont normalement calculés par le contrôleur mais ici il les tire directement du buffer.
    Les 8 bits du registre CH ne permettant d'adresser que 256 cylindres, les bits 6 et 7 du numéro de secteur (registre CL) représentent les bits 8 et 9 du numéro de cylindre et permettent ainsi d'adresser jusqu'à 1023 cylindres.
    Si on écrit sur plusieurs secteurs et que le dernier secteur d'un cylindre est atteint, l'écriture se poursuit sur le premier secteur du même cylindre sur la prochaine tête de lecture/écriture. Une fois la dernière tête de lecture/écriture atteinte, l'écriture se poursuit sur le premier secteur du cylindre suivant sur la première tête de lecture/écriture.
    Codes d'erreur, cf.. Fonction 00h.
    Le contenu des registres BX, CX, DX, SI, DI, BP et des registres de segment n'est pas modifié par cette fonction. Le contenu de tous les autres registres peut avoir été modifié.

Interruption 13h, Fonction 0Ch
Disque dur : Déplacer tête de lecture/écriture

BIOS (à partir de XT)

Cette fonction permet de positionner l'une des têtes de lecture/écriture du disque dur sur un cylindre donné. Cette option s'avère particulièrement utile lors d'un transport pour éviter que la tête ne vienne s'écraser sur un cylindre utilisé.

Entrée :
    AH = 0Ch
    DL = Numéro du lecteur de disque (80h ou 81h)
    DH = Numéro de la tête de lecture/écriture
    CH = Numéro du cylindre
    CL = Numéro du secteur

Sortie :
    Flag Carry = 0 : Opération exécutée
    Flag Carry = 1 : Erreur, dans ce cas AH = Code d'erreur

Remarques : Le premier lecteur de disque porte le numéro 80h, le second le numéro 81h.
Comme les 8 bits du registre CH ne permettent d'adresser que 256 cylindres, les bits 6 et 7 constituent le numéro de secteur (registre CL), les bits 8 et 9 le numéro de cylindre et permettent ainsi d'adresser jusqu'à 1023 cylindres.
Lors des opérations de lecture/écriture, la tête de lecture/écriture se positionne automatiquement, si bien qu'il n'est pas nécessaire d'appeler préalablement cette fonction.
Codes d'erreur, cf.. Fonction 00h.
Le contenu des registres BX, CX, DX, SI, DI, BP et des registres de segment n'est pas modifié par cette fonction. Le contenu de tous les autres registres peut avoir été modifié.

Interruption 13h, Fonction 0Dh
Disque dur : Réinitialisation

BIOS

Lorsque cette fonction est appelée, une réinitialisation est opérée sur le contrôleur de disque dur ainsi que sur les disques durs connectés. Il convient d'effectuer une réinitialisation après toute opération sur disque dur à la suite de laquelle une erreur a été signalée.

Entrée : AH = 0Dh
DL = (80h ou 81h)

Sortie : Flag Carry =0 : Opération exécutée
Flag Carry =1 : Erreur, dans ce cas AH=Code d'erreur

Remarques : La valeur dans le registre DL ne sert à rien en fait car la réinitialisation est systématiquement opérée sur tous les disques durs connectés. Elle est cependant utilisée, sur le XT et l'AT, pour distinguer si la réinitialisation doit concerner les lecteurs de disquette ou le disque dur.
Cette fonction est identique à la fonction 0.
Le premier lecteur de disque dur porte le numéro 80h, le second le numéro 81h.
Codes d'erreur, cf.. Fonction 00h.
Le contenu des registres BX, CX, DX, SI, DI, BP et des registres de segment n'est pas modifié par cette fonction. Le contenu de tous les autres registres peut avoir été modifié.

Interruption 13h, Fonction 0Eh
Disque dur : Test de lecture du contrôleur

BIOS (PS/2)

Cette fonction effectue un test interne de la transmission des données entre le contrôleur et le CPU dans le cas des ordinateurs PS/2 uniquement. Elle n'est pas conçue pour être appelée par un programme d'application.

Interruption 13h, Fonction 0Fh
Disque dur : Test d'écriture du contrôleur

BIOS (PS/2)

Cette fonction effectue un test interne de la transmission des données entre le contrôleur et le CPU dans le cas des ordinateurs PS/2 uniquement. Elle n'est pas conçue pour être appelée par un programme d'application.

Interruption 13h, Fonction 10h
Disque dur : Le lecteur est-il prêt ?   *BIOS*

Cette fonction permet de déterminer si le lecteur de disque dur est prêt, c'est-à-dire si la dernière opération est déjà achevée.

Entrée :   AH = 10h
            DL = (80h ou 81h)

Sortie :   Flag Carry =0 : Opération exécutée
            Flag Carry =1 : Erreur, dans ce cas AH=Code d'erreur

Remarques : Le premier lecteur de disque dur porte le numéro 80h, le second le numéro 81h.
            Codes d'erreur, cf.. Fonction 00h.
            Le contenu des registres BX, CX, DX, SI, DI, BP et des registres de segment n'est pas modifié par cette fonction. Le contenu de tous les autres registres peut avoir été modifié.

Interruption 13h, Fonction 11h   *BIOS*
Disque dur : Recalibrage du lecteur

Après apparition d'une erreur (surtout s'il s'agit d'une erreur de lecture ou écriture), il est conseillé d'opérer non seulement une réinitialisation mais aussi un recalibrage du disque dur.

Entrée :   AH = 11h
            DL = (80h ou 81h)

Sortie :   Flag Carry =0 : Opération exécutée
             Flag Carry =1 : Erreur, dans ce cas AH=Code d'erreur

Remarques : Le premier lecteur de disque dur porte le numéro 80h, le second le numéro 81h.
            Codes d'erreur, cf.. Fonction 00h.
            Le contenu des registres BX, CX, DX, SI, DI, BP et des registres de segment n'est pas modifié par cette fonction. Le contenu de tous les autres registres peut avoir été modifié.

Interruption 13h, Fonction 12h   *BIOS (PS/2)*
Disque dur : Test RAM du contrôleur

Cette fonction n'effectue un test interne du contrôleur RAM que pour les ordinateurs PS/2. Elle n'est donc pas conçue pour être appelée par un programme d'application.

Interruption 13h, Fonction 13h   *BIOS (PS/2)*
Disque dur : Test de lecteur

Cette fonction n'effectue un test interne de la mécanique du lecteur que pour les ordinateurs PS/2. Elle n'est donc pas conçue pour être appelée par un programme d'application.

Interruption 13h, Fonction 14h
Disque dur : Test du contrôleur

BIOS

Après appel de cette fonction, le contrôleur disque est soumis à un test interne.

Entrée : AH = 14h
DL = 80h ou 81h

Sortie : Flag Carry = 0 : Opération exécutée
Flag Carry = 1 : Erreur, dans ce cas AH=Code d'erreur
Le premier lecteur de disque porte le numéro 80h, le deuxième 81h.

Codes d'erreur, cf. Fonction 00h.
Cette fonction ne modifie pas le contenu des registres BX, CX, DX, SI, DI, BP et le registre de segment. Le contenu de tous les autres registres peut avoir été modifié.

Interruption 13h, Fonction 15h
Disque dur : Déterminer le type de lecteur

BIOS (A partir de AT)

L'AT contient un contrôleur qui peut gérer aussi bien des disques durs que des lecteurs de disquette. Il peut gérer soit 2 lecteurs de disquette et un disque dur, soit 2 disques durs et un lecteur de disquette. Cette fonction vous permet donc de déterminer si les périphériques portant les numéros 80h et 81h sont des lecteurs de disquette ou de disque dur.

Entrée : AH = 15h
DL = Numéro de lecteur (80h ou 81h)

Sortie : Flag Carry =0 : Opération exécutée, dans ce cas AH = 03h
CX = Mot de poids fort du nombre de secteurs
DX = Mot de poids faible du nombre de secteurs
Flag Carry =1 : Erreur, pas de lecteur de disque dur

Remarques : Le premier lecteur de disque dur porte le numéro 80h, le second le numéro 81h.
La capacité du disque dur en octets se calcule d'après la formule ((CX*65536) + DX) *
512
Le contenu des registres BX, CX, DX, SI, DI, BP et des registres de segment n'est pas modifié par cette fonction. Le contenu de tous les autres registres peut avoir été modifié.

Interruption 13h, Fonction 19h
Disque dur : Parquer les têtes

BIOS

Cette fonction permet de parquer les têtes du disque dur avant un transport.

Entrée : AH = 19h
DL = (80h ou 81h)

Sortie : Flag Carry =0 : Opération exécutée
Flag Carry =1 : Erreur, dans ce cas AH=Code d'erreur

Remarques : Le premier lecteur de disque dur porte le numéro 80h, le second le numéro 81h.
Codes d'erreur, cf.. Fonction 00h.
Le contenu des registres BX, CX, DX, SI, DI, BP et des registres de segment n'est pas modifié par cette fonction. Le contenu de tous les autres registres peut avoir été modifié.

Interruption 14h, Fonction 00h   *BIOS*
Interface série : Initialisation

Cette fonction permet d'initialiser et de configurer une interface série connectée sur le PC en définissant la parité de la transmission ainsi que le nombre de bits de Stop et la vitesse de transmission en bauds.

Entrée : AH = 00h
DX = Numéro d'interface série (la première interface série porte le numéro 0)
AL = Paramètres de configuration
Bits 0-1 : largeur de données
10(b) = 7 bits
11(b) = 8 bits
Bit 2 : Nombre de bits Stop
0(b) = 1 bit Stop
1(b) = 2 bits Stop
Bit 3-4 : Contrôle de parité
00(b) = aucun
01(b) = impaire
11(b) = paire
Bits 5-7 : Vitesse de transmission
000(b) = 110 bauds
001(b) = 150 bauds
010(b) = 300 bauds
011(b) = 600 bauds
100(b) = 1200 bauds
101(b) = 2400 bauds
110(b) = 4800 bauds
111(b) = 9600 bauds

Sortie : AH = Etat de l'interface série
Bit 0 : Données prêtes
Bit 1 : Données effacées
Bit 2 : Erreur de parité
Bit 3 : Protocole n'a pas été respecté
Bit 4 : Interruption détectée
Bit 5 : Transmission Hold Register vide
Bit 6 : Transmission Shift Register vide
Bit 7 : Time Out (Périphérique ne répond pas)
AL = Etat du modem
Bit 0 : (Delta) Modem prêt à émettre
Bit 1 : (Delta) Modem activé
Bit 2 : (Delta) Téléphone sonne
Bit 3 : (Delta) Liaison avec modem récepteur établie
Bit 4 : Modem prêt à émettre
Bit 5 : Modem activé
Bit 6 : Téléphone sonne
Bit 7 : Liaison avec modem récepteur établie

Remarques : L'interface série appelée COM1 par le DOS porte le numéro 0, COM2 le numéro 1. Les bits Delta montrent la modification de l'état en cours par rapport au dernier appel de la fonction. Si un bit Delta est posé, cela signifie que l'état correspondant a changé entre-temps.
Le contenu des registres BX, CX, DX, SI, DI, BP et des registres de segment n'est pas modifié par cette fonction. Le contenu de tous les autres registres peut avoir été modifié.

Interruption 14h, Fonction 01h
Interface série : Emission de caractères

BIOS

Cette fonction est appelée pour envoyer des caractères à travers une interface série.

Entrée :   AH = 01h
           DX = Numéro d'interface série (la première interface série porte
              le numéro 0)
           AL = Code du caractère à sortir

Sortie :   AH :   Bit 7 = 0 : Caractère a été transmis
                   Bit 7 = 1 : Erreur, dans ce cas :
                   Bits 0 à 6 = Etat de l'interface série
                   Bit 0 : Données prêtes
                   Bit 1 : Données effacées
                   Bit 2 : Erreur de parité
                   Bit 3 : Protocole n'a pas été respecté
                   Bit 4 : Interruption détectée
                   Bit 5 : Transmission Hold Register vide
                   Bit 6 : Transmission Shift Register vide

Remarques :   L'interface série appelée COM1 par le DOS porte le numéro 0, COM2 le numéro 1.
Si le bit 7 du registre AH est réglé après l'appel de la fonction, on est en présence d'une erreur Time Out. Les bits restants spécifient alors avec précision la cause de l'erreur.
Le contenu des registres AL, BX, CX, DX, SI, DI, BP et des registres de segment n'est pas modifié par cette fonction. Le contenu de tous les autres registres peut avoir été modifié.

Interruption 14h, Fonction 02h
Interface série : Réception de caractères

BIOS

Reçoit un caractère de l'interface série.

Entrée :   AH = 02h
           DX = Numéro d'interface série
              (la première interface série porte le numéro 0)

Sortie :   AH :   Bit 7 = 0 : Caractère a été reçu, dans ce cas :
           AL = Caractère reçu
                   Bit 7 = 1 : Erreur, dans ce cas :
                   Bits 0-6 : Etat de l'interface série
                   Bit 0 :   Données prêtes
                   Bit 1 :   Données effacées
                   Bit 2 :   Erreur de parité
                   Bit 3 :   Protocole n'a pas été respecté
                   Bit 4 :   Interruption détectée
                   Bit 5 :   Transmission Hold Register vide
                   Bit 6 :   Transmission Shift Register vide

Remarques :   L'interface série appelée COM1 par le DOS porte le numéro 0, COM2 le numéro 1.
Il convient de n'appeler cette fonction qu'après que la fonction 3 ait permis de constater qu'un caractère était prêt à être reçu.
Le contenu des registres BX, CX, DX, SI, DI, BP et des registres de segment n'est pas modifié par cette fonction. Le contenu de tous les autres registres peut avoir été modifié.

Interruption 14h, Fonction 03h   *BIOS*
Interface série : Tester état

Teste l'état de l'interface série et du modem éventuellement connecté.

Entrée :   AH = 03h
                   DX = Numéro d'interface série (la première interface série porte
                        le numéro 0)

Sortie :   AH = Etat de l'interface série
                   Bit 0 :   Données prêtes
                   Bit 1 :   Données effacées
                   Bit 2 :   Erreur de parité
                   Bit 3 :   Protocole n'a pas été respecté
                   Bit 4 :   Interruption détectée
                   Bit 5 :   Transmission Hold Register vide
                   Bit 6 :   Transmission Shift Register vide
                   Bit 7 :   Time Out (Périphérique ne répond pas)
        AL = Etat du modem
                   Bit 0 :   (Delta) Modem prêt à émettre
                   Bit 1 :   (Delta) Modem activé
                   Bit 2 :   (Delta) Téléphone sonne
                   Bit 3 :   (Delta) Liaison avec modem récepteur établie
                   Bit 4 :   Modem prêt à émettre
                   Bit 5 :   Modem activé
                   Bit 6 :   Téléphone sonne
                   Bit 7 :   Liaison avec modem récepteur établie

Remarques :   L'interface série appelée COM1 par le DOS porte le numéro 0, COM2 le numéro 1.
                   Cette fonction doit être appelée avant d'appeler la fonction 2 (Réception de caractè-
                   res) pour déterminer si un caractère est prêt à être reçu. Dans ce cas, le bit 0 du registre
                   AH vaut 1.
                   Le contenu des registres BX, CX, DX, SI, DI, BP et des registres de segment n'est pas
                   modifié par cette fonction. Le contenu de tous les autres registres peut avoir été
                   modifié.

Interruption 15h, Fonction 83h   *BIOS (A partir de AT)*
Fixer flag après délai

L'appel de cette fonction a pour effet de fixer sur 1 le bit 7 d'un flag spécifié par le programme
d'appel, au bout d'un délai indiqué en microsecondes.

Entrée :   AH = 83h
                   ES = Adresse de segment du flag
                   BX = Adresse d'offset du flag
                   CX = Mot fort du délai exprimé en microsecondes
                   DX = Mot faible du délai exprimé en microsecondes

Sortie :   Aucune

Remarques :   Une microseconde correspond à un millionième de seconde.
                   Le contenu des registres BX, CX, DX, SI, DI, BP et des registres de segment n'est
                   pas modifié par cette fonction. Le contenu de tous les autres registres peut avoir
                   été modifié.

Interruption 15h, Fonction 84h, Sous-fonction 0
Test de l'état des boutons de feu des joysticks   *BIOS (A partir de AT)*

Si un adaptateur de jeux avec les joysticks correspondants est connecté sur le PC, l'état des boutons Feu peut être testé à l'aide de cette fonction.

Entrée :   AH   = 84h
            DX   = 0

Sortie :   Flag Carry =1 : Pas d'adaptateur de jeux connecté
            Flag Carry =0 : Adaptateur de jeux présent, dans ce cas
            AL = Etat des boutons Feu
                Bit 7 = 1 : Premier bouton Feu du premier joystick enfoncé
                Bit 6 = 1 : Second bouton Feu du premier joystick enfoncé
                Bit 5 = 1 : Premier bouton Feu du second joystick enfoncé
                Bit 4 = 1 : Second bouton Feu du second joystick enfoncé

Remarques :   La position des joysticks peut être testée à l'aide de la sous-fonction 1.
            Le contenu des registres BX, CX, DX, SI, DI, BP et des registres de segment n'est pas modifié par cette fonction. Le contenu de tous les autres registres peut avoir été modifié.

Interruption 15h, Fonction 84h, Sous-fonction 1
Test de la position des joysticks   *BIOS (A partir de AT)*

Si un adaptateur de jeux avec les joysticks correspondants est connecté sur le PC, la position des joysticks peut être testée à l'aide de cette fonction.

Entrée :   AH   = 84h
            DX   = 1

Sortie :   Flag Carry =1 : Pas d'adaptateur de jeux connecté
            Flag Carry =0 : Adaptateur de jeux présent, dans ce cas
                AX = Position X du premier joystick
                BX = Position Y du premier joystick
                CX = Position X du second joystick
                DX = Position Y du second joystick

Remarques :   L'état des boutons Feu peut être testé à l'aide de la sous-fonction 0.
            Le contenu des registres SI, DI, BP et des registres de segment n'est pas modifié par cette fonction. Le contenu de tous les autres registres peut avoir été modifié.

Interruption 15h, Fonction 85h
Touche System Request actionnée   *BIOS (A partir de AT)*

Si la touche SysReq est enfoncée ou relâchée, cette fonction sera appelée par la routine du clavier.

Entrée :   AH   = 85h
            AL   = 0 : Touche a été enfoncée
            AL   = 1 : Touche a été relâchée

Sortie :   aucune

Remarques :   Cette fonction n'est pas conçue pour être appelée directement par un programme d'application mais elle peut être redirigée par un programme d'application sur une routine de ce programme, de façon à ce que le fait d'actionner la touche SysReq soit enregistré et entraîne les actions appropriées.

Interruption 15h, Fonction 86h   *BIOS (A partir de AT)*
Attendre

Après appel de cette fonction, le contrôle n'est rendu au programme d'appel qu'une fois écoulé un délai déterminé.

Entrée :   AH = 86h
              CX = Mot de poids fort de la pause en microsecondes
              DX = Mot de poids faible de la pause en microsecondes

Sortie :   aucune

Remarques : Une microseconde correspond à un millionième de seconde.
              Le contenu des registres BX, SI, DI, BP et des registres de segment n'est pas modifié par cette fonction. Le contenu de tous les autres registres peut avoir été modifié.

Interruption 15h, Fonction 87h   *BIOS (A partir de AT)*
Transfert de zones de mémoire

Cette fonction permet de transférer un nombre déterminé de cellules de mémoire entre la RAM sous la limite de 1 Mo et la RAM située au-dessus de cette limite.

Entrée :   AH = 87h
              CX = Nombre de mots à transférer
              ES = Adresse de segment de la Global Descriptor Table
              SI = Adresse d'offset de la Global Descriptor Table

Sortie :   Flag Carry =0 : aucune erreur
              Flag Carry =1 : Erreur, dans ce cas
                  AH = 1 : Erreur de parité de la RAM
                  AH = 2 : GDT incorrecte lors d'appel de fonction
                  AH = 3 : Mode protégé n'a pu être initialisé

Remarques : Seuls des mots, et non des octets isolés, peuvent être transférés.
              64 Ko au maximum peuvent être transférés. La valeur dans le registre CX ne doit donc pas être supérieure à 8000h.
              Toutes les interruptions sont désactivées pendant le transfert du bloc de mémoire.
              Le contenu des registres BX, CX, DX, SI, DI, BP et des registres de segment n'est pas modifié par cette fonction. Le contenu de tous les autres registres peut avoir été modifié.

Interruption 15h, Fonction 88h   *BIOS (A partir de AT)*
Déterminer taille de mémoire au-delà de 1 Mo

Cette fonction permet de déterminer la taille de la mémoire installée au-delà de la limite de 1 Mo.

Entrée :   AH = 88h

Sortie :   AX = Taille de la mémoire

Remarques :   Le paramètre dans le registre AX est exprimé en Ko.
La taille de la mémoire sous la limite de 1 Mo peut être déterminée à l'aide de l'interruption 12h.
Le contenu des registres BX, CX, DX, SI, DI, BP et des registres de segment n'est pas modifié par cette fonction. Le contenu de tous les autres registres peut avoir été modifié.

Interruption 15h, Fonction 89h   *BIOS (A partir de AT)*
Commutation en mode protégé

Après appel de cette fonction, le processeur 80286 est en mode protégé.

Entrée :   AH = 89h

Sortie :   aucune

Remarques :   Cette fonction ne doit être appelée que si vous connaissez bien le fonctionnement du processeur en mode protégé car tout emploi inconsidéré de cette fonction peut aisément entraîner un plantage du système.

Interruption 16h, Fonction 00h   *BIOS*
Clavier : Lire un caractère

Cette fonction lit un caractère dans le buffer clavier. Si aucun caractère n'y est stocké, la fonction attend qu'un caractère ait été entré. Le caractère lu est retiré du buffer clavier.

Entrée :   AH = 00h

Sortie :   AL = 0 : Code clavier étendu, dans ce cas :
               AH = Code clavier étendu différent de 0
         Touche normale actionnée, dans ce cas
               AL = Code ASCII de la touche
               AH = Code clavier de la touche

Remarques :   Le code ASCII d'un caractère est défini indépendamment de tel ou tel modèle de clavier, alors que le code clavier ne s'applique que sur le type de clavier connecté sur le PC.
L'annexe F vous fournit une description du jeu de caractères ASCII.
Le chapitre 5 vous fournit une liste des codes clavier étendus.
Le contenu des registres CX, DX, SI, DI, BP et des registres de segment n'est pas modifié par cette fonction. Le contenu de tous les autres registres peut avoir été modifié.

Interruption 16h, Fonction 01h   *BIOS*
Clavier : Caractère présent ?

Cette fonction détermine si un caractère figure dans le buffer du clavier. Si c'est le cas, elle renvoie cette fonction à la fonction d'appel. Le caractère n'est toutefois pas retiré du buffer clavier, de sorte qu'il peut être à nouveau lu lors d'un appel consécutif de la fonction 1 ou 0. Dans tous les cas, la fonction revient au programme d'appel immédiatement après avoir été appelée.

Entrée :   AH = 01h

Sortie :   Flag Zéro = 1 : Aucun caractère dans le buffer clavier
                      Flag Zéro = 0 : Caractère présent, dans ce cas :
                      AL = 0 : Code clavier étendu, dans ce cas :
                            AH = Code clavier étendu différent de 0
                      Touche normale actionnée, dans ce cas
                            AL = Code ASCII de la touche
                            AH = Code clavier de la touche

Remarques :   Le code ASCII d'un caractère est défini indépendamment de tel ou tel modèle de clavier, alors que le code clavier ne s'applique que sur le type de clavier connecté sur le PC.

                  L'annexe E vous fournit une description du jeu de caractères ASCII.
                  Le chapitre 5 vous fournit une liste des codes clavier étendus.
                  Le contenu des registres CX, DX, SI, DI, BP et des registres de segment n'est pas modifié par cette fonction. Le contenu de tous les autres registres peut avoir été modifié.

Interruption 16h, Fonction 02h   *BIOS*
Clavier : Tester l'état du clavier

Cette fonction permet de consulter la position de certaines touches de commande ainsi que l'état de différents modes du clavier.

Entrée :   AH = 02h

Sortie :   AL = Etat du clavier

Remarques :   Le contenu des registres BX, CX, DX, SI, DI, BP et des registres de segment n'est pas modifié par cette fonction. Le contenu de tous les autres registres peut avoir été modifié.

Interruption 16h, Fonction 03h
Clavier : Définir la fréquence de répétition

BIOS *(à partir de AT)*

Cette fonction permet d'agir sur la répétition des touches du clavier pour qu'elles soient répétées automatiquement au bout d'un certain délai.

Entrée : AH = 03h
AL = 05h
BH = Ralentissement jusqu'à la mise en place de la répétition
BL = Fréquence de répétition

Sortie : aucune

Remarques : Attention ! Cette fonction n'est pas reconnue par tous les BIOS.
Les valeurs suivantes peuvent être indiquées pour spécifier la durée de ralentissement dans le registre BL :
00h : 1/4 seconde
01h : 1/2 seconde
10h : 1/4 seconde
11h : 1 seconde
Les valeurs suivantes peuvent être utilisées pour le taux de répétition dans le registre BL :

Code	RPS*	Code	RPS*	Code	RPS*
1Fh	2,0	17h	4,0	0Fh	8,0
1Eh	2,1	16h	4,3	0Eh	8,6
1Dh	2,3	15h	4,6	0Dh	9,2
1Ch	2,5	14h	5,0	0Ch	10,0
1Bh	2,7	13h	5,5	0Bh	10,9
1Ah	3,0	12h	6,0	0Ah	12,0
19h	3,3	11h	6,7	09h	13,3
18h	3,7	10h	7,5	08h	15,0
* Répétition/Seconde					

Le contenu des registres BX, CX, DX, SI, DI, BP et des registres de segment n'est pas modifié par cette fonction. Le contenu de tous les autres registres peut avoir été modifié.

Interruption 16h, Fonction 05h
Clavier : Simuler l'appui sur une touche

BIOS *(à partir de AT)*

Cette fonction permet à un programme de simuler l'appui sur une touche en ajoutant un code de touche particulier à la fin actuelle du buffer de clavier.

Entrée : AH = 05h
CH = Scan code de la touche
CL = Code ASCII de la touche

Sortie : AL = 00h:ok
AL = 01h : buffer de clavier saturé

Remarques : Attention ! Tous les BIOS ne reconnaissent pas cette fonction.
Le contenu des registres BX, CX, DX, SI, DI, BP et des registres de segment n'est pas modifié par cette fonction. Le contenu de tous les autres registres peut avoir été modifié.

Interruption 16h, Fonction 10h   *BIOS (à partir de AT)*
Clavier : Test de claviers étendus

Cette fonction est conçue spécialement pour tester la présence de claviers étendus (F11 + F12) avec 101 ou 102 touches. Elle fonctionne comme la fonction 00h, mais ne construit pas les scan codes des touches selon la disposition d'un clavier normal à 84 touches.

Entrée :   AH = 10h
                     AH = scan code de la touche
                     AL = code ASCII de la touche

Remarques :   Attention ! Tous les BIOS ne reconnaissent pas cette fonction.
                     Le contenu des registres BX, CX, DX, SI, DI, BP et des registres de segment n'est pas modifié par cette fonction. Le contenu de tous les autres registres peut avoir été modifié.

Interruption 16h, Fonction 11h   *BIOS (à partir de AT)*
Clavier : Test de claviers étendus

Cette fonction est conçue spécialement pour tester la présence de claviers étendus (F11 + F12) avec 101 ou 102 touches. Elle fonctionne comme la fonction 00h, mais ne construit pas les scan codes des touches selon la disposition d'un clavier normal à 84 touches.

Entrée :   AH = 11h

Sortie :   Flag zéro = 1 : pas de caractères dans le buffer de clavier
                     Flag zéro = 0 : présence de caractères, dans ce cas
                         AL   = 0 : code clavier étendu, dans ce cas
                         AH   = code clavier étendu
                         AL   = différent de 0 : touche normale, dans ce cas
                         AL   = code ASCII de la touche
                         AH   = scan code de la touche

Remarques :   Attention ! Tous les BIOS ne reconnaissent pas cette fonction.
                     Le contenu des registres BX, CX, DX, SI, DI, BP et des registres de segment n'est pas modifié par cette fonction. Le contenu de tous les autres registres peut avoir été modifié.

Interruption 17h, Fonction 00h   *BIOS*
Imprimante (parallèle) : Sortie de caractères

Cette fonction envoie un caractère sur l'une des imprimantes connectées au PC.

Entrée :   AH = 00h
                     AL = Code du caractère à sortir
                     DX = Numéro d'imprimante

Sortie :   AH = Etat de l'imprimante

Remarques :   La première imprimante connectée sur le PC porte le numéro 0.
                     Le contenu des registres BX, CX, DX, SI, DI, BP et des registres de segment n'est pas modifié par cette fonction. Le contenu de tous les autres registres peut avoir été modifié.

Interruption 17h, Fonction 01h   *BIOS*
Imprimante (parallèle) : Initialisation imprimante

Cette fonction initialise une imprimante connectée sur le PC. Il convient d'y recourir avant toute première transmission d'un caractère sur une imprimante donnée.

Entrée :   AH = 01h
                 DX = Numéro d'imprimante

Sortie :   AH = Etat de l'imprimante, voir fonction 00h

Remarques :   La première imprimante connectée sur le PC porte le numéro 0.
                 Le contenu des registres BX, CX, DX, SI, DI, BP et des registres de segment n'est pas modifié par cette fonction. Le contenu de tous les autres registres peut avoir été modifié.

Interruption 17h, Fonction 02h   *BIOS*
Imprimante (parallèle) : Tester l'état de l'imprimante

La seule tâche de cette fonction consiste à renvoyer l'état d'une imprimante connectée sur le PC.

Entrée :   AH = 02h
                 DX = Numéro d'imprimante

Sortie :   AH = Etat de l'imprimante, voir fonction 00h

Remarques :   La première imprimante connectée sur le PC porte le numéro 0.
                 Le contenu des registres BX, CX, DX, SI, DI, BP et des registres de segment n'est pas modifié par cette fonction. Le contenu de tous les autres registres peut avoir été modifié.

Interruption 18h   *BASIC en ROM*
Appel du BASIC en ROM

Si le PC utilisé dispose d'un BASIC placé en ROM, celui-ci peut être lancé en appelant cette interruption.

Entrée :   aucune

Sortie :   aucune

Remarques :   De nombreux modèles récents de PC ne disposent plus d'un BASIC intégré en ROM. Dans ce cas, l'interruption 18h revient immédiatement au programme d'appel ou provoque un plantage du système. Si par contre le PC comporte bien un BASIC intégré en ROM, l'interruption 18h ne rendra pas la main au programme d'appel. Il ne sera alors plus possible de revenir au DOS à moins de déclencher un démarrage à chaud du système (en actionnant ALT-Control-Delete) ou d'éteindre puis de rallumer l'ordinateur.

Interruption 19h   *BIOS*
Lancement du système

L'appel de cette interruption déclenche un lancement du système.

Entrée :   aucune

Sortie :   aucune

Remarques :   Il arrive que cette interruption ne relance pas l'ordinateur, mais au contraire provoque un plantage. Cela dépend du fait que le contenu de la mémoire RAM est effacé alors que la table des vecteurs d'interruption reste intacte dans la zone des interruptions 00h à 1Ch. Si un programme résident atteint l'une de ces interruptions, le prochain appel de cette interruption provoque irrémédiablement un plantage. Cela s'applique surtout à l'interruption 08h qui est utilisée par la plupart des programmes résidents.

Par conséquent, évitez d'utiliser cette interruption et adoptez plutôt la technique suivante pour relancer le système : pour effectuer un démarrage à chaud, sauvegardez d'abord la valeur 1234h dans la cellule 0040:0072 de la mémoire et exécutez ensuite un FAR-jump vers la cellule FFFF:0000.

Cette méthode permet en outre de réaliser un démarrage à froid à condition de charger à cet effet la valeur 0000h dans la cellule 0040:0072.

Interruption 1Ah, Fonction 00h   *BIOS*
Date et heure : Lire le compteur horaire

Cette fonction permet de lire le contenu du compteur horaire. Il est incrémenté 18,2 fois par seconde et permet de calculer le temps écoulé depuis la mise en marche de l'ordinateur ou depuis minuit.

Entrée :   AH = 00h

Sortie :   CX = Mot fort du compteur horaire
                  DX = Mot faible du compteur horaire
                  AL = 0 : Moins de 24 heures se sont écoulées depuis la dernière fois que l'heure a été lue.
                  Différent de 0 : Plus de 24 heures se sont écoulées depuis la dernière fois que l'heure a été lue.

Remarques :   L'AT, qui dispose d'une horloge sur piles, fixe le compteur horaire sur l'heure réelle lors du lancement de l'ordinateur. Les PC qui ne disposent pas d'horloge en temps réel fixent ce compteur sur 0 lors du lancement.

Le contenu des registres BX, SI, DI, BP et des registres de segment n'est pas modifié par cette fonction. Le contenu de tous les autres registres peut avoir été modifié.

Interruption 1Ah, Fonction 01h   *BIOS*
Date et heure : Fixer le compteur horaire

Cette fonction permet de fixer le contenu du compteur horaire. Ce compteur étant augmenté 18,2 fois par seconde, il permet de connaître le temps écoulé depuis la mise en marche de l'ordinateur ou depuis minuit, à moins que cette fonction ne soit utilisée pour le régler.

Entrée :   AH = 01h
                 CX = Mot fort du compteur horaire
                 DX = Mot faible du compteur horaire

Sortie :   aucune

Remarques :   L'AT, qui dispose d'une horloge sur piles, fixe le compteur horaire sur l'heure réelle lors du lancement de l'ordinateur. Les PC qui ne disposent pas d'horloge en temps réel fixent ce compteur sur 0 lors du lancement. C'est pourquoi, sur ces modèles, il convient d'utiliser cette fonction si l'on veut que le compteur horaire soit réglé sur l'heure actuelle.
                 Le contenu des registres AX, BX, CX, DX, SI, DI, BP et des registres de segment n'est pas modifié par cette fonction. Le contenu de tous les autres registres peut avoir été modifié.

Interruption 1Ah, Fonction 02h   *BIOS (A partir de AT)*
Date et heure : Lecture de l'horloge en temps réel

Cette fonction permet de lire l'heure sur l'horloge en temps réel sur piles. Comme ce type d'horloge n'existe que sur les AT, seul ce modèle de PC soutient cette fonction.

Entrée :   AH = 02h

Sortie :   Flag Carry =0 : Tout va bien, dans ce cas
                     CH = Heures
                     CL = Minutes
                     DH = Secondes
                 Flag Carry =1 : Les piles de l'horloge sont vides

Remarques :   Toutes les indications sont fournies en format BCD.
                 Le contenu des registres BX, SI, DI, BP et des registres de segment n'est pas modifié par cette fonction. Le contenu de tous les autres registres peut avoir été modifié.

Interruption 1Ah, Fonction 03h   *BIOS (A partir de AT)*
Date et heure : Régler l'horloge en temps réel

Cette fonction permet de fixer l'heure sur l'horloge en temps réel sur piles. Comme ce type d'horloge n'existe que sur les AT, seul ce modèle de PC soutient cette fonction.

Entrée :   AH = 03h
     CH = Heures
     CL = Minutes
     DH = Secondes
     DL = 1 : c'est l'heure d'été
     DL = 0 : ce n'est pas l'heure d'été

Sortie :   aucune

Remarques : Les indications d'heures, minutes et secondes doivent être fournies en format BCD.
     Le contenu des registres BX, SI, DI, BP et des registres de segment n'est pas modifié par cette fonction. Le contenu de tous les autres registres peut avoir été modifié.

Interruption 1Ah, Fonction 04h   *BIOS (A partir de AT)*
Date et heure : Lecture de la date sur l'horloge en temps réel

---

Cette fonction permet de lire la date qui est stockée dans la mémoire RAM de l'horloge en temps réel sur piles. Cette fonction n'est soutenue que par l'AT.

Entrée :   AH = 04h

Sortie :   Flag Carry =0 : Tout va bien, dans ce cas
     CH = Siècle (19 ou 20)
     CL = Année
     DH = Mois
     DL = Jour
     Flag Carry =1 : Les piles de l'horloge sont vides

Remarques : Toutes les indications renvoyées par la fonction sont fournies en format BCD.
     Le contenu des registres BX, SI, DI, BP et des registres de segment n'est pas modifié par cette fonction. Le contenu de tous les autres registres peut avoir été modifié.

Interruption 1Ah, Fonction 05h *BIOS (A partir de AT)*
Date et heure : Fixer la date sur l'horloge en temps réel

Cette fonction permet de fixer la date qui est stockée dans la mémoire RAM de l'horloge en temps réel sur piles. Cette fonction n'est soutenue que par l'AT qui dispose seul d'une horloge en temps réel.

Entrée :   AH = 05h
             CH = Siècle (19 ou 20)
             CL = Année
             DH = Mois
             DL = Jour

Sortie :   aucune

Remarques :   Toutes les indications fournies à la fonction doivent être codées en format BCD.
             Le contenu des registres BX, CX, SI, DI, BP et des registres de segment n'est
             pas modifié par cette fonction. Le contenu de tous les autres registres peut
             avoir été modifié.

Interruption 1Ah, Fonction 06h *BIOS (A partir de AT)*
Date et heure : Fixer l'heure d'alarme

Cette fonction permet de fixer une heure d'alarme se référant au jour actuel. Lorsque cette heure d'alarme est atteinte, l'interruption 4Ah est déclenchée. L'horloge en temps réel sur piles n'existe que sur les AT.

Entrée :   AH = 06h
             CH = Heures
             CL = Minutes
             DH = Secondes

Sortie :   Flag Carry =0 : Tout va bien
             Flag Carry =1 : soit les piles de l'horloge sont vides, soit une autre
                    heure d'alarme a déjà été programmée.

Remarques :   Les indications fournies à la fonction doivent être codées en format BCD.
             L'interruption 4Ah est dirigée, lors du lancement du système, sur une instruction
             langage machine IRET. Si cette interruption n'est donc pas redirigée sur une
             routine spéciale, il ne se passera rien lorsque l'heure d'alarme sera atteinte.
             Il n'est pas possible d'activer plus d'une heure d'alarme à la fois. Si une heure
             d'alarme est déjà programmée, il faut d'abord l'annuler à l'aide de la fonction 7.
             Le contenu des registres BX, CX, SI, DI, BP et des registres de segment n'est
             pas modifié par cette fonction. Le contenu de tous les autres registres peut
             avoir été modifié.

1491

Interruption 1Ah, Fonction 07h *BIOS (A partir de AT)*
Date et heure : Annuler l'heure d'alarme

Cette fonction permet d'annuler une heure d'alarme déjà programmée. Aucune alarme ne sera donc plus déclenchée lorsque cette heure sera atteinte (seulement AT).

Entrée :   AH = 07h

Sortie :   aucune

Remarques :   Cette fonction doit notamment être appelée chaque fois que l'on veut modifier l'heure d'alarme. Dans ce cas en effet, il ne sera possible de programmer une nouvelle heure d'alarme, en appelant la fonction 6, qu'après avoir appelé cette fonction.
Le contenu des registres BX, CX, SI, DI, BP et des registres de segment n'est pas modifié par cette fonction. Le contenu de tous les autres registres peut avoir été modifié.

B. Description des interruptions et fonctions du DOS

Interface de programmation d'application DOS (DOS API)

L'interruption 21h permet d'appeler plus de 100 fonctions que DOS met à la disposition d'un programme et c'est pourquoi on les appelle Interface de programmation d'application (DOS API). Ces fonctions sont décrites dans ce chapitre ainsi qu'une série d'autres fonctions dont la signification n'a jamais été officialisée par Microsoft. Elles sont donc désignées comme des fonctions non documentées. Les fonctions non documentées citées ici sont toutefois utilisées dans les milliers d'applications commercialisées actuellement. Ainsi, Microsoft ne peut pas se permettre de les éliminer de l'API du jour au lendemain dans le cadre d'une nouvelle version du DOS. Par conséquent, n'hésitez surtout pas à vous en servir toutes les fois que vous ne trouvez pas une fonction officielle répondant à vos besoins.

Interruption 21h, Fonction 00h　　　　　　　　　　　　　*DOS (à partir de 1.0)*
Terminer programme

En appelant cette fonction, on indique au système d'exploitation que l'exécution du programme actuellement traité doit s'achever et que le contrôle doit être rendu au programme d'appel. Avant que cela ne se produise, toutefois, les trois vecteurs d'interruption dont le contenu avait été sauvegardé dans le PSP avant appel du programme, sont restaurés. Si le programme a redirigé ces vecteurs sur des routines à lui, ces routines ne pourront être effacées par un autre programme puisque la mémoire RAM occupée par le programme qu'il s'agit de terminer est à nouveau libérée pour d'autres programmes. Cette mémoire est donc libérée et tous les buffers de fichiers sont vidés avant que le contrôle ne soit rendu au programme d'appel.

Entrée :　　　　AH = 00h
　　　　　　　　CS　= Adresse de segment du PSP

Sortie :　　　　aucune

Remarques :　　Pour un programme COM, l'adresse de segment du PSP est de toute façon stockée dans le registre CS. Dans un programme EXE, le code et le PSP ne sont pas logés dans le même segment. Cette fonction ne peut donc être appelée par un programme EXE. Il est préférable d'utiliser, plutôt que cette fonction, les fonctions 31h ou 4Ch de l'interruption 21h du DOS pour terminer un programme.

Interruption 21h, Fonction 01h   *DOS (à partir de 1.0)*
Entrée de caractères avec sortie

Un caractère est lu sur le périphérique d'entrée standard et sorti sur le périphérique de sortie standard. Si aucun caractère n'est encore prêt au moment de l'appel de fonction, la fonction attend jusqu'à ce qu'un caractère soit disponible. Comme les entrée et sortie standard peuvent être redirigées, cette fonction ne lit pas nécessairement un caractère au clavier et ne le sort pas nécessairement sur l'écran. Les caractères entrés peuvent donc parfaitement provenir d'un autre périphérique ou d'un fichier. Dans ce dernier cas cependant, l'entrée n'est pas redirigée sur le clavier lorsqu'est atteinte la fin du fichier. La fonction continuera donc à essayer de lire des caractères dans le fichier, bien que ce ne soit plus possible.

Entrée :   AH = 01h

Sortie :   AL = Le caractère lu

Remarques :   Lorsque des codes étendus sont lus, le code 0 est tout d'abord renvoyé dans le registre AL. La fonction doit être appelée à nouveau pour lire le code étendu lui-même. Lorsque le caractère entré est le caractère Control C (Code ASCII 3), l'interruption 23h est appelée. Le contenu des registres AH, BX, CX, DX, SI, DI, BP, CS, DS, SS, ES et du registre de flags n'est pas modifié par cette fonction.

Interruption 21h, Fonction 02h   *DOS (à partir de 1.0)*
Sortie d'un caractère

Cette fonction permet de sortir un caractère sur le périphérique de sortie standard. Comme ce périphérique peut être redirigé, le caractère ne doit pas nécessairement être sorti sur l'écran mais peut aussi être envoyé sur un autre périphérique ou dans un fichier. Si toutefois le support (disquette, disque dur) sur lequel figure le fichier est déjà plein, la fonction ne détecte pas cette situation et elle continue à essayer d'écrire des caractères dans ce fichier.

Entrée :   AH = 02h
               DL = Code du caractère à sortir

Sortie :   aucune

Remarques :   Si les caractères sont envoyés sur l'écran, les codes de commande tels que Backspace, Carriage Return et Line Feed sont traités comme tels. Si par contre la sortie est redirigée vers un fichier, les caractères y sont sauvegardés comme des codes ASCII normaux. Après sortie du caractère, le DOS teste si un caractère Control-C (code ASCII 3) a été reçu ou entré entre-temps. Si c'est le cas, l'interruption 23h est appelée. Cette fonction ne modifie le contenu d'aucun registre du processeur, y compris le registre de flags.

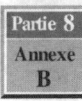

Interruption 21h, Fonction 03h
Réception d'un caractère de l'interface série

DOS (à partir de 1.0)

Cette fonction permet de lire un caractère sur l'interface série. L'accès concerne le périphérique portant la désignation AUX ou COM1.

Entrée :   AH = 03h

Sortie :   AL = Le caractère reçu

Remarques :   Comme l'interface série ne dispose pas de buffer interne, il peut arriver que l'interface série reçoive des caractères plus vite que l'appel de cette fonction ne permet de les lire. Ces caractères sont alors perdus. Les paramètres de communication (vitesse de transmission, nombre de bits Stop, etc.) doivent avoir été fixés préalablement à l'aide de l'instruction MODE. Le DOS définit sinon les valeurs défaut suivantes : vitesse de transmission de 2400 bauds avec un bit Stop, sans contrôle de parité et une largeur de données de 8 bits. Plutôt qu'à cette fonction, il est préférable de recourir aux fonctions du BIOS pour l'accès à l'interface série. Elles peuvent être appelées à travers l'interruption 14h et elles offrent une plus grande souplesse que les fonctions du DOS car elles permettent notamment de tester l'état de l'interface série.
Si un caractère Control-C (code ASCII 3) est reçu, l'interruption 23h est appelée. Le contenu des registres AH, BX, CX, DX, SI, DI, BP, CS, DS, SS, ES et du registre de flags n'est pas modifié par cette fonction.

Interruption 21h, Fonction 04h
Sortie d'un caractère sur l'interface série

DOS (à partir de 1.0)

Cette fonction permet de sortir un caractère sur l'interface série. L'accès concerne le périphérique portant la désignation AUX ou COM1.

Entrée :   AH = 04h
            DL = Le caractère à sortir

Sortie :   aucune

Remarques :   Le caractère n'est sorti qu'après que le périphérique qui doit recevoir le caractère ait signalé qu'il est prêt à recevoir. Ce n'est qu'après cela que le contrôle est rendu au programme d'appel. Les paramètres de communication (vitesse de transmission, nombre de bits Stop, etc.) doivent avoir été fixés préalablement à l'aide de l'instruction MODE. Le DOS définit sinon les valeurs défaut suivantes : vitesse de transmission de 2400 bauds avec un bit Stop, sans contrôle de parité et une largeur de données de 8 bits. Plutôt qu'à cette fonction, il est préférable de recourir aux fonctions du BIOS pour l'accès à l'interface série. Elles peuvent être appelées à travers l'interruption 14h et elles offrent une plus grande souplesse que les fonctions du DOS car elles permettent notamment de tester l'état de l'interface série.
Si un caractère Control-C (code ASCII 3) est sorti, l'interruption 23h est appelée. Cette fonction ne modifie le contenu d'aucun registre du processeur, y compris le registre de flags.

Cette fonction sort un caractère sur l'imprimante. A moins que cette sortie n'ait été redirigée avec l'instruction MODE, l'accès se fait sur le périphérique portant la désignation LPT1 (identique à PRN).

Entrée :   AH = 05h
                 DL = Code du caractère à sortir.

Sortie :   aucune

Remarques :   Le caractère n'est sorti que si l'imprimante signale qu'elle est prête à recevoir. Ce n'est qu'après cela que le contrôle est rendu au programme d'appel. Si un caractère Control-C (code ASCII 3) est détecté, l'interruption 23h est appelée. Pour la sortie de caractères sur l'imprimante, les fonctions du BIOS pour la communication avec l'imprimante, qui peuvent être appelées à travers l'interruption 17h, offrent une plus grande souplesse. Cette fonction ne modifie le contenu d'aucun registre du processeur, y compris le registre de flags.

Cette fonction permet de sortir des caractères sur le périphérique de sortie standard ou de les lire sur le périphérique d'entrée standard. Le caractère reçu ou écrit chaque fois n'est pas examiné par le système d'exploitation. Rien de particulier ne se produit donc lorsqu'un caractère Control-C apparaît. Comme l'entrée et la sortie standard peuvent être redirigées sur d'autres périphériques ou vers un fichier, les caractères sortis ne doivent pas nécessairement apparaître sur l'écran ni les caractères lus provenir obligatoirement du clavier. Toutefois, lorsque l'accès se fait sur un fichier, il est impossible pour le programme d'appel de détecter si tous les caractères de ce fichier ont déjà été lus ou bien si le support (disquette, disque dur) sur lequel figure ce fichier est déjà plein.

Pour l'entrée d'un caractère, la fonction n'attend pas qu'un caractère soit prêt mais revient immédiatement au programme d'appel dans tous les cas.

Entrée :   AH = 06h
                 DL = 0 - 254 : Sortir ce caractère
                 DL = 255 : Lire un caractère

Sortie :   Pour la sortie de caractères : aucune

                 Pour l'entrée de caractères :
                     Flag Zéro =1 : aucun caractère n'est prêt
                     Flag Zéro =0 : Le caractère entré figure dans le registre AL

Remarques :   Lorsque des codes étendus sont lus, le code 0 est tout d'abord renvoyé dans le registre AL. La fonction doit être appelée à nouveau pour lire le code étendu lui-même. Le caractère de code ASCII 255 ne peut être sorti à l'aide de cette fonction puisqu'il est interprété comme d'entrée d'un caractère. Le contenu des registres AH, BX, CX, DX, SI, DI, BP, CS, DS, SS, ES et du registre de flags n'est pas modifié par cette fonction.

Interruption 21h, Fonction 07h *DOS (à partir de 1.0)*
Entrée de caractères directe sans sortie

Un caractère est lu sur le périphérique d'entrée standard mais sans être sorti sur le périphérique de sortie standard. Si aucun caractère n'est disponible au moment de l'appel de fonction, la fonction attend jusqu'à ce qu'un caractère soit disponible.

Le caractère reçu n'est pas examiné par le système d'exploitation, de sorte que rien ne se passe lorsqu'apparaît un caractère Control-C.

Comme l'entrée standard peut être redirigée sur un autre périphérique ou vers un fichier, le caractère lu ne doit pas nécessairement provenir du clavier. Si les caractères transmis proviennent d'un fichier, le programme d'appel n'a aucune possibilité de détecter si tous les caractères de ce fichier ont déjà été lus, autrement dit si la fin du fichier a ou non déjà été atteinte.

Entrée : AH = 07h

Sortie : AL = Le caractère lu

Remarques : Lorsque des codes étendus sont lus, le code 0 est tout d'abord renvoyé dans le registre AL. La fonction doit être appelée à nouveau pour lire le code étendu lui-même. Le contenu des registres AH, BX, CX, DX, SI, DI, BP, CS, DS, SS, ES et du registre de flags n'est pas modifié par cette fonction.

Interruption 21h, Fonction 08h *DOS (à partir de 1.0)*
Entrée de caractères sans sortie

Un caractère est lu sur le périphérique d'entrée standard mais sans être sorti sur le périphérique de sortie standard. Si aucun caractère n'est disponible au moment de l'appel de fonction, la fonction attend jusqu'à ce qu'un caractère soit disponible.

Comme l'entrée standard peut être redirigée sur un autre périphérique ou vers un fichier, le caractère lu ne doit pas nécessairement provenir du clavier. Si les caractères transmis proviennent d'un fichier, le programme d'appel n'a aucune possibilité de détecter si tous les caractères de ce fichier ont déjà été lus, autrement dit si la fin du fichier a ou non déjà été atteinte.

Entrée : AH = 08h

Sortie : AL = Le caractère lu

Remarques : Lorsque des codes étendus sont lus, le code 0 est tout d'abord renvoyé dans le registre AL. La fonction doit être appelée à nouveau pour lire le code étendu lui-même. Lorsque le caractère Control-C est détecté au cours de l'exécution de cette fonction, l'interruption 23h est appelée. Le contenu des registres AH, BX, CX, DX, SI, DI, BP, CS, DS, SS, ES et du registre de flags n'est pas modifié par cette fonction.

Cette fonction permet de sortir une chaîne de caractères sur le périphérique de sortie standard. Comme ce périphérique standard peut être redirigé sur un autre périphérique ou vers un fichier, il n'y a aucune garantie que la chaîne de caractères apparaisse sur l'écran. Si la sortie est redirigée sur un fichier, le programme d'appel n'a aucune possibilité de détecter si le support (disquette, disque dur) sur lequel figure le fichier est déjà plein, autrement dit s'il est encore possible d'écrire la chaîne de caractères dans le fichier.

Entrée : AH = 09h
DS = Adresse de segment de la chaîne de caractères
DX = Adresse d'offset de la chaîne de caractères

Sortie : aucune

Remarques : La chaîne de caractères doit être stockée dans la mémoire sous forme d'une séquence d'octets correspondant aux codes ASCII des caractères composant la chaîne. La fin de la chaîne de caractères doit être signalée au DOS à l'aide d'un caractère "$" (code ASCII 36). Si la chaîne de caractères contient des codes de commande comme Backspace, Carriage Return ou Line Feed, ceux-ci seront traités comme tels. Seul le contenu du registre AL est modifié par l'appel de cette fonction.

Cette fonction permet de lire un nombre déterminé de caractères sur le périphérique d'entrée standard et de les transférer dans un buffer. L'entrée se termine lorsque la touche Entrée est actionnée. Le code de cette touche (13) est alors également placé dans le buffer, comme dernier caractère de la chaîne. Comme l'entrée standard peut être redirigée sur un autre périphérique ou vers un fichier, les caractères entrés ne proviennent pas nécessairement du clavier. Si les caractères transmis proviennent d'un fichier, le programme d'appel n'a aucune possibilité de détecter si tous les caractères de ce fichier ont déjà été lus, autrement dit si la fin de fichier a déjà été atteinte.

Entrée : AH = 0Ah
DS = Adresse de segment du buffer
DX = Adresse d'offset du buffer

Sortie : aucune

Remarques : Le premier octet du buffer définit le nombre maximal de caractères (y compris le Carriage Return final) qui pourront être lus et placés dans le buffer à partir de la cellule de mémoire numéro deux. Ce paramètre doit être inscrit dans le buffer avant d'appeler la fonction, pour que celle-ci sache combien de caractères elle doit lire au maximum. Le DOS inscrit dans la cellule de mémoire 1, une fois le travail terminé, le nombre de caractères lus à l'exception du Carriage Return. Le buffer doit donc être d'une longueur égale au nombre de caractères à entrer plus 2 octets. Dès que l'avant-dernière cellule de mémoire du buffer est atteinte, l'entrée d'autres caractères entraîne l'émission d'un bip et seule la touche Entrée est encore acceptée pour conclure l'entrée. Les codes clavier étendus occupent deux octets dans le buffer. Le premier octet contient le code 0 et le second contient le code de la touche étendue. Lorsque le caractère Control-C est détecté au cours de l'entrée, l'interruption 23h est appelée. L'entrée peut être éditée à l'aide de la touche Backspace et des touches curseur, sans que ces touches soient sauvegardées dans le buffer. Cette fonction ne modifie le contenu d'aucun registre du processeur, y compris le registre de flags.

Interruption 21h, Fonction 0Bh
Lire état d'entrée

DOS (à partir de 1.0)

Cette fonction permet de déterminer si des caractères sont prêts à être lus sur le périphérique d'entrée standard.

Entrée :   AH = 0Bh

Sortie :   AL = 0 : Aucun caractère disponible
                 AL = 255 : Un ou plusieurs caractères prêts à être lus

Remarques :   Lorsque le caractère Control-C est détecté au cours de l'exécution de cette fonction, l'interruption 23h est appelée. Le contenu des registres AH, BX, CX, DX, SI, DI, BP, CS, DS, SS, ES et du registre de flags n'est pas modifié par cette fonction.

Interruption 21h, Fonction 0Ch
Vider buffer d'entrée et appeler fonction d'entrée

DOS (à partir de 1.0)

Cette fonction vide tout d'abord le buffer d'entrée et appelle ensuite une des fonctions d'entrée de caractères. Comme les fonctions d'entrée de caractères tirent tous leurs caractères du périphérique d'entrée standard et que ce dernier n'est pas nécessairement le clavier, le fait de vider le buffer d'entrée ne présente d'intérêt que si le périphérique d'entrée standard est le clavier. Dans ce cas en effet, il se peut que des caractères aient été entrés avant appel de la fonction mais n'aient pas encore été lus par celle-ci. En vidant le buffer, on efface donc ces caractères pour avoir l'assurance que la fonction appelée ensuite ne recevra que des caractères entrés au cours de l'exécution de cette fonction.

Entrée :   AH = 0Ch
               AL = Numéro de la fonction d'appel

               Pour l'appel de la fonction 10 :
                   DS = Adresse de segment du buffer d'entrée
                   DX = Adresse d'offset du buffer d'entrée

Sortie :   Pour les fonctions 01h, 06h, 07h et 08h :
                   AL = le caractère entré
               Pour la fonction 0Ah : aucune

Remarques :   Les numéros de fonction 01h, 06h, 07h, 08 et 0Ah peuvent seuls être transmis à cette fonction comme fonctions à appeler. Seul le contenu du registre AL est modifié par l'appel de cette fonction.

Interruption 21h, Fonction 0Dh
Réinitialisation des drivers de bloc
DOS (à partir de 1.0)

Cette fonction permet de transmettre au périphérique approprié (disquette, disque dur) toutes les données censées être transmises à un driver de bloc mais qui étaient encore stockées dans un buffer interne du DOS. Les fichiers ouverts (Handles ou FCB) ne sont pas refermés.

Entrée :   AH = 0Dh

Sortie :   aucune

Remarques :   Même si cette fonction a été appelée, il faut encore refermer comme il convient tous les fichiers ouverts. Il peut arriver sinon que l'entrée de répertoire correspondant à un fichier donné n'ait pas été actualisée, auquel cas il ne sera pas possible d'accéder aux données nouvellement écrites dans le fichier.
Cette fonction ne modifie le contenu d'aucun registre du processeur, y compris le registre de flags.

Interruption 21h, Fonction 0Eh
Sélection du lecteur actuel
DOS (à partir de 1.0)

Cette fonction permet de définir le lecteur actuel dont la désignation apparaîtra désormais sur l'écran comme message de dialogue chaque fois que l'interpréteur de commandes attendra des entrées de l'utilisateur. Tous les accès de fichier pour lesquels aucune désignation de lecteur ne sera spécifiée se feront à l'avenir sur le lecteur indiqué ici.

Entrée :   AH = 0Eh
                DL = Code du lecteur actuel

Sortie :   AL = Nombre de lecteurs (ou Volumes) installés

Remarques :   Le lecteur A porte le code 0, B le code 1, etc.
Même si un PC dispose seulement d'un lecteur de disquette et d'un disque dur, le nombre de volumes dans le registre AL peut être supérieur à 2 car le disque dur peut être subdivisé en plusieurs volumes et un ou plusieurs disques RAM peuvent également avoir été installés. Sur un PC disposant d'un seul lecteur de disquette, le nombre de volumes est de 2 car ce lecteur fait office aussi bien de lecteur A que de lecteur B. La version 2 du DOS autorisait 63 codes de périphériques différents alors que la version 3 du DOS a limité le nombre de périphériques à 26 (les lettres A à Z). Il n'est donc pas possible d'accéder à plus de 26 périphériques à la fois. Le nombre de lecteurs de disquette physiques n'est pas nécessairement identique au nombre de volumes. Il peut donc être déterminé de façon plus précise en appelant l'interruption 11h du BIOS. Le contenu des registres AH, BX, CX, DX, SI, DI, BP, CS, DS, SS, ES et du registre de flags n'est pas modifié par cette fonction.

Interruption 21h, Fonction 0Fh
Ouvrir un fichier (FCB)

DOS (à partir de 1.0)

Cette fonction permet d'ouvrir un fichier (s'il existe). Après exécution réussie de cette fonction, le fichier peut alors être lu ou écrit.

Entrée :   AH = 0Fh
                DS = Adresse de segment du FCB du fichier
                DX = Adresse d'offset du FCB du fichier

Sortie :   AL = 0 : Fichier trouvé et ouvert
                AL = 255 : Fichier non trouvé

Remarques : Des FCB normaux ainsi que des FCB étendus sont utilisables. Si le fichier a été trouvé, le DOS inscrit dans le FCB la taille du fichier, la date et l'heure de sa création ou de sa dernière modification. Le DOS fixe la longueur d'enregistrement sur 128 octets. Cette longueur d'enregistrement peut être modifiée dans le FCB mais cela ne doit être fait qu'une fois le fichier ouvert. Pour travailler avec une longueur d'enregistrement supérieure, il est en outre nécessaire de déplacer la DTA car la DTA prédéfinie a une taille de 128 octets seulement. Pour effectuer un accès sélectif au fichier, il convient de fixer le champ approprié du FCB après ouverture réussie du fichier. Le pointeur de fichier est dirigé sur le premier octet du fichier après ouverture de celui-ci. Le contenu des registres AH, BX, CX, DX, SI, DI, BP, CS, DS, SS, ES et du registre de flags n'est pas modifié par cette fonction.

Interruption 21h, Fonction 10h
Fermer un fichier (FCB)

DOS (à partir de 1.0)

Après appel de cette fonction, toutes les données qui figurent encore dans un des buffers internes du DOS sont écrites dans le fichier qui est ensuite refermé. L'entrée du répertoire correspondant à ce fichier est alors actualisée pour tenir compte de la nouvelle taille du fichier ainsi que des date et heure de modification.

Entrée :   AH = 10h
                DS = Adresse de segment du FCB du fichier
                DX = Adresse d'offset du FCB du fichier

Sortie :   AL = 0 : Fichier refermé et entrée du répertoire actualisée
                AL = 255 : Fichier non trouvé dans le répertoire

Remarques : Seuls peuvent naturellement être refermés des fichiers qui ont été précédemment ouverts. Pour les fichiers sur disquette, il faut absolument s'assurer que la disquette placée dans le lecteur au moment de l'appel de cette fonction est bien la disquette qui contient le fichier. S'il n'en est pas ainsi, une FAT et un répertoire erronés seront écrits sur la disquette, ce qui rendra inutilisables les données qu'elle contenait. Le contenu des registres AH, BX, CX, DX, SI, DI, BP, CS, DS, SS, ES et du registre de flags n'est pas modifié par cette fonction.

Interruption 21h, Fonction 11h   *DOS (à partir de 1.0)*
Rechercher la première entrée du répertoire (FCB)

Cette fonction permet de rechercher la première apparition d'un nom de fichier déterminé dans le répertoire actuel du périphérique désigné dans le FCB.

Entrée :   AH = 11h
                   DS = Adresse de segment du FCB
                   DX = Adresse d'offset du FCB

Sortie :   AL = 0 : Fichier trouvé
                   AL = 255 : Fichier non trouvé

Remarques :   Le FCB transmis à la fonction contient la désignation du périphérique sur lequel le fichier doit être recherché ainsi que le nom de ce fichier.
                   Le nom de fichier peut contenir le joker "?" si vous voulez faire rechercher un groupe de fichiers. La recherche s'effectue exclusivement sur le répertoire actuel du périphérique spécifié. Si c'est un fichier normal qu'il s'agit de rechercher, un FCB normal doit être transmis à la fonction. S'il s'agit au contraire de rechercher des fichiers dotés d'attributs particuliers (noms de volumes, sous-répertoires, fichiers cachés, etc.), il faut travailler avec des FCB étendus. Si un fichier a été trouvé, la DTA contient un FCB de même type que le FCB transmis, qui contient le nom du fichier trouvé. C'est pourquoi la DTA doit toujours être d'une taille lui permettant de recevoir au moins un FCB normal ou étendu. La DTA peut être déplacée vers un buffer utilisateur à l'aide de la fonction 1Ah pour s'assurer qu'elle sera d'une taille suffisante pour recevoir le FCB correspondant. Le contenu des registres AH, BX, CX, DX, SI, DI, BP, CS, DS, SS, ES et du registre de flags n'est pas modifié par cette fonction.

Interruption 21h, Fonction 12h   *DOS (à partir de 1.0)*
Rechercher la prochaine entrée du répertoire (FCB)

Après que le premier nom de fichier ait été identifié en appelant la fonction 17, cette fonction vous permet de faire rechercher tous les autres noms de fichiers (s'il y en a).

Entrée :   AH = 12h
                   DS = Adresse de segment du FCB
                   DX = Adresse d'offset du FCB

Sortie :   AL = 0 : Fichier trouvé
                   AL = 255 : Fichier non trouvé (pas d'autres fichiers présents)

Remarques :   Cette fonction ne doit être appelée qu'après que la fonction 11h ait été tout d'abord appelée. Si un autre nom de fichier a été trouvé, son nom figure à nouveau dans le FCB placé au début de la DTA. La recherche s'effectue exclusivement dans le répertoire actuel du périphérique spécifié. La DTA peut être déplacée à l'aide de la fonction 1Ah vers un buffer utilisateur pour garantir que ce buffer soit suffisamment grand pour recevoir le FCB approprié. Le contenu des registres AH, BX, CX, DX, SI, DI, BP, CS, DS, SS, ES et du registre de flags n'est pas modifié par cette fonction.

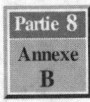

Interruption 21h, Fonction 13h   *DOS (à partir de 1.0)*
Supprimer des fichiers (FCB)

Cette fonction sert à supprimer un ou plusieurs fichiers dans le répertoire actuel du périphérique spécifié.

Entrée :   AH = 13h
               DS = Adresse de segment du FCB
               DX = Adresse d'offset du FCB

Sortie :   AL = 0 :   Fichier(s) supprimé(s)
               AL = 255 :   Aucun fichier trouvé ou bien les fichiers trouvés ne
                              pouvaient être supprimés (parce qu'ils étaient dotés de
                              l'attribut "Lecture seule")

Remarques : Le FCB transmis à la fonction contient la désignation du périphérique sur lequel
               figurent les fichiers à supprimer ainsi que le nom de ces fichiers.
               Le nom de fichier peut contenir le joker "?" si vous voulez supprimer un groupe
               de fichiers. Seuls des fichiers du répertoire actuel du périphérique spécifié
               peuvent être supprimés. Si c'est un fichier normal qu'il s'agit de supprimer, un
               FCB normal doit être transmis à la fonction. S'il s'agit au contraire de supprimer
               des fichiers dotés d'attributs particuliers (noms de volumes, fichiers cachés, etc.),
               il faut travailler avec des FCB étendus.
               Des noms de volumes peuvent être supprimés à l'aide de cette fonction mais pas
               des sous-répertoires. Le contenu des registres AH, BX, CX, DX, SI, DI, BP, CS,
               DS, SS, ES et du registre de flags n'est pas modifié par cette fonction.

Interruption 21h, Fonction 14h   *DOS (à partir de 1.0)*
Lecture séquentielle (FCB)

Lire le prochain enregistrement d'un fichier.

Entrée :   AH = 14h
               DS = Adresse de segment du FCB
               DX = Adresse d'offset du FCB

Sortie :   AL = 0 : Enregistrement a été lu
               AL = 1 : Fin du fichier atteinte
               AL = 2 : Débordement de segment
               AL = 3 : Lu enregistrement partiel

Remarques : Cette fonction ne doit être appelée qu'après que le fichier ait été ouvert à
               travers le FCB indiqué. L'enregistrement est transféré dans la DTA. Si celle-ci
               n'est pas assez grande, il convient de la déplacer auparavant vers un buffer
               utilisateur à l'aide de la fonction 1Ah. La taille de l'enregistrement, c'est-à-
               dire le nombre d'octets lus, est inscrit dans le FCB. L'erreur 2 se produit si la
               DTA est située à la fin d'un segment et que l'enregistrement lu est conduit,
               de ce fait, à dépasser la limite du segment. L'erreur 3 se produit lorsque la
               fin d'un fichier ne comporte pas un enregistrement complet mais seulement
               un enregistrement partiel. Dans ce cas, l'enregistrement partiel est lu mais
               comblé de zéros jusqu'à la longueur prescrite. Après que l'enregistrement ait
               été lu, le pointeur de fichier est dirigé sur le début du prochain enregistre-
               ment, de sorte que c'est automatiquement le prochain enregistrement qui
               sera lu lors du prochain appel de cette fonction. Le contenu des registres AH,
               BX, CX, DX, SI, DI, BP, CS, DS, SS, ES et du registre de flags n'est pas modifié
               par cette fonction.

Interruption 21h, Fonction 15h
Ecriture séquentielle (FCB)

DOS (à partir de 1.0)

Ecrire le prochain enregistrement dans un fichier.

Entrée : AH = 15h
DS = Adresse de segment du FCB
DX = Adresse d'offset du FCB

Sortie : AL = 0 : Enregistrement a été écrit
AL = 1 : Support (disquette/disque dur) plein
AL = 2 : Débordement de segment

Remarques : Cette fonction ne doit être appelée qu'après que le fichier ait été ouvert à travers le FCB indiqué. L'enregistrement est transféré de la DTA dans le fichier. Si la DTA n'est pas assez grande, il convient de la déplacer auparavant vers un buffer utilisateur à l'aide de la fonction 1Ah. La taille de l'enregistrement, c'est-à-dire le nombre d'octets écrits, est inscrit dans le FCB. L'erreur 2 se produit si la DTA est située à la fin d'un segment et que l'enregistrement à écrire est conduit, de ce fait, à dépasser la limite du segment. Après que l'enregistrement ait été écrit, le pointeur de fichier est dirigé sur le début du prochain enregistrement, de sorte que c'est automatiquement le prochain enregistrement qui sera écrit lors du prochain appel de cette fonction. Le contenu des registres AH, BX, CX, DX, SI, DI, BP, CS, DS, SS, ES et du registre de flags n'est pas modifié par cette fonction.

Interruption 21h, Fonction 16h
Créer ou vider un fichier (FCB)

DOS (à partir de 1.0)

Après appel de cette fonction, un fichier n'existant pas encore sera créé. Un fichier déjà existant sera vidé par l'appel de cette fonction, la longueur de ce fichier passant donc à 0. Le fichier est en même temps ouvert par cette fonction, de sorte que ce fichier pourra être écrit et ensuite lu en appelant d'autres fonctions.

Entrée : AH = 16h
DS = Adresse de segment du FCB
DX = Adresse d'offset du FCB

Sortie : AL = 0 :   Fichier a été créé ou vidé
AL = 255 :   Fichier n'a pu être créé
(par exemple parce que le répertoire était déjà plein)

Remarques : Le contenu d'un fichier déjà existant qui aura été vidé à l'aide de cette fonction sera irrémédiablement perdu. Après appel de cette fonction, il n'est plus nécessaire d'ouvrir le fichier à l'aide de la fonction 0Fh. Si le fichier est ouvert à l'aide d'un FCB étendu, il peut aussi posséder certains attributs (nom de volume, fichier caché). Il n'est toutefois pas possible de créer un sous-répertoire à l'aide de cette fonction. Après ouverture du fichier, le pointeur de fichier est dirigé sur le premier octet du fichier. Le contenu des registres AH, BX, CX, DX, SI, DI, BP, CS, DS, SS, ES et du registre de flags n'est pas modifié par cette fonction.

Interruption 21h, Fonction 17h　　　　　　　　　　*DOS (à partir de 1.0)*
Renommer fichier(s) (FCB)

Renommer un fichier ou un groupe de fichiers dans le répertoire actuel sur le périphérique spécifié.

Entrée :　　　AH = 17h
　　　　　　　DS = Adresse de segment du FCB
　　　　　　　DX = Adresse d'offset du FCB

Sortie :　　　AL = 0 : Fichier(s) renommé(s)
　　　　　　　AL = 255 :

Remarques :　Le FCB transmis doit être un FCB spécial. Il est basé sur un FCB normal dont les 12 premiers octets contiennent comme d'habitude la désignation de périphérique et le nom du fichier à renommer. Ce FCB a cependant ceci de particulier qu'il comporte à partir de la cellule de mémoire 16 la désignation de périphérique et le nouveau nom du fichier. La désignation de périphérique doit naturellement être identique à celle spécifiée pour l'ancien nom du fichier. Le nom du fichier à renommer peut contenir le joker "?" si vous voulez renommer plusieurs fichiers à la fois. Si le nouveau nom du fichier contient également le joker "?", les emplacements du nom de fichier ou de l'extension de fichier pour lesquels figure un "?" dans le nouveau nom de fichier ne seront pas modifiés. A partir de la version 2.0, un FCB augmenté peut être spécifié pour renommer un répertoire simultanément avec cette fonction. Le contenu des registres AH, BX, CX, DX, SI, DI, BP, CS, DS, SS, ES et du registre de flags n'est pas modifié par cette fonction.

Interruption 21h, Fonction 18h　　　　　　　　　　*DOS (à partir de 1.0)*

Réservée à un usage interne

Interruption 21h, Fonction 19h　　　　　　　　　　*DOS (à partir de 1.0)*
Obtenir la désignation de périphérique du lecteur actuel

L'appel de cette fonction renvoie la désignation de périphérique du lecteur actuel.

Entrée :　　　AH = 19h

Sortie :　　　AL = Désignation de périphérique

Remarques :　Alors que pour d'autres fonctions DOS la désignation de périphérique 0 correspond au périphérique actuel et que c'est le code 1 qui désigne le lecteur A, c'est ici le code 0 qui désigne le lecteur A, le code 1 désignant le lecteur B, etc.
　　　　　　　Le contenu des registres AH, BX, CX, DX, SI, DI, BP, CS, DS, SS, ES et du registre de flags n'est pas modifié par cette fonction.

Interruption 21h, Fonction 1Ah   *DOS (à partir de 1.0)*
Fixer l'adresse de la DTA

En appelant cette fonction, vous pouvez déplacer vers une autre zone de mémoire la zone de transfert disque (Disk Transfer Area = DTA), qui est utilisée pour le stockage intermédiaire des données lors de tous les accès de fichier soutenus par FCB.

Entrée :   AH = 1Ah
               DS = Adresse de segment de la nouvelle DTA
               DX = Adresse d'offset de la nouvelle DTA

Sortie :   aucune

Remarques :   Cette fonction doit être appelée chaque fois que la DTA prédéfinie n'est pas assez grande pour recevoir les données à transférer. Lors du lancement d'un programme, le DOS place la DTA à l'adresse 128 du PSP du programme. Elle a donc une taille de 128 octets puisque le programme lui-même commence immédiatement après l'adresse 255 du PSP. Le DOS ne connaît pas la longueur de la DTA et il considère toujours a priori qu'elle est suffisamment grande pour absorber les données à transférer. Or s'il n'en est pas ainsi en réalité, les données excédentaires effaceront les données suivantes de la fonction DOS utilisée. Avec différentes fonctions, le DOS détecte toutefois une erreur lorsque la DTA se situe à la fin d'un segment et que les données à transférer sont de ce fait conduites à dépasser la limite du segment. Cette fonction ne modifie le contenu d'aucun registre du processeur, y compris le registre de flags.

Interruption 21h, Fonction 1Bh   *DOS (à partir de 1.0)*
Lire informations sur le lecteur actuel

Cette fonction permet d'obtenir un certain nombre d'informations sur le format du lecteur actuel.

Entrée :   AH = 1Bh

Sortie :   AL = Nombre de secteurs par cluster
               DS = Adresse de segment du descripteur de support
               BX = Adresse d'offset du descripteur de support
               DX = Nombre de clusters

Remarques :   Pour le descripteur de support peuvent être renvoyés les codes suivants :

               F0h : Lecteur de disquette : deux faces, 80 pistes, 18 secteurs par piste
                     (3 pouces 1/2)
               F8h : Disque dur
               F9h : Lecteur de disquette : deux faces, 15 secteurs par piste
                     (5 pouces 1/4, AT seulement) ou deux faces, 80 pistes, 9
                     secteurs par piste (3 pouces 1/2)
               FAh : Lecteur de disquette : une face, 80 pistes, 8 secteurs par piste
                     (5 ou 3 pouces 1/2)
               FBh : Lecteur de disquette : deux faces, 80 pistes, 8 secteurs par piste
                     (5 ou 3 pouces 1/2)
               FCh : Lecteur de disquette : une face, 40 pistes, 9 secteurs par piste
                     (5 pouces 1/4)
               FDh : Lecteur de disquette : deux faces, 40 pistes, 9 secteurs par piste
                     (5 pouces 1/4)

FEh : Lecteur de disquette : une face, 40 pistes, 8 secteurs par piste
(5 pouces 1/4)

FFh : Lecteur de disquette : deux faces, 40 pistes, 8 secteurs par piste
(5 pouces 1/4)

La fonction 1Ch vous permet d'obtenir des informations sur n'importe quel lecteur. Le contenu des registres AH, CX!!!non cité!!!!!, SI, DI, BP, CS, DS!!!!!non cité!!!!!!, SS, ES et du registre de flags n'est pas modifié par cette fonction.

Interruption 21h, Fonction 1Ch   *DOS (à partir de 1.0)*
Lire informations sur un lecteur quelconque

Cette fonction permet d'obtenir un certain nombre d'informations sur le format du lecteur spécifié.

Entrée :   AH = 1Ch
               DL = Désignation de périphérique

Sortie :   AL = Nombre de secteurs par cluster
               DS = Adresse de segment du descripteur de support
               BX = Adresse d'offset du descripteur de support
               DX = Nombre de clusters

Remarques :   Pour la désignation de périphérique, 0 représente le lecteur actuel, 1 le lecteur
               A, 2 le lecteur B, etc. Pour le descripteur de support peuvent être renvoyés les
               codes suivants :

               F0h : Lecteur de disquette : deux faces, 80 pistes, 18 secteurs
                    par piste (3 pouces 1/2)

               F8h : Disque dur

               F9h : Lecteur de disquette : deux faces, 15 secteurs par piste (5
                    pouces, AT seulement) ou deux faces, 80 pistes, 9 secteurs
                    par piste (3 pouces 1/2)

               FAh : Lecteur de disquette : une face, 80 pistes, 8 secteurs par
                    piste (5 ou 3 pouces 1/2)

               FBh : Lecteur de disquette : deux faces, 80 pistes, 8 secteurs
                    par piste (5 ou 3 pouces 1/2)

               FCh : Lecteur de disquette : une face, 40 pistes, 9 secteurs par
                    piste (5 pouces 1/4)

               FDh : Lecteur de disquette : deux faces, 40 pistes, 9 secteurs
                    par piste (5 pouces 1/4)

               FEh : Lecteur de disquette : une face, 40 pistes, 8 secteurs par
                    piste (5 pouces 1/4)

               FFh : Lecteur de disquette : deux faces, 40 pistes, 8 secteurs
                    par piste (5 pouces 1/4)

Le contenu des registres AH, CX!!!!!!non cité!!!!, SI, DI, BP, CS, DS!!!!non cité!!!!!!!, SS, ES et du registre de flags n'est pas modifié par cette fonction.

Interruption 21h, Fonction 1Dh DOS *(à partir de 1.0)*

Réservée à un usage interne

Interruption 21h, Fonction 1Eh DOS *(à partir de 1.0)*

Réservée à un usage interne

Interruption 21h, Fonction 1Fh DOS *(à partir de 1.0)*
Lire le pointeur BPD pour le lecteur en cours

A travers l'appel de cette fonction, DOS place un pointeur sur le bloc de paramètres DOS (BPD) du lecteur en cours. Le BPD décrit la structure logique et physique du lecteur.

Entrée :   AH = 1Fh

Sortie :   AL = 0 : Pas d'erreur, dans ce cas
           DS:BX = Pointeur FAR sur BPD

Remarques : S'il s'agit d'un changement de disquette effectué sur le périphérique en cours, DOS s'adresse d'abord au lecteur pour compléter le BPD avec les données concernant le lecteur et le format de la disquette. En revanche, pour le disque dur, ces informations se trouvent déjà dans la mémoire si bien qu'il n'est pas nécessaire d'effectuer un accès au périphérique. La structure du bloc de paramètres DOS varie en fonction des versions DOS. Le contenu des registres AH, CX, DX, SI, DI, BP, CS, DS, SS, ES et du registre de flags n'est pas modifié par cette fonction.

Interruption 21h, Fonction 20h DOS *(à partir de 1.0)*

Réservée à un usage interne

Interruption 21h, Fonction 21h DOS *(à partir de 1.0)*
Lecture sélective (FCB)

Lire un enregistrement déterminé d'un fichier en le transférant dans la DTA.

Entrée :   AH = 21h
           DS = Adresse de segment du FCB
           DX = Adresse d'offset du FCB

Sortie :   AL = 0 : Enregistrement a été lu
           AL = 1 : Fin du fichier atteinte
           AL = 2 : Débordement de segment
           AL = 3 : Lu enregistrement partiel

Remarques : Cette fonction ne doit être appelée qu'après que le fichier ait été ouvert à travers le FCB indiqué. L'enregistrement lu est celui dont l'adresse est spécifiée dans le FCB à partir de la cellule 21h. L'enregistrement est transféré dans la DTA. Si celle-ci n'est pas assez grande, il convient de la déplacer auparavant vers un buffer utilisateur à l'aide de la fonction 1Ah. La taille de l'enregistrement, c'est-à-dire le nombre d'octets lus, est inscrit dans le FCB. Après appel de cette fonction, le pointeur de fichier est dirigé automatiquement sur le début de l'enregistrement à lire, de sorte qu'un appel consécutif de la fonction de lecture

séquentielle d'un enregistrement lirait à nouveau le même enregistrement. Le numéro d'enregistrement n'est pas incrémenté après appel de la fonction, de sorte qu'un nouvel appel de cette fonction lirait le même enregistrement. L'erreur 2 se produit si la DTA est située à la fin d'un segment et que l'enregistrement lu est conduit, de ce fait, à dépasser la limite du segment. L'erreur 3 se produit lorsque la fin d'un fichier ne comporte pas un enregistrement complet mais seulement un enregistrement partiel. Dans ce cas, l'enregistrement partiel est lu mais comblé de zéros jusqu'à la longueur prescrite. Le contenu des registres AH, BX, CX, DX, SI, DI, BP, CS, DS, SS, ES et du registre de flags n'est pas modifié par cette fonction.

Interruption 21h, Fonction 22h   *DOS (à partir de 1.0)*
Ecriture sélective (FCB)

Ecrire un enregistrement déterminé dans le fichier.

Entrée :   AH = 22h
                    DS = Adresse de segment du FCB
                    DX = Adresse d'offset du FCB

Sortie :   AL = 0 : Enregistrement a été écrit
                    AL = 1 : Support (disquette / disque dur) plein
                    AL = 2 : Débordement de segment

Remarques :   Cette fonction ne doit être appelée qu'après que le fichier ait été ouvert à travers le FCB indiqué. L'adresse de l'enregistrement à écrire doit être spécifiée à partir de la cellule de mémoire 21h du FCB. La taille de l'enregistrement, c'est-à-dire le nombre d'octets écrits, est inscrit dans le FCB. L'enregistrement est transféré de la DTA dans le fichier. Si celle-ci n'est pas assez grande, il convient de la déplacer auparavant vers un buffer utilisateur à l'aide de la fonction 1Ah. Après appel de cette fonction, le pointeur de fichier est dirigé automatiquement sur le début de l'enregistrement à écrire, de sorte qu'un appel consécutif de la fonction d'écriture séquentielle d'un enregistrement écrirait à nouveau le même enregistrement. Le numéro d'enregistrement n'est pas incrémenté après appel de la fonction, de sorte qu'un nouvel appel de cette fonction écrirait le même enregistrement. L'erreur 2 se produit si la DTA est située à la fin d'un segment et que l'enregistrement à écrire est conduit, de ce fait, à dépasser la limite du segment. Le contenu des registres AH, BX, CX, DX, SI, DI, BP, CS, DS, SS, ES et du registre de flags n'est pas modifié par cette fonction.

Interruption 21h, Fonction 23h
Lire taille du fichier (FCB)

DOS (à partir de 1.0)

Cette fonction permet de connaître le nombre d'enregistrements et donc, de ce fait, la taille d'un fichier.

Entrée :	AH	= 23h
	DS	= Adresse de segment du FCB
	DX	= Adresse d'offset du FCB
Sortie :	AL	= 0 : Fichier trouvé, dans ce cas le champ d'enregistrement à partir de l'adresse 21h du FCB contient le nombre d'enregistre-ments dans le fichier.
	AL	= 255 : Fichier non trouvé

Remarques : Le FCB transmis contient la désignation de périphérique ainsi que le nom et l'extension du fichier dont il s'agit de déterminer la taille. Contrairement à tous les autres accès de fichier soutenus par FCB, la taille d'enregistrement doit être inscrite dans le FCB avant appel de cette fonction. Si la taille d'enregistrement spécifiée est 1, cette fonction permet d'obtenir directement et précisément la taille du fichier en octets. Le contenu des registres AH, BX, CX, DX, SI, DI, BP, CS, DS, SS, ES et du registre de flags n'est pas modifié par cette fonction.

Interruption 21h, Fonction 24h
Fixer numéro d'enregistrement

DOS (à partir de 1.0)

Cette fonction permet de fixer sur la position actuelle du pointeur de fichier le numéro d'enregistrement dans le FCB qui définit l'accès séquentiel à un fichier. Après une série d'accès de fichier séquentiels, on peut ainsi poursuivre avec l'accès sélectif à l'endroit précis où les accès séquentiels avaient été interrompus.

Entrée :	AH	= 24h
	DS	= Adresse de segment du FCB
	DX	= Adresse d'offset du FCB
Sortie :	aucune	

Remarques : Cette fonction ne doit être appelée qu'après que le fichier ait été ouvert à travers le FCB spécifié. Cette fonction ne modifie le contenu d'aucun registre du processeur, y compris le registre de flags.

Interruption 21h, Fonction 25h
Fixer vecteur d'interruption

DOS (à partir de 1.0)

Cette fonction permet de rediriger n'importe quel vecteur d'interruption sur une autre routine.

Entrée :	AH	= 25h
	AL	= Numéro d'interruption
	DS	= Nouvelle adresse de segment de la routine d'interruption
	DX	= Nouvelle adresse d'offset de la routine d'interruption
Sortie :	aucune	

Remarques : Avant d'appeler cette fonction, il convient tout d'abord de lire à l'aide de la fonction 35h l'ancien contenu du vecteur d'interruption à modifier et de le sauvegarder. Une fois le programme terminé, il sera préférable de rétablir cet ancien contenu à l'aide de cette même fonction. Cette fonction ne modifie le contenu d'aucun registre du processeur, y compris le registre de flags.

Interruption 21h, Fonction 26h
Créer un nouveau PSP

DOS (à partir de 1.0)

Le PSP du programme exécuté est copié à l'adresse spécifiée.

Entrée :   AH = 26h
               DX = Adresse de segment du nouveau PSP

Sortie :   aucune

Remarques :   L'adresse d'offset du nouveau PSP est 0. Cette fonction était utilisée sous la version 1 du DOS pour exécuter d'autres programmes. A cet effet, un PSP était mis en place, après quoi le programme voulu pouvait être chargé à la suite de ce PSP puis être exécuté. Sous les versions 2 et 3 du DOS, il est préférable de ne plus recourir à cette fonction car les autres programmes peuvent être chargés et exécutés à l'aide de la fonction EXEC 4Bh. Cette fonction ne modifie le contenu d'aucun registre du processeur, y compris le registre de flags.

Interruption 21h, Fonction 27h
Lecture sélective de plusieurs enregistrements (FCB)

DOS (à partir de 1.0)

Lecture de plusieurs enregistrements consécutifs du fichier, à partir de l'enregistrement spécifié.

Entrée :   AH = 27h
               CX = Nombre d'enregistrements à lire
               DS = Adresse de segment du FCB
               DX = Adresse d'offset du FCB

Sortie :   AL = 0 : Enregistrement(s) a (ont) été lu(s)
                    = 1 : Fin du fichier atteinte
                    = 2 : Débordement de segment
                    = 3 : Lu enregistrement partiel
               CX = Nombre d'enregistrements lus

Remarques :   Cette fonction ne doit être appelée qu'après que le fichier ait été ouvert à travers le FCB indiqué. Le premier enregistrement lu est celui dont l'adresse est spécifiée à partir de la cellule de mémoire 21h du FCB. Les enregistrements sont transférés dans la DTA. Si celle-ci n'est pas assez grande, il convient de la déplacer auparavant vers un buffer utilisateur à l'aide de la fonction 1Ah. La taille de chaque enregistrement est inscrite dans le FCB. Après appel de cette fonction, le pointeur de fichier est dirigé automatiquement à la suite du dernier enregistrement lu. Le numéro d'enregistrement est en outre incrémenté à raison du nombre d'enregistrements lus, de sorte qu'il désigne l'enregistrement suivant le dernier enregistrement lu. L'erreur 2 se produit si la DTA est située à la fin d'un segment et que l'enregistrement lu est conduit, de ce fait, à dépasser la limite du segment. L'erreur 3 se produit lorsque la fin d'un fichier ne comporte pas un enregistrement complet mais seulement un enregistrement partiel. Dans ce cas, l'enregistrement partiel est lu mais comblé de zéros jusqu'à la longueur prescrite. Le contenu des registres AH, BX, DX, SI, DI, BP, CS, DS, SS, ES et du registre de flags n'est pas modifié par cette fonction.

Interruption 21h, Fonction 28h   *DOS (à partir de 1.0)*
Ecriture sélective de plusieurs enregistrements (FCB)

Ecriture de plusieurs enregistrements consécutifs dans un fichier, à partir de l'enregistrement spécifié.

Entrée :   AH = 28h
             CX = Nombre d'enregistrements à écrire
             DS = Adresse de segment du FCB
             DX = Adresse d'offset du FCB

Sortie :   AL = 0 : Enregistrement(s) a (ont) été écrit(s)
             AL = 1 : Support (disquette/disque dur) plein
             AL = 2 : Débordement de segment
             CX = Nombre d'enregistrements écrits

Remarques :   Cette fonction ne doit être appelée qu'après que le fichier ait été ouvert à travers le FCB indiqué. L'adresse du premier enregistrement à écrire doit être spécifiée à partir de la cellule de mémoire 21h du FCB. La taille de chaque enregistrement est inscrite dans le FCB. Les enregistrements sont transférés de la DTA dans le fichier. Si celle-ci n'est pas assez grande, il convient de la déplacer auparavant vers un buffer utilisateur à l'aide de la fonction 1Ah. Après appel de cette fonction, le pointeur de fichier est dirigé automatiquement à la suite du dernier enregistrement écrit. e numéro d'enregistrement est en outre incrémenté à raison du nombre d'enregistrements écrits, de sorte qu'il désigne l'enregistrement suivant le dernier enregistrement écrit. L'erreur 2 se produit si la DTA est située à la fin d'un segment et que l'enregistrement à écrire est conduit, de ce fait, à dépasser la limite du segment. Le contenu des registres AH, BX, DX, SI, DI, BP, CS, DS, SS, ES et du registre de flags n'est pas modifié par cette fonction.

Interruption 21h, Fonction 29h   *DOS (à partir de 1.0)*
Inscrire un nom de fichier dans FCB

Cette fonction inscrit dans les champs appropriés du FCB un nom de fichier fourni sous forme de chaîne ASCII et qui peut contenir une désignation de périphérique, un nom de fichier et une extension de fichier.

Entrée :   AH = 29h
             DS = Adresse de segment du nom de fichier dans la mémoire
             SI = Adresse d'offset du nom de fichier dans la mémoire
             ES = Adresse de segment du FCB
             DI = Adresse d'offset du FCB
             AL = Paramètres de transmission
                Bit 1 = 1 : La désignation de périphérique dans le FCB ne sera modifiée que si le nom de fichier transmis contient une désignation de périphérique.
                     0 : La désignation de périphérique sera modifiée en tout état de cause. Si le nom de fichier transmis ne comporte pas de désignation de périphérique, la valeur 0 (lecteur actuel) sera inscrite dans le FCB.

Bit 2 = 1 : Le nom de fichier dans le FCB ne sera modifié que si le nom
de fichier transmis contient un nom de fichier.

0: Le nom de fichier sera modifié en tout état de cause. Si le nom
de fichier transmis ne comporte pas de nom de fichier, le nom
de fichier sera rempli d'espaces (code ASCII 32) dans le FCB.

Bit 3 = 1 : L'extension de fichier dans le FCB ne sera modifiée que si le
nom de fichier transmis contient une extension de fichier.

0: L'extension de fichier sera modifiée en tout état de cause.
Si le nom de fichier transmis ne comporte pas d'extension de
fichier, ce champ sera rempli d'espaces (code ASCII 32)
dans le FCB.

Tous les autres bits doivent contenir la valeur 0.

Sortie : AL = 0 : Le nom de fichier transmis ne comportait pas de jokers
AL = 1 : Le nom de fichier transmis comportait des jokers
AL = 255 : La désignation de périphérique spécifiée est incorrecte.
DS = Adresse de segment du premier caractère après le nom de fichier dans le
buffer de nom de fichier spécifié
SI = Adresse d'offset du premier caractère après le nom de fichier dans le buffer
de nom de fichier spécifié
ES = Adresse de segment du FCB
DI = Adresse d'offset du FCB

Remarques : Le nom de fichier transmis doit être terminé par un caractère de fin (code ASCII
0).. Si le nom de fichier transmis comporte le joker "*", tous les emplacements à
partir de la position de "*" seront remplis de jokers "?" dans le champ correspondant du FCB. Le contenu des registres AH, BX, CX, DX, BP, CS, SS et du
registre de flags n'est pas modifié par cette fonction.

Interruption 21h, Fonction 2Ah　　　　　　　　　　*DOS (à partir de 1.0)*
Lire la date

Cette fonction permet de déterminer la date actuelle.

Entrée : AH = 2Ah

Sortie : AL = Jour de la semaine (0=Dimanche, 1=Lundi, etc.)
CX = Année
DH = Mois
DL = Jour

Remarques : Pour obtenir la date, le DOS appelle le driver d'horloge. Le contenu des registres
AH, BX, SI, DI, BP, CS, DS, SS, ES et du registre de flags n'est pas modifié par
cette fonction.

Interruption 21h, Fonction 2Bh   *DOS (à partir de 1.0)*
Fixer la date

Cette fonction permet de fixer la date actuelle.

Entrée :   AH   = 2Bh
                 CX   = Année
                 DH   = Mois
                 DL   = Jour

Sortie :   AL   = 0 : Tout va bien
                 AL   = 255 : Date impossible

Remarques :   La date transmise est communiquée au driver d'horloge. Si le PC n'est pas doté
                d'une horloge en temps réel sur piles ainsi que d'un driver d'horloge soutenant
                ce type d'horloge, la date ne sera conservée que jusqu'à l'arrêt de l'ordinateur
                ou jusqu'à un nouveau lancement du système. L'ancienne heure est conservée
                si l'heure n'est pas plausible. Le contenu des registres AH, BX, CX, DX, SI, DI,
                BP, CS, DS, SS, ES et du registre de flags n'est pas modifié par cette fonction.

Interruption 21h, Fonction 2Ch   *DOS*
Lire l'heure

Cette fonction permet de déterminer l'heure actuelle.

Entrée :   AH   = 2Ch

Sortie :   CH   = Heures
                 CL   = Minutes
                 DH   = Secondes
                 DL   = Centièmes de seconde

Remarques :   Pour obtenir l'heure, le DOS appelle le driver d'horloge. Le contenu des registres
                AX, BX, SI, DI, BP, CS, DS, SS, ES et du registre de flags n'est pas modifié par
                cette fonction.

Interruption 21h, Fonction 2Dh   *DOS (à partir de 1.0)*
Fixer l'heure

Cette fonction permet de fixer l'heure actuelle.

Entrée :   AH   = 2Dh
                 CH   = Heures
                 CL   = Minutes
                 DH   = Secondes
                 DL   = Centièmes de seconde

Sortie :   AL   = 0 : Tout va bien
                 AL   = 255 : Heure impossible

Remarques :   L'heure transmise est communiquée au driver d'horloge. Si le PC n'est pas
                doté d'une horloge en temps réel sur piles ainsi que d'un driver d'horloge
                soutenant ce type d'horloge, l'heure ne sera conservée (et actualisée) que
                jusqu'à l'arrêt de l'ordinateur ou jusqu'à un nouveau lancement du système.
                L'ancienne heure est conservée si l'heure n'est pas plausible. Le contenu des
                registres AH, BX, CX, DX, SI, DI, BP, CS, DS, SS, ES et du registre de flags
                n'est pas modifié par cette fonction.

Interruption 21h, Fonction 2Eh
Fixer le flag Verify

DOS (à partir de 1.0)

Le flag Verify définit si après une opération d'écriture sur un driver de bloc (disquette, disque dur) il convient de vérifier si les données écrites ont été correctement transmises. Cette vérification ralentit naturellement l'accès aux périphériques concernés mais accroît la sécurité de transmission des données.

Entrée :   AH   = 2Eh
          DL   = 0
          AL   = 0 : Ne pas vérifier les données
          AL   = 1 : Vérifier les données
Sortie :   aucune

Remarques :   Au niveau utilisateur, ce flag peut également être manipulé à l'aide des instructions VERIFY ON et VERIFY OFF. Cette fonction ne modifie le contenu d'aucun registre du processeur, y compris le registre de flags.

Interruption 21h, Fonction 2Fh
Déterminer adresse de la DTA

DOS (à partir de 1.0)

Cette fonction fournit en résultat l'adresse de la zone de transfert disque (DTA) qui sert de buffer de données pour tous les accès de fichier soutenus par FCB.

Entrée :   AH   = 2Fh
Sortie :   ES   = Adresse de segment de la DTA
          BX   = Adresse d'offset de la DTA

Remarques :   Cette fonction permet bien de déterminer l'adresse de la DTA mais cela ne permet nullement d'en déduire la taille de la DTA. Immédiatement après le lancement d'un programme, la DTA commence à la cellule de mémoire 128 du PSP et présente une longueur de 128 octets. Le contenu des registres AX, CX, DX, SI, DI, BP, CS, DS, SS et du registre de flags n'est pas modifié par cette fonction.

Interruption 21h, Fonction 30h
Déterminer le numéro de version du DOS

DOS (à partir de 1.0)

Cette fonction permet de déterminer le numéro de version du DOS sous lequel un programme est en train de tourner.

Entrée :   AH   = 30h
Sortie :   AL   = Numéro de version principal
          AH   = Numéro de version complémentaire
          BH   = Code OEM

Remarques :   Le numéro de version principal est le numéro qui apparaît avant le point. Pour le numéro de version 2.1, le numéro de version principal sera donc 2. Le numéro de version complémentaire est le numéro qui apparaît après le point. Ce numéro est toujours indiqué avec deux chiffres. Pour le numéro de version 2.1, le numéro de version complémentaire sera donc 10. Dans le registre BH, le numéro de code OEM n'est pas généralement explicite puisque ce code n'est pas normalisé. Cependant, la règle adoptée est que le PC-DOS (d'IBM) porte le code 0. Si la valeur 0 est renvoyée dans le registre AL, c'est que le programme tourne sous la version 1 du DOS, qui ne connaissait pas encore cette fonction. Le contenu des registres DX, SI, DI, BP, CS, DS, SS, ES et du registre de flags n'est pas modifié par cette fonction.

Cette fonction permet de terminer le programme exécuté et de rendre le contrôle au programme qui l'avait appelé.

Contrairement aux autres fonctions pour terminer un programme, la mémoire occupée par le programme n'est cependant pas libérée pour une utilisation ultérieure. Le programme actuel reste donc résident en mémoire.

Entrée :   AH = 31h
              AL = Code de fin
              DX = Nombre de paragraphes à réserver

Sortie :   aucune

Remarques : Le code de fin dans le registre AL sert à signaler au programme d'appel si le programme qu'il avait appelé a pu ou non être correctement exécuté. Le programme d'appel peut se faire communiquer cette valeur en appelant la fonction 4Dh. Dans un programme batch, cette valeur peut être testée à l'aide des instructions ERRORLEVEL et IF. Le nombre de paragraphes (groupes de 16 octets) à réserver indique combien d'octets, à partir du PSP, ne devront pas être libérés pour une utilisation ultérieure. Les blocs de mémoire réservés à l'aide de la fonction 48h ne sont pas concernés par la valeur dans le registre DX car ils ne peuvent être à nouveau libérés qu'en appelant la fonction 49h.

Cette fonction permet de placer un pointeur sur le bloc de paramètres DOS (BPD) d'un lecteur quelconque.

Entrée :   AH = 32h
              DL = code de lecteur (0 = actuel, 1 = A, 2 = B, etc.)

Sortie :   Flag Carry = 1 : Erreur
                          0 : Tout va bien, dans ce cas
                          DS:BX = Pointeur FAR sur le BPD

Remarques : S'il s'agit d'un changement de disquette effectué sur le périphérique spécifié, DOS s'adresse d'abord au lecteur pour compléter le BPD avec les données concernant le lecteur et le format. En revanche, s'il s'agit de disques durs, ces informations se trouvent déjà dans la mémoire si bien qu'il n'est pas nécessaire d'accéder à un périphérique. Lors de l'appel de cette fonction, une erreur ne peut survenir que si un code de lecteur erroné a été spécifié. Dans ce cas, le code d'erreur 15 sera retourné dans le registre AL. La structure du bloc de paramètres DOS varie en fonction des diverses versions DOS. Le contenu des registres AH, CX, DX, SI, DI, BP, CS, SS et ES n'a pas été modifié par cette fonction.

Interruption 21h, Fonction 33h, Sous-fonction 0　　　　*DOS (à partir de 1.0)*
Lire le flag Break

Le flag Break définit si le fait que la touche Control-C ait été actionnée doit être testé lors de tout appel d'une fonction DOS ou seulement lorsqu'est appelée une des fonctions d'entrée et sortie de caractères. Lorsque la touche Control-C est actionnée et que cet évènement est effectivement testé, cela déclenche une interruption 23h. Cette fonction permet donc de lire la teneur actuelle de ce flag.

Entrée :　　　AH = 33h
　　　　　　　AL = 0

Sortie :　　　DL = 0 : Test seulement pour l'entrée et sortie de caractères
　　　　　　　DL = 1 : Test lors de tout appel de fonction

Remarques :　Le flag Break ne fait pas partie du bloc d'environnement d'un programme et il ne vaut donc pas uniquement pour un programme bien précis. Il affecte au contraire tous les programmes qui appellent les fonctions DOS d'entrée et sortie de caractères qui, elles-mêmes, testent l'apparition d'un caractère Control-C ou le fait que la touche Break ait été actionnée. Le contenu des registres AX, BX, CX, DH, SI, DI, BP, CS, DS, SS, ES et du registre de flags n'est pas modifié par cette fonction. Le contenu de tous les autres registres peut avoir été modifié.

Interruption 21h, Fonction 33h, Sous-fonction 1　　　　*DOS (à partir de 1.0)*
Fixer le flag Break

Le flag Break définit si le fait que la touche Control-C ait été actionnée doit être testé lors de tout appel d'une fonction DOS ou seulement lorsqu'est appelée une des fonctions d'entrée et sortie de caractères. Lorsque la touche Control-C est actionnée et que cet évènement est effectivement testé, cela déclenche une interruption 23h. Cette fonction permet donc de mettre ou annuler ce flag.

Entrée :　　　AH = 33h
　　　　　　　AL = 1
　　　　　　　DL = 0 : Test seulement pour l'entrée et sortie de caractères
　　　　　　　DL = 1 : Test lors de tout appel de fonction

Sortie :　　　aucune

Remarques :　Le flag Break ne fait pas partie du bloc d'environnement d'un programme et il ne vaut donc pas uniquement pour un programme bien précis. Il affecte au contraire tous les programmes qui appellent les fonctions DOS d'entrée et sortie de caractères, qui elles-mêmes testent l'apparition d'un caractère Control-C ou le fait que la touche Break ait été actionnée. Cette fonction ne modifie le contenu d'aucun registre du processeur, y compris le registre de flags.

Interruption 21h, Fonction 34h　　　　　　　　　　　　　*DOS (à partir de 2.0)*
Placer un pointeur sur le flag INDOS

Après appel de cette fonction, DOS communique l'adresse du flag INDOS qui est particulièrement utile pour les programmes résidents.

Entrée :　　　　AH = 34h

Sortie :　　　　ES:BX = Pointeur FAR sur le flag INDOS

Remarques :　　En ce qui concerne le flag INDOS, il s'agit d'un octet qui compte les appels récursifs de l'interruption 21h. Il contient la valeur 0 tant que DOS n'est pas actif et c'est pourquoi les fonctions DOS peuvent être appelées à partir d'un programme résident. Si le flag contient cependant une valeur supérieure à 0, DOS est alors justement actif puisqu'une valeur supérieure à 1 symbolise un nombre correspondant d'appels récursifs. Dans ce cas, DOS ne peut pas être interrompu par un appel de fonction émanant d'un programme TSR au risque de provoquer un plantage dans le pire des cas. Pour plus d'informations sur ce thème, lisez la section concernant la programmation de programmes TSR au chapitre 32!!!!!!!. Le contenu des registres CX, DX, SI, DI, BP, CS, DS, SS n'est pas modifié par cette fonction.

Interruption 21h, Fonction 35h　　　　　　　　　　　　　*DOS (à partir de 1.0)*
Lire contenu d'un vecteur d'interruption

Cette fonction fournit en résultat le contenu actuel d'un vecteur d'interruption et donc l'adresse de la routine d'interruption correspondante.

Entrée :　　　　AH = 35h
　　　　　　　　AL = Numéro d'interruption

Sortie :　　　　ES = Adresse de segment de la routine d'interruption
　　　　　　　　BX = Adresse d'offset de la routine d'interruption

Remarques :　　Pour garantir la compatibilité de vos programmes avec les versions futures du DOS, il est préférable d'appeler cette fonction pour lire un vecteur d'interruption plutôt que de lire le contenu de ce vecteur directement dans la table de vecteurs d'interruption. Le contenu des registres AX, CX, DX, SI, DI, BP, CS, DS, SS et du registre de flags n'est pas modifié par cette fonction.

Interruption 21h, Fonction 36h　　　　　　　　　　　　　*DOS (à partir de 1.0)*
Déterminer capacité disque résiduelle

Cette fonction renvoie des informations sur le périphérique spécifié (c'est-à-dire le driver de bloc spécifié) qui permettent de calculer la place mémoire encore libre.

Entrée :　　　　AH = 36h
　　　　　　　　DL = Code de périphérique

Sortie :　　　　AX = 65535 : Périphérique absent, sinon nombre de secteurs par cluster
　　　　　　　　BX = Nombre de clusters libres
　　　　　　　　CX = Nombre d'octets par secteur
　　　　　　　　DX = Nombre total de clusters du périphérique

Remarques : Pour le code de périphérique transmis, 0 représente le lecteur actuel, 1 le lecteur A, 2 le lecteur B, etc. La mémoire encore libre sur le support se calcule en multipliant le nombre d'octets par secteur par le nombre de secteurs par cluster puis par le nombre de clusters libres. Le contenu des registres SI, DI, BP, CS, DS, SS, ES et du registre de flags n'est pas modifié par cette fonction.

Interruption 21h, Fonction 37h, Sous-fonction 00h *DOS (à partir de 2.0)*
Déterminer le code pour commutateur de lignes de commande

Le caractère valable pour tous les commutateurs de lignes de commande lors de l'appel d'un programme peut être obtenu à l'aide de cette fonction.

Entrée :   AH = 37h
          AL = 00h

Sortie :   DL = code ASCII du caractère

Remarques : En règle générale, on admet que le caractère servant de commutateur de lignes de commande soit le signe de la division (/). Par conséquent, rares sont les programmes qui demandent le caractère de commutation des lignes de commande et peuvent ne pas réagir à la modification de ce caractère. Le contenu des registres BX, CX, DH, SI, DI, BP, CS, DS, SS, ES n'est pas modifié par cette fonction.

Interruption 21h, Fonction 37h, Sous-fonction 01h *DOS (à partir de 2.0)*
Fixer le caractère de commutation des lignes de commande

L'appel de cette fonction permet de définir le caractère que tous les commutateurs de lignes de commande doivent reconnaître lors de l'appel d'un programme.

Entrée :   AH = 37h
          AL = 01h
          DL = code ASCII du caractère

Sortie :   Flag Carry : 0, caractère accepté
                     1, Erreur

Remarques : Actuellement, les caractères autorisés pour les commutateurs de lignes de commande sont (=), (/) et (-). Les autres caractères ne sont pas acceptés et sont rejetés. Vu que les programmes utilisant la sous-fonction 00h sont peu nombreux et que le caractère adopté comme commutateur de lignes de commande est toujours le caractère (/), l'appel de la sous-fonction 01h n'agit que sur de rares programmes. Mais on peut citer toutefois les divers programmes DOS internes et externes qui accordent une importance à ce caractère. Le contenu des registres BX, CX, DX, SI, DI, BP, CS, DS, SS, ES n'est pas modifié par cette fonction.

Cette fonction permet de déterminer les différents paramètres caractéristiques du pays qui a été spécifié avec l'instruction COUNTRY dans le fichier CONFIG.SYS.

Entrée :   AH = 38h
                  AL = 0
                  DS = Adresse de segment d'un buffer
                  DX = Adresse d'offset d'un buffer

Sortie :   aucune

Remarques : Avant d'appeler cette fonction, nous vous conseillons de déterminer à l'aide de la fonction 48 quelle version du DOS est utilisée, pour que vous puissiez tenir compte des différences entre les versions 2 et 3 dans la définition des registres pour l'appel et le retour de cette fonction. Le buffer doit avoir une taille de 32 octets au moins. La fonction y inscrira les différents paramètres caractéristiques du pays. Les différents octets du buffer contiennent, après appel de la fonction, les informations suivantes :

Octets 0 - 1 :	Format de date
	0 = USA : Mois-Jour-Année
	1 = Europe : Jour-Mois-Année
	2 = Japon : Année-Mois-Jour
Octet 2 :	Code ASCII du symbole de la monnaie
Octet 3 :	0
Octet 4 :	Code ASCII du caractère de millier
Octet 5 :	0
Octet 6 :	Code ASCII du symbole décimal
Octet 7 :	0
Octets 8 - 31 :	réservés

Cette fonction ne modifie le contenu d'aucun registre du processeur, y compris le registre de flags.

Cette fonction permet de déterminer les différents paramètres caractéristiques d'un pays. Elle permet d'obtenir aussi bien les paramètres pour le pays qui a été spécifié avec l'instruction COUNTRY dans le fichier CONFIG.SYS que ceux correspondant à n'importe quel autre pays. Les différents paramètres sont placés par la fonction dans le buffer qui lui a été transmis.

Entrée :   AH = 38h
                  AL = 0
                  DS = Adresse de segment d'un buffer
                  DX = Adresse d'offset d'un buffer
                  AL = 0 : Lire paramètre pour le pays actuel
                  AL = 1 - 254 : Code du pays dont il s'agit de lire les paramètres caractéristiques
                  AL = 255 : Le code du pays dont il s'agit de lire les paramètres caractéristiques
                                figure dans le registre BX

Sortie :   Flag Carry = 0 tout va bien.
           Flag Carry = 1 : Code du pays incorrect

Remarques :   Avant d'appeler cette fonction, nous vous conseillons de déterminer à l'aide de
           la fonction 48 quelle version du DOS est utilisée, pour que vous puissiez tenir
           compte des différences entre les versions 2 et 3 dans la définition des registres
           pour l'appel et le retour de cette fonction. Le buffer doit avoir une taille de 34
           octets au moins. La fonction y inscrira les différents paramètres caractéristiques
           du pays. Les différents octets du buffer contiennent, après appel de la fonction,
           les informations suivantes :

Octets 0 - 1 :	Format de date
	0 = USA : Mois-Jour-Année
	1 = Europe : Jour-Mois-Année
	2 = Japon : Année-Mois-Jour
Octets 2 - 6 :	Symbole de la monnaie
	(chaîne ASCII terminée par un caractère de fin)
Octet 7 :	Code ASCII du caractère de millier
Octet 8 :	0
Octet 9 :	Code ASCII du symbole décimal
Octet 10 :	0
Octet 11 :	Code ASCII du séparateur dans la date
Octet 12 :	0
Octet 13 :	Code ASCII du séparateur de l'heure
Octet 14 :	0
Octet 15 :	Format de la monnaie
	Bit 0 = 0 : Symbole de la monnaie avant la valeur
	Bit 0 = 1 : Symbole de la monnaie après la valeur
	Bit 1 = 0 : Pas d'espace entre la valeur et le symbole
	de la monnaie
	Bit 1 = 1 : Un espace entre la valeur et le symbole
	de la monnaie
Octet 16 :	Précision (nombre de chiffres après le point décimal)
Octet 17 :	Format horaire
	Bit 0 = 0 : Horloge 12 heures
	Bit 0 = 1 : Horloge 24 heures
Octets 18 - 21 :	Adresse d'une routine de conversion de caractères
	(voir plus bas)
Octets 22 - 33 :	réservés

           Le contenu des adresses 18 à 21 représente les adresses d'offset et de segment
           d'une procédure FAR qui sert à convertir en majuscules les caractères spéciaux
           d'un pays, dans le jeu de caractères du PC. Cette routine considère le contenu
           du registre AL comme le code d'une minuscule à convertir en majuscule. Si une
           majuscule de ce type existe, elle figurera dans le registre AL après appel de la
           fonction. Si cette majuscule n'existe pas, par contre, le contenu du registre AL
           restera inchangé. Nous pourrions par exemple utiliser cette routine pour con-
           vertir un é en E, par exemple. Le contenu des registres AX, BX, CX, DX, SI, DI,
           BP, CS, DS, SS et ES n'est pas modifié par cette fonction.

Interruption 21h, Fonction 38h, Sous-fonction 1   *DOS (à partir de la version 3)*
Fixer le pays

Cette fonction permet de fixer le pays actuel. Ainsi sont du même coup fixés différents paramètres caractéristiques du pays. Ces paramètres peuvent être lus à l'aide de la sous-fonction 0 de cette même fonction. Par rapport aux fonctions précédentes du DOS qui prévoyaient que le pays ne pouvait être fixé qu'à l'aide de l'instruction COUNTRY dans le fichier CONFIG.SYS, cette fonction présente l'avantage de permettre de fixer ou changer le pays, même après le lancement du système.

Entrée :   AH = 38h
                 DX = 65535
                 AL = 1 - 254 : Numéro de pays
                 AL = 255 : Numéro supérieur à 254, auquel cas
                 BX = Numéro du pays

Sortie :   Flag Carry =0 : Tout va bien
                 Flag Carry =1 : Code du pays incorrect

Remarques :   Avant d'appeler cette fonction, il est préférable de déterminer la version
                 actuelle du DOS à l'aide de la fonction 48, pour s'assurer que cette fonction
                 est réellement disponible. Il n'est pas possible de fixer séparément les différents paramètres d'un pays. Vous pouvez seulement fixer le code du pays et
                 le DOS fixera automatiquement les paramètres prédéfinis pour ce pays. Le
                 contenu des registres AH, BX, CX, DX, SI, DI, BP, CS, DS, SS et ES n'est pas
                 modifié par cette fonction.

Interruption 21h, Fonction 39h   *DOS (à partir de 1.0)*
Créer un sous-répertoire

Cette fonction permet de créer un nouveau sous-répertoire sur le périphérique spécifié.

Entrée :   AH = 39h
                 DS = Adresse de segment du chemin du sous-répertoire
                 DX = Adresse d'offset du chemin du sous-répertoire

Sortie :   Flag Carry =0 : Nouveau sous-répertoire créé
                 Flag Carry =1 : Erreur, dans ce cas
                     AX = 3 : Chemin non trouvé
                     AX = 5 : Accès refusé

Remarques :   Le chemin de sous-répertoire transmis est une chaîne ASCII terminée par un
                 caractère de fin (code ASCII 0). Si le chemin de sous-répertoire comporte une
                 désignation de périphérique, l'accès se fera sur le périphérique spécifié, sinon le
                 sous-répertoire sera créé sur le périphérique actuel. Une erreur peut se produire
                 si un élément du chemin n'existe pas, si un sous-répertoire existe déjà sous le
                 nom spécifié ou bien si le sous-répertoire devait être créé dans le répertoire racine
                 alors que ce dernier est déjà plein. Le contenu des registres BX, CX, DX, SI, DI,
                 BP, CS, DS, SS et ES n'est pas modifié par cette fonction.

Interruption 21h, Fonction 3Ah
Supprimer un sous-répertoire

DOS (à partir de 1.0)

Cette fonction permet de supprimer un sous-répertoire sur le périphérique spécifié.

Entrée :   AH = 3Ah
DS = Adresse de segment du chemin du sous-répertoire
DX = Adresse d'offset du chemin du sous-répertoire

Sortie :   Flag Carry =0 : Sous-répertoire supprimé
Flag Carry =1 : Erreur, dans ce cas
AX = 3 : Chemin non trouvé
AX = 5 : Accès refusé

Remarques : Le chemin de sous-répertoire transmis est une chaîne ASCII terminée par un caractère de fin (code ASCII 0). Si le chemin de sous-répertoire comporte une désignation de périphérique, l'accès se fera sur le périphérique spécifié, sinon le sous-répertoire sera supprimé sur le périphérique actuel. Une erreur peut se produire si un élément du chemin n'existe pas, si le sous-répertoire est le sous-répertoire actuel ou bien si des fichiers figurent encore dans le sous-répertoire à supprimer. Le contenu des registres BX, CX, DX, SI, DI, BP, CS, DS, SS et ES n'est pas modifié par cette fonction.

Interruption 21h, Fonction 3Bh
Fixer le sous-répertoire actuel

DOS (à partir de 1.0)

Cette fonction permet de fixer le sous-répertoire actuel sur le périphérique spécifié.

Entrée :   AH = 3Bh
DS = Adresse de segment du chemin du sous-répertoire
DX = Adresse d'offset du chemin du sous-répertoire

Sortie :   Flag Carry =0 : Sous-répertoire actuel fixé
Flag Carry =1 : Erreur, dans ce cas
AX = 3 : Chemin non trouvé

Remarques : Le chemin de sous-répertoire transmis est une chaîne ASCII terminée par un caractère de fin (code ASCII 0). Si le chemin de sous-répertoire comporte une désignation de périphérique, l'accès se fera sur le périphérique spécifié, sinon le sous-répertoire actuel sera modifié sur le périphérique actuel. Une erreur peut se produire si un élément du chemin n'existe pas. Le contenu des registres BX, CX, DX, SI, DI, BP, CS, DS, SS et ES n'est pas modifié par cette fonction.

Interruption 21h, Fonction 3Ch
Créer ou vider un fichier (Handle)

DOS (à partir de 1.0)

Après l'appel de cette fonction, le DOS examine si le fichier spécifié existe déjà. Si c'est le cas, ce fichier est vidé et son contenu antérieur est irrémédiablement perdu. Si cependant le fichier spécifié n'existe pas encore, il est créé.

Entrée :   AH = 3Ch
            CX = Attribut de fichier
                   Bit 0 = 1 : Fichier peut seulement être lu
                   Bit 1 = 1 : Fichier caché
                   Bit 2 = 1 : Fichier système
            DS = Adresse de segment du nom de fichier
            DX = Adresse d'offset du nom de fichier

Sortie :   Flag Carry =0 : Tout va bien, dans ce cas AX = Handle du fichier
           Flag Carry =1 : Erreur, dans ce cas AX = code d'erreur
                            3 : Chemin non trouvé
                            4 : Plus de handle libre
                            5 : Accès refusé

Remarques :   Les différents bits de l'attribut de fichier peuvent parfaitement être combinés. Le nom de fichier doit être fourni sous forme d'une chaîne ASCII terminée par un caractère de fin (code ASCII 0). Ce nom de fichier peut comporter une désignation de périphérique, une désignation de chemin complète et un nom de fichier proprement dit mais il ne doit pas contenir de jokers. Si la désignation de périphérique ou la désignation de chemin sont omises, l'accès se fera sur le périphérique actuel ou sur le répertoire actuel. Une erreur peut apparaître lors de l'appel de cette fonction si un élément de la désignation de chemin n'existe pas, si le fichier est censé être créé dans le répertoire racine alors que ce dernier est déjà plein ou encore si un fichier existe déjà sous ce nom et qu'il ne peut être vidé parce qu'il est protégé contre l'écriture (bit 0 de l'attribut de fichier = 1). Si l'appel de la fonction s'est conclu sans problème, toutes les autres fonctions handle pourront être appelées à l'aide du handle renvoyé car le fichier a aussi été ouvert. Le pointeur de fichier est dirigé sur le premier octet du fichier. Le contenu des registres BX, CX, DX, SI, DI, BP, CS, DS, SS et ES n'est pas modifié par cette fonction.

Interruption 21h, Fonction 3Dh
Ouvrir un fichier (Handle)

DOS (à partir de 1.0)

Cette fonction permet d'ouvrir un fichier déjà existant pour pouvoir y accéder à l'aide des autres fonctions.

Entrée :   AH = 3Dh
            AL = Mode d'accès
            Bits 0 - 3 : Autorisation de lecture/écriture
                   0000(b) = Fichier peut seulement être lu
                   0001(b) = Fichier peut seulement être écrit
                   0010(b) = Fichier peut être lu ou écrit

Bits 4 - 6 : Mode de File Sharing (Partage de l'accès)

    000(b) = seul le programme actuel peut accéder au fichier (mode FCB)

    001(b) = seul le programme actuel peut accéder au fichier

    010(b) = un autre programme peut lire le fichier mais non y écrire

    011(b) = un autre programme peut écrire dans le fichier mais non le lire

    100(b) = un autre programme peut lire et écrire le fichier

Bit 7 : Flag Handle

    0 =   le programme-enfant du programme actuel peut accéder au handle de ce fichier

    1 =   seul le programme actuel peut accéder au handle de ce fichier

DS = Adresse de segment du nom de fichier

DX = Adresse d'offset du nom de fichier

Sortie :   Flag Carry =0 : Tout va bien, dans ce cas AX = Handle du fichier

    Flag Carry =1 : Erreur, dans ce cas AX = code d'erreur

        1 : Pas de logiciel de File Sharing

        2 : Fichier non trouvé

        3 : Chemin non trouvé ou fichier n'existe pas

        4 : Plus de handle libre

        5 : Accès refusé

        12 : Mode d'accès non autorisé

Remarques :   Le nom de fichier doit être fourni sous forme d'une chaîne ASCII terminée par un caractère de fin (code ASCII 0). Ce nom de fichier peut comporter une désignation de périphérique, une désignation de chemin complète et un nom de fichier proprement dit mais il ne doit pas contenir de jokers. Si la désignation de périphérique ou la désignation de chemin sont omises, l'accès se fera sur le périphérique actuel ou sur le répertoire actuel. Si l'appel de la fonction s'est conclu sans problème, toutes les autres fonctions handle pourront être appelées à l'aide du handle renvoyé. Le pointeur de fichier est dirigé sur le premier octet du fichier. Sous la version 2 du DOS, seuls les bits 0 à 2 du mode d'accès sont significatifs. Il convient de fixer tous les autrs bits sur 0 pour garantir une bonne exécution de l'appel de fonction même sous la version 3. Le mode de File Sharing des bits 4 à 6 n'a d'intérêt, même sous la version 3 du DOS, qu'à condition que le fichier figure sur une mémoire de masse faisant partie d'un réseau. Dans ce cas, ces 3 bits définissent si, et si oui dans quelles conditions, d'autres programmes, tournant sur d'autres PC du réseau, pourront accéder au fichier pendant qu'il sera ouvert à la suite de cet appel de fonction. L'erreur 12 ne peut apparaître que sous la version 3 du DOS, et uniquement à l'intérieur d'un réseau, si le fichier a déjà été ouvert par un autre programme et s'il a été décidé qu'aucun autre programme ne peut y accéder pour le moment. Le contenu des registres BX, CX, DX, SI, DI, BP, CS, DS, SS et ES n'est pas modifié par cette fonction.

Interruption 21h, Fonction 3Eh   *DOS (à partir de 1.0)*
Fermer un fichier (Handle)

Cette fonction permet de refermer un fichier préalablement ouvert. Auparavant, toutefois, toutes les données qui doivent être écrites dans le fichier mais qui figurent encore dans les buffers internes du DOS sont écrites dans le fichier. Si le fichier a été modifié, l'entrée du répertoire correspondant à ce fichier est encore actualisée, c'est-à-dire que la nouvelle taille du fichier y est inscrite ainsi que les date et heure actuelle, en tant que date et heure de la dernière modification.

Entrée :   AH = 3Eh
                BX = Handle à fermer

Sortie :   Flag Carry =0 : Tout va bien
                Flag Carry =1 : Erreur, dans ce cas
                       AX = 6 : Handle non autorisé ou fichier correspondant non ouvert

Remarques :   Il faut veiller à ne pas appeler par mégarde cette fonction avec le numéro d'un des handles prédéfinis (0 à 4) car vous risqueriez ainsi de fermer par exemple le périphérique d'entrée ou le périphérique de sortie standard, la conséquence étant alors que vous ne pourriez plus recevoir de caractères du clavier ou que vous ne pourriez plus en afficher sur l'écran. Le contenu des registres BX, CX, DX, SI, DI, BP, CS, DS, SS et ES n'est pas modifié par cette fonction.

Interruption 21h, Fonction 3Fh   *DOS (à partir de 1.0)*
Lire un fichier (Handle)

Cette fonction permet de lire, à l'aide d'un handle, un nombre déterminé de caractères dans un fichier (ou sur un périphérique) préalablement ouvert. Ces caractères sont transférés dans un buffer. L'opération de lecture commence sur la position actuelle du pointeur de fichier.

Entrée :   AH = 3Fh
                BX = Handle du fichier ou du périphérique
                CX = Nombre d'octets à lire
                DS = Adresse de segment du buffer
                DX = Adresse d'offset du buffer

Sortie :   Flag Carry =0 : Tout va bien, dans ce cas AX = nombre d'octets lus
                Flag Carry =1 : Erreur, dans ce cas AX = code d'erreur
                       5 : Accès refusé
                       6 : Handle non autorisé ou fichier non ouvert

Remarques :   Cette fonction permet non seulement de lire des caractères sur un fichier mais aussi sur un périphérique comme par exemple le périphérique d'entrée standard (le clavier), qui porte le handle 0. Si le flag Carry est annulé après appel de cette fonction mais que le registre AX contient la valeur 0, cela signifie que le pointeur de fichier se trouvait déjà sur la fin du fichier avant même que cette fonction n'ait été appelée. Dans ce cas, aucune donnée n'a pu être lue. Si le flag Carry est annulé après appel de cette fonction mais que le registre AX contient une valeur inférieure à celle du registre CX avant appel de la fonction, cela signifie que le nombre d'octets voulu n'a pu être lu parce que la fin du fichier a été atteinte auparavant. Après appel de cette fonction, le pointeur de fichier est dirigé sur le premier octet immédiatement à la suite du dernier octet lu. Le contenu des registres BX, CX, DX, SI, DI, BP, CS, DS, SS et ES n'est pas modifié par cette fonction.

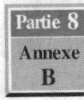

Interruption 21h, Fonction 40h
Ecrire dans un fichier (Handle)

DOS (à partir de 1.0)

Cette fonction permet d'écrire, à l'aide d'un handle, un nombre déterminé de caractères dans un fichier (ou sur un périphérique) préalablement ouvert. Ces caractères sont tirés d'un buffer. L'opération d'écriture commence sur la position actuelle du pointeur de fichier.

Entrée :   AH = 40h
        BX = Handle du fichier ou du périphérique
        CX = Nombre d'octets à écrire
        DS = Adresse de segment du buffer
        DX = Adresse d'offset du buffer

Sortie :   Flag Carry =0 : Tout va bien, dans ce cas AX = nombre d'octets écrits
        Flag Carry =1 : Erreur, dans ce cas AX = code d'erreur
            5 : Accès refusé
            6 : Handle non autorisé ou fichier non ouvert

Remarques : Cette fonction permet non seulement d'écrire des caractères sur un fichier mais aussi sur un périphérique comme par exemple le périphérique de sortie standard (l'écran), qui porte le handle 1. Si le flag Carry est annulé après appel de cette fonction mais que le registre AX contient la valeur 0, cela signifie que le périphérique sur lequel figure le fichier était déjà plein avant même que cette fonction n'ait été appelée. Si le flag Carry est annulé après appel de cette fonction mais que le registre AX contient une valeur inférieure à celle du registre CX avant appel de la fonction, cela signifie que le nombre d'octets voulu n'a pu être écrit parce que le périphérique sur lequel figure le fichier a été rempli auparavant. Après appel de cette fonction, le pointeur de fichier est dirigé sur le premier octet immédiatement à la suite du dernier octet écrit. Le contenu des registres BX, CX, DX, SI, DI, BP, CS, DS, SS et ES n'est pas modifié par cette fonction.

Interruption 21h, Fonction 41h
Supprimer un fichier (Handle)

DOS (à partir de 1.0)

Cette fonction permet de supprimer le fichier dont le nom est transmis à la fonction.

Entrée :   AH = 41h
        DS = Adresse de segment du nom de fichier
        DX = Adresse d'offset du nom de fichier

Sortie :   Flag Carry =0 : Tout va bien
        Flag Carry =1 : Erreur, dans ce cas AX = code d'erreur
            2 : Fichier non trouvé
            5 : Accès refusé

Remarques : Le nom de fichier doit être fourni sous forme d'une chaîne ASCII terminée par un caractère de fin (code ASCII 0). Ce nom de fichier peut comporter une désignation de périphérique, une désignation de chemin complète et un nom de fichier proprement dit mais il ne doit pas contenir de jokers. Si la désignation de périphérique ou la désignation de chemin sont omises, l'accès se fera sur le périphérique actuel ou sur le répertoire actuel. Une erreur apparaît si un élément de la spécification de chemin n'existe pas ou si le fichier porte l'attribut "lecture seulement", auquel cas il n'est possible ni d'y écrire ni de le supprimer. Cet attribut peut toutefois être modifié à l'aide de la fonction 43h. Cette fonction ne permet de supprimer ni des sous-répertoires ni des noms de volumes. Le contenu des registres BX, CX, DX, SI, DI, BP, CS, DS, SS et ES n'est pas modifié par cette fonction.

Interruption 21h, Fonction 42h   *DOS (à partir de 1.0)*
Déplacer le pointeur de fichier (handle)

Cette fonction permet de déplacer le pointeur de fichier d'un fichier déjà ouvert, à l'aide de son handle. On obtient ainsi une possibilité d'accès sélectif puisque les différents enregistrements ne sont plus nécessairement lus de façon séquentielle, c'est-à-dire dans l'ordre dans lequel ils sont disposés. La nouvelle position du pointeur de fichier n'est pas spécifiée de façon absolue mais sous forme d'une distance (offset) par rapport à la position actuelle, par rapport au début du fichier ou encore par rapport à la fin du fichier. Cette distance est définie par un nombre de 32 bits.

Entrée :   AH = 42h
            AL = Code de la distance
              0 : La distance se rapporte au début du fichier
              1 : La distance se rapporte à la position actuelle du pointeur de fichier
              2 : La distance se rapporte à la fin du fichier
            BX = Handle
            CX = Mot fort de la distance
            DX = Mot faible de la distance

Sortie :   Flag Carry =0 : Tout va bien, dans ce cas
              DX = Mot fort du pointeur de fichier
              AX = Mot faible du pointeur de fichier
            Flag Carry =1 : dans ce cas AX = code d'erreur
              1 : Code de distance non autorisé
              6 : Handle non autorisé ou fichier non ouvert

Remarques :   Si vous travaillez avec les codes d'offset 1 et 2, la distance spécifiée peut aussi être négative, soit pour ramener le pointeur de fichier en arrière, soit pour le placer avant le début du fichier. Il est ainsi possible de fixer le pointeur de fichier avant la fin du fichier. Dans ce cas, une erreur ne sera cependant signalée qu'au cours du prochain accès en lecture ou écriture à ce fichier. Quel que soit le code de distance transmis pour appeler la fonction, la position du pointeur de fichier renvoyée après appel de la fonction se rapporte toujours au début du fichier. Cette fonction permet aussi de déterminer la taille d'un fichier si on lui transmet 2 comme code de distance et 0 comme distance. Le pointeur de fichier étant ainsi amené sur le dernier octet du fichier, sa position, qui est renvoyée au programme ayant appelé la fonction, correspondra au nombre d'octets et donc à la taille du fichier. Le contenu des registres BX, CX, SI, DI, BP, CS, DS, SS et ES n'est pas modifié par cette fonction.

Interruption 21h, Fonction 43h, Sous-fonction 0   *DOS (à partir de 1.0)*
Déterminer l'attribut d'un fichier

Cette fonction permet de déterminer l'attribut d'un fichier quelconque.

Entrée :   AH = 43h
            AL = 0
            DS = Adresse de segment du nom de fichier
            DX = Adresse d'offset du nom de fichier

Sortie : Flag Carry =0 : Tout va bien, dans ce cas CX = Attribut du fichier

   Bit 0 = 1 : Fichier doit seulement être lu mais on ne peut rien y écrire
   Bit 1 = 1 : Fichier est caché (ne sera pas affiché par DIR)
   Bit 2 = 1 : Fichier est un fichier système
   Bit 5 = 1 : Fichier a été modifié depuis le dernier archivage

Flag Carry =1 : Erreur, dans ce cas AX = Code d'erreur

   1 : Code de fonction inconnu
   2 : Fichier non trouvé
   3 : Chemin non trouvé

Remarques : Le nom de fichier doit être fourni sous forme d'une chaîne ASCII terminée par un caractère de fin (code ASCII 0). Il peut comporter une désignation de périphérique, une spécification de chemin complète ainsi qu'un nom de fichier proprement dit, mais pas de jokers. Si la désignation de périphérique ou la spécification de chemin sont omises, l'accès se fera sur le périphérique actuel ou sur le répertoire actuel. Une erreur apparaîtra si un élément de la spécification de chemin ou le fichier lui-même n'existe pas. Le contenu des registres BX, DX, SI, DI, BP, CS, DS, SS et ES n'est pas modifié par cette fonction.

Interruption 21h, Fonction 43h, Sous-fonction 1   *DOS (à partir de 1.0)*
Fixer l'attribut d'un fichier

Cette fonction permet de fixer l'attribut d'un fichier quelconque.

Entrée : AH = 43h
   AL = 1
   CX = Attribut du fichier
   Bit 0 = 1 : Fichier doit seulement être lu mais on ne peut y écrire
   Bit 1 = 1 : Fichier est caché (ne sera pas affiché par DIR)
   Bit 2 = 1 : Fichier est un fichier système
   Bit 3 = 0 : Volume
   Bit 4 = 0 : Répertoire Bit 3 : 0(b)
   Bit 5 = 1 : Fichier a été modifié depuis le dernier archivage
   DS = Adresse de segment du nom de fichier
   DX = Adresse d'offset du nom de fichier

Sortie : Flag Carry =0 : Tout va bien
   Flag Carry =1 : Erreur, dans ce cas AX = Code d'erreur
   1 : Code de fonction inconnu
   2 : Fichier non trouvé
   3 : Chemin non trouvé
   5 : Attribut ne peut pas être modifié

Remarques : Le nom de fichier doit être fourni sous forme d'une chaîne ASCII terminée par un caractère de fin (code ASCII 0). Il peut comporter une désignation de périphérique, une spécification de chemin complète ainsi qu'un nom de fichier proprement dit, mais pas de jokers. Si la désignation de périphérique ou la spécification de chemin sont omises, l'accès se fera sur le périphérique actuel ou sur le répertoire actuel. Une erreur apparaîtra si un élément de la spécification de chemin ou le fichier lui-même n'existe pas. Cette fonction ne permet pas de manipuler les sous-répertoires ni les noms de volumes. C'est pourquoi les bits 3 et 4 de l'attribut de fichier doivent valoir 0 lors de l'appel de la fonction. Si on tente malgré tout d'accéder à un sous-répertoire ou à un nom de volume, le code d'erreur 5 sera renvoyé. Le contenu des registres BX, CX, DX, SI, DI, BP, CS, DS, SS et ES n'est pas modifié par cette fonction. Le contenu de tous les autres registres peut avoir été modifié.

Interruption 21h, Fonction 44h, Sous-fonction 0   *DOS (à partir de 1.0)*
Accès à un driver de périphérique (IOCTL) :
Lecture de l'attribut de périphérique

Cette fonction permet de lire l'attribut de périphérique d'un driver de caractère, qui est stocké dans le chapeau de ce driver.

Entrée :   AH = 44h
                 AL = 0
                 BX = Handle

Sortie :   Flag Carry = 0 : Tout va bien, dans ce cas DX = Attribut de périphérique
                 Bit 14 = 1 : Le driver peut traiter des chaînes de caractères de commande
                              particulières à travers les sous-fonctions 2 et 3 de la
                              fonction IOCTL.
                 Bit 7 = 1 : Le driver est un driver de caractères.
                 Bit 5 = 0 : Le driver travaille en mode Cooked.
                               1 : Le driver travaille en mode Raw.
                 Bit 3 = 1 : Le driver est un driver d'horloge.
                 Bit 2 = 1 : Le driver est le driver NUL.
                 Bit 1 = 1 : Le driver est le driver de sortie de la console (l'écran).
                 Bit 0 = 1 : Le driver est le driver d'entrée de la console (le clavier).
        Flag Carry = 1 : Erreur, dans ce cas AX = Code d'erreur
                 1 : Code de fonction inconnu
                 6 : Handle non ouvert ou qui n'existe pas

Remarques : C'est un handle associé au périphérique voulu qui doit être spécifié et non le nom du driver de caractères appelé. Il peut s'agir par exemple de l'un des 5 handles prédéfinis (numéros 0 à 4). Il est toutefois également possible d'ouvrir au préalable un périphérique déterminé à l'aide de la fonction Ouvrir (fonction numéro 3Dh) puis de transmettre ce handle à la fonction. Comme l'entrée et la sortie standard (Les handles 0 et 1) peuvent avoir été redirigées, cette méthode permet de s'assurer que l'accès se fera bien sur le périphérique voulu. Si le bit 7 de l'attribut de périphérique ne vaut pas 1, c'est que le driver appelé n'est pas un driver de caractères et la signification des différents bits ne correspond donc pas à celle d'un driver de caractères. Le contenu des registres BX, CX, DX, SI, DI, BP, CS, DS, SS et ES n'est pas modifié par cette fonction.

Interruption 21h, Fonction 44h, Sous-fonction 1   *DOS (à partir de 1.0)*
Accès à un driver de périphérique (IOCTL) : Fixer l'attribut de périphérique

---

Cette fonction permet de fixer l'attribut de périphérique d'un driver de caractère, qui est stocké dans le chapeau de ce driver.

Entrée :   AH = 44h

             AL = 1

             BX = Handle

             DX = Attribut de périphérique

                 Bit 14 = 1 : Le driver peut traiter des chaînes de caractères de commande particulières à travers les sous-fonctions 2 et 3 de la fonction IOCTL.

                 Bit 7 =   1 : Le driver est un driver de caractères.

                 Bit 5 =   0 : Le driver travaille en mode Cooked.

                                   1 : Le driver travaille en mode Raw.

                 Bit 3 =   1 : Le driver est un driver d'horloge.

                 Bit 2 =   1 : Le driver est le driver NUL.

                 Bit 1 =   1 : Le driver est le driver de sortie de la console (l'écran).

                 Bit 0 =   1 : Le driver est le driver d'entrée de la console (le clavier).

Sortie :   Flag Carry =0 : Tout va bien

             Flag Carry =1 : Erreur, dans ce cas AX = Code d'erreur

                 1 : Code de fonction inconnu

                 6 : Handle non ouvert ou qui n'existe pas

Remarques :   C'est un handle associé au périphérique voulu qui doit être spécifié et non le nom du driver de caractères appelé. Il peut s'agir par exemple de l'un des 5 handles prédéfinis (numéros 0 à 4). Il est toutefois également possible d'ouvrir au préalable un périphérique déterminé à l'aide de la fonction Ouvrir (fonction numéro 3Dh) puis de transmettre ce handle à la fonction. Comme l'entrée et la sortie standard (Les handles 0 et 1) peuvent avoir été redirigées, cette méthode permet de s'assurer que l'accès se fera bien sur le périphérique voulu. Pour modifier différents bits de l'attribut de périphérique à l'aide de cette fonction, il est préférable de lire tout d'abord cet attribut de périphérique à l'aide de la fonction 0. Vous pouvez alors manipuler les bits voulus puis renvoyer l'attribut de périphérique au driver de périphérique, à l'aide de cette fonction. Cette fonction est surtout utile pour faire passer un driver de caractères du mode Raw au mode Cooked, et inversement, à l'aide du bit 5 de l'attribut de périphérique. Le contenu des registres BX, CX, DX, SI, DI, BP, CS, DS, SS et ES n'est pas modifié par cette fonction.

Interruption 21h, Fonction 44h, Sous-fonction 2 *DOS (à partir de 1.0)*
Accès à un driver de périphérique (IOCTL) : Recevoir des données d'un driver de caractères

En appelant cette fonction, un programme d'application peut recevoir des données d'un driver de caractères, de façon très directe. Le nombre d'octets à lire, qui seront copiés par le driver dans un buffer, est fixé par le programme d'appel. Le type et la structure des données ne sont pas prédéfinis par le DOS mais peuvent être définis individuellement par chaque driver.

Entrée :   AH = 44h
                  AL = 2
                  BX = Handle
                  CX = Nombre d'octets à lire
                  DS = Adresse de segment du buffer
                  DX = Adresse d'offset du buffer

Sortie :   Flag Carry =0 : Tout va bien, dans ce cas
                      AX = Nombre d'octets transférés
                  Flag Carry =1 : Erreur, dans ce cas AX = Code d'erreur
                      1 : Code de fonction inconnu
                      6 : Handle non ouvert ou qui n'existe pas

Remarques :   C'est un handle associé au périphérique voulu qui doit être spécifié et non le nom du driver de caractères appelé. Il peut s'agir par exemple de l'un des 5 handles prédéfinis (numéros 0 à 4). Il est toutefois également possible d'ouvrir au préalable un périphérique déterminé à l'aide de la fonction Ouvrir (fonction numéro 3Dh) puis de transmettre ce handle à la fonction. Comme l'entrée et la sortie standard (Les handles 0 et 1) peuvent avoir été redirigées, cette méthode permet de s'assurer que l'accès se fera bien sur le périphérique voulu. Une erreur apparaîtra si le handle spécifié est associé à un driver de bloc et non à un driver de caractères. Le contenu des registres BX, CX, DX, SI, DI, BP, CS, DS, SS et ES n'est pas modifié par cette fonction.

Interruption 21h, Fonction 44h, Sous-fonction 3 *DOS (à partir de 1.0)*
Accès à un driver de périphérique (IOCTL) : Envoyer des données à un driver de caractères

En appelant cette fonction, un programme d'application peut envoyer des données sur un driver de caractères, de façon très directe. Le nombre d'octets à écrire, qui seront tirés d'un buffer pour être transmis au driver, est fixé par le programme d'appel. Le type et la structure des données ne sont pas prédéfinis par le DOS mais peuvent être définis individuellement par chaque driver.

Entrée :   AH = 44h
                  AL = 3
                  BX = Handle
                  CX = Nombre d'octets à transmettre
                  DS = Adresse de segment du buffer
                  DX = Adresse d'offset du buffer

Sortie :   Flag Carry =0 : Tout va bien, dans ce cas
                    AX = Nombre d'octets transférés
            Flag Carry =1 : Erreur, dans ce cas AX = Code d'erreur
                    1 : Code de fonction inconnu
                    6 : Handle non ouvert ou qui n'existe pas

Remarques :   C'est un handle associé au périphérique voulu qui doit être spécifié et non le nom du driver de caractères appelé. Il peut s'agir par exemple de l'un des 5 handles prédéfinis (numéros 0 à 4). Il est toutefois également possible d'ouvrir au préalable un périphérique déterminé à l'aide de la fonction Ouvrir (fonction numéro 3Dh) puis de transmettre ce handle à la fonction. Comme l'entrée et la sortie standard (Les handles 0 et 1) peuvent avoir été redirigées, cette méthode permet de s'assurer que l'accès se fera bien sur le périphérique voulu. Une erreur apparaîtra si le handle spécifié est associé à un driver de bloc et non à un driver de caractères. Le contenu des registres BX, CX, DX, SI, DI, BP, CS, DS, SS et ES n'est pas modifié par cette fonction.

Interruption 21h, Fonction 44h, Sous-fonction 4   *DOS (à partir de 1.0)*
Accès à un driver de périphérique (IOCTL) :
Recevoir des données d'un driver de bloc

En appelant cette fonction, un programme d'application peut recevoir des données d'un driver de bloc, de façon très directe. Le nombre d'octets à lire, qui seront copiés par le driver dans un buffer, est fixé par le programme d'appel. Le type et la structure des données ne sont pas prédéfinis par le DOS mais peuvent être définis individuellement par chaque driver.

Entrée :   AH = 44h
            AL = 4
            BX = Désignation de périphérique
            CX = Nombre d'octets à lire
            DS = Adresse de segment du buffer
            DX = Adresse d'offset du buffer

Sortie :   Flag Carry =0 : Tout va bien, dans ce cas
                    AX = Nombre d'octets transférés
            Flag Carry =1 : Erreur, dans ce cas AX = Code d'erreur
                    1 : Code de fonction inconnu
                    15 : Périphérique inconnu

Remarques :   La désignation de périphérique n'indique pas directement le driver de périphérique mais le périphérique duquel les données devront être reçues. Le code 0 désigne ici le périphérique A, 1 le périphérique B, etc. Le contenu des registres BX, CX, DX, SI, DI, BP, CS, DS, SS et ES n'est pas modifié par cette fonction.

Interruption 21h, Fonction 44h, Sous-fonction 5   *DOS (à partir de 1.0)*
Accès à un driver de périphérique (IOCTL) :
Transmettre des données à un driver de bloc

En appelant cette fonction, un programme d'application peut envoyer des données sur un driver de bloc, de façon très directe. Le nombre d'octets à lire, qui seront tirés d'un buffer pour être transmis au driver, est fixé par le programme d'appel. Le type et la structure des données ne sont pas prédéfinis par le DOS mais peuvent être définis individuellement par chaque driver.

Entrée :	AH = 44h
	AL = 5
	BX = Désignation de périphérique
	CX = Nombre d'octets à transmettre
	DS = Adresse de segment du buffer
	DX = Adresse d'offset du buffer

Sortie :   Flag Carry = 0 : Tout va bien, dans ce cas
            AX = Nombre d'octets transférés
         Flag Carry = 1 : Erreur, dans ce cas AX = Code d'erreur
            1 : Code de fonction inconnu
            15 : Périphérique inconnu

Remarques :   La désignation de périphérique n'indique pas directement le driver de périphérique mais le périphérique auquel les données devront être transmises. Le code 0 désigne ici le périphérique A, 1 le périphérique B, etc. Le contenu des registres BX, CX, DX, SI, DI, BP, CS, DS, SS et ES n'est pas modifié par cette fonction.

Interruption 21h, Fonction 44h, Sous-fonction 6   *DOS (à partir de 1.0)*
Accès à un driver de périphérique (IOCTL) : Tester l'état d'entrée

Cette fonction permet de déterminer si un driver de périphérique est prêt à transmettre des données à un autre programme.

Entrée :	AH = 44h
	AL = 6
	BX = Handle

Sortie :   Flag Carry = 0 : Tout va bien, dans ce cas AX = Etat d'entrée
            0 : Le driver n'est pas prêt
            255 : Le driver est prêt
         Flag Carry = 1 : Erreur, dans ce cas AX = Code d'erreur
            1 : Code de fonction inconnu
            5 : Accès refusé
       6 : Handle incorrect

Remarques :   Le handle spécifié peut être associé à un driver de caractères ou à un fichier. Le contenu des registres BX, CX, DX, SI, DI, BP, CS, DS, SS et ES n'est pas modifié par cette fonction.

Interruption 21h, Fonction 44h, Sous-fonction 7   *DOS (à partir de 1.0)*
Accès à un driver de périphérique (IOCTL) : Tester l'état de sortie

---

Cette fonction permet de déterminer si un driver de périphérique est prêt à recevoir des données d'un autre programme.

Entrée :   AH = 44h
               AL = 7
               BX = Handle

Sortie :   Flag Carry =0 : Tout va bien, dans ce cas AX = Etat de sortie
               0 : Le driver n'est pas prêt
               255 : Le driver est prêt
               Flag Carry =1 : Erreur, dans ce cas AX = Code d'erreur
               1 : Code de fonction inconnu
               5 : Accès refusé
             6 : Handle incorrect

Remarques :   Le handle spécifié peut être associé à un driver de caractères ou à un fichier. Si le handle est associé à un fichier, le driver de bloc correspondant annoncera toujours que le périphérique est prêt à recevoir des données, même si le support sur lequel figure le fichier est plein et donc même si, de ce fait, il n'est plus possible d'ajouter des données à la suite du fichier. Le contenu des registres BX, CX, DX, SI, DI, BP, CS, DS, SS et ES n'est pas modifié par cette fonction.

Interruption 21h, Fonction 44h, Sous-fonction 8   *DOS (à partir de la version 3)*
Accès à un driver de périphérique (IOCTL) : Support amovible ?

Cette fonction permet de déterminer si le support (disquette, disque dur) d'un périphérique est amovible.

Entrée :   AH = 44h
               AL = 8
               BL = Désignation de périphérique

Sortie :   Flag Carry =0 : Tout va bien, dans ce cas
               AX = 0 : Support amovible
               AX = 1 : Support inamovible
               Flag Carry =1 : Erreur, dans ce cas AX = Code d'erreur
               1 : Code de fonction inconnu
               15 : Périphérique inconnu

Remarques :   La désignation de périphérique n'indique pas directement le driver de périphérique mais le périphérique duquel les données devront être reçues. Le code 0 désigne ici le périphérique actuel, 1 le lecteur A, 2 le lecteur B, etc. Le contenu des registres BX, CX, DX, SI, DI, BP, CS, DS, SS et ES n'est pas modifié par cette fonction.

Interruption 21h, Fonction 44h, Sous-fonction 9 *DOS (à partir de la version 3.1)*
Accès à un driver de périphérique (IOCTL) : Test Device Remote

Cette fonction permet de déterminer si le lecteur spécifié (Device) est un élément du PC sur lequel le test est effectué (local) ou bien s'il figure sur un autre PC, dans le cadre d'un réseau (remote).

Entrée :   AH = 44h
             AL = 9
             BL = Désignation de périphérique

Sortie :   Flag Carry =0 : Tout va bien, dans ce cas DX = Attribut de périphérique
                 Bit 12 = 0 : local
                 Bit 12 = 1 : remote
             Flag Carry =1 : Erreur, dans ce cas AX = Code d'erreur
                 1 : Code de fonction inconnu
                 15 : Périphérique inconnu

Remarques : Cette fonction ne peut être appelée que si un logiciel de réseau est installé. Le contenu des registres BX, CX, DX, SI, DI, BP, CS, DS, SS et ES n'est pas modifié par cette fonction.

Interruption 21h, Fonction 44h, Sous-fonction 0Ah *DOS (à partir de la version 3.1)*
Accès à un driver de périphérique (IOCTL) :
Test Handle Remote

Cette fonction permet de déterminer si le fichier associé au handle spécifié (Device) est un élément du PC sur lequel le test est effectué (local) ou bien s'il figure sur un autre PC, dans le cadre d'un réseau (remote).

Entrée :   AH = 44h
             AL = 0Ah
             BX = Handle

Sortie :   Flag Carry =0 : Tout va bien, dans ce cas DX = Code IOCTL
                 Bit 15 = 0 : local
                 Bit 15 = 1 : remote
             Flag Carry =1 : Erreur, dans ce cas AX = Code d'erreur
                 1 : Code de fonction inconnu
                 6 : Handle non ouvert ou qui n'existe pas

Remarques : Cette fonction ne peut être appelée que si un logiciel de réseau est installé. Le contenu des registres BX, CX, DX, SI, DI, BP, CS, DS, SS et ES n'est pas modifié par cette fonction.

Interruption 21h, Fonction 44h, Sous-fonction 0Bh DOS *(à partir de la vesion 3)*
Accès à un driver de périphérique (IOCTL) : Fixer répétition d'accès

Dans le cadre d'un réseau, il arrivera souvent qu'un programme souhaite accèder à un fichier alors qu'un autre programme est déjà en train d'y accéder et que ce fichier ne puisse être ouvert de ce fait. Dans une telle situation, il ne serait pas raisonnable de renoncer immédiatement à accéder au fichier car le fichier redeviendra généralement disponible après un très bref délai. C'est pourquoi le DOS gère, sur un plan interne, deux variables qui indiquent combien de fois une tentative d'accès à un fichier doit être répétée et quel délai doit s'écouler entre deux tentatives. Ce sont ces deux paramètres que cette fonction permet de fixer.

Entrée :   AH = 44h
               AL = 0Bh
               BX = Nombre de répétitions des tentatives
               CX = Délai entre deux tentatives

Sortie :   Flag Carry =0 : Tout va bien
               Flag Carry =1 : Erreur, dans ce cas AX = Code d'erreur
                  1 : Code de fonction inconnu

Remarques :   Cette fonction ne doit être appelée que si un logiciel de réseau est installé. Le délai imparti au driver de périphérique dans le registre CX dépend de la vitesse du système informatique en cours. Au lieu de faire référence à une unité de temps constante, il indique notamment le nombre des répétitions d'une boucle vide dont la vitesse d'exécution dépend naturellement de celle du processeur. Le contenu des registres BX, CX, DX, SI, DI, BP, CS, DS, SS et ES n'est pas modifié par cette fonction.

Interruption 21h, Fonction 44h, Sous-fonction 0Ch   DOS *(à partir de 3.3)*
Accès à un driver de périphérique (IOCTL) :
Communication avec un driver de caractères

Cette fonction IOCTL représente l'interface entre des sous-fonctions assurant le travail avec les pages de code. Etant donné que les pages de code ne sont reconnues que par quelques drivers de caractères précis, ces fonctions ne sont généralement disponibles qu'avec ces drivers.

Entrée :   AH = 44h
               AL = 0Ch
               BX = Handle lié au driver de caractères à adresser
               CH = Code de périphérique
               CL = Numéro de la sous-fonction à appeler
               DS:DX = Pointeur FAR sur le buffer contenant des infos. complémentaires

Sortie :   Flag Carry = 0 : tout va bien
               Flag Carry = 1 : Erreur, dans ce cas
                  AX = Code d'erreur

Remarques :   Le périphérique concerné est défini à l'aide du code de périphérique contenu dans le registre CH.

Les affectations suivantes sont prévues dans ce cas :

0 = Le périphérique n'appartient à aucun des groupes suivants
1 = COM1, COM2, COM3 ou COM4
2 = Périphérique CON (écran et clavier)
5 = LPT1, LPT2 ou LPT3 Les sous-fonctions suivantes peuvent être appelées par le registre CL :

45h = Spécifier le compteur d'accès pour le driver d'imprimante (à partir de DOS 3.2)
4Ah = Sélectionner la page de code (à partir de DOS 3.3)
4Ch = Préparer l'initialisation des pages de code (à partir de DOS 3.3)
4Dh = Terminer l'initialisation des pages de code (à partir de DOS 3.3)
5Fh = Informations concernant l'écran (à partir de DOS 4.0)
65h = Déterminer le compteur d'accès pour le driver d'imprimante (à partir de DOS 3.2)
6Ah = Spécifier la page de code en cours (à partir de DOS 3.3)
6Bh = Définir la liste des pages de code installées (à partir de DOS 3.3)
7Fh = Lire les informations concernant l'écran (à partir de DOS 4.0)

En règle générale, le schéma suivant s'applique à l'utilisation de ces fonctions :

● Lire, vérifier et sauvegarder les paramètres en cours à l'aide de la fonction 60h,
● Spécifier les nouveaux paramètres à l'aide de la fonction 40h,
  Exécuter la fonction nécessaire,
● Remettre en place les anciens paramètres avec la fonction 40h. Le contenu des registres BX, CX, DX, SI, DI, BP, CS, DS, SS et ES n'est pas modifié par cette fonction.

Interruption 21h, Fonction 44h, Sous-fonction 0Dh   *DOS (à partir de 3.2)*
Accès à un driver de périphérique (IOCTL) :
Communication avec un driver de bloc

Tout comme la fonction IOCTL 0Ch, cette fonction permet également d'accéder à de nombreuses sous-fonctions d'un driver de périphérique. Cependant, cette fonction IOCTL ne permet pas d'adresser un driver de caractères, mais un driver de bloc.

Entrée :   AH = 44h
             AL = 0Dh
             BL = Numéro de lecteur
             CH = 08h
             CL = Numéro de la sous-fonction à appeler
             DS:DX = Pointeur FAR sur le buffer contenant des informations complémentaires

Sortie :   Flag Carry = 0 : Tout va bien
             Flag Carry = 1 : Erreur, dans ce cas
                 AX = Code d'erreur

Remarques : En ce qui concerne le code de périphérique, 0 indique le lecteur en cours, 1 est utilisé pour A, 2 pour B, etc.

Les sous-fonctions suivantes peuvent être appelées par le registre CL :

40h	=	Spécifier les paramètres du périphérique (à partir de DOS 3.2)
41h	=	Ecrire la piste sur le périphérique logique (à partir de DOS 3.2)
42h	=	Formater et contrôler la piste sur le périphérique logique (à partir de DOS 3.2)
47h	=	Spécifier le flag d'accès (à partir de DOS 4.0)
60h	=	Déterminer les paramètres de périphérique (à partir de DOS 3.2)
61h	=	Lire la piste depuis le périphérique logique (à partir de DOS 3.2)
62h	=	Contrôler la piste sur le périphérique logique (à partir de DOS 3.2)
67h	=	Lire le flag d'accès (à partir de DOS 4.0) En règle générale, le schéma suivant s'applique à l'utilisation de ces fonctions :

- Lire, vérifier et sauvegarder les paramètres en cours à l'aide de la fonction 60h,
- Spécifier les nouveaux paramètres à l'aide de la fonction 40h, Exécuter la fonction nécessaire,
- Remettre en place les anciens paramètres avec la fonction 40h. Le contenu des registres BX, CX, DX, SI, DI, BP, CS, DS, SS et ES n'est pas modifié par cette fonction.

Interruption 21h, Fonction 44h, Sous-fonction 0Eh *DOS (à partir de 3.2)*
Accès à un driver de périphérique (IOCTL) : Lire la dernière désignation de lecteur

Cette fonction permet de déterminer la désignation logique du lecteur dernièrement utilisée pour adresser un périphérique.

Entrée : AH = 44h
 AL = 0Eh
 BL = Code de périphérique (0 = actuel, 1 = A, 2 = B, etc.)

Sortie : Flag Carry = 0 : Tout va bien, dans ce cas
  AL = 0 : Un seul périphérique logique appartient au périphérique spécifié
  AL 1 : Numéro du périphérique logique attribué au périphérique spécifié (1 = A, 2 = B, etc.)
 Flag Carry = 1 : Erreur, dans ce cas AX = Code d'erreur

Remarques : Cette fonction est surtout intéressante pour les systèmes équipés d'un seul lecteur de disquette. Dans ce cas, ce lecteur peut être appelé sous A et B. Cette fonction permet notamment de spécifier si le lecteur de disquette a été adressé dernièrement en tant que lecteur A ou B. Si le lecteur est adressé au moyen d'une telle désignation, un message DOS apparaît immédiatement pour demander d'insérer une disquette lors de l'accès au lecteur. Le contenu des registres BX, CX, DX, SI, DI, BP, CS, DS, SS et ES n'est pas modifié par cette fonction.

Interruption 21h, Fonction 44h, Sous-fonction 0Fh   *DOS (à partir de 3.2)*
Accès à un driver de périphérique (IOCTL) :
Définir la désignation de lecteur suivante

Cette fonction permet de spécifier la désignation de lecteur logique utilisée pour appeler un périphérique lors d'un prochain accès.

Entrée :   AH = 44h
            AL = 0Fh
            BL = Code de périphérique (0 = actuel, 1 = A, 2 = B, etc.)

Sortie :   Flag Carry = 0 : Tout va bien, dans ce cas
            AL = Code de périphérique servant à appeler le lecteur lors d'un
                 prochain accès
            Flag Carry = 1 : Erreur, dans ce cas AX = Code d'erreur

Remarques :   Cette fonction est surtout intéressante pour les systèmes équipés d'un seul lecteur de disquette parce que ce dernier peut être appelé sous A et B. Dans ce cas, cette fonction permet de faire commuter le lecteur de disquette de A vers B. Comme cette fonction travaille en alternance, le lecteur revient sur A à la suite d'un appel ultérieur. Le contenu des registres BX, CX, DX, SI, DI, BP, CS, DS, SS et ES n'est pas modifié par cette fonction.

Interruption 21h, Fonction 44h, Sous-fonction 10h   *DOS (à partir de 5.0)*
Solliciter le soutien IOCTL au niveau Handle

A partir de la version 5.0, la mise en disponibilité de cette fonction peut être sollicitée avant l'appel d'une fonction IOCTL qui ne fait pas partie de l'environnement des fonctions de la version 3.2.

Entrée :   AH = 44h
            AL = 10h
            BX = Handle sur le périphérique à adresser lors de l'appel de la fonction IOCTL
            CL = Numéro de la fonction IOCTL souhaitée

Sortie :   Flag Carry = 0 : La fonction est disponible par rapport au handle spécifié
            Flag Carry = 1 : Erreur, la fonction n'est pas disponible par rapport au handle
                 spécifié, dans ce cas AX = 1 (fonction non disponible)

Remarques :   Alors que cette fonction ne permet de tester la disponibilité d'une fonction IOCTL précise que par rapport au périphérique qui se cache derrière un handle, la fonction IOCTL 11h permet en revanche d'effectuer un test par rapport à un périphérique précis. Le contenu des registres BX, CX, DX, SI, DI, BP, CS, DS, SS et ES n'est pas modifié par cette fonction.

> **Interruption 21h, Fonction 44h, Sous-fonction 11h**   *DOS (à partir de 5.0)*
> **Solliciter le soutien IOCTL au niveau du périphérique**

A partir de la version 5.0, la mise en disponibilité de cette fonction peut être sollicitée avant l'appel d'une fonction IOCTL qui ne fait pas partie de l'environnement des fonctions de la version 3.2.

Entrée :   AH = 44h

                AL = 11h

                BX = Numéro de périphérique (0 = actuel, 1 = A, B = 2, etc.)

                CL = Numéro de la fonction IOCTL souhaitée

Sortie :   Flag Carry = 0 : La fonction est disponible par rapport au périphérique spécifié

                Flag Carry = 1 : Erreur, la fonction n'est pas disponible par rapport au périphérique, dans ce cas AX = 1 (fonction non disponible)

Remarques :   Alors que cette fonction ne permet de tester la disponibilité d'une fonction IOCTL précise que par rapport à un périphérique précis, la fonction IOCTL 10h permet en revanche d'effectuer un test par rapport à un handle donné et le périphérique qui s'y cache derrière. Le contenu des registres BX, CX, DX, SI, DI, BP, CS, DS, SS et ES n'est pas modifié par cette fonction.

> **Interruption 21h, Fonction 45h**   *DOS (à partir de 1.0)*
> **Doubler un Handle**

Cette fonction permet de mettre en place un second handle pour un handle spécifié. Ce second handle sera associé au même fichier ou au même périphérique que le premier. Si le premier handle se rapportait à un fichier, le pointeur de fichier de ce handle sera couplé avec le pointeur de fichier du nouveau handle.

Entrée :   AH = 45h

                BX = Handle

Sortie :   Flag Carry =0 : Tout va bien, dans ce cas AX = le nouveau Handle

                Flag Carry =1 : Erreur, dans ce cas AX = Code d'erreur

                         4 : Pas d'autre handle disponible

                         6 : Handle spécifié non ouvert ou qui n'existe pas

Remarques :   Cette fonction permet, après qu'un fichier ait été modifié, de faire actualiser l'entrée de ce fichier dans le répertoire sans être obligé de refermer le fichier. Il suffit en effet de réclamer à l'aide de cette fonction un nouveau handle pour le fichier puis de refermer le fichier avec ce handle à l'aide de la fonction 3Eh. Lorsque le pointeur de fichier d'un des deux handles est déplacé du fait de l'appel d'une fonction de lecture ou écriture, le pointeur de fichier de l'autre handle est automatiquement déplacé de la même façon. Le contenu des registres BX, CX, DX, SI, DI, BP, CS, DS, SS et ES n'est pas modifié par cette fonction.

> **Interruption 21h, Fonction 46h**   *DOS (à partir de 1.0)*
> **Assimiler des handles**

Cette fonction attend deux handles associés à deux fichiers ou périphériques différents. Le second handle est alors assimilé par la fonction au premier, c'est-à-dire qu'il se retrouve associé au même fichier ou au même périphérique que le premier handle. La valeur de son pointeur de fichier coïncide également avec celle du pointeur de fichier du premier handle.

Entrée :   AH = 46h
                  BX = Premier handle
                  CX = Second handle (à assimiler)

Sortie :   Flag Carry =0 : Tout va bien
                  Flag Carry =1 : Erreur, dans ce cas AX = Code d'erreur
                         4 : Pas d'autre handle disponible
                         6 : Handle spécifié non ouvert ou qui n'existe pas

Remarques : Si le second handle est associé à un fichier ouvert lors de l'appel de cette fonction, ce fichier est tout d'abord fermé. Lorsque le pointeur de fichier d'un des deux handles est déplacé du fait de l'appel d'une fonction de lecture ou écriture, le pointeur de fichier de l'autre handle est automatiquement déplacé de la même façon. Le contenu des registres BX, CX, DX, SI, DI, BP, CS, DS, SS et ES n'est pas modifié par cette fonction.

> **Interruption 21h, Fonction 47h**   *DOS (à partir de 1.0)*
> **Déterminer le répertoire actuel**

Cette fonction inscrit dans un buffer la spécification de chemin complète du répertoire actuel sur le lecteur spécifié.

Entrée :   AH = 47h
                  DL = Désignation de périphérique
                  DS = Adresse de segment du buffer
                  SI   = Adresse d'offset du buffer

Sortie :   Flag Carry =0 : Tout va bien
                  Flag Carry =1 : Erreur, dans ce cas
                      AX = 15 : Périphérique inconnu

Remarques : Pour la désignation de périphérique, 0 représente le lecteur actuel, 1 le lecteur A, 2 le lecteur B, etc. La spécification de chemin placée dans le buffer est terminée par un caractère de fin (code ASCII 0). Elle n'est précédée d'aucune désignation de périphérique ni d'un '\' pour le répertoire racine. Si le répertoire racine est le répertoire actuel, le caractère de fin se trouvera donc être le premier caractère du buffer. Le contenu des registres BX, CX, DX, SI, DI, BP, CS, DS, SS et ES n'est pas modifié par cette fonction.

Interruption 21h, Fonction 48h   *DOS (à partir de 1.0)*
Réserver de la mémoire RAM

Cette fonction permet de réserver une zone de mémoire à l'usage d'un programme.

Entrée :   AH = 48h
                  BX = Nombre de paragraphes réservés

Sortie :   Flag Carry =0 : Tout va bien, dans ce cas
                      AX = Adresse de segment de la zone de mémoire
                  Flag Carry =1 : Erreur, dans ce cas
                      AX = Code d'erreur
                          7 : Bloc de contrôle de la mémoire détruit
                          8 : Mémoire résiduelle insuffisante
                      BX = Nombre de paragraphes encore disponibles

Remarques :   Un paragraphe comporte 16 octets. Si la mémoire réclamée a pu être réservée,
                elle commence à l'adresse AX:0000. Dans un programme COM, l'appel de cette
                fonction échouera systématiquement puisque la totalité de la place mémoire
                disponible est toujours affectée à un programme COM lors de son lancement.
                Le contenu des registres CX, DX, SI, DI, BP, CS, DS, SS et ES n'est pas modifié
                par cette fonction.

Interruption 21h, Fonction 49h   *DOS (à partir de 1.0)*
Libérer de la mémoire RAM

Cette fonction permet de libérer une zone de mémoire qui avait été auparavant réservée à l'aide
de la fonction 48h, pour qu'elle soit à nouveau disponible pour d'autres programmes.

Entrée :   AH = 49h
                  BX = Nombre de paragraphes réservés

Sortie :   Flag Carry =0 : Tout va bien
                  Flag Carry =1 : Erreur, dans ce cas
                      AX = Code d'erreur
                          7 : Bloc de contrôle de la mémoire détruit
                          9 : La zone de mémoire commençant à l'adresse de
                              segment spécifiée n'avait pas été réservée

Remarques :   Il n'est pas nécessaire d'indiquer à la fonction la taille de la zone de mémoire à
                libérer car cette taille est connue du DOS. Si la fonction est appelée avec une
                adresse de segment erronée dans le registre ES, il se peut que soit libérée une
                zone de mémoire attribuée à un tout autre programme. Or cela peut avoir des
                conséquences imprévisibles allant jusqu'à un plantage du système. Le contenu
                des registres BX, CX, DX, SI, DI, BP, CS, DS, SS et ES n'est pas modifié par cette
                fonction.

Interruption 21h, Fonction 4Ah   *DOS (à partir de 1.0)*
Modifier la taille d'une zone de mémoire

Cette fonction permet de modifier la taille d'une zone de mémoire qui avait été auparavant réservée avec la fonction 48h. Cette zone peut aussi bien être agrandie que diminuée.

Entrée :   AH = 4Ah
            BX = Nouvelle taille de la zone de mémoire en paragraphes
            ES = Adresse de segment de la zone de mémoire

Sortie :   Flag Carry =0 : Tout va bien
            Flag Carry =1 : Erreur, dans ce cas
                AX = Code d'erreur
                        7 : Bloc de contrôle de la mémoire détruit
                        8 : Mémoire résiduelle insuffisante
                        9 : Bloc illégal
                BX = Nombre de paragraphes encore disponibles

Remarques :   Un paragraphe comporte 16 octets. Si la fonction est appelée avec une adresse de segment erronée dans le registre ES, il se peut que soit libérée une zone de mémoire attribuée à un tout autre programme. Or cela peut avoir des conséquences imprévisibles allant jusqu'à un plantage du système. Dans un programme COM, il est conseillé d'utiliser cette fonction pour libérer toute la mémoire dont le programme n'a pas vraiment besoin car la totalité de la mémoire RAM disponible est toujours affectée à un programme COM lors de son lancement. Cela est notamment indispensable avant d'appeler la fonction EXEC (fonction numéro 4Bh). Le contenu des registres CX, DX, SI, DI, BP, CS, DS, SS et ES n'est pas modifié par cette fonction.

Interruption 21h, Fonction 4Bh, Sous-fonction 0   *DOS (à partir de 1.0)*
EXEC : Exécuter un autre programme

Cette fonction permet à un programme d'en faire exécuter un autre de façon à ce que l'exécution du premier programme reprenne dès que l'exécution du second programme sera achevée. A cet effet, il faut transmettre à la fonction le nom du programme à exécuter ainsi que l'adresse d'un bloc de paramètres qui contienne les informations dont la fonction a besoin.

Entrée :   AH = 4Bh
            AL = 0
            ES = Adresse de segment du bloc de paramètres
            BX = Adresse d'offset du bloc de paramètres
            DS = Adresse de segment du nom de programme
            DX = Adresse d'offset du nom de programme

Sortie :   Flag Carry =0 : Tout va bien
            Flag Carry =1 : Erreur, dans ce cas AX = Code d'erreur
                        1 : Code de fonction inconnu
                        2 : Chemin ou programme non trouvé
                        5 : Accès refusé
                        8 : Zone mémoire insuffisante
                        10 : Bloc d'environnement erroné
                        11 : Format erroné

Remarques :   Le nom du programme doit être fourni sous forme d'une chaîne ASCII terminée par un caractère de fin (code ASCII 0). Il peut comporter une désignation de périphérique, une spécification de chemin complète ainsi qu'un nom de fichier, mais pas de jokers. Si la désignation de périphérique ou la spécification de chemin sont omises, l'accès se fera sur le périphérique actuel ou sur le répertoire actuel. Seuls des programmes EXE ou COM peuvent ainsi être exécutés. Pour faire exécuter un fichier batch, il faut appeler l'interpréteur de commandes (COMMAND.COM) avec le paramètre '/c' suivi du nom du fichier batch voulu. Le bloc de paramètres doit présenter le format suivant :

Octets 0 - 1 :	Adresse de segment du bloc d'environnement
Octets 2 - 3 :	Adresse d'offset des paramètres de commande
Octets 4 - 5 :	Adresse de segment des paramètres de commande
Octets 6 - 7 :	Adresse d'offset du premier FCB
Octets 8 - 9 :	Adresse de segment du premier FCB
Octets 10 - 11 :	Adresse d'offset du second FCB
Octets 12 - 13 :	Adresse de segment du second FCB

Si l'adresse de segment du bloc d'environnement communiquée est la valeur 0, c'est que le programme à appeler dispose du même bloc d'environnement que le programme d'appel. Les paramètres de commande doivent être stockés dans la mémoire de la façon suivante : un premier octet spécifie le nombre de caractères dans la ligne d'instruction ; viennent ensuite les différents caractères ASCII dont la fin est marquée par un Carriage Return (code ASCII 13). Ce Carriage Return ne doit toutefois pas être pris en compte pour le nombre de caractères. Le premier FCB transmis est copié à l'adresse 5Ch, le second à l'adresse 6Ch dans le PSP du programme appelé. Si le programme appelé n'attend aucune information de ces deux FCB, n'importe quelles valeurs peuvent être inscrites dans les champs FCB du bloc de paramètres. Après appel de cette fonction, tous les registres sont modifiés, hormis les registres CS et IP. Il ne faut donc pas oublier de sauvegarder le contenu des registres utiles avant d'appeler cette fonction, de façon à pouvoir les restaurer une fois le programme exécuté. Le programme appelé peut disposer de tous les handles dont pouvait disposer le programme d'appel.

Interruption 21h, Fonction 4Bh, Sous-fonction 3   *DOS (à partir de 1.0)*
EXEC : Charger un autre programme comme Overlay

Cette fonction permet à un programme de charger un autre programme en mémoire sans que ce programme soit pour autant automatiquement exécuté.

Entrée :   AH = 4Bh
AL = 3
ES = Adresse de segment du bloc de paramètres
BX = Adresse d'offset du bloc de paramètres
DS = Adresse de segment du nom de programme
DX = Adresse d'offset du nom de programme

Sortie :   Flag Carry =0: Tout va bien
Flag Carry =1: Erreur, dans ce cas AX = Code d'erreur
1 : Code de fonction inconnu
2 : Chemin ou programme non trouvé
5 : Accès refusé
8 : Zone mémoire insuffisante
10 : Bloc d'environnement erroné
11 : Format erroné

Remarques :   Le nom du programme doit être fourni sous forme d'une chaîne ASCII terminée par un caractère de fin (code ASCII 0). Il peut comporter une désignation de périphérique, une spécification de chemin complète ainsi qu'un nom de fichier, mais pas de jokers. Si la désignation de périphérique ou la spécification de chemin sont omises, l'accès se fera sur le périphérique actuel ou sur le répertoire actuel. Le bloc de paramètres doit présenter le format suivant :

Octets 0 - 1 :   Adresse de segment à laquelle devra être chargé l'overlay (l'adresse d'offset correspondante est 0)
Octets 2 - 3 :   Facteur de relogement

Le facteur de relogement spécifié devra être 0 pour les programmes COM et l'adresse de segment à laquelle le programme doit être chargé pour les programmes EXE. Le contenu des registres BX, CX, DX, SI, DI, BP, CS, DS, SS et ES n'est pas modifié par cette fonction.

Interruption 21h, Fonction 4Bh, Sous-fonction 05h   DOS (à partir de 5.0)
Adapter les EXEC personnels

A partir de la version DOS 5.0, les applications qui chargent d'autres programmes ou overlays à l'aide de la fonction DOS Exec doivent utiliser cette fonction pour éviter des problèmes lors du chargement de ces programmes ou overlays.

Entrée :   AH = 4Bh
              AL = 05h
              DS:DX = Pointeur FAR sur la structure Exec-State

Sortie :   Flag Carry = 0 : Tout va bien
              Flag Carry = 1 : Erreur, dans ce cas
                 AX = Code d'erreur
                         1 : code de fonction inconnu
                         2 : programme non trouvé
                         3 : programme non trouvé
                         4 : trop de fichiers ouverts
                         5 : accès refusé
                         8 : zone de mémoire insuffisante
                       10 : bloc d'environnement erroné
                       11 : format erroné

Remarques :   L'appel de cette fonction doit s'effectuer entre le chargement du programme ou overlay et son exécution. Aucune fonction DOS ou BIOS ou une interruption logicielle de quelque nature que ce soit ne doit être appelée entre l'appel de cette fonction et le lancement du programme ou overlay. La structure Exec-State contient des informations sur le programme ou overlay. Elle regroupe 18 octets et présente la structure suivante.

Structure Exec-State		
Adr.	Contenu	Type
00h	Réservé, doit contenir 0	1 WORD
02h	1 = Programme EXEC 2 = Overlay	1 WORD
04h	Pointeur sur une chaîne ASCII contenant le nom du programme ou overlay (l'indication du chemin est autorisée dans cette chaîne)	1 PTR
08h	Adresse de segment du PSP du programme ou overlay	1 WORD
0Ah	Point d'entrée dans le programme ou overlay	1 PTR
0Eh	Taille du programme ou overlay y compris PSP	1 DWORD
Longueur : 12h (18 octets)		

Cette fonction permet de terminer un programme en définissant un code de fin que le programme d'appel pourra tester à l'aide de la fonction 4Dh. La mémoire RAM occupée par le programme à terminer est libérée après appel de cette fonction, de sorte qu'elle peut à nouveau être attribuée à d'autres programmes.

Entrée :   AH = 4Ch

                  AL = Code de fin

Sortie :   aucune

Remarques :   Cette fonction est à utiliser de préférence aux autres fonctions pour terminer un programme. Lorsque cette fonction est appelée, les 3 vecteurs d'interruption dont le contenu avait été stocké dans le PSP avant le lancement du programme sont restaurés. Avant que le contrôle ne soit rendu au programme d'appel, tous les handles qui ont été ouverts par le programme appelé, ainsi que tous les fichiers correspondants, sont refermés. Cela ne concerne toutefois que les fichiers auquel on accédait par FCB. Le code de fin peut être examiné dans un fichier batch à l'aide des instructions ERRORLEVEL et IF.

Un programme qui en a appelé un autre à l'aide de la fonction EXEC peut déterminer à l'aide de cette fonction quel code de fin le programme appelé a renvoyé en fin d'exécution.

Entrée :   AH = 4Dh

Sortie :   AH = Type de fin du programme

                  0 : Fin normale

                  1 : Fin à la suite d'un caractère Control-C ou parce que touche

                       Break actionnée

                  2 : A cause d'une erreur d'accès à un périphérique

                  3 : Après appel de la fonction 31h ou INT 27h

                AL = Code de fin

Remarques :   Le code de fin du programme appelé ne peut être lu qu'une seule fois à l'aide de cette fonction. Le contenu des registres AX, BX, CX, DX, SI, DI, BP, CS, DS, SS et ES n'est pas modifié par cette fonction.

Interruption 21h, Fonction 4Eh   *DOS (à partir de 1.0)*
Rechercher première entrée du répertoire

Cette fonction attend le nom d'un fichier qu'il s'agit de rechercher. Le fichier peut être doté d'un attribut déterminé, de sorte que des sous-répertoires ou des noms de volumes peuvent également être recherchés.

Entrée :   AH = 4Eh
              CX = Attribut du fichier
              DS = Adresse de segment du nom de fichier
              DX = Adresse d'offset du nom de fichier

Sortie :   Flag Carry =0 : Tout va bien
              Flag Carry =1 : Erreur, dans ce cas AX = Code d'erreur
                   2 : Chemin non trouvé
                   18 : Aucun fichier trouvé avec l'attribut spécifié

Remarques : Le nom du fichier doit être fourni sous forme d'une chaîne ASCII terminée par un caractère de fin (code ASCII 0). Ce nom de fichier peut comporter une désignation de périphérique, une spécification de chemin complète, le nom de fichier proprement dit et des jokers. Si la désignation de périphérique ou la spécification de chemin sont omises, l'accès se fera sur le périphérique actuel ou sur le répertoire actuel. L'attribut 0 permet de rechercher les fichiers normaux. Si différents bits sont fixés dans le champ d'attribut, seront recherchés non seulement les fichiers correspondants mais aussi tous les fichiers normaux. Si un fichier spécifié a pu être trouvé, les 43 premiers octets de la DTA fournissent des informations sur ce fichier :

             Octets 0 - 20 :   Réservés
             Octet 21 :   Attribut du fichier
             Octets 22 - 23 : Heure de la dernière modification du fichier
             Octets 24 - 25 : Date de la dernière modification du fichier
             Octets 26 - 27 : Mot faible de la taille du fichier
             Octets 28 - 29 : Mot fort de la taille du fichier
             Octets 30 - 42 : Nom de fichier et extension, sous forme d'une chaîne
                               ASCII terminée par un caractère de fin (code ASCII 0).

Cette fonction ne doit être employée que pour rechercher la première apparition d'un fichier. Lorsqu'il s'agit de rechercher un groupe de fichiers (donc lorsque le nom de fichier contient des jokers), c'est la fonction 4Fh qu'il faut appeler pour poursuivre la recherche. Le contenu des registres BX, CX, DX, SI, DI, BP, CS, DS, SS et ES n'est pas modifié par cette fonction.

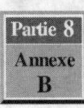

Interruption 21h, Fonction 4Fh *DOS (à partir de 1.0)*
Rechercher prochaine entrée du répertoire

Après appel réussi de la fonction 4Eh ou après d'autres appels de cette fonction, cette dernière permet de rechercher d'autres fichiers correspondant au nom de fichier spécifié.

Entrée : AH = 4Fh

Sortie : Flag Carry =0 : Tout va bien
Flag Carry =1 : Erreur, dans ce cas AX = Code d'erreur
 AX = 18 : Plus trouvé de fichier avec l'attribut spécifié

Remarques : Si un fichier spécifié a pu être trouvé, les 43 premiers octets de la DTA fournissent des informations sur ce fichier :

Octets 0 - 20 :	Réservés
Octet 21 :	Attribut du fichier
Octets 22 - 23 :	Heure de la dernière modification du fichier
Octets 24 - 25 :	Date de la dernière modification du fichier
Octets 26 - 27 :	Mot faible de la taille du fichier
Octets 28 - 29 :	Mot fort de la taille du fichier
Octets 30 - 42 :	Nom de fichier et extension, sous forme d'une chaîne ASCII terminée par un caractère de fin (code ASCII 0).

Cette fonction ne doit être appelée qu'après que la fonction 4Eh ait été appelée en premier lieu. Cette fonction ne doit être appelée que si le contenu de la DTA n'a pas été modifié depuis le dernier appel de la fonction 4Eh ou 4Fh car la DTA contient des informations essentielles pour poursuivre la recherche de fichiers. Le contenu des registres BX, CX, DX, SI, DI, BP, CS, DS, SS et ES n'est pas modifié par cette fonction.

Interruption 21h, Fonction 50h *DOS (à partir de 2.0)*
Fixer PSP actif

Cette fonction spécifie le PSP en cours. Elle est par exemple utile dans les programmes TSR pour que DOS lise les données à partir de son PSP et non celui du programme tournant au premier plan lors de l'accès au fichier.

Entrée : AH = 50h
 BX = Adresse de segment du PSP

Sortie : Flag Carry = 0 : Tout va bien
Flag Carry = 1 : Erreur, dans ce cas
 AX = Code d'erreur

Remarques : Implicitement, DOS considère qu'un PSP commence fondamentalement à l'adresse d'offset 0000h à l'intérieur d'un segment. Il faut en tenir compte lors de l'appel de cette fonction. Le contenu des registres BX, CX, DX, SI, DI, BP, CS, DS, SS et ES n'est pas modifié par cette fonction.

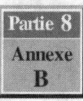

Interruption 21h, Fonction 51h   *DOS (à partir de 2.0)*
Lire le PSP actif

Cette fonction permet de connaître l'adresse de segment du PSP du programme en cours. Elle sert particulièrement aux programmes TSR pour lire l'adresse du PSP du programme de premier plan avant de définir leur propre PSP à l'aide de la fonction 50h.

Entrée :   AH   =   51h

Sortie :   Flag Carry   =   0 : Tout va bien, dans ce cas
                  BX   =   Adresse de segment du PSP en cours
                  Flag Carry   =   1 : Erreur, dans ce cas
                    AX   =   Code d'erreur

Remarques :   Le PSP spécifié commence toujours à l'adresse offset 0000h par rapport à l'adresse de segment indiquée. Vous devez donner la priorité à cette fonction par rapport à la fonction 62h qui est destinée spécialement à cet effet. En outre, elle est plus documentée que la fonction 51h. Mais elle n'est disponible qu'à partir de la version DOS 3.0 alors que la fonction 51h a été déjà introduite avec la version 2.0. Le contenu des registres BX, CX, DX, SI, DI, BP, CS, DS, SS et ES n'est pas modifié par cette fonction.

Interruption 21h, Fonction 52h   *DOS (à partir de 2.0)*
Placer un pointeur sur le bloc info DOS

Cette fonction retourne un pointeur sur le bloc info DOS. Elle permet d'obtenir de nombreuses informations intéressantes qui ne sont pas toujours accessibles par un programme.

Entrée :   AH = 52h

Sortie :   Flag Carry   =   0 : Tout va bien, dans ce cas
                  ES:BX   =   Pointeur FAR sur le DIB
                  Flag Carry   =   1 : Erreur, dans ce cas
                    AX   =   Code d'erreur

Remarques :   La structure du bloc info DOS est décrite au chapitre 31!!!!!!!. Le contenu des registres CX, DX, SI, DI, BP, CS, DS et SS n'est pas modifié par cette fonction.

Interruption 21h, Fonction 53h   *DOS (à partir de 2.0)*
Convertir le BPB en DPB

Ces fonctions non documentées permettent de convertir un bloc de paramètres BIOS en un bloc de paramètres Drive.

Entrée :   AH   =   53h
                  DS:SI   =   Pointeur FAR sur le buffer contenant le BPB converti
                  ES:BP   =   Pointeur sur le buffer dans lequel le bloc de paramètres Drive doit être créé (lisez plus loin)

Sortie :   Flag Carry   =   0 : Tout va bien
                  Flag Carry   =   1 : Erreur, dans ce cas
                  AX   =   Code d'erreur

Remarques :   La structure des blocs de paramètres BIOS et Drive est décrite au chapitre XXX.

Interruption 21h, Fonction 54h
Lire flag Verify

DOS (à partir de 1.0)

Le flag Verify définit si les données écrites sur un support tel que le disque dur ou la disquette doivent être contrôlées áprès une opération d'écriture pour vérifier que la transmission a été correctement effectuée. Cette fonction permet de lire l'état de ce flag qui s'applique à tous les programmes et non pas seulement au programme actuel.

Entrée :   AH = 54h

Sortie :   AL = Flag Verify
                  0 : Verify désactivé
                  1 : Verify activé

Remarques :   Le contenu du flag Verify peut être fixé à l'aide de la fonction 2Eh. Le contenu des registres AH, BX, CX, DX, SI, DI, BP, CS, DS, SS et ES n'est pas modifié par cette fonction.

Interruption 21h, Fonction 55h
Créer un nouveau PSP

DOS (à partir de 2.0)

Cette fonction crée un nouveau PSP en copiant l'ancien PSP dans le nouveau et en adaptant ensuite les diverses informations dans le nouveau PSP. Il s'agit en particulier d'informations liées à l'état du PSP en mémoire. Par conséquent, elles peuvent être transférées de l'ancien PSP vers le nouveau avec des modifications.

Entrée :   AH = 55h
              DX = Adresse de segment du nouveau PSP
              CX = Adresse de segment de l'ancien PSP

Sortie :   Flag Carry = 0 : Tout va bien
             Flag Carry = 1 : Erreur

Remarques :   Cette fonction non documentée est conçue pour pouvoir créer un PSP pour un programme avant de le charger. Eu égard à la fonction 4Bh, elle s'avère toutefois inutile car la fonction 4Bh charge automatiquement un programme, crée un nouveau PSP et adapte les adresses de segment dans le PSP et le programme chargé. Le contenu des registres BX, CX, DX, SI, DI, BP, CS, DS, SS et ES n'est pas modifié par cette fonction.

Interruption 21h, Fonction 56h
Renommer ou transférer fichier (Handle)

DOS (à partir de 1.0)

Cette fonction permet de renommer un fichier ou de le transférer dans un autre répertoire d'une unité de mémoire de masse. Le transfert ne peut toutefois se faire que dans les limites des différents répertoires d'un même périphérique. Il est donc impossible de transférer de cette façon un fichier d'un répertoire du disque dur dans un répertoire d'une disquette.

Entrée :   AH = 56h
              DS = Adresse de segment de l'ancien nom de fichier
              DX = Adresse d'offset de l'ancien nom de fichier
              ES = Adresse de segment du nouveau nom de fichier
              DI = Adresse d'offset du nouveau nom de fichier

Sortie :   Flag Carry =0 : Tout va bien
Flag Carry =1 : Erreur, dans ce cas AX = Code d'erreur
2 : Fichier non trouvé
3 : Chemin non trouvé
5 : Accès refusé
11 : Périphérique différent

Remarques :   Les noms de fichiers doivent être fournis sous forme de chaînes ASCII terminées par un caractère de fin (code ASCII 0). Ces noms de fichiers peuvent comporter une désignation de périphérique, une spécification de chemin complète, le nom de fichier proprement dit, mais pas de jokers. Si la désignation de périphérique ou la spécification de chemin sont omises, l'accès se fera sur le périphérique actuel ou sur le répertoire actuel. Une erreur peut se produire si le fichier est censé être transféré dans le répertoire racine alors que ce dernier est déjà plein. Cette fonction ne permet pas d'accéder aux sous-répertoires ou aux noms de volumes. Le contenu des registres BX, CX, DX, SI, DI, BP, CS, DS, SS et ES n'est pas modifié par cette fonction.

Interruption 21h, Fonction 57h, Sous-fonction 0   DOS *(à partir de 1.0)*
Déterminer la date et l'heure de la dernière modification d'un fichier

---

Cette fonction permet de déterminer les date et heure de création ou du moins de la dernière modification d'un fichier.

Entrée :   AH   = 57h
AL   = 0
BX   = Handle
Sortie :   Flag Carry =0 : Tout va bien, dans ce cas
CX = Heure
DX = Date
Flag Carry =1 : Erreur, dans ce cas AX = Code d'erreur
1 : Fonction inconnue
6 : Handle inconnu

Remarques :   Le fichier doit avoir été préalablement ouvert ou créé à l'aide d'une fonction Handle, de façon à ce qu'il soit possible d'y accéder à travers son handle. L'heure dans le registre CX présente le format suivant :

Bits 0 - 4 :   Secondes par unités de 2
Bits 5 - 10 :   Minutes
Bits 11 - 15 :   Heures La date dans le registre DX présente le format suivant :

Bits 0 - 4 :   Jour du mois
Bits 5 - 8 :   Mois
Bits 9 - 15 :   Année (par rapport à 1980)

Le contenu des registres BX, SI, DI, BP, CS, DS, SS et ES n'est pas modifié par cette fonction.

Interruption 21h, Fonction 57h, Sous-fonction 1   *DOS (à partir de 1.0)*
Fixer la date et l'heure de la dernière modification d'un fichier

---

Cette fonction permet de fixer les date et heure de création ou du moins de la dernière modification d'un fichier. Cette information est sauvegardée dans l'entrée du fichier dans le répertoire du périphérique voulu.

Entrée :   AH   = 57h
                  AL   = 1
                  BX   = Handle
                  CX   = Heure
                  DX   = Date

Sortie :   Flag Carry =0 : Tout va bien
                  Flag Carry =1 : Erreur, dans ce cas AX = Code d'erreur
                          1 : Fonction inconnue
                          6 : Handle inconnu

Remarques :   Le fichier doit avoir été préalablement ouvert ou créé à l'aide d'une fonction
                Handle, de façon à ce qu'il soit possible d'y accéder à travers son handle. L'heure
                dans le registre CX présente le format suivant :

>   Bits 0 - 4 :   Secondes par unités de 2
>   Bits 5 - 10 :   Minutes
>   Bits 11 - 15 :   Heures

                La date dans le registre DX présente le format suivant :

>   Bits 0 - 4 :   Jour du mois
>   Bits 5 - 8 :   Mois
>   Bits 9 - 15 :   Année (par rapport à 1980)

                Le contenu des registres BX, CX, DX, SI, DI, BP, CS, DS, SS et ES n'est pas mo-
                difié par cette fonction.

Interruption 21h, Fonction 58h, Sous-fonction 0   *DOS (à partir de la version 3)*
Lire le principe de répartition de la mémoire

Lorsqu'un programme réclame au DOS une zone de mémoire, à l'aide de la fonction 48h, la mémoire se trouve généralement déjà divisée en différentes zones affectées aux divers programmes. Comme ces zones de mémoire sont rarement exactement de la taille requise, le DOS dispose de différentes possibilités pour affecter une zone de mémoire au programme. Il peut rechercher une zone de mémoire appropriée en partant du bas de la mémoire et affecter alors au programme la première zone présentant au moins la taille requise. Il peut au contraire commencer sa recherche par le haut de la mémoire et affecter également la première zone convenable. La méthode la plus efficace consiste cependant à rechercher une zone de mémoire qui soit à peine plus grande que la zone réclamée, de façon à consommer le moins de mémoire possible. Dans ce cas, aucun compte n'est tenu de la situation de cette zone de mémoire à l'intérieur de l'ensemble de la mémoire.

Cette fonction permet donc de déterminer laquelle de ces trois méthodes est utilisée pour répartir la mémoire RAM.

Entrée :   AH = 58h
              AL = 0

Sortie :   Flag Carry = 0 : Tout va bien, dans ce cas
                 AX = 0 :   Recherche en partant du bas
                 AX = 1 :   Recherche suivant la meilleure méthode
                 AX = 2 :   Recherche en partant du haut
              Flag Carry = 1 : Erreur, dans ce cas
                 AX = 1 :   Code de fonction inconnu

Remarques : Le principe de répartition de la mémoire s'applique à tous les programmes et non pas seulement au programme actuel. Le code de la répartition de la mémoire se définit comme suit :

Bit 0-1   = 00b   : premier bloc convenable
          = 01b   : meilleur bloc convenable
          = 10b   : dernier bloc convenable
Bit 2-6   = 0b
Bit 7   = 0   : Rechercher d'abord dans la mémoire conventionnelle (à partir de la version 5)
          = 1   : Rechercher d'abord dans le UMB (à partir de la version 5)
Bit 8-15 = 0b

Le contenu des registres BX, CX, DX, SI, DI, BP, CS, DS, SS et ES n'est pas modifié par cette fonction.

Interruption 21h, Fonction 58h, Sous-fonction 1   *DOS (à partir de la version 3)*
Fixer le principe de répartition de la mémoire

Lorsqu'un programme réclame au DOS une zone de mémoire, à l'aide de la fonction 48h, la mémoire se trouve généralement déjà divisée en différentes zones affectées aux divers programmes. Comme ces zones de mémoire sont rarement exactement de la taille requise, le DOS dispose de différentes possibilités pour affecter une zone de mémoire au programme. Il peut rechercher une zone de mémoire appropriée en partant du bas de la mémoire et affecter alors au programme la première zone présentant au moins la taille requise. Il peut au contraire commencer sa recherche par le haut de la mémoire et affecter également la première zone convenable. La méthode la plus efficace consiste cependant à rechercher une zone de mémoire qui soit à peine plus grande que la zone réclamée, de façon à consommer le moins de mémoire possible. Dans ce cas, aucun compte n'est tenu de la situation de cette zone de mémoire à l'intérieur de l'ensemble de la mémoire.

Cette fonction permet donc de fixer laquelle de ces trois méthodes sera utilisée pour répartir la mémoire RAM.

Entrée :   AH   = 58h
              AL   = 1
              BX   = Stratégie

Sortie :   Flag Carry = 0 : Tout va bien
              Flag Carry = 1 : Erreur, dans ce cas
                 AX = 1 : Code de fonction inconnu

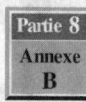

Remarques : Le principe de répartition de la mémoire s'applique à tous les programmes et non pas seulement au programme actuel. Le code de la répartition de la mémoire se définit comme suit :

vBit 0-1	= 00b	: premier bloc convenable
	= 01b	: meilleur bloc convenable
	= 10b	: dernier bloc convenable
Bit 2-6	= 0b	
Bit 7	= 0	: Rechercher d'abord dans la mémoire conventionnelle (à partir de la version 5)
	= 1	: Rechercher d'abord dans le UMB (à partir de la version 5)
Bit 8-15	= 0b	

Le contenu des registres BX, CX, DX, SI, DI, BP, CS, DS, SS et ES n'est pas modifié par cette fonction.

Interruption 21h, Fonction 58h, Sous-fonction 02h   *DOS (à partir de 5.0)*
Demander l'utilisation des UMB

A partir de la version 5.0, les blocs de mémoire supérieure (UMB) situés entre la limite des 640 Ko et 1 Mo peuvent être inclus dans la gestion de mémoire DOS. Cette fonction informe le programme d'appel si les UMB participent actuellement à la gestion de la mémoire.

Entrée :   AH = 58h
             AL = 02h

Sortie :   Flag Carry = 0 : Tout va bien, dans ce cas
             AL = 0 : UMB non utilisés
             AL = 1 : UMB inclus dans la gestion de la mémoire
             Flag Carry = 1 : Erreur, dans ce cas
             AX = 1 : UMB non reconnu car commande DOS = UMB non spécifiée
             AX = 7 : Gestion de la mémoire détruite

Remarques : Le code d'erreur 7 est retourné lorsque DOS remarque une inconsistance dans sa gestion de mémoire. Elle est généralement due à un accès erroné à cette zone de mémoire à l'intérieur d'un programme DOS. Le contenu des registres BX, CX, DX, SI, DI, BP, CS, DS, SS et ES n'est pas modifié par cette fonction.

Interruption 21h, Fonction 58h, Sous-fonction 03h   *DOS (à partir de 5.0)*
Déterminer l'utilisation des UMB

A partir de la version 5.0, les blocs de mémoire supérieure (UMB) situés entre la limite des 640 Ko et 1 Mo peuvent être inclus dans la gestion de la mémoire DOS. Cette fonction détermine si les UMB peuvent faire partie de la gestion de la mémoire.

Entrée :   AH = 58h
             AL = 03h
             BX = 0 : UMB non inclus
             1 : UMB inclus dans la gestion de mémoire

Sortie :   Flag Carry = 0 : Tout va bien
             Flag Carry = 1 : Erreur, dans ce cas
             AX = 1 : UMB non reconnus car commande DOS=UMB non spécifiée
             AX = 7 : Gestion de mémoire détruite

Remarques : Le code d'erreur 7 est retourné lorsque DOS remarque une inconsistance dans sa gestion de mémoire. Elle est généralement due à un accès erroné à cette zone de mémoire à l'intérieur d'un programme DOS. Le contenu des registres BX, CX, DX, SI, DI, BP, CS, DS, SS et ES n'est pas modifié par cette fonction.

Interruption 21h, Fonction 59h   *DOS (à partir de version 3)*
Lire informations d'erreur étendues

Lorsqu'une erreur est apparue à la suite de l'appel d'une des fonctions de l'interruption 21h ou de l'interruption 24h, cette fonction vous permet d'obtenir de plus amples informations sur cette erreur, à savoir d'une part une description détaillée de l'erreur, de sa cause et de son origine mais aussi, d'autre part, une indication sur la conduite à tenir pour résoudre le problème.

Entrée :   AH = 59h
BX = 0

Sortie :   AX = Description de l'erreur
BH = Cause de l'erreur
BL = Réaction conseillée
CH = Origine de l'erreur

Remarques :   Les codes suivants sont employés pour décrire l'erreur (dans AX) :

0 :	Aucune erreur n'est apparue
1 :	Numéro de fonction inconnu
2 :	Fichier non trouvé
3 :	Chemin non trouvé
4 :	Trop de fichiers ouverts simultanément
5 :	Accès refusé
6 :	Handle inconnu
7 :	Bloc de contrôle de la mémoire détruit
8 :	Mémoire disponible insuffisante
9 :	Adresse de mémoire incorrecte
10 :	Environnement incorrect
11 :	Format incorrect
12 :	Code d'accès incorrect
13 :	Données incorrectes
14 :	(réservé)
15 :	Lecteur inconnu
16 :	Le répertoire actuel ne peut être ouvert
17 :	Périphériques différents
18 :	Plus d'autre fichier
19 :	Support protégé contre l'écriture
20 :	Périphérique inconnu
21 :	Périphérique n'est pas prêt
22 :	Instruction inconnue
23 :	Erreur CRC
24 :	Largeur de données incorrecte
25 :	Recherche infructueuse
26 :	Type de périphérique inconnu
27 :	Secteur non trouvé
28 :	Plus de papier sur l'imprimante

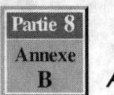
29 : Erreur d'écriture
30 : Erreur de lecture
31 : Erreur générale
32 : Erreur File-Sharing
33 : Erreur File-Locking
34 : Changement de disquette non autorisé
35 : FCB indisponible
36 : Plus de place dans la liste réseau
37-49 : (réservé)
50 : Fonction réseau appelée non supportée
51 : Pas d'accès à l'ordinateur à distance
52 : Nom répété plusieurs fois à l'intérieur du réseau
Risque d'équivoque
53 : Périphérique portant le nom spécifié inconnu dans le réseau
54 : Réseau occupé
55 : Le périphérique n'existe plus dans le réseau
56 : Erreur NetBios
57 : Erreur dans une carte réseau
58 : Réponse erronée de la part du réseau
59 : Erreur réseau non attendue
60 : Carte réseau incompatible sur l'ordinateur à distance
61 : File d'attente de l'imprimante saturée
62 : Mémoire insuffisante pour imprimer le fichier
63 : Sortie du fichier sur l'imprimante interrompue
64 : Nom du réseau effacé
65 : Accès au réseau refusé
66 : Type de périphérique réseau incorrect
67 : Nom du réseau inconnu
68 : Nom du réseau trop long
69 : Erreur NetBios
70 : Partage de fichier instauré momentanément
71 : Demande de participer au réseau non acceptée
72 : Redirection vers le périphérique et le fichier momentanément
désactivée
73-79 : (réservé)
80 : Fichier existe déjà
82 : Répertoire ne peut être créé
83 : Arrêt après appel de l'interruption 24h
84 : Trop de redirections
85 : Redirection doublée
86 : Mot de passe incorrect
87 : Paramètre incorrect
88 : Erreur dans le périphérique du réseau
89 : Fonction non reconnue dans le réseau
90 : Elément système nécessaire non installé

Les codes suivants sont employés pour décrire la cause de l'erreur (dans BH) :

1 :	Plus de place mémoire sur le support
2 :	Interdiction temporaire d'accès (Sera vraisemblablement bientôt levée)
3 :	Accès non autorisé
4 :	Erreur interne du logiciel système
5 :	Erreur électronique
6 :	Erreur dans le logiciel système mais qui n'a pas été occasionnée par un programme d'application
7 :	Erreur dans un programme d'application
8 :	Fichier non trouvé
9 :	Fichier de format ou type incorrect
10 :	Fichier verrouillé
11 :	Support incorrect sur le lecteur
12 :	Objet réseau existe déjà
13 :	Autre erreur

Les codes suivants sont employés pour la réaction conseillée en vue de résoudre le problème (dans BL) :

1 :	Répéter opération plusieurs fois puis laisser à l'utilisateur le soin de décider s'il veut interrompre l'opération ou ignorer l'erreur.
2 :	Répéter opération plusieurs fois, après un certain délai, puis laisser à l'utilisateur le soin de décider s'il veut interrompre l'opération ou ignorer l'erreur.
3 :	Demander à l'utilisateur d'entrer des données ou des informations.
4 :	Terminer le programme par la voie normale
5 :	Fin immédiate du programme
6 :	Ignorer l'erreur
7 :	Demander à l'utilisateur d'éliminer la cause de l'erreur puis de répéter l'opération

Les codes suivants sont employés pour décrire l'origine de l'erreur (dans CH) :

1 :	Inconnue
2 :	Driver de bloc (disquette, disque dur, etc.)
3 :	Réseau
4 :	Périphérique sériel
5 :	Mémoire RAM

Seul le contenu des registres CS, SS et SP n'est pas modifié par cette fonction. Le contenu de tous les autres registres est détruit.

Interruption 21h, Fonction 5Ah   *DOS (à partir de version 3)*
Créer fichier temporaire (Handle)

Cette fonction permet de créer un fichier qui servira uniquement au stockage intermédiaire de données pendant l'exécution d'un programme mais qui sera supprimé après exécution du programme. Le programme d'appel n'a donc pas à se préoccuper du choix d'un nom de programme. Ce nom sera en effet choisi automatiquement par le DOS. Le programme d'appel doit simplement indiquer dans quel répertoire le fichier temporaire devra être mis en place. L'accès au fichier se fera ensuite à travers le handle qui lui a été attribué, de sorte que le nom de fichier ne jouera vraiment aucun rôle. Comme un programme peut ouvrir plusieurs fichiers simultanément à l'aide de cette fonction, le DOS construit le nom du fichier à partir de la date et de l'heure actuelles. Comme la fonction ne peut jamais être appelée deux fois au même moment, cette méthode garantit que chaque fichier temporaire porte un nom différent.

Entrée :   AH = 5Ah
              CX = Attribut du fichier
              DS = Adresse de segment du répertoire
              DX = Adresse d'offset du répertoire

Sortie :   Flag Carry =0 : Tout va bien, dans ce cas
                AX = Handle
                DS = Adresse de segment du nom de fichier complet
                DX = Adresse d'offset du nom de fichier complet
              Flag Carry =1 : Erreur, dans ce cas AX = Code d'erreur
                3 : Chemin non trouvé
                4 : Pas de handle disponible
                5 : Accès refusé

Remarques : Le nom du répertoire doit être fourni sous forme d'une chaîne ASCII terminée par un caractère de fin (code ASCII 0). Il peut contenir une désignation de périphérique ainsi qu'une spécification de chemin complète. Si la désignation de périphérique ou la spécification de chemin sont omises, l'accès se fera sur le lecteur actuel ou sur le chemin actuel. Les différents bits de l'attribut de fichier ont la signification suivante 20 :

              Bit 0 = 1 : Fichier peut seulement être lu
              Bit 1 = 1 : Fichier caché
              Bit 2 = 1 : Fichier système

Les fichiers qui ont été créés à l'aide de cette fonction ne sont pas automatiquement supprimés à la fin du programme. Pour les supprimer, il faut tout d'abord refermer chaque fichier (fonction 3Eh) puis les supprimer à l'aide du nom de fichier complet (fonction 41h). Le contenu des registres BX, CX, DX, SI, DI, BP, CS, DS, SS et ES n'est pas modifié par cette fonction.

Interruption 21h, Fonction 5Bh   *DOS (à partir de 3.0)*
Créer un nouveau fichier (handle)

Tout comme la fonction 3Ch, cette fonction crée également un nouveau fichier et retourne un handle relatif à l'accès. Contrairement à la fonction 3Ch, un fichier existant sous le même nom n'est pas détruit et se trouve protégé contre la réécriture.

Entrée :   AH = 3Ch
                CX = Attribut de fichier
                     Bit 0 = 1 : Le fichier peut uniquement être lu
                     Bit 1 = 1 : Fichier caché
                     Bit 2 = 1 : Fichier système
                DS:DX = Pointeur FAR sur le buffer contenant le nom de fichier

Sortie :   Flag Carry = 0 : Tout va bien, dans ce cas AX = Handle du fichier
                Flag Carry = 1 : Erreur, dans ce cas AX = Code d'erreur
                     3 : Chemin non trouvé
                     4 : Plus de handle libre
                     5 : Accès refusé
                     80 : Le fichier existe déjà

Remarques :   Les divers bits de l'attribut de fichier peuvent être combinés. Le nom de fichier doit être une chaîne ASCII terminée par un caractère de fin (code ASCII 0). Outre une désignation de périphérique, il doit contenir une désignation de chemin complète et un nom de fichier mais pas de caractères génériques. Si la désignation de périphérique ou de chemin fait défaut, l'accès portera sur le périphérique ou le répertoire en cours. Une erreur lors de l'appel de cette fonction se produit toujours lorsqu'un élément de la désignation de chemin n'existe pas, le fichier doit être créé dans le répertoire principal qui est saturé ou lorsqu'un fichier portant le même nom existe déjà. Si l'appel de la fonction se termine correctement, toutes les autres fonctions handle peuvent être appelés à l'aide du handle transmis puisque le fichier a été ouvert. Lorsque l'appel de cette fonction a abouti, le pointeur de fichier vient se placer sur le premier octet du fichier. Le contenu des registres BX, CX, DX, SI, DI, BP, CS, DS, SS et ES n'est pas modifié par cette fonction.

Interruption 21h, Fonction 5Ch, Sous-fonction 00h   *DOS (à partir de 3.0)*
Protéger une zone de fichier contre l'accès

L'accès des différentes zones d'un fichier par d'autres programmes doit être interdit en particulier dans les réseaux. Cette fonction aide à assurer la protection contre d'éventuelles modifications de ces zones.

Entrée :   AH = 5Ch
AL = 00h
BX = Handle du fichier
CX = Mot de poids fort de l'adresse du premier octet à l'intérieur du fichier à verrouiller
DX = Mot de poids faible de l'adresse du premier octet à verrouiller
SI = Mot de poids fort du nombre d'octets à verrouiller
DI = Mot de poids faible du nombre d'octets à verrouiller

Sortie :   Flag Carry = 0 : Tout va bien
Flag Carry = 1 : Erreur, dans ce cas AX = Code d'erreur
  1 : Logiciel réseau non activé
  6 : Handle incorrect
  33 : La zone spécifiée est déjà entièrement ou partiellement verrouillée

Remarques : Cette fonction ne peut être appelée qu'après avoir appelé la commande SHARE ou le logiciel réseau. L'offset de début de la zone à verrouiller ainsi que sa longueur doivent être indiqués sous forme de LONGINT positifs composés respectivement de 4 octets. Une région verrouillée à l'aide de cette fonction doit être libérée avec la sous-fonction 01h. Il faut surtout empêcher de terminer le programme sans avoir libéré la zone verrouillée au risque d'obtenir des résultats imprévus lors de l'accès au fichier. Les programmes appelés par la fonction EXEC héritent certes des handles d'accès au fichier via le principe hiérarchique, mais ne disposent pas des zones verrouillées qui leur restent inaccessibles au même titre que tout autre programme. Le contenu des registres BX, CX, DX, SI, DI, BP, CS, DS, SS et ES n'est pas modifié par cette fonction.

Interruption 21h, Fonction 5Ch, Sous-fonction 01h   *DOS (à partir de 3.0)*
Libérer une zone verrouillée dans un fichier

Cette fonction libère une zone préalablement verrouillée par a sous-fonction 00h à l'intérieur d'un fichier.

Entrée :
	AH	= 5Ch
	AL	= 01h
	BX	= Handle du fichier
	CX	= Mot de poids fort de l'adresse du premier octet à libérer à l'intérieur du fichier
	DX	= Mot de poids faible de l'adresse du premier octet à libérer
	SI	= Mot de poids fort du nombre d'octets à libérer
	DI	= Mot de poids faible du nombre d'octets à libérer

Sortie :   Flag Carry = 0 : Tout va bien
Flag Carry = 1 : Erreur, dans ce cas AX = Code d'erreur
        1 : Logiciel réseau non activé
        6 : Handle incorrect
        33 : La zone spécifiée n'est pas verrouillée

Remarques :   Cette fonction ne peut être appelée qu'après avoir appelé la commande SHARE ou le logiciel réseau. L'offset de début de la zone à verrouiller ainsi que sa longueur doivent être indiqués sous forme de LONGINTS positifs composés respectivement de 2 mots et 4 octets. Ils doivent correspondre exactement aux indications données lors d'un précédent appel de la sous-fonction 00h. Le contenu des registres BX, CX, DX, SI, DI, BP, CS, DS, SS et ES n'est pas modifié par cette fonction.

Interruption 21h, Fonction 5Dh   *DOS (à partir de 1.0)*
Réservée à un usage interne

Interruption 21h, Fonction 5Eh, Sous-fonction 00h   *DOS (à partir de 3.1)*
Indiquer le nom de l'ordinateur dans le réseau

Tout ordinateur connecté au réseau peut porter un nom représenté par une chaîne ASCII. L'ordinateur exécutant peut se servir de cette fonction pour demander ce nom. Le numéro NetBios de l'ordinateur est fourni simultanément.

Entrée :
	Ah	= 5Eh
	AL	= 00h
	DS:DX	= Pointeur FAR sur le buffer dans lequel il faut copier le nom

Sortie :   Flag Carry = 0 : Tout va bien, dans ce cas
        CH<> 0 : Pas de nom
            0 : Nom dans le buffer spécifié, dans ce cas
            CL = Numéro NetBios de l'ordinateur
Flag Carry = 1 : Erreur, dans ce cas AX = Code d'erreur
        1 : Pas de logiciel réseau chargé

Remarques :   Cette fonction ne peut être appelée qu'une fois le logiciel réseau lancé. Après l'appel de cette fonction, le buffer spécifié contient une chaîne ASCII représentant le nom de l'ordinateur sur lequel s'est effectué l'appel de la fonction. La longueur de la chaîne est toujours de 15 caractères. Elle se termine par le code ASCII nul et comprend ainsi 16 octets. Le contenu des registres BX, DX, SI, DI, BP, CS, DS, SS et ES n'est pas modifié par cette fonction.

Interruption 21h, Fonction 5Eh, Sous-fonction 02h   DOS *(à partir de 3.1)*
Déterminer la chaîne d'initialisation de l'imprimante réseau

A l'intérieur d'un réseau, chaque ordinateur peut se servir de cette fonction pour déterminer une chaîne d'initialisation tout à fait spécifique chargée de transmettre la sortie depuis l'ordinateur concerné vers l'imprimante réseau. Il est par exemple possible de définir un mode d'exploitation particulier et d'utiliser l'imprimante réseau reliée à divers ordinateurs dans des modes d'exploitation variés.

Entrée :   AH = 5Eh
                AL = 02h
                BX = Identification numérique de l'imprimante adressée par
                        rapport à la liste du réseau
                CX = Longueur de la chaîne d'initialisation en caractères
                DS:SI = Pointeur FAR sur le buffer contenant la chaîne d'initialisation

Sortie :   Flag Carry =   0 : Tout va bien
            Flag Carry =   1 : Erreur, dans ce cas AX = Code d'erreur
                                 1 : Logiciel réseau non chargé

Remarques :   Cette fonction ne peut être appelée qu'une fois le logiciel réseau lancé. La liste
               du réseau est une liste permettant d'affecter des noms de périphérique locaux
               aux périphériques, répertoires et fichiers d'un réseau. A ce sujet, reportez-vous
               également aux diverses sous-fonctions de la fonction 5Fh permettant de retour-
               ner une valeur d'index correspondante. Le contenu des registres BX, CX, DX, SI,
               DI, BP, CS, DS, SS et ES n'est pas modifié par cette fonction.

Interruption 21h, Fonction 5Eh, Sous-fonction 03h   DOS *(à partir de 3.1)*
Lire la chaîne d'initialisation d'une imprimante réseau

La chaîne d'initialisation d'une imprimante réseau spécifiée par la sous-fonction 02h peut être obtenue à l'aide de cette fonction.

Entrée :   AH   = 5Eh
                AL   = 03h
                BX   = Identification numérique de l'entrée souhaitée dans la liste du réseau
                DS:SI = Pointeur FAR sur le buffer devant recevoir la chaîne d'initialisation

Sortie :   Flag Carry   =   0 : Tout va bien, dans ce cas
                   CX   =   Longueur de la chaîne d'initialisation transmise
            Flag Carry   =   1 : Erreur, dans ce cas AX = Code d'erreur
                                      1 : Logiciel réseau non chargé

Remarques :   Cette fonction ne peut être appelée qu'une fois le logiciel réseau lancé. Le buffer
               spécifié doit contenir suffisamment de place pour recevoir 64 caractères. L'iden-
               tification numérique de l'imprimante peut être obtenue à l'aide de la sous-fonc-
               tion 02h de la fonction 5Fh. Elle est définie par la sous-fonction 03h de la fonction
               5Fh lors de la création de l'entrée dans la liste du réseau. Le contenu des registres
               BX, DX, SI, DI, BP, CS, DS, SS et ES n'est pas modifié par cette fonction.

Interruption 21h, Fonction 5Fh, Sous-fonction 02h   *DOS (à partir de 3.1)*
Lire une entrée de la liste du réseau

Retourne une entrée de la liste du réseau définie préalablement par la sous-fonction 03h de cette fonction.

Entrée : AH = 5Fh
AL = 02h
BX = Numéro de l'entrée souhaitée comme index dans la liste
du réseau
DS:SI = Pointeur FAR sur le buffer devant recevoir le nom local
ES:DI = Pointeur FAR sur le buffer devant recevoir le nom réseau
du périphérique

Sortie : Flag Carry = 0 : Tout va bien
BH = Bit 0 : 0 = Périphérique existant
: 1 = Périphérique inexistant
BL = Type de périphérique
: 03 = Imprimante
: 04 = Lecteur (périphérique, répertoire ou fichier)
CX = Identification numérique pour l'accès au périphérique via
la liste du réseau
Flag Carry = 1 : Erreur, dans ce cas AX = Code d'erreur
1 : Logiciel réseau non chargé
18 : Index spécifié trop grand

Remarques : Cette fonction ne peut être appelée qu'une fois le logiciel réseau lancé. Le buffer réservé pour le nom local doit prévoir une place de 16 caractères et 128 pour celui du nom réseau. Dans les deux cas, l'information souhaitée est retournée sous la forme d'une chaîne ASCII terminée par le code ASCII nul. Vous pouvez utiliser cette fonction pour obtenir toutes les entrées de la liste du réseau. Commencez l'appel à partir de l'indice 0 puis continuez avec des indices croissants jusqu'à ce que la fonction retourne le code d'erreur 18. Le contenu des registres SI, DI, CS, DS, SS et ES n'est pas modifié par cette fonction. En revanche, le contenu de tous les autres registres est modifié même si le registre ne sert pas à retourner des informations.

Interruption 21h, Fonction 5Fh, Sous-fonction 03h *DOS (à partir de 3.1)*
Définir une entrée dans la liste du réseau

Ces fonctions permettent de définir une nouvelle entrée dans la liste du réseau utilisée pour représenter un nom local à partir du nom d'une imprimante ou d'un lecteur.

Entrée : AH   = 5Fh
AL   = 03h
BL   = Type de périphérique
: 03 = Imprimante
: 04 = Lecteur (périphérique, répertoire ou fichier)
CX   = Identification numérique pour accéder au périphérique via
la liste du réseau
DS:SI = Pointeur FAR sur le buffer contenant le nom local du périphérique
ES:DI = Pointeur FAR sur le buffer contenant le nom réseau du périphérique
Sortie : Flag Carry = 0 : Tout va bien
Flag Carry = 1 : Erreur, dans ce cas AX = Code d'erreur
1 : Logiciel réseau non chargé
3 : Chemin d'accès inexistant
5 : Accès refusé
8 : Mémoire insuffisante pour incorporer une autre entrée dans
la liste du réseau

Remarques : Cette fonction ne peut être appelée qu'une fois le logiciel réseau lancé. La longueur du nom du périphérique doit être de 15 caractères et doit se terminer par le code ASCII nul. On obtient ainsi une longueur maximale de 16 octets. La longueur du nom réseau du périphérique peut atteindre 127 caractères et doit se terminer également par le code ASCII nul. La longueur maximal du buffer concerné s'élève ici à 128 octets. Le contenu des registres BX, CX, SI, DI, BP, CS, DS, SS et ES n'est pas modifié par cette fonction.

Interruption 21h, Fonction 5Fh, Sous-fonction 04h *DOS (à partir de 3.1)*
Supprimer une entrée de la liste du réseau

Cette fonction permet de supprimer de la liste du réseau une entrée définie préalablement par la sous-fonction 03h. La redirection vers le périphérique concerné s'effectue alors automatiquement.

Entrée : AH   = 5Fh
AL   = 04h
DS:SI = Pointeur FAR sur le buffer contenant le nom local du périphérique
Sortie : Flag Carry = 0 : Tout va bien
Flag Carry = 1 : Erreur, dans ce cas AX = Code d'erreur
1 : Logiciel réseau non chargé
3 : Entrée inconnue

Remarques : Cette fonction ne peut être appelée qu'une fois le logiciel réseau lancé. La longueur du nom du périphérique doit être de 15 caractères et doit se terminer par le code ASCII nul. On obtient ainsi une longueur maximale de 16 octets. Le contenu des registres BX, CX, SI, DI, BP, CS, DS, SS et ES n'est pas modifié par cette fonction.

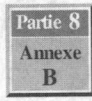

Interruption 21h, Fonction 60h
Augmenter le nom de fichier

DOS (à partir de 3.0)

Cette fonction sert à augmenter un nom de fichier si bien qu'il peut contenir une désignation complète de chemin et de périphérique outre le nom de fichier. On parle alors d'un nom de fichier "canonique".

Entrée :   AH = 60h
       DS:SI   = Pointeur FAR sur le buffer contenant le nom de fichier à compléter sous forme d'une chaîne ASCII
       ES:DI   = Pointeur FAR sur le buffer devant recevoir le nom complet sous forme d'une chaîne ASCII

Sortie :   Flag Carry = 0 : Tout va bien
       Flag Carry = 1 : Erreur, dans ce cas AX = Code d'erreur

Remarques : Outre l'augmentation du nom, cette fonction permet également de déterminer si un périphérique donné existe physiquement ou s'il est représenté par un autre périphérique. A cet effet, transmettez une chaîne à la fonction qui ne se compose uniquement que de la désignation du périphérique à consulter suivie d'un double point et d'un backslash pour le répertoire principal. Si cette chaîne est identique à la chaîne retournée, cela signifie que le périphérique existe physiquement. Le cas contraire indique qu'il s'agit d'une représentation et la valeur de retour désigne le périphérique et le répertoire sur lequel se trouve le lecteur. Le contenu des registres BX, CX, SI, DI, BP, CS, DS, SS et ES n'est pas modifié par cette fonction.

Interruption 21h, Fonction 61h

DOS (à partir de 1.0)

Réservée à un usage interne

Interruption 21h, Fonction 62h
Déterminer adresse de PSP

DOS (à partir de version 3)

Cette fonction permet de lire l'adresse du PSP du programme actuellement exécuté.

Entrée :   AH = 62h

Sortie :   BX = Adresse de segment du PSP

Remarques : Le PSP commence à l'adresse BX:0000. Le contenu des registres AX, CX, DX, SI, DI, BP, CS, DS, SS, ES et du registre de flags n'est pas modifié par cette fonction.

Interruption 21h, Fonction 63h

DOS (à partir de 1.0)

Réservée à un usage interne

Interruption 21h, Fonction 64h

DOS (à partir de 1.0)

Réservée à un usage interne

Interruption 21h, Fonction 65h

DOS (à partir de 1.0)

Réservée à un usage interne

Interruption 21h, Fonction 66h, Sous-fonction 01h   *DOS (à partir de 3.3)*
Lire la page de code en cours

Cette fonction retourne le numéro de la page de code en cours et le numéro de la page standard spécifiées lors du lancement du système.

Entrée :   AH = 66h
              AL = 01h

Sortie :   Flag Carry = 0 : Tout va bien, dans ce cas
                   BX = Numéro de la page de code en cours
                   DX = Numéro de la page de code standard
              Flag Carry = 1 : Erreur, dans ce cas
                   AX = Code d'erreur
                   2 = La page de code n'existe pas

Remarques :   Le contenu des registres CX, SI, DI, BP, CS, DS, SS, ES et du registre de flags n'est pas modifié par cette fonction.

Interruption 21h, Fonction 66h, Sous-fonction 02h   *DOS (à partir de 3.3)*
Déterminer la page de code en cours

Cette fonction détermine la page de code en cours dans la mesure où les commandes NLSFUNC et MODE CP PREPARE ont été préalablement appelées sur l'interface DOS et le driver COUNTRY.SYS a été implanté à travers le fichier de configuration.

Entrée :   AH = 66h
              AL = 02h
              BX = Numéro de la page de code à sélectionner

Sortie :   Flag Carry = 0 : Tout va bien
              Flag Carry = 1 : Erreur, dans ce cas AX = Code d'erreur
                   2 : La page de code ne peut pas être chargée
                  65 : Le périphérique ne peut pas être commuté vers une
                        nouvelle page de code

Remarques :   Le contenu des registres BX, CX, DX, SI, DI, BP, CS, DS, SS, ES et du registre de flags n'est pas modifié par cette fonction.

Interruption 21h, Fonction 67h
Spécifier le nombre de handles disponibles
DOS (à partir de 3.3)

Le nombre de handles disponibles ainsi que le nombre de fichiers qu'un programme peut adresser simultanément peut être défini en appelant cette fonction. Alors que jusqu'à la version DOS 3.3, un programme ne pouvait disposer que de 20 handles au maximum, cette fonction permet à un programme de travailler simultanément sur plusieurs milliers de fichiers.

Entrée :   AH = 67h
             BX = Nombre de handles disponibles

Sortie :   Flag Carry = 0 : Tout va bien
            Flag Carry = 1 : Erreur, dans ce cas AX = Code d'erreur

Remarques :   Tant que DOS travaille avec l'option par défaut définie à 20, les handles sont remis dans le PSP du programme. Avec une valeur plus grande, les handles ne peuvent plus tenir dans le PSP, ce qui oblige DOS à allouer une cellule mémoire chargée de recevoir les handles à l'avenir. L'appel de la fonction échoue si la mémoire RAM est insuffisante. Un programme ne peut pas accéder à plus de handles que le nombre prévu dans la commande FILES du fichier de configuration CONFIG.SYS. Bien que DOS ne signale pas une erreur en présence d'une valeur plus grande, le nombre des handles disponibles reste toutefois limité à la valeur spécifiée dans FILES. Le contenu des registres BX, CX, DX, SI, DI, BP, CS, DS, SS, ES et du registre de flags n'est pas modifié par cette fonction.

Interruption 21h, Fonction 68h
Libérer le buffer de fichier
DOS (à partir de 3.3)

En raison de l'appel de cette fonction, DOS est obligé d'inscrire toutes les données non encore écrites dans un fichier mais se trouvant encore dans les buffers de fichier internes dans le fichier spécifié. Cela empêche par exemple de perdre les données à cause d'une panne d'électricité.

Entrée :   AH = 68h
             BX = Handle du fichier adressé

Sortie :   Flag Carry = 0 : Tout va bien
            Flag Carry = 1 : Erreur, dans ce cas AX = Code d'erreur

Remarques :   Avant que cette fonction ne soit introduite dans la version DOS 3.3, il existait deux méthodes pour obliger DOS à libérer les buffers de fichier internes dans le fichier concerné. A certains égards, elles ont perdu leur intérêt face à la fonction décrite ici et ne sont d'ailleurs plus utilisées surtout si on exécute un programme sous la version DOS 3.3 ou supérieure. Le contenu des registres BX, CX, DX, SI, DI, BP, CS, DS, SS, ES et du registre de flags n'est pas modifié par cette fonction.

Interruption 21h, Fonction 69h
DOS (à partir de 1.0)

Réservée à un usage interne

Interruption 21h, Fonction 6Ah
DOS (à partir de 1.0)

Réservée à un usage interne

Interruption 21h, Fonction 6Bh
DOS (à partir de 1.0)

Réservée à un usage interne

Interruption 21h, Fonction 6Ch
Fonction OPEN étendue
DOS (à partir de 4.0)

A partir de la version 4.0, cette fonction permet de créer un fichier lors de l'appel OPEN ou d'écraser un fichier existant. La fonction augmente ainsi les possibilités normales de la fonction OPEN 3Dh.

Entrée :   AH = 6Ch
                 AL = 0
                 BX = Mode d'accès
                 CX = Attribut de fichier
                 DX = Réaction DOS
                 DS:SI   = Pointeur FAR sur le buffer contenant le nom de fichier.

Sortie :   Flag Carry = 0 : Tout va bien, dans ce cas
                 AX = Handle du fichier
                      CX = Statut
                 Flag Carry = 1 : Erreur, dans ce cas
                 AX = Code d'erreur
                      1 : Logiciel de partage de fichier absent
                      2 : Fichier non trouvé
                      3 : Chemin non trouvé ou fichier inexistant
                      4 : Plus de handle disponible
                      5 : Accès refusé
                     12 : Mode d'accès interdit

Remarques :   Le nom de fichier doit être une chaîne ASCII terminée par un caractère de fin (code ASCII 0). Outre la désignation du périphérique, il doit contenir la désignation complète du chemin et un nom de fichier, mais pas de jokers. Si la désignation de périphérique ou de chemin fait défaut, l'accès portera sur le périphérique ou le répertoire en cours. Le mode d'accès se construit comme suit :

               Bit 0-2 : Autorisation de lecture/écriture
                      000b = Le fichier est destiné uniquement à la lecture
                      001b = Le fichier est destiné uniquement à l'écriture
                      010b = Le fichier est destiné à la lecture et l'écriture
               Bit 3 : 0b
               Bit 4-6 : Mode de partage de fichier
                      000b = Seul le programme en cours peut accéder au fichier
                                     (mode de compatibilité)
                      001b = Seul le programme en cours peut accéder au fichier
                      010b = Un autre programme peut lire le fichier mais ne peut
                                       pas y écrire
                      011b = Un autre programme peut écrire dans le fichier mais ne
                                       peut pas le lire
                      100b = Un autre programme peut écrire dans le fichier et le lire

Bit 7 : Flag Handle

    0   = Le programme enfant du programme en
                cours peut également accéder au handle de ce fichier

    1   = Seul le programme en cours peut accéder au handle de ce fichier

Bit 8-12 : 0b

Bit 13 : 0   = En cas d'erreur grave, appeler l'interruption 24h

         1   = En cas d'erreur grave, retourner le code d'erreur correspondant
                 dans AX mais ne pas appeler l'interruption 24h

Bit 14:1   = Lors de tout accès en écriture sur le fichier, adapter
                 immédiatement l'entrée du répertoire

Bit 15 : 0b Avant l'appel de la fonction, l'attribut de fichier du registre CX
peut être chargé avec les attributs suivants.

Bit 0 = 1 : Le fichier peut uniquement être lu (Read-Only)

Bit 1 = 1 : Le fichier est protégé (non affiché par DIR)

Bit 2 = 1 : C'est un fichier système

Bit 5 = 1 : Fichier modifié depuis la dernière sauvegarde

Bit 6-15 :   0b

- Lorsque le fichier à ouvrir n'existe pas encore ou existe déjà, la réaction de la fonction apparaît dans les deux Nibles du registre DX. Les bits 0 à 3 sont réservés à la réaction lorsque le fichier n'existe pas encore. Dans ce cas, les valeurs prennent la signification suivante :

    0000b = Terminer la fonction avec un code d'erreur

    0001b = Créer le fichier

- Les bits 4 à 7 signalent la réaction lorsque l'accès porte sur un fichier existant. Les valeurs signifient alors :

    0000b = Terminer la fonction avec un code d'erreur

    0001b = Ouvrir le fichier existant

- Sous DOS 4.0 également, la fonction 3Dh peut être naturellement utilisée pour ouvrir un fichier.

- Si l'appel de la fonction se déroule correctement, on peut utiliser le handle transmis pour appeler toutes les autres fonctions handle. Le registre CX contient alors un statut de la fonction informant sur les actions de la fonction. Dans ce cas,

    0 = Fichier ouvert

    1 = Nouveau fichier créé ou ouvert

    2 = Fichier existant écrasé ou ouvert

- Le pointeur de fichier est placé sur le premier octet du fichier.

- Dans la version 4.0 également, le mode de partage de fichier dans les bits 4 à 6 du mode d'accès n'est intéressant que si le fichier se trouve sur une mémoire de masse faisant partie d'un réseau. Dans un tel cas, ces trois bits déterminent si d'autres programmes du réseau peuvent accéder à ce fichier lors de son ouverture et précisent les droits d'accès de ces programmes. Si ce bit possède la valeur 0, DOS traite ce fichier dans le Compatibility-Mode où l'existence d'un réseau est ignorée par rapport à ce fichier. Ainsi, seul le programme en cours peut accéder effectivement à ce fichier.

- L'erreur 12 ne survient que sous la version DOS 3 et uniquement à l'intérieur d'un réseau lorsque le fichier est déjà ouvert par un autre programme et qu'il a été confirmé qu'aucun autre programme ne peut momentanément y accéder.

- Le contenu des registres BX, DX, SI, DI, BP, CS, DS, SS et ES n'est pas modifié par cette fonction.

1571

Interruption 22h
Routine pour terminer un programme
DOS (à partir de 1.0)

Le vecteur d'interruption de cette routine, qui figure à l'adresse 0000:0088, contient l'adresse d'une routine servant à terminer un programme. Cette routine sera appelée par toutes les fonctions pour terminer un programme, c'est-à-dire par l'interruption 20h et les fonctions 0h, 21h et 4Ch de l'interruption 21h. Elle rend ensuite le contrôle au programme-père, c'est-à-dire au programme qui avait appelé le programme qu'il s'agit de terminer. Cependant, bien que le vecteur d'interruption contienne l'adresse d'une routine qui pourrait donc être appelée à l'aide de l'instruction (langage machine) INT, cela ne doit jamais être tenté car cette routine est conçue comme une procédure FAR et non comme une routine d'interruption.

Si un programme modifie le contenu de ce vecteur d'interruption au cours de son exécution, la routine du DOS ne pourra plus être appelée pour terminer un programme. Pour éviter cela, le DOS sauvegarde le contenu de ce vecteur d'interruption dans le PSP du programme à exécuter avant de lui passer la main. Lorsqu'un programme est terminé à l'aide des fonctions indiquées plus haut, le contenu du vecteur d'interruption est tout d'abord recopié du PSP dans le vecteur, après quoi la routine voulue peut être appelée.

Interruption 23h
Touche Break actionnée
DOS

Cette interruption, ou plutôt le vecteur d'interruption correspondant, est également utilisée pour stocker l'adresse d'une routine. Il s'agit ici de la routine qui est appelée chaque fois qu'un caractère Control-C est identifié ou bien que la touche Break est actionnée. Il serait donc possible d'appeler cette routine à l'aide de l'instruction (langage machine) INT mais cela ne doit jamais être tenté car cette routine est conçue comme une procédure FAR et non comme une routine d'interruption.

Un programme peut, au cours de son exécution, modifier le contenu de ce vecteur d'interruption, qui est stocké à partir de la cellule de mémoire 0000:008C, pour que ce ne soit plus la routine du DOS mais une routine du programme qui soit appelée lorsqu'un caractère Control-C est rencontré. C'est un moyen, par exemple, d'empêcher que son exécution puisse être interrompue par la routine du DOS lorsqu'un caractère Control-C est reçu. Lorsque cette routine sera appelée, tous les registres présenteront exactement la valeur qu'ils avaient lorsqu'avait été appelée la fonction DOS interrompue. Le programme peut alors entreprendre une réaction appropriée à la situation (par exemple en sortant un message sur l'écran) puis rendre le contrôle au DOS à l'aide de l'instruction (langage machine) IRET. Il est également possible de rendre le contrôle au DOS à l'aide d'une instruction (langage machine) FAR ENTREE mais dans ce cas la réaction du DOS dépendra de l'état du flag Carry. Si ce flag est mis, le DOS interrompra l'exécution du programme. S'il est au contraire annulé, rien ne se passera et l'exécution du programme reprendra normalement.

Lorsqu'un programme modifie le contenu de ce vecteur d'interruption, il peut parfaitement arriver qu'il soit terminé sans avoir restauré l'ancien contenu de ce vecteur. Or il se peut que la mémoire RAM qu'il occupait ait été à nouveau libérée et qu'elle soit réemployée par d'autres programmes, auquel cas la routine Control-C risque d'avoir été effacée par d'autres données. Il peut en résulter un plantage du système si un caractère Control-C apparaît, puisqu'un code tout à fait inadapté figure maintenant à la place de l'ancienne routine Control-C.

Pour éviter cela, le DOS sauvegarde le contenu de ce vecteur d'interruption dans le PSP du programme à exécuter avant de lui passer la main. Lorsqu'un programme est terminé, le contenu du vecteur d'interruption est tout d'abord recopié du PSP dans le vecteur, après quoi le contrôle est rendu au programme-père.

Interruption 24h
Erreur critique

DOS

Cette interruption, ou plutôt le vecteur d'interruption correspondant, est également utilisée pour stocker l'adresse d'une routine. Il s'agit ici de la routine qui est appelée chaque fois qu'une erreur critique est détectée lors d'un accès à l'électronique, lors d'un accès disquette par exemple.

Il serait donc possible d'appeler cette routine à l'aide de l'instruction (langage machine) INT mais cela ne doit jamais être tenté car cette routine est conçue comme une procédure FAR et non comme une routine d'interruption.

Un programme peut, au cours de son exécution, modifier le contenu de ce vecteur d'interruption, qui est stocké à partir de la cellule de mémoire 0000:0090, pour que ce ne soit plus la routine du DOS mais une routine du programme qui soit appelée lorsqu'une erreur dece type se produit. C'est un moyen, par exemple, d'empêcher que son exécution puisse être interrompue par la routine du DOS lorsque le programme doit accéder au lecteur de disquette alors qu'aucune disquette n'y est placée. Lorsque cette routine est appelée à la suite d'une erreur critique, le bit 7 du registre AH indique le type d'erreur. S'il vaut 0, il s'agit d'une erreur disquette ou disque dur. Pour toute autre erreur, il vaudra 1. Une erreur disquette/disque dur ne sera cependant signalée qu'après plusieurs tentatives infructueuses pour accéder au périphérique. Les 8 bits inférieurs du registre DI (le contenu des 8 bits supérieurs étant indéfini) contiennent lors de l'appel de la routine un code qui décrit plus précisément l'erreur survenue. Les codes suivants peuvent se présenter :

- 0 : Disquette protégée contre l'écriture
- 1 : Accès à un périphérique inconnu
- 2 : Lecteur n'est pas prêt
- 3 : Instruction inconnue
- 4 : Erreur CRC
- 5 : Largeur de données incorrecte
- 6 : Recherche infructueuse
- 7 : Type de périphérique inconnu
- 8 : Secteur non trouvé
- 9 : Plus de papier sur l'imprimante
- 10 : Erreur d'écriture
- 11 : Erreur de lecture
- 12 : Erreur générale

La routine d'erreur doit veiller à ce qu'une fois qu'elle se sera achevée les registres SS, SP, DS, ES, BX, CX et DX contiennent les mêmes valeurs que lorsqu'elle avait été appelée. Au cours de son exécution, elle ne doit, d'autre part, accéder qu'aux fonctions 1 et 12 de l'interruption 21h. Il convient de la terminer par une instruction (langage machine) IRET en renvoyant au DOS, dans le registre AL, un code qui guidera la conduite ultérieure du DOS. Le DOS accepte les codes suivants :

- 0 : Ignorer l'erreur
- 1 : Répéter l'opération (l'accès)
- 2 : Terminer programme en appelant l'interruption 23h
- 3 : Interrompre simplement l'appel de fonction actuel (cette dernière possibilité n'existe qu'à partir de la version 3)

Lorsqu'un programme modifie le contenu de ce vecteur d'interruption, il peut parfaitement arriver qu'il soit terminé sans avoir restauré l'ancien contenu de ce vecteur. Or il se peut que la mémoire RAM qu'il occupait ait été à nouveau libérée et qu'elle soit réemployée par d'autres programmes, auquel cas la routine d'erreur risque d'avoir été effacée par d'autres données. Il peut en résulter un plantage du système si une erreur survient, puisqu'un code tout à fait inadapté figure maintenant à la place de l'ancienne routine d'erreur.

Pour éviter cela, le DOS sauvegarde le contenu de ce vecteur d'interruption dans le PSP du programme à exécuter avant de lui passer la main. Lorsqu'un programme est terminé, le contenu du vecteur d'interruption est tout d'abord recopié du PSP dans le vecteur, après quoi le contrôle est rendu au programme-père.

Interruption 25h　　　　　　　　　　　　　　　　　　　　　　　　*DOS*
Lecture absolue

Cette interruption permet de lire un ou plusieurs secteurs logiques consécutifs sur une disquette ou sur un disque dur. Cette lecture peut accéder à tous les secteurs du support et non pas seulement à la zone de fichiers du DOS au sens strict. Le DOS utilise lui-même cette interruption pour lire le répertoire racine et la FAT d'un support. Les données sont transférées du support dans un buffer du programme d'appel.

Entrée : 　　AL = Désignation de périphérique
　　　　　　　CX = Nombre de secteurs à lire
　　　　　　　DX = Premier secteur à lire
　　　　　　　DS = Adresse de segment du buffer
　　　　　　　BX = Adresse d'offset du buffer

Sortie : 　　Flag Carry =0 : Tout va bien
　　　　　　　Flag Carry =1 : Erreur, dans ce cas AX = Code d'erreur
　　　　　　　　　1 : 　　Instruction incorrecte
　　　　　　　　　2 : 　　Marque d'adresse incorrecte
　　　　　　　　　4 : 　　Secteur non trouvé
　　　　　　　　　8 : 　　Erreur DMA
　　　　　　　　　16 : 　Erreur CRC
　　　　　　　　　32 : 　Erreur du contrôleur de disque
　　　　　　　　　64 : 　Recherche infructueuse
　　　　　　　　　128 : Périphérique ne répond pas

Remarques : 　Pour la désignation de périphérique, 0 représente le lecteur A, 1 le lecteur B, etc. Après appel de cette fonction, le contenu de tous les registres peut avoir été modifié hormis celui des registres de segment. Après appel de cette interruption, le pointeur de pile n'a pas la même position que lors de l'appel car deux octets qui avaient été placés sur la pile n'en sont pas retirés. Ces octets représentent le registre de flags, qui peut être retiré de la pile à l'aide de l'instruction (langage machine) POPF. Il suffit donc d'ajouter 2 à la valeur du pointeur de pile pour qu'il retrouve sa valeur d'origine. Si cette correction est négligée, la pile risque de croître sans cesse, jusqu'à déborder. C'est la raison pour laquelle cette interruption ne peut malheureusement être appelée à l'aide de fonctions de langages évolués pour appeler des interruptions, telles que celles que nous vous avons présentées au début de cet ouvrage. Le fonctionnement de cette fonction a été modifié sous la version DOS 4.0 !

Interruption 26h   DOS
Ecriture absolue

Cette interruption permet d'écrire un ou plusieurs secteurs logiques consécutifs sur une disquette ou sur un disque dur. Cette écriture peut accéder à tous les secteurs du support et non pas seulement à la zone de fichiers du DOS au sens strict. Le DOS utilise lui-même cette interruption pour écrire le répertoire racine et la FAT d'un support. Les données sont transférées d'un buffer du programme d'appel vers le support.

Entrée :   AL = Désignation de périphérique
                CX = Nombre de secteurs à écrire
                DX = Premier secteur à écrire
                DS = Adresse de segment du buffer
                BX = Adresse d'offset du buffer

Sortie :   Flag Carry =0 : Tout va bien
                Flag Carry =1 : Erreur, dans ce cas AX = Code d'erreur
                        1 : Instruction incorrecte
                        2 : Marque d'adresse incorrecte
                        4 : Secteur non trouvé
                        8 : Erreur DMA
                        16 : Erreur CRC
                        32 : Erreur du contrôleur de disque
                        64 : Recherche infructueuse
                        128 : Périphérique ne répond pas

Remarques :   Pour la désignation de périphérique, 0 représente le lecteur A, 1 le lecteur B, etc. Après appel de cette fonction, le contenu de tous les registres peut avoir été modifié hormis celui des registres de segment. Après appel de cette interruption, le pointeur de pile n'a pas la même position que lors de l'appel car deux octets qui avaient été placés sur la pile n'en sont pas retirés. Ces octets représentent le registre de flags, qui peut être retiré de la pile à l'aide de l'instruction (langage machine) POPF. Il suffit donc d'ajouter 2 à la valeur du pointeur de pile pour qu'il retrouve sa valeur d'origine. Si cette correction est négligée, la pile risque de croître sans cesse, jusqu'à déborder. C'est la raison pour laquelle cette interruption ne peut malheureusement être appelée à l'aide de fonctions de langages évolués pour appeler des interruptions, telles que celles que nous vous avons présentées au début de cet ouvrage. Le fonctionnement de cette fonction a été modifié sous la version DOS 4.0 ! Voyez à ce sujet le chapitre 6.16.

Interruption 27h
Terminer programme mais laisser en mémoire

Cette fonction permet de terminer le programme exécuté et de rendre le contrôle au programme qui avait appelé le programme actuel.

Comme lorsqu'est appelée la fonction 31h de l'interruption du DOS 21h, cette fonction ne libère cependant pas la mémoire occupée par le programme, qui reste donc résident dans la mémoire.

Entrée :   CS = Adresse de segment du PSP
DX = Nombre d'octets à réserver + 1

Sortie :   aucune

Remarques :   Cette fonction convient uniquement à l'appel de programmes COM. Le nombre d'octets à réserver se rapporte au commencement du PSP. Les blocs de mémoire qui ont été réservés à l'aide de la fonction 48h ne sont pas affectés par la valeur dans le registre DX car ils ne peuvent être à nouveau libérés qu'en appelant la fonction 49h. Il est préférable d'appeler la fonction 31h de l'interruption 21h plutôt que cette interruption. Une erreur apparaîtra si cette interruption est appelée avec une valeur entre FFF1h et FFFFh dans le registre DX. Les fichiers ouverts ne sont pas refermés par l'appel de cette interruption.

C. Description des fonctions du BIOS EGA/VGA

Les cartes EGA et VGA augmentent les capacités de l'interruption vidéo 10h du BIOS grâce à l'apport d'innombrables fonctions servant à accéder aux techniques performantes de ces cartes. Vous trouverez ci-après la description de ces fonctions qui peuvent être appelées comme n'importe quelle fonction BIOS de l'interruption 10h.

Interruption 10h, Fonction 00h   *BIOS EGA/VGA*
Ecran : Fixer le mode vidéo

Cette fonction permet de sélectionner et initialiser un mode vidéo.

Entrée :   AH = 00h
                 AL = mode vidéo EGA/VGA
                 00h: 40*25 caractères texte, 16 couleurs, mais pas d'affichage
                       en couleur (EGA/VGA sur un moniteur couleur)
                 01h: 40*25 caractères texte, 16 couleurs, mais pas d'affichage
                       en couleur (EGA/VGA sur un moniteur couleur)
                 02h: 80*25 caractères texte, 16 couleurs, mais pas d'affichage
                       en couleur (EGA/VGA sur un moniteur couleur)
                 03h: 80*25 caractères texte, 16 couleurs (EGA/VGA sur un
                       moniteur couleur)
                 04h: 320*200 points graphiques, 4 couleurs, mais pas
                       d'affichage en couleur (EGA/VGA sur un moniteur couleur)
                 05h: 320*200 points graphiques, 4 couleurs (EGA/VGA sur un
                       moniteur couleur)
                 06h: 640*200 points graphiques, 2 couleurs, mais pas
                       d'affichage en couleur (EGA/VGA sur un moniteur couleur)
                 07h: 80*25 caractères texte, monochrome (EGA/VGA sur un
                       moniteur monochrome)
                 0Dh: 320*200 points graphiques, 16 couleurs (EGA/VGA sur
                       un moniteur couleur)
                 0Eh: 640*200 points graphiques, 16 couleurs (EGA/VGA sur
                       un moniteur couleur)
                 0Fh: 640*350 points graphiques, monochrome (EGA/VGA sur
                       un moniteur monochrome)
                 10h: 640*350 points graphiques, 4 couleurs (EGA/VGA avec
                       64 Ko sur un moniteur haute résolution)
                       640*350 points graphiques, 16 couleurs (EGA/VGA avec
                       au moins 128 Ko sur un moniteur haute résolution)
                 11h: 640*480 points graphiques, 2 couleurs (VGA uniquement)
                 12h: 640*480 points graphiques, 16 couleurs (VGA uniquement)
                 13h: 320*200 points graphiques, 256 couleurs (VGA uniquement)

Sortie :   pas de sortie

Remarques : Les modes 0 et 1, 2 et 3 ainsi que 4 et 5 se distinguent normalement par le fait que sous le premier mode de chaque paire indiquée, aucun signal de couleur n'est envoyé au moniteur. Comme ce n'est cependant pas possible avec la carte EGA, les modes 0 et 1, 2 et 3 ainsi que 4 et 5 sont donc identiques.

Si le bit 7 du registre AL est mis lors de l'appel de cette fonction, le contenu de la RAM vidéo n'est pas effacé lors du passage au nouveau mode vidéo.

Cette fonction sert à programmer le contrôleur vidéo de la carte EGA/VGA et à définir une palette de couleurs. Les autres tâches de cette fonction peuvent en outre être définies à l'aide de la fonction 12h.

Le contenu des registres BX, CX, DX, SI, DI et BP ainsi que celui de tous les registres de segment n'est pas modifié par cette fonction.

Interruption 10h, Fonction 01h   *BIOS EGA/VGA*
Ecran : Définition de l'apparence du curseur

Cette fonction permet de fixer les lignes de départ et de fin du curseur clignotant de l'écran. Elle est indépendante de la page écran affichée sur l'écran.

Entrée :   AH = 01h
                   CH = ligne de départ du curseur
                   CL = ligne de fin du curseur

Sortie :   pas de sortie

Remarques : Comme les réglages possibles avec la carte EGA/VGA dépendent de la taille de la matrice de caractère sous le mode vidéo actuel, les spécifications dans les registres CH et CL se réfèrent ici toujours à une matrice de caractère composée de 8 lignes.

Les valeurs spécifiées doivent donc être comprises entre 0 et 7. Le BIOS EGA/VGA adapte ces spécifications à la taille actuelle de la matrice de caractère en les convertissant donc d'une matrice de 8 lignes vers la hauteur actuelle de la matrice.

Le contenu des registres BX, CX, DX, SI, DI et BP ainsi que celui de tous les registres de segment n'est pas modifié par cette fonction.

Cette fonction permet de fixer le curseur, qui fixe la position de l'écran que les fonctions BIOS pour la sortie de caractères doivent employer.

Entrée :   AH = 02h
              BH = numéro de page écran
              DH = ligne de l'écran
              DL = colonne de l'écran

Sortie :   pas de sortie

Remarques :   Le curseur clignotant de l'écran n'est déplacé par cette fonction que si la page écran appelée est la page écran actuellement affichée. Les valeurs pour la ligne de l'écran et la colonne de l'écran dépendent de la résolution sous le mode vidéo actuel.
                 Une méthode pour faire disparaître le curseur qui clignote est de le mettre à une position écran non existante (par exemple colonne 0, ligne 25). Le numéro de la page dépendante du nombre de pages écran de la carte vidéo à votre disposition. Le contenu des registres BX, CX, DX, SI, DI et BP ainsi que celui de tous les registres de segment n'est pas modifié par cette fonction.

Cette fonction renvoie la position du curseur de texte dans une page écran et les lignes de départ et de fin du curseur clignotant de l'écran.

Entrée :   AH = 03h
              BH = numéro de page écran

Sortie :   DH = ligne de l'écran dans laquelle figure le curseur
              DL = colonne de l'écran dans laquelle figure le curseur
              CH = ligne de départ du curseur clignotant de l'écran
              CL = ligne de fin du curseur clignotant de l'écran

Remarques :   les ligne et colonne de l'écran se réfèrent toujours au système de coordonnées de texte, même lorsque c'est un mode graphique qui est activé.
                 Les lignes de départ et de fin du curseur ne sont fournies de façon exacte que dans le cadre des modes de texte. Dans les modes graphiques, ces indications sont dépourvues de signification.
                 Le contenu des registres BX, SI, DI et BP ainsi que celui de tous les registres de segment n'est pas modifié par cette fonction.

Interruption 10h, Fonction 04h — *EGA*
crayon optique : Lire la position

La position d'un crayon optique sur l'écran est lue si cela est possible. Cela ne concerne principalement que les cartes EGA parce que les cartes VGA n'utilisent pas un crayon optique.

Entrée :   AH = 04h

Sortie :   AH = 0 : La position du crayon optique ne peut pas être obtenue
                      dans l'immédiat
                AH = 1 : Position du crayon optique demandée, dans ce cas,
                DH = Ligne de l'écran du crayon optique (mode texte)
                DL = Colonne de l'écran du crayon optique (mode texte)
                CH = Ligne de l'écran du crayon optique (mode graphique)
                BX = Colonne de l'écran du crayon optique (mode graphique)

Remarques :   L'appel de cette fonction doit se répéter tant que la valeur 1 n'est pas retournée
                dans le registre AH. La position du crayon optique n'est transmise qu'à ce
                moment-là.
                Il se peut que les coordonnées du crayon optique ne soient pas rendues correc-
                tement surtout dans le mode graphique. La coordonnée Y (ligne) est toujours un
                multiple de 2 et il est difficile de distinguer si le crayon optique se trouve dans
                la ligne 8 ou 9.
                En mode graphique 320*200 points, la coordonnée X (colonne) est toujours un
                multiple de 4 et en mode 640*200 points, un multiple de 8.
                Le contenu du registre CL et le contenu des registres de segment SS, CS et DS
                ne sont pas modifiés par cette fonction. Le contenu de tous les autres registres,
                en particulier SI et DI, peuvent être modifiés.

Interruption 10h, Fonction 05h — *BIOS EGA/VGA*
Ecran : Sélection de la page écran actuelle

Sélection de la page écran actuelle, c'est-à-dire de la page écran devant être affichée sur l'écran (seulement en mode de texte)

Entrée :   AH = 05h
                AL = numéro de page écran

Sortie :   pas de sortie

Remarques :   Le nombre de pages écran disponibles dépend de la taille de la mémoire RAM
                installée sur la carte EGA/VGA.
                Lors du passage à une autre page écran, le curseur clignotant de l'écran est fixé
                sur la position du curseur de texte dans cette page.
                La commutation entre différentes pages écran ne modifie pas leur contenu.
                Le contenu des registres BX, CX, DX, SI, DI et BP ainsi que celui de tous les
                registres de segment n'est pas modifié par cette fonction.

Interruption 10h, Fonction 06h   *BIOS EGA/VGA*
Ecran : Faire défiler des lignes de texte vers le haut (scrolling)

Une partie de la page écran actuelle est décalée vers le haut d'une ou plusieurs lignes ou bien vidée.

Entrée :   AH   = 06h
                 AL   = nombre de lignes sur lesquelles la fenêtre doit être décalée
                        vers le haut (0 signifie vider la fenêtre)
                 CH   = ligne de l'écran du coin supérieur gauche de la fenêtre
                 CL   = colonne de l'écran du coin supérieur gauche de la fenêtre
                 DH   = ligne de l'écran du coin inférieur droit de la fenêtre
                 DL   = colonne de l'écran du coin inférieur droit de la fenêtre
                 BH   = couleur (attribut) pour la ou les lignes vides

Sortie :   pas de sortie

Remarques :   C'est normalement le contenu de la page écran actuelle qui est décalé mais
                 lorsque cette fonction est appelée en mode graphique 320*200 points avec 4
                 couleurs, c'est toujours la page vidéo 0 qui est affectée. Le fait de vider cette
                 zone de l'écran (nombre de lignes = 0) revient en fait à la remplir d'espaces
                 (code ASCII 32). Le contenu des lignes expulsées de la fenêtre est irrémédia-
                 blement perdu.

                 Pour vider l'écran en totalité, il est préférable d'avoir recours à la fonction 0 de
                 cette interruption. L'interprétation de l'octet d'attribut dépend du mode vidéo
                 actuel. En mode de texte, il est interprété comme n'importe quel autre octet
                 d'attribut dans la RAM vidéo. En mode graphique 640*200 points avec 2 cou-
                 leurs, cet octet représente par contre chaque fois les codes couleur pour 8 points
                 consécutifs. En mode 320*200 points avec 4 couleurs, il représente les codes
                 couleur pour 4 points consécutifs chaque fois. Sous tous les autres modes
                 graphiques, il indique la couleur pour un point graphique qui devra être
                 attribuée à tous les points graphiques dans la zone de l'écran effacée.

                 Le contenu des registres BX, CX, DX, SI, DI et BP ainsi que celui de tous les
                 registres de segment n'est pas modifié par cette fonction.

Partie 8
Annexe
C

Interruption 10h, Fonction 07h   *BIOS EGA/VGA*
Ecran : Faire défiler des lignes de texte vers le bas (scrolling)

Une partie de la page écran actuelle est décalée vers le bas d'une ou plusieurs lignes ou bien vidée.

Entrée :   AH   = 07h
                AL   = nombre de lignes sur lesquelles la fenêtre doit être décalée
                       vers le bas (0 signifie vider la fenêtre)
                CH   = ligne de l'écran du coin supérieur gauche de la fenêtre
                CL   = colonne de l'écran du coin supérieur gauche de la fenêtre
                DH   = ligne de l'écran du coin inférieur droit de la fenêtre
                DL   = colonne de l'écran du coin inférieur droit de la fenêtre
                BH   = couleur (attribut) pour la ou les lignes vides

Sortie :   pas de sortie

Remarques :   C'est normalement le contenu de la page écran actuelle qui est décalé mais
                lorsque cette fonction est appelée en mode graphique 320*200 points avec 4
                couleurs, c'est toujours la page vidéo 0 qui est affectée.

                Le fait de vider cette zone de l'écran (nombre de lignes = 0) revient en fait à la
                remplir d'espaces (code ASCII 32).

                Le contenu des lignes expulsées de la fenêtre est irrémédiablement perdu.

                Pour vider l'écran en totalité, il est préférable d'avoir recours à la fonction 0 de
                cette interruption.

                L'interprétation de l'octet d'attribut dépend du mode vidéo actuel. En mode de
                texte, il est interprété comme n'importe quel autre octet d'attribut dans la RAM
                vidéo. En mode graphique 640*200 points avec 2 couleurs, cet octet représente
                par contre chaque fois les codes couleur pour 8 points consécutifs. En mode
                320*200 points avec 4 couleurs, il représente les codes couleur pour 4 points
                consécutifs chaque fois. Sous tous les autres modes graphiques, il indique la
                couleur pour un point graphique qui devra être attribuée à tous les points
                graphiques dans la zone de l'écran effacée.

                Le contenu des registres BX, CX, DX, SI, DI et BP ainsi que celui de tous les
                registres de segment n'est pas modifié par cette fonction.

Interruption 10h, Fonction 08h
Ecran : Lecture d'un caractère et de sa couleur
BIOS EGA/VGA

Cette fonction renvoie le code ASCII du caractère dans la position actuelle du curseur ainsi que sa couleur (son attribut).

Entrée :   AH   = 08h
                BH   = numéro de page écran

Sortie :   AL   = code ASCII du caractère
               AH   = couleur (attribut)

Remarques :   Cette fonction peut également être appelée en mode graphique, auquel cas le motif de bits du caractère sur l'écran sera comparé avec les motifs de bits des caractères. Si le caractère ne peut être identifié de cette manière, le registre AL contiendra la valeur 0 après appel de la fonction.

En mode graphique 320*200 points avec 4 couleurs, cette fonction ne travaille correctement que lorsqu'on accède à la page écran 0.

Le contenu des registres BX, CX, DX, SI, DI et BP ainsi que celui de tous les registres de segment n'est pas modifié par cette fonction.

Interruption 10h, Fonction 09h
Ecran : Ecriture d'un caractère et d'une couleur
BIOS EGA/VGA

Un caractère est écrit avec une couleur déterminée dans la position actuelle du curseur (dans la page écran spécifiée).

Entrée :   AH   = 09h
               BH   = numéro de page écran
               CX   = coefficient de répétition
               AL   = code ASCII du caractère
               BL   = attribut

Sortie :   pas de sortie

Remarques :   Si le caractère spécifié doit être sorti plusieurs fois (c'est-à-dire que le registre CX est supérieur à 1), il faut, en mode graphique, que tous les caractères puissent tenir dans la ligne d'écran actuelle.

En mode graphique 320*200 points avec 4 couleurs, cette fonction ne travaille correctement que lorsqu'on accède à la page écran 0.

Dans le cadre d'un mode graphique, l'attribut dans le registre BL indique la couleur de premier plan du caractère, la couleur de fond étant toujours 0. Si le bit 7 est mis, le caractère est combiné par un XOR avec le motif de points écran actuel dans la position de sortie.

Les codes de contrôle Bell, Carriage Return etc. ne sont pas identifiés comme tels mais sortis comme des caractères ASCII ordinaires.

Cette fonction permet aussi de sortir des caractères en mode graphique, les motifs des caractères étant tirés de l'une des tables de caractères EGA/VGA.

Cette fonction ne déplace pas le curseur vers la prochaine position de l'écran.

Le contenu des registres BX, CX, DX, SI, DI et BP ainsi que celui de tous les registres de segment n'est pas modifié par cette fonction.

Interruption 10h, Fonction 0Ah   *BIOS EGA/VGA*
Ecran : Ecriture d'un caractère

Un caractère est écrit dans la position actuelle du curseur dans la page écran spécifiée, la couleur du caractère qui figurait auparavant dans cette position de l'écran restant inchangée.

Entrée :   AH = 0Ah
                BH = numéro de page écran
                BL = couleur de premier plan du caractère pour les modes graphiques
                CX = coefficient de répétition
                AL = code ASCII du caractère

Sortie :   pas de sortie

Remarques :   Si le caractère spécifié doit être sorti plusieurs fois (c'est-à-dire que le registre CX est supérieur à 1), il faut, en mode graphique, que tous les caractères puissent tenir dans la ligne d'écran actuelle.
                     Les codes de contrôle Bell, Carriage Return etc. ne sont pas identifiés comme tels mais sortis comme des caractères ASCII ordinaires.
                     Cette fonction permet aussi de sortir des caractères en mode graphique, les motifs des caractères étant tirés de l'une des tables de caractères EGA.
                     Dans le cadre d'un mode graphique, l'attribut dans le registre BL indique la couleur de premier plan du caractère, la couleur de fond étant toujours 0. Si le bit 7 est mis, le caractère est combiné par un XOR avec le motif de points écran actuel dans la position de sortie.
                     Cette fonction ne déplace pas le curseur vers la prochaine position de l'écran.
                     Le contenu des registres BX, CX, DX, SI, DI et BP ainsi que celui de tous les registres de segment n'est pas modifié par cette fonction.

Interruption 10h, Fonction 0Bh, Sous-fonction 0   *BIOS EGA/VGA*
Ecran : Sélection de la couleur du cadre et du fond

Cette fonction permet de sélectionner la couleur du cadre et du fond pour les modes graphique ou texte.

Entrée :   AH = 0Bh
                BH = 0
                BL = couleur de cadre et de fond

Sortie :   pas de sortie

Remarques :   Cette fonction ne doit être appelée que si la carte EGA/VGA est en mode graphique 320*200 points ou 640*200 points. Dans tous les autres modes, il est préférable d'utiliser plutôt la fonction 10h.
                     Les bits 0 à 3 du registre BL définissent la couleur du fond et du cadre. On peut en outre obtenir des couleurs plus intenses en fixant le bit 4.
                     Le contenu des registres BX, CX, DX, SI, DI et BP ainsi que celui de tous les registres de segment n'est pas modifié par cette fonction.

Interruption 10h, Fonction 0Bh, Sous-fonction 1　　　　*BIOS EGA/VGA*
Ecran : sélection de la palette de couleurs

Sélection de l'une des palettes de couleurs pour le mode graphique 320*200 points.

Entrée :　　　AH　= 0Bh
　　　　　　　BH　= 1
　　　　　　　BL　= numéro de la palette de couleur

Sortie :　　　pas de sortie

Remarques :　Cette fonction ne doit être appelée que si la carte EGA/VGA est en mode graphique 320*200 points ou 640*200 points. Dans tous les autres modes, il est préférable d'utiliser plutôt la fonction 10h.
Le BIOS EGA/VGA émule les deux palettes de couleurs CGA avec les numéros 0 et 1. Elles comportent les couleurs suivantes :
Palette 0 : vert, rouge, jaune
Palette 1 : cyan, magenta, blanc
Le contenu des registres BX, CX, DX, SI, DI et BP ainsi que celui de tous les registres de segment n'est pas modifié par cette fonction.

Interruption 10h, Fonction 0Ch　　　　　　　　　　*BIOS EGA/VGA*
Ecran : Ecrire un point graphique

Fixe le code couleur d'un point écran en mode graphique.

Entrée :　　　AH　= 0Ch
　　　　　　　BH　= page écran
　　　　　　　DX　= ligne de l'écran
　　　　　　　CX　= colonne de l'écran
　　　　　　　AL　= code couleur

Sortie :　　　pas de sortie

Remarques :　Le code couleur dépend du nombre de couleur affichées sous le mode graphique actuel. Si le bit 7 du registre AL est mis, le code couleur sera combiné par un XOR avec le code couleur antérieur des points graphiques.
L'indication de la page écran est ignorée en mode graphique 320*200 points avec 4 couleurs.
Le contenu des registres BX, CX, DX, SI, DI et BP ainsi que celui de tous les registres de segment n'est pas modifié par cette fonction.

Interruption 10h, Fonction 0Dh
Ecran : Lire un point graphique

BIOS EGA/VGA

Lecture du code couleur d'un point écran en mode graphique.

Entrée :   AH = 0Dh
                BH = page écran
                DX = ligne de l'écran
                CX = colonne de l'écran

Sortie :   AL   = code couleur

Remarques : Le code couleur dépend du nombre de couleur affichées sous le mode graphique actuel.
                L'indication de la page écran est ignorée en mode graphique 320*200 points avec
                4 couleurs.
                Le contenu des registres BX, CX, DX, SI, DI et BP ainsi que celui de tous les
                registres de segment n'est pas modifié par cette fonction.

Interruption 10h, Fonction 0Eh
Ecran : Ecriture d'un caractère

BIOS EGA/VGA

Un caractère est écrit dans la position actuelle du curseur dans la page écran actuelle, la couleur du caractère qui figurait auparavant dans cette position de l'écran étant conservée.

Entrée :   AH = 0Eh
                AL   = code ASCII du caractère
                BL   = couleur de premier plan du caractère pour le mode graphique

Sortie :   pas de sortie

Remarques : Cette fonction n'interprète pas les différents codes de contrôle tels que Bell et
                Carriage Return comme des codes ASCII ordinaires mais bien comme des codes de
                contrôle. Un bip sera donc émis par exemple au lieu d'afficher le caractère Bell.
                Après qu'un caractère ait été sorti avec cette fonction, la position du curseur est
                incrémentée de façon à ce que le caractère suivant soit sorti sur la prochaine
                position de l'écran. Si la dernière position de l'écran est atteinte, l'écran est décalé
                d'une ligne vers le haut et la sortie se poursuit dans la première colonne de la
                dernière ligne de l'écran.
                Si le bit 7 du registre AL est mis, le code couleur sera combiné par un XOR
                avec le code couleur antérieur des points graphiques. La couleur de fond des
                caractères est toujours 0.
                Cette fonction permet aussi de sortir des caractères en mode graphique, les
                motifs des caractères étant tirés de l'une des tables de caractères EGA.
                Le contenu des registres BX, CX, DX, SI, DI et BP ainsi que celui de tous les
                registres de segment n'est pas modifié par cette fonction.

Interruption 10h, Fonction 0Fh
Ecran : lecture du mode vidéo   *BIOS EGA/VGA*

Lecture du mode vidéo actuel, du nombre de caractères par ligne et du numéro de la page écran actuelle.

Entrée :   AH = 0Fh

Sortie :   AL = Mode vidéo en cours (cf. Fonction 00h)
                  AH = Nombre de caractères par ligne
                  BH = Numéro de la page écran en cours

Remarques :   Le contenu des registres BX, CX, DX, SI, DI et BP ainsi que celui de tous les registres de segment n'est pas modifié par cette fonction.

Interruption 10h, Fonction 10h, Sous-fonction 00h
Ecran : Fixer le registre de palette   *BIOS EGA/VGA*

Cette fonction permet de fixer le contenu de l'un des registres de palette du contrôleur d'attribut de la carte EGA/VGA.

Entrée :   AH = 10h
                  AL = 00h
                  BL = code couleur
                  BH = registre à adresser

Sortie :   aucune

Remarques :   Le numéro de registre n'étant pas contrôlé par le BIOS, cette fonction permet de programmer aussi les autres registres du contrôleur d'attribut. Il s'agit notamment des registres Mode Control, Overscan etc.
                  Le contenu des registres BX, CX, DX, SI, DI et BP ainsi que celui de tous les registres de segment n'est pas modifié par cette fonction.

Interruption 10h, Fonction 10h, Sous-fonction 01h
Ecran : Fixer la couleur du cadre de l'écran   *BIOS EGA/VGA*

La valeur spécifiée est copiée par cette fonction dans le registre Overscan du contrôleur d'attribut EGA/VGA.

Entrée :   AH = 10h
                  AL = 01h
                  BH = couleur du cadre

Sortie :   aucune

Remarques :   Le contenu des registres BX, CX, DX, SI, DI et BP ainsi que celui de tous les registres de segment n'est pas modifié par cette fonction.

Interruption 10h, Fonction 10h, Sous-fonction 02h   *BIOS EGA/VGA*
Ecran : Fixer tous les registres de palette

Ces fonctions permettent de fixer simultanément les 16 registres de palette et le registre Overscan.

Entrée :   AH = 10h
              AL = 02h
              ES = adresse de segment de la table de couleurs
              DX = adresse d'offset de la table de couleurs

Sortie :   aucune

Remarques :   La paire de registres ES:BX désigne une table qui doit avoir une longueur de 17 octets. Les 16 premiers octets seront transférés dans les 16 registres de palette du contrôleur d'attribut alors que le 17ème registre sera copié dans le registre Overscan.
                   Le contenu des registres BX, CX, DX, SI, DI et BP ainsi que celui de tous les registres de segment n'est pas modifié par cette fonction.

Interruption 10h, Fonction 10h, Sous-fonction 03h   *BIOS EGA/VGA*
Ecran : Fixer attribut de clignotement

L'appel de cette fonction permet de savoir si le bit 7 de l'octet d'attribut d'un caractère entraîne, en mode de texte, un clignotement de ce caractère, ou un affichage plus intense du fond du caractère.

Entrée :   AH = 10h
              AL = 03h
              BL = attribut de clignotement
                    0 = couleur de fond intense
                    1 = clignotement

Sortie :   aucune

Remarques :   Le contenu des registres BX, CX, DX, SI, DI et BP ainsi que celui de tous les registres de segment n'est pas modifié par cette fonction.

Interruption 10h, Fonction 10h, Sous-fonction 07h   *VGA*
Lire le registre de palette

Cette fonction offre à un programme la possibilité de connaître le contenu de l'un des registres de palette du contrôleur d'attribut.

Entrée :   AH = 10h
              AL = 07h
              BL = Numéro du registre de palette

Sortie :   BH = Contenu du registre de palette adressé

Remarques :   Le numéro du registre de palette appelé n'étant pas contrôlé par le BIOS, cette fonction permet en fait de lire tous les registres du contrôleur d'attribut.
                   Le contenu des registres BL, CX, DX, SI, DI et BP ainsi que le contenu de tous les registres de segment ne sont pas modifiés par cette fonction.

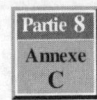

Interruption 10h, Fonction 10h, Sous-fonction 08h — *VGA*
Lire le contenu du registre Overscan

Cette fonction renvoie au programme d'appel le contenu du registre Overscan, qui définit la couleur du cadre de l'écran.

Entrée :   AH = 10h
             AL = 08h

Sortie :   BH = Contenu du registre Overscan

Remarques :   Le contenu des registres BL, CX, DX, SI, DI et BP ainsi que le contenu de tous les registres de segment ne sont pas modifiés par cette fonction.

Interruption 10h, Fonction 10h, Sous-fonction 09h — *VGA*
Lire le contenu de tous les registres de palette et le registre Overscan

Lorsque cette fonction est appelée, le contenu des 16 registres de palette ainsi que le contenu du registre Overscan sont copiés dans un buffer du programme d'appel.

Entrée :   AH = 10h
             AL = 09h
             ES = Adresse de segment du buffer
             DX = Adresse d'offset du buffer

Sortie :   Aucune

Remarques :   Le buffer doit disposer d'une place d'au moins 17 octets pour pouvoir recevoir le contenu de tous les registres de palette (octets 0 à 15) et le contenu du registre Overscan (octet 16).
                Le contenu des registres BX, CX, DX, SI, DI et BP ainsi que le contenu de tous les registres de segment ne sont pas modifiés par cette fonction.

Interruption 10h, Fonction 10h, Sous-fonction 10h — *VGA*
Charger un registre de couleur DAC

Cette fonction permet de définir le contenu de l'un des 256 registres de couleurs DAC.

Entrée :   AH = 10h
             AL = 10h
             BX = Numéro du registre de couleur DAC (0 à 255)
             CH = Vert
             CL = Bleu
             DH = Rouge

Sortie :   Aucune

Remarques :   Seuls les bits 0 à 5 des registres CH, CL et DH servent à composer le mélange de la couleur, les autres bits sont ignorés.
                Le contenu des registres BX, CX, DX, SI, DI et BP ainsi que le contenu de tous les registres de segment ne sont pas modifiés par cette fonction.

Interruption 10h, Fonction 10h, Sous-fonction 12h
Charger plusieurs registres de couleur DAC

VGA

Cette fonction représente une extension de la fonction 10h et permet de charger des valeurs dans plusieurs registres de couleur DAC simultanément.

Entrée : AH = 10h
AL = 12h
BX = Numéro du premier registre de couleur DAC appelé (0 à 255)
CX = Nombre de registres à définir
ES = Adresse de segment du buffer
DX = Adresse d'offset du buffer

Sortie : Aucune

Remarques : Le buffer spécifié doit comporter pour chacun des registres de couleur à définir un groupe de 3 octets consécutifs, dont le premier définit la part de rouge, le deuxième la part de vert et le troisième la part de bleu. Les trois premiers octets correspondent au premier registre de couleur DAC appelé, les trois octets suivants au registre de couleur DAC suivant, etc.
Pour le mélange de la couleur, seuls les bits 0 à 5 sont significatifs, les autres bits sont ignorés.
Si la somme de BX et CX est supérieure à 255, c'est le premier registre de couleur DAC qui sera traité après que le dernier registre de couleur DAC ait été traité. Il y a donc une exécution en boucle (Wrap Around).
Le contenu des registres BX, CX, DX, SI, DI et BP ainsi que le contenu de tous les registres de segment ne sont pas modifiés par cette fonction.

Interruption 10h, Fonction 10h, Sous-fonction 13h
Fixer la méthode de sélection des couleurs ou sélectionner un groupe de registres DAC

VGA

Cette fonction manipule le bit 7 du registre de contrôle de mode.

Entrée : AH = 10h
AL = 13h
BL = 00h ou 01h (voir plus bas)
BH = voir plus bas

Sortie : Aucune

Remarques : Cette sous-fonction dispose elle-même à son tour de deux sous-fonctions sélectionnées à travers la valeur dans le registre BL. La sous-fonction 00h permet de fixer la sélection des couleurs, alors que la sous-fonction 01h sert à sélectionner le groupe de registres DAC activé.
La sous-fonction 00h copie le bit 0 du registre BH dans le bit 7 du registre de contrôle de mode, fixant ainsi la méthode de sélection des couleurs. Si le bit 0 de BH contient la valeur 0, les 256 registres de couleur DAC seront divisés en quatre groupes de 64 registres. En ce qui concerne la sélection de couleur, les bits 0 à 5 de chaque registre de palette forment avec les bits 2 à 3 du registre de sélection de couleur les 8 bits utilisés comme index dans la table de couleurs DAC. Si le bit 0 du registre BH contient par contre la valeur 1, les registres de couleur DAC seront groupés en 16 groupes de 16 registres. Les 4 bits inférieurs du registre de palette composeront alors avec les 4 bits inférieurs du registre de sélection de

couleur l'index 8 bits sur la table de couleurs DAC.

La sous-fonction 01h sert à définir le registre de sélection de couleur, dont le contenu sélectionne le groupe de registres de couleur DAC activé. Le contenu du registre BH est copié à cet effet dans le registre de sélection de couleur.

Le contenu des registres BX, CX, DX, SI, DI et BP ainsi que le contenu de tous les registres de segment ne sont pas modifiés par cette fonction.

Interruption 10h, Fonction 10h, Sous-fonction 15h *VGA*
Lit un des registres de couleur DAC

Fournit au programme d'appel le contenu de l'un des 256 registres de couleur DAC.

Entrée :   AH   = 10h
          AL   = 15h
          BX   = Numéro du registre de couleur DAC

Sortie :   CH   = Vert
          CL   = Bleu
          DH   = Rouge

Remarques : Seuls les bits 0 à 5 des registres CH, CL et DH participent au mélange de la couleur.

          Le contenu des registres BX, DL, SI, DI et BP ainsi que le contenu de tous les registres de segment ne sont pas modifiés par cette fonction.

Interrupt 10h, Fonction 10h, Sous-fonction 17h *VGA*
Fixer le contenu de plusieurs registres de couleur DAC

Cette fonction, qui représente une extension de la fonction 10h, permet de définir en une fois le contenu du plusieurs registres de couleur DAC.

Entrée :   AH   = 10h
          AL   = 17h
          BX   = Numéro du premier registre de couleur DAC appelé (0 à 255)
          CX   = Nombre de registres à définir
          ES   = Adresse de segment du buffer
          DX   = Adresse d'offset du buffer

Sortie :   Aucune

Remarques : Le buffer spécifié doit comporter pour chacun des registres de couleur à définir un groupe de 3 octets consécutifs, dont le premier définit la part de rouge, le deuxième la part de vert et le troisième la part de bleu. Les trois premiers octets correspondent au premier registre de couleur DAC appelé, les trois octets suivants au registre de couleur DAC suivant, etc.

          Pour le mélange de la couleur, seuls les bits 0 à 5 sont significatifs, les autres bits sont ignorés.

          Si la somme de BX et CX est supérieure à 255, c'est le premier registre de couleur DAC qui sera traité après que le dernier registre de couleur DAC ait été traité. Il y a donc une exécution en boucle (Wrap Around).

          Le contenu des registres BX, CX, DX, SI, DI et BP ainsi que le contenu de tous les registres de segment ne sont pas modifiés par cette fonction.

Interrupt 10h, Fonction 10h, Sous-fonction 18h   *VGA*
Définit le registre de masque DAC

Charge la valeur transmise dans le registre de masque DAC.

Entrée :   AH = 10h
                AL = 18h
                BL = Valeur pour le registre de masque DAC

Sortie :   Aucune

Remarques :   Le contenu du registre de masque DAC intervient dans la sélection de couleur
                car il est combiné par un ET logique avec l'index servant à l'accès à la table de
                couleurs DAC.
                Le contenu des registres BH, CX, DX, SI, DI et BP ainsi que le contenu de tous
                les registres de segment ne sont pas modifiés par cette fonction.

Interruption 10h, Fonction 10h, Sous-fonction 19h   *VGA*
Lire le contenu du registre de masque DAC

Lit le contenu actuel du registre de masque DAC.

Entrée :   AH = 10h
                AL = 19h

Sortie :   BL = Contenu du registre de masque DAC

Remarques :   Le contenu du registre de masque DAC intervient dans la sélection de couleur
                car il est combiné par un ET logique avec l'index servant à l'accès à la table de
                couleurs DAC.
                Le contenu des registres BH, CX, DX, SI, DI et BP ainsi que le contenu de tous
                les registres de segment ne sont pas modifiés par cette fonction.

Interrupt 10h, Fonction 10h, Sous-fonction 1Ah   *VGA*
**Déterminer la méthode de sélec. de couleur et le contenu du registre de sé-
lec. de couleur**

Cette fonction fournit d'une part le contenu du bit 7 du registre de contrôle de mode, et donc
la méthode de sélection de couleur, ainsi que le contenu du registre de sélection de couleur,
qui détermine le groupe de registres de couleur DAC activé.

Entrée :   AH = 10h
                AL = 1Ah

Sortie :   BL = Bit 7 du registre de contrôle de mode
                BH = Contenu du registre de sélection de couleur

Remarques :   Le contenu des registres BX, CX, DX, SI, DI et BP ainsi que le contenu de tous les
                registres de segment ne sont pas modifiés par cette fonction.

Interruption 10h, Fonction 10h, Sous-fonction 1Bh   *VGA*
Convertir le contenu des registres de couleur DAC en nuances de gris

Cette fonction convertit une section déterminée de la table de couleurs DAC en nuances de gris correspondantes.

Entrée :   AH = 10h
              AL = 1Bh
              BX = Numéro du premier registre de couleur DAC à convertir
              CX = Nombre de registres de couleur DAC à traiter

Sortie :   Aucune

Remarques : La conversion en une nuance de gris s'effectue par une pondération différenciée des parts de rouge, de vert et de bleu, qui reflète les différences d'intensité entre ces couleurs fondamentales sur l'écran. Le coefficient appliqué au rouge est 0,3, celui appliqué au vert 0,59, et celui appliqué au bleu 0,11.
              Le contenu des registres BX, CX, DX, SI, DI et BP ainsi que le contenu de tous les registres de segment ne sont pas modifiés par cette fonction.

Interruption 10h, Fonction 11h, Sous-fonction 00h   *BIOS EGA/VGA*
Ecran : Charger le jeu de caractères défini par l'utilisateur

Cette fonction charge un jeu de caractères défini par l'utilisateur de la mémoire RAM dans l'une des deux tables de caractères EGA/VGA.

Entrée :   AH = 11h
              AL = 00h
              BH = lignes par caractère (et donc octets par caractère)
              BL = table de caractères appelée (0 ou 1)
              CX = nombre de caractères dans la table
              DX = code ASCII du premier caractère dans la table
              ES = adresse de segment de la table de caractères dans la RAM
              BP = adresse d'offset de la table de caractères dans la RAM

Sortie :   aucune

Remarques : 512 caractères peuvent être chargés au maximum par table de caractères.
              Le jeu de caractères chargé n'est pas activé et les registres du CRTC ne sont pas non plus programmés de façon à adapter l'affichage des caractères sur l'écran à la taille des caractères. Les modifications ne sont donc perceptibles sur l'écran que si la table de caractères dans laquelle sont chargées les définitions de caractères est la table actuellement activée.
              Le contenu des registres BX, CX, DX, SI, DI et BP ainsi que celui de tous les registres de segment n'est pas modifié par cette fonction.

Interruption 10h, Fonction 11h, Sous-fonction 01h   *BIOS EGA/VGA*
*Ecran : Charger le jeu de caractères 8*14*

Cette fonction charge le jeu de caractères 8*14 points tout entier du BIOS en ROM dans l'une des deux tables de caractères.

Entrée :   AH = 11h
              AL = 01h
              BL = table de caractères appelée (0 ou 1)

Sortie :   aucune

Remarques :   Le jeu de caractères chargé n'est pas activé et les registres du CRTC ne sont pas non plus programmés de façon à adapter l'affichage des caractères sur l'écran à la taille des caractères. Les modifications ne sont donc perceptibles sur l'écran que si la table de caractères dans laquelle sont chargées les définitions de caractères est la table actuellement activée. La carte EGA affiche dans ce cas 25 lignes sur l'écran, la carte VGA 28.
               Le contenu des registres BX, CX, DX, SI, DI et BP ainsi que celui de tous les registres de segment n'est pas modifié par cette fonction.

Interruption 10h, Fonction 11h, Sous-fonction 12h   *BIOS EGA/VGA*
*Ecran : Charger le jeu de caractères 8*8*

Cette fonction charge le jeu de caractères 8*8 points tout entier du BIOS en ROM dans l'une des deux tables de caractères.

Entrée :   AH = 11h
              AL = 12h
              BL = table de caractères appelée (0 ou 1)

Sortie :   aucune

Remarques :   Le jeu de caractères chargé n'est pas activé et les registres du CRTC ne sont pas non plus programmés de façon à adapter l'affichage des caractères sur l'écran à la taille des caractères. Les modifications ne sont donc perceptibles sur l'écran que si la table de caractères dans laquelle sont chargées les définitions de caractères est la table actuellement activée. La carte EGA affiche dans ce cas 43 lignes sur l'écran, la carte VGA 50.
               Le contenu des registres BX, CX, DX, SI, DI et BP ainsi que celui de tous les registres de segment n'est pas modifié par cette fonction.

Interruption 10h, Fonction 11h, Sous-fonction 03h   *BIOS EGA/VGA*
Ecran : Activer un jeu de caractères

Active un (ou deux) des quatre jeux de 256 caractères.

Entrée :   AH = 11h
              AL = 03h
              BL   = numéro du jeu de caractères à activer

Sortie :   aucune

Remarques :   Les bits 0 et 1 du registre BL spécifient le numéro du jeu de caractères auquel il faut accéder lorsque le bit 3 de l'octet d'attribut vaut 0.
               Les bits 2 et 3 du registre BL spécifient le numéro du jeu de caractères auquel il faut accéder lorsque le bit 3 de l'octet d'attribut vaut 1.
               Si le contenu des bits 0 et 1 ainsi que celui des bits 2 et 3 du registre BL est identique, le bit 3 de l'octet d'attribut d'un caractère est sans effet sur le code ASCII du caractère affiché. Seuls 256 caractères différents peuvent donc être affichés sur l'écran.
               Le contenu des registres BX, CX, DX, SI, DI et BP ainsi que celui de tous les registres de segment n'est pas modifié par cette fonction.

Interruption 10h, Fonction 11h, Sous-fonction 04h   *VGA*
Charger le jeu de caractères 8*16

Cette fonction charge le jeu de caractères 8*16 points complet du BIOS en ROM de la carte VGA dans l'une des deux tables de caractères.

Entrée :   AH = 11h
              AL = 04h
              BL   = table de caractères appelée (0 ou 1)

Sortie :   Aucune

Remarques :   Le jeu de caractères chargé n'est pas activé et les registres du CRTC ne sont pas non plus programmés de façon à adapter l'affichage des caractères sur l'écran à la taille des caractères. Les modifications ne sont donc perceptibles sur l'écran que si la table de caractères dans laquelle sont chargées les définitions de caractères est la table actuellement activée. La carte VGA affiche dans ce cas 25 lignes sur l'écran.
               Le contenu des registres BX, CX, DX, SI, DI et BP ainsi que celui de tous les registres de segment n'est pas modifié par cette fonction.

Interruption 10h, Fonction 11h, Sous-fonction 10h   *BIOS EGA/VGA*
Ecran : Charger et activer un jeu de caractères défini par l'utilisateur

---

Cette fonction charge un jeu de caractères défini par l'utilisateur dans l'une des deux tables de caractères EGA/VGA et l'active en programmant les registres du CRTC.

Entrée :   AH = 11h
               AL = 10h
               BH = lignes par caractère (et donc octets par caractère)
               BL = table de caractères appelée (0 ou 1)
               CX = nombre de caractères dans la table
               DX = code ASCII du premier caractère dans la table
               ES = adresse de segment de la table de caractères dans la RAM
               BP = adresse d'offset de la table de caractères dans la RAM

Sortie :   aucune

Remarques :   256 caractères peuvent être chargés au maximum par table de caractères. Le nombre de lignes de texte affichées sur l'écran dépend de la hauteur des caractères. Il est égal au nombre de lignes de l'écran (350 ou 480) divisé par la hauteur de caractère.

               Les lignes de début et de fin du curseur clignotant de l'écran sont automatiquement adaptées à la hauteur de la nouvelle matrice de caractère. Le contenu des registres BX, CX, DX, SI, DI et BP ainsi que celui de tous les registres de segment n'est pas modifié par cette fonction.

Interruption 10h, Fonction 11h, Sous-fonction 11h   *BIOS EGA/VGA*
Ecran : Charger et activer le jeu de caractères 8*14

Cette fonction charge le jeu de caractères 8*14 points tout entier du BIOS en ROM de la carte EGA/VGA dans l'une des deux tables de caractères et l'active en programmant les registres du CRTC.

Entrée :   AH = 11h
               AL = 11h
               BL = table de caractères appelée (0 ou 1)

Sortie :   aucune

Remarques :   Le fait d'appeler cette fonction fait automatiquement passer l'écran en affichage de 25 lignes pour la carte EGA et de 28 lignes pour la carte VGA.

               Les lignes de début et de fin du curseur clignotant de l'écran sont automatiquement adaptées à la hauteur de la nouvelle matrice de caractère.

               Le contenu des registres BX, CX, DX, SI, DI et BP ainsi que celui de tous les registres de segment n'est pas modifié par cette fonction.

Interruption 10h, Fonction 11h, Sous-fonction 12h   *BIOS EGA/VGA*
Ecran : Charger le jeu de caractères 8*8

Cette fonction charge le jeu de caractères 8*8 points tout entier du BIOS en ROM de la carte EGA/VGA dans l'une des deux tables de caractères et l'active en programmant les registres du CRTC.

Entrée :   AH = 11h
               AL = 12h
               BL = table de caractères appelée (0 ou 1)

Sortie :   Aucune

Remarques :   Après appel de cette fonction, la carte EGA affiche 43 lignes sur l'écran, et la carte VGA 50 lignes.
                  Les lignes de départ et de fin du curseur clignotant de l'écran sont automatiquement adaptées à la hauteur de la nouvelle matrice de caractère.
                  Le contenu des registres BX, CX, DX, SI, DI et BP ainsi que celui de tous les registres de segment n'est pas modifié par cette fonction.

Interruption 10h, Fonction 11h, Sous-fonction 14h   *VGA*
Charger jeu de caractères 8*16

Cette fonction charge le jeu de caractères 8*16 points complet du BIOS en ROM de la carte VGA dans l'une des deux tables de caractères et l'active en programmant les registres CRTC.

Entrée :   AH = 11h
               AL = 14h
               BL = table de caractères appelée (0 ou 1)

Sortie :   Aucune

Remarques :   Après appel de cette fonction, la carte VGA affiche 25 lignes de texte sur l'écran.
                  Les lignes de départ et de fin du curseur clignotant de l'écran sont automatiquement adaptées à la hauteur de la nouvelle matrice de caractère.
                  Le contenu des registres BX, CX, DX, SI, DI et BP ainsi que celui de tous les registres de segment n'est pas modifié par cette fonction.

Cette fonction permet d'obtenir différentes informations sur l'état actuel du générateur de caractères.

Entrée :	AH	= 11h
	AL	= 30h
	BH	= Type d'informations recherchées
		0 = Contenu du vecteur d'interruption 1Fh
		1 = Contenu du vecteur d'interruption 43h
		2 = Adresse de la table de caractères 8*14 en ROM
		3 = Adresse de la table de caractères 8*8 en ROM
		4 = Adresse de la seconde moitié de la table de caractères 8*8
		5 = Adresse de la table de caractères 9*14 alternative en ROM
		6 = Adresse de la table de caractères 8*16 alternative en ROM
		7 = Adresse de la table de caractères 9*16 alternative en ROM

Sortie :	CX	= Hauteur de la matrice de caractère actuelle
	DL	= Nombre de colonnes par ligne - 1
	ES	= Adresse de segment du pointeur testé
	BP	= Adresse de segment du pointeur testé

Remarques : Le contenu des registres BX, DH, SI, DI ainsi que celui des registres de segment CS, DS et SS n'est pas modifié par cette fonction.

Cette fonction sert à déterminer la configuration de la carte EGA / VGA.

| *Entrée :* | AH | = 12h |
| | BL | = 10h |

Sortie :	BH	= moniteur connecté
		0 = moniteur couleur ou haute résolution
		1 = moniteur monochrome
	BL	= taille de la RAM EGA
		0 = 64 Ko
		1 = 128 Ko
		2 = 192 Ko
		•3 = 256 Ko
	CL	= moniteur connecté

Remarques : Pour le type de moniteur, les codes suivants sont employés :

0Bh:	moniteur monochrome
08h:	moniteur couleur
09h:	moniteur haute résolution (EGA ou Multisync)!!!!!!!texte supprimé!!!!!!!

Le contenu des registres BX, CX,!!!!!!non cités dans le nouveau texte!!!!!! DX, SI, DI et BP ainsi que celui de tous les registres de segment n'est pas modifié par cette fonction.

Interruption 10h, Fonction 12h, Sous-fonction 20h   *BIOS EGA*
Ecran : Activer routine de copie d'écran de remplacement

Comme la routine de copie d'écran normale du BIOS en ROM sort systématiquement une copie d'écran sur 25 lignes, elle ne convient pas pour une copie d'écran sous les modes EGA/VGA affichant plus de 25 lignes sur l'écran. C'est pourquoi en appelant cette fonction on peut faire installer une routine de copie d'écran de remplacement qui sortira sur l'imprimante autant de lignes qu'il y en a effectivement d'affichées sur l'écran.

Entrée :   AH = 12h
                 BL   = 20h

Sortie :   aucune

Remarques :   Le contenu des registres BX, CX, DX, SI, DI et BP ainsi que celui de tous les registres de segment n'est pas modifié par cette fonction.

Interruption 10h, Fonction 12h, Sous-fonction 30h   *EGA/VGA*
Fixer le nombre de lignes de l'écran (lignes de balayage)

Sélectionne le nombre de lignes apparaissant sur l'écran (à ne pas confondre avec les lignes de texte).

Entrée :   AH = 12h
                 BL   = 30h
                 AL   = 0 : 200 lignes de balayage (EGA et VGA)
                         1 : 350 lignes de balayage (EGA et VGA)
                         2 : 400 lignes de balayage (possible uniquement avec VGA)

Sortie :   Aucune

Remarques :   Le nombre de lignes sélectionné ne peut être affiché sur l'écran que si un moniteur suffisamment puissant est relié à la carte vidéo. C'est ainsi qu'un moniteur CGA ne permettra jamais d'afficher plus de 200 lignes sur l'écran, même si l'électronique vidéo autorise une résolution plus élevée. Le contenu des registres BX, CX, DX, SI, DI et BP ainsi que le contenu de tous les registres de segment ne sont pas modifiés par cette fonction.

Interruption 10h, Fonction 12h, Sous-fonction 31h   *VGA*
Activer ou désactiver le chargement des registres de palette

Cette fonction permet à un programme d'indiquer au BIOS VGA si les valeurs défaut doivent automatiquement être chargées dans les registres de palette lorsqu'un changement de mode vidéo est opéré à l'aide de la fonction 00h.

Entrée :   AH = 12h
                 BL   = 31h
                 AL   = Chargement automatique des registres de palette
                         0 : Oui
                         1 : Non

Sortie :   Aucune

Remarques :   Le contenu des registres BX, CX, DX, SI, DI et BP ainsi que le contenu de tous les registres de segment ne sont pas modifiés par cette fonction.

Interruption 10h, Fonction 12h, Sous-fonction 32h   *VGA*
Autoriser/verrouiller l'accès de l'unité centrale à la RAM vidéo

---

Cette fonction permet d'autoriser ou de verrouiller l'accès de l'unité centrale à la RAM vidéo et aux différents ports d'entrée/sortie d'une carte VGA.

Entrée :   AH = 12h
                    BL = 32h
                    AL = 0 : Accès autorisé
                         1 : Accès interdit

Sortie :   Aucune

Remarques :   Le BIOS EGA ne disposant pas de cette fonction, l'accès direct de l'unité centrale à la carte vidéo peut néammoins être interdit en manipulant directement le bit 1 du registre de sortie (adresse de port 3C2h). Le contenu des registres BX, CX, DX, SI, DI et BP ainsi que le contenu de tous les registres de segment ne sont pas modifiés par cette fonction.

Interruption 10h, Fonction 12h, Sous-fonction 33h   *VGA*
Activer/désactiver la conversion en gris des registres de couleur DAC

Alors que la sous-fonction 1Bh de la fonction 10h entraîne une conversion sélective du contenu des registres de couleur DAC en nuances de gris, cette fonction provoque une conversion systématique, lors de tous les accès à ces registres à travers le BIOS VGA.

Entrée :   AH = 12h
                    BL = 33h
                    AL = Conversion en gris des registres de couleur DAC
                         0 : oui
                         1 : non

Sortie :   Aucune

Remarques :   Le contenu des registres BX, CX, DX, SI, DI et BP ainsi que le contenu de tous les registres de segment ne sont pas modifiés par cette fonction.

Interruption 10h, Fonction 12h, Sous-fonction 34h   *VGA*
Activer/désactiver l'émulation du curseur

Pour que le programme appelant la fonction 01h (définition des lignes de départ et de fin du curseur de l'écran) n'ait pas à tenir compte des différentes résolutions de la matrice de caractère dans les différents modes, il peut se référer systématiquement à une matrice de caractère 8*8 et laisser au BIOS VGA le soin d'effectuer la conversion vers la taille de la matrice de caractère actuelle. Ce n'est cependant possible qu'en mode dit d'émulation du curseur, que cette fonction permet d'activer ou de désactiver.

Entrée :   AH = 12h
                    BL = 34h
                    AL = Mode d'émulation du curseur ...
                         0 : oui
                         1 : non

Sortie :   Aucune

Remarques :   Le contenu des registres BX, CX, DX, SI, DI et BP ainsi que le contenu de tous les registres de segment ne sont pas modifiés par cette fonction.

1600

Interruption 10h, Fonction 12h, Sous-fonction 36h   *VGA*
Interdire la construction de l'écran

Cette fonction permet à un programme d'interdire temporairement la construction de l'écran,
pour effectuer des manipulations d'envergure à l'intérieur de la RAM vidéo.

Entrée :   AH = 12h
                 BL = 36h
                 AL = Construction de l'écran ...
                       0 : oui
                       1 : non

Sortie :   Aucune

Remarques :   Le contenu des registres BX, CX, DX, SI, DI et BP ainsi que le contenu de tous les
                 registres de segment ne sont pas modifiés par cette fonction.

Interruption 10h, Fonction 13h   *BIOS EGA/VGA*
Moniteur : Sortie d'une chaîne de caractères

Une chaîne de caractères est sortie sur le moniteur, dans une page déterminée du moniteur, à
partir de la position du moniteur spécifiée. Les caractères sont pour cela tirés d'un buffer dont
l'adresse doit être communiquée à la fonction.

Entrée :   AH = 13h
                 AL = Mode de sortie (0 à 3)
                       0 = attribut dans BL, conserver la position du curseur
                       1 = attribut dans BL, actualiser la position du curseur
                       2 = attribut dans le buffer, conserver la position du curseur
                       3 = attribut dans le buffer, actualiser la position du curseur
                 BL = octet d'attribut des caractères (seulement modes 0 et 1)
                 CX = nombre de caractères à sortir
                 DH = ligne du moniteur
                 DL = colonne du moniteur
                 BH = page du moniteur
                 ES = adresse de segment du buffer
                 BP = adresse d'offset du buffer

Sortie :   pas de sortie

Remarques :   Sous les modes 1 et 3, la position du curseur est fixée, après sortie de la chaîne de
                 caractères, à la suite du dernier caractère de la chaîne, de sorte que lors d'appels
                 ultérieurs de fonctions BIOS de sortie de caractères, les caractères seront sortis à la
                 suite de la chaîne de caractères. La position du curseur n'est pas changée sous les
                 modes 0 et 2.
                 Sous les modes 0 et 1, le buffer ne contient que les codes ASCII des caractères à sortir.
                 La couleur de tous les caractères de la chaîne de caractères est dans ce cas définie par
                 le registre BL. Sous les modes 2 et 3 par contre, chaque caractère est suivi dans le buffer
                 de l'octet d'attribut correspondant, de sorte que chaque caractère dispose d'un attribut
                 particulier. Sous ces modes, il n'est pas nécessaire de définir la valeur du registre BL.
                 Bien que la chaîne de caractères ait, sous ces modes, une taille double du nombre de
                 caractères à sortir, ce n'est pas la longueur de la chaîne de caractères mais bien le
                 nombre de caractères ASCII à sortir qui doit être spécifié dans le registre CX.
                 Les codes de contrôle spéciaux comme "bell" et "carriage return" sont interprétés

effectivement comme des codes de contrôle et non comme des codes ASCII. Si cependant Carriage Return et Line Feed sont sortis en dehors de la page 0 du moniteur, une erreur en résulte car ces codes sont systématiquement sortis dans la page 0, quelle que soit la page de moniteur spécifiée.

Si la dernière position de l'écran est atteinte, l'écran est décalé d'une ligne vers le haut et la sortie se poursuit dans la première colonne de la dernière ligne de l'écran.

Pour une sortie en mode graphique, l'attribut dans le registre BL indique la couleur de premier plan du caractère. (La couleur de fond des caractères est toujours 0.). Si le bit 7 du registre AL est mis, le code couleur sera combiné par un XOR avec le code couleur antérieur des points graphiques.

Cette fonction permet aussi de sortir des caractères en mode graphique, les motifs des caractères étant tirés de l'une des tables de caractères EGA.

Le contenu des registres BX, CX, DX, SI, DI et BP ainsi que celui de tous les registres de segment n'est pas modifié par cette fonction.

Interruption 10h, Fonction 14h   *BIOS EGA/VGA*
Non documentée

La signification de cette fonction n'est pas connue. Elle ne doit donc pas être appelée par un programme utilisateur.

Interruption 10h, Fonction 15h   *BIOS EGA/VGA*
Non documentée

La signification de cette fonction n'est pas connue. Elle ne doit donc pas être appelée par un programme utilisateur.

Interruption 10h, Fonction 16h   *BIOS EGA/VGA*
Non documentée

La signification de cette fonction n'est pas connue. Elle ne doit donc pas être appelée par un programme utilisateur.

Interruption 10h, Fonction 17h   *BIOS EGA/VGA*
Non documentée

La signification de cette fonction n'est pas connue. Elle ne doit donc pas être appelée par un programme utilisateur.

Interruption 10h, Fonction 18h   *BIOS EGA/VGA*
Non documentée

La signification de cette fonction n'est pas connue. Elle ne doit donc pas être appelée par un programme utilisateur.

Interruption 10h, Fonction 19h   *BIOS EGA/VGA*
Non documentée

La signification de cette fonction n'est pas connue. Elle ne doit donc pas être appelée par un programme utilisateur.

VGA

Interruption 10h, Fonction 1Ah, Sous-fonction 00h
Déterminer le type d'adaptateur vidéo primaire et secondaire

Entrée :   AH = 13h
              AL = 0
Sortie :   AL = 1Ah
              BL = Code de périphérique de la carte vidéo activée
              BH = Code de périphérique de la carte vidéo non activée

Remarques :   Si la valeur 1Ah n'est pas renvoyée dans le registre AL, c'est qu'aucun BIOS VGA
                et donc aucune carte VGA n'est installé.

                Les codes de périphérique suivants sont renvoyés :

                FFh   = Carte vidéo inconnue
                00h   = Pas de carte vidéo
                01h   = MDA avec écran monochrome
                02h   = CGA avec moniteur CGA
                03h   = Réservé
                04h   = EGA avec moniteur EGA ou Multisync
                05h   = EGA avec moniteur monochrome
                06h   = Réservé
                07h   = VGA avec écran monochrome analogique
                08h   = VGA avec écran couleur analogique (VGA, Multisync)
                09h   = Réservé
                0Ah   = Carte MCGA avec moniteur CGA (PS/2 uniquement)
                0Bh   = MCGA avec écran monochrome analogique
                        (PS/2 uniquement)
                0Ch   = MCGA avec écran couleur analogique (PS/2 uniquement)

                Il suffit qu'une seule carte vidéo soit présente dans le registre BH pour que la
                valeur 00h soit retournée.
                Le contenu des registres CX, DX, SI, DI et BP ainsi que le contenu de tous les
                registres de segment ne sont pas modifiés par cette fonction.

VGA

Interruption 10h, Fonction 1Ah, Sous-fonction 01h
Définir les cartes vidéo primaire et secondaire

A l'intérieur d'un système équipé de deux cartes vidéo, cette fonction permet d'activer l'une
des deux cartes et de désactiver l'autre.

Entrée :   AH = 1Ah
              AL = 1
              BL = Code de périphérique de la carte vidéo active
              BH = Code de périphérique de la carte vidéo inactive

Sortie :   AL = 1Ah

Remarques :   Si la valeur 1Ah n'est pas retournée dans le registre AL, cela signifie que ni un
                BIOS VGA ni une carte VGA n'est installé.
                La liste des codes de périphérique est fournie dans le cadre de la description de
                la sous-fonction 00h.
                Le contenu des registres BX, CX, DX, SI, DI et BP ainsi que celui de tous les
                registres de segment n'est pas modifié par cette fonction.

Interruption 10h, Fonction 1Bh   *VGA*
Lire les informations d'état concernant le mode vidéo et le BIOS VGA

Cette fonction permet de lire toutes les caractéristiques du mode vidéo en cours ainsi que les informations concernant les techniques fondamentales du BIOS VGA.

Entrée :   AH   = 1Bh
              BX   = 0
              ES:DI = Pointeur sur un buffer

Sortie :   AL   = 1Bh

Remarques :   Si la valeur 1Bh n'est pas retournée dans le registre AL, cela signifie que ni un BIOS VGA ni une carte VGA n'est installé.

Le buffer transmis par l'appel de cette fonction doit contenir au moins 64 Ko parce que le BIOS VGA y place une table comme celle présentée plus bas. Cette table contient toutes les informations décrivant le mode vidéo en cours.

Un pointeur se trouve au début de cette table. Il conduit vers une autre table située dans la ROM BIOS et pour laquelle le programme d'appel ne doit allouer aucune place mémoire. Elle reproduit les techniques du BIOS VGA qui sont indépendantes de la définition actuelle des différents paramètres (mode vidéo, registre de palettes, etc.).

Le contenu des registres BX, CX, DX, SI, DI et BP ainsi que celui de tous les registres de segment n'est pas modifié par cette fonction.

	Structure du bloc de données avec les informations d'état du BIOS VGA compte tenu du mode	
Offset	**Contenu**	**Type**
00h	Adresse de la table contenant les informations statiques	1 PTR
04h	Numéro de code du mode vidéo en cours	1 BYTE
05h	Nombre de colonnes de l'écran ou de points affichées	1 WORD
07h	Longueur d'une page écran à l'intérieur de la RAM vidéo	1 WORD
09h	Adresse de début de la page écran en cours dans la RAM vidéo	1 WORD
0Bh	Positions du curseur dans les huit pages écran maximales où la spécification de la colonne prévaut toujours par rapport à celle de la ligne	16 BYTE
1Bh	Ligne de fin du curseur (ligne de points)	1 BYTE
1Ch	Ligne de début du curseur (ligne de points)	1 BYTE
1Dh	Numéro de la page écran en cours	1 BYTE
1Eh	Adresse du port du registre d'adresse du contrôleur CRT	1 WORD
20h	Contenu actuel du registre CRTC dans l'adresse du port 3B8h (émulation DMA) ou 3D8h (VGA)	
21h	Contenu actuel du registre de sélection de couleurs dans l'adresse du port 3D9h	1 BYTE
22h	Nombre de lignes écran affichées	1 BYTE
23h	Hauteur des caractères en lignes de points	1 WORD
25h	Numéro de code de l'adaptateur vidéo en cours (voir la fonction 1Ah, sous-fonction 00h)	1 BYTE
26h	Numéro de code de l'adaptateur vidéo inactif (voir la fonction 1Ah, sous-fonction 00h)	1 BYTE
27h	Nombre de couleurs à afficher (0 = monochrome)	1 WORD
29h	Nombre de pages écran	1 BYTE

Offset	Contenu	Type
	Structure du bloc de données avec les informations d'état du BIOS VGA compte tenu du mode	
2Ah	Nombre de lignes de points affichées	1 BYTE
2Bh	Numéro de la table de caractères utilisée et dont le bit 3 vaut 0 dans l'octet d'attribut	1 BYTE
2Ch	Numéro de la table de caractères utilisée et dont le bit 3 vaut 1 dans l'octet d'attribut	1 BYTE
2Dh	Informations diverses #1 (voir plus bas)	1 BYTE
2Eh	Réservé	3 BYTE
31h	Taille de la RAM vidéo disponible	1 BYTE
32h	Réservé	14 BYTE
	64 octets	

Offset	Contenu	Type
	Structure du bloc de données avec les informations d'état du BIOS VGA compte tenu du mode (informations statiques)	
00h	Modes vidéo reconnus (voir plus bas)	3 BYTE
03h	Réservé	4 BYTE
07h	Nombre des lignes de points dans les modes texte (voir plus bas)	1 BYTE
08h	Nombre maximal des jeux de caractères affichables	1 BYTE
09h	Nombre des tables de jeux de caractères à charger dans la RAM vidéo	1 BYTE
0Ah	Informations d'état sur les capacités du BIOS VGA (voir plus bas)	1 BYTE
0Bh	Autres informations d'état sur les capacités du BIOS VGA (voir plus bas)	1 BYTE
0Ch	Réservé	2 BYTE
0Eh	Réservé	2 BYTE
	16 octets	

Les trois sous-fonctions de la fonction 1Ch permettent de sauvegarder l'état en cours de l'équipement vidéo et du BIOS VGA dans un buffer du programme. A cet effet, le programme d'appel doit d'abord demander la taille du buffer nécessaire à l'aide de cette sous-fonction.

Entrée :	AH	= 1Ch
	AL	= 0
	CX	= Composantes à sauvegarder (voir plus bas)
Sortie :	AL	= 1Ch
	BX	= Taille de buffer en unités de 64 octets

Remarques : Si la valeur 1Ch n'est pas retournée dans le registre AL, cela signifie que ni un BIOS VGA ni une carte VGA n'est installé.

Lors de l'appel de la fonction, les trois bits inférieurs indiquent les composantes de l'équipement vidéo et le BIOS VGA à sauvegarder dans le registre CX. Le bit approprié est à régler sur 1 si les éléments correspondants doivent être sauvegardés.

Bit 0 = Equipement vidéo
Bit 1 = Zone de données du BIOS VGA
Bit 3 = Contenu du registre DAC

Notez que "l'équipement vidéo" n'inclut pas également le contenu de la RAM vidéo. La sauvegarde de ce dernier est à la charge du programme utilisateur.
Le contenu des registres BX, CX, DX, SI, DI et BP ainsi que celui de tous les registres de segment n'est pas modifié par cette fonction.

Après avoir demandé le buffer nécessaire à l'aide de la sous-fonction 00h, vous pouvez sauvegarder l'état du matériel vidéo et/ou du BIOS VGA que vous souhaitez avec cette fonction.

Entrée :	AH	= 1Ch
	AL	= 1
	CX	= Composantes à sauvegarder (voir sous-fonction 00h)
	ES:BX	= Pointeur sur le buffer devant stocker les informations
Sortie :	AL	= 1Ch

Remarques : Si la valeur 1Ch n'est pas retournée dans le registre AL, cela signifie que ni un BIOS VGA ni une carte VGA n'est installé.

Avant d'appeler cette fonction, il faut d'abord obtenir la taille du buffer nécessaire à l'aide de la sous-fonction 00h. Notez que le contenu du registre CX ne varie pas entre les deux appels sinon le buffer transmis risque d'être trop petit.
Le contenu des registres BX, CX, DX, SI, DI et BP ainsi que celui de tous les registres de segment n'est pas modifié par cette fonction.

Interruption 10h, Fonction 1Ch, Sous-fonction 02h   *VGA*
Restaurer l'état vidéo

Suite à un appel préalable de la sous-fonction 01h, cette fonction peut restaurer l'état sauvegardé du matériel vidéo et/ou du BIOS VGA.

Entrée :   AH   = 1Ch
              AL   = 2
              CX   = Composantes à restaurer (voir sous-fonction 00h)
              ES:BX = Pointeur sur le buffer dans lequel les informations ont
                       été sauvegardées

Sortie :   AL   = 1Ch

Remarques : Si la valeur 1Ch n'est pas retournée dans le registre AL, cela signifie que ni un BIOS VGA ni une carte VGA n'est installé.

Ã L'appel de cette fonction n'a un sens que s'il s'effectue après un appel de la sous-fonction 01h. Le nombre de composantes restaurées dépend naturellement du nombre qui a été préalablement sauvegardé. Avant d'appeler cette fonction, pensez donc à vérifier le contenu du registre CX.

Le contenu des registres BX, CX, DX, SI, DI et BP ainsi que celui de tous les registres de segment n'est pas modifié par cette fonction.

D. Le standard VESA

L'interface VESA fournit des fonctions standardisées pour l'accès aux cartes Super VGA en libérant un programme des spécificités physiques des diverses cartes. Les six fonctions du standard VESA sont appelées comme des sous-fonctions de la fonction 4Fh, ces dernières étant intégrées par le driver VESA (ou le BIOS VGA étendu au VESA) dans l'interruption vidéo BIOS 10h. Les modes graphiques suivants sont actuellement reconnus par les diverses fonctions VESA.

Les modes graphiques du BIOS VESA

Code	Résolution	Couleurs	Mémoire
100h	640*400	256	256 Ko
101h	640*480	256	512 Ko
102h	800*600	16	256 Ko
103h	800*600	256	512 Ko
104h	1024*768	16	512 Ko
105h	1024*768	256	1 Mo
106h	1280*1024	256	1,25 Mo
6Ah	800*600	16	256 Ko

Interruption 10h, Fonction 4Fh, Sous-fonction 00h   *VESA*
Obtenir les spécificités de la carte Super VGA

Cette fonction permet de prendre connaissance des techniques offertes par la carte Super VGA installée et déterminer si les fonctions VESA sont soutenues.

Entrée :   AH = 4Fh
              AL = 00h
              ES:DI : Pointeur FAR sur le buffer Info

Sortie :   AL = 4Fh et
              AH = 00h : Fonctions VESA soutenues

Remarques : Le buffer Info dont l'adresse est à transmettre à la fonction doit disposer de 256 octets. Si la fonction s'exécute correctement, vous obtenez les informations suivantes :

Offset	Contenu	Type
	Structure du buffer Info	
00h	Signature VESA ("VESA")	4 BYTE
04h	Version VESA, Numéro de version principal	1 BYTE
05h	Version VESA, Numéro de version secondaire	1 BYTE
06h	Pointeur FAR sur chaîne ASCIIZ contenant le nom du fabricant de cartes	1 DWORD
0Ah	Flag indiquant les performances de la carte. Actuellement inutilisé, donc 0000h.	
0Eh	Pointeur FAR sur liste contenant les numéros de code des modes vidéo reconnus	1 DWORD

La liste des numéros de codes des modes vidéo reconnus, transmise dans le dernier champ du buffer, se compose de divers Words indiquant chacun le code d'un mode vidéo d'après le tableau ci-dessus. Cette liste se termine par un Word de valeur 0FFFFh. Sa longueur varie d'une carte à l'autre.

Interruption 10h, Fonction 4Fh, Sous-fonction 01h — *VESA*
Déterminer les données-clés d'un mode VESA

Cette fonction donne des informations sur un mode VESA sans pour autant l'activer.

Entrée :   AH = 4Fh
               AL = 01h
               CX = Numéro de code du mode VESA souhaité
               ES:DI = Pointeur FAR sur buffer Info

Sortie :   AL = 4Fh et
               AH = 00h : Fonction non exécutée correctement

Remarques : Cette fonction ne doit être appelée que si la sous-fonction 00h s'est exécutée correctement et ainsi l'existence d'un driver VESA a pu être signalée. En outre, seuls les modes inclus dans la liste de la fonction 00h peuvent être réclamés.

Le buffer Info dont l'adresse est à transmettre à la fonction doit disposer de 29 octets. Si la fonction s'exécute correctement, vous obtenez les informations suivantes :

	Structure du buffer Info	
Offset	**Contenu**	**Type**
00h	Flag de mode, voir plus loin	1 WORD
02h	Flags pour la première fenêtre d'accès, voir plus loin	1 BYTE
03h	Flags pour la seconde fenêtre d'accès, voir plus loin	1 BYTE
04h	Granularité en Ko à utiliser pour déplacer les deux fenêtres	1 WORD
06h	Taille des deux fenêtres d'accès en Ko	1 WORD
08h	Adresse de segment de la première fenêtre d'accès	1 WORD
0Ah	Adresse de segment de la seconde fenêtre d'accès	1 WORD
0Ch	Pointeur FAR sur routine de définition de la zone visible dans les deux fenêtres d'accès	1 DWORD
10h	Nombre d'octets occupant chacun une ligne de points dans la RAM vidéo	1 WORD
Informations en option, cf. Flag de mode		
12h	Résolution X en points/caractères	1 WORD
14h	Résolution Y en points/caractères	1 WORD
16h	Largeur de la matrice de caractères en points	1 BYTE
17h	Hauteur de la matrice de caractères en points	1 BTYE
18h	Nombre des plans de bits	1 BYTE
19h	Nombre de bits par point écran	1 BYTE
1Ah	Nombre de blocs mémoire	1 BYTE
1Bh	Modèle de mémoire	1 BYTE
1Ch	Taille des blocs de mémoire en Ko	1 BYTE

Le flag de mode (offset 00h) indique si les champs optionnels du buffer Info ont été complétés par la fonction VESA et retourne également des informations importantes concernant le mode souhaité.

Les deux fenêtres d'accès (Offset 02h et 03h) sont décrites à travers les champs de bits suivants :

Le modèle de mémoire (Offset 1Bh) reproduit la structure de la RAM vidéo dans le mode vidéo souhaité. Les codes suivants sont reconnus à cet effet :

Codes de description du modèle de mémoire	
Nº	**Fonction**
00h	Mode texte
01h	Format CGA, soit 2 ou 4 blocs de mémoire
02h	Format Hercules avec 4 blocs de mémoire
03h	Format normal EGA/VGA pour mode graphique 16 couleurs
04h	Format compacté avec deux points à 4 bits par octet
05h	Format normal EGA/VGA pour mode graphique 256 couleurs
06h-0Fh	Réservé
10h-FFh	Code spécifique au constructeur, actuellement inutilisé

Interruption 10h, Fonction 4Fh, Sous-fonction 02h   *VESA*
Activer le mode VESA

Cette fonction sert à activer un mode VESA.

Entrée :   AH = 4Fh
               AL = 02h
               BX = Numéro de code du mode souhaité

Sortie :   AL = 4Fh et
               AH = 00h : Fonction exécutée correctement

Remarques : Cette fonction ne doit être appelée que si la sous-fonction 00h s'est exécutée correctement et ainsi l'existence d'un driver VESA a pu être signalée. En outre, seuls les modes inclus dans la liste de la fonction 00h peuvent être initialisés.

Le bit 15 peut être mis dans le registre BX contenant le numéro de code du mode vidéo si la RAM vidéo ne doit pas être effacée pendant l'initialisation du mode vidéo.

VESA

Interruption 10h, Fonction 4Fh, Sous-fonction 03h
Obtenir le mode en cours

Cette fonction retourne le numéro de code du mode vidéo en cours et tient compte des modes non VESA.

Entrée : AH = 4Fh
             AL = 03h

Sortie : AL = 4Fh et
             AH = 00h : Fonction exécutée correctement, dans ce cas
             BX = Numéro de code du mode en cours

Remarques : Cette fonction ne doit être appelée que si la sous-fonction 00h s'est exécutée correctement et ainsi l'existence d'un driver VESA a pu être signalée.

VESA

Interruption 10h, Fonction 4Fh, Sous-fonction 04h/00h
Déterminer la taille du buffer de stockage

La taille du buffer de stockage nécessaire peut être obtenue à l'aide de cette fonction en vue d'un appel ultérieur de la sous-fonction 04h/01h.

Entrée : AH = 4Fh
             AL = 04h
             DL = 00h
             CX = Eléments de l'état vidéo à sauvegarder

Sortie : AL = 4Fh et
             AH = 00h : Fonction exécutée correctement, dans ce cas
             BX = Nombre des 64 blocs d'octets associés nécessaires en guise
                  de buffer de stockage

Remarques : Cette fonction doit être appelée avant la sous-fonction 04h/01h. La taille du buffer nécessaire à la sous-fonction 04h/01h peut ainsi être obtenue.

VESA

Interruption 10h, Fonction 4Fh, Sous-fonction 04h/01h
Sauver l'état vidéo de la carte Super VGA

Après un appel préalable de la sous-fonction 04h/00h, les informations souhaitées à propos des divers éléments de l'état vidéo sont stockées dans un buffer à l'aide de cette fonction.

Entrée : AH = 4Fh
             AL = 04h
             DL = 01h
             CX = Eléments de l'état vidéo à sauvegarder
             ES:BX = Pointeur FAR sur le buffer de stockage

Sortie : AL = 4Fh et
             AH = 00h : Fonction exécutée correctement

Remarques : Le buffer transmis doit indiquer la taille obtenue lors de l'appel préalable de la sous-fonction 04h/00h à travers le registre BX.
Lors de l'appel de la fonction, les différents bits du registre CX indiquent les éléments de l'état vidéo à stocker. Reportez-vous à ce propos à la sous-fonction 04h/00h.

Interruption 10h, Fonction 4Fh, Sous-fonction 04h/02h   *VESA*
Restaurer l'état vidéo de la carte Super VGA

Après avoir sauvegardé l'état vidéo avec la sous-fonction 04h/01h, vous pouvez le restaurer en appelant cette fonction.

Entrée :   AH = 4Fh
              AL = 04h
              DL = 01h
              CX = Eléments de l'état vidéo à restaurer
              ES:BX = Pointeur FAR sur l'adresse de segment du buffer de stockage

Sortie :   AL = 4Fh et
              AH = 00h : Fonction exécutée correctement

Remarques :   Le buffer transmis doit auparavant être chargé avec les informations sur l'état vidéo à travers un appel de la sous-fonction 04h/01h.
                  Lors de l'appel de la fonction, les différents bits du registre CX montrent les éléments de l'état vidéo à restaurer. Reportez-vous à ce propos à la sous-fonction 04h/00h.

Interruption 10h, Fonction 4Fh, Sous-fonction 05h/00h   *VESA*
Placer la fenêtre d'accès sur la RAM vidéo

Cette fonction sert à insérer une portion précise de la RAM vidéo dans l'une des deux fenêtres d'accès VESA pour qu'un programme puisse l'adresser.

Entrée :   AH = 4Fh
              AL = 05h
              BH = 00h
              BL = Fenêtre d'accès (0 ou 1)
              DX = Adresse de départ

Sortie :   AL = 4Fh et
              AH = 00h : Fonction exécutée correctement

Remarques :   Dans le registre DX, l'adresse de départ doit être considérée par rapport à la granularité de la fenêtre obtenue par l'appel de la sous-fonction 01h.
                  La seconde fenêtre d'accès ne doit être réclamée que si un appel préalable de la sous-fonction 00h confirme l'existence de deux fenêtres d'accès.

Interruption 10h, Fonction 4Fh, Sous-fonction 05h/01h   *VESA*
Déterminer la fenêtre d'accès sur la RAM vidéo

Cette fonction permet de déterminer l'état de la fenêtre d'accès sur la RAM vidéo de la carte Super VGA.

Entrée :   AH = 4Fh
                  AL = 05h
                  BH = 01h
                  BL = Fenêtre d'accès (0 ou 1)

Sortie :   AL = 4Fh et
                  AH = 00h : Fonction exécutée correctement, dans ce cas
                  DX = Adresse de départ

Remarques : L'adresse de départ située dans le registre DX doit être considérée par rapport à la granularité de la fenêtre obtenue par l'appel de la sous-fonction 01h.

E. Table des caractères ASCII

Décimal	Hexadécimal	Caractère		Décimal	Hexadécimal	Caractère		Décimal	Hexadécimal	Caractère		Décimal	Hexadécimal	Caractère
0	00			32	20			64	40	@		96	60	`
1	01	☺		33	21	!		65	41	A		97	61	a
2	02	☻		34	22	"		66	42	B		98	62	b
3	03	♥		35	23	#		67	43	C		99	63	c
4	04	♦		36	24	$		68	44	D		100	64	d
5	05	♣		37	25	%		69	45	E		101	65	e
6	06	♠		38	26	&		70	46	F		102	66	f
7	07	•		39	27	'		71	47	G		103	67	g
8	08	■		40	28	(		72	48	H		104	68	h
9	09	○		41	29	)		73	49	I		105	69	i
10	0A	◙		42	2A	*		74	4A	J		106	6A	j
11	0B	♂		43	2B	+		75	4B	K		107	6B	k
12	0C	♀		44	2C	,		76	4C	L		108	6C	l
13	0D	♪		45	2D	–		77	4D	M		109	6D	m
14	0E	♫		46	2E	.		78	4E	N		110	6E	n
15	0F	☼		47	2F	/		79	4F	O		111	6F	o
16	10	►		48	30	0		80	50	P		112	70	p
17	11	◄		49	31	1		81	51	Q		113	71	q
18	12	↕		50	32	2		82	52	R		114	72	r
19	13	‼		51	33	3		83	53	S		115	73	s
20	14	¶		52	34	4		84	54	T		116	74	t
21	15	§		53	35	5		85	55	U		117	75	u
22	16	▬		54	36	6		86	56	V		118	76	v
23	17	↨		55	37	7		87	57	W		119	77	w
24	18	↑		56	38	8		88	58	X		120	78	x
25	19	↓		57	39	9		89	59	Y		121	79	y
26	1A	→		58	3A	:		90	5A	Z		122	7A	z
27	1B	←		59	3B	;		91	5B	[		123	7B	{
28	1C	∟		60	3C	<		92	5C	\		124	7C	¦
29	1D	↔		61	3D	=		93	5D	]		125	7D	}
30	1E	▲		62	3E	>		94	5E	^		126	7E	~
31	1F	▼		63	3F	?		95	5F	_		127	7F	⌂

Décimal	Hexadécimal	Caractère	Décimal	Hexadécimal	Caractère	Décimal	Hexadécimal	Caractère	Décimal	Hexadécimal	Caractère
128	80	Ç	160	A0	á	192	C0	└	224	E0	α
129	81	ü	161	A1	í	193	C1	┴	225	E1	β
130	82	é	162	A2	ó	194	C2	┬	226	E2	Γ
131	83	â	163	A3	ú	195	C3	├	227	E3	π
132	84	ä	164	A4	ñ	196	C4	─	228	E4	Σ
133	85	à	165	A5	Ñ	197	C5	┼	229	E5	σ
134	86	å	166	A6	ª	198	C6	╞	230	E6	µ
135	87	ç	167	A7	º	199	C7	╟	231	E7	τ
136	88	ê	168	A8	¿	200	C8	╚	232	E8	Φ
137	89	ë	169	A9	⌐	201	C9	╔	233	E9	Θ
138	8A	è	170	AA	¬	202	CA	╩	234	EA	Ω
139	8B	ï	171	AB	½	203	CB	╦	235	EB	δ
140	8C	î	172	AC	¼	204	CC	╠	236	EC	∞
141	8D	ì	173	AD	¡	205	CD	═	237	ED	ø
142	8E	Ä	174	AE	«	206	CE	╬	238	EE	∈
143	8F	Å	175	AF	»	207	CF	╧	239	EF	∩
144	90	É	176	B0	░	208	D0	╨	240	F0	≡
145	91	æ	177	B1	▒	209	D1	╤	241	F1	±
146	92	Æ	178	B2	▓	210	D2	╥	242	F2	≥
147	93	ô	179	B3	│	211	D3	╙	243	F3	≤
148	94	ö	180	B4	┤	212	D4	╘	244	F4	∫
149	95	ò	181	B5	╡	213	D5	╒	245	F5	∫
150	96	û	182	B6	╢	214	D6	╓	246	F6	÷
151	97	ù	183	B7	╖	215	D7	╫	247	F7	≈
152	98	ÿ	184	B8	╕	216	D8	╪	248	F8	°
153	99	Ö	185	B9	╣	217	D9	┘	249	F9	•
154	9A	Ü	186	BA	║	218	DA	┌	250	FA	·
155	9B	¢	187	BB	╗	219	DB	█	251	FB	√
156	9C	£	188	BC	╝	220	DC	▄	252	FC	ⁿ
157	9D	¥	189	BD	╜	221	DD	▌	253	FD	²
158	9E	₧	190	BE	╛	222	DE	▐	254	FE	■
159	9F	ƒ	191	BF	┐	223	DF	▀	255	FF	

Index

C

D

E

F

G

H

M

N

O

P

S

T

U

V

W

Y

Z

Achevé d'imprimer sur les presses de l'imprimerie Maulde et Renou
Dépôt légal : Février 1997 - 045/97020092